W9-CDS-393

Hans-Ulrich Wehler

Deutsche Gesellschaftsgeschichte

Dritter Band

Hans-Ulrich Wehler

Deutsche Gesellschaftsgeschichte

Dritter Band

Von der «Deutschen Doppelrevolution» bis zum Beginn des Ersten Weltkrieges

1849–1914

Verlag C. H. Beck München

CIP-Kurztitelaufnahme der Deutschen Bibliothek

Wehler, Hans-Ulrich:
Deutsche Gesellschaftsgeschichte / Hans-Ulrich Wehler. –
München : Beck
ISBN 3-406-32490-8

Bd. 3. Von der «Deutschen Doppelrevolution»
bis zum Beginn des Ersten Weltkrieges : 1849–1914.–
1995
ISBN 3-406-32263-8

ISBN 3 406 32263 8 für diese Ausgabe
ISBN 3 406 32490 8 für die vierbändige Ausgabe

Satz: Fotosatz Otto Gutfreund GmbH, Darmstadt
Druck und Bindung: Parzeller, Fulda
Gedruckt auf säurefreiem,
aus chlorfrei gebleichtem Zellstoff hergestelltem Papier
Printed in Germany

Übersicht über das Gesamtwerk

Erster Band
Vom Feudalismus des Alten Reiches
bis zur Defensiven Modernisierung
der Reformära
1700–1815

Erster Teil:
Grundbedingungen deutscher Geschichte
im ausgehenden 18. Jahrhundert

Zweiter Teil:
Defensive Modernisierung
Die deutsche Reaktion auf die
Französische Revolution und Napoleon
1789–1815

Zweiter Band
Von der Reformära
bis zur industriellen und politischen
«Deutschen Doppelrevolution»
1815–1845/49

Dritter Teil:
Deutschland in der Epoche
vor seiner «Doppelrevolution»
1815–1845/49

Vierter Teil:
Die «Deutsche Doppelrevolution»
Erfolgreiche Industrielle Revolution
und gescheiterte politische Revolution
1845–1848/49

Übersicht über das Gesamtwerk

Dritter Band
Von der «Deutschen Doppelrevolution»
bis zum Beginn des Ersten Weltkriegs
1849–1914

Fünfter Teil:
Die zweite Phase der «Deutschen Doppelrevolution»
Die deutsche Industrielle Revolution –
Die politische Revolution
der Reichsgründung «von oben»
1849–1871/73

Sechster Teil:
Das Deutsche Kaiserreich
1871–1914

Vierter Band
Vom Beginn des Ersten Weltkriegs bis
zum Ende des 20. Jahrhunderts
1914–1990

Inhalt des Dritten Bandes

Fünfter Teil
Die zweite Phase der «Deutschen Doppelrevolution» Die deutsche Industrielle Revolution – Die politische Revolution der Reichsgründung «von oben» 1849–1871/73

Sechster Teil
Das Deutsche Kaiserreich
1871–1914

Anhang

Verzeichnis der Übersichten

Vorwort

Deutsche Gesellschaftsgeschichte – dieser Begriff charakterisiert den Versuch, unter neuartigen Gesichtspunkten eine Darstellung der neueren deutschen Geschichte mit einem weitgespannten Anspruch auf problemorientierte Analyse und Erklärung der Phänomene zu wagen. Mit Hilfe von vier Dimensionen oder «Achsen» der gesellschaftlichen Entwicklung: von Wirtschaft und Sozialstruktur, politischer Herrschaft und Kultur, soll der große Transformationsprozeß, der seit dem 18. Jahrhundert in Deutschland die spezifisch modernen Konstellationen geschaffen hat, in seinen Grundzügen erfaßt werden. Nachdem die beiden ersten Bände die Zeitspanne von 1700 bis 1849 behandelt haben, steht im vorliegenden dritten Band die Epoche zwischen 1849 und 1914 im Mittelpunkt.

Die Schlüsselkategorien dieses Unternehmens, die erkenntnisleitenden Interessen und die allgemeinen Vorüberlegungen, mit denen der Anschluß an das zeitgenössische Reflexionsniveau der Historiographie angestrebt wird, sind in der «Einleitung» zum ersten Band ausführlich erörtert worden (S. 6–30). An den grundsätzlichen Positionen hat sich in der Zwischenzeit nichts geändert, so daß eine allgemeine Einleitung zu diesem Band im Grunde nur den ziemlich langen Prolog zu Band I wiederholen müßte.

Ursprünglich hatte ich gehofft, den dritten Band der «Deutschen Gesellschaftsgeschichte» früher vorlegen zu können. Das erwies sich jedoch aus verschiedenen Gründen als schwieriger, als anfangs angenommen. Zum einen lag das an der Vielfalt der komplizierten und umstrittenen Probleme innerhalb eines großen Zeitraums, die hier aufzugreifen waren; zu jedem von ihnen gehört eine lebhafte Diskussion und eine mehr oder minder umfangreiche Forschungsliteratur. Zum andern lag das auch daran, daß ich mich an einer Reihe von Kontroversen beteiligt hatte und jetzt aus einer gewissen Distanz das Pro und Kontra der Argumente nach erneuter Lektüre noch einmal in Ruhe abwägen wollte. Dieser Vorgang hat dann auch nicht selten dazu geführt, daß ich manches ältere Urteil bereitwillig korrigiert habe, während ich andere weiterhin verteidige. Und schließlich haben die Aufgaben in unserer Bielefelder Fakultät: außer dem Lehrbetrieb und den gerade in dieser Zeit besonders zahlreichen Promotions- und Habilitationsverfahren vor allem die Mitarbeit im Sonderforschungsbereich «Sozialgeschichte des neuzeitlichen Bürgertums: Deutschland im internationalen Vergleich» und im Graduiertenkolleg «Soziale Schichten, Klassen und Eliten», die freie Zeit für die Fortführung dieses Projekts erheblich eingeschränkt. Dafür haben freilich zwei Forschungsfreisemester, die das Wissenschaftsministerium des Landes Nordrhein-Westfalen bewilligt hat, und ein Akademiestipendium der VW-Stiftung einen sehr willkommenen Ausgleich geschaffen. Beiden Institutionen danke ich dafür ebenso wie der Universität Bielefeld und der Fakultät für ihren stets bereitwillig gewährten Beistand.

Den Dank, den ich Freunden und Lehrern, stimulierenden Kolloquien und Arbeitskreisen schulde und im ersten Band im einzelnen ausgesprochen habe (S. 549), möchte ich, mit demselben Nachdruck, namentlich im Hinblick auf Jürgen Kocka und Hans Rosenberg († 1988), wiederholen. Jutta Wiegmann habe ich für ihre unermüdliche Hilfe beim Schreiben des Manuskripts und für ihren geduldigen Umgang mit den Höllenmaschinen des Computerzeitalters zu danken. Von den wissenschaftlichen und studentischen Mitarbeitern haben Cornelius Torp M. A., dessen selbständiges Urteil und wachsames Auge dem gesamten Text mehrfach zugute gekommen sind, Claus Kröger und Bernd Holtwick M. A. immer wieder viele Stunden für die prüfende Lektüre geopfert; sie haben auch beim Korrekturlesen und bei der Anfertigung der Register geholfen. Dafür, vor allem aber für ihre kritischen Einwände und ihre Geduld während des strapaziösen Unternehmens bin ich ihnen allen sehr dankbar.

Im Verlag hat Ernst-Peter Wieckenberg erneut das Manuskript so gründlich gelesen und kommentiert, daß ich ihm, nunmehr zum sechsten Mal, für seine mühevolle Arbeit herzlich danken möchte.

Auch dieser Band ist, wie das Werk überhaupt, meiner Frau gewidmet, «for all the reasons» – nicht zuletzt auch deshalb, weil es wiederum eine unerwartet lange Zeit auf ihre Kosten beansprucht hat.

Fünfter Teil

Die zweite Phase der «Deutschen Doppelrevolution» Die deutsche Industrielle Revolution – Die politische Revolution der Reichsgründung «von oben» 1849–1871/73

Seit dem Ausgang des 18. Jahrhunderts haben sich die englische Industrielle Revolution und die französische politische Revolution zu jener «Doppelrevolution» verschwistert, deren beispiellose Dynamik fortab zuerst die europäische Welt, dann den Globus insgesamt von Grund auf umgestaltet hat. Während sich in Westeuropa diese beiden Bewegungsmächte in zwei durchaus unterschiedlichen Staaten, zudem mit einer folgenschweren Phasenverschiebung der Wirkungen, herausbildeten, besteht eine unverwechselbare Eigentümlichkeit der deutschen Geschichte seit dem späten Vormärz darin, daß sich diese beiden Modernisierungsprozesse während einer außergewöhnlich kurzen Zeit in wichtigen Ländern überschnitten. Dadurch wurde eine Vielzahl von ohnehin beschleunigten Entwicklungen in einen spannungsreichen Transformationsprozeß hineingepreßt, der rund dreißig Jahre lang, von 1845 bis 1873, andauerte. Mit anderen Worten: Innerhalb dieser Umwälzungsära erlebten die Zeitgenossen nicht nur den Durchbruch der deutschen Industriellen Revolution und die tiefe institutionelle Verankerung des Industriesystems, wie die schmerzhafte Bewährungsprobe nach der Weltwirtschaftskrise von 1873 beweisen sollte. Sie erlebten vielmehr gleichzeitig auch die politische Revolution von 1848/49 und zwischen 1866 und 1871 eine zweite, die andersartige politische Revolution einer neuen Staatsbildung, an deren Ende das großpreußisch-kleindeutsche Reich stand. Jeder dieser Problemkomplexe für sich genommen war schon mit ungeahnten Schwierigkeiten und Belastungen verbunden. Außerdem blieb im Erfahrungshorizont jener Jahre die Zukunft, in welche das neuartige Experiment des Industrialismus und die riskante Politik einer Nationalstaatsgründung hineinführten, mit dem Schleier eines ungewissen Ausgangs dicht verhangen.

Zusammengeballt in die Spanne einer Generation ging aus dieser Überlappung komplizierter Entwicklungsprobleme eine ganz außerordentlich krisenreiche Epoche hervor. Der deutsche Industriekapitalismus tat einen Riesenschritt nach vorn. Die marktbedingten Klassen schoben sich als dominierende Sozialformationen in den Vordergrund. In Mitteleuropa entstand ein neuer nationaler Machtstaat mit einer von Anbeginn an halbhegemonialen Stellung. Überall waren die deutsche Wirtschaft, die deutsche Gesellschaft, die deutsche Politik im Aufbruch zu neuen Ufern. Mitten in dieser Epoche urteilte ein liberaler Publizist: «Eine so vollständige Umwandlung aller äußeren Lebensverhältnisse, wie sie innerhalb der letzten dreißig Jahre ... stattgefunden» habe, «tritt uns in ähnlicher Weise in keinem

Zeitraum der Geschichte wieder entgegen; eine solch weite Kluft hat sich», faßte er seinen Eindruck von einer Zeitenwende zusammen, «in der ganzen Entwicklungsfolge der Menschheit noch nie zwischen Großvater und Enkel aufgetan.»

Blickt man auf die Zäsur von 1871/73, erkennt man, daß die deutsche Doppelrevolution ihre Ziele erreicht hatte. Der Industriekapitalismus war nach dem revolutionären Akt seiner Durchsetzung fest etabliert. Das neue Deutsche Reich von 1871 bot der Mehrheit der Deutschsprechenden den lang erstrebten Nationalstaat – und einen Verfassungsstaat zugleich, dessen eigentümliche Natur noch zu erklären ist. Trotz der Erfolge eines konservativen Ausnahmepolitikers wie Bismarck, dem im Verein mit der preußischen Militärmacht in drei Hegemonialkriegen das Vabanquespiel einer neuen «Revolution von oben» geglückt war, galt dieser Staat der liberalen Bewegung als politisch modernisierungsfähig. Der ungehemmten Entfaltung der Industrie und des Agrarkapitalismus bot er einen neuartigen Großmarkt, unübersehbare Kapitalressourcen, binnen kurzem jede nur denkbare rechtliche Förderung.

Die erste Phase der deutschen Doppelrevolution ist in Band II (Teil 4) bereits ausführlich geschildert worden. Dieser Auftakt von 1845 bis 1849 ist gekennzeichnet durch einen stürmischen Aufbruch und nach kurzem Hochgefühl durch einen enttäuschenden, ja deprimierenden Abbruch. Die Wachstumskräfte der Industriellen Revolution, deren Herzstück in den entwicklungsfähigen deutschen Ländern die Verkehrsrevolution des Eisenbahnbaus bildete, erlahmten nach einer ersten aufschäumenden Hochkonjunktur bereits im Winter 1847 auf 1848. Der immense Investitionsboom bis dahin bildete jedoch, wie sich bald herausstellte, wortwörtlich das Fundament für den neuen Aufschwung seit dem Beginn der fünfziger Jahre. Er bestätigte, daß die junge deutsche Industriewirtschaft in die entscheidende Phase des «großen Spurts», des «Take-Off», des «Big Push» unwiderruflich eingetreten war.

Der erste Anlauf zu einer politischen Revolution, deren Zielvision der liberale, ja demokratische, gesamtdeutsche National- und Verfassungsstaat verkörperte, war 1848/49 frühzeitig gescheitert. Dieses Urteil trifft freilich nur dann zu, wenn man den Revolutionsverlauf an den Maximalzielen der Akteure mißt. Trotz der Niederlage hatte jedoch die revolutionäre Erhebung wichtige Erfolge erzielt, die schon (in Teil 4) charakterisiert worden sind. Wie hätte es zum Beispiel ohne die Revolution so bald zum Sieg des Verfassungsstaats in Preußen und Österreich, zum Abschluß der Agrarreformen, zu moderner Sozialpolitik, zu Strafrechtsreformen kommen können?

Unstrittig ist trotz alledem, daß die Revolution mit einer ihrer vorrangigen Aufgaben: der Gründung eines konstitutionellen, liberalen Nationalstaats, in der Tat gescheitert war. Der zweite Anlauf dauerte länger. Aber zwischen 1864 und 1871 gelang es der Berliner Politik unter Bismarck, der die Doppelstrategie von kriegerischer Entscheidung und Kooperation mit der liberalen Nationalbewegung verfolgte, einen deutschen Nationalstaat unter preußischer Hegemonie zu gründen. Dabei hat Bismarck den ökonomischen Vorsprung Preußens: im Zollverein, in der Industrialisierung, im wirtschaftlichen Wachstum überhaupt, zielstrebig ausgenutzt. Schon früh hatte der junge Abgeordnete seine Überzeugung formuliert: «Wir leben in der Zeit der materiellen Interessen.» In der Folgezeit verstand er es, sie politisch zu nutzen. Das Resultat stellte allerdings weit mehr dar als einen erweiterten, politisch zentralisierten Zollverein. Dieses Reich besaß vielmehr militärisch, politisch, ökonomisch von Anfang an das Potential einer Großmacht. Ungleich stärker als mit der italienischen Nationalstaatsbildung kurz zuvor war daher mit seiner Existenz eine qualitative Veränderung des europäischen Staatensystems verbunden. Sie hatte der Parteiführer der englischen Tories, Benjamin Disraeli, im Auge, als er die im Krieg vollendete Reichsgründung «die deutsche Revolution» nannte. Und diesem Urteil über die Tatsache, daß 1871 ein neuer Hegemonialstaat mitten in Europa entstanden war, läßt sich die Berechtigung, so dramatisch die Worte auch klingen mögen, kaum absprechen.[1]

In diesem Band rückt zunächst die zweite Phase der deutschen industriellen und politischen Doppelrevolution von 1849 bis 1871/73 in den Mittelpunkt. Darstellung und Analyse folgen dem Strukturierungsschema der ersten beiden Bände. Deshalb steht die Geschichte der Bevölkerung an erster Stelle, da sie «die Grundlage und das Subjekt des ganzen gesellschaftlichen Produktionsakts ist» (Marx). Nicht nur hielt die rapide Entwicklung des vorhergehenden Jahrhunderts weiter an. Jetzt endlich begann auch in den deutschen Staaten die Inkubationsphase der Urbanisierung. Damit kündigte ein Modernisierungsschub seine Durchsetzungskraft an, der auf längere Sicht die Lebenschancen und die Lebensrisiken der Mehrheit, ihren Lebensstil, aber auch das Gesamtgefüge der Gesellschaft grundlegend verändern sollte.

I.
Die Bevölkerungsentwicklung

Spätestens seit den 1740er Jahren stieg die dritte große Welle der europäischen Bevölkerungsexpansion auch in den deutschen Staaten an. Seither vermehrte sich in den wachstumsintensiven Regionen im Grunde innerhalb verblüffend weniger Jahrzehnte die Einwohnerzahl um achtzig, ja hundert Prozent. Dieses unvorhersehbare Wachstum der Menschenzahl stellte der intensivierten Land- und Gewerbewirtschaft ein kontinuierlich wachsendes Arbeitskräftepotential, das wiederum deren Ausdehnung ermöglichte, zur Verfügung. Aber seit der Mitte der 1830er Jahre war die Aufnahmefähigkeit des primären und sekundären Sektors erschöpft. Die gefährliche Gesellschaftskrise des Pauperismus verriet untrüglich, daß die Politik überfordert, die Wirtschaft überfüllt, das Gefüge der sozialen Institutionen bis zum Zerreißen überdehnt war. Furcht und Schrecken begleiteten die anhaltende Menschenflut und das ihr folgende neuartige Massenelend, das überdies wegen der Erfahrung mit den Revolutionen von 1789 und 1830 in der geschärften, tief pessimistischen Wahrnehmung der Zeitgenossen noch bedrohlicher erschien. In den verbreiteten sozialen Protestaktionen der vierziger Jahre, in der Hungerkrise von 1846/47 und in der «sozialen Revolution» von 1848/49 hatten der Widerstand gegen die überwältigende Armut und der Drang nach verbesserten Lebensumständen dramatisch Ausdruck gefunden. Gleichzeitig kündigte sich im Aufstieg der Industrie, freilich nur für scharfsichtige sachkundige Beobachter so frühzeitig erkennbar, die Lösung des Problems durch ein wahrhaft revolutionäres Wirtschaftssystem an. Und auch in der Bevölkerungsbewegung selber zeichnete sich in eben dieser Zeit der Übergang zu einer neuen Kombination der entscheidenden demographischen Faktoren ab. In den beiden Jahrzehnten nach der Jahrhundertmitte hat sie sich weiter klar ausgebildet, bis sich um 1873 die andersartige Strukturordnung durchgesetzt hatte.[1]

1. Das Bevölkerungswachstum

Legt man das Gliederungsschema des «Demographischen Übergangs» der Interpretation der Bevölkerungsexpansion seit dem 18. Jahrhundert zugrunde, wird mit diesem Schlüsselbegriff zuerst einmal ganz allgemein jener langgestreckte Veränderungsprozeß erfaßt, der von einer Bevölkerungsweise mit hoher Fertilität und hoher Mortalität zu einer neuen Lage mit niedrigen Geburten- und Sterberaten führt. Auch im Hinblick auf die deutschen

Länder läßt sich dieser «Demographische Übergang» in vier Phasen genauer unterteilen.

Während der ersten Phase herrschte ein Gleichstand von hoher Geburtlichkeit und Sterblichkeit, der sich rund hundert Jahre statistisch verfolgen läßt, bis seit der Mitte der 1830er Jahre eine sacht sinkende Mortalität einsetzte. Diese Tendenz verfestigte sich. Zwar blieb auch nach der Jahrhundertmitte die Kindersterblichkeit bei Lebendgeborenen weiterhin erschrekkend hoch: In Preußen lag sie von 1851 bis 1860 bei 19.7 Prozent, von 1861 bis 1870 bei 22.1 Prozent; in Sachsen in denselben Jahrzehnten bei 25.5 und 26.7 Prozent, in Bayern sogar bei 31.1 und 32.7 Prozent. Aber die Mortalität ging vor allem altersspezifisch in bestimmten Jugendkohorten, etwa derjenigen der Zehn- bis Vierzehnjährigen, deutlich zurück. Deshalb stieg in relativ kurzer Zeit der Anteil der aktiven Altersgruppen, insbesondere der Zwanzig- bis Vierzigjährigen, bei denen die typischen regionalen Variationen gerade nicht so ausgeprägt auftraten, mittelfristig auch derjenigen der Fünfzehn- bis Sechzigjährigen, spürbar an. Damit aber wuchs ein Arbeitskräftepotential in die Breite, auf das sich die Industrielle Revolution und der Agrarkapitalismus stützen konnten.

Andere wichtige demographische Variablen blieben derweilen konstant. Das Heiratsalter der Frauen etwa, das über die eheliche Fertilitätsdauer wesentlich mitentscheidet, schwankte bis in die 1890er Jahre hinein zwischen 25.1 und 28.8 Jahren. Damit entsprach es weiter dem einmaligen «europäischen Heiratsmuster» (Hajnal) des vergleichsweise extrem späten Eheschlusses. Insgesamt hielt in dieser ersten Phase das erstaunliche Wachstum an, weil unverändert viele Menschen geboren wurden – der Geburtenüberschuß lag auch gegen Ende bei zehn Prozent p. a. –, zunehmend mehr jedoch, weil viele Menschen länger lebten als je zuvor.

Die zweite Phase des «Demographischen Übergangs» ist durch gleichbleibende Fertilität, aber sinkende Mortalität charakterisiert. Eben sie trat bis zum Beginn der siebziger Jahre immer deutlicher hervor. Um 1872/73 erfolgte der Übergang zur zweiten Phase mit seiner neuen Bevölkerungsweise. Sie hielt bis ca. 1900/1901 an. Die Sterblichkeit fiel jetzt von achtundzwanzig Prozent vorher auf einundzwanzig Prozent; der Geburtenüberschuß stabilisierte sich bei sechsunddreißig bis siebenunddreißig Prozent. Die durchschnittliche Lebenserwartung, die um 1871 erst siebenunddreißig Jahre (bei Männern 35.6, bei Frauen 38.5) betrug, stieg bis 1901 immerhin auf siebenundvierzig Jahre (44.8, 48.3) an. – Um einen Blick vorauszuwerfen: Die dritte Phase von ca. 1902 bis 1930 ist durch sinkende Fertilität und Mortalität gekennzeichnet; die vierte Phase seit 1930 durch einen sich auf niedrigem Niveau haltenden Gleichstand beider Faktoren.[2]

Die beiden Jahrzehnte, in denen die deutsche Doppelrevolution bis 1871/73 ihr Ende erreichte, bilden mithin eine Art bevölkerungsgeschichtlicher Brücke von der ersten zur zweiten Phase des «Demographischen Übergangs». Konkret heißt das: Die Konstanz des bisher vorherrschenden hohen Bevölkerungswachstums blieb erhalten. Das verdeutlicht der Blick auf Übersicht 47:

Übersicht 47: Wachstum der Bevölkerung in Preußen, Bayern, Sachsen, Württemberg, Baden und innerhalb der Grenzen des Deutschen Reiches von 1871. (1850–1870 in Mill.)

	1850	1860	1870	
Preußen	16.608	18.265	24.568	1866: 19.502 1867: 23.971
1. Ostpreußen	1.486	1.645	1.2810	
2. Westpreußen	1.044	1.163	1.302	
3. Posen	1.373	1.453	1.571	
4. Schlesien	3.102	3.339	3.680	
5. Sachsen	1.792	1.947	2.099	
6. Pommern	1.221	1.362	1.438	
7. Brandenburg (ohne Berlin)	1.737	1.916	2.034	
8. Westfalen	1.483	1.596	1.760	
9. Rheinland	2.847	3.171	3.560	
10. Berlin	0.427	0.487	0.786	1876: 1 Mill.
Bayern	4.531	4.657	4.852	
Sachsen	1.913	2.177	2.509	
Württemberg	1.745	1.708	1.806	
Baden	1.362	1.353	1.452	
Deutsches Reich (ohne Elsaß-Lothringen)	33.746	36.049	39.231	1871: 41.028

Die Einwohnerzahl des preußischen Staates vermehrte sich in jenen zwanzig Jahren von 16.608 auf 24.568 Millionen. Das war ein extraordinärer Zuwachs von 7.96 Millionen, von gut fünfundvierzig Prozent. Zu mehr als der Hälfte ist er jedoch auf die Annexionen von 1866 zurückzuführen, die Preußen 4.47 Millionen neue Bürger einbrachten. Ohne diesen erzwungenen Gewinn hätte das Land jedoch immer noch einen Zuwachs von rund 3.5 Millionen bzw. fünfundzwanzig Prozent verzeichnen können. Auch das bleibt ein stürmisches Wachstum in nur zwei Dekaden. Vor dem Bürgerkrieg von 1866 übertraf der preußische Anteil an der deutschsprachigen Einwohnerschaft des Deutschen Bundes den österreichischen bereits um 2.7 Millionen, den aller größeren Mittelstaaten um 2.5 Millionen. 1870 überholte Preußen bereits die Bevölkerung Großbritanniens (ohne Irland). 1871 stellte es gut sechzig Prozent der Reichsbevölkerung.

Berlin behielt in dieser Zeitspanne sein rasantes Wachstum bei. Die preußische Hauptstadt hatte seit 1850 fünfundachtzig Prozent hinzugewonnen, als sie 1870 = 786000 Einwohner zählte; bereits 1876 überschritt sie die Millionengrenze. Von den acht Provinzen gewann das Rheinland am meisten hinzu, gefolgt von Schlesien, Sachsen und Westfalen; zusammen kamen die beiden industriell fortgeschrittenen Westprovinzen auf einen Zuwachs von nahezu einer Million (990000).

Der preußische Bevölkerungsanstieg wurde freilich erneut von dem Spitzenwachstum des Königreichs Sachsen übertroffen, das vierunddreißig Prozent hinzugewann. Dagegen behielten die süddeutschen Mittelstaaten ihr bereits bekanntes relativ langsames Wachstum bei: Bayern und Baden um sieben Prozent, Württemberg erreichte nur vier Prozent. Zum Vergleich: Von der Reichsbevölkerung lebten 1871 11.8 Prozent in Bayern, 6.2 Prozent in Sachsen.[3]

Außer der Kontinuität der dynamischen Bevölkerungsexpansion fällt in diese Zeit ein folgenreicher Richtungswechsel der Binnenwanderung zwischen den deutschen Regionen. Die seit langem klar ausgeprägte geographische bzw. horizontale Mobilität hatte bis zur Jahrhundertmitte in erster Linie aus einer Bewegung von Westen nach Osten bestanden. Seither erfolgte ein Trendwandel: Der langlebige Prozeß der Ost-West-Wanderung setzte in den frühen fünfziger Jahren ein. Prüft man die Bilanz der Zu- und Abwanderung zwischen 1852 und 1871, erkennt man, daß die Regionen mit der höchsten Einwohnerdichte ihren Zugewinn nicht nur der anhaltenden Vermehrung der ansässigen Bevölkerung, sondern auch dem Zustrom mobiler Arbeitskräfte zu verdanken hatten. An der Spitze lagen Rheinpreußen und Westfalen mit einem Gewinn von einunddreißig Prozent, den ebenfalls Sachsen dank dem Anschwellen der sogenannten «Sachsengängerei» erreichte. Das war eindeutig ein Ergebnis des Sogs, der von den attraktiven Industrierevieren ausging. Insofern kann es nicht überraschen, daß Nordwestdeutschland auf einen Saldo von sechzehn Prozent, Bayern auf neun Prozent, Südwestdeutschland auf nur sechs Prozent kamen. Wenn Ostelbien ohne Berlin noch immer einen Zuwachs von achtundzwanzig Prozent erreichte, weist diese Tatsache einmal auf den Übergangscharakter dieser Jahrzehnte hin. Zum zweiten zog eine Vielzahl florierender Städte – wie Magdeburg, Breslau, Königsberg, Danzig, Stettin usw. – unentwegt Menschen an. Aufs Ganze gesehen kann aber kein Zweifel daran aufkommen, daß in dieser Schlußspanne der ersten Phase des «Demographischen Übergangs» die Ströme der Binnenwanderung eindeutig in eine Westbewegung übergingen. Diese Grundtendenz ist durch die Urbanisierung, wie gleich gezeigt wird, kraftvoll unterstützt worden.[4]

Ist die anschwellende Binnenwanderung bereits ein Indiz für die mühselige Suche nach besseren Lebenschancen in der deutschen Staatenwelt, enthüllt die deutsche Auswanderung nach Übersee erst recht den Wunsch, sich unter aussichtsreicheren Bedingungen eine neue Existenz aufzubauen. Zugleich verringerte der Menschenexport die sozialen Belastungen, die das anhaltende Bevölkerungswachstum anhäufte. Arbeitslosigkeit, Unterbeschäftigung, Pauperismus, Klassenspannungen – sie alle wären wahrscheinlich weiter verschärft worden, wenn zwischen 1850 und 1870 nicht zwei

Millionen Auswanderer den Deutschen Bund verlassen hätten. Sie suchten fast vollständig in den Vereinigten Staaten eine neue Heimat. Nach dem politisch motivierten Exodus der Achtundvierziger erreichte die Zahl der Emigranten, deren Triebfeder die «soziale Not» war, bereits 1854 mit fast 240000 Menschen einen Gipfel. Wegen des amerikanischen Bürgerkriegs sank ihre Anzahl in den drei Jahren von 1861 bis 1863 auf 167000 ab, schnellte aber, sobald sich der Sieg des Nordens über die Sklavereistaaten abzeichnete, wieder in die Höhe. Rund vierzig Prozent der Auswanderer – vor allem handelte es sich um die Familienauswanderung selbständiger Kleinbauern und Handwerker – kamen aus Nordostdeutschland; nur mehr fünfundzwanzig Prozent aus Süddeutschland, dazu fünfzehn Prozent aus Nordwestdeutschland, während allein der Südwesten bis 1848 dreißig Prozent gestellt hatte.

Bremen und Hamburg gewannen jetzt ihren Vorrang als Häfen der transatlantischen Auswanderung. Bremen konnte dank der frühen Eisenbahnverbindung mit Köln und Leipzig den ersten Platz erobern. Der Auswanderertransport wurde zu einem lukrativen Geschäft, zumal die Rückfracht an Rohstoffen und Nahrungsmitteln für eine volle Auslastung der Ladekapazität sorgte. Deshalb begann jetzt der Aufstieg sowohl des 1857 in Bremen gegründeten «Norddeutschen Lloyd» als auch der bereits seit 1847 bestehenden HAPAG, der «Hamburg-Amerika-Packetfahrt-Actien-Gesellschaft». Binnen weniger Jahrzehnte sollten sie zu den größten Schiffahrtslinien der Welt gehören.[5]

Ob nun die Auswanderung tatsächlich als Sicherheitsventil gewirkt hat, wofür gute Gründe sprechen, oder ob diese Entlastung, die empirisch ja schwer zu messen ist, von Historikern im nachhinein überschätzt wird – unbestritten ist, daß in den zweieinhalb Jahrzehnten zwischen 1848 und 1873 die Bevölkerungsexpansion in ungebrochenem Tempo weiter anhielt. Daß sich in derselben Zeit mit der Hochkonjunkturperiode der deutschen Industriellen Revolution die unter den Bedingungen der Epoche einzig mögliche dauerhafte Entlastung ankündigte, drang erst allmählich in das allgemeine Bewußtsein ein.

Vorerst rückt eine auffällige Folge der Bevölkerungsbewegung in den Vordergrund: die deutsche Urbanisierung, die in den Jahren nach der achtundvierziger Revolution in eine Phase komprimierter Entwicklung eintrat, ehe sie sich mit Wucht als jahrzehntelang irreversibler Prozeß durchsetzte.

2. *Die Inkubationsphase der Urbanisierung*

Die Geschichte des Städtewesens reicht auch im westlichen Kulturkreis Jahrtausende zurück. Der hochspezifische Typus der okzidentalen Stadt stieg jedoch erst seit dem 11. Jahrhundert – 1000 AD ist eine Art gemeineuropäische Wendemarke der Städteentwicklung – auch im später deutschsprachigen Mitteleuropa empor. Diese weithin autonomen, von selbstbewußten Bürgerkorporationen geleiteten Städte wuchsen als ökonomische und kulturelle Zentren, als «zentrale Orte» ihres Umlands, als Glieder eines durch Handels- und Kommunikationswege verknüpften städtischen Netzwerks, ja als mächtige Stadtrepubliken im Mittelalter und in der Frühen Neuzeit weiter (vgl. Bd. I, Teil 1, III.4). Im allgemeinen geschah das aber keineswegs in einem spektakulären Ausmaß, wenn man von der Sonderrolle der großen europäischen Haupt- und Handelsstädte absieht, wie sie London, Paris, Neapel, Lissabon, Amsterdam, Rom, Venedig, Berlin, Wien u. a. verkörperten.

Im 18. Jahrhundert und auch noch in der ersten Hälfte des 19. Jahrhunderts verliefen das allgemeine Wachstum der deutschsprachigen Bevölkerung einerseits und das ihrer Stadtbewohner andrerseits ungefähr parallel, wobei die kleinen Städte gewöhnlich sogar schneller als die großen an Einwohnern zunahmen. In Preußen zum Beispiel kletterte die Gesamtbevölkerung von 1815 bis 1840 jährlich um 1.55 Prozent, die Zahl der Stadtbewohner um 1.49 Prozent hoch; ihr Anteil betrug anfangs 27.9 Prozent, fünfundzwanzig Jahre später 27.2 Prozent aller Preußen. Er erlebte mithin trotz einer unablässig ansteigenden absoluten Bevölkerungsdichte eine relative Stagnation. Noch nahm das flache Land den größten Teil des Zuwachses auf. Außergewöhnlich expandierende Städte wie Magdeburg und Berlin, Breslau und Barmen bildeten eine klare Ausnahme. Zu dieser Zeit war die demographische Revolution noch immer nicht mit einer drastischen Expansion der Verstädterung und der städtischen Population verbunden. Das stellte beileibe keinen Sonderfall dar: In ganz Europa kann vor 1850 keine einzige Staatsgesellschaft als urbanisiert gelten!

Seither setzte jedoch auch in vielen deutschen Staaten sowohl ein neuartiger Prozeß beschleunigter Verstädterung – des Wachstums, der Umwandlung, der Neugründung von Städten – als auch ein rapider Anstieg der städtischen Bevölkerung ein. Damit begann nach einer längeren, erst um die Jahrhundertmitte endenden «Latenzphase» der bis in die Gegenwart anhaltende Prozeß der Urbanisierung. Dieser Sammelbegriff soll hier nicht nur als quantitatives Wachstum in dem Sinne begriffen werden, daß die Gesamtheit aller Städte und ihrer Einwohner ungleich schneller zunahm als die Gesamtbewegung der Bevölkerung, bis ihre große Mehrheit aufgrund des Anstiegs dieser sogenannten Verstädterungsquote in Städten lebte und dort dauerhaft wohnen blieb. Vielmehr wird unter Urbanisierung auch ein umfassender qualitativer Wandel des Lebensstils der Stadtmenschen verstanden: eine grundlegende Veränderung ihrer Lebenschancen und Lebensrisiken, ihrer Arbeit und Freizeit, ihrer Kommunikations- und Erfahrungswelt, ihrer politischen Partizipation und ihres Umgangs mit den Massenmedien, ihrer Zeiteinteilung und nicht zuletzt ihrer Sprache. Wird Urbanisierung so definiert, vereinigen sich in ihr, wie noch zu analysieren ist, mehrere neuzeitliche Evolutionskräfte zu einem Modernisierungsprozeß mit extrem hoher Durchsetzungsfähigkeit.[6]

Die vier wichtigsten Voraussetzungen dieser erfolgreichen Urbanisierung, die sich von älteren Wellen der Städteausbreitung – etwa in der griechischen Antike oder im Hochmittelalter – prinzipiell unterscheidet, sind schnell genannt.

1. Das Bevölkerungswachstum während der dritten langen Welle der demographischen Expansion Europas hielt an. Es überforderte schließlich die Aufnahmefähigkeit der Agrargesellschaft und -wirtschaft.

2. Die Industrialisierung übte in der Trendperiode ihres revolutionären Durchbruchs einen mächtigen Sog aus. Vielerorts fungierte sie als der neue «Städtegründer». Sie ermöglichte damit zugleich das Ausweichen vor dem ländlichen Bevölkerungsüberdruck.

3. Als aufgrund der Macht dieser beiden Basisprozesse zahlreiche überkommene Schranken gegen die geographische, zum Teil auch gegen die soziale Mobilität abgebaut wurden, konnte sich eine neuartige Mobilisierung der Menschen durchsetzen: Sie drückte sich in der anschwellenden Binnenwanderung, in der zunehmenden Umzugsbereitschaft in der Stadt selber, in dem Kampf um den dort winkenden gesellschaftlichen Aufstieg unübersehbar aus.

4. Derselben «Herausforderung» folgte die rechtliche und politische «Antwort», die aus der geschlossenen, ständisch gegliederten alten Stadt mit dem Kern der privilegierten Vollbürgerschaft und einer Mehrheit meist rechtloser, nur geduldeter Bewohner über mehrere Etappen hinweg die neue, offene, schließlich primär statistisch definierte Stadtgemeinde rechtlich gleichgestellter Einwohner, mit andern Worten: eine spezifische Gebietskörperschaft für eine Großzahl beliebiger Staatsbürger machte.

Vergegenwärtigt man sich diese Antriebskräfte und Bedingungen, versteht man besser die wesentlichen gemeinsamen Charakteristika des deutschen Urbanisierungsprozesses, wobei es sich übrigens öfters um allgemeine Kennzeichen der westlichen Verstädterung überhaupt handelte.

1. Die Expansion des Städtewesens verlief, idealtypisch zugespitzt, in fünf verschiedenen strukturellen Formen. Die Suche nach Monokausalität führt wie stets in die Irre. Hier läßt sich eine einzige Form der Ausbreitung feststellen, dort überschnitten sich drei oder sogar vier Formen.

- Städte vergrößerten sich durch das Wachstum der innerstädtischen Bevölkerung, wobei der Schwerpunkt eindeutig auf dem expansiven generativen Verhalten der Unterschichten sowie der kleinbürgerlichen Mittelklassen lag.
- Sobald es rechtlich möglich war, setzte eine kontinuierliche Nah- und Fernzuwanderung aus anderen Städten, vor allem aber aus dem – wie es vor allem im Zeichen des Pauperismus schien – unerschöpflichen Reservoir der Landbevölkerung ein.

- Vergrößert wurden Städte auch durch die Eingemeindung von Vororten oder unmittelbar benachbarten größeren Siedlungsgebieten. Insbesondere die eigentliche Großstadt erwies sich auf diesem Gebiet als wahrer Moloch.
- Bisher nichtstädtische größere Siedlungen wurden rechtlich zu Städten aufgewertet. Ein klassisches Beispiel bilden die Industriedörfer, in denen Unternehmen der strategischen Wachstumsbranchen eine solche Anziehungskraft ausübten, daß sie in «amerikanischem» Tempo in die statistische Dimension einer Stadt hineinwuchsen.
- Schließlich kam es weiterhin, wie seit jeher im Städtewesen, zu Neugründungen. Bahnhöfe der Eisenbahnlinien in der Nähe günstiger Industriestandorte konnten, wie das Beispiel Oberhausens zeigt, ebenso den Ausschlag geben wie industrielle Konzentrationsbewegungen in Siemensstadt oder Borsigwalde.

In jedem Fall kam es bereits auf kürzere, sonst aber auf längere Sicht zu einer graduellen Anpassung an die quantitativen und qualitativen Veränderungen, letztlich zu einer Transformation in die moderne, urbanisierte Einwohnergemeinde. An vielen alten Städten kann diese Verwandlung anschaulich verfolgt werden: Die Festungsmauern wurden beseitigt, die Ausfallstraßen bebaut, die Gewerbeanlagen mit Arbeiterquartieren an den Stadtrand gelegt. Bahnhöfe, meist an der Peripherie gelegen, bildeten einen neuen Kristallisationskern. Mit dem Übergang zur Flächengemeinde einschließlich der früheren Ex- und Enklaven wurde eine Vorbedingung für die Besiedlung der städtischen Feldmark geschaffen. Auf ihr konnte sich die private Bodenspekulation ungehemmt entfalten, aber auch die äußere Erweiterung ungeahnt schnell vorantreiben. Gleichzeitig gab es gewöhnlich eine innere Erweiterung durch die Verdichtung der Einwohnerschaft und die Aufsiedlung freier Grundstücke.

Bei dem Aufstieg von Dörfern in den Stadtstatus oder bei den Neugründungen stellten sich andere Probleme. Hier brach oft eine dichte Besiedlung überstürzt aus, während die Zentralisierung wesentlicher Stadtfunktionen noch gar nicht oder nur schwach ausgebildet war. Aus solchen amorphen, erst quasistädtischen Siedlungen, sogenannten «Konurbationen» (Geddes), gingen jedoch nach mühsamen Aufbauleistungen ebenfalls voll ausgebildete Städte mit den typischen Merkmalen einer urbanisierten Lebenswelt hervor.

2. Unstreitig ist die Umwandlung der alten Stadt, deren Mittelpunkt die Vollbürgerkorporation bildete, in die gebietskörperschaftliche Einwohnergemeinde eine entscheidende rechtliche und politische Voraussetzung für die Zuwanderung und die Niederlassung, für das ungehinderte Wachstum in jeder Richtung, für die Kommunalpolitik und -verwaltung, kurzum: für eine zügige Urbanisierung gewesen. Diese Entscheidung ist vorn bereits erwähnt worden, verdient aber eine genauere Erörterung.

Zuerst ein kurzer Rückblick: In Preußen hatte der Absolutismus den Anspruch auf korporative Autonomie der Vollbürger gebrochen. Das ständische Gefälle zwischen privilegierten Stadtbürgern und Hintersassen blieb unter der Kuratel staatlicher Steuerräte jedoch weiter bestehen. In Süd-, West- und Mitteldeutschland hatte sich dagegen die traditionale Stadtverfassung noch weithin halten können. Mit der Französischen Revolution wurden die städtische Selbstregierung und der abgehobene Vollbürgerstand prinzipiell in Frage gestellt, da das neue Gemeinderecht mit diesen Traditionen brach. Es führte einheitlich konzipierte Gemeinden mit politisch wie rechtlich gleichgestellten Bürgern ein. Die französisch besetzten Gebiete übernahmen die neue Rechtsform. Die preußische Städteordnung von 1808 verkörperte zwar im Zuge der von der Revolution erzwungenen defensiven Modernisierung die «erste umfassende Kodifikation des Kommunalverfassungsrechts auf deutschem Boden». Aber sie war vor allem nur deshalb in Grenzen erfolgreich, weil sie eine ständische Reform blieb, die am Unterschied von Vollbürgern und Schutzverwandten festhielt. Angesichts der neuen Alternative zwischen maßvoller Reform der alten Stadt oder radikalem Übergang zur Staatsbürgergemeinde optierte sie für die erste Möglichkeit. In Bayern und Württemberg, im Großherzogtum Hessen und Nassau dagegen, wo auch die Unterscheidung zwischen Vollbürgern und Hintersassen erhalten blieb, wurden immerhin zwischen 1815 und 1830 Gemeindeordnungen eingeführt, während Sachsen, Hannover und Braunschweig bis 1830/40 das alte Stadtrecht verteidigten.

Die 1830er Jahre wurden dann zum «Jahrzehnt der Städteordnungen». Baden und Kurhessen erließen 1831/34 einheitliche Stadt- und Landgemeindeordnungen, die als die freiheitlichsten im Deutschen Bund galten. Auch Sachsen reformierte jetzt, von der 1830er Revolution angespornt, sein antiquiertes Städterecht ziemlich großzügig. Als folgenreich erwies sich insbesondere die revidierte preußische Städteordnung vom März 1831 (Bd. II, Teil 3, III.4). Sie behielt die Trennung von Stadt- und Staatsbürgern bei, nivellierte jedoch endlich den Abstand zwischen Vollbürgern und Schutzverwandten, die seither ein Grundstück kaufen und einen Gewerbebetrieb besitzen konnten. Da das Stadtbürgerrecht jetzt aus der selbständigen Gewerbetätigkeit floß, wurde das exklusive Vollbürgerrecht in bezug auf das Zugangsrecht und die wirtschaftliche Freizügigkeit, nicht aber im Hinblick auf das «Stadtregiment» effektiv unterlaufen. Das bedeutete einen großen Schritt hin auf die Einwohnergemeinde. Der nächste Schritt folgte mit den Armengesetzen von 1842/43 (Bd. II, Teil 3, III.6). Auch die Städte wurden fortab in den Gemeindebegriff mit einbezogen. Die Berliner Verwaltungsjuristen definierten sie als «Unterabteilungen des Staatsgebiets». Das allgemeine preußische Staatsbürgerrecht wurde über das Heimatrecht der Gemeinden gestellt. Die Diskrepanz zwischen Stadtbürgern und Schutzverwandten wurde aufgehoben, die alte Bürgergemeinde damit faktisch gesprengt. An ihre Stelle trat die Einwohnergemeinde als «Staatsverwaltungsbezirk». Im Prinzip wurde damit auf dem Umweg über das neue Armenrecht der Gesamtverband gleichberechtigter städtischer Einwohner formalrechtlich von ständisch-korporativen Überresten befreit.

Diesen Weg vom traditionalen Personalverband zur Gebietskörperschaft ging, von den kommunalrechtlichen Forderungen der Revolutionsbewegung noch vorangetrieben, die einheitliche Gemeindeordnung vom 11. September 1850 konsequent, in direktem Zugriff auf die ganze Rechtsmaterie, zu Ende. Sie bekräftigte die Aufhebung aller Unterschiede zwischen Stadt und Land, zwischen Vollbürgern und Schutzverwandten; die Selbständigkeit der Rittergutsbezirke und ihre Patrimonialgerichtsbarkeit wurden aufgehoben, überall das Dreiklassenwahlrecht und die Magistratsverfassung eingeführt. Sie wäre ein an den Zuständen in den beiden Westprovinzen der Monarchie orientiertes allgemeines Kommunalverfassungsrecht geworden. Gemeindepolitisch hätte sie, wie Hugo Preuß es pointiert formuliert hat, die «Urbanisierung des ganzen Staates» bedeuten können.

Eben wegen dieser vom Ruch der Revolution umgebenen Modernität, wegen ihrer Beseitigung des Stadt-Land-Unterschieds, und damit der adligen Sonderstellung, löste sie jedoch den vehementen Gegenangriff der aristokratischen Reaktion aus. In gebührendem zeitlichem Abstand von der Revolution wurde sie im Juni 1851 vom König sistiert, im Mai 1853 aufgehoben. Seither hat es in Preußen bis 1918 keine «grundlegend neuen ... kommunalverfassungsrechtlichen Entwicklungen» gegeben. Es blieb bei säuberlich getrennten Stadt- und Landgemeindeordnungen. Bereits im Juni 1853 wurde eine neue, explizit gegen jede einheitliche Kommunalordnung gerichtete Städteordnung für die sechs östlichen Provinzen verabschiedet. 1856 folgten die Westfälische und Rheinische Städteordnung, die freilich von den beiden anderen Gesetzen – aus Rücksicht auf das lebhaft verteidigte rheinische Recht – stark abwich. Die Landgemeindeordnung von 1856 gehörte ebenfalls zu diesem Gesetzespaket. Sie trug, wie Hermann Wagener als Wortführer der rechten Abgeordneten unverhüllt triumphierte, den «Stempel der siegenden Reaktion». In der Tat erhielt sie einschränkungslos die wesentlichen Adelsprivilegien und blieb wegen der verkrüppelten Verwaltungsorgane und der Eindämmung des zentralstaatlichen Einflusses eine weithin unzulängliche Verfassung. Dennoch wurde sie erst 1891 durch die tendenziell modernere Herrfurthsche Landgemeindeordnung ersetzt, die trotz aller Mängel bis sage und schreibe Dezember 1927 in Kraft blieb!

In den nachrevolutionären Jahrzehnten wurden auch in Hannover, Hessen, Baden, Sachsen, Braunschweig und Mecklenburg gesonderte Städteordnungen erlassen, die Verhältnisse auf dem Lande möglichst eingefroren (1851–1874 bzw. 1884). Nur Oldenburg, Württemberg und Bayern behielten eine einheitliche Gemeindeordnung bei, die jedoch 1869 in Bayern erneut nach Stadt und Land differenziert wurde. Vielerorts blieb außerhalb

Preußens die Differenz zwischen Vollbürgern und Hintersassen zeitweilig noch erhalten. Obwohl die Bürgerrechte in der Stadt einen anderen Charakter als die Angehörigkeitsrechte in der Landgemeinde besaßen, setzte sich doch im allgemeinen der Grundsatz der städtischen Einwohnergemeinde gegen die letzten Bastionen des traditionalen Stadtrechts unaufhaltsam durch. Im Norddeutschen Bund glichen das Freizügigkeitsgesetz vom November 1867 und das Gewerbefreiheitsgesetz vom Juni 1869, das die Betriebsbefugnis vom Gemeindebürgerrecht ganz ablöste, den Status der Gemeindemitglieder und Staatsbürger weiter an. Beide Gesetze wurden 1871 vom Reich übernommen.

Hatte in Preußen ein Gesetz von 1860 noch je nach Stadtgröße gestaffelte Sätze für ein Einzugs- oder Einkaufsgeld als rechtens erklärt, um eine prohibitive Wirkung gegenüber Zuwanderungswilligen zu erzielen, schufen einmal die Bedürfnisse des städtischen Arbeitsmarkts alsbald eine andere Interessenlage, die den Zustrom billiger Arbeitskräfte verlangte. Zum zweiten hat das übergeordnete liberale Bundes- und Reichsrecht, als es die Erhebung von Zuzugsgeldern untersagte, das preußische Landesrecht gebrochen. Damit wurde zwischen 1867 und 1871 endgültig die ungehinderte geographische Mobilität gewährleistet. Der Siegeszug der städtischen Einwohnergemeinde als einer allen Staatsbürgern zugänglichen öffentlichen Gebietskörperschaft näherte sich seinem Ziel.

Freilich waren mit diesem mächtigen Trend komplizierte praktische Probleme verbunden, wenn es wegen des unterschiedlichen Rechtsstatus um die Abgrenzung von Stadt und Land ging. 1849 gab es z. B. in Preußen einundsiebzig Städte mit weniger als tausend, dagegen zahlreiche Landgemeinden mit mehr als zweitausend Einwohnern (1867 rd. 540). Bald tauchte dort außerdem der Typus der großen industriellen Gemeinde mit mehr als zehntausend Einwohnern auf: 1871 gab es erst fünf, 1910 aber bereits hundertsechs (Hamborn war die größte mit 107000); im selben Jahr aber zählten achtundvierzig Städte weniger als tausend Einwohner. Oder, um ein anderes Beispiel zu wählen: In Württemberg besaßen noch 1895 zweiundsechzig von hundertfünfundvierzig Städten unter zweitausend Einwohner, dagegen fünf von fünfunddreißig Landgemeinden über fünftausend in einem Dorf. Weiterhin blieb eine bunte Vielfalt von Groß- und Zwergstädten, von menschenarmen Landgemeinden und menschenreichen Großdörfern erhalten. Wegen des bundesstaatlichen Charakters des Reiches konnte eine Vereinheitlichung durch reichsrechtliche Normen nicht erfolgen. In den einzelstaatlichen Gesetzen wiederum wurden die Kriterien für den Statuswechsel vom Dorf oder der Landgemeinde zur Stadt nicht klar, vor allem aber ganz unterschiedlich definiert. Die Rheinische Städteordnung etwa implizierte zehntausend Einwohner als Kennzeichen einer Stadt, in Hannover lag die untere Grenze bei eintausendfünfhundert, in Sachsen bei sechstausend, in Hessen und Württemberg wiederum beim Überschreiten der Schwelle von zehntausend. An dieser Stelle gilt es allerdings noch einmal zu betonen, daß die deutschen Staaten noch lange ländlich geprägt blieben und daß der weitaus größte Teil der Städte aus Kleinstädten bestand; die Zahl der eigentlichen Großstädte, in denen sich die Urbanisierung der Lebensformen am stärksten durchsetzte, blieb bis gegen Ende des Jahrhunderts relativ gering.

Die Reichsstatistik gab bereits in den siebziger Jahren den ungemein heterogenen juristischen Stadtbegriff auf. Sie klassifizierte Siedlungen mit weniger als zweitausend Einwohnern als Landgemeinden, mit mehr als zweitausend als Städte. Großstädte mußten, gemäß der Verständigung auf dem internationalen Statistikerkongreß von 1860, wo auch die Mindestgrenze von zweitausend fixiert worden war, mehr als hunderttausend zählen, nachdem Statistiker wie Dieterici 1845 noch fünfzehntausend, 1851 bereits dreißigtausend und Viebahn 1862 fünfzigtausend zugrunde gelegt hatten. Die statistischen Informationen änderten aber nichts an der verwirrenden Koexistenz von winzigen Städtchen und riesigen Dörfern, nichts an der Willkür der einzelstaatlichen Stadtdefinition. Aber noch einmal: Einwohnergemeinden gleichberechtigter Staatsbürger wurden diese Städte allemal.[7]

3. Es trifft auch auf manche deutschen Städte, insbesondere diejenigen mittlerer Größe, während der ersten Jahrhunderthälfte zu, daß das protoindustrielle Gewerbe und die Verdichtung der Handelsbeziehungen sowie die darauf folgende Aufwertung der zentralörtlichen Funktionen bereits zu einem beträchtlichen Wachstum führten. Trotzdem bleibt es wahr, daß erst die Industrielle Revolution mitsamt der fundamentalen Rolle des Eisenbahnbaus und dann die sich anschließende Hochindustrialisierung die wichtigsten Antriebskräfte für die deutsche Urbanisierung gebildet haben. Mit dem beginnenden «Take-off» und der Verkehrsrevolution seit den vierziger Jahren setzte erstmals ein unverkennbarer Anstieg der Verstädterungsquote ein. Betrug der Anteil der städtischen Bevölkerung im schnell industrialisierenden Preußen 1840 = 27.2 Prozent, erreichte er bis 1871 mit 33.2 Prozent schon ein Drittel aller Staatsbürger. Während die Gesamtbevölkerung in dieser Zeitspanne um 0.99 Prozent p.a. zunahm, betrug die Rate in den Städten 1.64 Prozent. Der Trendperiode der Industriellen Revolution entsprach zwar nicht völlig synchron ein «Take-off» der Urbanisierung – dieser begann erst zwischen 1867 und 1871! –, wohl aber eine forcierte Veränderung des Städtewachstums, die man als Inkubationsphase der Hochurbanisierung verstehen kann. Erstmals wuchs die Zahl der Städter schneller als die der Landbewohner. Erstmals wuchs der Westen mehr als der Osten. Erstmals wuchsen größere Städte schneller als kleine, und erstmals konzentrierte sich die beschleunigte Urbanisierung auf Wachstumszonen mit einem industriellen Ballungskern.

Der Einfluß der Führungssektoren der Industriewirtschaft und des Eisenbahnbaus als der entscheidenden Kausalfaktoren erklärt am überzeugendsten die weit überproportionale Expansion von Städten, wo die neuen strategischen Industrien der Eisen- und Stahlproduktion, des Steinkohlebergbaus sowie des Maschinenbaus ihren Standort gefunden hatten. Sie wurden folgerichtig auch von der Eisenbahn früh an das neue Verkehrsnetz angeschlossen oder stiegen sogar zu ersten Eisenbahnknotenpunkten auf. Ein Sample von elf solcher typischen Industriestädte enthüllt eine auffällige durchschnittliche jährliche Wachstumsrate von vier Prozent (bis 1876), davon kamen Essen, Hörde und Dortmund sogar auf sechs Prozent.

Im Vergleich damit fielen sogar die multifunktionalen Regionalzentren wie Breslau, Magdeburg, Posen, Königsberg, Köln und andere deutlich ab, obwohl sie auf überdurchschnittliche zwei Prozent p. a. kamen. Wie eminent wichtig der Eisenbahnbau seit den vierziger Jahren war, geht daraus hervor, daß der Typus der völlig neu entstehenden oder reinen Industriestadt bzw. die extraordinäre Expansion durchweg von ihm abhingen. Wenn etwa Stettin als Werft- und Hafenstadt zwischen 1840 und 1855 um achtundvierzig Prozent zunahm (während Königsberg auf 18%, Danzig nur auf 8% kamen), war das eine Folge seiner frühen Eisenbahnverbindung mit Berlin.

Das klassische Beispiel für eine rein industrielle Agglomeration, die um eine Eisenbahnstation der «Köln-Mindener» seit 1846 auf freier Fläche – ohne jede historische Vergangenheit und einen noch so kleinen städtischen Kern – heranwuchs, ist Oberhausen im Norden des damaligen Ruhrreviers. Dort, in der Emscherzone, trafen die Verlagerung des Tiefschachtbergbaus, der Eisenbahnbau, die neuen diversifizierten Großunternehmen und gewaltige Binnenwanderungsströme zusammen. Daraus ging eine einmalige Wachstumskonstellation, auch im Hinblick auf die Urbanisierung, hervor. 1862 erhielt Oberhausen mit den sechstausend Bewohnern seines im Wildwuchs entstehenden Siedlungsgebiets den Gemeindestatus. 1874 wurde es Stadt. Bis 1900 hatte sich die Einwohnerzahl auf zweiundsechzigtausend verzehnfacht. Bereits 1910 rückte es mit hunderttausend Ansässigen in die Reihe der Großstädte auf.

Dieses «Kind der Eisenbahn» – so der GHH-Direktor Lueg – dehnte sich um den Knotenpunkt und die ihm folgenden Industrieunternehmen herum dank der lebhaften Arbeiterwanderung im Ruhrgebiet wie ein Krake in die Breite aus. Daß es von acht ebenfalls expandierenden Industriestädten – von Essen, Mülheim, Duisburg, Meiderich, Hamborn, Sterkrade, Osterfeld, Bottrop – eingekesselt wurde, verschärfte zwar in jeder Hinsicht die Konkurrenz, schloß Oberhausen jedoch auch an die zirkulierenden Nahwanderungsströme unmittelbar an. Weiterhin wurde es zum Zielpunkt einer Fernwanderung über weite Strecken hinweg – sein Sog reichte bis Masuren und Posen. Wie sehr die extreme Bevölkerungsvermehrung ein Ergebnis der Zusammenballung industrieller Großunternehmen bildete, beweist der außerordentlich hohe Anteil von Arbeitern an der Gesamtbevölkerung: Jahrelang machte er achtzig Prozent aus. Industrialisierung und Urbanisierung hingen hier aufs engste zusammen.

Zugleich traf aber die Urbanisierung, da einerseits die Industrie absolute Priorität genoß, andrerseits ein städtisches Zentrum, in dem ein Minimum an Urbanität herrschte, schlechterdings fehlte, auf besondere Schwierigkeiten. Erst nach der Anerkennung als Gemeinde, im Grunde erst nach der Aufwertung zur Stadt, waren erste Planungsansätze möglich. Dreimal wurde jedoch ein Zentrum vergeblich geplant, bis in die neunziger Jahre konnte es sich gegen die ungeplanten Geschäftsviertel nicht durchsetzen. Die Verwaltung begegnete außerdem zwei hohen Barrieren: Sie besaß weder günstig gelegenen Boden noch hinreichend Finanzmittel. Über Land und Kapital verfügten dagegen Eisenbahn und Großindustrie sowie die ursprünglichen Landbesitzer, die Bauern. Vor allem das geringe Steueraufkommen engte den Handlungsspielraum der Stadtleitung aufs engste ein: Von den Klassensteuerzahlern kamen z. B. 1883/84 überhaupt nur vierundsechzig (1.2%) über ein Jahreseinkommen von dreitausend Mark hinaus, und vierundzwanzig von ihnen wachten im Stadtrat argwöhnisch über die Ausgabenpolitik. Erst mit der langsamen Veränderung der sozialen Zusammensetzung der Einwohnerschaft, mit dem Vordringen eines «selbständigen Mittelstandes», mit dem Bauboom seit den neunziger Jahren und mit der Kommunalpolitik energischer Bürgermeister konnte Oberhausen ein städtisches Profil ausbilden.

Das gar nicht weit entfernte Bochum zählte 1842 als verschlafenes Ackerbürgerstädtchen viertausendzweihundert Einwohner. Innerhalb weniger Jahre rückte es dann neben Duisburg, Essen und Dortmund zu den vier Industriezentren am Hellweg auf. Zwei Generationen später (1907) besaß die Großstadt Bochum nach einer Vermehrung um zweitausendsiebenhundert Prozent rund hundertzwanzigtausend Einwohner. 1842 gab es nur einen einzigen Industriebetrieb, die Mayersche Gießerei; 1871 waren dagegen bereits vierundfünfzig Prozent aller Bewohner wegen der Bedeutung der jungen Schwerindustrie im sekundären Sektor beschäftigt. Aus der Gießerei ging das Großunternehmen des «Bochumer Vereins» hervor, der seit 1854 von Louis Baare – vierzig Jahre lang – als Direktor geleitet wurde; 1864 dirigierte er bereits tausend Arbeiter. Die Sozialstruktur der Stadt spiegelte schon in dieser frühen Zeit die industrielle Dominanz unmißverständlich wider: Kapitalistische Eigentums- und Manager-Unternehmer stellten 1.6 Prozent, Kaufleute, Angestellte, Beamte und Handwerksmeister einen schmalen «Mittelstand» von 13.3 Prozent; proletarische Lohnarbeiter jedoch 78.5–85 Prozent. Seit den sechziger Jahren gehörten in dieser ebenfalls in amerikanischem Stil wachsenden Industriestadt nie mehr als vierzig bis fünfzig Männer zur lokalen politischen Elite, an deren Spitze bis 1914 ungefährdet die Repräsentanten der Schwerindustrie standen.

Die Entstehung von Oberhausen und die Expansion von Bochum – wie ähnlich auch von Dortmund, Duisburg, Essen, Mülheim, Solingen, Barmen, Elberfeld im Westen, von sächsischen und oberschlesischen Industriestädten in östlichen Regionen – hing unübersehbar von den Standortentscheidungen und Wachstumserfolgen der strategischen Leitsektoren der Industrialisierung ab. In alten Residenz- und Handelsstädten sowie in zentralen Orten fand dagegen die Urbanisierung im Gefolge der Industrie schon einen vergleichsweise breiten Sockel städtischen Lebens vor, der ihre Entfaltung begünstigte. Für Berlin z. B., das nicht nur als Residenz fungierte, sondern auch auf eine breitgefächerte gewerbliche Tradition zurückblicken konnte, brachte der Eisenbahnbau seit den 1840er Jahren eine eminente Aufwertung der industriellen und gewerblichen Standortfunktionen sowie des Dienstleistungssektors – sie gewannen seither den Vorrang vor den Hauptstadt- und Kulturfunktionen. Mit dem Aufschwung des Maschinen- und Instrumentenbaus, des Kattundrucks und Textilgewerbes, der Banken und Versicherungen bildeten sich scharf getrennte Produktions-, Dienstleistungs- und Wohngebiete zügig heraus. Im Norden dominierten Industrieunternehmen mit dem Anschluß an zwei Bahnhöfe, im Süden Textilbetriebe; neue Wohnviertel mit erbärmlichen Lebensbedingungen traten als notwendige Ergänzung hinzu, während die südlichen, südöstlichen, östlichen und nördlichen Vorstädte mit einer gewissen Verzögerung an das Ballungsgebiet angeschlossen wurden.

Der Stadtkern mit seinen Gebäuden für Regierung, Hof und Verwaltung, für Banken, Versicherungen und Handelsunternehmen bildete eine zweite funktionale Einheit, in der sich die politisch-repräsentativen Aufgaben der Hauptstadt mit denen eines gesamtstaatlichen Wirtschaftszentrums verbanden. Aus dieser Kumulierung von Wachstumsimpulsen erklärt sich der rasante Anstieg der Einwohnerschaft von 1850 = 427000 um 359000 Menschen, also rund vierundachtzig Prozent, auf 1870 = 786000. Auch für diese relativ kurze Zeitspanne trifft zu, daß keine europäische Hauptstadt im 19. Jahrhundert auch nur die Hälfte der Berliner Wachstumsrate erreicht.

Eisenbahnbau und Industrialisierung haben außerdem einen Vorzug der entstehenden oder expandierenden Großstädte geschaffen bzw. weiter ausgeprägt. Spricht man bei Unternehmen von den vorteilhaften internen Größendimensionen der «economies of scale», boten die von der modernen Stadtgeschichte herausgearbeiteten «economies of agglomeration» großen, besonders aber mittleren und kleinen Unternehmen die günstigen Bedingungen externer Stadtgröße. Der ökonomische Wachstums- und Konzentrationsprozeß folgt in einer modernen Marktwirtschaft seinen eigenen Regeln; sie werden unter anderem von einem möglichst schnellen Informationsfluß und der Koordination sowohl strategischer als auch operativer Entscheidungen in hohem Maße beeinflußt. Beide Aufgaben ließen sich unter den Bedingungen des 19. Jahrhunderts in Großstädten ungleich effektiver wahrnehmen, als das in kleineren Städten möglich war. Der Nexus zwischen Wachstums-, Kommunikations- und Entscheidungsprozessen wurde durch die großstädtischen Zentren sogar ständig verdichtet. In dieser Leistung kann man daher durchaus eine «grundlegende Produktionsfunktion» der Urbanisierung großen Stils erblicken.

Die Kehrseite der intensiven Urbanisierung mit der ihr eigentümlichen Konzentration von Menschenmassen und ökonomischem Potential bestand häufig aus einer Entleerung, ja geradezu Devolution des Umlandes. Und während der Eisenbahnbau auf der einen Seite das regionale Preisgefälle abbaute, spitzte er auf der andern Seite zusammen mit der Urbanisierung die regionalen Disparitäten scharf zu oder hat sie sogar erst geschaffen. Das meinte der Ausdruck «Provinzialisierung»: Stagnation oder Verfall ehemals florierender Landschaften und kleiner Städte, die jetzt von der Kommunikationsrevolution, Industrialisierung und Urbanisierung gewissermaßen am Rande liegengelassen wurden, so daß ihnen Jahrzehnte einer Kümmerexistenz am Rande des heftig pulsierenden modernen Lebens bevorstanden.[8]

4. In ersten Ansätzen führte die Urbanisierung während ihrer Inkubationsphase auch bereits dazu, daß die bestehenden oder entstehenden Städte wie überdimensionale Schleusenwerke zu arbeiten begannen. Ein rasch anwachsender Strom von Zuwanderern wurde angesaugt, nur ein erstaunlich geringer Anteil von ihnen blieb für längere Zeit in der Stadt, während sich die große Mehrheit dem Zug der Weiterwandernden anschloß. Zwar erreichte dieses Durchschleusen riesiger Wanderungsströme erst in den drei Jahrzehnten vor 1914 seinen Höhepunkt. Indes zeichnete sich bereits in den beiden Dekaden nach 1850 das Grundmuster dieser beispiellosen Bevölkerungsbewegung deutlich ab. Was in der amerikanischen Sozialgeschichte geraume Zeit als nur den Vereinigten Staaten eigene hohe horizontale Mobilität galt, läßt sich in ungefähr demselben Umfang auch in den deutschen Industriestädten der Urbanisierungsphase nachweisen.

In einer ersten Phase überwog durchweg die Nahwanderung von Stadt zu Stadt; in der zweiten Phase die Fernwanderung, jetzt insbesondere auch in Gestalt einer Etappenwanderung vom Land in die Regionalzentren und von dort aus in die neuen urbanisierenden Agglomerationen. Ganz überwiegend handelte es sich bei den «Flottierenden» zuerst um gelernte, später um ungelernte, junge, unverheiratete Arbeiter, die in der Regel längere Zeit mobil blieben, bis sie wegen eines akzeptablen Arbeitsplatzes oder ihrer Heirat seßhaft wurden. Was den Größenanteil angeht, folgten ihnen unverheiratete Mädchen und junge Frauen: zunächst mit dem Ziel, während einer begrenzten Zeit als Dienstboten oder Arbeiterinnen sich die Aussteuer zu verdienen. Daraus wurde dann oft ein lebenslanges Arbeitsverhältnis, um das Familieneinkommen zu verbessern.

Umfang und Richtung der Wanderungen wurden durch die konjunkturellen Auf- und Abschwünge der städtischen Arbeitsmärkte – auch durch die Gerüchte über sie – bestimmt. Gewöhnlich stieg oder fiel das Wanderungsvolumen mit dem prosperitätsabhängigen Beschäftigungsgrad. Am Ruhrgebiet, dessen Bevölkerung sich zwischen 1850 und 1900 auf zwei Millionen versiebenfachte, sind diese Phänomene bisher am genauesten untersucht worden. Duisburg als einziges einprägsames Beispiel zeigt hier (wobei die Schwelle von 1870 überschritten und dieser gesamte Zeitraum in den Blick gefaßt werden muß): Um 1850 bestanden bereits zwanzig bis dreiundzwanzig Prozent der rund 12900 Einwohner aus Zuwanderern, um 1900 war es von 106800 mehr als die doppelte Zahl, nämlich fünfzig Prozent. Das Einwohnermeldeamt verzeichnete in dieser Zeitspanne sogar 710400 Zu- und Wegzüge – mehr noch als das vielerorts übliche Acht- bis Zehnfache des Wanderungsgewinns! Hinzu kam, daß innerhalb der Stadt jährlich fünfzehn bis fünfunddreißig Prozent der Einwohner in andere Wohnungen umzogen. Diese wenigen Informationen genügen, um eine Vorstellung von der hochmobilen Einwohnerschaft dieser typischen Industriestadt zu vermitteln, die während jener Periode des Urbanisierungsprozesses in eine Vielzahl sie direkt oder indirekt tangierender Wanderungsbewegungen eingebettet blieb.

5. Der Unregelmäßigkeit der Wanderungsfluktuation entsprach der vorherrschende Wildwuchs in der Baupraxis. Solange Bebauungspläne fehlten, richtete sich die Stadtentwicklung nach den ökonomischen Chancen, welche die Nutzung der Stadtfläche bot. Während die Unternehmensleitungen bei der Errichtung von Fabriken und Zechenanlagen ohnehin ihrem privatwirtschaftlichen Kosten-Nutzen-Kalkül folgten, wurde jetzt auch der unumgänglich forcierte Wohnungsbau zu einer «Domäne privater Spekulation». Je jünger die Stadt und je ausgeprägter ihr industrieller Charakter, desto krasser bildete sich eine wahre «Bauanarchie» aus. Industriebetriebe, Verkehrseinrichtungen, Versorgungsleitungen, Abraumhalden, Kanäle und Wohnquartiere lagen in chaotischer Gemengelage. Es waren diese ungezügelt wuchernden, erst quasistädtischen Agglomerationen, welche der neuen zivilisationspessimistischen Stadtkritik, die bereits an ältere Traditionen anknüpfen konnte, Auftrieb gaben.

Diese zügellose Expansion löste jedoch auch seit Beginn der 1850er Jahre erste Versuche aus, durch Bebauungspläne, überhaupt durch straffere rechtliche Normen, des ungeregelten, menschenfeindlichen Siedlungsprozesses Herr zu werden. Die Berliner Baupolizeiordnung von 1853 – Modell dann für manche andere Stadt – schrieb die genaue Haushöhe und Innenhofgröße (für das Wenden der Feuerwehrspritze) vor. Als Stadtbaurat arbeitete James Hobrecht seit 1858 seinen berühmt-berüchtigten Bebauungsplan aus, der 1862 Rechtsverbindlichkeit erlangte – und bis 1919 in Kraft bleiben sollte. Als Strukturierungsmuster legte er das Boulevard-System zugrunde, wie es Georges de Haussmann – Großzügigkeit einer Weltstadt, imperiale Prachtentfaltung und wirksame Aufstandsbekämpfung vor Augen – im Paris Napoleons III. soeben verwirklicht hatte.

Der Plan bezog die großen unbebauten landwirtschaftlichen Flächen des Vorlandes in das Besiedlungspotential ein, gab sie aber auch, mangels genauer Vorschriften, als Objekte hemmungsloser Spekulation frei. Wie in anderen großen Städten fanden jetzt Bodenterraingesellschaften und Bodenkreditbanken zu einer unheiligen Allianz mit dem Ziel einer ständigen Profitsteigerung zusammen. Land- und Mietpreise wurden dem Prinzip höchstmöglichen privaten Gewinns unterworfen. Zugleich favorisierte der Plan große Wohnhäuser, die angeblich dem sozialen Zusammenleben in der Stadt angemessen waren. Tatsächlich aber entstanden die Berliner Mietskasernen – bis zu fünfundsiebzig Meter tiefe Hausblöcke mit dichter Hinterhofbebauung –, in denen die Eigentümer eine horrende Zahl von Mietern zusammenpferchen konnten.

Auf diese Weise wuchsen – wie auch in München, Frankfurt, Hamburg und anderswo – die Außenbezirke schneller als der Stadtkern. Als Gegenteil des proletarischen Wohnquartiers bildete sich zum anderen der Typus des besitz- und bildungsbürgerlichen Vororts heraus. Hier herrschten «exklusive Wohnanlagen» mit Villen, parkähnlichen Gärten und repräsentativen Mietshäusern vor. In Vororten anderen Zuschnitts lagen Kasernen, Gefängnisse, Krankenhäuser; weiter draußen am Rande dann Friedhöfe, Wassertürme, Schlachthöfe, Ausflugslokale, Biergärten, manchmal schon ein Zoo. Städtisches Wachstum wurde nicht zuletzt dadurch beschleunigt, daß diese zeitweilig rechtlich selbständigen oder zu einer Landgemeinde gehörenden Vororte eingemeindet wurden, so daß sich das Stadtareal mehrfach sprungartig vergrößerte.

Gewöhnlich bildeten die nach der Planierung der ehemaligen Stadtmauern gebauten breiten Straßen zusammen mit den Eisenbahnlinien eine «klar erkennbare Wachstumsnaht» zwischen dem Kern der historischen Stadt und den unlängst besiedelten Stadtteilen. Die «Altstadt» verwandelte sich in die «Innenstadt» mit der Tendenz, sich zur modernen City zu entwickeln. Damit wurde das Grundmuster der neuen Stadt als offenes, auf Expansion nach außen zielendes Siedlungsgebilde deutlich: Um das Zentrum lagerten sich Vororte und Außenbezirke, Industrieviertel und Wohnquartiere, deren Elend, Schmutz und Enge ein Dauerproblem, die Wohnungsnot der Arbeiter- und unteren Mittelklassen, anschaulich demonstrierten.[9]

6. Mit dem Urbanisierungssog war eine unablässig anhaltende Nachfrage nach erschwinglichen Wohnräumen verbunden. Die harte Konkurrenz mit Industrie und Gewerbe, Eisenbahngesellschaften und Geschäftsleuten, alle auf der Jagd nach Grundstücken und Gebäuden, trieb die Mieten in die Höhe. Durch sie wurde die Wohlhabenheit oder Armseligkeit eines Wohnviertels reguliert. Das Angebot an Wohngelegenheiten stammte primär aus zwei Quellen. Einmal wurde in der alten Stadt jedes freie Grundstück bebaut, vor allem aber jeder Hinterhof ausgebaut, jedes Keller- und Speichergeschoß notdürftig hergerichtet und vermietet. Daraus ergab sich der sogenannte «Schwammeffekt» innerhalb der bereits bestehenden Stadt. Er steigerte zwar ungemein die Einwohnerdichte, reichte jedoch nur eine Zeitlang aus, um die Suche nach billigem Wohnraum zu befriedigen.

Daher wurde, zum zweiten, auf der traditionellen Feldmark, die in Preußen 1831 ein Teil des Stadtgebiets geworden war, oder im unbebauten Vorland eine Mietskaserne nach der anderen hochgezogen. Kaum gab es eine, die nicht überbelegt war; für sanitäre Anlagen wurde nur unzureichend gesorgt. Dennoch verlangten Privatvermieter und Baugesellschaften vergleichsweise hohe Mieten, die zur Aufnahme von Schlafgängern und weiteren Untermietern zwangen. Frühzeitig wurde in den proletarischen Wohnquartieren ein Brennpunkt, ja sogar eine wesentliche Ursache der «sozialen Frage» gesehen. Aus dieser «Wohnungsnot» leitete der Statistiker Schwabe sein Gesetz ab: Je ärmer der Mensch, desto höher der Mietanteil an seinem Einkommen.

Wie sich das Großbürgertum in Villenvierteln demonstrativ absetzte, wie andere bürgerliche Formationen ihre eigenen, möglichst hermetisch abgedichteten Wohnbezirke ausbauten, soll hier nicht weiter verfolgt werden. Das Grundphänomen ist unbestreitbar: Urbanisierung hieß auch das Vordringen einer überall scharf ausgeprägten «klassenspezifischen Wohnsegregation». Sie wurde durch die Bauordnungen unterstützt, die in einem besitzbürgerlichen Vorort geräumige Landhauszonen für Villen, in Arbeitervierteln dagegen extrem dichte Bebauung vorsahen. Gelegentliche Korrekturversuche der städtischen Verwaltung oder der staatlichen Politik führten nur hier und da zu einer Modifikation, richteten sich aber keineswegs grundsätzlich gegen die Bodennutzungsinteressen. Dafür war die Lobby von Hauseigentümern und Terraingesellschaften, Banken und Verfechtern bürgerlicher Absonderungswünsche zu stark.

Eine Konsequenz der räumlichen Segregation erwies sich als besonders folgenschwer. Das war ihr massiver Einfluß auf die Klassenformierung, insbesondere der städtischen Arbeiterschaft, welche diese Einpferchung in die Unterschichtenquartiere am strengsten und schmerzhaftesten zu spüren bekam. Die deprimierende Gleichförmigkeit miserabler Wohnbedingungen, die dominierende Erfahrung von Armut und Überfüllung, von Krankheit und Kindertod, von Verschuldung und Elend – sie haben jenes proletarische Milieu geschaffen, in dem sich die Vorstellung von einer gemeinsamen Klassenlage, schließlich auch gemeinsame Interessen und ein gemeinsames Klassenbewußtsein während einer langgedehnten Entwicklungsphase durchsetzen konnten. Daher gehören die Auswirkungen der Segregation der Arbeiterviertel zusammen mit der steten Wiederholung des proletarischen Wohnalltags zu den herausragenden Einflußfaktoren, welche die Binnenhomogenisierung und Außenabgrenzung vorantrieben. Sie trugen wesentlich dazu bei, daß aus heterogenen Arbeitergruppen durch die bereits (Bd. II, 3. Teil, III. 5) ausführlich diskutierten Konstituierungsprozesse das Proletariat als soziale Klasse entstand.

Um eine Vorstellung von der Größenordnung dieses stadtproletarischen Milieus zu gewinnen, ist als illustrierendes Beispiel die Statistik der Erwerbstätigen in einer mittleren Industriestadt wie Barmen und einer Großstadt wie Berlin aufschlußreich. In Barmen müssen für das Jahr 1861 von 24300 Erwerbstätigen rund 21780 zum Proletariat bzw. zu den proletaroiden Existenzen gerechnet werden – das sind nicht weniger als 89.6 Prozent. In Berlin ergibt dieselbe Berechnung für dasselbe Jahr von 240416 Erwerbstätigen einen Anteil von rund 196320 Proletariern und Proletaroiden – auch dort sind es 81.7 Prozent. Rechnet man noch die arbeitsunfähigen Kinder und andere Familienangehörige hinzu und vergegenwärtigt man sich mit Hilfe von Stadtkarten den relativ begrenzten Umfang der Arbeiterviertel, wird einem die Dimension dieser «Wohnungsnot», unter der die große Mehrheit der Stadtbewohner dauerhaft litt, klarer. Man versteht dann außerdem auch besser die politischen Sorgen und Ängste, die durch diese «soziale Frage» des heranwachsenden Proletariats ausgelöst und wachgehalten wurden.

Bis der Staat oder die Städte selber auf diesen Gefahrenherd reagierten, sollte geraume Zeit vergehen. Vorerst versuchten nur einzelne Unternehmer, die latente politische Sprengkraft zu entschärfen, indem sie – das Ziel strenger paternalistischer Disziplinierung vor Augen – mit dem Bau von Arbeiterhäusern begannen. Das «Eisenheim» der GHH entstand bereits 1844; 1856 folgten Häuser des «Bochumer Vereins», 1858 Krupps erste Werkswohnungen, 1862 die Ergänzung in der Essener Hügelstraße, 1868 im Alt-Westend, 1872 schließlich der Schiederhof; Hoesch in Dortmund, der Hörder Verein u. a. schlossen sich an. Um 1870 hatten die Hüttenwerke im Ruhrgebiet auf diese Weise knapp viertausend, die Zechen knapp fünftausend meist unverheiratete Männer in solchen «Arbeiterkasernen» untergebracht. Sie unterlagen einer inquisitorischen Reglementierung, da das Hauptmotiv eine panische Angst vor den politischen Organisationen der Arbeiterbewegung bildete. Im Saargebiet imitierte Stumm im Stile desselben Industriepatriarchalismus den Bau von Arbeiterhäusern, deren Bewohner in geradezu neofeudaler Hörigkeit leben mußten. Das politische Kalkül ging nirgendwo auf, zumal die wenigen Betriebswohnungen für das Millionenheer der Unterkunftsuchenden eine minimale Entlastung bedeuteten. Die durchsichtige Domestizierung der Arbeiter scheiterte, dennoch wurde mit dieser Form betrieblicher Sozialpolitik auf lange Sicht ein aussichtsreicher Weg eingeschlagen.[10]

7. Mit der Urbanisierunq verband sich frühzeitig die Vorstellung von einem tiefgreifenden Verhaltenswandel, der angeblich vor allem in den neuen Großstädten in einen wahren Sumpf amoralischen Sittenverfalls führte. Außerdem malte die modische konservative Kritik ein düsteres Bild von dem verhängnisvollen Einfluß, den das Stadtleben auf die Intimsphäre der Einwohner, wissenschaftlich ausgedrückt: auf die wichtigsten demographischen Variablen, ausübe. Einige der besonders strittigen Vorwürfe lassen sich inzwischen empirisch schlüssig überprüfen.

Scheidungen kamen in Städten mit mehr als 20000 Einwohnern etwas häufiger vor als in Landgemeinden. Hier lebten 1867 0.24 Prozent, dort 0.07 Prozent geschiedene Frauen. Eine dramatische Infragestellung des heiligen Instituts der Ehe wird man daraus nicht ableiten können.

Mischehen – der Horror aller konfessionellen Orthodoxen, insbesondere der Heilsverwalter in der katholischen Amtskirche – nahmen in diesen größeren Städten tatsächlich erheblich schneller zu als auf dem Lande, denn das Verhältnis betrug 1867 bereits 12.3 zu 3.1 Prozent. Offenbar drang die Säkularisierung religiöser Normen in Städten, wo die durch Kirchenfunktionäre ausgeübte soziale Kontrolle stark abgeschwächt wurde, längst vor dem Zivilehegesetz schneller vor.

Die Anzahl der unehelichen Kinder stieg in den Städten keineswegs an, vielmehr lag der Mittelwert der illegitimen tiefer als auf dem flachen Lande. Darüber hinaus war er durch eine abnehmende Tendenz gekennzeichnet, so daß ein ungünstiger Stadt-Land-Unterschied nicht zu erkennen ist.

Für die sozialromantische Verklärung des heilen Landlebens spielte die vermeintliche Ausdehnung der städtischen Prostitution eine wichtige Rolle. Bis 1870 läßt sich aber in den größeren Städten, sogar einschließlich Berlins, keine Zunahme der kontrollierten Prostitution feststellen. Freilich sprechen manche Indizien dafür, daß mit dem wachsenden Zustrom junger Frauen, die als Dienstboten oder Arbeiterinnen ein Auskommen suchten und dabei von Konjunkturschwankungen oder persönlicher Willkür abhingen, die Dunkelziffer der versteckten Prostitution und Gelegenheitsarbeit als Dirne zunahm.

Die Selbstmordquote, ein klassisches Symptom sozialer Anomie, kletterte in den größeren Städten keineswegs hoch. Im Gegenteil, in Kleinstädten lag die Suizidrate durchweg relativ höher.

Ebenso nüchtern läßt sich das demographische Verhalten der Stadtbewohner in dieser Zeitspanne rekonstruieren. Auch in den größeren Städten und Großstädten blieb während der zweiten Hälfte des 19. Jahrhunderts das «europäische Heiratsmuster» der erstaunlich späten Eheschließung noch erhalten. So lag etwa in den siebziger Jahren das durchschnittliche Heiratsalter der Männer bei 28.1, das der Frauen bei 25.5 Jahren. In der Regel tendierte es in den Städten sogar noch zu einem etwas höheren Niveau, da die zuwandernden Männer Zeit brauchten, um einen festen Arbeitsplatz mit einem Einkommen zu finden, das eine Familiengründung erlaubte. Und auch die Frauen blieben dort wegen ihrer Berufstätigkeit etwas länger unverheiratet. Vom Vorherrschen verantwortungsloser Frühehen ohne materiellen Rückhalt kann daher gerade in den Städten nicht die Rede sein.

Die Fertilität dagegen begann in der Tat in den Städten früher – wenn auch zunächst sachte – abzusinken als auf dem Land. Insofern kündigte sich zuerst hier der unaufhaltsame Trend zur Kleinfamilie an, die in entwickelten Industrieländern vorzuherrschen pflegt. Zwischen 1855 und 1868 wiesen bereits alle ländlichen Verwaltungsbezirke eine etwas höhere Fertilitätsrate auf als die Städte. In den Großstädten als den Pionieren dieser Entwicklung lag sie 1863/68 öfters schon bis zu zehn Prozent unter dem ländlichen Durchschnitt.

Die Mortalität blieb in derselben Zeitspanne in den Städten durchweg höher, ehe sich die Sterblichkeitsziffern in Stadt und Land gegen Ende des Jahrhunderts anglichen. Der negative Befund in den Städten hing entscheidend von der außergewöhnlich scharf einschneidenden Säuglingssterblichkeit ab. Bis in die 1870er Jahre hinein starb gewöhnlich ein Kind von vier Lebendgeburten noch vor dem Ende des ersten Lebensjahres. Die Bandbreite schwankte sogar zwischen elf und vierzig Prozent aller Säuglinge. Die unhygienischen Verhältnisse in den proletarischen Wohnquartieren, mangelhafte Ernährung und Anfälligkeit gegenüber Krankheiten trugen ebenso wie die Arbeitsüberlastung der Mütter und die mangelnde Pflegezeit zu dieser durchaus klassenspezifischen Mortalitätsquote bei, denn in den bürgerlichen Wohnvierteln war sie zu dieser Zeit auffällig geringer. Wer in eine Familie mit materieller Sicherheit hineingeboren wurde, hatte auch damals eine ungleich bessere Chance, die kritischen ersten fünf Jahre zu überstehen und danach die durchschnittliche Lebenserwartung, die 1871 erst bei siebenunddreißig Jahren lag, um das Doppelte zu übertreffen.

Der Eindruck, den die demographische Entwicklung in den größeren Städten hinterläßt, ist mithin durchaus zwiespältig. Teils hielten sich alte Verhaltensstrukturen, wie Heiratsalter und -häufigkeit enthüllen, zäh weiter; teils kündigte sich in der abfallenden Fertilitätsrate ein neuer Säkulartrend an, und teils indizierte die Kindersterblichkeit eine erschreckende Verschlechterung der Wohnverhältnisse, in denen die seither ständig anwachsenden Unterschichten leben mußten. Unübersehbar tauchten in den größeren Städten die Konturen einer «Gesellschaft im Übergang» auf, der durch die hier besonders klar erkennbaren Klassenformationen markant hervorgehoben wurde.[11]

8. Die quantitativen und qualitativen Veränderungen, die das städtische Leben im Verlauf dieser Urbanisierungsphase erfuhr, warfen über kurz oder lang für die Kommunalpolitik und Stadtverwaltung neuartige, komplizierte und kostspielige Probleme auf. Die Gasbeleuchtung und der Nahverkehr, die Kanalisation und Trinkwasserversorgung, der Bau von Straßen und Schulen, von Krankenhäusern und Schlachthöfen, die öffentliche Sicherheit und Armenfürsorge – diese Stichworte verweisen auf Aufgaben, die sich mit zunehmender Dringlichkeit stellten. Sie mußten gelöst werden, wie oft auch erste Anläufe scheitern mochten, und indem sie gelöst wurden, prägten die kommunalen Versorgungseinrichtungen dem neuen städtischen Leben ihren Stempel auf.

Ein neues Betätigungsfeld für die Stadtobrigkeit tat sich etwa mit der Beleuchtung von Straßen und Häusern durch Gaslampen auf. Nach englischem

Vorbild war bereits seit der Mitte der zwanziger Jahre Leuchtgas eingeführt worden: Hannover (1825), Berlin (1826), Frankfurt und Dresden (1828) waren die ersten Städte gewesen. Die eigentliche Expansion setzte aber erst mit dem Vordringen der Urbanisierung in den fünfziger Jahren ein. 1860 gab es dreizehn größere Gaswerke mit einer Produktion von immerhin vier Millionen Kubikmeter. Eine Spitzenposition in der Versorgung der Städte gewann seit 1855 die «Deutsche Conti-Gas-Gesellschaft» in Dessau unter der Leitung eines so vielseitigen Unternehmers wie Wilhelm Oechelhäuser. Gewöhnlich schlossen die Städte zuerst Verträge mit privaten Gasanstalten ab. Der Streit über Lieferungsmodalitäten und Preise führte jedoch ziemlich früh zum Bau städtischer Betriebe. Minden (1828), Elberfeld (1837), Berlin (1845) gingen auf diesem Weg voran. Außerdem erwies sich die kommunale Gaswirtschaft alsbald als lukratives Geschäft, das zu Neugründungen unter städtischer Regie oder zur Übernahme der Privatbetriebe führte. Bis 1860 wurden bereits sechsundfünfzig durchweg große Städte von ihren eigenen Gaswerken versorgt, 1871 waren es fast zweihundertvierzig. Seither setzten sich diese Kommunalbetriebe auf breiter Front durch, bis das Zeitalter der Elektrizität begann. Eine wichtige Folge dieser Entwicklung war die Übernahme von Ingenieuren und Angestellten in den städtischen Dienst. Damit zeichnete sich erstmals das künftige Sozialprofil der erweiterten Stadtbehörden ab.

Als im Verlauf der beschleunigten Urbanisierung Abertausende von Menschen in den Städten zusammenströmten, stellte sich das Problem der Abwasserentsorgung mit ungeahnter Dringlichkeit. Bisher waren Schmutzwasser und Jauche, Fäkalien und Abfälle auf die Straße und von dort aus allenfalls in Flüsse und Bäche geleitet worden. Das hatte zu katastrophalen Zuständen geführt, welche die Gesundheit ständig akut bedrohten. Außerdem wurde die Lebensqualität des städtischen Alltags auch dadurch schweren Belastungen unterworfen, daß ein pestilenzartiger Gestank und giftige Miasmen die Luft durchdrangen. Die Nähe einer größeren Stadt könne man, hieß es, kilometerweit vorher an den abschreckenden Geruchswolken erkennen. Die Lösung des Problems wurde im Bau von Kanalisationsanlagen mit dem Fernziel gefunden, möglichst jedes Gebäude daran anzuschließen. Seit dem Anfang der fünfziger Jahre gingen Großstädte wie Hamburg, Berlin, München und Frankfurt, erneut nach englischem Vorbild, dazu über, solche Entwässerungssysteme in eigener Regie zu bauen. Wie in England übte die Cholera – eine bis dahin in Europa unbekannte Krankheit, der die Ärzte machtlos gegenüberstanden – einen starken Ansporn aus. Die Cholera, etwa die verheerende Epidemie in Hamburg, wirkte gewissermaßen als «Polizei der Natur», als «großer Sanitätsreformer», der die Städte zum Handeln zwang, wenn sie die Ursachen des Massensterbens, das sich jederzeit wiederholen konnte, beseitigen wollten. Das Hamburger Beispiel wurde seit 1852 von Berlin imitiert, weitere große Städte folgten. In München forderte der Mediziner Max Pettenkofer, nachdem er selber die Cholera überlebt hatte, eine umfassende Abwässerbeseitigung und Grundwasserregulierung. Mühsam konnte er das Innenministerium für seine Ideen gewinnen, die in den fünfziger und sechziger Jahren schleppend realisiert wurden; überhaupt verlief der Vorgang im allgemeinen langsam, da dieser Zweig der Leistungsverwaltung nur Kosten verursachte und keinen Gewinn abwarf.

Wegen der riesigen Arbeitsvorhaben mußten überall Prioritäten gesetzt werden. Stadtviertel mit gehobenem Wohnniveau wurden zuerst kanalisiert, in Unterschichtenquartieren herrschten auch in den siebziger Jahren oft noch chaotische Zustände. Die Abwasserentsorgung wurde mit der neuen Technik der Schwemmkanalisation und der Berieselungsanlage verbunden, auf die Schmutzwasser geleitet und nach der Reinigung zumindest als Brauchwasser wiederverwendet werden konnte. Auf diese Weise wurde die gefährliche Ableitung in die Gewässer allmählich reduziert.

Ebenso dringend wurde in derselben Zeit die ausreichende Versorgung der Städte mit sauberem Trinkwasser und Brauchwasser für gewerbliche Zwecke. Die privaten Brunnen und Zisternen reichten nicht einmal mehr annäherungsweise aus, zumal das Grundwasser von der oberirdischen Kloake verseucht wurde. Hygienisch einwandfreies Wasser möglichst für jeden Haushalt – dieses Ziel konfrontierte die Städte, als sie unter den anhaltenden Druck der Urbanisierungsfolgen gerieten, mit einem unaufschiebbaren Problem, das seit der Mitte des Jahrhunderts durch eine wahre «Revolution der Wasserversorgung» gelöst wurde. Sie bestand in der Leistung der zentralen Wasserversorgungswerke. Hamburg (1849), Berlin (1851), Altona (1854), Magdeburg (1858) gingen auf diesem Gebiet voran. Zuerst übernahmen gewöhnlich Privatunternehmen diese Wasserlieferung. Frühzeitig wurden jedoch auch kommunale Wasserwerke eingerichtet, Frankfurt etwa begann sogleich damit. Es bedurfte jedoch der zögernden Diffusion in den sechziger Jahren – 1870 gab es erst zwölf zentrale Anstalten –, bis die Stadtverwaltungen überall die Initiative ergriffen und aufgrund der Einsicht, daß die Wasserversorgung genauso wichtig war wie die Kanalisation, auf städtische Rechnung Kommunalwerke bauten.

In dieser Zeit nahmen sich die Städte weiterer Probleme an. Das untere Schulwesen wurde ausgebaut, die Gymnasien waren durchweg städtische Institutionen. Neue feste Straßen wurden gebaut, die bereits vorhandenen Wege gepflastert. Die Kosten konnten nur zum Teil auf die Besitzer der Anrainergrundstücke abgewälzt werden. Auch die Abfallbeseitigung wurde in städtische Regie genommen: Die Frühform der gebührenpflichtigen regelmäßigen Müllabfuhr tauchte auf. Um den Risiken der Privatschlachtung und des Verkaufs von unkontrolliertem Fleisch vorzubeugen, wurden seit den sechziger Jahren städtische Vieh- und Schlachthöfe am Außenrand des Siedlungsgeländes gebaut, Schlachtung und Fleischbeschau in diesen öffentlichen Einrichtungen wurden seither immer häufiger obligatorisch vorgeschrieben.

Im allgemeinen hielt das Gesundheitswesen mit dem städtischen Wachstum nicht Schritt; die Verhältnisse auf dem Lande blieben freilich noch weitaus ungünstiger. Hatte z. B. die Relation von Ärzten (5595) zu Einwohnern in Preußen 1849 1:2874 betragen, war das Verhältnis bis 1871 (5837) auf 1:3477 abgesunken. Stand 1850 rund zehntausend Menschen eine Apotheke zu Diensten, hat sich auch hier bis 1871 die Klientel wesentlich vergrößert. Nur im Hinblick auf die Krankenhäuser (1849 = 480) wurde das groteske Mißverhältnis von 1:34032 verbessert, sank die Zahl potentieller Patienten wegen des Baus städtischer Anstalten auf rund 20000. Eine durchgreifende Verbesserung der medizinischen Versorgung fällt erst in die Zeit des Kaiserreichs. Immerhin führte die Hygienepolitik der Städte schon vorher dazu, daß die zentralisierte Leichenbestattung auf einem kommunalen Friedhof sich zusehends durchsetzte.

Mit dem Anschwellen der städtischen Unterschichten, namentlich des industriellen Proletariats, wuchs auch die Armenfürsorge in eine neue Größendimension hinein, da im allgemeinen die Wohn- oder die Heimatgemeinde für diese Form der Sozialpolitik unmittelbar zuständig war. In Preußen versuchten die städtischen Honoratioren in den fünfziger Jahren noch einmal, durch eine strenge Einschränkung der Freizügigkeit der «zunehmenden Verarmung zu steuern und die besitzenden Klassen ... vor dem Andrang des Proletariats zu schützen». Die Armenrechtsnovelle zum Gesetz von 1842 verteidigte jedoch, als sie im Mai 1855 in Kraft trat, die Freizügigkeit. Allerdings begann die Hilfspflicht der Gemeinden erst nach einjähriger Anwesenheit. Wer im ersten Jahr nach dem Zuzug die öffentliche Armenpflege belastete, konnte an seinen bisherigen «Unterstützungswohnsitz» zurückgeschickt werden. Als weitere Abwehrmaßnahme dienten die Zuzugs- und Einkaufsgelder, die – wie etwa in Preußen – auch im Geltungsbereich des süddeutschen Heimatrechts die Städte gegen den Massenpauperismus schützten sollten.

Alle diese Vorkehrungen konnten jedoch die Ausdehnung der «städtischen Armut» nicht verhindern. Und als die Reichs- und Ländergesetzgebung die ungehemmte Freizügigkeit und die gebietskörperschaftliche Einwohnergemeinde vollends durchsetzten, wurde die akute Notlage in den Städten erst recht verschärft. Sie bemühten sich, mit unterschiedlichen Methoden der «Armenpflege», etwa dem sogenannten Elberfelder System (seit 1852/53), diese Misere zu bewältigen. Da jedoch zugleich die städtische Finanzkraft nur begrenzt in Anspruch genommen werden sollte, bewegten sich die Erfolge in engen Grenzen. Erst der Reallohnanstieg seit den achtziger Jahren in Verbindung mit der staatlichen Sozialpolitik konnte auf die Dauer die Armutsproblematik effektiver entschärfen.[12]

9. Aus dieser Fülle neuer Aufgaben, die innerhalb relativ kurzer Zeit durch die Urbanisierung aufgeworfen wurden und von den Städten zu lösen waren, resultierte mit innerer Notwendigkeit eine zunehmende Bürokrati-

sierung der städtischen Administration. Zugleich verwandelte sie sich aufgrund ihrer Anstrengungen, die Folgeerscheinungen der Urbanisierung zu bewältigen, Schritt für Schritt in die moderne Leistungsverwaltung mit dem Ziel einer umfassenden Daseinsvorsorge. Noch ehe im Kaiserreich der Aufstieg des Interventionsstaats seit den späten siebziger Jahren einsetzte, hatte der Interventionismus problembewußter Stadtleitungen bereits begonnen. Wie Jahrhunderte zuvor die Verwaltung der großen Städte den fürstenstaatlichen Räten oft als Vorbild gedient hatte, gewannen jetzt die Städte in der Inkubationsphase der Urbanisierung notgedrungen erneut einen Vorsprung. Seit den achtziger Jahren verliefen dann die vieldiskutierte Expansion der Staatsfunktionen und die Ausweitung der kommunalen Verwaltungsfunktionen parallel nebeneinander her, da die allgemeinen Ursachen dieses Prozesses: die sozioökonomischen und politischen Disparitäten, Ungleichgewichte und Deprivationen des Modernisierungsprozesses Staaten wie Städte zum Handeln nötigten.

Welche spezifischen Motive und Konstellationen brachten die städtische Leistungsverwaltung hervor? An erster Stelle stand die Gefahrenabwehr: der Kampf gegen die sozialen und politischen Sprengwirkungen, gegen möglichst alle als «potentiell systemzerstörend empfundenen Erscheinungen» während des städtischen Wachstums. Die große Mehrheit der Stadtbewohner, die fünfundsiebzig bis neunzig Prozent umfassenden Unterschichten – sie verkörperten sowohl für die Bürgerfamilien als auch für die Kommunalverwaltungen den Inbegriff einer existentiellen Bedrohung. Denn in ihren ständig weiter auswuchernden Wohnquartieren schien sich, wie die Erfahrungen von 1848/49 lehrten, ein revolutionsbereites Proletariat zusammenzudrängen. Daher galt die öffentliche Sicherheit permanent als latent gefährdet. Die Armenfürsorge wurde zur Sisyphusarbeit. Die hygienische Situation warf immense Probleme auf. Sozialangst, ob auf nüchterner Beobachtung oder verzerrter Wahrnehmung der Deprivation beruhend, wirkte sich als Ansporn aus, mit konkreten Maßnahmen der Bedrohung entgegenzutreten. Denn allein aktives Vorgehen schien eine Entspannung zu ermöglichen, welche die bürgerliche Welt vor den risikoreichen Auswirkungen, die jederzeit von diesem unheimlichen Gefahrenherd ausgehen konnten, bewahren half. Wie es Rudolf v. Gneist, der führende liberale Theoretiker der Stadt- und Verwaltungsreform, 1869 mit der ihm eigenen Mischung von Optimismus und Realismus ausdrückte: «Die soziale Frage steht nicht mehr als Gespenst in einem unerkennbaren Hintergrund, sondern besitzende und arbeitende Klassen erkennen in der praktischen Tätigkeit des Schul- und Armenwesens, der Gesundheitspflege, der Wohltätigkeitsanstalten ..., was an der sozialen Frage lösbar ist.»

An zweiter Stelle ist ein Komplex von rechtlichen, ökonomischen und politischen Faktoren zu nennen, welche die Stadtverwaltung in den wirtschaftlichen Bereich und das Betätigungsfeld neuer Versorgungsleistungen expandieren ließen. In den alten Städten hatte die Obrigkeit, legitimiert durch die Wohlfahrts- und Polizeytheorien, traditionell drei Zwecke verfolgt: den polizeilichen Sicherheitszweck (z. B. Feuerschutz, Nachtwache), den sozialen Fürsorgezweck (z. B. Hospitäler, Armen- und Waisenhäuser) und den ökonomischen Förderungseffekt (z. B. Märkte, Lagerhäuser). Die Reformgesetze und Städteordnungen des 19. Jahrhunderts hoben die Gesamtverantwortung der Vollbürgerkorporation auf. Öffentlich-rechtliche Aufgaben – für sie wurde der Stadtgemeinde Teilhabe an der staatlichen Hoheitsverwaltung gewährt – und privatrechtliche Aufgaben, ehemals ungeschieden, wurden jetzt getrennt. Das Privatrecht war es, welches das «Einfallstor» für die neuen erwerbswirtschaftlichen Kommunalunternehmen öffnete. Zur öffentlich-rechtlichen Domäne gehörten Beleuchtung, Kanalisation, Wasserversorgung, Sozialfürsorge; privatrechtlichen Normen jedoch unterlagen Gasanstalten und bald Elektrizitätswerke, Verkehrsbetriebe, Theater, Opernhäuser, Badeanstalten.

Für den gewöhnlichen Stadtbewohner zählten die rechtlichen Raffinessen wenig. Praktisch gewann für ihn wachsende Wichtigkeit die Summe aller gewährten oder verweigerten kommunalen Dienstleistungen: gleich ob es um die Lieferung von Leucht- und Heizenergie, die Entsorgung von Abwasser und Abfall, die Versorgung mit Trink- und Industriewasser ging oder um die Verkehrswege, Schulen und die Chancen von Bebauungsvorschriften. Unter systematischen Gesichtspunkten aber war an dieser Entwicklung das eigentlich Neue, daß neben die dualistische Wirtschaft von privaten Großunternehmen einerseits, mittleren und kleineren Betrieben andererseits ein weiterer Dualismus trat: der von Privatfirmen und Kommunalbetrieben. Ihnen stand auf lange Sicht ein enormer Aufschwung in Bereichen bevor, die in anderen westlichen Ländern viel länger oder dauerhafter, zum Teil bis in die unmittelbare Gegenwart, Privatunternehmen überlassen blieben.

Der Kontrast legt es nahe, bei den deutschen städtischen Betrieben von einer Art «Munizipalsozialismus» zu sprechen. Auf jeden Fall entstand – begünstigt auch durch die langlebigen Traditionen der deutschen Bürokratie und älterer Staatseingriffe – der weitläufige Sektor der Kommunalbetriebe, die zusammen mit den Privatunternehmen ein gemischtwirtschaftliches System bildeten. Viele ausländische Beobachter empfanden es in dieser Form als deutsche Eigenart, nicht wenige als vorbildlich. Während der Inkubationsphase der Urbanisierung wurde diese kommunalwirtschaftliche Entwicklung intensiver als zuvor vorangetrieben. An die gigantischen Elektrizitätswerke oder die riesigen Verkehrsbetriebe späterer Jahrzehnte hat freilich damals noch kein Stadtkämmerer gedacht. Aber die Weichen für einen folgenreichen Aufstieg wurden in der Tat gestellt.

Mit ihm hing auch der Beginn einer neuen Schulden- und Steuerpolitik zusammen, da der behördlich bewilligte Ausbau der städtischen Infrastruktur und Kommunalwirtschaft erhebliche Summen verschlang. Über ihre

Quellen, Steuern und Anleihen, entschieden einmal die Stadtparlamente, die weiterhin von einer durch Besitz, Einkommen und Bildung ausgezeichneten kleinen Aktivbürgerschaft gewählt wurden. Das bekannte preußische Dreiklassenwahlrecht begünstigte in krasser Form, mit rund fünfzig Prozent der Mandate, die Grund- und Hausbesitzer. Nur fünf bis zehn Prozent der Stadtbewohner gehörten überhaupt zu den Wahlberechtigten; in der I. Klasse gab es oft nur wenige Wähler, die jedoch ein Drittel der Sitze bestimmten; in Essen gehörte ihr zeitweilig nur Krupp an! Dieser «Privilegierung des Besitzbürgertums, vor allem des kapitalistischen Vermögens», welcher der systematische Ausschluß der Arbeiterklasse von jeder Mitwirkung korrespondierte, entsprach die Verteilung der Steuerlasten. Da die städtischen Pro-Kopf-Ausgaben in einkommensschwachen Stadtteilen kontinuierlich stiegen, wurden dort mit dieser Begründung höhere Gemeindesteuern erhoben, so daß die Einkommensstarken auch noch den «Vorteil niedriger Gemeindeabgaben» genossen.

Neben den Stadträten oder Stadtverordnetenversammlungen begann seit den fünfziger/sechziger Jahren vielerorts auch ein neuer Typus von Oberbürgermeister eine wichtige Rolle zu spielen. Von den «Stadtvätern» gewählt, aber meist noch von staatlicher Bestätigung abhängig, gewannen energische Persönlichkeiten einen beträchtlichen Handlungsspielraum, der durch geschickte Koalitionen mit mächtigen Interessenaggregaten nach dem Prinzip des «do ut des» abgesichert werden konnte. Auch in dieser Hinsicht enthüllen die beiden nachrevolutionären Jahrzehnte die Anfänge von Kräftekonstellationen, die sich erst im Kaiserreich voll auswirken sollten.

Unter den Ursachen für die Ausdehnung der Leistungsverwaltung rangiert an dritter Stelle das den Zeitumständen angepaßte Gemeinwohlziel. Honoratioren und Kommunalpolitiker empfanden nicht selten das überkommene Verantwortungsgefühl, daß die Stadt gerade wegen der neuartigen Belastungen verpflichtet sei, den Einwohnern nach Kräften jene «lebensnotwendigen Leistungen» und öffentlichen Güter zur Verfügung zu stellen, welche die Menschen selber nicht mehr erbringen bzw. schaffen konnten. Eine Spielart des liberalen Denkens, wie sie besonders wirkungsvoll Gneist und dann Gierke vertraten, hat dabei die entscheidungsfähigen Gruppen

Übersicht 48: Bevölkerung und Städtewachstum in Preußen und Deutschland 1849–1871

		Gesamtbevölkerung in Mill.	Stadtbevölkerung in %, rechtlich	statistisch (= mehr als 2000 Einwohner)
Preußen	1849	16.33	28.1	–
	1871	24.64	32.5	37.2
Reich	1871	41.01	–	36.1

unterstützt. Die liberale Theorie lehnte die ältere «Wohlfahrtspolizey» allgemein als Eingriff in individuelle Freiheitsrechte ab. Der moderne Staat sollte auf diese minuziöse Gängelei verzichten und sich statt dessen als Rechtsstaat darauf beschränken, günstige gesamtgesellschaftliche Rahmenbedingungen zu schaffen und als Verwaltungsstaat zu respektieren. Diese Funktionen wurden ihm – so Gneist – für die «heutigen Großformen» des Staates zugedacht; auf die untere Ebene von Stadt und Kreis sollte er dagegen nicht ständig steuernd einwirken. Vielmehr sollte die Stadt weiterhin genossenschaftlich getragen und als bürgerlicher Gegenpol zum monarchisch-bürokratischen Staat verstanden werden.

Dieser Genossenschaftsgedanke knüpfte natürlich an die vergangene ständische Vollbürgerkorporation an, erklärte aber unter den veränderten Umständen praktische Stadtpolitik zur «Bestimmung der höheren Klassen». Indem sich der Staat zurückzog, gewannen diese Bürger ein freies Betätigungsfeld, auf dem sie «eine gesellschaftliche Komplementärfunktion gegenüber dem Staat» übernahmen. Die von ihnen praktizierte kommunale Daseinsvorsorge wurde daher von den Liberalen nicht kritisiert, obwohl diese moderne «Wohlfahrtspolitik», zeitgemäß abgewandelt, in mancher Hinsicht an die älteren Polizey-Maßnahmen anknüpfte. Welche Illusionen mit dieser Konzeption verbunden waren, sollte im letzten Drittel des 19. Jahrhunderts unübersehbar hervortreten. Wieweit solche liberalen Gemeinwohlmotive sich in konkreten Entscheidungsprozessen durchsetzten, bleibt jeweils zu prüfen. Sie während des Übergangs vom Honoratiorenregiment zur liberalen Kommunalpolitik schlechthin zu leugnen, wäre jedoch falsch, da das Verantwortungsgefühl für das städtische Gemeinwesen mit einem klassenspezifischen Interessenkalkül vielfach eine historisch verständliche Legierung eingehen konnte.[13]

10. Vergegenwärtigt man sich diese drei idealtypisch herausgehobenen Motivkomplexe, wird deutlich, welche Schubkräfte den Ausbau der Leistungsverwaltung mit ihrer Daseinsvorsorge in einer rasch wachsenden Anzahl von Realitätsbereichen vorantrieben. Indes: Nicht nur durch diese qualitative Veränderung kommunalpolitisch-bürokratischen Handelns wurde der ständige Aufenthalt in der Stadt tiefgreifend beeinflußt. Vielmehr

Übersicht 48: Bevölkerung und Städtewachstum in Preußen und Deutschland 1849–1871 (Verteilung in Prozent)

		unter 2000	2000 bis 5000	5000 bis 20000	20000 bis 100000	mehr als 100000
Preußen	1849	–	–	8.5	4.8 (18)	3.3 (2)
	1871	62.8	12.3	11.9	7.8 (45)	3.4 (4)
Reich	1871	63.9	12.4	11.2	7.7 (75)	4.8 (8)

bildete sich dort überhaupt ein neuer Lebensstil heraus. Die Trennung zwischen Wohn- und Arbeitsplatz wurde für alle, die in einem Arbeiter- oder Angestelltenverhältnis tätig waren, definitiv vollzogen. Dieses Grundfaktum der neueren Sozialgeschichte führte zu Folgelasten: zuerst zu teilweise stundenlangen Anmarschwegen der Arbeiter, bald zu dem dringenden Bedürfnis, den innerstädtischen Nahverkehr in kommunaler Regie zu organisieren. Das Wohnen selber war überall mit schichten- und klassenspezifischer Segregation verbunden. Ihre Wirkungen förderten sowohl die Klassenhomogenität als auch den Antagonismus zwischen proletarischer und bürgerlicher Welt. Die Misere der Unterschichtenquartiere übertraf häufig keineswegs das Elend der Landarbeiterhütten. Im Dorf aber gab es mehr Bewegungsfreiheit, in der Stadt mußte ein Stück Straße in das Zusammenleben einbezogen werden, so daß im Gegensatz zur geschlossenen bürgerlichen Intimsphäre die «halboffene» proletarische Wohnsituation charakteristisch wurde. Anders auch als auf dem Land, wo der Wechsel von Tag und Nacht den Arbeitsrhythmus bestimmte, herrschte in der Stadt die physikalische Zeit. Sie maß den Beschäftigten eine damals noch extrem hohe Arbeitszeit zu, schnitt aber andrerseits feste Zeiteinheiten nach der Schicht und am Wochenende als «Freizeit» heraus, die im Prinzip nach individuellem Belieben verbracht werden konnte.

Anders auch als in der ländlichen Gesellschaft spielten frühzeitig die zeitgenössischen Massenmedien eine auffällige Rolle. Zeitungen, Illustrierte und Pfennigmagazine, Bilderbögen, Parteiorgane und Gewerkschaftsbroschüren erreichten den Städter ungleich schneller und dichter als den Dorfbewohner. Dadurch konnte der Horizont erweitert, aber auch eine Traumwelt fiktiver Erwartungen geschaffen werden. Offensichtlich ist auch der Sprachhaushalt verändert und erweitert worden; sein Vokabular wurde durch die Hochsprache standardisiert.

Politische Entscheidungen und der Zugriff der Verwaltung waren gewöhnlich genau so unmittelbar und dauerhaft zu spüren wie das paternalistische Regiment des Grundherrn und Bauernschulzen. Zwischen die Entscheidungsinstanzen und die Adressaten ihrer Politik in den Unterschichten schob sich jedoch eine wachsende soziale und räumliche Distanz, welche die Stadtleitung und -verwaltung mit einer diffusen Anonymität umgab. Sie löste sich erst später langsam auf, als politische Mitwirkungsrechte erstritten worden waren. Bis dahin aber förderte sie das Gefühl, einer fernen, unpersönlichen Autorität ziemlich wehrlos ausgeliefert zu sein.

Überhaupt war das Stadtleben mit einer Vielzahl schwieriger Anpassungsprozesse verbunden. Nicht zuletzt gehörte dazu eine spezifische «Raumaneignung». Der städtische Lebensbereich mußte als neuer Raum der Erfahrungen und Aktionen, der Identifikation, Kommunikation und Sozialisation akzeptiert und in das Leben der Familien wie der Individuen während eines mühsamen Akkulturationsprozesses einbezogen werden. Er brauchte seine

Zeit, und in den beiden Jahrzehnten nach der Revolution begann diese Zeit soeben für all jene, die jetzt von der Urbanisierung erfaßt wurden.

Welche quantitative Zwischenbilanz läßt sich um 1871 ziehen? Erst acht deutsche Städte zählten in diesem Jahr mehr als hunderttausend Einwohner: Berlin achthundertsechsundzwanzigtausend, Hamburg zweihundertneununddreißigtausend, Breslau zweihundertachttausend, Dresden hundertachtundachtzigtausend, München hundertsiebzigtausend, Köln hundertneunundzwanzigtausend, Königsberg hundertzwölftausend und Leipzig hundertsiebentausend. Weitere einundzwanzig Städte besaßen zwischen zweiundneunzigtausend und einundfünfzigtausend Einwohner. Einen Überblick über die Entwicklung zwischen 1849 und 1871 in dem mit Abstand städtereichsten Staat, Preußen, und die Ausgangsposition des Reiches vermittelt die Übersicht 48 (s. S. 34 und 35).

Immerhin lebte in dem Jahr, als das Kaiserreich gegründet wurde, bereits mehr als ein Drittel seiner Staatsbürger in Städten mit mehr als zweitausend Einwohnern. Innerhalb der folgenden vier Jahrzehnte sollte dieser Anteil auf sechzig Prozent ansteigen. Im Brennpunkt der Hochurbanisierung, in den Großstädten, stand sogar eine siebenfache Vermehrung bevor.[14]

II.
Strukturbedingungen und Entwicklungsprozesse der Wirtschaft

Die ökonomische Signatur der zweieinhalb Jahrzehnte zwischen 1850 und 1873/75 ist eindeutig zu erkennen: Alle Zeichen standen auf Hochkonjunktur. Das trifft einmal auf die Agrarwirtschaft zu, die von 1848 bis 1875 die zweite Phase ihrer «Goldenen Jahre» seit 1826 durchlief. «Diese Periode war», urteilte einer der besten Sachkenner nach der Jahrhundertwende im Rückblick, «die glücklichste, welche die deutsche Landwirtschaft jemals erlebt hat.» Aus dem trügerischen Gefühl permanenter Prosperität wurde sie jedoch seit der Mitte der siebziger Jahre jäh herausgerissen, als der Zusammenbruch des europäischen Agrarmarkts eine im Grunde bis heute anhaltende strukturelle Dauerkrise auslöste.[1]

Das positive Urteil gilt, zum zweiten, für die Industriewirtschaft, die – von nur einer ernsthaften Krise kurz unterbrochen – dank der Hochkonjunktur der deutschen Industriellen Revolution einen beispiellosen Aufschwung erfuhr. Nachdem ihr erster Anlauf 1847/48 wegen ungenügender Wachstumskräfte, dann wegen der Revolution und Rezession im Gefolge des Bürgerkriegs ins Stocken geraten war, setzten sich seit der Jahrhundertmitte die Konjunkturimpulse kraftvoll durch. Wirtschaftliches Wachstum im modernen Sinne prägte seither den sekundären Sektor. Zugleich wurde es noch tiefer verankert, institutionell und rechtlich fester abgesichert. Zahlreiche Barrieren, die ihm noch entgegengestanden hatten, wurden jetzt niedergerissen. Die Trendperiode gipfelte in dem überschäumenden Boom der sogenannten «Gründerjahre» von 1866 bis 1873, ehe mit der Weltwirtschaftskrise von 1873 und der sich anschließenden, völlig unerwarteten sechsjährigen Depression eine traumatische Zäsur folgte.

Die Richtungskriterien für das Urteil über die wirtschaftliche Entwicklung in dieser – wortwörtlich genommen – grundlegend wichtigen Epoche bleiben unverändert dieselben, die bereits (in Bd. I) charakterisiert worden sind. Der Aufstieg des Agrarkapitalismus hielt nicht nur an, vielmehr erfuhr er sogar eine wuchtige Beschleunigung. Die positiven Auswirkungen der jetzt vollends abgeschlossenen Agrarreformen machten sich nachdrücklich geltend. Der noch immer wichtigste und größte Wirtschaftssektor wurde mithin gemäß den Organisationsprinzipien des Kapitalismus weiter modernisiert.

Der Handelskapitalismus weitete sich aufgrund des Eisenbahnbaus, der Dampfschiffahrt und der Expansion der von England beherrschten Weltwirtschaft kontinuierlich weiter aus. Zugrunde lag außer der steigenden

Nachfrage die «Verkehrsrevolution» als entscheidende Antriebskraft – zugleich als Bedingung der Möglichkeit einer vorher so nicht erreichbaren Vernetzung der Märkte. In diesen Aufschwung waren die modernisierenden deutschen Länder und Regionen voll einbezogen.

Die stürmische Entfaltung des industriellen Produktionskapitalismus schließlich, der mit seinen Führungssektoren um 1845 in die Phase des «Großen Spurts» eingetreten war, aber erst nach einem kurzlebigen Rückschlag seinen «Take-off» endgültig erlebte, erreichte eine neue Dimension. Der industrielle Konjunktur- und Krisenzyklus setzte sich seither als ein Basisprozeß durch, dessen Rhythmus die gesamte Transformation der Gesellschaft zunehmend bestimmte.

1. Die Landwirtschaft in der Hochkonjunktur

Trotz der unleugbaren Bedeutung der Industriellen Revolution in einer Langzeitperspektive muß man sich präsent halten, daß die Landwirtschaft nach Produktionsvolumen und Erzeugungswert, nach Kapitalstock und Wertschöpfung, nach Produktivität und Beschäftigtenzahl noch weiterhin der dominante Sektor blieb. In den beiden Jahrzehnten bis 1870 stieg zum Beispiel die Arbeitsproduktivität in einem strategischen Leitsektor wie dem Bergbau um hundertzehn Prozent, in der Agrarwirtschaft jedoch um hundertvierzig bis hundertzweiundfünfzig Prozent. Kurz: So rasant auch der Siegeslauf der Industrie vonstatten ging, darf doch der traditionelle, vorerst fortbestehende Primat der Landwirtschaft nicht übersehen oder verdrängt werden. Tatsächlich durchlief sie in den meisten deutschen Staaten die zweite Hälfte einer langen Prosperitätsperiode, die nur 1845/46 durch eine schwere Krise unterbrochen worden war. Bereits 1847/48 hatte der Aufschwung schon wieder eingesetzt. Die letzten hemmenden Traditionen aus dem Feudalzeitalter wurden durch den Abschluß der Agrarreformen in allen Ländern gesprengt. Der Agrarkapitalismus tat seither wieder einen großen Schritt voran.

Die Sozialgeschichte der ländlichen Gesellschaft wird erneut im Kapitel über die «Soziale Ungleichheit» erörtert (III.4 u. 5). Dennoch ist bereits hier festzuhalten, daß die traditionelle Machtelite des Landadels in jenen Jahrzehnten von der Woge der Hochkonjunktur getragen wurde. Von einem, wie es den Zeitgenossen schien, ungefährdeten ökonomischen Fundament aus, das als dominierende kollektive Grundstimmung einen hochgemuten aristokratischen Sozialoptimismus förderte, ging sie selbstsicher in die turbulenten politischen Auseinandersetzungen der sechziger und frühen siebziger Jahre hinein.

a) Das Vordringen des Agrarkapitalismus vom Aufschwung seit 1848 bis zur Krise 1875/76

Nach den schlimmen Mißernten von 1845/46 hatte bereits 1848 wegen der guten Ernte des Vorjahrs die Erholung für viele Landwirte eingesetzt. Ein überreiches Mengenangebot und sinkende Warenpreise wirkten sich auch zugunsten der geplagten Konsumenten aus. Der Durchschnittspreis der vier wichtigsten Getreidesorten fiel von 1847 = 124.6 auf 1849 = 56 Indexeinheiten, mithin um volle fünfundfünfzig Prozent auf den tiefsten Stand während der gesamten Phase zwischen 1848 und 1875 steil ab.

Auch in dieser Zeitspanne fangen diese Agrarpreise noch immer eine zentrale Bewegung der Landwirtschaft ein. Ihre Fluktuationen gibt die Übersicht 49 wieder.[2]

Übersicht 49: Getreidepreise in Deutschland 1850–1875 (1913 = 100)

Jahre	Roggen	Weizen	Gerste	Hafer	Getreide Jahresdurchschnitt	preuß. Weizen in M. pro t
1850	53	74	52	52	58.3	139
1851	74	82	74	68	75.5	150
1852	96	90	94	80	92.1	172
1853	106	110	106	87	104.9	205
1854	132	143	113	97	127.7	258
1855	136	148	121	103	132.8	284
1856	129	135	109	98	123.9	270
1857	86	105	91	84	91.3	204
1858	76	90	84	92	83.1	182
1859	73	86	86	96	81.0	179
1860	88	110	100	82	94.5	210
1861	89	113	90	76	93.7	221
1862	94	107	91	78	95.2	214
1863	80	97	80	75	83.7	184
1864	67	86	73	76	73.9	159
1865	73	81	72	77	75.9	163
1866	84	97	88	79	87.4	196
1867	115	131	114	95	116.6	258
1868	118	125	121	103	118.5	250
1869	92	99	104	92	95.2	194
1870	86	103	93	88	91.9	204
1871	96	117	101	91	101.7	234
1872	100	125	100	80	104.3	242
1873	114	134	120	89	116.9	264
1874	115	121	120	113	117.0	240
1875	94	99	103	103	98.0	196

Auffällig ist zuerst, daß weder schwere Hungerkrisen wie 1816/17 und 1846/47 noch Überproduktionsphasen wie 1824/25 auftraten. Während der zweieinhalb Jahrzehnte bis 1875 gab es vielmehr in rund fünfzehn Jahren gute

Ernten mit relativ gleichmäßigen, günstigen Preisen auf mittelhohem Niveau. Im Durchschnitt lagen diese Preise sogar erheblich, nicht weniger als zwanzig Indexeinheiten, über dem Mittelwert der ersten fünfundzwanzig «goldenen Jahre». In weiteren rund zehn Jahren konnten mittlere Ernten eingebracht werden, die wegen der steigenden Nachfrage hohe Preise erzielten. Sie blieben aber weit entfernt von den Extremwerten der beiden früheren Agrarkrisen. Insgesamt hielt sich eine außergewöhnlich vorteilhafte Preislage mit Spitzenwerten von 1854 bis 1856 und 1871 bis 1874 über ein Vierteljahrhundert hinweg.

Die Reinerträge der adligen und bäuerlichen Großbetriebe sollen daher von 1830 bis 1870 gewöhnlich um das Dreifache gestiegen sein. Die Preiskontinuität und die vorteilhafte Ertragslage wirkten zusammen als stimulierende Konjunktursignale, die ständig Investitionen in die Landwirtschaft lenkten – dazu sogleich mehr – und den Gütermarkt in lebhafter Bewegung hielten.

Um 1870 konnte für Großgrundbesitz das Drei- bis Vierfache des Preises in den 1820er Jahren verlangt werden. Große Bauernhöfe waren eher noch teurer. Auch die Domänenpachtzinsen kletterten von 1848 = 13.90 bis 1869 = 31.18 M/ha um mehr als das Doppelte nach oben. Trotzdem brachte die Bewirtschaftung geschickten Pächtern noch «Reichtümer» ein. Folgerichtig nahm der Besitzwechsel mit einer ungeahnten Geschwindigkeit zu. In der Provinz Sachsen etwa wechselten zwischen 1835 und 1864 von 1287 Rittergütern 1211 durch Verkauf, 944 kraft Erbrecht ihren Eigentümer. In Ostpreußen befanden sich 1885 nur 154 Rittergüter (12.8%) länger als fünfzig Jahre im Besitz einer Familie. Seit 1835 hatten dagegen 77.2 Prozent ihren Eigentümer, oft mehrfach, gewechselt. In allen altpreußischen Provinzen zusammengenommen hatte zwischen 1835 und 1864 von 11771 Rittergütern jedes Gut im Durchschnitt mehr als zweimal (23654) einen Besitzwechsel erlebt: 14404 (60.2%) waren freiwillig verkauft worden, 7903 (34.7%) gingen durch Erbfall in andere Hand über, 1347 (5.1%) unterlagen der Subhastation.

Zwei wichtige Folgen dieses agrarkapitalistischen Trends, daß Grundbesitz als beliebig verkäufliche Ware und als Spekulationsobjekt behandelt wurde, sind hervorzuheben. Von 1850 bis 1875 stieg der Bodenwert der deutschen Landwirtschaft (in den Grenzen von 1871) von 1850 = 26.5 auf 1875 = 49.3 Milliarden Mark (in laufenden Preisen) um rund fünfundachtzig Prozent an. Während sich der gesamte Kapitalbestand der Landwirtschaft (Boden, Gebäude, Vieh, Geräte, Maschinen, Vorräte) in dieser Zeitspanne wegen der anhaltenden Modernisierung um rund neunzig Prozent vermehrte (1850 = 42.4 Mrd. M. – 1875 = 79.3 Mrd. M.), machte der Anteil des Bodenwertes in den fünfziger Jahren rund sechzig Prozent, in den sechziger Jahren sogar zwei Drittel davon aus.

Die Schattenseite dieser Entwicklung bestand aus einer weitverbreiteten Verschuldung, deren Ausmaß nach dem Urteil der zeitgenössischen Experten selbst die Preissteigerungsrate für Agrarprodukte und landwirtschaftliche Betriebe übertraf. Eine Erhebung der preußischen Verwaltung über die hypothekarische Verschuldung in dreiundvierzig Amtsgerichtsbezirken, welche über die gesamte Monarchie so verstreut lagen, daß sie die Ansprüche an ein modernes repräsentatives Sample tendenziell erfüllen, ergab 1883 als Durchschnittswert für die großen Güter, daß 70.4 Prozent mittelmäßig (27.5%) bis hoch (42.9%) verschuldet waren; für die großbäuerlichen Höfe lauteten die Werte 43.1 Prozent (28.5/14.6%), selbst für die mittelgroßen Betriebe 39.8 Prozent (27.5/12.3%). Obwohl das statistische Mittel schon hoch liegt, verbirgt es, daß im konkreten Einzelfall zahlreiche große Güter um mehr als achtzig, neunzig, ja hundert Prozent des Schätzwertes verschuldet waren. Diese Überschätzung der Dauerhaftigkeit des Bodenwertanstiegs machte insbesondere den Großgrundbesitz außerordentlich krisenanfällig.[3]

Trotz dieser typischen Kennzeichen einer konjunkturellen Überhitzung bleibt die kontinuierliche Leistungs- und Produktionssteigerung in den fünfundzwanzig Jahren bis 1875 die hervorstechende Erfolgsbilanz dieser Epoche. In ihr wurden dieselben Werte erreicht, für welche die deutsche Landwirtschaft vorher das gesamte halbe Jahrhundert bis 1850 benötigt hatte!

Allein dieser Tatbestand genügt, um die ungewöhnliche Dynamik des primären Sektors zu illustrieren. Sie läßt sich jedoch glücklicherweise genauer analysieren, da die Bewegungen der deutschen Wirtschaft seit der Mitte des vorigen Jahrhunderts von der Globalstatistik, die Walther G. Hoffmann mit zahlreichen Mitarbeitern erstellt hat, eingefangen worden sind. Gewiß ist dieses Werk über «Das Wachstum der deutschen Wirtschaft» seit 1850 noch nicht das «Nonplusultra» moderner Wirtschaftsstatistik. Zweifellos bietet es aber die zur Zeit beste Auswertung der teilweise spärlichen oder durch Schätzung und Extrapolation mühselig zu vervollständigenden statistischen Überlieferung. Auf diese Weise ist es möglich, auf ein halbes Dutzend der wichtigsten Indikatoren, die zur Bestimmung wirtschaftlichen Wachstums verwandt werden, im Hinblick auf die deutsche Landwirtschaft (in den Grenzen von 1871) zurückzugreifen.

1. Die Nettoinvestitionen zum Beispiel, die Auskunft über die Menge des «Treibstoffs» für die ökonomische Entwicklung der Zukunft geben, zeigen zwar von 1851 bis 1854 die Landwirtschaft mit 25.3 Prozent an zweiter Stelle hinter dem häufig unterschätzten, mit der Urbanisierung indes hochschießenden Wohnungsbau (31.2%). Von 1855 bis 1865 behauptete die Landwirtschaft jedoch wieder eine absolute Spitzenstellung mit bis zu 37.5 Prozent. Seither fielen ihre Werte scharf ab und pendelten sich aufgrund der unwiderstehlichen Konkurrenz von Industrie, Eisenbahnbau und Wohnungsbau in den siebziger Jahren bei nunmehr gut zehn Prozent ein. Auch ohne die europäische Agrarkrise seit 1875/76 wäre, das läßt sich an solchen Ziffern

ablesen, der relative Bedeutungsrückgang des Primärsektors nicht aufzuhalten gewesen. Die teilweise verblüffend rasche Verschiebung der strukturellen Relationen macht Übersicht 50 deutlich.

Übersicht 50: Struktur der deutschen Nettoinvestitionen 1850–1879 (in Preisen von 1913, prozentualer Anteil)

Jahre	Landwirtschaft	Industrie/ Gewerbe	Wohnungsbau	Eisenbahnbau	Insgesamt Mill. M.
1850/54	25.3	13.5	31.2	19.7	890
1855/59	35.3	21.9	15.4	16.2	776
1860/64	27.5	17.3	23.0	14.6	1538
1865/69	31.8	14.5	36.3	17.2	1476
1870/74	10.3	32.6	24.0	23.8	2040
1875/79	10.8	10.6	41.8	25.5	2338

2. So aufschlußreich auch die Schwankungen der Nettoinvestitionen für die Trends in den verschiedenen Wirtschaftsbereichen sind, so eindeutig bestätigt doch die Zusammensetzung des Kapitalstocks den klaren Vorrang des Agrarsektors in dieser Zeitspanne. Um 1850 erreichte er fast die Hälfte des gesamten deutschen Kapitalstocks. Bis in die Mitte der sechziger Jahre hinein verteidigte die Landwirtschaft diesen außerordentlich hohen Anteil, ehe sich – wie bei den Nettoinvestitionen – die Relationen zu ihren Ungunsten zu verschieben begannen. Immerhin vermochte sie bis 1875 während eines allgemeinen rasanten Anstiegs in absoluten Zahlen noch relativ viel, nämlich rund vierzig Prozent, zu behaupten. Damit lag ihr Anteil mehr als doppelt so hoch wie der von Industrie und Wohnungsbau, während er den des Leitsektors Eisenbahnbau um das Vierfache übertraf.

Übersicht 51: Der deutsche Kapitalstock 1850–1875 (Mrd. M., in Preisen von 1913)

Jahre	Landwirtschaft	Industrie/ Gewerbe	Wohnungsbau	Eisenbahnbau	Insgesamt
1850	24.5	7.2	7.0	1.2	46.8
1855	25.3	7.8	8.2	1.9	50.7
1860	27.5	8.7	8.9	2.8	55.7
1865	30.0	10.0	11.0	3.8	63.4
1870	31.4	11.7	13.4	5.4	71.2
1875	33.3	14.6	16.8	8.0	83.1

3. Da der Kapitalbestand, wie bereits erwähnt, von 1850 bis 1875 um rund neunzig Prozent zunahm, fällt es angesichts dieser Kapitalausstattung leichter zu verstehen, daß die Landwirtschaft trotz der Wachstumsdynamik der rivalisierenden Wirtschaftsbereiche ihren prozentualen Anteil am Nettoinlandsprodukt während dieser Trendperiode erstaunlich gut verteidigen

konnte. Sie verlor bei einer eindrucksvollen absoluten Wertsteigerung der deutschen Wirtschaft von rund fünfundachtzig Prozent nur zwanzig Prozent, während Industrie und Handwerk, Bergbau und Verkehr zusammen um mehr als fünfzig Prozent anwuchsen.

Übersicht 52: Deutsches Nettoinlandsprodukt 1850–1879 (in Preisen von 1913, prozentualer Anteil)

Jahre	Landwirtschaft	Industrie/ Handwerk	Bergbau	Verkehr	2–4 zus.	Insgesamt/ Mill. M.
1850/54	45.2	20.4	0.8	0.7	21.9	9555
1855/59	44.3	21.5	1.2	1.0	23.7	10575
1860/64	44.8	22.5	1.3	1.2	25.9	12134
1865/69	42.4	25.1	1.7	1.6	28.4	13699
1870/74	37.9	29.7	2.0	2.1	23.8	15678
1874/79	36.7	30.7	2.1	2.4	35.2	17745

4. Auch ein so aufschlußreicher Indikator wie die Wertschöpfung unterstreicht, obwohl hier ganz deutlich das Schrumpfen der relativen Bedeutung der Agrarwirtschaft beobachtet werden kann, noch einmal ihre Spitzenposition. Zu Beginn, im Jahre 1850, stand sie mit einem Anteil von fast fünfundvierzig Prozent weit vor allen anderen Wirtschaftsbereichen, behielt diesen Anteil in den gesamten fünfziger Jahren, fiel dann während der sechziger Jahre bis 1870 auf vierzig Prozent zurück und erfuhr bis 1875 eine weitere Einbuße, so daß sie schließlich siebenunddreißig Prozent der Wertschöpfung erbrachte. Insgesamt verringerte sich ihr Beitrag während der deutschen Industriellen Revolution um nur acht Prozent. Allerdings rückten Industrie und Handwerk, Bergbau und Verkehr bis 1875 in furiosem Tempo dicht auf (6.6 : 6.2 Mrd. M.), während das Verhältnis 1850 mit 4.4 : 2.0 Mrd. M. noch einen Vorsprung zugunsten der Landwirtschaft von rund fünfundfünfzig Prozent ausgedrückt hatte. Überholt wurde der Agrarsektor sogar erst 1884 (7196 : 7227 Mill. M.), wenn man bei diesen Vergleichsgrößen bleibt. Bezieht man die Dienstleistungen und den Wohnungsbau mit ein, lag die Wendemarke aber bereits im Jahr 1869 (5789 : 5854 Mill. M.).

Übersicht 53: Deutsche Wertschöpfung 1853–1875 (Mill. M., in Preisen von 1913)

Jahre	Landwirtschaft	Industrie/ Handwerk	Bergbau	Verkehr	2–4 zus.	Insgesamt
1850	4397	1891	63	53	2007	9449
1855	4142	2030	105	91	2226	9657
1860	5236	2528	131	120	2779	11577
1865	5758	3184	221	192	3597	13167
1870	5738	3742	255	280	4277	14169
1875	6595	5453	356	412	6221	17658

5. Für das durchschnittliche jährliche Arbeitseinkommen werden nur die mit den genannten Einschränkungen ermittelten (zum Teil geschätzten und interpolierten) Werte für die Selbständigen aufgeführt. Industrie-, Bergarbeiter- und Landarbeiterlöhne bleiben hier mithin explizit ausgeschlossen. Obwohl wegen mehrerer Unsicherheitsfaktoren, die sich vor allem im Begriff des «Unternehmereinkommens» in der Industrie, im Berg- und Eisenbahnbau verbergen, erhebliche Vorbehalte geltend gemacht werden können, illustrieren die Zahlen wahrscheinlich dennoch den zur Zeit ermittelbaren Trend. In erster Linie fällt der kontinuierliche Anstieg in der Landwirtschaft bis 1875/76 auf. Danach folgten Abfall und Stagnation. Immerhin gelang ihr eine Steigerung um hundertfünfzehn Prozent.

Diese Rate wurde zwar zwischen 1850 und 1879 vom Bergbau und Verkehrswesen mit einem enormen Zuwachs von zweihundertfünfzig Prozent, von Industrie und Handwerk mit auch noch zweihundertzehn Prozent weit übertroffen. Ihre Wachstumsraten hingen aber wesentlich mit den relativ geringen Werten zu Beginn der Epoche zusammen, so daß der sprunghafte prozentuale Anstieg während der Industriellen Revolution nicht so verwunderlich ist. In absoluten Zahlen blieb die Landwirtschaft bis 1875 ungefährdet der Spitzenreiter. In den 1850er Jahren zog sie volle fünfundvierzig Prozent des gesamten Arbeitseinkommens an sich, seither sank ihr Anteil auf rund siebenunddreißig Prozent, stabilisierte sich aber dort bis 1875. Auch dieses Ergebnis unterstreicht noch einmal ihren hohen Stellenwert in der Gesamtwirtschaft.

Übersicht 54: Deutsche Arbeitseinkommen 1850–75 (Mill. M., in Preisen von 1913)

Jahre	Landwirtschaft	Industrie/ Handwerk	Bergbau	Verkehr	Insgesamt
1850	2032	1144	46	62	4540
1855	2221	1343	91	77	5306
1860	2491	1690	96	117	6061
1865	2641	1794	145	146	6435
1870	2972	2426	179	205	8131
1875	4347	3586	276	306	11678

6. Schließlich gibt auch ein beliebter, aber vergleichsweise roher und wenig erklärungskräftiger Indikator wie die Beschäftigtenzahl Auskunft über den Rang der Landwirtschaft. Für bestimmte Stichjahre liegen die absoluten Zahlen für Deutschland (in den Grenzen von 1871) vor; Preußen mit den größten Agrargebieten des Reiches wird zum Vergleich ebenfalls berücksichtigt. Die prozentualen Verschiebungen werden in gleitenden Durchschnittsziffern zusammen mit den bisher berücksichtigten Wirtschaftsbereichen präsentiert.

Übersicht 55 I: Landwirtschaftliche Arbeitskräfte in Deutschland und Preußen 1849–1882 (in Mill.)

Jahre	Deutschland	Preußen	Jahre	Deutschland	Preußen
1849	11.48	7.48	1864	9.75	5.96
1852	11.38	7.44	1867	9.69	5.93
1855	11.27	7.42	1871	9.69	5.93
1858	10.95	6.97	1882	10.53	6.84
1861	11.27	7.45			

Übersicht 55 II: Deutsche Beschäftigtenzahlen 1849–1879

Jahre	Landwirtschaft	Industrie/ Handwerk	Bergbau	Verkehr	2–4 zus.	Insgesamt in Mill.
1849/59	54.6	24.3	0.9	1.1	26.3	15.13
1861/71	50.9	26.3	1.3	ca. 1.6	ca. 29.2	16.45
1878/79	49.1	27.7	1.4	2.0	31.1	19.42

Bei der damals geltenden Beschäftigtenquote von rund 43.7 Prozent der Gesamtbevölkerung lag die Landwirtschaft um die Jahrhundertmitte mit fast fünfundfünfzig Prozent aller Beschäftigten deutlich über der Hälfte aller Berufstätigen. Dreißig Jahre später hatte sie trotz der Sogkraft der Industrialisierung und Verkehrsrevolution nur 5.5 Prozent verloren und hielt sich mit rund neunundvierzig Prozent knapp unter der Hälfte. Hatte sie zu Beginn mehr als doppelt soviel Beschäftigte gezählt wie Industrie und Handwerk, Bergbau und Verkehr zusammengenommen, war freilich aufgrund der relativen Verschiebungen innerhalb der Beschäftigungsstruktur zugunsten des industriewirtschaftlichen Wachstumskerns ihr Vorsprung auf achtzehn Prozentpunkte geschrumpft.

Oder aber positiv formuliert: Obwohl Deutschland in die Ära der Hochindustrialisierung eingetreten war, bot die Landwirtschaft 1879 noch immer einer erstaunlich hohen Anzahl von Menschen Arbeit und Auskommen. Die absoluten Zahlen unterstreichen das mit dem Rückgang von 1849 = 11.48 auf 1882 = 10.53 Millionen in Deutschland, von 7.48 auf 6.84 Millionen in Preußen. Relativ wie absolut verlor mithin der Primärsektor innerhalb von drei Jahrzehnten nur knapp zehn Prozent seiner Beschäftigten, während in anderen Staaten auf einem vergleichbaren Industrialisierungsniveau der Beschäftigungsanteil des sekundären Sektors bereits ungleich höher lag. In einer Langzeitperspektive nimmt sich aber auch der Wandel in Deutschland etwas dramatischer aus: Von 1800 bis 1880 sank der Anteil der in der Landwirtschaft Beschäftigten an der Gesamtzahl der Berufstätigen immerhin um gut dreißig Prozentpunkte, von rund achtzig Prozent auf neunundvierzig Prozent.[4]

Angesichts des erstaunlichen Leistungspotentials, das diese knappe Bestandsaufnahme des strukturellen Gerüsts der Landwirtschaft enthüllt, wirkt das Ausmaß ihrer Produktionssteigerung nicht mehr überraschend. Sie bleibt jedoch in ihrer Höhe immer noch außerordentlich kräftig ausgeprägt. Hatte die deutsche Agrarwirtschaft ihre Gesamterzeugung von 1800 bis 1850 um fünfundneunzig Prozent erhöhen können, gelang ihr allein in den fünfundzwanzig Jahren bis 1875 eine Vermehrung um sechsundsiebzig Prozent – ein eindrucksvoller Beweis für das beschleunigte landwirtschaftliche Modernisierungstempo.

Übersicht 56: Deutsche Agrarproduktion 1851–1875 (1800/10 = 100)

Jahre	Pflanzliche Produktion	Viehwirtschaftliche Produktion	Gesamte Agrarproduktion
1851/55	192	211	198
1856/60	209	235	217
1861/65	244	254	247
1866/70	243	278	258
1871/75	266	291	274

Als besonders wichtig erwies sich angesichts der stürmischen Bevölkerungsvermehrung, daß die Hektarerträge der wichtigsten Brotgetreidesorten fortgesetzt gesteigert werden konnten. Für Weizen und Roggen gingen sie um vierundzwanzig bzw. fünfundzwanzig Prozentpunkte in die Höhe.

Übersicht 57: Deutsche Hektarerträge in dz/ha, 1848–1877 (1800 = 100)

Jahre	Weizen	%	Roggen	%
1848/52	12.3	119	10.7	119
1858/62	13.0	126	11.2	124
1868/72	15.1	147	12.8	142
1873/77	14.7	143	13.0	144

Fragt man nach den wesentlichen Ursachen des agrarwirtschaftlichen Wachstums, trifft man auf ein Bündel von Faktoren, von denen die ausschlaggebende Wirkung ausging.

1. Kontinuierlich wirkte sich der Nachfragesog auf den Binnenmarkt aus, wo der Landwirtschaft durch den Bevölkerungsanstieg ständig neue Anreize vermittelt wurden.

2. Wegen der Verstädterung und Industrialisierung sowie wegen der allgemeinen Ausbreitung der Lohnarbeit nahm die Marktabhängigkeit zahlreicher Konsumenten, die sich nicht mehr selber versorgen konnten, unablässig zu.

3. Die deutsche Industrielle Revolution und die parallel verlaufende dichtere Einbindung in die Weltwirtschaft wirkten sich auch auf die Landwirtschaft als stimulierende Impulse aus.

4. Der Primärsektor erfreute sich durchweg einer vorzüglichen Kapitalversorgung, wie das zum Beispiel die Nettoinvestitionen und der Kapitalstock auch im Vergleich mit Industrie, Eisenbahnbau und Dienstleistungswesen zeigen. Das ritualisierte Klagen über die ländliche Kreditnot kann über die zufließenden Kapitalströme nicht hinwegtäuschen.

5. Das privategoistische Interesse an Gewinn und Besitz in der Landwirtschaft wurde durch die Agrarkonjunktur, Spekulationshausse und Reformabwicklung unaufhörlich wachgehalten. Damit verbunden war die wachsende Marktorientierung und Marktquote agrarkapitalistischer Unternehmer.

6. Eine weitere Schubwirkung ging vom Abschluß des großen Werks der Agrarreformen aus, die zwar in den wichtigsten Staaten bereits vor 1848 im wesentlichen durchgeführt worden waren, aber erst nach dem Schock der «agrarsozialen Revolution» überall definitiv abgewickelt wurden. In Preußen trat am 2. März 1850 an die Stelle der alten Edikte das neue Gesetz über die «Ablösung der Reallasten und die Regulierung der gutsherrlichen und bäuerlichen Verhältnisse». Dadurch wurden alle bisher noch geltenden Beschränkungen, insbesondere für die Kleinbauern, aufgehoben. Seither genügte der Antrag eines Bauern zur Einleitung eines endgültigen Verfahrens. Endlich wurden nach sächsischem und süddeutschem Vorbild Rentenbanken eingerichtet, die den Bauern bei der Ablösung finanziell beistanden. Die Feudalrente wurde zum Achtzehnfachen ihres Wertes kapitalisiert. Innerhalb von einundvierzig bis sechsundfünfzig Jahren mußten die «befreiten» Bauern ihre Tilgungsraten und Zinsen bei einer der Landbanken abgezahlt haben. – Das wurde ihnen ein Vierteljahrhundert lang durch die Agrarkonjunktur sehr erleichtert.

Nach einem bestimmten Verteilungsmodus erhielt jährlich ein Teil der Gutsbesitzer die ihnen zugebilligte Gesamtsumme. Für den relativ begrenzten Kreis der anspruchsberechtigten Grundherren erwies sich das als außerordentlich vorteilhaft, da sie auf einen Schlag größere Beträge erhielten, die sie nicht nur für die Modernisierung ihrer Eigenwirtschaft, sondern auch zur Anhebung ihres klassenspezifischen Konsumaufwands verwenden konnten. (Die gesamten Transfersummen sind bereits in Bd. II berechnet worden!)

Um 1860 hatten sich, nachdem die Reform, aufs Ganze gesehen, rechtlich abgeschlossen war, für absehbare Zeit die Zahlen und Größenklassen der landwirtschaftlichen Betriebe herausgebildet. Mit den Angaben in Übersicht 58 hat man es seither bis weit in die Zeit des Kaiserreichs hinein zu tun.

Übersicht 58: Größenklassen der preußischen landwirtschaftlichen Betriebe 1858 (in ha)

Größe/ha	Anzahl der Betriebe	%	Fläche	%	Durchschnittl. Fläche je Betrieb/ha
bis 1.25	1099161	51.3	568580	2.4	0.52
1.25–7.5	617374	28.8	2150692	9.0	3.48
7.5–75	391586	18.4	9165479	38.0	23.41
75–150	15076	0.7	1543275	6.5	102.37
über 150	18289	0.9	10443175	43.8	471.01

Die 1.1 Millionen Zwergparzellenbesitzer mit Grundstücken bis ca. zwei Hektar blieben durchweg auf landwirtschaftliche und hausindustrielle Nebenerwerbstätigkeit angewiesen. Im allgemeinen konnten preußische Kleinbauern erst mit Höfen zwischen zwei und fünf Hektar selbständig, aber unter den ungünstigen Bedingungen einer kargen Subsistenzwirtschaft existieren. Mittelgroße Betriebe setzten fünf bis zwanzig Hektar Nutzfläche voraus, wenn der Besitzer mit allen Familienangehörigen und zeitweilig fremden Arbeitskräften selbständig wirtschaften wollte. Oberhalb der Zwanzig-Hektar-Grenze bewegten sich die großbäuerlichen Höfe mit gesichertem Einkommen und steigender Marktquote. Die 1.57 Prozent der Besitzer mit mehr als fünfundsiebzig Hektar kontrollierten genau die Hälfte der gesamten Nutzfläche!

Auf die 17456 Gutsbezirke mit durchschnittlich jeweils fünfhundertsiebzig Hektar entfielen 38.23 Millionen Morgen Kulturland und Wald, während zu den 26969 Bauerndörfern mit 9.2 Millionen Bewohnern 33.32 Millionen Morgen gehörten. In diesem Verhältnis spiegelte sich der große Landtransfer wider, der erst nach der Aufteilung der Gemeinheiten und Allmenden zugunsten der Gutsbesitzerklasse vonstatten gegangen war.

Auch im Königreich Sachsen wurden 1850/51 neue Reformgesetze in Kraft gesetzt, die alle persönlichen und bodenrechtlichen Leistungen für ablösbar erklärten. Um den vollständigen Übergang zur ländlichen Privateigentümergesellschaft möglichst schnell abzuschließen, wurde der 1. Januar 1854 als Schlußtermin für die letzten Ablösungsanträge festgesetzt. Wer einen solchen Antrag, aus welchen Gründen auch immer, nicht stellte, mußte die überkommene Belastung bis 1884 tragen; dann entfiel sie ohne weitere Formalitäten.

Um 1859 galt die sächsische Agrarreform als beendet. In den rund fünfundzwanzig Jahren der Abwicklung zwischen 1834 und 1859 zahlte die sächsische Landesrentenbank 85.69 Millionen Mark an die Rittergutsbesitzer. Selbst dieser Betrag stellt jedoch noch eine Mindestsumme dar, da die Höhe der bäuerlichen Zahlungen ohne die Zwischenschaltung der Bank unbekannt ist.

Die thüringischen Staaten schlossen die Reform aufgrund neuer Gesetze ebenfalls bis 1860 ab. Einige dieser Zwergländer übertrugen die Ablösung und Regulierung der preußischen Generalkommission zu Merseburg, die mit ihren Experten die Verfahren kostengünstig abwickelte. In der Adelsdomäne der mecklenburgischen Staaten wurde dagegen selbst jetzt noch ein Regulierungsgesetz bis 1862 verschleppt. Der Adel behielt auch danach das Recht, die Bauernstellen zur Hälfte einzuziehen, zur andern Hälfte an Erbpächter auszugeben, die eine feste Rente zahlen mußten.

In Süddeutschland war, genauso wie in Preußen, für die Mehrheit der Bauern das neue liberale Recht vor 1848 wirksam geworden. Baden erreichte den Abschluß der Reform bis 1860. 69.34 Millionen Mark wurden an die berechtigten Grundherrn gezahlt. Davon übernahm die Staatskasse vierzehn Millionen, während die Bauern mit Hilfe der ländlichen Kreditbanken gut fünfundfünfzig Millionen Mark selber aufbringen mußten. Wegen der niedrigen Ablösungswerte und staatlichen Unterstützung gelangte die württembergische Reform bereits in den fünfziger Jahren an ihr Ende. In Bayern dagegen brach erst die achtundvierziger Revolution den aristokratischen Widerstand, der die Einbeziehung der rund vierundzwanzig Prozent Adelsbauern in die Agrarreform seit Montgelas verhindert hatte. Die Ablösung wurde dem individuellen Ermessen anheimgestellt. Auch jetzt noch mußten die Bauern neunzig Prozent der Entschädigungsgelder aufbringen, nur den Rest übernahm die Staatskasse. So kam es, daß die letzten Bauern erst während der Inflation nach dem Ersten Weltkrieg ihre Grundlasten ablösten.

Im Gegensatz zu Preußen, wo beträchtliche Ablösungsgelder in den Ausbau der Gutswirtschaft flossen, wurde in Süddeutschland von diesen Entschädigungszahlungen relativ wenig in der Landwirtschaft investiert. Vielmehr wurden Schulden getilgt, festverzinsliche Staatsobligationen erworben und auch neue Ländereien gekauft. Der für zeitgenössische Verhältnisse hohe Kapitaltransfer kam daher allenfalls punktuell als Entwicklungshilfe der Landwirtschaft zugute.

Um 1860 verfügten die freien Bauern, die adligen und bürgerlichen Grundbesitzer auf dem Boden des späteren Reiches über insgesamt 25.99 Millionen Hektar privaten Ackerlands, das in diesem Umfang bis 1914 in etwa erhalten blieb. Trotz der beträchtlichen regionalen Unterschiede trifft der pauschalisierende Befund im allgemeinen zu, daß vierundvierzig Prozent dieser Ackerfläche mit Nutzpflanzen für die menschliche Ernährung, vierunddreißig Prozent mit Kulturen für Nutzvieh und elf Prozent mit Pflanzen für die gewerbliche Weiterverarbeitung bestellt wurden.[5]

7. Während die Agrarreformen ihrem Ende entgegengeführt wurden, konnte dank der Leistungen der Landwirte der Umfang des Kulturbodens noch einmal weiter ausgedehnt werden. Der zum Zwecke der Erholung jahrelang brachliegende Teil des Ackerlandes, die Schwarzbrache, wurde zügig reduziert. Hatte sie 1840 noch rund zwanzig Prozent ausgemacht, war

sie bis 1878 auf rund 8.9 Prozent (1913 = 2.7%) hinuntergedrückt worden. Der niedrigste Anteil lag mit einem Prozent in Sachsen und drei Prozent in Rheinpreußen, der höchste mit noch immer neunzehn Prozent in Bayern und vierzehn Prozent in Württemberg. Die Tendenz zur Aufhebung der Bodenruhe war unverkennbar. Naturwissenschaft und Agrarökonomie sollten diesen Fortschritt in den folgenden Jahrzehnten ermöglichen.

Parallel zur Einschränkung der Brache wurde auch das Öd- und Unland weiter nutzbar gemacht. Mit der Endphase dieser energisch beschleunigten Kultivierung endete der «größte strukturelle Umbruch in der Bodennutzung», den die deutsche Landwirtschaft im 19. Jahrhundert erlebte; erst die agrarwirtschaftliche Revolution, die seit den 1950er Jahren in der Bundesrepublik ablief, setzte neue Maßstäbe. Zur Veranschaulichung dieses Prozesses, der am Ende der 1870er Jahre abgeschlossen war, genügen wenige Vergleichszahlen. Die landwirtschaftliche Nutzfläche wuchs von 1800 = 30 Millionen Hektar auf 1878 = 36.73 Millionen Hektar um rund zweiundzwanzig Prozent an. Das Öd- und Unland dagegen fiel in derselben Zeit von 10.6 auf 3.4 Millionen Hektar, mithin um gut zwei Drittel. Der Waldbestand hielt sich mit 13.5 bzw. 13.8 Millionen Hektar kontinuierlich bei gut fünfundzwanzig Prozent. Hinter diesen dürren Zahlen verbirgt sich eine immense Anstrengung ungezählter anonymer Menschen der ländlichen Gesellschaft, die ihr Kulturland derartig erfolgreich ausdehnte. Gleichzeitig hielt vielerorts der Übergang zur verbesserten Dreifelderwirtschaft an.

Aus dem Zusammenwirken dieser Modernisierungsimpulse ergab sich ein schlechthin erstaunlicher Anstieg der deutschen landwirtschaftlichen Produktion je Arbeitskraft.

Übersicht 59: Deutsche landwirtschaftliche Produktion je Arbeitskraft 1851–1875 (Basis: Getreidewerte, in Mill. t)

Jahre	Pflanzl. Produktion	Viehwirtschaftl. Produktion	Gesamtproduktion	Arbeitskräfte in Mill.	t je Arbeitskraft	Index 1800/10 = 100
1851/55	28.42	15.59	44.01	11.32	3.89	168
1856/60	30.74	17.35	48.09	10.85	4.43	191
1861/65	35.96	18.61	54.57	10.53	5.18	223
1866/70	36.25	20.38	56.63	9.69	5.85	252
1871/75	39.15	21.26	60.41	10.11	5.97	257

In dem halben Jahrhundert vor 1850 war sie bereits um fünfundsechzig Prozent gestiegen. Allein in den fünfundzwanzig Jahren bis 1875 wuchs sie jedoch um weitere neunundachtzig Prozentpunkte. Damit lag die reichsdeutsche Agrarwirtschaft im internationalen Vergleich dicht hinter England und Belgien an dritter Stelle.[6]

8. Im Vergleich mit den traditionellen Methoden begann in dieser Epoche auch die verbesserte Düngung eine produktionssteigernde Wirkung auszu-

üben. Außer dem peruanischen Guano, der eine Zeitlang aus abgelagerten Vogelexkrementen auf pazifischen Inseln abgebaut werden konnte, tauchten jetzt Chilesalpeter, Kalk, Gips, Phosphate, Ammoniak, Kalisalz – überhaupt die Palette der mineralischen Düngstoffe auf. Ihr Siegeszug ist mit dem Namen Justus v. Liebigs unauflöslich verbunden. Seine Forschungsleistung, aber auch seine Werbeaktivität in der allgemeinen und agrarpublizistischen Öffentlichkeit führten den Durchbruch zur modernen Agrikulturchemie herbei. Eine wichtige Voraussetzung bildete die Entwicklung einer realistischen Pflanzenernährungslehre durch Sprengel, die seit den vierziger Jahren durch Liebig unterstützt wurde. Die erstaunliche Resonanz sowohl seiner naturwissenschaftlichen Experimente als auch seiner zahlreichen Abhandlungen hing mit der hochgesteckten Absicht seiner Bemühungen zusammen. Auf eine Kurzformel gebracht, erklärte es Liebig für ein realisierbares Maximalziel, «auf einem und demselben Felde, ohne Aufhören und ohne Erschöpfung, dieselbe Pflanze nach dem Willen und Bedürfnis des Landwirts» anzubauen und eben damit «die selbstbewußte Herrschaft des Landwirts über seine Felder» erreichen zu können. Diese anmaßende Utopie vollständiger Naturbeherrschung ließ sich nicht verwirklichen. Spektakuläre Erfolge aber gab es in der Tat, als die Naturwissenschaft im Stile der Liebig-Schule angewandt wurde, so daß sich seit den fünfziger Jahre eine Düngemittelindustrie entwickelte. Von vergleichbarer Bedeutung erwies sich bald auch die Rezeption der Vererbungslehre Gregor Mendels für die Tier- und Pflanzenzüchtung.

9. Intensivere Kulturen und verbesserte Anbautechniken mit Hilfe von neuen Geräten und Maschinen beschleunigten ebenfalls den Produktionsanstieg. Ein Paradebeispiel für den ersten Bereich bildet der Zuckerrübenanbau. Wie bereits (in Bd. II) geschildert, hatte sein erster Aufschwung bis zum Ende der 1830er Jahre dazu geführt, daß in hundertzweiundzwanzig Fabriken sechsundzwanzigtausend Tonnen Rüben zu eintausenddreihundert Tonnen Zucker verarbeitet wurden. Bis 1871 haben jedoch erfolgreiche Züchtung und industrielle Auswertung dazu geführt, daß in dreihundert Fabriken aus 3.1 Millionen Tonnen Rüben zweihundertdreiundsechzigtausend Tonnen Zucker gewonnen wurden.

Oder die Kartoffel: Aus einer Armennahrung wurde sie durch kulturelle Adaption zur einer allgemein akzeptierten Speise. Parallel zu diesem Vorgang stieg die Anbaufläche von 1800 = 0.3 auf 1860 = zwei Millionen Hektar, so daß sie in Ostelbien bereits neun Prozent des Kulturlandes in Anspruch nahm. Und nicht nur das: Ihr Anteil an der Kalorienversorgung wuchs in derselben Zeit von acht auf dreißig Prozent.

Allmählich setzte sich nicht nur die Intensivierung der Pflanzenproduktion, sondern auch die erzeugungssteigernde «Rotation nach pflanzenphysiologischen und bodenkundlichen Gesichtspunkten» durch.

Die technische Ausstattung der Landwirtschaft wurde durch modernere

Geräte angehoben. Seit den fünfziger Jahren wirkte sich die Massenproduktion eiserner Halbfabrikate aus. Schaufel- und Spatenblätter, Sicheln, Sensen und Beile stammten bald nicht mehr vom Dorfschmied, sondern wurden vom Händler preiswert gekauft. Die wichtigste Veränderung verkörperte der eiserne Pflug mit seiner erhöhten Belastbarkeit, tieferen Reichweite und verlängerten Lebensdauer; ihm folgten eiserne Eggen und Walzen.

Eher zögernd begannen demgegenüber die zahlungskräftigen Großproduzenten seit den sechziger Jahren den Maschineneinsatz zu erproben, nachdem englische Pächter und amerikanische Farmer bis zur Mitte der fünfziger Jahre mit den damals modernsten Fabrikaten einen gewaltigen Vorsprung gewonnen hatten. Zwar wurden innovationswillige deutsche Landwirte auf teilweise großen Ausstellungen (1844 in Berlin, 1855 in München, 1863 in Hamburg, 1865 in Köln, Dresden und Stettin) mit Maschinen anschaulich vertraut gemacht. Es handelte sich jedoch ausnahmslos um ausländische Erfindungen und gelegentlich verbesserte Modelle. Um 1855 waren immerhin mehr als hundert kleine Firmen mit dem Bau und Vertrieb solcher landwirtschaftlichen Maschinen beschäftigt. Öfters gingen sie aus einem Landhandelsgeschäft hervor, das mit den Bedürfnissen der Erzeuger vertraut war, wie zum Beispiel der Unternehmer Heinrich Lanz, der 1860 in Mannheim zum Maschinenbau überschwenkte. Meist nach englischem Vorbild wurden Drillsaat- und Breitsämaschinen, dann Dreschmaschinen gebaut, von denen allein Lanz bis 1870 tausend Exemplare anfertigte. Hinzu kamen wegen der Bedeutung des Rübenanbaus eigene Rübenrodepflüge, Kultivatoren und Getreidereinigungsmaschinen. Auch die bewunderte Kraft der Dampfmaschine wurde ausgenutzt, da das englische «Lokomobil» als Antriebsmaschine für Dreschanlagen nachgebaut wurde. Dampfpflüge, die sich nur für weiträumigen flachen Grundbesitz eigneten (von 400 ha ab aufwärts) tauchten vereinzelt auf.

Im allgemeinen blieb die Leistung dieser Maschinen noch recht gering: Ein Getreidedrescher zum Beispiel schaffte in einer Stunde nur doppelt soviel wie die Handarbeit eines Knechts. Außerdem hemmten die niedrigen Landarbeiterlöhne eine schnelle Expansion der Maschinen. Indes: Ein Anfang war unübersehbar gemacht. Der eigentliche Aufschwung der Landmaschinenverwendung begann freilich erst am Ende der siebziger Jahre. Bis dahin führten sie noch keine entscheidende Veränderung der Produktionstechnik herbei.[7]

10. Wichtiger war für die Zeitgenossen die fortlaufende Erhöhung des Viehstapels und eine eindrucksvolle Steigerung der viehwirtschaftlichen Produktion. Die Vermehrung des Viehbestandes beschleunigte sich erheblich, wie die Übersicht 60 auf Seite 54 zeigt.

Übersicht 60: Deutscher Viehbestand 1853–1873, in 1000

Jahre	Pferde	Rinder	Schweine	Schafe	Ziegen
1853	2735	13376	5297	25117	1437
1871	3194	14999	6463	28017	1818
1873	3552	15777	7124	24991	2326

Allein innerhalb von zwanzig Jahren stieg die Anzahl der Schweine um fünfunddreißig Prozent, die der Pferde um dreißig Prozent und die der Rinder um siebzehn Prozent; wegen der sinkenden Bedeutung der Wolle ging dagegen die Schafzucht erwartungsgemäß weiter zurück. Für den Konsumenten verbesserte sich die Versorgung mit erschwinglichem Fleisch ganz beträchtlich: Der deutsche Fleischverbrauch stieg von jährlich 1840 = 21.6 auf 1873 = 29.5 Kilogramm p.c. in die Höhe.

Aufgrund der verbesserten Zuchtmethoden und der erhöhten Leistungsfähigkeit gelang es der Landwirtschaft, die viehwirtschaftliche Produktion, welche in der ersten Hälfte des Jahrhunderts bereits um hundert Prozent gesteigert worden war, in den fünfundzwanzig Jahren nach 1850 fast noch einmal um dasselbe absolute Volumen, um siebenundvierzig Prozent, zu erhöhen. Darin drückte sich ein erstaunliches Entwicklungstempo aus, das während der Hochkonjunkturphase der Industriellen Revolution auch der im Verlauf des Bevölkerungsanstiegs sprunghaft anwachsenden Zahl von Verbrauchern zugute kam.[8]

Übersicht 61: Deutsche viehwirtschaftliche Produktion 1850–1876

Jahre	Viehbestand in 1000 Stück	Fleischproduktion in 1000 t	Milch in 1000 t	Wolle in 1000 t	Index (Getreidewert) 1800/10 = 100
1850	14832	929	10400	274	200
1855	14280	947	10900	262	207
1860	15606	1052	12657	318	236
1865	16463	1179	13281	355	253
1870	16239	1320	13812	344	270
1873	16589	1424	14338	313	282
1876	17186	1509	14912	285	292

11. Verschiedene Institutionen unterstützten die Agrarwirtschaft während dieser Entwicklungsphase. Der Aufschwung der landwirtschaftlichen Vereine hielt an. Allein in Preußen stieg ihre Zahl von 1860 = 541 über 1870 = 865 auf 1880 = 1322. Sie verbreiteten Fachwissen, gaben ihre Jahrbücher und Zeitschriften heraus, führten Probepflüge vor, experimentierten mit neuen Kulturen und der Tierzucht, kauften Saatgut, Dünge- und Futtermittel. Nach Lage der Dinge förderten die Vereine vor allem die Großbetriebe und mittelbäuerlichen Höfe.

Ihre Besitzer trafen sich auch am ehesten auf der «Wanderversammlung Deutscher Landwirte», die seit 1837 jährlich zusammentrat, ihren Höhepunkt 1863 mit fast dreitausendfünfhundert Teilnehmern in Königsberg erlebte, dann aber als Folge ihrer gescheiterten großdeutschen Konzeption 1872 aufgelöst wurde. An ihre Stelle trat der im April 1872 gegründete «Deutsche Landwirtschaftsrat» als Dachverband aller reichsdeutschen landwirtschaftlichen Vereine. Eine Zeitlang galt er der Regierung als einzige legitime Vertretung der agrarischen Interessen und wurde auch zu Gutachten herangezogen. Dem Pluralismus unterschiedlicher Interessen entsprach jedoch eine Mehrzahl von Verbänden, wie sie 1868 mit dem «Kongreß Deutscher Landwirte», 1876 mit der «Vereinigung der Steuer- und Wirtschaftsreformer» und den verschiedenen Bauernbünden auftauchten, längst ehe 1893 der «Bund der Landwirte» auf der Bildfläche erschien.

Gleichzeitig begann der Aufstieg der landwirtschaftlichen Genossenschaften. Friedrich Wilhelm Raiffeisen hatte bereits 1849 mit der Gründung von Hilfsvereinen begonnen, aus denen seit 1864 die ersten Genossenschaften hervorgingen – ein Vereinstyp, mit dem sich damals in den verschiedensten gesellschaftlichen Bereichen große Hoffnungen verbanden. Die bald nach dem Gründer benannten Raiffeisen-Genossenschaften beruhten auf der Solidarhaftung ihrer kreditbedürftigen Mitglieder, beschränkten sich aber keineswegs auf finanziellen Beistand, sondern übernahmen alsbald viele der Aufgaben, die bisher von den landwirtschaftlichen Vereinen gepflegt worden waren. Außerdem entstanden die Haas'schen «Landwirtschaftlichen Konsumvereine», die sich 1879 ebenfalls in Genossenschaften verwandelten. Sie schlossen sich 1883 in der «Vereinigung der deutschen landwirtschaftlichen Genossenschaften» zusammen, die bis 1900 die Raiffeisen-Konkurrenz numerisch deutlich überholen konnte.

Dem praktischen Tätigkeitsfeld der Vereine und Genossenschaften standen die landwirtschaftlichen Versuchsstationen relativ nahe. Bis 1870 gab es rund zwanzig von ihnen, auf denen Dünge- und Futtermittel, landwirtschaftliche Geräte und Maschinen auf ihre Wirksamkeit hin überprüft wurden. In rund vierzig Ackerbauschulen konnten damals Bauernsöhne eine pragmatische Ausbildung erfahren, ohne daß aber von diesen Berufsschulen die erhoffte Breitenwirkung ausgegangen wäre.

Auf die Agrarökonomie wirkte sich dagegen, der deutschen Bildungstradition gemäß, der Sog zur Akademisierung von Forschung und Ausbildung aus. Dieser Vorgang läßt sich an der Schließung fast aller selbständigen Akademien ablesen, die während der ersten Hälfte des 19. Jahrhunderts gegründet worden waren. Ihre Aufgaben wurden jedoch sogleich den Universitäten mit ihrem ungleich größeren Prestige übertragen. 1862 wurde in Halle der erste Lehrstuhl für Landwirtschaft für Julius Kühn mit einem zugeordneten Institut eingerichtet. 1869 folgten Leipzig, 1871 Gießen, 1879 Kiel, 1874 München, 1876 Königsberg, 1880 Breslau und Berlin, wo Thaers ehemalige Anstalt endlich aufgewertet wurde. Landwirtschaft studieren hieß seither, Liebigs Chemie, Mendels Züchtungslehre und Agrarökonomie mit soliden praktischen Kenntnissen verbinden.[9]

b) Der Beginn der landwirtschaftlichen Strukturkrise: Der Zusammenbruch des europäischen Agrarmarkts seit 1875/76

Bis zur Jahrhundertmitte hatten die agrarisch entwickelten deutschen Staaten zu den Getreideexportländern gehört. 1852 begann eine Wende insofern einzusetzen, als seither das wichtigste Korn für die Brotherstellung, der Roggen, ständig eingeführt werden mußte. 1867 erfaßte der Importzwang die Gerste, 1871 den Hafer, 1873 endlich auch den Weizen. Das Deutsche Kaiserreich war mithin fast von Anfang an von Getreideeinfuhr abhängig.

Im Zeichen der optimistischen Freihandelslehre hatte auch der Zollverein 1853 die Kornzölle aufgehoben. Danach blieb der internationale Getreidehandel zollfrei. Ohne hemmende Schranken konnten auf dem entstehenden Weltagrarmarkt die Handelsströme zirkulieren. Als 1875/76 eine von der Struktur dieses Weltagrarmarkts ausgelöste Krise auch die deutsche Landwirtschaft erfaßte, sich ebenso rasch wie offenbar unaufhaltsam verschärfte und in eine drückende Depression überging, setzte der Zusammenbruch des mitteleuropäischen Agrarmarktes ein – ein säkulares Ereignis, das eine bis zur Gegenwart anhaltende, noch immer ungelöste Dauerkrise eröffnete.[10]

Die Ursachen dieses folgenreichen Phänomens sind im Zusammenwirken mehrerer Faktoren zu suchen, deren Einfluß sich just zu der Zeit geltend machte, als die wachsende deutsche Importabhängigkeit zu einer irreversiblen Konstante wurde.

1. Innerhalb von wenigen Jahren tauchte ein Riesenangebot preiswerten und qualitativ überlegenen ausländischen Getreides auf dem europäischen Agrarmarkt auf. Das hatte sich zwar seit einiger Zeit angekündigt, aber spezifische Umstände begünstigten jetzt diese sprungartige Vermehrung.

Zuerst erschienen ungeahnte Mengen aus den Großanbaugebieten der fruchtbaren Schwarzerderegionen Rußlands. Um das umfassende Modernisierungsprogramm, zu dem die fatale Niederlage im Krimkrieg die russischen Machteliten genötigt hatte, finanzieren zu können, war das Zarenreich – außer auf Kapitalimport und Staatsintervention – auf die Exporterlöse aus seiner Getreideausfuhr dringend angewiesen. Als sich unerhoffte Erfolge und Gewinnspannen zwischen 1866 und 1875 einstellten, wurde die Anbaufläche für Getreide in den folgenden dreißig Jahren verdoppelt. Dem entsprach ein weiteres Hochschnellen der Exporte, die in Deutschland ihren nächstgelegenen, aufnahmewilligen Großmarkt fanden.

Wenig später drängte die Getreideausfuhr aus den Neulandgebieten der Vereinigten Staaten, die seit dem Bürgerkrieg den Mittleren und Fernen Westen des Landes durch Besiedlung und Eisenbahnbau erst voll zu erschließen begannen, auf die europäischen Getreidebörsen, an deren Spitze unbestritten Liverpool stand. Von 1866 = 15.4 Millionen Acres Getreideland mit einer Produktion von 152 Millionen Bushels (27.5 kg) Weizen stieg die kultivierte Bodenfläche allein bis 1880 auf mehr als das Doppelte: auf 38.1 Millionen Acres mit 499 Millionen Bushels Weizen an. In dieser Zeitspanne kletterte der Weizenexport von 13 Millionen auf sage und schreibe 186 Millionen Bushels, allein von 1865 bis 1875 um vierhundertachtzig Prozent hinauf. Den Anprall der ungeheuren, nach West- und Mitteleuropa strömenden Exportmengen während dieser kritischen Jahre verdeutlicht Übersicht 62.

Übersicht 62: Der Getreideexport Rußlands und der USA 1851–1880 (in 1000 t)

Jahre	Russisches Getreide	Amerikanisches Getreide
1851/55	707	574
1856/60	1088	784
1861/65	946	1519
1866/70	1865	980
1871/75	3022	2408
1876/80	4266	5050

2. Die außereuropäische Getreideflut gehörte auch zu den spektakulären Auswirkungen der internationalen Verkehrsrevolution. Die Eisenbahn verbilligte den Landverkehr. In den USA verdreifachte sich von 1860 bis 1880 das Streckennetz von 30626 auf 93267 Meilen Länge. Die erbittert rivalisierenden transkontinentalen Linien führten halsabschneiderische «Frachtraten-Kriege», die zur Folge hatten, daß selbst ein Bushel kalifornischen Weizens für wenige Cents New York erreichte. Zugleich verbilligte die Dampfschiffahrt den Hochseetransport. 1865 kostete der Transport eines Zentners Weizen von Chicago bis nach Liverpool 5.10 Mark, 1876 aber nur mehr 2.55 Mark. Ein weiteres Beispiel: 1873 entstanden für ein Bushel Weizen von New York nach Liverpool 21 Cents Frachtkosten, bis 1900 waren sie auf nur 3 Cents abgefallen. Ein zuverlässiger amerikanischer Frachtratenindex (1830 = 100) hält den enormen Preissturz von 1873 = 117, 1875 = 94, 1885 = 56, 1895 = 46 und 1905 = 36 fest. Insgesamt sanken dank der technologischen Innovationen die Frachtraten noch schneller als die Getreidepreise. Die billigen Importe erdrückten mithin von Osten und Westen binnen kürzester Zeit das europäische Preisgefüge. Sein unaufhaltsamer Verfall setzte Mitte der siebziger Jahre ein.

Mit der russischen und amerikanischen Konkurrenz trafen auch noch kanadischer und argentinischer, australischer und indischer Weizen, der ebenso wie der amerikanische mit geringen Produktionskosten belastet war, in Europa ein. Dank der Vollendung des weltumspannenden Systems unterseeischer Telegrafenverbindungen konnten auch diese Weizenpreise binnen weniger Minuten oder Stunden die Großhändler der Importländer erreichen und ihre Kalkulationen beeinflussen. Zuerst war England als Hauptabnehmer betroffen, seit 1873, vollends seit 1875/76 indessen auch Deutschland, das gleichzeitig jede Absatzchance auf seinem traditionellen Getreidemarkt in England an die USA verlor.

Angesichts der zwar weiter wachsenden, aber doch begrenzten europäischen Nachfrage schoß dieses internationale Angebot über die Bedürfnisse weit hinaus und löste eine Überproduktionskrise aus. Ihr folgte mit immanenter Notwendigkeit ein weltweiter Preisabfall auf dem Agrarmarkt, dessen Baisse auch die deutschen Getreidepreise schnell nach unten trieb. Das läßt sich vorn in Übersicht 49 an dem dramatischen Abfall um zweiundzwanzig Indexeinheiten bereits während des allerersten Krisenjahres 1875 ablesen. Das bildete jedoch, wie sich herausstellen sollte, erst den Auftakt zu einer beispiellos langen Preisdeflation auf Kosten der landwirtschaftlichen Erzeuger.

Die Krisensituation, welche die deutschen Agrarier nach einer so ungewöhnlich langen Prosperitätsphase unvorbereitet überraschte, wurde durch die inneren Belastungen der Landwirtschaft noch zusätzlich verschärft. Mit dem «Heraufschrauben der Güterpreise» weit über die durch ihre Ertragslage gerechtfertigten Grenzen hatte es jetzt ebenso ein Ende wie mit der fortlaufenden «übermäßig starken Verschuldung». Die euphorische Risikobereitschaft und überhitzte Spekulationsgier rächten sich, als die Schuldenlast mit dem Hypothekenzinsfuß stieg, die Bodenpreise absackten, eine Kreditkrise heraufzog und die Versteigerungszahlen hochschnellten, während der Fall der Produktpreise nirgendwo aufzuhalten war.

Wegen dieser doppelten Erfahrung einer krisenhaften Zangenbewegung von außen wie von innen war vermutlich das Gefühl einer exzessiven, fundamentalen Bedrohung eine ganze Zeit lang stärker ausgeprägt, als es der tatsächliche Verlust, der Rückgang der Reinerträge bei den Getreideproduzenten, zuerst rechtfertigen konnte. Unstreitig aber begann für die Betroffenen eine Zeit, in der ihr Einkommen stagnierte oder sogar sank. Eine Koryphäe der frühen deutschen Sozialwissenschaft wie Gustav Schmoller gab offensichtlich eine weitverbreitete Überzeugung wieder, als er 1882 konstatierte, «daß wir an einem großen und tiefgreifenden Wendepunkt unserer agrarischen Zustände angekommen sind». Und der österreichische Agrarexperte Alexander Peez urteilte 1881, soeben von einer Studienreise durch die Vereinigten Staaten zurückgekehrt, noch pessimistischer im Superlativ, daß in der amerikanischen Konkurrenz und der von ihr ausgelösten internationalen Agrarkrise «zweifellos die bedeutendste wirtschaftliche Tatsache der Neuzeit» zu erblicken sei.[11]

Mochte manchen Zeitgenossen auch eine dramatische Zuspitzung nicht fernliegen, ist doch auch von der objektiven Situation, mit anderen Worten vom statistischen Befund der Preis- und Produktionsentwicklung her, nicht zu bestreiten, daß die Jahre 1875/76 auch für die deutsche Landwirtschaft eine säkulare Wendemarke bedeuteten. Dieses kritische Urteil wird freilich aus der Perspektive der landwirtschaftlichen Erzeuger gefällt. Den Konsumenten, insbesondere den marktabhängigen Städtern, versprachen der Preisfall und die Überschüsse des Weltagrarmarktes im Prinzip ein verbilligtes Angebot an Nahrungsmitteln. Die deutsche Zollpolitik sollte jedoch innerhalb weniger Jahre einen Strich durch diese Rechnung machen.

Die lange Agrarkonjunktur indessen, die bis zu dieser Strukturkrise seit der Mitte der siebziger Jahre andauerte, behält ihre herausragende Wichtigkeit in einem allgemeinen Sinn, da während der Trendperiode der deutschen Industriellen Revolution und eines anhaltenden Bevölkerungswachstums die prosperierende Landwirtschaft diesen Weg in die industrielle Welt mit abstützte. Zwar gab es in Deutschland weder vor noch während der Industriellen Revolution eine «Agrarrevolution». Unstreitig aber kam der ausgeprägte landwirtschaftliche Aufschwung auch der Dynamisierung des sekundären Sektors so nachhaltig zugute, daß auch aus diesem Grunde das Industriesystem fest installiert werden konnte.

2. *Das Handwerk in einer Übergangsperiode*

Die Revolution hatte auch das Handwerk in seinen Grundfesten tief erschüttert. Die Krise des «alten» Handwerks, die sich im späten Vormärz aufgestaut hatte, war grell zum Vorschein gekommen, als zahlreiche Meister auf dem allgemeinen Frankfurter Kongreß im Juli/August und auf dem preußischen Treffen in Berlin vom Juli 1848 ihre interessenpolitischen Forderungen lautstark vertraten: Abschaffung der Gewerbefreiheit, Rückkehr zur Dominanz der Innungen und Zünfte, Degradierung der industriellen Konkurrenz, Sicherheit der «Nahrung» – so lauteten die rückwärtsgewandten Parolen. Die Gesellen dagegen hatten – vom programmatischen Egoismus der Meister abgestoßen – auf einem Gegenkongreß im Juli/September 1848 ihre eigenen Postulate verfochten, die sie zum Teil schon an die Seite der industriellen Facharbeiterschaft führten. Nicht wenige hatten im März und Herbst 1848, dann noch einmal im Frühjahr 1849 auf den Barrikaden gekämpft.

Neue gesetzliche Regelungen während des Bürgerkriegs hatten es jedoch nicht erreicht, beide Gruppen zu befriedigen. Die preußische Gewerbeordnung vom 7. Februar 1849 zum Beispiel trug zwar wie das Gesetz von 1845 unübersehbar die Züge eines Kompromisses, da sie den Meistern an einigen Stellen ein gutes Stück entgegenkam. Trotz mancher Einschränkungen hielt sie im Grunde aber an Gewerbefreiheit und Konkurrenzkampf fest; die Gesellen durften zwischen Meisterbetrieb und Fabrik je nach Lohnanreiz hin- und herpendeln, und die aus politischem Beschwichtigungskalkül gewährten Gewerberäte erwiesen sich als ephemere Gebilde ohne Gestaltungskraft. Über ihr ohnehin defensives sozialprotektionistisches System wollten andrerseits die nord-, mittel- und süddeutschen Staaten nicht noch weiter hinausgehen.

Da die strukturellen Ursachen der Krise nicht beseitigt worden waren, ja angesichts der mächtigen Triebkräfte auch gar nicht mehr auf dem Verordnungswege aus der Welt geschafft werden konnten, hätte Ende 1849 die Prognose nicht unrealistisch geklungen, daß mit einer Fortdauer oder gar Zuspitzung der Krise zu rechnen sei. Statt dessen stellte sich bereits zehn Jahre später heraus, daß viele Handwerkszweige in unerwartetem Ausmaß von dem allgemeinen wirtschaftlichen Aufschwung emporgetragen wurden. Von der seit Jahren prophezeiten generellen Proletarisierung konnte daher nicht mehr die Rede sein. Dieses positive Urteil bedarf allerdings der genaueren Differenzierung.[12]

Zuerst einmal läßt sich festhalten, daß die agrar- und industriewirtschaftliche Hochkonjunktur der fünfziger und sechziger Jahre eine ungleich stärkere Wirkung ausübte als die Rechtslage, die für so viele Handwerker den eigentlichen Stein des Anstoßes oder den Mittelpunkt ihrer Verteidigungsbemühungen gebildet hatte. In Preußen setzte sich trotz der Verordnung von 1849 in der Realität die Gewerbefreiheit weiterhin durch. Mit einer großen Welle von Gesetzen folgten schon in den sechziger Jahren alle bisher widerstrebenden deutschen Staaten: zuerst Nassau 1860, zuletzt Bayern 1868. Seit 1869 war die Gewerbefreiheit in einem Gesetz des Norddeutschen Bundes verankert, das kurz darauf als Reichsgesetz übernommen wurde.

Längst vorher, seit der Mitte der fünfziger Jahre, war diese wirtschaftspolitische Maxime aber nicht von ferne mehr so umstritten wie in den dreißiger und vierziger Jahren. Mit der anhaltenden ökonomischen Prosperität gewann ein optimistisches Fortschrittsdenken zusammen mit dem Glauben an die wohltätigen Wirkungen einer ungestörten, auch von altertümlichen Zunftbehinderungen befreiten Entfesselung der Energien an Boden. Ein Konservativer wie Victor Aimé Huber und Liberalkonservative wie Albert Schäffle und Wilhelm Adolf Lette stimmten in dieser Hinsicht mit einem zeitweilig ins Exil vertriebenen Liberalen wie Ludwig August v. Rochau überein. Selbst die katholischen «Historisch-Politischen Blätter», bisher nur auf die Erhaltung reaktionärer ständisch-zünftiger Traditionen bedacht, erklärten 1860 die Gewerbefreiheit für ein «volkswirtschaftliches Zeitbedürfnis». Zugegeben, weiterhin fehlte es nicht an Kritik. Aber der schwache Protest ließ sich, anders als 1848/49, nicht mehr organisieren. Die Abwehrgefühle wirkten wie erschöpft. Statt ihrer überwog eine positive Grundeinstellung. «Eine große Gesellschaftsklasse», urteilte 1862 ein so bedeutender Gewerbekenner wie Schmoller, von der ein großer Teil noch vor zehn bis fünfzehn Jahren «in gedrückter Verkommenheit und Mißmut alles Bestehende betrachtete, ist jetzt in glücklicher Zufriedenheit und sieht mit frohem Blick in die Zukunft, versöhnt mit der bestehenden bürgerlichen Ordnung und mit den Interessen der übrigen Gesellschaftsklassen».

Jedoch: So pauschal traf dieses Urteil auch wieder nicht auf die diffusere Wirklichkeit zu. Geboten ist vielmehr die sorgsame Unterscheidung von sieben unterschiedlichen Tendenzen in der Entwicklung des Handwerks während dieser Epoche.

Viele Handwerke prosperierten im Reizklima des allgemeinen Aufschwungs, sie wuchsen auch häufig in einem teilweise auffälligen Maße in die Breite. Unter diesen beiden Gesichtspunkten schob sich das Baugewerbe auf den ersten Platz. Das hing natürlich mit der kraftvoll anlaufenden Urbanisierung zusammen. Man braucht sich nur anhand von Übersicht 50 die Verteilung der deutschen Nettoinvestitionen noch einmal zu vergegenwärtigen: In der ersten Hälfte der fünfziger Jahre floß fast ein Drittel, in der zweiten Hälfte der sechziger Jahre sogar mehr als ein Drittel, im Durchschnitt der Periode von 1850 bis 1875 stets mehr als ein Viertel in den Wohnungsbau. Das bedeutete alljährlich einen Zustrom von vielen Millionen Mark, zwischen 1865 und 1879 von etwa rund 100 Millionen Mark p. a.

Bereits bei der ersten großen Gewerbezählung im Deutschen Bund im Jahre 1861 wurden daher, obwohl Verlagshandwerk und Kleingewerbe kurzerhand zu den «Fabriken» geschlagen worden waren, allein 568400 Bauhandwerker ermittelt, wobei im Durchschnitt auf hundert Meister 227 Gesellen und Lehrlinge entfielen. Dieses Mittel täuscht jedoch über die Spitzenwerte hinweg, die in den am zügigsten urbanisierenden Staaten erreicht wurden. Im städtereichen Sachsen kamen auf hundert Meister 2574 Maurergesellen, 1804 Zimmerleute und 578 Steinmetzgehilfen. In Preußen lauteten dieselben Verhältniszahlen trotz seiner weiten agrarischen Gebiete 100:566, 440, 220. Im allgemeinen wuchs dort die Zahl der Maurer um hundertzweiundachtzig Prozent, der Zimmerleute noch um einundvierzig Prozent schneller als die Bevölkerung. Für die Hauptstadt fiel die Gesellenzahl traditionsgemäß «sehr viel größer» aus «als im Durchschnitt des ganzen Landes»: Hier stiegen dieselben Relationen auf 100:1686, 1468, 811, dazu auf 614 bei den Pflasterern und 453 bei den Schlossern. Im Baugewerbe gewann auch der zeitgenössische Begriff des «Großbetriebs» (mit 5 bis 10 Beschäftigten) bereits eine neuartige Realität. Sechs Berliner Baufirmen beschäftigten immerhin zwischen zweihundert und tausend Handwerker. Die Reallöhne in diesem Gewerbezweig stiegen zwischen 1855 und 1875 stetig an.

Das Nahrungshandwerk, vor allem der Bäcker und Fleischer, wuchs im Gleichschritt mit der Gesamtbevölkerung. Ebenso stabil vermehrte sich auch die Zahl der Hutmacher, Buchbinder, Uhrmacher, Friseure und Sattler. Rein numerisch traf das auch auf Massenhandwerke wie die der Schneider und Schuhmacher zu. Das Bekleidungsgewerbe behauptete im Zollverein mit 765 000 Angehörigen unbestritten seinen ersten Platz. Auf hundert Meister kamen jedoch nur zweiundsiebzig Gehilfen. Aufs Ganze überwog – ein hoher Preis für die steigende Selbständigenzahl – der Typus des «völlig verarmten Einzelmeisters»; auch die Schneidergesellen verdienten dreißig bis fünfzig Prozent weniger als Maurergehilfen.

In engem Zusammenhang mit der Urbanisierung entstanden neue Handwerke, die schnell zu begehrten und gutbezahlten Berufen wurden. Dazu gehörten etwa die Gas- und Wasserinstallateure, überhaupt das Klempnergewerbe, dessen Stern mit der städtischen Gasbeleuchtung, Trink- und Gebrauchswasserversorgung aufstieg. Hier öffnete sich für zahlreiche Schlosser und Schmiede, generell für Metallhandwerker, ein neues, vielversprechendes Betätigungsfeld.

Diese Tatsache verweist bereits darauf, daß manchen Handwerkern eine Umorientierung erfolgreich gelang, wobei sie allerdings nicht selten ihre frühere Selbständigkeit verloren. Tüchtige Schlosser konnten entweder mit einer Klempnerei reüssieren oder aber in einer Maschinenbauanstalt zum Kern der Facharbeiter stoßen. Buchbinder mußten auf ihre Autonomie verzichten, gewannen aber die regelmäßigen Aufträge eines Verlages. Ebenso erging es Posamentierern, die von einem Unternehmer verlegt, aber an die Belieferung großer Kaufhäuser angeschlossen wurden. Und in wachsendem Maße dehnte sich das Reparaturhandwerk anstelle der selbständigen Erzeugung aus.

Diesen vier insgesamt positiven Tendenzen standen drei gegenläufige Trends gegenüber. Nicht wenige Handwerke gerieten in einen Prozeß der Stagnation oder – die Grenze verfloß dabei schnell – der anhaltenden Schrumpfung. Dieser Sog erfaßte zum Beispiel die Seiler, Böttcher, Gerber, Kürschner, Glaser und Wagenschmiede. Ihnen blieb oft nur eine Kümmerexistenz oder der Weg ins Industrieproletariat übrig. Am härtesten aber wurden diejenigen Handwerke getroffen, die sich überhaupt nicht länger halten konnten, so daß sie völlig von der Bildfläche verschwanden. So erging es in dieser Zeit den Schwertfegern, Gewehrbauern, Feilenhauern, Naglern, Sporern und Nadelmachern.

Bei näherem Hinsehen treten mithin krasse Unterschiede zutage. Anhaltender Aufstieg einerseits und irreversibler Niedergang andrerseits standen sich gleichzeitig als Grenzfälle gegenüber. Die wesentlichen Ursachen für den Aufstieg sind bereits angedeutet worden.

Aus der allgemeinen Konjunktur von Land- und Industriewirtschaft, von Eisenbahn- und Wohnungsbau, privaten und öffentlichen Dienstleistungen zogen auch viele Handwerke Gewinn. Die steigende Kaufkraft kam ihnen direkt oder vermittelt zugute.

Bevölkerungswachstum und Urbanisierung schufen einen breiten Sockel, der eine große Handwerksbevölkerung – in Preußen ging sie von 1849 = 16.5 auf 1861 = fünfzehn Prozent nur unwesentlich relativ zurück – durchaus tragen konnte, obwohl die Jeremiade über die «Überbesetzung» kein Ende nehmen wollte.

Die Auswirkungen der beschleunigten Industrialisierung waren durchaus ambivalent, keineswegs aber negativ. Hier ist vielmehr zuerst der positive Effekt nachdrücklich zu betonen, daß viele Handwerke als Zulieferanten den Anschluß an die Industrie und damit ein stetiges Einkommen fanden. Schon die besten zeitgenössischen Sozialstatistiker, wie etwa Georg v. Viebahn, erkannten, daß das Handwerk «in wohlhabenden Städten und Industrielandschaften am meisten» aufblühe.

Häufig trat an die Stelle der Warenherstellung im selbständigen Meisterbetrieb die Reparaturwerkstatt. Das mochte zuerst eine demütigende Erfahrung bedeuten, gewährleistete aber eine auskömmliche Existenz.
Auf der andern Seite sind auch die Gründe für den Niedergang der dahinsiechenden oder absterbenden Handwerke unschwer zu erkennen.

An erster Stelle steht die Verdrängungskonkurrenz. Sie ging von großen Kaufhäusern und Magazinen aus, die wiederum von Verlagen oder Fabriken beliefert wurden. Gegen die Kleidungskonfektion verlegter Heimarbeiterinnen kam der Schneider auf die Dauer genausowenig an wie der Schreiner gegen die preiswert angebotenen Möbelstücke überlegener Verlage, welche die Magazine füllten.

In bestimmten Handwerkszweigen wirkten sich die negativen Effekte der Industrieproduktion geradezu erdrückend aus. So litt das Metallhandwerk unter den Gußeisenwaren, überhaupt unter der vielseitigen Eisen- und Stahlerzeugung. Manche Holzhandwerke verschwanden völlig. Kutschen- und Wagenbauer waren der Eisenbahn nicht gewachsen, wohl aber als Gesellenarbeiter im Maschinenbau willkommen.

Überhaupt intensivierten die Eisenbahnverbindungen durch den Abbau regionaler Preisgefälle den Konkurrenzkampf auf eine unwiderstehliche Weise. Durch sie konnten auch erst die Chancen des großen Zollvereinsmarkts umfassend ausgenutzt werden, und das bedeutete für manches bisher isolierte Lokalhandwerk den Abstieg oder Ruin.

Der industrie- und verkehrswirtschaftliche Fortschritt bürdete daher manchem traditionsstolzen Handwerk unerträglich hohe soziale Kosten auf. In der Zeit selber und erst recht auf Dauer erwiesen sich jedoch die Wachstumsprozesse im Handwerk als wichtiger und folgenreicher. Das numerische Wachstum hielt seit den vierziger Jahren an. Im Zollverein wurden 1861 2200800 Handwerker gezählt. Das ergibt bei einem Familienkoeffizienten von 4.1 für die durchweg verheirateten Meister und angesichts der begründeten Vermutung, daß inzwischen wohl die Mehrzahl der Gesellen verheiratet war, eine Handwerksbevölkerung von fünfzehn bis sechzehn Prozent. Auf je tausend Einwohner entfielen in Thüringen sechsundachtzig, in Sachsen achtzig, in Süddeutschland einundsiebzig (Württemberg 81, Bayern 69, Baden 62), in Hannover zweiundsechzig, in Preußen sechsundfünfzig (seit 1866: 58), im gesamten Zollverein dreiundsechzig Meister und Gesellen. Diese Zahlen bedeuteten überall – außer in Sachsen – noch einen weiten Vorsprung vor den in den «Fabriktabellen» erfaßten Beschäftigten (1185 = 38%). Das schnell industrialisierende Sachsen lag in beiden Bereichen an der Spitze (190000:224000). In Preußen war die Handwerkerzahl von 1849 = 942000 auf 1861 = 1093000 hochgeklettert, der Anteil der Handwerksbevölkerung nur geringfügig auf 14.9 Prozent abgesunken.

Riskiert man trotz der gravierenden regionalen Unterschiede ein verallgemeinerndes Urteil, lag dem absoluten Anstieg der Handwerkerzahl die starke Vermehrung der Gesellenzahl zugrunde. Eben dieser Vorgang hatte in den vierziger Jahren noch als dramatisches Symptom der Krise gegolten, zumal die Mehrheit vor 1850 schon weniger als die Gesellenarbeiter verdiente. Erstmals übertraf 1861 im Zollverein die Anzahl der Gesellen die der Meister, obwohl diese sich in absoluten Zahlen auch vermehrten. Die gewerbeschwachen, vergleichsweise armen Agrargebiete führen jedoch zu Durchschnittsziffern, die den Blick auf den drastischen Anstieg in gewerbereichen Regionen, Städten und Staaten versperren. In Sachsen entfielen 1841 1.5 Gehilfen auf einen Meister, 1861 aber in den Städten schon drei, auf dem Lande auch noch zwei. Der preußische Landesdurchschnitt ergibt für je hundert Meister in derselben Zeitspanne eine Zunahme von 80.7 auf 104.4 Gesellen. In den großen Städten lauteten die Zahlen jedoch ganz anders, etwa in Königsberg zweihundertsiebzig, in Breslau zweihundertfünfundvierzig und in Berlin zweihundertsieben; in Provinzzentren wie Posen (182), Stettin (198), Erfurt (183) und Magdeburg (152) bewegten sie sich auch noch erheblich über dem Mittelwert. In den industriell entwikkelten Teilen von Rheinpreußen und Westfalen, wo die Fabrikproduktion den Wettbewerb ungemein verschärfte, sanken sie dagegen typischerweise ab, etwa in Barmen auf hunderteinundzwanzig, in Essen auf hundertneunundzwanzig, in Köln auf hundertfünfundvierzig, in Dortmund auf hundertdreiundvierzig. Ebenso scharf kontrastierten die Regierungsbezirke Koblenz (61) und Trier/Aachen (71) mit denen um Magdeburg (123) und Danzig (123).

Allgemein scheint zuzutreffen: Die Prosperität seit den frühen fünfziger Jahre führte dazu, daß Gesellen und Lehrlinge in den folgenden zwanzig Jahren oft geradezu gesucht wurden. Das war ein Reflex der Situation in den zahlreichen florierenden Handwerken, die zu einer überproportional hohen Wachstumsrate dieses Kleingewerbes beitrugen. Mit dieser Konjunktur hing auch ein leichtes Ansteigen der durchschnittlichen Betriebsgröße zusammen. Gleichzeitig stieg, durch die gewerbefreiheitliche Gesetzgebung erleichtert, in den sechziger und frühen siebziger Jahren die Zahl der Selbständigen zügig an. Eine allmählich wachsende Schicht «kapitalkräftiger» Handwerksmeister hob sich, wie das an Steueraufkommen und Beschäftigtenzahl abzulesen ist, aus ihnen heraus. In ihr dominierte häufig auch nicht mehr die feindselige Ablehnung des Industriebetriebs. Vielmehr traf 1862 Schmollers Urteil über sie ins Schwarze, daß «Handwerk und Fabrik ... jetzt überall ineinander» übergehen.

In zahlreichen Fällen mündete die Selbständigkeit aber, das muß man der irreführenden Vorstellung von einer Expansion lebenskräftiger Meisterbetriebe sogleich entgegenhalten, über kurz oder lang in die «rein formale Selbständigkeit des verlegten Heimarbeiters». Eine «steigende Ungleichheit der Besitz- und Vermögensverhältnisse» könne daher, so Schmoller 1870, für das Handwerk gar nicht geleugnet werden. Trotzdem muß man auch hier wieder regional differenzieren. In Bayern, Baden und Württemberg zum Beispiel wuchs zwar die Handwerksbevölkerung dank der steigenden Gesellenzahl, während die Selbständigenziffer rückläufig blieb. Während die bayerische Bevölkerung von 1847 bis 1861 um 4.1 Prozent zunahm, ging die Zahl der Meister um ein Prozent, die der Gesellen jedoch um 6.5 Prozent, in den Städten sogar um 12.1 Prozent nach oben. In Württemberg sank gleichzeitig in zweiundzwanzig von dreiunddreißig wichtigen Handwerkszweigen die Meisterzahl absolut, dagegen kletterte die Gesellenzahl in sechzehn um achtzig Prozent, in weiteren elf um dreißig Prozent, die Handwerkerzahl insgesamt um achtzehn Prozent, obwohl die Bevölkerung um 0.7 Prozent zurückging. In etwa vergleichbare Zahlen ergab die Gewerbestatistik für Baden, wo die Bevölkerung nur um 0.4 Prozent, die Handwerkerzahl aber um 11.4 Prozent zunahm.

Nicht nur unter den Meistern bildeten sich daher krassere Formen der sozialen Ungleichheit aus. Auch unter den Gesellen nahm die soziale Distanz zu: zwischen den gut verdienenden in den Aufsteigerberufen einerseits, der proletarisierten Menge kärglich entlohnter andrerseits, die ohne Aussicht auf Verbesserung ihrer Lage, geschweige denn auf eine einträgliche Meisterstelle ständig an der Armutsgrenze lebten. Schmoller sah damals «soziale und kommunistische Revolutionen von oben oder unten» als realistische Gefahr am Horizont auftauchen. Dieses Spannungspotential speiste den offenen Protest in Gestalt von Gesellenstreiks. Es führte aber auch zur Organisation in Vereinen, die zuerst von liberalen Reformern unterstützt oder sogar gegründet wurden, seit den frühen sechziger Jahren indes zunehmend wieder an die «Social-Demokratie» der «Arbeiterverbrüderung» von 1848/50 anknüpften. Diese Gesellen- und Arbeitervereine bildeten eine wesentliche Grundlage für die neue Arbeiterbewegung, die ein Dutzend Jahre nach der Revolution in die Phase eines langlebigen Aufschwungs eintrat, der unten eigens behandelt wird.[13]

3. Der Durchbruch der deutschen Industriellen Revolution von 1850 bis 1873

Seit dem Anfang der deutschen Industriellen Revolution in den 1840er Jahren stabilisierte sich der Aufwärtstrend der industriewirtschaftlichen Entwicklung. Dieser anhaltende Aufstieg bedeutete in jeder Hinsicht eine säkulare Veränderung. Die Fluktuationen des Konjunkturverlaufs, die soeben in der ersten Boomphase von 1845 bis 1847, danach in der Rezession von 1847 bis 1850 zutage getreten waren und den «wirtschaftlichen Prozeß der kapitalistischen Gesellschaft» auch auf deutschem Boden in Zukunft konkret ausmachen sollten, müssen als charakteristische Wachstumszyklen verstanden werden. Denn so schmerzhaft sich Krisen und Depressionen auch auswirken mochten, hielt doch der universalgeschichtlich neuartige Wachstumstrend der Industriewirtschaft seither durchaus an.

Dieses seiner Natur nach stets ungleichmäßige Wachstum war seit den vierziger Jahren in eine allgemeine Aufschwungphase der Weltwirtschaft eingebettet. Denn eben sie wurde von den industrialisierenden Staaten erst während des 19. Jahrhunderts, insbesondere in seiner zweiten Hälfte, aus dem älteren Netz von Handelsbeziehungen in das eigentlich moderne: das aufs engste verflochtene globale Interdependenzsystem umgeformt oder ganz neu gebildet. Seine Struktur mit ihren feinnervigen Transmittoren für alle Signale der Wirtschaft machte die konjunkturellen Aufschwungs-, aber auch die Depressionsperioden zu einem gemeinsamen internationalen Phänomen. Diese veränderte internationale Konstellation schuf auch für die deutsche Industrialisierung neue Rahmenbedingungen und Einflußströme. Gewiß, sie war auch vor den 1840er Jahren niemals ein quasiautonomer «nationalökonomischer» Vorgang gewesen. Seit der Jahrhundertmitte wurde sie jedoch erst recht zu einem Teilprozeß innerhalb der westlichen Industrialisierungswelle, die ihrem unregelmäßigen Fortschrittsrhythmus gehorchte.

England blieb weiterhin nicht nur die einzige wirtschaftliche Weltmacht, vielmehr vorerst auch noch der einen weiten Vorsprung genießende Pionier des Industrialismus. Zwischen 1848 und 1873 erlebte es die beispiellose Konjunktur der mittelviktorianischen Epoche. Allein in den fünfziger Jahren vermehrte sich sein Warenexport um fabulöse neunzig Prozent, bis 1870 noch einmal um siebenundvierzig Prozent. Die Kapitalausfuhr erreichte ebenso eine neue Rekordhöhe wie die Wachstumsrate der strategischen Industrien. Mißt man die Hierarchie der Industrienationen mit Hilfe des Bruttosozialprodukts pro Kopf, lag England 1850 mit $ 660 (von 1970), bis 1870 sogar nach einem fast fünfzigprozentigen Anstieg in nur zwanzig Jahren mit $ 904 weit vorn an erster Stelle. Der Deutsche Zollverein behauptete mit $ 418 bzw. $ 479 nach einem immerhin fünfunddreißigprozentigen Zuwachs schon einen sehr respektablen Platz als Fünfter.

Seit den 1840er Jahren ging auch die amerikanische Industrialisierung in ihren «Take-off» über. Er wurde durch den Bürgerkrieg keineswegs – wie es eine verbreitete Legende weismachen will – erst ausgelöst, vielmehr etwas abgeschwächt, ehe er seit 1865 geradezu mit Riesenbewegungen voraneilte. Bereits vor 1873 war die amerikanische Industrie eindeutig auf den zweiten Rang hinter Großbritannien aufgerückt. In Belgien, Frankreich und mehreren deutschen Staaten herrschte in den gut zwei Dekaden zwischen 1850 und 1873 eine bisher unvorstellbare Hochkonjunktur. In einigen Regionen von Österreich-Ungarn, der Schweiz, auch Oberitaliens, Kataloniens, Hollands und Schwedens wirkten sich kräftige Industrialisierungsschübe aus. Waren-, Rohstoff- und Kapitalexport, Eisenbahnbau, Schiffahrt und Telegrafenverkehr verbanden diese dynamischen Zentren nicht nur immer dichter miteinander, sondern auch mit den überseeischen Absatzmärkten, Rohstofflieferanten und den damaligen NICs (New Industrializing Countries), Ländern wie Kanada und Australien, bald auch Japan.

In dieser Aufschwungphase zwischen dem Ende der europäischen Revolution von 1848/49 und der Weltwirtschaftskrise von 1873 kletterte die jährliche Wachstumsrate des Welteisenbahnnetzes um 8.8 Prozent, der Weltroheisenerzeugung um 5.3 Prozent, der Weltkohlenproduktion um 5.2 Prozent, der Weltdampfertonnage um 7.3 Prozent – die der industriellen Weltproduktion insgesamt um 4.6 Prozent empor. Der Welthandel wuchs in dieser Zeitspanne sogar um zweihundertsechzig Prozent. Wer zweifelte, von wenigen kritischen Außenseitern abgesehen, nach zwei Jahrzehnten ungeahnter Wohlstandssteigerung noch daran, daß fortdauernder ökonomischer Aufschwung zum Normalzustand geworden war, daß er es auch zukünftig bleiben werde? Nach all den Erfolgserlebnissen des jungen Industriezeitalters schien auf die geheimnisvolle Wachstumsmotorik offenbar Verlaß zu sein.[14]

Der mächtig emporstrebende deutsche industrielle Produktionskapitalismus wurde mithin seit Beginn der fünfziger Jahre in jene stimulierende weltwirtschaftliche Prosperität voll mit einbezogen, die eine der beiden erfolgreichsten Hochkonjunkturperioden vor 1950 geprägt hat (1850–1873 und 1896–1913). Seiner inneren Entwicklung kamen zugleich die nunmehr immens verstärkten Impulse seines «Wachstumskerns» zugute, der sich seit den vierziger Jahren unübersehbar herausgebildet hatte. Er bestand aus dem Bündel von Führungssektoren (des Eisenbahnbaus, der Eisen- und Stahlproduktion, des Berg- und Maschinenbaus), die mit ihrer Dynamik den «Großen Spurt» vorantrieben. Es war daher «erst in jenem Zeitraum» von 1850 bis 1873, daß es der deutschen Industrie vollends gelang, «die entscheidende, die wirklich revolutionierende Epochenwende in der Strukturgeschichte des Wirtschaftswachstums, den Übergang zu permanenter ‹Entwicklung› und Steigerung des Realeinkommens per capita, zu erreichen».[15]

a) Die Führungssektoren der zweiten industriellen Hochkonjunktur

Dabei behielt der eigentliche Spitzenreiter, der Eisenbahnbau, seine Schlüsselrolle – er war «ganz offenbar das wichtigste Einzelelement» in dem Konjunkturaufschwung bis 1873. Wie nachhaltig der Eisenbahnbau die dominante Triebkraft des deutschen «Take-off» blieb, läßt sich an einigen Erfolgsziffern und Indikatoren in Übersicht 63 ablesen.

Das Streckennetz im Deutschen Bund war bis 1850 bereits auf staunenerregende 5875 Kilometer angestiegen. In den fünfziger Jahren kamen noch einmal fast ebenso viele Kilometer hinzu (5282), so daß es 1860 = 11157 Kilometer erreichte. Während der Hochkonjunkturjahre bis 1870 wurden jedoch 7653 Kilometer neu gebaut. 1870 stand mit 18810 Kilometern das Erreichen der inzwischen anvisierten Zwanzigtausend-Kilometer-Marke dicht bevor. Allein in den letzten drei «Gründerjahren» wurde mit 5043 Kilometern fast derselbe Streckengewinn wie in dem gesamten Jahrzehnt vor 1860 addiert. 23853 Kilometer waren 1873 fertiggestellt – seit 1850 hatte sich die Streckenlänge vervierfacht –, als die große Krise einsetzte.

Fragt man nach dem Output des Transportsystems, das der deutschen «Verkehrsrevolution» zugrunde lag, findet man zwischen 1850 und 1873 bei der Leistung in t/km eine durchschnittliche jährliche Wachstumsrate von bestechenden 16.3 Prozent. Auch im Personenverkehr in p/km waren es noch 8.9 Prozent. Zum Vergleich: Der Ruhrkohlenbergbau erreichte in derselben Zeit mit jährlich neun Prozent seine tendenziell höchste Rate, die Roheisenproduktion 8.4 Prozent. Hatte bis 1861 noch der Personenverkehr (seit 1855 schon nur noch knapp) vorn gelegen, wurde er seither vom Gütertransport überholt und so klar distanziert, daß dieser 1873 fast doppelt so groß war (10060 t/km : 5693 p/km). Dem Jahresvolumen nach hat er sich von 1850 bis 1879 um tausend Prozent vermehrt. Daran läßt sich ablesen, in welchem Ausmaß die Eisenbahn den Massentransport von Gütern aller Art an sich gezogen hatte. Die kühnsten Träume eines List, Hansemann, Mevissen wurden bereits übertroffen. Das war ganz wesentlich eine Folge des raschen Sinkens der Transportpreise. Von 1850 = 10.1 Pfennig je t/km fielen sie bis 1873 auf 4.9 Pfennig (und bis 1913 auf nur mehr 3.6 Pfg.!) – mithin in relativ kurzer Zeit um mehr als die Hälfte. Dagegen gab der Preis je p/km nur von 1850 = 4.2 auf 1873 = 3.7 Pfennig nach. Diese erstaunliche Verbilligung des Güterverkehrs – immerhin stieg in dieser Zeit der allgemeine Preisindex um neun Prozent! – bildete zum Teil auch das Ergebnis der beharrlichen Arbeit des «Vereins Deutscher Eisenbahnverwaltungen», der sich seit 1851 unter Mevissens Leitung um eine einheitliche Klassifikation möglichst attraktiver niedriger Gütertarife bemühte. Mehr als tausendfünfhundert öffentliche Tarife – von den geheim gewährten ganz zu schweigen – mußten harmonisiert werden, bis 1877 endlich die formelle Tarifeinheit erreicht wurde.

Übersicht 63: Erfolgszahlen des deutschen Eisenbahnbaus 1850–1873

		1850	1851	1852	1853	1854	1855	1856	1857	1858
1	Dt.Bd./Dt.Reich	5875	6162	6649	7177	7608	7862	8672	9055	9721
	Preußen	2967	3153	3487	3697	3697	3822	4373	4652	4901
2	Arbeitskräfte Dtld.									
	ad hoc	78700	89900	72000	95300	97600	112800	118100	88100	147300
	ständig	26084	32487	38625	44287	47734	51480	55427	64957	70145
	in Preußen ständig	13706	17163	20633	23687	26326	27380	30276	34357	36181
3	p/km	783	865	914	935	1041	1090	1263	1457	1491
	t/km	303	394	527	621	898	1095	1242	1531	1505
4	Kapitalstock	891	998	1062	1136	1244	1329	1485	1585	1678
5	Nettoinvestitionen	41	107	63	74	108	85	156	100	94
6	Verzinsung des Anlagekapitals	3.7	4.0	4.5	4.6	4.9	5.2	5.3	5.1	5.6
7	Verzinsung der preuß. Staatsanl.	4.3	4.2	4.0	4.1	4.1	4.2	4.4	4.4	4.3
8	Durchschnittsdiv. preuß. Privatbahnen	4.4	4.8	5.4	5.5	6.1	6.6	7.4	7.6	6.2
9	Wertschöpfung									
	dt.	48.2	59.1	70.4	78.0	89.5	102.4	115.7	139.9	140.3
	preuß.	28.9	33.8	39.8	43.9	50.5	56.9	63.7	77.6	78.2

Übersicht 63: Erfolgszahlen (Fortsetzung)

	1859	1860	1861	1862	1863	1864	1865	1866	1867	1868	1869	1870	1871	1872	1873
1	10648	11157	11567	12150	12773	13240	14034	14941	15793	16442	17322	18810	20405	22522	23853
	5452	5762	5951	6113	6416	6560	6895	7133	7425	10125	10457	11460	12474	13632	14461
2	217600	171300	96300	127200	130500	120000	189100	204900	200500	196400	237400	220400	239400	372400	396900
	80102	85608	90159	93782	101859	105740	113570	121630	131867	143562	153778	161014	178461	193506	234114
	41467	44852	48420	51502	56462	58005	62294	64859	73190	96987	101388	106542	122506	135875	162114
3	1637	1733	1901	2064	2360	2571	2676	3132	2978	3236	3534	4447	5031	5020	5693
	1475	1675	1998	2431	2777	3220	3672	3777	4527	5184	5520	5876	7072	8361	10060
4	1912	2152	2252	2347	2517	2620	2772	2994	3196	3423	3625	3945	4172	4877	5531
5	233	241	100	95	171	102	153	223	202	227	202	320	227	361	654
6	5.2	5.5	5.9	6.5	6.3	6.7	7.0	6.4	6.5	6.7	6.6	6.5	7.3	5.9	5.2
7	4.3	4.3	4.1	4.1	4.2	4.1	4.1	4.4	4.5	4.6	4.7	4.8	4.2	4.2	4.1
8	5.3	5.4	6.7	7.4	7.5	8.3	8.9	8.0	8.0	7.2	7.6	7.6	7.3	7.3	5.6
9	150.4	173.2	194.5	220.0	228.7	254.1	275.9	284.1	311.5	345.0	369.2	397.8	467.7	499.5	537.5
	81.4	96.1	107.7	123.1	128.3	145.5	157.0	161.3	170.5	229.8	249.6	274.5	317.7	332.6	365.5

Erläuterungen zur Übersicht 63:

1. *Streckenlänge der Eisenbahn im Deutschen Bund bzw. Reich und in Preußen in km.*
2. *Arbeitskräfte (ad hoc und ständig) deutscher und preußischer Eisenbahngesellschaften.*
3. *Personen- und Güterverkehr deutscher Eisenbahnen in p/km, t/km.*
4. *Kapitalstock deutscher Eisenbahnen zu Anschaffungspreisen (Mill. M.).*
5. *Nettoinvestitionen deutscher Eisenbahnen in laufenden Preisen (Mill. M.).*
6. *Verzinsung des Anlagekapitals deutscher Eisenbahnen in %.*
7. *Verzinsung der preußischen Staatsanleihen in %.*
8. *Durchschnittsdividende der preußischen Privateisenbahnen in %.*
9. *Wertschöpfung deutscher und preußischer Eisenbahnen in laufenden Preisen (Mill. M.).*

Dieser Expansion des Streckennetzes und der Transportleistungen entsprach der Aufstieg der Eisenbahn zum größten Arbeitgeber der damaligen Zeit. 1850 wurden sechsundzwanzigtausend Männer ständig beschäftigt. Bis 1855 hatte sich ihre Zahl verdoppelt, bis 1859 verdreifacht, bis 1864 vervierfacht, bis 1867 verfünffacht, bis 1870 versechsfacht, aber schon bis 1873 auf 234 100 fast verzehnfacht. Davon hatten allein die preußischen Privatbahnen rund siebzig Prozent fest angestellt. Die Anzahl der ad hoc mobilisierten Arbeitskräfte schwankte von 1850 bis 1858 zwischen 78700 und 147300. Erst 1859 überschritt sie die bereits 1846 erzielte Höchstziffer von 178 500 mit 217610 und pendelte zu Beginn der sechziger Jahre wieder zwischen 96300 und 189100, ehe seit 1866 = 204900 ein kontinuierlicher Anstieg einsetzte, der bis 1873 nahezu eine Verdoppelung (397000) bewirkte. Das waren «Arbeiterheere» – wie man sich seinerzeit martialisch ausdrückte –, deren Größe auch dem Laien demonstrierte, welche Massen der klassische Leitsektor an sich band und zum großen Teil dauerhaft beschäftigte, um jenes weitverzweigte eiserne Netzwerk einzurichten und in Gang zu halten, das die Basis der Verkehrsrevolution bildete.

Dieses Riesenunternehmen besaß einen unersättlichen Kapitalbedarf. Aber der früh erkennbare Erfolg ließ die Finanzierung nie zu einem pressierenden Problem werden. Der Kapitalstock hat sich daher zwischen 1850 und 1859 und erneut von 1860 bis 1870 jeweils verdoppelt, ja bis 1873 noch einmal um gut vierzig Prozent auf 5.5 Milliarden Mark erhöht (vgl. vorn Übersicht 51). Was diese dürre Zahl bedeutet, macht der Hinweis darauf deutlich, daß der Eisenbahnbau damit einen Anteil von fünfundfünfzig Prozent des gewerblichen und von zehn Prozent des gesamtwirtschaftlichen Kapitalstocks für sich in Anspruch nehmen konnte!

Wie schon in den vierziger Jahren behielt das Eisenbahnsystem auch in dem Vierteljahrhundert nach 1850 die höchste sektorale Kapitalakkumulation. Die einsame Rekordziffer, welche die Nettoinvestitionen 1846 mit 177.6 Millionen Mark erklommen hatten, wurde zwar erst 1859 und 1860 überboten, seit 1866 jedoch ständig übertroffen, bis 1873 sogar 654 Millionen Mark registriert wurden (vgl. vorn Übersicht 50). Genauer gesagt: Hatten 1850/54 die Nettoinvestitionen im Eisenbahnbau immerhin schon zwölf Prozent derjenigen der Gesamtwirtschaft erreicht, bezifferte sich ihr Anteil 1875/79 auf 25.5 Prozent. Das war mehr als ein Viertel aller deutschen Nettoinvestitionen. Der Vergleich unterstreicht diese Sonderstellung. Bereits 1850/54 übertrafen die Eisenbahninvestitionen diejenigen in Industrie und Gewerbe mit 19.7 : 13.5 Prozent. Von 1855 bis 1864 fielen sie um 5.7 bzw. 2.7 Prozentpunkte zurück, zogen aber 1865/69 wieder mit 17.2 : 14.5 Prozent davon. Auf dem Höhepunkt des Gründerbooms konnten sich Industrie und Gewerbe mit 32.6 : 23.8 Prozent klar absetzen. 1875/79 jedoch wurden sie während der ersten Depressionsjahre mit 10.6 : 25.5 Prozent geradezu eklatant deklassiert. Und das ehemalige Hauptanlagefeld, die Landwirtschaft, lag von 1870 bis 1879 mit 10.5 Prozent um degradierende 14.1 Prozentpunkte hinter dem Eisenbahnbau.

Nicht ganz so dramatisch, doch eindrucksvoll genug verlief seine Wertschöpfung (vgl. vorn Übersicht 53). 1850 hatte er mit 48.2 Millionen Mark begonnen. Bis 1855 wurde diese Summe verdoppelt (102.4), bis 1864 vervierfacht, bis 1870 mehr als verachtfacht. 1873 hatte die Wertschöpfung innerhalb von dreiundzwanzig Jahren um tausendeinhundert Prozent auf 537.5 Millionen Mark zugenommen. Um diesen enormen Zuwachs mit Hilfe einer anderen Relation zu illustrieren: 1850 machte die Wertschöpfung der Eisenbahnen $^1/_{380}$ derjenigen von Industrie und Gewerbe aus, 1875 lag sie jedoch bei $^1/_{13}$! Dieser verblüffend steile Trend verweist nachdrücklich auf das seit 1850 zunehmende Gewicht des Verkehrssektors im Rahmen der gesamtwirtschaftlichen Wertschöpfung.

Überblickt man die Eisenbahnentwicklung zwischen Jahrhundertmitte und Weltwirtschaftskrise, treten außer dieser volkswirtschaftlichen Leistungsbilanz sechs außergewöhnliche Vorzüge klar hervor.

Die Kapitalverzinsung blieb für die privaten Investoren erquicklich hoch; sie lag durchweg, zum Teil erheblich, über dem Zinssatz der Staatsobligationen, der Landschafts-Pfandbriefe und der Aktien der meisten industriellen Gesellschaften. Zwar wurde erst 1861 (= 5.9 %) die höchste Verzinsung der vierziger Jahre (= 5.7 %) übertroffen, aber generell lag der Durchschnitt der fünfziger Jahre höher, ja in den sechziger Jahren wiederum beträchtlich über dem Niveau des vorhergehenden Jahrzehnts. Preußische Staatspapiere warfen dagegen – etwas über vier Prozent notierend – zwei bis drei Prozent weniger ab. Das bedeutete einen um fünfzig bis siebzig Prozent höheren jährlichen Gewinn für Eisenbahninvestoren! Bei den preußischen Privatbahnen lag die Dividende schon in den fünfziger Jahren weit günstiger als die der Staatspapiere, in den sechziger Jahren sogar oft auf der doppelten Kurshöhe. Kurzum: Solche glänzenden «Verwertungsaussichten» wirkten sich für den Eisenbahnbau als ungewöhnlich kraftvoller «Kapitalbildungssog» aus. Kein Wunder, daß Kapitalarmut in den Vorstands- und Aufsichtsratsetagen der Eisenbahngesellschaften ein unbekanntes Wort blieb.

Oft genug wurden auch die spekulativen Hoffnungen bestätigt, wenn zum Beispiel die Dividenden der Berlin-Magdeburger Bahn von elf auf zwanzig Prozent, der Berlin-Anhaltischen Bahn von 8.3 auf sechzehn Prozent, der Oberschlesischen Eisenbahn von 7.9 auf 12.7 Prozent hochschnellten. Die Erwartung solcher Extraprofite lockte ständig neue risikofreudige Investoren an, sie erhöhte ganz allgemein die Attraktivität der Eisenbahnaktien.

Schneller und in noch größerem Ausmaß als selbst von den enthusiastischen Fürsprechern des neuen Verkehrsmittels erwartet, stellte sich nicht nur die Verdichtung des Handels, sondern auch die Erschließung neuer Märkte ein. Anschwellende Handelsströme folgten den neuen Verkehrsverbindungen, die gleichzeitig bisher isolierte Märkte zu einem tendenziellen Gesamtmarkt zusammenschlossen. Das hatte weitreichende Auswirkungen auf die regionale Wirtschaftsförderung, auch erhebliche verteilungspolitische Folgen. Da die positiven Aspekte überwogen, die hoffnungsvoll antizipierte Nachfrage sogar durchweg übertroffen wurde, erfüllten sich die hochgesteckten Erwartungen, die vom Eisenbahnbau eine Transformation der einzelstaatlichen, aber auch der zollvereinten Wirtschaft erhofft hatten.

Für bedeutende Banken und die Berliner Börse als zentralen Umschlagplatz der begehrten Bahnaktien bedeutete der Eisenbahnbau eine lehrreiche, immer wieder stimulierende Einübung in Finanzgeschäfte eines bis dahin unbekannten großen Stils. Deshalb konnte Carl Fürstenberg, als Geschäftsinhaber der «Berliner Handelsgesellschaft» an der Spitze einer der tonangebenden Banken, aus intimer Vertrautheit den Eisenbahnbau in den drei Jahrzehnten nach der Jahrhundertmitte «das Rückgrat des deutschen Unternehmen- und Finanzgeschäfts» nennen. Die Unternehmenspolitik der Eisenbahngesellschaften weitete sich zu einem intensiven Lernprozeß aus, der die Industriefinanzierung ungemein erleichtert, ihr oft Modell gestanden hat.

Überhaupt bedeutete der Eisenbahnbau seit den vierziger Jahren ein neuartiges Erfolgserlebnis. Die Prognose, daß er nach der Revolution ebenso stürmisch wie zuvor voranschreiten werde, erwies sich nicht nur als eine «sich selbst erfüllende Prophezeiung», sondern die erreichten Resultate begründeten eine Vertrauensbasis, die bis in die späten siebziger Jahre unerschüttert blieb. Der Siegeszug der Eisenbahn wurde weithin zum materiellen Substrat für den liberalen Fortschrittsoptimismus.

Gleichzeitig unterstützte der Eisenbahnbau einen wirtschaftlich fundierten Nationalismus, denn dank der starken Rückkoppelungseffekte gelang es den Gesellschaften bereits seit der Mitte der fünfziger Jahre, sich von ausländischen Lieferanten fast unabhängig zu machen. Zweieinhalb Jahrzehnte nach Baubeginn stammten die Lokomotiven und Waggons, die meisten Schienen (1865: 85%) und die Signalsysteme durchweg aus deutschen Werkstätten. Von den sieben großen Lokomotivfabriken lieferte zum Beispiel der unbestrittene Branchenführer, Borsig in Berlin, schon 1854 seine fünfhundertste Lokomotive aus; Keßler folgte 1860, Maffei 1864, Egestorff 1870, Hartmann 1871, Henschel 1873, Wöhlert 1874. Borsig konnte bereits vier Jahre später (1858) mit seiner tausendsten Lokomotive eine vielbewunderte Rekordmarke erreichen, die Keßler erst 1870, Egestorff 1873 und Maffei 1874 einstellten. Bis 1871 bezifferte sich die Produktionskapazität für Waggons auf jährlich dreißigtausend. Die Verdrängung der westeuropäischen Konkurrenz wurde als ein Sieg «deutscher» Leistungsfähigkeit gefeiert. Auch in dieser Hinsicht gingen die breit verästelten Wirkungen des Eisenbahnbaus über den ökonomischen Effekt weit hinaus.

Versucht man, den Gewinn näher zu bestimmen, den die Eisenbahnen im Rahmen einer vorläufigen volkswirtschaftlichen Gesamtrechnung brachten, kann man auf die Berechnungen einer zeitgenössischen Koryphäe zurückgreifen. Ernst Engel, erst Leiter des Sächsischen, dann des Preußischen Statistischen Büros, kam nach einem interessanten Rechenexperiment zu dem Schluß, daß die Eisenbahnen bereits zwischen 1844 und 1878 eine volkswirtschaftliche Ersparnis von 20.3 Milliarden Goldmark bewirkt hätten – «ein Mehrfaches des in Eisenbahnen bis zu diesem Zeitpunkt investierten Kapitals». Welch höhere Genauigkeit auch immer eine moderne wirtschaftliche Analyse dieser Frage ergäbe, ein ähnlich globaler Effekt scheint doch schwer bestreitbar zu sein. Im Horizont der damaligen Zeit wurde jedenfalls die Eisenbahn zu dem für jedermann sichtbaren Symbol einer segensreichen wirtschaftlichen Revolution – zum Paradebeispiel des besseren Lebens in der «schönen neuen Welt» der industriellen Ära.

In politischer Hinsicht bedeutete der Vorsprung des preußischen Eisenbahnwesens, das dank der Kooperation bedeutender Privatunternehmer mit dem Berliner Kapitalmarkt stets erheblich mehr als die Hälfte des Streckennetzes im Deutschen Zollverein und später im Reich, dazu 1870 2987 Lokomotiven und 76824 Waggons aus eigener Produktion besaß, eine Bestätigung des Vorrangs der preußischen Industrie und des immens erleichterten preußischen Handels im Deutschen Bund, erst recht im deutschen Staatensystem nach 1866. Der Erfolgsnimbus der Eisenbahnen macht zugleich den Wunsch nach ihrer Verstaatlichung verständlich. Denn damit konnte die Berliner Regierung die Kontrolle über den dynamischsten Führungssektor der industriellen Revolution, mithin auch – wie es scheinen mußte – eine Quelle stetig anwachsender Einkünfte gewinnen. Bismarcks Machtinstinkt folgte also durchaus der Realität, als er die Verstaatlichungskampagne der siebziger Jahre vorantrieb. Indes: Als der Zugriff vollendet wurde, hatten sich, entgegen allen Erwartungen, die ökonomischen Bedingungen in diesem Verkehrssystem grundlegend verändert.[16]

Die stärksten Rückkoppelungseffekte des Eisenbahnbaus wirkten sich auf die Produkte der anderen Führungssektoren aus: auf Eisen und Stahl, Kohle und Maschinen. Die gewaltige Nachfrage nach Schienen, einem robusten Waggonpark und starken Lokomotiven, nach der metallenen Ausrüstung, die wiederum für Kraft- und Arbeitsmaschinen notwendig war, nach der Armierung für zahlreiche Bauvorhaben wie Brücken und Bahnhöfe bildete für die Eisen- und Stahlindustrie seit der Jahrhundertmitte einen wahren Treibsatz. Rund zweieinhalb Jahrzehnte lang wurde der gesamte schwerindustrielle Komplex von den wachstumszyklischen Bewegungen des Eisenbahnbaus beherrscht. Er hatte bereits während der vierziger Jahre in einem faszinierenden Tempo aus einem kleingewerblichen, rückständigen Produktionszweig eine mit der modernsten Technologie ausgestattete metallurgische Fabrikindustrie geschaffen. Der Zollverein hatte 1844 im richtigen Augenblick mit moderaten Einfuhrzöllen Schutz gewährt, zugleich aber den Übergang zu den neuesten Fertigungsmethoden angeregt. Wenn für den

Kampf ökonomischer Interessen der Begriff überhaupt angebracht ist, gewann dieses Gesetz die Funktion eines effektiven «Erziehungszolls», wie ihn Friedrich List in seinen entwicklungspolitischen Überlegungen für jene Situation vorgeschlagen hatte, in welcher der erdrückende Vorsprung Englands durch die staatlich protegierte Modernisierung der deutschen Industrie wettgemacht werden sollte. Das Ergebnis von innovationsbereiter Unternehmeraktivität und staatlicher Förderung war nach kürzester Zeit erstaunlich genug. Seit dem Beginn der 1850er Jahre sahen sich die deutschen Produktionsstätten imstande, die weiterhin rasant ansteigende inländische Nachfrage so gut wie vollständig zu decken. Darüber hinaus konnten sie sogar lukrative Exportchancen wahrnehmen. Bis 1873 und noch weiter wurden freilich stets fünfzig Prozent der Eisenproduktion vom deutschen Eisenbahnbedarf in Anspruch genommen.

Übersicht 64: Roheisen- und Stahlproduktion im Deutschen Zollverein und Reich 1850–1873 in t, Wert in laufenden Preisen (Mill. M.), Arbeiterzahl

Jahr	Roheisen	Wert	Arbeiter	Stahl	Wert	Arbeiter
1850	214560	23.56	13460	196950	53.81	19645
1855	419260	55.24	16120	381880	119.90	30370
1860	530290	51.84	18105	426260	112.01	30685
1865	988200	84.15	21725	707930	180.56	47565
1870	1390490	106.44	19130	1044700	241.35	56675
1873	2219430	248.56	27215	1583960	438.79	79509

Die Leistungswerte dieses Führungssektors können sich neben denen des Eisenbahnbaus durchaus sehen lassen. 1850 erreichte die Roheisenproduktion im Zollverein 214 560 Tonnen mit einem Wert von 23.6 Millionen Mark, an deren Erwirtschaftung 13 560 Arbeiter beteiligt waren. In den folgenden zehn Jahren wuchs der Ausstoß um rund hundertfünfzig, der Wert um hundertzwanzig Prozent, in den sechziger Jahren um gut hundertsechzig bzw. rund hundert Prozent. Dann jedoch folgte allein in der zweiten Phase des Gründerbooms von 1870 bis 1873 ein Anstieg um zweiundsechzig Prozent auf 2.2 Millionen Tonnen, begleitet von einer um das Doppelte erhöhten Wertsteigerung von hundertfünfunddreißig Prozent. In diesen vierundzwanzig Jahren, in denen der Ausstoß um dreihundertzweiundsiebzig, sein Wert um dreihundertfünfundfünfzig Prozent hochkletterte, ist die Arbeiterschaft nur um rund hundert Prozent auf 27 220 Mann angewachsen – ein untrügliches Indiz für die außergewöhnlich verbesserte Arbeitsproduktivität, die vor allem den neuen Kokshochöfen und Maschinen, nicht zuletzt aber auch dem fachlichen Können der Facharbeiterelite zu verdanken war.

Die ungleich kompliziertere Stahlproduktion hatte 1850 mit 196 950 Tonnen die Roheisenerzeugung schon fast eingeholt, im Wert mit 53.8 Millionen

Mark aber bereits weit übertroffen; dafür waren knapp zwanzigtausend Arbeiter nötig gewesen. Während der fünfziger Jahre nahm die Erzeugung um hundertfünfzehn, ihr Wert um hundertzehn Prozent, während der sechziger Jahre um hundertfünfzig bzw. hundertfünfzehn Prozent zu. In den drei letzten Gründerjahren schnellte die Stahlmenge um fünfzig Prozent auf 1.6 Millionen Tonnen, ihr Wert um hundertdreißig Prozent empor. Damals lag Deutschland in der Stahlproduktion bereits an zweiter Stelle hinter Großbritannien. Das war zum nicht geringen Teil der schnellen Einführung des 1856 ausgereiften Bessemer-Verfahrens zu verdanken, das sich seit der Mitte der sechziger Jahre schnell durchsetzte. Wenig später verbesserte der Siemens-Martin-Schmelzofen (seit 1864) erneut die Herstellung hochwertiger Stahlsorten. Insgesamt wuchs in dieser Zeitspanne der Output des Stahls mit dreihundertfünfzehn Prozent deutlich weniger als der des Eisens; die Wertsteigerung erwies sich aber mit dreihundertfünfundfünfzig Prozent als identisch. Obwohl 1873 636000 Tonnen Stahl weniger hergestellt wurden, als die Eisenmenge dieses Jahres betrug, lag der Wert der Produktion des begehrten Metalls um neunzig Millionen Mark höher. Wegen der ungleich arbeitsintensiveren Herstellungs- und Verarbeitungsprozesse hatte die Stahlarbeiterschaft um vierhundert Prozent auf 79510 Männer zugenommen.

Daß die erstaunliche Produktionssteigerung von dreihundertzweiundsiebzig bzw. dreihundertfünfzehn Prozent von einer gleichgerichteten Wertsteigerung begleitet wurde, ist in dieser Zeit nicht besonders aufsehenerregend. Man muß sich jedoch eins klarmachen: Der Eindruck einer engen Parallelität wird vor allem dadurch erzeugt, daß die inflationär überhitzten Jahre zwischen 1870 und 1873 mit einbezogen werden. Faßt man nur die beiden Jahrzehnte zwischen 1850 und 1870 ins Auge, stand beim Eisen einer Vermehrung der Produktion um dreihundertzehn Prozent eine Wertsteigerung von zweihundertzwanzig Prozent gegenüber, beim Stahl war es ein günstigeres Verhältnis von zweihundertfünfundsechzig zu zweihundertfünfundzwanzig Prozent. Das bedeutete aber, daß auch in diesem Sektor die säkulare Preisdeflation des 19. Jahrhunderts selbst während dieser Phase der deutschen Industriellen Revolution weiterwirkte. Bei anhaltender Mengenkonjunktur und zunehmender Konkurrenz reagierte der Markt, wie es der orthodoxen wirtschaftsliberalen Lehre entsprach: mit sinkenden oder maßvoll steigenden Preisen. Nur die überschäumenden Prosperitätsjahre haben diesen deflationären Trend unterbrochen.

Stabile oder sinkende Preise gaben dem Eisen- und Stahlverbrauch weiteren Auftrieb. Die Nachfrage stammte außerdem nicht mehr nur vom Eisenbahnbau. Vielmehr ging sie auch von der Industrie selber, in verstärktem Maße von der Landwirtschaft, vor allem aber vom Baugewerbe aus. Dieses erlebte in den sechziger und siebziger Jahren eine Hochkonjunktur, die sich im nachhinein an einem exorbitant hohen Anteil der Nettoinvestitionen, des Kapitalstocks und der Wertschöpfung ablesen läßt, aber auch schon von den Zeitgenossen als hektisches «Baufieber» charakterisiert wurde. Erst achtzig Jahre später, im Verlauf der westdeutschen Wiederaufbaukonjunktur seit 1949/50, wurden diese Leistungen während der «Takeoff»-Phase der Urbanisierung übertroffen. Natürlich zog das städtische Baugewerbe das billigere Eisen dem teuren Stahl vor. Auch deshalb verdoppelte sich der jährliche Eisenbedarf – der ja häufig als grober, aber ziemlich verläßlicher Indikator für eine erfolgreiche frühe Industrialisierung benutzt wird – pro Kopf der Bevölkerung des Zollvereins bzw. des Reiches von 1860 = 35.6 Kilogramm auf 1873 = 71 Kilogramm; allein von 1870 bis 1873 nahm er um fünfundzwanzig Prozent zu. Freilich stand in diesem Wendejahr der wirtschaftlichen Entwicklung einer Gesamtproduktion von 3.8 Millionen Tonnen Eisen und Stahl eine inländische Eisenerzförderung von nur 6.18 Millionen Tonnen (im Wert von 43.4 Mill. M.) gegenüber. Die Abhängigkeit von importiertem, qualitativ hochwertigem Erz nahm daher mit der Expansion der metallurgischen Industrie zunächst unaufhaltsam zu.[17]

Wie bei einer Kettenreaktion pflanzten sich die Nachfrageimpulse des Eisenbahnbaus und der Urbanisierung über die Eisen- und Stahlindustrie in den dritten Führungssektor, den Steinkohlenbergbau, weiter fort. Zwar blieben die Wachstumsraten des neuen Verkehrssystems sowie der Eisen- und Stahlproduktion vergleichsweise höher, aber der schnelle Anstieg des Kohlenabbaus erreichte zwischen 1850 und 1873 immerhin einen durchschnittlichen jährlichen Zuwachs von neun Prozent – während der Hochindustrialisierung von 1874 bis 1913 sank er mit 4.7 Prozent auf fast die Hälfte hinab. Die Anreize für einen forcierten Kohlenbergbau gingen, wie gesagt, in erster Linie vom Eisenbahnbau sowie, dadurch vermittelt, von der Eisen- und Stahlindustrie mit ihrer unersättlich wirkenden Brennstoffnachfrage aus. Bis in die siebziger Jahre wanderten allein dreißig Prozent der Förderung in die Eisenindustrie. Hinzu kamen der Energiebedarf der Lokomotiven und das rasche Vordringen der Heizungskohle. Der Ferntransport sowohl zu industriell-gewerblichen Zentren, die wie Berlin oder Nürnberg abseits der Kohlereviere lagen, als auch in die auf Haushaltskohle wartenden Großstädte wurde zunehmend erleichtert, als immer mehr Lastkonvois von Dampfschleppern über Flüsse und Kanäle gezogen, vor allem aber als die Eisenbahnlinien immer dichter vernetzt wurden. So wurden zum Beispiel 1873 bereits achtundsiebzig Prozent der Ruhrkohle von Eisenbahnen weiterbefördert. Und als Anfang der fünfziger Jahre die Eisenbahn von den Westprovinzen her erst Magdeburg, den größten Umschlagplatz für den mitteleuropäischen Nord-Süd-Handel, dann mit einer ersten West-Ost-Verbindung Berlin erreichte, wurden die Absatzchancen der Ruhrkohle sprungartig vermehrt. Seither konnten zahlreiche mittel- und ostdeutsche Städte und Gewerberegionen, oft in harter Verdrängungskonkurrenz mit der englischen, schlesischen und sächsischen Kohle, als Abnehmer gewonnen werden. Die Nachfrage machte die ergiebigen Tiefbauschächte bis zu den Fettkohlenflözen trotz der hohen Kosten zu einem lukrativen Geschäft. Leistungsfähigere Pumpanlagen, die von Dampfmaschinen mit ihrer rasch über achtzig PS hinausgehenden Kraft betrieben wurden, erwiesen sich dem Abteufen selbst in großer Tiefe als gewachsen.

Der Aufschwung des preußischen Steinkohlenbergbaus, des mit großem Abstand bedeutendsten Produzenten im Deutschen Bund und Reich, wurde auch durch eine radikale Reform des restriktiven Bergrechts gefördert. Sie war schon seit den 1820er Jahren angestrebt worden. Erst jetzt aber folgte die Gesetzgebung den Bedürfnissen der gesteigerten ökonomischen Herausforderung. Seit 1776 war die Selbständigkeit der Bergwerksunternehmer durch das sogenannte Direktionsprinzip, das der staatlichen Verwaltung die wichtigsten Entscheidungskompetenzen vorbehielt, eng eingeschränkt worden. Im Mai 1851 leitete das Miteigentümergesetz endlich die autonome Zechenleitung durch die Besitzer ein, das Direktionssystem wurde im Kern aufgehoben und die Bergwerkssteuer um fünfzig Prozent gesenkt. Die Bergbaubehörden behielten jedoch das Recht zur Überwachung der Sicherheitsmaßnahmen sowie zur Festsetzung von Mindestlöhnen.

Im wesentlichen wurde dem Privatunternehmertum seither freie Bahn geschaffen. 1860 wurden einige hemmende Relikte mit dem Freizügigkeitsgesetz für Bergleute beseitigt. Das Allgemeine Preußische Berggesetz vom 24. Juni 1865 schloß dann diese Liberalisierungspolitik ab, indem es die volle ökonomische Selbständigkeit der Betriebe garantierte. Diese Rechtslage ist bis 1913 vom Staat nicht mehr verändert worden.

Auf den anhaltenden Nachfragesog reagierte der Bergbau, unterstützt durch die wirtschaftsliberalen Rechtsreformen, mit einem fulminanten Wachstumsschub. Da einerseits die preußische Steinkohlenförderung mehr als neunzig Prozent der Produktion im Zollverein und Reich ausmachte, andrerseits der OBAB Dortmund gut achtundneunzig Prozent des allmählich «Ruhrrevier» genannten Gebiets umfaßte, gibt die Übersicht 65 Auskunft über die wichtigsten quantitativen Veränderungen.

Übersicht 65: Die Steinkohlenproduktion in Preußen 1850–1873 in Mill. t

Jahre	Preußen	OBAB Dortmund	Ruhr-Belegsch.	Saar-revier	Ober-schlesien
1850	4.58	1.99	12741	0.64	0.975
1855	8.15	3.32	23843	1.55	1.74
1860	10.66	4.37	29320	2.02	2.36
1865	18.57	8.63	43052	2.95	
1870	23.32	11.81	52160	2.79	5.85
1873	32.35	16.42	83306	4.36	

Bis 1857 nahm mithin die preußische Kohlenproduktion um hundert, bis 1863 um zweihundert, bis 1865 um dreihundert, bis 1869 um vierhundert, jedoch schon bis 1873 um sechshundertzwanzig Prozent zu. Die Ruhrkohlenförderung expandierte noch etwas schneller, da sie von 1850 = vierundvierzig auf 1871 = einundfünfzig Prozent des gesamtstaatlichen Abbaus anstieg. Wegen der arbeitsintensiven Produktion in den Zechen verdoppelte sich die Belegschaft bis 1855, vervierfachte sich bis 1871, erreichte aber 1873 bereits fünfhundertdreißig Prozent mehr als im Ausgangsjahr. Währenddessen stieg die Arbeitsproduktivität, gemessen als jährliche Tonnenleistung eines Bergmanns, von 1850 = hundertsiebenundfünfzig auf 1870 = zweihundertsechsundzwanzig. Es gab zwar noch keine modernen Abbaugeräte für die tiefen Flöze, wohl aber wuchs in diesem Zeitraum die Anzahl der Schichten, die jährlich von einem Bergmann gefahren werden mußten, von zweihundertdreizehn auf zweihundertsiebenundneunzig an.

Die Nettowertschöpfung kletterte von 1850 bis 1870 um sechshundert Prozent, erreichte jedoch dann in den ersten drei Jahren nach der Reichsgründung mit einem Zuwachs von tausendachthundert Prozent das Dreifache der vorhergehenden zwanzig Jahre. Unter welchen wirtschaftlichen Gesichtspunkten man auch immer den Kohlenbergbau unter die Lupe nimmt, er wies in dieser zweiten Phase der Industriellen Revolution die typische entfesselte Dynamik eines klassischen Führungssektors auf.[18]

Eine dritte Welle von Rückkoppelungseffekten wirkte sich auf den Maschinenbau aus. Welche rapiden Fortschritte die Lokomotivherstellung machte, ist vorn bereits kurz geschildert worden. Im Grunde war ihr Aufschwung ein durchaus symptomatischer Vorgang für den Maschinenbau insgesamt. Generell hatte er sich (wie in Bd. II gezeigt) seit der Mitte der 1830er Jahre kraftvoll entwickelt, als er eine Vielzahl vor allem von Textil-, Dampf- und Werkzeugmaschinen zu liefern begann. Jedoch: Der ausschlaggebende Impuls wurde erneut durch den Eisenbahnbau vermittelt, der selber Lokomotiven benötigte, zugleich aber in der Schwerindustrie und im Bergbau die Nachfrage nach Kraft- und Werkzeugmaschinen forcierte. Nach der Zäsur von Revolution und Rezession setzte wegen des anhaltenden Wachstums und der «Vertiefung der Nachfrage» eine «gewaltige Ausdehnung des Maschinenmarktes» ein. Deshalb entstanden in den fünfziger Jahren siebenundachtzig, in den sechziger Jahren fast doppelt so viele: hundertsechsundsechzig, neue Maschinenfabriken. Bereits 1862 erfaßte die Zollvereinsstatistik sechshundertfünfundsechzig Maschinenbauanstalten, wovon die beiden führenden Länder, Preußen mit dreihundertvierzehn und Sachsen mit hundertvierundsechzig «Etablissements», den Löwenanteil besaßen. Bis zum Ende des Reichsgründungsjahres war die Anzahl aber schon auf tausendvierhundert angestiegen. Zwischen dem Ende der ersten Aufschwungphase im Jahr 1846 und 1871 wuchs die deutsche Maschinenindustrie um gut vierhundert Prozent an, aber ihre Produktion in den fünfziger Jahren um zweihundert, in den sechziger Jahren um dreihundert Prozent. Drei Jahrzehnte lang blieb Chemnitz das «deutsche Zentrum» des Maschinenbaus, wo 1871 hundertacht Fabriken angesiedelt waren. Zu diesem Zeitpunkt hatte jedoch wegen des umfangreicheren Ausstoßes und der überlegenen Größe seiner Fabriken Berlin endgültig die Führung übernommen, die es bis 1945 behalten sollte. Mit deutlichem Abstand folgten andere Städte wie Dortmund, Halle und Leipzig.

Die Nachfrage stieg, dem Konjunkturzyklus angepaßt, während der Industriellen Revolution fast kontinuierlich an. Öfters wurden die vorhandenen Kapazitäten trotz des Ausbautempos überfordert. Das Prunkstück dieser Industriebranche blieb der Lokomotivbau, gefolgt von anderen Zweigen der Schwermaschinenherstellung, die sich auf Dampfhämmer, Konverter, Aufzüge, Gebläse und hydraulische Anlagen für die Hüttenbetriebe, auf Pumpwerke und Förderanlagen für die Zechen konzentrierten. Im Prinzip übernahmen zwar die meisten Fabriken Aufträge für Maschinen aller Art. Allmählich drang jedoch eine stärkere Spezialisierung nach Funktionen vor. Das zeigte sich bei der Herstellung von Werkzeugmaschinen, wo sich zum Beispiel die Spezialisierung auf komplizierte Drehbänke zunehmend lohnte. Das trat aber auch im Apparate- und Instrumentenbau sowie bei der Produktion aufgabengerechter Maschinen für Zuckerfabriken, Mühlen und Brauereien zutage.

Wegen der wachsenden Konkurrenz und der gleichzeitig erfolgenden Verkehrsverdichtung stand auch die Maschinenproduktion im weitesten Sinn im Zeichen des Preisfalls. Bis zum Ende der fünfziger Jahre nahmen die Preise um zwanzig bis dreißig Prozent, in den sechziger Jahren noch einmal um dreißig bis vierzig Prozent ab. Deswegen wuchs die Nachfrage weiter in die Breite, da jetzt viele Erzeugnisse zu einem auch für kleinere Unternehmen erschwinglichen Preis den Markt erreichten. Dank der Expansion, Diversifizierung und Preisgestaltung nahm auch der Export einen beachtlichen Umfang an. In der zweiten Hälfte der sechziger Jahre übertraf die Ausfuhr bereits den Import der bislang führenden englischen, belgischen und amerikanischen Maschinen. Borsig etwa steigerte in dieser Zeit seinen Exportanteil auf neununddreißig Prozent. Seither bildete der deutsche Maschinenbau seine geradezu klassische Exportorientierung aus.

Ob nun zunächst der zollvereinte Binnenmarkt Produkte aufnahm oder erste Exporte die entscheidenden Grenznutzenerträge einbrachten, allgemein haben die leistungsfähigen Fabriken eine Periode auffälliger Expansion und befriedigender Bilanzen durchmessen. Die «Sächsische Maschinenfabrik AG» zum Beispiel, die soeben aus der berühmten Hartmannschen Anstalt in Chemnitz hervorgegangen war, konnte von 1850 = 1.28 Millionen Mark bis 1857 ihren Umsatz verdoppeln, bis 1871 jedoch um sechshundertfünfzig Prozent auf 8.01 Millionen Mark steigern. Ebenso vorteilhaft sah die Entwicklung der führenden Lokomotivfabriken, der MAN in Nürnberg und

Augsburg, und jener zahlreichen Fabriken aus, die sich an die vielseitigen Bedürfnisse aufnahmefähiger Binnen- und Außenmärkte anpaßten und dafür weder die Einführung von riskanten Innovationen noch den Ausbau zum Großbetrieb scheuten. Wie sehr selbst die Erfolgsziffer von tausendvierhundertneunzig Maschinenbaufabriken im Jahre 1871 nur den Anfang einer rasanten Entwicklung darstellte, enthüllte die erste Reichsgewerbezählung vom Dezember 1875: Obwohl der Wagen- und Schiffsbau, die Apparate- und Waffenherstellung nicht einbezogen wurden, zählte die Maschinenindustrie bereits 9978 Fabriken mit 154190 Arbeitern. Die Zukunft dieses Führungssektors hatte mit der Industriellen Revolution erst begonnen.[19]

b) Ausbreitungseffekte des «Wachstumskerns»

Von dem Bündel der strategisch ausschlaggebenden Führungssektoren, die zusammen den «Wachstumskern» der ungestüm vordringenden deutschen Industrialisierung bildeten, gingen zahlreiche stimulierende Impulse aus. Sie könnten, indem man die Rückkoppelungs-, Vorwärtskoppelungs- und Begleiteffekte systematisch prüfte, in ein Ordnungsschema eingefügt werden. Statt dessen soll hier unter einigen Sachgesichtspunkten ein vergleichsweise anschaulicheres Bild von der eminenten Expansionskraft, die von dem sekundären und tertiären Sektor ausging, vermittelt werden.

Man kann sie zuerst einmal an der hohen Anzahl von Neugründungen industrieller Unternehmen und Banken, vor allem an dem Vordringen der Aktiengesellschaften und der Kapitalakkumulation in diesen Bereichen ablesen. In Preußen als dem Land mit den meisten industriewirtschaftlichen Wachstumsregionen waren von 1800 bis 1850 nur achtzig Aktiengesellschaften (ohne die Eisenbahngesellschaften) gegründet worden. Allein von 1851 bis 1857 kamen hundertneunzehn, von 1858 bis 1867 noch einmal zweiundachtzig, innerhalb von siebzehn Jahren also zweihunderteins Aktiengesellschaften hinzu. Nur Sachsen, wo zum Beispiel von 1850 bis 1859 siebenundachtzig Aktiengesellschaften neu entstanden, vermochte damit in etwa Schritt zu halten. Im Deutschen Bund betrug die Gesamtzahl von 1851 bis 1870 zweihundertfünfundneunzig.

In der Hochkonjunktur von 1867 bis 1873 wurde jedoch diese unternehmerische Aktivität in einem erstaunlichen Ausmaß übertroffen. Bis 1870 erreichte das Aktienkapital eine Höhe von 2.4 Milliarden Mark. Davon waren in den mit einem riesigen Vorsprung führenden Eisenbahngesellschaften 1.72 Milliarden, im Bergbau und Hüttenwesen 275.4, in den Versicherungsgesellschaften 158.5 und in den Banken 94.7 Millionen Mark angelegt. Seither gewann die ökonomische Dynamik aber noch einmal an Schwungkraft hinzu. Dazu trug auch die Aktienrechtsnovelle vom 11. Juni 1870 bei, welche für neue Gesellschaften die staatliche Konzession als Korporation aufhob, zugleich aber auch eine Verschleierung der finanziellen Basis ermöglichte und die Aktionäre ungesichert ließ, da die Gründer weder zivil- noch strafrechtlich zur Verantwortung gezogen werden konnten. Durch diese riskante Liberalisierung wurden geradezu die Schleusen geöffnet: Allein von 1871 bis 1873 entstanden neunhundertachtundzwanzig neue Aktiengesellschaften mit einem Kapital von 2.81 Milliarden Mark. Darunter waren rund zweihundertsiebzig neue Montan- und Maschinenbauunternehmen, die fünfhunderteinundsechzig Millionen Mark anzogen. Hinter den Eisenbahngesellschaften erschienen jedoch die neuen AG-Banken als ein zweiter Spitzenreiter. Von 1869 bis 1873 wurden hundertfünfundachtzig Banken dieses Typs mit rund 1.1 Milliarden Mark Kapital gegründet; allein 1871 waren es achtundsechzig, 1872 sogar neunundachtzig, also hundertsiebenundfünfzig in zwei Jahren. Berlins Rolle als führender Bankplatz drückte sich 1873 in hundertfünf Banken aus, davon waren zweiundfünfzig meist neugegründete AG-Banken.

Kein Wunder, daß die Kursbildung am Aktienmarkt ungeahnte Höhen erreichte. In den drei Boomjahren von 1870 bis 1872 wurde eine durchschnittliche Dividende von 12.45 Prozent notiert – eine erfolgreiche Großbank wie die «Disconto-Gesellschaft» zahlte 1871 vierundzwanzig und 1872 zweiundzwanzig Prozent; 1872 überwiesen allein die Berliner Aktiengesellschaften, deren Papiere zusammen einen Kurswert von 1.45 Milliarden Mark besaßen, Dividenden in Höhe von 107.5 Millionen Mark. Die durchschnittliche Rendite (berechnet aus Kurshöhe in Prozent und Dividende p. a.) ergab 8.64 Prozent.

Ungeheure Kapitalströme wurden durch dieses aussichtsreiche Gründungsgeschäft in Bewegung gesetzt. Waren von 1850 bis 1870 2.4 Milliarden Mark investiert worden (von 1816 bis 1850 – aber nur dank dem Eisenbahnbau der vierziger Jahre – 600 Mill. M), stieg die Gesamtsumme bis 1873 innerhalb von nur drei Jahren um 2.8 auf 5.2 Milliarden Mark. Selbst während der hochkonjunkturellen Trendperiode von 1896 bis 1914, als die Expansion von einem ungleich breiteren Sockel aus erfolgte, wurde dieses Investitionsvolumen nicht übertroffen, vielmehr mit 5.2 Milliarden Mark genau erreicht.[20]

Bei der Finanzierung der Investitionen übernahmen die Banken gewöhnlich den größten Anteil, den sie über die Börse unterbrachten. Die Sparkassen rückten aber manchmal schon bemerkenswert dicht auf, und auch die großen Versicherungsgesellschaften drangen weiter vor. Das Investitionsvolumen der Banken und Sparkassen unterlag freilich auffälligen Fluktuationen. Das Verhältnis betrug 1851/55: 77.3 zu 22.3, 1856/60: 82.9 zu 15.8, 1861/65: 43.4 zu 30.4 (!), 1866/70: 59.1 zu 16.2 und 1871/75: 43.4 zu 20.7 %. Die großen Privatbanken und AG-Banken dominierten mithin damals keineswegs so unangefochten die Industriefinanzierung, wie man gemeinhin annimmt. Das Kreditvolumen allein der preußischen Sparkassen erreichte zum Beispiel 1860 = 153.3, 1870 = 507.5 Millionen, 1875 aber schon 1.130 Milliarden Mark. Dieses Geschäft beruhte auf der steigenden Rücklage solider Spareinlagen, die in jenen Stichjahren von 135.8 über 471.5 auf 987.2 Millionen Mark kletterten, insgesamt seit 1850 um das Zwanzigfache anwuchsen. Blickt man auf den Banknotenumlauf als Indiz für eine angemessene Geldversorgung und Prosperität der Wirtschaft, weist die Steigerung in Preußen von 1850 = 60.8 auf 1875 = 735.7 Millionen Mark auf ein konjunkturell ausgeweitetes, verzwölffachtes Volumen hin. Es ist eine offenbar schwer ausrottbare Legende, daß ausländisches Kapital in jenen Jahren eine maßgebliche Rolle gespielt und deshalb zu einer bedrohlichen «Überfremdung» geführt habe. Bis 1870 stammten jedoch zum Beispiel nur vier Prozent des Gesamtkapitals der deutschen Industrie von französischen Geldgebern, die in wenigen Industriezweigen auf maximal fünfzehn Prozent kamen. Auch belgisches und englisches Kapital hatte sich in bisher unbekanntem, höchstwahrscheinlich aber nicht größerem Umfang engagiert.

Insgesamt blieb damals die Liquidität der deutschen Kapitalmärkte auf so hohem Niveau erhalten, daß in aller Regel keine Probleme bei der Finanzierung aus inländischen Ressourcen auftraten. Seit 1859/60 wurde daher eine Nettoinvestitionsrate von zehn und mehr Prozent in der Industrie und im Eisenbahnbau erreicht. Damit wurde die Bedingung des sogenannten «Lewis-Axioms» erfüllt, wonach industrialisierende Gesellschaften mit einer Nettoinvestitionsquote von zehn bis zwölf Prozent im sekundären Sektor eine wesentliche Grundlage für ein sich selbst tragendes wirtschaftliches Wachstum legen. Die konjunkturelle Entwicklung auf dem Binnenmarkt wurde außerdem durch den Export kräftig abgestützt. Während einer ersten Ausfuhrwelle von 1855 bis 1864 stieg die Exportquote bereits auf dreizehn Prozent. Allein der Fertigwarenexport vermehrte sich bis zur Krise von 1857 um mehr als dreihundert Prozent. Während der zweiten Ausfuhrwelle von 1865 bis 1873 dehnte sich das Volumen noch einmal mächtig aus. Einschließlich des hohen Anteils, den der Agrarexport noch ausmachte, vor allem aber dank der neuen industriellen «Impulszentren» wie etwa des Maschinenbaus, soll der zollvereinte bzw. reichsdeutsche Außenhandel von 1868 bis Anfang 1873 von rund drei auf rund sechs Milliarden Mark gestiegen sein.

Die hauptsächlich von der binnenwirtschaftlichen Dynamik ausgelöste, von den außenwirtschaftlichen Erfolgen jedoch mitgetragene Hochkonjunkturphase der deutschen Industriellen Revolution hat – wie neue Berechnungen ergeben haben – die durchschnittlichen jährlichen Wachstumsraten des Nettosozialprodukts von 1850/57 = 2.36 Prozent auf 1863/74 = 3.31 Prozent hochgetrieben. Was dieser Spitzenwert des Wachstumszyklus vor 1873 bedeutet, unterstreicht der Vergleich mit der folgenden Zeit bis 1914: Nur noch ein einziges Mal wurde er, dank der Hochkonjunktur von 1896 bis 1901, mit 3.62 Prozent übertroffen.

Sachkundige zeitgenössische Beobachter haben den außergewöhnlichen Charakter dieser hochkonjunkturellen Wachstumsperiode durchaus erkannt. Der rheinische Wirtschaftsmagnat Gustav Mevissen glaubte im Juni 1872, daß «das Erwerbsleben des ganzen großen Deutschen Reiches... sich in eine riesenhafte AG verwandeln zu wollen» scheine. Die «ökonomische Revolution, die seit 1849 den ganzen Kontinent ergriffen und die große Industrie... erst wirklich eingebürgert, aus Deutschland aber geradezu ein Industrieland ersten Ranges gemacht hat», urteilte Friedrich Engels, «diese industrielle Revolution» habe sich bis 1871 voll durchgesetzt und zugleich «überall erst Klarheit... in den Klassenverhältnissen» geschaffen. Rückblickend glaubte auch Leopold Hoesch, einer der prominenten Großindustriellen des Ruhrgebiets, man habe «damals» bezweifelt, «ob überhaupt in der Welt genug Kohlen und Koks vorhanden seien, um das der Welt nötige Roheisen zu machen – eine Frage, die wir im Dortmunder Revier ein halbes Jahr lang ernsthaft diskutiert haben». Nachdem Alfred Krupp wegen der Auftragsflut die Belegschaft in seiner Gußstahlfabrik innerhalb von vier Jahren von siebentausend auf zwölftausend Mann erhöht hatte und wie zahlreiche andere Unternehmen noch eine weitere Ausdehnung (bis auf 16000) plante, schrieb ihm sein Schwager warnend, «daß der enorme Gründungsschwindel... uns einer großartigen allgemeinen Geschäftskrisis entgegenführen muß». Seit dem Mai 1873 sollte diese Prognose in Erfüllung gehen.[21]

Wie sich die Führungssektoren kraftvoll weiterentwickelten, setzte sich auch jener Prozeß der kumulativen Zusammenballung von Wachstumskräften in den Führungsregionen weiter fort, die bereits bis 1850 deutlich zu erkennen gewesen waren. Sie blieben – um es zu wiederholen – die dynamischen Zentren des Industrialismus, keineswegs waren das die Gesamtstaaten. Wie die Frühindustrialisierung vollzog sich auch die Industrielle Revolution als regionalzentrierte Expansion mit freilich immer weiter ausstrahlenden Wirkungen und folgenreichen Demonstrationseffekten, die schließlich auch die abgelegensten Landesteile erreichten.

Preußen besaß in seinen Westprovinzen mit dem Ruhrgebiet, der bergisch-märkischen Gewerbelandschaft, dem rheinischen Industriegürtel von Krefeld über Köln bis Aachen einschließlich der Eifel sowie dem Saarrevier vier außerordentlich entwicklungsfähige Regionen. Im Osten traten das oberschlesische Industrierevier und die Landeshauptstadt selber als industriell-gewerbliche Zentren hinzu. Im Königreich Sachsen mit seiner ungewöhnlichen Gewerbedichte hoben sich der Chemnitz-Leipziger und der Görlitz-Zittauer Bezirk deutlich ab. Vornehmlich kleinindustrielle Zonen bildeten sich zusehends innerhalb von Württemberg und Baden, im Mainfränkischen und in Franken, in Südthüringen und im Harz heraus. Im Südosten stützte sich Österreich in erster Linie auf das böhmische Industriegebiet, sodann auf die niederösterreichische Gewerberegion, für die Wien zu einem mit Berlin vergleichbaren Mittelpunkt aufstieg.

In diesen Führungsregionen ist der energische Modus operandi der vorn diskutierten Führungssektoren unübersehbar zu erkennen. Hinzu kam fast überall die breite Palette der textilindustriellen Unternehmen, häufig auch der feinmechanischen Werkstätten. Hier, in solchen Industrierevieren und -städten, herrschte an Unternehmern und Facharbeitern kein Mangel. Innovationen wurden ausgewertet. Die Investitionsströme bewegten sich zu den Standorten, die optimalen Gewinn sofort und auf Dauer versprachen. Da das Ruhrgebiet in dieser Zeit zur wachstumsintensiven Industrieregion par excellence aufstieg, kann die Vermehrung seiner Großbetriebe die sprungartige Entwicklung paradigmatisch illustrieren.

Vom Ende der Revolution bis Anfang 1873 erhöhte sich die Anzahl der Bergwerke auf einundsechzig; bis 1852 hatten sie erst vierunddreißig der kostspieligen Tiefbauschächte besessen, 1872 waren es schon hundertsechsundzwanzig. Während derselben Zeitspanne kamen die Hüttenwerke auf siebzehn, mit den gemischten Unternehmen auf einundzwanzig Firmen; 1857 standen ihnen noch nicht mehr als elf Hochöfen zur Verfügung, 1873 aber waren es immerhin einundzwanzig. Bis dahin hatten auch einundzwanzig Werke das hochinnovative Bessemerverfahren eingeführt: Dauerte im Puddelofen das Frischen von drei Tonnen Roheisen vierundzwanzig Stunden, lieferte eine Bessemerbirne in zwanzig Minuten dieselbe Menge Stahl. Dagegen war erst eine Siemens-Martin-Anlage im «Bochumer Verein» in Betrieb genommen worden. Dreiundachtzig westdeutschen Großunternehmen standen am Ende dieser Schlüsselepoche nur vierundzwanzig vergleichbare Werke in Oberschlesien gegenüber.[22]

4. Der Siegeszug der Großunternehmen und Großbanken: Die erste Etappe

Für den weitsichtigen Industriellen oder Bankier zeichnete sich zu diesem Zeitpunkt auch bereits die Überlegenheit der gemischten Aktiengesellschaften klar ab – jener Unternehmen, die im vertikalen und horizontalen Verbund Bergwerke und Eisenfabriken, Stahlproduktion und Maschinenbau vereinten. Auf diesem Weg befanden sich zum Beispiel die GHH in Oberhausen, der «Bochumer Verein», Hoesch, Thyssen und der «Hoerder-Verein» oder auch die Familienunternehmen der Henckel v. Donnersmarck, Schaffgotsch und Thiele-Winckler in Oberschlesien. Von Anfang an mit der Intention, einen großen diversifizierten Verbund zu schaffen, wurde im Februar 1872 die «Dortmunder Union» gegründet. Von Hansemann als Bankchef der «Disconto-Gesellschaft» gesteuert, wurden nach den Vorschlägen von Friedrich Grillo – des «Stinnes» der 1870er Jahre – aus der Konkursmasse des Eisenbahnkönigs Strousberg die «Dortmunder Hütte», dazu die «Henrichshütte», die «Hütten AG Neuschottland» und die «Glückauf Tiefbau» zur «Union» zusammengeschlossen, die als größtes deutsches Werk dieses Typs im ersten Jahr bereits mehr als zwölftausendeinhundert Arbeiter beschäftigte. Im Januar 1873 gelang Grillo, erneut in engster Kooperation mit Hansemann, ein zweiter Coup, als er die «Gelsenkirchener Bergwerks AG» gründete, die unter Emil Kirdorf zu einem der größten montanindustriellen Unternehmen des kaiserlichen Deutschland aufsteigen sollte.

Sieht man vom oberschlesischen Sonderfall ab, wo hochadlige Familienclans die Fusion zu gemischten Betrieben in ihre Hand nahmen, setzte sich überall sonst die von Unternehmern und Bankiers gemeinsam gegründete oder umgegründete anonyme Aktiengesellschaft durch. Sie verkörperte ein Organisationsmodell, das sich auf dem Entwicklungspfad des modernen Unternehmens relativ schnell durchsetzte: Zuerst befand es sich überwiegend im Besitz eines alles dirigierenden Eigentümerkapitalisten; auf der zweiten Stufe übertrug der Privatbesitzer die Entscheidungsausführung an angestellte Leitungsstäbe; in der dritten Phase, jener der Aktiengesellschaften, setzte sich zunehmend – obwohl starke, einflußreiche Unternehmerpersönlichkeiten weiterhin eine dominierende Rolle spielen konnten – der Managerkapitalismus durch – ein System, in dem die Unternehmerfunktionen an angestellte, zum Teil hochprivilegierte Experten delegiert oder auch von ihnen usurpiert wurden.

Wesentliche Charakteristika waren allen Aktiengesellschaften gemeinsam. Die Optimierung der ökonomischen Vorzüge übertraf alle erdenklichen Nachteile einer Mammutfirma. Die Aktiengesellschaft eröffnete beispiellose Chancen der Kapitalmobilisierung (wie in Bd. II, 95–107 geschildert), sie ermöglichte den Entscheidungsträgern eine ungewöhnliche Machtzusammenballung und trieb den Konzentrationsprozeß zu ihren Gunsten voran. Darüber hinaus entsprach sie offenbar sowohl starken organisatorischen Bedürfnissen – für dieses funktionalistische Argument spricht insbesondere das rapide Tempo ihrer universellen Ausbreitung – als auch den Professionalisierungswünschen der Führungskräfte. An der Spitze stand ein zentrales, kollegiales Geschäftsführungsorgan, welches das vorgegebene Ziel verfolgte, die Interessen der Aktiengesellschaft und ihrer Aktionäre mit maximaler Effizienz wahrzunehmen. Die Aktionärsversammlung bildete zwar formal den Souverän für die Grundsatzentscheidungen – die AG-Novelle von 1884 nannte sie direkt das «oberste Willensorgan». Tatsächlich aber wurden die Weichen meist im kleinen Kreis des Vorstands oder von wenigen Spitzenmanagern vorweg gestellt. Der Aufsichtsrat, der als Ersatz für die 1870 eliminierte Staatsaufsicht gedacht war, sah sich gewöhnlich mit seiner Aufgabe, die Geschäftsleitung effektiv zu kontrollieren, überfordert, da es ihm an spezifischer Fachkompetenz und genauer, umfassender Information über den Betriebsablauf mangelte. Hinzu kam häufig eine persönliche Abhängigkeit von den Schlüsselfiguren des Vorstands, die für eine Häufung von Mandaten in der Hand weniger Vertrauensleute sorgten: Um 1900 besaßen siebzig von ihnen 1184 Sitze in den Aufsichtsräten der großen deutschen Aktiengesellschaften![23]

Nicht nur die meisten Großunternehmen, die seit den fünfziger Jahren in allen deutschen Industrierevieren entstanden, bevorzugten die Organisationsform der Aktiengesellschaft. Vielmehr wirkte sich derselbe Sog auch auf die Banken aus, von denen seither Industrieinvestitionen und andere Finanzaufgaben in einer neuartigen Dimension erwartet wurden. Gewiß: Den bedeutenden Privatbanken gelang es noch jahrelang, einen Großteil dieser Nachfrage – gewöhnlich mit Hilfe ihrer Konsortien – zu befriedigen. Fraglos aber mußte sich die Kapazität von AG-Banken, diese Einsicht war um die Jahrhundertmitte weit verbreitet, der individuellen Geldmacht bereits auf mittlere Sicht als überlegen erweisen. Zwar blieb der «Schaaffhausensche Bankverein» in Köln, die erste, als staatliche Reaktion auf die Wirtschaftskrise von 1848 umgegründete Aktienbank, eine Zeitlang ein Sonderfall. Bald darauf aber lassen sich zwei Gründungswellen unterscheiden. Die erste dauerte von 1853 bis 1856, die zweite von 1869 bis 1873. Am Ende dieser Phase bestanden alle jene Großbanken, die bis in das zweite Drittel des 20. Jahrhunderts hinein alle Geldgeschäfte in grandiosem Stil betrieben und der deutschen Bankwelt ihren Stempel aufprägen konnten.

Zuerst sah es so aus, als ob der allgegenwärtige David Hansemann erneut das Rennen machen würde. Er schlug bereits im Mai 1849 den zuständigen Ministerien die Gründung einer Genossenschaftsbank auf Aktienbasis vor. Diese «Berliner Kredit-Gesellschaft», die ein bekanntes Brüsseler Vorbild imitierte, sollte an erster Stelle, hieß es, den «mittleren und kleinen Handelsstand und den Gewerbetreibenden» Investitionskapital verschaffen. Damit wären zugleich potentielle liberale Wähler unterstützt worden, und Hansemann hätte endlich auch in Berlin ein finanzielles «Standbein» für das faszinierende Eisenbahngeschäft und die Industriefinanzierung gewonnen. Am heftigen Widerstand des Finanz- und Handelsministeriums, wo der liberalkonservative Elberfelder Privatbankier August v. d. Heydt den Ton angab, der einflußreichen Berliner Privatbankiers, die für ihren «Berliner Kassenverein» die Konkurrenz einer Gegenbank heraufziehen sahen, und der landadligen Lobby prallte das Vorhaben zunächst ab.

1851 entdeckte Hansemann jedoch eine rechtliche Lücke, die ihm trotz der anhaltenden Opposition der Ministerien und Privatbanken die Gründung seiner «Direktion der Disconto-Gesellschaft» erlaubte. Der beantragte Staatskredit wurde prompt verweigert, die Kreditgenossenschaft blieb vorerst auf die Anteile ihrer Mitglieder – 1851 waren es 236, 1853 schon 1583 – beschränkt und mußte sich vom lukrativen Aktienhandel und Eisenbahngeschäft fernhalten. Erst im Dezember 1855 konnte Hansemann dank der Hochkonjunktur eine grundlegende Statutenänderung durchsetzen, die der «Direktion» außer der Kreditvergabe auch endlich das Geschäft mit Eisenbahn- und Industrieaktien, die Beteiligung an Anleihen und jeder weiteren Bankaktivität ermöglichte. Faktisch kam das einer Neugründung gleich, so daß die «Disconto-Gesellschaft» erst seit 1856 ihren Siegeszug in der Berliner Bankwelt und auf dem hauptstädtischen Kapitalmarkt antreten konnte.

Von diesem Vorbild angeregt, kam es noch im selben Jahr zur Gründung der «Berliner Handelsgesellschaft», die binnen kurzem zu den ersten Bankhäusern am Platz zählte.

Außerhalb Preußens, wo die Regierung zusammen mit starken Interessengruppen die Machtkonzentration in Aktienbanken hinauszuzögern suchte, war es bereits 1853 zu einer spezifisch auf die preußische Industrie und Eisenbahnexpansion zugeschnittenen Gründung in Gestalt der «Darmstädter Bank für Handel und Industrie» gekommen. Hier waren die treibenden Kräfte der Kölner Privatbankier Abraham Oppenheim und der Multiunternehmer Mevissen, der soeben als Direktor des «Schaaffhausenschen Bankvereins» neue Erfahrungen gesammelt hatte. Beide erkannten die Chancen einer AG-Bank für die Industrie; zugleich sollte sie als Notenbank direkten Einfluß auf den Geldumlauf nehmen können. Die Eröffnung in Köln wurde von der Regierung rigoros abgelehnt. Der nächste Plan, das Frankfurter Bankenzentrum als Standort zu wählen, scheiterte am Widerstand der Rothschilds, die im Deutschen Bund auf die Karte Wiens, in Frankreich auf die der Bourbonen und des Hauses Orléans setzten, während sich Oppenheims Verwandter und Geschäftspartner bei dem geplanten Unternehmen, der Pariser Bankier Fould, mit Napoleon III. liiert hatte.

Angespornt durch den Erfolg der «Credit Mobilier»-Bank der Gebrüder Pereire, wurde dank einer hessischen Konzession nach diesem Vorbild im April 1853 die «Darmstädter Bank» mit fünfundzwanzig Millionen fl. Stammkapital von den beiden Kölner Unternehmern im Verein mit Fould gegründet mit der Aufgabe, sich in einem weiteren Rahmen, als er dem «Schaaffhausenschen Bankverein» von den Behörden gesteckt worden war, primär dem Aktiengeschäft, der Industriefinanzierung und Anleihevermittlung zu widmen. Daß dafür insbesondere der süddeutsche Kapitalmarkt zugunsten preußischer Unternehmen abgeschöpft und der österreichische Einzugsbereich gestört wurde, fand trotz der Berliner Aversion sogleich die Zustimmung Bismarcks, der als Bundestagsabgeordneter das Vorhaben genau beobachtete. Unter Mevissens und Oppenheims Leitung begann nach anfänglichen Startschwierigkeiten die Erfolgsgeschichte der «Darmstädter», die der eigentliche Prototyp der modernen deutschen AG-Bank gewesen ist, zumal sie sich, nachdem zu langfristigen Industrieinvestitionen die Übernahme des Depositengeschäfts hinzutrat, zur ersten deutschen Universalbank entwickelte.

Seit der Mitte der fünfziger Jahre operierten mithin die ersten beiden der großen «D-Banken» auf dem deutschen Markt. Endlich sei es gelungen, triumphierte Mevissen, ein «korporatives Gegengewicht gegen die Alleinherrschaft der privaten Rothschildschen Geldmacht zu schaffen». Zielstrebig hatte die «Darmstädter Bank», wie die «Deutsche Vierteljahrsschrift» urteilte, die Aktie als «die Angel» ausgenutzt, «in welcher die jetzige Welt sich zu drehen scheint». Tatsächlich wurden ihre Aktien, als sie vom

Bankhaus Gebr. Bethmann in Frankfurt verkauft wurden, um das Hundertfache überzeichnet. Solche Operationen hatte der weltkluge Varnhagen v. Ense vor Augen, als er sich notierte, daß in dieser Übergangsphase des bürgerlichen Lebens «die Geldverhältnisse ... den größten Umschwung» erführen.

Angeregt durch den positiven Ausgang gründete das Führungsgremium der «Darmstädter Bank» 1856 auch noch die «Bank für Süddeutschland», die wiederum das Recht auf Notenausgabe besaß, dazu die «Internationale Bank» in Luxemburg. Dadurch konnte sowohl das Geschäft südlich des Mains als auch in Westeuropa ungleich besser als bisher wahrgenommen werden. Ebenfalls 1856 wurden die «Norddeutsche Bank» in Hamburg, der «Schlesische Bankverein» in Breslau, die «Allgemeine Deutsche Kreditanstalt» in Leipzig und die «Mitteldeutsche Kreditbank» in Meiningen und andere mehr gegründet. Die erste Gründungswelle erreichte in diesem Jahr ihren Höhepunkt.[24]

Nachdem 1867 der Norddeutsche Bund gebildet worden war, eröffneten sich auch ökonomisch neue Entwicklungsmöglichkeiten. Zugleich wurde jetzt der Unterschied zwischen Wien und Berlin noch schärfer empfunden. In der Hauptstadt des Habsburger Reichs existierten immerhin schon zwanzig private AG-Banken, die «Österreichische Nationalbank» stützte sich auf ein Kapital von neunzig Millionen fl. In Berlin dagegen basierte die «Preußische Bank» auf zwanzig Millionen Talern; der «Berliner Kassenverein» wies als AG-Bank ein Kapital von einer Million Taler aus; die «Disconto-Gesellschaft» (mit 10 Mill. T.) und die «Berliner Handelsgesellschaft» (mit 5.6 Mill. T.) fungierten zu diesem Zeitpunkt noch immer als Kommanditgesellschaften, um die Konzessionshürde zu umgehen. 1869 fand sich in Berlin eine Gruppe von vorausschauenden Bankiers zusammen, die ein neues Institut vor allem für die finanzielle Abwicklung des rasch wachsenden Außenhandels, der bisher von Hamburger, besonders aber von Londoner Banken besorgt worden war, ins Leben rufen wollte. Im Mittelpunkt der Pläne für die anvisierte «Deutsche Bank» standen Adalbert v. Delbrück, der Gründer des Bankhauses Delbrück, Leo & Co., ein Neffe von Bismarcks Kanzleramtschef Rudolph v. Delbrück, Ludwig Bamberger, demokratischer Achtundvierziger und Emigrant, inzwischen nationalliberaler Politiker und Privatbankier, sowie einige Berliner und rheinische Bankleute, welche die Gebr. Schickler & Co., Deichmann und weitere Privatbanken vertraten. Im Sommer 1869 lagen die Statuten mit einer Denkschrift über das Vorhaben fertig vor. Gegen Jahresende war die Zeichnung von zwanzig Millionen Talern Kapital gesichert. Im Januar 1870 fand die konstituierende Versammlung statt, und im März wurde bereits der Antrag auf die Bewilligung der Konzession für die «Deutsche Bank» als Aktiengesellschaft genehmigt.

Unverzüglich versuchten Hamburger Rivalen erst mit der «Internationalen Bank», dann mit der auf lange Sicht sehr erfolgreichen «Commerz- und

Disconto-Bank» (mit 20 Mill. M. Banco Kapital) zu kontern. Vergebens, die «Deutsche Bank» ließ sich von ihrem Ziel, die Autonomie im ausländischen Geldverkehr zu gewinnen sowie die Bankinteressen östlich und westlich der Elbe, nördlich und südlich des Mains im Zeichen der Konstellation seit 1867 zusammenzuführen, nicht mehr abbringen. Das Aktienangebot wurde hundertfünfzigfach überzeichnet. Wichtiger noch als dieser Vertrauensvorschuß war der Umstand, daß es dem Aufsichtsrat unter Delbrück noch 1870 gelang, mit Georg v. Siemens – einem Verwandten von Werner v. Siemens, für den er bisher tätig gewesen war – und Hermann Wallich, einem Bamberger nahestehenden Bankfachmann, zwei außerordentlich tatkräftige und umsichtige Direktoren zu gewinnen. Sie trieben bereits 1871/72 den Aufbau von Filialen im In- und Ausland zügig voran, dehnten das Volumen der Bankgeschäfte energisch aus und führten nach mehrfacher Kapitalerhöhung innerhalb weniger Jahre die «Deutsche Bank» in die Spitzengruppe der Großbanken.

Ebenfalls 1870 wurden unter anderem noch die Breslauer «Discontobank», die «Bergisch-Märkische Bank» und die bereits erwähnte «Commerzbank» gegründet. 1871 traten die «Essener Kreditanstalt» und die «Rheinisch-Westfälische Diskontogesellschaft» hinzu. 1872 schließlich wurde das sächsische Bankgeschäft Kaskel in die «Dresdner Bank» umgewandelt, der als zweiter Provinzbank hinter der «Darmstädter» alsbald der Sprung in die Reichshauptstadt gelang. Damit war die Quadriga der vier D-Banken – der «Disconto-Gesellschaft», der «Darmstädter», der «Deutschen» und der «Dresdner Bank» – komplett. Die Kommandohöhe der künftigen deutschen Großbanken zeichnete sich mit ihnen ab. In Konkurrenz und Koalition haben sie seither nachhaltigen Einfluß auf die Entwicklung und Leitungsorgane der deutschen Wirtschaft genommen.

Eine Spezialbank muß noch eigens erwähnt werden. Nicht nur das Industriegeschäft winkte mit hohem Gewinn, vielmehr war den Bankiers auch der unersättliche Kreditbedarf der Landwirtschaft, die ja nur zum Teil auf die provinziellen «Landschaften» zurückgreifen konnte, durchaus bewußt. Nach mehrjährigen Bemühungen gelang es im März 1870 einer exklusiven Gruppe, für die wiederum einem Pariser Vorbild, dem «Crédit Foncier», nachgebildete «Preußische Central-Boden-Credit-AG» die Konzession als Aktienbank zu erhalten. Hansemann, Oppenheim, Bleichröder, die Frankfurter und Pariser Rothschilds sowie der «Crédit Foncier» selber hatten sich zum Gründungskonsortium zusammengeschlossen. Es versprach, sich auf alle Arten von Bodenkredit, insbesondere Hypothekengewährung, zu konzentrieren, aber auch andere lukrative Bankgeschäfte wahrzunehmen; politisch wirkte die Zusage attraktiv, westdeutsches Kapital für die Ostprovinzen zu mobilisieren und die «Landschaften» zu schonen. Wie sicher Hansemann und Oppenheim, beide an der Spitze des Aufsichtsrats, die Kreditbedürfnisse der Agrarbetriebe beurteilt hatten, bestätigte der

Erfolg, daß bereits bis 1872 allein für zweiundzwanzig Millionen Mark hypothekarische Pfandbriefe emittiert wurden. So begann der Aufstieg der größten AG-Bank für den deutschen landwirtschaftlichen Kredit.

Wie die Zusammensetzung ihrer Gründerfirmen zeigt, wirkten Privatbanken an prominenter Stelle mit. Überhaupt verdient es noch einmal hervorgehoben zu werden, welche wichtige Rolle die Privatbanken während der fünfziger und sechziger Jahre weiterhin spielten. Zwar ist hier aus guten Gründen die Durchsetzung der Aktienbanken hervorgehoben worden, da ihnen, besonders in Gestalt der dominierenden Universalbanken, die Zukunft des deutschen Bankwesens gehören sollte. Aber in der Gründungsfinanzierung, in den Industrie- und Verkehrsinvestitionen haben die Privatbanken, deren Allianzen Großkapital und Erfahrung kombinierten, als Vorbild gewirkt, das die AG-Banken nur nachzuahmen brauchten. Erst seit den frühen siebziger Jahren ist ihnen, obwohl einige Privatbanken noch jahrzehntelang ihren Rang verteidigen konnten, insgesamt doch die Verdrängung dieser Rivalen aus ihrer bis dahin behaupteten Führungsposition gelungen.[25]

5. Konjunkturen und Krisen von 1850 bis 1873

Den unregelmäßigen Rhythmus der ständigen Wiederholung von Aufschwung und Hochkonjunktur, Krise und Depression, wie er industriekapitalistische Gesellschaften prägt, hatten die Zeitgenossen während der 1840er Jahre in den deutschen Wachstumsregionen zum ersten Mal, obwohl noch nicht vollständig ausgebildet, beobachten können. Mit dem Ende der nachrevolutionären Stockung setzte sich in den folgenden Jahrzehnten der Konjunktur- und Krisenzyklus endgültig und überaus kraftvoll durch. Seither besaß die Wirtschaft einen neuen Bewegungsrhythmus, der in ungeahntem Maße auch Gesellschaft und Politik beeinflußte.

In der entstehenden neuen Weltwirtschaft erlebten die industrialisierenden Länder tendenziell dieselben Fluktuationen. Prosperitäts- und Stockungsperioden wurden zu weltweit fast gleichzeitig auftretenden Phänomenen. Frühzeitig, 1853, konstatierte Karl Knies, eines der ungekrönten Häupter der Älteren Historischen Schule der deutschen Nationalökonomie, daß wegen der Industrialisierung «das Gleichartige und Übereinstimmende in der Entwicklung bei den Völkern so sehr zugenommen hat und selbst der Synchronismus in den erreichten Stufen immer sichtlicher hervortritt». Tiefer in die fundamentale Bedeutung dieser wirtschaftlichen Schwankungen eindringend, diagnostizierte Marx 1849, daß die «Gesamtbewegung dieser Unordnung» die eigentliche «Ordnung» der industrialisierenden «bürgerlichen Gesellschaft» konstituiere. Fünfundsiebzig Jahre später stimmte ihm endlich der Schmoller-Schüler Arthur Spiethoff, eine Koryphäe der deutschen Konjunkturforschung, zu: «Das Normale der freien, geldwirtschaftlichen, hochkapitalistischen Marktverfassung ist der Kreislauf der Wechsellagen.»

Nach der abrupten Unterbrechung des steilen Aufschwungs erst durch die Krise von 1847/48, sofort daran anschließend durch die Revolution von 1848/49, leitete die Wiederbelebung der Wachstumskräfte unmittelbar mit dem Beginn der fünfziger Jahre zuerst in den deutschen Industriegebieten, anschließend in der Gesamtwirtschaft eine beispiellose Hochkonjunktur ein. Sie siegte mit einer Wucht, die das Urteil nahelegt, daß die Krise von 1847/48 ohne die Revolution vermutlich schnell überwunden worden wäre. Der große Boom breitete sich, als ob er während der Revolutionsmonate nur aufgestaut worden wäre, wie nach dem Durchbruch eines Damms mit der Gewalt einer unwiderstehlichen Flutwelle aus. Die ökonomischen Folgen sind an der dramatischen Entwicklung der Führungssektoren und der stürmischen Veränderung der wirtschaftlichen Organisationsformen bereits verfolgt worden.

Aber auch die soziopolitischen Auswirkungen besaßen eine kaum zu übertreibende Bedeutung. Die Dauerprosperität gewährte nach dem Schock der Revolutionsgefahren den traditionellen Machteliten und postrevolutionären Regierungen eine «unschätzbare Atempause». Als werde sie von einem Magneten angezogen, wurde ein Großteil der gesellschaftlichen Energie in das vielverheißende Aktionsfeld der wirtschaftlichen Expansionen gelenkt. «Wie die Dinge» angesichts «der totalen Ohnmacht ... in den politischen Fragen» liegen, «glaube ich», urteilte der weitsichtige, politisch versierte rheinische Großunternehmer Gustav Mevissen Anfang 1851, «daß die materiellen Interessen die einzige Stelle bilden, von wo aus eine bessere Zukunft sich zu gestalten vermag». Die Grundeinstellung hinter dieser symptomatischen Vermutung, in ein unpolitisches Eldorado aufzubrechen, kam nicht nur der Wirtschaft zugute, sie konnte auch jedem Regime während der politischen Restaurationsphase nur willkommen sein.[26]

a) Die Konjunktur von 1850 bis 1857

Wie jede lange Trendperiode zerfällt auch die «Wechselspanne» (Spiethoff) von 1849/50 bis 1873 in mehrere Phasen unterschiedlicher Wachstumsintensität. Drei solcher Bewegungen dauerten von 1850 bis 1857, von 1859 bis 1866 und von 1866 bis 1873. Unterbrochen wurde der Aufschwung durch die Erste Weltwirtschaftskrise von 1857/59, die kurze «Zäsur» von 1866, dann jedoch durch den katastrophalen Einbruch der Zweiten Weltwirtschaftskrise seit 1873.

Obwohl auf die Revolution eine kurzlebige Rezession folgte, setzte der neue zyklische Aufschwung, insbesondere in der Hüttenindustrie und im Bergbau, schon 1849 wieder ein. Alsbald folgten der Eisenbahn- und Maschinenbau, die beide 1850/51 auf den Konjunkturkurs voll einschwenkten. Seither wurden die Outputmaxima der vierziger Jahre bereits übertroffen. Eine hochgradig kumulative Investitions- und Gründungsaktivität verband sich mit verblüffenden Wachstumsraten der Produktion, der Verkehrsleistung und des Handelsvolumens. Daraus ging eine geradezu explosive Hochkonjunktur bis 1857 hervor, die wahrscheinlich von allen Aufschwungsphasen zwischen 1840 und 1873 die «stärkste Expansionskraft» besaß – sie übertraf sogar den legendären «Gründer»-Boom von 1867 bis 1873.

Zu ihr gehörten auch folgerichtig eine heftige Preis- und deutliche Lohnsteigerung, eine Zunahme der Zinssätze und Aktienkurse. In einem bisher unvorstellbaren Ausmaß wurden jetzt die vorn geschilderten Spitzenwerte der Kapitalanlage, Ressourcenausnutzung und Kapazitätserweiterung erreicht. Ganz vorrangig handelte es sich um einen rasanten Aufschwung der Produktions- bzw. Investitionsgüterfabriken, welche die industriewirtschaftliche Basis der Wachstumsregionen verbreiterten und vertieften. Dagegen hinkte die Konsumgüterindustrie, wie der Zustand des Textilgewerbes verriet, mit beträchtlichem Abstand hinter dem Vorreiter her. Steigende Agrarpreise und zeitweilig niedrige Nominallöhne hielten das Niveau der Lebenshaltungskosten so hoch, daß die Ausgaben für Waren dieses Bereichs eng eingeschränkt wurden. Erst als 1855 wegen der Verknappung der Arbeitskräfte und der Kontinuität der Prosperität ein Lohnanstieg begann, wirkten die belebenden Impulse auch auf die Konsumgütererzeugung nachhaltig ein.

Zweifellos lebten Schwerindustrie, Maschinen- und Bergbau von der Nachfrage des klassischen Führungssektors, des Eisenbahnbaus. Da die ausländische Konkurrenz, die in den vierziger Jahren noch in hohem Maße der unmittelbare Nutznießer seiner Ausbreitung gewesen war, innerhalb weniger Jahre so kräftig zurückgedrängt wurde, daß sie zum Teil ganz ausfiel, konnte die Schwerindustrie von 1852 bis 1857 jährlich einen rund fünfzehnprozentigen Zuwachs verzeichnen. Der Ausstoß des Maschinenbaus verdoppelte sich bereits zwischen 1850 und 1853.

Während der Wachstumskern der Leitsektoren voll ungebärdiger Energie expandierte, wurde er von einem überaus flüssigen Kapitalmarkt, dem die von den Aktiengesellschaften mobilisierten Fonds zahlreicher privater Investoren, die Exportgewinne – der Wert des Exports aus dem Zollverein stieg von 1850 = 251 auf 1857 = 497 Millionen Taler –, indirekt auch die überseeischen Goldfunde zugute kamen, vorzüglich versorgt. Die hohen Investitionen im Eisenbahnbau, dem sie aufgrund der positiven Demonstrationseffekte seit den vierziger Jahren denkbar großzügig gewährt wurden, übten die zentrale Auslöserfunktion aus. Sie setzte die entscheidenden Rückkoppelungseffekte für die strategischen Industrien des «Großen Spurts» in Gang. Ihr Wachstum wirkt um so eindrucksvoller, als die Mengenkonjunktur bei zunächst sinkenden oder stagnierenden Preisen mit hohen Modernisierungskosten der Betriebe verknüpft war. Die Fähigkeit, alle drei Probleme gleichzeitig zu bewältigen, enthüllt die geballte Dynamik, die der industrielle Entwicklungsprozeß inzwischen gewonnen hatte. Sie bekräftigt überdies noch einmal, daß die Anfangsphase des «Take-off» in den vierziger Jahren zur deutschen Industriellen Revolution hinzugehört, da die Hochkonjunktur seit 1850, wenn sie diesen breiten Sockel nicht besessen hätte, nie und nimmer so machtvoll hätte vorandringen können.

Auch Banken und Börsen, Verkehr und Handel erfuhren, mit dem industriellen Aufschwung und der Agrarkonjunktur vielfältig verkoppelt, besonders zwischen 1854 und 1857 eine drastische Geschäftsausweitung. Wegen der hektischen Nachfrage der Aktiengesellschaften, überhaupt der Großunternehmen und der wie Pilze aus dem Boden schießenden neuen Betriebe – dazu gehörten allein in Preußen von 1850 bis 1857 hundertsieben neue Aktiengesellschaften – schrumpfte jedoch seit 1856 allmählich der Spielraum für die Kreditvergabe. Bis Ende 1857 erhob sich unleugbar eine «Finanzierungsschranke», die der weiteren unbegrenzten Ausdehnung entgegenstand. Sie entstand wegen der vordringenden Skepsis, mit der Bankiers und Investoren in ihrem Erfahrungshorizont die Überhitzung der Konjunktur wahrnahmen. Tatsächlich herrschte unverändert Kapitalfülle, die jetzt aber nur mehr als gedrosselter Zufluß der Produktionssphäre zugute kam. Wirtschaftspolitische Veränderungen im Inneren, zu denen vor allem der Übergang vom gemäßigten Schutzzoll zum lautstark umstrittenen Freihandel gehörte, wirkten sich dagegen auf die konjunkturellen Aufschwünge der fünfziger und auch der sechziger Jahre nicht tempobestimmend aus. Und exogene, außenpolitische große Ereignisse wie zum Beispiel der Krimkrieg haben offenbar auf die deutsche Konjunktur überhaupt keinen Einfluß ausgeübt.[27]

b) Die Erste Weltwirtschaftskrise von 1857 bis 1859 in Deutschland

Bis 1857 hatte sich der typische (in Band II, 4. Teil, I, ausführlich erörterte) Konjunkturverlauf durchgesetzt. Auf Wachstumsreize reagierten Unternehmer und Investoren mit hohen Investitionen, die sich als Überinvestitionen erweisen sollten. Der beschleunigte Kapazitätsaufbau führte zu Überkapazitäten. Die für eine allzu optimistisch überschätzte Nachfrage kalkulierte Produktion mündete in eine Überproduktion. Das charakteristische «sektorale Überschießen» über die erhoffte Aufnahmefähigkeit des Marktes hinaus näherte sich der kritischen Grenze. Die Gefahrensignale eines unvermeidbaren Preisfalls und einer Verschlechterung der Erlös-Kosten-Relation zeigten einen konjunkturellen Klimawechsel an. Diese Situation wurde dadurch verschärft, daß im eigentlichen Zentrum der Motorik der Eisenbahnbau als wichtigster Nachfragesektor wegen absinkender Durchschnittsrenditen, erheblicher Kostensteigerungen und zunehmender Finanzierungsschwierigkeiten seine Investitionen zeitweilig einschränken mußte. Von 1856 = 156 fielen seine Nettoinvestitionen auf 1857 = 100 und 1858 = 54 Millionen Mark hinunter. Aufgrund der negativen Rückkoppelungseffekte sahen sich Schwerindustrie und Maschinenbau wegen ihres Absatzrückgangs zu einer Produktionseinschränkung gezwungen.

Unübersehbar war eine krisenträchtige binnenwirtschaftliche Lage im Verein mit schmerzhaften Exportproblemen bereits vorhanden, als die Erste Weltwirtschaftskrise auf die deutschen Industrieländer übergriff. Sie hatte ihren Ausgangspunkt in den Vereinigten Staaten, wo Ende August 1857 die «Ohio-Life-Insurance & Trust Co.» bankrott machte. Diese Initialzündung löste eine Kettenreaktion in der Bankwelt und Industrie sowie im Eisenbahnbau aus, bis eine Börsenpanik ausbrach. Der amerikanische Krach pflanzte sich im Nu nach England fort, wo die City als hochsensibles Finanzzentrum der Welt in Mitleidenschaft gezogen wurde. Von dort fand sie über Hamburg und das internationale Geldgeschäft ein Einfallstor in den Zollverein, wo der sekundäre Sektor bereits angeschlagen war. «Die amerikanische Krise reitet», mokierte sich Friedrich Engels, auch die deutschen Fabrikanten «tief in die Sauce». Als erste wurden jedoch die Hamburger Außenhandelsfirmen hart getroffen. Vierzehn bekannte Häuser mußten unter staatliche Geschäftsaufsicht gestellt werden. Eine Diskontobank mit einem Rettungsfonds von fünfzehn Millionen Mark wurde eigens gegründet, um den Wechseldiskont zu stabilisieren; das gelang.

Als Kreditkrise wirkte die Fluktuation aber weiter fort, erfaßte die Aktienbörsen, wo jede Spekulation zusammenbrach, und traf schließlich auch die Investoren vor allem im Eisenbahnbau und Warengeschäft. Zu dieser Finanz- und Handelskrise kam, als die ohnehin rezessive Produktionssphäre unter ihren Einfluß geriet, eine handfeste Depression hinzu: 1858/59 hatte zum Beispiel die Schwerindustrie mit einem absoluten Produktionsrückgang schwer zu kämpfen. Gesamtwirtschaftlich gesehen setzte jedoch 1859 der neue zyklische Aufschwung schon wieder ein. Nur knapp zwei Jahre hat die Erste Weltwirtschaftskrise die industrialisierenden Staaten einschließlich der deutschsprachigen Länder heimgesucht.[28]

c) Die Konjunktur von 1859 bis 1866

Währenddessen begann eine Zeitspanne von rund einem Dutzend Jahren, die durch massive exogene Einflüsse auf den Wirtschaftsverlauf gekennzeichnet war. Dem italienisch-österreichischen Krieg von 1859 folgte der amerikanische Bürgerkrieg von 1861 bis 1865, während der preußisch/österreichisch-dänische Krieg von 1864, der preußisch-österreichische Bürgerkrieg von 1866 und der Deutsch-Französische Krieg von 1870/71 die Wirtschaft der deutschen Staaten direkt tangierten. Die ausklingenden Belastungen der 1858/59er Depression wurden daher mehrfach durch kriegerische Störungen verstärkt. Vor allem aber gewannen die endogenen Wachstumskräfte vorerst nicht jenen alles mitreißenden Schwung zurück, den sie bis 1856/57 besessen hatten. Daher kam es auch nicht sogleich wieder zu einer langlebigen Aufschwungsphase. Vielmehr folgte eine Serie von mehreren neuen Konjunkturschüben, die nach wenigen Jahren ins Stocken gerieten, trotzdem aber sogleich «von erhöhtem Niveau aus» wieder fortgeführt wurden.

Die Schwerindustrie expandierte etwas langsamer, die Preise sanken erneut, das Wachstum hielt an, indes mit niedrigeren Raten. Hütten-, Montan- und Maschinenbauindustrie profitierten, wie stets zuvor, am meisten davon, daß der Eisenbahnbau besonders seit 1862 seine Vitalität als Führungssektor zurückgewann. Seither belebten sich auch wieder die Investitionen. Bis dahin hatten die Unternehmen vielfach vom Polster der fünfziger Jahre gezehrt. Anders formuliert: Die Nachfrage mußte zuerst einmal in die damals geschaffenen «überdimensionierten Kapazitäten» hineinwachsen. Um einiges schwieriger blieb die Lage der Konsumgüterindustrie, die bis 1862 geradezu stagnierte.

Die Abfolge von Kriegen wirkte sich in einer Hinsicht direkt aus: in der Anspannung des Kapital- und Geldmarkts, zumal die staatliche Kreditnachfrage spürbar anhielt. In den sechziger Jahren sank während der drei Bismarckschen Kriege zeitweilig auch die für wirtschaftliche Zwecke verfügbare Transportkapazität ab, während sich gleichzeitig ein temporär begrenzter Arbeitskräftemangel bemerkbar machte. Diese Engpaßsituationen waren jedoch zu keinem Zeitpunkt mit der Gefahr einer Depression verbunden.

d) Die «Krise» von 1866

Trotzdem wird öfters von der «Krise» von 1866 gesprochen. Fraglos war die Börse von März bis Juli 1866 unruhig. Die Aktienkurse stiegen dennoch im Durchschnitt an. Währenddessen gab es auf manchen Geldplätzen im Schatten des preußisch-österreichischen Konflikts eine Kreditverknappung. Betroffene stöhnten über die «unerhörten Diskontsätze» und einen leichten Preisabfall. In keinem Produktionssektor gab es jedoch nennenswerte Verluste. Der kurze deutsche Bürgerkrieg hat mithin trotz einer gewissen nervös vibrierenden, oberflächlichen Unruhe keine ernsthafte Krise, geschweige denn eine Rezession ausgelöst. Wohl aber erfuhr im Juli und August die zollvereinte Wirtschaft nach dem preußischen Sieg am 3. Juli eine spürbare Belebung. Im August und September stabilisierte sich der Aufschwung der Warenpreise. Der Kurs aller wichtigen Wertpapiere, insbesondere der Eisenbahnaktien, erreichte nach der momentanen Schwäche im Frühjahr spätestens bis zum Dezember 1866 wieder die stattliche Höhe des Dezembers 1865.

Kurzum: 1866 gab es weder eine ernsthafte Krise noch gar einen tieferen, depressiven Konjunktureinbruch, sondern nur eine rasch überwundene «Zäsur» im fortlaufenden Wachstumszyklus. Im Grunde traf daher der Kommentar der freihändlerischen «Vierteljahrsschrift für Volkswirtschaft und Kulturgeschichte» den entscheidenden Punkt: Trotz der Belastung des

Kreditwesens habe «unser Wirtschaftssystem», urteilte sie über das «kommerzielle Leben des Jahres 1866», «eine wunderbare Lebens- und Widerstandskraft bewiesen».[29]

e) Der «Gründer»-Boom von 1866 bis 1873

Dieser Optimismus wurde durch das beschleunigte Wachstum seit dem Winter 1866/67 bestätigt. In den industriellen Führungssektoren, aber auch im Textilgewerbe und der Nahrungsmittelbranche führte es zu einem starken Produktionszuwachs. Aktienkurse und Verkehrsaufkommen stiegen weiter an. Die Märkte wuchsen in die Breite, die Investitionsraten kletterten aufwärts, die Auftragsbücher schwollen an. Neugründungsprojekte häuften sich. Trotz des lebhaften Prosperitätsklimas kehrte aber die Hochkonjunktur im Stil von 1845 bis 1847 und von 1851 bis 1856 nicht ganz zurück. Dennoch: Der mit einem Investitionsboom gekoppelte Aufschwung setzte sich seit 1867 vollends durch. Wiederum wurde er durch einen «Nachfragestoß» des Eisenbahnbaus ganz wesentlich vorangetrieben und unterstützt, obwohl die Erweiterung des neuen Verkehrsnetzes nicht mehr die einzige Wachstumsquelle darstellte.

Unstreitig war ein hochkonjunktureller Aufschwung 1870 voll im Gang, als der Krieg seine weitere Entfaltung einige Monate lang gewaltsam aufhielt. Sobald jedoch der frühe Erfolg der verbündeten deutschen Staaten Anfang 1871 mit der Reichsgründung noch einmal – sowohl realgeschichtlich eminent folgenreich als auch symbolisch besonders wirkungsträchtig – bekräftigt worden war, brach sich der aufgestaute «extrem starke Boom» seit dem Frühjahr 1871 freie Bahn. Seither hielt er auf hohem Niveau bis zum Herbst 1873 an. Das waren die berühmt-berüchtigten «Gründerjahre»: Im Grunde bildeten sie die überhitzte Endphase einer siebenjährigen Hochkonjunktur, die letzte explosive und abschließende Steigerung der deutschen Industriellen Revolution.

In dieser Aufschwungperiode hatte der Deutsch-Französische Krieg, wie gesagt, keinen Einbruch verursacht. Im Gegenteil, die neue Staatsbildung im Januar 1871 bedeutete zugleich auch die Entstehung eines großen, vereinheitlichten Wirtschaftsraums mit ungeheuer verlockenden, die Phantasie beflügelnden ökonomischen Chancen. Wer sie zuerst ausnutzte, dem winkte eine hohe Belohnung. Auch deshalb setzten sich die nur kurz gedämpften Wachstumsimpulse wie nach einer Atempause mit neuer Vehemenz wieder durch. Unstreitig wirkten sich darin einmal die Investitionsbedürfnisse, der Kapazitätsausbau und der Nachfragestau aus, die bereits während der Konjunkturjahre vor dem Sommer 1870 entstanden waren. Alles spricht dafür, diese endogene Aufschwungsdynamik vorbehaltlos anzuerkennen. Aber ebenso unstreitig ist der zusätzliche Treibsatz eines zeitweilig grenzenlosen Optimismus, der zahlreichen neuen Gründungsprojekten geradezu einen «gigantomanischen Zug» verlieh. Der gewaltige Investitionsstoß jener

2.78 Milliarden Mark zum Beispiel, die von 1871 bis 1873 allein in neunhundertachtundzwanzig neuen Aktiengesellschaften angelegt wurden – das waren fünfhundert Millionen Mark mehr als in den beiden Jahrzehnten von 1850 bis 1870! –, ist ohne dieses Grundgefühl, «im neuen Reich» ein amerikanisches Entwicklungstempo einschlagen zu können, schwer vorstellbar.

In zahlreichen Darstellungen gelten die französischen Reparationen in der Höhe von fünf Milliarden Frs. (d. h. 4.2 Mrd. Goldmark oder 1.4 Mrd. preußischer Taler) als die entscheidende Liquiditätsschwemme, die das Treibhausklima der «Gründerzeit» erst geschaffen, dann aber auch, 1873, alle ins Verhängnis geführt hätten. Schon von der zeitgenössischen Publizistik, welche die Krise von 1873 und die folgende Depression kritisch-polemisch analysierte, ist diese zusätzliche Konjunkturspritze maßlos überschätzt worden, und das Klischee von dem fatalen «Milliardensegen» geistert bis heute in der Literatur herum.

Tatsächlich stellte die Frankreich auferlegte Kontribution nach dem damaligen Verständnis eine furchterregende Zumutung dar. Die Pariser Regierung beauftragte jedoch unverzüglich die Rothschilds damit, die Summe möglichst rasch aufzubringen. Ihre Anleihe wurde vierzehnfach überzeichnet. 2.5 Milliarden Mark brachte Bleichröder – Ironie der Bestrafungsaktion – allein auf dem deutschen Kapitalmarkt mühelos unter. Über sein Bankhaus und die «Disconto-Gesellschaft» wurde schon bis Ende Mai 1873 fast die gesamte Reparationssumme an das Reich überwiesen. Davon wurden hundertfünfzig Millionen im Spandauer Julius-Turm ganz im alten, inzwischen aber rührend antiquierten Stil als Kriegsschatz thesauriert, siebenhundertfünfzig Millionen zur Deckungsreserve der neuen Goldmark-Währung geschlagen. Der Löwenanteil wurde jedoch zur Tilgung von Staats- und Kriegsschulden, zur Bezahlung von Rüstungskosten, Festungsbauten und Militärpensionen verwendet. Natürlich wirkten diese Transferzahlungen belebend auf die Konjunktur ein. Entscheidend ist aber, daß sie relativ langsam in den Kreislauf der deutschen Wirtschaft geleitet wurden. Erst Ende 1872 handelte es sich um größere Summen, 1873 konnten auch sie die Krise nicht mehr aufhalten. Aller Wahrscheinlichkeit nach haben daher die französischen Reparationsgelder, obwohl die Milliardenbuße ebensogut erst bejubelt wie später beklagt werden konnte, keineswegs die unmittelbar vorteilhaften Effekte einer modernen prozyklischen Kapitalinjektion gezeitigt. Trotzdem besaßen sie eine nicht zu unterschätzende psychische Wirkung: Sie regten die Phantasie der «Gründer» noch einmal an. Daher sind sie indirekt für ihr Verhalten wichtig gewesen, obwohl man die Bedeutung auf das angemessene Maß zurückschrauben muß.

Ein weiteres wesentliches Korrektiv ergibt sich daraus, daß die Geldmenge schon von 1867 bis 1870, längst vor dem Eingang der ersten Reparationsbeträge, außerordentlich angewachsen war. Der Wechselbestand nahm in dieser Zeit um achtzig Prozent, der Notenumlauf um hundert Prozent zu. Die gesamte Geldmenge vermehrte sich dann von 1870 bis 1873 noch einmal um gut vierzig Prozent. Erst in der Schlußphase konnte sich die französische Kontribution konkret geltend machen.

Die entscheidende Antriebskraft stammte jedenfalls nicht aus dem monetären Bereich, vielmehr ging sie erneut vom Wachstumskern der Führungssektoren aus. Der Eisenbahnbau war es in erster Linie, der noch einmal eine «enorme Ausdehnung» der Nachfrage auslöste. Von 1867 bis 1873 wuchs das Streckennetz um 8060 Kilometer, allein von 1870 bis 1873 aber um 5043 auf 23853 Kilometer an. Die Nettoinvestitionen hatten von 1866 bis 1869 854 Millionen Mark betragen, verdoppelten sich indes fast von 1870 bis 1873 um 708 Millionen auf 1.562 Milliarden Mark. In derselben Zeit stieg die Güterverkehrsleistung um rund fünfundsiebzig Prozent von 5876 auf 10060 t/km (vgl. Übersicht 63). Dank der Rückkoppelungseffekte schnellte gleichzeitig die Roheisenproduktion um zweiundsechzig Prozent von 1.39 auf 2.22 Millionen Tonnen, der Stahlausstoß um mehr als fünfzig Prozent von 1.04 auf 1.58 Millionen Tonnen, die Steinkohlenerzeugung um achtunddreißig Prozent von 26.4 auf 36.4 Millionen Tonnen (vgl. die Übersichten 64 und 65). Die Baukonjunktur nahm wegen der beschleunigten Urbanisierung ein Ausmaß an, das erst nach 1949 in Westdeutschland übertroffen wurde. Hinter diesen Rekordzahlen verbergen sich gewaltige Investitionsströme und Güterbewegungen. Wegen des hoffnungsfrohen Wirtschaftsklimas kletterte der Aktienindex von 1870 = 96.4 auf 1872 = 193.1; selbst 1873 erreichte der Durchschnittswert noch 175.3. Erst 1910 konnte der Fondsindex wieder die Gipfelmarke dieses Jahres einstellen. Die dank des Industriegeschäfts florierenden Banken sahen sich imstande, zwischen 1871 und 1873 exotische Dividenden von bis zu fünfundzwanzig Prozent auszuschütten: So zahlten etwa die «Berliner Maklerbank» 25.2, die «Disconto-Gesellschaft» 20, der «Berliner Bankverein» 16, die «Berliner Handelsgesellschaft» 12.5 und der «Schaaffhausensche Bankverein» 12.5 Prozent. Kein Wunder, daß damals mehr als hundert neue Aktienbanken entstanden.

Allerdings besaß die Hochkonjunktur auch ihre typisch inflationären Züge. Der Roheisenpreis, ein wichtiger Indikator, stieg von 1870 (= 100) bis 1873 um 108.7 Indexeinheiten an. Die Großhandelspreise kletterten unterdessen immerhin um 30.4, die Lebenshaltungskosten um fünfundzwanzig Einheiten höher. Im Alltag der Haushaltung dieser Jahre bedeutete das innerhalb von vier Jahren eine schmerzhafte Verteuerung. Trotz steigender Reallöhne in den Wachstumsbranchen konnten sie keineswegs überall aufgefangen werden, denn die Konsumgüterindustrie, aber auch die Landwirtschaft expandierten vergleichsweise wenig «im Windschatten» der stürmischen Industrieentwicklung.[30]

6. Die Zweite Weltwirtschaftskrise von 1873 in Deutschland – Die erste industrielle Depression und der Beginn der «Großen Deflation»

Im Winter 1872/73 leuchteten in der Produktionssphäre die ersten Gefahrensignale auf, die hier und da auf ein Nachlassen des Booms hinwiesen. In der Hochstimmung des letzten «Gründerjahrs» wurden sie allgemein übersehen. Auch die Warnung der «Nationalzeitung»: «Die Börsen sind überladen, das Publikum ist vorläufig gesättigt», wurde in den Wind geschlagen. Im März 1873 tauchten jedoch im Wirtschaftsteil der deutschen Zeitungen laufend irritierende Börsenmeldungen auf. Mitte April war schon von stärkeren «Baisse-Tendenzen» die Rede. Aber nicht in Berlin, sondern in Wien brach zwischen dem 23. April und dem 1. Mai die «Panik» los.

Wie sechsundfünfzig Jahre später ging die Krise erst von Österreich, mit einem zweiten Schub von den Vereinigten Staaten aus. Im Habsburgerreich hatten ebenfalls der Eisenbahnbau und unlängst die Weltausstellung eine maßlose Hausse initiiert. Mit den ersten Insolvenzen Ende April tauchte die «Möglichkeit einer Katastrophe» in Wien auf. Mitte Mai hatte sich die böse Ahnung bereits erfüllt. «Völlige Auflösung» machte sich breit. Hochkarätige Papiere stürzten von zweihundertachtzig auf zehn fl. – und blieben trotzdem unverkäuflich.

Seither setzte eine Stampede ein. Von Ende März bis Ende Oktober sank der Kurswert der österreichischen Industrieaktien im Durchschnitt um rund fünfzig Prozent. Das vorzüglich informierte Frankfurter Börsenblatt «Der Aktionär» bezeichnete diese Baisse als «naturgemäße Konsequenz» eines «mit Dampfkraft» vorangetriebenen Emissionsgeschäfts, zeigte sich aber verwundert, daß «die Krisis mit einer Macht hereingebrochen» sei, die offenbar ganz «unerwartet» komme. Bereits im Juni galt auch der Betrieb an der Berliner Börse als «lustlos». Ende Juli kam es zu ersten Zahlungseinstellungen angeschlagener Firmen. Daraufhin wurde auch für die reichsdeutsche Wirtschaft ganz offen die Prognose einer unmittelbar bevorstehenden Krise gestellt. Der August verging noch in trügerischer Ruhe, mancher atmete auf.

In diesem Augenblick fuhr am 15. September die Nachricht über den Zusammenbruch des New Yorker Bankhauses Jay Cook & Co., des großen Eisenbahnfinanziers, und den darauffolgenden amerikanischen Börsenkollaps wie ein Blitz in die internationale Geschäftswelt. Ein Drittel des amerikanischen Eisenbahnkapitals seit dem Bürgerkrieg war aus Europa in die Neue Welt geflossen. Dazu gehörte auch ein erheblicher Anteil deutscher Investitionen, so daß die amerikanische Krise wie ein Verstärker auf die labile Lage in Deutschland einwirkte. Hier begann jetzt in der Tat der befürchtete «Generalkrach» mit «bodenloser Flauheit». Anfang Oktober brach die «Quistorpsche Vereinsbank» in Berlin zusammen. Dieses typische

«Gründer»-Unternehmen war mit zweiundzwanzig weiteren Gesellschaften verschachtelt, die sofort mit in den Strudel hineingezogen wurden. Ein wahrer Rattenschwanz von Konkursen heftete sich an dieses spektakuläre Ereignis.

Zur selben Zeit erfaßte der Abschwung die Londoner City, der Glanz der viktorianischen Hochprosperität verblaßte. Seit dem Spätherbst 1873 war jedem Sachkundigen klar, daß eine zweite Weltwirtschaftskrise die meisten Industrieländer erfaßt hatte. Noch im November zog der «Aktionär» eine Zwischenbilanz: Allgemein habe sich die Überzeugung durchgesetzt, «daß die Verhältnisse zu einer Katastrophe hindrängen», die «das gesamte industrielle und finanzielle Gebiet in schwere Mitleidenschaft ziehen wird. Mit einem Wort, die Handelskrisis steht vor der Tür.» Der «Rausch» der «Gründerjahre», die «Tarantella, welche selbst Besonnene mitzurasen gezwungen hat, bis endlich alle Welt ohnmächtig und ermattet zusammenbrach», ging im Dezember in die Depression über. War das die «allgemeine Krise», die Karl Marx bereits im Januar 1873 hellsichtig herannahen gesehen hatte, jener neue Tiefpunkt «in den Wechselfällen des periodischen Zyklus, den die moderne Industrie durchläuft»? Diesmal werde sie, glaubte er, halb nüchterner Konjunkturkenner, halb sehnsüchtiger politischer Prophet, «durch die Allseitigkeit ihres Schauplatzes wie die Intensität ihrer Wirkung selbst den Glückspilzen des neuen heiligen preußisch-deutschen Reiches Dialektik einpauken».

Unter dramatischen Umständen verliefen zunächst sowohl die Baisse an der Börse als auch die allgemeine Panik auf dem Kapitalmarkt. Ernst Engel, der mit zahlreichen anderen Beobachtern «die Überproduktion mobiler Wertzeichen» für «eine der Hauptursachen der Krise» hielt, berechnete mit seinem Stab im «Preußischen Statistischen Büro», daß die Aktien von vierhundertvierundvierzig Aktiengesellschaften, deren Kurswert Ende 1872 4.53 Milliarden Mark erreicht hatte, Ende 1874 noch 2.44 Milliarden Mark wert waren – zwei Milliarden hatten sich an der Börse in Schall und Rauch aufgelöst. Unter dem Einfluß des Schocks ging die Neuausgabe von Aktien, die 1872 einen Wert von 1.48 Milliarden und 1873 noch immer von 544.2 Millionen Mark ausgemacht hatte, sturzartig zurück: 1874 waren es noch 105.9, 1878 ganze 13.2 Millionen Mark. Von hundertneununddreißig Kreditbanken mit einem Kapital von 1.13 Milliarden Mark mußten in wenigen Monaten dreiundsiebzig mit 473 Millionen Mark liquidieren. Von den hundertsechsundachtzig seit 1869 neugegründeten Aktienbanken erlebten einundsiebzig dasselbe Schicksal. Von den Großbanken notierten ultimo 1872 die «Disconto-Gesellschaft» mit dreihundertfünfunddreißig, die «Darmstädter» mit zweihundertsechzehn, die «Berliner Handelsgesellschaft» mit hundertsechzig – ultimo 1873 jedoch nur mehr mit hundertneunundsiebzig, hundertsechzig und hundertzwanzig. Ihre Dividenden schrumpften von 1872 bis 1876 von siebenundzwanzig auf vier, fünfzehn auf sechs, 12.5 auf null; auch die der «Commerzbank» von 8.4 auf 4.7 Prozent. Bekannte Industriewerte erlebten bis Jahresende einen rapiden Kursverfall: Der «Harpener Verein» sackte von 1872 = vierhundertacht auf dreiundsiebzig, «Arenberg» von dreihundertsechsundfünfzig auf zweiundachtzig, «Hibernia» von hundertacht auf vierunddreißig, der «Bochumer Verein» von zweihundertdreißig auf dreiundfünfzig, «Phönix Ruhrort» sogar von vierhundert auf sechsundvierzig. Wen konnte es überraschen, daß schon im Winter 1873 auf 1874 eine überstürzte Flucht in festverzinsliche Wertpapiere einsetzte, die daraufhin eine unerwartete Hausse erlebten?

Während die Besitzer zahlreicher Betriebe den Gang zum Konkursrichter antreten mußten, sahen sich auch Großunternehmen zu einschneidenden Maßnahmen gezwungen. Der «Hörder Verein», die «Dortmunder Union», der «Harpener Verein», «Phönix», die Poensgen-Werke, der «Bochumer Verein», Borsig, Buckau, die «Westfälische Union» und andere konnten jahre-, ja manchmal zwei Jahrzehnte lang keine Dividende mehr auszahlen. Anderswo mußte die Überkapitalisierung der «Gründer»-Exzesse abgebaut werden. Die GHH, um nur ein Beispiel zu nennen, die bis 1872 dreißig Millionen AG-Kapital angehäuft hatte, wies 1877 nur noch sechs Millionen Mark aus.

Aufschlußreich ist eine zeitgenössische konjunkturstatistische Erhebung, die der Chef der Dessauer «Kontinental-Gas-Gesellschaft», der Industrielle und nationalliberale Politiker Wilhelm Oechelhäuser, dank seiner «Insider»-Kenntnisse frühzeitig zusammenstellen konnte. Ihre Ergebnisse illustrieren den tiefen Einschnitt, den die Krise mit der anschließenden Depression in großen Sektoren des deutschen Wirtschaftslebens markierte. Dabei tritt der steile Absturz der jungen «Gründer»-Unternehmen zutage. Folgt man dieser Analyse, notierten zum Jahresende

	1872	1874	1875
1) von den bedeutenden Banken die			
a) bis 1870 gegründeten	146	110	92
b) nach 1870 gegründeten	111	73	65
2) von den großen Bergwerks- und Hüttengesellschaften die			
a) bis 1870 gegründeten	206	125	85
b) nach 1870 gegründeten	111	54	55
3) von den wichtigen Industriegesellschaften die			
a) bis 1870 gegründeten	119	81	75
b) nach 1870 gegründeten	97	40	30

Die durchschnittlichen Dividendenzahlen betrugen 1874 für die Gruppe

1a) 6.83, aber für die Gruppe 1b) 2.89
2a) 9.96, aber für die Gruppe 2b) 2.91
3a) 5.88, aber für die Gruppe 3b) 2.03.

Im April 1874 gründete der «Aktionär» auf die Häufung derart drastischer Veränderungen sein Urteil, daß die von ihm vorausgesagte Depression inzwischen ins Land gezogen sei. «Alles» dränge weiterhin «zum Niedergang gewaltsam» hin. Aus der Sicht der Unternehmer war der rasante Preisfall das eigentlich Bestürzende, zumal sie seit vielen Jahren an einen langlebigen, leicht inflationären Preisauftrieb gewöhnt waren. Die Bessemerstahlschienen des «Bochumer Vereins» zum Beispiel sanken vom Sommer 1873 = 408 auf 1874 = 252 Mark/Tonne, die verarbeitete Kohle von 18 auf 4.6, der Koks von 54 auf 9 Mark/Tonne. In Oberhausen fielen bei der GHH die Preise für Stahlschienen, Stabeisen und Eisenblech durchweg um mehr als die Hälfte, der Wert des gesamten Warenumschlags von einundzwanzig auf zwölf Millionen Mark. Ähnlich gaben im Aachener Hütten-Verein «Rote Erde» die Preise für Eisen und Stahlfertigfabrikate innerhalb kurzer Zeit um sechsundfünfzig bis siebenundsechzig Prozent nach. Manchmal rutschten im Ruhrgebiet die Verkaufspreise bereits unter die Selbstkosten, das traf zum Beispiel früh auf Bessemer-, Puddel- und Gießereiroheisen zu. Bis zum Mai 1874 wurden von vierhundertsechsundfünfzig Hochöfen sechsundachtzig ausgeblasen – das allein kündigte schon einen weiteren scharfen Rückgang der Roheisenerzeugung und ihres Kohlebedarfs an; 1879 waren sogar nur noch zweihundertzehn Hochöfen in Betrieb.

Denselben Preissturz erlebten die Industriereviere an der Saar und in Oberschlesien, die Koksproduktion in Westfalen, die Siegerländer Erze und Fertigprodukte. Daß auch der Preis für Kapital sank, da der Zinsfuß seit 1873 auf den «tiefsten Stand» des 19. Jahrhunderts hinabglitt, stellte wegen der schrumpfenden Nachfrage und der Unübersichtlichkeit des Preischaos für die Unternehmensleitungen zunächst keinen Ausgleich dar. Die Verluste lasteten schwer auf ihnen. Hatte man eben noch den französischen Milliardensegen enthusiastisch begrüßt, wirkten die Opfer, welche jetzt die Depression abverlangte, wie eine «Kriegskontribution, die der Kapitalismus bei seiner Eroberung des deutschen Vaterlandes erhob». Dieses etwas martialisch klingende Urteil über die deutsche Krise von 1873 enthielt allerdings auch die Einsicht, daß der industriekapitalistische Wachstumsprozeß schmerzhaften Fluktuationen unterlag, im Trend aber weiter anhielt. Daß dies der Fall war, wird unten (im Teil 6, II.1) gezeigt werden.

Hier gilt es zunächst festzuhalten, daß weder die Börsenkrise noch die Panik auf dem Kapitalmarkt und der Zusammenbruch neugegründeter Unternehmen ohne reale Geschäftsgrundlage die eigentlichen Ursachen des

Abschwungs bildeten. Die Hochkonjunktur hatte trotz aller bizarren Überhitzung in der Schlußphase durchweg eine solide Grundlage besessen. Die hohe Nachfrage der Eisenbahngesellschaften hielt stetig an. Die große Anlagewelle in der Schwerindustrie, im Berg- und Maschinenbau antwortete lange Zeit ökonomisch rational auf starke Bedürfnisse der miteinander verkoppelten Führungssektoren. Der «Take-off» der deutschen Urbanisierung hielt die Bauaktivität auf hohem Niveau in Gang. Der Kapitalmarkt blieb die ganze Zeit denkbar flüssig. An diesem Kraftstoff für den Motor der industriellen Expansion fehlte es daher nie.

Jedoch: Zu Beginn der siebziger Jahre setzt sich das typische hochkonjunkturelle «Sectoral Overshooting» wieder durch. Es kam als Folge der hohen Investitionen zu einem disproportionalen Ausbau der Kapazitäten – mithin zu jener weit nach oben übertriebenen Abweichung vom Wachstumstrend. Der über die Marktbedürfnisse jäh hinausschießende Produktionsausstoß löste einen unwiderstehlichen Druck auf das Preisgefüge aus. Die «Überproduktion», konstatierte Spiethoff, «ruhte wie ein Alp auf dem Wirtschaftsleben.» Die Krise leitete aber auch den Abbau der überhöhten Erzeugung, vor allem auch der Kapitalanlage ein, selbst wenn sich dieser mühsame Prozeß über Jahre erstreckte. Der eklatante Zusammenbruch in der Schwerindustrie bildete den wichtigsten Grund für den dramatischen Umschlag in der Gesamtkonjunktur. Dagegen war die weithin überschätzte Börsen- und Kreditkrise nur als sekundäre Folge von Bedeutung. Die spät beginnende Liquiditätsverknappung und Zurückhaltung in der Kreditvergabe wirkte sich keineswegs als maßgeblicher Umstand aus, zumal der Bank- und Privatdiskontsatz deutlich unter dem Höchstniveau der fünfziger und sechziger Jahre blieb. Außerdem hatte die lang anhaltende Preissteigerung, die eine «ewige» Konjunktur suggerierte, das seit 1869/70 zunehmend ungünstigere Verhältnis von Kapitaleinsatz und Gewinn effektiv verdeckt. Sein Ergebnis war jedoch ein fataler Abfall der Profitrate in den Führungssektoren, während die hektische Aktivität der beiden letzten «Gründerjahre» eine Art Potemkinsches Dorf aufbaute, das die Illusion grenzenlosen Wachstums wirkungsvoll wachhielt.

Fraglos wurden die Krise und die sich anschließende sechsjährige Depression auch in Deutschland dadurch nachhaltig verschärft, daß es sich um einen weltweiten Abschwung handelte, der die wichtigsten Industrieländer fast gleichzeitig, eben als Zweite Weltwirtschaftskrise, die anderen mit einer gewissen Phasenverschiebung aber auch erfaßte. Wegen dieser weltwirtschaftlichen Verflechtung hing die Erholung der deutschen Konjunktur nicht nur von ihren binnenwirtschaftlichen Regenerationskräften ab. Vielmehr hat die internationale Konstellation eine seither nicht mehr zu übersehende, mitentscheidende Rolle zu spielen begonnen.

Zwar wurde der Nachfragerückgang von den Unternehmen im Verhältnis zu dem bis ca. 1874/75 weiterlaufenden Kapazitätsausbau als gravierende

Belastung empfunden. Die Investitionen fielen daher von 1874 bis 1879 ungewöhnlich steil ab. Die Mengenkonjunktur, ein schon nach wenigen Jahren, im Grunde verblüffend schnell, wiederkehrendes Produktionswachstum, setzte aber noch während der zweiten Depressionsphase ein. Der tatsächlich ausschlaggebende objektive Kausalfaktor, der dem allgemein und international vorherrschenden Eindruck zugrunde lag, daß 1873 eine «Große Depression» begonnen habe, läßt sich daher in der säkularen Preisdeflation des 19. Jahrhunderts identifizieren; ihre Ursache lag in dem anhaltenden Produktivitätsgewinn, der das neuartige industrielle Wachstum ökonomisch erst ermöglichte. Sie dauerte, blickt man aus der Vogelperspektive einmal auf den Trend, von 1817 bis 1896 und wurde nur durch kurze Wellen eines Preisanstiegs unterbrochen, der dann freilich während der Hochkonjunktur der vierziger, fünfziger und sechziger Jahre um so stimulierender wirkte, obwohl es sich insgesamt nur um ein knappes Dutzend Jahre handelte.

Daß es von 1873 bis 1879 eine schwere Depression – und weitere schlimme Abschwünge in den achtziger und neunziger Jahren sowie nach 1900 – gegeben hat, bleibt unbestritten. Man darf unter diesen Wachstumsstörungen aber nicht eine allgemeine oder auch nur sektoral häufig auftretende Stagnation, geschweige denn einen längere Zeit anhaltenden realen Produktionsrückgang verstehen. Die «unwiderlegbare» deflationäre Preisentwicklung war es, welche die entscheidende, die stärkste depressive Wirkung ausübte. Insofern stand das zweifellos beschwerlichere Wachstum nach 1873, erst recht im Vergleich mit der überschäumenden Hochkonjunktur der deutschen Industriellen Revolution, nicht dauerhaft im Zeichen einer «Großen Depression», vielmehr einer «Großen Deflation». Damit waren auch in der Produktionssphäre häufig äußerst nachteilige Konsequenzen verbunden. Unstreitig aber gab es mindestens ebenso bemerkenswerte Vorzüge dieses Preisfalls, der nicht nur die Folge einer erfolgreich voranschreitenden Industrialisierung bildete, sondern gewissermaßen auch als ihr «Barometer» fungierte.

Was die Schwankungen des Wachstumsverlaufs seit 1873 für die Produzenten und Konsumenten, für Wirtschaft, Gesellschaft und Politik konkret bedeuteten, wird unten im Überblick über die Konjunkturen und Krisen im kaiserlichen Deutschland bis 1914 ausführlich analysiert.[31]

III.
Strukturbedingungen und Entwicklungsprozesse Sozialer Ungleichheit

Unvergleichlich stärker noch als während der Epoche der Restauration und des Vormärz setzte sich in den Jahrzehnten nach der Revolution die Expansion der marktbedingten Klassen fort. Das war die mächtigste Grundtendenz der sozialstrukturellen Entwicklung. Die meisten Deutschen wußten um 1871 zwar durchaus noch, was Stände waren, was ständisches Verhalten und ständische Ehre bedeuteten. Sie wußten und erfuhren tagtäglich aber auch, daß die neuen Sozialformationen der Klassen überall im Vordringen waren. Darin äußerte sich einmal der allgemeine, inzwischen unaufhaltsame Entwicklungstrend, der auf die Ausdehnung der Marktwirtschaft und der Marktgesellschaft hinwirkte. Vor allem machten sich jedoch drei mächtige Triebkräfte geltend: das kraftvolle Vordringen des Agrarkapitalismus, der Siegeszug des Industriekapitalismus und die Summe all jener politischen und sozialen Klassenbildungseffekte, die von den tiefreichenden Erfahrungen der Revolutionsjahre ausgingen.

1. Die anhaltende Expansion der marktbedingten Klassen

Im Vergleich mit dem 18. und frühen 19. Jahrhundert entfaltete sich der Agrarkapitalismus auch im deutschsprachigen Mitteleuropa seit 1850 mit beschleunigtem Tempo. Die ökonomische Leistungsbilanz der Landwirtschaft, die vorn bereits präsentiert worden ist (II.1), weist das unmißverständlich aus. Marktorientierte Produktion, Steigerung der Absatzquote, genauere Ertrags-Kosten-Kalkulation, Profitdenken, Bodenspekulation – kurzum: eine strikten kapitalistischen Interessen folgende «rationelle» Erwerbswirtschaft drang immer tiefer in die ländliche Gesellschaft ein. Zu ihren besonders folgenreichen Auswirkungen gehörte die Forcierung der klassenbildenden Prozesse.

Einmal nahm die Differenzierung der bäuerlichen Besitzklassen noch klarer konturierte Züge an als zuvor. Zum zweiten prägten sich «zwei Hauptklassen» (v. d. Goltz) weiter aus: die rund fünfundzwanzigtausend agrarischen Großunternehmer – ob adliger oder bürgerlich-bäuerlicher Herkunft – auf der einen Seite, das Millionenheer der lohnabhängigen Landarbeiterschaft auf der anderen Seite; in ihm bildeten die Tagelöhner das eigentliche «Proletariat» der «ländlichen Arbeiterklasse». In Norddeutschland und Ostelbien behauptete der Landadel weiterhin seine politische Vorherrschaft und gesellschaftliche Geltung so traditionsbewußt, als habe während der ersten Revolutionsphase nicht alles einmal kurz auf des Messers Schneide gestanden. Der schleichenden Umwandlung in eine großagrarische Unternehmerklasse vermochte er sich während der «goldenen» Konjunkturjahre der Landwirtschaft aber nicht zu entziehen – und in seiner teils nüchternen, teils widerwilligen Bereitschaft zur Anpassung an das Notwendige wollte er es zumeist auch gar nicht. Als ein jeden puristischen Systematiker störendes Paradoxon – so stand er an der Spitze der ländlichen Sozialhierarchie: In der Verschmelzung von traditionalem Herrschaftsstand und agrarkapitalistischer Erwerbs- und Besitzklasse existierte er weiterhin – in Sombarts treffender Formulierung – im Zwitterzustand einer «classe féodale».

Durch die deutsche Industrielle Revolution und die Verkehrsrevolution, durch die Verdichtung aller Marktbeziehungen und die massive Aufwertung des Marktes als Regulator auch des gesellschaftlichen Ordnungsgefüges gewann die Klassenformierung in allen Regionen und Städten, wo das neue Industriesystem wie ein Phönix emporstieg, eine gesteigerte Schubkraft. War die emporstrebende Bourgeoisie in den 1840er Jahren noch durch die «Unfertigkeit» einer kleinen, indes ganz auf die kapitalistische Marktwirtschaft setzenden Unternehmerklasse gekennzeichnet, gab ihr die hochkonjunkturelle Trendperiode bis 1873 mit innerer Notwendigkeit einen eminenten Aufschwung. Sie wuchs nicht nur numerisch sichtbar an, sondern gewann auch an Einfluß und Prestige im Verhältnis zur bildungsbürgerlichen und adligen Konkurrenz. Ihr auf die eigenen Klasseninteressen gegründetes Selbstbewußtsein nahm ein schärferes Profil an – nicht zuletzt deshalb, weil das strukturelle Spannungsverhältnis zu den abhängigen Erwerbsklassen, insbesondere denen der manuellen Arbeiter, immer deutlicher hervortrat. Während der Revolution, dann erneut seit den frühen sechziger Jahren ging der latente Interessengegensatz in einen manifesten Dauerkonflikt über. Dadurch wurde die prinzipielle Dichotomie zwischen den Unternehmern und anderen Kapitaleignern der jungen Bourgeoisie und der abhängigen Lohnarbeiterschaft vertieft, dazu auch zunehmend ins allgemeine Bewußtsein gehoben. Noch standen die industriellen «arbeitenden Klassen», deren Gesamtzahl im Reich bis 1871 die Dreimillionengrenze nicht überschritt, in ihrer ganzen Heterogenität einer kleinen hegemonialen Wirtschaftselite gegenüber. Erst seit den sechziger Jahren bereitete die Klassenbildung in der ökonomischen, sozialen, kulturellen und endlich auch wieder in der politischen Dimension die Homogenisierung zur sozialen Klasse vor.

Manche Zeitgenossen haben bereits die Epoche des industriellen Umbruchs seit den fünfziger Jahren als eine wahrhaft säkulare Umwälzung verstanden, die so weit in die Tiefe reichte, daß neue sozioökonomische und kulturelle Fundamente die alten verdrängten. Was ist die «Signatur unserer Zeit?» fragte etwa 1858 der emigrierte württembergische Schriftsteller Johannes Scherr, der 1848 noch als demokratischer Landtagsabgeordneter gewirkt hatte: «Das Kapital beherrscht alle Gesellschaftsklassen, vom König bis zum Fabriksklaven. Es ist die Seele des großen Motors unserer Zeit, des Industrialismus, mit welchem die moralischen und materiellen Motoren der Vergangenheit, die ich alle unter dem Namen Feudalismus zusammenfasse, einen wilden Kampf auf Leben und Tod kämpfen. Wem der Sieg zufallen wird, kann nicht zweifelhaft sein. Mit jedem neuen Dampfboot, das vom Stapel läuft, mit jedem neuen Dampfroß, das die Schienen beschreitet, fällt ein Stück Feudalismus in den Abgrund unwiederbringlicher Vergangenheit. Jede neue Maschine, deren Eisenarme der Dampf in Bewegung setzt, zerbricht ein religiöses, politisches oder soziales Dogma des Mittelalters zu Atomen.» Diesem fortschrittsfrohen Optimismus setzten die Ultrakonservativen einen abgrundtiefen Pessimismus entgegen – die Tiefe der Zäsur bestritten aber auch sie nicht.

Das hing ganz wesentlich mit den Erfahrungen von 1848/49 zusammen, als die Kräfte der «Beharrungspartei» im städtischen Bürgerkrieg mit dem plötzlich fleischgewordenen «roten Gespenst» aufständischer Unterschichten zusammengeprallt waren. «Das Mißverhältnis zwischen dem Besitztum und dem Proletariat» hatte zwar, das war der wohlbegründete Eindruck des badischen Liberalen Bassermann, bereits vor der Revolution «durch ganz Europa den Gegenstand des öffentlichen Nachdenkens gebildet». Sowohl realistische Repräsentanten der verschiedenen bürgerlichen Formationen, hier und da auch des Adels, als auch der Arbeitervereine und frühsozialistischen Zirkel hatten eine Vorhut gebildet, welche pragmatische oder radikale Lösungsvorschläge verfocht. Doch erst die Revolution hat zu einer unübersehbaren, einschneidenden allgemeinen Politisierung geführt, die denkbar unterschiedliche Klassenerfahrungen, Klasseninteressen, Klassengegensätze hervortrieb und befestigte. Die polarisierenden Wirkungen dieser offenen Konfrontation können kaum überschätzt werden, ganz gleich, ob man auf das Bildungsbürgertum, die Bourgeoisie, das Kleinbürgertum, die Arbeiter, die Handwerksgesellen, die Adligen oder die Bauern blickt. Der relativ schnelle Erfolg der Konterrevolution, die Erfolglosigkeit zahlloser Anstrengungen, der deprimierende Ausgang für die liberale und demokratische «Bewegungspartei» dürfen gleichwohl von der damals in Gang gesetzten Fundamentalpolitisierung nicht ablenken. Gerade im Zeichen von Gefahr und Niederlage, die zu unterschiedlichen Zeiten jedes der gegenüberstehenden Lager nur bedrohte oder fatal erreichte, wurden trennende Klassenlinien tief eingegraben.

In der Bourgeoisie etwa verlor der kleine sozialreformerische Flügel fast jeden Einfluß. Das nackte Eigeninteresse wirksam – das hieß: in Anlehnung an den starken Staat – und ganz unverhohlen zu verfolgen, avancierte zum obersten Ziel. Das vormärzliche Ideal einer liberalen, klassenlosen Bürgergesellschaft, porös nach unten für jeden qualifizierten Aufsteiger und daher auf lange Sicht der Gleichheit aller Staatsbürger verpflichtet, zerbrach an der

Realität des Bürgerkriegs. Als zeitweilig der offene Zusammenprall von «Kapital und Arbeit» seine Schockwellen durchs Land sandte, stiegen die Verteidigung der Klassenhomogenität, die Verschärfung der Außengrenzen, die Hinnahme, ja bewußte Akzeptierung dauerhafter Ungleichheit zu den eigentlichen Leitwerten auf. Große Teile des noch überwiegend an staatliche Karrieren gekoppelten Bildungsbürgertums vollzogen, nicht weniger furchterfüllt und in neuer Rigidität auf das Eigeninteresse bedacht, eine ähnliche Schwenkung. «Mit dem Wesen der Gesellschaft» ist «die Verschiedenheit der Lebenslage und Lebensbedingungen ihrer Glieder ... ein für allemal gegeben», konnte Heinrich v. Treitschke bald in seiner «Politik» verkünden. «Um es kurz zu sagen», zog er Erfahrungen seiner jungen Jahre, als er bei Roscher die Habilitationsschrift über «Die Gesellschaftswissenschaft» bis 1858 vorbereitete, und zeithistorische Analysen in einer typischen Formel zusammen: «alle bürgerliche Gesellschaft ist Klassenordnung». So apodiktisch hätte das um 1840 kein liberaler Verfechter der «bürgerlichen Gesellschaft» ausgedrückt, um 1860 bildete diese Überzeugung weithin gemeinbürgerlichen Konsens.

Dieser Verschärfung korrespondierte auf der anderen Seite eine Vielfalt von Erfahrungen, welche die «arbeitenden Klassen» mit einer schroffen Betonung trennender Klassenlinien gemacht hatten. Überall: in den politischen Vereinen, in der Gemeindepolitik und im Wohnviertel waren sie während der Revolution härter denn zuvor auf Klassenbarrieren gestoßen. Trotz der pragmatischen Politik der «Arbeiterverbrüderung», trotz der Kooperation im «Centralmärzverein» waren die Hoffnungen, durch eine große «socialdemokratische» Allianz die eigene Lage verbessern zu können, wie Seifenblasen geplatzt. Nur durch die entschiedene Verfechtung eigener Klasseninteressen, nur durch das politische Gewicht eigener Klassenorganisationen konnten offenbar, das sollte sich als gemeinsame Lernerfahrung tief einprägen, die kollektiven Lebensbedingungen verbessert werden.

Nicht nur in den Städten und Industrieregionen wirkte die Revolution als Katalysator klassengesellschaftlicher Verhältnisse, sondern auch auf dem Lande hinterließ sie dauerhafte, tiefe Spuren. In ihrer Anfangsphase war die achtundvierziger Bewegung ganz wesentlich auch eine «agrarsoziale Revolution» gewesen, die den Landadel in «eisiger Furcht» vor einem neuen großen «Bauernkrieg» erstarren ließ. Gewiß, es war durch großzügige liberale Reformen und kluge konservative Kompromisse gelungen, dieses Sprengpotential bald zu entschärfen. Aber in manchen Landschaften verrieten die kleinbäuerliche Unruhe und die Protesthaltung der Landarbeiter, verriet der Zulauf in die schlesischen «Rustikalvereine» oder die sächsischen «Vaterlandsvereine», wie eine aufbegehrende Haltung weiterlebte. In vielen Bereichen des Rechts wurden daher seit 1849 von Regierung und Adel die Zügel scharf angezogen. Die umfassenden Landarbeiterenqueten zwischen 1848 und 1872 enthüllten zur selben Zeit den argwöhnisch verfolgten Zweck, genauer zu erfahren, was sich unten am breiten Sockel des ländlichen Schichtungsgefüges veränderte. Obwohl sie objektiv eine diskriminierte Erwerbsklasse bildeten, fehlte der absoluten Mehrheit der Landarbeiter noch ebensolange ein Klassenbewußtsein wie den Kleinbauern. Unter den Großagrariern, auch in den groß- und mittelbäuerlichen Besitzklassen gewann jedoch die Vorstellung von gemeinsamen Klasseninteressen aufgrund gemeinsamer Klassenlage seither an Boden. Das Fazit: Nicht nur die soziale Magnetkraft der Märkte, nicht nur die anonymen Prozesse der Positionsverteilung in einer entstehenden Marktgesellschaft förderten die Klassenbildung. Vielmehr gab ihr die Vielzahl bitterer und lang nachwirkender politischer Konflikte seit 1848/49 einen mächtigen Schub.[1]

Das Vordringen der Klassen spiegelte sich, deutlicher noch als früher, in der zeitgenössischen Sprache wider. Der Begriff «Berufsklasse» machte dem «Berufsstand» ständig Konkurrenz. In der Statistik des Zollvereins, aber auch in zahlreichen Veröffentlichungen der Statistischen Büros der deutschen Staaten wurde jetzt unbefangen mit «Handels-, Berufs- und Erwerbsklassen» operiert. Von den «unteren Volksklassen» oder «arbeitenden Klassen» war schon seit Jahrzehnten die Rede gewesen. Der Plural blieb auch weiter üblich. Immerhin fand er jetzt sogar in die amtlichen Veröffentlichungen der preußischen Statistik Eingang, wo unter den «arbeitenden Klassen», dem «Sprachgebrauch gemäß», die freie Lohnarbeit verstanden wurde. Zugleich tauchte jedoch der Singular «arbeitende Klasse» auch außerhalb des zeitkritischen sozialistischen Diskurses unter durch und durch bürgerlichen Sozialwissenschaftlern immer häufiger auf, und parallel dazu rückte als Synonym das «Proletariat» vor. Das «Maschinenwesen» der Industrie, in das die «handarbeitende Klasse» ströme, vergrößere auch, urteilte etwa Wilhelm Roscher, einer der führenden Köpfe der Älteren Historischen Schule der Nationalökonomie, 1855 besorgt, eben jenes «Proletariat», in dem «die Giftpflanzen der sozialistischen und kommunistischen Utopien am üppigsten gedeihen».

Zunehmend wurden unterschiedliche Formationen des Bürgertums – nicht nur die vertrauten «gebildeten Klassen» und die «besitzenden Klassen» – in der Klassensprache erfaßt. Die «Klasse der Bourgeoisie» bildete das naheliegende Pendant zur Arbeiterklasse. Für das Bildungsbürgertum wurde jetzt auch der Ausdruck «gebildete Volksklassen» oder «gebildete Gesellschaftsklassen» verwandt. Von oben herab wurden jene, die dem neuhumanistischen Bildungsideal nicht voll entsprachen, als Angehörige der «halbgebildeten Mittelklassen» abqualifiziert. Überhaupt bestehe, hieß es, der alte «dritte Stand» inzwischen aus «bürgerlichen Klassen», und den Rang als «obere Klasse» nähmen in diesem Mikrokosmos die Angehörigen der akademischen Intelligenz, eben «die Klassen des Gelehrten Standes», ein. Auch anstelle des vertrauten «Mittelstandes» traten immer häufiger die «Mittelklassen» auf, von denen auch ein Treitschke ständig sprach.

Selbst die ländliche Welt wurde in die neue Terminologie mit einbezogen. Als Riehl 1857 in Bluntschlis «Staatswörterbuch» den Bauernstand emphatisch aufwertete, auch jede «wirtschaftliche und politische Klasse» nur auf dem Wege zu einer «natürlichen Standesgruppe» sah, distanzierte sich die rechtsliberale Redaktion – in welcher der Hauptherausgeber, der Heidelberger Staatsrechtler Bluntschli, selber unbefangen mit dem Klassenbegriff, gerade auch für die «bürgerlichen Klassen», umging – auf ungewöhnliche Weise von diesem Autor; sie meldete explizit einen Vorbehalt gegen das Wort «Bauernstand» an: Eine große «Klasse der landbauenden Bevölkerung» gehöre, insistierte sie, zur abhängigen Lohnarbeiterschaft und stamme insofern aus einer «Abteilung» des alten «Vierten Standes».

Riehls konservativer Auffassung entsprach es, in seiner dreibändigen «Naturgeschichte des deutschen Volkes» und in seinen sozialhistorisch-politischen Aufsätzen immer wieder die inhärente Lebenskraft, die überlegene Stabilität der Ständewelt gegenüber der vordringenden Klassengesellschaft hervorzuheben. Das ist angesichts seines politischen Credos nicht verwunderlich. Zu Recht aber hielten ihm scharfsichtige Sozialwissenschaftler wie Lorenz v. Stein, Robert v. Mohl, Albert Schäffle, Gustav Schmoller und andere die Realitätsangemessenheit der Klassensprache wegen der historischen Dominanz der Klassenentwicklung entgegen. Und gegen die konservative Verklärung ständischer Harmonie bestand Roscher darauf, daß gerade auf der höheren Kulturstufe der industriellen Gegenwart eine «Spaltung des Volkes» in die «Klassen» der «wenigen Überreichen» und «der zahllosen Proletarier» offenbar «kaum vermeidlich» erfolge.[2]

Daß die soziale Sprache noch immer zwischen Ständewelt und Klassengesellschaft oszillierte, wird niemand ernsthaft bestreiten. Dieser Schwebezustand entsprach der Realgeschichte, in der ständischer Traditionsüberhang und marktbedingte Klassen nebeneinander existierten. Unzweideutig verkörperte aber der Prozeß der Klassenbildung die Grunddynamik der Zeit, während ständische Relikte, durchaus noch einflußreich, im gesellschaftlichen Verkehr, vor allem in der Mentalität, beharrlich überdauerten.

2. Das Bürgertum

Das Bürgertum, von dem während der Revolutionsjahre so viel die Rede gewesen war, bildete schon längst keinen städtischen Stand mehr. Am ehesten überlebten die soziokulturellen Traditionen der ständischen Welt noch in dem formell und informell privilegierten Stadtbürgertum. Aber der neuzeitliche Anstaltsstaat hatte sich – vertreten durch seine Bürokratie mit ihrem Ziel einer tendenziell egalitären Staatsbürgergesellschaft – schon tief in diesen Mikrokosmos hineingeschoben. Seit dem Ende der 1840er Jahre verschärfte sich sein Zugriff: Die Gemeindeordnungen, die angestrebte

Beseitigung des jahrhundertealten Rechtsgefälles zwischen Gemeindevollbürgern und Hintersassen oder Schutzverwandten, die Zurückdrängung des Heimatrechts, die Durchsetzung der Freizügigkeit und Einwohnergemeinde, dazu Schulpflicht, Wehrpflicht und Steuerpflicht – sie säumten seine Erfolgsbahn.

Die außerhalb der überkommenen ständischen Gliederung herangewachsenen Sozialformationen der «Bürgerlichen» setzten dagegen ihren steilen Aufstieg fort. Sowohl die Besitz- und Erwerbsklassen der jungen deutschen Bourgeoisie, die ganz auf den modernen Produktions- und Handelskapitalismus baute, als auch die Berufsklassen des Bildungsbürgertums, das sich in die «verstaatlichte Intelligenz» der Beamtenschaft und die freiberuflichen Akademiker-Professionen zunehmend ausdifferenzierte, erlebten eine anhaltende Ausdehnung. Viele waren durch den Ausgang der Revolution enttäuscht worden, die Mehrheit aber empfand Genugtuung über die Rückkehr von «Ruhe und Ordnung». Wie immer auch die politischen Präferenzen nach 1849 bestehen blieben oder sich neu bildeten – das numerische Wachstum der Bürgerlichen hielt an. Und über alle politischen und sozialökonomischen Unterschiede hinweg teilten sie, zusammen mit prominenten Repräsentanten der zeitgenössischen Gesellschaftsanalyse, das optimistische Urteil, daß diesem neuen Bürgertum «die Zukunft gehört».[3]

a) Die Bourgeoisie im Aufstieg

Im Zeichen dieses Optimismus überschritt an der Spitze vor allen anderen Bürgern die deutsche Bourgeoisie die Schwelle zur zweiten Hälfte des 19. Jahrhunderts. In der Tat setzte jetzt, nach einem nachhaltig ermutigenden Auftakt in den jüngst vergangenen beiden Jahrzehnten, eine blendende Erfolgsgeschichte ein. Sie erfüllte schon in der folgenden Konjunkturphase nicht nur die hochgestimmten Erwartungen all jener, die aus dem harten Konkurrenzkampf siegreich hervorgingen. Vielmehr bestätigte sie endlich auch im Hinblick auf Deutschland den euphorischen Hymnus, den Marx im «Kommunistischen Manifest» auf die historische Modernisierungsmission dieser modernen Bourgeoisie angestimmt hatte. Die sozialen Kosten und die politischen Grenzen der Blitzkarriere dieser jungen Klasse sollten in aller Härte erst seit den siebziger Jahren hervortreten.

Die deutsche Industrielle Revolution, die explosive Expansion des Verkehrssystems und der in neuen Dimensionen kalkulierende Handelskapitalismus gehörten ganz so zu den essentiellen ökonomischen Voraussetzungen wirtschaftsbürgerlicher Entfaltung wie das intensivierte unternehmerische Engagement, das wegen der wechselseitigen Verschränkung beider Phänomene eine wesentliche Antriebskraft des hochkonjunkturellen Aufschwungs bildete. Da das beispiellos beschleunigte Wachstum in den entscheidenden Führungssektoren es rechtfertigt, für die Phase von 1849 bis 1873 von einem säkularen Tempowechsel zu sprechen, liegt der Schluß nahe, eine ähnlich dramatische Veränderung auch im sozialgeschichtlichen Bereich, mithin ein sprungartiges Wachstum der Bourgeoisie anzunehmen.

Fraglos ist sie auch während dieser Epoche und seither kontinuierlich in die Breite gewachsen. Aber es wäre verfehlt, mit der deutschen Industriellen Revolution schon die Vorstellung von einer gewaltigen Umfangsvermehrung zu verbinden. Waren es vor 1848 gewöhnlich nur einige hundert Unternehmerfamilien gewesen, die in den deutschen Wachstumsregionen, in den Handels- und Gewerbestädten den Kern der Bourgeoisie bildeten, vergrößerte sich ihre Zahl seither jeweils auf einige Tausend. Gewiß stießen ständig neue Ehrgeizige hinzu. Dennoch bleibt es auffällig, wie sich die bereits bekannten Familiennamen hielten, wie sich die soziale Verflechtung zwischen ihnen durch Konnubium und Kooperation verdichtete, wie sich im Verlauf eines frühen Konzentrationsprozesses eine relativ kleine oligarchische Funktionselite aus Industriellen und Bankiers, Kapitalbesitzern, Managern und Anwälten immer wieder in den Schlüsselpositionen der großen Unternehmen traf.

Eine exakte Berechnung des Ausmaßes der Bourgeoisie liegt noch nicht vor; sie trifft auch auf kaum überwindbare statistische Schwierigkeiten. Immerhin kann das preußische Beispiel illustrieren, wie sich einige Größenverhältnisse veränderten. Um 1846/49 gehörten zur Oberschicht rund zweiundachtzigtausend «Wirtschaftsbürger», von denen die Hälfte (40800, 1.2% der Erwerbstätigen) als Unternehmer fungierten. Ohne Berücksichtigung des Handwerks wies die «Fabrikentabelle» für 1846 74888 Betriebe aus. Der Kernbereich der größeren Firmen wurde von diesen Unternehmern, der verbleibende Teil von «mittelständischen» Betriebschefs geleitet. Bis 1861 stieg die Anzahl dieser Betriebe auf 80734, also keineswegs stürmisch an. Dieselbe Tendenz setzte sich bis in die Mitte der siebziger Jahre fort. Allerdings nahm außer der Zahl die Größe der Unternehmen aufgrund ihres konjunkturbegünstigten inneren Wachstums und eines ersten technologisch bedingten Konzentrationsprozesses, noch relativ selten wegen des Zusammenschlusses mehrerer Betriebe, stetig zu. 1858 zählten bereits rund zweitausend Unternehmen mehr als fünfzig Beschäftigte, und gerade Betriebe dieser Größe vermehrten sich seit den fünfziger Jahren jährlich um fünf Prozent – dreimal so schnell also wie die Bevölkerung –, so daß es 1873 rund 4340 davon gab. Gleichzeitig wuchs die Zahl der Fabrikunternehmer, wenn auch nur halb so schnell wie die gesamte Bevölkerung.

Trotz der beschleunigten Entwicklung gab es 1871 in Industrie, Bergbau und Handwerk erst rund fünfunddreißigtausend Betriebe mit mehr als fünf Beschäftigten, im Handel, Transport und Verkehr rund viertausend. Unterhalb dieser im Grunde immer noch bescheidenen Größenordnung hatte sich freilich ein breiter Sockel von Betrieben mit bis zu fünf Beschäftigten herausgebildet. Im ersten Bereich waren es rund 778000, im zweiten rund

318000. Vergegenwärtigt man sich jedoch, daß darin Hunderttausende von kleinen, häufig stagnierenden Handwerksbetrieben und Werkstätten, Speditions- und Handelsgeschäften enthalten waren, wirkt es plausibel, daß nur im obersten Grenzsaum die Chancen für einen Aufstieg in die Welt der lebenskräftigen größeren Unternehmen dichter vorhanden waren.

Diese Angaben sagen außerdem noch nichts darüber aus, welche von diesen Unternehmen zu den älteren Betrieben des traditionellen Stadtbürgertums und welche zu den jüngeren Gründungen der neuen Bourgeoisie gehörten. Trotzdem verdeutlichen die Entwicklungsrelationen, wie überschaubar die Anzahl der mittelgroßen und größeren Produktionsunternehmen damals war. Natürlich muß man eine unbekannte Summe von Banken und Versicherungsgesellschaften, Reedereien und Werften, Großhandelsgeschäften und Baugesellschaften usw. hinzurechnen, um das Tätigkeitsfeld der Bourgeoisie abzustecken. Aber auch dann bleibt der Umfang der preußischen Bourgeoisie noch bemerkenswert begrenzt. Andrerseits stellte sie unbestritten die größte dieser bürgerlichen Formationen im Deutschen Bund und Reich. In den anderen Einzelstaaten und Stadtrepubliken nahmen sich ihre Proportionen noch ungleich schmaler aus.

Folgt man dem bereits entwickelten Interpretationsschema (Bd. II, III. 4b u. 5), die ökonomische, soziale, politische und kulturell-ideologische Dimension der Klassenbildung aus Gründen der analytischen Klarheit getrennt zu verfolgen, hat das ökonomische Umfeld die Entwicklungsgeschichte der deutschen Bourgeoisie weiterhin grundlegend beeinflußt. Das Neue an der Epoche der Industriellen Revolution war der durchgehende Zug in größere, anspruchsvollere Verhältnisse, damit auch in die Zone höherer Risiken. Wurden sie bewältigt, gab es staunenerregende Erfolge. Erwiesen sie sich als übermächtig, wurde die anonyme Schar gescheiterter Unternehmer vergrößert. Die früher geschilderte Konstellation, die sich in den Unternehmen selber und auf dem Markt herausgebildet hatte und die Klassenlage der Bourgeoisie mitprägte (s. Bd. I u. II), blieb jedoch in den Grundzügen konstant. Verfügung über Produktionsmittel und Kapitalbesitz, Zugang zu neuen Finanzressourcen, Beherrschung technischen Wissens, Innovationsfähigkeit, Ausübung von Leitungs- und Herrschaftsfunktionen, Planungs- und Leistungsfähigkeit, Marktkenntnis und Marktmacht – diese Faktoren kennzeichnen im weiten Sinn die ökonomischen Bedingungen, unter denen sich die junge Bourgeoisie weiter konstituierte. Mit ihnen waren die Maximierung von Handlungsautonomie im Betrieb, die Verteidigung individueller und kollektiver Unternehmerinteressen, der inzwischen manifeste Gegensatz im Verhältnis zur Arbeiterschaft, zur Landwirtschaft und zur inländischen wie ausländischen Konkurrenz unauflöslich verbunden. Aus der wirtschaftlichen Aktivität und der mit ihr verknüpften Interessenlage entwickelte sich jenes Geflecht von «Sachzwängen», welche das ökonomische Profil dieser Unternehmerklasse bestimmten.

An ihrer sozialen Zusammensetzung hat sich trotz der verlockenden Attraktivität, welche der konjunkturelle Aufschwung der Unternehmerkarriere verlieh, erstaunlich wenig geändert. Unstrittig ist: Der wirtschaftliche Wandel seit dem Ende der Revolution vollzog sich rasch. Zwölf Jahre später besuchte Friedrich Kapp, der als radikaler Achtundvierziger nach Amerika emigriert war, seine «heimatliche Provinz», den «protestantischen Teil Westfalens», und berichtete seinem Freund, dem Bankier Ludwig Bamberger, geradezu überwältigt, sie sei «eigentlich nur ein Bergwerk, ein Hammer und Hochofen». Denselben Eindruck gewannen Besucher, die nach längerer Abwesenheit Sachsen, Oberschlesien oder Berlin wiedersahen. Trotzdem wurde durch den industriellen «Take-off» keine schnell funktionierende soziale Aufstiegsschleuse geschaffen.

Verallgemeinert man die Ergebnisse der bisher vorliegenden Regionalstudien, zeigen sie, daß die Unternehmer bis in die siebziger Jahre hinein – ja, darüber hinaus bis 1933 – zu rund vierundfünfzig Prozent aus Unternehmerfamilien stammten – das ist ein erstaunlich hohes Maß an Selbstrekrutierung. Bei rund sechsundzwanzig Prozent führt die Herkunft auf wirtschaftlich selbständige Handwerker und Händler, Landwirte und Pächter zurück, die restlichen zwanzig Prozent stellten Söhne aus Beamten-, Pfarrer-, Offiziers-, Großgrundbesitzer- und Gastwirtsfamilien. Soziale Aufsteiger bildeten einen kleinen Anteil: Am häufigsten waren es noch technisch versierte Handwerker im Maschinenbau. Arbeitersöhne finden sich nirgendwo – nicht einmal Karl Godulla in Schlesien kann als exotische Ausnahme gelten. Eindeutig überwog mithin ein privilegiertes Herkunftsmilieu. Diese Tatsache wird außerdem noch durch das weit überdurchschnittliche Bildungsniveau unterstrichen. Die klare Mehrheit der Unternehmer hatte eine höhere Schule besucht. Bereits bis 1870 hatten vierzehn Prozent der Eigentümer-Unternehmer und nicht weniger als fünfzig Prozent der Angestellten-Unternehmer, der ersten Managergeneration, sogar eine Hochschule absolviert.

Vergegenwärtigt man sich das Sozialprestige der deutschen Bildungsdiplome in einer Zeit, in der weniger als 0.2 Prozent der Bevölkerung das Gymnasium, nicht einmal 0.1 Prozent eine Hochschule besuchten, wird der schmale Einzugsbereich, den vielfach begünstigte Familien bildeten, noch einmal hell beleuchtet. Läßt man es überdies bei den bisher genannten Globaldaten, die aufschlußreiche Unterschiede verwischen, nicht bewenden, zeigen die Ergebnisse aus den industriellen Spitzenregionen noch deutlicher das Grundmuster einer exklusiven Unternehmerrekrutierung.

Die westfälischen Schwerindustriellen etwa, die das Ruhrgebiet dominierten, stammten – wie ein großes Sample von zweihundertachtundvierzig Männern zeigt – seit 1850 mehrheitlich, durchweg auch schon in der zweiten Generation, aus höheren Schichten, allein zweiundsechzig Prozent aus bereits etablierten Unternehmerfamilien. In diesem sozialen Umfeld suchten sie sich auch überwiegend ihren Ehepartner, so daß sich ein dicht verflochtenes soziales Netzwerk herausbildete. Extrem hohe Werte für die Teilhabe an formaler Bildung verrät sowohl die Abiturientenzahl von zweiundsiebzig Prozent als auch die Hochschulabsolventenziffer, die zwischen einundsechzig Prozent im Bergbau und fünfzig Prozent in der Eisenindustrie pendelte. Ein anderes Sample, das rheinische und westfälische Unternehmer zwischen 1790 und 1870 erfaßt hat, identifizierte bei vierundachtzig Prozent einen wirtschaftlich selbständigen Vater (Unternehmer, Kaufmann, Handwerker). In der hier besonders interessierenden Zeitspanne von 1850 bis 1870 ermittelte es einen Anteil von einundachtzig Prozent mit höherer Schulbildung. Von zweihundertfünfundzwanzig untersuchten westfälischen Textilindustriellen stammten sogar bis 1913 volle fünfundachtzig Prozent aus dem eigenen Milieu von Textilfabrikanten, -kaufleuten und -verlegern (50:26:9%). Die Majorität dieser «selten homogenen Gruppe» gehörte zu den alteingesessenen Unternehmerfamilien. In Thüringen weist die soziale Herkunft von neunundsiebzig Prozent der Unternehmer ebenfalls auf eine wirtschaftlich selbständige Existenz der Väter hin. Hochgradig homogen blieb auch bis 1870 die Zusammensetzung der Berliner Unternehmerschaft. Die «mit Abstand größte Herkunftsgruppe» bildete dort ebenfalls «die Schicht der Unternehmer selbst»: achtundsiebzig Prozent waren in Fabrikanten-, Bankiers- und Kaufmannsfamilien hineingeboren worden; zwölf Prozent stellte das Bildungsbürgertum der Beamten, Pfarrer, Gelehrten und Lehrer sowie Offiziere; zehn Prozent der «alte Mittelstand» der Handwerker und Händler, Gastwirte und Gutspächter. Bei den Industriellen verschieben sich die Relationen ein wenig auf 80:8:12 Prozent. Prüft man die berufliche Herkunft der hauptstädtischen Unternehmer, besaßen die Kaufmanns- und Bankpraxis mit fünfzig Prozent und die handwerkliche Ausbildung mit zweiunddreißig Prozent eindeutig den Vorrang. Immerhin konnten schon zwölf Prozent auf ein Fach- oder Hochschulstudium zurückblicken. Bei den Industriellen verändern sich die Proportionen erneut auf 47:40:9 Prozent. Da rund die Hälfte der Berliner Unternehmer aus der jüdischen Minderheit stammte, ist das ungewöhnlich ausgeprägte Vorwiegen des Kaufmanns- und Geldgeschäfts in der Vätergeneration recht leicht zu erklären.

Überkommene Verteilungsmuster im Hinblick auf bestimmte Unternehmertypen blieben weiter erhalten. Unter den Eigentümer-Unternehmern dominierten die Kaufmanns-Unternehmer in der Eisen- und Stahlproduktion, im Bergbau und in der Metallverarbeitung, in der Schiffahrt, im Banken- und Versicherungswesen, vor allem in der Textilindustrie (z.B. Haniel, Stinnes, Grillo, Waldthausen, Krupp, Klöckner, Thyssen). Auch eindrucksvolle Allround-Unternehmer wie Mevissen und Camphausen gehörten zu ihnen. Überwiegend stammten sie aus den Familien von Kaufleuten und Verlegern, Großhändlern, Spediteuren und Bankiers. Handwerker-Unternehmer herrschten weiterhin im Maschinenbau vor, wo der technische Sachverstand vorerst den Primat besaß. Techniker-Unternehmer in derselben Branche, in der Elektrotechnik und in allen Zweigen der Metallverarbeitung brachten entweder als ehemalige Handwerker eine solide fachliche Einübung, dazu manchmal Erfahrung als Werkmeister mit, oder sie stützten sich schon auf die anspruchsvolle Spezialistenausbildung an einer Fachschule, einem Polytechnischen Institut, einer Frühform der Technischen Hochschule. Das Berliner Gewerbe-Institut zum Beispiel entließ bereits bis 1850 rund tausend Absolventen in die Praxis.

Neben dem Eigentümer-Unternehmer drang seit der Jahrhundertmitte erst mit behäbiger, dann mit deutlich zunehmender Geschwindigkeit der Angestellten-Unternehmer vor, mithin der Typus des kaufmännisch, technisch oder juristisch hochversierten Managers. Die Eisenbahngesellschaften, die Banken und Versicherungen, aber auch die Schwerindustrie, und dort vor allem wieder die «gemischten Werke» erster diversifizierter Konzerne, konnten auf die Sachkunde angestellter «Direktoren» bald nicht mehr verzichten, als sich die Unternehmerfunktionen zügig ausdifferenzierten. Juristen zum Beispiel fanden im Eisenbahngeschäft, in der Montan- und Hüttenindustrie, wie Friedrich Hammachers Karriere demonstriert, ein weites Aufgabenfeld. Hochqualifizierte Beamte aus der staatlichen Bergwerksverwaltung wechselten nach dem Beginn der Liberalisierungspolitik in die privaten Großunternehmen über. Seit der Mitte der 1860er Jahre tauchte dort die Sozialfigur des akademisch geschulten, in der staatlichen Administration bewährten «Bergassessors» auf, der «hohe technische Qualifikation» mit «einem ausgesprochen autoritären Habitus und sozialpolitischen Konservativismus» verband. Der eigentliche Aufstieg dieser exklusiven Funktionselite sollte freilich erst in den achtziger Jahren einsetzen.

Daneben konnte auch in wenigen Fällen ein «Selfmademan» die Erfolgsleiter emporklettern, wie das Louis Baare gelang, der kleiner Zollangestellter war, ehe er gut vierzig Jahre lang als «Generaldirektor» den «Bochumer Verein» regierte. Meistens besaßen aber auch die Manager-Unternehmer von vornherein den Vorsprung des «Volljuristen» oder hohen Staatsbeamten.

Erhalten blieb die krasse Disproportionalität der konfessionellen Zugehörigkeit. Mehr als achtzig Prozent der Unternehmer, dagegen nur zweiundsechzig Prozent der Reichsbevölkerung, waren Protestanten. Der hohe jüdische Anteil schwankte je nach Stadt und Region, obwohl Juden gerade 1.2 Prozent der Bevölkerung ausmachten. Aus dem Reservoir von sechsunddreißig Prozent Katholiken erreichte auch in dieser Epoche nur eine auffällig schmale Gruppe die Position von Eigentümer- und Manager-Unternehmern. Offensichtlich wirkte sich noch immer die schwere historische Bürde tiefverwurzelter Aversionen, die sich gegen die moderne, kapitalistische, städtische Welt richteten, als ein nur mühsam zu überwindendes Hindernis aus.

Zwei maßgebliche Voraussetzungen, um als Unternehmer während der deutschen Industriellen Revolution zu reüssieren, werden durch den empirischen Befund kräftig hervorgehoben. Die Herkunftsfamilie spielte weiterhin eine zentrale Rolle. Sie entschied über jede Art von formeller und informeller Ausbildung, das überdurchschnittliche Bildungsniveau, die Schulung von Verhaltenskompetenz, den Zugang zu Startpositionen und Karrierewegen, den Erwerb von Fachwissen und Marktkenntnis. Sie fädelte den Junior in das Netzwerk der persönlichen und sachlichen Beziehungen ein. Sie gab ihr «soziales Kapital» an den Erben weiter. Indem sie mit Hilfe einer kühl kalkulierten Heiratsstrategie das Konnubium strikt kontrollierte, sorgte sie für eine enge Verflechtung möglichst rangähnlicher Positionen. Dadurch entstanden weitläufige Sippenverbände und Klientelen, deren soziale und ökonomische Vorzüge unübersehbar waren.

Zum zweiten wirkten sich jetzt, ungleich nachdrücklicher als während der Frühindustrialisierung und der Anlaufphase der Industriellen Revolution, Kapitalbesitz und leichter Zugang zu weiteren finanziellen Ressourcen als Karriereprivileg, fehlende Verfügungsmacht dagegen als Barriere gegen den Aufstieg aus. Denn in den Führungssektoren sorgten nun die hoch kapitalintensiven Unternehmen des Eisenbahnsystems und Bergbaus, der Hütten- und Maschinenbauindustrie, der Textilproduktion und der Banken für stürmische Expansion und anhaltende Dynamik. Unstreitig überwand die Aktiengesellschaft fast jeden Finanzierungsengpaß. Aber einmal gingen längst nicht alle Schlüsselbetriebe zu dieser Rechtsform über. Vielmehr blieben noch zahlreiche Großunternehmen im Familienbesitz. Zum anderen behielten in zahlreichen Fällen die Mehrheitsaktionäre, die ja keineswegs schon immer in Gestalt von Großbanken auftraten, das letzte Wort.

Eine dritte Eigenart der deutschen Unternehmergeschichte auch in dieser Epoche wird durch den internationalen Vergleich verdeutlicht. Die anhaltende Kohäsion von Unternehmerfamilien sowie das hohe Maß an elitärer Rekrutierung verweisen auf die zählebige Persistenz älterer Normen und Verhaltensmuster, die sich noch immer gegen eine Karriere selbst in den florierenden wirtschaftlichen Leitsektoren auswirkten. Kurz gesagt: In den deutschen Ländern gab es eine höhere soziale Immobilität als in älteren oder in sehr jungen Industrieländern. So kamen etwa deutsche Unternehmer seltener aus den Großgrundbesitzerfamilien als in England, da das Wertsystem des mitteleuropäischen Adels dieser Berufswahl gewöhnlich noch entgegenstand. Sie kamen weniger aus Bauern- und Pächterfamilien als in England (oder aus Farmerfamilien wie in den USA), da in der bäuerlichen Welt eine starke Abneigung gegen kapitalistisches Wirtschaften gespeichert blieb. Sie kamen seltener aus den Familien von freiberuflichen Akademikern, da sich bildungsbürgerliche Lebensideale mit der ungehemmten Jagd nach dem «schnöden Mammon» kaum vertrugen. Spitzenunternehmer waren in nur wenigen Fällen jene rasanten Aufsteiger, die es in den Vereinigten Staaten, noch immer auch in England, weit häufiger gab. Dagegen stammten deutsche Unternehmer ungleich häufiger aus Beamtenfamilien, insbesondere aus der höheren akademischen Bürokratie, da der Kontakt zwischen Verwaltung und Industrie seit jeher enger war als in den Ländern des ökonomischen Liberalismus.[4]

Die politische Dimension der Klassenbildung war vor 1848 durch parallel verlaufende Konflikte bestimmt gewesen, in welche die Bourgeoisie aufgrund ihrer Interessenlage mit dem Stadtbürgertum, dem Bildungsbürgertum, dem Adel und dem Proletariat verwickelt war. Diese Konflikte veränderten sich nach der Revolution auf durchaus unterschiedliche Weise.

Da das Stadtbürgertum, aufs Ganze gesehen, bis 1871 seine ständerechtliche Sonderstellung verlor, während gleichzeitig der ökonomische Modernisierungssprung dem modernen Kapitalismus eine magnetische Anziehungskraft verlieh, löste der «stumme Zwang» dieser Umstände den Traditionalismus der alteingesessenen Vollbürger weiter auf, und diese Erosion vollzog sich jetzt ungleich zügiger als zuvor. Damit aber ließ einerseits der Widerstand gegen emporstrebende Unternehmer ohne das Gütesiegel einer Herkunft aus den «richtigen» Familien längst etablierter Wirtschaftsbürger nach. Andrerseits wuchs die Bereitschaft, den eigenen Söhnen und Kapitalien den Weg in die neue Welt der Fabriken und Zechenanlagen, der Eisenbahngesellschaften und Investitionsbanken freizugeben.

Diese Veränderung zeitigte wichtige Folgen. Die sozialen Verkehrskreise näherten sich immer stärker an, bis sie sich schließlich in Wohnvierteln und Schulen, in Handelskammern und Kaufmannskorporationen, vor allem in der Vielzahl der städtischen Vereine deckten. Die untrüglichste Probe auf soziale Distanz oder Nähe, das Konnubium, bestätigt die voranschreitende Verschmelzung von jungen Bourgeois- und alten Stadtbürgerfamilien. Daß die Mehrheit der neuen Unternehmer, die sich in der Domäne des Produktionskapitalismus und der Marktwirtschaft bewegten, aus dem älteren Wirtschaftsbürgertum stammte, hat diese Fusion fraglos erleichtert.

Es bringt wenig, entweder von einer erzwungenen Kapitulation oder von der geschickten Anpassung dieser traditionsreichen Familien zu sprechen – Industrialismus, Verkehrsrevolution und modernes Wirtschaftswachstum umgab bis 1873 eine schlechthin unwiderstehliche Erfolgsaura. Infolgedessen verlor der noch im Vormärz bittere Konflikt allmählich seine Schärfe. Zunehmend trat die Integration in ein höheres Wirtschaftsbürgertum an die Stelle der Konfrontation von traditionsstolzem Gemeindebürgertum und innovationsbestimmter Bourgeoisie.[5]

Auf eine vergleichbare Weise begannen auch die Außengrenzen gegenüber dem Bildungsbürgertum an Trennkraft zu verlieren. Das traf einmal im Hinblick auf die anwachsenden Berufsklassen der freiberuflichen Akademiker zu. Der Haus- oder Facharzt, der Rechtsanwalt oder Architekt – sie bewegten sich als akzeptierte Mitglieder in jenen Verkehrskreisen, die auch der Bourgeois-Unternehmer frequentierte. Ohnehin besaß ja eine große

Zahl von ihnen Erinnerungen an die gemeinsam verbrachte Zeit auf einer höheren Schule, an einen gemeinsam erworbenen Bildungskanon. Und überhaupt hielten, je später, desto bereitwilliger, auch Unternehmerfamilien die Teilhabe an «Bildung» für begehrenswert. Heiratete eine ihrer Töchter einen Anwalt, galt das ebenso als «standesgemäß» wie die Ehe eines Sohnes mit einer Arzttochter – solange es nicht der Erbe war, der gewöhnlich einem betriebsorientierten Heiratskalkül unterworfen blieb.

Langsamer entkrampfte sich dagegen das Verhältnis zur beamteten Intelligenz. Die jahrzehntelange Gängelei durch die Bürokratie wurde so schnell nicht vergessen. Aber zum einen schwenkten die wichtigsten industrialisierenden deutschen Staaten nach 1849 Schritt für Schritt auf eine liberale Wirtschaftspolitik ein. Rechtlich, politisch, administrativ wurden die lästigen Schranken abgebaut, die dem freien Unternehmertum entgegenstanden. Die Behörden verloren zusehends das Image des arroganten Vormunds. Statt dessen wuchsen sie in eine Haltung der Kooperationsbereitschaft, ja der direkten Förderung moderner ökonomischer Interessen hinein. An der Einstellung der dezidiert wirtschaftsliberalen höheren preußischen Beamten vom Typ eines Rudolph v. Delbrück oder Otto Michaelis, auch an dem Sukkurs, den der Zollverein bereitwillig gewährte, läßt sich das am klarsten ablesen.

Zum anderen hatten zahlreiche Unternehmer in den Revolutionsjahren den starken Staat schätzengelernt. Seine Institutionen: von der Verwaltung über die Rechtsprechung bis hin zum Heer galten als die verläßlichsten Stützen in ihrer Auseinandersetzung mit dem Proletariat. Das Schreckgespenst der republikanischen «Pöbelherrschaft» wirkte noch jahrelang nach dem städtischen Bürgerkrieg weiter fort. Diese staatsfreundliche Wende wurde von den alten Machteliten mit geheimem Triumph registriert. «Selbst der eingefleischteste Industrialismus» wage es nicht mehr, notierte sich ein hochkonservativer Stabsoffizier wie Albrecht v. Roon befriedigt, in «Elihusche Hymnen» einzustimmen, weil er begriffen habe, «daß sich unter den mächtigen Schwingen des Adlers sicherer wohnen und reichlicher erwerben läßt als in dem engen Pfahlbürgertum eines machtbeschränkten» Staates.

Falsch war diese Diagnose nicht, aber die Erleichterung der Unternehmer über die staatliche Schutzgarantie brauchte noch keineswegs dahin zu führen, daß sie auf den Kurs der Konservativen Partei einschwenkten. Nicht wenige blieben vielmehr, wie bisher, gemäßigt liberal. Aber da sowohl die Sicherheitsgewähr als auch erst recht die liberale Wirtschaftspolitik des autoritären Staates der Restaurationsjahre ihren Interessen so spürbar entsprach, wurde auch das beamtete Bildungsbürgertum nicht mehr als Verkörperung eines Staats, der seine Unternehmer so lange am Leitseil geführt hatte, weiter auf Distanz gehalten. Im Gegenteil, gemeinsame ökonomische und gesellschaftspolitische Interessen, gemeinsame Sozialisationserfahrungen und Bildungswerte, erweiterte Verkehrs- und Heiratskreise verminderten sukzessive die ehemals trennende Distanz.

Zwiespältiger blieb das Verhältnis zum Adel. Der berechtigte Leistungsstolz des erfolgreichen Unternehmers hielt noch oft jene tiefe Skepsis bis hin zu schneidender Ablehnung wach, mit der er Adelsprivilegien als einem unverdienten Geschenk des Zufalls der Geburt begegnete. Wenn liberale Unternehmer sich politisch artikulierten, ließen sie sich daher von der erfolgreichen Behauptung, die dem Adelssystem 1848/49 geglückt war, nicht sonderlich imponieren. Das sozialnormative Vorbild des adligen Lebensstils, dem sich so viele arrivierte Unternehmer seit den siebziger/achtziger Jahren anzupassen versuchten, besaß noch keineswegs eine überwältigende Faszinationskraft, obwohl es manchen bereits in seinen Bann schlug.

Auf der anderen Seite war nicht zu leugnen, daß die wirtschaftliche Zusammenarbeit mit geschäftstüchtigen Adligen einen Prestigegewinn einbrachte, häufig auch vorteilhafte Verbindungen eröffnete. Nicht im konkreten Management, sondern im Aufsichtsrat tauchten deshalb zunehmend adlige Namen auf. Während der «Gründerjahre» wurde es geradezu Mode, mit Adligen in den Kontroll- und Leitungsgremien für die Seriosität der Firma zu werben. Meist diente der Adelstitel wohl nur als schickes Aushängeschild, dessen Zweck nur für den Insider durchschaubar war. Im Börsenprospekt und beim kleinen Aktionär konnte er dennoch seine Wirkung entfalten, und nicht selten führte diese Kooperation zu dauerhaften Geschäftsbeziehungen mit bisher unerreichbaren Klienten. Auf diese Weise begünstigten gemeinsame ökonomische Interessen die soziale Annäherung.

Diese Entwicklung wurde auch dadurch gefördert, daß die Töchter vermögender Unternehmer als begehrte Partie in jenen Adelsfamilien galten, wo zwar die Patina des Namens, aber keine hinreichende wirtschaftliche Substanz mehr vorhanden war. Insbesondere erfolgreiche Aufsteiger in die Bourgeoisie genossen die Erhebung ihrer Tochter in den Adelsstand, auch wenn dem Schwiegersohn finanziell so kräftig unter die Arme gegriffen werden mußte, daß die Schmerzgrenze erreicht wurde. Keiner wußte genau, welche Summen es etwa den Berliner Bankier Wilhelm Krause gekostet hatte, bis alle fünf Töchter mit Blaublütigen liiert waren und als Gräfin Hacke, Frau v. Voss, v. Puttkamer, v. Zitzewitz und v.d. Planitz die bürgerliche Existenz des Vaters verzierten.

Schließlich brachten die drei Kriege der sechziger Jahre zusammen mit den Erfolgen der Bismarckschen Politik unübersehbar auch eine Aufwertung des Adels mit sich. Der soziale Kontakt, die familiäre Verbindung mit der unversehens im neuen Glanz erstrahlenden traditionalen Machtelite wurde ein begehrtes Gut. Seither machte sich der Wunsch nach Imitation und Fusion in einer adlig-hochbürgerlichen Oberschicht weit häufiger als zuvor geltend. Da gleichzeitig der wirtschaftliche Erfolg während der Hochkonjunktur das Selbstbewußtsein des erfolgreichen Unternehmers bis zu dem

Punkt stärkte, an dem er sich nicht mehr als Juniorpartner der alten Herren des Landes empfand, verloren die überkommenen Konflikte mehr und mehr an verhaltensbestimmendem Einfluß.

Ganz anders dagegen nahm sich die Steigerung des Antagonismus im Verhältnis zu den «arbeitenden Klassen» aus. Voller Argwohn, ja Feindseligkeit standen sich der Unternehmer als «Herr im Haus» und die von ihm abhängige Arbeiterschaft seit der Revolution gegenüber. Nach der Unterdrückung der «Arbeiter-Verbrüderung» hielt sich während der Restaurationsjahre weithin die Illusion, kollektive Interessenvertretungen der Lohnarbeiterschaft auf die Dauer verhindern zu können. Als sich in den sechziger Jahren erneut Gewerkschaften, ja sogar zwei Arbeiterparteien öffentlich organisierten, wurde dieser illiberale Wunschtraum zerstört. Die grundsätzliche Gegnerschaft, die häufig zu einer unversöhnlichen, streng autoritären Haltung des «Fabrikherrn» führte, wurde durch die offene Politisierung verschärft. Hier und da versuchte der Industriepaternalismus à la Krupp und Stumm mit seiner betrieblichen Sozialpolitik ganz unverhohlen die Sozialdisziplinierung der Belegschaft zu erreichen. Aber da der Zweck zu durchsichtig war, scheiterte diese Taktik, die strukturellen Gegensätze mit Hilfe von Zuckerbrot und Unterwerfung der schwächeren Seite zu zähmen. Ohnehin handelte es sich, wie auch beim Bau von Betriebswohnungen, nur um punktuelle Ansätze.

Noch geringer war die Zahl derjenigen Unternehmer, die mit den frühen bürgerlichen Sozialreformern vor der Gründung des «Vereins für Sozialpolitik» (1872) aktiv sympathisierten. Das Bewußtsein unüberwindbarer Außengrenzen und zuverlässiger Binnenhomogenität war bei den allermeisten Unternehmern gegenüber dem unaufhaltsam wachsenden Proletariat – benötigt und gefürchtet zugleich – am schärfsten ausgebildet.

Auch in der kulturell-ideologischen Dimension der Klassenbildung traten einige Grundzüge klar hervor. Während sich der Industriekapitalismus durchsetzte und die Attraktivität der Unternehmerkarriere stieg, förderte der Klassenaufstieg der Bourgeoisie innerhalb der Sozialhierarchie auch die Ausprägung eines mit wachsender Selbstsicherheit gepflegten Lebensstils. Es war noch nicht der Lebensstil eines üppigen Reichtums, geschweige denn jene monotone Abfolge von Exzessen eines demonstrativen Luxuskonsums, wie ihn die millionenschweren Industriebarone und Bankiers in Zukunft vorführen sollten. Insgesamt blieb die alltägliche Lebensführung, im Vergleich etwa mit der des Hochadels, durchaus maßvoll, nicht selten geradezu frugal. Die Reinvestition eines möglichst hohen Gewinnanteils galt als selbstverständliche Maxime, denn die Expansion des Unternehmens stand im Mittelpunkt des Familienlebens. Sichtbare Wohlhabenheit trat dahinter zurück. Noch wurde das Credo der «Kapitalistenklassen», wie John Maynard Keynes es ironisch formuliert hat, in Ehren gehalten: Sie «durften den besten Teil des (Einkommens-)Kuchens ihr eigen nennen, und theoretisch stand es ihnen frei, diesen Teil zu verzehren, wobei freilich die stillschweigende Übereinkunft galt, daß sie tatsächlich nur sehr wenig in Anspruch nahmen. Die Pflicht zu ‹sparen› machte neun Zehntel ihrer Tugend aus, und das Wachstum des Kuchens wurde zum Gegenstand einer wahren Religion.» Allmählich begann sich der Lebenszuschnitt trotzdem zu verändern.

Im Verlauf der Hochkonjunktur wurde etwa die Villa, möglichst im Grünen oder in einem «fashionablen» Vorort gelegen, jedenfalls abseits vom Fabrikgelände oder fern vom städtischen Geschäft, zum begehrten Statussymbol. Der adelsähnliche Landsitz blieb weiterhin eine Ausnahme. Noch stand der Ansturm auf die Rittergüter erst bevor. Von Titeln und Orden als Imitation des Adelsprädikats oder der Distinktion des hohen Staatsdieners ging freilich eine offenbar unwiderstehliche Anziehungskraft aus, deren sich Regierung und Bürokratie vollauf bewußt waren. Mit sparsam dosierten Auszeichnungen wie dem Titel eines «Kommerzienrats» – schon der Begriff suggerierte die symbolische Anhebung auf das Niveau des Rats in der Staatsverwaltung – und in Sonderfällen denen eines «Geheimen Kommerzienrats» wurden in der Vermögenshöhe erkennbare Leistungen, generöse wohltätige Stiftungen und absolut staatsloyale Gesinnung prämiiert.

Die verschiedenen Klassen der Zivilorden erfüllten dieselbe Funktion. Wer zu dem Kreis der sorgfältig gefilterten Auserwählten gehörte, stand an der Spitze der lokalen Honoratioren. In der Landeshauptstadt bildeten die Geheimen Kommerzienräte die abgehobene kleine Spitzenelite der «Business Community». Als letzte Station öffentlicher Anerkennung und Besiegelung des Prestigegewinns blieb dann noch die ersehnte Nobilitierung. Durch dieses Nadelöhr zogen jedoch nur wenige Glückskandidaten in die Gefilde des Neuadels ein.

Unstreitig wurde durch diese staatlich kontrollierte Himmelsleiter eine Hierarchie geschaffen, welche die Rangstufen des Adels, aber auch der Bürokratie nachbildete. Reichtum und Unternehmensgröße waren mithin nicht die einzigen Kriterien für Status, Macht und Prestige eines erfolgreichen Bourgeois. Vielmehr verlieh die hervorgehobene Position auf den Sprossen dieser Leiter zusätzliche soziale Ehre. Der Preis: Gesinnungskonservativismus bis hin zur Staatsfrömmigkeit wurde durchweg bereitwillig gezahlt. Insofern erreichte das machttechnische Kalkül derjenigen, die über diesen Gnadenschatz kühl abwägend verfügten, durchweg sein Ziel.

Eine kaum zu überschätzende Bedeutung für die kulturelle Homogenisierung der Bourgeoisie behielten weiterhin die Vereine. In ihnen an prominenter Stelle mitzuwirken, sie finanziell zu unterstützen, galt einerseits als gesellschaftliche Verpflichtung. Andrerseits vermittelten sie zahllose nützliche Kontakte, stellten freundschaftliche Beziehungen her, banden den einzelnen in ein unsichtbares Gewebe von Verbindungen ein, die sich wirtschaftlich wie kommunalpolitisch als wichtig erweisen konnten. Außerhalb des sicheren Grundes der Familie bildeten sie eine Art Sicherheitsnetz, über dem sich der Wirtschaftsbürger bewegte. Ob in Geselligkeitsvereinen oder Akademikerkränzchen, ob in den Vereinen für Musik und Theater, für die Freunde der Lokalgeschichte oder der Fortbildung – überall fand er sich mit der Bereitschaft zur tätigen Mitwirkung ein. Überall auch konnte das kollektive Identitätsgefühl bestätigt, selbstredend auch ein konkretes Interesse verfolgt werden. Überall wurde die Auffassung geteilt, daß die ständische Korporation ein Anachronismus sei, da die «Klassen der industriellen Gesellschaft», wie es 1856 in der «Deutschen Vierteljahrsschrift» programmatisch hieß, «eine freiere und flüchtigere Sozialform», eben die spontan gebildete «Assoziation» verlangten.

Öfters sorgte der konfessionelle Gegensatz für Exklusivität oder verursachte sogar eine Spaltung der Vereine. Mindestens ebenso häufig aber bildeten gemeinsame Interessen eine Brücke, über die der Weg zu einem gemeinsamen Verein führte. Die Freimaurerlogen mit ihrer Neutralität in allen Religionsfragen vermochten dafür als Vorbild zu dienen.

Das zielstrebige Zusammenwirken in Interessenverbänden, die im Vormärz bereits einen ersten Aufschwung erfahren hatten, lebte als typisches Phänomen erst wieder auf, als die Organisationserfolge der Arbeiterschaft dazu führten, daß sich als Reaktion darauf die Unternehmer vor allem der siebziger Jahre in mächtigen «Pressure Groups» der zweiten Entwicklungsstufe erneut zusammenschlossen. Bis dahin kam die vereinheitlichende Wirkung kollektiver Interessenartikulation vor allem Vereinigungen auf lokaler und regionaler Ebene zugute. Allerdings löste der Gegensatz zwischen Freihändlern und Schutzzöllnern seit den späten fünfziger Jahren eine gesteigerte Polarisierung der wirtschaftlichen Grundeinstellungen aus; sie sollte sich jahrzehntelang durch die Reihen der Unternehmer hindurchziehen.

Wie immer sie aber auch je nach ihrer Interessenlage optierten – nach dem Beistand des Staates riefen beide Lager: sei es zur Durchsetzung des Freihandels oder zum Ausbau des Protektionismus. Staatshilfe erwarteten sie auch in ihrer permanenten Auseinandersetzung mit dem Proletariat. Staatsnah blieben daher, ungeachtet aller ökonomischen Eigenerfolge, die meisten Unternehmer durchaus. Kein Wunder, daß sie von Anfang an gespalten waren, als sich die politischen Parteien in den fünfziger und sechziger Jahren klarer herausbildeten. Interessen- und Weltanschauungsparteien in einem waren die deutschen Parteien seit jeher gewesen, und je nach konkretem Interesse und gesinnungstreuer Überzeugung entschieden sich die Männer der Bourgeoisie für die Konservativen oder die Liberalen. Es ist ohnehin schwierig, für diese Zeit sozialstrukturelle Daten und politisches Verhalten in eine eindeutige Beziehung zu setzen, aber es wäre verfehlt, aus der Zugehörigkeit prominenter Unternehmer zu den Liberalen oder aus dem Auftrieb des Wirtschaftsliberalismus verallgemeinernd zu schließen, daß «die» Bourgeoisie hinter den Parteien des politischen Liberalismus gestanden habe. Von einer einheitlichen politischen Stoßrichtung kann vielmehr keine Rede sein. Wohl aber gab es, um es noch einmal zu unterstreichen, den gemeinsamen Fundus des Staatsvertrauens, das einen englischen und amerikanischen freihändlerischen Liberalen damals sehr fremdartig angemutet hätte.

Auch die verbindende Kraft der neuhumanistischen Bildungsideen wirkte sich zusehends stärker aus. Gewiß, sie standen nicht derartig im Mittelpunkt wie beim Bildungsbürgertum. Aber wie das weit überdurchschnittliche Bildungsniveau der Unternehmer jener Jahrzehnte zeigt, drang auch unter ihnen die Vorstellung stetig vor, daß bürgerliche Identität durch das Medium der Bildung mitgestiftet werde.

Schließlich übte der Nationalismus auf die politische Mentalität der Bourgeoisie einen wachsenden Einfluß aus. Als Wirtschaftsnationalismus, der auf einen gesamtdeutschen Großmarkt zielte, war er für Konservative wie Liberale gleichermaßen attraktiv. Als politische Zielvision band er in erster Linie die liberalen Unternehmer zusammen. Als Folge der spektakulären Ereignisse zwischen der italienischen und der deutschen Einigung drang er jedoch immer tiefer in das konservative Milieu ein, wo das ökonomische Interesse ohnehin schon Zugangschancen eröffnet hatte.[6]

Getragen von der Flutwelle des modernen wirtschaftlichen Wachstums, trotz aller internen Divergenzen durch die starke Gemeinsamkeit wichtiger Interessen und Denkströmungen verklammert, erlebte die deutsche Bourgeoisie während der Industriellen Revolution einen ungebrochen anhaltenden, steilen Aufstieg.

b) Das Bildungsbürgertum in der Ausweitung

Um die Jahrhundertmitte galt unverändert das volkstümliche Urteil «Bildung geht vor Besitz». Darin drückte sich die hohe Anerkennung des Sozialprestiges aus, welches das Bildungsbürgertum erworben und konsolidiert hatte. Der emphatisch verwendete Bildungsbegriff umgab jene Funktionseliten, die durch Universitätsstudium und Neuhumanismus geprägt worden waren, mit einem Nimbus, der sie weiterhin von anderen bürgerlichen Sozialformationen unzweideutig unterschied. «Aristokratie der Bildung» – so hießen sie nicht nur in der Fremdeinschätzung. Vielmehr spiegelte sich darin auch ihr Selbstbewußtsein und Selbstverständnis wider, da die Examensdiplome zusammen mit jener Bildung von Geist und Persönlichkeit, die selbsttätige Fortentwicklung im Privaten mit öffentlich nachweisbarer Teilhabe an einem charismatisch überhöhten Wissensfundus verband, zumindest ein Äquivalent zum Adelsprädikat bedeuteten – im Prinzip schon einen eigenständigen Überlegenheitsanspruch begründeten.

Sozialgenese, Aufstieg und Charakter dieser bildungsbürgerlichen Funktionseliten, die eine unverwechselbare, ja einzigartige Physiognomie während des Modernisierungsprozesses im deutschsprachigen Mitteleuropa gewonnen hatten, sind bereits ausführlich geschildert worden (Bd. I u. II). Mit der unerhört beschleunigten ökonomischen und gesellschaftlichen Transformation nach 1849 war auch für sie eine quantitative Ausdehnung verbunden. Währenddessen gelang es ihnen trotz alter und neuer Konkurrenz, ihre Spitzenposition im Hinblick auf soziale Ehre und Verfügung über wichtige Machtressourcen zu behaupten.

Bekanntlich hatten in Preußen Neuhumanismus, innere Staatsbildung und protestantischer Rationalismus, Familientradition, Gymnasium und reformierte Universität zusammengewirkt, um den im Staatsdienst oder freiberuflich tätigen Bildungsbürger in nahezu idealtypischer Reinheit hervorzubringen. Hier lassen sich daher erneut die veränderten Größenverhältnisse illustrieren. Unumstrittene Präzision ist dabei noch längst nicht möglich, aber die Verknüpfung von sozialstatistischen Informationen mit Schätzwerten vermittelt eine annähernd realistische Vorstellung davon, wie sich das preußische Bildungsbürgertum ausdehnte. Zugleich wird dadurch aber auch erneut bestätigt, wie klein im Grunde genommen dieses exklusive Ensemble von Berufsklassen auch in diesen Jahrzehnten bis zur Zäsur von 1871/73 blieb.

Um 1850 stand die verstaatlichte Intelligenz weiter im Mittelpunkt. Zu den nur rund 6770 Planstellen, die es vor 1848 für die höheren Verwaltungsbeamten und für die Justizbürokratie einschließlich der Justizkommissare, der verbeamteten Rechtsanwälte, gegeben hatte, kam unmittelbar nach der Revolution ein erheblicher Zuwachs hinzu. Durch die vorsichtige Ausdehnung der Ministerial- und Provinzialverwaltung, vor allem aber durch die Justizreformen – zweihundert Stellen wurden zum Beispiel für Staatsanwälte geschaffen, zweihundert Stadt- und Kreisgerichte neu eingerichtet und rund neunhundertsiebzig Patrimonialgerichte durch Staatsgerichte mit Volljuristen ersetzt – wurden rund zweitausendfünfhundert bisher unbesoldete Assessoren fest in den Staatsdienst übernommen. Daher kann man für 1850 von rund neuntausenddreihundert akademisch ausgebildeten Beamten ausgehen. Auf staatlich alimentierten Pfarrstellen saßen im selben Jahr rund 5920 protestantische Pastore. Außerdem muß man rund 1930 Gymnasiallehrer, rund eintausenddreihundert Professoren und Privatdozenten und rund 3520 promovierte Ärtze hinzunehmen, so daß man auf rund zweiundzwanzigtausend Akademiker kommt: Sie bildeten den Kern des preußischen Bildungsbürgertums. Darüber hinaus sind eine – zu diesem Zeitpunkt – geringe Anzahl von unbesoldeten Assessoren im Justiz- und Verwaltungsdienst und neunzig bürgerliche Landräte, eine ungewisse Zahl von freiberuflichen Akademikern, Stadtbeamten, Syndici, Musiklehrern, Journalisten, katholischen Priestern, Seminardirektoren, Schriftstellern usw. zu berücksichtigen. Insgesamt bewegt man sich dann vermutlich in einer Größenordnung von dreiundzwanzigtausend bis höchstens vierundzwanzigtausend Männern – das waren ganze 0.3 Prozent der Erwerbstätigen.

Wählt man einen Familienkoeffizienten von vier, der zwischen den sprichwörtlich kinderreichen Pfarrern und den spät heiratenden Beamten bzw.

unverheirateten Assessoren eine plausible Mitte sucht, kommt man auf rund hundertfünfzehntausend bis hundertzwanzigtausend Angehörige bildungsbürgerlicher Familien. Orientiert man sich dagegen an der häufig überlieferten höheren Kinderzahl und legt einen Koeffizienten von fünf zugrunde, kommt man auf rund hundertachtunddreißigausend bis hundertvierundvierzigtausend. Mit andern Worten: Wegen der grundlegenden Bedeutung der Ehefrauen und Mütter für die Sozialisations- und Bildungsprozesse kann man von einer Kerngruppe von rund vierzigtausend bis achtundvierzigtausend Ehepaaren, einschließlich der Kinder von rund hundertfünfzehntausend bis hundertvierundvierzigtausend Mitgliedern bildungsbürgerlicher Familien ausgehen.

Das ergibt angesichts einer Bevölkerung von 16.06 Millionen Menschen nicht einmal ein Prozent aller Einwohner. Riskiert man es, diese preußischen Schätzwerte zu verallgemeinern – das ist für die katholischen Gebiete Süddeutschlands keineswegs zulässig, wird aber durch Sachsen, Thüringen und andere norddeutsche und westdeutsche Staaten zum guten Teil kompensiert –, erreicht man 1850 für das Gebiet des Deutschen Reiches in den Grenzen von 1871 (33.75 Mill.) rund zweihundertdreißigtausend bis allerhöchstens zweihundertachtzigtausend Angehörige bildungsbürgerlicher Familien mit einer Kerngruppe von etwa siebzigtausend bis maximal achtzigtausend Ehepaaren. Das ist ein erstaunlich schmales Reservoir für eine so eminent einflußreiche und herausragende bürgerliche Sozialformation, wie sie auch zu dieser Zeit das deutsche Bildungsbürgertum verkörpert hat.[7]

Versucht man, dieselben Annäherungswerte für die Zeit um 1870 zu gewinnen, kann man wiederum mit Preußen beginnen. Nach dem maßvollen Wachstum der Bürokratie im 1866 erweiterten Neupreußen wird man – auch angesichts der kleinen Stäbe für den Zollverein und Norddeutschen Bund – von rund zehntausendsechshundert Justiz- und Verwaltungsbeamten ausgehen dürfen. Die Zahl der protestantischen Pfarrer war auf rund 6450, die der promovierten Ärzte auf rund fünftausendzweihundert, die der Lehrer an den höheren Schulen (Gymnasien einschließlich der Progymnasien, Realgymnasien und höheren Stadtschulen) auf rund viertausendzweihundert, die der Professoren und Privatdozenten auf rund tausendvierhundert angewachsen. Daher kommt man auf rund siebenundzwanzigtausendneunhundert Akademiker im Zentrum des preußischen Bildungsbürgertums. An sie gliederten sich wieder Freiberufliche, Stadtbeamte, Journalisten, Schriftsteller, katholische Geistliche, unbesoldete Assessoren usw. in noch immer erst leicht gestiegener Zahl an, so daß man etwa dreißigtausend Männer in Anschlag bringen kann. Ein Familienkoeffizient von vier ergibt rund hundertfünfzigtausend, ein Koeffizient von fünf rund einhundertachtzigtausend Angehörige des Bildungsbürgertums, in dessen Zentrum fünfundfünfzigtausend bis sechzigtausend Ehepaare standen. Damit bewegte sich seine Größe bei nicht mehr als 0.75 Prozent der damaligen Einwohnerzahl Preußens (24.57 Mill.).

Überträgt man diese Schätzwerte erneut auf die Bevölkerung des 1871 entstehenden Deutschen Reiches (1870 = 39.23 Mill.), gewinnt man ein rund zweihundertvierzigtausend bis höchstens dreihunderttausend Menschen umfassendes Bildungsbürgertum, das sich um rund sechsundneunzigtausend Ehepaare herumgruppierte.

Um es noch einmal zu betonen: Wegen der fehlenden bevölkerungsstatistischen Vorarbeiten und wegen der unübersehbar schroffen regionalen Unterschiede handelt es sich jeweils um Schätzwerte, deren Grundlagen unterschiedlich abgesichert sind. Sie können daher selbstverständlich angezweifelt werden. Trotzdem helfen sie, ein diffuses Realphänomen etwas genauer einzukreisen. Tendenziell lenken sie vermutlich auf annähernd plausible Größen hin. Sie bestätigen eine kontinuierliche Ausweitung des Bildungsbürgertums. Dieses Wachstum bewegte sich jedoch, aufs Ganze, noch in ziemlich engen Grenzen. Dadurch wurde der sozialelitäre Charakter dieser Bürgerlichen erhalten, und dieses Ergebnis wird dem Wunsch ihrer Mehrheit entsprochen haben.

Dennoch erübrigt sich nicht die Frage nach den Ursachen einer so maßvollen Expansion, zumal mit der steigenden Komplexität der Gesellschaft und der Ausdifferenzierung des Berufssystems zunehmende Antriebskräfte auf eine Vergrößerung hinwirkten. Der Blick auf zwei Indikatoren erleichtert die Antwort: Die Anzahl der Gymnasialschüler und Studenten bewegte sich zwischen Revolutionsende und Reichsgründung auf einem recht niedrigen, nur langsam ansteigenden Niveau. So besuchten zum Beispiel 1850 knapp dreißigtausend Schüler die hundertsiebzehn preußischen Gymnasien, deren Zahl bis 1860 nur um achtzehn auf hundertfünfunddreißig mit rund 37750 Schülern anstieg und bis 1870 – auch dank der Annexionen von 1866 – um sechsundsechzig auf zweihunderteins mit rund neunundfünfzigtausendvierhundert Schülern anwuchs. Wegen der großpreußischen Expansion hat sich die Schülerzahl in zwanzig Jahren zwar nahezu verdoppelt. Für den beruflichen Aufstieg ist jedoch wegen der hohen Zahl der Abgänger, insbesondere nach dem Erwerb der Mittleren Reife für das «Einjährige», die Abiturientenquote entscheidend. Von 1916 Abiturienten im Jahr 1860 entschlossen sich nur 1466 zum Studium. 1870 war es von 3643 die bisherige Höchstziffer des 19. Jahrhunderts von 2473. Als 1873 3084 die Maturitätsprüfung ablegten, gingen nur 2143 zur Universität. Der Sockel, auf den bildungsbürgerliche Karrieren gebaut werden konnten, blieb mithin in diesen Jahrzehnten ziemlich schmal.

Dieser Tatbestand wirkte sich folgerichtig auf die Frequenz der deutschen Universitäten aus. Im Durchschnitt wurden sie in den Jahren um 1850 von rund elftausendsiebenhundert, um 1860 von rund elftausendneunhundert Studenten besucht. Gemessen an dem Gipfel um 1830 mit sechzehntausend Studenten pflanzte sich die langlebige Abschwungtendenz der dreißiger und vierziger Jahre nicht mehr weiter fort. Aber an der Stagnation in den fünfziger Jahren läßt sich nicht rütteln. Erst mit Beginn der sechziger Jahre setzte erneut ein langsames Wachstum ein, so daß 1871 vierzehntausend Studenten erreicht wurden. Die Gesamtzahl der Studenten ist zwischen 1849 und 1871 nur um knapp zehn Prozent angestiegen, und selbst dieser Zuwachs fällt überwiegend erst in die späteren sechziger Jahre. (Seit 1871 schwoll dann der Zustrom rasch an, erreichte bereits 1889 knapp dreißigtausend Immatrikulierte, und diese Zahl verdoppelte sich sogar noch einmal in den fünfundzwanzig Jahren bis 1914 auf 60235!) Die stagnierende oder doch schwache Studierwilligkeit von 1850 bis 1870 ist wahrscheinlich zuerst eine Reaktion auf die schmerzliche Überfüllungskrise des Vormärz gewesen. Zunehmend haben sich dann wohl die ökonomischen Chancen während der langen Hochkonjunktur ablenkend ausgewirkt. Als schließlich der Nachfragesog der rasch industrialisierenden Staaten nicht mehr auf ein hinreichendes Akademikerangebot traf, erhöhte sich wieder der Anreiz, ein Studium aufzunehmen. Zugleich stieg der Modernisierungsdruck auf die höheren Schulen und Universitäten so scharf an, daß er seit den siebziger Jahren einen «verstärkten Eigenausbau des Bildungssystems» auslöste.

Daß einerseits die zurückhaltende Vermehrung der Beamtenplanstellen, andrerseits die Ausdehnung der Lehrberufe und allmählich der Naturwissenschaften sowie der freien Akademikerberufe die Präferenz für bestimmte Studiengänge direkt beeinflußte, zeigt die Verteilung der Studenten auf die vier größten Fakultäten zum Beginn der drei Stichjahre 1850, 1860 und 1870. Die Jurisprudenz, das klassische Beamtenfach, sank von einem unbestrittenen ersten Platz mit 33.6 Prozent auf den zweiten mit 23.1 bzw. 22.1 Prozent steil ab. Dagegen stieß die ziemlich junge Philosophische Fakultät, die damals auch noch die Naturwissenschaften behauste, vom zweiten Rang mit 25.7 Prozent auf den ersten mit 29.5 bzw. sogar schon 34 Prozent vor. Die Evangelische Theologie hielt zu Beginn mit 15.9 Prozent den dritten Platz, am Ende mit demselben Anteil aber nur den vierten, denn die Medizin war von 14.2 Prozent auf siebzehn und schließlich 21.6 Prozent auf ein Fünftel aller Immatrikulierten stetig angewachsen – der Aufstieg zur freien Profession seit dem Gesetz vom 8. Oktober 1852 schlug schnell zu Buche, da die absolute Zahl der Studenten innerhalb von zwanzig Jahren um siebzig Prozent zunahm.[8]

Vergegenwärtigt man sich diese konkreten Ursachen für das verhaltene Wachstum des Bildungsbürgertums: den engen Aufstiegskanal aus Gymnasien und Universitäten, den eher punktuellen Ausbau der höheren Bürokratie, die erst anlaufende Expansion der Professionen freiberuflicher Akademiker und die noch sehr begrenzten Entfaltungsmöglichkeiten in weiteren, als standesgemäß geltenden Berufen – dann versteht man besser, warum die Ausweitung dieser bürgerlichen Sozialformation einem eher gemächlichen Entwicklungstempo folgte. Für die soziale Geltung des Bildungsbürgertums war das keineswegs nachteilig. Sein Ansehen beruhte seit jeher nicht auf numerischer Stärke. Vielmehr zählten Bildungswissen und hoher Positionsrang in den Funktionseliten als die entscheidenden Faktoren. Die langsame Ausdehnung in den Jahrzehnten der Industriellen Revolution gestattete es ihm, trotz mancher heterogener Interessen, ein relativ hohes Maß an Homogenität der soziopolitischen Grundauffassungen, an elitärem Denken und exklusiver sozialer Verflechtung aufrechtzuerhalten. Mit der optimistischen Einstellung, daß ihm auch in Zukunft ein privilegierter politischer und gesellschaftlicher Rang sicher sei, ging es in die Epoche des deutschen Nationalstaats hinein.

c) Das Stadtbürgertum im Zerfall – Die Geburtsstunde des Kleinbürgertums

Das traditionsreiche Stadtbürgertum, das vielerorts auf eine sechs-, ja siebenhundertjährige Geschichte zurückblicken konnte, trat nach einer langgestreckten Zeitspanne anhaltender politischer Entmachtung und sozioökonomischer Umwandlung seit der Revolution von 1848/49 in die kurze, aber folgenschwere Epoche seiner Agonie und zugleich zweier fundamentaler Transformationsprozesse ein. Diese Periode muß daher unter drei Aspekten betrachtet werden.

1. Der (in Bd. I und II beschriebene) Niedergang der traditionalen Rechts- und Sozialverbände des Stadtbürgertums, das sich im Genuß der vollen, uneingeschränkten Gemeinderechte befand, mündete, ungeachtet allen zählebigen Widerstands und Protests, in ihren Zerfall und in die endgültige Auflösung ein.

2. Die alten wirtschaftsbürgerlichen Oberschichten, die offenbar überall so auffällig klein blieben, daß sie zwischen nur einem und höchstens acht Prozent der Stadtbewohnerschaft schwankten, begannen seit der deutschen Industriellen Revolution mit den neuen «Bürgerlichen», den Unternehmern der jungen Bourgeoisie, zu einer Oberklasse zu verschmelzen. Von diesem breiteren Sockel aus konnten sie die wirtschaftliche Hegemonie in der industriellen Marktwirtschaft, im Verkehrssystem, im Banken- und Großhandelswesen gewinnen. Zum Aspekt des Zerfalls der überkommenen städtischen Sozialhierarchie gehört mithin notwendig die komplementäre Perspektive eines neuen Aufstiegs unter grundlegend veränderten Rahmenbedingungen hinzu!

3. Die große Mehrheit der Stadtbürger indes: jene mittleren und kleinen Existenzen der Handwerker und Kaufleute, der Krämer und Spediteure, die mit anderen Gleichgestellten gewöhnlich zwischen zehn und fünfundzwanzig Prozent der Einwohnerschaft ausmachten, verwandelte sich in das Kleinbürgertum. Mit ihm entstand eine durchaus neue Sozialformation aus nicht mehr rechtlich privilegierten, in einer städtischen Kommune zusammenlebenden Staatsbürgern in den mittleren und unteren Einkommensklassen, deren Angehörige eine eigentümlich traditionalistische, rückwärts orientierte Mentalität auf lange Zeit beibehielten. Hier: in der Epoche

zwischen 1848 und 1871, nicht früher und nicht später, blickt man auf die Geburt des deutschen Kleinbürgertums im strengen Sinn – jener durch eine hinreichend ähnliche Soziallage und Mentalität charakterisierten Erwerbs- und Berufsklassen, die sich jedoch in der Selbstwahrnehmung mit Emphase als «Mittelstand» definierten: als gleichsam natürliches Zentrum der Gesellschaft, als einen ihrer stabilen Grundpfeiler, als Verkörperung sozialer Normalität. Dieses Kleinbürgertum hat seither den Historikern und Soziologen, den Politikwissenschaftlern und Publizisten als ein außergewöhnlich sperriger Gegenstand zahlreiche Rätsel aufgegeben, wann immer sie es präzise zu bestimmen versuchten. Diese Schwierigkeiten haben noch durch die Ära des Kaiserreichs hindurch bis in die Aufstiegsphase des Nationalsozialismus vor 1933 angehalten, als ihm insbesondere die «mittelständischen» Wähler, in erster Linie aus kleineren und größeren protestantischen Städten und Stadtvierteln, zuströmten. Ohne den historischen Kontext der frühen Entstehungsgeschichte sind die rund hundert Jahre des mittelständischen Kleinbürgertums zwischen 1848 und 1945 nicht zu begreifen. Wiederum muß daher die Auflösung der alten stadtbürgerlichen Mittelschichten als Voraussetzung für die Genese einer neuen, gleichwohl traditionsverhafteten Sozialformation, des Kleinbürgertums, gesehen werden.[9]

Ehe die Epoche zwischen 1848 und 1871 in den Mittelpunkt rückt, ist ein knapper Rückblick angebracht. Die essentiellen Bedingungen für das städtische Vollbürgertum bestanden aus vier Komplexen. Es benötigte den Schutz und Freiraum, den das Alte Reich all jenen Stadtrepubliken gewährte, die diesen Namen, vor allem also im westelbischen Deutschland, verdienten. Und es brauchte natürlich die relative Autonomie und Funktionstüchtigkeit dieser Städte selber, deren Trägerschichten es bildete. Die vielfach privilegierte Vollbürgergemeinde mußte als weithin unabhängiges Handlungssubjekt unter der Leitung der städtischen Elite, des Patriziats oder Honoratiorentums, imstande sein, die inneren Angelegenheiten des Gemeinwesens zu ordnen. Das ökonomische Fundament der Stadtbürgerschaft mußte in Gestalt der Innungswirtschaft als eines polyfunktionalen Sozialsystems erhalten bleiben, das die Wirtschaft regulierte, das Stadtregiment mit ausübte, die Kultur und den Alltag prägte. Und schließlich war das Identitätsgefühl des Stadtbürgers, ob hoch oder niedrig gestellt, allein mit seiner Stadt unauflöslich verbunden: als Lebenssphäre, als Wirtschaftsraum, als Zentrum der politischen Loyalität.

Diese aufs engste miteinander verbundenen Komplexe, aus denen die Einheit der stadtbürgerlichen Lebenswelt hervorging, fanden sich drei Schüben von tiefgreifenden Veränderungen ausgesetzt.

1. Langlebige Wandlungsprozesse hatten bereits vor 1800 diesen städtischen Mikrokosmos unterminiert, ja in manchen Regionen, vor allem des ostelbischen Deutschlands, fatal geschwächt. Das demographische Wachstum der dritten Welle der europäischen Bevölkerungsexpansion verschärfte

gewaltig das herkömmliche Gefälle zwischen der Minderheit der Vollbürger und der anschwellenden Mehrheit der diskriminierten Schutzverwandten und Beisassen – der prinzipiell rechtlosen temporären Einwohner aus den Unterschichten. Fernhandel und Verlagswesen, überhaupt die verdichteten Marktbeziehungen setzten die handwerkliche Zunftherrschaft einem unerbittlichen Erosionsprozeß aus. Durch die überregionale Wirtschaft und die Konjunkturbewegungen wurden seine Wirkungen verstärkt. Der Staat intervenierte mit Handwerksordnungen, wirksamer noch mit dem Anspruch seiner Bürokratie auf Umwandlung der Stadtbürger in Staatsbürger, auf die Planierung der Mediatgewalten, auf den Primat der Staatsloyalität. Dagegen wurde von den Städtern, wo eben möglich, ihr Bürgerrecht, ihre Wirtschaftsordnung, ihre Autonomie gegen die Invasion der staatlichen Forderungen verteidigt.

2. Seit der Reformära gewann der auch gegen die Städte gerichtete innere Staatsbildungsprozeß neuen Schwung, der durch die anderen strukturellen Antriebskräfte verstärkt wurde. Denn das Bevölkerungswachstum hielt an, die Marktwirtschaft dehnte sich aus, staatliche Gesetze unterstützten die Entfaltung aller Spielarten des Kapitalismus. Mit Hilfe des neuen Staatsrechts drang der Staatsapparat in die Stadtgemeinden weiter vor, mußte sich freilich in Süddeutschland vor der Komplexität der anfallenden Probleme auch wieder ein gutes Stück zurückziehen. Von den Vollbürgerrechten wurde in der aufgezwungenen Defensive das Heimatrecht immer wichtiger als eine Waffe, mit welcher die Kooptation neuer Bürger kontrolliert, vor allem aber der Zustrom von Armen abgewehrt werden konnte. Errungen wurde jedoch nur ein kurzlebiger Scheinsieg. Der Preis für die biedermeierliche Ruhe dank der energischen Traditionsverteidigung mußte seit 1848 gezahlt werden.

3. Nicht nur hoben Gesetze aus der Revolutionszeit alle ständerechtlichen Unterschiede auf – für die Städte das Menetekel der heraufziehenden Gesellschaft gleichberechtigter Staatsbürger. Vielmehr wurde in den beiden Jahrzehnten nach 1848/49 das gesamte politische und sozioökonomische Umfeld der alten Städte zerstört – ihre Agonie und die Transformation ihrer Bürger in Einwohner waren nicht mehr aufzuhalten. Der Zentralstaat wurde im Zeichen der Restauration und des Neoabsolutismus überall aufgewertet. Wo die Liberalen wieder vordrangen, setzten auch sie erst recht auf ihn, um die alten Gewalten zu zähmen. Mit der Hilfe der neuen Städteordnungen und des neuen Gewerberechts stieß die Staatsmacht bis an das Herz des Stadtbürgertums vor, und mit der Ausführung dieser Gesetze folgte der tödliche Stoß. Damit rückte das Ziel immer näher: der im Prinzip vom Staat kontrollierte Verband gleichberechtigter Staatsbürger in einer städtischen Einwohnergemeinde, wo die Gewerbefreiheit die sozioökonomischen Klammern der Zunftwirtschaft aufsprengte und der Staat das Loyalitätsmonopol beanspruchen konnte.

Preußen ist auf diesem Weg vorangegangen. Schon im Zeichen des fürstlichen Absolutismus waren die Städte unterworfen worden, ohne daß in ihrem Inneren der Dualismus von Vollbürgern und diskriminierten Schutzverwandten aufgehoben worden wäre. Noch die Städteordnung von 1831 insistierte auf dieser Dichotomie. Die Gewerbefreiheit wurde jedoch seit 1811 ausgebaut. Trotz der Kompromißlösungen in den novellierten Gewerbeordnungen von 1845 und 1849 hielt der starke wirtschaftsliberale Flügel der Bürokratie an ihr fest. Mit der Begünstigung der industriellen und gewerblichen Expansion der fünfziger und sechziger Jahre wurden die letzten Schutzdämme für das städtische Zunftwesen und seine Wirtschaftsgesinnung der «auskömmlichen Nahrung» rettungslos überflutet. Bereits die Gesetze von 1842/43 über Einwohnerrechte und Unterstützungspflichten, Freizügigkeit und Asozialenbehandlung hatten im Kern die Niederlassungs-, Gewerbe- und Verehelichungsfreiheit bestätigt, damit aber die traditionelle Bürgergemeinde gesprengt und durch die verstaatlichte Einwohnergemeinde mit rechtlich verbriefter Freizügigkeit für jedermann im Genuß des preußischen Staatsbürgerrechts ersetzt. Die neuen Städteordnungen für die Ostprovinzen (30. Mai 1853), etwas später für Rheinland und Westfalen (19. März und 15. Mai 1856) hielten diesen Rechtszustand der Einwohnerstadt als eines lokalen «Staatsverwaltungsbezirks» aufrecht, ohne noch ein Wort über Vollbürgerrechte und Schutzverwandte zu verlieren.

Nachdem sich die vehemente sozialökonomische Dynamik der fünfziger Jahre voll ausgewirkt hatte, brachen die letzten Bastionen der stadtbürgerlichen Welt überall zusammen. Sachsen hob 1860/61 die noch 1857 bekräftigte Vorschrift auf, daß das Gemeindebürgerrecht die unerläßliche Vorbedingung für die Zunftmitgliedschaft bilde; auch der Befähigungsnachweis und das Relikt der Bannmeile entfielen. Faktisch hieß das Gewerbefreiheit und Freizügigkeit – so wurden die Gesetze verstanden und ausgenutzt. Württemberg hatte in den fünfziger Jahren die Handelskammern als Gegengewicht gegen die Zünfte aufgebaut. 1861 beseitigte der Landtag mit dem Gesetz über die Gewerbefreiheit jede stadtbürgerliche Kontrolle, die Zünfte wurden mit einem einzigen lapidaren Satz aufgelöst. Auch Baden schloß sich 1862 mit der Gewerbefreiheit an. Nicht allein der ökonomische Aufschwung, sondern auch die liberale Wirtschaftspolitik des Zollvereins trieben Regierungen und Landtage im städtereichen Südwesten voran.

Nur Bayern verweigerte – Reflex seiner relativen ökonomischen Rückständigkeit – zunächst weiterhin die Gewerbefreiheit, um das dichte Geflecht von Stadtregiment, Niederlassungs-, Heimat- und Eherecht nicht aufzulösen; damit werde, hieß es, einem unabwendbaren Chaos Tür und Tor geöffnet. Als endlich unter dem liberalen Ministerium des Fürsten Chlodwig von Hohenlohe-Schillingsfürst die sogenannte Sozialgesetzgebung begann, behielt sie manche äußere Form mit Bedacht bei, zerschlug jedoch den Kern der noch gültigen Stadtrechte. 1868 wurden endlich die Gewerbefreiheit eingeführt, die Zwangsinnung beseitigt sowie das Ehe- und Bürgerrecht modernisiert, 1869 eine neue Gemeindeordnung in Kraft gesetzt, wonach jeder Steuerzahler oder Grundbesitzer nach fünf Jahren automatisch das Bürgerrecht erhielt. Konsequent verlor seither der Stadtrat sein Zulassungsrecht, der Bürgermeister bedurfte der staatlichen Bestätigung, alle Städte wurden der Bezirksregierung unterstellt.

Bis zum Ende der sechziger Jahre hat das Zusammenspiel von ökonomischer Umwälzung und liberaler Wirtschaftspolitik mit dem zielbewußt praktizierten Staatsrecht dem Gewerbelokalismus genauso die Basis entzogen wie dem Heimatrecht. Kapitalistische Marktwirtschaft und bürokratischer Zentralstaat vereinigten sich, um die letzten Verteidigungsanlagen des Gemeindebürgertums zu schleifen. Hellsichtig hatte Lorenz v. Stein bereits 1853 den unaufhaltsamen Zerfall des stadtbürgerlichen Bollwerks prognostiziert, da die kaum aufzuhaltende Gewerbefreiheit «die vollständige Vernichtung ... dieser Gemeinde in volkswirtschaftlicher Hinsicht» bedeute. Siege erst einmal die «vollständige Atomistik des Güterlebens», «ist die alte Gemeinde untergegangen». Von den Konservativen klang ein zustimmendes Echo zurück. «Aus der Verkümmerung des Bürgertums und aus der Begünstigung der absolutistischen Fürstenpolitik» sei, schäumte Hermann Wagener 1860 in seinem «Staats- und Gesellschaftslexikon», eine wahre Mißgeburt erwachsen: «das Staats-Bürgertum, eine der bedenklichsten Erscheinungen der neueren Zeit, eine Karikatur». Selten hat sich der kluge Publizist mit seiner hochausgebildeten politischen Witterung so geirrt.

Bald schon erreichte die Agonie des Stadtbürgertums ihr von den Kontrahenten triumphierend verkündetes Ende. Zwischen 1867 und 1869 setzte der Norddeutsche Bund in seiner Verfassung und in den Ausführungsgesetzen das Recht auf Freizügigkeit und Niederlassung, auf Gewerbe- und Ehefreiheit allen noch bestehenden Privilegien, auch dem lebhaften Wunsch nach Rückgewinnung von Sonderrechten entgegen. Zwei Jahre später wurden diese Normen bereits in das Reichsrecht übernommen. Die städtische Einwohnergemeinde, die Staatsbürgergesellschaft hatte dem Stadtbürgertum seine Niederlage bereitet, als sein politisches Gehäuse, seine ökonomische Grundlage und sein Exklusivrecht endgültig beseitigt wurden.

Zugleich nahm jedoch die Metamorphose der alten Stadtbürger in neue Gesellschaftsformationen ihren Fortgang. Die stadtbürgerlichen Privilegien der Honoratioren, überhaupt der wirtschaftlich potenten Oberschicht, wurden durch das plutokratische Klassenwahlrecht der Gemeinden umgewandelt in die Sonderstellung einer städtischen Bourgeois-Elite. Mit anderen Worten: An die Stelle der zerfallenen Vollbürger-Korporation trat die offenkundig anerkannte Klasse des höheren Wirtschaftsbürgertums. Indem Steuerleistung und Vermögen erneut zur Grundlage politischer Partizipationsrechte erklärt wurden, setzte sich die traditionale Trennung in Stadtbürger und unmündige Unterschicht fort als Abstand zwischen der vielfältig ausgezeichneten oberen Bürgerklasse und den diskriminierten Unterklassen. Es ist verfehlt, hierbei nur an das berüchtigte preußische Dreiklassenwahlrecht zu denken. Das auf ähnlichen Prinzipien beruhende Klassenwahlrecht der Städte in den süddeutschen Staaten, in Mittel- und Norddeutschland wirkte sich im Effekt um keinen Deut anders aus.

Die große Masse der ehemaligen Stadtbürger jedoch verwandelte sich, als die Einwohnergemeinde gesiegt hatte, in das neue Kleinbürgertum. Es bildete keineswegs eine homogene Erwerbsklasse, die sich in einem gleichartigen urbanen Sozialmilieu konsolidieren konnte. Vielmehr durchzogen es zahlreiche Trennungslinien, die etwa den gesicherten Handwerksmeister vom proletaroiden städtischen Schreiber schroff trennten. Über alle Unterschiede hinweg verband die Mehrheit jedoch zuerst einmal die Existenz auf einer unteren, bestenfalls mittleren Position im System der sozialen Ungleichheit; dazu gehörte die Erfahrung anhaltender ökonomischer Labilität, der wachsenden sozialen Distanz nach oben, die wegen des qualitativen Entwicklungssprungs der Bourgeoisie seit der Industriellen Revolution stetig verschärft wurde, und der häufig eintretenden, jedenfalls immer befürchteten Schrumpfung der sozialen Distanz nach unten. Vor allem aber wurde die Heterogenität der Klassenlagen und Milieubedingungen überwölbt durch eine Kollektivmentalität: die Mittelstandsideologie des Kleinbürgertums. Obwohl der Nationalismus auch und gerade in das Kleinbürgertum eindrang, lehnte es im Grunde die Direktiven der fernen Entscheidungsorgane des Zentralstaates ab, auch nachdem er zu einem Nationalstaat geworden war. Als seit den 1880er Jahren auf der Ebene der Reichspolitik der moderne «politische Massenmarkt» (H. Rosenberg) entstand, fühlte es sich in dieser fremden Welt oft nicht angemessen vertreten, so daß es in antiliberale, antietatistische, antisemitische Protestbewegungen ausbrach. Auf derselben Linie lehnte es auch die nationalstaatliche, industriekapitalistische Volkswirtschaft ab, die als unbegreifbarer Moloch alles in den Bannkreis ihres Marktes hineinsaugte.

Während diese anonymen Kräfte unwiderstehlich vorrückten, zog sich das Kleinbürgertum in eine nostalgische Verklärung des gemächlichen, geordneten, gesicherten Lebens im überschaubaren Kosmos der alten Stadt zurück. Empört wandte es sich gegen die verhängnisvolle Atomisierung und Mechanisierung, welche die unheilige Allianz von Industriekapitalismus und Staatsbürokratie ihm als Lebensschicksal aufzwinge. Dagegen setzte es die Erinnerung an die enge Gemeinschaft, die ehedem alle Stadtbürger verbunden habe. Stillschweigend wurde die Unzahl bitterer Konflikte zwischen Patriziat und Zünften, zwischen Meistern und Gesellen rigoros aus dem Gedächtnis verdammt – sie hätten den falschen Glanz der Harmonie zu sehr in Frage gestellt.

In seinem Widerstand gegen die unselige moderne Fragmentierung des politischen und sozialen Lebens wurde es von sozialromantischen oder konservativen Intellektuellen unterstützt. Jeweils auf ihre Weise machten sich Riehl, Huber, Wagener, v. Stein, Gierke und viele andere zum Fürsprecher dieses Protests. Auch deshalb verstand die frühe deutsche Sozialwissenschaft der vierziger bis siebziger Jahre «Gesellschaft» so oft im Sinne der stadtbürgerlichen Lebenswelt. Auch deshalb wurde die «Trennung von Staat und Gesellschaft» so scharf durchgezogen, nicht nur historisch korrekt als Gegensatz von bürokratischem Staatsapparat und aufsteigender bürgerlicher Marktgesellschaft, sondern auch als Antagonismus, der sich zwischen dem Zentralstaat als Anwalt der nivellierenden Staatsbürgergesellschaft und eben der traditionellen Stadtbürgerschaft auftat. In Freund-Feind-Begriffen, die daraus hervorgingen – in Gegensatzpaaren wie zum Beispiel des organischen oder mechanischen Lebens, der organischen Gesamtheit oder bürokratischen Atomisierung –, sammelte sich ein böses Erbe für die Gesellschaftsanalyse und politische Theorie an. Auch in der Polarisierung von «Gesellschaft und Gemeinschaft», wie sie Ferdinand Toennies seit den achtziger Jahren vornahm, lebte sie weiter fort.

Auf diese Weise wurde anspruchsvoller artikuliert, was sich in der Mittelstandsideologie des Kleinbürgertums angesammelt und aufgestaut hatte. Es blieb nicht nur fixiert auf die vergoldete Vergangenheit einer soziopolitischen Mittellage – zwischen Honoratioren und Unterschichten –, die durch standesgemäße «Nahrung» und Rechtsprivilegien abgesichert war. Vielmehr bezog es sich zur Legitimierung dieser Lage auch auf eine «Moralordnung», deren Wertvorstellungen es, geradezu als Vorbild für alle anderen, angeblich erfüllte. Daher wies diese Rechtfertigungsideologie über die soziale Differenzierung der Gesellschaft in Klassen und ständisch fundierte Schichten hinaus und beanspruchte sogar, eine sie alle umfassende Ordnungsidee zu verkörpern. In diesem Sinne reklamierte das mittelständische Kleinbürgertum, die «Normalmoral der Gesellschaft» zu besitzen und zu verwirklichen: «Ehrlichkeit, Fleiß, Strebsamkeit, Sparsamkeit», auch politische «Zuverlässigkeit und Verantwortlichkeit». Als Belohnung für diese Tugenden rief es, ganz auf die alten Stadtbürgerrechte fixiert, nach einem Sozialprotektionismus, der unter den Bedingungen der neuen Konstellation nur mehr eine staatliche Garantie der vertrauten und aufs Neue geforderten Privilegien sein konnte: Gewährung eines Lebensstandards nach dem Prinzip der «standesgemäßen Versorgung», sprich «Nahrung»; Fixierung fester Preise und Handelsspannen, um die halsabschneiderische moderne Konkurrenz zu bändigen; Hilfe bei der schulischen und gewerblichen Ausbildung; alsbald auch für den unteren «neuen Mittelstand» der Angestellten und Subalternbeamten eine Subsistenzgarantie und regelmäßige Beförderung kraft Seniorität und tadelsfreien Verhaltens.

Im Selbstverständnis des mittelständischen Kleinbürgertums verband sich mit seinem Tugendspiegel und der Vision eines staatlich geschützten auskömmlichen Lebens über die klassenspezifischen Privilegien hinaus der

Anspruch auf gesamtgesellschaftliche «Ehre und Geltung», ja der bereits genannte Anspruch, «Vertreter und Verwalter der Normalmoral» zu sein. Von einer solchen Position aus erschien dann «jede Bedrohung der wirtschaftlichen Lage des Mittelstands ... zugleich als Bedrohung der gesellschaftlichen Moral», und «jeder Klassenkonflikt», in den der Mittelstand hineingezogen wurde, verlängerte sich alsbald in «einen Angriff auf die Moral der Gesellschaft» überhaupt, in einen allgemeinen Notstand. Gerade weil in der Sozialmoral des Kleinbürgertums die glorifizierte Erinnerung an die alte stadtbürgerliche Welt gespeichert blieb, wurden die mächtigen Kräfte der neuen Welt, wurden «Industrialisierung, Bürokratisierung, Technik, Massenkultur, Massenkommunikation» ebenso wie der Leviathan des Zentralstaats und seine nivellierende Staatsbürgergesellschaft von der unüberhörbar lärmenden Kulturkritik des Kleinbürgertums als wahre Greuel perhorresziert. Sie wirkten als Fundamentalbedrohung seiner Lebensillusionen, an die es gerade unter wachsendem objektivem Druck um so fester glaubte, da sein ganzes positives Selbstgefühl an sie geknüpft blieb, aber auch, in einem stets naheliegenden nächsten Schritt, als angeblich tödliche Gefahr für die «gesunde» Entwicklung des gesamten Gemeinwesens. Später wurde daraus die Gefährdung der «Nation», und dieser fatalen Situation sollte dann die Modernität und Klassenkampf negierende «Volksgemeinschaft» begegnen. Auch dafür bildete die ideologisierte Erinnerung an die stadtbürgerliche Welt einen wichtigen Nährboden. Deshalb können die Sozialmentalität und Moralordnung des Kleinbürgertums als einflußreiche Potenzen auch auf lange Sicht eher noch mehr das Interesse der Historiker auf sich ziehen als seine unbestreitbar wichtige, noch weithin unbekannte Entwicklung als diffuse Sozialformation.[10]

d) Gemeinbürgerliche Integrationskräfte

Die Unterschiede zwischen den einzelnen Sozialformationen des Bürgertums blieben auch in der Epoche der deutschen Industriellen Revolution markant ausgeprägt. Ob man auf die Berufssphäre des erfolgreichen Unternehmers oder des bescheidenen Kleinbürgers, auf die Interessenlage des beamteten Bildungsbürgers oder des mittelständischen Handwerksmeisters blickt – überall treten die Divergenzen unübersehbar hervor. Trotzdem wirkten auch in dieser Zeit starke gemeinbürgerliche Integrationskräfte auf eine tendenzielle Homogenisierung «des» Bürgertums hin. Vergleicht man ihre Wirkung mit demselben Vorgang in der Periode der Restauration und des Vormärz, läßt sich ein machtvoller Schub nach vorn konstatieren: hin auf die Realisierung der seit langem anvisierten «bürgerlichen Gesellschaft» mit den politischen und lebensweltlichen Charakteristika, die mit ihr verbunden wurden.

Sozial- und mentalitätsgeschichtlich erwies es sich als folgenreich, daß das traditionale obere Stadtbürgertum und die außerständisch emporgestiegene

Bourgeoisie zu einer durch Vermögen und Einkommen klar abgehobenen wirtschaftsbürgerlichen Gesellschaftsklasse zu verschmelzen begannen. Die Annäherung zwischen dem Bildungsbürgertum, ob im Staatsdienst oder in den freien Professionen tätig, und diesem Wirtschaftsbürgertum setzte sich fort. Das neu auftauchende Kleinbürgertum behielt auf vielfältige Weise seine bürgerliche Orientierung, durchweg jedenfalls seine bürgerlichen Aspirationen bei. Gemeinsamkeiten des Aufwachsens und Zusammenlebens in der Intimsphäre der bürgerlichen Familie, im eigenen Wohnviertel, in den Schulen, vor allem im Gymnasium und in den höheren Stadtschulen, später auch immer häufiger an der Universität, in der Vielzahl von Vereinen, überhaupt in den erweiterten Verkehrskreisen rückten die bürgerlichen Oberklassen, wie auch die untrügliche Probe des Konnubiums zeigt, enger aneinander. Und obwohl das Kleinbürgertum in der Regel durch eine wachsende soziale Distanz von ihnen geschieden war, blieb doch gerade in ihm der Wille zum Aufstieg in eine gehobene bürgerliche Existenz, in die faszinierende Gipfelwelt der Bildung besonders stark. Die wirtschaftliche Konjunktur und die Mobilitätsschleuse des Bildungssystems sorgten hinreichend für Erfolgserlebnisse, um diesen Ehrgeiz wachzuhalten.

Abgesehen von der Erfüllung solcher Hoffnungen behielten bürgerliche Wertvorstellungen und Verhaltensnormen auf den unterschiedlichsten Rängen der bürgerlichen Sozialhierarchie nicht nur ihre Geltungskraft, vielmehr gewannen sie an Attraktivität hinzu. Die sorgfältige Vorbereitung auf den Beruf, die Pflichterfüllung im beruflichen Alltag, die Ausrichtung auf Leistung, die Arbeitstugenden des Fleißes, der Sorgfalt, der Hingabe an gestellte Aufgaben, zugleich die strenge Regulierung des Trieblebens bis hin zur Unterdrückung jener gefährlichen Spontanität, die aus dem Untergrund der Emotionen und sexuellen Impulse aufbrechen konnte, das ganze Korsett der Vorschriften für ordentliches, propres, solides, vorauskalkulierbares Verhalten – all das gehörte als integraler Bestandteil zum bürgerlichen Kosmos hinzu. Aber nicht nur das: Von dort aus drangen diese Werte und Normen sowohl in die Welt des Adels als auch in die der unteren Klassen, allmählich auch der Bauern tiefer als je zuvor ein. Sie wurden zum offen akzeptierten oder insgeheim imitierten Vorbild. Auch und gerade aus dieser Akzeptierung seines Wertekodex nährte sich der hochgemute Optimismus, daß dem Bürgertum die Zukunft gehöre.

Mit ungebrochener Stärke wirkten außerdem auch die mächtigen Integrationsideologien weiter, die bereits vor 1848 am Werke gewesen waren und danach eher noch an Einfluß hinzugewannen. Die Anziehungskraft der neuhumanistischen Bildungsidee blieb erhalten. Sie verband Bürger der unterschiedlichsten Herkunft und Lebenslage miteinander. Als «gebildeter Mensch» anerkannt zu werden, bedeutete für einen welterfahrenen Bankier ganz so wie für den Handwerker in einem liberalen «Bildungsverein» ein begehrtes, unbezweifelbar bürgerliches Qualitätssiegel.

Nur kurze Zeit durch den Ausgang der Revolution geschwächt, bewies der Liberalismus schon in den frühen fünfziger Jahren wieder seine ungebrochene Lebenskraft als «Weltanschauung», als Wirtschaftslehre, in vorderster Linie aber als politische Denkströmung. Zwar hatten die harschen Konflikte der Bürgerkriegsmonate die liberale Vision von einer «klassenlosen Mittelstandsgesellschaft» der selbständigen «Hausväter» mit Besitz oder Bildung als realitätsfernes Wunschdenken demaskiert. Indes: Das Ziel, den Verfassungsstaat mit freierem Leben zu erfüllen, eine Kräfteverschiebung im politischen Spektrum hinüber zum aufstrebenden Bürgertum zu erreichen, den Rechtsstaat auszubauen, weitere liberale Freiheitsrechte zu verankern und zu verwirklichen, in jeder Hinsicht «freie Bahn dem Tüchtigen» zu schaffen und zugleich die Kraft des Feudalismus und Klerikalismus zu brechen, Aberglauben und andere Mächte der Finsternis durch ein helles, aufgeklärtes, säkularisiertes Denken zu ersetzen – das machte unverändert die Faszination des Liberalismus aus. Er blieb vorerst eine gemeinbürgerliche und – wie es vielen schien – zum Greifen nahe Utopie. Daß sein Anziehungsvermögen bald an den Grenzen der bürgerlichen Klassen enden sollte, wurde vor der politischen Verselbständigung der Arbeiterbewegung noch nicht sichtbar. Eine engere Vorstellung von der «bürgerlichen Gesellschaft» drang freilich vor, zunehmend eingeschränkt auf die bereits etablierten Bürgerformationen, weniger interessiert am Zustrom aus dem unterbürgerlichen oder ländlichen Reservoir. Zunächst blieben das nur Verhärtungstendenzen, die als Ausfluß des neuen «Realismus» – jenes Modeworts der fünfziger Jahre – ausgegeben wurden, mithin als Konsequenz gelten sollten, die liberale Bürger aus den kaum mehr überbrückbaren Interessengegensätzen von 1848/49 gezogen hatten.

Diese bürgerliche Gesellschaft im engeren, auch realhistorisch präzisen Sinn wuchs nun in der Tat vor aller Augen weiter in die Breite. Ihre Expansion führte auch dem Liberalismus neue Energie zu. Daß der Verfassungsstaat überall im Deutschen Bund gesiegt hatte, daß mit der Ausnahme Österreichs selbst die Ultrakonservativen nicht mehr hinter ihn zurückzugehen wagten, wurde als Vorbote künftiger liberaler Erfolge verstanden. Nein, mit dem Liberalismus hatte es während der Revolution und der folgenden Restaurationsphase keineswegs ein böses Ende genommen. Wie ein Phönix aus der Asche stieg er erneut empor, Inbegriff bürgerlicher Hoffnungen par excellence.

Mit ihm aufs engste verschwistert blieb der Nationalismus, jene ursprünglich liberale Emanzipationsideologie, die sich bereits im Vormärz zum Massenphänomen, ja darüber hinaus zu einer politischen Religion entwikkelt hatte. Während der Revolution war ihren Anhängern, erst recht den antinationalen Konservativen vollends klargeworden, welchen Vulkan diese säkularisierte Heilslehre in Bewegung setzen konnte. Während der Restauration nach 1849 wurden daher ihre öffentlichen Äußerungen zunächst nach Kräften unterdrückt. Aufhalten aber ließ sich der Siegeszug des Nationalismus nicht mehr. Spätestens mit dem italienischen Einigungskrieg rückte er wieder in den Vordergrund auch des öffentlichen Interesses, und seither behielt die Vision eines Nationalstaats der Deutschen ihre von Jahr zu Jahr steigende magnetische Kraft. Trotz allen landespatriotischen, regionalen, konfessionellen Widerstands bewies der Nationalismus seine die meisten Bürger mitreißende säkulare Dynamik. Unter dem Leitstern des liberalen, bürgerlichen Nationalstaats fanden sie über alle Trennungslinien hinweg zum gemeinsamen Ideal der künftigen Bürgernation.

Als konkretes Unterpfand der erhofften nationalen Einheit rückte in derselben Zeit der große gesamtdeutsche Markt auf der Prioritätenliste, besonders der Wirtschaftsbürger, auf den Spitzenrang. Der Zollverein hatte beharrlich den Weg für die Entstehung eines solchen Markts bis hin zu einem Punkt gebahnt, von dem aus die Konturen eines riesigen, zollfreien Wirtschaftsraums mitten in Europa ohne großen Aufwand an Phantasie zu erkennen waren. Wenn Marx diesen Großmarkt nicht nur für wünschenswert, sondern aufgrund seiner geschichtsphilosophischen Prämissen geradezu für eine historische Notwendigkeit hielt, argumentierte er in engstem Schulterschluß mit der deutschen Bourgeoisie. Sie verband in dieser Hinsicht materielle Interessen mit nationalpolitischem Engagement – eine Fusion, die sich nicht auf einen dürren Wirtschaftsnationalismus reduzieren läßt. Und auch für das Bildungsbürgertum und andere Trägerschichten der liberalen Nationalbewegung, denen der Nationalstaat als hoher Wert an sich galt, bildete die wirtschaftliche Einheit ein unmittelbar einleuchtendes Ziel.

In den sechziger Jahren gingen diese Integrationsideologien unstreitig eine festere Legierung ein: Der im liberalen Nationalstaat organisierten bürgerlichen Gesellschaft werde unter der Führung ihrer besitzenden und gebildeten Klassen, das war zu einer festen gemeinbürgerlichen Überzeugung geworden, auch in «Deutschland» die nahe Zukunft gehören. Diese Zielutopie verkörperte den ideellen und materiellen, den politischen und kulturellen Fortschritt, wie man ihn im Westen bereits weithin verkörpert glaubte. Ihn auch auf deutschem Boden zu verwirklichen galt geradezu als Mission des Bürgertums schlechthin. Mit welcher Kraft diese mächtigen Integrationsideologien auf eine gemeinbürgerliche Identität hinwirkten, wie sehr sie auf dem Höhepunkt ihrer Geltung heterogene Interessenlagen zeitweilig zu überwölben vermochten, kann mit dem Blick auf diese Epoche kaum überschätzt werden.[11]

3. *Das Industrieproletariat im Konstituierungsprozeß*

Das graue Riesenheer der Unterschichten hatte um die Jahrhundertmitte eine Millionenstärke erreicht, die seit dem Höhepunkt der vormärzlichen Pauperismusdebatte, erst recht seit der explosiven Entladung während der Revolution zahlreiche Zeitgenossen mit tiefer Sorge erfüllte. Das unaufhaltsame Anwachsen der «arbeitenden Klassen» wirkte auf manchen wie ein Damoklesschwert, das über der dunkel verhangenen Zukunft hing. Versucht man zuerst einmal, sich die numerische Größe nüchtern zu vergegenwärtigen, wird diese pessimistische Wahrnehmung verständlicher. Zwar ist die Sozialstatistik für den Deutschen Bund zu dieser Zeit noch ziemlich diffus. Für den Staat mit der größten deutschsprechenden Bevölkerung, für Preußen, lassen sich jedoch recht exakte Werte ermitteln. Um 1849 gehörten dort zu den Unterschichten 5.72 Millionen, das heißt 82.1 Prozent der 6.97 Millionen Erwerbstätigen unter den 16.2 Millionen Einwohnern. Einschließlich der Angehörigen machten sie 10.9 Millionen, das heißt mit 67.3 Prozent mehr als zwei Drittel der Gesamtbevölkerung aus.

Für den gutsituierten städtischen Bürger haben diese «unteren Volksklassen» wahrscheinlich eine ununterscheidbare anonyme Masse gebildet. Tatsächlich aber liefen viele tiefreichende Trennungslinien durch sie hindurch, die landwirtschaftliche Tagelöhner, Gesindeleute, protoindustrielle Weber, Handwerksgesellen, Dienstboten, Krämer, gewerbliche Arbeiter, Landstreicher und viele andere voneinander schieden. Hier wird nur die Minderheit der Lohnarbeiter in der großgewerblichen Produktion in den Mittelpunkt gerückt, da sie den Kristallisationskern für das heranwachsende Industrieproletariat bildeten.

Die erste Etappe seiner Sozialgenese ist bereits (in Bd. II: III.5) geschildert worden. Bis 1849 bewegte sich diese Entwicklung noch in einer sehr bescheidenen Größenordnung. Zählt man für dieses Jahr zum Beispiel die Fabrik- und Manufakturarbeiter in Preußen, kommt man auf 272000, zusammen mit den 54000 Bergarbeitern auf 326000 Personen. Das waren nur 4.7 Prozent der Erwerbstätigen; mit den Angehörigen gerade 5.6 Prozent der Bevölkerung. Die Vermutung, daß die Hochkonjunktur der fünfziger Jahre diese Zahlen in die Höhe getrieben haben muß, trifft zu. Überschätzen sollte man jedoch die sozialhistorische Auswirkung nicht, denn 1861, als Preußen 18.49 Millionen Einwohner besaß, kamen die Fabrik- und Manufakturarbeiter auf 424000, die Bergarbeiter auf 117000, so daß 541000 Lohnarbeiter in den modernen Produktionszweigen arbeiteten. In zwölf Jahren hatte sich ihre Zahl trotz des wirtschaftlichen Aufschwungs um nicht mehr als knapp siebzig Prozent vermehrt; von allen Erwerbstätigen waren das 6.8 Prozent. Selbst wenn man die Arbeiter auf den Werften, in den zentralen Werkstätten der Verlage, im größeren unzünftigen Kleingewerbe, auch beim Eisenbahnbau (vgl. Übersicht 63) hinzurechnet, bleibt die Lohnarbeiterschaft im Wachstumskern noch immer eine kleine, wenn auch strategisch wichtige Minderheit unter den handarbeitenden Klassen.

Bis zur Reichsgründung, mitten in den hochkonjunkturellen «Gründerjahren», hielten sich in Preußen – mit seinen inzwischen 24.6 Millionen Einwohnern – die Unterschichten konstant bei 82.8 Prozent (8.8 Mill.) der 10.64 Millionen Erwerbstätigen. Da die Fabrik- und Bergarbeiter seit 1849 schneller als alle anderen Berufsgruppen expandierten, war ihre Zahl in der Schlußphase der «Industriellen Revolution» auf achthundertfünfundachtzigtausend und dreihundertsechsundneunzigtausend, zusammen auf 12.81 Millionen Personen, und das heißt: nach einer Verdoppelung innerhalb der letzten zehn Jahre auf zwölf Prozent der Erwerbstätigen angewachsen. Jetzt endlich besaß das Industrieproletariat ein ganz anderes Gewicht als am Ende des ersten zyklischen Aufschwungs im Winter 1847/48.

Will man außerdem die Expansion der Lohnarbeiterschaft bis 1871 generell erfassen, um eine Vorstellung von dem potentiellen Reservoir für dieses Industrieproletariat zu gewinnen, kann man auf die erste, bereits zum 1. Dezember 1871 erhobene Berufszählung des neuen Statistischen Reichsamtes mit ihren relativ weitmaschigen Kategorien zurückgreifen. Aus einer Bevölkerung von 39.46 Millionen Einwohnern mit einer Beschäftigungsquote von rund fünfundvierzig Prozent (17.73 Mill.) wurden der Sparte «Industrie, Bergbau, Hütten- und Bauwesen» schon 5.71 Millionen Personen, mithin 32.2 Prozent der Erwerbstätigen zugewiesen; für «Handel und Verkehr» waren es 1.53 (9 %), für Dienstboten und Handarbeiter (außerhalb der ersten Sparte und der Landwirtschaft) noch einmal 2.74 Millionen (15.5 %) Menschen. Im Hinblick auf Preußen lauteten diese drei Zahlen: 3.24 Millionen (30.7 %), neunhunderttausend (8.5 %) und zwei Millionen (19 %); im Hinblick auf das industriell hochentwickelte Sachsen: sechshundertsechsunddreißigtausend (49.5 %!), hundertvierzehntausendfünfhundert (9 %) und hundertneunundzwanzigtausendachthundert (10 %). Mit diesen 9.98 Millionen Erwerbstätigen im Reich, davon allein 6.14 Millionen in Preußen, ist der engere Einzugsbereich des Industrieproletariats in groben Zügen abgesteckt. Zum weiteren Bereich gehörten noch die Millionen Landarbeiter, Gesindemitglieder, Zwergbauern usw. der ländlichen Gesellschaft hinzu, der die Reichsstatistik damals 5.3 Millionen abhängige Erwerbstätige zuwies.

Will man noch einmal das Bild von den konzentrischen Ringen gebrauchen, legte sich 1871 um den Kern der industriellen Arbeiterschaft im präzisen Sinn, mit ihren zwölf bis vierzehn Prozent der Erwerbstätigen, ein breiter Ring von tendenziell abwanderungsbereiten gewerblichen Lohnarbeitern und Handwerkern herum; um diese wiederum erstreckte sich der weite Gürtel der ländlichen «Reservearmee», die erst während der Hochkonjunkturphase der fünfziger und sechziger Jahre hier und da in die industriellen Zentren einzuströmen begonnen hatte.

Nichts wäre verfehlter, als dem außerordentlich heterogenen frühen Industrieproletariat umstandslos den Charakter einer sozialen Klasse zuzusprechen, ihm womöglich sogar von vornherein ein Klassenbewußtsein zu unterstellen. Solche apodiktischen Unterscheidungen bleiben das realitätsferne Geschäft von Dogmatikern oder Aposteln einer diskreditierten Heilslehre. Die Konstituierung des Industrieproletariats als Klasse, die Ausbildung eines spezifischen Klassenbewußtseins in harten sozialen und politischen Konflikten – das sind vielmehr durch und durch historische Phänomene einer industriekapitalistischen Marktgesellschaft. Da sich das Interpretationsraster bereits bei der Analyse der Anfangsphase bis 1848/49 bewährt hat, sollen auch fortab wieder die vier grundlegenden analytischen Dimensionen der Klassenbildung erörtert werden.

Die ökonomische Dimension lenkt an erster Stelle auf den Ort im Produktionsprozeß hin: auf die Fabrik, das Bergwerk, die große Werkstatt, die Werft – der «locus classicus» bleibt die zunehmend mit Kraft- und Arbeitsmaschinen ausgerüstete Industriefabrik. Allgemein führten die Anforderungen des arbeitsteiligen großgewerblichen Unternehmens frühzeitig dazu, daß sich eine fein differenzierte Qualifikationshierarchie herausformte. Sie wurde durch die Herrschafts- und Prestigeordnung, die der Betrieb auch immer verkörperte, gefestigt und überlagert.

An der Spitze stand der gewöhnlich kleine Facharbeiterstamm, der, geleitet von Meistern oder Vorarbeitern, mit seinen Spezialfertigkeiten und -kenntnissen das wertvollste «Humankapital» des Betriebs bildete. Da die meisten dieser hochqualifizierten Kräfte noch längere Zeit aus dem Handwerk stammten, hat sich für diese unentbehrliche Elite der Begriff des «Gesellen-Arbeiters» eingebürgert.

Unter ihnen rangierten die geschickten Arbeiter, öfters ehemalige Gesellen, in ihrer Mehrheit aber sorgfältig angelerntes Personal, das der Unternehmer ebenfalls nach Kräften an sein «Etablissement» zu binden versuchte.

Unübersehbar davon abgegrenzt blieb die Sphäre der ungelernten Arbeiter: der Hilfsarbeiter mit Wochenlohn, der Tagelöhner, für die nicht einmal die Fabrikordnung galt, der Frauen und zeitweilig auch der Kinder. In solche unteren Positionen drangen allmählich auch die Pauperisierten der ländlichen Regionen ein.

Diese simple Trias fand sich fast überall. Bei genauerer Hinsicht entdeckt man freilich in der Regel weitere, jeweils nach den ökonomischen Funktionen, dem Einkommen, dem Ansehen unterschiedene Teilgruppen der Belegschaft, so daß hinter dem Pauschalbegriff «der Arbeitnehmer» tatsächlich eine streng hierarchisch gegliederte, komplexe Arbeits- und Herrschaftsorganisation zutage tritt. Das Lohndifferential zwischen der «Arbeiteraristokratie» der spezialisierten Fachkräfte und den Handlangern betrug durchweg acht zu eins, häufig sogar zwölf zu eins. Auch wenn man die höchsten und niedrigsten Extremwerte wegkappt, bleibt eine Lohnhöhe für die Fachkräfte, die um das Dreifache über derjenigen der Ungelernten lag. Mit dem industriewirtschaftlichen «Großen Spurt» seit den fünfziger Jahren vergrößerte sich überdies auch der Einkommensvorsprung der Facharbeiter vor den zünftigen Handwerksgesellen und armen Einzelmeistern um vierzig bis hundertfünfzehn Prozent, wodurch die Attraktivität der Fabrikarbeit fraglos erhöht wurde.

Zwar traf es weiterhin zu, daß die Mehrheit der Industriearbeiter sich häufig in der Nähe des zeitgenössischen Existenzminimums bewegte. Das auf längere Sicht durchschlagende Erfolgserlebnis in der Epoche der Industriellen Revolution nach 1849 bestand jedoch nicht nur aus einem steilen Anstieg der Nominallöhne, sondern auch aus einer bis zur Krise von 1873 immer häufigeren Stabilisierung der Reallöhne, obwohl diese den Fluktuationen der konjunkturbedingten Lebenshaltungskosten unterworfen waren. Entscheidend ist: Während der vormärzliche Pauperismus allmählich verschwand, entstand kein neuer industrieller Pauperismus von vergleichbarem Ausmaß. Die «soziale Frage» des Industrieproletariats repräsentierte eine schlimme, aber eben eine andere Problematik.

Um 1850 lagen die durchschnittlichen nominalen Bruttolöhne (1913 = 100) in der Industrie bei 34 Indexeinheiten, 1860 bei 40, 1870 bei 50, 1873 aber schon bei 64. Allein in der Hochkonjunkturphase von 1867 bis 1873 taten sie einen Sprung um fünfundvierzig Prozent nach oben. Ein konkretes Beispiel, das freilich aus einem Sektor besonders intensiven Wachstums stammt, unterstreicht die Chancen, die jetzt für eine dramatische Veränderung bestanden. In der Essener Gußstahlfabrik von Alfred Krupp wurde 1850 ein Tageslohn von (umgerechnet) 1.25 Mark gezahlt, 1860 waren es 2.06, 1870 3.08 und 1873 sogar 3.74 Mark. Bis 1868 hatten sich die Löhne verdoppelt, in den dreiundzwanzig Jahren bis 1873 sogar verdreifacht – in dieser Zeit kamen durchschnittlich 23 Mark jedes Jahr zum Einkommen hinzu.

Da die Lebenshaltungskosten (1913 = 100) von 1850 bis 1873 zwischen 38 und 80 Einheiten heftig schwankten, sich aber überwiegend zwischen 53 und 68 bewegten, festigten sich auch in der Industrie die durchschnittlichen Reallöhne (1913 = 100). Ihre Extremwerte lagen in dieser Zeit zwar bei 55 und 90, vornehmlich aber zwischen 70 und 80 Einheiten. Für den einzelnen Haushalt bedeutete das konjunkturabhängige Wechselbad von steigenden und fallenden Reallöhnen unstreitig eine gefährliche, manchmal eine existentielle Belastung. Aber einmal besaßen die Mittelwerte eine langfristig steigende Tendenz, und zum zweiten half der positive Erwartungshorizont, der durch die langen Konjunkturspannen und den neuartigen Aufschwung der Nominallöhne geschaffen wurde, über manche Misere hinweg.

Auf einer noch höheren Abstraktionsebene als der durchschnittliche Reallohn bewegt sich das Volkseinkommen pro Kopf (1913 = 100). Außerdem war seine Distribution durch extreme Ungleichheit, nämlich durch eine überproportional hohe Konzentration auf die oberen Klassen, bestimmt. Immerhin könnte der Anstieg um volle fünfundvierzig Prozent von 1850 = 37 auf 1873 = 54 Einheiten – in Reichsmark von zweihundertachtundsechzig auf dreihundertdreiundneunzig p. a. – die bisher vertretene These einer leichten tendenziellen Verbesserung des Arbeitnehmereinkommens stützen. Ein weiteres indirektes Indiz ist die – hinten zu erörternde – lebhafte Streikaktivität der frühen Gewerkschaften, die von dem offensichtlich wachsenden Einkommens-»Kuchen« in harten Verteilungskämpfen einen höheren Anteil für erhebliche Teile der Lohnarbeiterschaft erstritten.

Im zeitlichen Längsschnitt wirkte sich auch die Senkung der täglichen Arbeitszeit vorteilhaft aus. Hatte sie um 1850 an sechs Werktagen noch immer zwischen vierzehn und siebzehn Stunden gelegen, war sie um 1873 durchweg auf zwölf Stunden zurückgegangen. Dieser Gewinn von zwei bis vier Stunden ist in den vierzig Jahren danach, als bis 1914 die Verminderung auf zehn Stunden gelang, nicht mehr übertroffen worden.

Wenn es richtig ist, daß Hunderttausende von Menschen seit 1849 nicht nur aus Not und auf der Suche nach irgendeinem Arbeitsplatz in die Führungssektoren der deutschen Industriellen Revolution strömten, sondern auch vom Lohnniveau und der Aussicht auf dauerhafte Beschäftigung angezogen wurden, mag das relativ positive Urteil über die graduelle Einkommenssteigerung – trotz der noch immer unzureichenden empirischen Forschung – im Kern zutreffen. Um in den Genuß der Vorzüge des leichten Aufwärtstrends zu kommen, der sich im nachhinein ermitteln läßt, bedurfte es jedoch kontinuierlicher Arbeitstätigkeit, anhaltender Gesundheit sowie nach Möglichkeit der Mithilfe von Frauen und Kindern. All das aber bedeutete eine derart glückliche Kombination, daß sie nur selten auf längere Zeit bestand. Alle Arbeiter bis hinauf zum begehrten Facharbeiter wurden durch Konjunkturschwankungen eines vorher unbekannten Ausmaßes in Mitleidenschaft gezogen. Kurzarbeit, Entlassung, Arbeitslosigkeit, Ortswechsel waren die vertrauten Folgen. Jedermann wurde von Krankheiten heimgesucht, von Verletzungen lahmgelegt. Betriebsunfälle bis hin zur Folge der Arbeitsunfähigkeit und Invalidität gehörten zum industriellen Alltag. Wahrscheinlich mußte jeder dritte, mindestens jeder vierte Arbeiter wegen einer Berufskrankheit oder eines Unfalls vorzeitig aufhören. Gleichzeitig wurde es besonders in den schwerindustriellen Ballungszentren für Frauen und Kinder zusehends schwieriger, zum Familieneinkommen beizutragen. Gewiß wuchs mit der Urbanisierung die Nachfrage nach Hauspersonal und persönlichen Dienstleistungen aller Art, aber um jede freie Stelle konkurrierten anspruchslose Mädchen vom Lande mit den Arbeiterfrauen und -töchtern.

Vor allem aber galt unverändert, daß selbst der dauerhaft beschäftigte Arbeiter den drei Stadien im Zyklus seines Lebensverdienstes kaum entrinnbar unterworfen blieb. Von der Jugend bis zum zwanzigsten oder fünfundzwanzigsten Lebensjahr reichte seine Niedrigverdienstphase. In ihre letzten Jahre fiel häufig ein Lohnanstieg, daher auch die Heirat. Vom zwanzigsten/fünfundzwanzigsten bis zum vierzigsten/fünfundvierzigsten Lebensjahr dauerte seine fünfzehn- bis maximal fünfundzwanzigjährige Hochverdienstspanne. In dieser Zeit mußten die notwendigsten Anschaffungen für den Haushalt getätigt, die Kinder bis zur Arbeitsfähigkeit aufgezogen, Ersparnisse beiseite gelegt oder in eine Unterstützungskasse eingezahlt werden. Denn spätestens mit fünfundvierzig setzten Lohnrückgang und Alltagsverarmung ein, bis der ausgemergelte, frühzeitig alternde Arbeiter zwischen achtundfünfzigstem und achtundsechzigstem Lebensjahr auf ein Tagelöhnerniveau absank.

Vergegenwärtigt man sich diese lebenszyklischen und gesundheitlichen, beruflichen und konjunkturellen Schwankungen, wird deutlich, wie außerordentlich prekär die Arbeiterexistenz auch in den Aufschwungphasen der Industriellen Revolution blieb. Als unabänderliches Schicksal hatte sich überdies inzwischen die Trennung von Haushalt und Arbeitsplatz bereits herausgestellt – einer der tiefsten sozialhistorischen Einschnitte im neuzeitlichen Erwerbsleben. Stundenlange Anmarsch- und Rückwege verlängerten seither den Arbeitstag. Und selbst wer eine dauerhafte Beschäftigung fern von seiner Wohnung besaß, hatte am Arbeitsplatz mit Lärm, Hitze, Staub und stickiger Luft zu kämpfen, in endlosen Stunden monotone Arbeitsbewegungen zu wiederholen, dem unerbittlichen Richtmaß der physikalischen Zeitmessung zu folgen. Sowohl Ansporn- als auch Strafsysteme zielten darauf, die Disziplinierung des industriellen Lohnarbeiters zu erreichen. Mit Anreizen oder Sanktionen sollte er den Anforderungen der maschinellen oder jedenfalls einer zunehmend arbeitsteiligen Produktion so angepaßt werden, daß er gleichsam automatisch funktionierte. Rigorose Fabrikordnungen spiegelten die autokratische Herrschaftsordnung des Betriebes wider. Ihre Befolgung wurde durch die Kontrollmaßnahmen der Vorgesetzten, im Konfliktfall durch abgestufte Strafen bis hin zur Kündigung erzwungen. Wenn sich das industriekapitalistische Arbeitsverhältnis auch im Vergleich mit den strukturellen vorindustriellen Beschäftigungskrisen als neuartige Lebenschance schließlich für Millionen erweisen sollte, war es doch – gerade in seiner Anfangsphase – mit extremen Belastungen verbunden.[12]

Von dieser Charakterisierung des Arbeitslebens ergibt sich ein gleitender Übergang zur sozialen Dimension der Klassenbildung. Blickt man auf die Zusammensetzung des Industrieproletariats, liefen in dieser Zeit wichtige Kontinuitätslinien weiter, während zugleich neue Entwicklungen sichtbar wurden. Der essentielle Kern der Facharbeiterschaft rekrutierte sich, wie erinnerlich, weiterhin aus Gesellen und Meistern der überfüllten Handwerke. Hinzu stießen erfahrene Manufakturarbeiter und Fachkräfte aus den Verlagswerkstätten und protoindustriellen Gewerben. Jeder Industriezweig, jeder Betrieb besaß seine kleine Elite, die schon von zeitgenössischen Beobachtern als «Arbeiteraristokratie» bezeichnet wurde. An der Spitze der Facharbeiterschaft aber gab es damals noch eine branchenspezifische Arbeiteraristokratie, die von den hochspezialisierten Typographen, Lithographen, Setzern, Druckern und Buchbindern gebildet wurde. Da ihre Interessenlage frühzeitig die Organisation ermöglicht hatte, empfanden sie sich schon seit den vierziger Jahren als die Avantgarde der qualifizierten Arbeiterschaft.

Die angelernten und ungelernten Arbeiter stammten zunächst überwiegend aus den städtischen Unterschichten oder aus dem unmittelbaren Einzugsbereich eines Unternehmens in einer eher ländlichen Gewerberegion. Mit der Expansion der Betriebe in den Führungssektoren begann dann jener Sog, der sich auch auf das riesige Arbeitskräftereservoir des platten Landes auszuwirken begann. In der Gestalt einer rasch anwachsenden Nahwanderung, seit den 1860er Jahren dann schon der ersten Fernwanderung, reagierte es auf den Personalbedarf jener Unternehmen, die etwa in der Eisen- und Stahlproduktion, im Bergbau und Verkehrswesen zunehmend auch ungeschulte, aber kräftige Arbeiter durch ein schnelles «training on the job» zu funktionierenden Gliedern der Belegschaft machten. Zugegeben, nur wenige Unternehmen erreichten die Rekordmarke der Kruppwerke, deren Arbeiterschaft zwischen 1850 und 1873 von zweihundertsiebenunddreißig auf sage und schreibe 11671 anwuchs. Aber dank der zahllosen Verkoppelungs- und Demonstrationseffekte, die von dem Wachstumskern der Industrie- und Verkehrswirtschaft ausstrahlten, begann auch der ländliche Arbeitsmarkt, sich auf sie hin zu orientieren.

Dadurch wurde jedoch, das muß man illusionslos sehen, die Hierarchie im Betrieb in einer noch weiter zugespitzten Form in das Privatleben hinein verlängert. Der qualifizierte Facharbeiter achtete jetzt, als sich die Zahl der unerfahrenen Neulinge rasch vermehrte, noch penibler auf jene soziale Distanz, die er seit jeher im Verhältnis zu den ungelernten Hilfskräften beachtet hatte. In den Wohnungsquartieren verschärfte sich daher die innere Segmentierung. Während Facharbeiter durch ihr Einkommen in die Lage versetzt wurden, im günstigen Fall sich bereits einem kleinbürgerlichen Lebensstil anzunähern und ihren abgehobenen Status sichtbar zu unterstreichen, hatte der gewöhnliche Arbeiter mit der Hälfte oder einem Drittel des Spitzenlohns mit einer Ein- oder Zweizimmerwohnung vorliebzunehmen, deren Miete er zudem oft nur dank der Aufnahme von Schlafburschen erbringen konnte. In der breiten untersten Schicht der Ungelernten und Tagelöhner entsprach dem unsteten Pendeln zwischen Arbeitsgelegenheiten schlechterdings jeder Art das Leben in einem erbärmlichen Slumzimmer.

Arbeitende Frauen – in der Textilindustrie etwa erreichte ihr Anteil häufig fünfzig Prozent – teilten den niedrigen Lebensstandard ihrer Männer, ermöglichten selbst ihn wohl erst mit ihren diskriminierend niedrigen Löhnen. Und solange sie unverheiratet blieben, bewegten sie sich ohnehin in der untersten Zone des proletarischen Milieus. Jugendliche vom dreizehnten/vierzehnten Lebensjahr ab aufwärts mußten weiterhin kräftezehrende Arbeit zu einem Kümmerlohn übernehmen. Dagegen ging die Ausbeutung von sechs- bis dreizehnjährigen Kindern im Industriesektor aus den bereits (Bd. II) diskutierten Gründen auffällig zurück. Hatten zum Beispiel 1852 in Preußen noch zweiundzwanzigtausend Kinder dieses Alters 3.3 Prozent der industriell Beschäftigten ausgemacht, erfaßte die Gewerbestatistik von 1875 für das ganze Reich nur mehr 21 160 Kinder. Das eigentliche Elend der Kinderarbeit fand man auch zu dieser Zeit im Heimgewerbe und in der Landwirtschaft – mit einer Dunkelziffer wahrscheinlich in Millionenhöhe.

In einer anderen Hinsicht wirkten sich Kinder nachhaltig auf die Arbeiterexistenz aus. Allgemein setzt ja das demographische Verhalten eine «große ungleichheitsgenerierende Kraft» frei. Insbesondere die Kinderzahl spielte für die gesamte Ressourcennutzung der Arbeiterfamilie in jener Zeit eine entscheidende Rolle: Sie bestimmte ganz wesentlich die Verwendung des Haushaltsbudgets, sie legte die Grenze fest, wo die Preise für Nahrungsmittel unerschwinglich wurden, wo der Konsumverzicht begann und auf Ersparnisse verzichtet werden mußte. Obwohl genauere empirische Erhebungen erst für die Zeit seit den späten 1870er Jahren existieren, stützen viele unterschiedliche Quellen die Annahme, daß die durchschnittliche deutsche Arbeiterfamilie während der Industriellen Revolution eine relativ große Kinderzahl besaß. Noch galten Kinder als Sicherungsinvestition, um erst die Mitarbeit, später die Versorgung der alternden Eltern zu gewährleisten. Noch war auch die Kenntnis von Techniken zur Geburtenkontrolle in den Unterschichten nur spärlich verbreitet – oder sie wurden nicht konsequent praktiziert. Mindestens ein Dutzend Jahre lang bedeutete aber jedes neue Kind eine Bürde, die den Lebensstandard unmittelbar beeinflußte. Und die vielen Köpfe in den engen Zimmern zwangen dazu, Hof und Straße in die Lebenswelt des Alltags mit einzubeziehen. Notgedrungen wurde deshalb eine «halboffene» Struktur zum Normalfall der proletarischen Familiensphäre.

In allen Arbeitervierteln hat offenbar der äußerst begrenzte und deshalb stets überfüllte Wohnraum, der dem proletarischen Haushalt zur Verfügung stand, das Gefälle der sozialen Ungleichheit verschärft. Selbst die kleinste, kümmerlichste Wohnung kostete – im Vergleich mit dem Arbeitereinkommen, aber auch mit bürgerlichen Wohnungen – eine extrem hohe Miete. Die «Wohnungsnot» der arbeitenden Klassen gehörte daher frühzeitig zu den Themen, die sozialpolitische Reformer ins öffentliche Bewußtsein zu heben versuchten. Allzu kraß wirkte selbst auf manchen in der Wolle gefärbten Liberalen das Elend in jenen Stadtvierteln, die gerade in der Anlaufphase der Urbanisierung durch den unablässig anhaltenden Zustrom von Abertausenden so überfüllt wurden, daß sie aus allen Nähten zu platzen schienen. Die unersättliche Nachfrage regte zwar eine fulminante Baukonjunktur an, trieb aber vorerst einmal jahrzehntelang die Mietpreise steil in die Höhe. In Berlin etwa verdoppelten sich allein zwischen 1830 und 1870 die durchschnittlichen Mieten. Solche Anstiegsraten erhöhten den ohnehin hohen fixen Anteil der Lebenshaltungskosten, die eine Arbeiterfamilie bestreiten mußte.

Bereits 1867 konnte der Statistiker Schwabe sein «Gesetz» auf ein breites Fundament sorgfältig überprüfter Tatsachen stützen: Je ärmer der Arbeitnehmer, wies er aus seinem Material nach, desto größer der Einkommensanteil für die Wohnungsmiete. Dementsprechend dürftig fiel auch die Ausstattung aus, da ihre Erwerbung mit dem Beginn der zweiten lebenszyklischen Phase meist mühselig zusammengestelltes Stückwerk blieb. Und hohe Mieten im Verein mit Kurzarbeit oder Arbeitslosigkeit erzwangen außerdem jene extreme Umzugshäufigkeit von Arbeiterfamilien, deren Wohnungswechsel die Fluktuation im Quartier noch erhöhte.

Mit den vielfältigen Strapazen am Arbeitsplatz und im Privatleben hing auch die andauernde Belastung der Gesundheit zusammen. Die Anfälligkeit gegenüber epidemischen oder chronischen Krankheiten, die Ansteckungsgefahr in Slums ohne sauberes Trinkwasser und Abwässerkanalisation, die Bedrohung mit einem Betriebsunfall, mit Invalidität und Arbeitsunfähigkeit – all diese Risiken gehörten tagtäglich zur proletarischen Existenz hinzu. Gewiß kann man argumentieren, daß seit dem ausgehenden 18. Jahrhundert die Effizienz der medizinisch-medikamentösen Behandlung, die Wirkung von Hygiene- und Prophylaxemaßnahmen, wie etwa der Pockenimpfung, die gleichmäßigere Versorgung mit reichhaltigeren Nahrungsmitteln dem abstrakten Trend nach langsam, freilich quälend langsam zunahm. Unstreitig aber kam die Verbesserung der Lebenschancen zuerst und für lange Zeit den oberen Schichten und Klassen zugute. Deshalb erreichte die soziale Ungleichheit vor Krankheit und Tod gerade in der Durchbruchsphase der Industrialisierung und Urbanisierung zwischen 1850 und 1880 eine eklatante Spannweite zuungunsten der Unterschichten. Erst mit dem Anstieg der Reallöhne seit den achtziger Jahren, mit der staatlichen Sozialpolitik und der von ihr verbesserten ärztlichen Versorgung begann sich bis zum Ende des Jahrhunderts die Diskrepanz zu verringern. In den kritischen Jahrzehnten nach 1850 lag aber die «Überlebensschwelle» auch für die Angehörigen des Industrieproletariats ungleich höher als etwa im Bildungsbürgertum oder Adel. Auch wem es gelang, sie in den besonders gefährdeten Säuglings- und Kinderjahren zu überschreiten, mußte danach mit vermehrter Krankheitshäufigkeit rechnen; und die Mortalitätsrate erreichte weiterhin höhere Werte, als sie in der Regel in bessergestellten Klassen und Schichten anzutreffen waren.

Insgesamt ist es schlechthin nicht zu übersehen, daß die Binnengliederung des Proletariats durch eine ausgeprägte Heterogenität der Lebenslagen gekennzeichnet blieb. Trotzdem förderten in dieser Zeit die Erfahrungen mit der industriekapitalistischen Lohnarbeit und in der privaten Lebenswelt eine kräftige innere Homogenisierung, während die Außengrenzen gegenüber anderen Sozialformationen tiefer eingezeichnet und zunehmend zu Klassengrenzen wurden. In den Unternehmen mit ihrer starren Herrschaftsordnung wurde das Bewußtsein der Abhängigkeit permanent wachgehalten, im Verlauf der zahllosen Konflikte geradezu eingeätzt. Arbeitszeit und Lohnhöhe, Disziplinierung und Sanktionsgewalt vertieften das Gefühl der Ausbeutung, der die Mehrheit, bis endlich die Gewerkschaftsaktivität und Streikwaffe sich auszuwirken begannen, mit Ohnmacht begegnete.

Die Tatsache, daß in dieser Zeit Hunderttausende von Menschen ganz unterschiedlicher sozialer Herkunft die lebenslange Lohnarbeit in einem industriekapitalistischen System als Dauerschicksal akzeptieren mußten, konnte zwar nicht jede latente Protestneigung ersticken, bewirkte aber überwiegend eine von der kräftezehrenden Arbeit unterstützte Lähmung der Energie. Hinzu kam die kollektive Erfahrung blockierten Aufstiegs. Rund neunzig Prozent der Arbeiter blieben auf ihre Position sowohl in der Betriebs- als auch in der Sozialhierarchie fixiert. Nur vergleichsweise wenigen gelang es, zum Vorarbeiter, zum Schachtmeister, zum Steiger zu avancieren. Den meisten anderen fehlten die beiden entscheidenden Voraussetzungen individueller Aufstiegsmobilität: Fachausbildung oder Kapital. Weil dem so war, wurde die Resignation durchweg verinnerlicht, so daß Lohnarbeit hieß, auch mental gar nicht mehr auf den Kampf um Aufstieg eingestellt zu sein – und diese Einstellung wurde in den Familien des «geborenen Proletariats» an die Kinder weitervermittelt. Wohl aber erlebten sie ringsum eine lebhafte Abstiegsmobilität, wenn gescheiterte Kleinbürger und Zwergbauern, Angestellte und Verkäufer in das Proletariat absanken. Das hat in ihnen den Eindruck verstärkt, übermächtigen Kräften passiv-ausweglos ausgeliefert zu sein. Deshalb gehörte es zu den schwersten Aufgaben der Arbeiterbewegung, diese Lethargie in ein risikobereites Engagement zu verwandeln, und zu ihren größten Leistungen zählt der Erfolg, gegen die erdrückende Übermacht der proletarischen Verhältnisse den Typus des aktiven, selbstbewußten, vorwärtsstrebenden Arbeiters hervorgebracht zu haben.

Im Privatleben, das sich in ihren degradierenden Wohnquartieren abspielte, erlebten Proletarier gemeinsam die scharfe räumliche Segmentierung von der bürgerlichen Welt. Die trotz allen Wohnungswechsels starre Fixierung auf Slums, der dadurch festgelegte enge Radius für soziale Kontakte, die Intimität des Zusammenlebens vieler auf Straße und Hof, die Gemeinsamkeit der Kneipe: als Ersatz für ein Wohnzimmer, als Ort des Meinungsaustauschs, als Umschlagplatz für Informationen aller Art – all diese eingrenzenden Lebensumstände hatten sozialpsychisch zur Folge, daß solche proletarischen Erfahrungen über alle Unterschiede hinweg Gemeinsamkeiten der Lebenslage herstellten. Und diese Gemeinsamkeiten vernetzten sich mit der gemeinsamen Praxis der Berufswelt zu einem genuin proletarischen Sozialmilieu.

Seine Außengrenzen wurden um so deutlicher gesehen und um so nachhaltiger empfunden, als fremdbestimmte Lohnarbeit und Abhängigkeit von Konjunkturschwankungen, die Mischung von verweigerter Mobilität und erzwungener Unstetigkeit, der antagonistische Gegensatz zu Unternehmern und Außenwelt sich auf die Dauer als stärkere Prägung erwiesen als die Unterschiede der Binnendifferenzierung.[13]

Dennoch: In der politischen Arena fanden die entscheidenden Auseinandersetzungen statt, welche die Klassenbildung vorantrieben. Erst im «politischen

Kampf» werde, hatte Marx frühzeitig im «Elend der Philosophie» geurteilt, die Industriearbeiterschaft zur «Klasse für sich selbst». Durch politische Diskriminierung erfuhren Proletarier, daß sie im öffentlichen Leben als Menschen dritter Klasse behandelt wurden. In politischen Konflikten opponierten sie dagegen, schließlich mit einer solchen Zahlenstärke und Entschiedenheit, daß sie nicht nur Kapitalbesitzer und Polizei, sondern jeden Philister vom Typ des «deutschen Staatshämorrhoidarius» aufschreckten.

Auf allen Ebenen des politischen Lebens wurde Arbeitern, nachdem vielen das großzügige Wahlrecht von 1848 erstmals die aktive Teilnahme ermöglicht hatte, in der nachrevolutionären Zeit dieses Partizipationsrecht verweigert. Erst das allgemeine Männerwahlrecht des «Norddeutschen Bundes», das vom Reich übernommen wurde, brachte seit 1867 eine einschneidende Veränderung. Sie gab dem politischen System des Zentralstaats einen neuartigen Charakter – das war unstreitig wichtig genug, aber auf den Alltag wirkten sich Gemeinde und Bundesstaat nun einmal noch lange Zeit direkter aus. In den Kommunen blieb ein – oft unverhüllt plutokratisches – Zensuswahlrecht in Kraft, das die Niedrigverdienenden fernhielt. Alle sie unmittelbar, buchstäblich hautnah berührenden Angelegenheiten konnten sie daher nicht selber beeinflussen. Die Entscheidungen über neue Wohnbauten, den Straßenbau, die Wasserversorgung, die Kanalisation, die Unterstützungssätze der Armenverwaltung, die Aufnahmebedingungen der Hospitäler – sie alle wurden ohne Repräsentanten der Arbeiterschaft getroffen. Bestenfalls nahmen sich konservative oder liberale Honoratioren mit paternalistischem Wohlwollen solcher Fragen an, ohne ein Mandat der Hauptbetroffenen zu besitzen oder ihre vorrangigen Interessen zu kennen.

Wie in den Debatten von 1848/49 deutlich geworden war, empfanden es zum Beispiel auch viele Arbeitereltern, die unter dem Defizit an eigener formaler Ausbildung litten, als besonders demütigend und verletzend, daß sie nichts für die Schulen ihrer Kinder tun konnten. Obwohl die sogenannte Volksschule damals praktisch noch die städtische Armenschule war – was Besuchsgebühren keineswegs ausschloß –, gehörte auch das Schulwesen zu den Arcana der Kommunalpolitik. Man weiß, wie sehr sich der letzte Rest an Ehrgeiz, den entmutigte proletarische Eltern noch besaßen, darauf richtete, den Kindern günstigere Ausgangsbedingungen für das Berufsleben zu verschaffen – aus ihnen sollte «etwas Besseres» werden. Daß sie angesichts der ohnehin «tiefgehenden Kluft zwischen niederer und höherer Bildung» in allen deutschen Staaten und Städten nicht einmal Vorschläge zur Verbesserung, etwa im Sinn einer kostenlosen, öffentlichen Volksschule, äußern, geschweige denn unterstützen konnten, lenkte sie immer wieder auf eine der «entscheidenden Klassenlinien der bürgerlichen Gesellschaft» hin.

Blieb die Kommunalpolitik trotz aller pressierenden Probleme der Unterschichten eine abgeschottete Entscheidungsdomäne der Honoratioren, traf in den Bundesstaaten jede Absicht, Interessenpolitik gemeinsam zu verfolgen, auf das Koalitionsverbot. Es war 1841 durch Bundesrecht noch einmal ebenso bekräftigt worden wie in der preußischen Gewerbeordnung von 1845, und nach der Revolution hatten es alle Regierungen bis hin zum Bundesvereinsgesetz vom Juli 1854 wieder in Kraft gesetzt. Bis zum Beginn der liberal beeinflußten «Neuen Ära» in verschiedenen Staaten wurde jede Vereins- und damit auch jede Gewerkschaftsbildung bereits im Ansatz unterdrückt. Trotz der Erfolge der «Arbeiter-Verbrüderung» schloß das existenzbedrohende Risiko dieses unverhüllten Klassenrechts jeden Gedanken an eine Parteigründung von vornherein aus. Vor allem wegen dieser Justizbarrieren urteilte Roscher 1855, daß zwar im Bürgertum die «Assoziation» für alle möglichen sozialen Zwecke «als eine Art Zauberformel» gelte, auf das «Proletariat» sei sie jedoch nur «in höchst beschränkter Weise anwendbar». Deshalb wäre der Ruf nach Koalitionsfreiheit und Streikrecht konsequent gewesen. Statt dessen postulierte er gegen den Wirtschaftsliberalismus der Bürokratie in allgemeinen Worten die staatliche Verpflichtung «zu schützender Intervention». Sie blieb jedoch – trotz einiger Ansätze in den sozialpolitischen Gesetzen von 1853/55 – weitere dreißig Jahre aus.

Als Reaktion auf ihre von schroffen Disparitäten bestimmte Lebenslage hatte sich in der gewerblichen Lohnarbeiterschaft bereits im Vormärz eine Stufenfolge von Selbsthilfemaßnahmen herausgebildet. Sie reichten vom spontanen, unkoordinierten Protest über den geplanten Streik bis hin zur Gründung von dauerhaften Organisationen, die in Gestalt von Vereinen oder Geheimbünden soziopolitische Kampfziele verfolgten. Schon in den vierziger Jahren waren die überregionalen Gewerksgenossenschaften der Buchdrucker und Setzer sowie der Zigarrenarbeiter entstanden. Den Facharbeitern der Buch- und Zeitungsverlage gelang sogar früh, 1848, der Aufbau einer bundesweiten Vereinigung. Solche Erfolge demonstrierten, daß die Zukunft der Gewerkschaften auch in Deutschland begonnen hatte.

Das wurde sogleich, wie es damals schien, durch den Aufstieg der «Arbeiter-Verbrüderung» bestätigt, die Anfang September 1848 als eine Verbindung von gewerkschaftlichem Dachverband, pragmatischer Arbeiterpartei und außerparlamentarischer Opposition entstand. Ihre Basis setzte sich aus lokalen Unterstützungs- und Bildungsvereinen, öfters aber auch aus den Komitees zusammen, welche die rund fünfzig größeren Streikbewegungen der Revolutionszeit dirigierten. In dieser lockeren Föderation fanden sich bis 1850 rund achtzehntausend Mitglieder zusammen, ehe die Restaurationsstaaten die «Verbrüderung» überall rücksichtslos zerschlugen. Später wurde ihr Ende durch das berüchtigte Bundesvereinsgesetz von 1854 besiegelt. Die Erinnerung jedoch an die kurzlebige Blütezeit der «Arbeiter-Verbrüderung», die Abertausenden von Arbeitern als Modell für eine künftig wieder anzustrebende Assoziation präsent blieb, konnten weder die politische Polizei noch die Strafgerichte tilgen. Wie sehr das mißlang, belegen zum Beispiel zahlreiche Polizeiberichte der fünfziger Jahre, in denen örtliche Hilfskassen und Unterstützungsvereine von Arbeitern mißtrauisch als neue «Verbrüderungen» charakterisiert wurden.

Tatsächlich behielten von den fünf Organisationstypen, die sich vor 1848 unter den Arbeitern und Handwerksgesellen herausgebildet hatten, in der Restaurationsphase nur noch zwei einen gewissen Einfluß. Das waren einmal die genannten örtlichen Unterstützungs- und Hilfskassenvereine, die mit Duldung der Behörden und Unternehmer ein soziales Auffangnetz, das allerbescheidensten Ansprüchen genügte, aufzuspannen suchten. Außerdem überlebten die Bildungsvereine, deren Zahl durch reformwillige Liberale sogar vermehrt wurde. In Vereinigungen dieser Art konnte innerhalb enger Grenzen sowohl eine kryptopolitische Diskussion über gemeinsame Beschwerden und Interessen geführt als auch eine lockere Kooperation praktiziert werden. Dabei blieb in den Führungsgremien – über die düsteren fünfziger Jahre hinweg bis in die sechziger Jahre hinein – eine unübersehbare personelle Kontinuität engagierter Handwerker und Facharbeiter erhalten.

Wie die anfangs wichtigen Auslandsvereine verloren dagegen auch die Geheimbünde jede Bedeutung. Der wichtigste von ihnen, der «Bund der Kommunisten», wurde von der politischen Polizei der Bundesstaaten zerstört, ehe der spektakuläre Kölner Kommunistenprozeß im Herbst 1852 einen Schlußstrich unter seine kurzlebige Existenz zog. Genausowenig konnten sich die mehr oder minder informellen frühsozialistischen Gesinnungszirkel halten, wie sie sich etwa um Moses Hess, Otto Lüning, Andreas Gottschalk, Carl d'Ester und andere gebildet hatten. Zu effektiv waren die Verfolgungsmaßnahmen, die vom «Polizeiverein» der Bundesstaaten koordiniert wurden, als daß solche Kleingruppen in eine Untergrundaktivität hätten ausweichen können. Und auch die leidenschaftliche Debatte über Sozialismus und Kommunismus, welche bis 1849 angehalten hatte, erstarb jetzt unter dem Druck der Repression. Allenfalls wirkte sie in ängstlichen Hinweisen auf die im Verborgenen fortlebenden «Giftpflanzen der sozialistischen und kommunistischen Utopien» als Warnung fort.[14]

Trotzdem: Es dauerte letztlich nur ein Dutzend Jahre, bis die Gewerkvereine überall wieder auftauchten. Hier taten sie es im Schlepptau der neuen sozialdemokratischen und linksliberalen Parteien, dort als autonome Neugründungen. Innerhalb von weiteren fünf Jahren zeichnete sich um 1868/69 ihre künftige Stärke bereits allenthalben ab. Durch welche Antriebskräfte und Rahmenbedingungen wurde einerseits ein unübersehbares Maß an Kontinuität zwischen der «Arbeiter-Verbrüderung» und der organisatorischen Renaissance seit 1863 gewahrt, andrerseits der neue Aufschwung derart machtvoll ausgelöst?

An erster Stelle sorgte, wie vorn erörtert, die mit Volldampf voraneilende deutsche Industrielle Revolution dafür, daß sich «industrielle Arbeits- und Sozialbeziehungen» rasch ausbreiteten. Berufs- und Alltagssphäre ließen die Existenz des Industrieproletariers nicht mehr als Durchgangsstation, sondern als lebenslangen Dauerzustand erscheinen. Er vermittelte gemeinsame Erfahrungen, die durch den lokalen Informationsaustausch, aber auch den überregionalen Nachrichtentransfer vertieft wurden, bis sie allmählich eine «interessenbezogene Bewußtseinslage» erzeugten.

Hatte sich diese erst einmal ausgebildet, konnte auch der Schritt zur gemeinsamen Interessenfindung und -verfechtung getan werden. Mit andern Worten: Aus zunächst latenten strukturellen Interessen an einer Verbesserung der Lebenssituation wurden manifeste Interessen, für die auch bewußt im Konflikt gestritten wurde. Dabei ergab sich oft ein gleitender Übergang von Bittgesuchen und Petitionen über den verschleierten Boykott durch Bummeltempo, Unpünktlichkeit und Arbeitsplatzwechsel, der bereits härteren Widerstand signalisieren konnte, bis das «aktive Kampfhandeln» in die offene Konfrontation eines Streiks mündete.

Wiederholten sich solche Machtproben, drängte die Überwindung der individuellen Schwäche durch kollektive Stärke mit Macht auf die Gründung von Gewerkschaften und Parteien hin. Die Entstehung der Gewerkschaften als selbständiger Organisationen zur «Wahrnehmung der Interessen der Lohnabhängigen» ist daher aufs engste mit einer solchen Konflikterfahrung und Konfliktbereitschaft verknüpft. Zugleich gilt aber generell, daß der riskante Grenzfall des Streiks nicht von vornherein ihr Hauptziel bildete. Vielmehr diente das Drohpotential der Gewerkschaft in erster Linie dazu, den offenen sozialen Antagonismus als zu gefährlich wirken zu lassen, ihn regelförmig einzudämmen, ihn möglichst durch verschiedene «Formen des Konfliktausgleichs vor der Schwelle» des direkten Zusammenpralls zu entschärfen. So gesehen sind die Gewerkschaften keineswegs hinreichend allein als «Streikvereine» definiert, vielmehr lassen sie sich, je länger desto deutlicher, als «Streikvermeidungsvereine» zur Regulierung des Klassenkampfes verstehen.

In der frühen Phase herrschte freilich ein ungemilderter Interessenantagonismus vor, und der Machtkampf, der sowohl während des Streiks als auch bei der Verteidigung eigener politischer Parteien ausgetragen wurde, gewann für die Klassenkonstituierung eine ganz zentrale Funktion. Den zeitlichen Vorrang besaß der Streik, dann aber überhaupt der Kampf um das Recht auf Koalition und legalisierten Arbeitskampf, denn beides war ja in den fünfziger Jahren noch verboten. Sieht man vorläufig von den meist identischen konkreten Interessen ab, lag die kaum zu überschätzende Bedeutung des Streiks zuerst einmal in seinem Charakter als Lernprozeß, welcher die Artikulation von Wünschen und Bedürfnissen, Klagen und Interessen stimulierte. Sie schriftlich klar auszudrücken erwies sich als schwierige, aber zu bewältigende Aufgabe, bei der wortgewandte Gesellen-Arbeiter, Lehrer, Journalisten, Geistliche behilflich waren. Der Streik verkörperte zugleich einen dringenden, auch hochemotionalen Appell an die Solidarität, welche durch die Loyalität gegenüber dem Leitungsgremium wie durch die Abwehr der Streikbrecher befestigt wurde. Die möglichst viele Arbeiter umfassende Aktion diente zur Legitimation der Forderungen, zur Stärkung des Selbstbewußtseins, der Selbstachtung und der Disziplin.

Diese Lern- und Kampferfahrungen verbanden sich zu einem positiven Integrationseffekt; er konnte aber auch durch negative Erlebnisse wie die polizeistaatliche Unterdrückung, den Sieg der Unternehmer und Streikbrecher zumindest auf längere Sicht noch verstärkt werden. In dieselbe Richtung wirkte der häufig praktizierte Militäreinsatz. Da die lokalen Polizeikräfte gemäß dem Vereinsrecht jeden Streik als willkürlichen Verstoß gegen die öffentliche Ordnung bekämpften, diesem «Aufruhr» jedoch numerisch meist nicht gewachsen waren, setzten bewaffnete Soldaten das Klassenrecht gegen die Arbeiter durch. In diesem Sinne bekräftigte jede Niederlage erneut die Auffassung, als Fabrikheloten minderen Rechts behandelt zu werden. Bei vielen verstärkte sie daher den Willen, diese Lage zu verändern.

Zu den konkreten Zielen des Streiks gehörte in aller Regel die Forderung nach höheren Löhnen, Verkürzung der Arbeitszeit und Verbesserung der Arbeitsbedingungen. Wurde ein Erfolg erzielt, steigerte er die soziale Kohäsion und den politischen Zusammenhalt. Sehr häufig wurde aber darüber hinaus auch noch eine «humanere und würdigere Behandlung» anstelle der bisher vorherrschenden «schmachvollen und tyrannischen» verlangt. Dieser Anspruch galt geradezu als allgemeines «Menschenrecht». Und der Kampf gegen den inferioren Rechts- und Sozialstatus verband sich, beim Rekurs auf das Naturrecht naheliegend, mit dem Postulat, endlich als gleichberechtigter Staatsbürger anerkannt zu werden, politische Teilhaberechte zu gewinnen und für legitime Interessen politisch Gehör zu finden. Diese allgemeine, paradigmatische politische Stoßrichtung, welche die wichtigen Streiks – zusätzlich zu dem zuerst ins Auge springenden Kampf um materielle Vorteile und die Humanisierung der Arbeitswelt – hatten, war es, die auf die politische Klassenformierung besonders tief einwirkte.

Aus solchen politischen Impulsen, nicht nur aus dem sozialen Aufbegehren, speiste sich der Widerstand der gewerkschaftlich organisierten Arbeiter gegen die arrogante Anmaßung von Unternehmern, daß die Zeit und Kraft des Arbeiters allein dem Arbeitgeber gehörten – als «unveränderliche Rechte des Kapitals», wie es 1870 im «Oberschlesischen Berg- und Hüttenmännischen Verein» hieß. Der Arbeitnehmer solle «ähnlich wie ein Arbeitstier, wie eine Maschinenkraft geschätzt und belohnt werden, das heißt so mäßig wie möglich. Denn er nützt der Gesellschaft auch nichts weiter wie das Tier und die Maschine, und deshalb ist ... der Lohn ... möglichst herabzudrücken.»

Trat die Opposition gegen diese Ideologie des vermeintlichen Naturgesetzes der Lohnkostensenkung im Streik zutage, folgte alsbald, wie 1872 bei Krupp, seine Kriminalisierung als «Verschwörung gegen Ruhe und Ordnung». Die unternehmerfreundliche «Concordia» sekundierte eilfertig, daß Streiks «immer mehr den Charakter eines Klassenkampfes» gewännen; auch wenn sie scheiterten, wachse doch «die Verbitterung und Entfremdung zwischen beiden Klassen und um so lustiger wuchert das Tollkraut (der sozialdemokratischen) Revolutionslehren». Die in solchen Urteilen zutage tretende Fundamentaldiskriminierung konnte, das lernten die Gewerkschaften frühzeitig, nicht durch betriebliche Errungenschaften zurückgedrängt werden, sondern sie provozierte in einem allgemeineren Sinn die politische Machtprobe.

Während der Streiks der fünfziger Jahre standen Lohnforderungen und Arbeitsbedingungen als manifeste Ziele im Vordergrund. Indirekt aber ging es zugleich immer schon um die Erstreitung der Koalitionsfreiheit und des Streikrechts, mithin um die politische Aufwertung der Arbeiter. Wegen dieser doppelten Stoßrichtung mißlangen die Anläufe. Niedergeschlagen mußten etwa die Lenneper Tucharbeiter 1850 nach einem vergeblich geführten Arbeitskampf eingestehen: «Wir haben unsere Herren um Abänderung unserer Lage gebeten, man hat uns abgewiesen. Dann haben wir uns vertrauensvoll an die Regierung gewandt... Wir haben geglaubt, vertraut, gewartet, vergebens... Unser Elend, unsere Trostlosigkeit blieb dieselbe.» Ähnlich scheiterten 1855 und 1857 die Streiks der «Wuppertaler Färbergesellen», überhaupt die Streiks, die bis 1857 als Reaktion auf den erstaunlichen Konjunkturaufschwung riskiert worden waren. So wie es 1857 zur Ersten Weltwirtschaftskrise kam, handelte es sich ebenfalls um eine erste internationale Streikwelle. Sie blieb in den deutschen Betrieben durchweg erfolglos, trug aber dazu bei, den Streik als die vorrangige Konfliktform der Lohnarbeiter weiter aufzuwerten.

Mit dem Übergang zu einer liberaleren «Neuen Ära» in Preußen und anderen deutschen Staaten, vor allem auch mit der Rückkehr der Prosperität gewann die Auseinandersetzung um das Koalitions- und Streikrecht eine neue Dimension: Die zweite, die entscheidende gewerkschaftliche Gründungsphase begann mit den sechziger Jahren. Ein Indiz dafür bildet die Vielzahl neuer Arbeiterbildungsvereine, die unter dem Patronat linksliberaler Bürger «wie die Pilze nach einem warmen Sommerregen» aus dem Boden schossen. So erschien es einem ihrer Mitglieder, dem jungen Handwerksgesellen August Bebel, der 1860 dem Leipziger Arbeiterbildungsverein beitrat und 1865, als frischgebackener Drechslermeister, schon den Vorsitz übernahm. Allein zwischen 1860 und 1864 sind mindestens zweihundertfünfundzwanzig Vereine dieses Typs entstanden. Gewiß, noch verkörperten sie eine Mischform des Strebens nach Bildung, Geselligkeit und wechselseitiger Unterstützung. Unverkennbar sammelte sich dort jedoch auch ein politisches Potential mit einem wachsenden Veränderungs- und Kampfwillen.[15]

Selbst wenn man weit stärker, als dies früher lange üblich war, die Kontinuitätslinie betont, die im Hinblick auf persönliches Engagement und Konfliktverhalten von 1848 in die sechziger Jahre hineinführt, behält doch die Zäsur von 1863 ihre säkulare Bedeutung. Als der aktive Revolutionär von 1848, der linkshegelianische Intellektuelle Ferdinand Lassalle, 1863 mit seinem «Offenen Antwortschreiben» dem Leipziger «Zentralkomitee» zur Einberufung eines Arbeiterkongresses einen programmatischen Entwurf künftiger Arbeiterpolitik sandte, übernahm er eine «maßgeblich initiierende Rolle» bei der Gründung des «Allgemeinen Deutschen Arbeitervereins» (ADAV). Mit ihm beginnt die kontinuierliche Entwicklungsgeschichte der deutschen Sozialdemokratie.

An den Arbeiterbewegungen, die sich seither unter verschiedenen Vorzeichen mit Nachdruck aufzufächern begannen, sind einige allgemeine Charakteristika hervorzuheben.

1. Zuerst blieb das Protektorat bürgerlicher Reformfreunde, wie nicht nur Lassalles kometenartiger Aufstieg zeigt, noch eine Zeitlang erhalten. Das konnte nach der langen Unterdrückung eigenständiger Zusammenschlüsse, auch wegen der Rechtslage und Schutzbedürftigkeit wohl nicht anders sein. Trotzdem ist auffällig, wie sehr die Arbeiter jetzt von bürgerlichen Politikern geradezu umworben wurden. Dem Lassalleschen Appell setzte Hermann Schulze-Delitzsch, volkstümlicher Exponent linksliberaler Sozialreform, noch 1863 seinen «Deutschen Arbeiterkatechismus» entgegen. Auch der Mainzer Bischof Wilhelm v. Ketteler plädierte 1864 in seiner «Arbeiterfrage und das Christentum» für die Eingliederung des Proletariats in die bürgerliche Gesellschaft unter dem Vorzeichen christlicher Sozialpolitik. Und im «Vereinstag der Deutschen Arbeitervereine» (VDAV), der als Reaktion auf den ADAV mit seiner zentralistischen, kleindeutsch-preußischen Ausrichtung als föderative Vereinigung mit großdeutschen Zielen entstand, rangierten reformbürgerliche Kräfte, wie etwa der Frankfurter Verleger Leopold Sonnemann, an prominenter Stelle.

Dennoch: Es dauerte nur ein halbes Dutzend Jahre, bis sich die vieldiskutierte «Trennung der proletarischen von der bürgerlichen Demokratie» – folgenschwer, da, wie sich herausstellen sollte, bis weit in das 20. Jahrhundert hinein nicht mehr überbrückbar – herausgebildet hatte. Sie wurde auch nach außen sichtbar und symbolkräftig unterstrichen, als die Gruppe um August Bebel und Wilhelm Liebknecht auf dem Nürnberger VDAV-Treffen von 1868 den Anschluß an die von Marx inaugurierte erste «Internationale Arbeiter-Assoziation» (IAA) durchsetzte, welche ihre Mitglieder auf die internationale Solidarität des Proletariats – entgegen dem Anspruch des auch in Deutschland machtvoll vordringenden Nationalismus – als höchsten Zielwert einschwor. 1869 scherte sie endgültig aus, als sie in Eisenach die «Sozialdemokratische Arbeiterpartei» gründete. Auf die politischen Parteien wird unten noch ausführlicher eingegangen (IV.5). Festzuhalten ist hier nur, daß diese Trennung kein einseitiger, geschweige denn ein willkürlich von der jungen Linken provozierter Separatismus war. Vielmehr ging sie von beiden Seiten aus, obwohl die politischen Nachteile mit aller wünschenswerten Deutlichkeit zu erkennen waren. Bürger und Proletarier hielten jedoch die fundamental divergierenden Interessengegensätze für unüberwindbar. Sie hatten deshalb bereits die Konsequenz der institutionellen Selbständigkeit daraus gezogen, bevor die Reichsgründung dem Liberalismus neue politische Gestaltungsmöglichkeiten eröffnete, ohne daß er sich auf eine Allianz mit dem großen Wählerpotential der Arbeiterbewegung, die ja durchaus auch ein Teil der Nationalbewegung gewesen war, hätte stützen können, wie das etwa in England noch jahrzehntelang der Fall war. Blickt man aber auf die Klassenformierung, trieb die politische und organisatorische Selbständigkeit in einer konfliktreichen Zeit die Konstituierung der Arbeiterklasse weiter voran.[16]

2. Die zweite prägende Eigentümlichkeit der deutschen Arbeiterbewegungen in den sechziger Jahren liegt in ihrer «doppelpoligen politischen Konstituierung». Zwar traten neben die neuen Parteien nicht sofort selbständige Gewerkschaften. Aber zahlreiche Arbeitervereine verfolgten mehr oder minder offen auch gewerkschaftliche Ziele, und innerhalb weniger Jahre wurden diese von neu gegründeten Gewerkschaften in den Mittelpunkt ihrer Tätigkeit gerückt. Ihre Entstehung und ihr Verhältnis zu den politisch benachbarten Parteien ist in einer intensiven Kontroverse erörtert worden.

Einerseits wurden ihre Wurzeln in der jahrhundertealten Vergangenheit der Gesellenbruderschaften gesehen, an die insbesondere die organisationspolitisch aktiven Handwerker und Gesellen-Arbeiter unmittelbar anknüpfen konnten. Sie findet man in der Tat in allen Vorstandsgremien, überall auch als Speerspitze der Mitgliederschaft aller Gewerkschaften. Die in mancher Hinsicht ungebrochene institutionelle Kontinuität der Handwerkervereine, der Hilfskassen, der Wanderjahre, die gemeinsame Interessen und überregionale Gemeinsamkeiten wachhielten, verkörperte eine Tradition, aus der heraus der Übergang in die neuen Gewerksgenossenschaften wie selbstverständlich erfolgen konnte.

Demgegenüber ist ebenso entschieden betont worden, daß es im Grunde doch die Parteipolitik war, die das Schicksal der frühen Gewerkschaften bestimmte. Durch die Gründungsaktivität der beiden sozialdemokratischen Parteien, des liberalen Fortschritts und des katholischen Zentrums seien die Weichen entscheidend gestellt worden, wie die Gewerkschaftsgeschichte bis zur Jahrhundertwende beweise.

Man braucht die Bedeutung der handwerklichen Tradition, die selbstverständlich auf die frühen Gewerkvereine eingewirkt hat, keineswegs zu leugnen oder zu minimieren. Aber der dominante Einfluß ist offensichtlich jahrzehntelang von den politischen Parteien, von ihren unterschiedlichen Ideologien und Interessen ausgegangen.

Ausschlaggebend für den Primat der Parteien war die Struktur des politischen Systems, in dem die Arbeiterbewegungen operieren, auf das sie sich – nolens volens – einstellen mußten. Es wurde bestimmt durch den starken Staat der postrevolutionären Ära, seine mächtige Bürokratie, den Semikonstitutionalismus schwacher Parlamente und eine rigorose Beschneidung politischer Partizipation. Deshalb ging die Opposition in Gestalt der politischen Parteien den Gewerkschaften voran. Denn dem Herrschaftskartell von Machteliten, Hof und Staatsapparat sollten zuerst einmal Konzessionen abgetrotzt werden: ein besseres Wahlrecht, ein liberalisiertes Vereinsrecht, die Koalitions- und Streikfreiheit, der Aufbau der Sozialpolitik, eine Unterstützung des Genossenschaftswesens. Für alle diese Wünsche bildete der Staat den ersten Adressaten. Man kann an Lassalles Agitation für das allgemeine Wahlrecht und eine wohlfahrtsstaatliche Intervention, am Forderungskatalog des ADAV und VDAV ablesen, welchen Vorrang die Auseinandersetzung mit dem Staat, das Werben um eine Kurskorrektur und Beistand besaß. Insofern ist es verständlich, daß die neuen Parteien den Gewerkschaften vorangingen.

Über kurz oder lang entschlossen sich auch alle diese Parteien, die Gründung von Gewerkschaften anzuregen und fortab die Verbände ihrer Couleur zu unterstützen. Eine gravierende Belastung stellte es jedoch dar, daß alle Gewerkschaften primär als «Pflanzschule» ihrer Partei verstanden wurden. Das erzeugte eine Abhängigkeit und Mediatisierung genuiner Gewerkschaftspolitik, die sich jahrzehntelang im Bannkreis dieses Anspruches bewegen mußte, ehe sie seit den neunziger Jahren endlich ein steigendes Maß an Autonomie gewann.

Die Einstellung der beiden Arbeiterparteien zu Gewerkschaften unterschied sich bis 1875 in zweifacher Hinsicht. Lassalle blieb ein Verfechter des sogenannten «ehernen Lohngesetzes», wonach die Löhne über das Existenzminimum zur Reproduktion der Arbeiterschaft nicht ansteigen konnten. Diese pseudowissenschaftliche Überzeugung ließ jede gewerkschaftliche Aktivität von vornherein als eitles Unterfangen erscheinen. Außerdem setzte Lassalle eine straff zentralistische Diktatur an der Spitze des ADAV durch. Abgesehen von seiner persönlichen Herrschsucht mochte davon auch eine Disziplinierung der noch sehr heterogenen Vereine ausgehen, und wegen des Vereinsrechts ließen sich alle über das Land verstreuten Mitglieder als Angehörige einer einzigen Assoziation ausgeben. Der Spielraum für die Entfaltung gewerkschaftlicher Interessen wurde jedoch durch diese Organisationsstruktur erst recht eingeschränkt. Demgegenüber stand der VDAV seiner ganzen Herkunft nach einer pragmatischen Arbeiterpolitik ungleich offener gegenüber, und seine föderative Natur ließ ihr weit mehr Freiheit. Diese im Prinzip gewerkschaftsfreundliche Einstellung lebte in der Eisenacher Sozialdemokratie weiter fort, allerdings mit der Maßgabe, daß die Gewerkvereine nur als Hilfsarmee der Partei zu agieren hätten.

Abgesehen von diesen tiefreichenden politischen Differenzen drangen zwei allgemeine Ideen weiter vor. Arbeiter brauchten berufs- und damit interessenspezifische Gewerkschaften, wie das die englischen «Trade Unions» seit langem vorexerzierten. Und sie brauchten deren Zusammenschluß in überregionalen Zentralverbänden nach dem Vorbild der Buchdrucker und Zigarrenarbeiter, um die Gegenmacht einer Massenorganisation im Arbeitskampf zur Geltung bringen zu können.

3. Vorerst aber ging es darum, das Koalitionsrecht überhaupt einmal zu erstreiten. Dieser hartnäckig geführte Kampf trieb wiederum die Gewerkschaftsentwicklung voran. Ihr kam jetzt zugute, daß sich die Mehrheit der bürgerlichen Sozialreformer und die im «Kongreß deutscher Volkswirte» zusammengeschlossenen dezidiert liberal-freihändlerischen Ökonomen, Publizisten und Unternehmer nachdrücklich für dieses liberale Freiheitsrecht aussprachen. Sie taten es beharrlich, öffentlich, kontinuierlich; auch die schließlich im «Verein für Sozialpolitik» versammelte akademische Intelligenz trat, wie Schmoller von Beginn an mit antisozialdemokratischer Intention insistierte, für freie Gewerkschaften und mehr Streikrecht ein. Bis dahin war die Streitfrage freilich formal entschieden.

Seit 1862 setzten sich die preußischen Linksliberalen im Abgeordnetenhaus immer wieder für die Koalitionsfreiheit ein. Vergebens, das Allgemeine Berggesetz von 1865 wiederholte das 1854 und 1860 bekräftigte Verbot. Auch Bismarcks antiliberales Interesse an Arbeiterstimmen führte nicht weiter, stachelte indes die Linksliberalen weiter an, die im Verfassungskonflikt ihre Arbeiterwähler nicht verlieren wollten. Der preußisch-österreichische Krieg unterbrach auch diese Auseinandersetzung. Seither wurde jedoch, da sich im Norddeutschen Bund die informelle Allianz mit dem Liberalismus auswirkte, das Koalitionsverbot spürbar undogmatischer gehandhabt. Das war eine wesentliche Vorbedingung für das Aufkommen der ersten Zentralverbände.

Im Sommer 1869 wurde der entscheidende Schritt getan. Die Gewerbeordnung des Norddeutschen Bundes vom 21. Juni hob in ihrem § 152 das Koalitionsverbot ausdrücklich auf und räumte das Koalitionsrecht direkt, die Legalisierung des Streiks nur indirekt ein. Der Koalitionszwang zog Strafen nach sich – diesen § 153 hat die Klassenjustiz der nächsten Jahrzehnte weidlich ausgenutzt. Insgesamt bedeutete aber die Gewerbeordnung als «erstes wirklich umfassendes Gesetzeswerk zur Regulierung der Arbeiterverhältnisse» einen gewaltigen Fortschritt. Da sie kurz darauf in das neue Reichsrecht übernommen wurde, ist sie zu einer «Art sozialen Grundgesetzes des Kaiserreichs» geworden.

Eine Folge der intensiven Koalitionsrechtsdebatte zwischen 1862 und 1869 war die Unterstützung jener Impulse, die sich zugunsten der Organisierung von Gewerkschaften auswirkten. Den Zigarrenarbeitern gelang bereits 1865 die Fusion zu einem Zentralverband, der in problembelasteter Nähe zum ADAV stand, bis 1869 aber schon rund zehntausend Mitglieder gewann. 1866 folgten die Buchbinder, die mit ihrer lockeren Struktur dem VDAV zuneigten. 1869 vereinigte der junge Dachverband sechstausendsechshundert Mitglieder. Der Allgemeine Schneiderverband entstand 1867 als ADAV-freundliche, zentrale Gewerksassoziation, die 1869 rund dreitausend Mitglieder zählte. Insgesamt zeigt dieser frühe Erfolg der Berufs-Zentralverbände, wie entschieden die gewerkschaftlich aktiven Arbeiter in der Phase der endgültigen Ausweitung regionaler Märkte zu einem nationalen Markt und einer Steigerung der Unternehmermacht auf die geballte Durchsetzungsfähigkeit und höhere Effizienz solcher bundes- bzw. reichsweit operierenden Kampforganisationen setzten; im übrigen spiegelten sie erneut die Anpassung an das politische System wider, das am ehesten bürokratisch durchorganisierte Interessenverbände als Abbild bürokratischer Staatsmacht respektierte, ja sie als Gegengewicht gewissermaßen erzwang.

Wer wurde in erster Linie von diesen lokalen und zentralen Gewerksvereinen organisiert? Es waren die besser qualifizierten und besser verdienenden Arbeiter, vor allem die handwerklich ausgebildeten und orientierten Gesellen-Arbeiter in kleineren und mittleren Betrieben. Bei ihnen ließ sich an die Traditionen zünftiger Interessenverbände vielerorts anknüpfen, während die Agitation unter den angelernten und ungelernten Arbeitern der Großbetriebe vorerst nur mühsam vorankam. Ungleich leichter als die älteren Männer ließen sich jüngere zwischen dem zwanzigsten und dreißigsten Lebensjahr gewinnen. Sie waren in einem höheren Maß risikobereit und mobilitätswillig, auch einsatzfreudig und konfliktgeneigt, da sie für eine längere Lebensspanne eine Verbesserung ihrer Lage zu erringen hofften.[17]

4. Nach der lebhaften Aktivität der letzten Jahre gelangte der Aufstieg der Gewerkschaften 1868/69 auf einen Gipfel. Der enge Nexus mit dem konjunkturellen Aufschwung und der Zunahme von unkoordinierten Streiks, welche die Parteien «von unten unter Druck» setzten, tritt deutlich zutage. Beschleunigend wirkten aber auch erneut politische Entscheidungen. Nachdem der VDAV 1868 in Nürnberg für das Programm der IAA votiert und den Zusammenschluß der Arbeiter «in zentralisierten Gewerks-Genossenschaften» gefordert hatte, verstärkte Bebel danach diesen Appell, als er zur Gründung demokratisch von unten nach oben organisierter Gewerkschaften aufrief: «Vereinzelt seid ihr nichts, vereinigt seid ihr alles!» Bis zum Herbst des Jahres 1869 hatten die daraufhin entstehenden «Internationalen Gewerksgenossenschaften» rund fünfzehntausend Mitglieder gewonnen. Diese Vereine bekannten sich zur Eisenacher Partei und wurden von dieser als eine Art Unterbau für den klassenbewußten Arbeitskampf betrachtet. Damit entstand die Konstellation, die dreißig Jahre lang das Verhältnis von Sozialdemokratie und Freien Gewerkschaften bestimmt hat.

Trotz der gewerkschaftsskeptischen Grundhaltung der ADAV-Führung forderte Lassalles Nachfolger, Johann Baptist v. Schweitzer, aus vorwiegend taktischen Gründen, um im Vorfeld des Nürnberger Vereinstags den wohlbekannten VDAV-Plänen zuvorzukommen, zur Bildung sogenannter «Arbeiterschaften» auf. Wie sehr die Stimmung auch im ADAV auf Gewerkschaften hindrängte, zeigt das Ergebnis dieser Initiative. Innerhalb kurzer Zeit wurden neun Gewerkschaften gegründet, die bis zum Sommer 1869 sogar fünfunddreißigtausend Mitglieder anzogen, ehe v. Schweitzer im nächsten Jahr die «Arbeiterschaften» abwürgte. Dadurch wurden ihre enttäuschten Angehörigen, Anfang 1878 waren es noch einundzwanzigtausend, über kurz oder lang in die Arme der «Eisenacher» getrieben.

Im Gegenzug gegen die gefahrenverheißende Aktivität der sozialdemokratischen Parteien schalteten sich noch 1868 die Linksliberalen ein. Max Hirsch und Franz Duncker, zwei Reformpolitiker der Fortschrittspartei, riefen – bald nach ihnen benannte – Gewerkvereine ins Leben, die eine auffällige Resonanz, binnen kurzem schon sechzehntausend Mitglieder, fanden. Dieser Erfolg zeigt, daß die Weichen keineswegs von Anfang an ausschließlich zugunsten sozialdemokratischer Gewerkschaften gestellt waren, sondern wie eng damals noch das Verhältnis zwischen Arbeiterschaft und Linksliberalismus war, ehe es durch die Zäsuren von 1869 – 1871 – 1875 – 1878 zerstört wurde. Der Aufschwung der Hirsch-Dunckerschen Vereine hätte vermutlich sogar noch über 1869 hinaus länger angehalten, wenn sie nicht in diesem Jahr das Risiko des großen Waldenburger Bergarbeiterstreiks ohne kühles Kräftekalkül auf sich genommen hätten und dabei fatal gescheitert wären.

Auch die allerersten Vorläufer der späteren Christlichen Gewerkschaften tauchten in dieser Entwicklungsperiode auf. Vom Elend der Arbeiter wie von v. Kettelers leidenschaftlicher Ermahnung zum sozialpolitischen Engagement gleichermaßen bewegt, organisierten die «roten Kapläne» vor allem in der Gegend um Aachen und Essen katholische «christlich-soziale Arbeitervereine». Sie waren keineswegs arbeitsfriedlich, allein auf Sozialpartnerschaft und Harmonie in den Betrieben bedacht. Vielmehr betonten sie dezidiert ihren Gewerkschaftscharakter und billigten den Streik als entscheidende Waffe im Arbeitskampf.

Bis Ende 1869 sind von diesen unterschiedlichen Strömungen in der machtvoll voranstoßenden Gewerkschaftspolitik mindestens sechzigtausend Arbeiter organisiert worden: vierzig Prozent standen im Verbund mit der Sozialdemokratie, aber ebenfalls vierzig Prozent unter dem Vorzeichen des Liberalismus, zwanzig Prozent waren politisch ungebunden oder katholisch geprägt. Damit war unter außerordentlich schwierigen Bedingungen, die sich erst seit der Gesetzgebung im Sommer 1869 nachhaltig veränderten, eine erstaunlich breite Basis für die künftige Gewerkschaftsentwicklung geschaffen worden. Freilich gilt es hier, noch einmal den Vorrang politischer Faktoren in dieser Gründungsphase zu betonen. Die relativ moderne Organisationsstruktur entsprach dem staatlichen Umfeld. Die schnelle Verbandsentwicklung verriet allenthalben politischen Einfluß. Die politische Anbindung an die sozialdemokratischen und liberalen Parteien sowie an den sozialpolitisch problembewußten Katholizismus initiierte oder förderte doch maßgeblich den Aufbau der Gewerkvereine. Folgerichtig wurde jedoch auch durch die unterschiedliche politische Loyalität der Primat der Klassenloyalität in Frage gestellt. Insofern kamen die für die politische Klassenkonstituierung bedeutsamen Konflikte in der Arena des Parteien- und Gewerkschaftsstreits keineswegs geradlinig den sozialdemokratischen Gewerkvereinen zugute, die am konsequentesten für proletarische Klassenpolitik eintraten. Das politische Konkurrenzverhältnis wurde sogar erst relativ spät überwunden. Aber auch solange es anhielt, trug es indirekt dazu bei, die Arbeiterschaft zu politisieren, sie damit letztlich für ihre klassenspezifischen Interessen und Ziele zu sensibilisieren.[18]

Unstreitig hat die Reichsgründung Voraussetzungen von einer neuartigen historischen Qualität für eine erfolgreiche Tätigkeit der Gewerkschaften, insbesondere auf längere Sicht, geschaffen. Die wirtschaftliche Expansion vollzog sich seither auf einem nationalen Großmarkt. Auch die «infrastrukturellen Rahmenbedingungen» des Verkehrs-, Rechts- und Währungswesens wurden grundlegend verbessert. Auf dem Forum des Reichstags konnten auch Arbeiterinteressen öffentlichkeitswirksam verfochten werden. Überhaupt galt ein deutscher Nationalstaat seit dem späten Vormärz – auch und gerade für Marx, Engels und Lassalle – als unverzichtbare Vorbedingung für die kraftvolle Entfaltung einer einheitlichen deutschen Arbeiterbewegung.

Schon während des Vorspiels im Norddeutschen Bund, erst recht seit 1871, setzten die Gewerkschaften mit neuem Schwung und Kraftgefühl jenen Machtkampf fort, in dem durch eine Vielzahl von Arbeitskonflikten das asymmetrische Verhältnis zwischen Kapital und Arbeit zugunsten des Proletariats verändert werden sollte. In den fünf Jahren, seitdem die Gewerbeordnung von 1869 in Kraft getreten war, wurden mehr als tausend Streiks ausgetragen; allein von 1871 bis zum Ende des Krisenjahres 1873 waren es gut achthundert – mehr als in dem ganzen Jahrzehnt von 1861 bis 1870. Kein Wunder, daß die «Concordia» über eine rasante «Steigerung und Vergiftung des Klassenkampfes» lamentierte.

Bereits 1869 wagten die Gewerkschaften hundertzweiundfünfzig Streiks, sechsmal soviel wie 1868. Gefordert wurden höhere Löhne, Überstunden-, Minimal-, ja Tariflöhne, eine verkürzte Arbeitszeit, der Verzicht auf Nacht- und Feiertagsarbeit, manchmal schon der Zehnstundentag, die Abschaffung der autokratischen Fabrikordnungen, die Verbesserung der Arbeitsbedingungen, die freie gewerkschaftliche Betätigung im Betrieb. Im Kriegsjahr ging die Anzahl der Arbeitskämpfe natürlich zurück, aber 1871 kletterte sie erneut auf hundertsiebenundfünfzig Streiks, 1872 waren es mit dreihundertzweiundsechzig sogar mehr als doppelt so viele, auch 1873 noch zweihundertneunundachtzig. «Gibt es kein Präservativ», fragte der «Arbeitgeber» empört, «um diese wirtschaftliche Cholera uns vom Halse zu halten?»

Rund zweihunderttausend Arbeiter haben sich in diesen drei Jahren an den Streiks beteiligt; im Durchschnitt waren es jeweils fünfhundert an mehr als zweihundertfünfzig Orten. Das Baugewerbe wies während seiner Hochkonjunktur die mit Abstand größte Konflikthäufigkeit auf. Zur Hälfte trugen noch Handwerker und Gesellen-Arbeiter die Arbeitskämpfe, oft unter dem Banner der gegen die industrielle «Großproduktion» gerichteten «ehrlichen Arbeit», wie sich überhaupt klassenspezifische und ständische Argumente noch dauernd mischten. Zunehmend wagten aber auch Arbeiter in größeren Betrieben den Ausstand (40 %), wie etwa 1871 die sechstausendfünfhundert Chemnitzer Metallarbeiter. Im Ruhrgebiet kam es im Sommer 1872 sogar zu einem Massenstreik, für dessen Gelingen sich einundzwanzigtausend Bergarbeiter einsetzten. Vergeblich, die finanziellen Ressourcen reichten nicht aus, um einen langen Konflikt durchzustehen, und die vereinte Gegenwehr von Bürokratie und Unternehmerschaft erwies sich als übermächtig.

Allgemein zeigte sich die Verwaltung mit der Auflösung von Streikversammlungen und der Beschlagnahmung von Streikkassen, mit Hausdurchsuchungen, Verhaftungen und Urteilen wegen der Verletzung des § 153 GO, wegen Landesfriedensbruchs und Aufhetzung alles andere als zimperlich, während sie umgekehrt Streikbrechern Schutz gewährte und die Aussperrung für rechtens hielt. Trotzdem lag die jährliche Erfolgsquote der Streiks manchmal bei fünfzig Prozent. Ein weit in die Zukunft weisendes Signal konnten nach der Niederlage der Bergleute die Buchdrucker setzen, denen 1873 der Abschluß des ersten Tarifvertrags im Kaiserreich gelang, obwohl dieser Markstein der Regulierung des Arbeitskampfes als «Terrorisierung der Arbeitgeber» angeprangert worden war. Es war auch kaum ein Zufall, daß die Unternehmer seit 1873 auf Streiks mit der Aussperrung reagierten. Inzwischen hatte sich unter ihnen weithin die Auffassung durchgesetzt, wie es 1872 auf der Tagung des «Vereins für die bergbaulichen Interessen» im Ruhrgebiet unverbrämt hieß, daß es ausschließlich um «eine Machtfrage» gehe. Glücklicherweise werde über ihren Ausgang letztlich «nichts als die wirtschaftliche Machtstellung entscheiden».

Soviel war richtig, daß sich seit 1869, vor allem aber seit der Reichsgründung, die sozialen Spannungen mit einer völlig ungewohnten, manchmal explosiven Heftigkeit in Aberhunderten von Streiks entladen hatten, deren Ende 1873 keineswegs abzusehen war. Und hinter diesem Zusammenprall der Interessen zeichnete sich in der Tat eine langwierige antagonistische Machtprobe ab, die seither unter neuen Bedingungen ausgetragen wurde. Denn nach dem Einbruch der Zweiten Weltwirtschaftskrise erschien es einem so scharfsichtigen Außenseiter wie dem staatssozialistisch gesinnten Rittergutsbesitzer Carl Rodbertus-Jagetzow, daß jetzt erst recht «die soziale Frage unter Treibhauswärme gestellt» werde. Und frühzeitig stellte er auch die Prognose, daß die harsche staatliche Reaktion auf diese neue «soziale Frage» des Industrieproletariats zum «russischen Feldzug von Bismarcks Ruhm» geraten werde.[19]

Trotz dieser pointierten Prognose, in der sich der politische Aufbruch seit den frühen sechziger Jahren widerspiegelte, darf die ideologische Homogenität zu diesem frühen Zeitpunkt nicht überschätzt werden. Die sozialkulturelle Lebenslage gewann zwar, wie vorn erörtert, im Verlauf der beschleunigten Industrialisierung zunehmend die charakteristischen Züge eines proletarischen Milieus. Die langen Stunden des Lohnarbeiters im Arbeitsprozeß mit seinen gemeinsamen Erfahrungen, die karge Freizeit im Wohnquartier der Unterschichten mit all seiner Enge und Dürftigkeit, die wenigen Feste mit ihrem bescheidenen Zuschnitt, die begrenzten Sozialkontakte, die stete Sorge vor Krankheit, Mieterhöhung, Lohnsenkung und Arbeitslosigkeit, demgegenüber aber auch als Kontrapunkt das Erlebnis von Solidarität und Geselligkeit unter Gleichgestellten, das Bewußtwerden gemeinsamer Interessen und Kampfziele, die Befriedigung geistiger Bedürfnisse im «Bildungsverein», das Gemeinschaftserlebnis eines Streiks oder der politischen Aktivität – aus solchen Elementen kristallisierte sich dieses Milieu heraus. Auch in der kulturellen Dimension lief die Klassenbildung weiter.

Keineswegs aber gehörte zu dieser sich verfestigenden Klassenlage mit Notwendigkeit ein bestimmtes politisches Klassenbewußtsein, das nach der Auffassung der Verfechter einer streng teleologischen Geschichtsphilosophie die einzig konsequente Erfüllung im Marxismus finden mußte. Vielmehr gab es vorerst auch im Proletariat einen Pluralismus konkurrierender politischer Ideologien. Auch hier gilt, daß die Entstehung eines Klassenbewußtseins in aller Regel das Ergebnis dauerhafter, aber historisch kontingenter Konflikte ist, und es war nicht von vornherein ausgemacht, welche ideelle Position dabei den Vorrang gewinnen würde. Es konnte ein volksnaher, pragmatischer Reformismus sein, wie er sich in den Gewerkschaften – seit dem Vormärz, in der «Arbeiter Verbrüderung» und wieder seit den sechziger Jahren – als Veränderungswille von unten geltend machte. Die englische und amerikanische Gewerkschaftsgeschichte demonstriert, welches Entwicklungspotential in ihm steckte.

Es konnte eine liberale, sozialreformerische Politik sein, die auf längere Sicht einen Interessenausgleich zwischen Kapital und Arbeit in Aussicht stellte, freilich zumeist dem allzu harmonisierenden Leitbild von einer spannungsfreien Sozialpartnerschaft anhing. Der Aufschwung der liberalen Gewerkvereine indiziert die Attraktivität dieses Entwurfs, der seine Herkunft aus der vormärzlichen Zielutopie einer klassenlosen Bürgergesellschaft mittlerer Existenzen nicht verleugnen konnte. An der Härte der Interessengegensätze scheiterte er in Deutschland früher als anderswo.

Es konnte auch eine christliche Sozialpolitik auf der Linie der katholischen Solidaritätslehre sein. Die ersten Anfänge im Vereinswesen waren damals zu erkennen, und sowohl die Ausbreitung der Christlichen Gewerkschaften als auch der kontinuierliche konfessionelle Einfluß, etwa mitten in den proletarischen Zonen des Ruhrreviers oder Oberschlesiens, zeigen die anhaltende Ausstrahlungskraft dieser Lehre.

Und schließlich gab es – zunächst aus verschiedenen Wurzeln, bald aber vorwiegend aus der Marxschen Theorie stammend – die sozialdemokratische Programmatik, die wissenschaftliche Weltdeutung, Integrationsideologie, Kampfanleitung und Utopie des künftigen «freien Volksstaats» in einem zu sein beanspruchte. Dieser Anspruch gewann seit 1863/69 für die Anhänger der sozialdemokratischen Parteien und Gewerkschaften an Glaubwürdigkeit. Als am Ende der deutschen Industriellen Revolution die Fusion der rivalisierenden «Eisenacher» und «Lassalleaner» 1875 in Gotha erfolgte, stand aber die «Sozialistische Arbeiterpartei Deutschlands» noch nicht im Zeichen der überaus anspruchsvollen Marxschen Geschichts- und Gesellschaftstheorie. Marx selber höhnte – den unverkennbaren Einfluß Lassallescher Gedanken, «von denen absolut nichts zu lernen» sei, vor Augen – in seinen «Randglossen» zum Gothaer Programm voller Bitterkeit, daß seine Theorie «nicht einmal hauttief» in die deutsche Arbeiterbewegung eingedrungen sei. Mit diesem «durchaus verwerflichen und die Partei demoralisierenden Programm» wollte er «nichts zu tun haben». Auch Engels erblickte darin einen «Wendepunkt, der uns sehr leicht zwingen könnte, alle und jede Verantwortlichkeit ... abzulehnen», zumal das neue Programm «eine öffentlich aufgepflanzte Fahne» sei, nach der die Außenwelt die Partei beurteile. Die Voraussage, daß spätestens nach einem Jahr erneut eine Trennung erfolgen werde, ging jedoch nicht in Erfüllung.

Vielmehr setzte sich der Marxismus als Parteidoktrin, als «Weltanschauung» und als Sprache, mit der das sozialdemokratische Proletariat seine Umwelt erfaßte und verstand, langsam, aber nicht mehr aufhaltbar durch. Darauf ist unten noch einzugehen. Offenbar wirkte die Marxsche Kapitalismusanalyse realitätsnah. Diskriminierung und Verfolgung bestätigten die Härte des Klassenkampfes. Klassenstaat, Klassenrecht und herrschende Klassen entsprachen jenen Vorstellungen, die durch einen popularisierten Marxismus vermittelt wurden. Und die Utopie des republikanischen Volksstaats, in dem sich eine Gesellschaft der Freien und Gleichen verwirklichen lasse – denn so wurde Marx' Chiliasmus der «kommunistischen Gesellschaft» konkret verstanden –, mobilisierte Energie und Opferbereitschaft für den politischen Streit, sie half, die Misere des Alltags zu überstehen, und lenkte die Hoffnung auf ein lohnendes Ziel hin. An dieser eigentümlichen Mischung von realistischer Analyse und politischer Religion sollte ein Großteil des deutschen Proletariats jahrzehntelang Halt finden, sie gab ihm Selbstbewußtsein, Kampfanweisung, Siegesgewißheit – bis auch diese Ideologie an der Wirklichkeit scheiterte.[20]

4. Der Adel im Zeichen von Agrar- und Industriekapitalismus

«Seinem Nächsten in wahrer Liebe dienen» – diese christliche Maxime deutete der erzkonservative, pietistische Rittergutsbesitzer Adolf v. Thadden-Trieglaff mit unverhülltem Adelsegoismus als die Rechtfertigung, «daß man sich in der siegreichen Gewohnheit des Herrschens behauptet». Auf den ersten Blick sah es nach dem Ende der Revolution von 1848/49 so aus, als ob diese Behauptung gelungen sei. Ähnlich wie nach der Revolutions- und Reformära bis 1815 schien das Adelssystem in Regierung und Verwaltung, im Heer und auf den Landgütern letztlich doch den Sieg davongetragen zu haben. Erneut wirkte es so, als ob mit den verschiedenen Adelsformationen 0.3 bis höchstens ein Prozent der Bevölkerung ihren Platz an der Spitze der Macht- und Prestigepyramide eindrucksvoll verteidigt hätten. Tatsächlich aber hinterließ die Revolution eine tiefe Zäsur. Sie bedeutete nach dem Einschnitt von 1803/1815 einen weiteren markanten Punkt in der Geschichte des Niedergangs oder doch der fundamentalen Transformation, welche die tausendjährige adlige Machtelite auch im deutschsprachigen Mitteleuropa während des 19. Jahrhunderts erlebte.[21]

Äußerlich hatte der in der Reformzeit geschlossene neue Herrschaftskompromiß zwischen Adel, Monarch und Bürokratie gehalten. Die Fürsten sahen nach der Bewältigung der Krise im Adel weiterhin zu Recht eine Stütze ihres Regimes; der Adel wiederum behielt wichtige privilegierte Positionen, vor allem die Kontrolle seiner «lokalen politischen Herrschaftszentren»; die Bürokratie unterstützte das Machtkartell, ihre liberalen Kritiker mußten vorerst schweigen. Hinter dieser Erfolgsfassade mußte der Adel jedoch seinen Defensivkampf unter drastisch erhöhtem Druck weiterführen. In seinem sozialpsychischen Habitus schwankte er deswegen zwischen hochgezüchteter Arroganz und tiefer Unsicherheit. «Das, was am Adel am meisten in die Augen fällt», urteilte in dieser Zeit der adelsfreundliche Chefideologe des preußischen Konservativismus, Friedrich Julius Stahl, sei «eine anmaßliche Überhebung und eine innere Hohlheit bei geschliffenen Formen, das schlechte Junkertum statt der echten Ritterlichkeit». Der Ambivalenz des adligen Lebens war sich gleichzeitig auch der Schriftsteller Alexander v. Ungern-Sternberg bewußt. Allgemein herrsche in der nachrevolutionären Epoche «ein Mangel an Sympathie für den Adel». Was aber «verfolgt man, was haßt, was tadelt man an ihm? Es ist», konstatierte er, allein «sein Vorhandensein. Wenn er nicht mehr nützt, so urteilen seine Feinde, so ist er schädlich, denn alles Nichtsnützende ist heutzutage schädlich. Denn die Romantik fühlt Niemand mehr, und für eine hübsche Illustration der Weltgeschichte geben die Juden des modernen Markts nichts.» Zu «politischen Zugeständnissen an die Menge» fehle dem deutschen Adel die «Schmiegsamkeit und Biegsamkeit», zum Unternehmertum im Stil der «englischen Nobility» der «Reichtum». Da er beides nicht besitze, finde die Kritik der «neuen Ideen» kein «gelegeneres Feld» als «das deutsche Adelsregiment». All «seinen Feinden gegenüber» befinde sich der Adel, klagte v. Ungern-Sternberg in einer Mischung von Larmoyanz und Hellsichtigkeit, «in einer sehr isolierten Lage». Hier insistiere der Bürger und Bauer auf «allgemeiner Gleichheit der Stände», dort agiere «der Bürokrat, der in Perspektive die absolute Gewalt für sich erblickt». Hier stehe «der liberale Advokat, der ihn aus Grundsatz haßt», dort triumphiere «der fette Bankier und Prozentfürst», der «ein kostbareres Diner» zustande bringe als der Landesherr, und dieser wiederum sehe «gleichgültig auf den Kampf der Überzahl gegen den einzelnen» Edelmann hernieder.

Worauf beruhte diese Diskrepanz zwischen dem politischen Triumph einerseits, dem Pessimismus aufgrund der Macht- und Ansehensdeflation andrerseits? Im Zentrum adliger Existenz hatte von Anbeginn an Herrschaft gestanden, vor allem Herrschaft über Menschen. Die drei Reformwellen in jenen Jahren nach der Jahrhundertwende, als Napoleon die Französische Revolution nach Osten exportierte – Mediatisierung und Säkularisierung also, sowie die Reformgesetze der Rheinbundstaaten und Preußens –, hatten dazu geführt, daß gerade solche Herrenrechte zum Teil verlorengingen, zum Teil energisch beschnitten wurden. Zum Entsetzen des Adels hielt dieser Enteignungsprozeß, der weitere Herrschaftsrechte verschlang, nicht nur in der Revolution, sondern auch seither an.

Wie der adelsrechtliche Sonderstatus verlorenging, konnte jedermann etwa an den neuen Verfassungen ablesen. Daß die oktroyierte preußische Verfassung vom März 1849 lapidar festhielt: «Alle Preußen sind vor dem Gesetz gleich. Standes-Vorrechte finden nicht statt», mochte zeitweilig als vorübergehende Konzession an die demokratische Strömung gelten. Daß der liberaldemokratische Kompromiß der Frankfurter Reichsverfassung vom März 1849 diese Tendenz verstärkte, ließ sich als revolutionäres Blendwerk abtun. Dort hieß es nämlich: «Vor dem Gesetz gilt kein Unterschied. Der Adel als Stand ist aufgehoben. Alle Standesvorrechte sind abgeschafft. Alle Titel, insoweit sie nicht mit einem Amte verbunden sind, sind aufgehoben und dürfen nie wieder eingeführt werden.» Gewiß, die Reichsverfassung gewann keine Geltungskraft, aber sie demonstrierte, welcher Rigorismus gegen die deutschen «Mandarine» – wie Jakob Grimm in der Adelsdebatte der Paulskirche polemisierte – mehrheitsfähig war. Als dauerhafte Deklassierung mußte es jedoch der Adel empfinden, als die revidierte preußische Verfassung vom Januar 1850 ebenfalls kompromißlos am Text vom Dezember 1848 festhielt: «Alle Personen sind vor dem Gesetze gleich. Standesvorrechte finden nicht statt.» Mit der Aufhebung der rund zweitausend Patrimonialgerichte im Januar 1849 verlor der Adel gleichzeitig ein Herrenrecht, das in hervorstechendem Maße seine Gewalt über Abermillionen von Menschen verkörpert hatte.

Durch die letzten Agrarreformgesetze von 1848/50 wurde die rechtliche Umwandlung der ländlichen Gesellschaft vollendet. Die noch verbliebenen gutsherrlichen Rechte, die Fronpflichten, Dienste, Zinslasten, Holz-, Streu- und Hütungsservitute insbesondere der Kleinbauern, wurden abgelöst. Allein von 1850 bis 1860 zum Beispiel wurden im Zuge dieser Abwicklung 6.32 Millionen Spanndiensttage und 21.44 Millionen Handdiensttage, zu denen 1.263 Millionen kleine Landwirte noch immer verpflichtet gewesen waren, aufgehoben. Das war einerseits für die Gutsherren ein lukratives Geschäft, wie auch die jetzt endlich in Preußen eingerichteten Rentenbanken die bäuerlichen Ablösungszahlungen enorm erleichterten und damit die Liquidität der Empfänger verbesserten. Andrerseits demonstrierte die formelle Selbständigkeit aller bäuerlichen Eigentümer, daß es mit der überkommenen Herrenstellung gegenüber abhängigen Gutsuntertanen endgültig vorbei war. Die symbolische Bedeutung dieses Einschnitts – wie auch der Verlust des hochbewerteten adligen Jagdrechts – vertieften den Eindruck, daß für die Grundaristokratie eine neue, eine schlechtere Zeit begann.

Überhaupt machten sich die Kräfte der Veränderung seit 1848/49 verstärkt geltend. Der Agrarkapitalismus drang unaufhaltsam vor. Rentabilität und Gewinnsteigerung wurden während der langen Hochkonjunktur zu allgemeinen Leitprinzipien. Wegen der Bedeutung seiner Eigenwirtschaft wurde der nord- und ostdeutsche Gutsadel – im Gegensatz zum süddeutschen Adel mit seinem Renteneinkommen aus dem ehemals grundherrschaftlichen Landbesitz – noch nachhaltiger in die Rolle des landwirtschaftlichen Großunternehmers hineingedrängt, da die Verpachtung für ihn gewöhnlich nicht in Frage kam, ganz zu schweigen von der Parzellierung. Der Verlust der überkommenen Herrschaftsrechte ließ die ökonomischen Funktionen der adligen Agrarkapitalisten unverhüllter als zuvor hervortreten.

Der Industriekapitalismus als eine seinem Wesen nach adelsfremde Macht konnte erst recht nicht in seinem Siegeszug aufgehalten werden. Im sogenannten landwirtschaftlichen Nebengewerbe griffen die Gutsbesitzer zwar zunehmend einfache industrielle Produktionsmethoden auf. Aber nur in Oberschlesien assimilierten sich die Magnaten vorbehaltlos die industrielle Unternehmertätigkeit. Im allgemeinen bestand die traditionelle Mentalitätsbarriere gegenüber der industriellen Eigenaktivität unter der Mehrheit der Landadligen weiter fort. Vor der Bedeutungszunahme der Industrie konnte sie indes gerade während der deutschen Industriellen Revolution nicht die Augen verschließen. Jeder realistisch Urteilende sah mit Sorge die herannahende Macht, die bald zur Übermacht werden konnte.

Ebensowenig ließ sich der Aufstieg des Wirtschafts- und Bildungsbürgertums, damit auch des bürgerlichen Leistungsprinzips, übersehen. Mochte der Antagonismus auch nach außen hin verdeckt sein, wurde doch manchem Adligen zunehmend bewußt, daß er mit seinen Standesgenossen der Durchsetzungsfähigkeit der bürgerlich-industriellen Welt kein unüberwindbares Bollwerk entgegensetzen konnte. Nicht zuletzt wegen dieser Konstellation schwindender Überlebensaussichten mischte sich in den Defensivkampf des

Adels eine verzweifelte Erbitterung, die seinem Behauptungswillen zusätzlich schroffe Züge verlieh.

Nicht zuletzt spürte er auch den Fortgang der inneren Staatsbildung. Der Anspruch, das staatliche Herrschaftsmonopol weiter auszudehnen, hatte seit der Reformära zu einem «administrativen Verdichtungsschub» geführt, der seit der Revolution an Schwung gewann und die Zentralbürokratie aufwertete. Denn insgesamt ging der Staat aus der Krise von 1848/49 ungleich stärker hervor als der Adel. Noch gelang es ihm zwar, ein gut Teil seines Einflusses auf die Regierung und Verwaltung durch die Besetzung strategischer Positionen zu behaupten, so daß mancher Zugriff des Staatsapparats entschärft werden konnte. Auch stellte sich der Adel auf parlamentarische Institutionen wie den Landtag ein, er nutzte skrupellos seine Vetoposition in der Ersten Kammer, im Herrenhaus, und er gewann, während ihm die Hofnähe einen vertrauten Einflußkanal sicherte, durch die konservativen Parteien, bald auch durch die Interessenverbände neue Durchsetzungschancen hinzu.

Trotzdem wirkte sich der Zangenangriff, den die informelle Allianz von staatlicher Bürokratie und bürgerlichem Liberalismus zäh fortführte, um die moderne Staatsbürgergesellschaft zu verwirklichen, unstreitig auf Kosten der adligen Rechtsstellung aus. Die autonome Geltungskraft des Adels wurde eingeschnürt, auf regionale oder gar lokale Reservate eingeengt. Dort blieben seine Angehörigen vorerst noch vielfach begünstigte Privatleute, die einige Herrenrechte, etwa auf den Rittergütern, weiter ausübten, einige Privilegien, zum Beispiel bis 1861 die Grundsteuerfreiheit, weitergenossen, vor allem aber die überlieferten Vorteile der Herkunft im Heer, im Diplomatischen Dienst und in der Verwaltung weidlich ausnutzten. Dennoch: Die gesetzliche Einschränkung der Vorrechte hörte nicht auf, der Konkurrenzkampf mit bürgerlichen Rivalen in den staatlichen Institutionen wurde härter. Im Rückblick waren auch in der jüngsten Vergangenheit die Etappen des Niedergangs deutlich zu erkennen. Selbst Erfolge hinterließen alsbald den schalen Geschmack eines Pyrrhussiegs. Unter all diesen Umständen gewinnt der Sonderfall, daß der preußische Adel sich als eine der politisch herrschenden Klassen des Landes weitere siebzig Jahre halten konnte, um so mehr an Bedeutung.[22]

In einer solchen Situation, die entweder den tödlichen Verlust des überkommenen Rangs oder die schmerzhafte Umwandlung in eine andere Sozialformation bereithielt, besaß der Adel im Prinzip die Wahl zwischen zwei Handlungs- und Verhaltensstrategien, um den Anprall des Neuen zu bewältigen.

Entweder konnte er für die «soziale Schließung» oder notgedrungen für die Anpassung an die überlegenen Kräfte optieren, um auf beiden Wegen möglichst viele Positionen zu verteidigen. Im Anschluß an Max Weber kann soziale Schließung als tendenziell erstrebte Monopolisierung von Chancen und Ressourcen zugunsten einer privilegierten Minderheit auf Kosten anderer definiert werden, damit die «Hochhaltung der Qualität» samt allen daran haftenden Herrschafts-, Prestige- und Gewinnchancen gewährleistet bleibt. Typisch dafür sind ständische Sonderrechte, wie sie vom Adel seit Jahrhunderten in Reinkultur beansprucht und wahrgenommen worden waren – das Verfahren war ihm völlig vertraut. Als effektivster «traditionaler» Sperrmechanismus hatte sich längst die Abstammungskontrolle erwiesen: Die Entscheidung über die «Zugehörigkeit» kraft Geburt und Eherecht. Diese Schließungsfunktion hatte auch Riehl im Auge, als er 1851 den Adel als «Stand der sozialen Schranke» charakterisierte, in dem wiederum «die Familie» die «Basis aller sozialen Schranken» bilde. Nicht die Wahl, sondern der Zufall der überprüfbaren Herkunft entschied über die soziopolitische, die im weiten Sinn verfassungsrechtliche Vorzugsposition.

Durch vielfältige Verhaltensweisen, die alle auf diesen innersten Kern adliger Existenz bezogen waren, wurde die Schließung unterstützt. Dazu gehörte auch nach 1848 die Kontrolle des Zugangs zu Herrschaftspositionen, die Bindung von Obrigkeitsrechten an adligen Landbesitz, der Lebensstil eines standesgemäßen Demonstrationskonsums, der spätfeudale Ehrenkodex mit limitierter Satisfaktionsfähigkeit für das Duell, die Hoffähigkeit, der Zugang zum Oberhaus als geborenes Mitglied, der Ämternepotismus bis hin zur Ämtererblichkeit, die Rekrutierungskontrolle über Kadettenanstalten, Offizier- und Studentenkorps, nicht zuletzt die unnachahmlich blasierte Herrenallüre mit ihrer Mischung von «naiver Brutalität» und herablassender «Menschenfreundlichkeit». Zahlreiche Möglichkeiten, um die Reihen zu schließen, blieben in dieser Hinsicht für die Aristokratie bestehen.

Die Reaktion der derart vom exklusiven Adelsleben Ausgeschlossenen reichte von passiver Hinnahme über die Imitation – wie sie früh schon der Stadtadel und seit je die Nobilitierung bürgerlicher Familien bekundete – bis hin zum Protest in Gestalt eigener Schließungsmechanismen. Von ihnen erwies sich seit dem späten 18. Jahrhundert die gegen die irrationale Auszeichnung durch Geburt gerichtete «rationale» Kontersperre des transparenten, kontrollierbaren und generalisierbaren bürgerlichen Leistungsprinzips als äußerst wirksam.

Im Gegensatz zur trotzigen sozialen Schließung stand die lernwillige Anpassung an prävalente Mächte – «if you can't beat them, join them». Das Konnubium enthüllte, wie die Heiratsfähigkeit insbesondere bürgerlicher Frauen zunahm. Die Anzahl der zulässigen standeskonformen Berufe wurde erweitert. Das Leistungsprinzip und die Bildungsidee mußten übernommen werden. Das war auch deshalb nötig, um Schlüsselstellungen in einem wachsenden Verwaltungs- und Militärapparat zu behalten. Die Umstellung auf das Parteien- und Verbandswesen gelang, wenn auch nur zu oft im Stil einer «Pseudodemokratisierung». Immerhin vertraten 1871 im ersten Reichstag von hundertdrei Gutsbesitzern und insgesamt hundertsiebenundvierzig Adligen – das waren vierzig Prozent aller Abgeordneten – die allermeisten auch aristokratische Interessen. Die Umwandlung eines Herrenstands, der beansprucht hatte, das «Land» schlechthin gegenüber dem Fürsten darzustellen, in eine regionale Funktionselite mit ihrem bescheideneren Aufgabenbereich setzte ebenfalls Anpassung voraus. Sie spiegelt sich auch in der Identifizierung mit dem Agrarkapitalismus, bei den oberschlesischen Latifundienbesitzern sogar in der Fusion mit dem Industriekapitalismus wider.

In der historischen Wirklichkeit gab es natürlich ständig eine Mischung dieser Alternativen. Durch die Gemengelage wurde die Attraktivität des Adelsstatus für Bürgerliche aber eher noch erhöht. Die soziale Schließung machte die Nobilitierung oder ein adelsähnliches Leben erst recht begehrenswert, denn die Bestätigung, derart «arriviert» zu sein, befriedigte den Geltungsdrang und Karriereehrgeiz, das Prestigebedürfnis und die Eitelkeit. Daß andrerseits der Adel sich anpassen mußte, minderte die soziale Distanz, ließ ihn als flexibel, bürgerähnlich, erreichbar erscheinen. Es trifft zu: Die bürgerliche Adelskritik blieb weiter lebendig. «Eine Unzahl dürftigen Adels sperrt für den Bürgerstand den Zugang auch zu den mäßigen Bedienungen», klagte etwa der Verleger Perthes, an diesem «Überbleibsel des Mittelalters, dem Geschlechtsadel ohne Grundbesitz», werde das Bürgertum noch «länger zu würgen haben»; selbst «viele sehr redliche ... Edelleute haben keinen Begriff davon, daß auch wir ... überhaupt Rechte haben». Und der Altliberale Max Duncker mahnte den Adel, er müsse darauf «verzichten, privatim zu regieren» und überkommene «Vorteile auf Kosten der anderen Stände» zu gewinnen; jeder Versuch, das deutsche Verfassungsleben erneut «zu feudalisieren», könne eine vorrevolutionäre Lage schaffen.

Dennoch blieb der Adel, das war ein gemeineuropäisches Phänomen, ein sozialnormatives Vorbild, dem zahlreiche Angehörige des Wirtschaftsbürgertums und der hohen Beamtenschaft sich zu nähern und anzuschmiegen strebten, bis ein Rittergut, die schloßartige Villa und adlige Verwandtschaft die äußere Gleichstellung demonstrierten oder sogar, für wenige, der persönliche Adel den Gipfel des Erfolgs markierte. Insofern bleibt die umstrittene These von der «Feudalisierung» der oberen Bürgerklassen, besser: ihrer Aristokratisierung, für viele Bürgerliche richtig, wie sich eben nicht nur in Deutschland beobachten läßt.

Andrerseits führte das Anpassungsverhalten, dessen Erfolge wegen der auffälligeren Formen der schroffen sozialen Schließung häufig unterschätzt werden, auch zu einer Verbürgerlichung vor allem des staatlichen Dienst- und des agrarkapitalistischen Landadels. Die «Umwandlung» etwa «der Bodenaristokratie in eine moderne Unternehmerklasse von landwirtschaftlichen Geschäftsleuten» mit feudalen Relikten bedeutete auch eine «Verbürgerung des Personals und der wirtschaftlichen Klassenaktivität»; beides ließ auf längere Sicht auch die Kollektivmentalität nicht unbeeinflußt. Dieser

Preis der erzwungenen Anpassung wurde freilich «kompensiert durch die gesellschaftliche Rezeption» der bürgerlichen Rittergutsbesitzer, der hohen Offiziere und Bürokraten «durch den Adel und die allmähliche Aristokratisierung der sozialen Standesgesinnung und der politischen Haltung». Für eine Bilanz ist das Urteil nicht zu vermeiden, daß sich der Adel gesellschaftlich und politisch als resistenzstärker, zielstrebiger, durchsetzungsfähiger erwies.[23]

Blickt man genauer auf die weiterhin fein differenzierte Adelswelt in der nachrevolutionären Epoche, reicht das bewährte Fünferschema für die wichtigsten Unterscheidungen aus (vgl. Bd. II: 3. Teil, III. 2).

Wie groß oder wie winzig auch immer der Besitz von Aberhunderten von herrschenden Häusern gewesen war, fast alle wurden von dem Tumult, den die napoleonische Revolution in Deutschland anrichtete, erfaßt. Nur vierunddreißig Dynastien überlebten im Deutschen Bund. Aber selbst ihre Zahl schmolz noch wegen Erbfällen, des Ausschlusses von Österreich und der preußischen Annexionspolitik, die 1866 zur Entthronung der Fürsten von Hannover, Hessen-Kassel und Nassau führte, bis 1871 auf zweiundzwanzig zusammen, die im Gehäuse des Reiches weiter bestanden. Für die Landesherren, die den Wirbel, dem sich das Korps der deutschen Souveräne zwischen 1803 und 1866 ausgesetzt fand, wohlbehalten überstanden, bedeutete allein diese Tatsache einen gewaltigen Stabilisierungserfolg. Von ihm haben sie bis zum Ende der deutschen Fürstenherrschaft im Jahre 1918 gezehrt.

Gegenüber ihrem Adel hatte dieser Erfolg zwiespältige Wirkungen. Seit dem Mittelalter war der Adel, in welchem Rang auch immer, auf eine abgehobene, übergeordnete Souveränitätsinstanz bezogen. Nur der Landesherr selber verkörperte diese Souveränität, bis er sie mit dem Vordringen des institutionellen Anstaltsstaats im 19. Jahrhundert nur mehr repräsentierte. Auf der einen Seite behielt er wegen des persönlichen Loyalitätsverhältnisses gegenüber seinem Land- und Dienstadel eine quasisouveräne Position. Auf der andern Seite mußte er erleben, wie zuerst das Staatsrecht diese Beziehung versachlichte und dann der «Reichsmonarch» seit 1871 allmählich zu einem neuen Loyalitätspol aufstieg. Unverändert aber blieb die peinlich beachtete Exklusivität der Dynastien erhalten, auch wenn sie in den Zwergstaaten ihre bizarren Züge konservierten.

Die Fusion von Hochadel und Landesherrschaft – das war bis 1803/1815 ein spezifisch deutsches Phänomen gewesen, das sich im benachbarten Europa so nicht mehr fand. Als nunmehr gut dreißig, bald nicht einmal mehr zwei Dutzend Landesherren übrigblieben, mußte sich der Hochadel, traditionsstolz wie er war, mit der rigorosen Machtreduktion zähneknirschend abfinden. Er begegnete dem Verlust, indem er die feinen Distinktionen seiner Sonderstellung um so sorgfältiger pflegte. Insbesondere in seinem exklusiven Heiratskreis, der weiterhin die ganze ranggleiche europäische Aristokratie umfaßte, blieb er unnahbar unter sich.

Als ebenbürtig akzeptiert wurden auch die Standesherren, deren 1815 geschaffener Sonderstatus, die «privilegierteste Klasse» im Deutschen Bund zu bilden, allmählich verblaßte, obwohl die Erinnerung an die souveräne Stellung als Zaunkönige wachgehalten wurde. Dem späteren Reichskanzler Chlodwig von Hohenlohe-Schillingsfürst etwa erschien es als Mitglied einer standesherrlichen Familie geradezu selbstverständlich, daß er während seiner Ausbildung als junger Beamter in Berlin «jede Woche» mit dem König zusammen speiste, da er sich im Adelsrang für gleichgestellt hielt. Ein ähnliches Selbstbewußtsein besaß auch jene relativ große Gruppe von Standesherren, die im Staatsdienst tätig waren und ungezwungen mit dem Hochadel verkehrten.

In beiden Adelsklassen, im Hochadel und unter den Standesherren, fand sich auch auffallend häufig ein uneingeschränktes positives Verhältnis zur modernen Geschäfts- und Industriewelt. Die verschiedenen Zweige der Hohenlohes etwa besaßen von Süddeutschland bis hinein nach Südrußland rund dreihunderttausend Hektar Land, dazu Industrieunternehmen und zahlreiche Betriebe des landwirtschaftlichen Nebengewerbes. Die Fürsten Henckel v. Donnersmarck und Pless, die Herzöge von Ujest und Ratibor personifizierten geradezu die Fusion von Latifundien, Bergbau und Schwerindustrie.

Handelte es sich beim Hochadel und den Standesherren um hauchdünne Adelseliten, kommt mit dem Niederadel die politisch und ökonomisch wichtige Mehrheit in das Blickfeld. Die einzelstaatlichen und regionalen Unterschiede blieben folgenreich. Der süddeutsche Adel erhielt wie zuvor die Renten aus der Verwaltung seines Grundbesitzes, ohne irgendwo in nennenswertem Maße zur Eigenwirtschaft überzugehen. Weiterhin fand er eine befriedigende Tätigkeit in Regierungsämtern und am Hof, im Diplomatischen Dienst, in der Bürokratie und im Heer. Daß ihm dafür auch das weite Habsburgerreich offenstand, galt noch als Selbstverständlichkeit. Dagegen hielt er sich von einem agrarkapitalistischen Engagement fern. Die Güterspekulation blieb ihm fremd. Die frühere Grundherrschaft wurde vielmehr als Ausweis eines traditionsstolzen Hauses verteidigt.

Ähnlich hartnäckig hielt der ehemalige westfälische Stiftsadel am ererbten Besitz fest. Erfolgreich wuchs er in einem gleitenden Übergang in die Rolle einer regionalen Funktionselite hinein, welche die Interessen der ländlichen Gesellschaft in dieser Provinz, ob wirtschaftlicher, konfessioneller oder politischer Natur, geschickt vertrat. Zäh klebte auch die hessische Ritterschaft an ihrem Grundbesitz. 1863 waren zum Beispiel von hunderteins Adelsgütern im vergangenen Jahrhundert nur einundzwanzig in das Eigentum einer anderen adligen Familie übergewechselt. Der Kontrast zum rapiden Güterumschlag in Ostpreußen und Schlesien hätte nicht krasser ausfallen können.[24]

Dem preußischen Adel muß das Hauptinteresse gelten, da er seinen Vorrang als herrschaftspolitische Klasse erst in seinem Staat, seit 1871 auch im Deutschen Kaiserreich verteidigte. Trotz der exponierten Tätigkeit im Staatsdienst und Militär lag die traditionsgeheiligte Quelle seiner Kraft im adligen Grundbesitz. Die Matrikel von 1856 verzeichnete 12339 kreistagsfähige Rittergüter, von denen sich 7023, nur mehr achtundfünfzig Prozent, in adliger Hand befanden, während schon 5316 bürgerlichen Besitzern gehörten. Die durchschnittliche Größe betrug fünfhundert Hektar; Großgrundbesitz begann nach der preußischen Statistik bei sechshundert Morgen (133 ha) – mit den riesigen Gütern in Rußland oder Böhmen, die über das Hundertfache umfaßten, waren diese Junkersitze nicht zu vergleichen. Außerdem war Großgrundbesitz keineswegs mehr identisch mit Adelsland, mithin Großagrariertum auch nicht identisch mit Landaristokratie. Vor den Annexionen von 1866 gab es 18197 Großgrundbesitzungen mit mehr als sechshundert Morgen, insgesamt mit etwa 38.23 Millionen Morgen Land. Aber nur zwölftausendeinhundertfünfzig gehörten zu den Rittergütern, von denen weiterhin nicht einmal sechzig Prozent adlige Eigentümer besaßen.

Hinter diesen Zahlen verbirgt sich sozialhistorisch eine wahre Umwälzung innerhalb der Zeitspanne von nur zwei Generationen. Seit dem Beginn der Agrarreformen im Jahre 1807 war aus «einem Geburtsstand von Landedelleuten» zuerst eine «Aristokratie des beliebig übertragbaren Bodeneigentums, eine mobile Wirtschaftsklasse von Kapitalbesitzern, Gutswirtschaftsunternehmern und Arbeitgebern» geworden, die möglichst viel von einem exklusiven spätfeudalen Herrschaftsstand zu bewahren suchten. Innerhalb weniger Jahrzehnte aber erwies sich die «Umschmelzung in eine offene gemischte adlig-bürgerliche Klasse von Großgrundbesitzern und Agrarkapitalisten» als unaufhaltsam. Pessimisten sahen seit der Jahrhundertmitte eine bürgerliche Majorität von Rittergutsbesitzern voraus.

Einer dem Besitzwechsel folgenden Machtverlagerung wirkten jedoch drei Faktoren entgegen. Einmal bewies der preußische Adel seine Assimilationskraft, die ihrer Grundtendenz nach zu einer Aristokratisierung des politischen Verhaltens, des Lebensstils und der Klassenmentalität der bürgerlichen Großgrundbesitzer führte. Zum zweiten wurde zwar das Netzwerk der adligen Rittergüter ausgedünnt. Es blieb jedoch eine durch zahlreiche Interessen und Verwandtschaftsbeziehungen verknüpfte «Dislokation der politisch herrschenden Klasse über das Land», darum auch eine hinreichende Herrschaftsdichte erhalten. Und schließlich behauptete der Adel durchaus die «Spitzenstellung der Grundbesitzhierarchie». So wurden etwa 1885 in den sieben östlichen Provinzen 15635 Güter mit mehr als hundert Hektar gezählt; von den 10987 Besitzern waren nur dreiunddreißig Prozent Adlige. Aber zweiunddreißig Prozent der Gesamtfläche Ostelbiens entfielen auf 6454 Güter mit mehr als tausend Hektar, und 4393 von ihnen, das waren immerhin noch achtundsechzig Prozent, gehörten 1882 adligen Eigentümern. Noch deutlicher fiel der Befund bei den Latifundien mit über fünftausend Hektar Grundbesitz aus: Von hundertneunundfünfzig besaß die

Aristokratie hundertneunundvierzig; meistens handelte es sich um «alterebten Hochadelsbesitz», den der Güterumschlag auf dem spekulativ überhitzten Bodenmarkt nicht erfaßt hatte.

Sieht man von diesen Magnaten ab, mußte der Landadel für seine Umstellung auf den Agrarkapitalismus einen hohen Preis bezahlen. Als Carl Rodbertus auf Jagetzow den Besitzwechsel, dem 11771 Rittergüter in den ostelbischen Provinzen zwischen 1835 und 1864 unterlagen, statistisch exakt erfaßte, kam er zu dem Ergebnis, daß 14404 verkauft, 1347 zwangsversteigert, aber nur 7903 vererbt worden waren. Die Pfandbriefschulden, welche diese 11771 Rittergüter von 1845 bis 1867 aufgenommen hatten, waren von 108.4 auf 186.6 Millionen Taler um siebzig Prozent gestiegen, die Hypothekenschulden hatten sich in den zwei Jahrzehnten von 1837 bis 1857 sogar von 5.5 auf 11.1 Millionen Taler verdoppelt. Wechselt man die Urteilsperspektive, geht aus diesen Zahlen hervor, wie intensiv, ja vorbehaltlos sich die Mehrheit der Junker an den Agrarkapitalismus anpaßte.

Freilich äußerte sich diese Anpassung nicht nur als energische, rationelle Unternehmertätigkeit, sondern auch überaus häufig als Jagd nach einem Spekulationsgewinn auf dem Bodenmarkt, in einer bedenkenlosen Verschuldung und der Umleitung vorteilhafter Erträge in übertriebenen Konsum. Der Hochkonjunkturtrend zwischen 1825 und 1875 nährte die Neigung, dieser Versuchung zum unseriösen Profitrittertum nachzugeben. Gleichzeitig verbesserte er natürlich auch die Chance, sich währenddessen auf eine moderne, agrarökonomisch solide und betriebswirtschaftlich genau berechnete Güterführung umzustellen. Nur zu oft wurde diese Möglichkeit aber nicht genutzt, da dem ungebildeten Krautjunker wie dem blasierten Aristokraten die methodische Zweck-Mittel-Kalkulation des bürgerlichen Unternehmers fremd blieb. Anstatt sich durch ein agrarwissenschaftliches Studium vorzubereiten, wurde vielerorts, wie der adelskritische Hallenser Nationalökonom Johannes Conrad spottete, noch immer «die angemessene Ausbildung für den Gutsbesitzer im Husarensattel» gefunden. Damit aber wurde der Typus des «geborenen notleidenden Landwirts großgezogen», der schließlich «nur durch Staatshilfe auf Kosten der übrigen Bevölkerung ... zu erhalten» war. Und trotz der hohen Preise und Gewinnspannen bis 1875 hielt sich das Ritual der stereotypen Klage, «der Landbau ernähre den Bebauer nicht mehr».[25]

Diese Bereitschaft, die Vorzüge des Agrarkapitalismus auszunutzen, schloß auch keineswegs aus – da sich soziale Schließung mit ökonomischer Anpassung gewöhnlich unentwirrbar verband –, daß der Entfeudalisierung im Sinne des gesetzlichen «Abbaus aristokratischer Klassenprivilegien» härtester Widerstand entgegengesetzt wurde. Das erwies sich zum Beispiel bis 1861 beim Kampf um die Grundsteuerfreiheit und 1872, als erst die Radikalkur eines Pairsschubs im Herrenhaus es ermöglichte, die Kreisordnung mit dem Verzicht auf die patrimoniale Polizeigewalt zu verabschieden. Auch danach blieb jedoch noch jahrzehntelang die «tatsächliche Herrenstellung» der Junker als «Besitzer von Obrigkeitsrechten im wesentlichen unerschüttert».

Deshalb verwundert es nicht, daß sich im politischen Spektrum die drei Strömungen hielten, die auch vor 1848 hervorgetreten waren. Das Fähnlein der Ultrakonservativen bekam nach seiner Demütigung während der ersten Revolutionsmonate eine Zeitlang Oberwasser. Von der Kamarilla, welche die Entscheidungen in der Umgebung Friedrich Wilhelms IV. häufig vorbereitete, wurde es am Hof vertreten. Auch während der Restauration besaßen die dogmatischen Hochkonservativen wichtige Schaltstellen in den Ministerien, im Herrenhaus und in der Provinzialpolitik. Während der kurzlebigen «Neuen Ära» mußten sie zurückstecken. Der Verfassungskonflikt wertete ihre extreme Position jedoch wieder auf, wie das Verhalten ihres starken Blocks im Staatsministerium oder auch der Einfluß des Freundeskreises um den Kriegsminister Albrecht v. Roon zeigte. Sosehr sie auf der einen Seite die großpreußische Expansion begrüßten, verletzten die Ergebnisse – der Konflikt mit Österreich, die Absetzung der Dynastien in den annektierten Staaten, das Aufgehen Preußens im Reich – ihr Legitimitätsprinzip und ihren engstirnigen Borussismus. Im Strudel, der die Formierung der «Deutschkonservativen Partei» umgab, verloren sie erneut an Einfluß.

Stärker noch wurde der kleine liberale Flügel, der ohnehin seit jeher eine periphere Erscheinung bildete, reduziert: Erst durch den Verlauf und Ausgang der Revolution, dann durch die Verhärtung der Adelspolitik seither. Nur wenige «Whigs», meist freier denkende Standesherren, stellten sich entschieden auf den Boden des konstitutionellen Staats. Die vereinzelten adligen Liberalen stammten meist aus dem Dienst- und Personaladel, eine Handvoll nur aus dem Gutsadel, und der katholische Adel im Zentrum bildete dort unbezweifelbar eins der konservativen Zentren.

Die Mehrheit hing im politischen und gesellschaftlichen Leben ihrem Traditionalismus an. Sie hielt einen geringfügig reflektierten Konservativismus für eine quasi natürliche: durch Instinkt und Interesse gebotene Haltung, der sie mit atemberaubendem Egoismus und bewährter Robustheit treu blieb. Das galt auch für die nicht geringe Zahl, die sich auf die Rolle des agrarkapitalistischen Unternehmers nach Kräften einzustellen bemühte. Ja, nicht selten verband sich der agrarökonomische Erfolg mit einem altertümlich konservativen Politikverhalten.

Außerhalb der ländlichen Gesellschaft kam der Adel ebenfalls aus der Defensive nicht mehr heraus, so energisch er auch den Anspruch auf Führungspositionen im Staatsapparat und Militärwesen weiter durchsetzte. Das Staatsministerium fungierte als Adelsklub, der gelegentlich bürgerliche Mitglieder absorbierte. Um 1858 gehörten neunundsiebzig Prozent der Oberpräsidenten dem Adel an, zweiundachtzig Prozent der Landräte – sie bildeten als Bindeglieder zwischen der Zentralbürokratie und der regionalen

Selbstverwaltung ein wesentliches Element der politischen Stabilität im Sinne der Aristokratie –, vierundzwanzig bis sechsunddreißig Prozent in den höheren Rängen der Ministerial- und Provinzialverwaltung, dagegen nur zweiundzwanzig Prozent in der Justizbürokratie. Der als Berufsexperte überlegene bürgerliche Volljurist ließ sich immer weniger zurückdrängen. Um so hartnäckiger verteidigte der Adel diejenigen hochkarätigen Posten, deren Inhaber mit ihren strategischen Anordnungen den Apparat dirigierten.

In dieser Hinsicht war er in einer anderen Domäne, im Heer, unverkennbar erfolgreicher. Rigoros hat er nach der Revolution den Anteil der viertausenddreihundert adligen Offiziere bis 1860 auf fünfundsechzig Prozent hinaufgetrieben, nachdem er noch im Vormärz deutlich darunter, 1820 sogar bei vierundfünfzig Prozent gelegen hatte. Wie effektiv sich der Adelsnepotismus im Heer auswirkte, zeigt etwa die Veränderung, die zwischen 1855 und 1865 oberhalb der «Majorsecke» zu seinen Gunsten erzielt wurde. Der Anteil der adligen Regimentskommandeure stieg in der Infanterie von siebenundachtzig auf fünfundneunzig Prozent, in der Kavallerie von siebenundachtzig auf vierundneunzig Prozent und stagnierte nur in der Artillerie bei immerhin siebenundsechzig Prozent. In den Obristen- und Generalsrängen bewegte sich der adlige Berufsoffizier fast nur unter seinesgleichen. Der Vergleich mit anderen deutschen Staaten unterstreicht die Sonderstellung im preußischen Heer. Ob in Bayern, Württemberg oder Sachsen: Überall stellten bürgerliche Offiziere damals die Mehrheit. Daß Preußen – wie Bayern seit 1873 – auf dem Abitur als unerläßlicher Voraussetzung für die Offizierslaufbahn hätte bestehen können, war noch immer nicht realistisch vorstellbar. Das überhebliche Versorgungs- und Anspruchsdenken des Adels, sein antiintellektuelles Vorurteil, dem das niedrige Niveau der Kadettenanstalten entgegenkam, seine Überschätzung der Praxis des Berufskriegers – sie sperrten sich mit Erfolg gegen diese Leistungsprüfung. Den hochtrainierten «Intelligenzbestien» des Generalstabs begegnete auch deshalb unverhüllte Aversion.

So aufschlußreich das Konnubium für das soziale Verhalten, insbesondere gegenüber dem Bürgertum, auch ist, dürfen seine Resultate wegen der Assimilationsfähigkeit des Adels doch nicht überschätzt werden. Gewiß, um 1850 war rund ein Viertel der höheren preußischen Beamten mit adligen Frauen, meistens Kollegentöchtern, verheiratet; zwischen 1860 und 1890 nahmen neun Prozent der Söhne des Niederadels, überwiegend wohl aus ökonomischen Motiven, die Töchter von Großunternehmern in Industrie und Handel zur Frau. Von einer Verbürgerlichung aus diesen Gründen wird man aber schwerlich sprechen dürfen. Entweder ging es um die zweitbeste Wahl oder um das durchsichtige Statuskalkül der adligen Heiratspolitik.[26]

Wie immer man auch das ökonomische Verhalten der adligen Großagrarier, die administrative und militärische Aktivität der Aristokratie beurteilen mag – und zu Skepsis ist jeder Anlaß gegeben –, auf gar keinen Fall hatte sich der Adel durch eigene Leistung den riesigen, unerwarteten Bonus verdient, den ihm Bismarcks erfolgreiche Politik verschaffte. Er fiel ihm unerwartet in den Schoß, aber er verstand es, mit geschultem Machtinstinkt und nackter Interessenpolitik dieses Guthaben zur Verlängerung seiner prekären Existenz um weitere fünfzig Jahre auszunutzen.

5. Die bäuerlichen Besitzklassen und die ländlichen Unterschichten

Nach der Revolution ist die Sozialgeschichte der deutschen Bauern für die Zeitspanne einer Generation durch drei Grundtendenzen entscheidend bestimmt worden.

1. In allen deutschen Staaten wurden die Agrarreformen endgültig abgeschlossen. Die Mehrheit der Bauern war schon bis 1848 abgelöst oder reguliert, erst jetzt aber kam der Umbau der ländlichen Gesellschaft zu einem formellen Abschluß. Zwar liefen die Entschädigungszahlungen noch jahrzehntelang weiter, außerdem blieb häufig eine drückende informelle Abhängigkeit erhalten. Insgesamt wurde jedoch die Umstellung auf ein System landwirtschaftlicher Privateigentümer und agrarkapitalistischer Betriebswirte Schritt für Schritt vollzogen.

2. Überall hielt die Agrarkonjunktur in der zweiten Hälfte der fünfzig «Goldenen Jahre» seit 1825 weiter an, bis die Zäsur von 1876 eine krisenreiche säkulare Abschwungperiode eröffnete. Die Prosperität erleichterte es nicht nur, die materiellen Kosten und Folgelasten der Reformen zu tragen. Vielmehr unterstützte sie auch kraftvoll das Vordringen des Agrarkapitalismus.

3. Als Ergebnis des Reformwerkes und der Konjunktur, des Agrarkapitalismus und des Besitzindividualismus prägte sich die Spitzenstellung der bäuerlichen Besitzklassen in der ländlichen Sozialhierarchie noch schärfer als zuvor aus. Die Groß- und Mittelbauern bildeten – wie sie das schon längst, jetzt aber noch krasser taten – je nach Region mit sechs bis zweiundzwanzig Prozent der ländlichen Bevölkerung eine abgehobene Minderheit, die eine gesicherte Existenz besaß, eine steigende Marktquote erwirtschaftete und ihre soziopolitischen Sonderrechte genoß. Unterhalb der adlig-bürgerlichen Großgrundbesitzerklasse kam auch ihr der Konzentrationsprozeß zugute, der wegen des Vorsprungs des Agrarkapitalismus in der Landwirtschaft schon früher als in der Industrie zugunsten der größeren Unternehmen ablief. Während diese Minorität erstaunlich stabil blieb, expandierte unter ihr die Zahl der Kleinbauern und Zwergstellenbesitzer, deren Lage ökonomisch prekär, in jeder Krise fatal gefährdet blieb, und die ländlichen Unterschichten wuchsen noch dramatischer in die Breite.

Das schroffe Gefälle der sozialen Ungleichheit im Dorf ist daher auch nach der Jahrhundertmitte schlechterdings nicht zu leugnen. Nach der Entschärfung der Agrarrevolution von 1848 blieben jedoch die Spannungen nur latent, unter der roten Gefahrenmarke, erhalten. Die «Klassenbildung» trat etwa in dem friesischen Dorf, in dem der Historiker der deutschen Universität, Friedrich Paulsen, in den 1850er Jahren aufwuchs, «in primitiver Form zutage. Es gab Großbauern, ... die nicht selbst mit Hand anlegten bei der Arbeit, dann eine sehr breite Schicht von mittleren Bauern, die regelmäßig ... sich selbst an der landwirtschaftlichen Arbeit beteiligten. Dem folgte eine Schicht kleiner Besitzer, die auf dem eigenen Landbesitz nicht mehr ausreichende Arbeit für die Familienmitglieder hatten und daher durch übernommene Dienste ihr Einkommen steigerten ... Endlich kamen die eigentlichen Tagelöhner, die nur ein Haus mit Garten und vielleicht noch Land für eine Kuh oder ein paar Schafe hatten ..., sie standen meist in regelmäßigem Arbeitsverhältnis zu einem Bauernhof. Endlich am Rand eine sehr kleine Schicht von Armen», die von «gelegentlicher Arbeit oder vom Betteln» lebten.[27]

Mit einer gewissen Variation der Größenordnungen wiederholte sich dieser dörfliche Mikrokosmos allenthalben. Obwohl sie sich in ihrer Selbsteinschätzung traditionsbewußt noch als Bauernstand begriffen, zerfiel die Vollbauernschaft in mehrere positiv privilegierte ländliche Besitzklassen. Die Zugehörigkeit zu den verschiedenen Rängen hing ab von der Größe, dem Wert und der Bodenqualität des Besitztums. Diese Faktoren entschieden nicht nur über die lukrative Marktquote und den Grad der Verflechtung in die überlokale Marktwirtschaft, sondern auch über die Feindifferenzierung des oberen Positionsgefüges – je nach Vermögen, Prestige und Einfluß. In der dörflichen Realgemeinde besaßen die Vollbauern meist ein lokales politisches Machtmonopol, das sie zielbewußt zugunsten ihrer Familie und Klientel, insgesamt der höheren Besitzklassen nutzten. Sie entschieden über wichtige politische Fragen und beeinflußten durch die Wahl des Dorfschulzen oder -vorstehers den Ablauf der Verwaltung im Alltag.

Gewöhnlich bildeten die Großbauern einen Herrschaftsclan, der auch informell dominierte, sich in einem engen Verkehrskreis bewegte und auf strikte klasseninterne Endogamie achtete. Die geräumige Anlage der Höfe und ihre Einrichtung mit auffälligen Wertgegenständen diente zur Reichtumsdemonstration, welche durch die Mitgift für Töchter verstärkt wurde. Im Mittelpunkt aber standen als unverrückbare Lebensziele die Sicherung, Vermehrung und Vererbung des Besitzes. An ihnen orientierte sich mit eherner Konsequenz auch die bäuerliche Heiratspolitik. Die aus einer solchen «Standespolitik» geschlossenen Ehen seien, beobachtete Riehl, unter den Vollbauern ebenso «häufig als die politischen Ehen bei Fürsten und Herren. Erst kommt der Güterverband, dann der Herzensverband.»

Räumlich vielleicht Nachbarn, sozial jedoch durch eine tiefe Kluft von den Vollbauern geschieden, fristeten die Kleinbauern und Parzellenbesitzer ihr bedrücktes Leben, das wegen der bescheidenen Ackerwirtschaft vom Nebenerwerb als Tagelöhner oder in der protoindustriellen Heimarbeit abhing. Umgekehrt drang freilich auch ein Arrangement vor, in dem die Lohnarbeit in der Industrie, im Bergbau, im Verkehrssystem ökonomisch im Zentrum stand, während der kleine Landbesitz zusätzlich als Rückhalt, als Rückversicherung in schwierigen Zeiten diente.

Um welche Größenverhältnisse handelte es sich in der ländlichen Gesellschaft zu Beginn des deutschen Kaiserreichs? Da sich die Besitzverteilung zu dieser Zeit, nach dem Abschluß der Reformen, stabilisiert hatte, kann die erste zuverlässige Agrarstatistik von 1882 als Ausgangspunkt dienen, um annäherungsweise auch die Zustände zu Beginn der siebziger Jahre zu rekonstruieren.

Übersicht 66: Größe, Zahl und Nutzfläche der landwirtschaftlichen Betriebe im Reich 1882

Größe in ha	Betriebszahl	%	landwirtschaftl. Nutzfläche in ha	%
1. bis 2	3062831	58.0	1825938	5.7
2. 2–5	981407	18.6	3190203	10.0
3. 5–10	554174	10.5	3906947	12.3
4. 10–20	372431	7.1	5251451	16.5
5. 20–100	281510	5.3	9908170	31.1
6. über 100	24991	0.5	7786263	24.4
	5277344	100	31868972	100

Obwohl diese sechs statistischen Größengruppen die Kategorien der Groß-, Mittel- und Kleinbauern nicht genau abbilden, vermittelt doch die Zusammenfassung einiger Gruppen eine tendenziell realistische Vorstellung.

4.044 Millionen kleine Betriebe (Nr. 1 + 2), das waren drei Fünftel, 76.6 Prozent, der Gesamtzahl, bewirtschafteten nur 5.026 Millionen Hektar, 15.7 Prozent der landwirtschaftlichen Nutzfläche.

Im mittleren Bereich (Nr. 3 + 4) verfügten 926600 Höfe über immerhin 9.158 Millionen Hektar, das heißt ein Drittel, neunundzwanzig Prozent der landwirtschaftlichen Nutzfläche. Im unteren Grenzsaum gehörte vermutlich eine schwer bestimmbare Anzahl noch zu den Kleinbauern, in der oberen Zone gab es einen gleitenden Übergang zu den Großbauern.

Zwar bedeutete ein Betrieb von zwanzig Hektar oder etwas mehr je nach Region und Bodenqualität noch keine Zuordnung des Besitzers zu den Großbauern. Insgesamt aber kann man, um die Proportionen in etwa zu erfassen, die Unternehmen von zwanzig Hektar ab aufwärts (Nr. 5 + 6) einmal global zusammenfassen. Man hat es selbst dann nur mit 306500 Betriebseinheiten (5.8 % von allen!) zu tun, die jedoch mit 17.694 Millionen Hektar über erheblich mehr als die Hälfte, 55.5 Prozent, der landwirtschaftlichen Nutzfläche verfügten. In die oberste Kategorie des Landbesitzes mit mehr als hundert Hektar fiel auch der adlig-bürgerliche Großgrundbesitz, der statistisch bei sechshundert Morgen, rund hundertfünfzig Hektar, begann. Hier machten rund fünfundzwanzigtausend Betriebe nicht mehr als 0.5 Prozent der Gesamtzahl aus, besaßen aber mit 7.786 Millionen Hektar ein Viertel, 24.4 Prozent, der landwirtschaftlichen Nutzfläche. Im Landbesitz oberhalb der Zwanzig-Hektar-Grenze hatte der agrarische Konzentrationsprozeß unstreitig die größten Fortschritte gemacht.

Der großbäuerliche Anteil an der Spitzengruppe mit mehr als hundert Hektar der landwirtschaftlichen Nutzfläche ist allerdings nicht exakt zu ermitteln. Allein drei Fünftel dieser Großbetriebe (15635) lagen in Preußen; nur zwei Fünftel (9356) außerhalb, vor allem verstreut über die mecklenburgischen und sächsischen Staaten, über Nordwestdeutschland, Bayern und Hessen. Mehr als schätzungsweise sechstausend adlige Besitzer kann es zu dieser Zeit kaum mehr gegeben haben, so daß rund neunzehntausend Großbetriebe reichen Bürgerlichen, aber auch in nicht präzis bestimmbarer Zahl großbäuerlichen Eigentümern gehört haben, die demzufolge auf insgesamt etwa zweihundertneunzig- bis dreihunderttausend, höchstens 5.7 Prozent aller Landwirte, gekommen sein dürften.

Der Blick auf die geographische Verteilung der unterschiedlichen Bauernkategorien läßt im wesentlichen drei Regionen hervortreten. Ostelbien besaß mit Pommern, Posen, Ost- und Westpreußen, Brandenburg, Schlesien und Mecklenburg die Gebiete mit der höchsten Anzahl an adligen und bürgerlichen Großagrariern. Wegen der zahlreichen ehemaligen Domänenbauern und Kölmer, der grundherrschaftlichen und aus der Gutsherrschaft günstig ausgeschiedenen Adelsbauern, gab es dort auch die meisten Großbauern. Sie sind in den knapp sechs Prozent jener Betriebe enthalten, die dort mehr als zwanzig Hektar besaßen, außerdem stecken sie in den 0.5 Prozent mit über hundert Hektar landwirtschaftlicher Nutzfläche. Relativ häufig gab es auch großbäuerliche Höfe im Bereich der Anerbensitte, besonders in Westfalen und Hannover, in Oldenburg, Friesland und Schleswig-Holstein. Hier hatten auch zahlreiche Mittelbauern ihre Höfe konsolidieren können: Das verdeutlichen jene fünfundsiebzig Prozent, denen dort ein Besitz zwischen fünf und hundert Hektar gehörte; nur neun Prozent lagen über der Hundert-Hektar-Grenze. Wo dagegen die Realteilung vorherrschte, dominierte eindeutig das Kleinbauerntum. Insbesondere in Baden, Württemberg und Hessen massierten sich die Betriebe mit zwei bis zwanzig Hektar, die siebzig Prozent erreichten, während diejenigen mit zwanzig bis hundert Hektar nur auf sechzehn Prozent kamen. In Bayern wiederum stagnierte die Anzahl der Großbauern mit mehr als hundert Hektar Land bei 0.3 Prozent, die der Mittelbauern mit zehn bis hundert Hektar bei zwanzig Prozent. Da in ihrem unteren Bereich der Übergang zu den Kleinbauern erfolgte, entfielen mithin nicht einmal zwanzig Prozent der Betriebe auf gesicherte Vollbauernstellen. Vielmehr stellten im «Bauernland Bayern» die Kleinbauern mit ein bis zehn Hektar Land fünfundfünfzig Prozent, die Zwergbesitzer mit ihren bis zu einem Hektar großen Parzellen fünfundzwanzig Prozent. Für durchweg achtzig Prozent erwies sich daher ein Nebeneinkommen aus ländlicher oder gewerblicher Lohnarbeit als lebenswichtig.

Für die Groß- und Mittelbauern vermehrte nicht nur der im Verlauf des Bevölkerungswachstums und der Urbanisierung stetig wachsende Binnenmarkt die Absatzchancen, sondern ihnen griffen auch die landwirtschaftlichen Genossenschaften und Kreditinstitute in erster Linie unter die Arme, wenn es um die Modernisierung der Betriebe ging. Dadurch wurde ihr Vorsprung in der Entwicklung der bäuerlichen Gesellschaft befestigt. Hinzu kamen jetzt neue politische Einflußmöglichkeiten.

In den neuständischen Landtagen nach 1815 konnten die Bauern überhaupt zum erstenmal in der Epoche der modernen Flächenstaaten von Abgeordneten repräsentiert werden. Der hohe Zensus stand jedoch ihrer politischen Teilnahme im allgemeinen entgegen, und wenn «Landwirte» unter den Volksvertretern auftauchten, waren es fast ausnahmslos Großgrundbesitzer, Bürgermeister und Schultheiße – wie sich das in Württemberg, Hessen-Kassel, Sachsen und Hannover verfolgen läßt. In den acht preußischen Provinziallandtagen wurden in den vierziger Jahren die ersten Bauern im Rahmen der ihnen wahlrechtlich zugebilligten Quote anstelle von Beamten und Bürgermeistern gewählt; immerhin saßen auch neunundvierzig Bauern in der Berliner Nationalversammlung von 1848, höchstens drei dagegen in der Frankfurter Paulskirche. In Bayern gelangten ebenfalls im späten Vormärz erstmals siebzehn Bauern in die Zweite Kammer. Dieser Anteil konnte im neuen Landtag von 1849 von sechzehn Bauern verteidigt werden, obwohl die hohe Zensusbarriere und die fehlende Organisation die Wahl erschwerten. 1855 stieg ihre Zahl auf neunzehn Abgeordnete, wurde aber bis 1869 auf zehn halbiert. Deshalb fiel den Landwirtschaftlichen Vereinen die Aufgabe der politischen Interessenvertretung zu. Sie sträubten sich zuerst gegen die Bindung an den liberal-konstitutionellen Staat und drifteten seit 1866 ins konservativ-antipreußisch-partikularistische Lager ab. Erst die militanten katholischen Bauernvereine brachten später neuen Schwung in die ländliche Politik.

Auch im preußischen Abgeordnetenhaus figurierten Großgrundbesitzer statt Bauern als «Landwirte». Dank der politischen Mobilisierung wurden jedoch 1849 tatsächlich sechsundzwanzig Bauern gewählt, 1862 waren nur mehr fünf im Landtag übriggeblieben. Wegen der plutokratischen Struktur des Dreiklassenwahlrechts besaßen die allermeisten Bauern einschließlich der Vollbauern mit mittelgroßem Besitz keine Chance, das passive Wahlrecht zu gewinnen. Unter den neuen Bedingungen der nachrevolutionären Politik bewegten sich deshalb bäuerliche Interessen zunächst in einem Vakuum. Von den westlichen Provinzen mit ihrem höheren Politisierungsgrad nahm dann die Bauernvereinsbewegung ihren Ausgang: 1862 wurde der erste Verein in Burgsteinfurth gegründet, ihm folgten weitere, die bereits 1871 im Dachverband der «Westfälischen Bauernvereine» zusammengefaßt wurden. Von Anfang an fungierte der «westfälische Bauernkönig», der katholische altadlige Rittergutsbesitzer Burghard v. Schorlemer-Alst, als Gründer. Als Ziel schwebte ihm vor, im Sinne von Gierkes Genossenschaftslehre die Bauern in einer modernen Korporation zu organisieren, ihre Benachteiligung durch das Wahlrecht wettzumachen und sie gegenüber der Verwaltung, der Regierung und dem Parlament politisch aufzuwerten. Außerdem ging es um gemeinsame materielle Hilfe durch Kreditinstitute und Versicherungen, durch Rechtsschutz und Beratung, auch um die Verteidigung des Anerbenrechts, zeitweilig, während des Kulturkampfes, für die überwiegend katholischen Mitglieder um die Unterstützung des Zentrums. In vielfacher Hinsicht wurden daher die westfälischen Bauernvereine zum Vorbild für die nachfolgende bäuerliche Vereinsbewegung, deren interessenpolitische Bedeutung trotz der verstärkten Aufwertung des bodenständigen Landwirts durch die Bauerntumsideologie und die Bauernromane ebensooft unterschätzt wie der erst 1893 entstandene «Bund der Landwirte» überschätzt worden ist.[28]

Selbst der kleinste Kleinbauer fühlte sich als Landeigentümer mit seinem selbständigen Privatbetrieb noch weit erhaben über die Masse der landlosen oder landarmen Arbeiter, deren Zahl 1882 im Deutschen Reich rund 4.2 Millionen betrug; davon lebten allein in Preußen mit rund 2.7 Millionen etwa fünfundsechzig Prozent. Diesen Landarbeitern wurde in der ländlichen Gesellschaft die unterbäuerliche Existenz in einer abgeschlossenen Welt zugewiesen. Sie blieb durch einen «eigentümlichen Schwebezustand» charakterisiert: durch ein Geflecht harter paternalistischer Abhängigkeit und spätfeudaler «herrschaftlicher Verfügungsgewalt bei gleichzeitiger Mobilität, Bindungslosigkeit und Entwurzelung». Die zunehmend vordringende formelle Vertragsfreiheit ging mit einem «Bündel von obrigkeitsstaatlichen Regularien» und anachronistischen Rechten einher, in denen das Verhältnis von Herr und Knecht eingefroren worden war. «Gehorchen sollen die Leute», erklärte ein Sachkundiger in Polenz' Roman «Die Grabenhäger», «fleißig arbeiten, möglichst wenig lernen, fromm sein und konservativ stimmen. Das nennt man das patriarchalische Regime. So lautet auch jetzt noch der Katechismus für Landarbeiter.»[29]

In Ost- und Norddeutschland, wo die große Mehrheit der Landarbeiter lebte, wirkten sich in der hier zur Diskussion stehenden Zeitspanne vor allem drei Entwicklungstendenzen weiter aus, welche die traditionell abhängigen Arbeitskräfte im Prinzip in formell freie ländliche Lohnarbeiter verwandelten.

Der tiefgreifende Strukturwandel der Landwirtschaft hielt unaufhaltsam in dem Sinn an, daß er aus Gütern und Höfen agrarkapitalistische Betriebe machte. Diesem Imperativ beugten sich zuerst die Klassen der adlig-bürgerlichen Großproduzenten und die oberen bäuerlichen Besitzklassen. Indem sie ihre Unternehmen auf kapitalistische Organisationsprinzipien und Kosten-Nutzen-Kalkulationen umstellten, mußten sie einen wachsenden Bedarf an mobilen, billigen Hilfskräften befriedigen. Die Faustregel hieß, daß man ein Besitztum bis zu zehn Hektar mit der eigenen Familie bewirtschaften konnte; ging es um zehn bis zwanzig Hektar, brauchte man öfters, von zwanzig Hektar ab aufwärts regelmäßig fremde Arbeitskräfte.

Die Landarbeiterschaft unterlag allerdings einer folgenreichen Differenzierung je nach dem Rechtsstatus, den Arbeitsfunktionen, dem Lohn aus Naturalien und Bargeld und den spezifischen Lebensverhältnissen. Eine erste Grobunterscheidung trennt die kontraktlich gebundenen Landarbeiter von den freien Lohnarbeitern; beide Formationen zerfallen dann noch einmal in mehrere Unterabteilungen.

Zur ersten Gruppe gehörten in vorderster Linie die Insten, die Deputanten, Drescher und Lohngärtner. Bei der typisch ostelbischen Sozialfigur des Insten handelte es sich um die durch einjährige Verträge, faktisch aber auf lange Zeit kontraktlich an den Großbesitz gefesselten Gutsarbeiter. Ihr «einseitiges Unterwerfungsverhältnis» brachte ihnen Naturaldeputate, einen Anteil am Dreschertrag und ein wenig Barlohn ein. Sie bewohnten mit ihrer Familie eine kleine Kate, ernteten auf zwei bis drei Morgen Land und mußten selber mindestens zwei, häufig mehr sogenannte «Scharwerker» oder «Hofgänger» als Hilfskräfte stellen: die ohnehin arbeitspflichtige Frau, die Kinder, gegebenenfalls noch Fremde. Die Arbeitsplatzsicherheit, welche ihnen diese Zugehörigkeit zur Stammarbeiterschaft eines Ritterguts verschaffte, wirkte als spürbare Kompensation für die weiterbestehende, nur notdürftig verschleierte Untertänigkeit.

Dieses noch traditional geprägte Instenverhältnis wurde jedoch seit den vierziger Jahren ausgehöhlt. Nach der Jahrhundertmitte war seine «rettungslose Zersetzung» nicht mehr aufzuhalten, die Umwandlung in einen «reinen Lohnvertrag» setzte sich mehr und mehr durch. Dafür waren insbesondere drei Ursachen verantwortlich. Der Produktenverkauf wurde für den Besitzer ergiebiger als die Entlohnung mit Naturalien, daher verdrängte Geld das Deputat. Da der Bodenwert stieg und die intensivierte Eigenwirtschaft einen erklecklichen Gewinn abwarf, wurde das Instenland eingezogen. Als die Dreschmaschine seit den fünfziger Jahren vordrang, entfiel der Anteil am Erdrusch. Im Zuge dieser Veränderungen verlor der Inste erst seine sozioökonomische Basis, dann seinen Kontrakt, bis er sich in einen Gutslandarbeiter verwandelte. Wo aber die Modernisierung der Landwirtschaft die finanziellen Mittel band, wo sie in die Bodenspekulationen geleitet wurden oder wo der notorische Liquiditätsmangel die Barlöhne erschwerte, blieb der Inste herkömmlichen Zuschnitts erhalten, so daß auch in den siebziger Jahren noch «mehrere hunderttausend Instenwirtschaften» auf den Besitzungen der Großagrarier weiterbestanden. Bei den Deputisten, Dreschern und Lohngärtnern handelte es sich um tendenziell vergleichbare Arbeitsverhältnisse, die hier ganz ähnlich schrumpften, doch noch überlebten.

Das Gesinde wiederum umfaßte jene vertragsgebundene, betriebsintegrierte männliche und weibliche Guts- und Hofarbeiterschaft, die gegen Kost und Logis zeitlebens von früh bis spät schaffen mußte; häufig aber wurde die Gesindezeit auch nur als Durchgangsstation betrachtet, wie das bei vielen Kleinbauernkindern der Fall war. Das Gesinderecht in seiner bis zum Ende des Kaiserreichs geltenden Fassung sicherte den Zugriff auf den ländlichen Arbeitsmarkt, indem es insbesondere den Rittergutsbesitzern ein rundum abhängiges Arbeitskräftepotential erhielt. Der Dienstherr fungierte nämlich gegenüber dem Gesinde weiterhin als traditionaler «Hausvater» mit weitgefaßter Sanktionsgewalt. Aufgrund eigener Entscheidung konnte er drakonische Strafen einschließlich der körperlichen «Züchtigung» verhängen, sein negatives Urteil in das Gesindedienstbuch – seit 1846 das Symbol des «Zwangscharakters» dieser Tätigkeit – eintragen und nach Gutdünken entlassen. Das kam faktisch einer erniedrigenden Entrechtung gleich, die der Gutsbesitzer Knauer – ganz offenherzig das Credo der meisten Gesindeherrn aussprechend – als «wahren Segen» pries, da «jeder Widerstand beim Gesinde gebrochen und jeder Gehorsam erzwungen werden» könne. Gegen solche Herrenmenschenallüren mahnte Gustav Schmoller 1866, der ländliche Dienstherr solle das Gesinde nicht als «unterworfene Kreatur», sondern als «gleichberechtigtes Glied der Gesellschaft» behandeln. Vergebens, das Gesinderecht blieb nicht nur bis zur Novemberrevolution von 1918 erhalten, vielmehr wurde es, um den modernen Gefahren der Koalition und des Streiks entgegenzuwirken, fester gezurrt, wie gleich zu zeigen ist.

Am Ende der «goldenen» Agrarkonjunktur befand sich indes die Masse der ländlichen Arbeiter im Status des Tagelöhners, die dem Typus des freien Lohnarbeiters in der ländlichen Gesellschaft entweder am nächsten kam oder ihn bereits verkörperte. Als eindeutige Minderheit besaßen die Häusler und Büdner, die Kätner und Kossäten noch ihre eigene Hütte mit einem Feld, vielleicht sogar wenige Morgen Land. Im Sommer mußten sie sich zur Stoßzeit als Tagelöhner verdingen; im Winter wichen sie in das Heimgewerbe aus, dessen Niedergang sie in eine irreversible Krisensituation trieb und häufig enteignete.

Die übergroße Mehrheit bestand aus den Tagelöhnern im strengen Sinne des Wortes, aus eigentumslosen, freien Lohnarbeitern ohne längere Vertragsbindung. Ihre Zahl stieg seit 1848 – in hochentwickelten Regionen wie der Magdeburger Börde bereits seit den dreißiger Jahren – steil an. Ob zunächst noch als Deputanten, Einlieger, Losleute bezeichnet – allgemein handelte es sich um landlose Arbeiter, die bei ihrem Dienstherrn umsonst oder zur Miete wohnten, Naturalien und Geldlohn erhielten.

Aus dem bereits genannten Grund überwog allmählich der feste Bezug einer Barsumme, deren Höhe aber regional sehr variierte. Um 1873 zum Beispiel machte das Verhältnis von Natural- und Geldlohn in Schlesien schon 17.5 zu 82.5, in der Provinz Sachsen 18 zu 82 und in Schleswig-

Holstein 54.4 zu 45.6 aus; dagegen lautete es in Brandenburg 71.7 zu 28.3, in Pommern 80.2 zu 19.8 und in Ostpreußen sogar 86.5 zu 13.5 – dort wurden vor 1870 von jährlich zweihundertfünfunddreißig Talern nur dreißig Taler bar ausgezahlt. Wegen der Umstellung vom Deputat auf den Barlohn, begünstigt auch durch die konjunkturelle Liquiditätsverbesserung, stiegen zwischen 1849 und 1873 die Wochenlöhne der freien Landarbeiter sowohl in den preußischen Ostprovinzen als auch im Westen der Monarchie um rund fünfzig Prozent an. Dafür wurde freilich häufig im Akkord gearbeitet; Frauen erhielten trotz der extremen Belastung nur die Hälfte des Männerlohns; Kinder mußten vom sechsten Lebensjahr ab mithelfen. Unverändert trieben der Inspektor und die Vorarbeiter von Sonnenaufgang bis Sonnenuntergang zu körperlicher Schwerstarbeit an. Als Unterkunft dienten primitive Massenquartiere, aus denen die künftigen «Schnitterkasernen» hervorgingen. Auch auf die Lohnverhältnisse der ländlichen Lohnarbeiter traf Karl Kautskys Urteil zu, daß sie «die proletarische Lebenshaltung von der bürgerlichen am weitesten» trennten.

Nicht nur die sozialökonomischen Verhältnisse trugen dazu bei, die Klassenlage des Landproletariats zu vereinheitlichen, sondern auch die Gesetzgebung unterstützte wider Willen die Klassenbildung. Schon seit den vierziger Jahren hatte es Erwägungen und Anläufe der Behörden und Ritter gegeben, die Insten und Tagelöhner rechtlich gleich niedrig wie das Gesinde zu stellen. Aus Rücksicht auf die eruptive Agrarrevolution von 1848 zögerte das Staatsministerium, bis es auf dem Höhepunkt der Restaurationspolitik eine Vorlage aus dem Jahre 1836 mit verschärften Einschränkungen der Gewerbeordnung von 1845 kombinierte. Daraus ging 1854 das Dienstpflichtgesetz für ländliche Arbeitskräfte hervor. Die Beziehung zwischen Herrschaft und Gesinde wurde jetzt im Stil eines bedenkenlosen Anachronismus als «Verhältnis des Familienrechts» definiert, so daß die Analogie zum Gefälle zwischen Vater und Kind gezogen werden konnte. Im Kern wurde das Gesinderecht auf die übrigen Landarbeiter ausgedehnt. Auch der Tagelöhner war seither der hausväterlichen Gewalt seines Dienstherrn unterworfen, der Strafvorschriften auf ein zivilrechtliches Verhältnis anwenden durfte. Da der gewerkschaftliche Zusammenschluß nicht erlaubt wurde, herrschte faktisch ein Koalitionsverbot, das mit einer expliziten Streikächtung verbunden wurde, so daß jede Aussicht auf einen organisierten Arbeitskampf entschwand.

Die liberale Kritik, daß mit dem Gesetz eine «Art von mässiger Guts- oder Erbuntertänigkeit» wiederbelebt werde, blieb wirkungslos. Wahrscheinlich tauchte die einzige Reformchance auf, als es seit 1865/66 um die Novellierung der Gewerbeordnung ging. Aus der freiheitlichen Gewerbeordnung des Norddeutschen Bundes wurden jedoch dank der effektiven Obstruktion der großagrarisch-adligen Interessenlobby die Landarbeiter ausgespart. Damit blieb der Status quo erhalten. Die liberale Reichsgesetzgebung konnte auf das ländliche Preußen nicht ausgedehnt werden. Die «Politisierung des flachen Landes» wurde jahrzehntelang verzögert, ein wichtiges «Potential konservativer Beharrung» erfolgreich verteidigt.

Sichtbar wurde der Triumph der Konservativen jedesmal dann, wenn der Gutsinspektor die Landarbeiter nach verbindlicher Instruktion zur offenen «Wahl» führte. Außer der Mühsal, Entbehrung und Dürftigkeit des täglichen Lebens hat diese negative rechtliche Ausgrenzung nachdrücklich dazu beigetragen, die Klassenhomogenität zu verdichten, wie das auch die späte, aber dann erfolgreiche Landarbeiterpolitik der Sozialdemokraten unterstreicht. Bis dahin traf Friedrich Engels' Diagnose von 1865 zu, daß das «Ackerbauproletariat ... derjenige Teil der Arbeiterklasse» sei, «dem seine eigenen Interessen, seine eigene gesellschaftliche Stellung am schwersten und am letzten klarwerden», so daß es «am längsten ein bewußtloses Werkzeug in der Hand der ihn ausbeutenden, bevorzugten Klasse» bleibe. Die ersten Protestregungen wirkten sich bis zu den frühen siebziger Jahren noch nicht aus: Das war die seither einsetzende Abwanderung in die Industriegebiete, denn in ihr trat nicht nur die Suche nach besseren, freieren Lebensverhältnissen, sondern auch eine Form des «latenten Streiks» zutage.

Wie die Ost-West-Binnenwanderung in großem Umfang erst später begann, tauchte auch das Heer der Wanderarbeiter, die wegen der Nachfrageschwankung bevorzugt zur saisonalen Akkordarbeit angeheuert wurden und die eigentlichen «Parias der ländlichen Sozialpyramide» bilden sollten, erst nach den siebziger Jahren auf.

Der Proletarisierungsdruck wirkte sich auch in anderen ländlichen Gesellschaften Deutschlands aus, obwohl er dort eine geringere Größenordnung der Bevölkerung erfaßte. In Nordwestdeutschland wurde aus den Heuerlingen und Köttern, aus Kleinpächtern und Mietern, deren Zahl sich für jede bäuerliche Stelle von 1800 bis 1850 bereits verdoppelt hatte, ein lohnabhängiges «Einliegerproletariat», das sich von den Landarbeitern weiter östlich strukturell kaum mehr unterschied.

Freie Tagelöhner dominierten nach dem zweiten Drittel des 19. Jahrhunderts auch in Mittel- und Süddeutschland. Überall leisteten sie vertragslos ihre Tagesarbeit, formell unabhängig, aber stets «existentieller Unsicherheit» ausgesetzt. Im Agrarland Bayern etwa fanden die besitzlosen «Inwohner» bei ihrem bäuerlichen Arbeitgeber Unterkunft und Nahrung, dazu erhielten sie einen geringen Barlohn. Dafür verdingten sich auch die Häusler, Söldner und Gütler, die zwar noch eine Hütte mit einem Stück Land besaßen, aber wegen ihrer bitteren Armut als Tagelöhner arbeiten mußten. Die Dienstboten umfaßten alle unselbständigen Knechte und Mägde, die ähnlich wie das ostdeutsche Gesinde einer harten hausväterlichen Herrschaft unterstanden. Dieses Arbeitskräftepotential wurde während der saisonalen Stoßzeiten durch Wanderarbeiter aus den Armutsgebieten bis hinein nach Mitteldeutschland ergänzt. Ein Großteil dieser Landarbeiter blieb nebenerwerbsabhängig, und daher erschwerte es ihnen der Niedergang der protoindustriellen Heimindustrie, ihre karge Existenz zu fristen.[30]

Ohne daß es der Mehrheit der Landarbeiter bewußt gewesen wäre, bahnte sich jedoch am Ende der deutschen Industriellen Revolution und der säkularen Agrarkonjunktur insofern ein fundamentaler Konstellationswandel an, als sich seither zum erstenmal eine überlegene Lebensalternative auftat: in der Industrie, im städtischen Baugewerbe, im Dienstleistungssektor. Deshalb wurde die ländliche Gesellschaft seit dem letzten Viertel des 19. Jahrhunderts von einer Umwälzung erfaßt, die in mehreren Etappen ihre Sozialstruktur von Grund auf veränderte.

6. Die Sozialhierarchie am Ende der deutschen Industriellen Revolution: Ständische Traditionen und Klassenformationen

«Deutschland» sei überhaupt, urteilte der Philosoph Ernst Bloch 1935, «das klassische Land» der «Gleichzeitigkeit des Ungleichzeitigen», wo ältere sozialstrukturelle und mentale Traditionen mit überaus modernen Elementen in einer unentwirrbaren Mischung existierten. Eben deshalb wirke «die Geometrie des Ungleichzeitigen ... so seltsam». Wenn diese Diagnose nach dem ersten Drittel des 20. Jahrhunderts eine folgenreiche Gemengelage richtig erfaßte, um wieviel mehr traf solch eine Charakterisierung auf das gesellschaftliche Ordnungsgefüge in den deutschen Staaten nach der Mitte des 19. Jahrhunderts zu! Überall schob sich der Überhang ständischer Lebensformen über die aufsteigenden klassengesellschaftlichen Strukturen. Überall lag ständisch orientiertes Beharrungsdenken im Widerstreit mit einem auf dem Leistungsprinzip beruhenden Veränderungsdrang. Überall überschnitten sich ständisch geprägte Formen der überlieferten Politik mit den auf die Verwirklichung liberaler Freiheitsrechte und demokratischer Gleichheitsrechte zielenden Ansprüchen, die von dem säkularen Innovationstrend eines neuen politischen Zeitalters getragen wurden.

Trotz dieser engen Verzahnung von Altem und Neuem setzte sich während der entscheidenden zweiten Phase der deutschen «Doppelrevolution» der Aufstieg der neuzeitlichen Marktgesellschaft mit ihren marktbedingten Klassenformationen weiter fort. Am deutlichsten wird das am Aufschwung des modernen Bürgertums, das nach einer Anlaufphase vom letzten Drittel des 18. Jahrhunderts bis zum Ende der 1830er Jahre zwischen etwa 1840 und 1880 eine Zeitspanne erlebte, in der seine Durchsetzungsfähigkeit, seine Prägekraft und sein gesamtgesellschaftlich wirkender Vorbildcharakter zu kulminieren begannen. Die politische Niederlage seiner liberalen Repräsentanten im Verlauf der achtundvierziger Revolution tat dem, wie es zunächst schien, keinen Abbruch. Ja, gerade seit den fünfziger Jahren mehrten sich die Stimmen, die selbstbewußt von einem «bürgerlichen Zeitalter» sprachen.

Unstreitig rückte die Bourgeoisie in der Sozialhierarchie weiter nach oben. Mit der revolutionären Expansion des Industrie- und Verkehrssystems stieg auch ihr Stern empor. In der sozialen Zusammensetzung dominierten weiterhin die Unternehmer mit jener privilegierten Herkunft, wo bereits das materielle Kapital vorhanden war, aber auch das nicht minder nützliche soziale und kulturelle Kapital als vielfache Begünstigung mit auf den Weg gegeben werden konnte. Zugleich stand Außenseitern, sei es aus der höheren Beamtenschaft und dem Handwerk, sei es aus bildungsbürgerlichen Berufen und dem Kaufmannsgeschäft, in jenem Fall, da sich Leistung und Glück verbanden, der Weg nach oben offen. «Es gibt keinen abgeschlossenen Stand, keine abgegrenzte Tätigkeit mehr», urteilte damals die «Westfälische Zeitung» über die Wachstumsregion an der Ruhr, «das Geld kennt keinen Religions- und Standesunterschied. Das Kapital kennt keinen anderen Gott außer sich selbst.»

In der politischen Dimension der Klassenbildung verschoben sich die Fronten. Das alte Stadtbürgertum mußte sich mehr und mehr einer Fusion mit der dynamisch aufwärtsstrebenden Bourgeoisie öffnen. Als Ergebnis zeichnete sich eine übergreifende Klasse des höheren Wirtschaftsbürgertums ab. Die Reibung mit der verstaatlichten Intelligenz in der Bürokratie nahm ab. Auch die soziale Distanz zwischen Unternehmern und freiberuflichen Akademikern schrumpfte spürbar. Und im Verhältnis zum Adel wirkten sich einerseits die Assimilationstendenzen aus, die von diesem mächtigen sozialnormativen Vorbild ausgingen; andrerseits gewann das Wirtschaftsbürgertum aus seinen Leistungserfolgen ein gefestigtes Selbstbewußtsein. Auch deshalb konnten die bürgerfreundlichen nationalliberalen «Grenzboten» Gustav Freytags 1858 konstatieren, daß gegenwärtig der Gegensatz zwischen Adel und Bürgertum schärfer ausgeprägt sei als noch vor zehn Jahren: «nicht die Reminiszenzen der Vergangenheit, sondern der Besitz der produktiven Kräfte entscheidet den Sieg!»

Als Integrationsideologien, welche die heterogenen Soziallagen überbrückten, wirkten sich weiterhin Liberalismus, Bildungs- und Nationalstaatsidee ganz so aus wie zunehmend ein unverhüllter Wirtschaftsnationalismus, der auf die Chancen eines künftigen Großmarktes und seines gebündelten ökonomischen Potentials baute. Währenddessen setzte sich die soziokulturelle Homogenisierung im Medium des Vereinswesens, der Verkehrskreise und des Lebensstils weiter fort.

Auch im Bildungsbürgertum standen die Zeichen durchaus auf Aufstieg und Ausdehnung. Sie vollzogen sich alles andere als überstürzt, da Bürokratie und freie Professionen eher gemächlich expandierten. Aber eben deshalb ließen sich die soziale Kohäsion und das elitäre Bewußtsein einer neuhumanistischen «Geistesaristokratie» leichter bewahren. «Jene mittleren Schichten der Gesellschaft, ... welche die neue Bildung trugen», urteilte ein so sachkundiger Beobachter wie Heinrich v. Treitschke, «rückten dermaßen in den Vordergrund des nationalen Lebens, daß Deutschland vor allen anderen Völkern ein Land des Mittelstandes wurde». Diese «gebildeten Mittelklassen» stellten in der Tat ein Ensemble von Modernisierungseliten, deren Sonderstellung durch den Vergleich mit funktionsähnlichen europäischen Sozialformationen unterstrichen wird. In dieser Zeit dehnten sie noch einmal ihre Definitionsmacht über die Hochsprache, insbesondere über die Sprache der politischen und wirtschaftlichen Welt weiter aus. Die Ziel- und Wertvorstellungen des Liberalismus und Nationalismus, der neuen ökonomischen Mächte und der meinungsbildenden Wissenschaften wurden von ihnen formuliert. Häufig lag in dieser Schlüsselstellung, die ebenso wichtig war wie der Einfluß im konkreten Berufsleben, ein hohes, noch längst nicht ausgeschöpftes Herrschaftspotential des Bildungsbürgertums.

Im Stadtbürgertum dagegen herrschte unaufhaltsamer Zerfall. Nachdem das Staatsrecht der bürokratisierten Flächenstaaten die traditionelle Stadtbürgerschaft endgültig zersprengt, ihre Sonderrechte und ihre ökonomische Basis aufgelöst hatte, wurden Einwohnergemeinde, Gewerbefreiheit und Freizügigkeit durchgesetzt. Diese Planierung im Zuge der seit der Reformära beschleunigten inneren Staatsbildung, die von den stummen, aber wirksamen Kräften des Bevölkerungswachstums und der kapitalistischen Marktwirtschaft unterstützt wurde, mündete in die Agonie des herkömmlichen Stadtbürgerlebens. Die etablierte Oberschicht der Honoratioren und arrivierten Kaufmanns- und Unternehmerfamilien begann mit der jungen Bourgeoisie zu verschmelzen. Die große Mehrheit der ehemals stolzen Gemeindebürger jedoch, die seither zu Einwohnern einer staatlichen Gebietskörperschaft degradiert wurden, verwandelte sich in das moderne Kleinbürgertum mit seiner auf das verklärte Leben in der alten Stadt nostalgisch fixierten Sozialmentalität.

Als gemeinbürgerliche Integrationskräfte waren schon seit Jahrzehnten der Liberalismus und Nationalismus, der Neuhumanismus und das höhere Schulwesen am Werk. Unter ihnen erstreckte sich das tiefgestaffelte Fundament des bürgerlichen Vereinswesens, der bürgerlichen Verkehrs- und Heiratskreise. Eine zentrale Bedeutung kam jedoch auch dem bürgerlichen Werte- und Verhaltenskodex zu, der an weit über das Bürgertum hinausstrahlender Geltungskraft hinzugewann. In diesem kulturellen Kanon regierte der Respekt vor der geistigen wie der ökonomischen Leistung, da das Leistungsprinzip den höchsten Richtwert verkörperte. Aus der Leistung leitete sich demzufolge der Anspruch auf Einfluß, Prestige und Einkommen her. Und wo sie es noch nicht taten, sollten sie es doch schleunigst tun. Ihre Grundlagen wurden durch eine rationale, methodisch kontrollierte Lebensführung in regelmäßiger Arbeit gelegt. Als ihre verdiente Frucht galten die individuelle und gemeinsame Selbständigkeit, die staatsfreie Autonomie in Assoziationen und Unternehmen. Die Familie fungierte als private Binnensphäre, die von der Öffentlichkeit streng getrennt gehalten wurde. Entweder hatte die Bildungsreligion die christliche Konfession bereits weithin ersetzt, oder aber es regierte ein sozialethischer Vernunftprotestantismus, dem der orthodoxe Katholizismus als unzeitgemäßes Relikt erschien. Bildungspatente öffneten auch den Zugang zur Aufstiegsschleuse. Die Wissenschaft, weit oben am Wertehimmel, genoß ein quasireligiöses Ansehen. Im Alltag wurde vom Bürger Selbstbeherrschung und Kontrolle des Trieb- und Gemütslebens erwartet. Harte Anstandsregeln unterdrückten Sexualität und Spontaneität. Andrerseits: In der Musik konnten sich Emotionen und Impulse frei ausleben. Das Gymnasiasten- und Studentenleben kannte zahlreiche Ventilsitten. Die Boheme, aber auch die bürgerliche Selbstkritik wurden mit Schaudern wahrgenommen, dann jedoch geduldet. Der Ausnahmeerscheinung eines Gelehrten, Künstlers oder Industriekapitäns wurde ein Ausnahmeverhalten zugebilligt.[31]

Die Einheit dieses Normen- und Verhaltensgefüges, das teils starr, teils widersprüchlich und eben deshalb elastisch war, stiftete einen Lebensstil der Bürgerlichkeit. Als normatives Postulat forderte sie nicht nur Verbindlichkeit im Innenraum der «bürgerlichen Gesellschaft», vielmehr trat sie durchaus mit universellem Anspruch auf. Damit aber bewirkte sie, je nach dem Grad der Erfüllung oder Distanz vom Bürgerlichkeitsideal, eine neue Ungleichheit oder die Verschärfung alter Disparitäten.

Zum anschaulichsten Ausdruck der neuen Ungleichheit war inzwischen das moderne Proletariat geworden, das von jeder Bürgerlichkeit vorerst ausgeschlossen war. Der freie, kontraktfähige Lohnarbeiter der liberalen Theorie und Wirtschaft unterlag einer so vielfältigen Diskriminierung, daß er vom Status des gleichberechtigten Staatsbürgers effektiv ferngehalten wurde. Treitschke hielt in seinen «Politik»-Vorlesungen einen typischen Grundzug der proletarischen Lebenslage fest: «Unser freier Arbeiterstand lebt in einem dauernden scharfen Widerspruch, weil seine formale Freiheit zu seiner materiellen Gebundenheit in schroffem Gegensatz steht.»

In den gewerblichen Betrieben, insbesondere in den Industriefabriken, vermehrte sich dieses «Arbeiterproletariat». Hier blieb es den Schwankungen der Nominal- und Reallöhne, der Aufstiegs- und Abstiegsphasen des typischen Lebenszyklus unterworfen. Seine soziale Isolierung wurde durch die völlig segregierten Wohnquartiere erhöht. Allmählich verdichteten Interessen und Arbeitswelt, Lebenslage und Mentalität die Binnenhomogenität, während sich die Außengrenzen schärfer durchzeichneten.

Im politischen Konflikt beschleunigte sich die Klassenformierung. Da dem besitzlosen Lohnarbeiter politische Partizipationsrechte nach 1849 weithin wieder genommen worden waren, so daß er weder kommunale noch staatliche Entscheidungen beeinflussen konnte; da das Koalitionsverbot jahrelang die eigene Interessenorganisation unterband, so daß nur der Ausweg in kryptopolitische Unterstützungskassen und Bildungsvereine offenblieb – aus diesen Gründen vor allem verband sich in den sechziger Jahren der Kampf um Koalitionsrechte und Gewerkschaften zugleich auch mit dem Streit um die Anerkennung als Staatsbürger. Als ein gutes Dutzend Jahre nach dem Verbot der «Arbeiter-Verbrüderung» die ersten Gewerkvereine, bald auch schon Zentralverbände wieder entstanden, verschlangen sich deshalb interessenpolitische und allgemeinpolitische Motive. Nachdem zwischen 1869 und 1871 das Koalitionsrecht endlich gewährt worden war, entluden sich die aufgestauten Interessenkonflikte in mehr als tausend Streiks. In ihnen ging es gewiß um eine konkrete Verbesserung der materiellen Lage. Für die Klassenkonsolidierung waren jedoch die Lernprozesse, die Solidaritäts- und Integrationserfahrungen, welche die Arbeiter im Ausland erlebten, ungleich folgenreicher.

Was ihre genuin politische Ausrichtung angeht, schwankten die aktiv engagierten Arbeiter zwischen einer Vielfalt von Möglichkeiten: zwischen einem pragmatischen Reformkurs oder der Programmatik der liberalen, der christlichen und der verschiedenen sozialdemokratischen Gewerkvereine. Der seit 1890 unbestreitbare Sieg der sogenannten Freien, das heißt der sozialdemokratischen Gewerkschaften, war damals noch keineswegs eindeutig absehbar. Immerhin wurde von ihnen die offenste systemkritische Sprache gepflegt, das vielerorts irritierende Postulat eines Umbaus von Gesellschaft und Staat verfochten. Zusammen mit den beiden sozialdemokratischen Parteien wurde hier eine fundamentale Opposition angekündigt, welche in einer Gesellschaft, die an den konjunkturellen Aufschwung und einen gezähmten Liberalismus gewöhnt war, die Revolutionsgespenster des Vormärz wieder auftauchen ließ. «Der unversöhnliche Widerstreit der verschiedenen Gesellschaftsklassen, die Ausbeutung der unteren durch die oberen», das sei «die Klippe», urteilte ein sachkundiger Sozialwissenschaftler wie Schmoller bereits in den sechziger Jahren, «an der auch unsere Zeit zugrunde geht», wenn nicht endlich «eine sittliche Lösung der Arbeiterfrage» – und darunter verstand er konkret die «Pflicht des Staates», zugunsten «der unteren Klassen» zu intervenieren! – «uns vor sozialen Revolutionen» bewahre.

Durch eine unüberbrückbare Distanz blieb der Adel von der Lebenswelt des Proletariats getrennt. Nach der tiefen Zäsur der Revolution, in deren Gefolge weitere Adelsbastionen fielen, waren die traditionalen Machteliten in das letzte Jahrhundert ihres Niedergangs und einer irreversiblen Transformation eingetreten. Dem Agrarkapitalismus mußten sie sich anschmiegen. Auf den Industriekapitalismus aber konnten sie keinen nennenswerten Einfluß gewinnen. Bürgertum und Leistungsprinzip, Staatsbürgergesellschaft und Bürokratie drangen unaufhaltsam vor. In der adligen Defensivreaktion verquickten sich «soziale Schließung» und Anpassung an die neue Welt. Beide Verhaltensstrategien brachten begrenzte Erfolge ein. Hier gelang eine Aristokratisierung von Angehörigen der oberen Bürgerklassen, dort konnte sich der Adel einer Verbürgerlichung seiner Wirtschaftsmentalität und der Anerkennung des bürgerlichen Leistungsprinzips nicht entziehen. Vergegenwärtigt man sich den Modernisierungsdruck, der von vielen Seiten her auf ihm lastete, bleibt es erstaunlich, wie viele einflußreiche Positionen mit weitreichender Entscheidungskompetenz der Adel dennoch behaupten konnte. Wie belastbar er freilich in seiner prekären Situation eine Generationsspanne nach 1848 gewesen wäre, wenn er nicht bereits nach zwanzig Jahren durch das zweite «Mirakel des Hauses Brandenburg» in Gestalt der eminent erfolgreichen großpreußischen Expansionspolitik Bismarcks einen ganz unvorhersehbaren Auftrieb erhalten hätte – darüber läßt sich nur spekulieren.

Die bäuerlichen Besitzklassen, die in der ländlichen Gesellschaft schon jahrhundertelang eine Minderheit bildeten, wurden durch die Agrarkonjunktur im Verein mit dem Abschluß der Agrarreformen in allen deutschen Staaten stabilisiert. Mochten sie sich auch, der herkömmlichen Selbsteinschätzung beharrlich folgend, weiterhin als «Bauernstand» verstehen, wurde ihre sozioökonomische Lage doch immer nachhaltiger durch ihre Funktion als landwirtschaftliche Betriebswirte bestimmt. Es waren gerade ihre unternehmerischen Leistungen auf einem expandierenden, durch die Eisenbahnen tiefer erschlossenen Markt, die es ihnen gestatteten, sich durch ihren ständisch stereotypierten Lebensstil von den Kleinbauern und Landarbeitern aller Kategorien klar abzuheben.

Auf diesen untersten Rängen der ländlichen Gesellschaft traten entscheidende Klassenmerkmale wie die Abhängigkeit von fluktuierenden Marktbedingungen, von freier Lohnarbeit und vom Verkauf der Arbeitskraft als Ware deutlicher als noch im Vormärz zutage. Zwischen dem kontraktgesicherten Insten und dem ins «Haus» eingebundenen Gesinde einerseits, den freien Tagelöhnern bis hin zum Lumpenproletariat der Wanderarbeiter andrerseits tat sich zwar weiter ein nicht zu unterschätzender Abstand auf. Insgesamt aber hielt jene agrarkapitalistische Entwicklung stetig an, welche die zweite «Hauptklasse» auf dem Lande, das Landarbeiterproletariat, weiter anschwellen ließ. Dagegen vermochte der Patriarchalismus der Großagrarier, auf deren Besitzungen sich diese Dichotomie am klarsten zeigte, zu allerletzt etwas auszurichten – zumal er meist nur geheuchelt war.

Zählebige Ständetraditionen und kraftvoll vordringende Klassenformationen lagen mithin überall noch im Widerstreit. Daß sich jedoch die Waagschale gerade nach der Jahrhundertmitte schneller zugunsten der Klassengesellschaft neigte, daran ist kein ernsthafter Zweifel möglich.

Freilich: Auch dieses Urteil hängt von der Perspektive ab, aus der es gefällt wird. Der Nahsicht fällt die Zerklüftung der Gesellschaft, die Mischung gegensätzlicher Sozialformen und Denkweisen auf. Blickt man dagegen von ferne, noch dazu in vergleichender Absicht auf denselben Gegenstand, verändern sich Proportionen und Eindrücke. So ging es etwa dem baltendeutschen Kulturhistoriker Viktor Hehn, der, von St. Petersburg eintreffend, während eines Besuchs in Berlin als dominante Wahrnehmung den «bürgerlichen Charakter» aller Menschen festhielt; er gehe «bis zum untersten Arbeiter herab», und selbst der Edelmann habe «einen bürgerlichen Zug». Daran war in der Tat soviel richtig: Wenn seit der Revolution vieles in Deutschland im Aufbruch war, wie das zahlreiche Phänomene unterstreichen, handelte es sich häufig um die Durchsetzung der bürgerlichen Gesellschaft – einen auf lange Sicht überlegenen Rivalen besaß sie nicht mehr.[32]

IV.
Strukturbedingungen und Entwicklungsprozesse Politischer Herrschaft

Fast hundert Jahre lang hat sich die im Banne des deutschen Nationalstaats stehende Geschichtsschreibung, ob liberaler oder konservativer Couleur, nach der Schilderung des angeblich vollständigen Scheiterns der achtundvierziger Revolution im Geschwindschritt dem strahlenden Aufstieg Bismarcks und den gloriosen Taten der Reichsgründung zugewandt. Diese radikale Verkürzung des Inhalts zweier eminent dynamischer und bis heute nachwirkender Jahrzehnte erst auf einen personalistischen Aspekt, dann auf die Politikgeschichte einer neuen Staatsbildung, dominierte auch noch nach 1945/49 in den meisten Handbüchern und Darstellungen. Daß die Industrielle Revolution ein neuartiges Wirtschaftssystem mit säkularen Folgewirkungen verankerte; daß zwei Dritteln der Bevölkerung, die in der ländlichen Gesellschaft des deutschsprachigen Mitteleuropa lebten, in dieser Zeit eine ungeahnte Agrarkonjunktur zugute kam; daß durch die modernen Sozialformationen marktbedingter Klassen ständische Tradition allenthalben aufgelöst und verdrängt wurde; daß schließlich auch die politische Geschichte im Lichte veränderter Wertideen und leitender Fragestellungen neu analysiert werden mußte – all diesen Aufgaben beginnt die Geschichtswissenschaft erst in jüngster Zeit gerecht zu werden, indem sie die Epoche zwischen 1849 und 1871 als einen der «bewegtesten und folgenreichsten Abschnitte», ja als eine der «wichtigsten Umbruchperioden» der neueren deutschen Geschichte aufwertet.

In diesem Sinn läßt sich auch die Politik in dem Dutzend Jahre zwischen dem Revolutionsende und dem Beginn von Bismarcks Ministerpräsidentschaft weder kurzerhand überspringen noch mit einigen ungeduldigen Bemerkungen abtun. Vielmehr geht es um mehrere grundlegende, gegenläufige politische Prozesse, welche diese beiden Dekaden geprägt haben. Es geht auch um die grundsätzliche Frage, ob die neue Wirtschafts- und Sozialstruktur bereits den Charakter von Politik beeinflußt oder sogar tiefgreifend verändert hat. Vor allem im Hinblick auf die sechziger Jahre steht dann die Frage im Vordergrund, warum die großpreußische Expansionspolitik Bismarcks sich gegenüber der liberalen Nationalbewegung durchsetzte, in welchem Verhältnis beide zueinander standen: dem von Sieger und Verlierer oder dem zweier ungleicher Partner in einer informellen Allianz. Unzweifelhaft sind zwischen 1864 und 1871 die Weichen für den Lauf der deutschen Geschichte neu gestellt worden. In welchem politischen Umfeld das geschah, welche Ergebnisse sich vorerst ergaben, in welcher Hinsicht der

Handlungs- und Entwicklungsspielraum für die Zukunft abgesteckt wurde, nicht zuletzt, was die erste Ausprägung charismatischer Herrschaft für die deutsche Politik bedeutete – diese Probleme gilt es zu klären.[1]

1. Die zweite Restauration: Repression und konservativ-liberaler «Scheinkonstitutionalismus» im Deutschen Bund von 1849 bis 1858

Wie nach der Wendemarke von 1815 stand auch seit dem Frühjahr 1849 die Politik der deutschen Staaten im Zeichen der Restauration. Das ist ganz wörtlich zu verstehen: Viele Regierungen strebten eine Rückkehr zu den vorrevolutionären Verhältnissen an; sie versuchten, die Auswirkungen der Revolution, wo immer möglich, ungeschehen zu machen, um mit einem aufwendigen Kraftakt die Situation vor dem März 1848 wiederherzustellen. Hatte die konservative Politik nach 1815 zunächst vier Jahre gebraucht, bis sie seit 1819/20 ihren Kurs endlich rigoros durchsetzen konnte, und war es ihr mit der harschen Reaktion auf die Revolution von 1830 erneut gelungen, die Repressionsphase weit in die dreißiger Jahre hinein auszudehnen, reagierten die Sieger von 1848/49 zuerst einmal ungleich schneller, vor allem aber bedienten sie sich weit modernerer Unterdrückungsmethoden, als sie in der Ära Metternich angewandt wurden. Trotzdem gelang es ihnen nicht einmal ein volles Jahrzehnt lang, ihre reaktionäre Politik durchzuhalten, geschweige denn, die erwünschten Ergebnisse zu stabilisieren. Die Restauration auf Dauer stellen zu können, blieb eine konservative Illusion. Auf der anderen Seite: Die zweite Restauration beschränkte sich nicht auf einen Schlußstrich unter die Revolution, auf punktuelle Racheakte, auf kurzlebige Verfolgungsmaßnahmen. Ohne systematische Repression könne es nicht gelingen, glaubten die Konservativen – und darin spiegelten sich Furcht und Respekt zugleich vor der Zäsur von 1848/49 wider –, die Leistungen und Folgen der Revolution entweder radikal zu revidieren oder auf gefahrenlose Überreste zu reduzieren. Deshalb wurde nicht allein ein abschreckendes Klima der Repression und Konformitätserzwingung erzeugt, sondern mit folgerichtiger Entschiedenheit das Ziel der Restauration in ein System praktischer Politik übersetzt.

Beides hätte jedoch nicht ausgereicht, um den Konservativen die Erfolge zu verschaffen, die sie in den fünfziger Jahren voller Befriedigung registrieren konnten. Erst recht könnte damit nicht ihre relative Stärke in den sechziger und siebziger Jahren, als sie auf den Gesinnungsterror und das Repressionssystem längst hatten verzichten müssen, plausibel erklärt werden. Ihre Durchsetzungsfähigkeit und Regenerierung sind vielmehr wesentlich ein Ergebnis der Entscheidung gewesen, sich mit starken aufsteigenden Mächten der neuen Zeit zu verbünden: mit der Bürokratie, mit dem Konstitutionalismus, mit dem Wirtschaftswachstum. Alle diese Mächte waren der erdrückenden Mehrheit der Konservativen im Vormärz noch Anathema gewesen. Jetzt aber folgten sie jenen führenden Köpfen aus ihren Reihen, die dieses Zweckbündnis für unvermeidbar hielten. Und wie widerwillig ein solcher Schritt auch vorerst getan wurde, versöhnte doch die politische Dividende alsbald mit den ungeliebten Weggenossen.

Diese Erfahrung ebnete den Weg, auf dem jene machtbewußten Konservativen vorangingen, die schließlich sogar einen Pakt mit dem liberalen Nationalismus anvisierten, um die Schwungkraft dieser Bewegung für ihre Zwecke auszunutzen. Es war einer der nach vorn strebenden jüngeren Hochkonservativen, der eben deshalb – ungeachtet seiner eigenen starken Aversion – diese Kooperation so frühzeitig, daß er sich schon deshalb von seinen Gesinnungsgenossen unterschied, fast vorurteilsfrei ins politische Kalkül einbezog – Otto v. Bismarck.

Um die Wucht zu erfassen, mit der das Restaurationssystem Jahr für Jahr das gesamte öffentliche: das politische und das geistige Leben unterdrückte, reicht es nicht aus, festzuhalten, daß Liberalismus und Demokratie, Parlamentsleben und Justizwesen, Parteien und Vereine, Schulen und Universitäten geknebelt wurden. Man muß sich vielmehr die skrupellosen Methoden und die trübselige Erfolgsbilanz am Beispiel einiger Bundesstaaten und der Bundespolitik selber vor Augen führen.

Im Hinblick auf Preußen, das häufig zu Recht als Muster dieser Restauration traktiert worden ist, gilt es zunächst zu konstatieren, daß sein Regime weniger rigoros als der österreichische Neoabsolutismus vorgegangen ist. Die Berliner Politik enthüllt nämlich eben jene Ambivalenz, die in der Fusion von unverhohlener Repression und nackter konservativer Interessenpolitik mit starken Kräften der staatlichen und ökonomischen Modernisierung zutage trat. Das wurde bereits unmittelbar nach dem Ende der Revolution während des Nachspiels deutlich, das als Erfurter Unionspolitik bekannt und bereits geschildert worden ist (Bd. II, 4. Teil, IV). Dieses gescheiterte Experiment einer antiösterreichischen preußischen Hegemonialpolitik beruhte auf zwei aufschlußreichen Prämissen: Zum ersten ging es ausdrücklich davon aus, daß Preußen Verfassungsstaat bleiben und die neue Staatenunion Verfassungsstaat werden sollte; zum zweiten erkannte es die liberale Zielvision des Nationalstaats an, der nach dem Scheitern des revolutionären Anlaufs jetzt durch eine kleindeutsche Einigungspolitik von oben geschaffen werden sollte.

Mit der in Olmütz besiegelten Niederlage Preußens wurde für mehr als ein Jahrzehnt der Verzicht auf eine aktive Berliner Nationalpolitik erzwungen. Aber gegenüber dem Drängen der ultrakonservativen Kamarilla am Hof, gestützt auf das unvergängliche Recht des königlichen Gottesgnadentums, die Verfassung ad acta zu legen und dem Adel neben der Fürstenmacht eine weitreichende politische Autonomie wieder einzuräumen, verteidigte der neue Ministerpräsident Otto v. Manteuffel seine aufgeklärte Version des autoritären Konservativismus: Einerseits bekräftigte er die «Wende in unserer Politik, es soll entschieden mit der Revolution gebrochen werden». Andrerseits aber beharrte er mit ätzender Schärfe auf dem nachrevolutionären Status quo: «Es heißt Wasser in ein Sieb schöpfen, wenn man die zerfallenen Zustände der Vergangenheit wiederherstellen wolle.» Preußen halte an seiner Konstitution fest, und als Staat beruhe es in erster Linie auf seinem bürokratisch-militärischen System, das die Rückkehr zu einem wiedererweckten mittelalterlichen Korporationswesen ausschließe.

Auch der preußische Hofhistoriograph, Leopold Ranke, der voller Entsetzen, ja Panik auf die Revolution reagiert hatte, entwickelte in Denkschriften für den befreundeten Generaladjutanten Edwin v. Manteuffel, mit denen er in Wahrheit den Regierungskurs zu beeinflussen suchte, in derselben Zeit das Programm eines – wie er glaubte – historisch fundierten konservativen Realismus: Schroffe Ablehnung der demokratischen Volkssouveränität, aber ein innenpolitischer Kompromiß mit dem Verfassungsstaat; straffe Bündelung der Energien für die Außenpolitik; unzweideutige Anerkennung der Macht als Basis der Staatskunst und deshalb Stärkung aller staatlichen Machtressourcen für künftige Auseinandersetzungen – so lauteten seine Empfehlungen als ungebetener Politikberater.

Von einer anderen Position aus wurde er von dem rechtshegelianischen Staatswissenschaftler Lorenz v. Stein, der nach der Revolution eine noch entschiedenere Wendung zu Staat und Bürokratie vollzog, indirekt unterstützt. Preußens vorrangiges Bedürfnis liege, postulierte er, in einer Aufwertung der «Stärke der Regierung», um die heterogenen, «von keiner gleichartigen Gesellschaftsordnung durchdrungenen Staatsmassen» zusammenzuhalten. Das Parlament solle man hinnehmen, es könne indes nur, distanzierte sich Stein sogleich von einer funktionstüchtigen Legislative, eine «negative» Tätigkeit als «kontrollierendes Organ» entfalten, dagegen «niemals die Initiative des Staatslebens ergreifen». Unter dem Applaus solcher etatistischer Intellektueller gab sich Manteuffel mit seiner Equipe unverzüglich daran, auf der Grundlage des Basiskompromisses mit dem Konstitutionalismus die Staatsmacht auszudehnen und die Opposition auszuschalten – ein Doppelziel, dessen Verwirklichung auch vor dem zielstrebig vollzogenen Umbau der Verfassung nicht haltmachte. Die Etappen dieser Restaurationspolitik sind klar zu erkennen.

Die ersten Landtagswahlen aufgrund der oktroyierten Verfassung und des aus revolutionsbedingter Vorsicht beibehaltenen erstaunlich demokratischen, allgemeinen und gleichen Wahlrechts hatten im Januar 1849 die bereits in der Berliner Nationalversammlung sichtbare Stärke der Liberalen und Demokraten – die «Linke» kam unter alten Führern wie Waldeck, Kirchmann, Jung, v. Unruh und Rodbertus auf hundertvierzig Abgeordnete – noch einmal bestätigt. Insofern geriet die konterrevolutionäre Regierung, wenn sie denn am Konstitutionalismus festhalten wollte, unter den Zugzwang, sich ein gefügiges Parlament zu schaffen. Zu diesem Zweck mußte das Wahlrecht, welches als Märzerfolg in den Augen von Konservativen wie Ludwig v. Gerlach geradezu die «fleischgewordene Revolution» verkörperte, von Grund auf verändert werden. Innerhalb weniger Wochen wurde darum das Ergebnis vertraulicher Beratungen eilig in die Tat umgesetzt, indem der Landtag am 27. April aufgelöst und am 30. Mai ein Dreiklassenwahlrecht für die Neuwahlen dekretiert wurde. Dem Verfassungsoktroi vom 5. Dezember 1848, der bereits «in vollem Sinne des Wortes ein Coup d'état» gewesen war, folgte mit dem Wahlrechtsoktroi im Grunde ein zweiter Staatsstreich. Die Häupter der Kamarilla haben das auch sofort als politisch konsequenten Ausfluß jenes ersten Aktes einer klugen Gegenrevolution verteidigt, die zur Dezemberverfassung geführt hatte.

Der Grundgedanke des Klassenwahlrechts zielte auf einen plutokratischen Konservativismus. Formal wurde die Gleichheit der Wähler beibehalten, inhaltlich jedoch die Stimmberechtigung an das Steueraufkommen gebunden, um auf diese Weise eine hohe Privilegierung der wenigen Hochbesteuerten mit einer krassen Diskriminierung der Vielzahl von Niedrigbesteuerten zu verknüpfen, da die I. und III. Klasse dieselbe Anzahl indirekt – auf dem Umweg über Wahlmänner – gewählter Abgeordneter in die Zweite Kammer entsenden konnten.

Das plutokratische Prinzip stammte aus der vom Großbürgertum beeinflußten neuen rheinischen Gemeindeordnung, war von Manteuffels Experten im März/April 1849 in ein für ganz Preußen konzipiertes Kommunalwahlrecht eingeführt und von dort in das Landtagswahlrecht übernommen worden. Das Statistische Büro hatte unter der eigenhändigen Leitung seines Direktors Dieterici das sozialstatistische Unterfutter in Denkschriften geliefert, in denen er auf der Grundlage der besteuerten Einkommen in einem Dreiklassenschema rund 194000 Urwähler der I. Klasse (5.3%), rund 995000 der II. Klasse (25.7%) und 2.5 Millionen der III. Klasse (69%) zugewiesen hatte. Nicht nur besaßen die überwiegend zur «Arbeiterklasse» gezählten Millionen Urwähler der III. Klasse gewöhnlich keine Aussicht, in die II. Klasse aufzusteigen, sondern sie wurden auch noch durch eine folgenschwere «Innovation» sogar zur Öffentlichkeit und Mündlichkeit des Wahlverfahrens gezwungen. Zu der «klassenpolitischen Entrechtung der großen Mehrheit» kam mithin der unverhüllte Appell hinzu, ihr Wahlverhalten durch Druck zu manipulieren, um das ohnehin verbriefte «Übergewicht der beiden ersten Wählerklassen» zusätzlich zu steigern. Das bedeutete selbst in Preußen einen Rückschritt hinter das geheime Wahlrecht der Steinschen Städteordnung von 1808, der revidierten Städteordnung von 1831, ja selbst der vormärzlichen Provinziallandtage mit dem einzigen Ziel, auch noch auf diese Weise den Vorrang der «natürlichen Autoritäten» sicherzustellen.

Die Juliwahl von 1849 bestätigte die schlimmsten Befürchtungen der Demokraten. Prozentual verteilten sich die Urwähleranteile auf die drei

Klassen mit 4.7:12.6:82.7 Prozent (153000:409000:2.69 Mill.). Konkret hieß das etwa in der Großstadt Berlin mit ihren rund 430000 Einwohnern, daß dort 2350 aktive Wahlberechtigte in der I., 7232 in der II. und ganze 67375 in der III. Klasse zugelassen waren. Bei einer Wahlbeteiligung von 31.9 Prozent, in denen sich die nachrevolutionäre Apathie und der in Wahlabstinenz mündende Protest der Linken gegen die Partizipationsverweigerung gleichermaßen widerspiegelten, konnte die konservative Koalition, die seit dem März 1848 im Entstehen war, unter den für sie zurechtgeschneiderten Bedingungen ihre Mandatzahl mehr als verdreifachen. Dieser «Sieg des Besitzes», wie Gneist sich ausdrückte, brachte ihr hundertachtundfünfzig von dreihundertfünfzig Abgeordnetensitzen; hinzu stießen aber noch die meisten der achtundsechzig sogenannten «Wilden». Die ohnehin streng rechtsliberale «rechte Mitte» kam nur mehr auf vierundsechzig Abgeordnete. Um den harten Kern der äußersten legitimistischen Rechten – hundertzwei bis hundertdreizehn zu keiner Konzession an die Liberalen bereite Verwaltungsbeamte und Landräte – legte sich eine durchaus gouvernementale Mehrheit, mit der die Regierung Manteuffel an die Revision der Verfassung gehen konnte.

Bis zum Beginn des neuen Jahres war ihr das bereits gelungen. Am 31. Januar 1850 trat die revidierte Verfassung, nachdem zähe Verhandlungen mit dem widerstrebenden König noch bis zuletzt angedauert hatten, in Kraft – achtundsechzig Jahre lang, bis zum November 1918, sollte sie das Grundgesetz des Landes bleiben. Wegen der schließlich erzielten Konzessionen leistete der Monarch den Verfassungseid, ein dritter Staatsstreich wurde vermieden, dafür aber ein «Scheinkonstitutionalismus» auf Dauer installiert.

Revolution und Restauration erzwangen einen Verfassungskompromiß. Moderne liberale und rechtsstaatliche Vorstellungen wurden mit rückwärts gewandten Normen verbunden, da die Machtkonstellation nur diese zwiespältigen Herrschaftsformeln zuließ. Positive Züge traten im Verzicht auf das monarchische Prinzip zutage. Der König blieb nicht mehr das Oberhaupt des Staates, das von vornherein alle Rechte der Staatsgewalt besaß und nur in ihrer Ausübung durch die Konstitution eingeschränkt wurde. Die monarchische Allzuständigkeit wurde nicht mehr stillschweigend unterstellt, vielmehr wurden die königlichen Rechte explizit aufgelistet. Vorher zählte sogar ein Grundrechtekatalog die «Rechte der Preußen» auf, denen unlängst noch strikt verweigerte liberale Freiheits- und demokratische Gleichheitsrechte jetzt verbrieft wurden.

Anstelle des ständischen Repräsentationsprinzips wurde für das Abgeordnetenhaus das allgemeine, soeben in drei Klassen gestaffelte Wahlrecht eingeführt. Der Gesetzgebungsprozeß wurde an die Kooperation dreier Machtfaktoren gebunden: Erste und Zweite Kammer mußten mit der Krone eine Einigung finden. Der jährlich einzuberufende Landtag besaß das Recht der Gesetzesinitiative und der jährlichen Etatbewilligung – endlich gewann er, wie es schien, «the power of the purse». Die Minister waren ihm gegenüber auskunftspflichtig, aber nicht im Sinne des parlamentarischen Systems verantwortlich. In der Rechtsprechung wurden endlich Geschworenengerichte eingeführt, die Unabhängigkeit der Richter und die Öffentlichkeit des Verfahrens garantiert. Alle diese Elemente verkörperten Erfolge des Verfassungsstaats. Ein konservativer Ideologe wie Stahl wußte, warum er das viel zu weit gehende Abweichen von der bisherigen deutschen konstitutionellen Tradition bitter monierte.

Auf der anderen Seite: Die Volkssouveränität als Legitimationsbasis – auf ihr hatte schon Kant bestanden – blieb verbannt. Der Monarch wurde keineswegs allein auf die von der Verfassung zugestandene Befugnis beschränkt. Vielmehr behielt er die vage, generalisierbare Vollmacht eines Souveräns «von Gottes Gnaden», das Recht der Ministerernennung und -entlassung, ein Vetorecht in der Gesetzgebung. Darüber hinaus sicherte ihm das Ausnahmerecht ein Vorgehen nach dem Ermessen von Krone und Staatsministerium, aber ohne Mitwirkung des Landtags, und das Notverordnungsrecht erlaubte diesen beiden Machtfaktoren, Verordnungen mit Gesetzeskraft auch ohne die Zustimmung der Kammern zu erlassen. Für den Augenblick der Krise, wenn etwa Ansprüche des Parlaments erneut geltend gemacht wurden, war der Köcher der monarchischen Regierungsgewalt wohlgefüllt. Vor allem behielt der König weiterhin die exklusive Kontrolle über die drei tragenden Säulen des preußischen Staates: über das Militär, die Bürokratie, die Außenpolitik. Durch diese Monopolisierung fundamentaler Herrschaftsrechte wurden die Kontrollchancen des Landtags fatal geschwächt.

Eindeutig war der Grundriß der Verfassungskonstruktion nach alledem keineswegs angelegt. Weitgefaßte Königsrechte wurden mit verfassungsstaatlichen Errungenschaften verbunden. Ein unmißverständliches Übergewicht der einen oder der anderen Seite ließ die innerpreußische Kräftekonstellation nicht zu. In dilatorischen Formelkompromissen wurde die Entscheidung auf die Zukunft vertagt. Wegen der effektiven Eindämmung der Parlamentsmacht sprach daher der Abgeordnete Eduard Lasker, bald der nationalliberale Verfassungsexperte schlechthin, vom System des preußischen «Scheinkonstitutionalismus».

Nach der Verfassungsrevision ging es mit der Restaurationspolitik Zug um Zug weiter. Im Mai 1851 wurden die anachronistischen Provinzial- und Kreisstände reaktiviert. Die Ritter erhielten die gutsherrliche Polizeigewalt zurück, sie konnten wieder Dorfschulzen und Schöffen ernennen, ihre Güter wurden wieder selbständige Verwaltungsbezirke, die Landratswahl oblag wieder allein dem Adel. Die Staatsaufsicht in den Städten, wo die Polizei verstaatlicht wurde, ging in verschärfte Gängelung über.

Mit neuen Disziplinarverordnungen, welche seit dem Juli 1849 die umstrittenen Vorschriften von 1844 verschärft hatten und im Mai/Juni 1852

Gesetzeskraft erhielten, wurden die liberalen und demokratischen Beamten hart an die Kandare genommen. Das politische und das persönliche Verhalten aller Mitglieder der Verwaltungs- und Justizbürokratie wurde einer noch rigoroseren staatlichen Kontrolle unterworfen. Auf Loyalitätsverletzung und Parteinahme gegen die Regierung – beides waren bewußt vage gehaltene Kautschukbegriffe – konnte die Entlassung aus dem Dienst folgen. Der Begriff des «politischen Beamten» wurde neu und so weit definiert, daß er von den Unterstaatssekretären und Regierungspräsidenten über die Staatsanwälte und Polizeidirektoren bis zu den Landräten und Diplomaten eine Vielzahl von Beamten umfaßte, die wegen angeblicher Pflichtverletzung durch eine Regierungsentscheidung mit Teilpension, aber ohne Berufungsrecht, entlassen werden konnten. Der Bruch mit der mühsam aufgebauten Tradition bürokratischer und justizförmiger Selbstkontrolle wurde wegen des Abschreckungseffekts nachgerade gesucht. Jetzt endlich konnte Hansemann als Chef der Preußischen Bank, konnten liberale Oberpräsidenten wie Auerswald im Rheinland, Bonin in Posen und Witzleben in Sachsen durch Erzkonservative wie Kleist-Retzow, Puttkamer und Senfft-Pilsach umstandslos ersetzt werden. Fünfzehn Beamte wurden sogleich wegen politischer Opposition angeklagt, immerhin sieben nach dem Disziplinarverfahren in den Ruhestand versetzt. Zwei Landräte, die gegen die Wiederbelebung der Provinzialstände Bedenken angemeldet hatten, wurden entlassen.

Diese Zahlen mögen gering wirken, der gesuchte Demonstrationserfolg staatlicher Härte war das nicht. Zusätzlich zog die Regierung im Februar 1854 durch ein Gesetz das Recht an sich, allein darüber zu entscheiden, ob Gerichte überhaupt über Verfehlungen von Beamten urteilen durften. Unverhüllt wurde der Rückzug zum Polizeistaat angetreten, während ebenso unverfroren jenen Beamten, die sich 1849 auf seiten der Liberalen und Demokraten exponiert hatten, entgegen dem Nimbus preußischer Unbestechlichkeit, eine Gehaltserhöhung winkte, sobald sie auf jede politische Aktivität verzichteten. Als 1854 die berüchtigten Konduitenlisten wieder eingeführt wurden, hatte die antiliberale Säuberung ihre Wirkung schon getan.

Währenddessen liefen unentwegt politische Prozesse. Der Obertribunalrat Benedikt Waldeck, eine herausragende Führungspersönlichkeit der Linken in der Berliner Nationalversammlung und im Ersten Landtag, wurde im Dezember 1848 freigesprochen und auf der größten Massendemonstration seit dem März 1848 gefeiert. Mit einer Ausnahme blieben auch alle Abgeordneten, die zum Steuerstreik aufgerufen hatten, straffrei. Als zudem der Kölner Prozeß gegen elf Mitglieder des Kommunistenbundes im Oktober 1852 nicht nach dem Wunsch der Regierung ausging, wurden die politischen Verfahren, wo eben möglich, den Geschworenengerichten entzogen und im April 1853 dem als zuverlässig geltenden Berliner Kammergericht übertragen. Zu dieser Zeit gaben aber auch die unteren Gerichte dem Drängen der

Staatsanwaltschaft und der politischen Polizei zunehmend nach, so daß die Racheakte den Anschein des Rechts gewannen.

Im Mai 1853 wurden die liberalen Kommunalordnungsgesetze zusammen mit dem Selbstverwaltungsartikel der Verfassung aufgehoben, ein Jahr später für das untere Schulwesen die Stiehlschen Regulative erlassen, denen die Überzeugung zugrunde lag, daß die Fähigkeit zur Bibellektüre und die Kenntnis des Einmaleins für das künftige Leben des preußischen Volksschulabsolventen völlig ausreichten. Derlei Stumpfsinn ließ sich korrigieren. Als politisch folgenschwer erwies sich dagegen die im Oktober 1854 erfolgende Umwandlung der Ersten Kammer in das «Herrenhaus». Ursprünglich war das preußische Oberhaus eine reine, seit der Verfassungsrevision eine partielle Wahlkammer. Durch ein verfassungsänderndes Gesetz vom Mai 1853 erhielt der Monarch die Ermächtigung, die Bildung der Kammer auf dem Verordnungswege zu regeln. Eben diese Verordnung, welche jede Wahl beseitigte und statt ihrer geborene und vom König ernannte Mitglieder nach dem Vorbild des englischen «House of Lords» vorsah, wurde nach harten internen Konflikten über die Zusammensetzung bis zum Herbst 1854 konsensfähig gemacht. Es gab seither an Herkunft und Amt gebundene erbliche Mitglieder, andere ernannte der König auf Lebenszeit. Sein angestrebtes Entscheidungsmonopol wurde jedoch von der Adelslobby zunichte gemacht, da es ihr gelang, dem «alten und gefestigten Grundbesitz» ein Präsentationsrecht zu verschaffen, dem sich der König faktisch zu beugen hatte. Auf diese Weise gewannen neunzig Junker im «Herrenhaus», wie es in dem abschließenden Gesetz vom Mai 1855 endgültig hieß, bis hin zum Oktober 1918 eine unüberwindbare Vetomacht im Gesetzgebungsprozeß Preußens, und das hieß seit 1871 auch: im Hegemonialstaat des neuen Deutschen Reiches.

Das ideologische Fundament der Restaurationspolitik bildete in Preußen – wie anderswo – die Allianz mit der kirchlichen Orthodoxie. In der Evangelischen Landeskirche der Union setzte sich mit schroffer Einseitigkeit die Reaktion gegen den Revolutionsmoloch durch. Sie führte auch bereits 1849 auf Anregung des Königs den Buß- und Bettag als kirchlichen Feiertag ein, damit regelmäßig in Reue des Vergehens von 1848 gedacht wurde. Kultusminister v. Raumer, dem die «Geistlichen Angelegenheiten» unterstanden, gehörte ebenso zu den Hochkonservativen und sorgte für deren ideenpolitische Unterstützung wie Stahl, der als Mitglied des Oberkirchenrats am selben Strang zog. Ihre Fata Morgana blieb eine Verkirchlichung des öffentlichen Lebens. Von der Kirche, nicht nur von Regierung und Hof, wurde auch das Militär, der Drachentöter von 1848/49, als erfolgreiche Kraft der Gegenrevolution aufgewertet. Vom «Kartätschenprinzen» Wilhelm allenthalben unterstützt, verstand sich insbesondere das royalistische Offizierkorps als das eigentliche Bollwerk gegen alle zersetzenden liberalen und demokratischen Einflüsse. Dies Machtbewußtsein vertiefte zusehends die Kluft, die sich selbst gegenüber jenem Bürgertum auftat, das unlängst noch die Rettung vor dem «Pöbel» und seiner «roten Republik» erleichtert begrüßt hatte. «Militär und Zivilisten stehen sich jetzt», urteilt 1854 selbst ein so obrigkeitsfrommer Zeitgenosse wie Wilhelm v. Kügelgen, «bei uns in Norddeutschland wie zwei ganz verschiedene Nationen gegenüber, wie fremde Rassen, wie Revalenser und Zulukaffern.»

Während das Manteuffel-Regime seine Restaurationspolitik mit bürokratischer Penibilität exekutierte, versäumte es nicht, sich zweimal die Mehrheit im Abgeordnetenhaus zu beschaffen. 1852 wurde die Verwaltung als willfähriges Instrument der Stimmenbeschaffung eingesetzt, nicht zuletzt, um die Bindung an den renitenten Landadel aufzulockern und den Block streng gouvernementaler «Volksrepräsentanten» zu vergrößern. Ungeniert wurden dafür auch von hundertvierundfünfzig Wahlbezirken im Gesamtstaat «nicht weniger als achtzig» zum Zwecke der potentiellen Mehrheitsgewähr opportunistisch neu zurechtgeschnitten. Dieses «Gerrymandering» stellt keineswegs eine Erfindung der amerikanischen Innenpolitik dar! Bei einer Wahlbeteiligung von 21.6 Prozent (von 2.89 Mill. Urwählern) steigerte die Regierung ihre «Partei» auf zweihundertsiebzehn Abgeordnete (von 352); die Liberalen verloren ein Viertel und fielen auf achtundsiebzig Vertreter ab; allerdings tauchte erstmals eine neue katholische Oppositionsgruppe (11) auf.

Für die Wahlen von 1855, die im Schatten des Krimkriegs stattfanden, wurden dieselben Mittel noch massiver eingesetzt. Erneut wurden alle Beamten zur Unterstützung verpflichtet, erneut sechsundsiebzig Wahlkreise verändert. Die Wähler quittierten die Anstrengung entweder mit stumpfer Apathie – die Beteiligung fiel auf ein Rekordtief von 16.1 Prozent (von 2.89 Mill. Urwählern) – oder überwiegend im Sinne der Regierung, die dreiundfünfzig Anhänger hinzugewann und die altliberale Opposition auf einundvierzig Mandate reduzierte. Diese Zahl wurde sogar noch von den Klerikalen mit vierundfünfzig Abgeordneten übertroffen. An der «ministeriell-konservativen» Majorität konnte kein Zweifel aufkommen. Wegen der sechsundsiebzig gewählten loyalen Landräte sprach man spöttisch von der «Landratskammer», die als Zustimmungsmaschine fungiere.

In eben diesen Restaurationsjahren wurde jedoch auch, daran muß erneut erinnert werden, die Industrielle Revolution unterstützt, die Abwicklung der Agrarreform gefördert, den Handwerkern geholfen, den Arbeitern, ihren Frauen und Kindern eine gewisse sozialpolitische Erleichterung verschafft. Trotz des bornierten Drängens der Ultras stellte die Regierung den Konstitutionalismus nicht in Frage, sie verband vielmehr bürokratische Steuerung mit parlamentarischer Akklamation. Unstreitig trug das Manteuffel-Regime Züge jenes Bonapartismus, von dem man zur selben Zeit im Frankreich Napoleons III. sprach. Nicht allein Repression, sondern die Mischung von Restauration und wohldosierter Modernisierung verschaffte ihm die Lebensdauer bis 1858.[2]

Die Anstrengung, den konservativ-bürokratischen Obrigkeitsstaat ohne eine einschränkende Verfassung erneut zu etablieren, gelangte in Österreich am weitesten. Der neue starke Mann in Wien, Fürst Felix zu Schwarzenberg, hatte keine Mühe, den jungen Kaiser Franz Joseph nach Olmütz im Dezember 1851 für die Aufhebung der Verfassung zu gewinnen. Als einziger verfassungsloser Großstaat ging die habsburgische Länderunion ganz offen zu einem Regime des Neoabsolutismus über. Es wurde auch von Hof und Bürokratie weiter beibehalten, als Schwarzenberg 1852 plötzlich starb. Selbst die restriktive Februar-Verfassung von 1861 wurde 1865 wieder suspendiert. Erst nach der Niederlage von 1866 und dem «Ausgleich» mit dem weitreichende Autonomie gewinnenden Ungarn wurde eine innenpolitische Modernisierung unumgänglich, so daß die K. u. K.-Doppelmonarchie 1867 endlich den Anschluß an die europäische Verfassungsentwicklung fand.

Vorerst aber wurden 1849 die unlängst erstrittenen politischen Bürgerrechte aufgehoben, die bereits 1815 anachronistischen Landstände wieder einberufen, selbst Kommunalwahlen verboten. In den unteren Instanzen wurde die rechtsstaatliche Sicherheit, die durch die Trennung von Justiz und Verwaltung gewonnen worden war, rückgängig gemacht. Dazu verschaffte das Konkordat von 1855, das einen Schlußstrich unter den josephinischen Antiklerikalismus ziehen sollte, der katholischen Amtskirche neue Privilegien wie zum Beispiel den Zugriff auf das Bildungswesen.

Während sich das bleierne Gewicht des Neoabsolutismus auf das öffentliche Leben senkte, rechtfertigte die Regierung ihren Kurs mit dem Zwang zur inneren Störungsfreiheit, welche als notwendige Voraussetzung für das Erreichen des eigentlichen Ziels galt: für die Verteidigung der Großmachtstellung und des Hegemonialstatus sowohl im Deutschen Bund als auch in Italien und Südosteuropa. Ähnlich wie in Preußen machte eine relativ liberale Wirtschaftspolitik die Restauration erträglicher. Der überfälligen Zollunion zwischen Cisleithanien und Ungarn (1851) folgte 1860 eine ziemlich weitgehende Gewerbefreiheit. Trotz des Konjunkturaufschwungs lief der österreichische Neoabsolutismus schließlich an den Klippen seiner Finanzprobleme auf. Daß er weder alle ökonomischen Energien, entgegen dem tiefverwurzelten Merkantilismus und Protektionismus, in einer freien Marktwirtschaft zu mobilisieren imstande war noch Preußens erfolgreichen Widerstand gegen die Aufnahme Österreichs in die Wachstumszone des Zollvereins überwinden konnte, hat deutlicher noch, als es kluge Zeitgenossen damals schon sahen, die Weichen für die Niederlagen der Zukunft gestellt.

Am schlimmsten wirkte sich die Restaurationspolitik in den Klein- und Mittelstaaten aus. Mecklenburg etwa kehrte sogar zur altständischen Verfassung des «Erbvergleichs» von 1755 zurück. Baden griff nach dem Aprilaufstand von 1849 mit brutaler Härte durch, fand aber schon seit 1853 unter Großherzog Friedrich I. allmählich zu einer liberalen Politik zurück. Am mildesten vollzog Bayern unter dem auf Ausgleich bedachten Minister v. d. Pfordten den Übergang zum neukonservativen Kurs. Konfliktreich spitzte sich dagegen die Lage in Württemberg und Kurhessen zu. In Südwestdeutschland hielten vorerst zwei nach dem allgemeinen Wahlrecht gewählte Landesversammlungen nicht nur an der Reichsverfassung von 1849 fest, sondern opponierten auch unnachgiebig gegen das erklärte Ziel König Wilhelms, zur Verfassung von 1819 zurückzukehren. Erst mit Hilfe eines «Staatsstreichs» – wie der Leitende Minister v. Linden selber einräumte – gelang es dem Monarchen seit dem Oktober 1850, diese Absicht zu verwirklichen und zugleich zu dem vor 1848 geltenden Wahlrecht für die Stände zurückzukehren. Der neue Landtag von 1851 übte sich daraufhin in Vorsicht. Als 1852 die Grundrechte als geltendes Recht von der Regierung annulliert wurden, war die aktive Opposition schon erstickt.

Härter noch erfolgte der Zusammenprall in Kurhessen. Immerhin dauerte es bis zum Februar 1850, ehe das liberale Ministerium von Kurfürst Friedrich Wilhelm entlassen und der Ultrakonservative v. Hassenpflug an die Regierungsspitze berufen wurde. Als der Landtag die Zustimmung zum Staatshaushalt verweigerte, berief sich dieser Minister auf ein ominöses – in der Verfassung nicht einmal erwähntes – Notverordnungsrecht, bevor der Fürst den Kriegszustand verhängte. Unerwartet verweigerte jedoch die Armee, ein «einmaliger Vorgang» in den deutschen Staaten des 19. Jahrhunderts, unter Berufung auf den Verfassungseid ihren Gehorsam. Empört floh der Fürst und bat den Bundestag um militärische Hilfe. Ohne die prompt erfolgende Intervention von Bundestruppen hätte der Landtag aller Wahrscheinlichkeit nach einen liberalen Konstitutionalismus behaupten können. Statt dessen entwarfen jetzt Bundeskommissare eine neue Verfassung, die der Bundestag als Bundesbeschluß billigte, worauf sie im August 1852 vom Kurfürsten ebenso oktroyiert wurde wie ein strikt eingeschränktes Wahlrecht. Der skandalöse Vorgang wurde durch das geltende Bundesrecht keineswegs gedeckt. Vielmehr bedeutete er, da die Mitgliedstaaten die Verfassungsautonomie besaßen, einen «eklatanten Bruch» der Bundesakte.[3]

Während in den meisten Mitgliedstaaten des Deutschen Bundes die Reaktion in Gestalt von Verfassungsrevision und Staatsstreich, autoritärer Innenpolitik und massiver Wahlbeeinflussung, Verfolgung der Achtundvierziger und Knebelung aller freiheitlichen Regungen ausgeführt wurde, lief gewissermaßen oberhalb, auf der Ebene der Bundespolitik, eine übergreifende Repressionswelle mit teils identischen, teils noch weiter reichenden Zielen ab. Im Gegensatz zur traditionellen Politikgeschichte, die einäugig auf den österreichisch-preußischen Dualismus im Kampf um die Vormacht fixiert war, ergab sich «auf dem Felde der Reaktion» eine innige Kooperation. Und darüber hinaus fanden sich die häufig miteinander rivalisierenden sieben größten Bundesstaaten in einem geheimen «Polizeiverein» zu einem erstaunlich einheitlichen Vorgehen zusammen.

Das Scheitern der preußischen Unionspolitik Ende 1850 und damit die Entschärfung der preußisch-österreichischen Rivalität gab den Weg für diese neue Bundespolitik frei. Durch den sogenannten «Bundesreaktionsbeschluß» vom August 1851 wurde der Bundestag zum obersten Kontrollorgan für das einzelstaatliche Verfassungsleben erhoben, um in dieser Eigenschaft alle seit 1848 geschaffenen «staatlichen Einrichtungen» und «gesetzlichen Bestimmungen» zu überprüfen; der Grundrechtekatalog der Reichsverfassung vom März 1849 wurde bei dieser Gelegenheit für ungültig erklärt. Der Beschluß forderte die Bundesmitglieder auf, eine Überprüfungsbehörde zu gründen, die bereits im Oktober 1851 ihre perfide Arbeit aufnahm. Diesem «Reaktionsausschuß» oblag es, alle Verfassungen, Wahl-, Presse- und Vereinsgesetze im Lichte der Restaurationsmaxime unter seine Lupe zu nehmen. Insbesondere zielte die inquisitorische Aktivität des Ausschusses auf das demokratische Wahlrecht, die Budgetgewalt der Landtage, den Verfassungseid des Militärs, das Vereinsrecht zugunsten politischer Parteien und das Presserecht mit seiner Garantie der Pressefreiheit. Je nach dem Ergebnis verlangte dann der Bund von den Regierungen mehr oder minder tief eingreifende Veränderungen, die in Kurhessen und Bremen sogar mit einer militärischen Intervention durchgesetzt wurden.

Als flankierende Maßnahme führte das Bundespressegesetz vom Juli 1854 alle vormärzlichen Beschränkungen wieder ein; das Arsenal der Sanktionsdrohungen wurde bis hin zum Konzessionsentzug reich bestückt. Im selben Monat noch folgte das Bundesvereinsgesetz, welches das Verbot aller politischen Vereine zur Normalnorm erhob. Für den Fall, daß eine Landesverfassung dennoch solche Vereine zuließ, wurde ihre Verbindung untereinander definitiv untersagt. Dieses sogenannte Affiliationsverbot lief ganz unumwunden auf ein allgemeines Parteienverbot hinaus. Auch aus diesem Grunde konnten sich in der Restaurationszeit keine überregional organisierten Parteien entfalten. Die während der Revolution aufgetauchten politischen Lager innerhalb des erstmals klar erkennbaren Fünferspektrums – von den Liberalen und Konservativen über den politischen Katholizismus bis hin zu den Radikalbürgerlichen und Sozialdemokraten – wurden spätestens jetzt auch bundesrechtlich «zerschlagen, kriminalisiert und in den Untergrund gedrängt».

In der Konsequenz dieser Politik lag auch eine bundeseigene Verfolgungsbehörde. Tatsächlich wurde das Projekt einer «Bundeszentralpolizei» von Österreich und Preußen gemeinsam betrieben und im Oktober 1851 förmlich beantragt. Es scheiterte an dem Widerstand gegen das postulierte Recht zur selbständigen Nachforschung ohne die Einbeziehung der Länderinstanzen. Statt dessen kam aber der im Effekt gleichwertige geheime «Polizeiverein» zustande, der im selben Jahr seine Tätigkeit energisch aufnahm. Von Schwarzenberg und Manteuffel kräftig gefördert, von den Monarchen Österreichs, Preußens, Sachsens, Hannovers, Bayerns, Württembergs und

Badens unterstützt, operierte er nicht nur ohne die Mitwirkung des Bundestags, sondern überhaupt ohne eine formelle Rechtsgrundlage – allein getragen von der verwaltungspraktischen Kooperation seiner Mitglieder. Der institutionelle Kern bestand aus ein- bis zweimal jährlich abgehaltenen Konferenzen, auf denen sich die Experten der Politischen Polizei trafen. Seine Funktionstüchtigkeit beruhte auf dem schnellen Austausch von Nachrichten, deren Auswertung auf den insgesamt zwanzig Konferenzen koordiniert wurde. Auf diese Weise arbeitete der Polizeiverein von 1851 bis 1866 – bis 1858 ungehemmt, seit dem Beginn der «Neuen Ära» zunehmend gebremst, bis der Zerfall im Jahr des deutschen Bürgerkriegs besiegelt wurde.

Mit jenem Bienenfleiß, der sich bei solchen Organen mit ihrer Skrupellosigkeit zu paaren pflegt, wurden von der Politischen Polizei zahllose Informationen gesammelt, die von den Polizeidirektionen der Länder – Österreich hatte alle einunddreißig, Preußen alle siebzehn eingespannt – regelmäßig in Wochenberichten zusammengestellt wurden. Auf dem Höhepunkt, besser: auf dem Tiefpunkt dieser Tätigkeit wurden jährlich rund sechstausend Verdächtige erfaßt. Liberale und Freimaurer, Handwerker- und Arbeitervereine, Schützen-, Sänger- und Turnvereine, und später auch der «Nationalverein» und der «Kongress Deutscher Volkswirte» – sie alle wurden ebenso hartnäkkig observiert wie Prominente und Gesinnungszirkel im Exil. Dank der zügigen Kommunikation zwischen den Polizeibehörden konnte in der Regel jedes politisch auffällige Treffen, jeder Vortrag eines Liberalen unterbunden werden. Unter dieser Glocke des allgegenwärtigen Argwohns vermochten sich keine Parteien zu bilden. Effektiver noch als das Bundesrecht verhinderte der «Polizeiverein» bereits im Ansatz, daß sich Gleichgesinnte, selbst wenn sie um Tarnung bemüht blieben, zusammenfanden.

Selbstverständlich waren sich die konservativen Regierungen und die Schergen ihrer Politischen Polizei längst darüber im klaren, zu welcher Macht die Öffentlichkeit inzwischen emporgestiegen war, welche Rolle auch die damaligen Medien im Vorfeld der Organisierung von Interessen, dann bei der Unterstützung politischer Vereinigungen spielen konnten. Deshalb wurde, obwohl die Pressefreiheit seit 1848/49 formell uneingeschränkt weitergalt, schon zwischen 1849 und 1851 von den Einzelstaaten eine allgemeine Revision des Presserechts durchgeführt, die der Bund 1854 bekräftigte. An die Stelle des vormärzlichen Zensors traten seither Polizei- und Verwaltungsbehörden, die Pressefreiheit wurde zur Hülse ohne Substanz. Um Gefügigkeit zu erzwingen, konnten die staatlichen Instanzen mit mehreren harten Sanktionsmitteln operieren, falls die Angst vor ihnen nicht bereits im vorauseilenden Gehorsam die Zensur im Kopf des Verlegers oder Autors installiert hatte.

Erneut wurde die Vorzensur eingeführt: Zeitungen mußten sofort, Bücher innerhalb von vierundzwanzig Stunden geprüft werden. Häufig erfolgte die Beschlagnahmung oder ein Auslieferungsverbot. Zwischen 1850 und 1858 brachte es etwa Bayern – nach der informierten Schätzung des Liberalen Karl Brater – auf rund zweitausendfünfhundertzwanzig Beschlagnahmungen. Häuften sich die Delikte der «Pressefrechheit», konnte entweder im Grenzfall die Konzession entzogen und damit die wirtschaftliche Existenz vernichtet werden. Oder aber es wurde aufgrund der legalisierten Solidarhaftung ein strafrechtliches Verfahren gegen alle an der Herstellung und am Vertrieb Beteiligten durchgeführt. Als Folge einer solchen latenten Bedrohung stellte sich eine permanente Verunsicherung ein, die zum Beispiel die relativ kostspielige Buchproduktion hemmte: Trotz der Konjunktur wurde erst 1879 die Höhe von 1843 übertroffen. Außerdem mußte für politische Schriften eine Kaution hinterlegt werden. Die Kontrollbehörde konnte den Vertrieb durch die staatliche Post verweigern, so daß wegen dieses sogenannten Debitentzugs eine Zeitung im ganzen Land nicht mehr erhältlich war. Gefährliche auswärtige Druckerzeugnisse konnte ein direktes Verbot treffen, Baden etwa ächtete allein 1850 fünfundsechzig Titel. Grenzübergreifende Fahndung nach «verpönten Druckschriften» wurde erlaubt. Journalisten und Schriftsteller mit fremder Staatsangehörigkeit galten für die Organe der Staatsverfolgung als exponierte «Subjekte».

Angesichts dieser Vielfalt von Methoden zur Konformitätserzwingung wurde entweder die Zensur verinnerlicht oder ein täglicher Balanceakt zwischen Gehorsam und Risikobereitschaft notwendig. Wie oft er gewagt wurde, zeigt die Tatsache, daß in Preußen täglich immer noch zweihundertfünfzigtausend liberal gefärbte Zeitungsexemplare abgesetzt wurden, während die eindeutig konservativen nur auf vierzigtausend kamen. Dennoch: Ein preußischer Buchhändler gab den liberalen Konsens wieder, als er bitter konstatierte, daß «wir viel schlimmer dran (sind) als früher unter der Zensur».

Auch die Knebelung der meinungsbildenden Öffentlichkeit im weiteren Sinne fügte sich in die allgemeine Restaurationspolitik nahtlos ein. Jeder politische Bewegungsspielraum wurde nach Kräften eingeschnürt. Wer das Verfolgungsrecht, die Tätigkeit der Politischen Polizei und Staatsanwaltschaft unterschätzte oder sogar mutig, wie es unentwegt geschah, den Konflikt riskierte, fand sich harten Repressalien ausgesetzt, die manches Leben zerstörten. Vielerorts kehrte jene Friedhofsruhe ein, die den Konservativen in nachrevolutionären Zeiten so teuer ist.

Ohne den sorgfältig abgeschirmten Geheimbetrieb des «Polizeivereins» zu kennen, zog der liberale Historiker und Publizist Karl Biedermann, der 1852 seine Leipziger Professur verloren und wegen eines skandalösen Urteils zwei Monate Haft erlebt hatte, die Summe seiner Kenntnisse und Eindrücke in dem Urteil, daß seit 1850 «durch ganz Deutschland eine Reaktion ging, so planmäßig, so schonungslos, so alle edelsten Gefühle der Nation mit Füßen tretend, wie es weder in den dreißiger oder vierziger Jahren etwas ähnliches gegeben hatte, eine Reaktion, deren Ausfluß der sonst so milde Dahlmann mit den vernichtenden Worten brandmarkte: ‹Das Unrecht hat jede Scham verloren›».

Auf dem Vertragspapier blieb der Deutsche Bund ein föderativer Staatenverein. Faktisch aber mißachtete seine Restaurationspolitik die Souveränität seiner Mitglieder, griff mit modernen polizeistaatlichen Methoden rücksichtslos in ihre inneren Angelegenheiten ein. Wie in den Zeiten der Metternichschen Demagogenverfolgung und Revolutionsbekämpfung nach 1819 und 1832 traten seine «zentralstaatlichen Tendenzen» allein im Negativen, in seiner Repressionspraxis, zutage. Eben das hat, wie schon dreißig, vierzig Jahre zuvor, den Bund in den Augen aller aufrechten Liberalen und Demokraten nicht nur zutiefst verdächtig gemacht. Vielmehr wurde der aus leidvoller Erfahrung gewonnene Eindruck der prinzipiellen Reformunfähigkeit kontinuierlich genährt. Diese Restaurations- und Polizeipraxis muß man sich vergegenwärtigen, um zu verstehen, warum sich die liberalen Nationalstaatshoffnungen durchweg nicht auf einen Umbau des rechtsbrecherischen Bundes gerichtet haben.[4]

Trotz aller Härte der zweiten Restauration, die nach der ersten ja weithin in der Lebensspanne einer politischen Generation ausgeführt wurde, gab es sowohl einzelne mutige Männer, die gegen sie aufbegehrten, als auch ein erstaunliches Durchhaltevermögen der Opposition. Erst dieses Verhältnis von brutalem Außendruck und zählebigem Widerstand macht die energische liberale Politik und Gesetzgebung seit den sechziger Jahren verständlich.

Georg Gottfried Gervinus, als Literatur- und Politikhistoriker eine bundesweit bekannte Figur, Chefredakteur der liberalen «Deutschen Zeitung» und aktiver Achtundvierziger, gehörte zu jenen, die sich nicht ducken wollten. Als einziger der liberalen politischen Professoren hatte er sich seit 1849 in einem schmerzhaften Prozeß zu der Überzeugung durchgerungen, daß Demokratie und Republik mit der Notwendigkeit einer historischen Gesetzmäßigkeit auf die Tagesordnung nicht erst der Zukunft, sondern bereits der Gegenwart gerückt seien. «Ich bin überzeugt», schrieb er im Dezember 1850 an den bisherigen Gesinnungsfreund Rudolph Haym, «daß wir die Fahne der Republik aufstecken müssen.» Der Mittelweg der konstitutionellen Monarchie führe nicht zur Freiheit, die Gebildeten gehörten an die Spitze der Volksmassen und des Demokratisierungsprozesses.

Diese Überzeugung brachte ihm die soziale und intellektuelle Isolierung ein. In der Einleitung, die er 1853 dem ersten Band seiner «Geschichte des 19. Jahrhunderts» voranstellte, bekräftigte er mit zustimmendem Nachdruck sein neugewonnenes Evolutionsverständnis, daß «die Massen die Politik zu machen beginnen», und zwar «genau nach ihrem Vorteil und Bedürfnis ..., daß der Staat das Wohl der Vielen endlich seine Sorge sein lasse und nicht das der wenigen Einzelnen». Jetzt müsse die bürgerliche Mittelklasse eine Koalition mit der großen Mehrheit eingehen. Daß Droysen ihn daraufhin einen «Phantasietheoretiker» schalt, war noch das Geringste. Der Hochverratsprozeß, den die badische Regierung gegen den aufmüpfigen Gelehrten anstrengte, kostete ihn seine Heidelberger Professur. Als verfemter Einzelgänger verfocht Gervinus seine Position weiter, an prognostischer Kraft, die er aus seiner Analyse der Zeitgeschichte gewann, war er den meisten weit überlegen.

Wollten ihm die Liberalen auch nicht auf dem Weg zur Demokratie folgen, hielten viele von ihnen doch, allen restaurativen Pressionen zum Trotz, an ihrer Vision einer bürgerlichen Gesellschaft im liberalen Verfassungs- und Rechtsstaat fest. Es ist eine Legende, daß dem Liberalismus durch den Sieg der Gegenrevolution das Rückgrat gebrochen worden sei, daß er sich den Kräften der Beharrung entmutigt gebeugt und daher auch, nach kurzem Aufbegehren, nur zu bereitwillig der Bismarckschen Politik wieder angeschmiegt habe.

Gewiß, die Zäsur von 1848/49 gestand jeder ein: Der Anlauf, den liberalkonstitutionellen, deutschen Nationalstaat zu gründen, war offensichtlich gescheitert; eine neue erschreckende Konfliktfront hatte sich gegenüber der demokratischen Linken aufgetan; der Klassenantagonismus stellte das Ideal der klassenlosen Mittelstandsgesellschaft in Frage; die skrupellose Repression ließ keine Illusion darüber aufkommen, wer im Augenblick triumphierte. Und dennoch: Viele Liberale hielten, auch in zahlreichen Beiträgen zur öffentlichen Diskussion während der fünfziger Jahre, daran fest, daß eine schmerzhafte Niederlage keineswegs das Ende des Liberalismus bedeute. Im Gegenteil: Ihr Zukunftsoptimismus, daß mächtige Triebkräfte in der modernen Welt dem Liberalismus künftig den Primat sicherten, blieb weithin ungebrochen, und diese Grundeinstellung gewann trotz der konservativen Vorherrschaft in den verschiedenen Formationen des Bürgertums zusehends an Boden. Warum?

Zuerst einmal nahmen die Liberalen für sich in Anspruch, in Übereinstimmung mit dem zeitgenössischen Realismus zu denken und zu handeln, ja ihn geradezu in Theorie und Praxis zu repräsentieren. Dieser Realismus war kein brandneues Resultat des nachrevolutionären Katzenjammers, einer an die Stelle des idealistischen Höhenflugs tretenden Skepsis. Bereits 1842 hatte Ludwig Feuerbach diese Denkströmung in der jungen liberaloppositionellen Intelligenz mit der bündigen Diagnose charakterisiert: «Der Geist der Zeit oder Zukunft ist der des Realismus.» Das anhaltende Echo verriet die Zustimmungsfähigkeit dieses Urteils. An ihrem realistischen Politikverständnis mochten viele Liberale auch 1848/49 nicht zweifeln: Die Verständigung mit dem monarchischen Staat darauf, gemeinsam den Weg in das moderne Verfassungsleben und zur Gesellschaftsreform anzutreten, galt ihnen unter deutschen Umständen als wirklichkeitsgerecht – von dieser Überzeugung zehrte ihre Kompromißpolitik seit dem März 1848. Und nachdem das Werk der Paulskirche 1849 gescheitert war, schien die preußische Unionspolitik – als National- und Verfassungspolitik – nicht wenigen schon wieder die inhärente Richtigkeit ihrer Vorstellungen zu bestätigen. Mit Gesinnungstreue und Geduld müsse man, hieß es in den fünfziger Jahren immer wieder, die Durststrecke der Restauration überwinden.

Zum zweiten glaubten die meisten Liberalen, eine den Konservativen weit überlegene, realistische Einsicht in den Gang der modernen Politik- und Gesellschaftsentwicklung zu besitzen. Daß nicht dem Spätabsolutismus, dem Adel, der Agrarwirtschaft die Zukunft gehöre, sondern dem Verfassungsstaat, dem Bürgertum, dem Gewerbe und der unentwegt expandierenden Marktwirtschaft – daran hielten sie fest. Die politisch und ökonomisch fortgeschritteneren Pionierländer Westeuropas bestätigten sie in ihrer Auffassung, sie zeigten ihnen das Bild auch der deutschen Zukunft. Den Rückschlag von 1848/49 galt es möglichst bald zu überwinden, um diese Zukunft einzuholen.

Und schließlich erlebten die bürgerlichen Liberalen in der Hochkonjunkturperiode der fünfziger Jahre geradezu Tag für Tag, wie ungeachtet aller politischen Restaurationsmaßnahmen die moderne Industrie, die Verkehrsrevolution, der weltweite Handel sich durchsetzten. Mußte diese Erfahrung nicht die liberalen Hoffnungen stabilisieren, ihr Weltbild bestätigen? Rückte ihre Zukunft nicht immer näher? «Im Gefühl der Unbefriedigung, der Trostlosigkeit über mißlungene ideale Bestrebungen», spiegelte 1856 ein für dieses Zeitverständnis überaus typischer Leitartikel der «Nationalzeitung» die liberale Mentalität wider, «hat die intelligente und industrielle Kraft des Volkes sich auf das Gebiet des Erwerbs konzentriert, und die Gegenwart ist Zeugnis dessen, was die konzentrierte Kraft der Völker vermag, wenn Intelligenz und körperliche Arbeit vereint zu einem Zwecke hinwirkten. Was die idealistischen Bestrebungen vergebens suchten, ist dem Materialismus in wenigen Monaten gelungen: die Umgestaltung der gesamten Lebensverhältnisse, die Verschiebung der Schwerpunkte und der Machtverhältnisse in dem Organismus des gesellschaftlichen Zusammenlebens, die Beherrschung des Sinnens und Trachtens fast in allen Köpfen und die Anspannung einer nie gekannten Energie, eine förmliche Sucht nach rastloser Tätigkeit in allen Nerven, Muskeln und Sehnen.» Aus dem Exil stimmte der württembergische Schriftsteller und achtundvierziger Demokrat Johannes Scherr zu: «Die Menschen glauben, lieben, hoffen und wollen nichts mehr, als was sich verwerten, zählen, wägen läßt und Interessen, tatsächliche, greifbare Interessen trägt. Das Nützliche, nur das Nützliche, immer und überall das Nützliche, das ist's, was unsere Zeit will und mit ungeheurer Arbeit erstrebt. Niemals ist so gearbeitet worden, wie jetzt gearbeitet wird, und wo Arbeit ist, da ist Leben, Bewegung, Zukunft.»

Natürlich hat es nach der auch idealistisch motivierten Hochstimmung aufgrund der Enttäuschung von 1848/49 eine bittere Ernüchterung gegeben, welche den bereits ausgeprägten Denkstil des Realismus vertiefte und verstärkte. Mehr noch hat der materielle Fortschritt diesen Realismus bekräftigt und damit zugleich das Verständnis der Liberalen, an die Spitze der modernen Gesellschaftsbewegung zu gehören, den realistischen «Zeitgeist» – wie das vormärzliche Modewort hieß – zu verkörpern und aus beidem selbstverständlich auch weiterhin politische Machtansprüche herzuleiten. «Die gesellschaftliche Ordnung», brachte Karl Twesten, einer der scharfsinnigsten Köpfe des preußischen Liberalismus, die vorherrschende Grundüberzeugung mit unübertrefflicher Deutlichkeit auf den Punkt, «schafft die Ordnung des Staates. Die gesellschaftlich vorwiegenden Klassen müssen unwandelbar auch die politisch herrschenden werden, und die gesellschaftliche Art der Abhängigkeit entscheidet auch über die politische Unterordnung. Freilich übt der Staat dann durch seine organisierte Gewalt eine große rückwirkende Macht über alle Lebenskreise der Gesellschaft, indessen dauernd lösen kann sich die einzelne Funktion niemals von dem ganzen Organismus, und neue Anschauungen und Verhältnisse der Gesellschaft bringen», fuhr Twesten in diesem offenherzigen Manifest liberalbürgerlicher Siegesgewißheit fort, «unausweichlich neue Staatsformen hervor. Theoretisch und praktisch muß die Politik erkennen, daß sie bedingt ist durch das Gesamtleben der Gesellschaft, wie es sich in den materiellen Arbeiten und geistigen Bestrebungen ... offenbart.» Heute, trumpfte Twesten kurz darauf, mitten im Konflikt mit der Königsherrschaft, des Erfolgs gewiß, aber durchaus im Widerspruch zu einer wichtigen Realität, mit epigrammatischer Kürze auf, «heute ist die Welt liberal».

Innerhalb des breiten Spektrums jener Diskussion, die mit dem Ziel der Selbstverständigung über die Chancen und Ziele des Liberalismus in den fünfziger Jahren intensiv weitergeführt wurde, nahm deshalb Ludwig August v. Rochau, als er 1853 seine Furore machende Schrift über die «Grundsätze der Realpolitik» veröffentlichte, keineswegs die Position eines illustren Außenseiters ein, der mit allzu überzogenen Thesen die Aufmerksamkeit auf seine Politiklehre zu lenken verstand. Vielmehr griff er, frühzeitig in der Tat, Ideen und Zielvorstellungen auf, die allenthalben unter Liberalen im Schwange waren. Seine Maxime zum Beispiel, daß die «gute oder die richtige Verfassung» eines Gemeinwesens diejenige sei, «welche alle gesellschaftlichen Kräfte nach ihrem vollen Werte zur staatlichen Geltung kommen läßt», konnte der Zustimmung aller Liberalen gewiß sein, da sie, wie er, offen oder insgeheim von dem überlegenen Wert einer gesellschaftlichen Kraft, des Bürgertums, zutiefst überzeugt waren – sie wußten, wer da endlich im Staatsleben zur «Geltung» kommen sollte. Die Konsequenz dieser Überlegenheit lag für Rochau, wie für viele Liberale, auf der Hand. Da das «Gesetz der Stärke über das Staatsleben eine ähnliche Herrschaft» ausübe, formulierte er seine berühmte Doktrin, «wie das Gesetz der Schwerkraft über die Körperwelt», gehöre die langatmige, offenbar verächtliche «Erörterung der Frage, wer da herrschen soll ... in den Bereich der philosophischen Spekulation». Die «praktische Politik» dagegen habe es «nur mit der einfachen Frage zu tun, daß die Macht allein es ist, welche herrschen kann. Herrschen heißt Machtüben, und Machtüben kann nur der, welcher Macht besitzt. Dieser unmittelbare Zusammenhang von Macht und Herrschaft bildet die Grundwahrheit aller Politik und den Schlüssel der ganzen Geschichte.»

Auf solche Worte konnte sich leicht ein bedenkenloser Machtfetischismus stützen, das sollte auch bald oft genug geschehen. Treitschke etwa wußte genau, warum er der «Realpolitik» so begeistert zustimmte. Im Kontext der zeitgenössischen Debatte faßte Rochau jedoch zuerst einmal, damals für jeden verständlich, die leidvollen Erfahrungen mit den konkreten Kräftekonstellationen und liberalen Aspirationen bis 1849 zusammen, ehe er für eine realistische Anerkennung des Vorrangs von Macht und Herrschaft plädierte, die es zu besitzen gelte, ehe liberale Ideen und Rechtsprinzipien verwirklicht werden konnten. Auf sie verzichten wollte Rochau selber, der für seine liberale Gesinnung mit langjährigem Exil gebüßt hatte, durchaus nicht. Und zum zweiten meldete Rochaus «Realpolitik» erneut den Machtanspruch des liberalen Bürgertums an; sie bemühte sich, es auf einen energischen Kampf um die Macht einzustimmen, und sie wurde von der Gewißheit getragen, daß die wichtigste gesellschaftliche Kraft einen legitimen Anspruch auf politische Herrschaft erhebe. Rochau war kein Radikaler, er wollte nicht die Republik, sondern den liberalen Verfassungsstaat im Gehäuse der streng konstitutionellen Monarchie. Insofern ging es ihm, trotz mancher zugespitzter Formulierung, um die Mitherrschaft der Liberalen in der Zuversicht, daß sie sich auf längere Sicht ohnehin als die stärkste Gestaltungskraft in Staat und Gesellschaft erweisen würden. So wurde er im allgemeinen gelesen, so wurde er richtig verstanden, so gewann er sein Ansehen als realpolitischer Vordenker der Liberalen.

Nicht jeder Liberale schlug in jenen Jahren eine so scharfe Klinge wie Rochau oder Twesten. Aber Hunderte von anderen liberalen Publizisten und politisch engagierten Honoratioren führten sich auch nicht wie Duckmäuser auf – die Agenten des «Polizeivereins» kämpften nicht nur gegen die Nachwirkungen der Revolution, sondern auch zunehmend gegen oppositionelle Ansprüche in der Gegenwart. In zahlreichen liberal grundierten Zeitungen und Journalen, in den durchweg liberalen Ideen zuneigenden Konversationslexika – wie in den fünfzehn Bänden des neuen «Brockhaus» und vierundvierzig Bänden des «Meyer», beide lagen bis 1855 vor –, auch in dem immer noch entschieden liberalen «Staatslexikon», das von 1855 bis 1866 mit vierzehn Bänden bereits in dritter Auflage erschien, selbst in dem rechtsliberalen «Deutschen Staats-Wörterbuch» von Bluntschli und Brater, das zwischen 1857 und 1870 auf elf Bände kam und mit seiner Wirkung das «Staatslexikon» übertraf, wurde immer wieder eine offene Sprache riskiert, ja eine mutige, zeitkritische Feder geführt. Hermann Wagener – einer der wenigen gescheiten, politisch aufgeschlossenen Köpfe des norddeutschen Konservativismus, Chefredakteur der «Kreuzzeitung», dann der «Berliner

Revue» und Landtagsabgeordneter – kannte aus unmittelbarer Erfahrung das liberale Übergewicht in der Öffentlichkeit sehr genau. Deshalb bemühte er sich mit großer Energie, in seinen Zeitungen und in den von ihm zwischen 1859 und 1869 herausgegebenen, über weite Strecken sogar selber geschriebenen dreiundzwanzig Bänden des «Staats- und Gesellschaftslexikons» sprach- und ideenpolitisches Terrain für den Konservativismus zu gewinnen, zumindest seinen Anspruch auf Meinungsführerschaft der überlegenen liberalen Konkurrenz entgegenzusetzen.[5]

Als Minderheit in den bundesstaatlichen Parlamenten, die von allen Restaurationsregierungen an möglichst langer Leine gehalten wurden, hatten es die Liberalen ungleich schwerer. Hier ging es nicht um den Beweis journalistischen Gesinnungsmuts, sondern um verbindliche Gesetze für den Staat, der in den Landtagen nur zu gern ein Exempel seiner Stärke demonstrierte. Überdies waren die Liberalen vielfach gespalten: in bedächtige Altliberale und vorwärtsdrängende Jungliberale, in streng konsequente Konstitutionelle und stets kompromißbereite Etatisten, in revolutionsgeschädigte Zauderer und kaum verhüllte Demokratiefreunde. Es bedurfte der vereinheitlichenden Wirkung großer Konflikte, wie sie mit dem badischen «Kulturkampf» und dem preußischen Verfassungskonflikt heraufzogen, um jeweils überhaupt eine Mehrheit von Liberalen, zumindest zeitweilig, zusammenzuschweißen.

Fragt man noch einmal nach den Grundlagen der konservativen Vorherrschaft nach 1849, ist es evident, daß sie zuerst vom Sieg der Konterrevolution zehrten. Das Bemühen, den Erfolg zu verstetigen, traf jedoch auf keine geringen Probleme. Die Öffentlichkeit wirklich zu dominieren gelang den Konservativen nicht. Ideologiepolitisch konnten sie keinen eindeutigen Vorsprung unter den meinungsmachenden Funktionseliten gewinnen. Ihre Durchsetzungskraft beruhte auch nicht auf der Übermacht im Parlament – sie verschaffte ihnen im Scheinkonstitutionalismus eine umstrittene Legitimationszufuhr. Die polizeistaatliche Repressionspraxis war unleugbar effektiv – sie hätte aber, allein für sich, die Restauration vermutlich nicht so lange getragen.

Das gelang jedoch – es zu wiederholen ist nicht überflüssig – dank der ambivalenten Allianz mit modernen Mächten. Die Regierungen nutzten, als meist flexible Erben der Gegenrevolution, die Chancen, welche die Stimulierung von Industrie- und Marktwirtschaft bot; sie erkannten den Stabilisierungsgewinn, den die Hinnahme des Konstitutionalismus und die Zustimmung zielstrebig aufgebauter Parlamentsmajoritäten auf längere Sicht einbrachten; und sie setzten, entschiedener als im Vormärz, auf die Durchsetzungsfähigkeit der Bürokratie. Auf der Überzeugung, daß die Kontrolle über dieses Herrschaftsinstrument einen entscheidenden Vorsprung gegenüber der Opposition sichere, daß Politik weithin aus Verwaltungspraxis im Alltag bestehe – darauf beruhte etwa das autoritär-bürokratische Manteuffel-Regime. Schwerwiegende Probleme waren jedoch damit verbunden, daß der

Staatsapparat längst selber politisiert worden und insofern gespalten war. Restauration hieß deshalb auch, durch eine konsequente Bürokratiepolitik eine verläßliche Herrschaftskonstante zurückzugewinnen.

In der Ausgangssituation von 1849 verriet die liberale Kritik, wie bis dahin ein allgemeiner Vertrauensverlust den Nimbus um die Bürokratie als Sachwalter des Gemeinwohls zerstört hatte, wie weit auch der Beamtenkonservativismus inzwischen vorgedrungen war. Umgekehrt bezogen die Restaurationspolitiker daraus ihre Zuversicht, bald über einen gefügigen Apparat befehlen zu können. Unmittelbar nach der Revolution schleuderte Rudolph v. Gneist dem «Beamtentum» entgegen, daß es wie «der eigentlich bevorrechtigte Adel in Preußen» auftrete. «Die examinierten Leute ... bildeten ein abgeschlossenes Ganzes ... alle anderen Elemente, selbst ein vornehmer Adel, waren ohnmächtig dagegen ... Es schien, als ob der Staat nur dazu da sei, eine gewisse Anzahl von Beamten anzustellen ... Der Staat ging in die Staatsverwaltung auf. Wir hatten keine Verfassung, sondern nur einen Administrationskunstbau.» Aus eigener Erfahrung kannte Gneist, der seit 1845 als außerplanmäßiger Jura-Professor in Berlin lehrte und bis 1849 am Obertribunal arbeitete, das breite politische Spektrum der Bürokratie während des Vormärz und der Revolution. In der Spannweite zwischen verkappten Junghegelianern, überzeugten Wirtschaftsliberalen und trotzigen Ultras entdeckte er nur zu oft charakterlose Mimikry, ja «Doppelzüngigkeit»: «Ich bin oft erschrocken gewesen über den theoretischen Radikalismus der hohen Beamtenwelt, wie er im Negligé nicht selten hervortrat, während man im amtlichen Leben sich dem System als sich von selbst verstehender Notwendigkeit fügte.» Daher hätten viele Beamte «förmlich zwei Naturen» besessen: «die offizielle und die private Natur. Um zu lernen, wie man ein Leben hindurch einem System dienen kann gegen seine Überzeugung und sein Gewissen, muß man preußischer Beamter sein.»

Einmal in Schwung gekommen, nahm der überzeugte Liberale kein Blatt vor den Mund. «Um zu wissen, wie man die Schmach einer verleugneten Überzeugung mit einem Ordensband oder einem hohen Titel deckt, muß man die Geheimnisse des hohen Beamtentums kennen. Um zu lernen, wie man ‹Karriere› macht ..., dazu muß man ein Großwürdenträger des preußischen Staates sein.» «Die edelsten und tüchtigsten Gesinnungen werden in diesem System gebrochen», das sich «wie eine Eisdecke» ablagere, «die allen Versuchen, ihr von außen beizukommen», trotze. Die geballte Empörung dieser Kritik zeigt, welche Sprache ein wortgewaltiger Liberaler selbst nach der Niederlage öffentlich zu führen wagte. Das Risiko, zumindest beruflich schikaniert zu werden, nahm der wissenschaftlich früh profilierte Gelehrte auf sich – erst 1858, zweiundvierzigjährig, wurde er zum ordentlichen Professor ernannt.

Mit seinen Argumenten stand er auch keineswegs allein da. Theodor v. Schön, schon dreißig Jahre zuvor ein Vorkämpfer der preußischen Reformen, protestierte im November 1849 dagegen, daß «das Volk von der Masse zunftmäßig angelernter und gehörig gedrillter Juristen geistig erdrückt» werde. Und selbst der preußische Gesandte in London, Josias v. Bunsen, empörte sich: «Für die Beamtenschaft, das Hungerbrot der Knechtschaft, will ich keinen Sohn mehr erziehen.» Das «Vaterland» brauche nicht «Beamtenbildung», sondern «Unabhängigkeit». «Es ist eine deutsche Tollheit zu glauben, daß man ein freies Volk durch Beamte und Professoren bilden könne.» Auch im neu geschaffenen konstitutionellen Staat müßten die Beamten «das Lied ihres Herren singen».

Einer derart herben, in vielfacher Hinsicht gerechtfertigten Kritik stand indes der unleugbare Tatbestand gegenüber, daß es im Augenblick der großen Krise gerade Hunderte von liberalen, ja demokratischen Beamten waren, die sich – wahre Muster von Zivilcourage – während der Revolution in den Nationalversammlungen, in den Parteien und in zahllosen Vereinen engagierten (Bd. II, 4. Teil, IV). Mindestens sechsundfünfzig bis sechzig Prozent der Paulskirchenabgeordneten waren liberale Beamte, in Berlin führten demokratische Beamte sogar den linken Flügel. Ohne diese ebenso sachkundigen wie charakterfesten Vertreter der Bürokratie ist das Verfassungswerk der Nationalversammlungen schlechterdings undenkbar. Sie behielten dort ihre Schlüsselrolle, trotz der Agonie des Niedergangs, bis ins Frühjahr 1849. Und nicht nur das: Als nach dem Verfassungsoktroi das erste preußische Abgeordnetenhaus im Januar 1849 gewählt wurde, waren darin die Beamten erneut mit 42.2 Prozent der Abgeordneten vertreten. Insbesondere jüngere Justizbeamte bildeten wiederum unter der Leitung von Seniorkollegen das Rückgrat der linken Opposition (53 von 143 Abgeordneten). Gewiß gab es außer ihnen auch etatistische Beamte. Aber wenn jetzt Hochkonservative wie die Gerlachs, Bülow-Cummerow und Bismarck die «Repräsentation durch die Bürokratie» anprangerten, hatten sie eher beiläufig die royalistischen Beamten als gehorsames Werkzeug der Regierung im Visier. Im Vordergrund stand für sie vielmehr die demokratische «Interessenpolitik» oppositioneller Justiz- und Verwaltungsbeamter.

Deshalb kam der Regierung bei den Maiwahlen, die erstmals aufgrund des Dreiklassenwahlrechts abgehalten wurden, die Wahlenthaltung der Linken durchaus entgegen. Außerdem setzte sie alle Kraft daran, loyale Beamte in den Landtag zu schleusen. Der unbestreitbare Erfolg gab ihr Auftrieb, die vorn geschilderte Säuberung der Bürokratie voranzutreiben. Manteuffel selber verteidigte diese rücksichtslose Aktion mit der Notwendigkeit, daß der liberalen und demokratischen Opposition im Staatsapparat endlich jeder Einfluß genommen werden müsse. Diese «Beamtenrevolution» sei gerade deshalb «sehr gefährlich», «weil man sich dabei», wie er 1851 vor dem Abgeordnetenhaus höhnte, «in Schlafrock und Pantoffeln beteiligen kann, während der Barrikadenkämpfer wenigstens den Mut haben muß, seine Person zu exponieren». An den Straßenkämpfen nahmen tatsächlich nur wenige Beamte teil, aber den Mut, sich monatelang in den Nationalversammlungen, in den Landtagen und in der Öffentlichkeit zu exponieren und dabei kein geringes Risiko in Kauf zu nehmen, konnten auch Restaurationspolitiker nicht wegretuschieren.

Als dann die Manipulation der Kammerwahlen von 1855 eine devot gouvernementale Mehrheit mit zahlreichen konservativen Staatsdienern ergab, brachten liberale wie demokratische Beamte, nachdem der Druck der Restauration schon sechs Jahre auf ihnen gelastet hatte, für diese Servilität kein Verständnis auf. Sie trösteten sich mit der «tieferen Bedeutung» des Wahlausgangs, daß jetzt in aller Öffentlichkeit «die völlige Abhängigkeit des einst so ... hochmütigen Beamtentums» zutage trete und endlich «die Omnipotenz des subalternen Dienstes ihre Illusion einbüßt».

Obwohl die Restaurationspolitik im Staatsapparat greifbare Erfolge zeitigte, betrieb die Regierung voller Mißtrauen wegen des auf dem Spiel stehenden Einsatzes: ihres zuverlässigen Herrschaftsinstruments, ihre Bürokratiepolitik unablässig weiter. Außer dem Resultat der bereits erwähnten schikanösen Praktiken kam ihr dabei erneut das Überangebot an Jungakademikern zugute. Trotz aller regierungsamtlichen Steuerungsversuche war nämlich die Anzahl der Jurastudenten seit 1843 wieder angestiegen und erreichte, da die Justizreform von 1848/49 die unbesoldeten Volljuristen auf Planstellen befördert und wegen freibleibender Positionen die Aussicht auf eine unbehinderte Karriere im Staatsdienst verbessert hatte, 1850 bereits den neuen Rekord von 1740 Immatrikulierten – gut zweihundert mehr als die bisherige Höchstziffer von 1830. Folgerichtig kletterte aber auch die Anzahl der unbesoldeten Assessoren wieder hoch: 1852 waren es schon zweihundert siebzig, 1856 sogar achthundertfünfunddreißig, obwohl die Durchfallquote von 28.6 Prozent bis dahin absichtlich auf fünfundvierzig Prozent gesteigert worden war. Bis zur Mitte der fünfziger Jahre war die durchschnittliche Wartezeit bis zur festen Übernahme als Lebenszeitbeamter erneut auf zehn Jahre angewachsen. Entschieden riet der Justizminister im Januar 1858 vom Jurastudium ab. Tatsächlich sorgte die Stagnation auf dem Weg in den Staatsdienst seit 1854 dafür, daß die Einschreibung in den Rechtsfakultäten rasch zurückging: 1860 gab es mit siebenhundertvierundvierzig Studenten weniger als die Hälfte von 1850, nicht vor 1871 mit 1504 die Zahl von 1850.

Vorerst aber blieb es bei dem Stau von unbesoldeten Beamtenanwärtern, deren Zahl allein in der Justiz bis 1867 zwischen achthundertfünfzig und neunhundertfünfzig schwankte. 1862 zum Beispiel entfielen auf 2941 etatisierte Richter und Staatsanwälte achthundertachtundsechzig gehaltlose Gerichtsassessoren, von denen mehr als neunzig Prozent ohne jedes Entgelt dennoch die Funktionen von Richtern und Staatsanwälten ausübten. Noch mehr Assessoren warteten im Verwaltungsdienst auf die Einstellung.

Von dieser akademischen Überproduktion gingen vielfältige Einflüsse aus. Obwohl die elterliche Subsistenzbescheinigung eine Voraussetzung für den

Wartestand blieb, wirkten – wie Kapp 1862 beobachtete – die jungen unbesoldeten Juristen im Vergleich mit den aufstrebenden Wirtschaftsbürgern wie «die reinen Proletarier». Andrerseits führte die Engpaßsituation dazu, daß sich unter den Arrivierten und Aufstiegsgierigen der «Kastengeist» hielt oder doch erneut breitmachte. Das «Beamtenpersonal» schließe sich, wiederholte Gneist 1867 seine Attacke, während der «stufenweisen Erziehung für seinen Dienst in einer Weise ab, welche fast an die ordines der Kirche erinnert». Noch keine mittelalterliche Handwerkerinnung habe sich je so als Meisterklasse aufgespielt wie die Bürokratie, wenn es um politisch freier denkende und daher geschnittene Kollegen gehe.

Diese Situation besaß für die konservative Regierung mehrere Vorzüge. Der anhaltende Andrang bei konstanter Aufstiegsverschlechterung erleichterte ihr die Auswahl durch penible Kontrolle der Gesinnung und sozialen Herkunft. Sie erklärte bereits mit einer Verordnung vom Januar 1849 die unbesoldete Tätigkeit zur Pflicht des künftigen Beamten, der überdies beliebig versetzbar war. Jeder Versuch, wegen finanzieller Not zumindest zeitweilig in der Privatindustrie oder im Eisenbahnwesen zu arbeiten, wurde mit dem Argument, wer je auf diese Weise außer Übung gerate, könne in keine Planstelle mehr einrücken, blockiert. Auch die unbesoldeten Assessoren unterlagen dem Disziplinarrecht, während ihnen der rechtliche und materielle Schutz des Berufsbeamten versagt blieb. Sowohl wegen dieser Lage auf dem Arbeitsmarkt für Beamtenanwärter als auch mit Hilfe ihrer Methoden konnte die Regierung nach Kräften jene konservative Kollektivmentalität heranzüchten, deren eine zuverlässige Bürokratie nach ihrer Überzeugung bedurfte. Daß die Staatsleitung dabei ständig geltendes Recht verletzte, scherte sie offenbar wenig. So wurde etwa die Budgetgewalt des Landtags unterlaufen, da die notwendige, faktisch vollzogene Stellenerhöhung nicht beantragt wurde, solange die Assessorenschwemme für Aberhunderte von unbesoldeten Juristen mit dem vollen Arbeitspensum eines etatisierten Beamten sorgte. Und glatt verfassungswidrig waren die ungetarnten politischen und sozialen Selektionskriterien, da Artikel 4 der Preußischen Verfassung «die öffentlichen Ämter für alle dazu Befähigten gleich zugänglich» erklärte.

Daß die streng konservative Bürokratiepolitik ihren Urhebern zufriedenstellende Erfolge verschaffte, ist schwer bestreitbar. Wie sehr aber der fortdauernde Argwohn gegenüber der oppositionellen Unterwanderung dennoch berechtigt war, sollten innerhalb weniger Jahre erneut Hunderte von liberalen, selbst demokratischen Beamten während des Verfassungskonflikts beweisen. Sogar unter den Bedingungen der Restauration erwies sich der Versuch, die totale Anpassung der Bürokratie zu erreichen, als Sisyphusarbeit.

Ob aber jemand als strebsamer Jungkonservativer dem Restaurationsregime vorbehaltlos diente oder mit seinen liberalen Ideen beharrlich auf bessere Zeiten wartete – beide einte doch die Überzeugung, daß die Funktionsfähigkeit des Beamtenstaates nicht nur erhalten, sondern noch verbessert werden müsse, um der Lösung der gegenwärtigen und zukünftigen Probleme gewachsen zu sein. Trotz diametral entgegengesetzter politischer Überzeugungen blieb der Glaube an die Mitherrschaft bürokratischer Experten gleich stark. Insofern lebte mit der Bürokratie selber und mit dem Vertrauen auf sie eine der Sonderbedingungen weiter, die den deutschen Modernisierungspfad kennzeichnen.[6]

2. Wendepunkt im europäischen Staatensystem und Bewegung in der innerdeutschen Politik

Zwischen 1856 und 1858 geriet neue Bewegung sowohl in das europäische Staatensystem als auch in die zwischen- und binnenstaatlichen Verhältnisse der Mitglieder des Deutschen Bundes. Dadurch entstand eine Art von Doppeldruck, der die überkommenen Strukturen teils aufweichte, teils sogar auflöste. Was zeigt ein kurzer Blick nach vorn?

Im Krimkrieg zerbrach das seit 1815 dominierende Ordnungsgefüge der «Pentarchie», die aus den fünf europäischen Großmächten: England, Rußland, Frankreich, Österreich und Preußen bestand. Die russische Niederlage von 1856 erzeugte kein Machtvakuum, in das während der folgenden Jahrzehnte fremde Mächte hätten hineinstoßen können. Sie entlastete aber auch die deutschen Staaten zeitweilig vom außenpolitischen Druck des Zarenreichs. Diese durchaus ungewöhnliche Offenheit der Mächtekonstellation bildete eine strukturelle Voraussetzung für den Erfolg der deutschen Nationalstaatsbildung.

Im Inneren einiger wichtiger deutscher Staaten kam es rund zwei Jahre später zu einem Gezeitenwechsel: Die Kräfte der Restauration erlahmten. Während ihre Vorherrschaft aus unterschiedlichen Gründen zerbröckelte, erlebte der Liberalismus einen neuen Aufschwung. Hoffnungsvoll sprachen seine Anhänger von einer «Neuen Ära». Als sie in ersten Auseinandersetzungen eine Kraftprobe riskierten, fanden sie sich schneller als erwartet in einen Fundamentalkonflikt verwickelt, der 1862 in Preußen seinen Höhepunkt erreichte.

Während dramatische außen- und innenpolitische Ereignisse die Aufmerksamkeit der Öffentlichkeit fesselten, gelang der Berliner Politik in eher unscheinbaren, doch folgenschweren Verhandlungen ein neuer wirtschaftspolitischer Erfolg. Der Wiener Antrag auf Aufnahme Österreichs in den Zollverein wurde 1853 abgewehrt – die preußische Handelshegemonie blieb erhalten. Im Grunde wurde damit die demütigende Niederlage von Olmütz nach nur drei Jahren auf einem Gebiet wettgemacht, dessen Bedeutung stetig zunahm.

Trotz interner Krisen behielt Preußen die Führungsrolle in der prosperierenden Wirtschaftsunion. Seine handelspolitische Strategie wurde mit dem gegen harten Widerstand erzwungenen Anschluß des Zollvereins an das westeuropäische Freihandelssystem, wie er durch den Schlüsselvertrag mit Frankreich im März 1862 erreicht wurde, endgültig gekrönt. Preußen blieb damit im Bundesgebiet auch politisch an der Spitze einer kraftvollen Bewegung, die von der Dynamik der Industrialisierung und der internationalen Handelsverflechtung getragen wurde.

Während der Liberalismus in der Innenpolitik wieder vordrang, sich außerdem weithin mit den Zollvereinserfolgen identifizieren konnte, demonstrierte plötzlich die Gründung des italienischen Nationalstaats, daß in der unmittelbaren Nachbarschaft der Deutschen eine neue Staatsgründung im Zeichen der Nationalidee möglich war. Davon ging eine geradezu elektrisierende Wirkung auf die deutsche Nationalbewegung aus: Offensichtlich war 1849 kein Schlußstrich unter die nationalen Hoffnungen gezogen worden. Die vertrauten Fragen tauchten wieder auf: Wie sollte über die Alternative von großdeutscher und kleindeutscher Lösung entschieden werden? Wem konnte es jetzt gelingen, die deutschen Staaten zu vereinigen – oder besaß etwa der Deutsche Bund noch genügend Resistenzkraft? War die Nationalbewegung von unten oder nur die von einer Hegemonialmacht vollendete «Revolution von oben» imstande, den deutschen Nationalstaat zu schaffen?

a) Der Krimkrieg – Die «Neue Ära» – Die Zollvereinserfolge

Zwischen dem Ende der Napoleonischen Kriege und der Gründung des Deutschen Reiches von 1871 markierte der Krimkrieg die tiefste Zäsur im Gefüge des Staatensystems. Sie löste ungewöhnlich folgenreiche außenpolitische Wirkungen aus. Zugleich aber verschaffte die seither erzwungene Konzentration Rußlands auf seine eigenen Probleme eine spürbare Erleichterung für wichtige innere Entwicklungen in den Staaten des Deutschen Bundes. Zum erstenmal ging ein Wunschtraum des gesamten europäischen Liberalismus in Erfüllung: Der Hort der Reaktion, die zaristische Autokratie, verlor eine Zeitlang die Fähigkeit, gegen die «Bewegungspartei» seinen Einfluß nachhaltig geltend zu machen. Wie in einem System kommunizierender Röhren förderte der russische Niedergang den Auftrieb der Liberalen. Die Interdependenz von Außenpolitik und Innenpolitik, die in den folgenden Jahren so nachdrücklich vor Augen geführt wurde, konnte daran unmittelbar erfahren werden. In einer brillanten Prognose hat Johann Gustav Droysen schon frühzeitig (1854) aus der russischen Machtdeflation eine Veränderung aller Aspekte der europäischen Innenpolitik und für Preußen die Chance zur Erfüllung seiner «deutschen Mission» auftauchen gesehen.

Zum Auslöser einer jahrzehntelang nicht mehr gewohnten direkten Konfrontation dreier Großmächte wurde 1853 ein russisch-türkischer Krieg – der siebte in einer langen Kette von Auseinandersetzungen, während denen Rußland immer wieder versucht hatte, auf Kosten des offensichtlich irreversibel geschwächten Osmanischen Reiches nach Süden zu expandieren. Wertvoller Landgewinn auf dem türkischer Hoheit unterworfenen Balkan, der

Aufbau von Satellitenstaaten, der Besitz von Konstantinopel, insbesondere der Dardanellen, damit der freie Zugang zum Mittelmeer, aber auch die Erhöhung des Zarentums zum Erben Ostroms und Herrscher über die orthodoxe Christenheit – diese traditionellen Ziele wurden von Petersburg auch diesmal anvisiert. Daß der «kranke Mann am Bosporus» mit seinem Riesenreich nicht endgültig kollabierte und damit Rußland zu einer gewaltigen Machtsteigerung verhalf, lag jedoch im Interesse der englischen Weltmacht, und auch Napoleon III. hatte das überkommene französische Engagement im Nahen Osten bekräftigt. Nach bedrohlichen russischen Anfangserfolgen entschlossen sich deshalb beide Staaten zur bewaffneten Intervention, sie dämmten das russische Vordringen ein, im Kampf um die Halbinsel Krim erstarrte der Konflikt. Österreich und Preußen wurden von den Westmächten wie von Rußland als willkommene Alliierte kräftig umworben, wahrten jedoch vorerst jene Zurückhaltung, die ihr Interessenkalkül gebot, ehe ihre im Kern antirussische Entscheidung fiel.

Österreich war durch die Revolution nachhaltig geschwächt worden. Sein Neoabsolutismus war auf innere Konsolidierung gerichtet, ohne doch eine belastbare finanzielle Basis zu gewinnen. Zwar hatte 1849 nur der Einsatz russischer Truppen das Königreich Ungarn dem Habsburgerstaat erhalten, aber die jetzt von Petersburg erwartete aktive Bezeugung der Dankbarkeit für diese monarchische Solidarität blieb aus, da zwei gravierende Einwände ein größeres Gewicht besaßen. Zum ersten konnte durch die Kriegsteilnahme der Staatshaushalt endgültig zerrüttet, der Widerstand der nichtdeutschen Nationalitäten neu belebt, vielleicht sogar die Existenzfrage der multinationalen Staatenunion gestellt werden. Zum zweiten war die russische Armee in jene Region tief hineingestoßen, die das längst nach Südosteuropa orientierte Österreich als eigene Interessensphäre beanspruchte. Schon deshalb operierten die Westmächte durchaus im Sinne der Wiener Hofburg, die sogar mit dem Anschluß an diese Koalition drohte, um den russischen Rückzug zu erzwingen. Die seither etwas durchlöcherte Wiener Neutralität entsprang sowohl der Rücksicht auf die innere Schwäche als auch der Unfähigkeit, selbständig die projektierte Expansion auf dem Balkan gegen das Zarenreich auch militärisch abzusichern.

In Preußen, das nicht so direkt involviert war, schwankte trotzdem die Waage, als die Befürworter der traditionellen Zusammenarbeit der konservativen Ostmächte auf den Widerstand derjenigen Kräfte trafen, die keine durchschlagenden preußischen Interessen auf dem Spiel stehen, mithin weder in der Koalition mit Rußland noch mit seinen Gegnern einen lohnenden Gewinn sahen. Auch in Berlin pendelte sich deshalb ein neutraler Kurs ein, zumal der ökonomische Aufschwung die Rücksichtnahme auf die westlichen Pionierländer gebot.

Die nach dem Fall Sewastopols unabwendbare russische Niederlage wurde auf der Pariser Friedenskonferenz von 1856 besiegelt. Petersburg mußte, nachdem es extreme Menschenverluste und Materialeinbußen erlitten hatte, ausgelaugt und technisch völlig unfähig zur Fortsetzung des Krieges, ihre demütigenden Bedingungen hinnehmen: die Räumung der besetzten Gebiete auf dem Balkan und in Armenien, den Verlust Bessarabiens, die Entmilitarisierung des Schwarzen Meeres (die sogenannte Pontus-Klausel untersagte russischen Kriegsschiffen die Dardanellendurchfahrt), die Aufwertung der Türkei als Mitglied des Mächtekonzerts – das Ausmaß des Debakels bedeutete für das östliche Riesenreich eine wahre Katastrophe.

Die Folgen machten sich sofort bemerkbar. Der traumatische Schock erzwang außenpolitische Passivität. Rund fünfzehn Jahre lang erlegte seine Schwäche dem Zarenreich Abstinenz gegenüber jeder Machtprobe auf. Zugleich wurden jedoch die Machteliten zu einem umfassenden Programm staatlicher Modernisierung angestachelt, das dazu dienen sollte, den Status einer effektiv handlungsfähigen Großmacht zurückzugewinnen: Bauernbefreiung und industrieller Aufbau, Universitätsförderung und Verwaltungsreform, Forcierung des Exports und Kapitalimports sollten dieses Ziel erreichen helfen. Seither trat übrigens auch die russische Intelligentsia in eine leidenschaftliche Debatte über die Ursachen und Wege zur Überwindung der «relativen Rückständigkeit» Rußlands im Verhältnis zu dem seit Peter dem Großen ohnehin bewundert-beneideten Westen ein. Sich diesem überlegenen Westen endlich anzugleichen, seinen Vorsprung endlich aufzuholen bedeutete aber auch, wie sich schnell herausstellte, daß Rußland auf enge Beziehungen mit den höher entwickelten Ländern ungleich stärker als zuvor angewiesen war. Das warf ein aktuelles Dilemma auf: England als Hauptgegner entfiel für jede Kooperation. Frankreichs Triumph hinterließ bittere Aversion. Österreichs Rivalität auf dem Balkan hatte bis zu seiner unvergessenen Kriegsdrohung geführt, seither hielt das Konkurrenzverhältnis zumindest latent an. Das Verhalten Preußens wurde zwar als illoyal empfunden, andrerseits sollte der Kontakt mit dieser Großmacht nicht auch noch abreißen, zumal die Leistungskapazität und der Absatzmarkt des Zollvereins, bald auch der Berliner Finanzplatz unübersehbare Vorzüge boten. Deshalb herrschte im diplomatischen Verkehr nur zeitweilig ein frostiger Ton, der dank dem preußischen Entgegenkommen seit 1863 verschwand.

Durch diese Auswirkungen des Krimkriegs wurde nicht nur das Kräfteverhältnis im Mächtesystem, sondern auch das Grundmuster der russisch-preußischen Beziehungen bis 1871 bestimmt. Außerdem erhielt der Zukunftsoptimismus der deutschen Liberalen, welche die gravierende Schwäche der zaristischen Autokratie als hoffnungverheißendes Signal einstimmig begrüßten, neue Impulse.[7]

Dieser Effekt der auswärtigen Politik wurde nun binnen kurzem dadurch überboten, daß in der Innenpolitik Preußens, wie bald auch Bayerns und Badens, ein Kurswechsel zugunsten der Liberalen erfolgte, die ihn als Beginn einer «Neuen Ära» begrüßten. Die manisch-depressive Gemütskrankheit Friedrich Wilhelms IV. erzwang 1857 endgültig seinen Rückzug von den Amtsgeschäften. Im Oktober 1858 übernahm daher sein Bruder Wilhelm als Prinzregent die Nachfolge. Obwohl der dreiundsechzigjährige «Kartätschenprinz» von 1848/49 als leidenschaftlicher Berufsmilitär und Repräsentant machtstaatlicher Ambitionen galt, hatte er – auch durch die Vermittlung seiner liberal gesinnten Frau, der weimarischen Prinzessin Augusta – eine engere Verbindung zu der sogenannten «Wochenblatt»-Partei, der rechtsliberalen Fraktion um den Großgrundbesitzer und Jura-Professor Moritz August v. Bethmann Hollweg, gefunden. Grund zum Enthusiasmus war deshalb noch nicht gegeben. Dennoch wurde der Thronwechsel mit ähnlich hohen, überzogenen Erwartungen wie 1840 begrüßt. Tatsächlich ließ sich der Regent zu einem symbolisch weit wirkenden Regierungswechsel bestimmen. Der bürokratische Bonapartismus Manteuffels wurde durch den gemäßigten Liberalismus eines Ministeriums unter dem Fürsten Karl Anton v. Hohenzollern-Sigmaringen abgelöst; Bethmann übernahm das Kultusministerium; die Repressionsmaßnahmen wurden spürbar abgeschwächt. Als Wilhelm im November 1858 in einer programmatischen Rede von den «moralischen Eroberungen» sprach, die Preußen in Deutschland machen müsse, fühlten sich die Liberalen bei diesem vertrauten Stichwort, das ein liberalisiertes Preußen als Vorhut der Nationalbewegung anzukündigen schien, in ihrer Hoffnung auf einen noch weiter korrigierten Kurs bestätigt. Der durchaus konservative Grundton wurde ebenso überhört, wie auch die angekündigte Heeresreform – seit Jahrzehnten das eigentliche Steckenpferd des Regenten – keinen Argwohn weckte.

Eine Auflockerung versprach ebenfalls der Sturz des Ministeriums v. d. Pfordten in Bayern im März 1859. Weitaus eindeutiger verkörperte das liberale Ministerium unter der Leitung Franz v. Roggenbachs seit dem April 1860 den Beginn einer «Neuen Ära» in Baden. Der Grundsatzkonflikt, den dann die badischen Liberalen mit ihrer antikonfessionellen Gesetzgebung riskierten, gewann vor dem Hintergrund der Allianz von politischer Reaktion und amtskirchlicher Orthodoxie als «Kulturkampf» eine Resonanz, welche viele Liberale in ihrer Stimmung des Aufbruchs zu neuen Ufern bestätigte. Offensichtlich gerieten, so wurde die Botschaft solcher Ereignisse verstanden, die erstarrten Fronten der Restaurationszeit unwiderruflich in Bewegung.

Auf einem anderen Gebiet konnte sich währenddessen der Wirtschaftsliberalismus bestätigt finden: durch die Erfolgsbilanz des Deutschen Zollvereins. Seit seiner Gründung hatte sich die Regierung Metternich keiner Illusion über diese Gefahr für die österreichische Vormachtstellung im Bund hingegeben, war jedoch stets durch das überkommene Schutzzollsystem und die berechtigte Konkurrenzangst der Gewerbewirtschaft auf eine starre Abwehr festgelegt worden. Im Hochgefühl des Erfolgs nach der Niederschlagung der Revolution hielt Fürst Schwarzenberg zusammen mit seinem

Handelsminister Karl Ludwig v. Bruck – einem kalvinistischen Elberfelder Unternehmer, der für den «Österreichischen Lloyd» die führende Stellung im Levantehandel gewonnen hatte – den Zeitpunkt für gekommen, endlich die Initiative an sich zu reißen. In zwei großen Denkschriften vom Januar und Mai 1850 entwickelten beide Männer den kühnen Plan eines alle deutschen Staaten umfassenden «Handelsbundes», der sogar in der Bundesverfassung rechtlich verankert werden sollte. Bruck entwarf die Vision eines mitteleuropäischen Wirtschaftsgroßraums mit dem «Gewicht eines siebzig Millionen Menschen umfassenden Bündnisses», das nach der ökonomischen Einheit auch seine nationalpolitischen Bestrebungen verwirklichen könne. Hinter gemeinsamen Zollmauern müsse aber vorerst die «heimische Konkurrenzkraft» angehoben werden. Die Intention dieses Vorschlags ließ keinen Zweifel zu: Wien präsentierte mit Nachdruck seine Alternative zu der 1852 anstehenden neuen Verlängerung des Zollvereins.

Berlin gewann die Mehrheit der Zollvereinsstaaten, denen die abschrekkende protektionistische Tradition des österreichischen Absolutismus eindringlich vorgeführt wurde, für die Entscheidung, eine Diskussion über den gefährlichen Vorstoß zu vertagen. Nach dem Erfolg von Olmütz stieß Schwarzenberg jedoch bei diesen Staaten sofort wieder nach: Eine gemeinsame Zollunion entspreche voll Österreichs «Staatsmaxime», um den preußischen Einfluß «auf das Allervollständigste» zu brechen. Erneut erreichte die geschickte Berliner Verhandlungsführung, daß die österreichische Aktivität bis zum Frühjahr 1851 verpuffte. Schwarzenberg gab nicht auf: Im Oktober insistierte er – die wirtschaftliche Konjunktur in Preußen und in den größeren Zollvereinsstaaten vor Augen – erneut auf der «tätigen Beteiligung Österreichs an der Pflege der gemeinsamen materiellen Interessen Deutschlands». Wegen der «immer steigenden Wichtigkeit dieser Seite des Staatswesens» müsse Österreich in den Zollverein aufgenommen werden, um seine herausragende Stellung im Bund und in Europa behaupten zu können. Im Zuge eines riskanten Gegenschlags kündigte Preußen daraufhin den Zollvereinsvertrag zum 1. November 1854. Die von Wien umworbenen Mitglieder wurden von Berlin drohend gewarnt, keine «Verbindlichkeiten» einzugehen. Statt dessen solle der Zollverein unter der Bedingung verlängert werden, daß Österreich nur ein Handelsvertrag eingeräumt werde. Offensichtlich wurde die Berliner Politik von der Erwartung getragen, daß das ökonomische Geflecht des Zollvereins schon zu stark, der fiskalische Gewinn aus den Einnahmen außerhalb des Bewilligungsrechts der Landtage zu verlockend sei, als daß den anderen Mitgliedern noch die Möglichkeit des Verzichts oder der entschiedenen Unterstützung Österreichs offenstehe. Das preußische Kalkül ging in Erfüllung.

Im April 1852 stellte die Generalzollkonferenz zu Berlin die Weichen für die Vereinsverlängerung. Die Gegenzüge Buols – soeben als Nachfolger Schwarzenbergs im Amt – blieben erfolglos. Aus Verhandlungen zwischen

Bruck und dem preußischen Außenwirtschaftsspezialisten Rudolph v. Delbrück ging der von Berlin als minderwertige Zwischenlösung angestrebte Handelsvertrag vom Februar 1853 hervor. Damit wurde Wiens Aufnahmebegehren erneut abgeschmettert, denn die Zolleinheit sollte – wie es Artikel 25 ausdrücklich stipulierte – bis 1860 aufgeschoben werden. Bruck tröstete seine Regierung mit der schalen Illusion, bis dahin könne Österreich wirtschaftlich «anschlußreif» gemacht werden, um dann von innen her die preußische Vormacht im Zollverein aufzubrechen. Vorerst wurde der Zollverein kurz darauf, im April 1853, für weitere zwölf Jahre verlängert, ohne daß ein Wort über Österreichs Beitritt verloren werden mußte. Damit behauptete Preußen in der Tat seine Vormacht, die es ihm auch 1858 gestattete, neue, aus dem Artikel 25 hergeleitete österreichische Unionsanträge aufzuschieben.

Während das Habsburgerreich noch an der Schwächung litt, die ihm die Niederlage im italienischen Krieg von 1859 zugefügt hatte, feierte der Freihandelsliberalismus in Westeuropa einen neuen Triumph. Im November 1860 besiegelte der sogenannte Cobden-Vertrag zwischen England und Frankreich eine von hohen Erwartungen begleitete «freihändlerische Interessengemeinschaft», die von Anfang an auf Ausdehnung angelegt war: Über den zollfreien gemeinsamen Großmarkt hinaus sollte sie auch der Friedenssicherung dienen. Unmittelbar darauf bot Preußen, von der französischen Diplomatie ermuntert, den Vertragsbeitritt, sogar mit dem gesamten Zollverein, an. Diese Entscheidung enthüllte mit aller Deutlichkeit, welches wettbewerbsfähige Potential Preußen sich und der Zollunion zutraute. Sie enthüllte auch erneut die gegen alle Mitteleuropa-Pläne Österreichs gerichtete politische Spitze. Chefunterhändler Delbrück bestätigte mit trockener Unzweideutigkeit: «Wir wollten keine deutschösterreichische Zolleinigung.»

Schon im April 1861 konnten die Zollvereinsmitglieder über die erzielte Einigung informiert werden, die Mehrheit drückte – nach der Krise von 1857/59 die zu erwartende verstärkte «Neubelebung» der wirtschaftlichen Konjunktur begrüßend – ihre Zustimmung aus. Vergebens warnte sie Buols Nachfolger, Graf Rechberg, in beschwörendem Ton, daß Preußen auf diesem Wege seine «volle Hegemonie» sicherstellen wolle. Am 29. März 1862 wurde der Vertrag mit Frankreich paraphiert. Im Angesicht einer Niederlage mit unabsehbaren Folgen für die österreichische Bundespolitik opponierte Rechberg vehement bei den Zollvereinsstaaten. Überall steige Preußens Einfluß, das war der Tenor dieser Intervention, überall habe es «die Klasse der Industriellen an sich gefesselt», überall werde durch die von ihm dirigierte ökonomische Einheit der «Drang nach deutscher Einheit auf dem politischen Gebiete in den Gemütern gehegt». Der vertragliche Anschluß an die westeuropäische Freihandelszone solle «die handelspolitische Trennung Österreichs vom übrigen Deutschland zur dauernden Tatsache» erheben.

Eine wesentliche Absicht der Berliner Außenwirtschaftspolitik hatte Rechberg damit auf den Punkt gebracht, Halt gebieten konnte er ihr nicht mehr.

In einem einmaligen Vorgang votierte die liberale Mehrheit des preußischen Landtags schon vor der Unterzeichnung für den strittigen Vertrag; die Interessenverbände stimmten zu. Als Wien noch einmal die Aufnahme des Gesamtstaats in den Zollverein beantragte, nicht ohne mit dem Ziel eines föderativen Großreichs zu locken, fühlte sich der preußische Außenminister Albrecht v. Bernstorff so siegessicher, daß er auf seine schroffe Ablehnung die formelle Anerkennung der italienischen Souveränität folgen ließ. Am 2. August 1862 wurde der Vertrag vom Abgeordnetenhaus mit zweihundertdreiunddreißig gegen sechsundzwanzig Stimmen, vom Herrenhaus einstimmig gebilligt, und nach der Sommerpause folgte am 2. September sogar eine ebenso eindeutige Resolution der Zweiten Kammer, daß eine Ablehnung des Vertrags durch Mitglieder des Zollvereins seine Aufkündigung bedeute. Das Fortbestehen des Zollvereins wurde auf diese Weise ultimativ mit der Vertragsannahme verknüpft.[8]

So standen die Dinge, so weit hatte sich die preußische Handels- und Zollvereinspolitik mit ihrer unübersehbar kleindeutsch-großpreußischen Stoßrichtung bereits durchgesetzt, als Otto v. Bismarck – uneingeschränkt ein Befürworter des preußisch-französischen Vertrags – das Amt des Ministerpräsidenten übernahm. Im Kontext des preußischen Verfassungskonflikts muß der Faden abschließend aufgegriffen werden.

b) Die italienische Einheit – Der neue Entwicklungsschub des deutschen Nationalismus: Der Siegeszug des borussischen Geschichtsmythos

Während Preußen mit dem Instrument des Zollvereins geduldig, oft abseits der Öffentlichkeit an der Unterminierung der österreichischen Vorherrschaft im Bund arbeitete, wirkte die Gründung des italienischen Nationalstaats im Gefolge eines Großmächtekriegs wie ein grelles Fanal, das in mehrfacher Hinsicht einen Umbruch auch in der deutschen Politik einleitete. Die italienische Nationalbewegung hatte seit der Revolution mit wachsendem Nachdruck die Überwindung der staatlichen Zerrissenheit des Landes gefordert. Dem Titel der einflußreichen Zeitschrift «Risorgimento» entlehnte sie ein typisches Motiv jedes modernen Nationalismus: das Postulat der «Wiedergeburt» alter Größe. In der Persönlichkeit des Ministerpräsidenten von Piemont-Sardinien, des Grafen Camillo Cavour, fand sich ein souverän agierender Diplomat, der den Schwung dieses Risorgimento-Nationalismus ausnutzte. Die kühl kalkulierte Teilnahme am Krimkrieg hatte die erhoffte enge Verbindung mit Paris eingebracht, wo Napoleon III. das «Nationalitäts-Prinzip» nicht nur als Programm einer zeitgemäßen Politik verfocht, sondern auch als Vehikel französischer Machtexpansion einsetzte. Die Schwäche und Unsicherheit Österreichs, dessen großer oberitalienischer Besitz als Hauptziel national-italienischer Befreiungshoffnungen galt, erleichterte ein gemeinsames Vorgehen Piemonts und Frankreichs, das vorher die geheime Verständigung mit Rußland erreicht hatte. Der italienische Krieg im Frühsommer 1859 entsprach indes nicht mehr dem diplomatisch gezähmten Duell früherer Mächtekonflikte. Vielmehr verband er sich mit einer nationalrevolutionären Erhebung mit dem Ziel der inneren Integration, die im äußeren Rahmen einer Kraftprobe zwischen zwei Großmächten vorangetrieben wurde.

Dieser Krieg löste in der deutschen Öffentlichkeit eine leidenschaftliche Debatte aus. Verfassungsrechtlich berührte er den Bund zwar nicht direkt. Aber einmal wurde er in seiner unmittelbaren Nähe geführt, zum zweiten verletzte das Eingreifen Frankreichs gegen die «Präsidialmacht» deutschnationale Gefühle, beides erschwerte eine Neutralitätspolitik wie soeben im Krimkrieg. In der öffentlichen Kontroverse überwog die Auffassung, daß die Bundesstaaten, und das hieß vor allem: Preußen, eingreifen sollten, wenn Österreich als deutsche Vormacht durch Frankreich besiegt zu werden drohte. Werde nicht sonst ein siegreicher Bonpartismus anschließend auch die Rheingrenze so in Frage stellen, daß es nicht bei einer Wiederholung der Krise von 1840 bleiben, sondern zu einer Ausbreitung wie 1805/07 kommen werde?

Dem hielt eine lautstarke Minderheit entgegen, daß das wohlverstandene kleindeutsche Nationalinteresse gebiete, die Destabilisierung Österreichs zu begrüßen, ja sogar aktiv auszunutzen. Ferdinand Lassalle etwa billigte dem italienischen Nationalismus das Recht des «höheren kulturhistorischen Berufs» gegenüber Österreich zu, wo «das asiatische Prinzip», die «freigewählte Barbarei» herrsche; Preußen solle deshalb gegen seinen Erzrivalen die Chance zum Gewinn der Vorherrschaft wahrnehmen. So argumentierte außer ihm nicht nur Konstantin Rößler, sondern auch Bismarck aus der Petersburger Gesandtschaft, als er leidenschaftlich für die machtpolitische Ausbeutung der Situation bis hin zur Annexion Süddeutschlands plädierte. Zwiespältige Gefühle durchzogen dagegen den deutschen Liberalismus und Nationalismus: Einerseits neigte er dazu, den Triumph der italienischen Nationalbewegung und den Modellcharakter ihres Erfolgs willkommen zu heißen, andrerseits beklagte er die Schädigung einer deutschen Großmacht und den Sieg der französischen Politik.

In ihrer ersten außenpolitischen Krise zögerte die neue Berliner Regierung, dem österreichischen Konkurrenten automatisch Hilfe zu gewähren, zumal Rußlands Position korrekt analysiert wurde. Sollte der Krieg gegen Frankreich unvermeidbar sein, beanspruchte der Prinzregent den Oberbefehl über das Bundesheer. Während darüber Verhandlungen mit Wien liefen, wurde die Mobilmachung im Westen eher gemächlich in Gang gebracht. Die Folge war, daß in Wien einhellige Empörung über das preußische Verhalten ausbrach, in der bundesdeutschen Öffentlichkeit fand sie viel Verständnis. Zu diesem Zeitpunkt zog jedoch die österreichische Doppelniederlage bei

Magenta und Solferino am 4. und 24. Juni 1859 bereits einen Schlußstrich unter den offenen Schlagabtausch. Im Waffenstillstand zu Villafranca wurden am 8. Juli die wichtigsten Entscheidungen gefällt: Österreich mußte die gesamte Lombardei an Frankreich abtreten, das sie anschließend Piemont übergab. Venetien blieb noch in österreichischer Hand. Napoleon erhielt in einem Länderschacher, der seinem «Nationalitäts-Prinzip» hohnsprach, zur Belohnung die italienischen Provinzen Nizza und Savoyen.

Die italienische Nationalbewegung setzte sich jedoch, insbesondere in Gestalt der Freischaren unter der Leitung Giuseppe Garibaldis, über die Barrieren von Villafranca hinweg. Sie gewann Mittelitalien, schließlich Süditalien; während des deutschen Bürgerkriegs verlor Wien auch Venetien; als während des Kriegs von 1870/71 die französischen Schutztruppen aus dem Kirchenstaat, der jetzt auf den Umfang der Vatikanstadt schrumpfte, abgezogen wurden, stieg Rom endlich zur Hauptstadt auf. Trotz der im Grunde erstaunlich schnellen Konsolidierung des italienischen Nationalstaats schoß alsbald die expansionistische «Irredenta»-Propaganda über jene Territorialgrenzen hinaus: Die «unerlösten» Italiener, zum Beispiel in Südtirol und am anderen Adriaufer, sollten auch noch angeschlossen werden. Damit tauchte ein typischer Dauerkonflikt des modernen Nationalismus auf.

Im Deutschen Bund herrschte vielerorts Empörung über den schmachvollen Verzichtfrieden, auch über den angeblichen Verrat Preußens, das sich gehütet hatte, unter miserablen militärischen und diplomatischen Bedingungen das Risiko eines großen europäischen Krieges auf sich zu nehmen. Die Zurückhaltung Berlins zeigte freilich auch, wie weit es in der Rivalität mit Österreich zu gehen bereit war. Der Dualismus der beiden deutschen Mächte spitzte sich seither noch schärfer zu. Zwar erzwang die Niederlage das neue Wiener Verfassungspatent vom Februar 1861 – sie schlug also auf die innenpolitische Kräftekonstellation unmittelbar durch. Aber die halbherzig gewährte Konzession wurde nach vier Jahren schon wieder revoziert. Damit fiel der Habsburgerstaat auf das klägliche Niveau der verfassungslosen Ära Metternich zurück. Im Ringen um die Gunst der liberalen Öffentlichkeit und der konstitutionellen Nationalbewegung bildete das ein schwer zu überwindendes Handicap.

Der unstreitig bedeutendste Effekt ging jedoch von dem steilen Aufstieg der italienischen Nationalbewegung aus, deren Erfolg als machtvoller Stimulus auf die deutschen Verhältnisse einwirkte. An den bereits mehrfach erörterten Kernbestand des deutschen Nationalismus (Bd. I, 2. Teil, V; Bd. II, 3. Teil, IV.5) kristallisierten sich seit den fünfziger Jahren neue Elemente an, auf die unten sogleich eingegangen wird. Zunächst ist festzuhalten, daß weder das Scheitern der Nationalstaatspläne während der Revolution noch die Verdrängung des Massennationalismus aus dem öffentlichen Leben der frühen Restaurationsphase seine Schwungkraft gelähmt hatten. Das kann schwerlich verwundern, handelte es sich doch um eine noch junge

Bewegung, die ihre Siegesgewißheit aus dem Vorbild vollendeter westlicher Nationalstaaten gewann. Zu Recht insistierte der Schriftsteller Heinrich Laube, der den Übergang vom frühen Intellektuellennationalismus zum Massennationalismus selber miterlebt hatte, daß es ein Irrtum sei, wenn der «deutsche Patriotismus und das Verlangen nach einem einigen Deutschland weit ... in die Geschichte» zurückverlegt werde: «Diese Gesinnung und dies Bestreben sind modern.» Zehn Jahre nach der Revolution mangelte es dem deutschen Nationalismus nur an institutioneller Unterstützung und freieren Verhältnissen, an einem neuen Treibsatz, an einer Dynamisierung durch große bewegende Ereignisse. In jeder Hinsicht gewann hier die italienische Staatsbildung eine wichtige Funktion.

So wirkte etwa die Agitationszentrale der «Società Nazionale» von 1856 als direktes Vorbild für den im Herbst 1859 gegründeten «Deutschen Nationalverein». Er ging seit dem Sommer aus dem Zusammenschluß liberaler und demokratischer Politiker hervor, die angesichts der italienischen Krise in ihrer Eisenacher Erklärung (14. August) einen deutschen Nationalstaat unter preußischer Führung forderten. Ihr Appell richtete sich an «alle deutschen Vaterlandsfreunde, mögen sie der demokratischen oder der konstitutionellen Partei angehören». In dieser überraschenden Koalition lebte zum erstenmal der historische Kompromiß zwischen Liberalen und Demokraten bei der Verabschiedung der Frankfurter Reichsverfassung wieder auf. An den Namen mancher Unterzeichner – zu ihnen gehörten etwa Rudolf v. Bennigsen und Hans Victor v. Unruh, Ludwig August v. Rochau und Hermann Schulze-Delitzsch – ließ sich das auch äußerlich ablesen. Der «Nationalverein», dessen Satzung vom 15./16. September 1859 die «Einigung» des «großen gemeinsamen Vaterlandes», konkret die Unterstützung der entstehenden «nationalen Partei» postulierte, verkörperte daher weder eine liberale Honoratiorenvereinigung noch eine demokratische Massenbewegung, vielmehr eine lockere Allianz beider politischer Strömungen, aus denen er schnell fünfundzwanzigtausend Mitglieder gewann. Der neue nationalpolitische Interessenverband operierte in seiner Öffentlichkeitsarbeit hier mit entschiedenen Forderungen, zu denen die Verwirklichung der kleindeutsch-preußischen Lösung gehörte, dort mit eher behutsamem Taktieren, um möglichst viele zu erreichen. Nationalrevolutionärer Schwung ging von ihm nicht aus, aber bemerkenswert viele Mitglieder der liberalen und demokratischen Opposition gegen den Deutschen Bund übten in seinen Gremien die Zusammenarbeit ein.

Diese Kooperation erstreckte sich auch auf andere Verbände mit einer dezidiert nationalpolitischen Stoßrichtung. Der «Kongreß Deutscher Volkswirte» von 1858, der «Deutsche Handelstag» von 1861 und der «Deutsche Abgeordnetentag» von 1862 – sie alle waren in dem knappen Jahrzehnt zwischen 1858 und 1867 mit dem «Nationalverein» eng verbündet. Dabei entstand zwischen den Führungsgremien eine enge Vernetzung, so daß eine rund achtzigköpfige liberal-demokratische Funktionselite den maßgeblichen Einfluß gewann. Als verfassungspolitisches Orientierungsmodell diente ihr die Revolution von 1849. Ihr Ziel war ein deutscher Bundesstaat mit straffer, einheitlicher Führungsspitze und einem gewählten Nationalparlament. Erst zwischen Königgrätz und der Gründung des Norddeutschen Bundes brach diese informelle Allianz, die auf die öffentliche Meinung nachhaltig eingewirkt hatte, auseinander.

Auch als emotionale Antriebskraft strahlte die italienische Einheitsbewegung nach Norden aus. Der Mediziner und Biologe Ernst Haeckel etwa, damals noch Assistent des demokratisch gesinnten Virchow, empörte sich, von der Italienbegeisterung getragen, über die im Bund geübte «Herrschaft von sechsunddreißig schmarotzenden Raubfürsten samt ihrem gehorsamen Dienerpack». Hoffnungsfroh drückte er seinen Wunsch aus, daß «unser Garibaldi nicht fern ist». Überhaupt regten Cavours und Garibaldis Leistung erneut zu dem Ruf nach Jahns nationalem «Heiland», nach einem napoleonsgleichen Einheitsstifter an. Und die Nationalstaatsgründung, soeben vor aller Augen im Süden gelungen, stärkte die Siegeszuversicht des deutschen Nationalismus. «Ideen haben immer gerade so viel Macht, als ihnen die Menschen leihen, denen sie innewohnen», hatte Rochau unlängst doziert. «Daher ist eine Idee, welche, gleich viel ob richtig oder unrichtig, ein ganzes Volk oder Zeitalter erfüllt, die realste aller politischen Mächte.» Daß der Nationalismus zu einer solchen Idee aufgestiegen sei, bildete die Grundüberzeugung seiner deutschen Anhänger.

Bestätigt fanden sie diesen Konsens seit 1859 immer wieder. Die Schillerfeste jenes Jahres wurden unterderhand zu machtvollen nationalen Kundgebungen, die weit über das Bildungsbürgertum hinaus Resonanz fanden. Das Schützen- und Turnerfest von 1860 in Koburg, das Sängerfest von 1861 in Nürnberg, das neue Kölner Dombaufest von 1863 – sie setzten die Serie solcher «Nationalfeste» fort. Ihre politische Stoßrichtung begünstigte überwiegend eine preußische Lösung der nationalen Frage. Das verfassungspolitische Fiasko Österreichs, seine militärische Niederlage, sein evidentes Engagement in Südosteuropa – all diese Faktoren schwächten seine Attraktion. Wenn ein einflußreicher liberaler Publizist donnerte, daß jetzt «weder ein Prinzip, noch eine Idee, noch ein Vertrag die zersplitterten deutschen Kräfte einigen» werde, «sondern nur eine überlegene Kraft, welche die übrigen verschlingt», wußte jedermann, daß dabei an Preußen gedacht war.

Obwohl in die Defensive gedrängt, gaben die Verfechter einer großdeutschen Nationalidee noch nicht auf. Im Oktober 1862 entstand, eindeutig als Gegengewicht zum «Nationalverein» konzipiert, der «Deutsche Reformverein», der aus der jahrhundertealten Führungstradition des Habsburgerreichs den Anspruch auch auf den Primat in der gegenwärtigen Nationalpolitik herleitete. Zwar experimentierte Wien damals mit dem Februarpatent, während Preußen auf dem Höhepunkt des Verfassungskonflikts manchen in der

Ablehnung des «Borussismus» bestätigte. Aber der neue Interessenverband stand doch vor dem hohen Hindernis, daß er den Liberalen und Demokraten die Reform des illiberalen, antinationalen Deutschen Bundes als gangbaren Weg darzustellen hatte. An dieser Hürde mußte er scheitern.

Erschwert wurde seine Agitation auch dadurch, daß in den meinungsprägenden Funktionseliten und Klassen die Überzeugung stetig an Boden gewann, nur Preußen könne die nationalen Hoffnungen erfüllen. Verächtlich, aber den Kontrahenten ernstnehmend, hatte schon Metternich aus dem Exil geurteilt, daß «das gebildete Proletariat», die «Beamten, Professoren, Literatenkasten, welche zusammengenommen den Vernunftstaat bilden», sich in ihrer «aufgeklärten Demagogie» an Preußen angeschlossen hätten; jetzt stehe es fraglos «an der Spitze dieser gespenstischen Assoziationen». Hohn und Empörung sprachen aus diesen Worten, aber scharfsinnig war die Beobachtung dennoch.[9]

Gerade seit den 1850er Jahren sollte sich erweisen, wie die bildungsbürgerlichen «Meinungsmacher» mit neuer Intensität für Preußens nationalpolitische «Mission» optierten. Einflußreiche Repräsentanten der Leitwissenschaft jener Epoche übernahmen dabei die Führung: Die Historikerphalanx der borussischen Schule trat gegen ihre Kontrahenten an. Im Verlauf dieses ideologiepolitischen Grundsatzkonflikts wurde der deutsche Nationalismus auf eine charakteristische Weise zugespitzt, die entstellende Eindeutigkeit seiner Stoßrichtung verstärkt, die Summe seiner Zielvorstellungen straffer als zuvor gebündelt.

Bekanntlich hatte sich auch die neue «politische Religion» des deutschen Nationalismus in ihrer ersten Entwicklungsphase vom ausgehenden 18. Jahrhundert bis etwa 1815/1820 als Intellektuellenphänomen geäußert. In ihrer zweiten Phase von den 1820er Jahren bis 1848/49 war daraus trotz allen Widerstands ein Massennationalismus geworden. Vor allem das breit aufgefächerte Vereinswesen der Turner und Sänger, der Burschenschaftler und Schützen hatte dabei wie eine Art Transmissionsriemen gewirkt. Diese Funktion übten auch die regelmäßigen großen Gelehrtenkongresse aus: von den Treffen der «Germanisten» bis zu den «Versammlungen deutscher Naturforscher und Ärzte». Von einem großen Publikum wurde ein «Nationalfest» nach dem anderen gefeiert. Nationalgefärbte Literatur, Theaterstücke und Pfarrerpredigten wirkten auf ihre Art in dieselbe Richtung. Beschleunigungsfaktoren wie die griechischen und polnischen Aufstände, die Rheinkrise von 1840 und der Streit um die «nationale» Frage in Schleswig-Holstein in den 1840er Jahren unterstützten die Dynamik der Nationalbewegung. Ihre wesentlichen Elemente und Funktionen traten währenddessen immer deutlicher hervor.

Der Nationalismus versprach eine neue, zuverlässige Legitimationsbasis in einer Zeit, als Staat und Gesellschaft tiefreichende Umwälzungen erlebten. Er verhieß die Integration zu einem wahrhaft modernen, überlegenen

Gesellschaftstypus, dessen politisches System im Namen der Nation die Penetration des Gesamtstaats vom Zentrum bis an die äußerste Peripherie effektiver denn je zuvor vorantreiben konnte. Ein attraktives Ziel des Nationalismus verkörperte die Vorstellung von der gemeinsamen, jeden anderen Unterschied überbrückenden Identität aller Nationsgenossen. Sie beruhte ganz wesentlich sowohl auf einem säkularisierten Sendungsbewußtsein als auch auf dem Mythos einer nationalen Regeneration – beide garantierten eine glorreiche Zukunft. Eindeutig war der Nationalismus eine liberaloppositionelle Emanzipationsideologie geblieben, die ein freies Zusammenleben im Verfassungsstaat und im friedlichen Verbund aller Nationalstaaten in Aussicht stellte. Unverkennbar aber hatten sich auch die dunklen Schattenseiten dieses mächtigen Ideenkonglomerats erhalten: seine Feindbilder, etwa in Gestalt des «Welschenhasses» und der Slawophobie, auch seine Neigung, dem deutschen Machtstaat den Vorrang vor der Verwirklichung des Nationalitätsprinzips für Polen und Italiener, Tschechen und Dänen zu geben.

Während der Revolutionsmonate hatte der anschwellende Nationalismus zu einer beispiellosen politischen Mobilisierung geführt. Zwar scheiterte der erste Anlauf, einen deutschen Nationalstaat zu bilden, bis zum Frühjahr 1849, aber der Bewegungsdynamik, welche dieses Ziel freizusetzen vermochte, konnte niemand entgehen. Für kurze Zeit nur gelang der Restaurationspolitik ihre Unterdrückung. Seit 1856 häuften sich jedoch die Zeichen einer Wiederbelebung, und seit 1859 wirkte sich die Erringung der italienischen Einheit als kraftvolle Stimulierungserfahrung aus.

Auch zu dieser Zeit behielt der Nationalismus seine schroff polarisierende Eigenschaft: Der Sieg des Nationalismus in einem deutschen Nationalstaat galt Liberalen und Demokraten, ob Bürgern oder Arbeitern, als eine verheißungsvolle Zukunft, in welcher die politische und wirtschaftliche Modernisierung endlich das Niveau der westlichen Pionierländer erreichen werde. Er galt aber auch schon, das muß man klar sehen, als Ziel an sich, dessen Erreichen diffuse kollektive Sehnsüchte befriedigen konnte. Dagegen mußte die Utopie einer deutschen Staatsnation auf die bestehenden Staaten und Dynastien, auf die mit ihrer Existenz verflochtenen Schichten und Funktionseliten wie seit jeher als unverhüllte «Untergangsdrohung» wirken. Die Aussicht auf Entmachtung und Einschmelzung in einen nationalen Zentralstaat spornte ihren Widerstand an. Überall hielt daher auch die schwere Auseinandersetzung zwischen dem traditionellen Landes- und Stadtpatriotismus auf der einen Seite, dem herrischen Loyalitätsanspruch des Nationalismus auf der anderen Seite an.

Unstreitig lief der Nationalisierungsprozeß, wie er durch Vereine, jüngst auch vom «Deutschen Nationalverein», durch Feste und Kongresse, durch literarische Schöpfungen und ein wachsendes Segment der öffentlichen Meinung vorangetrieben wurde, mit dem Effekt weiter, daß er in immer weitere Kreise einsickerte. Angesichts dieser breiten Strömung ist es um so auffälliger, daß in den zwanzig Jahren vor der Reichsgründung noch einmal eine zweite Welle des Intellektuellennationalismus anstieg, der jetzt aber – im Zeitalter wirksamerer Medien und erhöhter soziokultureller Aufgeschlossenheit – eine ungleich tiefere und weiter ausstrahlende Wirkung als die der Gründergeneration der ersten Phase auslöste. Konkret hing das ganz wesentlich damit zusammen, daß die neue nationalistische Avantgarde keineswegs nur in der Gelehrtenstube im Elfenbeinturm oder im Hörsaal für ein akademisches Publikum argumentierte, sondern bewußt, auch immer wieder in der Rolle des Journalisten und Publizisten, eine breite Öffentlichkeit zu erreichen strebte. Das war im deutschen Universitätsleben keine Selbstverständlichkeit, aber leidenschaftliche Überzeugung, oft verbunden mit rhetorischer Verve und stilistischer Brillanz, trieb sie in die Arena des politischen Tageskampfes, wo um die Durchsetzung ihrer Ideen und Ideologien gestritten wurde.

Der Einfluß einer solchen relativ kleinen, doch strategisch günstig postierten Elite auf die Förderung einer folgenreichen Ideologie hat nichts Einmaliges an sich. Die «Philosophischen Radikalen» im Gefolge Jeremy Benthams können ebenso mit diesen Exponenten des neuen deutschen Nationalismus verglichen werden wie die «Fabier» späterer Jahrzehnte, die französischen «Doktrinäre» und die Initiativzirkel des nordamerikanischen «Progressive Movement». Stets trifft man auf einen erstaunlichen Multiplikatoreffekt und eine Dynamik, die bald über die ersten Anhängergemeinden hinausstrahlte. Was für jene ausländischen Gruppen Sozialphilosophie und Ökonomie, Soziologie und auch Biologie bedeuteten – das war im deutschen Kontext die Geschichte als «Grundwissenschaft» des liberalen Nationalismus.

Einer im Grunde kleinen Anzahl von einflußreichen Historikern gelang es, die äußerst heterogene Entwicklungsgeschichte, welche das deutschsprachige Mitteleuropa in den unterschiedlichsten Realitätsbereichen durchlaufen hatte, zu einer geradlinigen historischen Notwendigkeit zu stilisieren: Preußens «deutsche Mission» sei es, lautete der Grundnenner dieser Interpretation, die Lösung der deutschen Frage in Gestalt eines Nationalstaates hic et nunc endlich herbeizuführen. Da sie sich selber – in Sybels treffendem Urteil – durchweg zu den «liberal-konservativen Kreisen» zählten, fanden sie sich als Verschmelzung von «gemäßigten Whigs und liberalen Tories» zum Kompromiß mit der konstitutionellen Monarchie preußischer Prägung bereit. Folgerichtig bezogen sie, von ganz wenigen Ausnahmen abgesehen, eine scharf antidemokratische Position. In ein Netzwerk enger persönlicher, beruflicher und politischer Beziehungen eingebunden, gewannen sie trotz aller Nuancen im einzelnen die Kompaktheit einer effizienten «Pressure Group», die mit intellektueller Passion und politischem Engagement ihrem gemeinsamen Leitstern folgte. Sie traf dabei auf den Protest einer winzigen Minderheit, die großdeutsche und föderative, prohabsburgische und katholische Ziele verteidigte. Aber diese Kontrahenten besaßen weder die intellektuelle Statur noch die suggestive Sprache, geschweige denn das wissenschaftliche Renommee, um eine auch nur von fern vergleichbare Resonanz zu finden. Deshalb gehörte die Stunde vorerst dem borussischen Geschichtsmythos – ein klassisches Beispiel für die «Erfindung historischer Traditionen», wenn die Zeit für ihre Rezeption reif ist.[10]

Die profilierten Vertreter der kleindeutschen Schule stammten überwiegend aus einer politischen Generation. Betrachtet man Friedrich Christoph Dahlmann (1785–1860) als Vorläufer, Johann Gustav Droysen (1808–1884) als ältesten und Heinrich v. Treitschke (1834–1896) als jüngsten Vorkämpfer, wurden ihre Mitglieder – wie übrigens auch ihre Gegner – alle zwischen 1816 und 1821 geboren. Es ist eben jene Generation, deren Spannweite durch die Namen von Bismarck und Marx gekennzeichnet ist. Sie wuchs im illiberalen Deutschen Bund vor 1848 auf, rezipierte im Elternhaus und auf dem Gymnasium, an der Universität und aus der Literatur den Intellektuellennationalismus, nahm aktiv an der achtundvierziger Bewegung teil und zog seither aus der Gegenwartsanalyse verblüffend ähnliche politische und ideologische Schlüsse. Die pointierte Steigerung ihres programmatischen Credos gilt es zu verfolgen.

Dahlmann hatte sich als junger Professor in Kiel frühzeitig im Streit um Schleswig-Holstein engagiert, mit seiner vielgelesenen «Politik» von 1835 eine Lehrfibel des norddeutschen Frühliberalismus veröffentlicht und als einer der landesverwiesenen «Göttinger Sieben» bundesweite Reputation als gesinnungstreuer Verfassungsverteidiger gewonnen. Von 1842 bis 1860 an der neuen preußischen Universität Bonn wirkend, die auch zur geistigen Gewinnung der Westprovinzen gegründet worden war, gewann er nachhaltigen Einfluß auf Sybel, Treitschke und Gneist. Als Mitglied der kleindeutsch-erbkaiserlichen Partei in der Frankfurter Nationalversammlung bemühte er sich, seine Vorstellungen von «konstitutioneller Rechtschaffenheit» in dem teilweise von ihm formulierten Verfassungsentwurf zur Geltung zu bringen. Für viele stand er als ein Muster der konsequenten Fusion von Gelehrten- und Politikerleben da. Nach der bereits skeptischen Teilnahme am Erfurter Parlament und dem Scheitern der Unionspläne zog er sich aus dem aktiven politischen Leben zurück, wirkte indes noch ein Jahrzehnt lang als explizit politischer Historiker der kleindeutschen Schule.

Als ihr eigentlicher Begründer in der Wissenschaft und Öffentlichkeit gilt aber zu Recht Droysen, dessen mitreißende intellektuelle Leidenschaft und auf eine einzige politische Grundthese monoman konzentrierte Vehemenz ihm eine enorme Wirkung und zahlreiche Anhänger sicherten. Während des Berliner Studiums unter dem Einfluß von Hegels Systematik, mehr aber noch der methodischen und perspektivischen Vielseitigkeit des großen Altertumswissenschaftlers August Boeckh, brillierte der fünfundzwanzigjährige Privatdozent bereits 1833 mit seinem Erstling, der «Geschichte Alexanders des Großen»; schon 1836/43 ließ er zwei weitere Bände über die Nachfolger und das hellenistische Staatensystem folgen. Zusammengefaßt als «Geschichte des Hellenismus» machten sie nicht nur wissenschaftsgeschichtlich Furore, da dieser neue Kunstbegriff seine synthetisierende Kraft bewies. Vielmehr stellten sie, verkleidet in die Personen und Ereignisse der antiken Welt, auch ein nationalpolitisches Plädoyer dar. In der Führungsrolle der makedonischen Militärmonarchie, in ihrer Heeresmacht und Organisationsfähigkeit, nicht aber in den kulturell überlegenen griechischen Stadtstaaten sah Droysen die Rettung der griechischen «Nationalität». Offenbar rückte er dabei schon das Vorbild für Preußens Aufgabe dem Leser vor Augen. Auch die Hohenzollern hatten ganz analog die Einigungsaufgabe zu übernehmen, ehe ihr Werk in einem größeren Deutschland aufging.

Seit 1840 Professor in Kiel, warf sich Droysen in das Getümmel um die «nationale Sache» der Schleswig-Holsteiner. Unter dem Eindruck der Geschichte seiner Zeit entstanden 1842/43 die «Vorlesungen über die Freiheitskriege». Die Geburtsstunde der neuzeitlichen Freiheit lag für den gläubigen Lutheraner in der Reformation – das wurde zu einem festen Topos der gesamten borussischen Schule. Ausgestaltet wurde sie durch die ganz unbefangen anerkannte amerikanische und Französische Revolution, auf deutschem Boden durch die preußische Reformära und die Befreiungskriege. In ihnen zeichnete sich die Einheit von Volk und Staat ab. Seither verlangte der Staat nach einem nationalen Volk, die Nation nach einem einzigen Staat. Restauration und Vormärz erschienen nur als retardierende Epochen.

Wie so viele seiner Berufsgenossen nahm Droysen aktiv an den Frankfurter Verhandlungen teil. Das prominente Mitglied des rechten Zentrums fungierte als Schriftführer des zentralen Verfassungsausschusses, kämpfte für die preußisch-erbkaiserliche Lösung, zog sich aber, wieder wie viele andere, nach dem Mißlingen der Unionspläne aus der Tagespolitik zurück. Im Grundsätzlichen fühlte er sich durch die Ereignisse der letzten Jahre bestätigt: «Nicht von der Freiheit, nicht von nationalen Beschlüssen aus war die Einheit Deutschlands zu schaffen. Es bedurfte einer Macht gegen andere Mächte.» Daß diese Macht nur Preußen sein konnte, galt ihm jetzt vollends als evident. Bereits 1851/52 setzte er, gewissermaßen als agitatorischen Kontrapunkt, der Olmützer Niederlage seine York-Biographie entgegen. Mit dem erklärten Zweck, das Nationalbewußtsein in schwerer Zeit wachzuhalten, schreckte er vor einer ahistorischen Heroisierung des altkonservativen Generals nicht zurück.

Um aber mit den Mitteln der Geschichtswissenschaft Preußens «Mission» als Einheitsstifter endgültig – wegen der Macht der ursprünglichen Quellen, wie er glaubte, unwiderlegbar – nachzuweisen, wandte er sich unmittelbar darauf der Mammutaufgabe zu, unter dezidiertem Verzicht auf die «eunuchische Objektivität» Rankes in einer totalen «Geschichte der preußischen Politik» die providentiell angelegte Führungsaufgabe des Hohenzollernstaates vom Spätmittelalter bis – so das ursprüngliche Ziel – in die unmittelbare Gegenwart hinein mit äußerster Akribie zu verfolgen. Das gigantomanische Unternehmen muß als die umfassendste Untermauerung der borussischen Legende gelten. So intensiv Droysen auch seine archivalische Arbeit betrieb und über dreißig Jahre hinweg, als preußischer Hofhistoriograph geehrt, in vierzehn Bänden präsentierte, gelangte er doch nur bis 1756. Sein lebhafter Stil verdorrte, die Interpretation unterlag einer gewaltsamen Verdrehung nach der anderen. Aber die kleindeutsche Schule gewann mit Droysens Werken, umgeben von seinen zahlreichen Aufsätzen und fulminanten publizistischen Beiträgen, ein Monument buchstäblich erdrückender Gelehrsamkeit, das in einem wissenschaftsgläubigen Zeitalter die historische Begründung für Preußens «deutschen Beruf» als unbezweifelbares Gesetz ausgab. Auf Droysen und seine Adepten konnten die Ereignisse von 1866 und 1871 nur als gloriose Bestätigung all ihrer nationalpolitischen Grundauffassungen und Wunschträume wirken.

Mit Droysen teilte Theodor Mommsen (1817–1903) nicht nur dessen ursprüngliche Hingabe an die antike Geschichte, der er seit den fünfziger Jahren sein langes Gelehrtenleben gewidmet hat. Vielmehr teilte er auch den Glauben an die Maxime: «Wer Geschichte ... schreibt, hat die Pflicht politischer Pädagogik.» Die alsbald berühmte «Römische Geschichte», die von Mommsen zwischen 1854 und 1856 in drei Bänden bis in die Zeit Cäsars geführt wurde, bewegte sich auf einem bis dahin unerreichten Niveau wissenschaftlicher Problemdurchdringung und glanzvoller literarischer Darstellung. Insofern markierte sie fraglos einen Höhepunkt in der gesicherten Aneignung einer zentralen Epoche der Alten Welt. Zugleich aber wollte Mommsen seine deutschen Leser zu politischem Denken erziehen, so daß unterhalb der brillant geschilderten und analysierten Ereignisgeschichte der Text in einer tieferen Schicht voll suggestiver politischer Interpretationen und impliziter politischer Handlungsanweisungen steckte.

Der Aufstieg Roms wurde als Prozeß nationaler Einigung gedeutet. Der Nationalstaat stand angeblich den Akteuren als normatives Ziel vor Augen, er bestimmte auch den Wertmaßstab des Historikers. Die Bauernrepublik verkörperte Mommsens Ideal der politischen Entwicklung in der Aufstiegsphase, und durch seine Kritik an den Adelsfraktionen schimmerte unverkennbar auch die massive Kritik am Adelsegoismus seiner eigenen Gegenwart hindurch. Cäsar erschien als Retter, der durch die Stiftung seiner Ordnung das drohende Chaos bannte und eine Legitimation für seine Herrschaft gewann, kraft deren er geradezu den Staat verkörperte. Macht und Dauerhaftigkeit des großen nationalen Staates erschienen hier als letzte Werte an sich. Mommsens Trilogie spiegelte durchaus, urteilte Wilhelm Dilthey scharfsichtig, die aktuelle Politik wider, und letztlich sei es «allein die Macht», welche bei ihm die geschichtliche Entwicklung vorantreibe.

Es war nicht nur der kaum verschlüsselte politische Dialog mit seinem Publikum, der Mommsen in die unmittelbare Nähe der kleindeutschen Schule rückte. Auch als aktiver liberaler Politiker bemühte er sich, seinen Zielwerten gemäß zu handeln, wobei er sich in einer entschieden undogmatischen Weise weitaus stärker als seine «liberal-konservativen» Kollegen demokratischen Positionen im linken politischen Spektrum annäherte. Mommsen machte sich nicht zum Bannerträger des Borussismus, aber die mühelos aktualisierbare Botschaft seiner vielgelesenen Bände unterstützte doch machtvoll dessen nationales und zentralstaatliches Pathos.

Einen unvergleichlich geringeren Rang als Historiker und politischer Intellektueller besaß der süddeutsche Historiker Ludwig Häusser (1818–1867). Dennoch übte er in den fünfziger und sechziger Jahren eine beträchtliche öffentliche Wirkung aus. Der Schüler Schlossers und Dahlmanns hatte es, sogar ohne Promotion, schon mit zweiundzwanzig Jahren zum Privatdozenten in Heidelberg gebracht, wo er, seit 1845 als Professor, zeitlebens lehrte – tief durchdrungen von der moralisch-nationalpädagogischen Aufgabe des Geschichtsschreibers. Generationstypisch war seine Schleswig-Holstein-Begeisterung, die aktive Unterstützung von Gervinus' «Deutscher Zeitung», die politische Mitwirkung in Erfurt und in der badischen Zweiten Kammer. Nachdem er schon jahrelang vom Katheder und als Publizist für sein Programm einer kleindeutsch-preußisch-protestantischen Politik gestritten hatte, wobei sein hochfahrender Nationalismus die Feindstereotype des Arndtschen «Welschenhasses» und der deutsch-französischen «Erbfeindschaft» nicht verschmähte, ging es ihm in seiner 1854/57 erscheinenden vierbändigen «Deutschen Geschichte» von 1786 bis 1815 um eine typisch borussische Verschmelzung von preußischer und deutscher Geschichte. Letztlich hatte Preußen, indem es «die Nation» im Krieg gegen Napoleon siegreich angeführt hatte, mit diesem symbolischen Auftakt seine künftige Herrschaft über Deutschland bereits legitimiert. Seine Leser im Lande, seine Hörer in den überfüllten Vorlesungen – sie nahmen die siegessichere Prognose auf. Häussers einziger nennenswerter Schüler hieß Heinrich v. Treitschke.

In einem Atemzug mit Droysen kann Heinrich v. Sybel (1817–1895) als einer der markantesten Exponenten der borussischen Geschichtsideologie genannt werden. Das war er nicht, weil er sich ebenso konsequent dreißig Jahre lang der Verklärung der preußischen Mission in einem Riesenwerk gewidmet oder ebenso hartnäckig alle Veröffentlichungen auf den höheren Ruhm des Hohenzollernstaats gestimmt hätte. Aber mit seiner effektvollen Werbung für die kleindeutsche Sache, mit seiner schnellen wissenschaftspolitischen Reaktion, mit seiner wissenschaftsorganisatorischen Leistung zur Unterstützung der politischen Zielvision, auch mit seiner parteipolitischen Tätigkeit trug er mehr als die meisten anderen zum Siegeszug dieser Denkschule bei.

Später als einer der bekanntesten Schüler Rankes geltend, hatte er schon während der Doktordisputation dessen Objektivitätspostulat emphatisch entgegengehalten, daß der Historiker bewußt «cum ira et studio» lehren und schreiben müsse. Daran hatte er sich als junger Professor in Bonn (1841) und Marburg (1846) gehalten, auch als er, in der Rolle des historischen Publizisten, den abergläubischen Trubel um den Trierer Rock angriff oder als Zeithistoriker die politische Lage in den preußischen Westprovinzen analysierte. Am Erfurter Projekt nahm er aktiv teil, warf sich dann wieder auf die Wissenschaft und tagespolitische Intervention. In seinem vieldiskutierten Marburger Vortrag «Über den Stand der neueren deutschen Geschichtsschreibung» nahm er 1856 voll ungebrochenen Selbstbewußtseins in Anspruch, daß inzwischen nahezu alle namhaften deutschen Historiker zur «liberal-konservativen» borussischen Schule gehörten: von Droysen, Mommsen und Häusser über Duncker bis hin zu den Mediävisten Waitz und Giesebrecht. Unverändert forderte er gegen Ranke die ausdrücklich politische Bewertung historischer Probleme, ja auch die direkte Beteiligung am politischen Leben der Gegenwart. Kein Wunder, daß er 1857 den Siegeszug seiner Geschichtsideologie zuversichtlich beurteilte: «Wir dürfen ja wohl sagen, daß mit jedem Jahr mehr die Geschichte in Deutschland für die öffentliche Meinung und als Ferment der allgemeinen Bildung in die Stelle einrückt, welche vor zwanzig Jahren die Philosophie einnahm.»

Nach einem Zwischenspiel in München (1856–1861), wo König Maximilian mit der Berufung angesehener Wissenschaftler den Anschluß an das Niveau in Nord- und Mitteldeutschland gewinnen wollte, sein Protegé indes blockiert wurde, kehrte der Rheinpreuße nach Bonn, auf Dahlmanns Lehrstuhl, zurück. Noch vorher hatte er Wilhelm Giesebrechts seit 1855 erscheinende «Geschichte der deutschen Kaiserzeit» im Mittelalter, in welcher der Königsberger Historiker das Ottonische Reich als Höhepunkt deutscher Geschichte romantisierend verklärte – als «der deutsche Mann am meisten in der Welt galt und der deutsche Name den vollsten Klang hatte» – trotz der gemeinsamen politischen Grundüberzeugung doch als naiv und anachronistisch kritisiert. In dieser Abhandlung von 1859 klang bereits der Vorwurf durch, daß die Kräfte der deutschen Nation für die Chimäre des römischen Kaisertums auf den Italienfeldzügen vergeudet worden seien. Mit seiner konsequent nationalpolitischen, aber nicht minder anachronistischen Bewertung löste Sybel eine Kontroverse aus, die zu einer die Gemüter bewegenden «cause célèbre» der sechziger Jahre werden sollte. Denn mit temperamentvoller Empörung schwang sich 1861 der Innsbrucker Mediävist Julius Ficker, ein strenggläubiger westfälischer Katholik, zu einer Rundumverteidigung der christlich-universalistischen Reichsordnung im Mittelalter auf. Sofort konterte Sybel 1862 mit seiner Grundsatzpolemik «Die deutsche Nation und das Kaiserreich», in der er seine These von der Ablenkung der Kaiserpolitik von den wahrhaft deutschen Aufgaben der Staatskonsolidierung und Ostkolonisation ausführlich zuspitzte, so daß ihm der Zerfall des christlichen Universalreichs seit dem 15. Jahrhundert geradezu als Bedingung der Möglichkeit neuer deutscher Nationalpolitik erschien.

Zweifellos kam Fickers verständnisvoller Historismus der historischen Realität näher als Sybels rigorose nationalpolitische Meßelle. Viele erkannten sogleich die durch und durch aktuellen Bezüge: Sybels Wendung gegen die österreichische Italienpolitik von 1859, die «Deutschland» erneut zu involvieren drohte; gegen den multinationalen Staatsverband der Habsburger, der erneut die Konzentration nationaldeutscher Kraft um Preußen als Hegemoniestaat in Frage stellte. Es war ein Schattengefecht, bei dem es in Wirklichkeit um die Orientierung in der Gegenwartspolitik ging. Nördlich des Mains wurde Sybels Argumentation als Triumph siegreicher Wissenschaft gefeiert.

Seit 1862 gehörte Sybel dem preußischen Abgeordnetenhaus an. Dort wandelte er sich vom empörten Bismarckgegner zum glühenden Bismarckverehrer, der seit 1867 in den Reihen der Nationalliberalen jede Unterstützung gewährte. Das Gelingen der Reichsgründung erschien ihm als schicksalhafte Bestätigung seiner ideologischen Vorarbeit. Während einer äußerlich glanzvollen Karriere hat er danach noch ein Vierteljahrhundert lang die Grundfesten des borussischen Geschichtsbildes zementiert.

Als einflußreiche Vermittler zwischen politisierter Wissenschaft und national enthusiasmierbarer Öffentlichkeit fungierten in jener Zeit insbesondere drei Persönlichkeiten, die ursprünglich auch aus dem Universitätsmilieu stammten, ihren eigentlichen Wirkungsbereich aber als Publizisten und Schriftsteller fanden. Max Duncker (1811–1886), der Sohn eines Berliner Verlegers und der jüdischen Bankierstochter Fanny Delmar (Wolff Levy), promovierte, von Boeckhs Altertumswissenschaft fasziniert, bereits 1834, wurde dann als Burschenschaftler verhaftet und zu sechs Jahren Festung verurteilt, aber schließlich nur sechs Monate eingekerkert. Seiner akademischen Karriere stand die Strafe nicht im Wege. 1839 wurde er Privatdozent, 1842 Professor in Halle. Seither gründete seine wissenschaftliche Reputation auf seiner Kompetenz in der Welt der Antike; seine «Geschichte des Altertums» wurde mehrfach aufgelegt. Als eines der Häupter der Frankfurter Erbkaiserlichen, der «Gothaer», auch des «Nationalvereins» gehörte er zu den bekanntesten Verfechtern eines nationalen Rechtsliberalismus. Von der Universität Tübingen holte ihn die Regierung der «Neuen Ära» als preußischen Pressechef nach Berlin. Dort gab er zugleich seit 1858, zusammen mit Rudolf Haym, die «Preußischen Jahrbücher» heraus, deren erklärtes Ziel es darstellte, auf einer prononciert kleindeutschen Linie den liberalen Rechtsstaat mit dem preußisch-deutschen Machtstaat zu verbinden. Zeitweilig war Duncker der eigentliche Spiritus rector des Unternehmens, ehe ihn die Tätigkeit im Ministerium, auch als Berater des Kronprinzen Friedrich, absorbierte.

Sein Intimus Rudolf Haym (1821–1901) hatte ursprünglich als Theologe begonnen, ehe der «Straußianer» zur Philologie und Philosophie überwechselte. 1845 scheiterte ein erster Habilitationsversuch in Breslau, Haym schlug sich als freier Schriftsteller in Berlin durch, ehe er in Frankfurt seine politische Grunderfahrung im rechten Zentrum erlebte, wo er auch unter Dunckers Einfluß geriet. Kein leicht zu beugender Mann, übernahm Haym 1850 in der Höhle der preußischen Reaktion die Redaktion der Berliner «Konstitutionellen Zeitung». Die Ausweisung folgte auf dem Fuß. Im selben Jahr gelang jedoch die Habilitation in Halle, wo er seit 1860 als Philosophieprofessor lehrte. Mit seinen Biographien über Wilhelm v. Humboldt (1856) und Hegel (1857), später folgte noch eine über Herder (1877/80), gewann er schnell Ansehen, da er – den Tugenden des Historismus verpflichtet – eine gerechte Einbettung seiner Helden in ihre Zeit mit eindringlicher Wissenschaftsgeschichte und dem Stolz auf deutsche Leistungsfähigkeit verknüpfte.

Ein Forum, auf dem er seine nationalpädagogischen Ziele mit großer Wirksamkeit verfolgen konnte, gewann er mit den «Preußischen Jahrbüchern», deren liberal-konservativ-borussischen Kurs er von 1858 bis 1866 maßgeblich festlegte. Unterstützt von Duncker, befreundet mit Droysen, Freytag und Treitschke, band er einen gleichgesinnten Mitarbeiterstamm an seine Zeitschrift, die jahrelang als intellektuelle Speerspitze der kleindeutschen Einheitsideologie anerkannt wurde. Für sie setzte sich der vielgeschäftige Mann auch als nationalliberaler Abgeordneter im preußischen Landtag ein.

Sein schlesischer Landsmann Gustav Freytag (1816–1895) hatte ebenfalls in Breslau, bei Hoffmann v. Fallersleben, studiert, wo er seit 1839 als Privatdozent für Germanistik wirkte. Unzufrieden mit der Enge des akademischen Betriebs in der Provinz, zog er 1847 als freier Schriftsteller nach Leipzig. Dort übernahm er 1848 mit Julian Schmidt die Herausgeberschaft der «Grenzboten», die in den beiden folgenden Jahrzehnten zum führenden Organ der rechtsliberal-kleindeutschen Strömung aufstiegen. Das deutsche Bürgertum zu National- und Selbstbewußtsein zu erziehen, seine politische Überzeugung und Loyalität an ein liberales preußisches Machtzentrum zu binden – das verstand Freytag in schier zahllosen Aufsätzen, Rezensionen und Briefen als seinen Imperativ. Ihm gehorchte er auch als Schriftsteller. In «Soll und Haben» schilderte er 1854 den Aufstieg einer Breslauer Kaufmannsfamilie, der Verkörperung aller vermeintlich deutschen Tugenden. Der Roman traf die Gemütslage bürgerlicher Leser mit wunderbarer Genauigkeit: Innerhalb von nur fünfzehn Jahren erlebte er dreißig Auflagen. In seinen «Bildern aus der deutschen Vergangenheit», die Freytag seit 1859 in fünf Bänden veröffentlichte, verband er geschickt freie Darstellung, Quellenmontage und anschauliche Kulturgeschichte zu einem weitläufigen Panorama, das den Ruhm des Autors, ein Meister der realistischen Verlebendigung der Vergangenheit zu sein, bis ins 20. Jahrhundert hinein befestigte.

Zum Kreis um den Kronprinzen gehörend, stand er Bismarcks antiliberaler Politik mit Reserve gegenüber. Unmittelbar nach der Reichsgründung unternahm er es jedoch in dem sechsbändigen Romanzyklus «Die Ahnen», in den Erlebnissen einer einzigen Familie die deutsche Geschichte paradigmatisch einzufangen, um auf die Erfüllung «im neuen Reich» hinzulenken. Der Bestsellerautor verstand sich auf eine massenwirksame ideologische Abstützung der jüngst geglückten Staatsbildung.

Gewiß, die schriftstellerische Tätigkeit von Männern wie Freytag und Haym ging in ihrer politischen Funktion nicht auf, einige Romane und Biographien können noch immer als Leistung für sich bestehen. Dennoch war in jener Zeit ihre nationalpolitische Wirkung unlösbar mit dem literarischen Medium verbunden. Das war durchaus gewollt. Es abzustreiten, wäre keinem von ihnen je in den Sinn gekommen. Sie hätten es vielmehr als naiv empfunden, auf diesen Einflußgewinn zu verzichten. Und wie viele Hunderttausende Leser mehr erreichten sie als etwa Droysen mit seiner «Preußischen Politik»!

Eminent publikumswirksam schrieb auch derjenige Historiker, der gemeinhin als die letzte, aber einflußreichste Schlüsselfigur der borussischen Schule angesehen wird: Heinrich v. Treitschke (1834–1896). Kein Altpreuße wie Droysen, kein Neupreuße wie Sybel, vielmehr ein Wahlpreuße mit der ganzen Hingabe einer bewußt vollzogenen Option, entstammte er einer sächsischen Offiziersfamilie, die – wie die genealogische Legende es will – vor dem gegenreformatorischen Katholizismus aus dem tschechischen Böhmen geflüchtet sein und ihrem berühmtesten Sprößling das Erbe leidenschaftlicher hussitischer Glaubenskämpfer mitgegeben haben soll. Nach der achtundvierziger Revolution, 1851, nahm Treitschke das Studium in Bonn bei Dahlmann auf, erlebte sogar noch den alten Arndt, genoß das Burschenschaftlerleben, wechselte zu Häusser nach Heidelberg und promovierte schon 1854 bei Roscher in Leipzig.

Zu einem intellektuellen Grunderlebnis geriet ihm die Lektüre von Rochaus «Realpolitik» – sie traf ihn «wie ein Blitzstrahl». «Ich wüßte kein Buch», urteilte er über die Überzeugungskraft dieser neumachiavellistischen Machtlehre, «das vorgefaßte Illusionen mit schneidenderer Logik zerstörte»; «scheinbar ein gewöhnlicher publizistischer Essay, enthält er doch für die Wissenschaft mehr Brauchbares als ein dickes Lehrbuch der Politik». Zeitlebens fühlte sich Treitschke nicht nur von der Politik selber magnetisch angezogen, sondern auch von der Politikwissenschaft. Seine Leipziger Habilitationsschrift über die «Gesellschaftswissenschaft» rechnete mit der zeitgenössischen Sozialwissenschaft der Mohl, Stein und Riehl gnadenlos ab, indem sie auf der inhärenten Überlegenheit des Staates über die Gesellschaft, daher auch einer historischen Staatswissenschaft über die Soziologie insistierte. Ein traditioneller Politikhistoriker war Treitschke daher – schon aufgrund seines breit angelegten Ausbildungsgangs und seiner wissenschaftlichen Interessen – mitnichten. Mit fünfundzwanzig Jahren bereits zum Professor in Leipzig ernannt, gewann er dort engen Kontakt mit Freytag und Mathy, auch mit Haym, überhaupt mit der Denkwelt führender kleindeutscher Liberaler. Unbestreitbar war er damals «der liberalste» des gesamten Kreises; so erschien ihm etwa die parlamentarische Parteiregierung als geradezu natürliches Evolutionsziel der eigenen Zeitgeschichte.

In seinen ersten großen Abhandlungen, die ihn einer weiteren Öffentlichkeit als hochbegabten Publizisten bekannt machten, schlug er freilich andere Themen an. In seinem Essay über die «Freiheit» von 1861 schloß er sich – in direkter Konkurrenz mit John Stuart Mills berühmter Schrift «On Liberty» – der jahrhundertealten deutschen staatsphilosophischen Tradition an, daß wahre Libertät nur in Anlehnung an den Staat möglich sei, Freiheit also auch in der Gegenwart einzig und allein vom starken Staat verbürgt werde. Zwischen dem autoritären Preußen Bismarcks im Verfassungskonflikt und seinem etatistischen Liberalismus zog er jedoch einen scharfen Trennungsstrich. Wenige haben den preußischen Ministerpräsidenten in seinen ersten Jahren so ungeschminkt kritisiert wie Treitschke, der sich dennoch, seit 1863 auf einer Freiburger Professur für Staatswissenschaft, als unbeugsamer Vorkämpfer für die deutsche Mission Preußens in Süddeutschland empfand.

Auch in seiner fulminanten Schrift über «Bundesstaat und Einheitsstaat» von 1864 schwang er sich, entgegen den dominanten föderalistischen Traditionen der deutschen Geschichte, zum Herold eines großpreußischen Unitarismus auf. In dem Traktat über «Das deutsche Ordensland Preußen» ging Treitschke sogar, indem er seit dem Eroberungswerk des Ritterordens die preußische Leistung stets «Deutschland» zugute kommen sah, noch über Droysens drastische Geschichtsverdrehung hinaus. Hier sprach der Prophet des preußisch-deutschen Nationalstaates, auf den ein mächtiges Entwicklungsgesetz der modernen Staatenwelt endlich hinauslaufe.

Als Baden 1866 für Österreich eintrat, reagierte Treitschke konsequent: Er verzichtete auf seine Professur. Statt dessen übernahm er 1867 die Herausgeberschaft der «Preußischen Jahrbücher», denen er zweiundzwanzig Jahre lang seinen Stempel aufdrückte. Als Nachfolger Häussers nach Heidelberg berufen, lehrte er dort von 1867 bis 1874: ein begnadeter Rhetoriker, ein Hohepriester des Borussismus, aber auch ein unermüdlicher Forscher, der seit 1860 eine mehrbändige «Deutsche Geschichte des 19. Jahrhunderts» plante und sie durch Archivstudien sorgfältig vorbereitete. Noch ehe Treitschke – nach Rankes Rücktritt 1874 nach Berlin berufen – in den Hegemonialstaat des neuen Reiches zurückkehrte, war seine Vergangenheit als streitbarer Jungliberaler verblichen. Er galt vielmehr als wortgewaltiger Verfechter der kleindeutschen Schule, der die Geschichte 1871 – so sah es für sie aus – recht gegeben hatte. Frühzeitig auch umgab ihn der Nimbus des leidenschaftlichsten Apostels kompromißloser nationaldeutscher Machtstaatspolitik. «Das Wesen des Staates ist zum ersten Macht», dozierte er seit

1864, insbesondere in seinen vielbesuchten, einflußreichen «Politik»-Vorlesungen, «zum zweiten Macht, zum dritten wieder Macht.» Preußens deutsche Mission ging in Treitschkes Machtkult fugenlos über in die nächste, ebenso unentrinnbare Aufgabe: die Behauptung und Expansion reichsdeutscher Macht, nach innen wie nach außen. Grenzen konnte ihr seine Staatsmetaphysik kaum setzen.[11]

Wirkten diese Repräsentanten der kleindeutschen Schule teils mit imponierendem Engagement, teils mit erschreckendem Dogmatismus darauf hin, die Lehre von der nationalhistorischen Prädestination Preußens in den Mittelpunkt der politischen Religion des deutschen Nationalismus zu rükken, darf man doch nicht übersehen, daß außerdem sowohl dieser Nationalismus als auch die mystifizierte Rolle Preußens von politisch und ideologisch ganz anders orientierten prominenten Wissenschaftlern mit beträchtlichem Einfluß auf die öffentliche Meinung unterstützt wurde.

So driftete zwar Gervinus nach 1849 in die rühmliche Außenseiterrolle des republikfreundlichen Demokraten ab, aber die fünf Bände seiner populären «Geschichte der poetischen National-Literatur der Deutschen» erlebten zwischen 1835 und 1853 vier Auflagen. Sie unterbauten den Kulturnationalismus ganz so, wie seine Publizistik, nicht nur in den Spalten der kurzlebigen «Deutschen Zeitung», als Musterbeispiel eines nationalen Liberalismus wirkte.

Oder da war Wilhelm Heinrich Riehl, der alles andere als ein Borusse war, die Prediger des neumodischen Zentralstaats verachtete, auf kulturelle Vielfalt und föderalistische Tradition setzte. Aber dieser ominöse Begründer der «Volkskunde» beschwor doch auch in immer neuen Anläufen die Einheit des deutschen Volkes in «Sprache, Sitte, Stamm und Siedlung». Darin stand er Freytags «Bildern aus der deutschen Vergangenheit» nahe, deshalb zog er sich auch die bittere Kritik des staatszentrierten Treitschke zu. Unter den Bedingungen der Zeit unterstützte auch Riehls Volkslehre eine Spielart jenes Nationalismus, wie ihn schon die Politische Romantik vorbereitet hatte, wonach der Volkseinheit die Nationseinheit im gemeinsamen Staat entsprach.

Durch Welten blieb Leopold Ranke von Riehl oder Gervinus getrennt, ein direktes Engagement Rankes für den deutschen Nationalismus hat bisher auch noch niemand glaubwürdig nachweisen können. In gewisser Hinsicht ragte Ranke wie Bismarck aus einer vornationalen Tradition in die moderne Welt hinein. Indes: So sehr er auch dem europäischen Staatenpluralismus, in dem die großen Reiche der Bahn ihrer eigenen Machtgesetze folgten, gerecht zu werden suchte, blieb er doch gleichzeitig ein durch und durch preußischer und protestantischer Geschichtsschreiber. Und wenn er das borussische Geschichtsbild der jüngeren Generation als schwer erträgliche Verengung empfand, trat er trotzdem in großen Darstellungen wie in aktuellen zeitgeschichtlichen Analysen als beharrlicher Verteidiger Preußens auf. Ungewollt unterstützte er, dessen Reputation im Bildungsbürgertum unerschüttert war, damit auch die Wirkung der kleindeutschen Schule. Darüber hinaus stärkten seine Werke als breit assimiliertes Bildungsgut den Stolz auf die deutsche Geschichte, und seine Idealisierung des evangelischen Christentums wie seine protestantische Geschichtstheologie kamen spezifischen ideologischen Elementen des Borussismus weit entgegen.

Ähnliche Wirkung hatte auch Heinrich Leo (1799–1878), ein dogmatischer Ultrakonservativer, sein Nachruhm ist vom Winde verweht, damals aber war er eine wohlbekannte, heftig umstrittene Figur unter den Historikern. Ursprünglich liberaler Burschenschaftler, dann unter dem Einfluß Hallers und des Pietismus zum – bis zur Karikatur übertriebenen – politisch und religiös orthodoxen Tory geworden, fiel er schon bald nach der Erlangener Habilitation (1822) durch wütende Attacken sowohl auf Ranke als auch auf die Junghegelianer auf. Von den Gerlachs und von Tholuck als Hallenser Professor protegiert, beschrieb er in dem «hochgebenedeiten Preußenland» den Gründer eines künftigen großen Machtstaats. Gestützt auf die Säulen seiner Armee und Verwaltung sei allein Berlin imstande, die notwendigen «Schritte zur Befreiung von Österreichs Einfluß in Deutschland» zu tun. Freilich sollte das neue Großpreußen seine Eigenständigkeit behalten. 1866 bekannte Leo, er habe nach einem «ordentlichen Krieg» gelechzt, die Annexionen entsprächen dem Recht des Stärkeren, ja, ein neuer Krieg sei notwendig, um den «moralischen Abschluß» von Preußens Aufgabe zu gewährleisten. In seinen zu Recht vergessenen Schriften feierte er einen strenggläubigen Protestantismus, der penetrant über alle anderen ideellen Mächte gestellt wurde.

Was bei Ranke in sublimierter Form, bei Leo als vulgarisiertes Zerrbild auftrat: die geschichtsmächtige Bedeutung des Protestantismus, lenkt erneut auf einen Ideenkomplex hin, der sich auch in der kleindeutschen Schule mit ihrem borussischen Nationalismus verband, überhaupt sehr heterogene Denkrichtungen auf diesen gemeinsamen Nenner vereinigte. Als protestantischen Liberalen galt ihnen allen die Reformation als deutsche Revolution, die an der Spitze der gesamten okzidentalen Christenheit den Durchbruch der modernen Freiheitsideen ermöglicht hatte. Hier konnten sie auch vielfach an durchaus gleichartige Traditionsbestände der Hegelschen Geschichtsphilosophie anknüpfen. Welche unreine Mischung diese Freiheit seither auch immer mit den politischen und gesellschaftlichen Bedingungen der neuzeitlichen Staaten eingegangen war – von der universalhistorisch bedeutsamen Gründung einer neuen Welt zehrten seither die protestantischen Staaten: an ihrer Spitze Preußen.

Durch den Gegensatz zum Habsburgerreich als Vorkämpfer der Gegenreformation und Repräsentant eines militanten politischen Katholizismus trat der Unterschied um so drastischer hervor. Für die Vorkämpfer der deutschen Mission Preußens garantierte dieser Staat geradezu die welthistorische Überlegenheit protestantischer Freiheit, wie sie etwa soeben im Siegeszug der liberalen Ideen, des liberalen Verfassungsstaats, der säkularisierten Wissenschaft zutage trat. Zur borussischen Ideologie gehörte mithin ein kraftvoller Nationalprotestantismus, der die Idee der preußischen Sendung mit einem spirituellen Überlegenheitsanspruch verschmolz. Die Überzeugungskraft, die von der politischen Religion des kleindeutschen Nationalismus ausging, zehrte unverkennbar von einem religiösen Weltbild und einer konfessionellen Tradition, die beide eine eigentümliche Siegesgewißheit verliehen. Dagegen half es damals nicht viel, auf die Verkrustung der protestantischen Orthodoxie, die Illiberalität von Landeskirche und Landesherr, die Repression des Liberalismus anklagend hinzuweisen. Komme nur die wahre, die von solchen Schlacken befreite, geläuterte Natur des freiheitlichen Protestantismus zur Geltung, sei die Überlegenheit Preußens, das als einziger Großstaat zu dessen Verkörperung potentiell fähig sei – so der Tenor der kleindeutschen Historiker –, schlechthin unwiderstehlich.[12]

Das Vordringen des borussisch-protestantisch gefärbten Nationalismus konnte nichts anderes als empörten Protest bei all jenen auslösen, die auf der attackierten Gegenseite standen, wo angeblich durch österreichischen Machtegoismus, großdeutsche Illusionen und katholische Rückständigkeit das lichte Werk der kleindeutschen Einigung verzögert werde. Der Fehdehandschuh landete zuerst bei den Historikern der österreichischen Universitäten. Die Reaktion war mehr als kläglich. Es führt auch im historischen Rückblick kein Weg an dem Urteil vorbei, daß wissenschaftlichen Koryphäen wie etwa Droysen, Mommsen und Sybel, daß selbst den kleineren Geistern wie Häusser, Duncker und Biedermann, daß überhaupt der Aura der erdrückenden wissenschaftlichen Reputation, welche diese Exponenten der norddeutschen Gelehrtenwelt umgab, auch nicht von ferne eine einzige vergleichbare Persönlichkeit, ein vergleichbares institutionelles Prestige entgegengesetzt werden konnte. Nichts konnte die Erstickung des geistigen Lebens seit dem Erlahmen der josephinischen Reformen, den Absturz in die Rückständigkeit während der Metternichära, den Würgegriff des Neoabsolutismus schlagender demonstrieren als diese blanke Unfähigkeit, einer existentiellen ideologiepolitischen Herausforderung zu begegnen. Biedere Ereignishistoriker wie Arneth und Helfert in Wien konnten genausowenig wie die Mitarbeiter des 1854 gegründeten Instituts für österreichische Geschichtsforschung eine wirksame Gegenutopie entwerfen.

Daß ein solches Gegengewicht unbedingt notwendig war, wurde aufmerksamen Berufspolitikern und katholischen Gelehrten durchaus bewußt. So erkannte etwa der österreichische Bundestagsgesandte Graf Rechberg 1858 die fatale antiösterreichische Wirkung, die von Droysen, Duncker, Häusser, Sybel, Waitz, Gervinus und Biedermann auf die öffentliche Meinung und das Bildungssystem ausgehe. Überall seien «die Lehrstühle der Geschichte in Deutschland mit Männern besetzt», die «der liberalen, der kleindeutschen, der Berliner Schule angehören». Was bedeute das für Wien?

«Diese Schule treibt mit der Geschichte Politik und systematische Propaganda, selbst wenn sie entlegene Gegenstände, wie Mommsen die römische Geschichte, behandelt.» Ihr Einfluß auf Gymnasiallehrer und Lehrbücher, auf Konversationslexika und Tageszeitungen sei unübersehbar im Wachsen begriffen. Eindringlich warnte auch Ignaz v. Döllinger vor dem sinistren Einfluß der Clique um Droysen, Häusser und Sybel, die Preußens Sieg als historische Notwendigkeit hinstellten. Indes: All solche Mahnungen blieben vergeblich. Eine konzertierte Gegenaktion war auch gar nicht möglich, da sich wissenschaftliche Potenzen genausowenig aus dem Boden stampfen wie Leistungsfähigkeit und Prestige der außerösterreichischen Universitäten binnen kurzem gewinnen ließen.

Außenseitern der akademischen Welt blieb es daher überlassen, den antiborussischen Widerstand zu artikulieren. Da erhob zum Beispiel der hannoversche Gymnasiallehrer Onno Klopp (1822–1903) seine Stimme. Aufgrund seiner preußenkritischen «Geschichte Ostfrieslands» (1854/58) war ihm die Edition der Werke Leibniz' übertragen worden. Zu Beginn der sechziger Jahre schaltete er sich in die öffentliche Auseinandersetzung von einer großdeutsch-antipreußischen Position aus ein. In seinen zwei Bänden über «Tilly und der Dreißigjährige Krieg» (1861), ganz unverhüllt insbesondere in «Friedrich II. und die deutsche Nation» (1860) und in der Polemik gegen «kleindeutsche Geschichts-Baumeister» (1863) führte er Preußen als die Inkarnation des Bösen vor. Seine Monarchen wurden durch ihren machtgierigen Machiavellismus von einem Gewaltakt zum nächsten getrieben. Die kleindeutsche Schule verführte wie ein moderner Rattenfänger von Hameln zum Weg in den Abgrund. Von Herzen Welfe und unwillens, preußischer Staatsbürger zu werden, folgte Klopp seinem Landesherrn ins Wiener Exil, verheimlichte ihm aber die Konversion zum Katholizismus, die seinen Antiborussismus mit typischem Renegateneifer auflud. Als verbitterter Querulant im Abseits geriet er in Vergessenheit.

Geistvoller, wenn auch nicht minder schroff, verteidigte Constantin Frantz (1817–1891) die Überlegenheit des Föderalismus nicht allein in der deutschen, sondern in der gesamten europäischen Staatenwelt gegen den modischen Trend zum monistischen Zentralstaat, wie ihn Preußen in extremer Form repräsentierte. Ursprünglich im Auswärtigen Dienst Preußens tätig, hatte er sich, vom Gang der Berliner Politik enttäuscht, zurückgezogen, eine Professur abgelehnt und das Leben eines freien Publizisten gewählt, der seither eine ungemein produktive Tätigkeit entfaltete. Er entwarf zuerst eine «Naturlehre» des Machtstaats, die sich auf der Linie von Hobbes und Rochau ganz realistisch gab. Die starke, parteienlose Monarchie wurde als quasinatürlicher Herrschaftszustand hypostasiert. 1859 forderte er einen streng föderalistischen europäischen Völkerbund gegen den Aufstieg der Flügelmächte Rußland und Amerika; hier kam er zu ähnlichen Schlüssen aus der Krimkriegskonstellation wie Droysen oder auch Tocqueville. Zur Zähmung der preußischen Expansion schlug er 1865 eine neue deutsche Trias vor, in der Österreich und der deutsche Süden mit Preußen zum inneren Austarieren der Gegensätze, zur «Wiederherstellung Deutschlands» vereinigt werden sollten. Folgerichtig schleuderte er 1871 dem «neuen Deutschland» des großpreußischen Reichs und unitarischen Nationalstaats seine brillant formulierte Kampfansage entgegen. Stets gut für Gesprächsstoff in Intellektuellenkreisen und Politikerrunden, zerschellte seine föderalistische Programmatik, die ihn in die Nähe von Gervinus führte, an der Realität der Reichsgründungsphase.

Aus einem völlig anderen Milieu als Klopp und Frantz stammte der Allgäuer Edmund Jörg (1819–1901), der nach dem Theologie- und Geschichtsstudium bei Döllinger als Archivar in Provinzstädten seinen Lebensunterhalt verdiente. Seine wahre Tätigkeit, die ihn über diese monotone Beamtenexistenz weit hinaushob, lag auf dem Feld der klerikalkatholischen Publizistik und Parteipolitik. Als wichtigste Entscheidung erwies sich für Jörg, daß ihm der jüngere Görres 1852 die Herausgeberschaft der «Historisch-Politischen Blätter» anvertraute. Jörg hat sie länger als ein halbes Jahrhundert redigiert. Für den kampflustigen Zeitkritiker wurden sie zum Forum seiner kritischen Tiraden. Als Buchautor blieb ihm der Erfolg versagt. Durchaus aktivistisch auf die Beeinflussung der zeitgenössischen Geschichte gerichtet, stigmatisierte er 1858 die «Geschichte des Protestantismus in seiner neuesten Entwicklung» zu einer abstoßenden Kulmination gottesferner Irrtümer. Von diesem Sündenbabel hob sich die alleinseligmachende Kirche um so leuchtender ab. Außerhalb eines dumpfen Ultramontanismus ließen sich damit jedoch keine Meriten gewinnen. Ebenso verpuffte die Kritik, die der leidenschaftliche Preußenhasser und Antiliberale an der «Neuen Ära» übte. Als langjähriger Anführer der «Bayerischen Patriotenpartei», die er von 1866 bis 1881 auch im Landtag vertrat, begehrte er voll giftigen Zorns gegen die Reichsgründung durch den preußisch-protestantischen Erzfeind so grundsätzlich auf, daß er 1870/71 die bewaffnete Neutralität eines dauerhaft selbständigen Bayerns verlangte.

In seiner Kommentarkolumne «Zeitläufe» blieb Jörg seit den fünfziger Jahren ein unerbittlicher Kritiker aller Ismen, die er aus tiefstem Herzen verachtete: des ketzerischen Protestantismus, des kleindeutschen Nationalismus, des verführerischen Liberalismus, des gottlosen Sozialismus – alle überlegenen Mächte geißelte er mit unermüdlicher Hingabe, sein polemisches Repertoire war das genaue Gegenteil seiner geistigen Enge. Gespür besaß der Mann für die Aufgaben eines sozialreformerischen Katholizismus. Aber auch auf diesem Gebiet empfahl er eine wunderliche Mischung von anachronistischen Lösungsvorschlägen: Produktionsgenossenschaften zur Bändigung des Industriekapitalismus, Zwangsinnungen für das Handwerk, Hilfsorganisationen zur Privilegierung der Bauern – Sackgasse reihte sich auch hier an Sackgasse. Journalistisches Temperament und bajuwarische

Idiosynkrasie, militanter Katholizismus und dogmatischer Antiliberalismus, das reichte nicht aus, um dem faszinierenden, weit durchschlagskräftigeren ideologischen Sprengsatz des kleindeutschen Nationalismus ernsthafte Hindernisse in den Weg zu legen.[13]

Die Dilemmata dieser Opposition lenken auf einige allgemeine Schwierigkeiten hin, die auch Köpfe von anderem Format nicht aus der Welt hätten schaffen können.

Die Verteidiger Österreichs und der großdeutschen Konzeption, der katholischen und föderativen Tradition mußten eine vergleichsweise diffuse Position verfechten, wenn diese mit der unverschnörkelten Geradlinigkeit kontrastiert wurde, zu welcher die Vertreter des borussisch-protestantischen Sendungsmythos den kleindeutschen Nationalismus stilisiert hatten. Außerdem war in jenen Jahren der politische Liberalismus sein Zwilling. Die antipreußischen Kritiker dagegen standen im politischen Spektrum durchweg weit rechts. Von dort aus ließ sich schlechterdings nicht einmal ein Bruchteil jener Attraktivität mobilisieren, welche den Liberalismus weithin auszeichnete. Schließlich stand auch die multinationale, föderalistische Vergangenheit des Alten Reiches, des Deutschen Bundes und seiner österreichischen Führungsmacht im Gegensatz zu jener mächtigen zeitgenössischen Tendenz, die im homogenen Nationalstaat und im modernen Zentralstaat ihr Ideal sah.

Auf der anderen Seite traf auch der kleindeutsche Nationalismus auf gravierende Probleme. Die Staatenvielfalt und der Traditionsreichtum des deutschsprachigen Mitteleuropa ließen zuerst die Leitvorstellung von einer einheitlichen nationalen Entwicklung nicht zu. Weder konnte diese Vorstellung an gemeinsame, überwölbende Institutionen noch an die verbindende Kraft einer gemeinsamen politischen Kultur anknüpfen, und welcher Staat konnte schon als repräsentativ für einen fingierten nationalen Evolutionstrend gelten? Es war der Kunstgriff der borussischen Schule, Preußen wider alle historische Realität zum Brennpunkt dieser Nationalgeschichte, zur Verkörperung reformatorischer Freiheit, zum Träger eines staatsfreundlichen Liberalismus – letztlich zum gottgesandten Einheitsstifter zu machen. So differenziert und raffiniert die Historiker und Publizisten der borussischen Missionsideologie auch zu argumentieren verstanden: Das Resultat besaß doch vor allem die bestechende Anziehungskraft einer simplizistischen Lösung. Preußen als künftigen Schöpfer der nationalen Einheit zu stilisieren, das verlangte einen Gewaltakt: die artifizielle Ausblendung zahlloser gegenläufiger historischer Entwicklungen, die bedenkenlose Mischung historisch zutreffender Informationen mit zutiefst ahistorischen, irreführenden, dogmatischen Interpretationen. Der massenwirksame Erfolg dieser Ideologiekonstruktion blieb während jenes neuen Entwicklungsschubs des deutschen Nationalismus zunächst durchaus offen. Erst die Entscheidungen von 1866 und 1871 haben die Erfindung der nationalen «Mission» Preußens retrospektiv mit dem Anschein der realitätsgerechten Theorie, ja weit darüber hinaus: der historischen Wahrheit ausgestattet. Weil der realhistorische Erfolg der Staatsbildung der borussischen Ideologie das Siegel der erfüllten Prophezeiung aufprägte, konnte sie bis 1945 und noch länger einen so staunenerregenden Einfluß behalten.

3. Die «Revolution von oben» von 1862 bis 1871

Auch während der deutschen «Doppelrevolution» sind die Industrielle und die politische Revolution keineswegs synchron verlaufen. Die Industrialisierung erlebte einen kraftvollen Auftakt zu Beginn der 1840er Jahre. Sie wurde zwar durch die Wachstumsschwäche von 1847/48, die Revolution und eine nachrevolutionäre Rezession, dann noch einmal durch die Erste Weltwirtschaftskrise von 1857/59 unterbrochen. Aber in den langen Hochkonjunkturphasen trieb sie die Entwicklung mächtig voran, so daß nach einer außerordentlich erfolgreichen Wachstumsperiode das Industriesystem bis 1873 fest verankert war. Damit hatte ein säkularer Prozeß der Umwandlung von Wirtschaft und Gesellschaft innerhalb von knapp dreißig Jahren seine erste Etappe durchmessen.

Die politische Revolution dagegen, die mitten im europäischen Staatensystem einen deutschen Nationalstaat – und das hieß: seinem Potential nach zugleich eine neue Großmacht – errichten wollte, scheiterte 1848/49 bei dem ersten Anlauf, den die liberale Nationalbewegung von unten vorangetrieben hatte. Auch das preußische Unionsprojekt mißglückte als überhasteter Versuch der Berliner Politik, unmittelbar danach das kleindeutsche Ziel von oben zu erreichen. Nach der Lähmung des politischen Aktivismus durch die zweite Restauration im Deutschen Bund demonstrierte die Gründung des italienischen Nationalstaats die Dominanz der staatlichen Steuerung, aber auch die Kooperation Cavours mit den Organisationen des Risorgimento-Nationalismus. Währenddessen bereitete die borussische Schule mit ihrer einprägsamen Doktrin von der «deutschen Aufgabe» Preußens den Boden für eine Identifizierung von großpreußischer Expansion und kleindeutscher Nationalstaatsbildung. Und der Zollverein bewirkte die dichte Verflechtung der ökonomischen Interessen in einer Handelsunion, die ziemlich kompromißlos als Instrument der preußischen Hegemonialpolitik eingesetzt wurde.

Dennoch gab es keinen wirtschaftlichen Automatismus, keinen unwiderstehlichen Trend zum staatlichen Zusammenwachsen im «zollvereinten Deutschland», der die kleindeutsche Lösung binnen kurzem unvermeidbar gemacht hätte. Gewiß, eine überlegene ökonomische Alternative war in den fünfziger/sechziger Jahren nicht zu erkennen. Aber auch ein noch so erfolgreiches gemeinsames Wirtschaftswachstum führt bekanntlich keineswegs geradlinig, geschweige denn gesetzmäßig, zu einer gemeinsamen politischen Organisation. Außerdem liegt es in der Natur solcher wirtschaftlichen

Prozesse, daß sie lange Zeitspannen in Anspruch nehmen und trotz zunehmender Integration der politischen Entscheidung bedürfen, wenn aus der Wirtschaftsunion eine Staatenunion hervorgehen soll.

Ebenso gilt: Der kleindeutsch-borussische Nationalismus hatte sich ebenfalls noch nicht zu einer unwiderstehlichen Macht des öffentlichen Lebens im gesamten Bund entwickelt. Seine Anziehungskraft war unstreitig machtvoll gewachsen, aber sein Einflußbereich blieb weithin auf das protestantische Nord- und Ostdeutschland beschränkt. Die Erinnerung an den Revolutionsausgang dämpfte vielerorts den Glauben an seine autonome Gestaltungskraft. Sein Rückhalt an durchsetzungsfähigen Organisationen blieb bis 1867 im Grunde schwach. Sein Anspruch begegnete südlich des Mains vielfältigen Einwänden, ja erbitterter Opposition. Daher trifft auch hier das Urteil zu: Die politische Phantasie von Hunderttausenden, vielleicht schon von Millionen hatte dieser Nationalismus wirksamer als zuvor mobilisiert. Wie lange aber die Wirklichkeit der deutschen Bundesstaaten – um Hegel zu variieren – noch standhalten konnte, nachdem er das «Reich der Vorstellung revolutioniert» hatte, blieb ganz ungewiß. Die tatenlose Ungeduld der Nationalstaatsgläubigen vermochte sie gewiß nicht zu verkürzen.

All diese Bedingungen erzeugten die nachgerade klassische Konstellation für eine politische Entscheidung durch staatliche Macht. Weder die Erfolge der preußischen Industrialisierung und des Zollvereins erzwangen eine neue Staatsbildung – Keynes irrte, als er den Sieg von «Kohle und Eisen» notwendig zu diesem Triumph führen sah. Noch besaß die liberale Nationalbewegung eine solche aggressive Dynamik, daß sie einen zweiten Anlauf von unten her riskieren konnte. Sollte aber trotzdem unter den Bedingungen der Zeit ein deutscher Nationalstaat erneut angestrebt werden, bedurfte es einer entscheidungswilligen Großmacht. Im Vergleich mit dem multinationalen Habsburgerreich konnte das nur Preußen sein. Darin lag die innere Berechtigung, mit der die kleindeutsche Nationalbewegung auf eine Berliner Einigungspolitik setzte. Daß diese dazu dreier Kriege bedurfte, lag zu Beginn der sechziger Jahre in einer unergründbaren Zukunft. Daß aber die deutsche politische Revolution als «Revolution von oben» fortgesetzt werden mußte, wenn man denn endlich einen konkreten Fortschritt miterleben wollte, dehnte sich zunehmend als eine weitverbreitete Überzeugung aus.

Als Bismarcks großpreußische Kriegspolitik zugleich die kleindeutsche Einheit näher brachte, setzte sich die Metapher der «Revolution von oben» bei der Wahrnehmung und Deutung der politischen Wirklichkeit durch. Nach dem deutschen Bürgerkrieg von 1866 beherrschte sie Gegenwartsanalyse und Zukunftsprognose. Die «1848 und 1849 von unten nicht durchgeführte Revolution» sei jetzt, erklärte die Augsburger «Allgemeine Zeitung», «von oben fortgeführt worden». Auch der Staatsrechtler Bluntschli diagnostizierte «die deutsche Revolution in Kriegsform, geleitet von oben statt von unten». «Unsere Revolution wird von oben vollendet wie begonnen», stimmte Treitschke zu. Bismarck selber, den Marx den «königlich-preußischen Revolutionär» nennen sollte, teilte die Grundauffassung der Reformer vor zwei Generationen: «Revolutionen machen in Preußen nur die Könige», und wenn schon Revolution sein müsse, wolle er sie lieber selber «machen als erleiden». Seine Politik in den sechziger Jahren charakterisierte er daher mehrfach als militärische Fortsetzung der «Reform von oben». In der Tat war Bismarcks großpreußische Politik, die in eine gewaltsame Lösung der Nationalstaatsfrage überging, nicht weniger revolutionär, als das der liberale Vorstoß während der Revolution gewesen war. Das Reich von 1871 entstand, wie Engels urteilte, als eine «durchaus revolutionäre Schöpfung».

Die Prophezeiung, die seit dem frühen Intellektuellennationalismus kursierte, daß in der komplizierten deutschen Staatenwelt die «politische Einheit» nicht durch die Nationalbewegung, sondern letztlich – wie Clausewitz fortfuhr – nur durch «das Schwert» errungen werden könne, ging in Erfüllung. Das tat auch eine zweite Vorhersage von Clausewitz: Eine Monarchie ohne die politische Teilhabe der Bürger an der Herrschaft müsse, hatte er hellsichtig behauptet, zur Legitimierung ihres Systems «von Zeit zu Zeit Krieg» führen, zumindest aber müsse sie «in einer kriegerischen Stellung» eine Risiko- und Prestigepolitik treiben, um «gefürchtet, geehrt» das «Vertrauen ihrer Klientschaft» zu behalten. Erst recht galt dieser Imperativ in Krisenzeiten. Ist Bismarck aber nicht der Fundamentalkrise des alten preußischen Systems begegnet, indem er den inneren Konflikt durch erfolgreiche Kriege zu überwinden unternahm, wobei aus der großpreußischen Expansion die Einigung Deutschlands durch das Schwert hervorging?[14]

In diese Krise war Preußen durch den Verfassungskonflikt geraten.

a) Der preußische Verfassungskonflikt: Der Kampf um die Heeresreform und die parlamentarische Monarchie

Die 1814 modernisierte Militärverfassung Preußens war schon in der Restaurationszeit, verschärft dann während des Vormärz, auf entschiedene Kritik gestoßen. Die gesetzlich festgelegte Friedenspräsenzstärke wurde, hauptsächlich aus finanziellen Gründen, nicht erreicht. Die allgemeine Wehrpflicht verband sich mit wachsender Ungerechtigkeit, da nur ein schrumpfender Prozentsatz der tauglichen Rekruten eingezogen wurde. Die Landwehr, eine Errungenschaft der Reformen, zog den heftigen Vorwurf mangelhafter Effizienz auf sich. Die militärische Schlagkraft Preußens nehme offensichtlich ab, hieß es, damit aber werde seine Stellung im Mächtesystem gefährdet.

Frühzeitig hatte sich Prinz Wilhelm zum Exponenten jener Gruppe von hochgestellten Berufsoffizieren gemacht, die eine neue Reform forderten. Seit den 1830er Jahren hatte er mit Denkschriften, Eingaben und Argumenten bei Hof ihre Postulate vertreten. Vergebens: Die restriktiven Bedingungen der Finanzpolitik waren nicht zu überwinden gewesen. Selbst der Erfolg der Armee im Bürgerkrieg von 1848/49 reichte nicht aus, um die Reform wenigstens in Gang zu bringen.

Wider Erwarten übernahm 1858 mit Prinz Wilhelm einer der energischsten Verfechter der Heeresreform das höchste Staatsamt. Von dieser Position aus widmete sich der Prinzregent, wie bereits seine erste Rede ankündigte, dem Lieblingsprojekt der letzten Jahrzehnte, das soeben Auftrieb erhalten hatte. 1857 hatte nämlich der Kriegsminister erneut kritisiert, daß die Bevölkerung von gut elf Millionen im Jahre 1820 inzwischen auf achtzehn Millionen angestiegen, während das jährliche Rekrutenaufgebot bei vierzigtausend Mann stehengeblieben sei. Viele von ihnen leisteten überhaupt keinen Wehrdienst, während weit ältere Landwehrleute auch im Kriegsfall zum Dienst verpflichtet seien. Daher forderte der Minister, fortab jedes Jahr mehr Rekruten einzuziehen, die dreijährige Dienstpflicht jedoch auf hinreichende zwei Jahre zu senken.

Während Wilhelm noch in eine Prüfung des Vorschlags vertieft war, traf eine ausführliche Denkschrift Albrecht v. Roons ein, den der Prinz seit 1854, während der gemeinsamen Jahre in Koblenz, als vertrauten Berater schätzengelernt hatte. Roons Forderungen reichten erheblich weiter: Auch er wollte jährlich mehr Rekruten ausbilden – aber während einer dreijährigen Dienstzeit. Er unterstrich die Mängel der Linientruppe, doch rückte vor allem die Landwehr in das Kreuzfeuer seiner Kritik. Sie sei eine politisch wie militärisch «verkehrte» Institution ohne «richtigen, festen Soldatengeist». Die gallige Ablehnung des «Bürgers in Waffen» brach unverhüllt durch, als Roon faktisch die Zerschlagung der Landwehr postulierte: Das «Erste Aufgebot» sollte zur Linie geschlagen, das «Zweite Aufgebot» nur mehr in der Etappe eingesetzt werden. In beiden Formationen sollten Berufsoffiziere endlich die aus dem Kreis der lokalen Honoratioren gewählten bürgerlichen Landwehroffiziere ersetzen. Im Grundriß tauchte hier erstmals die umstrittene Reformvorlage von 1860 auf!

In der neuen Regierung erkannte der populäre Kriegsminister v. Bonin sofort, daß Roon die politischen Konsequenzen seines Vorstoßes nicht sorgfältig genug abgewogen hatte. Folge man ihm, warnte deshalb Bonin, verliere Preußen das «Vertrauen des Volkes in die Armee». Freilich lavierte er gegenüber dem Prinzregenten, anstatt Roons Memorandum energisch abzublocken, und Landtagsabgeordneten versicherte er, daß die Wehrgesetze von 1814 in Kraft blieben. Der Berufsmilitär auf dem Thron reagierte verärgert, zumal der Krieg in Italien der Reformfrage neue Aktualität verlieh. Nicht nur enthüllte die preußische Mobilmachung zahlreiche gravierende Mängel. Vielmehr tauchte die Möglichkeit eines europäischen Krieges, damit aber die Chance einer preußischen Expansion nach Süden unerwartet schnell auf, ohne daß die Armee dieser riskanten Aufgabe auch nur von ferne gewachsen erschien. Dieser Eindruck wurde übrigens von fast allen Landtagsabgeordneten geteilt.

Dem hochkonservativen Chef des Militärkabinetts, Edwin v. Manteuffel, einem glühenden Anhänger der Heeresreform, gelang es in dieser Situation, Bonins Stellung so weit zu unterminieren, daß Wilhelm im September 1859 den Kriegsminister umging, als er eine Kommission unter Roons Leitung beauftragte, allein unter dem Gesichtspunkt der militärischen Zweckmäßigkeit eine Gesetzesvorlage zu erarbeiten. Über ihre Stoßrichtung konnte nach Roons Denkschrift kein Zweifel herrschen. Bonin widersetzte sich empört, wurde aber ins Abseits gedrängt, wo er schließlich kapitulierte. Der neue Kriegsminister hieß Roon. Dem Prinzregenten eröffnete er vor seinem Amtsantritt, daß er «von der ganzen konstitutionellen Wirtschaft niemals etwas gehalten» habe, er wolle nur «Fachminister» sein. Und Bonins Konzilianz kanzelte er mit dem bissigen Vorwurf ab, «wir wären damit der Volks-Souveränität und der Republik einen großen Schritt näher gekommen».

Erwartungsgemäß folgte die Kommission durchweg Roons Gesichtspunkten. Sie plädierte dafür, die Friedenspräsenzstärke von hundertfünfzigtausend auf zweihundertzehntausend zu erhöhen; jährlich sollten dreiundsechzigtausend Rekruten tatsächlich eingezogen werden, um drei Jahre lang ihren Wehrdienst bei der Linie abzuleisten. Darauf waren bisher zwei Jahre in der Reserve gefolgt, diese Zeit wurde jetzt auf fünf Jahre ausgedehnt. Der Landwehr alten Stils, wie sie als Bürgerheer aus den Boyenschen Reformen hervorgegangen war, sollte der Garaus gemacht werden. Bisher hatte ihr «Erstes Aufgebot» aus sieben Jahrgängen bestanden, die im Konfliktfall das Heer auf seine Kriegsstärke bringen, während die ebenfalls sieben Jahrgänge des «Zweiten Aufgebots» den Etappendienst übernehmen sollten. Roons Experten schlugen die ersten drei jüngeren Jahrgänge des «Ersten Aufgebots» zur Reserve der Linie. Die vier nächsten Jahrgänge, insgesamt hundertsechzehn Bataillone, wurden alle für den Festungsdienst vorgesehen. Das «Zweite Aufgebot» sollte völlig aufgelöst werden. Die Dienstzeit in dieser radikal reduzierten Landwehr wurde auf elf Jahre festgelegt. Überall sollten ausschließlich aktive Berufsoffiziere die Kommandostellen übernehmen. Der Landtag hatte beträchtliche Geldmittel in Höhe von neuneinhalb Millionen Taler bereitzustellen, um die numerische Vergrößerung der Armee, die Erweiterung des Offizierkorps, den Bau von Kasernen, Militärschulen und Truppenübungsplätzen zu ermöglichen. Genau fünfzehn Monate nach dem Amtsantritt Wilhelms wurde diese Gesetzesvorlage für die Heeresreform im Februar 1860 dem Landtag zugeleitet.

Damit begann die Geschichte eines sechsjährigen Konflikts, der erst im September 1866 formell beendet wurde. Zwar bildete er nicht «das Zentralereignis der innerdeutschen Geschichte» des 19. Jahrhunderts. Fraglos aber markierte er außer der Reformära und der Revolution eine der drei folgenreichsten Wendemarken dieser Geschichte: Ohne ihn wäre der preußische Staat nicht in jene Krise gestürzt worden, die einen systemsprengenden Charakter zu gewinnen drohte; ohne die Zuspitzung dieser Krise wäre ein charismatischer Politiker wie Bismarck nicht in die Schlüsselstellung der preußisch-deutschen Politik eingerückt, die er seither nahezu dreißig Jahre lang behaupten sollte; ohne die Krise Preußens und Bismarcks desperate Therapie, sie zu meistern, wäre es nicht zur großpreußisch-kleindeutschen Reichsgründung gekommen.[15]

Der Auftakt im Landtag ließ die Dimension des späteren Zusammenstoßes noch nicht erkennen. Gewiß, die ersten Wahlen der «Neuen Ära» im November 1858 hatten die Konservativen, denen die staatliche Unterstützungsmaschine fehlte, von zweihundertsechsunddreißig bzw. strenggenommen hunderteinundachtzig auf siebenundfünfzig Abgeordnete reduziert, die Liberalen dagegen von vierundachtzig auf hunderteinundfünfzig, mit der «Wochenblatt»-Partei auf rund zweihundert Abgeordnete lawinenartig anschwellen lassen. Soeben hatte aber der italienische Krieg in einer Zeit, als die prinzipiell antagonistische Struktur des Mächtesystems die militärische Kraftprobe noch als ein legitimes Duell staatlicher Kontrahenten erscheinen ließ, jedermann von der Notwendigkeit einer Reform des preußischen Heeres überzeugt. Vor allem die kleindeutschen Liberalen setzten längst ganz unverhohlen ihre Hoffnungen auf die militärische Leistungsfähigkeit Preußens bei der Verfolgung seiner «deutschen Mission». Daher äußerten sie zwar Kritik: Die Reformkosten wurden im Gefolge der Krise von 1857/59, auch aus Sorge vor einer Steuererhöhung und einem Haushaltsdefizit à la Wien moniert. Die Reduzierung der Landwehr löste lebhafte Einwände aus: «Wir hängen», bekannte der liberale Abgeordnete Ziegler, «an der Landwehr mit religiösem Fanatismus.» Die verlängerte Dienstzeit löste Furcht vor einer konservativ-royalistischen Indoktrination aus. Dennoch: Der Militärausschuß des Abgeordnetenhauses unter dem Vorsitz des Altliberalen Georg v. Vincke erwies sich durchaus als kompromißbereit, als er einen Ausweg aus dem Dilemma der Meinungsgegensätze suchte. Währenddessen wuchs in der liberalen Öffentlichkeit der Widerstand gegen die Zerstörung der Landwehr und gegen die Rückkehr zur dreijährigen Dienstzeit an.

Auf der anderen Seite beharrten die Militärs auf der Vorlage, ja in seinem bramarbasierenden Ton preschte der Prinzregent bereits mit der verfassungsrechtlich falschen Behauptung vor, daß der Ausschuß das Militärbudget gar nicht im einzelnen prüfen dürfe, sondern es nur en bloc anzunehmen oder abzulehnen habe.

Weit darüber hinausgehend, wurde von der Militärclique auch schon die folgenschwere Argumentation entwickelt, daß die gesamte Heeresreform einen Ausfluß der königlichen «Kommandogewalt» darstelle, die durch die Verfassung nirgends geschmälert worden sei. Nur «aus Entgegenkommen» habe der Kriegsminister den Weg der Gesetzgebung gewählt. Realiter gab es jedoch wegen der hohen Unkosten keinen verfassungskonformen Weg, der es gestattet hätte, die Budgetgewalt des Landtags zu umgehen. Ein Gesetz war daher unumgänglich geboten. Wenn dagegengehalten wurde, daß der

Mitbestimmungsanspruch des Abgeordnetenhauses gegen die «Kommandogewalt» als konstitutionelles Reservat der Krone verstoße, lag doch auf der Hand, daß der Streit nur deshalb so hart ausgetragen wurde, weil die Militärs unter dem Deckmantel dieses Reservats plötzlich auch noch eine autonome finanzielle Kompetenz beanspruchten, die durch keinen Satz der Verfassung abgedeckt war, vielmehr das Budgetrecht evident zunichte machte. Wieviel man von dieser extensiven Auslegung der «Kommandogewalt» im innersten Kreis selber hielt, wurde übrigens noch am 9. September 1862 klar, als das gesamte Kabinett einschließlich Roons auf der Suche nach einer Lösung eingestand, daß der Landtag wegen der finanziellen Ansprüche der Reformvorlage zuständig sei; ohne korrekt verabschiedetes Haushaltsgesetz entbehrten Regierung und Verwaltung der verfassungsgerechten Grundlage ihres Handelns.

Trotz dieser bedrohlichen Behauptungen über die Reichweite der «Kommandogewalt» billigte der Ausschuß schließlich die Heeresvergrößerung, auch zusätzliche sechs Millionen Taler, verteidigte aber die zweijährige Dienstpflicht und das Reformerbe der Landwehr. Als das Abgeordnetenhaus erkennen ließ, daß es sich dem Votum seiner Kommission anschließen werde, nahm die Regierung Zuflucht zu einem Überraschungscoup. Sie zog die Gesetzesvorlage zurück, bat aber in einem Nachtragshaushalt um jene neun Millionen Taler, die über den regulären Etat hinaus für den Heeresausbau verwendet werden sollten. Der altliberale Finanzminister v. Patow versicherte, daß damit kein Präjudiz für das künftige Schicksal der Vorlage geschaffen werde, gutgläubig stimmten die Abgeordneten im Mai 1860 für die neue Initiative. Die Spannung schien sich zu lösen.

Im Kreis der ultrakonservativen Militärs brach jedoch unverhüllt Empörung aus. Obwohl das Provisorium sofort weidlich ausgenutzt wurde, empfanden sie die Übergangslösung als demütigende Schlappe, die durch eine unbeugsame Verteidigung der «Kommandogewalt» hätte vermieden werden können. Da Wilhelm derart mit dem Liberalismus kokettierte, sah der frühere Kriegsminister v. Stockhausen bereits im März 1860 die Revolution vor der Tür stehen. Auch in der Umgebung des Prinzregenten tauchte in maßloser Überschätzung der zahmen liberalen Kritik die Erinnerung an 1848 wieder auf. Selbst die stärkste Figur dieser Runde, Manteuffel – begabt und intrigant, Verfassungshasser und von 1860 bis 1866 Anführer der kompromißlosen Militärkamarilla –, orakelte schon damals über eine linke Machtergreifung. Seine «zwölfjährige Erfahrung im revolutionären Leben», warnte er im März Roon, widerstrebe total dem frühen Nachgeben in einer Prinzipienfrage. Unstreitig wollte Manteuffel keinen Kompromiß, er suchte den frontalen Zusammenstoß, um aufrüsten und möglichst auch die Verfassung beseitigen zu können. Als Wilhelm nach der Krönung im Januar 1861 eine provozierende Militärfeier anordnete, riet das Staatsministerium davon ab, doch Manteuffel setzte sich durch: Es blieb bei der verletzenden Demonstration. Seither häuften sich liberale Attacken. Trotzdem bewilligten die Abgeordneten erneut die vorläufigen Mittel «zur einstweiligen Vervollständigung» der Heeresreform, freilich jetzt unter der Auflage, daß in der nächsten Session ein umfassendes, akzeptables Wehrdienstgesetz vorgelegt werden müsse.

Die politische Gärung im Lande war unterdessen fortgeschritten. Wegen der irritierenden Betulichkeit und Programmlosigkeit der Altliberalen scherte im Februar 1861 ein Dutzend Abgeordnete aus, die aufgrund der führenden Rolle ostpreußischer Liberaler, an erster Stelle Max v. Forckenbecks und Leopold v. Hoverbecks, als Fraktion «Junglithauen» firmierten. Sie gewann sogleich weitere prominente Liberale und Demokraten – wie Waldeck, Virchow, Mommsen, Twesten, v. Unruh, Siemens, Jacoby, v. Kirchmann, Loewe-Calbe, Schulze-Delitzsch und andere – hinzu, so daß Anfang Juni 1861 die dezidiert liberale «Deutsche Fortschrittspartei» (DFP) gegründet werden konnte. Damit kündigte sich ein moderater Linksruck an, der durch die Ergebnisse der Landtagswahlen im Dezember 1861 eindrucksvoll bestätigt wurde. Auf Anhieb stieg die DFP mit hundertsechs Abgeordneten zur stärksten Partei auf. Zusammen mit einigen anderen Liberalen erreichte die Opposition sogar bequem die absolute Mehrheit aller dreihundertzweiundfünfzig Repräsentanten. Die Konservativen, bereits auf siebenundfünfzig Vertreter reduziert, gewannen nur noch fünfzehn Sitze. Nachdrücklich forderte die DFP den Ausbau des Konstitutionalismus, den Umbau des Herrenhauses, die strikte parlamentarische Kontrolle des Militärbudgets, selbstredend auch die Erhaltung der zweijährigen Dienstzeit und der Landwehr.

Die Ultras fanden ihre schwarzen Befürchtungen bestätigt. Roon sah das «Chaos» nahen, dem er mit der Abschaffung der «Zweiten Kammer» begegnen wollte. Ohne die Reform nahe «das Verderbnis der Armee», damit der «Ruin aller geordneten sozialen Verhältnisse»; zumindest werde Preußen «in der Kloake des doktrinären Liberalismus ... unrettbar verfaulen». Prinz Friedrich Karl, ein bornierter Heißsporn, wollte adlige Militärs an die Spitze des Ministeriums setzen. Oberst Seidlitz eröffnete Duncker, der als Altliberaler und preußischer Pressechef mit der Stimmungslage beider Seiten intim vertraut war, daß im Offizierkorps von einem Staatsstreich die Rede sei, denn «man ahnt eine große Revolution». Noch aber fehlte ein günstiger Anlaß zum Präventivschlag. «Die Militärpartei lechzt nach Krawallen», das war Dunckers Eindruck, «wie der Hirsch nach frischem Wasser.»[16]

Manteuffel blieb alles andere als untätig. Er ließ einen geheimen Notstandsplan für den künftigen Bürgerkrieg ausarbeiten; ebensogut konnte und sollte er als Operationsplan für den anvisierten Staatsstreich dienen. Unterstützt von den Hochkonservativen um Ludwig v. Gerlach gewann er schon am 16. Januar 1862 unter dem Vorwand, daß es sich nur um eine reine Defensivmaßnahme handele, den König zur Unterschrift. Seither lag das brisante Schriftstück versiegelt bei allen Generalkommandos. Das vereinbarte Stichwort genügte, um den «Gewaltakt auszulösen»: Die Armee hatte unverzüglich gegen den «inneren Feind» loszuschlagen. Die Erstürmung Berlins war in allen Details vorbereitet, vom Monarchen – die Erinnerung an den März 1848 schreckte – explizit gebilligt. Das Abgeordnetenhaus sollte aufgelöst, ein neues, restriktives Wahlgesetz oktroyiert, ein Reaktionsministerium unter Führung von Offizieren an die Spitze dieser kryptoabsolutistischen Militärdiktatur gesetzt werden. So frühzeitig schon einigten sich die Ultras mit dem König auf ein derart extremes Vorgehen, obwohl die Altliberalen von einer geschlossenen Abwehrhaltung noch weit entfernt gewesen waren und obwohl ohne die Renitenz der Militärreformer die DFP mit ihrer härteren Position nicht so überraschend emporgestiegen wäre.

Während der Parlamentsverhandlungen im März bewies die DFP ihre Meinungsführerschaft. Mit neuer Entschiedenheit lehnte die Mehrheit weitere vorläufige Geldmittel ab, der Heeresetat müsse – so der Antrag Hagens am 6. März – präzise aufgeschlüsselt werden; an der zweijährigen Dienstzeit, auch an der Landwehr wollte sie nicht rütteln lassen. Viele Liberale teilten, auch wenn sie die Schwäche des Bürgerheeres zugaben, doch Dunckers Auffassung, daß die Umbildung der Landwehr zu einer «Vernichtung» jenes spezifischen «Bürgergeistes» führen werde, der «das einzige Korrektiv» gegen den stets gefährlichen «militaristischen Korpsgeist» bilde. Indes: Die Aufschlüsselung des Heeresetats wurde abgelehnt, da dann die eingeleitete Reorganisation genau zu erkennen gewesen wäre. Als Folge davon wurde der gesamte Etat für 1862 nicht verabschiedet.

Manteuffel erreichte mit seiner Mischung aus Hartnäckigkeit und Intriganz, daß der König den Landtag am 11. März auflöste, Neuwahlen ankündigte und auch der Forderung nachgab, das Ministerium von den letzten Liberalismusverdächtigen zu säubern. Sechs liberal-konservative Minister, darunter v. Auerswald, v. Patow, v. Schwerin, mußten ihren Hut nehmen. Manteuffel habe, urteilte ein intimer Kenner der konservativen Szene, sein Ziel einer brüsken Machtdemonstration «mit kluger Berechnung» erreicht. Für den Fall, daß die auf den 6. Mai 1862 angesetzten Neuwahlen, von denen sich die Ultras eine Brechung der liberalen Vorherrschaft erhofften, erneut ungünstig verliefen, wollte jetzt auch Roon, der «das Schlamm-Meer des parlamentarischen Regimes» haßte wie die Pest, den Staatsstreich wagen: «Ich bin ... dazu entschlossen.» Im neuen Ministerium rechnete man in einem Zustand bizarrer Realitätsferne mit einem Aufstand noch vor den Wahlen, so daß Manteuffels Geheimplan endlich in Kraft gesetzt werden könne. Nach dem Sieg wollten ihn die Ultras als Symbol ihres Triumphes sogar als Ministerpräsidenten einsetzen.

Dem König muß bis zum April 1862 endgültig klargeworden sein, mit welcher Bedenkenlosigkeit die Offizierskamarilla den Staatsstreich, die Militärdiktatur, ja, den Bürgerkrieg geradezu herbeisehnte. In dieser Situation rang er sich – contre cœur, doch mit den Schrecken einer blutigen Auseinandersetzung nur zu vertraut – zu einer Alternative durch: Entweder gelinge es, durch einige oberflächliche Konzessionen die Reformvorlage doch noch im Kern zustimmungsfähig zu machen, oder aber er wollte zugunsten des liberal gesinnten Kronprinzen Friedrich abdanken, der mit der Kammermehrheit leichter einen Ausweg finden konnte.

Beide Möglichkeiten mußten die Militärkamarilla zutiefst erschrecken, denn damit verloren sie den archimedischen Punkt all ihrer Pläne, den Rückhalt an einem unverrückbar bis zum letzten Konflikt bereiten König. Symptomatisch war die Reaktion des Generals v. Wrangel, des Eroberers von Berlin: Abdankung heiße Fahnenflucht, fuhr er seinen Souverän an, bevor er ihm im Falle des Thronverzichts die Meuterei der gesamten Armee androhte. Manteuffel prophezeite empört, daß als Folge von Konzessionen anstelle des Militäreinsatzes die Hinrichtung des Monarchen nach dem Vorbild Karls I. und Ludwigs XVI. bevorstehe. Auch Roon reagierte in seiner gewohnten «Gardeleutnantsmanier» mit unverhüllter Erbitterung, erwies sich dann jedoch geschmeidiger als seine Mitstreiter, indem er ein Entgegenkommen mit der auf zwei Jahre eingeschränkten Dienstzeit ins Auge faßte. Wiederum verhinderte Manteuffel, daß den Liberalen ein entsprechendes Signal gegeben wurde. Überhaupt hat die hypothetische Überlegung viel für sich, daß ohne die Unbeugsamkeit Manteuffels, der als Chef des Militärkabinetts von einer zentralen Position im preußischen Machtsystem aus operierte, ein Kompromiß bis in die erste Hälfte des Jahres 1862 noch möglich gewesen wäre.

Statt dessen spitzten sich die Gegensätze zu, als das Ergebnis der Maiwahlen von 1862 bekanntwurde. Die DFP verbesserte ihre Spitzenpositionen auf hundertfünfunddreißig von dreihundertzweiundfünfzig Abgeordneten. Zusammen mit dem liberalen «Linken Zentrum» (103) und den Rechtsliberalen (47) stand eine riesige liberale Dreiviertelmehrheit von zweihundertfünfundachtzig Volksvertretern, dazu unterstützt von dreiundzwanzig polnischen Abgeordneten, sage und schreibe elf Konservativen gegenüber. Die katholische Fraktion war wegen ihrer Unterstützung der Regierung von vierundfünfzig auf einundzwanzig Vertreter geschmolzen. Die Liberalen feierten ihren Triumph: Sie durften sich in ihrer Opposition bestätigt sehen. Daher gingen sie zuversichtlich in die nächste Runde. Daß sich selbst jetzt nur gut dreißig Prozent der Urwähler an der Kammerwahl beteiligt hatten, vermochte das Erfolgsgefühl nicht zu beeinträchtigen.

Zwei Jahre nach Beginn des Konflikts besaßen sie Grund genug für ihre Überzeugung, für eine gerechte Sache zu streiten. Von der Verstärkung und Reform der Armee überzeugt, waren sie durchaus kompromißbereit, ohne jede mutwillige Angriffslust in die Beratungen eingetreten. Wenn sie ihre parlamentarische Kompetenz im Verfassungsstaat so ernst nehmen wollten, wie sie es aus plausiblen Gründen gerade seit 1858 vorhatten, konnten sie sich nicht anders verhalten. Wäre ihnen die Regierung mit der ohnehin seit Jahrzehnten faktisch praktizierten zweijährigen Dienstpflicht, dazu hier und da im Bereich der Landwehr entgegengekommen, hätten sich die Liberalen – je nationalbewußter, desto schneller – zu einer Einigung bereit gefunden. Ihr «realpolitisches» Urteil über Preußens Stellung im Staatensystem, ihre traditionelle Staatsnähe und ihr passionierter Einigungsnationalismus hätten sie gleichermaßen dazu bestimmt.

Sie trafen jedoch auf einen Gegner, der im Grunde jede Konzession als Verrat an sakrosankten militärpolitischen Notwendigkeiten empfand. Die Ungeduld nach einer jahrzehntelangen Reformdebatte, die Starrheit soldatischer Technokraten, die Verachtung des Konstitutionalismus verstärkten das hochfahrende Selbstbewußtsein. Wiederholt wurden alle – selbst von Roon erwogenen – Schritte zu einem Ausgleich blockiert. Taktisch geschickt spitzte die Militärkamarilla den Streit vielmehr auf die Alternative: Königsheer oder Parlamentsheer zu. Das war ihre interne, vor allem von Manteuffel und Roon erzielte diskussionspolitische Leistung. Mit ihr wurde erreicht, daß der Monarch die Reform zunehmend als eine Materie der absolutistischen, verfassungsrechtlich von der Kontrolle des Landtags unabhängigen, im Grunde noch feudalrechtlichen «Kommandogewalt» des «Obersten Kriegsherrn» ansah. Von dieser Position aus ließ sich gerade in jenem Grenzfall, den die Ultras herbeizuführen strebten, die Notwendigkeit einer gesetzlichen Reformregelung a limine bestreiten.

Indem das Heer derart von jedem Einfluß bürgerlicher Parlamentsmehrheiten freigehalten werden sollte, stand erneut die gesamte Wehrverfassung: mithin eine in das Verfassungssystem eingebundene oder völlig autonome Stellung des Militärs zur Debatte. Mit dieser grundsätzlichen Herausforderung ging es jedoch um den Charakter der Staatsverfassung schlechthin. Daß der Konflikt mit dem Landtag die Chance eröffnete, die Reform zu einem prinzipiellen Streit um das Königsheer zu stilisieren und sogar dem Fluchtpunkt einer radikalen Verfassungsveränderung, wenn nicht gar eines Systemwechsels näher zu kommen, haben die führenden Köpfe der Militärpartei frühzeitig erkannt. Im Hinblick auf die Mentalität des Berufssoldaten an der Staatsspitze wurde dieser wissentlich herbeigeführte Antagonismus mit seiner verfassungswidrigen Spitze schroff dramatisiert. Wider Erwarten sollte der König jedoch den Rubikon vorerst nicht überschreiten. Sein Schwanken zwischen starrsinnigem Kampf und resignierender Abdankung kündigte eine fatale Entwicklungskrise an.

Bis zu diesem Zeitpunkt hatte der Konflikt auch für die Liberalen eine grundsätzliche Dimension gewonnen. Offenbar stand ein Wandel der gesellschaftlichen Kräftekonstellation auf der Tagesordnung, der seinen Ausdruck auch im politischen System, konkret: in der Aufwertung des Parlaments, finden sollte. Waren die Liberalen bisher von einem trotz aller Hemmnisse auch in den fünfziger Jahren weiter anhaltenden Aufstieg des Bürgertums ausgegangen, belehrte sie die militärpolitische Auseinandersetzung allmählich darüber, daß mit dem Königsheer, der Vergrößerung des fast exklusiv adligen Offizierkorps, der Ersetzung bürgerlicher Landwehroffiziere durch adlige Berufsoffiziere, der Zerstörung der Landwehr als bürgerlichen Bollwerks und der dreijährigen Indoktrination der Rekruten das ganze System der Adelsprivilegien befestigt werden sollte. Darüber hinaus wurden tragende Strukturen des preußischen Ancien régime, das im jungen Verfassungsstaat nur zu sichtbar und spürbar weiterlebte, erneut aufgewertet, und die Verfassungsfeindschaft prominenter Exponenten stellte die Errungenschaften von 1848/50, an erster Stelle ihr Herzstück, das parlamentarische Budgetrecht, ganz offenkundig in Frage. «Im Inneren steht der große Kampf unserer Zeit», urteilte daher selbst der moderate, doch bürgerstolze v. Sybel im Frühjahr 1862, in erster Linie «zwischen dem übermäßigen Vorrecht des Adels und der freien Berechtigung des Verdienstes», wie die zeitgenössische Umschreibung des leistungsorientierten Bürgertums lautete. «Der kleine Landadel, abwechselnd in Kammerherren-, abwechselnd in Adjutanten-Uniform» solle, klagte Gneist mit grimmigem Spott, weiter «die Staatsräson in Preußen» bleiben. Kurzum: Der Streit um die Heeresreform hatte sich zu einer gesellschaftlichen Kraftprobe gesteigert, zum «Kampf des Bürgertums», wie die «Preußischen Jahrbücher» den neuen Konsens in einem Satz zusammenfaßten, «gegen das mit den absolutistischen Tendenzen verbündete Junkertum». Der Begriff «Bürgertum» wurde dabei zusehends weiter gefaßt, bis er sich mit Sieyès' Vorstellung vom «Dritten Stand» deckte. Das Bürgertum, erklärte etwa der liberale Publizist Heinrich Bernhard Oppenheim, der das «wissenschaftliche Organ» der DFP, die «Deutschen Jahrbücher für Politik und Literatur» herausgab, das sei letztlich «die ganze, von Privilegien abgelöste, also arbeitende Nation». So gesehen stand die bürgerliche Nation im Kampf gegen eine überlebte «herrschende Kaste».

Obwohl der Heereskonflikt zu einer unzweideutigen Polarisierung zwischen der Macht der Zukunft und einem Relikt der Vergangenheit zugespitzt wurde, besaßen viele Liberale dennoch eine ambivalente Grundhaltung. Einerseits gaben sie sich hoffnungsfroh, daß die «gesellschaftlich vorwiegenden Klassen», wie Twesten es unmißverständlich formuliert hatte, «unwandelbar auch die politisch herrschenden werden müßten». «Die materielle Welt» des Bürgertums sei, assistierte die linksliberale «Volks-Zeitung», «zu mächtig geworden, um vom grünen Staatstisch aus gegängelt zu werden». Dem hielt jedoch Oppenheim mit einem durchaus realistischen Blick auf die heterogene soziale Lage und politische Reife der bürgerlichen Formationen mit ebenfalls typischer Skepsis entgegen, daß «das politische Gebiet den bürgerlichen Klassen noch vielfach als ein Fremdes, Ungewohntes» gelte; obwohl die «liberalen Gesinnungen Gemeingut aller arbeitenden und erwerbenden Klassen» geworden seien, habe die politische Energie doch noch nicht in gleichem Maße zugenommen. In der Tat gehörten dieses «Nebeneinander von Selbstgefühl und Unsicherheit, von Führungsanspruch und Einsicht in die sozialen Realitäten zu den auffälligsten Merkmalen des preußischen Liberalismus der sechziger Jahre». Seine Anhänger fühlten sich einerseits durchaus optimistisch «mit dem geschichtlichen Fortschritt» verbündet, andrerseits trauten sie der Reaktion «noch eine beträchtliche Lebensdauer» zu, da gerade das vertraute Denken in historischen Begriffen die Stärke des Gegners präsent hielt und nagende Zweifel an der Durchsetzungskraft des eigenen Machtanspruchs nährte.

Die Konfliktspirale trieb jedoch die Liberalen innerhalb von zwei Jahren unwiderruflich über die vereinbarungsbereite Anfangsposition hinaus. Schien es zunächst um einen der alltäglichen Kompromisse im Rahmen der konstitutionellen Monarchie zu gehen, wurde im Frühjahr 1862 die zentrale Funktion des Landtags mit großer Entschiedenheit verteidigt, ja, der Kampf um das Königsheer trieb die entschlosseneren Liberalen geradezu auf jenes parlamentarische System im englischen Stil hin, an das sie am Anfang nicht einmal als Fernziel gedacht hatten. Treitschke war da eine Ausnahme gewesen. Direkt wurde von diesem Systemwandel selten gesprochen. Faktisch aber wurden durch den Konflikt die Weichen Grad um Grad in diese Richtung gestellt. Der Streit um die Durchsetzung des uneingeschränkten Budgetrechts gegenüber dem Militär stieg zur ausschlaggebenden Kraftprobe empor. Keiner wolle mehr den Kompromiß, diagnostizierte Oppenheim, da nach der eindeutigen Polarisierung «in dem Bewußtsein aller die einfache Alternative Absolutismus oder parlamentarische Regierung jetzt unverhüllbar feststeht».

Daß das Parlament nach dem Triumph der Maiwahlen auf der Anerkennung seines Budgetrechts insistieren werde, erwartete auch die Regierung. Dennoch hatte sie in der ersten Sitzung am 19. Mai noch einmal den Etat für 1862 und gleichzeitig den für 1863 vorgelegt. Dort traten die vertrauten Gegensätze wieder auf. Ein Vermittlungsantrag von Sybel und Twesten, der für die Gegenleistung der zweijährigen Dienstpflicht die Billigung der Gesamtreform vorsah, scheiterte, die Debatte stagnierte. Nach einem erbitterten Meinungsaustausch im Kabinett erhielt schließlich Finanzminister v. d. Heydt grünes Licht, erneut zu erkunden, ob es nicht doch noch andere Möglichkeiten für eine auf beiden Seiten akzeptable Vereinbarung gebe. Die Liberalen gaben eine klare, vernünftige Antwort: Alle beantragten Kosten würden gebilligt, erklärten sie, die zweijährige Dienstzeit aber reiche für eine solide soldatische Ausbildung aus. Roon sah den Erfolg endlich in greifbarer Nähe, er lenkte ein, und Mitte September machte er sich auch vor dem Abgeordnetenhaus für den Kompromiß stark. Zu Recht glaubte der Kriegsminister damals, daß der wesentliche Kern der Reformvorlage praktisch durchgesetzt sei. Das erwies sich im Nu als Fehlkalkül. Während einer dramatischen Auseinandersetzung im Kronrat, der Roon unterstützte, lehnte der König, der seit vierzig Jahren den «blinden Gehorsam» einer «dressierten Truppe» nur durch die dreijährige Erziehung «des Menschen zum Soldaten» gewährleistet sah, am 17. September jede Nachgiebigkeit in dieser Hinsicht ab. Da er keine Illusion darüber hegte, daß diese Entscheidung die Ablehnung der Heeresreform zur Gewißheit machte, kündigte er konsequent, wie seit dem April angedroht, seine Abdankung an. Abends entwarf er den Text der Urkunde.

Roon mußte den parlamentarischen Rückzug antreten. Das Abgeordnetenhaus fühlte sich rundum betrogen. Es lehnte zuerst den Militäretat, dann die bisher provisorisch gebilligten Mittel ab.[17] Während die Führer der Militärpartei, am eloquentesten Roon, mit einer letzten intensiven Anstrengung den König von seinem Entschluß doch noch abzubringen versuchten, prüften die Räte das Abdankungsdokument.

In diesem Augenblick,
- als alle Kompromißmöglichkeiten endgültig erschöpft schienen,
- als nach zwei siegreich bestandenen Wahlen die riesige Mehrheit der Liberalen unerschütterlich wirkte,
- als der Triumph des Parlaments über die Militärkamarilla unmittelbar bevorzustehen schien,
- als der Kronprinz sich aus Loyalität vorerst weigerte, den Thron zu übernehmen, gleichwohl über ein liberales Ministerium aus der Parlamentsmehrheit nachdachte,
- als die Unterschrift des Königs unter das Rücktrittsdokument ein unumstößlicher Akt zu sein schien, kurz,
- als die Krise des alten Regimes in Preußen ihren Höhepunkt erreichte und daher auch mit einem künftig liberal regierten und dominierten Preußen ein säkularer Wendepunkt in der modernen deutschen Geschichte in unmittelbare Sichtweite geriet,

in diesem Augenblick schlug die Stunde Otto v. Bismarcks.

b) Der Aufstieg Bismarcks

Die existentielle Krise ist immer die entscheidende Vorbedingung für den Aufstieg des Charismatikers. Seit 1848 galt Bismarck als ein Politiker für extreme Situationen. Schon Friedrich Wilhelm IV. hatte damals mißtrauisch prophezeit, daß dieser Mann «nur zu gebrauchen» sei, «wenn das Bajonett schrankenlos waltet». Wenn Bismarck sechs Jahre später das historische Entwicklungsgesetz seines Landes auf die Formel brachte: «Die großen Krisen bilden das Wetter, welches Preußens Wachstum fördert, indem sie ... sehr rücksichtslos von uns benutzt wurden», kam er damit auch dem Imperativ seiner eigenen Politikerexistenz nahe.

Mehr als drei Jahrzehnte lang ließ freilich Bismarcks Leben nichts davon erahnen, daß es ihm bestimmt war, der Dompteur einer fundamentalen Krise Preußens, die erste Inkarnation charismatischer Herrschaft in Deutschland, der erfolgreichste europäische Berufspolitiker des 19. Jahrhunderts zu werden. Der äußere Anschein sprach damals vielmehr für das durchschnittliche Dasein eines pommerschen Landjunkers, durchbrochen zwar von einigen extravaganten Allüren und Exzessen, die aber keineswegs Symptome jener Größe darstellten, wie sie Jacob Burckhardt den wenigen welthistorischen Individuen zugeschrieben hat.

Bismarck wurde am 1. April 1815 in eine landadlige Familie geboren, deren Ahnen seit dem 14. Jahrhundert im märkischen Ostelbien ansässig gewesen waren. Erst seine Mutter, aus der angesehenen, karrierestolzen, bildungsbürgerlichen Familie Mencken stammend, brachte ein ungewöhnliches Element in den Bismarckclan ein. Läßt man sich auf ein Gedankenspiel ein, welches empirisch nie definitiv beantwortet zu werden vermag, könnte der prinzipielle Streit zwischen den Anhängern der Theorien von der Überlegenheit des genetischen Erbes einerseits, der Dominanz des sozialen Milieus andrerseits, im Falle Bismarcks ziemlich leicht entschieden werden. Das soziale Umfeld hat wichtige Vorurteile und Grundhaltungen geprägt, auch starke politische Präferenzen und Eigenheiten des Lebensstils. Das Außergewöhnliche des Talents jedoch, die kreative Fähigkeit, die hochgezüchtete kühle Rationalität, die seltene Verbindung von genialem Mißtrauen und instinktsicherem Handeln – diese Eigenschaften stammten doch weit eher aus dem Anteil, den die Menckens zu der Legierung mit der Adelssubstanz beisteuerten. Vielleicht kam auch von der Seite der Mutter, die eine kühle, zielbewußte, durchaus intellektuelle Frau gewesen ist, der Einschlag von Herzenskälte, die sich bei ihrem Sohn bis zu schneidender Menschenverachtung, zur instrumentellen Ausnutzung selbst enger Freunde, zum unbändigen Haß auf politische und private Gegner steigern konnte.

Der Ehrgeiz der Mutter sorgte jedenfalls dafür, daß Bismarck schon mit sechs Jahren aus der vertrauten ländlichen Lebenswelt auf eine Berliner Internatsschule, die Plamannsche Anstalt, überwechseln mußte. Denn ihr Erziehungsziel hieß, so beschrieb er es selber einmal, «alles der Ausbildung des Verstandes» unterzuordnen. 1827 begann seine Gymnasialzeit; an dem berühmten «Grauen Kloster» legte er im April 1832, gerade siebzehnjährig, das Abitur ab. Das Spannungsverhältnis zwischen dem widerwillig ertragenen, elf Jahre währenden Stadtleben und dem nostalgisch verklärten rustikalen Familienambiente hat ihn tief geprägt. Dem bildungsbürgerlichen Formungsanspruch und den Erwartungen an einen künftigen höheren Beamten setzte er die Loyalität zur aristokratisch-ländlichen Herkunftstradition entgegen.

Auf die vorgesehene Karriere im Staatsdienst sollte ihn das übliche Jurastudium vorbereiten. Da Göttingen noch von seinem Ruf als vornehme Adelsuniversität zehrte, nahm er es dort auf, drang aber nur oberflächlich in den wissenschaftlichen Betrieb ein. Vielmehr genoß er das freizügige Leben eines Korpsstudenten, den sein barockes Imponiergehabe samt der Vielzahl seiner Mensuren – meist willkürlich nach dem Motto: «Sie haben meinen

Hund fixiert, hier ist meine Karte» vom Zaun gebrochen – zu einer stadtbekannten Figur machten. An der neuen preußischen «Zentraluniversität» in Berlin schloß er die Studienzeit mit dem Staatsexamen ab, langweilte sich ein Jahr lang als «Auskultator» am Berliner Amtsgericht schier zu Tode und wechselte 1836 als Referendar zum Regierungspräsidium in Aachen über, ohne sich in der mondänen Kurstadt an regelmäßige Verwaltungsarbeit zu gewöhnen. Eine seiner zahlreichen Amouren brachte ihn vollends aus dem Tritt, nach einem neuen Anlauf scherte er 1837 aus dem Vorbereitungsdienst aus, 1839 hat er diese Entscheidung endgültig bekräftigt.

Auch als er anschließend seiner Wehrpflicht als Einjährig-Freiwilliger bei den Berliner Gardejägern genügte, lehnte er die Fortsetzung der Referendarstätigkeit, die üblicherweise gleichzeitig wahrgenommen wurde, noch einmal ab. Immerhin besuchte er, als er den Militärdienst in Greifswald beendete, einige Kurse an der neuen landwirtschaftlichen Akademie in Eldena.

Die Würfel waren, so schien es damals, gefallen: Offenbar hatte sich der Vierundzwanzigjährige für das konventionelle Leben eines Krautjunkers entschieden. Er übernahm, zusammen mit seinem älteren Bruder Bernhard, die Verwaltung dreier pommerscher Familiengüter, insgesamt eines eher bescheidenen Besitzes, den er aber nach modernen agrarökonomischen Regeln bewirtschaftete. 1845 fiel nach des Vaters Tod das Rittergut Schönhausen an ihn.

Acht Jahre lang hat Bismarck die Doppelexistenz eines Landadligen und agrarkapitalistischen Unternehmers geführt. Seine ironische Selbstkritik enthüllt, wie er die Habitualisierung dieser monotonen Existenz fürchtete, aus der er mit notorischen Frauengeschichten, heftigen Trinkgelagen, gefährlichen Hindernisritten auszubrechen versuchte, ohne doch als regionales Enfant terrible mehr als den Spitznamen des «tollen Bismarck» zu gewinnen.

Insgeheim aber unterschied er sich von seinen Standesgenossen. Brennender Ehrgeiz trieb ihn um. «Ich will aber Musik machen, wie ich sie für gut erkenne», hatte er den Abschied von der Beamtenlaufbahn verteidigt, «oder gar keine.» Dieses ambitiöse Selbstbewußtsein blieb hellwach, ohne sich vorerst auf ein bereits sichtbares Ziel zu richten. Doch: In der Politik eine dominierende Position zu gewinnen – diese Vorstellung übte, gestand er sich ein, eine unwiderstehliche «Anziehungskraft» auf ihn aus, «wie das Licht auf die Mücke».

Lange Mußestunden nutzte er auch zu ausgiebiger Lektüre der klassischen und modernen Literatur. Dank dem neuhumanistischen Gymnasium und dieser Eigeninitiative, wie sie ja dem Bildungsgedanken vollauf entsprach, war Bismarck ein «gebildeter Mann», wie das auch sein Rede- und Schreibstil zeigte. Und was er in dieser frühen Zeit schrieb, verriet bereits eine ungewöhnliche sprachliche Kompetenz, die ihn zu einem der großen Meister der deutschen Sprache des 19. Jahrhunderts machen sollte.

Erst der Vereinigte Landtag von 1847, in den er als Abgeordneter zufällig nachrückte, hat Bismarck den Weg in die Politik geöffnet. Im Nu etablierte er sich auf der Berliner Bühne als diskussionsgewandter Redner, der unter den ordinären, hausbackenen Konservativen durch seine rhetorische und gedankliche Radikalität, seine geistesgewandte Reaktionssicherheit sofort auffiel. Die Mitglieder der Kamarilla zogen ihn an sich, 1848/49 gehörte er schon zum Zentrum der hochkonservativen Clique – teils durch die revolutionären Ereignisse in seinem Royalismus bestärkt, adelsstolzer denn je, früh zur Gegenrevolution bereit, teils aber auch geschmeidig, offen für eine moderne Partei- und Verbandspolitik, früh von der Irreversibilität des Konstitutionalismus überzeugt.

Im Grunde erwies sich Bismarck, so geschickt er sich auch als altertümlicher brandenburgischer Feudalvasall zu drapieren verstand, als ein Mann der neuen Politik, die auch in Preußen seit 1848 vordrang. Er brauchte die politische Öffentlichkeit, deren Klaviatur er bald virtuos zu handhaben verstand. Er brauchte die politischen Parteien, die er förderte und bremste, kühl auf seinem Schachbrett einsetzte; in der Aufstiegsphase hing er, der den neuen Typus des preußischen Parteipolitikers verkörperte, in einem außerordentlich weitreichenden Maße von seinem Rückhalt an den Konservativen ab. Er brauchte auch den Umschwung zum Verfassungsstaat, der – wie er längst am englischen Beispiel bewundert hatte – einem Außenseiter wie ihm den Vorstoß an die Spitze und einen neuartigen Handlungsspielraum eröffnete. Er brauchte sogar das Parlament, als Legitimationsspender im Verfassungsstaat, als Forum für wirksame Auftritte – nicht wenige politische Entscheidungen hat er dort als Redner vorbereitet, lanciert, durchgesetzt.

Die Janusköpfigkeit seiner Politik ist von Anfang an erkennbar. Zur Verteidigung der überkommenen Machtstruktur Preußens mit aller Zähigkeit und Leidenschaft seines Naturells bereit, insofern ein eherner Konservativer – zugleich aber auch ein ganz moderner Berufspolitiker von skrupelloser Flexibilität, ein Förderer der umstürzenden Industrialisierung und Antreiber des heraufziehenden Interventionsstaats, bei der Verfolgung seines Ziels der großpreußischen Machtexpansion vor revolutionären Mitteln nicht zurückschreckend, insofern zugleich ein konservativer Revolutionär. Ludwig Bamberger – achtundvierziger Demokrat, bald aber weltläufiger Bankier und liberaler Politiker, begabt mit einem hellwachen analytischen Verstand und scharfsichtiger Urteilsfähigkeit – hat Bismarcks Werdegang von Anfang an verfolgt und wollte schon 1868 «keinen Augenblick daran zweifeln, daß er ein geborener Revolutionär war. Denn man wird als Revolutionär geboren wie als Legitimist, nach der Art der geistigen Anlage, während der Zufall allein darüber entscheidet, ob die Umstände des Lebens aus dem gleichen Menschen einen Weißen oder einen Roten machen.» Bismarcks politische Laufbahn begann im Zeichen der Revolution; der existentiellen Krise Preußens, und sie allein trug ihn nach ganz oben, begegnete er mit revolutionären Mitteln, deren Folgen er dann zwei Jahrzehnte lang, vielfach vergeblich, einzudämmen suchte – er war in der Tat ein «weißer Revolutionär», wenn man Bambergers pointiertes Urteil als Kurzformel übernehmen will.

Einmal in den Vordergrund gelangt, war Bismarck nicht der Mann, den es nach dem Sieg der Konterrevolution in die bukolische Idylle seines Landbesitzes zurückzog. Die Hochkonservativen, die alles andere als an einem Überfluß von politischen Naturtalenten litten, förderten ihn, wie er umgekehrt sein Talent ebenso geschmeidig wie hartnäckig zu empfehlen verstand. Daher übernahm er im neuen Landtag die schwierige Aufgabe, den Olmützer Vertrag zu verteidigen. Indem er das vollständige Debakel der Berliner Politik mit einem brillanten rhetorischen Feuerwerk in die Chance zu einer neuen realitätsgerechteren Außenpolitik verwandelte – die «einzig gesunde Grundlage eines großen Staates ... ist der staatliche Egoismus», bekannte er, nicht aber «die Romantik» Radowitzscher Unionspläne –, gewann er spürbar an Statur, sein Wert an der Insider-Börse stieg.

Schon ein halbes Jahr später, im Juli 1851, setzten ihn seine Förderer aus der Kamarilla als neuen preußischen Bundestagsgesandten durch, als das Frankfurter Gremium seine Arbeit wieder aufgenommen hatte. Das bedeutete einen großen, einen entscheidenden Sprung nach vorn – Ausdruck eines erstaunlichen Vertrauensvorschusses, gewiß auch seiner Talentbeweise, nicht zuletzt jedoch der neuen Konstellation, die es erlaubte, einen jungen Parteipolitiker einem bewährten Karrierediplomaten vorzuziehen. Unumstritten war diese Entscheidung keineswegs, trat damit doch ein offenbar vielversprechender, aber unorthodoxer Mann, dessen extrem pointiertes Urteil in öffentlicher und privater Rede ebenso unkalkulierbar schien wie das in ihm steckende dynamische Potential, auf einen der wichtigsten Schauplätze des preußisch-österreichischen Dualismus. «Und dieser Landwehrleutnant», murrte Prinz Wilhelm, «soll Bundestagsabgesandter werden?» Selbst Ludwig v. Gerlach hegte im geheimen Zweifel an der Klugheit des eigenen Ämternepotismus, wenn derart «violente Beförderungen» einem diplomatisch so unerfahrenen Aufsteiger zugute kämen, «dessen amtliche Lebensstellung bisher nur die eines verdorbenen Regierungsreferendars war».

Trotzdem: Es blieb bei der Entscheidung. Acht Jahre lang hat Bismarck bis zum Frühjahr 1859 die preußische Politik in Frankfurt vertreten. Und nicht nur das, er hat sie, oft weit über seine Instruktionen hinaus, zugespitzt, auch zunehmend die Berliner Zentrale zu beeinflussen gesucht. Dabei arbeitete er sich mit enormer Arbeitskraft – siebzehn Stunden «Aktenfressen» traute er sich zu – in zahlreiche Probleme ein, gewann Überblick und Sicherheit, auch etwa in all den komplizierten Fragen der Zollvereins- und Außenwirtschaftspolitik. Frühzeitig fand er in dem Privatbankier Gerson Bleichröder, einem Agenten des multinationalen Rothschild-Imperiums, nicht nur einen privaten Vermögensverwalter, sondern auch einen kompetenten politischen Ratgeber, der an das erdumspannende, hocheffektive Informationsnetz der Rothschilds angeschlossen war.

Seit dem Beginn der «Neuen Ära» wuchs in den Schaltstellen der Berliner Regierung die Kritik an dem selbstbewußten, hochkonservativen Gesandten, sosehr er auch weiter durch einen endlosen Strom von Denkschriften seine Fähigkeit zum politischen Weitblick zu demonstrieren bemüht blieb. Im Frühjahr 1859 wurde er zum Gesandten in St. Petersburg ernannt: Formell war das die Honorierung mit einem der wichtigsten Außenposten der preußischen Diplomatie, faktisch war es eine Strafversetzung, weit weg von dem Bewegungszentrum der innerdeutschen Politik. Trotz der unübersehbaren Spannungen galt Bismarck aber schon bis zu diesem Zeitpunkt unter den Hochkonservativen als Geheimtip: als scharfsinniger, hochbegabter, wenn auch verdächtig radikaler und häufig unbequemer Politikberater, mehr noch: als Mann, der das Zeug zum verantwortlichen Handeln besaß, wenn in einer kritischen Situation sowohl Machtinstinkt als auch ideologische Standfestigkeit gefordert waren. Die berühmte Auseinandersetzung mit Ludwig v. Gerlach, dem Mentor seiner politischen Lehrjahre, über die Bevorzugung ideologischer Weltanschauungspolitik oder jener ungeschminkt machtstaatlichen Realpolitik, wie sie Bismarck damals verfochten hat, enthüllt unter anderem, welches politische Gewicht ihm die Häupter der äußersten Rechten implizit zubilligten. Auf der Seite der Liberalen hatte sich dagegen das Urteil verfestigt, daß Bismarck nur ein «grundsatzloser Junker» sei, «der in politischer Kanaillerie Karriere machen will».

Zwar gewann Bismarck in Rußland wertvolle Kontakte. Aber voller Unrast verfolgte er die politische Entwicklung im Westen. Während des italienischen Krieges plädierte er, zum Entsetzen seiner Berliner Vorgesetzten, für die militärische Annexion Süddeutschlands, registrierte jedoch auch nüchtern den Anteil der italienischen Nationalbewegung an der Staatsbildung. Einen Einblick in sein Kalkül, für die preußische Expansion einmal den deutschen Nationalismus derart ausnutzen zu können, gewährt seine Äußerung aus diesem Jahr gegenüber dem verblüfften Nationaldemokraten Hans Viktor v. Unruh: Der einzige wirkliche Bundesgenosse künftiger preußischer Politik sei «das deutsche Volk». Dahinter steckte keine divinatorische Prophetengabe, wohl aber ein vorurteilsfreies Urteil über das Potential eines Hauptgegners von 1848, des liberalen Nationalismus, dem er im Grunde kühl bis ans Herz, ja schroff ablehnend gegenüberstand, ohne doch seine Macht zu unterschätzen. Daß «die in der gesamten Strömung der Zeit liegende Belebung des Nationalgefühls» auf die «engere Einigung Deutschlands» hindränge, erkannte er im Sommer 1861 ohne weiteres an.

Hilfreiche Protektion und die Anerkennung seiner Fähigkeiten bescherten Bismarck im Frühjahr 1862 die Versetzung auf den Pariser Gesandtenposten. Auf der Durchreise führte er bereits eindeutige politische Sondierungsgespräche mit dem König. Die Nöte der Krone im Heereskonflikt lagen offen zutage, der gordische Knoten schürzte sich. In Paris, auch gegenüber Napoleon III., trat Bismarck durchaus als kommender Mann auf. Denselben Eindruck hinterließ er im Juli während eines wohlgeplanten Besuchs in London bei dem liberalen Premierminister Palmerston. Der «Widerstand der Majorität in der Militärfrage» werde sofort «schwinden», erklärte er ihm ohne Umschweife, falls Wilhelm «sich herbeilassen» wolle, «die Verwendung der Armee zur Unterstützung einer Politik im Sinne des Nationalvereins in Aussicht zu stellen». Noch offenherziger soll er sich nach der Erinnerung eines allerdings nicht zweifelsfrei zuverlässigen sächsischen Diplomaten gegenüber dem konservativen Oppositionsführer Disraeli geäußert haben: «Ich werde», eröffnete er ihm während eines vertraulichen Dinners, «binnen kurzem genötigt sein, die Leitung der preußischen Regierung zu übernehmen. Meine erste Sorge wird sein, mit oder ohne Hilfe des Landtags die Armee zu reorganisieren. Mit Recht hat sich der König diese Aufgabe gestellt, er kann sie jedoch mit seinen bisherigen Räten nicht durchführen. Ist die Armee erst auf achtunggebietenden Stand gebracht, dann werde ich den ersten besten Vorwand ergreifen, um Österreich den Krieg zu erklären, den Deutschen Bund zu sprengen, die Mittel- und Kleinstaaten zu unterwerfen und Deutschland unter Preußens Führung eine nationale Einheit zu geben. Ich bin hierhergekommen, um dies den Ministern der Königin zu sagen.» «Take care of that man!» wird Disraelis Reaktion überliefert. «He means what he says.»

Wie es um die Zuverlässigkeit dieser Überlieferung auch stehen mag, Bismarck baute offenkundig darauf, daß die innenpolitische Krise zu seinen Gunsten arbeitete. Roon bedrängte er mit ungenierter Direktheit, sich für ihn einzusetzen. Spitze sich die Lage weiter zu, werde vermutlich seine Reputation, vor «leichtfertiger Gewaltsamkeit» nicht zurückzuscheuen, zunächst einen Vorteil gegenüber den Liberalen verschaffen, so daß man den Überraschungseffekt ausnutzen könne. Am 15. September gelang es, die Zustimmung des Königs zu einem Besuch Bismarcks zu erwirken. Telegrafisch drängte ihn Außenminister v. Bernstorff am 16. September zur eiligen Rückkehr aus Frankreich. Schon am nächsten Tage kündigte Wilhelm seine Abdankung an. Roons Paniktelegramm vom 18. September: «Periculum in mora. Dépêchez vous» erreichte mithin keineswegs, wie Bismarck es später darstellte, einen überraschten Reservekandidaten in der Ferne. Vielmehr bekräftigte es noch einmal die drängende Aufforderung vom 16. an einen ziemlich siegessicheren Helfer aus der Not.

Bereits am 20. September traf Bismarck nach fünfundzwanzigstündiger Bahnfahrt in Berlin ein. Allein die standhafte Weigerung des Kronprinzen, unter fragwürdigen Bedingungen die Nachfolge anzutreten, stellte den entscheidenden Umstand dar – wie es gegen alle Legenden festzuhalten gilt –, der Bismarck jenes kostbare fünftägige Intervall bis zum Gespräch mit dem König am 22. September verschaffte, damit aber überhaupt die Chance offenhielt, sich ihm noch als letzter Rettungsanker zu empfehlen. Im Babelsberger Sommerschloß versprach Bismarck die bedingungslose Unterstützung der Heeresvorlage, auch gegen die derzeitige und künftige Mehrheitsentscheidung des Abgeordnetenhauses. Mühsam gewann er den König dafür, den Kampf fortzusetzen, bis endlich das entscheidende Wort fiel: «ich abdiziere nicht». Anstelle einer demütigenden Abdankung wagte der Monarch ein letztes Vabanquespiel mit Bismarck als Ministerpräsident und zugleich als Außenminister; er verzichtete sogar darauf, diese seit langem kritisch beurteilte Persönlichkeit auf die ausgearbeiteten Grundlinien eines Regierungsprogramms förmlich festzulegen, da es auf absehbare Zeit, wie Bismarck argumentierte, nur um die nackte Alternative zwischen «königlichem Regiment oder Parlamentsherrschaft» gehe, wobei «die letztere» notfalls selbst durch «eine Periode der Diktatur» abgewendet werden müsse. Mit einer ganz ungewöhnlichen Generalvollmacht trat Bismarck an die Spitze des preußischen Staatsministeriums und der Außenpolitik der kleinsten europäischen Großmacht.[18]

Der Überraschungscoup der Hochkonservativen löste unter den Liberalen helle Empörung aus. «Mit der Verwendung dieses Mannes», gab v. Rochau in der Wochenschrift des «Nationalvereins» einen typischen Eindruck in glänzender Polemik wieder, «ist der schärfste und letzte Bolzen der Reaktion von Gottes Gnaden verschossen.» Trotz solch einer schroffen Ablehnung, die dem «servilen Landjunker» aus der liberalen Öffentlichkeit entgegenschlug, so daß auch das Angebot dreier Ministersitze für v. Sybel und zwei Altliberale abgelehnt wurde, unternahm Bismarck am 30. September in seiner ersten großen Rede vor der Haushaltskommission des Abgeordnetenhauses mit Nachdruck einen Anlauf, doch noch zu einer Einigung zu gelangen. Die Kammer hatte nämlich am 23. September alle Mittel für die Heeresreorganisation gestrichen, damit aber auch den Etat für 1862 torpediert; die Regierung hatte am 29. September die strittige Vorlage und zugleich den Entwurf für 1863 zurückgezogen, aber einen revidierten Etat und das angemahnte Heeresgesetz für die nächste Sitzungsperiode ab Januar 1863 zugesagt. Für einen Repräsentanten der äußersten Rechten gab Bismarck sich vor den Haushaltsexperten streckenweise maßvoll, zur Erkundung neuer Einigungschancen bereit, bis er eine ihm selbstverständliche Überzeugung ausdrückte, um die Notwendigkeit der Reformen noch einmal zu unterstreichen. «Nicht durch Reden und Majoritätsbeschlüsse werden», dozierte er, «die großen Fragen der Zeit entschieden – das ist der große Fehler von 1848 und 1849 gewesen –, sondern durch Eisen und Blut.»

In diesem Augenblick sahen die Liberalen, durch die Rücknahme der beiden Etatgesetze schon höchst gereizt, alle ihre bösen Ahnungen bestätigt. In ihrer schneidenden Kritik ging Bismarcks erster Versuch, eine Annäherung der Standpunkte zu erforschen, unter. Voller Entrüstung schleuderte ihm Virchow als Sprecher der DFP entgegen, er wolle offenbar zum Zwecke der Ablenkung von der reaktionären Innenpolitik auf das Feld einer kriegerischen Außenpolitik hinübertreten. Mit diesem Vorwurf wurde ein Thema angeschlagen, das bereits damals viele Kommentare über die künftige Richtung von Bismarcks Politik beschäftigte. Schon zu seinem Amtsantritt hatte ein Leitartikel der «Kreuzzeitung» das «Programm» des neuen Premiers darin vermutet, «die Schwierigkeiten im Inneren durch eine kühne Politik nach außen zu überwinden». Präziser fiel im November die Prognose Konstantin Rößlers aus. Wenn Bismarck «den Impuls zu einer kühnen, fortwirkenden, unwiderruflichen Tat in der deutschen Frage geben kann», argumentierte der bekannte Publizist, «so wird in wenigen Tagen vergessen sein, was er noch heute und gestern gesprochen, getan und zugelassen hat. Dann ist es mit der Reaktion zu Ende, aber auch mit der Opposition. Unter anfänglichem Widerstreben wird lawinenartig durch die deutschen Provinzen der Ruf nach einer Nation sich fortpflanzen, welche durch die Reden zur Verzweiflung gebracht ist ... Die deutsche Nation wird jubelnd rufen: Eine Diktatur für einen Mann!»

Bismarck selber war diese Strategie, schwierige innenpolitische Konflikte durch zielbewußt angestrebte außenpolitische Erfolge – bis hin zu dem riskanten Integrationsmittel eines Krieges – zu überwinden, natürlich nicht unbekannt. «Einer Regierung, die uns nach außen hin Bedeutung gibt», umschrieb er diese Herrschaftstechnik mehrfach, «halten wir vieles zugute, und lassen uns viel dafür gefallen, selbst im Beutel.» Eine solche Formulierung kann aber selbstredend nicht als Beweis dafür dienen, daß Bismarck geradlinig die Absicht verfolgt hätte, die preußischen Krisenprobleme durch militärische Siege zum Schweigen zu bringen. Aber er hielt dieses gefährliche Spiel ganz nüchtern für eine realpolitisch mögliche Reaktion auf extreme Situationen. Sein Ablenkungsmanöver, daß es vornehmlich «in der französischen Politik ein gebräuchliches Mittel» darstelle, «innere Schwierigkeiten durch Kriege zu überwinden», kann alles andere als überzeugen, zumal er selber die aufschlußreiche Einschränkung hinzufügte, daß «in Deutschland ... dieses Mittel nur dann wirksam» sein könne, «wenn der betreffende Krieg in der Linie der nationalen Entwicklung» liege. Offen blieb daher in letzter Instanz nur die Frage, wann «die inneren Schwierigkeiten» und die «Linie der nationalen Entwicklung» ein solches Wagnis als geboten, ja vielleicht als unvermeidbar erscheinen ließen.

Im Herbst 1862 stand eine solche Entscheidung noch nicht an. Anstatt den Durchbruch zu neuen Verhandlungen geschafft zu haben, sah sich Bismarck einem Scherbenhaufen gegenüber. Mit Äußerungen jähen Zorns über diesen «flachen Junker» verband sich die allgemeine Erwartung, daß ihm nur wenige Wochen an Amtszeit bevorstünden. In der «Blut- und Eisen-Rede» werde, explodierte Treitschke, «die Gemeinheit nur noch durch die Lächerlichkeit überboten». Menschen wie Bismarck, empfahl der Historiker Hermann Baumgarten dem Zunftgenossen v. Sybel, der damals noch mit seiner offenherzigen Bismarckkritik im Landtag exzellierte, «muß man zittern machen. Man muß ihm die lebendige Besorgnis erregen, daß sie eines Tages wie tolle Hunde totgeschlagen werden.» Kein Wunder, daß Bleichröder dem Baron Rothschild mißmutig berichtete: «Mit unseren politischen Zuständen sieht es ziemlich düster aus ... Das gegenwärtige Ministerium ist in einer Art mißliebig, wie selten eines in Preußen war.»

Es ist ein Zeichen seiner Zähigkeit, daß Bismarck trotz der ersten Schlappe wochenlang weiterversuchte, wie selbst der skeptische Kronprinz festhielt, eine «Verständigung mit der Mehrheit der Abgeordneten» zu finden. Jedoch: Die Liberalen blieben voller Mißtrauen gegenüber dem offenbar mit «leichtfertiger Gewaltsamkeit» spielenden Exponenten der Ultras, der König beharrte starr auf seiner Position. Trotzdem ging Bismarck so weit, mit Roon eine neue Reformvorlage zu konzipieren. Die Friedenspräsenzstärke sollte auf ein Prozent der Bevölkerung fixiert werden, die Linie zu einem Drittel aus Berufssoldaten, zu zwei Dritteln aus Rekruten bestehen. All das war unstrittig, für die Wehrpflichtigen aber räumten die beiden Planer – wie Roon schon zuvor – die nur zweijährige Dienstzeit ein. Anstelle eines ständig Streit erregenden detaillierten Militäretats sollte der Landtag eine jährliche Globalsumme für jeden Soldaten, das sogenannte Pauschquantum, bewilligen, über das die Heeresleitung frei verfügen konnte. Die Vorlage enthielt eine echte Konzession, aber auch eine neue Zumutung, denn das Pauschquantum bedeutete, so geschickt es auch als Entspannungsangebot vorgebracht wurde, eine Aushöhlung des parlamentarischen Budgetrechts, während umgekehrt durch die unkontrollierte Finanzierung und numerische Verstärkung der Armee die königliche Kommandogewalt aufgewertet wurde.

Es ist eine müßige hypothetische Erwägung, ob die liberale Mehrheit diese Brücke überhaupt betreten hätte, denn bereits im Vorfeld gelang es Manteuffel, den Plan zu sabotieren. Der König lehnte ihn aus eigenen Gründen und solchen, die das Militärkabinett soufflierte, strikt ab. Sein Mißtrauen gegenüber dem Ministerpräsidenten, dessen Ruf der Unberechenbarkeit sich zu bestätigen schien, trat gefahrdrohend zutage. Als seine wichtigste Machtbasis, das Vertrauen des Monarchen, schwankte, lernte Bismarck seine Lektion im Nu: Zu auffälliges Entgegenkommen gefährdete die eigene Machtstellung. Seither hat er eine frühe, eindeutige und daher angreifbare Festlegung nach Kräften vermieden. Aus diesem Grund verfolgte er jetzt jahrelang einen unbeugsamen antiparlamentarischen Kurs, der keinen Zweifel an seiner Primärloyalität als «Stabilisator der Kommandogewalt» mehr aufkommen ließ. Dieser Kurs wurde außerdem dadurch besiegelt, daß das Abgeordnetenhaus am 23. September alle Reorganisationsausgaben des Militäretats für 1862 abgelehnt hatte. Daß aber das Herrenhaus diese Kürzung nicht akzeptieren werde, galt als pure Selbstverständlichkeit. Damit stand im Prinzip zu erwarten, daß Preußen für 1862 ohne den in Gesetzesform vorgeschriebenen Haushalt dastehen werde. Das war das schwerste Geschütz, das die Liberalen auf dem Höhepunkt eines solchen Konflikts im preußischen Konstitutionalismus auffahren konnten.

Überhaupt verfehlt der gängige Vorwurf, daß die Liberalen bis zu dieser Kampfmaßnahme zu konfliktscheu, zu betulich, zu ängstlich agiert hätten, sein Ziel. Die Liberalen hatten zwei Neuwahlen erzwungen, dank ihrer Oppositionshaltung eine erdrückende Mehrheit erstritten, die Umbildung des Ministeriums, die Ernennung eines neuen Ministerpräsidenten, fast die Abdankung des Königs erreicht. Da die Verfassung kein parlamentarisches System erlaubte, konnten sie keinen liberalen Parteiführer als Regierungschef durchsetzen. Der Aufruf zum Steuerstreik galt seit 1848/49 als ineffektiv. Einen Beamtenstreik wollten nicht einmal die zahlreichen beamteten Abgeordneten wagen. Massendemonstrationen bargen die Gefahr einer sozialrevolutionären Entgleisung. Eine gewaltsame Empörung wollten die Liberalen – das verbot die dominante Kompromißmentalität, erst recht seit 1848 – selber auf keinen Fall auslösen. «Revolution machen will hier aber niemand», beobachtete v. Sybel in Berlin. Vielmehr sollte in rechtlich geordneten Bahnen dem unbezweifelbaren Recht zum Siege verholfen werden. Die Etatverweigerung, auf die sie nach drei Konfliktjahren seit dem 23. September hinsteuerten, galt ihnen dafür als schärfste, auch unwiderstehliche Waffe. Wer wollte es schon im modernen «Rechtsstaat» wagen, ohne gültiges Haushaltsgesetz zu regieren? Im Kern blieb das Notabelnpolitik, gewiß, aber in ihrem Denk- und Erfahrungshorizont läßt sich den Liberalen Konsequenz und Kampfbereitschaft schwerlich absprechen.

Sie hatten die Rechnung ohne Bismarck gemacht. Um die endgültige Entscheidung noch länger offenzuhalten, hatte er sogleich die beiden Etatvorlagen für 1862 und 1863 zurückgezogen. Am nächsten Tag berief er sich vor der Budgetkommission – und schon das mußte seinen Annäherungsversuch unterminieren – mit schwer überbietbarer Arroganz gegenüber den «katilinarischen Existenzen» in der Opposition auf eine staatsrechtliche Konstruktion, die es der Regierung angeblich erlaubte, auch ohne Gesetz den Haushalt von 1861 für die Folgezeit fortzuschreiben, nach seiner Maßgabe weiter Steuern zu erheben, insgesamt die Amtsgeschäfte wie bisher fortzuführen. Das war der Rückgriff auf die sogenannte Lückentheorie, die Bismarck bereits 1851, auch mancher Sprecher der Konservativen vor seinem Amtsantritt vertreten hatte. Sie war den Verfassungsjuristen nicht unbekannt, galt aber als dubiose Interpretation. «Das Unrecht verschanzte sich», konstatierte Treitschke unverschnörkelt, «hinter der sophistischen Doktrin von der Verfassungslücke.» In nuce bedeutete sie, daß in jenem Fall, wenn die verfassungsrechtlich vorgeschriebene Einigung der drei Machtfaktoren – der Krone, des Abgeordnetenhauses und des Herrenhauses – partout nicht zustande kam, dem König, als dem ursprünglich dominierenden, erst spät von der Verfassung eingeschränkten Herrschaftsträger, seine originäre Alleinentscheidungsgewalt wieder zufiel.

Tatsächlich hatte die Verfassung, wie es dem Charakter ihrer dilatorischen Formelkompromisse entsprach, diesen Grenzfall nicht explizit geklärt. Wohl aber galt einmal die spezielle Norm des Artikels 99, daß für das Budgetgesetz die «Übereinstimmung» der drei Machtfaktoren erforderlich sei. Genau darauf bestand das Abgeordnetenhaus, keineswegs aber schon auf seiner – von Bismarck unterstellten – «souveränen Alleinherrschaft». Und allgemein forderte ein Grundgedanke der Verfassung, daß für dieses Zusammenwirken die «Einheit der Staatsgewalt» Jahr für Jahr neu angestrebt, der Dualismus von Krone und Parlament überwunden werden müßte. Kein einzelner Teil der Staatsgewalt konnte sich, entgegen dieser normativen Leitidee, «zum Surrogat dieser dynamischen Einheit aufschwingen». Die Lückentheorie bemühte sich, eben dieses Unternehmen zugunsten der Krone zu rechtfertigen. Damit machte sie nicht nur den Artikel 99 «illusorisch». Vielmehr stellte sie das Budgetrecht des Parlaments prinzipiell in Frage. Auch im preußischen Konstitutionalismus bildete jedoch dieses Recht den innersten Kern der Entscheidungskompetenz des Landtags. Selbst die oktroyierte und die revidierte Verfassung hatten diese Teilnahme an der Herrschaftsausübung für unumgänglich gehalten. Die Lückentheorie diente mithin auch dazu, die partielle, gleichwohl folgenschwere Machtverlagerung auf das Parlament an ihrem essentiellen Punkt zum Stillstand zu bringen, so daß anstelle der Kooperation erneut die königliche Monokratie zur Geltung kam.

Nur Bismarcks Erfolge und ihre Verklärung auch durch die deutschen Staatsrechtler haben den Tatbestand verwischt, daß die Rückkehr zur Präponderanz der Krone den Grundgedanken der Verfassung annullierte. Im Fall eines schweren Konflikts galten als allgemein akzeptierte konstitutionelle Auskunftsmittel die Auflösung des Landtags und Neuwahlen, außerdem auch die Umbildung des Ministeriums. Beides war versucht worden, ohne eine Einigung zu erzielen. Der neue Ministerpräsident wagte jetzt den verfassungswidrigen Soloakt gegen das Parlament. Das Abgeordnetenhaus billigte am 3. Oktober den Haushalt für 1862 ohne die strittigen Heeresausgaben. Wie vorhergesehen, empörte sich das Herrenhaus nicht nur über die verstümmelte Fassung. Vielmehr stimmte es in einem eklatant verfassungsverletzenden Alleingang, für den es sich ein der Zweiten Kammer zustehendes Recht anmaßte, der gesamten ursprünglichen Regierungsvorlage zu. Der Etat gewann mithin nicht die vorgeschriebene Gesetzesform. Daraufhin proklamierte der König, nachdem er am 13. Oktober die Session beider Kammern geschlossen hatte, das budgetlose Regiment. Immerhin wurde es als angeblich unvermeidbare Reaktion auf einen vom Abgeordnetenhaus provozierten Notstand ausgegeben; zu gegebener Zeit müsse durch eine nachträgliche Billigung in Gestalt eines Indemnitätsgesetzes die Ausgabenpolitik der Regierung legalisiert werden. Daß sich der Heereskonflikt seit dem September 1862 zum offenen Verfassungskonflikt gesteigert hatte, war dadurch gewissermaßen regierungsamtlich bekräftigt worden.[19]

Innerhalb kürzester Zeit mußte sich Bismarck eingestehen, daß er zwar endlich die so lange heiß begehrte Spitzenposition innehatte, aber keinen erfolgversprechenden Weg einzuschlagen wußte, um die innere Krise zu überwinden. Als sich der Landtag Mitte Januar 1863 zu seiner neuen Session traf, ließ er dem Abgeordnetenhaus den Haushaltsentwurf für 1863 erneut zuleiten. Wiederum wurde er wegen der diametral entgegengesetzten Interessen vom Plenum nicht verabschiedet. Statt dessen erhob Virchow während der sogenannten Adreßdebatte, der Stellungnahme des Hauses zur Regierungserklärung, den Vorwurf des offenen Verfassungsbruchs. Bismarck schwang sich zur Verteidigung der Lückentheorie auf. Dabei konzedierte er das Kompromißgebot der Verfassung, schob aber allein dem «doktrinären Absolutismus» der Liberalen die Schuld an der ausstehenden Einigung zu; deshalb hätten sie den Konflikt zur Machtfrage gemacht. Wer aber «die Macht in Händen hat», drohte Bismarck unverhüllt, «geht dann in seinem Sinne vor», zumal das preußische Königtum noch längst nicht «reif» sei, «als ein toter Maschinenteil dem Mechanismus des parlamentarischen Regiments eingefügt zu werden». Eine Woge des Protests erhob sich. Am eindrucksvollsten warf der altliberale Exminister v. Schwerin Bismarck vor, er bekenne sich zu dem zynischen Grundsatz, daß «Macht vor Recht» gehe. Mit zweihundertfünfundfünfzig Stimmen der DFP und des Linken Zentrums wurde der Frontalangriff Virchows gebilligt.

Damit nicht genug, entdeckte das Abgeordnetenhaus jetzt seine eigene «Lücke». Die Verfassung sah die Ministeranklage vor, ein Ausführungsgesetz fehlte jedoch noch immer. Eben diese Lücke wollten die Liberalen Anfang März durch eine entsprechende Gesetzesvorlage schließen, um den verhaßten Ministerpräsidenten rechtsstaatlich beugen oder sogar entfernen zu können. In einer leidenschaftlichen Debatte am 22. April verwahrte sich Bismarck gegen die entscheidende Konsequenz jeder Verfassungsgerichtsbarkeit, daß Richtern die Interpretation des Verfassungslebens, damit aber eine letztinstanzliche politische Entscheidungsbefugnis gebilligt werde. Dagegen sah Gneist, dessen «Landwehrliberalismus» längst unerbittlicher Opposition gewichen war, das Oberste Gericht nur als Wächter über die Aufrechterhaltung der Verfassung fungieren; Deutungsspielraum gebe es nicht, versicherte der erfahrene Jurist erstaunlich optimistisch, da die «geschworene Verfassung» auch «die Zukunft bereits gebunden» habe. Wer das Parlament überzeugt hatte, zeigte die Abstimmung: Der Anklageentwurf wurde mit zweihundertneunundvierzig gegen sechs Stimmen angenommen.

Vorher hatte Roon, am 10. Februar, zum dritten Mal ein Kriegsdienstgesetz vorgelegt. An drei Rekrutenjahren ließ er nicht rütteln, die Landwehr «Ersten Aufgebots» sollte jedoch erhalten bleiben. Die Liberalen erwogen Kompromißwege, Roon machte dagegen kein Hehl aus der Vorrangigkeit der «Kommandogewalt»; es könne nur um ein Rahmengesetz gehen, das sie nirgendwo antaste. Als dann noch v. Sybel mit seiner Forderung nach dem

Rücktritt Roons einen Eklat hervorrief und die Regierung als Racheakt dem Kammerpräsidenten das Recht auf die übliche Geschäftsführungspraxis gegenüber den Ministern abstritt, wurde das Wehrgesetz kurzerhand von der Tagesordnung abgesetzt (18.5.). Das bedeutete in jeder praktischen Hinsicht die Ablehnung. Vier Fünftel aller anwesenden Abgeordneten stimmten schließlich (22.5.) noch einem Mißtrauensvotum gegen das Ministerium Bismarck zu, in dem erstmals das parlamentarische Regierungssystem offen als Ziel bezeichnet wurde. Jede Zusammenarbeit mit der Regierung wurde verweigert. Siegessicher nahmen die Liberalen die Staatsstreichgerüchte nicht mehr ernst. Da der dreiundsechziger Etat und die Heeresvorlage gescheitert waren, schloß der König am 27. Mai den Landtag, riskierte aber keine neue Auflösung. Die Fronten verharrten in eisiger Erstarrung.

Angesichts dieser Pattsituation äußerten profilierte Liberale immer häufiger düstere Prognosen. «Die Revolution ist in meinen Augen nur noch eine Zweckmäßigkeitsfrage», gab Treitschke sich ganz realpolitisch. «Das Königtum von Gottes Gnaden bedarf einer heilsamen, furchtbar ernsten Züchtigung.» Lasse man Bismarck «auch nur vorübergehend» eine festere Position gewinnen, warnte Baumgarten v. Sybel, «scheint mir die Revolution unvermeidlich». Realistisch war diese Revolutionserwartung nicht, symptomatisch für die Hochspannung jener Monate aber schon. Da Bismarck weiter das Vertrauen des Monarchen genoß, konnte er jedoch trotz aller Warnsignale den Konfliktkurs fortsetzen, ja verschärfen.

Am 1. Juni hob eine neue Verordnung dem Effekt nach die Pressefreiheit auf. Denn die Behörden konnten seither schon aufgrund der «allgemeinen Haltung» einer Zeitung oder Zeitschrift zur Beschlagnahmung oder sogar zum Verbot schreiten. Erneut riskierte die Regierung den offenen Verfassungsbruch, um die oppositionelle Presse zu zähmen. Unverzüglich begann eine Hatz auf liberale Organe und ihre Journalisten. Strafgelder, Erscheinungsverbote, Gefängnisstrafen für Redakteure hagelten auf sie hernieder. Innenminister Graf Eulenburg und Justizminister Graf zur Lippe erwiesen sich als gefügige Werkzeuge dieser neuen Reaktionspolitik.

Für die Liberalen wurde mit der Pressefreiheit ein Palladium konstitutioneller Freiheitsrechte zerstört, entsprechend wehrten sie sich, soweit es die restriktiven Bedingungen zuließen. Mutiger Kritik stand daher auch vorsichtige Zurückhaltung gegenüber. Aufschlußreich sind die Spannungen im Mitarbeiterkreis der «Preußischen Jahrbücher.» Altliberale wie Duncker und Droysen wünschten Distanz zu den «radikalen» Liberalen, deren Unterstützung v. Sybel, Twesten und Gneist forderten. Hayms lahmer Protest lavierte mit einer aufschlußreichen Überlegung in der Mitte: «Viel, auch Lästiges und Drückendes, selbst anomale Gewalttaten läßt sich», konzedierte er, «eine Nation von einer Genialität, die sich durch Erfolge bewährt, gefallen ... Auch ist eine Nation zu manchem Verzicht auf freie Bewegung im Inneren bereit, wenn ihr als Preis dafür ein Zuwachs an Macht und Ansehen nach außen gezeigt wird.» Für Bismarck gelte aber, daß er die «Legitimation der Repression, die wir heute alle fühlen» noch «erst zu erwerben hat». Mochte Haym auch bedauern, daß Bismarck bis dahin «das alte, militärische Preußen» gegen ein «neues Preußen» retten wolle, «dessen Kern das Bürgertum wäre, dessen Schwerpunkt im Parlament läge», trat seine auf außenpolitische Erfolge gerichtete Erwartungshaltung doch ganz unübersehbar hervor. Treitschkes Zornesausbruch über diese vorauseilende Anpassung an siegreiche Machtpolitik trieb ihn zu einer öffentlichen Distanzierung von den «Preußischen Jahrbüchern». Darüber hinaus pries er die DFP als «die große und notwendige Umwandlung des deutschen Parteilebens in den jüngsten Jahren», ehe er dem König vorhielt, daß der Staat den Revolutionsausbruch geradezu provoziere.

Die Bismarck-Hagiographie hat solange wie möglich vertuscht, daß diese illiberale Verfolgungspolitik jahrelang angehalten hat. Sie wurde verstärkt durch eine ebenso antiliberale Beamtenpolitik, die an Manteuffels Praxis mühelos anknüpfte. Die zahlreichen beamteten Abgeordneten, fast die Hälfte der Liberalen im Abgeordnetenhaus, stammten aus der Bürokratie, wurden mit den Kosten belastet, welche ihre Stellvertreter im Amt verursachten. Disziplinarverfahren dienten wieder als probates Mittel der Meinungsunterdrückung. Beförderungen wurden sistiert, die Konduitenlisten mit Gehässigkeiten gefüllt, die einen Karriereknick auslösten. Eulenburg erwies sich wie Ferdinand v. Westphalen vor ihm und Robert v. Puttkamer nach ihm als kongenialer Experte konservativer Verwaltungssäuberung. Die Kritik daran fiel nicht zimperlich aus. Bismarcks Preußen versuche, attakkierte etwa v. Rochau den Erzfeind, «mittels der Staatsmaschine das Bürgertum zu erdrücken»; dadurch habe er jeden überzeugt, «daß der preußische Staat nicht der Träger der Wohlfahrt aller, sondern nur das Instrument für die Herrschaft weniger sein soll», die deshalb die «Kasernierung des alten preußischen Staatsmechanismus» betrieben. Aus all diesen Gründen rief v. Rochau zum kompromißlosen «Kampf gegen das jetzige Berliner Regiment» auf, «um die Beseitigung dieser Männer und die Vernichtung ihres Systems» zu erreichen. «Kein öffentliches Unglück, welches Preußen von außen her bedrohen kann, würde auch nur von ferne so schlimm sein wie die Fortdauer des Ministeriums Bismarck und der heillosen Hof- und Staatszustände, denen dasselbe zur letzten Stütze dient.»

Bismarck fühlte sich im Frühjahr 1863 innenpolitisch so in die Enge getrieben, daß er sogar mit Ferdinand Lassalle mehrere Geheimgespräche führte, um zu erkunden, ob sich die junge Arbeiterbewegung gegen die DFP gewinnen ließ. Als er die geringe numerische Bedeutung dieser ADAV-Hilfstruppe erkannte, außerdem mit Lassalle nur hinsichtlich der Nützlichkeit des allgemeinen Wahlrechts übereinstimmte, mit dem sich – wie er das in geheimen Oktroigedanken erwog – die liberale Vorherrschaft im Parlament brechen lasse, brach er den Kontakt wieder ab. Damit scheiterte auch

Lassalles Absicht, im Zeichen eines antiliberalen «sozial-monarchischen Cäsarismus» die Industriearbeiterschaft mit dem Staat zu versöhnen. Nur als Indiz einer Extremsituation, aus der weder Presseverfolgung noch Beamtenpolitik hinaushalfen, bleibt diese Erkundung aufschlußreich.[20]

Aus der Stagnation der Innenpolitik führten Bismarck dagegen die neuen Bewegungen in der Außenpolitik heraus. Auf nutzbare Chancen, die sich auf diesem Hauptfeld seiner Interessen auftun könnten, hatte er seit dem Herbst 1862 gewartet. Drei Entwicklungen kamen ihm im neuen Jahr zustatten. Der Januar-Aufstand in Kongreßpolen warf nicht nur die Frage auf, wie das benachbarte preußische Posen gegen ein Übergreifen der Szlachta-Erhebung abgedichtet werden konnte, sondern eröffnete auch die Möglichkeit, ein halbes Dutzend Jahre nach dem Krimkrieg die Solidarität der Teilungsmächte mit dem Zarenreich demonstrativ zu praktizieren. Die in Bismarcks Auftrag bereits Anfang Februar von General Alvensleben geschlossene preußisch-russische Konvention wirkte wie ein antirevolutionärer Pakt: Er gestattete Truppen beider Staaten, bei der Verfolgung von Aufständischen die Grenze zu überschreiten. In den Augen der Liberalen machte sich Bismarck damit zum willfährigen Knecht des russischen Absolutismus, dem er bei einer «kolossalen ... Menschenjagd» – so v. Sybels Ausbruch im Landtag – die Hand reiche. Insofern wurde ihre Abneigung gegenüber dem Handlanger jedweder Autokratie noch einmal bestätigt. Außenpolitisch aber verbesserte Bismarcks Schachzug die Beziehungen zu den Konservativen und dynastisch-höfischen Kreisen in St. Petersburg. Damit wurde ein Grundstein für Rußlands zurückhaltende Westpolitik während der preußischen Hegemonialkriege gelegt.

Unmittelbar größere Vorteile verbanden sich mit der Berliner Reaktion auf einen Bundesreformplan, mit dem Wien seit dem März 1863 die deutsche Frage im österreichischen Sinne lösen wollte. Eine Delegiertenversammlung aus dreihundert Abgeordneten sollte den diskreditierten Bundestag ersetzen, ein fünfköpfiges Fürstenkollegium mit dem österreichischen Kaiser und dem preußischen König als permanenten Mitgliedern eine straffere Leitung ermöglichen. Dem feierlichen Treffen von fünfundzwanzig Souveränen, das Mitte August in der alten Krönungsstadt Frankfurt das Projekt der Hofburg billigte, blieb Wilhelm aufgrund der massiven Opposition seines Ministerpräsidenten fern. Bismarck lehnte in völliger Isolierung jede Kooperation ab. Er bestand am 1. September auf der absoluten Parität Preußens und Österreichs im Bundesvorsitz, darüber hinaus sogar auf einer aus allgemeinen, direkten Wahlen hervorgehenden Nationalversammlung. Mit diesem Rückgriff auf das Wahlrecht von 1848/49 und das Postulat eines nationaldemokratisch legitimierten gesamtdeutschen Parlaments präsentierte Bismarck zwei für Wien unerfüllbare Forderungen. Der liberalen Nationalbewegung kam er jedoch außergewöhnlich weit entgegen. Trotzdem: In der liberalen Öffentlichkeit erntete der Konfliktminister, der im Bund für allgemeine Wahlen und eine Konstituante eintrat, während er daheim das budgetlose Regiment gegen den Landtag zynisch fortsetzte, Hohn und Spott. Seine Skrupellosigkeit halte ihn, lautete die Mehrheitsmeinung, nicht einmal von einem geheuchelten Eintreten für die Volkssouveränität zurück. Nur wenige nüchterne Beobachter begannen sich verwundert zu fragen, zu welchem Entgegenkommen gegenüber dem Nationalismus Bismarck im Dienste großpreußischer Interessenpolitik tatsächlich bereit sein könnte. Seit dem Sommer 1863 lag Bismarck jedenfalls in der Deutschlandpolitik auf der Lauer, um jede Schwäche Wiens auszubeuten.

Vorerst wurde ihm als Symbolfigur der Ultras, als Polenfeind und Gaukler bei der Abwehr jeder Bundesreform die Quittung präsentiert. Anfang September hatte der König noch einmal das Abgeordnetenhaus aufgelöst. Bis Ende Oktober führte die Opposition einen harten Wahlkampf. Trotz der Presseknebelung und einer Manteuffel übertreffenden Wahlbeeinflussung – Treue zum Herrscher, hieß die niederträchtige Parole, sei unvereinbar mit der Wahl eines «Fortschrittlichen» – gewannen die Liberalen am 28. Oktober eine riesige Mehrheit von rund siebzig Prozent aller Abgeordneten; allein die DFP zählte hunderteinundvierzig, das heißt achtunddreißig zusätzliche Mandate. Im Hochgefühl der Bestätigung durch eine Wählerschaft, die offenbar zu dieser Rückendeckung bereit war, wurde die vierte Heeresreformvorlage wegen der dreijährigen Dienstzeit abgelehnt, damit der gekürzte Haushalt erneut auf Eis gelegt, das verfassungsverachtende Regime der Lückentheoretiker an den Pranger gestellt. So halsstarrig der König auch in den letzten Jahren gekämpft hatte, erfaßte ihn jetzt doch Resignation: Offensichtlich komme, plagten ihn böse Ahnungen, die Guillotine auf ihn zu![21]

In eben diesen Wochen verdichtete sich jedoch eine Konstellation, die Bismarck endlich den Befreiungsschlag nach außen wie nach innen ermöglichen sollte. Die Schleswig-Holstein-Frage kehrte auf die Bühne sowohl der internationalen Politik als auch der liberalen Nationalbewegung zurück.

c) Die drei Hegemonialkriege: Die Allianz zwischen preußischer Expansion und liberaler Nationalbewegung

«Man wird überhaupt mit der Zeit darüber klar werden», urteilte Jacob Burckhardt am Jahresende 1871 in einem Rückblick auf die jüngste Vergangenheit, «bis zu welchem Grade die drei Kriege aus Gründen der inneren Politik sind unternommen worden. Man genoß und benutzte sieben Jahre lang die große Avantage, daß alle Welt glaubt, nur Louis Napoleon führe Kriege aus inneren Gründen. Rein vom Gesichtspunkt der Selbsterhaltung aus war es die höchste Zeit, daß man die drei Kriege führte.» Der Baseler Gelehrte fühlte sich «unbekehrbar und unbelehrbar» sicher in seiner Auffassung, daß Bismarck «nur in eigene Hand genommen habe, was mit der Zeit doch geschehen wäre, aber ohne ihn und gegen ihn», deshalb «sprach» er: «ipse faciam, und führte die drei Kriege 64, 66, 70.»

Wenn man sich diesem Urteil anschließt, daß Bismarck als der von einer existentiellen Krise seines Landes getriebene Charismatiker das Gesetz des Handelns selbst zu gewinnen versuchte, heißt das keineswegs, ihn als kriegslustigen Hasardeur abzustempeln oder als bedenkenlos manipulierenden Entfeßler großer Konflikte zu dämonisieren. Wohl aber heißt es, daß Bismarck die dramatisch zugespitzte innenpolitische Situation durch eine auswärtige Risikopolitik positiv zu beeinflussen, möglichst zu meistern willens war. Diese Politik akzeptierte als Ultima ratio dreimal hintereinander die militärische Kraftprobe als jenen Grenzfall des staatlichen Duells, das im Mächtesystem noch als eine legitime Möglichkeit galt, eine unzweideutige Entscheidung herbeizuführen. Bismarck ging es meistens nicht darum, zielstrebig auf den offenen Konflikt hinzuarbeiten. Aber er zog ihn stets als ein riskantes Mittel seiner Politik mit ins Kalkül. Daß er sein Ingenium daran gesetzt habe, den Krieg im Zeitalter moderner Feuerwaffen und Massenverluste unter allen Umständen zu verhindern, hat bisher noch keiner glaubwürdig behauptet.

Vielmehr gelang es ihm – das hat selbst ein der Bismarckkritik so unverdächtiger Historiker wie Hans Rothfels pointiert hervorgehoben –, «daß er drei Kriege genau in dem Zeitpunkt bewerkstelligte, wo sie in seinen Plänen nützlich waren». Alle Versuche, die Halsstarrigkeit der dänischen Monarchie, die Illusion der Wiener Hofburg, den Chauvinismus des französischen Empire als die eigentlichen Kriegsursachen hinzustellen, sind zum Scheitern verurteilt. Jedesmal agierte Bismarck, um es zu wiederholen, nicht als der mutwillig Treibende, so souverän seine Schachzüge auch im nachhinein wirken mögen, sondern als der Getriebene, dessen politisches Schicksal mit der äußeren Lösung der inneren preußischen Krise unauflöslich verflochten war.

Diesen Zusammenhang haben außer Burckhardt nicht wenige andere zeitgenössische Beobachter damals schon erkannt. «Die ganze Situation verlockt», so wurde sie von dem Staatsrechtler Perthes für Roon analysiert, «dem revolutionären Gelüst einen Ausweg zu eröffnen, demselben einen Ausweg nach Außen statt nach Innen zu geben, die Regierung vor der Revolution im Innern durch revolutionäres Auftreten nach Außen zu retten, also den Teufel durch Beelzebub auszutreiben.» Ähnlich wurde der Kampf der Liberalen um die politische Vorherrschaft von Wilhelm v. Kügelgen mißverstanden, der nur dank Bismarcks rettender Außenpolitik das Land noch nicht unter «toller Pöbelherrschaft» stehen sah. Auch ein wohlinformierter Rechtsliberaler wie Haym teilte die Auffassung, die man angeblich «auf allen Gassen» hörte, daß das «auswärtige Spektakel ... benutzt werden» solle, um den «inneren Konflikt zu überwältigen, die innere Verlegenheit zu decken». Sein Urteil wurde von einem Kontrahenten wie den «Historisch-Politischen Blättern» geteilt, die Bismarcks Kriege als «Ventil» für die «innere Verlegenheit» verstanden. Und Kronprinz Friedrich hielt es für das innerste Motiv Bismarcks, daß er Krieg «verlange», «weil er sich in der inneren Politik völlig festgefahren habe».[22]

Es stellt ein Problem für sich dar, daß es Bismarck gelang, das Mittel des Krieges dreimal in einer rational beherrschten und diplomatisch abgeschirmten Weise einzusetzen. Die entscheidende Tatsache bleibt jedoch, daß er wegen des Binnendrucks das letztlich nie voll kalkulierbare Außenrisiko auf sich nahm – und nach 1871 sah die Welt tatsächlich anders aus: für Europa, für das neue Deutschland, für Preußen und für Bismarck als erfolgsbewährten Charismatiker. Seine Leistungen und die Erfolge der großpreußischen Expansion haben die Krise, unter deren Zeichen er angetreten war, in dem Sinne gelöst, daß die Lebensdauer des alten Regimes verlängert, mit andern Worten, daß die anstehenden Grundsatzentscheidungen weit in die Zukunft hinein aufgeschoben wurden. Dieses Ergebnis läßt sich mit überzeugenden Gründen nicht bestreiten. Der Aufstieg der industriellen Welt mit ihren neuen Kräften ist zum Beispiel kein Gegenbeweis. Einmal ist die Durchsetzungsfähigkeit von überindividuellen Evolutionsprozessen wie des Industriekapitalismus und der Klassenbildung stärker als die Haltbarkeit antiquierter Dämme. Zum zweiten handelt es sich ohnehin nicht um einen vollständigen Sieg des alten Regimes, sondern darum, daß es ihm gelang, einen fatalen Traditionsüberhang zu retten und den neuen Elementen beizumischen. Dieses Dauerproblem auch der deutschen Modernisierung wird unten genauer behandelt.

Zunächst gilt es noch festzuhalten: Es lag nicht allein an Bismarcks Diplomatie und der Schlagkraft des preußischen Heeres, welches während der militärischen Phase der Revolution von oben offenkundig eine dominierende Rolle spielte, daß ein solches Resultat sich einstellte. Hinzu kam – außer den nicht vorhersehbaren Fehlern der Gegner und der Gunst der internationalen Konstellation – ein informelles Bündnis mit der kleindeutschen Nationalbewegung. Ihrer Dynamik, ihrer Schwungkraft als innenpolitischem Machtfaktor, ihrer Mobilisierung der national enthusiasmierbaren Öffentlichkeit ist es auch zuzuschreiben, daß mit den großpreußischen Zielen zugleich die Nationalstaatsbildung realisiert wurde. Indem Bismarck diese Allianz nach Lage der inneren Machtverhältnisse als unumgänglich akzeptierte, verließ er die ursprünglich geteilte Position der strenggläubigen Hochkonservativen, die im Nationalstaat einerseits den Untergang der traditionellen Staaten und den Niedergang ihrer langlebigen Machteliten, andrerseits den Aufstieg eines fremdartigen, unkontrollierbaren Leviathans und den Sieg von Liberalismus und Demokratie, mithin den späten Sieg von 1789 und Napoleon zugleich erblickten. In mancher Hinsicht war daher dieser Pakt Bismarcks mit dem liberalen Nationalismus sein eigentliches politisches Kunststück. Nackte preußische Interessenpolitik hätte nur einen kurzlebigen Triumph erleben können. Erst aus ihrer Fusion mit dem säkularen Ziel der Nationalbewegung ergab sich eine langlebige Schöpfung, deren

Wirkungen sich als historisch außerordentlich folgenschwer erweisen sollten.

Vom Krieg in Schleswig-Holstein zum deutschen Bürgerkrieg von 1866. Während der Revolution von 1848 war Schleswig-Holstein zum Symbol für eine demütigende Niederlage sowohl des deutschen Nationalismus als auch der preußischen Militärmacht geworden. 1863/64 dagegen öffnete die neue schleswig-holsteinische Frage den Weg zur preußischen Machterweiterung, und sie brachte die innenpolitische Entscheidung, da sie den Ausbruch aus der Krise ermöglichte. Insofern stellt der erste der Bismarckschen Hegemonialkriege eine eminent wichtige Weichenstellung dar.

Das explosive Gemisch, das durch den Zusammenprall von deutschem und eiderdänischem Nationalismus, von dynastisch-erbrechtlichen Ansprüchen der dänischen Krone und traditionellen Rechtstiteln der Stände in Schleswig und Holstein erzeugt wurde, war nach dem Scheitern aller Bemühungen, die Herzogtümer aus dem dänischen Königreich herauszubrechen, auch durch das Londoner Protokoll von 1852 nicht dauerhaft entschärft worden. Die Großmächte setzten zwar eine Internationalisierung der erbrechtlichen Probleme dergestalt durch, daß sie eine Garantie der dänischen Gesamtmonarchie beim Aussterben des Herrscherhauses mit einer Sonderstellung der Herzogtümer verbanden. Aber den Antagonismus zwischen eiderdänischem und deutschem Nationalismus konnten sie damit nicht lange bändigen. Akut traten die Spannungen wieder zutage, als König Friedrich VII. im März 1863 die Zusagen von 1852 formell bestritt, bevor er am 13. November dem Kopenhagener Reichstag eine Gesamtstaatsverfassung zuleitete, welche die volle Inkorporierung von Schleswig und Holstein vorsah. Bereits am 15. November starb er. Da er der letzte männliche Vertreter der Dynastie gewesen war, folgte ihm als Nachfolger Christian IX. von Schleswig-Holstein-Sonderburg-Glücksburg, der das neue Grundgesetz unverzüglich unterschrieb, wodurch nicht nur die Sonderstellung der umstrittenen Herzogtümer, sondern auch ihre staatsrechtliche Trennung aufgehoben wurde.

Diese Vorgänge wirkten als Initialzündung für die jetzt erneut aufbrechende Agitation der deutschen Nationalbewegung. Auf zahlreichen Kundgebungen und Versammlungen, in Vereinen und Petitionsgruppen engagierte sich eine lebhafte Unterstützungskampagne, die den Unterschied zwischen Kleindeutschen und Großdeutschen zeitweilig verwischte. Eine Landesversammlung der Schleswig-Holsteiner erhob den Erbprinzen Friedrich von Augustenburg, den das Londoner Protokoll von einer solchen Spitzenposition ausdrücklich ausgeschlossen hatte, als Friedrich III. zum Herzog von Schleswig-Holstein und leistete ihm den Treueid. Die Nationalbewegung schwenkte auf den Kurs ein, den «Augustenburger» mit dem Ziel kraftvoll zu unterstützen, daß ein selbständiges Schleswig-Holstein als neuer Mitgliedsstaat in den Deutschen Bund eintreten konnte.

Entgegen diesen Absichten der Nationalbewegung und der «Augustenburger»-Partei schwang sich Bismarck zum Verteidiger des internationalen Vertragswerks von 1852 auf. Sein Doppelziel war es, auf jeden Fall eine gefährliche Intervention der Großmächte zu verhindern, gleichzeitig aber Österreich an die preußische Politik zu binden, damit die beiden Vormächte des Bundes von einer sicheren Grundlage aus gemeinsam gegen Dänemark auftraten. Daß ihm das gelang, bedeutete eine diplomatische Meisterleistung, wie überhaupt sein raffiniert komplizierter Machtpoker um Schleswig-Holstein noch heute einen intellektuellen Genuß bereiten kann. Denn die österreichischen Interessensphären lagen in Südosteuropa, in Oberitalien und natürlich im Deutschen Bund, keineswegs aber in zwei abgelegenen norddeutschen Grenzgebieten unweit der preußischen Machtbasis. Trotzdem gewann Bismarck die Bundespräsidialmacht für das Bündnis vom 16. Januar 1864, das einen gemeinsamen Aktionsplan vorsah. Bismarcks Maximalziel, nach Möglichkeit beide Herzogtümer zu annektieren, blieb in der diplomatischen Korrespondenz und Öffentlichkeit noch wohlverborgen.

Inzwischen war unter den Liberalen und in der Nationalbewegung die abgrundtiefe Enttäuschung über Bismarcks reaktionären «Verrat an der deutschen Sache» in maßlose Empörung umgeschlagen. Theodor Mommsen, schon 1848 Vorkämpfer eines nationaldeutschen Schleswig-Holstein, fand diese «Spottgeburt von Dreck und Feuer, die uns jetzt regiert», so unerträglich, daß er auf seine preußische Professur verzichten wollte. Da der Konfliktminister die erbitterte Unzufriedenheit aller Schichten noch einmal drastisch vermehrt habe, drohe, wie v. Unruh im Abgeordnetenhaus unkte, der Ausbruch einer Revolution: 1848 werde im Vergleich mit diesem «Sturmwind, vor dem auch die Dynastien wie Spreu zerstieben», geradezu wie ein milder «Zephyr» wirken. Mit scharfem Blick für die Schwäche des Gegners erkannte dagegen Lassalle die Stelle für einen tiefen Einbruch in die leidenschaftliche Opposition des «Fortschritts» und der Nationalpartei. Beide griffen die Schleswig-Holstein-Frage begierig auf, argwöhnte er, «um die Aufmerksamkeit von der inneren Lage abzulenken und der Lösung eines Konflikts, dem sie nicht gewachsen sind, unter dem Schein des Patriotismus zu entfliehen».

Während sich der nationalistische und der liberale Protest gegen das Berliner Unrechtsregime weiter steigerten, stellten die beiden Bündnispartner, ausgestattet mit dem Auftrag zur Bundesexekution, Dänemark ein Ultimatum, wonach es die Verfassung aufheben und zum Regelwerk des Londoner Protokolls zurückkehren solle – andernfalls werde Schleswig als Pfand besetzt. Da Kopenhagen auf die Hilfe der Großmächte vertraute – vergeblich, wie sich sogleich herausstellte –, lehnte es das Ultimatum ab. Am 1. Februar begann daraufhin der Einmarsch der preußischen und österreichischen Verbände. Der Plan des neuen preußischen Generalstabschefs, Helmuth v. Moltkes, hatte einen schnellen Zangenangriff vorgesehen, dessen Ausführung jedoch durch den völlig inkompetenten Oberstkommandierenden, General v. Wrangel, verdorben wurde, so daß sich die dänische Streitmacht hinter die stark befestigten Düppeler Schanzen zurückziehen konnte.

Vor diesem Bollwerk bezweifelte Prinz Friedrich Karl als Kommandeur der preußischen Armee die «militärische Notwendigkeit» einer Erstürmung, und Moltke stimme einer Umgehung zu. Diesem Vorschlag stemmten sich jedoch in der Berliner Zentrale zuerst Bismarck und Roon, dann auch Wilhelm I. wochenlang entgegen. Bismarck lag an der weit ausstrahlenden symbolischen Wirkung eines dramatischen Schlachterfolgs, den er als Einsatz für die deutsche Nationalpolitik in Schleswig-Holstein innenpolitisch auswerten konnte. Nachdem die liberale Mehrheit soeben die Kriegskredite verweigert hatte, wollte er zudem auf die Hebelwirkung, die ihm ein solcher Triumph gegenüber der Gegenseite verschaffte, nur ungern verzichten. Roon wiederum wollte mit Hilfe des erhofften Siegs die Heeresreform rechtfertigen und die Gesetzesvorlage aus dem Feuer der parlamentarischen Gegenargumente reißen. Das Heer müsse «in diesem Feldzug irgendeinen erheblichen Erfolg gewinnen», beschwor er, von Manteuffel unterstützt, den zögernden König, um den «Respekt ... im Inlande» in «einem solchen Maß zu erhöhen, daß wir dadurch über viele Schwierigkeiten hinweggehoben werden». Gerüchte über den schwierigen Entscheidungsprozeß drangen nach außen. Die Regierung erhoffe «glänzende Waffentaten» wie «etwa die Einnahme der Düppeler Schanzen», berichtete Bleichröder, «man scheint diese für die Gloire der Armee notwendig zu gebrauchen». Allmählich gab der König nach. Das Argument, er brauche nach dem Heereskonflikt einen Sieg als Beweis der militärischen Schlagkraft, damit die Armee im Volk an Ansehen gewinne, tat seine Dienste. Das auf den politischen Effekt zielende Kalkül setzte sich durch. Am 18. April wurden die Düppeler Schanzen durch einen verlustreichen Frontalangriff erstürmt.

Die Siegesnachricht löste die erstrebte elektrisierende Wirkung in der Öffentlichkeit aus. Nationale Hochstimmung breitete sich über das Land. Auch die Liberalen feierten den ersten Erfolg der preußischen Armee seit 1815, gingen doch die kleindeutschen Hoffnungen auf einen nationalpolitischen Fortschritt offenbar in Erfüllung. Droysen exaltierte sich über das «epochemachende Ereignis», das seine Leitvorstellung von der «deutschen Mission» Preußens so sichtbar bestätigte. «Die Nation jubelt», konstatierte v. Kügelgen, «und Bismarck wird immer populärer».

Im Glanze des militärischen Erfolgs nahm Preußen seit dem 25. April an einer neuen Londoner Konferenz teil, welche eine internationale Lösung der Problematik erarbeiten sollte. Das Ergebnis kam der Berliner Politik zugute: Das Protokoll von 1852 wurde aufgehoben, Bismarck brachte den Augustenburger zu Fall, das Scheitern der Verhandlungen gestattete es den beiden deutschen Mächten, den Krieg wiederaufzunehmen und nach der Demütigung des nordischen Kleinstaats mit einem Waffenstillstand am 12. Juli zügig zu beenden. Der Friedensvertrag vom 30. Oktober 1864 besiegelte den dänischen Verzicht auf alle Ansprüche auf die Herzogtümer und unterstellte sie einem preußisch-österreichischen Kondominat. Damit aber hatte Bismarck ein Arrangement erreicht, das er jederzeit in einen Krisenherd zuungunsten Wiens verwandeln konnte. Gleichzeitig demonstrierte er der Nationalbewegung, daß Preußen unter seiner Führung zum Vorkämpfer der nationalen Interessen an einem besonders allergischen Punkt geworden war. An den Rändern begann daher auch erstmals die liberale Abwehrfront zu bröckeln. Seit dem Sommer 1864 drang, auch und gerade unter den Liberalen, eine Annexionsstimmung vor, die zusammen mit einer wachsenden Anerkennung der Bismarckschen Außenpolitik anstieg, zumal sie offenbar auf dem Wege war, für Berlin die dominante Rolle in der Bundespolitik zu erringen.[23]

Dieser Vorstoß wurde auch ökonomisch untermauert, da trotz harter Konflikte die Zollvereinspolitik erfolgreich weitergeführt wurde. Bismarck hatte bekanntlich sein Amt angetreten, als der preußisch-französische Handelsvertrag soeben unterschrieben und vom Abgeordnetenhaus noch vor der Ratifizierung leidenschaftlich begrüßt worden war (IV.2.a). Da der umstrittene Vertrag den gesamten Zollverein mit umschließen sollte, konnten die Urkunden erst nach der Zustimmung der anderen Zollvereinsmitglieder ausgetauscht werden. Das Berliner Parlament hatte daher die Ablehnung des Vertrags mit der Aufkündigung des Zollvereins im Stil einer ungewöhnlichen prophylaktischen Drohung gleichgesetzt.

Bismarck schaltete sich in dieser kritischen Phase der Außenwirtschaftspolitik sofort aktiv ein. Trotz des Heereskonflikts wurde er nicht nur in allen wesentlichen Fragen des Vertrags mit Frankreich, sondern auch der Behandlung der Zollvereinsmitglieder von der liberalen Mehrheit unisono unterstützt. In einem Zustand politischer Gespaltenheit unterschied sie säuberlich zwischen heftigen Attacken auf den reaktionären Exponenten des illiberalen Regimes auf der einen Seite, wortreicher Verfechtung ihrer Wirtschaftsinteressen in Übereinstimmung mit demselben Mann auf der anderen Seite. Die Interessenverbände traten gleichfalls ins Regierungslager: Der «Nationalverein», der «Kongreß deutscher Volkswirte», zahlreiche regionale Vereinigungen und Handelskammern, schließlich auch der «Deutsche Handelstag» (DHT), dessen Präsidium der großdeutsch argumentierende Hansemann im Oktober 1862 an den Kleindeutschen v. Beckerath abtreten mußte – sie alle schwenkten auf das Ziel eines fortdauernden Ausschlusses Österreichs vom Zollverein und auf die nachdrückliche Befürwortung des Handelsvertrags ein, der den Anschluß an die westeuropäische Freihandels- und Wachstumszone ermöglichen sollte.

In Abstimmung mit Wien organisierten Bayern und Württemberg die antipreußische Opposition gegen den Vertrag und das Junktim mit der Zollvereinsverlängerung. Schließlich wollte die Mehrheit den Vertragsbeitritt sogar von einer einstimmigen Billigung abhängig machen. Bis zur 15. Generalkonferenz des Zollvereins, die seit dem 24. März 1863 vier Monate lang in München tagte, taktierte Bismarck geschmeidig, da Österreich erneut die gesamtdeutsche Zollunion à la Schwarzenberg und Bruck verlangte, während Bayern als Sprecher der Mittelstaaten die Zustimmung dazu mit der Zollvereinsverlängerung verkoppelte. Erst am 5. Juni ließ Bismarck mit schneidender Schärfe das preußische Ultimatum vertreten: Unabdingbare Voraussetzung für die zwölfjährige Verlängerung des Zollvereins von 1865 bis 1877 sei die Annahme des preußisch-französischen Vertrags; erst danach könnten handelspolitische Fragen mit Wien verhandelt werden. Intern machte Bismarck kein Hehl aus seiner Überzeugung, daß eine Zollunion mit Österreich «eine unausführbare Utopie wegen der Verschiedenheit» der beiden Großstaaten darstelle. Gegenüber seinem Wiener Kontrahenten Graf Rechberg insistierte er auf der altertümlichen, gerade jetzt wenig glaubwürdigen Trennung von Kabinettspolitik und Wirtschaftspolitik. In der polnischen Frage, in Schleswig-Holstein, in der europäischen Politik überhaupt gebe es genug Möglichkeiten zum Ausgleich für den handelspolitischen Rückschlag.

Immerhin: In München fanden die österreichischen und bayerischen Argumente eine Mehrheit, die daraufhin einen Sonderbund im Zollverein anvisierte. Nur Sachsen und Baden standen vorerst zu Preußen. Die Konferenz endete, ohne daß eine Einigung über den österreichischen Beitritt oder den Handelsvertrag erzielt worden wäre. Aufgrund ihrer Analyse der Interessenlage hielten Bismarck und Delbrück jedoch weiterhin an der Maxime fest, daß Preußen notfalls ohne den Zollverein existieren könne, während alle anderen Mitglieder nicht mehr auf seine Vorteile zu verzichten imstande seien. Berlin lud daher unverzüglich alle Zollvereinsstaaten zu einer außerordentlichen Konferenz in die preußische Hauptstadt ein, wo sie seit dem 5. November, bald schon im Schatten der schleswig-holsteinischen Problematik, dieselbe Materie wie in München beriet. Die preußische Delegation gewann jetzt die Oberhand, da sie mit einer kühl kalkulierten Drohung auf ihrer Münchener Forderung ungerührt insistierte: Sie kündigte den Zollverein für 1865 auf; erst wenn die Verlängerung und die Zustimmung zum Handelsvertrag gewährleistet seien, könne eine Regelung mit Österreich gesucht werden.

Während Bismarck in engstem Zusammenspiel mit Delbrück die öffentliche Meinung zugunsten des Zollvereins mobilisierte, die Interessenverbände wieder einspannte, mit den Liberalen den wirtschaftspolitischen Schulterschluß suchte und fand, wehrten sich die Mittelstaaten noch eine Zeitlang, so daß die Konferenz im Februar, März und Mai 1864 wiederholt fortgesetzt werden mußte. Allmählich aber wurde ihr Widerstand brüchig, zumal die

Verfechter eines Sonderbundes mit den dürftigen handelspolitischen Konzessionen, welche Wien anbot, denkbar unzufrieden waren. Am 11. Mai tat Sachsen den entscheidenden Schritt, dem sich bis zum 28. Mai die Mehrheit anschloß – darunter Kurhessen nach einer unverhüllten Bestechung des Kurfürsten, welcher die von den Rothschilds im Auftrage Berlins gebaute «goldene Brücke» betrat. Alle votierten für den Zollverein und den Handelsvertrag.

Nur vier Außenseiter um Bayern und Württemberg sträubten sich weiter. Rechberg unterstützte sie im August und September, als er noch einmal die mitteleuropäische Zollunion und einen vorteilhaften Handelsvertrag verlangte. Bismarck zeigte aus Rücksicht auf die preußisch-österreichische Kooperation beim Abschluß des dänischen Krieges Konzessionsbereitschaft. Mit einem vehementen Protest setzte sich jedoch Delbrück gegen seinen Ministerpräsidenten durch. Für den Tenor seiner großen Denkschrift, daß «allen politischen und handelspolitischen Parteien Preußens kein handelspolitischer Gedanke mehr antipathisch» sei «als derjenige einer Zolleinigung mit Österreich», fand er die Zustimmung des Staatsministeriums und des Königs. Bismarck mußte eine empfindliche Niederlage einstecken, erhöhte – unverzüglich die Konsequenzen ziehend – den Druck auf die noch widerstrebenden vier Staaten und erreichte, daß sie bis zum 1. Oktober kapitulierten. Am 12. Oktober 1864 wurde der Zollvereinsvertrag erneuert; zum 16. Mai 1865 trat die ratifizierte Endfassung für weitere zwölf Jahre in Kraft.

In Wien war Rechberg nach seiner handelspolitischen Schlappe erwartungsgemäß gestürzt. Bis zum April 1865 dauerte es noch, ehe Preußen mit dem Rivalen einen Handelsvertrag abschloß, der am 11. August 1865 Gültigkeit erlangte. Darin wurden Verhandlungen über die Zollunionsfrage nur «in Aussicht» gestellt – ein leicht durchschaubares «Scheinzugeständnis», um das labile preußisch-österreichische Verhältnis im Augenblick nicht noch mehr zu belasten.

Damit stand der wirtschaftspolitische Sieg Preußens unwiderruflich fest. Man kann die Erringung der kleindeutschen Wirtschaftseinheit unter preußischer Leitung bereits auf jenen 1. Oktober 1864 datieren, an dem – dreißig Jahre nach der Gründung des Deutschen Zollvereins – die Weichen gestellt wurden. Bessere Gründe sprechen jedoch für die Zäsur im Mai und August 1865, da jetzt nicht nur die Verlängerung des Zollvereins formell unter Dach und Fach war, sondern auch der Vertrag mit Österreich den Schlußstrich unter die handelspolitischen Pläne Wiens zog. Österreich war, das stand seit dem August 1865 definitiv fest, in jeder Hinsicht mit seiner deutschen Außenwirtschaftspolitik gescheitert. Vom preußisch dominierten Zollverein blieb es ausgeschlossen, der Handelsvertrag bedeutete ein schwaches Trostpflaster. Die von Schwarzenberg und Bruck entworfene, von Rechberg noch zweimal weiterverfolgte visionäre Konzeption einer siebzig Millionen Menschen umfassenden Wirtschaftsunion in der Mitte Europas, eines von Wien aus geleiteten Großraumes von der Adria bis Ostpreußen und von Lemberg bis Bremen, zerschellte an der Härte des preußischen Widerstandes und an der Überlegenheit des von ihm repräsentierten Wirtschaftspotentials der neuen industriellen Welt, der weit ausgreifenden Banken- und Fernhandelsinteressen. Die Weichen für den Weg von der Handelsunion zur preußischen Einigung waren zugunsten der kleindeutschen, zollvereinten Interessensphäre Preußens eingerastet.

Insofern bedeutet 1865 in der Geschichte der modernen deutschen Frage ein Entscheidungsjahr. Ein Automatismus zugunsten der politischen Einheit wirkte sich jedoch, wie vorn erörtert, noch immer nicht aus. Unter den Bedingungen der Zeit konnte erst das «eiserne Würfelspiel» – wie Bismarck sich ausdrückte – endgültig darüber entscheiden, ob Preußen zur wirtschaftlichen auch die politische Vorherrschaft hinzugewinnen konnte, um die großpreußische Expansion mit der kleindeutschen Staatsbildung zu verschmelzen.

Seit dem Frühjahr 1865 hellte sich für Bismarck der politische Horizont kontinuierlich auf. Er hatte sich in Schleswig-Holstein an die Spitze des liberalen Nationalismus gesetzt, die wirtschaftsliberalen Forderungen rundum erfüllt; in der Bundespolitik senkte sich die Waagschale zugunsten Preußens. Stand nach dem Triumph des deutsch-dänischen Krieges von 1864 und der preußischen Wirtschaftspolitik des Jahres 1865 bereits für das nächste Jahr die politische Entscheidung darüber an, ob an die Stelle des Dualismus der beiden deutschen Großmächte die Hegemonie des Bismarckschen Preußen treten konnte?[24]

Vorerst erlebte die Regierung eine weitere innenpolitische Schlappe, die jedermann vor Augen führte, wie tief die Kluft zwischen ihr und dem politischen Liberalismus noch immer geblieben war. Während der neuen Session des Abgeordnetenhauses wurde am 27. März der Budgetentwurf für 1865 mit riesiger Mehrheit demonstrativ abgelehnt. Im April erlebte Roons Militärvorlage dasselbe Schicksal. Zu ihrer Unterstützung hatte der Monarch auf die Siege der Armee im dänischen Krieg als Beweis für die Berechtigung der Reformen hingewiesen. Vergebens: Die Liberalen beharrten auf ihrer Position. Empört plädierten daraufhin die Ultras um Manteuffel und Prinz Friedrich Karl für eine «Kassierung der Verfassung». Als der altliberale Exminister v. Bonin einen zunächst aussichtsreich wirkenden Kompromiß vorschlug, wonach zwar die Substanz der Reformen beibehalten, aber die dreijährige Dienstzeit und die Präsenzstärke etwas gekürzt werden sollten, gewannen sie Wilhelm mühelos dafür, diesen Ausweg schroff abzulehnen. Unverhohlen setzten diese Konservativen auf ein «inneres Düppel» ihrer Kontrahenten. Vorsorglich erklärte es Manteuffel zur Pflicht des Königs, nach einem neuen erfolgreichen Waffengang endlich die Verfassung zu beseitigen. Der ewigen Intrigen und des blindwütigen Drohens mit dem Staatsstreich müde, gelang es Bismarck und Roon, Manteuffel auf die Position des Gouverneurs von Schleswig-Holstein wegzuloben. Dennoch zeigte Roon nach dem erneuten Scheitern im Landtag Anzeichen von Resignation: Stagniere sein «Werk» weiterhin, unkte er, «kann ich nur noch Straffords Schicksal für mich prognostizieren, und die fortschreitende Revolution triumphiert ... finis Borussiae».

In dieser Situation erwies sich wiederum, in welche zentrale Position Bismarck aufgerückt war, wie sehr die Bewältigung der innerpreußischen Krise weiterhin von seinen außenpolitischen Erfolgen abhing. Das Urteil des österreichischen Diplomaten Graf Blome traf daher den wichtigen Kern. Könne Bismarck, warnte er Außenminister v. Mensdorff, «die Demokratie in Preußen nach seiner Manier bewältigen, ohne sich in Deutschland auszubreiten, so denkt er nicht an Machterweiterung. Gebraucht er letztere, um sein System im Inneren zu stützen, so wird er sie rücksichtslos anstreben.»

Auch wenn man diese Interdependenz von Innen- und Außenpolitik in Bismarcks strategischem Verhalten ernst nimmt, gewinnt deshalb noch längst nicht die gängige ältere Interpretation an Überzeugungskraft, wonach Bismarck mit unbeirrbarer Zielstrebigkeit auf den Konflikt mit Österreich hingesteuert habe. Eine solche Eindeutigkeit wäre mit unübersehbaren außenpolitischen Belastungen und widerstrebenden Reaktionen in der deutschen Öffentlichkeit verbunden gewesen. Da Bismarck stets ein Spiel mit mehreren Bällen bevorzugte, konnte diese gefährliche Geradlinigkeit seine Sache nicht sein. Genausowenig vermag die neuere Deutung zu überzeugen, daß Bismarck mit einem dualistischen Arrangement mit Österreich dauerhaft zufrieden gewesen wäre – oder hätte sein können. Vielmehr betrieb er die preußische Machtexpansion an sich, unstreitig der integrierenden Wirkung nach innen und der nationalpolitischen Stoßrichtung stets eingedenk; solange es ging, operierte er mit friedlichen Mitteln, im Grenzfall blieb er aber durchaus zur militärischen Kraftprobe unter Bedingungen bereit, die eine optimale Ausnutzung des Erfolges zugunsten der preußischen Großmacht und des alten Regimes versprachen.

Das labile Kondominium der preußisch-österreichischen Verwaltung von Schleswig-Holstein bot sich nun geradezu an, auf politischen Bodengewinn hinzuarbeiten. Bismarck selber strebte aller Wahrscheinlichkeit nach seit dem Sommer 1864 die Einverleibung der Herzogtümer an. Eine stetig zunehmende annexionistische Stimmung in der öffentlichen Meinung Preußens, insbesondere auch unter den Liberalen, kam der Annäherung an dieses Ziel entgegen. Die Ablenkung Wiens nach Oberitalien zur Wiedereroberung der Lombardei mißlang. Als Mensdorff den Augustenburger mit seinem Ziel eines autonomen Bundesstaates zu unterstützen begann, konterte Bismarck Ende Februar 1865 mit dem prinzipiellen Anspruch auf die Unterwerfung der Herzogtümer unter preußische Herrschaft – der Weg hin zur Annexion wurde seither unmißverständlich eingeschlagen. Der kompromißlose Widerspruch der Hofburg führte Ende Mai auf einer Sitzung des preußischen

Kronrats zu einer kühlen Abwägung der Chancen. Noch widersetzten sich Bismarck und Wilhelm einer militärischen Besetzung, auf die der Zusammenprall mit Österreich folgen mußte.

Daher hielt ein nervöser Schwebezustand bis zum August 1865 an, als die Gasteiner Konvention eine Neuregulierung des Kräfteverhältnisses in dieser Spannungszone bringen sollte. Schleswig-Holstein wurde geteilt, Schleswig preußischer, Holstein österreichischer Verwaltung unterstellt; beide Gebiete wurden aber in den Zollverein aufgenommen. Da Preußen auch noch Marinestützpunkte, Befestigungen und Etappenstraßen nach Schleswig bauen durfte, wurde Österreich, das formell auf die Augustenburger Lösung verzichten mußte, von allen Seiten im fernen Holstein eingeschnürt. Im Effekt bedeutete daher die Vereinbarung einen eindeutigen Erfolg Berlins. Ein einleuchtender Anlaß für die Fortsetzung einer Politik mit militärischen Mitteln ergab sich jedoch noch nicht. Er konnte nach Lage der Dinge nur mit einem Anlauf zur Lösung der deutschen Nationalstaatsfrage verbunden sein.

Daß das spannungsreiche Verhältnis der beiden deutschen Großstaaten in Schleswig-Holstein inzwischen jederzeit zum Bruch führen könne, bildete auf einer neuen Kronratssitzung am 28. Februar 1866 die Überzeugung aller Teilnehmer mit Ausnahme des Kronprinzen. Moltke notierte sich Bismarcks unverbrämte Situationsanalyse, «daß die inneren Zustände einen Krieg nach Außen nicht nötig machen, wohl aber noch hinzutreten, um ihn günstig erscheinen zu lassen». Ebenso offenherzig legte sich der Ministerpräsident auf die großpreußische Expansion mit kleindeutschem Ziel fest. Seither stellte Bismarck die Weichen für die diplomatische Kriegsvorbereitung.

Die außenpolitische Konstellation begünstigte das zu diesem Zeitpunkt. Rußlands Energie wurde sowohl durch die große Agrarreform von 1861 mit ihrer Aufhebung der Leibeigenschaft als auch durch die Expansion nach Zentralasien und dem Fernen Osten gebunden. Seit der Alvenslebenschen Konvention von 1863 harmonierte das Zusammenspiel der beiden Ostreiche ohnehin, obwohl ein Rest von Ungewißheit die russische Politik umgab. England wurde durch innere Reformmaßnahmen und Probleme des Empire in Indien und Kanada absorbiert. Italien blieb Österreichs Erzfeind, solange Venetien zum Habsburgerreich gehörte. Daher gelang Bismarck, indem er diese Beute versprach, Anfang April der Abschluß eines geheimen Offensiv- und Defensivpakts, der Italien ganz an den preußischen Kriegsentschluß gegen Österreich band. Und schließlich Frankreich: Napoleon III. befand sich nach dem Scheitern seines mexikanischen Abenteuers auf der Suche nach einem Kompensationserfolg in Europa; sein Eingreifen zugunsten Wiens mußte vermieden werden. In einem diplomatischen Bravourstück erreichte Bismarck ohne Gegenleistung das französische Neutralitätsversprechen.

Jetzt war die außenpolitische Arena vorteilhaft abgesteckt. Die Initialzündung mußte jedoch in der innerdeutschen Politik ausgelöst werden. Das

Vorspiel begann in Frankfurt. Am 9. April 1866 forderte der preußische Vertreter am Bundestag eine Nationalversammlung, die aus allgemeinen, direkten Wahlen hervorgehen sollte, um eine Reform der Bundesverfassung zu diskutieren. Wiederum spielte Bismarck die nationaldemokratische Karte: Das Reichstagswahlrecht der Revolution und damit das Prinzip der Volkssouveränität wurden in den Dienst der preußischen Hegemonialpolitik gestellt. Damit war eine Drohung gegen die liberale Honoratiorenpolitik, aber auch eine Werbeaktion in den Reihen der Nationalbewegung verkoppelt. Bismarcks Kritiker mochten vorerst skeptisch bleiben. Der Demokrat Johann Jacoby etwa spottete: «Allah ist groß und Junker Bismarck sein Parlamentsmacher», während der Liberale Karl Twesten eine bonapartistische Manipulationsabsicht witterte: «Bismarck denkt ohne Zweifel an ein napoleonisches Regiment mit allgemeinem Stimmrecht und ähnlichen Kunststückchen.» Der Appell an die liberale Opposition scheiterte vorerst, unverkennbar aber tat das preußische Engagement für eine aktive Nationalpolitik allmählich seine Wirkung.

Die österreichische Regierung konterte am 1. Juni in Frankfurt, indem sie dem Bundestag die Entscheidung über die strittige Stellung der Herzogtümer antrug. Berlin beschränkte sich nicht auf seinen Protest, daß damit das in Gastein vereinbarte preußische Mitbestimmungsrecht übergangen werde, sondern ließ sofort am 9. Juni Truppen einmarschieren, während gleichzeitig sein Bundesreformplan den Mitgliedstaaten formell zugeleitet wurde. Jetzt spitzte sich die Krise im Nu zu. Da die Bundesversammlung gemäß Artikel 19 der Wiener Schlußakte die Selbsthilfe von Mitgliedern im Konfliktfall ausschloß, forderte Wien am 11. Juni die Mobilisierung der sieben nichtpreußischen Korps für eine Bundesexekution. Dafür fand sich eine Mehrheit im Bundestag. Bismarck ließ den Gesandten v. Savigny, der sich überlegenen bundesrechtlichen Argumenten gegenübersah, schneidig erklären, daß mit diesem Beschluß der Bundesvertrag «gebrochen» und «erloschen», mithin der Deutsche Bund gesprengt sei. Gezielt wurde die Polarisierung ohne formelle Kriegserklärung weitergetrieben: Siebzehn sezessionistische Staaten, die norddeutschen Kleinstaaten, stellten sich auf die Seite Preußens. Zwölf bundestreue Staaten – darunter alle Mittelstaaten wie Bayern, Baden, Württemberg, Sachsen, Hannover – unterstützten Österreich. Die Bruchlinie lief mitten durch den Zollverein: Angesichts der bevorstehenden Auseinandersetzung zwischen den beiden Großmächten verloren die ökonomischen Interessen zeitweilig ihre Integrationskraft.

Obwohl Bismarck mit dem Bundesreformplan, dem Rückgriff auf das Reichstagswahlrecht, der Forderung nach einer Nationalversammlung größte Sorgfalt darauf verwandt hatte, die liberale Nationalbewegung für seinen riskanten Vorstoß zu gewinnen, löste der bevorstehende Hegemonialkrieg doch weithin Erschrecken und Abneigung aus. Zu tief saß die Aversion gegen einen Bürgerkrieg im Bund, gegen einen «Bruderkrieg», wie man damals oft sagte, in dem Preußen gegen die Deutschen in Österreich antrat, die eine tausendjährige Geschichte mit allen anderen Deutschen verband. «Kriegsunlust durchdrang», beobachteten Fontane und Delbrück fast gleichlautend, «beinahe alle Schichten des Volkes.» Auch dem König fiel die «gänzliche Abwesenheit aller Freiwilligkeit, aller Begeisterung», ja «die allgemeine Unlust» in der eigenen Familie auf. Selbst prominente nationale Liberale opponierten. Treitschke beklagte den «schrecklichen Anachronismus» des Krieges, der in Preußen «sehr unpopulär» sei. In den «Grenzboten» stellte Freytag die düstere Prognose, daß der Krieg den «Kulturgewinn» der letzten dreißig Jahre in Frage stellen und «die Grundlagen des gesamten Verkehrs mit der Welt» vernichten werde. Und Rudolf v. Ihering, einer der bedeutendsten deutschen Juristen in der zweiten Hälfte des 19. Jahrhunderts, empörte sich, daß «mit einer solchen Schamlosigkeit, einer solchen grauenhaften Frivolität ... vielleicht nie ein Krieg angezettelt» worden sei, «wie der, den Bismarck gegenwärtig gegen Österreich» vorbereite. «Das innerste Gefühl empört sich über einen solchen Frevel an allen Grundsätzen des Rechts und der Moral.» Unter vielen Liberalen und Nationalgesinnten breitete sich ein Gefühl der Ohnmacht und Ratlosigkeit aus. Die Machtsteigerung Preußens war ihnen eigentlich willkommen, vor der kriegerischen Konsequenz seiner «deutschen Mission» schreckten sie jetzt jedoch zurück.

Demgegenüber äußerten freilich Männer derselben Couleur wie Haym, daß man «das Glück und Geschick des Mannes nach aller Vermessenheit und Frivolität» doch nicht «verkennen» dürfe. Und Sybel hatte sich schon «seit langem einen gesunden, gerechten, in eminentem Sinne deutschen Krieg» gewünscht, in dem «Hohenzollern selbst die Initiative führte, Zeit und Ziel des Kampfes bestimmte». Daneben setzten konservative Bismarckanhänger unverhohlen auf den innenpolitischen Stabilisierungseffekt eines Erfolges: Denn scheitere Bismarck mit seiner Kriegspolitik, «treiben wir haltungslos auf die Revolution zu».

In Österreich war das Meinungsbild ähnlich gespalten. Traditionelles Vormachtgefühl paarte sich mit tiefverwurzeltem Preußenhaß, hochmütige Siegesgewißheit eines «zweiten Jena» für Preußen mit melancholischer Einsicht in die «Monstrosität des bevorstehenden Bürgerkriegs». Die komplexe Natur dieses Krieges war nicht leicht zu erkennen. Es war, wie sich herausstellen sollte, der letzte Krieg deutscher Territorialstaaten gegeneinander. Es war ein konventioneller Staatenkrieg um die Vorherrschaft. Es war aber auch ein nationaler Integrationskrieg und im Effekt ein Bürgerkrieg, den Preußen an der Spitze der Sezessionsstaaten bewußt riskierte und einleitete.[25]

Das militärische Kräfteverhältnis der beiden Gegner mit ihren jeweiligen Verbündeten sprach keineswegs von vornherein zu Preußens Gunsten. Die Berliner Börse spekulierte, ein irritierendes Indiz, auf einen Erfolg Wiens und löste damit eine Flaute aus. Bismarck selber erwog immerhin für den

Notfall, eine revolutionäre Bewegung unter den Nationalitäten des österreichischen Vielvölkerstaats anzustacheln. Bis zuletzt blieb das Risiko unkalkulierbar. Erstmals aber folgte der preußische Aufmarsch den Plänen, die Moltke als Chef des Generalstabs entworfen hatte. Moltke wollte nicht mehr einen Kabinettskrieg mit streng begrenzten Zielen im Stile des 18. Jahrhunderts führen. Vielmehr strebte er im Sinne des Clausewitzschen Idealtypus vom «absoluten Krieg» die Vernichtung der feindlichen Streitkräfte an. Für diesen Zweck konnte er sich nicht nur auf die bereits ziemlich effektive Reorganisation der Armee und auf neue Waffen wie das Zündnadelgewehr stützen, sondern auch moderne Verkehrsmittel wie die Eisenbahn einbeziehen, die soeben schon im amerikanischen Bürgerkrieg eine auffällige Rolle gespielt hatte. Außerdem wurde durch die italienische Intervention seine Vorbedingung erfüllt, daß Österreich in einen Zweifrontenkrieg verwickelt werden müsse. Allerdings erhielt er erst am 2. Juli 1866 das Recht auf Immediatvortrag beim König und die Vollmacht zur direkten Instruktion operierender Verbände, so daß er seinen Zielvorstellungen gegenüber widerstrebenden Truppenkommandeuren endlich Geltung verschaffen konnte.

Moltke lenkte die preußischen Einheiten in drei getrennten Heeresgruppen nach Böhmen, dort sollten sie sich zu einem großen Umfassungsangriff vereinigen, um der von Mähren dorthin vorrückenden österreichischen Armee ihr Cannae zu bereiten. Dank der vorzüglichen Stabsplanung und dem effizienten Eisenbahntransport gelang diese Vereinigung am 3. Juli bei Königgrätz, wo eine der entscheidenden Schlachten der modernen europäischen Geschichte ausgefochten wurde. Da die Heeresgruppe des Kronprinzen mit nervenbelastender Verspätung, aber soeben noch so rechtzeitig eintraf, daß sie mit Wucht die Entscheidung zugunsten der Preußen herbeiführen konnte, erwies sich Moltkes Konzeption, die in den Grundzügen verwirklicht werden konnte, als Erfolgsrezept. Zwar mißlang der Vernichtungssieg, da die Masse der österreichischen Truppen entkam. Der preußische Sieg bedeutete trotzdem den Wendepunkt des Krieges nach verblüffend kurzer Dauer. Die Energie der österreichischen Politiker und Militärs erlahmte schlagartig, zumal auch ihre Verbündeten im Vielfrontenkrieg den preußischen Verbänden unterlagen; österreichische Siege über Italien, das unmittelbar nach Preußen losgeschlagen hatte, änderten nichts an der säkularen Entscheidung in Mitteleuropa.[26]

Der glückliche Schlachtausgang beendete auch das Vabanquespiel, bei dem Bismarck mit dem Krieg gegen eine Großmacht alles auf eine Karte gesetzt hatte. Als der Kampf bei Königgrätz stundenlang unentschieden hin und her wogte, soll Bismarck auf dem preußischen Feldherrenhügel geäußert haben, daß er, da im Falle der Niederlage in Berlin der Galgen auf ihn warte, bei einer letzten Kavallerieattacke den Tod suchen wolle. Abends gratulierte ihm statt dessen der Flügeladjutant v. Steinacker: «Exzellenz, jetzt sind sie ein großer Mann. Wenn der Kronprinz zu spät kam, waren sie der größte

Bösewicht.» So geradlinig Bismarcks Einigungspolitik auf die späteren Nationalhistoriker auch wirken mochte, bei Königgrätz stand sie auf des Messers Schneide.

Unmittelbar nach der militärischen Entscheidung – prompt zogen die Berliner Börsenkurse seit dem 4. Juli steil nach oben – gelangen Bismarck zwei bedeutungsschwere politische Erfolge. Bereits am 5. Juli kündigte sich die französische Intervention drohend an, als Napoleon III. auf österreichischen Wunsch seine Vermittlungsdienste anbot, die mit deutschem Territorialgewinn belohnt werden sollten. Ebenso höflich wie in der Sache unzweideutig wurde ihm durch die hinhaltende diplomatische Gegenaktion Bismarcks klargemacht, daß das siegreiche Preußen jetzt nicht mehr blockiert werden konnte – es sei denn, Napoleon III. riskierte einen Krieg, für den er weder gerüstet war noch gegenüber seiner Öffentlichkeit ein durchschlagendes Motiv besaß.

Als mindestens ebenso schwierig erwies es sich, den König und führende Militärs von der Fortsetzung des Krieges, vom ersehnten Triumphzug in das eroberte Wien und von Gebietsabtretungen Österreichs abzuhalten. In geradezu erbitterten Zusammenstößen mit dem Monarchen gelang es Bismarck unter höchster Nervenbelastung, diese Rache- und Strafaktionen zu verhindern. Im Präliminarfrieden von Nikolsburg vom 26. Juli, endgültig dann im Prager Frieden vom 23. August 1866 konnte er vielmehr seine politischen Vorstellungen vollständig durchsetzen.

Trotz des vorausschauenden Blicks bei der Beschränkung der preußischen Kriegsziele erwiesen sich die Friedensbedingungen als eminent einschneidend und folgenreich, da sie eine neue politische Struktur des deutschsprachen Mitteleuropa konstituierten. Der Deutsche Bund wurde aufgelöst. Ohne jede österreichische Beteiligung wurde das deutsche Staatensystem neu geordnet, indem ein norddeutscher Bund unter preußischer Führung entstand. Die süddeutschen Staaten durften zu einem «Verein zusammentreten», dessen «nationale Verbindung» mit dem Nordbund der «Verständigung» allein zwischen den beiden Föderationen vorbehalten blieb. Schleswig-Holstein fiel ebenso an Preußen, wie jetzt Hannover, Kurhessen, Nassau und Frankfurt von ihm annektiert wurden; Sachsen, seit 1756 Ziel preußischer Expansionslust, entging nur um Haaresbreite demselben Schicksal. Auch vor dieser Entscheidung widersetzte sich der König zusammen mit den Altkonservativen heftig, indem sie auf die Heiligkeit der angestammten Dynastie und des monarchischen Legitimitätsprinzips pochten. Widerstrebend mußten sie sich Bismarcks Arrondierungskalkül, das fünfzig Jahre nach dem Wiener Kongreß die Verbindung zwischen Ostelbien und den westlichen Landesteilen endlich garantieren wollte, beugen. Und obwohl der König, erneut unterstützt von hohen Militärs, als sicht- und spürbares Symbol der Demütigung die Abtretung von Grenzterritorien Österreichs und seiner unterlegenen Verbündeten verlangte, setzte sich

Bismarck auch in dieser Hinsicht mit der vollständigen Schonung des geschlagenen Rivalen durch. Insgesamt hatte er ohnehin weit mehr erreicht, als seine am 29. Juni abgesteckten Kriegsziele involviert hatten!

Vier Jahre lang bestanden seit dem Sommer 1866 auf dem alten Bundesgebiet drei politische Großbereiche nebeneinander: der neue Norddeutsche Bund, die süddeutschen Staaten und Österreich; das Habsburger Reich hatte Venetien an Italien verloren und mußte im Augenblick der Staatskrise dem autonomiehungrigen Ungarn den «Ausgleich» von 1867 gewähren, so daß es seither nur mehr als «Doppelmonarchie» weiterexistierte.

Das Ergebnis des Bürgerkriegs markierte eine tiefe Zäsur im deutschen politischen Bewußtsein. Allgemein war ein langer, schwerer Krieg erwartet worden. Noch zu Beginn hatte Moltke vorsichtig geurteilt, daß die «Ausdehnung und Dauer» des Krieges «niemand übersehen» könne. Nach dem plötzlichen Sieg Preußens stand «die Masse der Nation» im ersten Augenblick, wie Bamberger beobachtete, «gänzlich verblüfft da». Dann brach erleichterter Jubel in Preußen und unter seinen Sympathisanten aus. «Dies Jahr 1866 allein», gestand Droysen, «macht es der Mühe wert, gelebt zu haben.» «Niemand hatte an derartige Kriegserfolge zu glauben gewagt», pflichtete ihm Herzog Ernst II. von Sachsen-Coburg-Gotha bei. «Es ist wie ein Traum», das empfand auch Theodor v. Bernhardi. Der Erzieher des Kronprinzen, Ernst Curtius, wollte wie «jeder denkende Mensch» in der «jetzigen Wendung der Dinge» sogar «etwas Providentielles» sehen.

Krasser hätte auch der Wechsel im Urteil über Bismarck nicht ausfallen können. Daß ein Verehrer wie Kügelgen, der bereits vor dem Krieg Bismarck «mit übermenschlichem Verstande und einem besonderen göttlichen Mandate ausgerüstet» sah, sich nun bestätigt fand, kann nicht verwundern: «Bismarck ist jetzt der populärste Mann in Preußen», begeisterte er sich zwei Tage nach Königgrätz. «Alles schwärmt für ihn, auch die Demokraten.» Aber daß prominente Bismarckkritiker von der Hochstimmung so erfaßt wurden, daß jeder Vorbehalt hinwegschmolz, ist ungleich aufschlußreicher. Treitschke etwa kapitulierte, da «der Finger Gottes ... so sichtbarlich aus den Wolken gewinkt» habe. Bismarck avancierte immerhin schon «zum bedeutendsten Minister des Auswärtigen, den Preußen seit Jahrzehnten besaß». Mommsen spürte unversehens «ein wunderbares Gefühl, dabeizusein, wenn die Geschichte um die Ecke biegt». Ihering vollzog einen Schwenk um hundertachtzig Grad: Jetzt verbeugte er sich «vor dem Genius eines Bismarck, der ein Meisterstück der politischen Kombination und Tatkraft geliefert hat, wie die Geschichte wenige kennt ... Ich habe dem Mann alles, was er bisher getan hat, vergeben, ja mehr als das, ich habe mich überzeugt, daß es notwendig war, was uns Uneingeweihten als freventlicher Übermut erschien ... Der Mann ist einer der größten Männer des Jahrhunderts», für den er leichten Herzens «hundert Männer der liberalen Gesinnung» geben wolle. Und ein skeptischer Außenseiter wie Friedrich Nietzsche konzedierte, daß Bismarcks Vabanquespiel zwar «ein überaus kühnes» gewesen sei und er bei einem anderen Ergebnis ebenso verflucht worden wäre, wie er jetzt «angebetet» werde. Am Ergebnis aber lasse sich nicht mehr rütteln: «Der Erfolg ist diesmal da, was erreicht ist, ist groß.» Nach Königgrätz wirke die Welt, «als ob ein Erdbeben den Boden, den unerschütterlich geglaubten, unsicher» gemacht habe – «als ob die Geschichte nach jahrelanger Stockung plötzlich ins Rollen gekommen sei und unzählige Verhältnisse mit ihrer Wucht niederwürfe». Nüchterner konstatierte ein Naturwissenschaftler und Unternehmer wie Werner v. Siemens denselben Effekt: Seit dem Juli 1866 «sah die Welt ganz anders aus».

Der Enthusiasmus trieb bizarre Blüten. Droysen und Gregorovius verglichen den preußischen Sieg mit dem Aufstieg Luthers und der von ihm repräsentierten neuen geistigen Weltmacht. Überhaupt wurde, einer Grundüberzeugung des kleindeutschen Nationalismus entsprechend, der Kriegserfolg häufig als Sieg des Protestantismus über den «Papismus» gefeiert. Treitschke, Droysen, Sybel waren sich in dieser Deutung einig. Endlich habe Preußen als protestantische Vormacht die katholische Bevormundung abgeschüttelt.

Nicht nur in ihren Augen war Preußen damit der Vollendung seiner «deutschen Mission» einen Riesenschritt näher gekommen. Die Vereinigung Nord- und Süddeutschlands trat in unmittelbare Sichtnähe. Eine Woche nach Königgrätz erkannte Moltke «Gottes Wille», «daß Deutschland unter Preußen zur Einheit gelangt». Auch der Weg dorthin war ihm klar: «Es kommt darauf an, Deutschland durch Gewalt gegen Frankreich zu einigen» – möglichst in einem «Volkskrieg», den er seit 1859 vorhergesehen hatte. Seit Königgrätz tauche, jubelte der Freiherr v. Frankenberg, «Deutschland einig, groß und gewaltig unter dem Kaiserszepter der Hohenzollern» auf. Auch Johannes Miquel sah bereits «die deutsche Einheit ... aus der Traumwelt in die prosaische Welt der Wirklichkeit heruntergestiegen». Das Echo in der Fortschrittspresse klang ganz ähnlich. So feierte etwa die «National-Zeitung» das «gänzliche Ausscheiden Österreichs aus Deutschland» als den entscheidenden «Schritt, mit dem erst ganz und vollständig das Mittelalter, die Feudalität von unserer Nation überwunden» werde; dank der Trennung von Habsburg «stehen wir vor der Möglichkeit, einen deutschen Nationalstaat zu erreichen. Wir können deutscher sein, als es unseren Vorfahren vergönnt war.»

Das durchschlagende Erfolgserlebnis von 1866, der hochschäumende Nationalismus, die Zustimmung zu einer energisch fortgesetzten Nationalpolitik – all diese Größen konnte Bismarck seither in sein Kalkül einsetzen. Darüber hinaus ist unübersehbar, daß die Grundlagen für jenen Bismarckmythos gelegt oder schon erweitert wurden, der dem siegreichen Krisenbewältiger den Ausbau seiner charismatischen Herrschaft erleichterte.

Unter den österreichischen Deutschen und den großdeutsch Gesinnten dagegen herrschte Bitterkeit, Empörung, ja Entsetzen über die radikale Zerstörung all ihrer Hoffnungen. In nuce gab Franz Grillparzer diese Stimmungslage wieder: «Ihr glaubt, ihr habt ein Reich geboren, und habt doch nur ein Volk zerstört.»

Voller Schmerz beklagte auch Bischof Ketteler von Mainz, daß «das alte heilige Band, das die deutschen Völker vereinigt» habe, zerschnitten worden sei, sie stünden sich jetzt «als Ausland gegenüber». Die letzte Ursache dieses Unrechts sah er im «Borussianismus», jener fixen Idee «einer Preußen gestellten Weltaufgabe, verbunden mit der Überzeugung, daß ... diese Aufgabe eine absolut notwendige» sei. Das waren bewegende Nekrologe auf eine vielhundertjährige Tradition, an der Übermacht der Gegenkräfte vermochten sie nichts mehr zu ändern. Die Ergebnisse des deutschen Sezessionskrieges machten 1866 in der Tat zu einem «Schicksalsjahr». Die andauernde «Revolution von oben» hatte jenen Umsturz bewirkt, in dem «die kleindeutsche Nationalpartei über die großdeutsche siegte». Wahrscheinlich reichte der historische Einschnitt tiefer als 1871, als die Weichenstellung von 1866 im Grunde nur noch einmal besiegelt wurde.[27]

In der Innenpolitik standen seit dem Juni die Zeichen auf Aufschwung. Die Hochkonjunktur hatte die Steuereinkünfte stetig in die Höhe getrieben, so daß die Kassen ausgerechnet des «budgetlosen Regiments» wohlgefüllt waren. Da die außerordentlichen Mittel für den Krieg beim Landtag nicht beantragt werden konnten, sorgten Bleichröder, Hansemann mit seiner «Disconto-Gesellschaft» und Siemens von der «Deutschen Bank» für eine ausreichende Vorfinanzierung, indem sie zunächst auf Vorzugsaktien der Köln-Mindener Eisenbahn zurückgriffen. Der preußische Finanzminister honorierte den Beistand: Mitte Juni wurde der Monopolvertrag mit den Rothschilds gekündigt, die seit dem Januar 1860 das Alleinrecht besaßen, alle seit 1848 emittierten preußischen Staatspapiere zu verteilen. An ihre Stelle trat das berühmt-berüchtigte «Preußen-Konsortium», das seither die preußischen Staatsanleihen auf dem Kapitalmarkt mühelos unterbrachte. Formell stand es unter der Führung der «Preußischen Seehandlung», faktisch aber des Bankhauses Bleichröder und der «Disconto-Gesellschaft», die 1859, 1864 und 1866 zum Hauptkreditgeber des Staates aufgestiegen war. Bleichröder und Hansemann gelang es im Nu, die wichtigsten Privatbanken – z. B. Oppenheim & Cie. in Köln, Mendelssohn & Co., Warschauer & Co., Gebr. Schickler, F. Magnus in Berlin, unvermeidbar auch wieder Rothschild in Frankfurt – mit der «Berliner Handelsgesellschaft» und großen neuen AG-Banken wie der «Deutschen Bank» zu diesem außerordentlich lukrativen Kartell zu vereinigen. Ernsthafte Finanzierungsprobleme hat es während der drei Kriege zwischen 1864 und 1871 für die Regierung Bismarck nicht gegeben.

Auch der politische Widerstand gegen sie unterlag seit dem Frühsommer 1866 einer rapide fortschreitenden Erosion. Die Landtagswahlen waren zufällig auf den 3. Juli angesetzt worden. Bevor noch die telegrafische Nachricht über Königgrätz eintraf, lösten die Entscheidungen der Urwähler ein wahres politisches Erdbeben aus. Die DFP stürzte mit dreiundachtzig Abgeordneten auf ihre bisher niedrigste Mandatszahl ab; zusammen mit dem Linken Zentrum (65) kamen die Liberalen auf nur hundertachtundvierzig statt zweihundertdreiundfünfzig Abgeordnete. Um genau hundert Repräsentanten stieg die Zahl der Konservativen von zweiundvierzig auf hundertzweiundvierzig. Der Mehrheitsverlust bedeutete für die Liberalen ein Desaster – nur mit den Katholiken und den Polen hätten sie überhaupt noch eine ganz schwache Majorität bilden können. Drastisch zeigte der Wahlausgang, «wie labil das Wählerreservoir des preußischen Liberalismus in Wirklichkeit war».

Zur Verblüffung seiner Gegner und Anhänger nutzte Bismarck auf dem Gipfel des Triumphs die Chance zu einem innenpolitischen Ausgleich mit den Liberalen. Schon im Februar 1866 hatte er erste Fühler zu einigen ihrer führenden Persönlichkeiten ausgestreckt. Aber erst während der Prager Friedensverhandlungen gelang ihm, nachdem er den empörten Widerstand Wilhelms überwunden hatte, der entscheidende Coup: Die königliche Thronrede vom 5. August kündigte die Vorlage eines Indemnitätsgesetzes an, mit dem die Regierung um die parlamentarische Billigung ihrer Ausgaben, denen seit 1862 «die gesetzliche Grundlage» fehle, nachsuchte. Einen solchen Schritt hatte die Regierung zwar, wie vorn erwähnt, bereits 1862 in Aussicht gestellt. Geglaubt aber hatten daran weder die Verfechter der Lückentheorie noch die Liberalen, wollten sie doch mit ihrer Mehrheit selber diesen Rückzug erzwingen. Die Ankündigung schlug daher buchstäblich ein wie eine Bombe. Viele Konservative opponierten aufgebracht – so hatten sie sich das erhoffte «innere Königgrätz» nicht vorgestellt. Die interne Debatte führte letztlich zum Ausscheren der «Freikonservativen», die sich als «Partei Bismarck sans phrase» auf die Seite der Regierung stellten.

Tiefer noch ging der Riß durch das liberale Lager, wo doktrinäre Grundsatztreue und pragmatische Realpolitik zusammenprallten. Angesichts des neuen Auftriebs für die auf Demütigung der Liberalen bedachten Konservativen argumentierten die Realisten für eine schnelle Verständigung mit Bismarck, um im Hinblick auf die bevorstehende norddeutsche Staatsbildung mitwirkungsfähig zu sein. Gleichzeitig wollten sie einen «Damm gegen das Hereinbrechen der Reaktion» aufrichten, die in Gestalt eines konservativen Übergewichts durchaus als aktuelle Gefahr befürchtet wurde. Die Kontrahenten bestanden im Grunde darauf, daß die Regierung trotz zweier gewonnener Kriege reumütig zu Kreuze kroch. «Unbegreiflich» fand jetzt Treitschke die ablehnende Haltung von Gneist, Waldeck, Hoverbeck und anderen, nachdem die Regierung auf die Liberalen zugegangen war, anstatt einen «Vernichtungskampf» zu eröffnen. Über diesem Streit zerbrach die

DFP bereits im August: Führende Figuren wie Twesten, v. Unruh, v. Forckenbeck, Michaelis, Lette, Röpell, Braun und andere traten aus. Um sie herum bildete sich bis zum November die neue «Nationalliberale Partei», die Liberalismus, Nationalstaatspolitik und Kooperation mit Bismarck verschmelzen wollte. (Auf die Parteientwicklung wird in IV.5 ausführlicher eingegangen.)

Zum ersten Akt der Zusammenarbeit wurde die Unterstützung der Indemnitätsvorlage, in der die Regierung allein um die nachträgliche Zustimmung ihrer Ausgabenpolitik seit 1862 bat. Weder verlangte sie eine Billigung ihrer Abweichung vom Militärgesetz von 1814, noch gab der Landtag von sich aus der Heeresreform bereits sein Plazet. Geschickt sollte in dem Augenblick, als massiver Widerspruch nicht mehr mehrheitsfähig schien, die Wunde geheilt werden, welche die jahrelange Verletzung des Budgetrechts geschlagen hatte. «Eine solche Größe», reagierte voller Verblüffung selbst der demokratische Abgeordnete Volkmann in einem durchaus symptomatischen Geständnis, habe er «dem Bismarck nie zugetraut». Dank der Veränderung der Konstellation im Abgeordnetenhaus brachte die neue bismarckfreundliche liberal-konservative Mehrheit das Indemnitätsgesetz bereits am 3. September mit zweihundertdreißig gegen fünfundsiebzig Stimmen durch. Das bedeutete einmal das formelle Ende des preußischen Verfassungskonflikts nach vierjähriger Dauer. Vor allem aber verschaffte dieser Kompromiß sowohl Bismarck als auch den Nationalliberalen eine Vielzahl von neuen Chancen zur Kooperation in einem Augenblick, als sich mit dem Aufbau des Norddeutschen Bundes ein weiter Entscheidungshorizont öffnete. Würde jetzt Bismarck etwa auch zu seiner Bemerkung gegenüber Miquel kurz vor Kriegsausbruch stehen: «Später, wenn wir gesiegt haben, sollen sie Verfassung genug haben»?

An Kritik an diesem angeblichen «Zusammenbruch des preußischen Liberalismus» hat es seither nicht gefehlt. Damals schon sei er der Anbetung des Erfolgs erlegen, sein Rückgrat gebrochen worden, seine politische Moral kollabiert, heißt es, konfliktscheue Feigheit, geflissentliche Anpassung und Vergötzung Bismarcks hätten ihn regiert. Tatsächlich aber ließen sich im Sommer 1866 die verblüffenden Erfolge Bismarcks, die auch liberale Wunschträume erfüllten, schlechterdings nicht mehr leugnen. Offenbar war der Weg zur Nationalstaatsbildung verheißungsvoll eingeschlagen worden. Der Norddeutsche Bund galt weithin – schon im Prager Frieden – als möglichst schnell zu durchmessende Zwischenetappe. Sollten die Liberalen mit all ihrem Zukunftsoptimismus, daß sie nach dem Intermezzo einer konservativen Ausnahmepersönlichkeit eh das Heft in die Hand bekämen, auf die Mitwirkung bei faszinierenden Aufgaben verzichten? Sollten sie sich statt dessen auf eine sterile Gesinnungsopposition zurückziehen? Gehörte nicht der endlich auftauchende Nationalstaat zu ihren höchsten Werten? Konnten nicht in einer informellen Allianz mit der Regierung Bismarck bereits im Norddeutschen Bund zentrale liberale Zielvorstellungen verwirklicht werden – erst recht aber dann, wenn es zur anvisierten Verbindung mit Süddeutschland mit seinen starken liberalen Bataillonen kam? Opportunistischer Grundsatzverzicht regierte, dem Lamento der starren Fortschrittler zum Trotz, keineswegs die Stunde. Vielmehr setzte sich nach intensiver Abwägung ein durchaus realistisches Kalkül durch – und das hieß, wie fast immer, in Gestalt einer Kompromißpolitik, um die Priorität genießenden Ziele erreichen zu können. Eine Gratwanderung blieb der Weg dorthin allemal.

Deshalb muß man Hermann Baumgartens viel zitierte, im Herbst 1866 in den «Preußischen Jahrbüchern» veröffentlichte «Selbstkritik» des deutschen Liberalismus relativieren, vor allem auch genau lesen. Gewiß plädierte Baumgarten erneut – wie vor dem Krieg! – für die Kooperation der preußischen Liberalen mit Bismarck. Aber hatte sich nicht in der Tat die deutsche Staatenwelt durch Königgrätz «von Grund auf verwandelt»? Arbeitete nicht außerdem die Konjunktur in einem Land, «das täglich reicher wird», der Regierung ständig in die Hand? Gewiß erklärte Baumgarten zu apodiktisch, das Bürgertum sei in erster Linie «zur Arbeit» geschaffen, «aber nicht zur Herrschaft». Auf pointierte Kritik am alten Regime und damit am Adel verzichtete er jedoch keineswegs: «Nirgends in Europa außer bei uns ist der Adel auf die Dauer der Verbündete des Absolutismus gewesen», insistierte er, «nirgends als bei uns hat er systematisch bürokratische Regierungsformen gegen den Anspruch auf Selbstverwaltung durchgesetzt.» Trotzdem müsse nach dem Erfolg der «vielgeschmähten Junker» das liberale Bürgertum «neben dem Adel eine ehrenvolle Stellung behaupten». Eine Rundum-Kapitulation war das mitnichten. Eher setzte sich das Vereinbarungs- und Kompromißdenken, das seit dem vormärzlichen Liberalismus im Schwange war, noch einmal durch; es beruhte ja seit jeher auf einem Dualismus der bürgerlich-liberalen und adlig-monarchischen Herrschaftsträger.

Überdies: Nicht zufällig ist Baumgarten sehr frühzeitig zu einem der schärfsten Kritiker des Reichskanzlers Bismarck geworden, mag er auch 1866 mit dem einen oder andern falschen Zungenschlag zu realistischer Selbstbeurteilung, zu eingeschränkten und bescheidenen Ansprüchen geraten haben. Der nationale Liberalismus insgesamt hatte noch längst nicht auf seinen Anspruch verzichtet, in relativ naher Zukunft die Herrschaft in der heraufziehenden gesamtdeutschen bürgerlichen Gesellschaft maßgeblich ausüben zu können.[28]

Vom Norddeutschen Bund zur neuen «deutschen Revolution»: Die großpreußische Staatsbildung von 1867/71. Die erste, klar anvisierte Chance für die Liberalen, diesem Fernziel näher zu kommen, bot sich während der Entstehung des Norddeutschen Bundes, mit dem der Staatsbildungsprozeß im Verlauf der deutschen «Doppelrevolution» ein neuartiges Fundament gewann. Bereits Mitte August 1866 wurden, nachdem der Prager Frieden gewissermaßen auch völkerrechtlich grünes Licht gegeben hatte, die ersten Verträge mit fünfzehn norddeutschen Staaten unterzeichnet; ihnen schlossen sich in der Folgezeit alle Staaten nördlich der Mainlinie an. Die Politik Bismarcks während dieser Aufbauphase folgte dem Leitstern, die preußische Hegemonie in einer möglichst effektiven Form fest zu verankern. Die Ausgangsbasis bildete der preußische Bundesreformvorschlag vom 10. Juli 1866: Aus ihm sollte jetzt ein neuer, auf Norddeutschland beschränkter Bund mit einer eigenen Verfassung und einem nach dem Reichstagswahlrecht von 1849 gewählten eigenen Bundesparlament entwickelt werden.

Erste Entwürfe von Bismarcks Mitarbeitern Lothar Bucher und Hermann Wagener, auch von Max Duncker und dem AA-Rat Hepke, fielen nach Bismarcks Urteil zu zentralistisch oder doch noch zu bundesstaatlich aus. Ihm schwebte dagegen eine eher staatenbündische Union vor, die deutlich an «das Hergebrachte» anknüpfte, um ihre Akzeptierbarkeit und damit auch die Hinnahme des preußischen Primats zu erleichtern. Schließlich entwarf Bismarck selber während eines längeren Erholungsurlaubs auf der Insel Rügen im Oktober/November 1866 in den sogenannten Putbuser Diktaten die Grundzüge einer Verfassung, deren wesentliche Elemente bis 1918 bestehenbleiben sollten!

Bismarck hielt sich an seine Maxime, wo immer möglich eine elastische Anpassung an die politischen Gegebenheiten zu suchen. Diese Absicht sollte damals auch den süddeutschen Staaten die Bahn zum Beitritt ebnen, nicht zuletzt aber mit dem Kontinuitätsbruch versöhnen, den der Norddeutsche Bund überhaupt, das demokratische Wahlrecht und vor allem die Stabilisierung der großpreußischen Hegemonie hinter der Fassade von teilweise vertrauten Institutionen realiter bedeuteten. Der ausgefeilte Entwurf wurde bereits am 15. Dezember an die verbündeten Regierungen versandt, die ihn bis zum Februar 1867 berieten. Trotz mancher Bedenken konnte er schon Anfang März 1867 dem Konstituierenden Reichstag des Norddeutschen Bundes zur Beratung vorgelegt werden. Wie hatte der Verfassungsentwurf die Probleme der Machtverteilung und Machtkontrolle gelöst, das staatenbündische Prinzip und den preußischen Hegemoniewillen miteinander verbunden?

An der Spitze eines Staatenbundes, der von Treitschkes postuliertem «Einheitsstaat» meilenweit entfernt war, stand das «Bundespräsidium». Dahinter verbarg sich allein der preußische König, aber das anonyme Neutrum umging geschickt die Entscheidung für den neumodischen Titel eines Königs oder Kaisers von Norddeutschland. In einer solchen Erhöhung der Hohenzollern hätte sich die preußische Vorherrschaft auch symbolisch stark ausgedrückt, wogegen sie durch die bürokratisch-trockene Frankfurter Terminologie eher abgeschwächt wurde. Wenn es um konkrete Machtfaktoren ging, ließ der

Verfassungstext keinen Zweifel aufkommen. Als Bundesfeldherrn unterstand dem König die gesamte Landmacht des Bundes, so daß der Geltungsbereich des preußischen «Oberbefehls» erheblich ausgedehnt wurde.

Als «Zentralbehörde», besser als «Gesamtministerium» der neuen Staatenunion war der «Bundesrat» konzipiert, in dem der alte Bundestag in Gestalt einer Versammlung von dreiundvierzig Delegierten der Mitgliedsstaaten fortlebte. Da Preußen siebzehn Vertreter stellte, konnte es mit seinem Veto gravierende, zum Beispiel verfassungsändernde Zweidrittelmehrheiten jederzeit verhindern. Im Bundesrat besaß der «Bundeskanzler» für Preußen den Vorsitz. Der Name klang damals ganz nüchtern nach einem Geschäftsführer, erinnerte wohl auch an die Stellung des Wiener Bundespräsidialgesandten. Aber die von Bismarck gewiß nicht übersehene Ämterkumulation, die er als preußischer Ministerpräsident und Außenminister mit der Übernahme dieser neuen Funktion zuwege brachte, hob die Kanzlerstellung weit darüber hinaus. Schließlich blieb es bei einem aus dem allgemeinen, gleichen, geheimen Wahlrecht für Männer hervorgehenden «Reichstag» – auch dieser Name ein bewußter Rückgriff auf Tradition und Revolution –, der zusammen mit dem Bundesrat im vertrauten Zweikammersystem die Bundesgesetzgebung ausübte.

Die Verfassung vermied starren Zentralismus und Unitarismus; sie besaß genügend Elastizität, um den bundesstaatlichen Charakter glaubwürdig erkennen zu lassen. Dennoch sicherte sie den Primat Preußens institutionell ab. Sie erfüllte liberale Vorstellungen von einer parlamentarischen Legislative und führte, in der Hoffnung auf konservativ-royalistische Mehrheiten, sogar das demokratische Wahlrecht ein. Nicht zuletzt hielt sie – wie die amerikanische Verfassung – die Kooptation neuer gleichberechtigter Bundesmitglieder offen, errichtete also kein geschlossenes System, sondern ermöglichte anderen, den süddeutschen Staaten, den Beitritt. In dieser Form wurde die Verfassung am 16. April im Konstituierenden Norddeutschen Reichstag, am Tage darauf von den verbündeten Regierungen angenommen, so daß sie am 1. Juli 1867 in Kraft treten konnte.

Die Liberalen, unter denen die unlängst gegründete Nationalliberale Partei ihr neues Gewicht geltend machte, stritten während der Beratung vor allem für die verfassungsrechtliche Normierung zweier hochbrisanter politischer Ziele. Sie verlangten verantwortliche Minister im Sinne des parlamentarischen Systems. Damit scheiterten sie jedoch an dem unnachgiebigen Widerstand, den Bismarck mit allen Repräsentanten des alten Regimes aufbot. Außerdem wollten sie eine unzweideutige Klarstellung, daß das Budgetrecht auch in allen Militärfragen uneingeschränkt gelte. Im Prinzip setzten sie sich hier durch. Faktisch aber mußten sie sich trotz heftigen Widerstrebens sogleich mit dem Kompromiß eines mehrjährigen Heeresetats zufriedengeben. Der Reichstag billigte nämlich die Reformvorlage von 1859 mit ihrer dreijährigen Dienstzeit in der Linie, darauf vier Jahren in der

Reserve und weiteren fünf Jahren in der Landwehr, sowie einer Friedenspräsenzstärke von einem Prozent der Bevölkerung. Im sogenannten «Eisernen Gesetz» wurden sodann die Ausgaben bis zum 31. Dezember 1871 gebilligt, wobei das anrüchige Pauschquantum abgewehrt, jedoch eine fixe Kopfquote von zweihundertfünfundzwanzig Talern schließlich akzeptiert wurde. Eine neue Auseinandersetzung über den Militäretat war angesichts dieser dem Parlament mühsam abgerungenen Kompromißlösung für den Herbst 1871 schon vorprogrammiert.

Bittere Kritik übten die Liberalen auch am demokratischen Wahlrecht, das die vertraute exklusive Bindung politischer Partizipationsrechte an Besitz und Bildung auflöste, so daß die Dominanz liberaler Honoratiorenpolitiker, wie sie zu Recht fürchteten, über kurz oder lang in Frage gestellt wurde. Beide Seiten hatten indes aus dem Verfassungskonflikt gelernt: Deshalb wich die Regierung in der Erwartung zuversichtlich kalkulierter konservativer Mehrheiten von dem Wahlrecht der Revolution nicht ab. «In einem Lande mit monarchischen Traditionen und loyaler Gesinnung», hatte Bismarck diese Erwartung intern ausgedrückt, «wird das allgemeine Stimmrecht, indem es die Einflüsse der liberalen Bourgeoisklassen beseitigt, auch zu monarchischen Wahlen führen.»

Insgesamt mußten daher die Liberalen zwei folgenreiche Einschränkungen ihres Machtstrebens hinnehmen: die Begrenzung der Parlamentskompetenzen einerseits, zugleich aber die Ausweitung der politischen Teilhaberechte durch das Wahlrecht andrerseits, welches die Ausbildung jenes politischen Massenmarkts förderte, auf dem die Stellung der Liberalen untergraben zu werden drohte.

Dem stand als rundum positive Bilanz gegenüber, daß auf dem Gebiet der Wirtschaftspolitik, überhaupt der freien gesellschaftlichen Entfaltung, so viele Zielvorstellungen der Liberalen verwirklicht wurden, daß sie durchaus das Gefühl besitzen konnten – wie das seither auch die noch zu schildernde Gesetzgebung geradezu Schlag auf Schlag bestätigen sollte –, in ihrem Sinne die sozialökonomische Modernisierung in beiden Bereichen gesichert zu haben und von dieser Basis aus noch weiter vorantreiben zu können. Die Defizite der politischen Modernisierung blieben als Herausforderung bestehen. Als unlösbare Aufgabe wirkten sie, trotz der soeben erlebten Grenzen der Verfassungspolitik, noch keineswegs. Schon der erwartete Zusammenschluß mit den süddeutschen Staaten und ihren energischen Liberalen konnte vielleicht die ersten Revisionschancen eröffnen.

Mit den süddeutschen Mittelstaaten, mit Bayern, Württemberg und Baden als Alliierten Österreichs, wurden nicht nur großzügige Friedensverträge, sondern auch die sogenannten Schutz-und-Trutzbündnisse geschlossen. Die lähmende Niederlage tat hier das ihre. Bismarck spielte zudem bei den Verhandlungen die gefürchteten französischen Gebietswünsche aus, so daß zwischen dem 13. August und 3. September diese Staaten mit den norddeutschen Streitkräften eng verbunden wurden. Sie mußten die preußische Heeresverfassung übernehmen, die in Süddeutschland eine einschneidende Veränderung bedeutete, und im Konfliktfall ihre Verbände dem Oberbefehl des Bundesfeldherrn unterstellen. Dank diesen Verträgen und dem Norddeutschen Bund wuchs zwischen dem Herbst 1866 und dem Frühjahr 1867 das Militärpotential, das der preußischen Politik seither zur Verfügung stand, nach damaligen Maßstäben gewaltig an.

In Baden, das ohnehin widerwillig in den Krieg gezogen war, setzte sich jetzt Großherzog Friedrich mit den Liberalen durch, die offen für den Anschluß an den Norddeutschen Bund eintraten. Die Heeresreform nahm ihren Gang. In Bayern leitete Ministerpräsident Chlodwig zu Hohenlohe-Schillingsfürst den Armeeumbau nach preußischem Vorbild und eine breit gestaffelte liberale Gesetzgebung ein. Beides löste erbitterten Widerstand aus. Württemberg ging in der Militärpolitik eher gemächlich vor, behielt zum Teil eine Art Miliz, plädierte aber für eine engere ökonomische Kooperation.

Dieses Politikfeld: die wirtschaftliche Verklammerung der deutschen Staaten gewann seit dem Frühjahr 1867 auch für die Berliner Politik wieder an Bedeutung. Die ökonomische Integration sollte die militärische unterstützen und dem politischen Anschluß vorarbeiten. Im Mai 1867 erfuhren die Mitgliedstaaten Bismarcks programmatische Vorstellungen von einer Reform des Zollvereins. Zur Debatte gestellt wurde ein grundlegender institutioneller Umbau. Die Generalzollkonferenz diskutierte in Berlin den auf Delbrück zurückgehenden Entwurf eines revidierten Vertrages, und das neue Gewicht Preußens erwies sich als so stark, daß in dieser Runde ein völlig umgestalteter Zollverein bis Ende Juli unter Dach und Fach war.

Aus einer relativ locker verbundenen Assoziation unabhängiger Staaten mit einem «liberum veto» jedes Mitglieds wurde jetzt eine enge Wirtschaftsunion mit gemeinsamen Gesetzgebungsinstanzen und Mehrheitsbeschlüssen. Der Zollverein führte das Zweikammersystem ein: Im Zollbundesrat wurden die Mitglieder durch achtundfünfzig Delegierte vertreten, auch hier konnte Preußen mit seinen siebzehn Repräsentanten die Vetomacht ausüben; das Zollparlament wurde ebenfalls nach dem Reichstagswahlrecht gewählt. Das sicherte dem menschenreichen Norden unter preußischer Dominanz die Majorität der Abgeordneten. Preußen erhielt nicht nur das Präsidium des Parlaments. Vielmehr trat die enge Verklammerung mit der Führungsmacht auch darin unübersehbar zutage, daß das neugeschaffene Bundeskanzleramt für das Präsidium, das Abgeordnetenhaus für das Zollparlament die Bürogeschäfte übernahm. Politisch wurden die Zollkammern an kurzer Leine gehalten. Sie erhielten weder das Budgetrecht noch das Recht der Periodizität. Immerhin: Die ökonomische Vereinigung mit 8.5 Millionen Süddeutschen sollte auf diese Weise verdichtet werden, den politischen Anschluß ohne feste zeitliche Vorgabe einleiten helfen. Die Berliner Politik versuchte, diesem Ziel durchaus vielgleisig näherzukommen.

Das volle Ausmaß der Opposition, die sich 1866/67 gegen die militärische und wirtschaftliche Anbindung an Preußen in Süddeutschland entfaltete, hatte sie vermutlich nicht vorausgesehen. Partikularistische und klerikale, liberaldemokratische und protektionistische Motive verbanden sich zu einem vehementen Widerstand gegen die verhaßte «Säbelherrschaft des preußischen Cäsarismus», gegen die drohende Übermacht der «evangelischen Ketzer», gegen die «volkswirtschaftliche Diktatur» einer industriefreundlichen, freihändlerischen Wirtschaftspolitik. In Bayern organisierte die «Patriotenpartei» den kleinbürgerlich-bäuerlich-katholischen Protest, der die perhorreszierte Überwältigung durch den Norden noch abwenden wollte. In Württemberg wurde die «Volkspartei» zum Kristallisationspunkt der Antiborussen, die sich auf die demokratischen und liberalen Traditionen des Landes beriefen. In Baden gewann der Kulturkampf zwischen Liberalen und katholischer Landbevölkerung im Nu eine preußenfeindliche Dimension hinzu. Wie nachhaltig sich diese Opposition auswirkte, zeigten bereits die Debatten in den Landtagen, als dort über die Zollvereinsreform abgestimmt werden mußte. Jene Abgeordneten, die den Interessen dieser populistischen Protestbewegungen nahestanden, lieferten ihren Kontrahenten erbitterte Wortgefechte. Überall setzten sich jedoch am Ende die Befürworter eindeutig durch, am schnellsten in Baden, schließlich auch in Bayern (117:17) und Württemberg (76:13). Im Oktober lag die Zustimmung aller Landtage der Mittelstaaten vor, so daß die Wahlen zum Zollparlament ausgeschrieben werden konnten.

Jetzt aber erwies sich, daß der Widerstand gegen einen kleindeutschen National- und Militärstaat unter preußisch-protestantischer Ägide keineswegs gebrochen, vielmehr noch weiter angeschwollen war. Wahlkampfparolen wie «Steuern zahlen, Soldat sein, Maul halten» lösten begeisterte Zustimmung aus. Den Protestparteien gelang es, eine erstaunliche Resonanz auszulösen. Nicht nur das Reichstagswahlrecht des Norddeutschen Bundes, auch die Zollparlamentswahlen mit ihren populistischen Bewegungen eröffneten 1867/68 die Ära einer neuartigen politischen Massenmobilisierung.

Unversehens gerieten jedenfalls die süddeutschen Anhänger des Zollvereins und der kleindeutschen Politik überall in die Defensive. Manchem schwante bald Böses. Das Ausmaß der eklatanten Niederlage im Februar/März 1868 überraschte dennoch. In Württemberg wurden nur Oppositionelle gewählt, insgesamt siebzehn; selbst in Baden sechs, denen immerhin acht kleindeutsche gegenüberstanden; in Bayern übertrafen siebenundzwanzig prononcierte Partikularisten deutlich ihre einundzwanzig Kontrahenten. Aus den süddeutschen Staaten zogen insgesamt einundneunzig auf Grundsatzopposition festgelegte Abgeordnete ins Zollparlament ein, wo sie die überwiegend konservative Opposition gegen Bismarcks verhaßtes Zusammenspiel mit den Liberalen verstärkten; nur sechsundzwanzig unterstützten die norddeutschen Liberalen. Das Ergebnis ließ wenig Zweifel daran aufkommen, daß das Zollparlament als Mittel kleindeutsch-großpreußischer Politik vorerst entfiel. Anstatt die Erweiterung des Norddeutschen Bundes mit Hilfe der Schubkraft des reformierten Zollvereins betreiben zu können, mußte die Regierung Bismarck mitsamt den Nationalliberalen eine Blockade dieser Absichten hinnehmen. Es ist daher kein Zufall, daß Bismarck selber gerade seit dem Frühjahr 1868 immer wieder seine Auffassung glaubwürdig wiederholt hat, man müsse in der Nationalpolitik mit längeren Fristen rechnen. Ein forciertes Eingreifen in ihre Entwicklung habe «immer nur das Abschlagen unreifer Früchte zur Folge». Man könne die Uhr vorstellen, «die Zeit geht aber deshalb nicht rascher». Vergeblich suche man in «wortreicher Unruhe» nach «dem Stein der Weisen», der «sofort die deutsche Einheit herstellen könne».[29]

Das Warten auf eine günstigere Konstellation für den Abschluß der Nationalstaatsbildung kontrastierte scharf mit der ganz außergewöhnlichen Energie, welche die Regierung zusammen mit den Liberalen als Quasiregierungspartei auf den verschiedensten Gebieten der Gesetzgebung entfaltete. Dieser Initiativenreichtum insbesondere der Nationalliberalen wirkte wie ein entschlossener Anlauf, unverzüglich zu beweisen, wie modern, wie attraktiv für jeden Fortschrittsfreund der Norddeutsche Bund in kürzester Zeit ausgestaltet werden konnte – wie durchsetzungsfähig die Liberalen mit ihrer Politik gesellschaftlicher Modernisierung waren. Jedes Reformgesetz trug auch – nicht nur nach ihrer eigenen Auffassung – dazu bei, den Norddeutschen Bund als modernes Staatswesen zu konsolidieren und seine Entwicklungfähigkeit zu unterstreichen. Damit aber gewann, Schritt für Schritt, das Bild an Konturen, wie die Zukunft des gesamtdeutschen Natio nalstaats aussehen sollte.

Noch einmal wurde, wie die süddeutschen Neustaaten und das schwer angeschlagene Preußen das bereits in ihrer klassischen Reformära zwischen 1800 und 1820 unternommen hatten, durch eine Vielzahl von Reformen der innere Staatsbildungsprozeß so weit vorangetrieben, daß damit die Weichen für eine zukunftsträchtige Entwicklung auf lange Dauer gestellt wurden. Der politische Neubeginn, wie er sich in der Gründung des Norddeutschen Bundes, der Natur des politischen Systems und der Verfassung ausdrückte, verband sich wiederum mit einer umfassenden Gesellschaftsreform, die der Kernzelle des erhofften Nationalstaats ein modernes Fundament verschaffen sollte. Anders als früher resultierte jedoch dieser Reformkurs aus dem engen Zusammenspiel von innovationsfreudigen liberalen Politikern im Parlament und liberalen Exponenten der Bürokratie. Es war diesmal also nicht wie vor sechzig Jahren allein die staatliche Verwaltung, die als treibende Kraft diese Ausgestaltung der jungen Staatenunion übernahm. Das Bewegungszentrum lag vielmehr häufiger bei den Liberalen, die trotz unleugbarer Rückschläge und Konzessionen mit großem Selbstgefühl ihre Zielvision von einer modernen bürgerlichen Gesellschaft zu verwirklichen suchten.

Mit guten Gründen hat Eduard Lasker, ein bedeutender Mitgestalter und unersetzlicher Rechtsexperte der Nationalliberalen, in einem großen Rechenschaftsbericht für seine Fraktion geurteilt, daß das Jahrzehnt zwischen 1866/67 und 1876/77 zu den «großartigsten Erscheinungen in der Reformgeschichte Preußens und Deutschlands wie überhaupt in der Reformgeschichte irgendeiner zivilisierten Nation» gehöre. Selbst sein ewiger Widerpart, der Konservative Hermann Wagener, räumte ein, daß damals ein riesiger Schritt aus den überkommenen «feudalistischen und bürokratischen Formen» heraus «zu einer modernen Erwerbsgesellschaft» getan worden sei.

Zunächst ist eine Einschränkung geboten. Seine traditionelle Domäne hat der preußische Staat unter der Regierung Bismarcks auch damals kompromißlos verteidigt: Das Militär und die Außenpolitik, die Bürokratie und die Hofgesellschaft blieben in ihrer parlamentsautonomen Stellung erhalten. Jeder Anlauf, in diese Reservate einzudringen, machte die Liberalen mit unüberwindbaren Grenzen ihrer Politik bekannt. An einer solchen Grenze scheiterten sie zum Beispiel, als sie das Militärbudget zu einem «normalen» Bestandteil des Haushaltsrechts machen oder als sie mit einem Bundesbeamtengesetz in den Arkanbereich eindringen wollten. Im Verein mit der Machtkonstellation der realen und der neugeschriebenen Verfassung erwies sich das als folgenschwere Blockade.

Auf der andern Seite konnte der Norddeutsche Reichstag in jenen Bereichen, die ihm zur gesetzgeberischen Gestaltung offenstanden, nach knapp drei Jahren eine erstaunliche Erfolgsbilanz nachweisen – und man muß sich sogleich vergegenwärtigen, daß zu einer umfassenden Würdigung die Leistungen der folgenden Jahre bis 1877 noch hinzugehören. Handel und Gewerbe, Industrie und Verkehr, Recht und Gesellschaft – das waren die Politikfelder, auf denen er unerwartet viel erreichte.

Unter knapp dreihundert Abgeordneten (297) bestimmte eine lockere Reformkoalition von vierundachtzig Nationalliberalen, dreißig DFP-Vertretern und sechsunddreißig Freikonservativen die Gesetzgebung. Diese Allianz besaß bereits die absolute Mehrheit, wurde aber oft noch durch Abgeordnete der liberalen Splittergruppen und Konservativen verstärkt. Viele wichtige Gesetze wurden sogar «fast einstimmig» verabschiedet. Unstreitig hielten die führenden Köpfe der Nationalliberalen die strategischen Positionen besetzt, formulierten selber zahlreiche Vorlagen und entschieden über Prioritäten und Beratungstempo. Häufig arbeiteten sie aufs engste mit Delbrück, der im August 1867 die Leitung des Bundeskanzleramts übernommen hatte, mit seinem halben Dutzend hochkompetenter Mitarbeiter und den Experten in den preußischen Ressorts zusammen. So intim wie während der «Ära Delbrück» haben liberale Politiker erst wieder seit 1949 mit der Staatsverwaltung kooperieren können. Was war das Ergebnis, das der parlamentarische und bürokratische Liberalismus der späten 1860er Jahre vorweisen konnte?

Mit mehr als achtzig Gesetzen, die sowohl dank der bestechenden Arbeitsintensität des Parlaments als auch dank der vorzüglichen Vorarbeit der preußischen Bürokratie verabschiedet werden konnten, gelang es, zahlreiche obsolete «Privilegien und Zwangsrechte» aufzuheben, den traditionellen «obrigkeitsstaatlichen Reglementierungsanspruch» weit zurückzudrängen; vor allem aber wurde in Verbindung damit eine Vielzahl von positiven Veränderungen durchgesetzt. Der «Freiraum für den einzelnen Bürger», insbesondere auch in seiner Rolle als Staatsbürger, wurde entschlossen vergrößert. Mobilität und Assoziationsrecht wurden aufgewertet. Die «Rechtsgarantien» wurden vermehrt, das Rechtssystem selber vereinheitlicht, das Strafrecht humanisiert. Handels- und Gewerbegesetzgebung wurden zeitgemäß kodifiziert. Die Dynamik der Industrie wurde durch die Beseitigung sperriger Hemmnisse nach Kräften gesteigert, das politische System im Inneren vereinheitlicht. Noch einmal: Manche hochgespannte Reformerwartung wurde enttäuscht. Trotzdem zeigt ein Blick auf die zwanzig wichtigsten Gesetze, mit welcher Energie die Liberalen in Parlament und Verwaltung ihr großes Modernisierungsprojekt in verblüffend kurzer Zeit vorangetrieben haben.

Sortiert man diese Gesetze nach einigen Sachgesichtspunkten, wurde – nachdem das Gehäuse der Verfassung errichtet war – die Gleichheit der Lebenschancen und politischen Bedingungen im neuen Bund verbessert. Dafür sorgten das Bundes- und Staatsangehörigkeitsgesetz, das Paßwesen, die Vereinheitlichung des Wahlrechts und des Militärdienstes, natürlich ganz nach preußischem Vorbild. Gegen manche archaische Diskriminierung in einigen Mitgliedstaaten wurde die Gleichberechtigung der Konfessionen durchgesetzt. Diese Entscheidung weist bereits auf einen gleitenden Übergang zu der dezidiert liberalen Gesellschaftspolitik hin. Die Freizügigkeit wurde verankert, jede polizeiliche Beschränkung der Eheschließung aufgehoben. Mit dem so unscheinbar klingenden Gesetz über den Unterstützungswohnsitz wurde tatsächlich eine der wichtigsten Materien mit den schwierigsten Problemen im liberalen Sinn geregelt. Dabei ging es vordergründig um die Pflicht zur Armenpflege, tatsächlich aber um weit mehr. Alle überkommenen Hemmnisse des Aufenthalts- und Niederlassungsrechts, des Erwerbs von Grundeigentum und der Eröffnung eines Gewerbebetriebs, des Eherechts und der Haushaltsgründung wurden beseitigt. Der ganze Komplex des traditionellen Heimatrechts ist damit aufgehoben, das Geflecht seiner Schutzfunktionen zerschnitten worden. In Preußen war seit fünfundzwanzig Jahren der Erwerb oder Verlust des Unterstützungswohnsitzes an den Ablauf einer knappen Zeitspanne gebunden. Mit dieser schematisch-unpersönlichen Regelung hatte die liberale Bürokratie sowohl individuelle Freizügigkeit als auch Mobilität auf dem entstehenden gesamtstaatlichen Arbeitsmarkt erreicht. In allen anderen Mitgliedstaaten wie auch in den soeben annektierten neuen preußischen Provinzen galt aber noch die Tradition, daß das Heimatrecht durch Geburt oder Verleihung erworben wurde, während sein Verlust überwiegend aus dem Erwerb einer anderen Staatsangehörigkeit resultierte. Für die Fortdauer dieser vertrauten ständisch-korporativen Verbindung von Privilegium und Diskriminierung trat, obwohl Norm und Praxis inzwischen anachronistische Relikte waren, immerhin noch die zuständige Kommission in ihrem Entwurf ein. Die Mehrheit des Plenums aber hielt am Ideal der staatsbürgerlichen Gleichheit und freien Bewegung auf dem Arbeitsmarkt fest, als sie ihre Entscheidung auf der Basis des preußischen Rechts traf. Außerhalb Preußens verkörperte schon allein dieses Gesetz einen Akt einschneidender gesellschaftlicher Modernisierung.

Mit ihr waren zahlreiche wirtschaftsrechtliche Neuerungen aufs engste verknüpft. 1869 wurde das auf langwierigen Vorarbeiten beruhende «Allgemeine Deutsche Handelsgesetzbuch» verabschiedet, das die Bewegung von Waren- und Geldströmen in der modernen Marktwirtschaft nach einheitlichen Prinzipien regulierte. Gleichzeitig trat die «Allgemeine Deutsche Wechselordnung» in Kraft, ohne die ein reibungsloser Bankenverkehr, ein glatter Fluß von privaten Geschäften alsbald nicht mehr zu denken war. Als höchste Entscheidungsinstanz in Streitfällen wurde der Oberste Handelsgerichtshof in Leipzig gegründet. Ein Genossenschaftsgesetz verschaffte dem aufblühenden Assoziationswesen der städtischen und ländlichen Mittelklassen die Anerkennung als kommerzielle Gesellschaften im Sinne des Handelsrechts. Die heikle Frage der Banknotenausgabe und des Staatspapiergeldes wurde geklärt, die Zinsfestsetzung endlich freigegeben, um – ohne die altertümliche Bremse zur Vermeidung von Wucher – die Kosten des Kredits nach Marktbedingungen frei fixieren zu können.

Die Expansion der Industrieunternehmen und Banken erhielt Auftrieb, als im Mai 1870 die in fast allen Bundesstaaten noch geltende Konzessionspflicht für Aktiengesellschaften aufgehoben wurde. Um den Preis einer drastisch verminderten Sicherheit für Aktionäre konnten seither neue Großunternehmen den konjunkturellen Aufschwung ausnutzen und verstärken; dem freien Handel mit ihren Aktien stand nichts mehr im Wege. Die vorn erörterte Gewerbeordnung von 1869 wurde in den nächsten fünfzig Jahren zu einem «sozialen Grundgesetz» des Landes, indem sie ein Maximum an Entfaltungsmöglichkeiten mit einer liberalen Regulierung des Verhältnisses von Kapital und Arbeit verband, so daß dank der endlich gewährten Koalitionsfreiheit die individuelle Schwäche durch kollektive Stärke und Solidarität abgemildert werden konnte. Schließlich gehörten zur Homogenisierung des Verkehrswesens die neue Maß- und Gewichtsordnung, die an einen Entwurf des Deutschen Bundes von 1865 anknüpfen konnte, sowie das Postgesetz, das die von der Verfassung postulierte «einheitliche Verkehrsanstalt» mit einheitlichen Tarifen tatsächlich verwirklichte.

Über die bereits genannten Reformen im Bereich des Wirtschaftsrechts hinaus gelang dem Norddeutschen Reichstag eine weitere Justizreform mit dem großen Wurf seines Strafgesetzbuchs. Auch diese Gesetzgebung orientierte sich an Errungenschaften des preußischen Rechtsstaats, in diesem Fall an dem neuen Strafrecht von 1851; sie konnte sich freilich auch hier, da der «Herrschaftsanspruch» des Staatsapparats direkt tangiert wurde, über die Grenzen ihres Vorbilds nicht hinwegsetzen: Trotz aller Anstrengungen der liberalen Rechtspolitiker behielt etwa das Prozeßrecht für politische Delikte noch seinen spätabsolutistischen Charakter.

Rechtssicherheit und großzügigen Schutz des geistigen Eigentums verschaffte das Urheberrecht des neuen Bundes. Das mittelalterliche Relikt der Schuldhaft wurde beseitigt. Weitere Gesetzesentwürfe standen auf der Tagesordnung, als der Krieg von 1870/71 die Arbeit des Norddeutschen Reichstags unterbrach. Der neue Reichstag hat sie dann 1871 fortgesetzt. Die meisten der neuen Bundesgesetze wurden mit geringfügiger Anpassung als Reichsgesetz übernommen. Neue Gesetzeswerke setzten den Reformkurs fort: Die Reichsämter, die Reichsbank, das Reichsgericht wurden gegründet, das Reichspatent- und Reichspressegesetz, die Münzreform und weitere Justizgesetze wurden verabschiedet; in Preußen wurden, maßgeblich durch die Liberalen, die Kreisreform-, die neuen Selbstverwaltungs- und Verwaltungsgerichtsgesetze durchgesetzt. Es war eine glanzvolle Reformzeit, in der bis heute tragende Fundamente der bürgerlichen Wirtschaftsgesellschaft und der modernen Staatsbürgergesellschaft gelegt wurden. Insofern wurde die politisch-militärische Staatsbildung durch eine bürgerliche Reichsgründung in Gestalt dieser liberalen Gesetzgebung ergänzt und erweitert.

So schmerzhaft die herrschaftspolitischen Barrieren ihrer Aktivität von den Liberalen auch empfunden wurden, ist doch unbestreitbar, daß sie nach ihren Vorstellungen grundlegend wichtige Realitätsbereiche rechtlich ordnen konnten. Ihre Bedeutung wuchs einmal mit der Entfaltung der modernen Wirtschaft und Gesellschaft überhaupt, zum zweiten auch dank dem zunehmenden Regulierungs- und Interventionsbedarf komplexer und störanfälliger Systeme. Der Leistungsstolz der Liberalen ist daher verständlich: «enorme Schwierigkeiten» wurden, versicherte Lasker, «in unglaublich kurzen Fristen überwunden». Für die liberale Reformpolitik habe sich, zog Rudolf v. Bennigsen als Fraktionsvorsitzender der Nationalliberalen eine Gesamtbilanz im Juni 1870, die neue Verfassung «glänzend bewährt», sie solle deshalb auch von einem neuen «Gesamtdeutschland» übernommen werden, um den Liberalen dessen weitere Ausgestaltung auf der Linie der vergangenen drei Jahre zu erleichtern.

Während das norddeutsche «Arbeitsparlament» ein gewaltiges Pensum erledigte, trieb Delbrück gleichzeitig die handelspolitische Verflechtung mit Europa und Übersee voran. Da er sich ganz auf der Linie des weithin konsensfähigen freihändlerischen Wirtschaftsliberalismus bewegte, fand er für rund vierzig Verträge die bereitwillige Zustimmung des Parlaments. Sie fiel um so leichter, als die neue Wirtschaftspolitik im Inneren und im

Außenhandel von einer kraftvollen Konjunktur getragen wurde. Auch der Interessenkampf in anderen Bereichen der Gesetzgebung wurde durch die Erfahrung und Erwartung eines anhaltenden Wachstums entschärft. Der ostelbische Landadel etwa spürte den Auftrieb dank der Überschneidung von agrarischer und industrieller Prosperität, befürwortete aufgrund eines nüchternen Interessenkalküls den Freihandel und fühlte sich durch wesentliche liberale Gesetze nicht bedroht, sondern begünstigt. Ebenfalls wegen der Hochkonjunktur und der legislativen Erfolge hegten auf der andern Seite die nationalliberalen und freikonservativen Reformer die Hoffnung, das Industrieproletariat insbesondere durch die Humanisierung der Rechtsverhältnisse auf mittlere Sicht doch noch in die modernisierte Wachstumsgesellschaft mit ihrem expandierenden «Verteilungskuchen» einbinden zu können. Insgesamt herrschte während der kurzen Existenz des Norddeutschen Bundes ein ausgeprägter, durch die innenpolitischen Erfolge beflügelter Sozialoptimismus vor.

Im Frühjahr 1870 konnten die parlamentarischen Reformkräfte in der Tat gute Gründe für die Auffassung geltend machen, daß der Bund im Hinblick auf die Modernität der Wirtschafts- und Gesellschaftsordnung, des Rechts- und Verwaltungssystems in Europa bereits einen Spitzenrang gewonnen hatte. Warum sollten sie sich nicht auch noch die politische Modernisierung als Zukunftsaufgabe zutrauen, zumal Bismarck als politische Ausnahmeerscheinung die Lebenszeit des alten Regimes nicht ewig verlängern konnte?

Bismarck erkannte die Leistungen der «parlamentarischen Hochdruckmaschine» durchaus an. Das fiel ihm um so leichter, als die Verteidigung der exklusiven Herrschaftsbereiche gelang; vitale Interessen des von ihm vertretenen Machtkartells wurden nicht beschädigt. Trifft aber deshalb die Interpretation zu, daß er mit machiavellistischem Raffinement eine manipulatorische Ablenkung der Energien des liberalen Bürgertums betrieben hätte? Da es sich, heißt es, in der Arena der Wirtschafts- und Gesellschaftsreform ausgiebig betätigen konnte, habe es seine Stellung im Vorhof der eigentlichen Machtbezirke hingenommen. Wenn es damals solche Ablenkungseffekte hier und da gegeben hat, waren sie der Regierung fraglos willkommen. Zahlreiche harte Auseinandersetzungen im Norddeutschen Reichstag bewiesen jedoch, daß insbesondere die Liberalen keineswegs auf die Teilhabe an der politischen Herrschaftsausübung freiwillig, voller Kompensationsbefriedigung, zu verzichten bereit waren. Ihre soeben demonstrierte Kompetenz zur Sozialgestaltung hielt vielmehr ihre weiterreichenden politischen Ansprüche erst recht wach. Angesichts ihrer Zuversicht konnte eine solche Ablenkungsstrategie nicht zum Erfolg führen.

Bismarck verfolgte sie aber auch gar nicht als Hauptintention. Vielmehr respektierte er die liberale Neuordnung in der Welt der modernen «materiellen Interessen», deren Durchsetzung er längst für unaufhaltbar hielt. Deshalb pflegte er mit der informellen Regierungskoalition, vor allem mit den liberalen Reformern, ein Verhältnis der Kooperation, die erst dort aussetzte, wo es um den Einfluß auf die staatlichen Machtzentren ging. Bis zu dieser Schranke aber unterstützte die autoritäre Regierung durchaus die sozioökonomische Modernisierung, da sie die Stärke und Legitimität der von den Liberalen repräsentierten Interessen anerkannte. Das ermöglichte einen erfolgreichen «Vereinbarungsparlamentarismus». Bismarck mag sich davon eine Abschwächung der politischen Konflikte erhofft haben, Illusionen über eine dauerhaft gelingende Ablenkung hegte er aber gewiß nicht. Das beweist die hellwache Härte, mit der er jedem politischen Herrschaftsanspruch der Liberalen unverändert begegnete.

Das Ergebnis der ersten Reformphase seit 1867 ist daher ambivalent: Unterstützt von den Erfolgen der Bismarckschen Politik zwischen 1864 und 1867 konnte der preußische Staat seine Bastionen nicht nur behaupten, sondern sogar noch verstärken. Auch das konstitutionelle System des Norddeutschen Bundes führte nicht dazu, daß die Liberalen in die Herrschaftsdomäne des alten Regimes eindringen konnten. Auf der andern Seite gelang es ihnen, auf vielen Gebieten im Sinne ihrer Leitideen die Weichen für die Entwicklung einer modernen Wirtschaft und Gesellschaft zu stellen. Von der Schwungkraft dieses Evolutionsprozesses versprachen sie sich auch ein gesteigertes politisches Durchsetzungsvermögen. Nach ihrer Auffassung war die entscheidende Kraftprobe nur aufgeschoben worden, aber noch nicht definitiv zu ihren Ungunsten ausgegangen.[30]

Trotz der liberalen Erfolge im Norddeutschen Bund und trotz der Konsolidierung dieses Staatswesens hatte es keine spürbaren Fortschritte in der nationalen Einigungspolitik gegeben. Im Süden schreckte die konsequente liberale Gesetzgebung vielerorts sogar eher ab, als daß sie für den Anschluß geworben hätte. Die meisten Regierungen betrieben aus Rücksicht auf ihre starke innenpolitische Opposition eine vorsichtige Politik des Abwartens. Unverändert zeigte sich, daß die wirtschaftliche Union der Zollvereinsstaaten keineswegs automatisch auf die politische Einheit hinlenkte.

Wie jeder charismatische Politiker stand aber auch Bismarck unter dem Zwang zur Erfolgswiederholung. Deshalb mußte er über das Zwischenergebnis von 1866/67 hinausgehen. Eine weitere durchschlagende Bestätigung seines politischen Talents und Herrschaftsanspruchs konnte nur auf dem Feld der Nationalpolitik gefunden werden. Nur im Bündnis mit dem deutschen Nationalismus konnten auch jene Integrationskräfte mobilisiert werden, deren ein künftiges großpreußisch-kleindeutsches Staatswesen ebenso bedurfte, wie sich das preußische alte Regime mit ihnen noch enger verbünden mußte, wenn es seine vielfach gefährdete Existenz in Zukunft weiter verteidigen wollte. Eine lange Stagnation in der Nationalpolitik konnten weder Bismarck noch sein Preußen in Kauf nehmen, auch wenn sich Bismarck gegen einen allzu engen Zeithorizont für sein Planen und Handeln wehrte. Deshalb ging am Ausgang der sechziger Jahre der Druck in der «Deutschland»-Politik durchaus von Bismarck aus: Preußen und mit ihm der Norddeutsche Bund wurden durch machtvolle Motive in die Offensive gedrängt, die süddeutschen Staaten befanden sich in der Defensive. In der Defensive befand sich daher auch jene Macht, die einer Veränderung des deutschen Status quo damals am stärksten widerstrebte: das Frankreich Napoleons III. Der außenpolitische Aktivismus und der reizbare Nationalismus des späten Empire können nicht über sein strukturelles Sicherheitsdilemma hinwegtäuschen, da es sich einer offensiven Machtexpansion gegenübersah.

Damit wurde ein Krieg noch nicht zur automatischen Folge, aber die latente Gefahr eines offenen Zusammenstoßes war seither in verschärfter Form stets vorhanden.

Blickt man genauer auf die Konstellation in Frankreich, stellt man fest, daß sich das Regime Napoleons III. und große Teile der öffentlichen Meinung durch den preußischen Erfolg seit Königgrätz zurückgesetzt fühlten. Im Zentrum Europas, wo bisher eine Vielzahl deutscher Staaten beeinflußt und gegeneinander ausgespielt werden konnte, stieg ein politisch und industriell mächtiges Großpreußen auf und arbeitete offensichtlich auf die Gründung eines deutschen Nationalstaates hin, ohne daß sichtbare «Kompensationen» diesen Einflußverlust für Paris abgemildert hätten. Das verschaffte der an sich abstrusen Parole «Rache für Sadowa» (d. h. Königgrätz) ihr Echo. Imperialistische Ablenkungsmanöver in Übersee und am Mittelmeer scheiterten. Napoleon III. mußte 1869 eine Liberalisierung des autoritären Empire, faktisch eine quasiparlamentarische Monarchie konzedieren. Sowohl der vordringende Liberalismus als auch die Rücksicht auf die starke Rechte – erst recht nach ihrem Erfolg bei einem Plebiszit, das Anfang Mai 1870 die Verfassungsänderungen, aber zugleich auch ihre Einschränkung gebilligt hatte – zwangen dem Kaiser einen prestigesuchenden außenpolitischen Kurs auf. Daß der Herzog von Gramont, der für die Revision des «Systems von 1866» offen eintrat, Mitte Mai zum Außenminister ernannt wurde, bestätigte diese Stoßrichtung. Im Machtzentrum der französischen Politik herrschte ein labiler, reizbarer Zustand, der allen europäischen Mächten genau bekannt war – insbesondere Bismarck beobachtete ihn mit angespannter Aufmerksamkeit. Fraglos empfand Paris die preußischen Expansions- und Konsolidierungserfolge als lastenden Druck, setzte dem aber in letzter Instanz das Vertrauen auf die eigene militärische Überlegenheit und das Zusammenwirken mit anderen Mächten entgegen.

Im Vergleich damit wurde die Konstellation in Preußen durch andere Faktoren bestimmt, aber auch in Berlin spielte der Primat der Systemerhaltung eine maßgebliche Rolle. Die außenpolitische Kräfteveränderung nährte eine eher pessimistische Gesamtbeurteilung der Lage. Bismarcks Politik gegenüber Süddeutschland war an eine schwer überwindbare Grenze geraten. Der Norddeutsche Bund wirkte nicht als Magnet. Das Zollparlament hatte als Einigungsinstitution zunächst versagt. Südlich des Mains stand die Bevölkerung mehrheitlich hinter der antipreußischen Opposition, während im Norden die Ungeduld wegen des Stillstands wuchs. Die zunächst eingeschlagenen Wege zur Ausdehnung der preußischen Hegemonie wirkten blockiert. Vor allem aber muß man sich ständig präsent halten, daß Bismarck diese Hegemonie ausschließlich unter seinen Bedingungen gewinnen wollte: das heißt mit einem innenpolitischen Machtgefüge, wie es im Norddeutschen Bund realisiert worden war.

Die nationalliberale Anschlußströmung war ihm daher zutiefst zuwider – an diesem Punkt trennten sich die Wege der ungleichen Allianzpartner. Folgerichtig lehnte Bismarck im Februar 1870 einen Vorstoß der Nationalliberalen, den sog. Antrag Lasker, das beitrittswillige Baden in den Nordbund aufzunehmen, in außergewöhnlich schroffer Form ab. Einen Erfolg der Nationalliberalen, verbunden zumal mit einer Volksmobilisierung in der Nationalfrage, wollte er partout verhindern. Zielstrebig sollten vielmehr die süddeutschen Regierungen und Monarchen weiter davon überzeugt werden, daß ein kleindeutscher Nationalstaat nach dem Modell des Norddeutschen Bundes ein Instrument der Bewahrung, nicht jedoch der antikonservativen Veränderung sei. Und schließlich scheute er die gefährlich naheliegende französische Intervention, war es doch der Pression Napoleons zu verdanken gewesen, daß der Artikel 4 des Prager Friedens dem «Verein» der süddeutschen Staaten vorschrieb, trotz einer künftigen «nationalen Verbindung» mit dem Nordbund eine «unabhängige internationale Existenz» zu bewahren. In erster Linie aber stand Bismarcks Süddeutschland- und Nationalpolitik «eindeutig unter dem Primat machtpolitischer Strukturentscheidungen im Inneren», wie er sie seit 1866 durchgesetzt hatte. Sollte dieser Primat erhalten bleiben, bedurfte er einer überzeugenden Ausgangslage, die es ihm gestattete, die außen- und innenpolitischen Risiken zu kontrollieren und die Fortsetzung des Einigungsprozesses weiterhin von oben zu steuern.

Andrerseits übte drei Jahre nach der Gründung des Norddeutschen Bundes der Erfolgszwang auf einen charismatischen Politiker wie ihn schon wieder einen harten Ansporn aus, da sich im politischen Alltag die Vertrauenslücke, welche der schwer zu durchschauende Ministerpräsident und Bundeskanzler noch immer nicht überbrückt hatte, erneut weiter auftat. Und während die Liberalen auf künftige Chancen hofften, schrumpfte für Bismarck die Zeit, in der er mit einem neuen Leistungsbeweis auftrumpfen konnte, auch auf dem Kalender der Innenpolitik: Denn 1870 stand mit unverrückbarer Gewißheit ein neuer Konflikt wegen des Militärbudgets bevor.

Der «Eiserne Etat», der von 1867 bis 1871 galt, umfaßte fünfundneunzig Prozent aller Bundesausgaben, so daß von einer effektiven parlamentarischen Kontrolle des jährlichen Staatshaushalts noch keine Rede sein konnte. Ebendiese langfristig gesicherte Regelung der Heereskosten wollte aber Bismarck im Verein mit Roon und dem König möglichst zu einer Dauerlösung machen. Deshalb war eine neue Grundsatzkontroverse mit den Liberalen schlechterdings unvermeidbar. Dabei konnten, diese Besorgnis hatte die Wahrscheinlichkeit für sich, die Fronten des Verfassungskonflikts mit all ihren unwägbaren Risiken durchaus wieder auftauchen, da die Liberalen kein Hehl daraus machten, was mit dem vollen Budgetrecht für sie auf dem Spiel stand. Daß ein solcher zweiter Zusammenstoß auch denkbar negative Rückwirkungen auf Süddeutschland haben mußte, lag auf der Hand: Ihr Ergebnis konnte die Einigungspolitik nur vor neue gewaltige Hürden führen.

Bismarcks allgemeine Ziele zu dieser Zeit lassen sich deshalb klar bestimmen. Ihm ging es an erster Stelle um die Ausnutzung oder Herbeiführung einer Konstellation, welche es ihm gestattete, die Nationalpolitik nach Maßgabe seiner Leitvorstellungen fortzusetzen. Innenpolitisch galt es, einen risikoreichen Zusammenprall mit dem Reichstag über Grundsatzfragen des Budgetrechts zu vermeiden. Gelang ein Erfolg auf dem ersten Politikfeld, wurde also das Werk von 1866/67 durch die preußische Hegemonialstellung in einem gesamtdeutschen Staat vollendet, war die dauerhafte Befestigung des alten Regimes und seiner eigenen Spitzenposition zu erwarten – der Auseinandersetzung mit dem Parlament ließ sich dann in Ruhe entgegensehen. Kam es durch eine neue Aktivität Berlins in der Nationalstaatsfrage dazu, daß sich der preußisch-französische Antagonismus bis zur offenen Krise zuspitzte, schreckte Bismarck vor einem militärischen Duell nicht zurück. In naher oder ferner Zukunft hielt er es seit längerem für ebenso unumgänglich wie früher den innerdeutschen Hegemonialkrieg mit Österreich. Mit einem neuen Krieg als wahrscheinlich herannahender Kraftprobe zu rechnen, hieß jedoch keineswegs, ihn möglichst exakt im voraus zu planen.

Angesichts dieser Bedingungen und Einstellungen, dieser Absichten und Erwartungen wurde die Neubesetzung des spanischen Throns zum Drehpunkt einer Entwicklung, welche in die Julikrise von 1870 einmündete. Wie konnte ein Vorgang auf der Iberischen Halbinsel diese Bedeutung gewinnen? Nach einem erfolgreichen Militärputsch gegen die Bourbonenkönigin stand der Madrider Thron seit dem September 1868 verwaist da. Von Anbeginn an verfolgte Bismarck aufmerksam die Thronfolgefrage, die General Prim durch einen Monarchenimport lösen wollte. Nach vergeblichen Anläufen, bei denen auch der italienische Wunschkandidat ausfiel, spitzte sich die Suche schließlich auf einen deutschen Prinzen zu, da in den deutschen Staaten genügend ebenbürtige Hocharistokraten zur Auswahl standen. Die Wahl fiel ausgerechnet auf den Erbprinzen Leopold aus der katholischen Linie der Hohenzollern in Sigmaringen. Ob in dieser Frühphase geheime Anregungen Bismarcks bereits im Spiel waren, ist noch immer unklar. Ende Februar 1870 unterrichtete Prim sowohl Karl Anton von Hohenzollern-Sigmaringen formell über das Angebot an seinen Sohn als auch König Wilhelm über die anstehende Entscheidung, die er als Chef des Hauses Hohenzollern – zustimmend oder ablehnend – zu treffen hatte.

Es bedurfte keiner großen politischen Intelligenz, um unmittelbar zu erkennen, daß ein Hohenzollernherrscher in Madrid für Paris die Gefahr eben jener Zangenbewegung wieder heraufbeschwören mußte, die es schon einmal durch die Habsburger erlebt hatte. Aus berechtigter Sorge vor einer voraussehbar heftigen Reaktion zögerte darum Wilhelm mit seiner Zustimmung, während Bismarck im März ähnliche Bedenken Karl Antons zerstreuen konnte. Kaum aber hatte Bismarck wegen einer Erkrankung Berlin verlassen, als der Sigmaringer sein Einverständnis mit der Kandidatur wieder zurückzog. Ende April ließ Napoleon über das Gerücht, ein deutscher Fürst werde als neuer Herrscher in Madrid erwartet, in ominösen Worten durchblicken, daß solch eine Entscheidung für Frankreich den Kriegsfall bedeuten könne.

Ungeachtet dieser Gefahr, die durch die Ernennung Gramonts an Glaubwürdigkeit gewann, lancierte Bismarck – jetzt «erst recht»! – Leopold erneut als geeigneten Thronfolger. Die Sigmaringer beugten sich seinem massiven Drängen. Am 19. Juni nahm Leopold das weiter geltende spanische Angebot an. Das geschah zuerst ohne Wissen des Königs, der diese Bedrohung des Friedens vermeiden wollte. Erst am 21. Juni konnte Bismarck, nachdem er Wilhelm von dem Prestigezuwachs für das Haus Hohenzollern und dem neuen politischen Kapital einer Ansehenssteigerung in der deutschen Staatenwelt überzeugt hatte, den König für den riskanten Schachzug gewinnen. Damit waren die Würfel in Berlin gefallen. Binnen kurzem mußte sich jetzt herausstellen, ob Paris die «Einkesselung» und damit eine schwere diplomatische Schlappe hinzunehmen bereit war oder ob es mit Waffengewalt einen Befreiungsschlag, der hohen innen- und außenpolitischen Gewinn versprach, aber alle Risiken eines Großmächtekrieges umschloß, versuchen würde.

Schon am 2. Juli platzte die «spanische Bombe», als die Thronkandidatur Leopolds von den Nachrichtenagenturen verbreitet wurde. Eine technische Panne bei der Übersetzung eines Telegramms machte das sorgsam vorbereitete Projekt zu früh publik, denn eigentlich sollten die Cortes vorher die Königswahl bereits vollzogen haben, sollte Leopold in Madrid sein und die Krone sofort übernehmen können. Erwartungsgemäß drängte Paris nach dem Fait accompli unverzüglich (am 4. Juli) darauf, daß Preußen seine Haltung eindeutig klarstelle. Damit geriet der König unmittelbar unter politischen Druck und stieg zu einer Schlüsselfigur des Krisenszenarios auf. Denn Bismarck hatte sich auf sein nur schwer erreichbares pommersches Gut Varzin zurückgezogen. Seine Abwesenheit von Berlin stellte eine schlau kalkulierte Absatzbewegung dar, da sie Zeitgewinn für Entscheidungen verschaffte und seine sommerlichen Ferien eine offensive Absicht dementierten. Vor der Öffentlichkeit wurde auch mit solchen Details auf den erwünschten Eindruck hingearbeitet, daß Preußen durch die Nötigung zum Verteidigungskrieg glaubwürdig überrascht werde. Übrigens spricht nichts für eine positive Antwort auf die kontrafaktische Frage, ob Paris vielleicht doch anders gehandelt hätte, wenn die Thronbesetzung in Madrid erst zum vorgesehenen Zeitpunkt bekanntgeworden wäre – mit höchster Wahrscheinlichkeit hätte es sich dem Überraschungscoup erst recht nicht gebeugt.

Unter dem Beifall der Parlamentsmehrheit verschärfte Außenminister Gramont am 6. Juli das Drängen auf eine befriedigende Auskunft Berlins: Frankreich brauche, drohte er, einen deutschen Prinzen auf dem Thron Karls V. nicht zu dulden. Der französische Botschafter Benedetti war inzwischen König Wilhelm in den Kurort Bad Ems nachgereist und bedrängte ihn tagelang, eine verbindliche und zugleich entspannende Erklärung abzugeben. In all seinen Zweifeln durch die riskante Konfrontation bestätigt, trat Wilhelm schließlich den Rückzug an, dem sich Karl Anton, von Wilhelm gedrängt und durch die Kriegsgefahr erschreckt, anschloß, ohne seinen Sohn zu fragen. Am 12. Juli wurde der Verzicht auf die Thronkandidatur der Öffentlichkeit mitgeteilt. Die Krise schien beendet, Bismarcks gefährliches Spiel gescheitert.

Während sich Bismarck von Varzin aus über Berlin auf den Weg nach Bad Ems machte, entschloß sich die französische Regierung, ihren unleugbaren diplomatischen Erfolg zu einem totalen Triumph zu steigern, indem sie Benedetti am 13. Juli von Wilhelm, weit über die Kapitulation hinaus, noch eine zusätzliche Demütigung verlangen ließ: Der König sollte nicht nur als Chef des Hauses Hohenzollern für alle Zeiten den Verzicht auf eine spanische Thronkandidatur erklären, sondern auch eine Entschuldigung des Inhalts aussprechen, daß er die Ehre und die Interessen Frankreichs nicht habe verletzen wollen. Damit hatte Paris jedoch den Bogen überspannt: Entschieden, aber in höflicher Form wies der König die Zumutung Benedettis zurück. Ein Bericht über das mißlungene Degradierungsmanöver ging telegrafisch nach Berlin, wo der Ministerpräsident die Frage entscheiden sollte, ob und wann das Ergebnis an die diplomatischen Vertretungen im Ausland und an die Presse weitergeleitet werden solle.

Bismarck war soeben, am Abend des 13. Juli, in Berlin eingetroffen, als das Telegramm vorgelegt wurde. Es eröffnete die Chance, den Spieß umzudrehen, so daß Paris als der maßlose, arrogante Störenfried erschien. Wie Moltke sich am 12. Juli privat-offenherzig aussprach: «Alles ist fertig. Die Klingel braucht nur gezogen zu werden.» Indem Bismarck den Text nicht etwa fälschte, sondern radikal kürzte, ehe er ihn ohne Verzug veröffentlichen ließ, gab er der Emser Depesche die propagandistisch äußerst wirksame Form einer schroff brüskierenden Ablehnung der französischen Forderungen. Jetzt mußte Paris eine kränkende diplomatische Schlappe hinnehmen oder das Odium des Angreifers auf sich nehmen. Bismarcks Kalkül ging auf: Um das innenpolitische Legitimationsdefizit durch ein dramatisches Auftrumpfen zu überwinden und um zugleich die bedrohliche preußische Erfolgsserie zu unterbrechen, ordnete die Regierung Napoleons III. bereits am 14. Juli die Mobilmachung an, ehe sie am 19. Juli, als die Gegenseite keineswegs klein beigab, die formelle Kriegserklärung aussprach. Er habe nicht geglaubt, gestand Bismarck im August dem General v. Stosch, «daß die Franzosen so rasch anbeißen würden».

Damit hatte Bismarck die bei der gesamten Kriseninszenierung zwar erhoffte, aber erst in letzter Minute erreichte optimale Ausgangssituation gewonnen: Preußen stand als Opfer französischer Aggression da, offensichtlich zum Defensivkrieg genötigt. Von allen süddeutschen Staaten wurde der in den Schutzbündnissen festgelegte casus foederis anerkannt. Die militärischen Streitkräfte des Norddeutschen Bundes und des Südens konnten fortab gemeinsam operieren. Die deutsche öffentliche Meinung stellte sich mit der steil ansteigenden Welle des hochgereizten Nationalismus hinter das angegriffene Preußen, hinter seinen bösartig beleidigten König. Vom ersten Augenblick an besaß der Deutsch-Französische Krieg die Eigenschaft eines nationalen und innenpolitischen Integrationskrieges, der im Falle eines Erfolgs das Ziel eines kleindeutschen Nationalstaats endlich in greifbare Nähe rückte. Erneut umgab jedoch dunkle Ungewißheit den Ausgang des bewaffneten Zusammenstoßes. Wie 1866 mußte auf dem Schlachtfeld die Entscheidung fallen.[31]

Da die Ergebnisse der Diskussion über die Ursachen des Krieges von 1870 auch nach hundertzwanzig Jahren noch umstritten sind, müssen an dieser Stelle die wichtigsten Gesichtspunkte erörtert werden. Nur so lassen sich die dringendsten Fragen beantworten: Machte Frankreichs Widerstand gegen eine «hochgerüstete Großmacht», die als Rivale in Mitteleuropa emporstieg, den Krieg unvermeidlich? Bildete das Zurückweichen eines labilen Regimes vor dem französischen Chauvinismus bei der Reaktion auf die Hohenzollernkandidatur letztlich den entscheidenden Faktor? Hatte Bismarck den Krieg seit langem so sorgfältig geplant, daß Paris im Grunde keine Wahl mehr blieb? Oder aber hatte Bismarck eher eine Krisensituation inszeniert, die ihm die Ausnutzung kalkulierbarer, aber auch kontingenter Chancen eröffnete?

1. Die französische Reaktion auf die von Bismarck nachdrücklich vorangetriebene Kandidatur eines Hohenzollernprinzen für den spanischen Thron war klar vorhersehbar. Frankreich mußte eine Wiederholung des Zangendrucks fürchten, den die Habsburger bereits einmal ausgeübt hatten und den jetzt das ungleich effizienter organisierte, schlagkräftige Preußen mit dem Norddeutschen Bund, eventuell auch mit seinen süddeutschen Alliierten, erneut ausüben konnte, sobald ein Hohenzollernherrscher auf dem Thron Karls V. saß. Dabei ging es nicht um die Verstärkung durch die relativ geringe militärische Streitmacht Spaniens, sondern um die historisch geprägte Perzeption des erweiterten preußischen Drohpotentials.

2. Strukturell befand sich Frankreich seit Jahren in der Defensive. Seit 1866 war es auf die Erhaltung der Mainlinie und der neuen deutschen Machtverteilung bedacht. Dieses Ziel war diplomatisch und öffentlich im-

mer wieder betont worden. Die Vorstellung, daß ein Krieg, falls Preußen noch einmal den Status quo aktiv in Frage stelle, «unvermeidlich» sei, war weit verbreitet. Der Gefahr, die aus einer solchen Disposition zur harten Reaktion auf eine bedrohliche Kräfteverschiebung resultierte, war sich auch im preußischen Entscheidungszentrum so gut wie jedermann bewußt.

3. Bismarck sah, nachdem das Vorspiel mit schwankenden Entscheidungen vorüber war, seit dem Frühjahr 1870 endlich die handfeste Chance, mit Hilfe der spanischen Kandidatur Frankreich als offensive Macht, Preußen dagegen als zur Verteidigung genötigte Macht hinzustellen – mithin das wahre Verhältnis der Antriebskräfte in sein Gegenteil zu verkehren. Das war nicht nur für die außenpolitische Risikominderung optimal. Vielmehr wurde dadurch auch die Mobilisierung des gesamtdeutschen Nationalismus für das angegriffene Preußen sichergestellt.

4. Kam es unter diesen wünschenswerten Bedingungen zum Kampf, stand von dem Krieg mit dem erhofften abschließenden Erfolg zu erwarten, daß er mehrere Funktionen zugleich erfüllte. Als nationaler «Unionskrieg zur Vollendung des preußischen Sezessionskrieges von 1866» konnte er den Nord-Süd-Gegensatz, der sich seither bis 1870 stärker als in den vorhergehenden Jahren ausgebildet hatte, endlich überwinden. Als innenpolitischer «Integrationskrieg» konnte er dem Weiterschwelen der «fundamentalen politisch-sozialen Krise der preußischen Militärmonarchie» ein Ende setzen. Durch beide Wirkungen wurde eine gesamtdeutsche Staatsbildung immens erleichtert. Ein siegreicher Defensivkrieg konnte überdies nachträglich eine Art von historischer «Indemnität» für den Bürgerkrieg von 1866, vor allem aber eine durchschlagende Legitimation für den Abschluß der nationalen Einigungspolitik Preußens «von oben» verschaffen. Das Problem des Militäretats wurde entschärft, da ein Kriegserfolg die Chancen der Liberalen für die Durchsetzung der parlamentarischen Kontrollrechte aller Wahrscheinlichkeit nach radikal verminderte. Sollte Bismarck erneut «seine Kunst» gelingen, «innere Politik mit der Dampfkraft der auswärtigen zu machen», verlor diese mit der Gefahr eines zweiten Verfassungskonflikts verknüpfte «Kardinalfrage» in einem neuen reichsdeutschen Parlament vorerst ihre Dringlichkeit.

5. Sollte jedoch Paris wider Erwarten vor dem Krieg noch einmal zurückscheuen, bedeutete seine diplomatische Niederlage einen hohen Prestigegewinn für Bismarck selber und für Preußen. Mit einem Hohenzollernkönig in Madrid eröffneten sich außerdem zahlreiche neue Möglichkeiten, um Frankreich auf kurze oder längere Sicht zu irritieren – bis hin zur Provozierung des erstrebten Offensivkriegs.

6. Es trifft zu, daß die Opposition gegen den Aufstieg einer preußischdeutschen Großmacht Paris ebenso kriegsgeneigt machte, wie das instabile Herrschaftssystem Napoleons III. aus der Befriedigung des französischen Chauvinismus einen kräftigen Legitimationszuwachs erwartete. Trotzdem

war es nicht Frankreich, das einen aggressiven Spannungszustand aufbaute. Vielmehr reagierte es auf ein bedrohliches Vabanquespiel Bismarcks, gegen das es erst in der Schlußphase – von den eigenen Befürchtungen und Hoffnungen vorangetrieben – mit dem extremsten aller Gegenzüge reagierte.

7. Die Annahme, daß ein so fähiger Berufspolitiker wie Bismarck ohne eine sorgfältige Kosten-Nutzen-Abwägung in der spanischen Frage im Stil einer geradezu klassischen «Brinkmanship» bis an den Rand des Krieges vorgerückt sei, ist rundum töricht. Die Unterstellung eines krassen Fehlurteils oder auch nur einer echten Überraschung über die Wirkung seines Spanienpokers auf die französische Politik, die er seit zwanzig Jahren aus erster Hand so genau kannte, ist methodisch illegitim. Auf Primärquellen zu bestehen, in denen ein Meister der politischen Manövrierkunst wie Bismarck über die heikle Frage, wie für seinen Gegner der Krieg und dann noch der offensive Erstschlag nahezu unvermeidbar gemacht wurde, selber glaubwürdig, unzweideutig, offenherzig Auskunft gäbe, ist ein ehrenwerter, aber naiver Anspruch.

8. Vielmehr wird man auch in diesem Fall aus möglichst überzeugungsfähigen Urteilen, die aus der unmittelbaren Nähe des Entscheidungszentrums stammen, sowie aus der inneren Logik der Kriseninszenierung, die an der dominanten Rolle des zum Erfolg verurteilten Berliner Regierungschefs keinen gravierenden Zweifel aufkommen läßt, ein Maximum an Plausibilität für eine erklärungskräftige Interpretation zu gewinnen suchen. Glücklicherweise gibt es zahlreiche intime Kenner der Politik Bismarcks in jener Zeit, deren Urteil seine Risikobereitschaft bis hin zur Provozierung Frankreichs mit der einkalkulierten Folge des Krieges bestätigt.

So glaubte etwa der Großherzog von Baden, der auch den Sigmaringer Kandidaten seit langem kannte, daß Bismarck im Frühjahr 1870 «insgeheim» zum Kriege «drängte»; daher sei auch seine Politik darauf berechnet gewesen, «den Krieg zu provozieren». Ähnlich gewann der badische Außenminister v. Freydorf den Eindruck, daß Bismarck «die Sache von langer Hand vorbereitet» habe. Und sein Vorgänger Franz v. Roggenbach vertraute im April 1870 dem Fürsten Chlodwig zu Hohenlohe-Schillingsfürst an, Bismarck sei durchaus auf den Krieg gefaßt; später spottete er, es solle doch niemand glauben, daß Bismarck «einen Augenblick so blöde gewesen» sei, die Tragweite seiner eigenen Spanienpolitik nicht zu erkennen.

Diese Liberalen mochten einen Teil ihrer Informationen aus dem bismarckkritischen Kreis um den Kronprinzen Friedrich beziehen. Aber einmal erfuhr der Kronprinz mit seinen Vertrauten vieles aus erster Hand, und zum zweiten wird das übereinstimmende Urteil durch andere Zeugnisse bestätigt. Kanzleramtschef v. Delbrück etwa hielt den Krieg ebenso für «provoziert» wie der Leiter des Militärökonomiedepartments im preußischen Kriegsministerium, Albrecht v. Stosch, und der sächsische Außenminister v. Friesen.

Auch Graf Lerchenfeld, damals Sekretär des bayerischen Ministerpräsidenten Bray, teilte die Überzeugung, daß Bismarck mit der Thronkandidatur den Krieg einkalkuliert habe. Bismarcks enger Mitarbeiter Lothar Bucher, der selbst auf Geheimmissionen in Madrid gewesen war, frohlockte sogar offen über «die Falle», die der Bundeskanzler Paris gestellt habe. Karl Anton von Hohenzollern-Sigmaringen klagte schon 1871 darüber, daß Bismarck die Thronkandidatur nur als Mittel für eine kriegerische Zuspitzung ausgenutzt habe. Noch im Dezember 1870 hielt der hofnahe Ranke fest, daß der «Krieg ... von Bismarck beschlossen» worden sei.

9. Auf lange Sicht – etwa schon seit 1868 – hatte Bismarck diesen Krieg allerdings nicht geplant. Aber einmal erwuchs spätestens im Frühjahr 1870 aus seiner Beurteilung der inneren und äußeren Gesamtlage «die Entschlossenheit zu einem militärischen Kollisionskurs ... in der spanischen Thronfrage». Zum zweiten gelang es ihm, indem er eine kühl kalkulierte Weichenstellung mit einer zielstrebigen Ausnutzung unvorhersehbarer Chancen verband, eben jene begehrte Konstellation herbeizuführen, die Preußen eine optimale Ausgangslage verschaffte: Er konnte einen «provozierten Defensivkrieg» führen, der als nationalpolitischer Unionskrieg, innenpolitischer Integrationskrieg und einigungspolitischer Legitimationskrieg sogleich die erhofften Wirkungen auslöste, ja mit ihrem Ausmaß die ursprünglichen Erwartungen noch übertraf. Die Bedingungen, unter denen der Konflikt begann und verlief, konnten deshalb Bismarck in der Tat «hochwillkommen» sein, da sie im Inneren den Abschluß der Nationalstaatsbildung, in der Außenpolitik eine weitreichende Risikokontrolle äußerst wahrscheinlich machten.

Der dritte Krieg, den Bismarcks Politik bewerkstelligt hatte, wurde auf drei Ebenen ausgetragen und ausgenutzt. Im Westen führten die deutschen Truppen die militärische Auseinandersetzung mit Frankreich. Die Berliner Diplomatie bemühte sich, sie gegen die Intervention anderer Mächte abzuschirmen. Frühzeitig begannen Verhandlungen mit den Regierungen der süddeutschen Staaten mit dem Ziel, durch ihren Beitritt den Nordbund zum deutschen Nationalstaat zu erweitern.

Reibungsloser als erwartet konnte Moltke erneut seine Umfassungs- und Vernichtungsstrategie verwirklichen. Zuerst gelang es ihm bereits seit Anfang August, den französischen Vormarsch, der keilförmig auf die Spaltung von Nord- und Süddeutschland zielte, durch eine Reihe von erfolgreichen Schlachten nicht nur zum Stehen zu bringen, sondern die gegnerischen Armeen mit verblüffender Effektivität zu zerschlagen. Einen Monat später besiegelte der Sieg bei Sedan am 2. September die militärische Niederlage Frankreichs, Napoleon III. selber geriet in Kriegsgefangenschaft, das Kaiserreich brach zusammen. Der abschließende Triumph der verbündeten deutschen Streitkräfte, deren Zusammenwirken und numerisches Übergewicht zum ausschlaggebenden Zeitpunkt dank Moltkes Stabsplanung trotz der teilweise hohen Verluste bisher erstaunliche Erfolgserlebnisse beschert hatte, schien unmittelbar bevorzustehen.

Am 4. September wurde jedoch in Paris die «Regierung der nationalen Verteidigung» ausgerufen. Zum führenden Kopf der neuen Dritten Republik und Koordinator ihrer militärischen Anstrengungen stieg Léon Gambetta empor. Auch er konnte nicht verhindern, daß Paris durch eine zügige Zangenbewegung der deutschen Armeen am 19. September eingeschlossen wurde. Alle Versuche, ihren Belagerungsring aufzubrechen, scheiterten; auch die neuen republikanischen Truppen wurden geschlagen. Daraufhin ging Gambetta zum «nationalen Volkskrieg», zum Partisanenkrieg zahlreicher schwer zu stellender, kleiner Franctireur-Verbände über. Statt das gloriose Ende eines zweiten Blitzkrieges zu erreichen, begann für die deutschen Soldaten ein langwieriger Guerillakampf, der sich in den Winter hineinzog.

Dank dem Interessenkalkül der Mächte und dem Geschick der Bismarckschen Diplomatie wurde die Ausweitung zu einem großen europäischen Krieg verhindert. Österreich gehorchte, durch 1866 und den «Ausgleich» von 1867 zwar noch geschwächt, aber unter Beust auf Wiederaufstieg im Bündnis mit Frankreich bedacht, dem Gebot des vorsichtigen Abwartens: Es blieb neutral; ein russischer Truppenaufmarsch an der galizischen Grenze beförderte die Entscheidung.

Rußland nutzte den Umstand, daß die internationale Aufmerksamkeit dem Krieg in Frankreich galt, zur Aufkündigung der Pontusklausel von 1856, mithin zur Remilitarisierung des Schwarzen Meeres. Dafür erhielt es die Unterstützung Preußens, dem das Zarenreich den Rücken freihielt. Italien nutzte das Debakel Napoleons III. zur Eroberung Roms und des Kirchenstaats, der auf den Umfang der Vatikanstadt reduziert wurde, während Rom endlich zur nationalen Hauptstadt aufstieg. Großbritannien wiederum, durch seine Weltmachtprobleme auf Distanz gehalten, ließ sich aus Einsicht in die Unaufhaltsamkeit der deutschen Nationalstaatsbildung und durch Bismarcks geschickte Argumentation zu einem letztlich wohlwollenden Abwarten bewegen. So jedenfalls stellt sich das Verhalten der Mächte im Rückblick dar. Man muß auch berücksichtigen, daß zu diesem Zeitpunkt das Staatensystem relativ flexibel, vor allem nicht von ferne so ideologisch aufgeladen war wie etwa nach 1815 oder 1945. Im Osten schwächten die Krimkriegsfolgen die russischen Einflußmöglichkeiten. Davon profitierte Preußen ebenso wie von der liberalen Neigung, das Nationalitätsprinzip zu unterstützen. Auch das kam dem Prozeß der neuen deutschen Staatsbildung indirekt zugute. In den vier Monaten nach Sedan wirkten aber die Verhältnisse für Bismarck viel offener, zeitweilig akut bedrohlich. Ihre Kontrolle verlangte höchste Anstrengung, um eine Intervention, in welcher Form auch immer, so lange zu verhindern, bis zuerst die militärischen, dann die politischen Kriegsziele erreicht waren.

Daß die Kapitulation Frankreichs dazugehörte, galt seit Anfang September als Selbstverständlichkeit. Daß möglichst auch der Abschluß der deutschen Einigungspolitik erzielt werden sollte, wurde von einer Woge steigender Erwartung getragen. Daß aber die Annexion des Elsaß und von Teilen Lothringens auf einmal einen unverzichtbaren Bestandteil der Friedensbedingungen bilden sollte, veränderte von Grund auf das deutsche Kriegszielprogramm.

Seit Mitte Juni war die Abtrennung der ehemaligen Reichsgebiete, die von Richelieu und Ludwig XIV. vor zweihundert Jahren «geraubt» worden seien, in der Presse immer hitziger gefordert worden. Mit den Siegen in Frankreich schwoll dieser Ruf nach der Wiedergutmachung historischen Unrechts, nach dem Anschluß unterdrückter deutscher Provinzen, auch nach einer rundum gut begründeten territorialen Kriegsbeute zu einer mächtigen Annexionsströmung an. Der leidenschaftliche Appell bekannter deutscher Professoren, die meisten Wortführer des borussischen Einigungsnationalismus, drang aus diesem vielstimmigen Chor hervor: Treitschke, Sybel, Mommsen und viele andere – sie und die unbedeutenden Autoren einer wahren Flut von annexionistischen Zeitungsartikeln, Pamphleten und Flugschriften traten für die Einverleibung in ein noch weiter nach Südwesten ausgreifendes Großpreußen oder für die Angliederung an den kleindeutschen Nationalstaat ein. Sie beriefen sich vorwiegend auf das historische Recht eines sprachlich-kulturell, teilweise aber auch schon ethnisch verstandenen Nationalitätsprinzips – ein Recht, das man den preußischen Polen bekanntlich verweigerte. Dagegen wurde die Tatsache, daß die elsässische und lothringische Bevölkerung durch die Revolution für die französische Staatsnation gewonnen worden war, übersehen, heruntergespielt, wurde die nach Frankreich hin orientierte Grundhaltung als dünner Firnis über dem echt deutschen Charakter des Landes mißverstanden. Diese öffentliche Annexionskampagne wurde nicht von oben manipuliert, sie gewann vielmehr durch die vehementen nationalistischen Impulse ihre spontane Schwungkraft, die von Politikern schlechterdings nicht übersehen werden konnte.

Parallel dazu kamen Bismarck und die leitenden Militärs ebenfalls frühzeitig zu der Entscheidung, einen gut Teil der französischen Ostprovinzen zu annektieren. Bismarck hielt, die ewige Mächtekonkurrenz geradezu fatalistisch als unabänderlich voraussetzend, nach der Niederlage Frankreichs den nächsten Revanchekrieg für unvermeidbar. Anders als 1866 gegenüber Wien empfand er die französische Dauerfeindschaft als den Preis des Sieges und der deutschen Einheit. Darauf galt es sich sofort vorzubereiten, mithin Frankreich spürbar zu schwächen und eine möglichst günstige territoriale Ausgangslage zu gewinnen. Das aber bedeutete, in Übereinstimmung mit den Militärs, das Elsaß und große Teile von Lothringen, strategisch gesprochen: günstige Aufmarschgebiete in einem «Glacis», die Kontrolle des

Vogesenkamms und wichtiger Festungen wie Metz zu fordern, um vor allem im Vorfeld Süddeutschlands eine breite Sicherheitszone zu schaffen.

So gesehen war der Druck der Nationalbewegung, die auf dem triumphalen Siegespreis der ehemaligen «Reichslande» kompromißlos insistierte, dem Kanzler willkommen, ohne daß er ihn anfangs zur Unterstützung eigener Pläne initiiert hätte. Die schließlich auch von ihm geförderte Annexionsstimmung hatte zuvor bereits eine autonome Dynamik entfaltet, die auch eine Persönlichkeit wie Bismarck nicht hätte ignorieren können, selbst wenn sie seinen Absichten zuwidergelaufen wäre. Symptomatisch für die unwiderstehlich wirkende Gewalt dieser Strömung ist die Äußerung König Wilhelms, er «habe bei Beginn des ... Krieges Elsaß und Lothringen nicht verlangt, aber hätte es doch nicht gewagt, es wieder herauszugeben, wenn ich mir meine Armee und mein Volk erhalten wollte». Tatsächlich deckten sich seit dem August – trotz der teilweise divergierenden Interessen und trotz Bismarcks Skepsis gegenüber der «Professorenidee», die er in dem volksnationalen Anschlußpathos entdeckte – die Zielvorstellungen der politisch-militärischen Leitung und der Annexionsbewegung. Für Bismarck kam noch hinzu, daß er mit Elsaß-Lothringen einen vielfältig verwendbaren Verhandlungsköder gegenüber den süddeutschen Staaten gewann. Und schließlich schwand auch die Fähigkeit Frankreichs zum effektiven Widerstand gegen diese Landabtretung früh dahin. Dem stand gegenüber, daß aufgrund eines solchen Verlustes nicht nur ein Kompromißfriede illusorisch, sondern auch, wie vorherzusehen war, eine das deutsch-französische Verhältnis in Zukunft schwer belastende Entscheidung gefallen war.

Seit Mitte August wurden die Weichen dafür gestellt – längst ehe Bismarck am 13. September die Annexion in das deutsche Kriegszielprogramm formell aufnahm. Bereits zwischen dem 14. und 21. August wurde aus dem besetzten Elsaß und Teilen von «Deutsch-Lothringen» eine geschlossene Verwaltungseinheit unter militärischer und provisorischer ziviler Administration gebildet, die im Grundriß das spätere «Reichsland Elsaß-Lothringen» umfaßte. Seit September wurde in den geheimen kartographischen Unterlagen für die Friedensverhandlungen dieses «Generalgouvernement» Elsaß-Lothringen bereits als annektiert betrachtet. Der gleichzeitig erhobene öffentliche Anspruch der deutschen Verbündeten auf dieses Grenzgebiet bestärkte nicht nur die wenigen Kritiker – wie etwa Karl Marx und den Publizisten Julius v. Eckardt – in ihrem Urteil, daß als Folge der Annexion der Kriegszustand zwischen Deutschland und Frankreich verewigt, eine endlose «Selbstzerfleischung» im Kampf um vermeintlich «sichere» oder historisch legitimierte Grenzen einsetzen und Frankreich in die Arme Rußlands getrieben werde, so daß ein tödlicher Zweifrontenkrieg drohe. Vielmehr verwandelte sich für die französische Republik und auch für die bisher abwartenden europäischen Mächte der preußische Defensivkrieg in einen Eroberungskrieg, der über die anfänglichen Ziele offenbar weit hinausging.

Infolgedessen wurde Bismarcks diplomatische Hinhaltetaktik erschwert. Mit wachsendem Nachdruck, auch mit zunehmender Irritation, da er vom militärischen Entscheidungsprozeß strikt ferngehalten wurde, forderte er einen abschließenden Kriegserfolg, der den Weg zu Friedensverhandlungen endlich frei machte. Zum politisch und strategisch zentralen Streitpunkt wurde die Belagerung von Paris. Bismarck insistierte darauf, die Metropole mit Ferngeschützen sturmreif zu schießen und möglichst schnell zu erobern, da er damit das Kriegsende in greifbare Nähe gerückt, die Interventionsgefahr drastisch vermindert sah. Moltke dagegen wollte die Kräfte für einen radikalen «Exterminationskrieg» gegen die im Süden gebildeten republikanischen Truppen sparen, ihn sollte ein rücksichtsloser Diktatfrieden abschließen. Er baute darauf, daß die Aushungerung der Stadt ohnehin zur Kapitulation führen werde, ehe die Entscheidungsschlacht ausgefochten werden mußte. Die Pariser sollten, drückte der für die Belagerung zuständige Stabschef des Kronprinzen, General v. Blumenthal, die Mehrheitsmeinung der Militärs aus, «wie die tollen Hunde krepieren ... Es kann uns ganz gleichgültig sein», da sie «es ja doch selber so haben wollen». Eine Beschießung werde den Zusammenbruch nicht beschleunigen, daher sei sie sinnlos. Niemals habe er, schrieb damals General v. Stosch, solch eine gegen einen einzelnen Menschen gerichtete Erbitterung erlebt, wie sie im Großen Hauptquartier gegen Bismarck herrschte.

Der Gegensatz der Zielkonzeptionen und Persönlichkeiten steigerte sich, von den Experten in ihrer jeweiligen Umgebung mit geschürt, zu einem offenen Antagonismus. Bismarck höhnte über den «verknöcherten Generalstabsmenschen», der «von Politik nichts versteht». Die Militärs andrerseits schirmten ihre Pläne vor dem «Zivilisten im Kürassierrock» arrogant ab. Moltke, der erst 1859 das Recht auf Vortrag vor dem Kriegsminister erhalten hatte, versteifte sich jetzt sogar darauf, daß Kanzler und Generalstabschef «zwei gleich berechtigte und von einander unabhängige Behörden» seien. Damit wurde der Primat der Politik prinzipiell in Frage gestellt. In einem furios ausgetragenen Grundsatzkonflikt setzte Bismarck erst den Beginn der Beschießung am 27. Dezember, anschließend am 25. Januar 1871 die Anerkennung seines politischen Führungsanspruchs, auch gegenüber dem Militär, beim König endgültig durch. Die Bedeutung dieser Entscheidung reichte weit über den aktuellen Anlaß hinaus, da sie zwanzig Jahre lang das Verhältnis von politischer und militärischer Führung zugunsten des Kanzlers geprägt hat.

Wenige Tage später, am 28. Januar, erreichte Bismarck den Abschluß eines Waffenstillstands, Paris mußte kapitulieren. Der neue französische Regierungschef Adolphe Thiers erschien mit seiner Delegation am 21. Februar im deutschen Hauptquartier, wo der Präliminarfriede bis zum 26. Februar zügig ausgehandelt wurde. Frankreich mußte, schmerzlichstes Symbol der Niederlage, «Elsaß-Lothringen» abtreten, dazu eine damals unerhört große Reparationszahlung in Höhe von fünf Milliarden Francs leisten. Der Frankfurter Friede vom 10. Mai 1871 besiegelte das Ergebnis, das dem Sieger als beispielloser nationaler Triumph, dem Besiegten als nationale Katastrophe erschien.[32]

Seit der Vorentscheidung bei Sedan waren die einigungspolitischen Verhandlungen angelaufen. Als Richtschnur lag ihnen eine Denkschrift Delbrücks vom 13. September 1870 zugrunde, in welcher die Verfassung des Norddeutschen Bundes beibehalten und die Beitrittsmodalitäten definiert wurden. An eine verfassunggebende Nationalversammlung wurde zu keinem Zeitpunkt gedacht. Die diplomatischen Gespräche mit den süddeutschen Regierungen, die rund zwei Monate für ihre Entscheidung benötigten, führten am 15. November zu einem ersten Erfolg: Baden und Hessen erklärten den Beitritt zum Nordbund. Bayern mußten erst gewisse Sonderrechte eingeräumt werden: die Militärhoheit im Frieden etwa, dazu eine eigene Post- und Eisenbahnverwaltung. Selbst danach führte erst eine vergleichsweise hohe, jährlich zu zahlende Bestechungssumme, die Bismarck aus dem beschlagnahmten Welfenvermögen, dem sogenannten Welfenfonds, zahlte, um es König Ludwig zu erleichtern, seiner Bauleidenschaft weiter zu frönen, zur Zustimmung am 23. November; Württemberg folgte am 25. November, nachdem ihm geringfügige Konzessionen gemacht worden waren. «Die deutsche Einheit ist gemacht», konnte Bismarck daraufhin in vertrauter Runde befriedigt konstatieren. Am 8. Dezember stimmte der Norddeutsche Bund den Einigungsverträgen zu, so daß die Reichsverfassung am 1. Januar 1871 in Kraft treten konnte.

Und nicht nur das: Bismarcks Zielvorstellungen waren auch in dieser letzten Runde verwirklicht worden, denn die Beitrittsbedingungen hatten sowohl den föderativen Charakter der Staatenunion verstärkt als auch die Grundsatzentscheidung der Verfassung von 1867 bestätigt. Mußten die Liberalen damals bei den konstitutionellen Rechten zurückstecken, wurden jetzt ihre nationalunitarischen Hoffnungen enttäuscht. Da die Einigungsverhandlungen ohne einen einzigen formellen Vertreter der tonangebenden politischen Parteien allein zwischen Monarchen und Diplomaten, Bürokraten und Bismarck geführt wurden, gelang es Bismarck auch in dieser Phase wiederum, sich von einer direkten, verfassungsrechtlich sanktionierten Abhängigkeit von der liberalen Nationalbewegung freizuhalten. Es war dies ein folgenschwerer Vermeidungserfolg, der sich gegenüber dem nationalliberalen Optimismus, «die Verfassung des Deutschen Reiches von den Schlacken ihres Ursprungs zu befreien» (Lasker), als unkorrigierbare Basisentscheidung erweisen sollte.

Als eminent folgenreich erwies sich der Rückgriff auf eine vertraute politische Symbolik: Die positiv besetzten Schlüsselbegriffe «Kaiser» und «Reich» traten an die Stelle des «Bundes» und «Bundespräsidiums». Die bisherige Terminologie wurde als Erinnerung an eine belastete Vergangenheit empfunden, auch als unfähig, zustimmende Emotionen zu mobilisieren. Dagegen verhieß die traditionsreiche neue Sprachregelung im Sinne des nationalen Mythos sowohl den Anschluß an die historische Größe des alten Reiches mit seinem universalen Ordnungsanspruch als auch die Aussicht auf einen künftigen, noch glanzvolleren Aufstieg. Sie versprach eine hohe Integrationswirkung, insbesondere auf die nichtpreußischen Bevölkerungsteile, auch auf ihre Monarchen, die dadurch eher zur Hinnahme der preußischen Hegemonie bewegt werden konnten. Allerdings besaß der Übergang zu dieser politischen Symbolik und Rhetorik auch seine Tücken. So traf etwa der vorgeschlagene Titel «Kaiser von Deutschland» auf heftige Opposition, da er eine gesamtdeutsche Landesherrschaft der Hohenzollern suggerierte. Der von den Liberalen und dem Kronprinzen unterstützte Titel «Kaiser der Deutschen» verletze ebenfalls, hieß es, das Traditionsbewußtsein der Einzelstaaten, nicht zuletzt das altpreußische Loyalitätsgefühl des Königs. Schließlich blieb es bei der improvisierten Lösung eines «Deutschen Kaisers», aus dem dann doch über zwei Jahrzehnte hinweg der «Reichsmonarch» der wilhelminischen Zeit wurde.

Die formelle Festversammlung, auf der das erweiterte großpreußische Bundessystem auf «Deutsches Reich» umgetauft wurde, ist am 28. Januar 1871 mit pompösem Zeremoniell im Spiegelsaal des Versailler Schlosses gefeiert worden. Das effektvoll glorifizierende Gemälde Anton v. Werners hält die kalte Pracht fest. Monarchen und Militärs, Diplomaten und Beamte fanden sich dort ein. Die gewählten politischen Vertreter der «Nation» waren nicht einmal durch Delegationen vertreten. Die Kaiserproklamation, nicht der Abschluß der Novemberverträge, blieb indes im deutschen politischen Bewußtsein als eigentlicher Reichsgründungsakt haften – unauflöslich auch mit einem Demütigungs- und Unterwerfungsritual verbunden, das dem geschlagenen Frankreich an einer bewußt gewählten Stätte seiner vergangenen historischen Größe zugemutet wurde. Der Stiefel auf dem Nacken des besiegten Gegners gehörte mit zu der Feier jener Staatsbildung, die von der erdrückenden Mehrheit der Deutschen als Erfüllung ihrer nationalen Wünsche verstanden wurde.

«Wodurch hat man die Gnade Gottes verdient», fragte Heinrich v. Sybel, während ihm «die Tränen ... über die Backen» liefen, mit generationstypischem Jubel, «so große und mächtige Dinge erleben zu dürfen? Und wie wird man nachher leben? Was zwanzig Jahre der Inhalt alles Wünschens und Strebens gewesen, das ist nun in so unendlich herrlicher Weise erfüllt worden! Woher soll man in meinen Lebensjahren noch einen neuen Inhalt für das weitere Leben nehmen?» Verblüffend ähnlich drückte auch Bismarck denselben Eindruck aus: «Aber was bleibt für uns, was wird nach solchen Erfolgen, nach gewaltigen, großen Ereignissen, jetzt uns noch wert erscheinen, es erleben zu dürfen?» Während in diesen Worten noch eine gewisse Unsicherheit oder gar Skepsis mitschwang, wie es um die sozialpsychische

Verfassung der jungen Nation künftig bestellt sein werde, wurden die meisten durch den Überschwang der nationalistischen Aufwallung mitgerissen. Schon zu Beginn des Krieges ernannte der berühmte Mediziner Emil Du Bois-Reymond «die Berliner Universität» siegestrunken zum «geistigen Leibregiment des Hauses Hohenzollern», und ein feinsinniger Ästhet wie Friedrich Theodor Vischer prophezeite den Franzosen, daß «das deutsche Heer ... euch unverschämte Nation noch zusammenschnüren wird, bis euch das Blut aus den Nägeln spritzt».

Nach Sedan, erst recht nach Versailles war dann kein Halten mehr: Ein leidenschaftlicher Nationalismus feierte die Gründung des Kaiserreichs als Vollendung der deutschen Geschichte. Hochfahrender Stolz auf ein epochales Ereignis verband sich mit einem emporschießenden Sendungsbewußtsein, Haß- und Triumphgefühl gegenüber den Franzosen mit einem unbändigen Hochmut als Ergebnis der militärischen Erfolge in diesem dritten von drei Kriegen, der innerhalb von einem halben Dutzend Jahren siegreich beendet worden war. Nie zuvor war das Heer populärer als bei der Berliner Siegesparade der heimkehrenden Truppen. Der borussische Einigungsnationalismus sah sich am Ziel seiner Träume, während zahlreiche Stimmen aus dem Protestantismus, unduldsamer noch als 1866, die Vollendung der Reformation durch das evangelische Preußen priesen. Bismarck avancierte zum «Reichsgründer», Moltke zu seinem «Paladin», Wilhelm zum «greisen Heldenkaiser». Wer wollte, hieß es immer wieder, noch daran zweifeln: Gottes Gnade waltete über den Deutschen.

Angesichts dieses überbordenden Enthusiasmus wurden die Grenzen und Schwächen des politischen Systems, in dessen Gehäuse der kleindeutsche Nationalstaat in die Welt trat (es wird unten, IV. 6, genauer charakterisiert), entweder überhaupt nicht gesehen oder als geringfügige Geburtsfehler betrachtet, die sich bald korrigieren ließen. Prinzipieller Widerspruch, wie ihn Sprecher der jungen Sozialdemokratie äußerten, löste selbstgerechte Empörung aus, welche die bereits einsetzende Stigmatisierung solcher Außenseiter bekräftigte. Am satten Selbstbewußtsein der Mehrheit prallten ohnehin die meisten Einwände vorerst ab. Andere kritische Beobachter, deren Stimme damals nicht in die Öffentlichkeit drang, zeigten ein scharfes Gespür für manche unsichtbare Bruchlinie, die das imponierende Reichsgebäude durchlief, für manche Belastung, die als Preis für die erfolgreiche militärische «Revolution von oben» bereits erkennbar war und in Zukunft sich gefährlich auszuwirken drohte. «Bismarck hat uns groß und mächtig gemacht», gestand Kronprinz Friedrich, «aber er raubte uns ... die Sympathien und – unser gutes Gewissen.» Auch ohne die «Gewalt der Waffen» hätten, spekulierte er, «deutsche Kultur, deutsche Wissenschaft und deutsches Gemüt» Deutschland «einig, frei und mächtig» machen können. «Der kühne, gewalttätige Junker hat es anders gewollt.» In seinem liberalen Beraterkreis urteilte Gustav Freytag ähnlich skeptisch: «Die Größe haben wir erreicht, jetzt werfen die Mittel, wodurch sie uns geworden, ihre Schatten über unsere Zukunft. Wir werden's alle noch bezahlen, daß einer sich gewöhnt hat, selbstherrlich mit Puppen zu spielen.»

Andere Kritiker befürchteten den bedrohlichen Einfluß des im Krieg geborenen Machtstaats auf die kulturelle Entwicklung. Burckhardt sah voll bitterer Ironie die «viri eruditi auf deutschen Geschichtskathedern» rastlos schaffen, «bis die ganze Weltgeschichte von Adam an siegesdeutsch angestrichen und auf 1870 bis 71 orientiert sein wird». Grundsätzlicher noch setzten die Bedenken Nietzsches ein: «Wenn wir nur nicht», sorgte er sich schon im November 1870, «die ungeheuren nationalen Erfolge zu teuer in einer Region bezahlen müssen», wo er zu «keinerlei Einbuße» bereit sei: «ich halte das jetzige Preußen für eine der Kultur höchst gefährliche Macht.» Damit war ein Thema angeschlagen, das er seither mit wachsender Unerbittlichkeit verfolgt hat.

Ganz ähnlich wie Burckhardt hatte auch Gervinus, einer der großen alten Männer der liberalen Intelligenz, inzwischen aber vereinsamter demokratischer Außenseiter, Bismarcks «ganze äußere Politik ... darauf berechnet» gesehen, «der Demokratie Stillstand und Schweigen damit zu bereiten». Seit der Entscheidung von 1866 ging seine Interpretation der «Revolution von oben», wie auch er den Einigungsprozeß nannte, aber weit darüber hinaus, sah er doch den «ganzen Weltteil einer jener großen Katastrophen» entgegeneilen, die «den Boden der Geschichte auffurcht zu einer neuen Bestellung». Diese Prognose fand er 1870/71 bestätigt. Kurz bevor er im März 1871 starb, schrieb er eine große «Denkschrift zum Frieden» für «das Preußische Königshaus», in welcher er den Charakter der Epochenzäsur, die er soeben selber noch miterlebt hatte, pointiert herausarbeitete – weitsichtige Diagnose und Vermächtnis zugleich. Seit dem 17. Jahrhundert sei «es ein Prinzip europäischer Politik geworden», argumentierte er, «daß der Staatsverband der deutschen Stämme bündisch geordnet sei». Auch der Deutsche Bund sollte «in der Mitte Europas einen neutralen, durch seine föderalistische Ordnung Frieden verbürgenden Staatenverein» bilden. «Durch Sprengung des Deutschen Bundes im Jahre 1866» sei jedoch «das deutsche Gebiet zu zwei Dritteln in einen allzeit angriffsfähigen Kriegsstaat umgewandelt worden, in dem man eine stete Bedrohung für die Ruhe des Weltteils, für die Sicherheit der Nachbarstaaten argwöhnen konnte, ohne ein Feind von Preußen und Deutschland zu sein». «Ganz Europa» werde seither «in ein ewiges Kriegs- und Rüstungslager verwandelt».

«Es ist nicht klug getan», mahnte Gervinus, insbesondere gegen «die Preußenseligkeit der Nationalliberalen», «sich durch Patriotismus blind dafür zu machen», daß die jüngsten preußischen Kriege «über das ganze Zeitalter die Gefahr einer Ordnung, die man im Aussterben geglaubt hatte, wieder aufleben machten und zwar vergrößert in einem unverhältnismäßigen Maßstab. Nachdem man seit einem halben Jahrtausend gewünscht, gestrebt, gehofft hatte, den soldatischen Ordnungen der früheren Zeiten mehr und mehr zu entwachsen, ist hier eine permanente Kriegsmacht von so furchtbarer Überlegenheit entstanden, wie sie die Zeiten der ganzen auf Eroberung und Vergrößerung gestellten Militärstaaten der letzten Jahrhunderte niemals, nicht entfernt, gekannt haben.» Die Erfolge von 1870/71 hätten «diese Kriegsmacht noch neu verstärkt und notwendig mit einem noch außerordentlich gesteigerten Selbstgefühl erfüllt» – Grund genug, um trotz der «wunderbaren Taten und Begebenheiten» voller Sorge in die Zukunft zu blicken. Sie halte lauter «unberechenbare Gefahren» bereit, da die Deutschen, mit Bismarck und dem preußischen Militär an der Spitze, einen Irrweg eingeschlagen hätten, welcher «der Natur des ganzen Zeitalters durchaus zuwiderlaufe». Vollends aber sei es, warnte Gervinus, eine gefährliche Illusion, darauf zu hoffen, daß «die großen Kriegstaten» wie «ein Riesenschwamm» wirken könnten, «der die tiefe Unbefriedigung über die inneren Zustände Deutschlands mit einem Zuge austilgen würde».

Düster und tief enttäuscht, aber auch mit dem scharfen Blick, den eine Grenzexistenz verleiht, stellte Gervinus seine pessimistische Prognose. In der Tat mußte die Zukunft des Deutschen Kaiserreichs von 1871 erweisen, ob seine schwarze Skepsis oder Bismarcks Kalkül einer Stabilisierung des alten Regimes durch eine desperate Kriegstherapie und die Einbindung moderner Elemente, ob der Glaube an die Überlegenheit der sozialdemokratischen Gegenutopie vom «republikanischen Volksstaat» oder an eine zeitgemäß liberale Modernisierung von Staat und Gesellschaft bestätigt wurde. Denn von Anfang an fehlte der deutschen Staatsgründung jene Eindeutigkeit der Entwicklungsrichtung, mit der etwa hundert Jahre zuvor die auf Volkssouveränität, Freiheits- und Gleichheitsrechte gebaute amerikanische Republik angetreten war. Vorerst schienen, daran kam 1871 wenig Zweifel auf, die Weichen im Sinne Bismarcks, auf etwas längere Sicht auch im Sinne der nationalgesinnten Liberalen gestellt zu sein.[33]

4. Alternativen zur Reichsgründung?

Hatte es aber nicht doch, wenn man den Kombinationsreichtum im Entwicklungspotential des Kaiserreichs bedenkt, vor den Entscheidungen von 1870/71 realistisch wirkende Alternativen gegeben – konkurrierende Optionen mithin, die seither zu den verschütteten Möglichkeiten der deutschen Geschichte gehören? Diese Frage hat schon die Zeitgenossen umgetrieben, seither ist sie nie ganz verstummt. Natürlich bewegt sie sich im Bereich hypothetischer Erwägungen, aber eine knappe Erörterung der Möglichkeiten verdient sie allemal. Zahlreiche Möglichkeiten gibt es ohnehin nicht, erwägenswert sind im Grunde nur wenige. Akzeptiert man die grundlegende Annahme, daß der Nationalismus zu den großen, nahezu unwiderstehlichen Bewegungsmächten des 19. Jahrhunderts gehört hat, muß man in vergleichender Perspektive die historische Berechtigung des Wunsches, auch einen deutschen Nationalstaat zu gründen, anerkennen. Für die Verwirklichung dieser Forderung, die von einer mächtigen liberalen Nationalbewegung getragen wurde, standen unter den Bedingungen der deutschen Geschichte seit 1849 vier Entwicklungspfade mehr oder minder weit offen.

1. Angesichts der Langlebigkeit des deutschen Staatenpluralismus in Mitteleuropa gab es achtbare Gründe, in der föderativen Organisation des Deutschen Bundes eine ausbaufähige Lösung zu erblicken. Sie hat nicht nur Gervinus, sondern auch manchem andern vorgeschwebt. Wegen ihres friedensbewahrenden, angriffsverhindernden Charakters verteidigte sie zum Beispiel der sächsische Diplomat Alexander v. Villers – vielleicht zu sehr dem Metternichschen Beharrungsdenken verhaftet, die Dynamik der nationalen Bewegungspartei und des Bismarckschen Preußen unterschätzend, aber doch auch nüchtern abwägend und voll kühler Wehmut ob ihres Scheiterns. «Der Deutsche Bund, der letzte staatsmännische Gedanke der europäischen Diplomatie», räsonierte er 1870 kurz vor Bismarcks Triumph, «war defensiver Natur, Preußen darin die offensive Hefe, die den wohlgekneteten Teig in Gärung gesetzt hat. Deutschland lebte nicht nur in Frieden mit seinen Nachbarn, es war auch der Hemmschuh für jeden anderen europäischen Staat, den es gelüsten mochte, den Weltfrieden zu brechen. Der einzige, aber unvermeidliche Fehler in dem Organismus war die Voraussetzung sittlicher Größe bei allen seinen Gliedern ... Preußen hatte es längst ausgesprochen, es lasse sich nicht majorisieren. An dem Tag, wo das Wort fiel, hätte der Bund es für ewig ersticken müssen. Da hatte man aber Rücksichten, und daran ging der Bund zugrunde.»

Die Erhaltung des europäischen Friedens, zu dessen Wahrung der Bund in der Tat beigetragen hatte, hat nach den Exzessen zweier von Deutschland ausgelöster Weltkriege als Urteilskriterium eine ganz andere Bedeutung als vor 1914 erlangt. Einige Historiker haben daher, insbesondere nach 1945, die Entwicklungschancen des Bundes gewissermaßen zu rehabilitieren versucht – und zwar erst recht, nachdem die Erfolge der europäischen Einigung und des westdeutschen Föderalismus staatenbündisch-bundesstaatliche Verfassungen neu aufgewertet hatten.

Dagegen sprechen vor allem drei Gründe. Die lockere Bundesstruktur entsprach nicht den zeitgenössischen Zielvorstellungen von einem relativ homogenen, kompakten, unitarischen Nationalstaat. Die innere Machtverteilung, vor allem die Rivalität zweier deutscher Großmächte, ließ jedoch den Übergang zu dieser zentralistischen Staatsform ganz offensichtlich nicht zu. Bereits nach der ersten Restaurationsära der Metternichzeit, erst recht nach der zweiten Restauration in den fünfziger Jahren hatten Liberale und Demokraten auch durchweg jedes Vertrauen auf die Reformfähigkeit des Bundes verloren. Er trat ihnen weithin als Instrument der Repression entgegen: immer und nur dann zu zentralisierter Kooperation und gesamtbündischer Handlungsfähigkeit bereit, wenn es um Unterdrückung und Verfolgung ging. Eine Fortdauer der deutschen Vielstaaterei, des «unseligen Partikularismus» der «deutschen Raubstaaten» schien namentlich der liberalen Nationalbewegung mit ihrem Ziel eines einheitlichen gesamtdeutschen Staates ganz unvereinbar zu sein.

2. Entfällt die vieldiskutierte Bundesreform, kann man an zweiter Stelle die großdeutsche Lösung erörtern, da sie dem Ideal des Nationalismus, möglichst viele Deutsche in einem Nationalstaat zu vereinen, aber auch dem weitverbreiteten Wunsch, den historischen Traditionszusammenhang im deutschsprachigen Mitteleuropa nicht zu zerreißen, am nächsten kam. Da hinter der Fassade des gemeinsamen Bundes der österreichisch-preußische Machtdualismus seit 1815 immer deutlicher hervorgetreten war, hatte die großdeutsche Option bereits 1848/49 eine wichtige Rolle gespielt. Alle Pläne in dieser Hinsicht waren jedoch gescheitert. Selbst wenn es zu einem großdeutschen Staat gekommen wäre, hätte es sich um ein dem Nationalitätsprinzip jener Jahre diametral entgegengesetztes multinationales Reich gehandelt, da die österreichische Führungsmacht auf den historisch gewachsenen Territorialbestand mit Abermillionen von fremdsprachigen Staatsangehörigen nicht verzichten wollte.

Dieser Behauptungsanspruch spaltete zeitweilig auch die deutsche Nationalbewegung: Der großdeutsche Flügel verfocht den historischen Vorrang und die Verteidigung des nun einmal ausgebauten österreichischen Machtstaats, der kleindeutsche Flügel setzte dagegen auf die nationalhomogenere Variante unter preußischer Führung. Verfassungspolitisch hat die repressive Politik der fünfziger und sechziger Jahre die Aversion der nationalen Liberalen gegen eine künftige österreichische Suprematie nachdrücklich verstärkt. Ideologiepolitisch erschien der starre Katholizismus des Habsburgerreichs als Bedrohung protestantisch-liberaler Freiheit. Wirtschaftspolitisch konnte Wien kein attraktives Angebot machen.

Dennoch blieb der Kampf um die Vorherrschaft in «Deutschland» offen, bis bei Königgrätz die Entscheidung fiel. Weder die preußische Industrie noch die Berliner Wirtschaftspolitik noch das Talent Bismarcks, sondern allein das späte Schlachtenglück gab dabei den Ausschlag. Eine preußische Niederlage hätte Wien zweifellos neue Gestaltungschancen im Sinne einer österreichischen Lösung der deutschen Frage eröffnet. Seit 1866, vollends seit 1870 war diese Option ausgelöscht. Als nationalistische Zielvision blieb jedoch eine nachholende großdeutsche Politik bis 1938 lebendig.

3. Zeitweilig schien die Chance einer engeren Föderation zwischen dem preußisch dominierten Norden einerseits, der «Trias» der deutschen Mittelstaaten, bis 1866 vielleicht im Verein mit Österreich andrerseits zu bestehen. Dabei schwangen immer viele illusionäre Wünsche mit. Als Österreich 1866 aus solchen Überlegungen ausschied, standen sich der machtvolle Block des Norddeutschen Bundes und die süddeutschen Staaten als ungleiche Partner

gegenüber. Der Prager Frieden hatte die auf der Tagesordnung stehende «nationale Verbindung» noch an ein Fortbestehen der souveränen Einzelstaaten im Süden gebunden. Über diese Hemmschwelle setzte sich die Geschichte der folgenden Jahre hinweg: Der Verbindung von großpreußischer Machtexpansion und liberaler Nationalbewegung waren die föderativen Wunschträume nicht gewachsen.

4. Auch wenn der Historiker die normative Kraft des Faktischen nicht noch einmal im nachhinein als unvermeidliche Entwicklung zu bestätigen braucht, drängt sich doch das Urteil auf, daß Preußen mit einer gewissen Folgerichtigkeit in den 1860er Jahren zur Vorherrschaft im deutschsprachigen Mitteleuropa aufstieg. Die Vehemenz des kleindeutsch-borussischen Nationalismus war der vielfach gehemmten großdeutschen Einigungsideologie weit überlegen. Die Industrielle Revolution verlieh Preußen den Vorsprung einer wirtschaftlich wahrhaft modernen Macht. Seine Außenwirtschaftspolitik bediente sich klug und energisch des Zollvereins als eines effektiven Instruments. Die militärische Schlagkraft erwies sich in zwei Großmachtkriegen als gewaltig, obwohl, noch einmal, 1866 alles auf des Messers Schneide stand. Mit Bismarck übte eine politische Potenz sui generis die entscheidenden Führungsfunktionen aus. Dem einzigen politischen Charismatiker im europäischen Staatensystem hatte die Konkurrenz keine auch nur von ferne vergleichbare Persönlichkeit entgegenzustellen. So fügte sich ein Element nach dem anderen zu einer ganz ungewöhnlichen Konstellation, die noch zwanzig Jahre zuvor so nicht vorherzusehen gewesen war. Ganz im Gegensatz zur borussischen Legende von der «deutschen Aufgabe» Preußens eignete dieser Konstellation eben nicht der Charakter einer zwangsläufigen Entwicklung. Die Macht des liberalen Nationalismus, das Kriegsglück, der politische Genius Bismarcks – nichts davon ließ sich um 1860 voraussagen, alles mußte aber im folgenden Jahrzehnt zusammenschießen, um die eigentliche Erfolgsdynamik zu schaffen.

Zugegeben, die wirtschaftliche Integration war in jenem Bereich Mitteleuropas, den das 1871 gegründete kleindeutsche Reich umfaßte, schon weit fortgeschritten. Die Handelserleichterung in der Zollunion, die anschwellenden Waren- und Kapitalströme, die Gemeinsamkeit der fiskalischen Interessen, das wachsende Netz der Eisenbahnverbindungen hatten schon bis 1870 eine sich auffällig abhebende ökonomische Verdichtung geschaffen. Anders gesagt: Nach dem Beitritt Hannovers zum Zollverein im Jahre 1854 war das spätere Reichsgebiet im Grunde schon «wirtschaftlich vereinigt». Insofern wäre jede politische Alternative, etwa in Gestalt der großdeutschen Lösung, für längere Zeit wirtschaftlich außerordentlich kostspielig gewesen!

Dennoch muß man sich hüten, um es erneut zu wiederholen, einem ökonomistischen Irrglauben an die Automatik wirtschaftlicher Integrationskräfte zu folgen. Sie legten bestimmte restriktive oder begünstigende Bedingungen fest. Die politische Zukunft aber blieb durchaus offen, sie mußte im

Kampf um Macht und Herrschaft durch und durch politisch entschieden werden. Das ist zwischen 1864 und 1871 geschehen.

Welche politischen Kosten und gesellschaftlichen Belastungen mit der Bismarckschen Lösung der deutschen Frage unwiderruflich verknüpft waren, haben mehrere Generationen als schwere Bürde zu tragen gehabt; diese Problematik wird noch mehrfach erörtert. Vorerst war 1871 ein Wendepunkt erreicht: Die deutsche Geschichte verband sich seither vierundsiebzig Jahre lang mit der wechselvollen Geschichte einer politischen und industriellen Großmacht.[34]

5. Die Wiederbelebung der politischen Parteien, Gewerkschaften und Interessenverbände

Die Bedeutung, welche die außenpolitischen Entscheidungen und die Einigungskriege für die deutsche Nationalstaatsbildung in der Phase der militärischen «Revolution von oben» gewonnen haben, darf nicht unversehens zu einer konventionellen Verengung der Perspektive führen. Vielmehr muß man sich stets bewußt halten, daß in derselben Zeit außerordentlich tiefgreifende (vorn bereits geschilderte) sozialökonomische Modernisierungsprozesse vorandrängten, die auch die politische Arena auf vielfältige Weise beeinflußten. Zu den wichtigen Veränderungen, die mit der anhaltenden Transformation der nachrevolutionären Gesellschaft, aber auch mit den Folgen des Konstitutionalismus aufs engste zusammenhingen, gehörte der Entwicklungsschub zugunsten der öffentlichen, politischen Verfechtung organisierter Interessen, die in der Gestalt von Parteien, Gewerkschaften und Verbänden ihren Anspruch auf Mitgestaltung des politischen wie des gesellschaftlichen Lebens erhoben.

Mit den politischen Parteien drang ein besonders einflußreicher Typus der «Assoziation» vor, wie seit den 1830er/40er Jahren das Zauberwort für die freie gesellschaftliche Vereinigung lautete. Sie beruhten auf der freiwilligen Entscheidung für die Zugehörigkeit, nahmen ihre Mitglieder im Prinzip unabhängig von Familienherkunft und Konfession, Besitzstand und Beruf auf, setzten mithin die nachständische Sozialordnung mit einem liberalisierten Vereinsrecht und dem Recht auf Freizügigkeit voraus. Ihre funktionale Voraussetzung bildeten – durchaus unterschiedliche – parlamentarische Institutionen eines Repräsentativsystems, von dem ein wachsender Sog zur Bildung wirksamer Organisationen ausging, die für materielle und ideelle Interessen im Wettbewerb miteinander stritten. Das höchste Ziel dieser pluralistischen Konkurrenz war die Beeinflussung und Teilhabe an politischer Macht, letztlich die Mitwirkung an politischer Herrschaft. Im politischen Alltag übernahmen die Parteien eine Vermittlung zwischen den sozialökonomischen und politischen Interessen wachsender Gesellschaftssegmente einerseits, dem Staatsapparat und Regierungssystem andrerseits. Dafür entwickelten sie allmählich eine zunehmend effizientere, flexible Organisation und hochdiversifizierte Methoden der Interessenwahrnehmung. Beide erwiesen sich schon auf mittlere Sicht als adäquate Mittel, um die öffentliche Meinung, den Gesetzgebungsprozeß und die staatliche Exekutive zu beeinflussen.

Einen ersten Aufschwung hatten die Parteien schon im späten Vormärz erlebt, insbesondere in den bewegten Jahren von 1847 bis 1849. Danach senkte sich die Restaurationspolitik, die mit ihren repressiven Maßnahmen jede freiere innenpolitische Regung erstickte, auf die Mitgliedsstaaten des Deutschen Bundes hinab. Erst mit dem Ende der zweiten Reaktionszeit verband sich auch die Wiederbelebung der Parteien und «Pressure Groups». So unübersehbar der neue Aufstieg der Parteien einsetzte und seither anhielt, gewannen sie doch keineswegs sofort ein «Organisationsmonopol». Sie konkurrierten vielmehr mit anderen Vereinigungen, bildeten vorerst eine nur lockere Struktur aus und fungierten geraume Zeit als Wählerparteien, deren Aktivität von einer schmalen Führungselite an der Spitze weniger koordinierender Komitees geleitet wurde. Es blieb also im allgemeinen noch bei einer typischen Honoratiorenpolitik: Sie beruhte auf dem Engagement weniger Persönlichkeiten, die lokales, seltener überregionales Ansehen und «Abkömmlichkeit» genossen. Mit ihr hielt sich die verbreitete Skepsis gegenüber fester organisierten Parteien, die in der politischen Theorie und Praxis vielfach noch immer als gefährliche Instrumente einer demagogischen, egoistischen Interessenvertretung galten. Frühzeitig stützten sich allerdings die Parteien auf außerparlamentarische Hilfsorgane, die gewissermaßen als Zubringer oder Mobilisierungsinstitutionen tätig waren, teilweise auch – wie sich später herausstellen sollte – die Vorstufe für eine politische Partei bildeten. Erst die Demokraten und Sozialdemokraten, die gegen eine feindselige Übermacht antraten, bekannten sich bewußt zu einer ungeschminkt direkten Interessenverfechtung: Sie bauten, um überhaupt bestehen und vorankommen zu können, stabilere Organisationen auf, mit denen sie auch den Weg zur Mitgliederpartei einschlugen.

Daß die verstaubte Unterscheidung zwischen Weltanschauungs- und Interessenparteien auch für die frühe deutsche Parteigeschichte nichts einbringt, da sich beide Elemente von Anfang an verbanden, ist bereits dargelegt worden (Bd. II). Zwar spielte die «Weltanschauung» in den Gesinnungsgemeinschaften der Honoratiorenpolitik unleugbar weiter eine prominente Rolle. Andrerseits haben schon die zeitgenössischen Beobachter klar erkannt, wie rasch die Bedeutung der seit jeher vorhandenen konkreten soziopolitischen Interessen anstieg. «Die Grundpfeiler der politischen Parteien», umschrieb Wilhelm Heinrich Riehl 1864 dieses Phänomen, «stehen viel mehr im Boden der Gesellschaft als des Staates.» Nicht «politische Parteien» pflichtete ihm 1867 Edmund Jörg bei, «kämpfen gegeneinander als vielmehr soziale Klassen». Treitschke räumte bereitwillig ein, daß «die

Interessen der Gesellschaftsklassen ... mit den Parteilehren weit fester verflochten» seien, «als die Parteien selber zugeben». Zugleich warnte er zwar vor einer Verfemung der Parteien – das sei «künstliche polizeiliche Angst» –, trug aber selber durch seine schneidende Kritik zu ihrer Abwertung bei: Beherrscht von den Interessen «der Mittelklassen», höhnte er etwa 1871, verstecke der Fortschrittsliberalismus die Einseitigkeit seiner «Klassenanschauungen hinter einem hoch ausgebildeten Gesinnungsterrorismus».

Nicht minder denunziatorisch wurden die frühen Gewerkschaften als Verkörperung nichtswürdiger Selbstsucht angeprangert. Dagegen galten nationale und liberale Verbände – wie der «Nationalverein» oder der «Kongreß deutscher Volkswirte» – als Vorkämpfer legitimer Ziele. Nicht nur für die Konservativen, sondern auch für die Liberalen war es ein weiter Weg, bis sie schließlich anerkannten, daß auf dem politischen Markt der Interessen und Ideen keineswegs die aufgeklärte «Vernunft» des «wahren» Volkes als einzige Dignität und damit ohne weiteres den Vorrang besaß, vielmehr immer straffer organisierte Parteien und Verbände in einem offenen Konkurrenzkampf um Macht und Einfluß rangen. Die Wegstrecke war in Süddeutschland, wo der konstitutionelle Liberalismus einen Entwicklungsvorsprung besaß, ebensolang wie in Preußen, wo ihm erst die Verfassung von 1848/50 freiere Bahn verschaffte.

Die lockeren Fraktionsgemeinschaften im Abgeordnetenhaus, die sich gewöhnlich nach ihrem Anführer nannten, hatten gut zehn Jahre lang mit einer ausgebildeten Partei noch denkbar wenig gemein. Es bedurfte der Druckkammer des Verfassungskonflikts, daß 1861 mit der DFP eine politische Vereinigung gegründet wurde, die zum erstenmal den Parteibegriff bewußt in ihren Namen aufnahm, allmählich auch eine dauerhaftere Organisation anstrebte. Vorn ist bereits geschildert worden, wie wegen der Zuspitzung des Streits um die Heeresreform profilierte Abgeordnete aus der altliberalen Fraktion v. Vincke seit dem Januar/Februar 1861 ausscherten. Um v. Hoverbeck, v. Forckenbeck, Waldeck, Schulze-Delitzsch, Virchow, Mommsen, Siemens bildete sich, zunächst klubähnlich, die Gruppe «Junglithauen», die bis zum Juni 1861 ihr eigenes Wahlprogramm entwickelte. Darin trat sie für politische und wirtschaftsliberale Reformen ein, bestritt vorerst eine rein negatorische, «prinzipielle Opposition» und ließ die umstrittene Frage des Wahlrechts bezeichnenderweise offen. Unterstützt wurde sie von frisch gegründeten lokalen Wahlvereinen, die freilich erst seit 1871 von einem Zentralkomitee als bescheidener «Agitationszentrale» koordiniert wurden. Die Anhänger zählten sich noch über diesen Zeitpunkt hinaus ohne formelle Mitgliedschaft zur Partei.

Bei den Landtagswahlen von 1861 stieg die DFP kometenhaft auf, da sie auf Anhieb hundertvier Sitze (30% der Stimmen) errang. Seither operierte auch die Fraktion formell unter diesem Namen. Ihr Vorstand stellte die eigentliche Parteileitung: v. Hoverbeck, v. Forckenbeck, v. Unruh, Waldeck,

Schulze-Delitzsch gaben hier anfangs, kaum bestritten, den Ton an. In der Öffentlichkeit wurde der «Fortschritt» vor allem durch die Berliner «National-Zeitung» und «Volkszeitung», durch die «Deutschen Jahrbücher» Oppenheims, dazu vom «Nationalverein» und «Kongreß» unterstützt.

1862 kletterte die DFP auf eine Abgeordnetenzahl von hundertdreiunddreißig (38% der Stimmen), 1863 auf ihren Höchststand von hunderteinundvierzig (40%). Im Wendejahr 1866 sackte sie auf fünfundneunzig Sitze (27%) ab, im erweiterten Preußen von 1867 sogar auf achtundvierzig (11%), die sie 1870 (49/11%) mühsam behauptete. Im Norddeutschen Reichstag war sie mit nur neunundzwanzig, im ersten Reichstag von 1871 mit fünfundvierzig Abgeordneten (12%) vertreten. Das allgemeine Männerwahlrecht seit 1867 gab den Parteien einen starken Anstoß, von den lokalen Wahlvereinen unter ihren Honoratioren zur überregionalen Verdichtung und zentralen Leitung ihrer Organisation voranzuschreiten. Für diesen Lernprozeß brauchten alle ihre Zeit, auch die DFP, deren Mißerfolge 1867 und 1870 verrieten, daß die Umstellung auf die neuen politischen Rahmenbedingungen noch nicht geglückt war.

Die Anhängerschaft der DFP reichte vom Berliner Universitätsprofessor über den adligen Großagrarier bis zum städtischen Arbeiter aus dem Bildungsverein – von einer engen Vertretung «der Bourgeoisie» kann keine Rede sein. Vielmehr blieb die soziale Heterogenität der Partei und die Dominanz bildungsbürgerlicher Politiker noch ebenso charakteristisch, wie sie es im Vormärz gewesen war. Die Zusammensetzung der Fraktion von 1862 weist einen dafür typischen Querschnitt auf: Unter den hundertfünfunddreißig Abgeordneten besaßen vierundfünfzig Richter und Beamte der Justiz- und Verwaltungsbürokratie zusammen mit vierundzwanzig beamteten und freiberuflichen Akademikern, alle Protagonisten des liberalen Rechtsstaats, die klare Mehrheit (78). Hinzu kamen achtundzwanzig größere Landwirte, darunter dreizehn Rittergutsbesitzer, die meisten bürgerlicher Herkunft, die Adligen aus den ost- und westpreußischen Getreideexportgebieten mit freihändlerisch-wirtschaftsliberalen Interessen. Unternehmer fanden sich unter den sechs Fabrikanten und sieben Kaufleuten, alle durchweg mit nur mittelgroßen Betrieben, zum Teil auch unter den sechs «Rentiers». Den «alten Mittelstand» vertraten drei Handwerker. Immerhin gelang es der DFP auch, einige bekannte Demokraten zeitweilig an sich zu binden: Johann Jacoby, Adolf Streckfuß und Jodocus Temme zum Beispiel, zu denen noch F. A. Lange, Guido Weiß und Paul Singer hinzukamen, ehe die meisten von ihnen zur Sozialdemokratie übertraten.

Unstreitig erschloß die DFP vor allem ein städtisches Wählerpotential aus dem protestantischen Milieu. Dort profitierte sie auch vom Dreiklassenwahlrecht – ein konservativer Kandidat brauchte in den ländlichen Bezirken gewöhnlich viermal so viele Stimmen wie sein liberaler Gegenpart. Rund ein Drittel ihrer Stimmen gewannen die Liberalen aber auch auf dem Land. In vier Provinzen konnten sie sogar die Mehrheit erringen. Von ihrem Sozialprofil und ihrem Wählerstamm, nicht nur von ihrem Anspruch her, näherten sie sich damals einer «Volkspartei» am ehesten an. Diesen Weg konsequent weiterzuverfolgen, verhinderte aber der Honoratiorencharakter ihrer Politik mit all den gängigen Vorurteilen gegenüber der ungebildeten und besitzlosen «Masse». Deshalb verteidigten die Liberalen von Sybel bis Waldeck das Klassenwahlrecht ganz so entschieden, wie sie die gleichmacherische Wirkung des allgemeinen Wahlrechts – für Sybel der «Anfang vom Ende» der parlamentarischen Monarchie! – als Zerstörung einer berechtigten Hierarchie verachteten. Deshalb gelang ihnen auch nicht rechtzeitig ein Brückenschlag zur Demokratie, ehe die unaufhaltsamen Mobilisierungseffekte des allgemeinen Wahlrechts die exklusive Bastion der Liberalen untergruben.

Mit dem scharfen Blick des konservativen Kritikers hat damals Friedrich Julius Stahl die inneren Widersprüche in der Programmatik der Fortschrittsliberalen erkannt, die mit dem «Gedanken der Gleichheit gegen den Adel, gegen alle Stände als solche» angetreten seien. «Allein, soll die Gleichheit positiv durchgeführt werden, soll die Klasse der Besitzlosen dieselben Rechte mit» der liberalen Partei «erhalten, dann gibt sie den Gedanken auf und macht politisch rechtliche Unterschiede zugunsten der Vermöglichen. Sie will Zensus für die Repräsentation, ... läßt nur den Fashionablen in den Salon, gewährt dem Armen nicht die Ehre und Höflichkeit wie dem Reichen. Diese Halbdurchführung der Prinzipien der Revolution ist es, was die Parteistellung der Liberalen charakterisiert.»

Die DFP hatte von Anbeginn an sehr unterschiedliche Flügel besessen, die sich in ihren gesellschaftspolitischen Anschauungen, insbesondere aber hinsichtlich der Frage unterschieden, ob dem Ausbau des liberalen Verfassungsstaats der Primat vor der nationalen Einheit gebühre. «Von der Einheit zur Freiheit», hatte die «National-Zeitung» im Sommer 1865 die Prioritäten festgelegt, «das ist der Weg, das sind die Mittel unserer Partei.» Auch Schulze-Delitzsch mit seinen demokratischen Neigungen hatte dem zugestimmt: «Die deutsche Frage ist vorangestellt – Zentralgewalt in den Händen Preußens mit deutscher Volksvertretung, wie sich von selbst versteht.» Demgegenüber insistierten andere Fortschrittliche darauf, daß Preußen erst in einen wahrhaft konstitutionellen Staat verwandelt werden müsse, um das moralische Recht auf eine aktive Nationalpolitik zurückzugewinnen. «Ist denn die Einheit», machte Bamberger dagegen geltend, «nicht selbst ein Stück Freiheit?»

Diese inneren Spannungen erwiesen sich in dem Augenblick als nicht mehr überwindbar, als Bismarck 1866 der Durchbruch zu seinem ungeahnten nationalpolitischen Erfolg gelang. Zum Scheidepunkt wurde nach der Wahlniederlage von Königgrätz die Indemnitätsvorlage, deren Diskussion Anfang September 1866 die DFP spaltete. Während der rechte Flügel für die Verständigung mit der Regierung eintrat, schließlich für die Vorlage und danach für den Militäretat votierte, bestanden seine Kontrahenten mit dem «Doktrinarismus des linken Flügels» kompromißlos auf dem parlamentarischen Bewilligungsrecht. Erneut übertraf ihre «Gesinnungsfestigkeit» den «Wirklichkeitssinn und Machtwillen». Vergeblich stemmten sich Waldeck, Gneist, Virchow, Jacoby, v. Hoverbeck, Schulze-Delitzsch wochenlang gegen die Auflösung des «Fortschritts». Als erste traten v. Unruh, Twesten, Michaelis, Röpell, Lette, Lasker und andere aus; v. Forckenbeck, Duncker, Bluntschli, Siemens, Hammacher, Rochau und Treitschke stießen hinzu. Lasker verfaßte noch im September ein Grundsatzmanifest, dem die Dissidenten am 24. Oktober öffentlich zustimmten: Der Berliner Außenpolitik wurde volle Unterstützung zugesagt. Als sich die neue «Fraktion der nationalen Partei» mit sechsundzwanzig Mitgliedern am 16. November im Abgeordnetenhaus konstituierte, bedeutete dieser Akt die informelle Gründung der «Nationalliberalen Partei». Verblüffend schnell gehörten die «neupreußischen Liberalen» aus den annektierten Ländern, Männer ohne das Trauma des Verfassungskonflikts wie Rudolf v. Bennigsen und Johannes Miquel aus Hannover, Friedrich Oetker aus Hessen, Karl Braun aus Nassau, zu ihrem Kern. Unter Bambergers Parole «Durch Einheit zur Freiheit» traten die Nationalliberalen siegesgewiß in den ersten Wahlkampf des Norddeutschen Bundes ein.

Auf Bluntschlis «unbestreitbares» Diktum, «daß die Neugestaltung von Deutschland nur mit Preußen möglich ist, ohne Preußen niemals», konnten sich alle einigen. Genauer noch beschrieb Haym den nationalliberalen Konsens: «Im tiefen Vertrauen auf die Macht der nationalen Idee» unterstütze er mit seinen liberalen Freunden jede kraftvolle Aktion «in der Richtung der Machtinteressen Preußens und des Einheitsbedürfnisses Deutschlands». Deshalb «stellen wir» betonte er, «die Machtfrage nicht über, wohl aber vor die Freiheitsfrage, sicher, daß in einem mit starker Hand allererst begründeten preußisch-deutschen Staate auch eine freiheitliche Entwicklung unseres Verfassungslebens nicht ausbleiben» könne. Damit wurde die Grundüberzeugung der nationalliberalen Spitzenpolitiker ausgesprochen, durch die nationale Einigung den Liberalismus so unwiderstehlich zu machen, daß auch der preußische Obrigkeitsstaat endgültig gezähmt werden konnte. Wegen dieser Folgen der Einheit – und nicht nur wegen der Verwirklichung der Nationalstaatshoffnungen an sich – billigte v. Unruh, stellvertretend für die Führungsequipe, die «revolutionäre» Außenpolitik Bismarcks «ganz vollkommen», denn «konservativ ist diese Politik nicht».

Befördert wurde der Rechtsschwenk der Nationalliberalen durch weitere Faktoren. Die Staatsgläubigkeit des deutschen Liberalismus, gerade auch des Reformliberalismus, lebte in ihnen fort. Die «Macht des Staates» dürften die Nationalliberalen, mahnte Twesten im November 1866, nie «wieder in Frage stellen». Der Dualismus von Fürstenstaat und Parlament wurde auch von ihnen nicht ernsthaft bestritten, eine prinzipielle Alternative zur konstitutionellen Monarchie nicht einmal entworfen. Außerdem: Das Denken in machtstaatlichen Kategorien, wie es vor allem seit dem schleswig-holsteinischen Konflikt von 1863/64 vorgedrungen war, das häufig überzogene nationale Pathos – sie waren auch Ausdruck der Ohnmacht auf wichtigen Feldern der Innenpolitik, Kompensation für die schmerzhaft erlebte Schwäche und unzureichende Durchsetzungsfähigkeit. Die Angst vor der Mobilisierung der Massen durch die Demokratie hat diese Staatsnähe und dieses Insuffizienzgefühl noch weiter verstärkt. 1869 hielt etwa Treitschke die Besorgnis wegen des allgemeinen Wahlrechts noch für übertrieben, ja er wollte sogar das preußische Dreiklassenwahlrecht durch ein demokratischeres Stimmrecht ersetzt sehen. Nur kurze Zeit später verkörperte aber auch für ihn das allgemeine Wahlrecht «die organisierte Zuchtlosigkeit, die anerkannte Überhebung des Unverstandes». Im Zeichen solcher Gefahren rückte der Rechtsliberalismus noch näher an den Staat heran.

Gleichzeitig ebnete auch das Persönlichkeitsideal dieser Liberalen, die immer auch auf die politische Wirkung des bedeutenden einzelnen gesetzt hatten, trotz aller fortbestehenden Gegensätze einem keineswegs nur oberflächlichen Ausgleich mit Bismarck den Weg. Unruh hatte früher schon die Hoffnung ausgesprochen: «Ein tüchtiger Mann an der Spitze Preußens ..., und eine große Zukunft läge offen» vor ihm. Duncker hatte mit einem «liberalen Diktator» als Einheitsstifter geliebäugelt, und Karl Bollmann schloß sich mit dem Urteil an, daß die Deutschen eines «bewaffneten Reformators» bedürften, der sie – selbst wenn ein allgemeiner Krieg unvermeidlich werde – «in das gelobte Land nahender Einheit» führe. Seit dem Sommer 1866 festigte sich bei vielen Nationalliberalen die Überzeugung, daß mit Bismarck ein Politiker, der offenbar das Prädikat des großen historischen Individuums verdiene, eben jenes Werk erfolgreich betreibe, dessen Vollendung ihre Zielvision realisieren konnte: die Gründung eines deutschen Nationalstaats, den es dann energisch zu liberalisieren galt. Auch diese personalistische Orientierung ihres Politikverständnisses erleichterte den Nationalliberalen zehn Jahre lang die enge Kooperation mit Bismarck.

Das ausnahmslos eine opportunistische Kapitulation vor der Macht zu nennen, was die Nationalliberalen selber als realpolitisch gebotenen Kompromiß empfanden, verfehlt jedoch wesentliche Prämissen ihres Kurses, den sie als Quasiregierungspartei einschlugen. Je mehr die Aussicht auf einen schnellen Sieg in Preußen dahinschwand, desto attraktiver wurde der künftige Nationalstaat. Er genoß nicht nur ohnehin hohe Priorität, galt nicht nur als «Inbegriff des allgemeinen Fortschritts», nicht nur als Befriedigung des «elementaren Bedürfnisses nach einem wirtschaftlichen Zusammenschluß Deutschlands». Vielmehr vermochte der Liberalismus offenbar nur im Nationalstaat so stark zu werden, daß er die traditionellen Machteliten ablösen, die Gesellschaft modernisieren, das politische System nach seinen Bauprinzipien umgestalten konnte. Nach der Einheit, drückte Schulze-Delitzsch mit einer typischen Wendung diese Hoffnung aus, werde man «an den inneren Ausbau» erst richtig «Hand anlegen» können. Bismarck konnte aus den genannten Gründen sogar als Wegbereiter und Vollstrecker liberaler Pläne in dieses Weltbild eingefügt werden – wie ihn auch Marx und Engels instrumentell als Bundesgenossen wider Willen sahen –, zumal eine Fortschrittsbewegung wie der nationale Liberalismus auch diese konservative Ausnahmeerscheinung über kurz oder lang hinter sich lassen werde.

Was an solchen Erwartungen und Grundhaltungen alles illusionär war, ließ sich schon ein Dutzend Jahre später klar erkennen. Zu Beginn, im Herbst 1866, gab es gute Gründe für den Optimismus der Nationalliberalen. Diese Stimmung wurde durch die Wahl zum Konstituierenden Reichstag des Norddeutschen Bundes bestätigt, in dem die Nationalliberalen im Februar 1867, gewissermaßen aus dem Stand, bei einer extremen Wahlbeteiligung (64 %) einundachtzig von zweihundertsiebenundneunzig Mandaten gewannen. Damals schon übernahm v. Bennigsen den Fraktionsvorsitz, den er bis 1883 behalten sollte. Die Augustwahlen zum ersten Norddeutschen Reichstag bestätigten, obwohl nur knapp vierzig Prozent der Wähler von ihrem Stimmrecht Gebrauch machten, mit vierundachtzig Abgeordneten die Nationalliberalen als stärkste Fraktion – deutlich vor den Konservativen mit siebzig, den Freikonservativen mit sechsunddreißig und der DFP mit dreißig Sitzen.

Erst kurz zuvor, am 12. Juni 1867, hatten die Nationalliberalen ihr eigentliches Gründungsprogramm veröffentlicht, und es sollte sogar bis zum 6. Februar 1870 dauern, bis sie sich auf einer Tagung ihrer «Vertrauensleute» formell als bundesweit agierende Partei konstituierten, mit der die süddeutschen Liberalen Anfang Mai ihre Vereinigung erklärten.

Die institutionelle Grundlage bildeten weiterhin die lokalen Wahlvereine. Ein «politischer Gesamtverein» konnte schon deshalb nicht ins Leben gerufen werden, weil das preußische Vereinsrecht von 1850 noch immer überlokale Assoziationen untersagte. Für kurze Zeit übernahm v. Unruh den Vorsitz, ehe ihm während der langen Zeitspanne von 1871 bis 1891 v. Bennigsen folgte. Bis zu diesem Wechsel hatten sich die Nationalliberalen schon als die große Reformpartei im Norddeutschen Reichstag profiliert. Von diesem Bonus und von der Übereinstimmung mit dem Zeitgeist der Reichsgründungsmonate zehrten sie, als sie hochgemut mit ihrem Führungsanspruch in die ersten Reichstagswahlen im März 1871 hineingingen. Sie gewannen fast ein Drittel aller Stimmen bei einer Wahlbeteiligung von gut fünfzig Prozent, eroberten hundertfünfundzwanzig von insgesamt dreihundertzweiundachtzig Mandaten und stellten die mit weitem Abstand stärkste Fraktion – mehr als doppelt so groß wie das Zentrum mit dreiundsechzig Sitzen auf dem zweiten Platz, noch weiter vor den Konservativen mit siebenundfünfzig und der DFP mit sechsundvierzig neuen MdR. Trotz der bitteren Niederlagen beim Ringen um die Verfassung und das parlamentarische Budgetrecht, trotz der Bestätigung der charismatischen Sonderstellung Bismarcks war das der Zeitpunkt, zu dem sich die Nationalliberalen als die eigentlichen Repräsentanten des Volkes in Gestalt der «vernünftigen» liberalen Mehrheit empfanden, so daß sie sich voller Energie der neuen Reichsgesetzgebung zuwandten.[35]

Dem Aufschwung der liberalen Parteien verstanden die Konservativen eine geraume Zeit lang wenig entgegenzusetzen. Zwar hatte die Revolution auch in ihren Reihen den interessenpolitisch denkenden, auf Organisation hindrängenden Kräften Auftrieb gegeben. Unter dem Manteuffel-Regime war aber dieser Impetus erlahmt, da der informelle Vorrang wieder bestätigt wurde und der Staatsapparat ihnen wieder direkt beisprang. Auch als die DFP einen neuen Zug in die preußische Innenpolitik brachte, reagierten die Konservativen noch nicht mit der Gründung einer eigenen Partei. Vielmehr entstand vorerst nur der «Preußische Volks-Verein» als konservative Gegenorganisation. Sie knüpfte an die kurzlebige Tradition der rechten Vereine während der Revolutionszeit an: an den «Verein für König und Vaterland», den «Treubund mit Gott für König und Vaterland», die von Wagener gegründeten «Volksvereine». Wagener gehörte auch zu den maßgeblichen Initiatoren des im September 1861 ins Leben gerufenen neuen «Preußischen Volks-Vereins», der gegen den Widerstand der doktrinären Ultras um Gerlach zu einer Art Substitut für die fehlende konservative Partei aufstieg. Zu den Mitgliedern gehörten vor allem Handwerker, Geistliche, Offiziere und Beamte; bis Ende 1862 waren es insgesamt sechsundzwanzigtausend. Der Schwerpunkt lag eindeutig in Ostelbien, dort gab es die meisten Orts- und Kreisvereine. Die Führung teilten sich Wagener und Bismarcks Intimus Moritz v. Blankenburg.

Mit seinen programmatischen Forderungen polemisierte der «Volks-Verein» gegen das Vordringen des Bürgertums, der Gewerbefreiheit, des Kapitalismus schlechthin, plädierte aber für das Gottesgnadentum, das Christentum, die Führungsrolle des Adels und den Ausgleich zwischen Unternehmern und Arbeitern; dem Handwerk sollten die Gewerberäte erhalten bleiben. Diese sozialpolitischen Postulate verrieten die Handschrift des Sozialkonservativen Wagener. Als jedoch sein gleichgesinnter Mitstreiter Rodbertus noch 1861 den Verein auf sein «Deutsches Programm» festlegen wollte, in dem er die deutsche Einheit unter preußischer Führung, das allgemeine Wahlrecht, die geheime Abstimmung und eine Reform des Herrenhauses verlangte, beendete die «Kreuzzeitung» mit dem Vorwurf des «partiellen Wahnsinns», der die «Revolutionierung Preußens» auslösen müsse, unverzüglich jede weitere Diskussion.

Die Landtagswahlen bewiesen, daß das Bündnis zwischen «Wappenschild und Schusterschemel», wie Constantin Frantz spottete, vorerst erfolglos blieb. Auch neue organisatorische Bemühungen der Konservativen, eine eigene Partei zustande zu bringen, führten 1863/64 zu nichts. Statt dessen wurde der «Volks-Verein» seit dem Oktober 1862 durch die «Patriotische Vereinigung» unterstützt, die sich bald zur zweitstärksten konservativen Hilfsorganisation entwickelte.

Die Wahl- und Kriegserfolge Bismarcks von 1866 bescherten dem «Volks-Verein» seinen Höchststand an Mitgliedern (40700). Trotzdem begann Ende 1866 sein Niedergang. Das hing mit der extremen Spannung zusammen, die seit diesem Jahr Bismarcks Verhältnis zu der Führungsgruppe der Konservativen belastete, da ihnen seine Nationalpolitik und sein Dynastiesturz in den Annexionsprovinzen, seine Verletzung des Legitimitätsprinzips und seine Indemnitätsvorlage zutiefst zuwider waren. Deshalb schied auch Wagener, der zu Bismarcks Beraterkreis gehörte, als der eigentliche Motor des «Volks-Vereins» aus. Und schließlich spalteten sich die Konservativen selber, so daß die Loyalitätsbindung des Vereins verunsichert wurde.

Die schroffe Kritik, die E. L. v. Gerlach mit den Seinen an Bismarcks Politik geübt hatte, führte bis zum Mai 1866 zu einer solchen Polarisierung unter den Konservativen, daß eine bismarckfreundliche Minderheit abzudriften begann. Ende Juli fand sie sich in einer «Freien Konservativen Vereinigung» zusammen, deren zwanzig Mitglieder eher einen Flügel der Rechten als eine selbständige Partei bildeten. Erst 1867 vor den Wahlen zum Konstituierenden Reichstag des Norddeutschen Bundes verwandelte sich diese Vereinigung in die «Freikonservative Partei». Als Vorhut eines aufgeklärt-moderaten Konservativismus trat sie für eine vorbehaltlose Unterstützung Bismarcks, für ein großpreußisches Deutschland und für die konstitutionelle Monarchie ein, denn – sotto voce gegen die Ultras – «die Zeiten des Absolutismus sind vorüber». Der Erfolg stellte sich sofort ein: Im Konstituierenden Reichstag kamen die «Freikonservativen» – bei einer preußischen Wahlbeteiligung von vierzig Prozent und einem konservativen Stimmenanteil in derselben Höhe – auf neununddreißig Mandate; die etablierten Konservativen gewannen nur siebenundzwanzig mehr. Bei den Augustwahlen zum Norddeutschen Reichstag lautete das Verhältnis sechsunddreißig zu siebzig; auch bei den Wahlen zum preußischen Abgeordnetenhaus erreichten die Freikonservativen im selben Jahr immerhin achtundvierzig von hundertdreiundsiebzig konservativen Sitzen. Im Reichstag schlossen sie sich der liberalen Reformallianz an, um den Norddeutschen Bund attraktiv auszugestalten. In den folgenden drei Jahren standen sie überhaupt den Nationalliberalen oft näher als den Konservativen. Die fehlende Eindeutigkeit streng konservativer Ziele blieb diesen suspekt, während jenen die flexible Kooperation zusagte. Als Linkskonservative, die zugunsten des Reiches sogar mit einer scharfen Absage an jeden Partikularismus zum Verzicht auf preußische Autonomierechte bereit waren, zogen 1871 siebenunddreißig Freikonservative in den neuen Reichstag ein, wo sie sich demonstrativ in die «Deutsche Reichspartei» umgründeten, ohne in der Öffentlichkeit den inzwischen vertrauten ersten Namen zu verlieren.

Die Freikonservativen wurden von industriefreundlichen Großagrariern, agrarfreundlichen Schwerindustriellen und Vertretern der hohen Bürokratie dominiert. Ohne breite Basis im Land lagen ihre beiden Schwerpunkte in Schlesien und in Rheinpreußen. Aus Schlesien stammten etwa so prominente Mitglieder wie die Fürsten Hohenlohe-Oehringen, Pless und Lichnowsky, die Herzöge von Ujest und von Ratibor, die Grafen v. Maltzan, v. Frankenberg und v. Bethusy-Huc, der mit Hohenlohe-Oehringen die Partei zuerst leitete. Im Reichstag von 1867 wurde sie von drei Fürsten, zwei Herzögen, neun Grafen und elf Baronen vertreten. In der Fraktion drangen jedoch der umtriebige Gutsbesitzer und Industrielle Wilhelm v. Kardorff und der ehrgeizige saarländische Montanunternehmer Karl Ferdinand v. Stumm schnell an die Spitze vor. Hinzu stießen so viele hohe Beamte, daß man zeitweilig spottete, jeder Freikonservative sei mindestens gut für die Ernennung zum Staatssekretär. Anfangs zog die Partei auch hochgestellte Katholiken aus Schlesien und dem Rheinland an sich, bis das Zentrum, erst recht mit dem beginnenden «Kulturkampf», die überlegene Anziehungskraft entfaltete. Klein, aber fein blieb die «Partei Bismarck sans phrase» auf einem Kurs unbedingter Loyalität gegenüber dem Kanzler.

Die Rechtskonservativen spürten währenddessen zunehmend die Nachteile, die ihnen aus der Abwesenheit einer eigenen Parteiorganisation entstanden, zumal der befehdete Bismarck als Stütze fehlte und die Beihilfe des Staatsapparats spürbar gebremst wurde.

Ein Anlauf der konservativen Fraktionsführer im Norddeutschen Reichstag und im preußischen Landtag, sich im September 1870 auf das Programm und die formelle Gründung einer «deutschen konservativen Partei» zu einigen, blieb folgenlos. Erst recht blieb das der Versuch der Sozialkonservativen um Wagener, Rodbertus und Rudolph Meyer, die 1871/72, immerhin mit Bismarcks Unterstützung, eine «monarchisch-nationale Partei» mit «konservativ-sozialistischen Grundsätzen» gründen wollten. Es sollte noch einige Jahre dauern, bis 1876 die «Deutschkonservative Partei» mit festerer Struktur als Sammelbecken der Rechten auftreten konnte.

In struktureller Affinität zum Konservativismus stand auch der politische Katholizismus. 1848 hatte er sich in Frankfurt zum ersten Mal im «Katholischen Klub» organisiert, während sich die Pius-Vereine im «Katholischen Verein Deutschlands» zusammengeschlossen hatten – beide erst rudimentäre Vorformen einer politischen Partei. Ein Vorstoß des preußischen Kultusministers gegen die Jesuiten führte dann im November 1852 zur Gründung der «Katholischen Fraktion» im Landtag, in der sich dreiundsechzig Abgeordnete unter der Leitung des Kölner Juristen Peter Reichensperger zusammenschlossen. Ohne formelles Programm trat diese Fraktion für die verfassungsmäßig garantierten Rechte der Kirche, vor allem auch im Bildungswesen, und allgemein für die Verteidigung ihres politischen Einflusses ein. Das wichtigste Wählerreservoir lag zuerst in den seit den «Kölner Wirren» und der Trierer

Wallfahrt politisch mobilisierten katholischen Gebieten Rheinpreußens. Seit den späten fünfziger Jahren machte sich von Schlesien her ein eher konservativer Zustrom geltend, der den rechten Flügel mit seinen adligen Politikern stärkte. Unter den Abgeordneten dominierten Beamte, Kirchenangestellte, Geistliche und Gutsbesitzer. In der Fraktionsleitung wechselten sich von 1852 bis 1866 die Brüder Peter und August Reichensperger ab, die sich auf die Unterstützung durch den autoritären Kölner Erzbischof v. Geissel verlassen konnten. Kurz nach dem Beginn der «Neuen Ära» tauften die katholischen Abgeordneten ihre Vereinigung auf «Zentrumsfraktion» um. Ihre Statuten verkörperten aber noch immer kein Parteiprogramm. Dem alsbald spürbar wachsenden liberalen Druck begegneten diese Repräsentanten des politischen Katholizismus mit einer entschieden konservativen Position. Wie bisher verfochten sie ein konfessionelles Proporzdenken, das überall im öffentlichen Leben eine Vertretung der Katholiken im Verhältnis zum evangelischen Volksteil mindestens nach dem Schlüssel von zwei zu fünf forderte. Sie verteidigten die großdeutsche Lösung, die Führungsrolle des katholischen Österreich, auch die weltliche Machtstellung des Papstes, die von der italienischen Nationalbewegung in Frage gestellt wurde. Ebenso nachdrücklich argumentierten sie gegen die «Nationalitätenschwindelei» der kleindeutschen Nationalbewegung, zugleich auch gegen einen preußisch-protestantisch geprägten Einheitsstaat.

Hatte die Katholische Fraktion bis 1862 nur einen relativ leichten Rückgang auf fünfzig Abgeordnete erlitten, führten ihre internen Differenzen, ihr Schwanken zwischen einer antiliberalen und direkt gouvernementalen Haltung zu einem unaufhaltsamen Einbruch. Die Zahl von nur noch einunddreißig Abgeordneten bei den Neuwahlen von 1862 wurde bis 1867 noch einmal auf fünfzehn Abgeordnete reduziert. Die Niederlage Österreichs und der unleugbare Aufschwung des protestantischen Preußen entzogen ihrer politischen Argumentation weithin die Grundlage. Nach den Wahlen zum Reichstag des Norddeutschen Bundes erwies sich eine Fraktionsbildung als unmöglich, so daß die katholischen Abgeordneten bei der obskuren «Bundesstaatlich-Konstitutionellen Vereinigung» drei Jahre lang Zuflucht suchten.

Die Reichsgründung hat dem Desaster, welches das Jahr 1866 für zahlreiche katholische Politiker bedeutete, das Siegel einer unwiderruflichen Entscheidung aufgedrückt. Sie bestätigte ihre schlimmsten Befürchtungen: Seither mußte sich der politische Katholizismus als Repräsentant einer konfessionellen Minderheit in einem Staatsgebilde neu orientieren, das eine protestantische Mehrheit besaß und unter der Hegemonie Preußens mit seiner evangelischen Dynastie stand. Ohnehin befand sich dieser Katholizismus damals in der Defensive. Die liberale Kritik am päpstlichen «Syllabus Errorum» und am Unfehlbarkeitsdogma wuchs stetig an. Im Streit um die soeben vollzogene Auflösung des Kirchenstaats schien die Loyalität eine letztlich aussichtslose Unterstützung des Papstes zu verlangen.

Diese eher beängstigende Situation förderte jedoch die Überlegungen, endlich eine katholische Partei ins Lebens zu rufen. Bereits im Juni 1870 wurde auf einem Treffen westfälischer Katholiken unter der Leitung Hermann v. Mallinckrodts das Münsteraner Programm verabschiedet. Es forderte die verfassungsrechtlich abgesicherte Selbständigkeit der Kirche, die Konfessionsschule, die Verteidigung autonomer Bundesstaaten gegen den «zentralistischen Einheitsstaat», das «Gleichgewicht» von «Grundbesitz – Kapital – Arbeit» – in nuce wurden hier bereits die Grundlinien der späteren Zentrumspolitik vorgezeichnet. Einen ganz ähnlichen Katalog enthielt der Kölner Aufruf Peter Reichenspergers aus demselben Monat. Auf die Gemeinsamkeiten beider Entwürfe einigte sich die Generalversammlung der katholischen Vereine im Rheinland und in Westfalen. Der Inhalt ihrer Resolution bildete im Grunde die Wahlplattform für die katholischen Kandidaten während des Wahlkampfes für den ersten Reichstag. Sie gewannen fast ein Fünftel der Stimmen (18.6%) und dreiundsechzig Sitze. Achtundvierzig der katholischen Abgeordneten schlossen sich zu Beginn der ersten Session im Frühjahr 1871 zum «Zentrum» zusammen, das seit dem Dezember 1870 als die neue Partei anvisiert worden war. Den Vorsitz der Fraktion sowohl im Reichstag als auch im preußischen Abgeordnetenhaus übernahm Karl Friedrich v. Savigny (1871–1875). Faktisch, obschon nicht nominell, gewann jedoch der ehemalige hannoveranische Minister Ludwig Windthorst die eigentliche Führungsposition, die er zwanzig Jahre lang zu behaupten vermochte. Neben diesen beiden Männern ragten aus dem Fraktionsvorstand noch v. Mallinckrodt und Peter Reichensperger hervor.

Die Wähler des Zentrums stammten aus dem Mittel- und Kleinbürgertum West- und Süddeutschlands sowie Oberschlesiens, aus den bäuerlichen Gebieten des Rheinlands und Westfalens, der süddeutschen Mittelstaaten und Schlesiens, nicht zuletzt der katholischen Arbeiter- und Gesellenschaft. Insgesamt entsprach die Zusammensetzung der überproportional hohen Verteilung der Katholiken auf Landwirtschaft und Kleingewerbe. Hier und da verschafften schon die «Christlichen Bauernvereine», die seit 1862 in Westfalen, seit 1868 in Bayern aktiv waren, einen zuverlässigen Wählerstamm. Den von Kolping gegründeten katholischen Gesellenvereinen – 1870 fast vierhundert mit mehr als zwanzigtausend Mitgliedern – gelang ein vergleichbarer Erfolg im städtisch-handwerklichen Milieu. Damit kündigte sich frühzeitig ein wichtiges Phänomen an: Das Zentrum bildete in der Zeit des Kaiserreichs keine eigene Parteiorganisation aus, wurde keine Mitgliederpartei. Vielmehr fungierte es gewissermaßen als politische Repräsentanz des katholischen Vereinswesens, das die politische Mobilisierung für die Leitungsgremien im Reichstag und in den Landtagen übernahm. Dabei wurde es von Anfang an von einer breit aufgefächerten Presse unterstützt: Bereits 1871 gab es hundertfünfundzwanzig katholische Zeitungen, unter denen die Berliner «Germania» und die «Kölnische Volkszeitung» ihre Meinungsführerschaft behaupten konnten.

In den Fraktionen dominierten zuerst Adlige, die Leitfiguren der katholischen ländlichen Gesellschaft – im Reichstag betrug ihr Anteil in den siebziger Jahren vierzig Prozent. Daneben standen bildungs- und wirtschaftsbürgerliche Politiker zusammen mit einer wachsenden Zahl politisch engagierter Geistlicher – auch die «Kaplanokratie» des Zentrums kündigte sich frühzeitig an. Es ist müßig, danach zu fragen, wie sich diese deutsche Konfessionspartei unter «normalen» politischen Umständen entwickelt hätte. Tatsächlich wurde sie kurz nach ihrer Gründung in den Mahlstrom des «Kulturkampfes» gerissen, dessen Fronten die Entwicklungsgeschichte des deutschen politischen Katholizismus bis in die 1950er Jahre hinein maßgeblich bestimmen sollten.[36]

Auf dem linken Flügel des politischen Spektrums war etwas später als bei den Liberalen und Konservativen ebenfalls Bewegung in die bisher repressiv eingefrorenen Fronten geraten. Wie bereits geschildert (III.3) hatte Lassalle während seines meteorhaften Aufstiegs 1863 den ADAV initiiert – eine zentral geleitete Arbeiter- und Handwerkervereinigung mit kleindeutschen politischen Vorstellungen und dem Ruf nach fördernder Staatsintervention. Im Gegenzug hatte sich der VDAV gebildet – lockerer, föderativ gegliedert und großdeutsch orientiert. Bebel und Liebknecht war es 1868 auf der Nürnberger Tagung des VDAV gelungen, den Anschluß an die von Marx dirigierte Erste Internationale zu erreichen. Diese Entscheidung führte zu schweren Konflikten, aus denen die beiden Männer mit ihren Anhängern den Schluß zogen, 1869 in Eisenach die selbständige «Sozialdemokratische Arbeiterpartei» (SDAP) zu gründen. Sie bestand zuerst aus Mitgliedern der kleinbürgerlich-partikularistischen «Sächsischen Volkspartei», die – wie die anderen «Volksparteien» der späten sechziger Jahre – gegen die großpreußische Expansion aufbegehrte und Bebel und Liebknecht 1867 zu ihrem ersten Reichstagsmandat verhalf. Zu ihr stießen VDAV-Anhänger und abgesplitterte Lassalleaner hinzu, die etwa den politischen Heiligenkult, der inzwischen mit Lassalle getrieben wurde, nicht länger mitmachen wollten. In ihrer ideologiepolitischen Ausrichtung verband die SDAP Traditionen «des alten bürgerlichen Radikalismus» mit Marxschen Ideen und Konzessionen an den Lassalleanismus. Ihre prononciert antipreußisch-großdeutsche Haltung schloß ein entschiedenes Bekenntnis zur Internationalen nicht aus. Vom ADAV, der von Lassalles Nachfolger, Johann Baptist v. Schweitzer, geradezu diktatorisch geleitet und auf seiner borussisch-etatistischen Linie gehalten wurde, trennte sie jene feindselige Distanz, die zwischen verwandten Strömungen häufig auftritt.

Im Sommer 1870 sah der sächsische Flügel der «Eisenacher» einen «nur im dynastischen Interesse» geführten Krieg herannahen, während der norddeutsche Flügel zusammen mit dem ADAV vom Defensivkrieg gegen Napoleon sprach. Daher votierten Bebel und Liebknecht im Norddeutschen Reichstag gegen die Kriegskredite, während die fünf Lassalleaner dafür stimmten. Von London aus bestätigte Marx zunächst in einer Adresse der IAA, daß «von deutscher Seite» in der Tat «ein Verteidigungskrieg» geführt werde; die deutschen Arbeiter müßten aber dazu beitragen, daß sein «streng defensiver Charakter» nicht zum Volkskrieg entarte. Kein Wunder, daß sich der Parteivorstand der SDAP, der Braunschweiger Ausschuß, in seiner propreußischen Haltung bestätigt fühlte. Bebel dagegen warf ihm «nationalen Paroxysmus» vor. Schließlich wurde Marx als Schiedsrichter angerufen. Da inzwischen der Ruf nach der Annexion von Elsaß und Lothringen immer lauter erschallte, enthielt sein Urteilsspruch auch die bereits erwähnte beschwörende Warnung vor einer deutschen Eroberungspolitik gegenüber dem besiegten Frankreich.

Nicht nur Bebel und Liebknecht, sondern der gesamte Vorstand verlangte daraufhin den öffentlichen Protest gegen die Annexion. Im Gegenzug ließ der militärische «Generalgouverneur der Küstenlande» in Norddeutschland den Vorstand verhaften und in der masurischen Festung Lötzen internieren. Trotz ihres Vorbehalts, daß ein Plebiszit zugunsten des Anschlusses die Einverleibung der französischen Grenzprovinzen doch noch rechtfertigen könne, stimmten die Lassalleaner mit Bebel und Liebknecht gegen eine neue Kriegsanleihe, nicht ohne die Annexionsabsichten erneut zu verurteilen. Für ihre mutige Opposition erhielten die sozialdemokratischen Parteien eine doppelt schmerzhafte Quittung. In den ersten Reichstagswahlen, fünf Tage nach dem Versailler Vorfrieden, konnte nach schweren Stimmenverlusten nur mehr Bebel ein Mandat erringen. Gegen die «vaterlandslosen Gesellen» wurde außerdem ein Hochverratsprozeß angestrengt, der Bebel und Liebknecht 1872 eine zweijährige Festungshaft einbrachte.

Unter solchen Auspizien erlebten die frühen Sozialdemokraten die Reichsgründung. So sah für sie der Nationalstaat aus, auf dessen Verwirklichung auch die Arbeiterbewegung als linker Flügel des deutschen Nationalismus jahrzehntelang gehofft hatte. Aus war es mit allen großdeutschen Hoffnungen, verflogen vorerst die Utopie des «Freien Volksstaats», einer demokratischen Republik der Deutschen. Gleichzeitig begrüßten viele von ihnen trotzig den Aufstand der Pariser Kommune, in der eine erste Etappe auf dem Weg zur «Diktatur des Proletariats» gesehen wurde. In einer nachmals viel zitierten Reichstagsrede schwang sich Bebel Ende Mai 1871 zu einer leidenschaftlichen Verteidigung auf, indem er sie als Menetekel des Untergangs der bürgerlichen Gesellschaft und ihres Klassenstaats verklärte. Politisch unklug, doch voll gesinnungstreuer Zivilcourage gab er damit den tiefsitzenden Bedenken gegen die Sozialdemokratie als «Partei des Umsturzes» nachhaltigen Auftrieb. Saß mit ihnen nicht der Todfeind im frisch gezimmerten Reichsgebäude? Sogleich verstanden es Bismarck und seine Kohorten, dieses Ressentiment politisch auszuschlachten.

War die politisch organisierte Arbeiterbewegung noch mit zwei Parteien in das neue Reich eingetreten, wirkten gemeinsame Interessen und der feindselige Druck der Umwelt trotz aller fortbestehenden Reibungsflächen auf eine Fusion hin. 1875 kam sie in Gotha endlich zustande. Am Ende der deutschen Industriellen Revolution gab es daher eine einzige «Sozialistische Arbeiterpartei» (SAP), die unter dem allmählich zunehmenden Einfluß der Marxschen Theorie beanspruchte, alle Klassengenossen in einer Massenpartei zu organisieren und – ohne jede Neigung zum Putschismus – ihre Interessen im neuen politischen System des Kaiserreichs energisch zu verfechten.

Im Rückblick auf die Überschneidung von neuer Staatsbildung und Hochindustrialisierung mag das als eine historisch plausible, ja der Konstellation besonders angemessene Entscheidung wirken. Dennoch ist angesichts der Tatsache, daß der Sozialdemokratie lange Jahrzehnte der politischen Isolierung bevorstanden, die Frage berechtigt, ob diese Gründung einer selbständigen Arbeiterpartei nicht zu früh erfolgte. Der internationale Vergleich unterstützt eine solche Frage: In den ebenso rapide industrialisierenden Vereinigten Staaten zum Beispiel entstand erst kurz vor dem Ersten Weltkrieg eine kurzlebige Partei, die nachdrücklich auch für die Industriearbeiter eintrat – eine Arbeiterpartei im strengen Sinne war auch sie nicht. Und im Pionierland der Industrialisierung, in England, gelang es den Liberalen, bis die «Labour Party» 1900/1906 auftrat, ebenso dauerhaft einen gut Teil der Arbeiterwähler an sich zu binden, wie das die Konservativen mit den «Tory Workers» schafften. Unstreitig bemühten sich auch deutsche Liberale um die Arbeiterschaft, wie sich das etwa an den zahlreichen Bildungsvereinen und Filialen des «Vereins für das Wohl der arbeitenden Klassen» ablesen läßt. Unter dem Einfluß ihrer politischen Zielvorstellungen von einer bürgerlichen Gesellschaft «mittlerer Existenzen» ging es ihnen aber durchweg darum, die Arbeiter durch Bildung und ökonomische «Selbständigkeit», in gleichwie bescheidenem Ausmaß, zu politisch teilnahmefähigen Kleinbürgern zu machen. Wie einer Dauerexistenz als Proletarier zu begegnen sei – darauf besaßen sie keine adäquate Antwort. Bei allem sozialpolitischen Engagement hielt zum Beispiel Schulze-Delitzsch sowohl am Bildungs- und Besitzkriterium als auch am Patentrezept seines Genossenschaftswesens fest. Miquel, ehemals im «Bund der Kommunisten», inzwischen gestandener Nationalliberaler, warb für eine sozialharmonische Gesellschaftsutopie, die ihre Herkunft aus den Hoffnungen des Vormärz nicht verleugnen konnte. Und ein Apostel des Freihandelskapitalismus wie John Prince-Smith predigte den Arbeitern, daß die Segnungen dieses Systems sie über kurz oder lang ebenfalls erreichen müßten.

Diese Liberalen hielten alle eine Koalition mit strebsamen Arbeitern – unter fester liberaler Schirmherrschaft, versteht sich – für durchaus wünschenswert. Auf eine ernsthafte Anerkennung proletarischer Eigeninteressen an politischer Emanzipation und schneller Verbesserung der Lebensumstände ließen sie sich nicht ein. Das liberale Genossenschaftsmodell wirkte zwar zeitweilig auf Lassalle und seine Anhänger attraktiv, für Hunderttausende von Industrieproletariern, deren Zahl zudem ständig wuchs, konnte es jedoch nicht als Allheilmittel dienen. Der bürgerliche Radikalismus war 1848/49 gescheitert. Sein Erbe wurde von den liberalen Parteien der 1860er Jahre im Grunde nicht mehr aufgenommen. Die wenigen entschiedenen Demokraten in der liberalen Bewegung standen auch in dieser Zeit ziemlich isoliert da, und einige teilten sogar die Furcht vor dem «roten Pöbel». Die Konservativen auf der andern Seite erstarrten durchweg in feindseliger Ablehnung; dem kleinen Häuflein der Sozialkonservativen blieb jeder Erfolg versagt. Einen deutschen Disraeli hat es nicht einmal im Kleinformat gegeben.

Angesichts dieses politischen Umfelds und der bitteren Erfahrung seit 1848 kann es eigentlich nicht mehr sonderlich verwundern, daß Lassalle schon in seinem «Antwortschreiben» dazu aufrief, eine «selbständige politische Partei» der Arbeiterschaft zu gründen. Die Resonanz, die zuerst der ADAV und dann der VDAV fanden, mochte zuerst noch sehr begrenzt sein. Die Interessendivergenz zwischen den Liberalen und den Vertretern der frühen Arbeiterbewegung trat indes immer schärfer hervor – sie blockierte eine Koalition im englischen «Lib-Lab»-Stil. Der Einfluß von Marx und Engels hat, so wenig er in diesen frühen Jahren auch überschätzt werden darf, den Zug zur organisatorischen Selbständigkeit verstärkt. In dieser Richtung wirkte auch Wilhelm Liebknecht, der als Achtundvierziger fliehen mußte, dreizehn Jahre im englischen Exil verbracht hatte und dort zum glühenden Anhänger der Marxschen Lehre geworden war. 1862 gestattete ihm eine Amnestie die Rückkehr, so daß er als Journalist für den «Sozialdemokraten» schreiben konnte, bis er 1865 aus Berlin ausgewiesen wurde. Überzeugter Großdeutscher und Preußenhasser, vor allem aber einflußreicher, popularisierender Vermittler Marxscher Ideen, gewann er Bebel, der ja politisch in einem liberalen Bildungsverein aufgestiegen war, schließlich dafür, auf eine selbständige politische Partei und ihre Inspiration durch den Marxismus zu setzen. Mit dem Anschluß an die IAA wurde dann eine unüberbrückbare Grenzlinie zum liberalen Nationalismus gezogen: Diese Priorität der internationalen Klassensolidarität vor dem Nationalstaatsideal wurde dem organisierten Proletariat nicht verziehen. Umgekehrt schwächten die militärischen Erfolge der neuen «Revolution von oben» die Anziehungskraft des politischen Liberalismus und seiner gesellschaftspolitischen Zielvision beschleunigt ab.

Schließlich hat die ganz ungewöhnlich und unerwartet frühe Einführung des allgemeinen Männerwahlrechts die Aussichten für eine gesamtstaatliche Klassenpartei grundlegend verbessert. In allzu hochgemutem Vertrauen auf die angeblich mit historischer Notwendigkeit weiter wachsende eigene Kraft nahm die SDAP, dann die Gothaer SAP den Graben erst recht hin, der sie von potentiellen Alliierten trennte. Im Vergleich mit England hat außerdem die organisatorische Schwäche der frühen deutschen Gewerkschaften die Selbständigkeit der politischen Arbeiterparteien gefördert. Der Vorsprung, den diese Parteien gewannen, band vielmehr die Gewerkschaften bis in die neunziger Jahre hinein fest an die politische Sozialdemokratie. Eine deutsche Version der «Labour Party» als politischer Ausschuß der «Trade Unions» konnte deshalb nicht mehr entstehen.

Nimmt man dieses Geflecht von historischen Bedingungen ernst, fängt die vielkritisierte Formel der «Trennung der proletarischen von der bürgerlichen Demokratie», ja vom politischen Liberalismus überhaupt, doch eine wesentliche Entwicklungstendenz ein. Unter den Umständen der deutschen Politik und der gesellschaftlichen Kräfteverhältnisse, in die sie eingebettet war, war die frühe Selbständigkeit der Sozialdemokratie so gut wie unvermeidbar. Daß damit auch außerordentlich hohe politische Kosten entstanden, ist unleugbar richtig. Dennoch bildete zwischen 1863/69 und 1875 ein sozialliberales Kartell keine realistische Alternative.[37]

Der zäh erkämpfte, mühselige Aufstieg der deutschen Gewerkschaften während der 1860er Jahre ist vorn bereits geschildert worden (III.4). Entweder im Gefolge der neuen sozialdemokratischen und liberalen Parteien oder aber auch autonom setzten insbesondere Facharbeiter und Handwerksgesellen ihren organisatorischen Zusammenschluß gegen den Widerstand der Unternehmer und des Obrigkeitsstaats durch. Nach den Zentralverbänden der Zigarrenarbeiter (1865), der Buchbinder (1866) und der Schneider (1867) wurden die liberalen Hirsch-Dunckerschen und die Christlichen Gewerkvereine, die «Arbeiterschaften» von v. Schweitzers ADAV und die «Gewerksgenossenschaften» des VDAV und der SDAP gegründet. Endlich unterstützt durch die Koalitionsfreiheit, wie sie seit 1869 in der Gewerbeordnung des Norddeutschen Bundes und des Reiches verankert blieb, standen die Gewerkschaften bis 1870 als etablierte Interessenvertretungen da, deren Konsolidierung und Wachstum trotz aller Hindernisse eine neue Entwicklungsphase erreicht hatte. Politisch hatte sich allerdings bis dahin das eindeutige Übergewicht der späteren «Freien Gewerkschaften» noch keineswegs herausgebildet: Rund vierzig Prozent der Mitglieder gehörten zur Sozialdemokratie, weitere vierzig Prozent aber zum Umfeld der Liberalen. Entgegen mancher Legende war die politische Orientierung der frühen Gewerkschaften durchaus unterschiedlich ausgeprägt. Erst die außerordentlich konfliktreiche Periode bis zum Beginn der 1890er Jahre hat den sozialdemokratischen Gewerkschaften zur Vorherrschaft verholfen.

Auf der Gegenseite wurde die Geschichte der wirtschaftlichen Interessenverbände zwischen Revolution und Reichsgründung zuerst durch ihren Niedergang, dann durch einen neuen Aufschwung geprägt. Der erfolgreiche Vorkämpfer des Protektionismus, der «Allgemeine deutsche Verein zum Schutze vaterländischer Arbeit», löste sich zum Beispiel auf, auch sein freihändlerischer Kontrahent verschwand. Erst mit dem Beginn der «Neuen

Ära» und ihrer liberalen Grundströmung tauchten auch wieder neue Verbände auf: an erster Stelle der «Deutsche Handelstag» (DHT), daneben industrielle Branchenverbände, Handwerker- und Bauernvereine.

Die staatlich initiierten Handelskammern – Körperschaften öffentlichen Rechts, denen Unternehmer aufgrund des Pflichtprinzips angehören mußten – hatten jahrzehntelang die Handels- und Gewerbeinteressen allein ihres Kammerbezirks vertreten. Die Industrielle Revolution, der Zollverein, der Eisenbahnbau, die überlegene westeuropäische Konkurrenz – sie alle verstärkten seit den fünfziger Jahren das Bedürfnis nach einer effektiven überregionalen Interessenartikulation. Seit 1860 bemühte sich der «Preußische Handelstag», ihm Rechnung zu tragen. Nach seinem Vorbild bildete sich schon 1861 der «Deutsche Handelstag» als «gemischte Organisation», da er auf dem freien Zusammenschluß von Kammern mit obligatorischer Zugehörigkeit beruhte. Seine Mitglieder stammten vorwiegend aus dem Zollverein, zum Teil auch aus Österreich, bis er schon seit 1862/63 in kleindeutsches Fahrwasser geriet. Der DHT trat im Namen von Handel, Gewerbe- und Bankwesen nachdrücklich für den wirtschaftlichen Liberalismus und die nationale Einheit ein. Zu diesem Zweck verhandelte er mit den einzelstaatlichen Regierungen, bemühte sich aber auch um Einfluß auf die öffentliche Meinung. Seine wesentliche Außenfunktion bestand in der ungeschminkten Repräsentation materieller Interessen, seine Binnenfunktion darin, der unternehmerischen Interessendiskussion ein offenes Forum zu bieten.

In den gleichzeitig aufkommenden Branchenverbänden spiegelte sich die Ablösung der zunehmend wichtiger werdenden industriellen Interessen von den allgemeinen Unternehmerinteressen wider; zugleich drückte sich in ihnen die Aufsplitterung der fiktiven gesamtindustriellen in sehr konkrete branchenspezifische Interessen aus. Diese «Pressure Groups» entstanden vor allem im Bereich der Rohstoffproduktion, die sich durch die Handelskammern nicht angemessen vertreten fand, zumal diese meist für den Freihandel eintraten, während jene Schutzzölle forderten. Wegen der industriellen Konzentration in den Wachstumsregionen übernahmen die Branchenverbände des Ruhrgebiets, gefolgt von denen Oberschlesiens, frühzeitig die Führung.

Auch im Kleingewerbe regten sich unter dem Wettbewerbsdruck der Industrie neue Organisationsbemühungen. Auf einem «Deutschen Handwerkertag» wurde 1862 der «Deutsche Handwerkerbund» gegründet, der gegen die Gewerbefreiheit scharf polemisierte, jedoch nach kurzlebiger Aktivität, auch zugunsten des «Preußischen Volks-Vereins», 1864 schon wieder dahinsiechte. Seine Ziele lebten auf regionalen «Handwerkertagen» fort, und der «Bund» wurde zum Vorbild für die Neugründungen seit den siebziger Jahren.

Seit 1862 begann auch der «Westfälische Bauernverein» unter v. Schorlemer-Alst zu operieren. Er bildete das Modell für die bald entstehenden ähnlichen katholischen Verbände in Süd- und Westdeutschland. Sie alle standen in Opposition zum staatlich geförderten landwirtschaftlichen Vereinswesen. Seiner etatistischen und häufig auch aristokratischen Ausrichtung setzten sie die materiellen und konfessionellen Sonderwünsche ihrer bäuerlichen Klientel entgegen.

Faßt man die Gemeinsamkeiten der Interessenverbände in dieser Zeit ins Auge, erkennt man deutlich ihre Abhängigkeit vom Vereinsrecht, das seit der «Neuen Ära» lockerer gehandhabt wurde. Größere, marktabhängige Unternehmen waren offenbar leichter für eine «Assoziation» zu gewinnen; deshalb finden sich die ersten Zusammenschlüsse in der Textil-, Maschinenbau- und Schwerindustrie. Die Tendenz zum Protektionismus herrschte dort vor. Die anhaltende Interessendifferenzierung schlug sich in der Spezialisierung dieser Verbände nieder, die einen eigenen Typus des freien bürgerlichen Vereins von Privatleuten und -unternehmern, häufig mit einer Spitze gegen staatliche Institutionen wie die Handelskammern, verkörperten. Vorerst blieben sie Honoratiorenorganisationen, deshalb auch nur lokal oder regional stabil, während der Wirkungskreis darüber hinaus erst allmählich ausgedehnt werden konnte. So erzwang etwa das Fehlen eines dichten Kommunikationsgeflechts Kongresse und jährliche Wandertagungen mit ihren Resolutionen, bis endlich ein persönliches und technisches Netzwerk von Verbindungen geknüpft war. Die organisationsstarken Wirtschaftszweige bildeten als erste leistungsfähige Verbände, die auf vielfältige Weise Einfluß auszuüben versuchten; die organisationsschwachen riefen nach direkter Staatshilfe.

In der einzelstaatlichen Bürokratie und Regierung sahen alle Verbände ihre Hauptadressaten. Nur der Zollverein lenkte manche Interessen auf einen größeren Wirtschaftsraum mit schwach entwickelten eigenen Institutionen hin. Dem traditionellen Schwergewicht des Staatsapparats entsprach die bürokratische Beeinflussungstechnik, mit Hilfe von Denkschriften, Statistiken und Eingaben zu arbeiten oder Deputationen zu Behördenleitern, Ministern und Monarchen zu schicken. Seit den sechziger Jahren gewann ein zweiter Einflußkanal an Bedeutung: Den Parteien und Parlamenten konnte der «Sachverstand der Verbände» demonstriert werden. Finanzielle Zuwendungen begannen ihren Weg in die Parteikasse zu finden. Gleichzeitig wurde die Arena der öffentlichen Meinung zusehends wichtiger. Daher gaben sich die Verbände zielstrebig daran, mit eigenen Organen oder mit Hilfe zugänglicher Journalisten einen indirekten politischen Druck aufzubauen, der in ihrem Sinn auf die Verwaltung, das Parlament und die Parteien einwirkte.[38]

Bis 1871 hatten sich Parteien und Verbände herausgebildet, deren Organisation, Effizienz und Durchsetzungsfähigkeit von dem Niveau der späteren parteien- und verbandsstrukturierten Politik noch weit entfernt waren. Dennoch hatten sie einen Entwicklungsstand erreicht, der nicht nur den soziopolitischen Bedürfnissen und Interessen der Zeit entsprach, sondern auch das Potential enthielt, sich auf den heraufziehenden «politischen Massenmarkt» einzustellen. Das allgemeine Wahlrecht, die beschleunigte Urbanisierung und die tiefreichenden Klassenkonflikte sollten als Katalysatoren einer politischen Mobilisierung wirken, welche die Innenpolitik diesem neuen Aggregatzustand entgegenführte.

6. Das politische System des Deutschen Kaiserreichs von 1871

Mit der Reichsgründung ist die «deutsche Revolution» in ihrer zweiten Phase von 1864 bis 1871 an ihr Ende gekommen. Vergleicht man ihr Ergebnis mit den Zielen der Liberalen und Demokraten von 1848/49, war es in der Tat nicht weniger revolutionär als der gescheiterte Anlauf zwanzig Jahre zuvor. Der neue Staat verkörperte einen Bruch mit der jahrhundertealten föderalistischen Struktur des Heiligen Römischen Reiches und des Deutschen Bundes, auch mit dem «großdeutschen» Traditionszusammenhang, der ebensolang in Mitteleuropa bestanden hat. In dem kleindeutschen Kaiserreich ballte sich nicht nur ein vergleichsweise straff gebündeltes, formidables Machtpotential unter der Leitung des preußischen Hegemonialstaates zusammen, wodurch die Konstellation im europäischen Staatensystem von Grund auf verändert wurde. Vielmehr galt es auch als der seit langem von Millionen erstrebte Nationalstaat der Deutschen. Ungeachtet der Tatsache, daß außer seinen vierzig Millionen Einwohnern noch fünfundzwanzig Millionen Deutschsprechende jenseits der Reichsgrenzen in Europa lebten, wurde es von der Nationalbewegung als das Ziel der deutschen Geschichte, als Kulminationspunkt aller Einheitsbestrebungen aufgefaßt. Daß es aus der extremen «tour de force» dreier Kriege hervorgegangen war, die eine riskante Pazifizierung nach innen mit nationalpolitischer Integration und großpreußischer Machtexpansion verschmolzen hatte, galt den meisten nicht einmal als Schönheitsfehler. Selbst die Opfer der Feldzüge während der militärischen «Revolution von oben», auch die Trennung von den österreichischen Deutschen wurde von ihnen als Preis für den endlich erreichten Nationalstaat bereitwillig hingenommen. Und soviel ist schwer zu bestreiten: Trotz der existentiellen Gefahren, denen die politische Revolutionierung Mitteleuropas zwischen 1848 und 1871 mehrfach begegnet war, hatten doch offenbar die stärksten strukturellen Antriebskräfte und Persönlichkeiten zusammengefunden, um die unter den Bedingungen der Zeit mögliche Lösung der «deutschen Frage» in Gestalt der Reichsgründung herbeizuführen.

Auf welchen Bauprinzipien beruhte dieser neue Staat? Der Grundzug seiner Verfassung bestand aus einem Komplex dilatorischer Kompromisse, sie verkörperte ein «System umgangener Entscheidungen». Weder hatte sich die neoabsolutistische Fürstenherrschaft der konservativen Ultras noch der Parlamentarismus der Linksliberalen, geschweige denn der demokratische

«Volksstaat» der Sozialdemokratie verwirklichen lassen. Weder hatte das Gottesgnadentum noch die Volkssouveränität als Leitbild der Legitimitätsfiktion obsiegt. Vielmehr war ein kompliziertes Gefüge der Machtfaktoren und Legitimationsgrundlagen geschaffen worden, das unstreitig die strukturpolitischen Entscheidungen zugunsten Preußens in feste Formen gegossen hatte, aber dank seiner Elastizität Veränderungen in Zukunft nicht prinzipiell ausschloß, sie vielmehr vom Ausgang des politischen Machtkampfes abhängig machte. Da dieser Grundsatzkonflikt zwischen konservativer Monarchie und alten Machteliten einerseits, liberalem Parlamentarismus und demokratischen Kräften andrerseits noch nicht definitiv entschieden war, verharrte auch die Verfassung gewissermaßen in einem Schwebezustand.

An der Oberfläche, über welche der Text der Konstitution Auskunft gab, entsprach diese politische Verfassung einem Mischtypus, der die prävalenten monarchisch-autoritären Züge mit föderalistischen, parlamentarischen und parteienstaatlichen Elementen verband. In jeweils wechselnder Zusammensetzung und mit unterschiedlichem Gewicht der Machtfaktoren fand er sich damals in der Mehrzahl der europäischen Staaten.

Blickt man genauer hin, war kein unitarisch-zentralistischer Nationalstaat entstanden, sondern ein föderativer «Ewiger Bund» von zweiundzwanzig Staaten und drei Freien Städten. Seine Konstruktion trug insofern dem Hergebrachten Rechnung, als jetzt – wie zuvor der Bund – ein neuer Oberstaat, genannt «Deutsches Reich», ins Leben gerufen wurde, der als gemeinsames Dach die Unterstaaten überwölbte. Dieser Oberstaat übernahm bestimmte Pflichten und erhielt bestimmte Rechte, während seine Mitglieder im Hinblick auf andere Pflichten und Rechte nahezu autonom blieben. Einem Bundesstaat im strengen Sinn entsprach dieser ewige Bund jedoch schon deshalb nicht, weil einer seiner Unterstaaten den hochprivilegierten Status des «Empire State» besaß: An der mehrfach abgesicherten Hegemonie Preußens, das sowohl rund zwei Drittel des Reichsgebiets als auch fast zwei Drittel der Reichsbevölkerung umfaßte, ließ sich nicht rütteln. Das gewährleistete ein von Bismarck mit seinen Experten sorgfältig ausgeklügeltes institutionelles Arrangement, das teils durch die Reichsverfassung, teils durch die Praxis normativen Charakter erhielt.

Das Erbkaisertum des Reiches blieb an das Haus Hohenzollern gebunden. Dieser Rang symbolisierte die preußische Suprematie. Allerdings war das Amt zuerst nicht auf eine starke Reichsmonarchie hin angelegt, um die Vorherrschaft Berlins für die anderen Mitgliederstaaten erträglicher zu machen. Dennoch ging im Laufe der Zeit ein mächtiger unitarischer Sog von dem «Reichsmonarchen» aus, den namentlich Wilhelm II. nach Kräften zu spielen suchte. Umgangssprachlich galt der Kaiser sogar oft als «Reichssouverän».

Das war, staatsrechtlich gesehen, eine falsche Auffassung, denn der Bundesrat, der von den «Verbündeten Regierungen» mit ihren Delegierten beschickt wurde, war der Sitz der Souveränität. Deshalb besaß Preußen dort, wie zuvor im Norddeutschen Bund, die entscheidende Stimmenzahl. Dennoch ist der Bundesrat nicht zum ausschlaggebenden Machtzentrum geworden. Er fungierte als Erste Kammer, wo die Interessen der Unterstaaten von beamteten Experten wahrgenommen wurden. Zugleich diente er als «das konstitutionelle Feigenblatt für die preußische Regierung über das Reich». Denn Bismarck entwickelte «eine ganze föderalistische Ideologie und Phraseologie», um den parlamentarischen Unitarismus, der «von der langsam, aber stetig aufsteigenden Macht des Reichstags» getragen wurde, niederzuhalten. Die preußische Vorherrschaft wollte er nach Möglichkeit «föderalistisch beschönigen und verschleiern», und das galt auch für den Bundesrat «als ein Machtwerkzeug der preußischen Hegemonie». Unverblümt nannte er die Treffen des Bundesrats «in erster Linie preußische Ministerialsitzungen in nationaler Hinsicht, erweitert durch die Beteiligung anderer deutscher Minister».

Eine institutionelle Schlüsselstellung hatte dagegen der Reichskanzler inne, der die Reichsregierung mit den Reichsämtern leitete, den Vorsitz im Bundestag führte und kraft der Verkoppelung seines Amtes mit dem des preußischen Ministerpräsidenten und Außenministers jederzeit das ganze Schwergewicht des Hegemonialstaats zur Geltung bringen konnte; durch seine Gegenzeichnung übernahm er bei allen Reichsgesetzen, Erlassen und Verordnungen die «Verantwortung» – freilich nicht im Sinne des parlamentarischen Systems, sondern in jener eingeschränkten Bedeutung, die das bürokratische Mitregiment im deutschen «Rechtsstaat» erstritten hatte. Die Kumulation von vier derart strategischen Positionen verschaffte dem Reichskanzler eine außergewöhnlich weite Machtsphäre. Da seine Ernennung und sein Verbleiben im Amt allein vom Vertrauen des Kaisers abhing, genoß er gegenüber dem Reichstag und den Parteien ein hohes Maß von relativer Autonomie. Sie trug dazu bei, die Legende von der «Überparteilichkeit der Regierung» zu nähren, eine wahre «Lebenslüge des Obrigkeitsstaats», der mit dieser Formel seine klare Parteinahme verhüllte. Auf der andern Seite lag in diesem persönlichen Verhältnis zum Monarchen auch die politische Achillessehne des Kanzlers, da der Entzug des Vertrauens zu einer fatalen Schwächung, im Grenzfall zu seiner Entlassung führen konnte. An der Spitze des Reiches hing mithin viel von der Belastbarkeit der personalistischen Basis ab, auf der sich Kanzler und Monarch bewegten.

Auch der Reichstag wurde vom Norddeutschen Bund übernommen. Seine rund vierhundert Abgeordneten besaßen die damals üblichen Kompetenzen der Legislative. Dazu gehörte insbesondere das volle Budgetrecht, das aber weiterhin durch jene Kompromisse, die der Kanzler mit dem Militärapparat durchzusetzen vermochte, eingeschränkt blieb. Rechtlich und politisch wurde das Reichsparlament zweifach schwer geschwächt: Zum ersten lag das Auflösungs- und Einberufungsrecht bei Kaiser und

Bundesrat. Damit aber fehlte dem Reichstag jene Entscheidungsgewalt, die wahrhaft souveräne Institutionen auszeichnet. Je nach ihrem politischen Bedürfnis konnte die Reichsspitze die zuerst vier-, später fünfjährigen Tagungsperioden unterbrechen, um durch den Wahlkampf ein günstigeres parteipolitisches Kräfteverhältnis herbeizuführen. Denn auf die Zustimmung der Reichstagsmehrheit – sei es einer «Regierungspartei» wie den Nationalliberalen in ihrer Hochzeit, sei es einer informellen Koalition mit wechselnder politischer Couleur – blieb die Reichsregierung im Gesetzgebungsprozeß angewiesen. Zum zweiten war die parlamentarische Majorität außerstande, den Regierungschef zu stellen oder auch nur die Ernennung von Ministern aus ihrer Mitte zu erzwingen. Da sie im «Vorhof der Macht» gefangengehalten wurde und da die feudalrechtliche Loyalitätsbeziehung des Kanzlers zum Monarchen den Primat besaß, blieb eine unüberschreitbare Schranke bestehen, die den Übergang zum parlamentarischen System verhinderte.

Trotzdem erlebte der Reichstag auf längere Sicht eine unleugbare Aufwertung seiner Macht im politischen Entscheidungsprozeß. Dieser Bedeutungsgewinn resultierte zunächst einmal aus dem allgemeinem Männerwahlrecht. Vergeblich hatte ein Hochkonservativer wie Ernst Ludwig v. Gerlach gewarnt: «Das allgemeine Stimmrecht ist der politische Bankrott.» Vergeblich hatten die Liberalen ihre Honoratiorenexklusivität verteidigt. Bismarck beharrte auf seiner Entscheidung von 1866, um «den Parlamentarismus durch den Parlamentarismus zu stürzen» – um die liberale, bürgerliche Wählerschaft aus den Städten mit Hilfe der konservativen, königstreuen ländlichen Bevölkerung, wie er hoffte, zur ewigen Minderheit zu degradieren. Wegen dieser «innerpolitischen Zwecke» des Kampfes gegen das «widerspenstige Bürgertum» blieb das allgemeine Wahlrecht auch im neuen Reich erhalten, wo es jedoch auf dem entstehenden politischen Massenmarkt eine eminent mobilisierende Wirkung ausübte. Sie kam auch dem Reichstag zugute, dessen Mehrheitsverhältnisse die Stärke der politischen Lager im Lande widerspiegelten. Über diese Kräftekonstellation konnte sich die Regierung auf die Dauer im Reichstag nicht hinwegsetzen. Hätte die starre Wahlkreiseinteilung nicht unentwegt die Städte benachteiligt, wo wegen der Urbanisierung immer mehr Wähler lebten, und die ländlichen Gebiete begünstigt, wäre die Sitzverteilung im Parlament für die Regierung sogar weitaus nachteiliger ausgefallen.

Wichtiger noch ist ein systemischer Zusammenhang, der sich in allen westlichen konstitutionellen Staaten über kurz oder lang ausgewirkt hat. Ist erst einmal die Gesetzgebung in einer modernisierenden Gesellschaft einem – auf möglichst breiter Basis gewählten – Parlament ganz wesentlich übertragen, steigt mit der zunehmenden Komplexität des sozioökonomischen und politischen Lebens auch die Menge der regelungsbedürftigen Materien steil an. Immer häufiger muß das Parlament, da die Gesetzeslegitimation von seinem geordneten Verfahren abhängt, legislative Entscheidungen fällen. Mit ebendieser sprichwörtlichen «Gesetzesflut» dehnt sich aber auch die Entscheidungskompetenz des Parlaments stetig weiter aus, und mit innerer Notwendigkeit – pointiert gesagt: sogar ohne aktives eigenes Dazutun – wächst währenddessen sein politisches Gewicht an. Mit anderen Worten: Durch den Säkularprozeß der Ausdehnung der modernen Staatsfunktionen werden im konstitutionellen System das Parlament und die Parteien kontinuierlich aufgewertet. Deshalb liegt eine schlüssige Konsequenz dieses Prozesses darin, den führenden Repräsentanten der Parlamentsmajorität mit allen Aufgaben des Regierungschefs zu betrauen.

Diese Aufwertung ist auch dem deutschen Reichstag zugute gekommen; das allgemeine Wahlrecht hat, da es frühzeitig als Transmissionsriemen der sich ausdifferenzierenden gesellschaftlichen Interessen diente, diesen Vorgang noch beschleunigt. Daß seine Bedeutung ungeachtet der verfassungsrechtlichen Schranken zunahm, ist, auch wenn man von dem Gesetzesausstoß einmal absieht, an verschiedenen anderen Indizien unzweideutig abzulesen. So sorgten zum Beispiel die Interessenverbände seit den späten siebziger Jahren dafür, daß Gesetze von ihnen vorformuliert und dann durch die Ausschüsse und das Plenum des Reichstags sicher hindurchgesteuert wurden. Der nächste Schritt war nur folgerichtig: Sie betrieben die Wahl ihrer eigenen Repräsentanten ins Parlament, oder aber sie versuchten, geeignete Kandidaten auf ihre programmatischen Forderungen festzulegen – beides mit wachsendem Erfolg, wie man weiß. Parallel zum Einflußgewinn des Reichstags wurden folgerichtig auch die Parteien, die mit keinem einzigen Wort in der Verfassung erwähnt wurden, immer wichtiger, da sie es ja waren, die Interessen und Entscheidungen im Parlament durchsetzen konnten. Beide Trends erhöhten den Druck auf die Reichsregierung, ihre Gesetzesprojekte mit einer möglichst stabilen Koalition im Reichstag zu verwirklichen. Unleugbar auch wurde aufgrund dieser systemimmanenten Bedeutungssteigerung die Parlamentarisierung der Reichspolitik zu einer immer dringlicheren Frage. Ihr Rang wurde also keineswegs nur dadurch bestimmt, daß von Politikern und wachsenden Wählerschichten das parlamentarische System als Vorbild der politischen Modernisierung, als überlegener Mechanismus der politischen Willensbildung betrachtet wurde. Daß es siebenundvierzig Jahre lang zur Parlamentarisierung der Reichspolitik und Preußens nicht gekommen, daß sie nicht erkämpft worden ist, lenkt auf gravierende Probleme im Hinblick auf die Entwicklungsfähigkeit des politischen Systems hin; darauf ist weiter unten noch genauer einzugehen.

Außerhalb der Kontrollbefugnis des Reichstags standen unverändert die drei Säulen des absolutistischen Staates: die Bürokratie, das Militär und die Diplomatie für die klassische Herrschaftsdomäne der Außenpolitik. Die Reichsverwaltung wurde vorerst sparsam ausgebaut. Anstelle von Reichsministern übernahmen Staatssekretäre die Leitung der sogenannten Reichsämter. Auch in dieser Terminologie drückte sich die doppelte Absicht aus, einmal die Behörden des Oberstaats als einen auch äußerlich streng eingegrenzten Verwaltungsapparat den Mitgliedern schmackhaft zu machen und zum zweiten jeden parlamentarischen Anspruch auf den Posten von Reichsministern von vornherein abzublocken. Am Anfang griff Bismarck auf die preußische Bürokratie zurück, bis die Reichsämter an Eigengewicht gewannen. Mehr als den aus Reichsmitteln bestrittenen Stellenetat gelegentlich zu diskutieren, konnte das Parlament gegenüber der neu entstehenden Reichsexekutive nicht unternehmen.

Ein selbständiges Reichsheer wurde durch die Verfassung nicht gegründet. Vielmehr blieben die Armeen der Einzelstaaten als getrennte Kontingente, die erst im Krieg zum Reichsheer zusammentraten, erhalten. Mit weitem Abstand lag das preußische Militär an der Spitze, das bayerische und württembergische blieben im Besitz gewisser Sonderrechte. Konsequenterweise gab es keinen Reichskriegsminister; nur der preußische Kriegsminister konnte nach politischem Gutdünken dem Reichstag Auskunft über die größte Streitmacht geben – oder aber sie schlichtweg verweigern. Als «oberster Befehlshaber» übte jedoch der Kaiser die Kommandogewalt über die «gesamte Landmacht des Reiches ... in Krieg und Frieden» aus. Aufgrund dieser Vollmacht wurde ihm ohne Einschränkung zugebilligt, «den Präsenzstand ... des Reichsheeres» zu bestimmen (RV Art. 63). Darin drückte sich die Intention der Sieger des Verfassungskonflikts aus. Die «ursprüngliche Absicht der Reichsverfassung sei gewesen», gestand Bismarck auch ganz offen ein, «den Kaiser in den Bestimmungen über die Stärke der Armee ... frei und unabhängig von den Beschlüssen des Reichstags hinzustellen». Dieser Ausfluß des Oberbefehls stand jedoch in krassem Widerspruch zu den Artikeln 60–62 der Reichsverfassung, wo die 1867 normierte Friedenspräsenzstärke mit dem ominösen Pauschquantum wortwörtlich wieder auftauchte. Inhaltlich sollten sie für «die spätere Zeit», wie es hieß, «im Wege der Reichsgesetzgebung festgestellt» werden. In dieser Konzession an das Parlament lag in der Tat, wie Bismarck klagte, «eine Beschränkung dieser kaiserlichen Machtvollkommenheit», so daß die Entscheidung über den Militäretat regelmäßig zu einer neuen Kraftprobe zwischen Reichstag und Reichsregierung führte.

Das Auswärtige Amt ging aus dem preußischen Außenministerium hervor. Die Zusammensetzung dieser Spezialbürokratie, erst recht aber die Außenpolitik, welche von ihr ausgeführt wurde, blieb dem parlamentarischen Einfluß entzogen. Diese Arcana Imperii hütete Bismarck wie seinen Augapfel. Nur wenige Abgeordnete wagten es überdies, vor allem während der Haushaltsdebatte, die außenpolitischen Probleme der neuen europäischen Großmacht kritisch zu diskutieren. Im allgemeinen teilte die Regierung dem Parlament nur vollendete Tatsachen mit oder spannte es für ihre Zwecke ein.[39]

Wie kann man diese Mischform von föderativem Reichsbund und preußischer Hegemonie, von spätabsolutistischen Autonomiebezirken für Bürokratie, Militär und Außenpolitik einerseits und einem Parlament mit dem demokratischsten europäischen Wahlrecht andrerseits angemessen charakterisieren?

a) Deutsche «Konstitutionelle Monarchie»?

Reicht es für diesen Zweck aus, den Begriff der «konstitutionellen Monarchie» für hinreichend trennscharf zu erklären? Ist die durch eine Verfassung eingeschränkte Monarchie in Europa nicht häufig mit spezifischen Kompromissen verbunden gewesen, so daß die preußisch-deutsche Form vielleicht nur eine Variante unter mehreren anderen Spielarten bildet? Man kann argumentieren, daß beim Begriff der «konstitutionellen Monarchie» das Hauptgewicht auf dem Substantiv ruhte, nicht aber auf dem Adjektiv, das auf die mögliche Umwandlung in den parlamentarischen Verfassungsstaat hinwies. Fürstenherrschaft blieb ja durchaus in Berlin erhalten. Der preußische Monarch kontrollierte nicht nur im Hegemonialstaat das Militär und die Verwaltung, sondern in seiner zweiten Funktion als Kaiser auch die neue Reichsbürokratie, die Streitkräfte einschließlich der Flotte und die gesamte Außenpolitik. Verfassungsrechtlich ausgegrenzt und zugleich abgeschirmt, blieb damit das Machtgefüge des alten Regimes in wesentlichen Bereichen erhalten. Wenn der Vorbehalt zugunsten der fürstlichen Exekutive das essentielle Kriterium der konstitutionellen Monarchie ist, besaß der preußische König und deutsche Kaiser aufgrund seiner Verfügungsgewalt über diese Stützpfeiler des Herrschaftssystems den «entscheidenden und somit wesensbestimmenden» Einfluß – er blieb, anders gesagt, von «verfassungsbestimmender Macht».

Dieser Interpretation steht indes entgegen, daß Herrschaft nicht nur von der Bürokratie und vom Militär, nicht allein in der Sphäre der Außenpolitik ausgeübt wurde. Es gab große Bereiche des wirtschaftlichen und gesellschaftlichen, des öffentlichen und privaten Lebens, die etwa vom Reichstag normiert wurden – und darum unter der Herrschaft seiner Gesetze standen. Und mit der Einflußaufwertung des Parlaments wurde zunehmend deutlicher, welche Bedeutung seine Kompetenzfülle, sein Budgetrecht, seine Zustimmung oder Verweigerung besaß. Im Grunde war diese preußisch-deutsche konstitutionelle Monarchie ein «Zwitterding», ihre Verfassung – noch einmal – ein die definitive Entscheidung aufschiebender dilatorischer Kompromiß, der weder der Fürstenherrschaft noch dem Parlamentarismus endgültig den Vorrang gab.

Wegen der prekären Balance hat die Kritik seit jeher gute Gründe gehabt, die negativen Aspekte dieses umstrittenen Arrangements unmißverständlich hervorzuheben. Ein skeptischer Nationalliberaler wie Gustav Freytag, der die unitarische Eindeutigkeit und eine liberalismusfreundliche Stärkung des

Parlaments vermißte, hielt sogleich die «neue Organisation des heiligen römischen Reiches» für einen «so seltsam durchlöcherten Bau, daß selbst Fürst Bismarck nicht auf die Länge darin hausen kann. Und käme einmal ein Sturm, so mag das provisorische Gebäude zerworfen und zerblasen werden, als wäre es nie dagewesen.» Theodor Mommsen beklagte sogar den «pseudokonstitutionellen Absolutismus», mit dem Bismarck «der deutschen Nation das politische Rückgrat gebrochen» habe. In jüngerer Zeit hat man den «autokratischen Konstitutionalismus», den «zeitwidrigen monarchischen Semiabsolutismus» des Reiches angeprangert. Demgegenüber wirkt die Verklärung des kaiserlichen Deutschland als «stilgerechte Lösung der deutschen Verfassungsfrage» als anachronistische Kamouflage seiner Schwachstellen.

Eins steht angesichts derart divergierender Urteile fest: Ein Verfassungssystem, das so viel Kritik provoziert, so viele präzisierende Zusatzdefinitionen erfordert, ist mit der allgemeinen Formel von der «konstitutionellen Monarchie» ganz unzulänglich charakterisiert – sie ist zu unspezifisch, zu amorph, letztlich auch zu beschönigend. Wie also kann man die «reelle Verfassung» des Kaiserreichs erfassen? Um diese Frage beantworten zu können, muß man zuerst einmal zwischen der Bismarckzeit bis 1890 und der Phase des wilhelminischen Deutschland seither unterscheiden. Hier geht es nur um die erste Epoche und im Hinblick auf sie um drei alternative Versuche, den realhistorischen Kern des politischen Herrschaftssystems zu erfassen.

b) Bismarcks «Kanzlerdiktatur»?

Von der liberalen Polemik ist frühzeitig der Kampfbegriff der «Kanzlerdiktatur» aufgebracht worden, um die Sonderstellung Bismarcks im Berliner Machtzentrum zu kennzeichnen. Dieser Vorwurf wurde von den zeitgenössischen Kritikern natürlich nicht im exakten staatsrechtlichen Sinn verstanden, denn jedermann war die untergeordnete Stellung des Reichskanzlers im Text der Verfassung bekannt. Zur Beschreibung der Verfassungswirklichkeit drängte sich der Begriff aber offenbar auf. Anfangs wollte mancher skeptische Liberale Bismarcks «kräftige Tyrannis ... im Interesse der Reichsbildung» noch ertragen, aber als daraus die «Gewaltherrschaft» eines «allmächtig gewordenen Landjunkers» hervorging, tauchte die «Kanzlerdiktatur» immer häufiger in der politischen Sprache auf. Den «allmächtigen Gewalthaber», wie Roggenbach sich ereiferte, den «Usurpator» und «Diktator» als das «autokratische Element ... in der Form des Scheinkonstitutionalismus» klagten Liberale wie Richter und Lasker an. Indes, nicht nur Liberale, sondern auch Konservative, Mitarbeiter und Gegner, ausländische Diplomaten und deutsche Historiker haben den Begriff in den verschiedensten Variationen für unumgänglich gehalten.

Kann es da noch verwundern, daß selbst ein der Bismarckfeindschaft so unverdächtiger Historiker wie Friedrich Meinecke den Kanzler «auch im neuen Reich eine Art von Diktatur» ausüben sah, daß auch noch bei Golo Mann mit der «Diktatur oder Halbdiktatur» Bismarcks ein spätes Echo erschallt? Und dennoch: Der Begriff der «Kanzlerdiktatur» bleibt zu deskriptiv, zu personalistisch, er impliziert eine zu geringe Erklärungskraft im Hinblick auf die Grundlage, die soziale Funktion und Legitimationsbasis dieser «Diktatur». Ja, mehr als das, er läßt all diese Fundamente einer politischen Sonderstellung im Ungewissen.[40]

c) Deutscher «Bonapartismus»?

Ist man mit der naiven Textgläubigkeit vieler Verfassungshistoriker und Staatsrechtler, die Bismarck als untergeordnetes Organ der konstitutionellen Monarchie hingestellt haben, ebenso unzufrieden wie mit dem plakativen Feindbegriff der «Kanzlerdiktatur», läßt sich als weiteres Interpretationsangebot die Bonapartismustheorie aufgreifen.

Marx hat sie in der Form eines genialisch hingeworfenen politischen Traktats über den «18. Brumaire des Louis Bonaparte» (1852) an jenem neuartigen Herrschaftssystem Napoleons III. entwickelt, das den Übergang von der konterrevolutionären Präsidialdiktatur zu einem neuen Kaisertum abstützen sollte. Formuliert man die wichtigen Gesichtspunkte etwas abstrakter, treten die folgenden Grundzüge in stark stilisierter Form hervor.

Der Bonapartismus wird als das Herrschaftssystem einer frühindustriellen Gesellschaft verstanden, die ihre klassische «bürgerliche» Revolution (1789) hinter sich hat, so daß die Bourgeoisie, befreit von obsoleten Hindernissen, die Entfaltung des modernen Kapitalismus vorantreiben kann. Welche Gefahr ihr jedoch von der Linken droht, ist 1789, dann erneut 1830 und soeben wieder 1848 deutlich geworden. Die Macht des Industrieproletariats ist offenbar unaufhaltsam im Steigen begriffen. Der in der Marxschen Geschichtstheologie angelegte säkulare Gegensatz zwischen Kapitalistenklasse und Proletariat als dem Messias einer chiliastisch verheißenen kommunistischen Gesellschaft tritt in eine neue Konfliktphase ein. Das antagonistische Verhältnis zwischen diesen beiden dominanten sozialen Klassen wird von der Bourgeoisie bereits als ein bedrohliches Gleichgewicht wahrgenommen, so daß sie sich, voller Furcht vor dem herannahenden Übergewicht ihres Kontrahenten, zeitweilig dem Diktatorialregime eines Usurpators unterwirft, der die Verteidigung ihrer vitalen Interessen übernimmt. Aufgrund des labilen Klassengleichgewichts gewinnt die Persönlichkeit, die sich in dieser Situation, wie Louis Bonaparte, an die Spitze der Exekutive schwingt, außerordentlich weitreichende Machtbefugnisse und eine abgehobene Herrschaftsposition, daher auch einen eigentümlich weiten Handlungsspielraum und eine relativ hohe Autonomie ihrer Entscheidungen. Dabei zehrt sie von dem Leistungsmythos des ersten Napoleon, von ihrem eigenen politischen Talent und von neuem Legitimationsgewinn, wenn sie denjenigen sozialen Funktionen gerecht wird, welche dieser neuartige Regimetypus erfüllen soll.

Der Bonapartismus soll primär die ökonomische Spitzenposition der Bourgeoisie abschirmen und das Proletariat in seine Schranken als unorganisierte Masse reiner Arbeitskraftverkäufer verweisen. Zu diesem Zweck tritt die herrschende Klasse einen gut Teil ihrer politischen Macht an den «Diktator» ab, dafür wird sie aber durch die Verteidigung ihrer sozioökonomischen Privilegien kompensatorisch entschädigt. Das Regime stützt sich nicht nur auf seine informelle Allianz mit der Bourgeoisie, sondern auch auf die Loyalität der Armee und die plebiszitäre Akklamation der kleinbäuerlichen Landbevölkerung sowie eines angsterfüllten Kleinbürgertums.

Die neuartigen Herrschaftsmethoden, die zur Stabilisierung der Privilegienhierarchie in einer mehrfach revolutionär erschütterten Gesellschaft vonnöten sind, bestehen aus einer Mischung von skrupellosen Repressionsmaßnahmen mit verblüffend modernen Konzessionen. So wird etwa die Unterdrückung der Arbeiterklasse und der Pressefreiheit, die Verschärfung der Verfolgung bis hin zur Verbannung und Todesstrafe, die polizeistaatliche Reglementierung jeder oppositionellen Regung verknüpft mit einer zukunftsträchtigen Sozialpolitik für Industriearbeiter, einer mittelstandsfreundlichen Subventionspraxis, einer wohldosierten Genossenschaftshilfe, überhaupt einer paternalistischen Befriedigung materieller Interessen. Es ist diese innovatorische, zugleich eigenartig changierende und irritierende Verbindung von repressiven und progressiven Elementen – sie können, gemessen am Status quo, geradezu revolutionäre Qualität gewinnen –, welche den Bonapartismus vom traditionalen Konservativismus zutiefst unterscheidet. Ihm waren, wie etwa die Gebrüder v. Gerlach in Preußen empört beschworen, solche bedenkenlosen Methoden Anathema. Zur Herrschaftstechnik des Bonapartismus gehört außer der machiavellistischen Ausnutzung der Nationalstaats- und Nationalitätenfrage vor allem die kalkulierte Ableitung innerer Spannungen in die Außenpolitik, um durch eine erfolgreiche überseeische Expansion oder militärische Siege neues Prestige, das die Legitimationsbasis des Regimes zementieren sollte, hinzuzugewinnen. Auf diesem Gebiet orientiert sich der Bonapartismus im Prinzip bereits an dem strategischen Programm des Sozialimperialismus.

Hinsichtlich der Periodisierung bleibt die Frage offen, wie lange sich Staat und Gesellschaft mit diesen riskanten Methoden stabilisieren lassen. Nachdem die inneren Spannungen, insbesondere im Verhältnis zu der wieder selbstbewußteren Bourgeoisie, zugenommen und bereits eine Teilliberalisierung des «Empire» erzwungen hatten, führte die Kriegsniederlage unmittelbar zum Kollaps des Bonapartismus. Über die Analyse der zwanzigjährigen Herrschaft Napoleons III. hinaus glaubten Marx und Engels jedoch, mit der Bonapartismustheorie ein generalisierbares, für den internationalen Vergleich geeignetes Erklärungsmodell für «bürgerliche Gesellschaften» gefunden zu haben, die in ihrer nachrevolutionären Phase schwierige Übergangsprobleme mit dieser autoritären Herrschaftsform zu meistern versuchten.

Frühzeitig glaubten sie daher, auch im Deutschland der 1860er Jahre den «Bonapartismus» als «die wahre Religion der modernen Bourgeoisie», in Bismarck die typische Galionsfigur eines bonapartistischen Regimes ausmachen zu können. Engels sah darin eine Bestätigung, daß auch dort «die Bourgeoisie nicht das Zeug hat, selbst direkt zu herrschen, und daß daher ... eine bonapartistische Halbdiktatur die normale Form ist; die großen materiellen Interessen der Bourgeoisie führt sie durch, selbst gegen die Bourgeoisie, läßt ihr aber keinen Teil an der Herrschaft selbst. Andrerseits ist diese Diktatur selbst wieder gezwungen, die nationalen Interessen der Bourgeoisie widerwillig zu adoptieren.» Eben das tue der «Monsieur Bismarck» – und «am deutschen Bürger scheitert Bismarck schwerlich». Dieses Urteil, daß das Bismarckregime dem Realtypus bonapartistischer Herrschaft durchaus entspreche, haben beide Männer mehrfach bekräftigt.

Die entscheidende Frage ist aber, ob die Marxsche Bonapartismustheorie den deutschen Verhältnissen überhaupt angemessen ist, ob sich das beanspruchte analytische Potential für den transnationalen Vergleich bewährt. Sollte das nicht zutreffen, richtet sich die nächste Frage folgerichtig darauf, ob es eine andere Theorie mit überlegener Erklärungskraft gibt.

Auf den ersten Blick lassen sich nun einige charakteristische Züge des Bismarckschen Herrschaftssystems feststellen, die einem bonapartistischen Regime zu entsprechen scheinen. Auch Bismarck übernahm die Leitung eines sich industrialisierenden Staates, in dem die Erinnerung an die zeitweilig erfolgreiche Revolution von 1848 noch höchst lebendig war. Überwiegend hatten die unterschiedlichen Sozialformationen des Bürgertums aus Angst vor dem Menetekel des aufbegehrenden Proletariats und der demokratischen Republik den Schulterschluß mit den Ordnungskräften des alten Regimes gesucht. Das galt auch für viele bürgerliche Liberale, welche Reformen auf dem Weg der friedlichen Vereinbarung durchzusetzen wünschten. An einem effektiven staatlichen Schutz gegen die «rote Gefahr» war fast allen Bürgern gelegen. Die royalistische Landbevölkerung unterstützte die Regierung. Das tat auch die Armee, die im Bürgerkrieg ihre Loyalität bewiesen hatte und seither ein Tragpfeiler des nachrevolutionären Regimes geblieben war.

Bismarck behauptete seit 1862 trotz der Empörung der Liberalen sein Amt als Ministerpräsident, erfüllte aber auch während des Verfassungskonflikts die materiellen Interessen des Besitzbürgertums nach Kräften: Der Zollverein, die neuen Handelsverträge, die Modernisierung des Wirtschaftsrechts, erst recht aber die entfesselte Industrialisierung kamen ihm zugute. Die volle Teilhabe an der politischen Macht blieb dagegen dem Bürgertum in Preußen, dann im Norddeutschen Bund und im Kaiserreich weiterhin vorenthalten.

In der an bonapartistische Methoden erinnernden Mischung von militanter Risiko- und Pazifizierungspolitik führte Bismarck drei Kriege, zweimal als Hasardspiel am Rande des Abgrunds entlang, immer jedoch vom Erfolg gekrönt. Der kleindeutsche Nationalstaat verstörte die Hochkonservativen, versöhnte aber die Mehrheit mit seinem autoritären Regime. Wie Napoleon III. verband Bismarck auch weiterhin Modernität und Repression. Rücksichtslose Unterdrückung kennzeichnete seine Politik gegenüber der liberalen Opposition und dem politischen Katholizismus, vollends gegenüber den sozialdemokratischen «Reichsfeinden», die mit einem illiberalen Ausnahmegesetz, mit Presseknebelung, Ausweisung und schikanöser Behandlung im Alltag verfolgt wurden. Ebenso deutlich sind jedoch – wenn man nicht auf die Motive, sondern auf die Ergebnisse blickt – die progressiven Elemente zu erkennen. Das allgemeine Wahlrecht bedeutete die unerwartet-unverfrorene Verwirklichung einer Maximalforderung der demokratischen Linken. Die staatliche Sozialpolitik, die liberale Gesetzgebung zur Fundamentierung der bürgerlichen Gesellschaft, die Anfänge einer antizyklischen Konjunkturpolitik – auf all diesen Gebieten wurde der zukunftsträchtige Wohlfahrts- und Interventionsstaat gefördert. Und ähnlich wie Napoleon III. bemühte sich Bismarck, mit dem Sozial- und Wirtschaftsimperialismus der achtziger Jahre, auch mit Hilfe der kaltschnäuzig geschürten Franko-, Russo- und Anglophobie innere Probleme durch die Ablenkung nach außen zum Schweigen zu bringen. Traf mithin der liberale Vorwurf der «Kanzlerdiktatur» in Wahrheit den Kern eines deutschen Bonapartismus?

Nein: Gegen die Übertragung der Marxschen Bonapartismustheorie lassen sich, obwohl sie hier und da plausible Gemeinsamkeiten suggeriert, bei genauerem Hinsehen gravierende Unterschiede geltend machen. Letztlich unwiderlegbare Einwände bleiben bestehen.

Die universalgeschichtliche Zäsur von 1789 ist mit der Wirkung von 1848 im Deutschen Bund nicht zu vergleichen. Die postrevolutionäre deutsche Gesellschaft war nach 1849, nach dem Sieg der alten Gewalten, doch eine andere als die französische nach den drei Revolutionen von 1789, 1830 und 1848. Jedesmal waren die sozialen Gegensätze und politischen Konflikte ungleich härter gewesen als östlich des Rheins. Von einem Gleichgewicht der großen Klassen – als der strukturellen Vorbedingung des Bonapartismus – kann nach 1849 in Preußen-Deutschland nicht von ferne die Rede sein. Noch waren die bürgerlichen Formationen den traditionalen Herrschaftseliten, noch war das junge Industrieproletariat dem Wirtschaftsbürgertum längst nicht gewachsen. Die Formel von einer Pattsituation der Hauptklassen trifft deshalb auf eine Lage, die durch Kooperation und Antagonismus, durch rasch fluktuierenden Kräftewandel und den erst einsetzenden Aufstieg von Unternehmer- und Arbeiterklassen gekennzeichnet war, nicht einmal annäherungsweise zu.

Bismarck trat auch keinesweg primär zum Schutze der Bourgeoisie vor einem revolutionären Proletariat an, vielmehr zur Verteidigung des Machtkartells im Alten Regime und der möglichst ungeschmälerten Königsrechte.

Diese Größen kann man nicht vorschnell als funktionelle Äquivalente anstelle der bedrohten französischen Bourgeoisie einführen, da der Klassenkampf zwischen Bourgeoisie und Proletariat nun einmal die Basis der gesamten Bonapartismustheorie bildet. Die deutschen liberalen Bürger waren weder in den sechziger und siebziger Jahren noch in der Zeit des Sozialistengesetzes aus Furcht vor der «roten Gefahr» damit einverstanden, daß einem «bonapartistischen Halbdiktator» die politische Macht übertragen, ihnen aber weithin entzogen wurde. Die Sonderstellung des Kanzlers wurde vielmehr als Ausnahmeerscheinung teils erleichtert, teils aber widerwillig hingenommen. Bis zum Ende der siebziger Jahre hielt ohnehin die Mehrheit der Liberalen an der optimistischen Zielvorstellung fest, daß ihnen durch die moderne gesellschaftliche Entwicklung die Zukunft einschließlich der politischen Modernisierung des Reiches verbürgt sei.

Bismarck konnte sich auf ein loyales Heer stützen, gewiß, riskierte aber auch gegen seine Führung manchen erbitterten politischen Grundsatzkonflikt, dessen Ausgang nicht von vornherein feststand. Die politische Massenbasis seiner Regierung rekrutierte sich keineswegs aus royalistischen Kleinbauern, die schon rein numerisch eine ungleich geringfügigere Rolle als in Frankreich spielten und außerdem ganz unterschiedliche politische Optionen wahrnahmen – von den Konservativen über die Nationalliberalen bis zum Zentrum. Der städtisch-bürgerliche Wähler konnte genausogut die oppositionellen «Fortschrittlichen» oder «Freisinnigen» wählen wie als «Ordnungsmensch» (Bamberger) und begeisterter Bismarckianer eine streng «reichsfreundliche» Partei.

Vor allem aber stieg Bismarck nicht auf der Grundlage einer mit Frankreich vergleichbaren strukturellen Konstellation als Usurpator der Macht nach oben, sondern er wurde von einer strategisch postierten ultrakonservativen Clique gerufen, vom König ernannt, vom Kaiser entlassen. Fraglos baute er schon als Ministerpräsident, erst recht als Reichskanzler eine imponierende Machtposition auf. Im Prinzip blieb er jedoch vom Vertrauen des Monarchen abhängig. Die Gründung einer eigenen Dynastie: den Sprung vom Hausmeier zum Herrn, hat er nie erwogen. Absetzbarkeit gehörte von Anfang bis Ende zum Charakter seiner Stellung. Beides läßt sich mit der Monokratie einer bonapartistischen Diktatur schlechterdings nicht vereinbaren.

Nach alledem ist der grundsätzliche Hinweis vorzüglich begründet, daß man zwischen Herrschaftssystem und Herrschaftstechnik streng unterscheiden sollte. Das Herrschaftssystem des preußischen Staates von 1862 bis 1871 und des Deutschen Kaiserreichs von 1871 bis 1890 besaß nicht wenige autoritäre Eigenarten. In seinem Gehäuse gab es jahrzehntelang realhistorisch, obschon nicht staatsrechtlich, eine diktatoriale Sonderstellung Bismarcks. Ein bonapartistisches Regime dagegen war es nicht.

Unbestreitbar ist jedoch die enge Verwandtschaft der Herrschaftsmethoden, ja die bewußte Imitation der bonapartistischen Herrschaftstechnik, deren unmittelbare Demonstrationseffekte ihre Wirkung auf Bismarck nicht verfehlten. Die kriegerische Risikopolitik zwischen 1864 und 1871, die revolutionsbereite Ausnutzung der Nationalitätenfrage gegen Österreich, die bedenkenlose Legitimitätsverachtung beim Sturz von Dynastien und der Annexion ihrer Länder, die «konservativ-revolutionäre Doppelpoligkeit», die militante Innenpolitik, die «Manipulation mit dem allgemeinen Wahlrecht», die «agitatorische Geschicklichkeit», der Sozialimperialismus der achtziger Jahre, die geschmeidige Befriedigung materieller Interessen und die hartnäckige Einpferchung parteipolitischer Ansprüche, die später viel bewunderte Sozialpolitik (von der Bismarck bereitwillig eingestand, er habe ihre Grundzüge Napoleon III. abgeschaut) – diese Technik des Umgangs mit politischer Macht rechtfertigt es durchaus, von Bismarcks bonapartistischen Herrschaftsmethoden zu sprechen. Zwar wurde «der ‹bonapartistische› Charakter der Bismarckschen Politik ... verdeckt durch das mit Anstand und viel Geschick getragene monarchistisch-traditionelle Gewand des königlichen Dieners und kaiserlichen Kanzlers». Was ihn jedoch «von früheren Meistern der Kabinettspolitik unterscheidet, das ‹Moderne› in seinem politischen Spiel», das «ist eben dieser ‹bonapartistische Einschlag›».

Tatsächlich wird ein realistisches, unbefangenes Urteil über die Herrschaftstechnik Napoleons III. und Bismarcks die strukturelle Affinität, teilweise die Identität der angewandten Methoden anerkennen. Beides rechtfertigt es aber nicht, von einer bonapartistischen Diktatur in Preußen-Deutschland auszugehen, da seine Gesellschaftsordnung und Herrschaftsverfassung konstitutiven Elementen der Bonapartismustheorie widersprechen. In ihrem konzeptionellen Rahmen lassen sich daher auch bei wohlwollender Dehnung der Interpretation die andersartigen Strukturbedingungen der deutschen Geschichte nicht einfangen.[41]

d) «Charismatische Herrschaft» in Deutschland?

Es ist ein bekannter Schwachpunkt der Marxschen Geschichtsphilosophie und Sozialtheorie, daß sie der Rolle bedeutender Persönlichkeiten nicht gerecht wird. In ihrer Fusion von historischer Analyse des kapitalistischen Zeitalters und eschatologischer Utopie seiner Überwindung gibt es in dieser Hinsicht eine eigenartige Blindstelle: Das große Individuum findet keine angemessene Berücksichtigung, geschweige denn einen systematischen Ort in Marx' Überlegungen – und das ist bis heute ein Dilemma des orthodoxen, aber auch des unorthodoxen Marxismus geblieben. Vielmehr neigte Marx frühzeitig dazu, führende Akteure als die Agenten herrschender Klassen oder dank der Produktionsverhältnisse übermächtiger Interessenaggregate anzusehen, durch welche die Weichen «objektiv» gestellt werden. Innerhalb der restriktiven Bedingungen dieser vorgegebenen «Umstände» bleibt dem Handelnden nur mehr die mehr oder minder erfolgreiche Vollstreckung seiner streng determinierten Aufgabe. Noch ehe es den Begriff gab, favorisierte Marx die «Agententheorie».

Einen grundsätzlich anderen Stellenwert besitzt demgegenüber eine schmale Elite historischer Persönlichkeiten an der Spitze jener «charismatischen Herrschaft», deren Kennzeichen Max Weber in seiner Politischen Soziologie entwickelt hat. Läßt sich mit diesem Begriff Bismarcks Spitzenposition im preußisch-deutschen Herrschaftssystem erfassen? Übte Bismarck als erster «charismatische Herrschaft» in Deutschland aus? Um diese Frage beantworten zu können, müssen die Grundgedanken des Idealtypus skizziert werden.

Weber hat bekanntlich die Schlüsselbegriffe des «Charismas» – dieses griechische Wort kennzeichnete ursprünglich eine spezifische religiöse Geistes- und Gnadengabe in den urchristlichen Gemeinden – und des «Charismatikers» aus der zeitgenössischen religionshistorischen Diskussion, die von dem Kirchenrechtler Rudolph Sohm maßgeblich beeinflußt wurde, übernommen. Ihr ging es unter anderem darum, mit Hilfe des Charisma-Begriffs das außergewöhnliche religiöse Talent, die faszinierende Begabung zur Beeinflussung und Führung von Menschen zu charakterisieren, welche die alttestamentarischen Propheten auszeichnete, wenn sie als Charismatiker das «auserwählte Volk» erneut auf die Gesetze Jahwes verpflichteten. Weber hat den Begriff aus diesem ursprünglichen Kontext gelöst, entschieden säkularisiert, großzügig generalisiert und ihm schließlich in seiner Lehre von den drei «reinen Typen legitimer Herrschaft» einen zentralen Platz eingeräumt. Weber hat sich auf seine Art bemüht, das große oder gar welthistorische Individuum, das soeben Jacob Burckhardt schon näher zu bestimmen versucht hatte, als Charismatiker typisierend zu erfassen. Für ihn sind die «Charismatiker» die «natürlichen Leiter in psychischer, physischer, ökonomischer, ethischer, religiöser und politischer Not», «weder angestellte Amtspersonen, noch Inhaber eines als Fachwissen erlernten und gegen Entgelt ausgeübten ‹Berufs› im heutigen Sinne des Wortes, sondern Träger spezifischer, als übernatürlich ... gedachter Gaben des Körpers und des Geistes». «Die Träger des Charismas» müssen, «um ihrer Sendung genügen zu können, außerhalb der Bande dieser Welt stehen». Folgerichtig existiert «charismatische Herrschaft» nach seiner Definition «kraft affektueller Hingabe an die Person des Herrn und ihre Gnadengaben ..., insbesondere: magische Fähigkeiten, Offenbarung oder Heldentum, Macht des Geistes und der Rede». Zu den «reinsten Typen» zählte Weber «die Herrschaft des Propheten, des Kriegshelden, des großen Demagogen». In jedem Fall beruht charismatische Herrschaft «auf der außeralltäglichen Hingabe an die Heiligkeit oder die Heldenkraft oder die Vorbildlichkeit einer Person und der durch sie ... geschaffenen Ordnung».

In einer derart verallgemeinerten Form kann die idealtypische Konzeption dazu dienen, die spezifische Bedeutung der beispielsweise von Alexander dem Großen, Cäsar, Jesus, Mohammed, Luther, Cromwell, Lenin, Hitler errichteten Herrschafts- und Ordnungsgebilde unter einheitlichen Gesichtspunkten zu analysieren. Offenbar hat auch – außer der zeitgenössischen Debatte in der Religionswissenschaft – die lebensweltliche Erfahrung mit Bismarcks Politik Webers Vorstellung von charismatischer Herrschaft mit geprägt. Dieser Zusammenhang, der eine historisch paßgerechte Konzeption vermuten läßt, regt ebenfalls dazu an, den Weberschen Idealtypus an Bismarcks Herrschaftssystem zu erproben. Im übrigen hat Weber aus seiner Sympathie für den charismatischen Politiker kein Hehl gemacht. Er hielt ihn für eine «große revolutionäre Macht» – vergleichbar allein mit der Wirkung eines säkularen technologischen Durchbruchs –, welche die versteinerte Kruste des Traditionalismus aufbrechen, die bürokratische Erstarrung überwinden und zu einer unter der politischen Konstellation geradezu notwendigen innovatorischen Bewegungskraft werden könne. Kurz, der Charismatiker kann geradezu einen qualitativen evolutionären Sprung auslösen. Nach ihm sieht die Geschichte seines Wirkungskreises anders aus.

Wenn der Idealtypus der charismatischen Herrschaft dazu dienen soll, nicht nur die eigentümliche Rolle Bismarcks, sondern auch den Charakter der politischen Realverfassung Preußen-Deutschlands begrifflich und inhaltlich genauer zu erfassen, muß man sich zuerst mindestens fünf wichtige Dimensionen dieses Typus, dessen Komplexität durchaus eine noch breitere Entfaltung gestattet, vergegenwärtigen.

1. Die extraordinäre Fähigkeit des Charismatikers, die er durch seine ungewöhnlichen Leistungen beweist, erzeugt ein hohes Maß an Vertrauen, das bis zum fanatischen Glauben, im Grenzfall bis zur absoluten Hingabe anwächst. Die Wirkung des Charismas ist um so ausgeprägter, je mehr sie durch Enthusiasmus, Verehrung und Hoffnung, aber auch durch Verzweiflung, Angst und Erlösungsglauben psychisch gesteigert wird.

Zu beachten ist dabei der Unterschied zwischen zwei Typen von Charisma: Es gibt ein Eigencharisma, das auf der genuinen Begabung eines einzelnen beruht. Für die exaktere Bestimmung der Natur dieser nicht erlernbaren Kompetenz – etwa dessen, was man «politischen Genius» nennt – stellt die Theorie der charismatischen Herrschaft keine aufschlüsselnden Hilfsmittel zur Verfügung; vielleicht gelingt das einmal der Individualpsychologie oder Intelligenzforschung. Vorerst bleibt daher «politische Genialität» eine nicht weiter differenzierte, erst recht nicht überzeugend erklärte individuelle Mitgift, die deskriptiv anerkannt, gewissermaßen stillschweigend als Basiseigenschaft eingeführt wird.

Zum anderen gibt es das Fremdcharisma, das einem «Hoffnungsträger» angesonnen oder zugetraut wird, so daß er – dank seiner Geschicklichkeit oder aufgrund begünstigender Umstände – in die Rolle einer Führungspersönlichkeit mit zugeschriebenem Charisma hineinwachsen kann, ohne daß er vorher durch ein außergewöhnliches Talent aufgefallen wäre.

2. Die entscheidende Vorbedingung charismatischer Herrschaft liegt in der Bedrohlichkeit existentieller Krisensituationen. Der Glaube an das Charisma und seine Wirkung geht deshalb daraus hervor, daß es durch imponierende Erfolge, durch «Wunder», bei der Entschärfung der Krise bestätigt wird. Diese Lösung muß der Perzeption der Krise entsprechen, gewöhnlich beruft sich der Charismatiker dabei auf «höchste Werte» wie das Überleben, die Ehre, die Nation, nicht aber auf konkrete, technische Vorschläge. Erst die Krisenbewältigung führt zur objektiven Legitimation des Charismas, zu der auch die anerkannte Definitionsmacht über die Situationsdeutung und die Erfolgskriterien gehört. Zugleich erwächst aus dieser Meisterung der Krise, im günstigen Fall aus der wiederholten Bewährung der charismatischen Begabung, seine subjektive Legitimation.

Wegen dieses Nexus zwischen «existentieller Betroffenheit», Krisenbewältigung und politischer Sonderstellung entsteht für den Charismatiker ein Zugzwang oder die Verführung, Krisen dann, wenn sie wegen der «Veralltäglichung» der Probleme ausbleiben, künstlich herbeizuführen, um die ungeminderte Geltungskraft seines Charismas durch die erfolgreiche Bändigung neuer Gefahren wiederum zu beweisen und zu stabilisieren.

Es gehört mithin zu den wesentlichen Charakteristika charismatischer Herrschaft, daß sie nicht auf die Lösung alltäglicher Aufgaben gerichtet ist, wie das bei den beiden anderen Idealtypen legitimer Herrschaft, bei der traditionalen und rationalen Herrschaft, zum Wesenskern gehört. Vielmehr muß charismatische Herrschaft «die Bewältigung der überalltäglichen, einmaligen Not- und Krisenlagen» leisten. Ist das geschehen und werden keine neuen Krisen künstlich provoziert, kehrt vielmehr statt dessen die Alltagsroutine zurück, beginnt auch der gefährliche Prozeß der «Veralltäglichung» des Charismas. Er aber bedeutet in einer krisenfreien Zeit schon auf kurze, in jedem Fall auf mittlere Sicht das Verblassen, die Erosion, den Verschleiß des Charismas. Die «brennende Frage des Nachfolgeproblems» stellt sich unabweisbar, und damit wird, um eine «dauerhafte Alltagsgrundlage» zu gewinnen, in der Regel der Übergang zu anderen, «traditionalisierten oder rationalisierten», Herrschaftsformen eröffnet.

3. Abgesehen von der weiten gesamtgesellschaftlichen Ausstrahlung wird der engere Autoritäts- und Geltungsbereich durch die «charismatische Gemeinschaft» leidenschaftlich überzeugter Anhänger gebildet. Da die existentiell gefährdeten Menschen durch den Charismatiker befreit und angesichts der Auflösung vertrauter normativer Standards zu einer neuen Beurteilung ihrer Lebenslage geführt werden, erleben sie häufig eine radikale Veränderung von innen her, eine Metanoia – deshalb führen Charismatiker «typischerweise zu Gesinnungsrevolutionen». Auch deshalb ist der übliche Herrschaftsverband des Charismatikers – nach Weber – «die (emotionale) Vergemeinschaftung in der Gemeinde oder Gefolgschaft», für die andere Formen der Legitimierung dahingeschwunden sind. Es ist mithin nicht ein Ensemble

von fest institutionalisierten Organisationen, formell kodifizierten Leitungsregeln, formalisierten Entscheidungsprozessen und selbständigen Berufungsinstanzen, welches dieses politische System trägt. Vielmehr tut das ganz wesentlich die «charismatische Gemeinschaft» der bekehrten Gläubigen. Aber weder die «Jüngerschaft» selber noch autonome Auswahlverfahren sorgen für die Bestallung der Unterführer, Mitarbeiter und Berater des Charismatikers, sondern er allein ist Herr der Personalpolitik. Er bildet seinen «charismatischen Verwaltungsstab», setzt seine Helfer ein oder delegiert Macht an die Angehörigen seiner «Gefolgschaft». Die gesamte «Autoritätsstruktur», deren Geltungsanspruch im Prinzip nicht begrenzt ist, basiert auf einer «personifizierten Sendung», deren Träger von der Gemeinde mit bedingungslosem Vertrauen anerkannt wird. Niemals wird darum seine Legitimation von den Beherrschten selber abgeleitet.

4. Die wirtschaftliche Grundlage charismatischer Herrschaft basiert in der Regel nicht oder jedenfalls nicht ausschließlich auf jenen regelmäßigen Einkünften, die ein formalisiertes Abgabensystem oder eine Finanzpolitik modernen Zuschnitts mit ihren obligatorischen Steuern ergibt. Vielmehr ist dieses Herrschaftssystem auf freiwillige Beiträge und Spenden der Gemeindemitglieder, auf den Gewinn aus Beute- und Raubzügen angewiesen. Überhaupt vernachlässigt das System die strikten Grundsätze ökonomischer Rationalität und einer argumentativ kontrollierten Zweck-Mittel-Abwägung.

5. Charismatische Herrschaft endet gewöhnlich auf dreierlei Weise. Im Todesfall kann das Personalcharisma nicht auf den Nachfolger oder auf das Amt übertragen werden. (Amtscharismatische Herrschaftsformen, wie etwa das Papsttum, bilden eine Kategorie für sich.) Wenn der Charismatiker angesichts oder mangels echter oder artifizieller Krisen scheitert, löst sich die ihm zugeschriebene «übermenschliche» Kompetenz auf, so daß er auf den Status eines ordinären Akteurs absinkt oder, durch den Strudel der Enttäuschung ins Abseits gedrängt, in den Abgrund gerissen wird. Bei den Bemühungen, das genuine Charisma zu stabilisieren, können sich «die Traditionalisierung und Legalisierung» – insbesondere angesichts der entscheidenden Nachfolgeproblematik – durchsetzen, so daß die charismatische Ordnung durch die «Entpersönlichung und die Versachlichung» zerstört wird.[42]

Zur Selbstverständlichkeit des Umgangs mit Idealtypen gehört die Einsicht, daß sie in ihrer reinen Form keine völlig identische Entsprechung in der Realität besitzen. Auch das Bismarcksche Herrschaftssystem fügt sich daher nicht umstandslos in den Idealtypus der charismatischen Herrschaft ein. Unübersehbar sind die Elemente der traditionalen Herrschaft – die Monarchie zum Beispiel, die etablierten adligen Machteliten, der Glaube an die «Heiligkeit» von überlieferten Werten und Normen. Ebenso unübersehbar gibt es Elemente der rationalen Herrschaft – die Legitimation durch Verfahren im Landtag und Reichstag zum Beispiel, die an ein planmäßig durchkonstruiertes Regelwerk gebundene Bürokratie, die Konfliktregulierung durch Gesetze ohne Ansehen der Person. Dennoch: Preußen-Deutschland zwischen 1862 und 1890 verkörperte keine Fusion von traditionaler und rationaler Herrschaft. Ohne die Berücksichtigung des sogar auf lange Sicht dominanten Kernbestands an charismatischer Herrschaft kann man weder das preußische noch das reichsdeutsche politische System der Bismarckzeit wirklichkeitsgerecht erfassen.

Durch eine typische Fundamentalkrise in sein Amt getragen, gewann Bismarck nach relativ kurzer Zeit als Eigencharismatiker aufgrund der verblüffend erfolgreichen Bewältigung komplizierter innerer und äußerer Krisen ein extremes Maß an Zustimmung und Loyalität. Drei siegreiche Kriege, die «Lösung» des Verfassungskonflikts, die Gründung des deutschen Nationalstaats verliehen ihm eine weithin ausstrahlende Faszination, die den typisch charismatischen Bismarckmythos nährte. Die Sonderstellung des Reichskanzlers wurde durch den Ausbau des Reichs, seine international anerkannte außenpolitische Meisterschaft, den rücksichtslosen Kampf gegen die vermeintlichen «Reichsfeinde» im Inneren weiter verstärkt. Geschickt präsentierte er sich als Dompteur des Staatensystems zugunsten der neuen Hegemonialmacht, als Schutzwall gegen den sinistren Ultramontanismus, vor allem aber als Retter vor jener «furchtbaren Bewegung», mit der «sich die Elemente des sozialistischen Umsturzes vordrängen».

All das verdichtete die charakteristische Aura des Charismatikers, dem die Meisterung jeder Krise zu gelingen schien. «Man muß dabei gewesen sein, um bezeugen zu können», gestand ein so welterfahrener, skeptischer Mann wie Ludwig Bamberger, «welche Herrschaft dieser Mann ... über die gesamte Mitwelt ausgeübt hat. Es gab eine Zeit, in der man in Deutschland nicht zu sagen wagte, wie weit sein Wille reiche.» Nicht nur habe «seine Macht so bombenfest» gestanden, «daß Alles vor ihm zitterte». Vielmehr habe er sogar «die Bahnen bestimmt, in denen sich die Institutionen, die Gesetze und, was noch wichtiger ist, die Geister bewegen». In seinen Worten umschrieb auch Burckhardt die charismatische Überhöhung des Reichskanzlers, als er urteilte, daß Bismarck «für Deutschland ... geradezu Anhalt und Standarte jenes Mysteriums Autorität» gewesen sei.

Im Lichte von Bismarcks charismatischer Herrschaft gewinnen jetzt auch die zahlreichen Äußerungen über seine «Kanzlerdiktatur» einen anderen Stellenwert. Sie zielten nicht auf einen «bonapartistischen Halbdiktator», sondern auf eine autoritäre Spitzenstellung, die auf der Geltungskraft und Akzeptanz eines vielfach bewiesenen Charismas beruhte.

«Alles hängt ganz allein von Bismarck ab», glaubte der hochkonservative Botschafter General v. Schweinitz, «nie gab es eine vollständigere Alleinherrschaft.» «Mois, je suis l'état» – das hielt er für den Leitstern der «Diktatur Bismarcks». «Alles hängt an Bismarck», das spürte ebenfalls der Staatssekretär und Kultusminister Bosse, «er hat die Minister vollständig an der Leine.» «Unter der Herrschaft dieses Jupiter», notierte sich der mecklenburgische Bundesratsdelegierte Karl Oldenburg, gehe alles «in dem angepaßten Takt und leistet stummen Gehorsam ..., es beugt sich alles ruhig unter das Joch». Auch ein lebenserfahrener Altliberaler wie Mevissen hielt Bismarck für «allmächtig», der «Absolutismus des Fürsten» stehe «auf dem Höhepunkt seiner Macht». Und der Liberale Friedrich Kapp grollte empört: «Für Bismarck gibt es überhaupt nur eine Regierungsform: Das ist er allein.» Deshalb suche er im Reichstag nur «eine Eunuchenmehrheit ..., die das Maul nicht auftun darf».

Auch ein sachkundiger Beobachter wie der langjährige englische Botschafter Lord Odo Ampthill sprach nicht minder eindeutig von dem «deutschen Diktator», dessen «Macht im Zenit steht», denn nicht allein in Deutschland übe er einen «absoluten Einfluß» aus, sondern auch in den europäischen Hauptstädten «bedeutet sein Wort das Evangelium». Zustimmend nannte der amerikanische Gesandte John Kasson Bismarck einen «im Prinzip allmächtigen Diktator», dessen «Prestige ... ohne Vorbild in der europäischen Geschichte» sei. Dank einer Freudschen Fehlleistung enthüllte auch Kaiser Wilhelm das Autoritätsverhältnis in Berlin, als er aufseufzte: «Es ist nicht leicht, unter einem solchen Kanzler Kaiser zu sein.» «In allem, nur nicht dem Namen nach, bin ich Herr von Deutschland», hat Bismarck mit der ihm nachgerühmten Offenheit seine wahre Stellung als «kurbrandenburgischer Vasall» einmal selber hochfahrend beschrieben.

Außen- und innenpolitische Erfolge umgaben Bismarck mit der typischen Aura des Charismatikers, dem die Meisterung jeder Krise zu gelingen schien. Aus diesen Kompetenzbeweisen resultierte die kennzeichnende relative Autonomie seiner Entscheidungen, der hohe Grad an Durchsetzungsfähigkeit, der ja auch dem Begriff der «Kanzlerdiktatur» zugrunde lag. Als die objektive und subjektive Legitimation im politischen Alltag der siebziger und achtziger Jahre nachließ, dann Stück für Stück aufgezehrt wurde, nahm auch Bismarck zu dem charakteristischen Hilfsmittel des gefährdeten Charismatikers Zuflucht, durch selbstgeschaffene Krisen und ihre souveräne Entschärfung seine Unentbehrlichkeit, seine angeblich noch keineswegs erloschene charismatische Sonderbegabung zu demonstrieren. Diese Aushilfsstrategie ist noch im einzelnen zu verfolgen. Jedenfalls kann man sie von der «Krieg-in-Sicht-Krise» von 1875 über die innenpolitische Wende von 1878/79, die Dramatisierung der «roten Gefahr», die sozialimperialistischen Ablenkungsmanöver und die «Kartell»-Wahlen von 1887 bis in die Anfangsmonate des Entlassungsjahres 1890 verfolgen.

Was unter einem legitimen vergleichenden Gesichtspunkt als Imitation der bonapartistischen Herrschaftstechnik erscheint, läßt sich im Rahmen charismatischer Herrschaft entweder als die Bewältigung genuiner Krisen begreifen, wobei Bismarck wegen des hohen Einsatzes, der auf dem Spiel stand, extreme Risiken in Kauf nahm. Oder aber es handelte sich um die machiavellistische Erzeugung artifizieller Krisen, um seinem verblassenden Charisma neuen Glanz zu verleihen, seine umstrittene Herrschaftsposition neu zu befestigen. In beiden Fällen konnte er auf diejenigen Methoden zurückgreifen, die ihm im Erfahrungshaushalt der Zeit, oft dank dem Vorbild Napoleons III., vertraut waren. Auf diese Weise läßt sich Bismarcks krisenreicher Kurs zwischen 1875 und 1890 als Verteidigung seines Charismas gegen die politisch fatalen Kräfte der «Veralltäglichung» konsistent interpretieren.

Bindet man sich zu eng an die Vorstellung, daß der Charismatiker im allgemeinen von seiner «Gefolgschaft» getragen wird, wird man in diesem Fall leicht in eine Sackgasse geführt. Der empirische Beweis läßt sich schlechthin nicht schlüssig führen, daß Bismarcks politische Basis in entscheidendem Maße durch eine fanatisierte Anhängergemeinde gebildet wurde. Vielmehr hing er zum einen von der Kooperation mit dem etablierten Machtkartell von Hof und Adel, Militär und Bürokratie ab; er mußte die Öffentlichkeit und die Interessenverbände mit einbeziehen und sich bei der Leitung der mehrfach umgebauten informellen Allianzen bewähren. Zum zweiten benötigte er tragfähige Parteienkoalitionen, um im Landtag und Reichstag eine Mehrheit für die anstehenden Gesetzesvorhaben zu besitzen.

Dennoch läßt sich kaum bestreiten, daß es die «charismatische Gemeinschaft» leidenschaftlich überzeugter Bismarckverehrer gab. Sie reichte in das alte Machtkartell, tiefer noch in die «reichsfreundlichen» Parteien hinein, die Bismarcks «Sammlungspolitik» gesellschaftlich und politisch mittrugen und vor allem bei der plebiszitären Akklamation, zu der die meisten Wahlkämpfe umfunktioniert wurden, eine maßgebliche Rolle spielten. Mit dem Abflauen dieser Zustimmung und dem Verblassen des Bismarckmythos – von dem anders begründeten Bismarckkult nach 1890, insbesondere seit 1898, kann hier vorerst abgesehen werden – hing wiederum die kühle Instrumentalisierung echter und künstlicher Krisen zusammen, deren Lösung der parteien- und klassenübergreifenden Anhängerschaft neuen Auftrieb gab.

Daß Bismarck auf die Auswahl von Ministern und Reichsstaatssekretären, von hohen Beamten und Diplomaten, von Beratern und Helfern im Stil charismatischer Entscheidungskompetenz entscheidenden Einfluß nahm, ist kaum zu bestreiten. Wenn Kaiser Wilhelm, entgegen seinem konstitutionell verbrieften Recht, Bismarck bei einer Umbildung des Reichskabinetts offen zugestand: «Ihre Untergebenen müssen Ihr Vertrauen besitzen», beschrieb er zutreffend die wahre Machthierarchie. Wann immer sich Widerstand gegen die Personalpolitik, überhaupt gegen die Exklusivposition des Kanzlers regte, scheiterte die Opposition bis zu seinem Sturz stets an dem Erfolgsnimbus, den die Krisenbewältigung dem Charismatiker verschafft hatte. Im Augenblick der Wahrheit hieß es dann letztlich, daß für «die größte aller Aufgaben, das Zurückstauen der Revolution», weit und breit «kein Ersatz zu sehen» sei.

Nur teilweise läßt sich die idealtypische Bestimmung der wirtschaftlichen Grundlagen charismatischer Herrschaft mit der Realität der Bismarckzeit vereinbaren. Selbstverständlich hing sowohl das preußische Staatsministerium als auch die Reichsregierung finanziell von dem regulären Steueraufkommen und vertraglich ausgehandelten Anleihen der Bankenkonsortien ab. Trotzdem kann man die Beute aus den drei Kriegen, die Annexionen in Norddeutschland und Ostfrankreich und die hohen französischen Reparationen als jene auffälligen Sondergewinne aus Raubzügen betrachten, die das Prestige des Charismatikers steigern, sein Herrschaftssystem fundamentieren halfen. Überdies wird man das hohe Ausmaß an Spenden, welches die Bismarcksche «Sammlungspolitik» von großagrarischen und großindustriellen Interessen, von Parteien und «Reichsfreunden» mit ermöglichte, nicht nur als Übergang zu modernen Formen der Politikfinanzierung betrachten können, sondern auch als Aufbringung eben jener Sondermittel, zu der ein charismatischer Anführer fähig ist.[43]

Kurzum: Diese Interpretation des Bismarcksystems als Kern der «reellen Verfassung» im Gehäuse einer konstitutionellen Monarchie führt ungleich dichter an die vergangene Wirklichkeit heran als das inhaltlich unbestimmte Stereotyp der «Kanzlerdiktatur» oder die auf Deutschland nicht übertragbare Bonapartismustheorie. Im Rahmen der charismatischen Herrschaft, die Bismarck als erster in Deutschland ausgeübt hat, können dagegen zahlreiche Phänomene, die sich entweder gegen eine Einbeziehung in die Bonapartismustheorie sperren oder in der Lehre von der konstitutionellen Monarchie gar nicht oder mit falschem Stellenwert auftauchen, vergleichsweise so zwanglos berücksichtigt werden, daß eine realitätsnahe Deutung zur Geltung kommen kann. Daß außer den charismatischen die traditionalen und rationalen Elemente der preußischen und reichsdeutschen Herrschaftsverfassung im Auge behalten werden müssen, kann nicht überraschen, da in der historischen Realität ohnehin gewöhnlich Mischformen auftreten.

Und was das Ende der Ära Bismarck angeht – um noch einen Blick vorauszuwerfen –, ist die Entlassung des Reichskanzlers, die einem «bonapartistischen Halbdiktator» so nicht widerfahren konnte, plausibel erklärbar, da auch geradezu verzweifelte Krisenmanipulationen gegen die «Veralltäglichung» des Charismas, gegen seine Erosion unter dem Druck neuer politischer Bedingungen und Aufgaben nicht mehr ankamen. Dieser Erosion entsprach folgerichtig der Zerfall der parteipolitischen Machtbasis und jener Sammlungsallianz «reichsfreundlicher» Kräfte, auf die sich Bismarck bisher gestützt hatte. Übrig blieb ein Reichskanzler, dessen letztes Vabanquespiel glücklos scheiterte, als sein Charisma versagte, und der deshalb auch nach achtundzwanzig Jahren an der Spitze eine Entlassung hinnehmen mußte, die er nur als demütigende Verbannung empfinden konnte.

V.
Strukturbedingungen und Entwicklungsprozesse der Kultur

Die Beschleunigung des Modernisierungstempos, die sich bereits für die Jahrzehnte vor 1848 konstatieren läßt, hielt auch nach der Zäsur der achtundvierziger Revolution im kulturellen Leben an. Freilich traten die zukunftsweisenden Elemente in der historisch vertrauten «unreinen» Mischung mit konservativen, ja reaktionären Tendenzen auf. Dennoch ist im allgemeinen der Entwicklungsfortschritt nicht zu übersehen.

Am deutlichsten sind Rückschlag und Fehlsteuerung in den beiden großen christlichen Kirchen zu erkennen. Wie nach der Revolutions- und Kriegsperiode bis 1815 setzte sich auch nach 1849 eine starke neoabsolutistische Strömung durch. Das protestantische Landeskirchenregiment wurde verschärft. Stimuliert durch die Siege des evangelischen Preußens in den Jahren 1866 und 1870/71 ging der Protestantismus eine unheilige Allianz mit der Ersatzreligion des Nationalismus ein, aus welcher der fatale Nationalprotestantismus der folgenden acht Jahrzehnte hervorging.

In der römisch-katholischen Amtskirche befestigte der Ultramontanismus durch seine autoritätshungrige Politik die Papstdiktatur. Sie verschaffte sich neue Stützpfeiler durch den Neodogmatismus Pius IX. Das Mariendogma von 1854 legitimierte einen archaischen Mutterkult. Zehn Jahre später, 1864, unternahm der Syllabus Errorum einen wahren Amoklauf gegen die gesamte Moderne. 1870 sicherte das Infallibilitätsdogma die Monokratie des Heiligen Vaters ab. Zwar stand diesem absolutistischen Trend, der konträr zu dem ringsum aufsteigenden Liberalismus wohlkalkuliert durchgesetzt wurde, eine Vertiefung der Volksfrömmigkeit als positiver Teil der Bilanz gegenüber. Aber insgesamt haben die Konsequenzen des autoritären papalistischen Kurses gerade im deutschen Kirchenvolk das ohnehin kraß ausgeprägte Modernitätsdefizit unheilvoll verschärft.

Im Bildungssystem erreichten die Elementarschulen in diesen Jahrzehnten einen im internationalen Vergleich verblüffend schnellen Abschluß der Alphabetisierung. Gleichzeitig wurde die Verstaatlichung des Schulwesens abgerundet. Das war in der zweiten Restauration mit einem harten konservativen Zugriff verbunden, der in den berüchtigten Stiehlschen Regulativen von 1854 seinen Ausdruck fand. Das neuhumanistische Gymnasium blieb das Flaggschiff der höheren Schulen. Ein differenziertes Berechtigungswesen machte es für viele attraktiv, nur ein kleiner Bruchteil der Schüler wechselte nach dem Abitur an die Universität über. Als gesamtstaatliches Qualifikationssystem sorgte es für eine einheitliche Generalistenausbildung der Angehörigen hochqualifizierter Berufsklassen und Funktionseliten. Eine klassenegoistische Abschottung zugunsten des Bildungs- und Besitzbürgertums war keineswegs das vorherrschende schulpolitische Motiv. Zwar bestätigte die vom Gymnasium unterstützte Segmentierung bereits erworbene Privilegien, aber die soziale Öffnung gegenüber Aufsteigern aus dem Kleinbürgertum und der ländlichen Gesellschaft schneidet auch in komparativer Perspektive rundum vorteilhaft ab. Mit neu anerkannten höheren Schulen wurde das Ausbildungsangebot erweitert, so daß insbesondere die männliche städtische Jugend ein breitgestaffeltes, unterschiedlichsten Bedürfnissen entgegenkommendes System vorfand.

Auch die polytechnischen Fachschulen erlebten einen Differenzierungs- und Akademisierungsprozeß, aus dem sie bis zum Ende der 1870er Jahre als Technische Hochschulen hervorgingen. Am Ende der deutschen Industriellen Revolution gab es mithin rasch expandierende spezielle Hochschulen für eine auf wissenschaftlicher Grundlage beruhende Ingenieur- und Technikerausbildung. An den Universitäten hielt dagegen die Stagnation der Studentenfrequenz bis zur Mitte der sechziger Jahre an. Erst 1874 wurde der Höchststand von 1830 mit knapp sechstausend Studenten erreicht. Die wichtigste gesellschaftshistorische Folge war die Tatsache, daß das Bildungsbürgertum klein blieb. Dieser Umstand hatte zahlreiche Konsequenzen für seine Kohäsion und Geltungsmacht. Klein blieb auch die Anzahl der Professoren und Dozenten: Um 1870 betrug sie nicht mehr als rund eintausendfünfhundert. Dennoch hatten diese Wissenschaftler entscheidend dazu beigetragen, daß die deutsche reformierte Universität bereits den Spitzenplatz im internationalen Hochschulsystem gewonnen hatte. Unter den dynamischen Antriebskräften, die diesen damals einzigartigen Erfolg überhaupt erst ermöglicht haben, übten zwei eng miteinander verkoppelte Faktoren die eigentlich strategischen Funktionen aus: Der Neuhumanismus förderte mit seiner Bildungsreligion auch die Wissenschaftsgläubigkeit und die Neigung, Wissenschaft als Beruf wie eine sakralisierte Tätigkeit zu betreiben. Sozialhistorisch stellte das protestantische Bildungsbürgertum ein unerschöpfliches Reservoir von jungen Leuten, die der «Berufung» zur Wissenschaft ihr Leben zu widmen bereit waren.

Trotz der langjährigen Dominanz des Bildungsbürgertums an den Universitäten hielt dort der Rückgang seiner hohen Selbstrekrutierungsrate weiter an. Um 1871 stammten bereits zwanzig bis dreiunddreißig Prozent der Studenten aus dem Kleinbürgertum und anderen bisher hochschulfernen Schichten. Dieselbe soziale Öffnung, welche das Gymnasium kennzeichnete, setzte sich statt der vielbeschworenen Exklusion auch an den Universitäten weiter durch.

Parallel zur Stagnation des Universitätsbesuchs erlebte auf dem literarischen Markt die Buchproduktion einen langwährenden Abschwung. Dagegen tat die Presse den entscheidenden Schritt beim Übergang zum Massenblatt. Nicht Zeitungen, sondern Zeitschriften vom neuen Typ des illustrierten Familienblatts – die «Gartenlaube» weit vorn an der Spitze – legten den Grundstein für die moderne Massenpresse. An dem kommerziellen Aufschwung partizipierten auch Schriftsteller und Journalisten.

Obwohl sich der Markt als Regulator auch des literarisch-publizistischen Lebens endgültig durchsetzte, erzwang er doch keine politische Konformität. Vielmehr zerfiel die Öffentlichkeit in mehrere konkurrierende Segmente, die einen Pluralismus der Meinungen und Ideen gewährleisteten. Beflügelt von der Hochkonjunktur der Reichsgründung, glaubten zahlreiche Zeitgenossen den Beginn einer neuen Epoche nationalkulturellen Aufstiegs mitzuerleben.

1. Die Christlichen Kirchen

Ähnlich wie nach dem Zeitalter der Revolution bis 1815 haben auch die Jahrzehnte nach der Revolution von 1848/49 in beiden christlichen Kirchen den Sieg einer neoabsolutistischen Strömung erlebt. Das landesherrliche Kirchenregiment, das der fürstliche Summepiskopus über die protestantischen Kirchen auch im Verfassungsstaat weiter ausübte, wurde zäh verteidigt. Davon und vom Haß auf Revolution und Liberalismus getragen, behauptete die hochkonservative Orthodoxie ihre Vorherrschaft. Jede freisinnige Bewegung im Binnenraum der Kirche wurde unterdrückt. Dagegen schoß um so kräftiger der Nationalismus zusammen mit der Irrlehre vom modernen Machtstaat in den ohnehin anfälligen Protestantismus hinein, als die Einigungskriege wie ein providentieller Sieg des evangelischen Deutschland, der Nationalstaat als Vollendung der «deutschen Mission» des evangelischen Preußen ideologisch überhöht wurden. Während der protestantische Glauben im Bildungsbürgertum und in der Arbeiterschaft an Anziehungskraft verlor, drängte sich ein hochmütiger Nationalprotestantismus in den Vordergrund.

In der katholischen Amtskirche wurde gleichzeitig die päpstliche Diktatur in mehreren Etappen durch den Ultramontanismus mit seinen neuen Dogmen fest verankert. Entgegen dem ringsum vordringenden Liberalismus setzte sich der theokratische Absolutismus gegen alle Opposition durch, selbst um den Preis des letzten bedeutenden Schismas, als die deutschen «Altkatholiken» aus dem erstarrenden Autoritätsgefüge ausbrachen. Im Kirchenvolk wurden jedoch die neue Verfassung und Dogmatik erfolgreich durchgesetzt. Darüber hinaus fundamentierte die Amtskirche, vor allem aber das katholische Vereinswesen, eine lebendige, wenn auch oft auf magischem Ritual und heidnischem Zauberglauben beruhende Volksfrömmigkeit, die sich in schweren Auseinandersetzungen mit dem säkularisierten Staat und einem aggressiven Protestantismus als außerordentlich belastbare Loyalitätsbasis erweisen sollte. Sie war es auch, die der neuen Gottheit der

Nation und dem Religionsersatz des Nationalismus das Eindringen in die innerste Psyche des gläubigen Katholiken erschwerte.

Wie Wetterfronten, die drohend gegeneinander aufziehen, standen sich zu Beginn der 1870er Jahre ein von der autoritären Autokratie und Massenfrömmigkeit gleichermaßen geprägter Katholizismus einerseits, ein vom etatistischen Kirchenregiment und von nationalistischer Überhebung bestimmter Protestantismus andrerseits wie feindselige Mächte gegenüber. Unschwer ließ sich vorhersehen, daß der auf mehr als tausendjähriger Tradition beruhende Machtanspruch der alleinseligmachenden Kirche im Zeichen ultramontaner Siegesgewißheit auf einen Protestantismus prallte, der durch den angeblichen Sieg der protestantischen Freiheitsideen und der nationalen Einigungsbewegung enthusiasmiert war. Zum anderen mußte das neugegründete Reich als säkularisierter Staat das Verhältnis zu der anspruchsvollsten Konfession, sei es durch Kompromiß oder sei es im Konflikt, institutionell regeln. Dieser neuen Austarierung der Kräfte hat kein Staat, erst recht kein neugegründetes Staatswesen, im Verlauf des neuzeitlichen Modernisierungsprozesses ausweichen können.

a) Der Protestantismus zwischen Staatskirche und Nationalreligion

Die Niederlage der Revolution von 1848/49 hat dazu geführt, daß die Staatshörigkeit der protestantischen Kirche verstärkt wurde. Daher gelang es der Orthodoxie, ihre jahrzehntelang währende Vorherrschaft zu befestigen. Sowohl der etatistische als auch der dogmatische Grundzug hat dann die Vorbedingungen dafür geschaffen, daß während der drei Hegemonialkriege der nächste Schritt hin zum Nationalprotestantismus getan werden konnte.

Für die größte evangelische Kirche, die preußische, schien die revidierte Verfassung von 1850 auf den ersten Blick eine erstaunliche Annäherung an ein Grundprinzip säkularisierter, liberaler Politik zu bringen: an die Trennung von Staat und Kirche. In Artikel 15 wurde den Kirchen eingeräumt, daß sie fortab «ihre Angelegenheiten selbständig» ordnen und verwalten dürften. Entgegen dem äußeren Anschein wurde damit jedoch keineswegs das landesherrliche Kirchenregiment preisgegeben. Die königliche Kirchengewalt wurde vielmehr, nachdem sie im Januar 1849 für kurze Zeit der Evangelischen Abteilung des Kultusministeriums zugewiesen und im Juni 1850 aus diesem Kompetenzbereich herausgelöst worden war, dem neugebildeten «Evangelischen Oberkirchenrat» (EOK) übertragen. Er erhielt als kirchliche Spitzenbehörde die landeskirchenregimentlichen Befugnisse, während über ihm der König unverändert als Summepiskopus fungierte. Hinter der Fassade einer Trennung von Staat und Kirche wurde mithin in Wirklichkeit der traditionelle «kirchliche Absolutismus» des Monarchen samt dem obrigkeitlichen Charakter der Kirchenverfassung bekräftigt, da die «volle Unabhängigkeit des königlichen Kirchenregiments von jeder Einwirkung des Parlaments» gewährleistet blieb.

Der EOK arbeitete als staatlich finanziertes Leitungsorgan, dessen Präsident eine Stellung und ein Ansehen besaß, die beide durchaus mit der Position und dem Prestige eines katholischen Bischofs vergleichbar waren. Unter ihm blieb die Konsistorialverfassung in Kraft. Die Konsistorien der preußischen Provinzen wurden formell vom König berufen; er war jedoch an die Gegenzeichnung des Kultusministers gebunden, der vorher seinen Einfluß auf die Personalpolitik geltend machen konnte. Weiterhin wurden die Konsistorien vom Generalsuperintendenten geleitet, während auf der Kreisebene die Superintendenten die Aufsicht über das amtskirchliche Leben und den Schulunterricht führten. Wie in der staatlichen Bürokratie standen an der Spitze der Kirchenorganisationen privilegierte Amtsträger, die vom König in mehr oder minder engem Zusammenwirken mit den Konsistorien eingesetzt wurden. Ihnen hatten die rund fünftausendachthundert beamteten Pfarrer zu gehorchen, die 1850 im Dienst der Kirche standen.

Die seit langem umstrittene Einführung einer Synodalverfassung, die endlich Repräsentativorgane für die Geistlichen und Kirchenmitglieder schaffen sollte, wurde in der Reaktionszeit weiter hinausgezögert. Erst einige Jahre nach dem Beginn der «Neuen Ära» wurde seit 1861/64 mit den Kreissynoden, seit 1869 mit außerordentlichen Provinzialsynoden dem dringenden Wunsch nach Mitwirkung nachgegeben. Aber allgemein trat die Kirchengemeinde- und Synodalordnung erst 1873 in Kraft. Die weiterhin fehlende Generalsynode wurde schließlich 1875 eingerichtet. Für die Verfassungsordnung der Amtskirche bedeutete diese verspätete Gesetzgebung unleugbar einen Fortschritt, da eine breitere Partizipation von Laien und Pfarrern in gewählten Gremien endlich eingeräumt wurde; außerdem konnten seither die kirchlichen Behörden Aufgaben übernehmen, die bisher von der staatlichen Verwaltung erfüllt worden waren. Trotzdem: Das Übergewicht des mächtigen EOK, durch den der Präses jeder Provinzialsynode in seiner Entscheidungsfreiheit eng eingeschränkt wurde, erst recht die anachronistische Sonderstellung des monarchischen Summepiskopus – sie blieben ungeschmälert erhalten. Die «kirchenamtliche Domestizierung der Verfassungsrechte» und Kirchenuntertanen wurde fortgesetzt.

Das hing wesentlich damit zusammen, daß die Amtskirche nach 1849 in einem verbissenen Abwehrkampf gegen die Revolution, gegen die von ihr symbolisierten Ansprüche des Liberalismus und der Demokratie, gegen ihre latent weiterwirkenden Kräfte stand. Die kirchenpolitische und staatliche Reaktionspolitik trugen daher eng verwandte, wenn nicht gar weithin identische Züge. Der Liberalismus, erst recht die Demokratie, verkörperten, so rechtfertigte die evangelische Orthodoxie ihre Mithilfe bei der Repression, nur «Dummheit, Schande, Liederlichkeit, Raub, Diebstahl und Mord». In der Kirche wurde jede verdächtige Regung freier Geister unterdrückt. Dem Rostocker Theologieprofessor Baumgarten zum Beispiel, der als Prüfungsaufgabe die Deutung der Tyrannei und des Sturzes der Königin Athalja

(2. Kön. 11, 4/16) gefordert hatte, wurde nicht nur die Bejahung der Revolution unterstellt, sondern binnen kurzem wegen «Abweichungen von gut lutherischen Ansichten» sein Amt entzogen. Der Widerwille gegen den neuen Verfassungsstaat war unter den kirchenpolitischen Ultras so stark ausgeprägt, daß der «allmächtige» Berliner Theologieprofessor Ernst Wilhelm Hengstenberg als eins ihrer ungekrönten Häupter sich ein Jahr nach dem Beginn der «Neuen Ära» sogar zu der Warnung verstieg, nicht jedem Werk eines Fürsten zu vertrauen, da auch er nur ein Sterblicher sei. In den Vereinen von Wicherns «Innerer Mission» verhärtete sich ebenfalls die Fixierung auf den «christlichen Staat». Sozialismus und Kommunismus wurden weiterhin als Todfeinde der angestrebten «Volkskirche» bekämpft. Nicht mit Sozialpolitik, sondern mit Seelsorge und Caritas sollte dem Proletariat begegnet werden. Die «Entchristlichung» der anschwellenden städtischen Arbeitermassen konnte damit nicht aufgehalten werden.

Erst mit dem zweiten Aufschwung des preußischen Liberalismus regte sich auch erneut der liberale Protestantismus, der für die Versöhnung mit dem konstitutionellen Staat, der modernen Kultur und dem bildungsgläubigen Bürgertum eintrat. Einige seiner Exponenten gründeten 1863 den «Protestantenverein», der unter der Leitung der Theologieprofessoren Richard Rothe und Daniel Schenkel für eine evangelische Nationalkirche, eine presbyterial-synodale Organisation und einen hohen Laienanteil in allen kirchlichen Selbstverwaltungsgremien eintrat. Die Nähe zum politischen Liberalismus trat unübersehbar hervor, und dementsprechend hart fiel der Widerstand der Kirche aus. Die naiv fortschrittsgläubige Äußerung eines so angesehenen Theologen wie Rothe, daß die Eisenbahn wichtiger sei als das Konzil von Nicäa, war nicht dazu angetan, diese Opposition aufzuweichen.

Nicht der Liberalismus veränderte in jenen Jahren die Kirche, das sollte ihm erst später mit einer neuen Theologengeneration gelingen. Wohl aber ging vom Nationalismus im Verein mit dem modernen Machtstaatsdenken eine tiefreichende Prägekraft aus, die auf den deutschen Protestantismus mehr als achtzig Jahre lang – und zwar je später, desto folgenreicher – verhängnisvoll eingewirkt hat. Es waren die beiden Kriege gegen Österreich und Frankreich, welche in dieser Hinsicht für den bürgerlichen Protestantismus die Weichen gestellt haben. Hingerissen von der Faszination des Nationalismus und seiner Erfüllung im Nationalstaat, zu dessen Propheten ja gerade zahlreiche protestantische Geistliche seit dem frühen Intellektuellennationalismus zwischen 1790 und 1820 gehört hatten, dazu «berauscht von der Magie der Macht» des durch siegreiche Kriege begründeten Nationalstaats wurde die Kollektivmentalität dieses Protestantismus in einem fundamentalen Sinn auf durchaus weltliche «höchste Werte» ausgerichtet, von denen seither ein ständiger Anspruch auf exklusive Priorität ausging.

Schon die österreichische Niederlage wurde weithin als Sieg der protestantischen Freiheitsidee über die Vormacht der Gegenreformation aufgefaßt. Der «Protestantenverein» feierte bezeichnenderweise sein Siegesfest unter der Losung «Von Luther zu Bismarck». Die öffentlichen Schockreaktionen von katholischer Seite, als alle ihre großdeutschen Träume verflogen und der Einheitsstaat mit protestantischer Mehrheit herannahte, haben dieses unverhohlene Triumphgefühl nur noch zusätzlich bestärkt. Und die Kirche gab sich mit den meisten Geistlichen der Begeisterung um so bereitwilliger hin, als sie sich seit langer Zeit erstmals wieder in Übereinstimmung mit weiten Kreisen der Bevölkerung fand.

An den frenetischen Siegesjubel von 1870/71 reichte die Hochstimmung von 1866 jedoch noch nicht heran. Jetzt erst wurde die Ideologisierung der Kriegsergebnisse, zu denen auch der Nationalstaat gehörte, vollendet. Der Deutsch-Französische Krieg wurde als «evangelisch-katholischer Religionskrieg» stilisiert, in dem die protestantische Nation gegen Paris und zugleich gegen Rom als «geistliche und weltliche Hure», wie es ganz im Stil der Lutherschen Vulgärpolemik hieß, angetreten sei. Den Berliner Hofprediger Frommel überkam die Einsicht, daß «der Herr der Heerscharen, der Hüter Israels, ... selbst die heilige Wacht am Rhein gehalten» habe. Nachdem das katholische Frankreich den Krieg «freventlich vom Zaun gebrochen» habe, verstieg sich auch der Stuttgarter Hofprediger Gerok zu dem Gebet: «Lieber Gott, magst ruhig sein, fest steht und treu die Wacht am Rhein.»

Über diese biedere Arroganz schoß Adolf Stoecker, bald selber Hofprediger in Berlin, weit hinaus. Die Deutschen führten, insistierte er, für das Siebte und Achte Gebot einen Krieg, «dessen furchtbarer Herrlichkeit nichts anderes entspricht als die volle Majestät des Glaubens an den lebendigen Gott. Von jeher war der Genius des germanischen Stammes mit der Religion innig verbündet.» Im Versailler Gründungsakt vollendete sich für ihn und seinesgleichen «das heilige evangelische Reich deutscher Nation». Jedermann könne jetzt, triumphierte er, die Wahrheit erfassen, daß die «Spur Gottes von 1517 bis 1871» in der Geschichte zu erkennen sei.

Immerhin gab es auch hier und da Protest gegen den blasphemischen Überschwang. Der Theologe Martin Kähler etwa warnte ganz so standhaft vor der «Vergötzung des Staates» wie Ernst Ludwig v. Gerlach vor dem «Laster des Patriotismus». Vergebens, der Tenor der evangelischen Kriegspredigten, Jubelfeiern und publizistischen Äußerungen war eindeutig: Gepriesen wurde der späte, jetzt aber endgültige Sieg des Protestantismus über den Katholizismus, nachdem das Unfehlbarkeitsdogma soeben noch einmal seine «geistige Rückständigkeit und theologische Verwilderung» bewiesen habe. Das Hohenzollernreich galt als «Ergebnis göttlichen Welt- und Geschichtswillens», dem die evangelische Christenheit zu huldigen habe. Damit wurde, wie sich bald herausstellen sollte, der Weg zu einem Nationalprotestantismus eingeschlagen, dessen Erblast die Amtskirche seit 1933 fast unter sich begraben hätte. Schon 1871 brachte der Philosophieprofessor Riehl das neue Bekenntnis auf die Formel: «Unsere Konfession ist national.» Diese mehrdeutige Behauptung beschrieb treffend die fatale Fusion, welche die protestantische Glaubenslehre mit der konkurrierenden politischen Religion des Nationalismus eingegangen war. Auch deshalb waren die Weichen für den «Kulturkampf» gegen den «reichsfeindlichen» Katholizismus früh gestellt.

Trotz der vorherrschenden Euphorie scheiterte der Anlauf, sogleich eine gesamtdeutsche evangelische Reichskirche zu gründen. Im Oktober 1871 trafen sich zwar auf einer großen Versammlung in der Berliner Garnisonskirche tausenddreihundert kirchliche Amtsträger und zweihundert Laien unter der Leitung von Bethmann Hollweg und Wichern. Die dreitägigen Verhandlungen endeten jedoch mit einem kläglichen Fiasko. Der rechtliche Status quo mit seinen neununddreißig voneinander getrennten evangelischen Landeskirchen blieb bis 1918 erhalten.

Eine mit der Expansion der katholischen Volksfrömmigkeit vergleichbare Erscheinung hat es im deutschen Protestantismus zwischen Revolutionsende und Reichsgründung nicht gegeben. Gewiß, es gab das am überlieferten Glauben festhaltende Kirchenvolk. Aber dem Erosionsprozeß im Bildungsbürgertum, erst recht aber in den städtischen Massenquartieren, die während des «Take-off» der Urbanisierung Hunderttausende anzogen, wußte die Amtskirche kein effektives Engagement entgegenzusetzen. Die «Innere Mission» behielt wegen ihres eindeutigen Schwerpunktes in Preußen – 1857 bestanden dort achtundsechzig von siebenundneunzig Vereinen – den Geruch, als verlängerter Arm der «Unions»-Kirche zu wirken mit dem Ziel, eine Beherrschung aller deutschen evangelischen Kirchen zu erreichen. Und ihre Arbeit «vor Ort» blieb trotz aller gutgemeinten Anstrengung ein rührend obsoletes Unternehmen. Die «Gustav-Adolf-Vereine», die 1832 zur Unterstützung von Protestanten in der Diaspora gegründet worden waren, verwandelten sich seit den sechziger Jahren zwar in zunehmend militante Agitationszentren. Mit der Vielfalt des festverwurzelten katholischen Vereinswesens, mit seiner schlagkräftigen Organisation und seiner vielseitigen Unterstützung der Gläubigen in zahlreichen Alltagsbereichen ließen sich diese wenigen evangelischen Verbände aber nicht von ferne vergleichen. Unter dem erstickenden Druck der Amtskirche und ihrer Traditionen konnte sich die große Mehrheit der Protestanten, die ja von den Lutheranern gestellt wurde, zu einer autonomen Aktivität in freien Assoziationen – wie sie der englisch-amerikanische Calvinismus aufgrund anderer kirchenpolitischer Entscheidungen so überreichlich entwickelte – nirgendwo zusammenschließen.[1]

b) Der Katholizismus zwischen ultramontaner Papstdiktatur und loyaler Massenfrömmigkeit

In der Entwicklung der römisch-katholischen Kirche steht während der beiden Jahrzehnte bis 1871 der geradezu dramatisch forcierte Ausbau der päpstlichen Diktatur im Zeichen des Ultramontanismus und des mit ihm konsequent verknüpften Neodogmatismus im Vordergrund. Der autokratische Kurs Gregors XVI. wurde von Pius IX. seit 1846 in verschärfter Form fortgesetzt. Mit zweiunddreißig Jahren war ausgerechnet ihm das längste, bis 1878 andauernde Pontifikat in der bisherigen Kirchengeschichte vergönnt. Um von Anbeginn keinen Zweifel an seiner amtspolitischen Leitidee aufkommen zu lassen, schwang sich Pius bereits 1846 zum Verfechter der «unfehlbaren Autorität» des Papstes auf. Kurze Zeit darauf mündete der römische Aufstand während der Revolution von 1848 in die Ausrufung der Republik. Giuseppe Mazzini als Vordenker des italienischen Nationalismus gehörte selber zu ihrem Triumvirat. Der Papst mußte fliehen. Erst ein französisches Expeditionskorps ermöglichte ihm die Rückkehr auf den Thron der Theokratie. In einer «Atmosphäre leidenschaftlichen Hasses» wurde im Verlauf der Konterrevolution, die namentlich von Pius aktiv gefördert wurde, die Republik unterdrückt. Seither verstärkte er zum einen das absolutistische Regiment im Kirchenstaat mit seinen eklatanten Mißständen. Zum anderen setzte er die religiöse Dogmatisierung zur Beeinflussung einer möglichst effektiven und dauerhaften allgemeinen Reaktionspolitik zielstrebig ein. Und schließlich wurden die programmatischen Ziele des Ultramontanismus, der die päpstliche Monokratie zur einzigen unanfechtbaren Entscheidungsinstanz der römisch-katholischen Weltkirche erheben wollte, ebenso energisch wie erfolgreich weiterverfolgt. Worum ging es dabei?

Gegen jede regionale oder nationale Besonderheit der jeweiligen Amtskirche sollte der zentralistische Lenkungsanspruch der Kurie durchgesetzt werden. Das in Rom formulierte Kirchenrecht wurde für absolut verbindlich erklärt. – Überall wurden die ultramontanen Kirchenparteien unterstützt. Im Konflikt fiel die Entscheidung des Papstes ausnahmslos zu ihren Gunsten aus. – Die Bischofsernennung wurde als exklusives Privileg Roms erklärt, ohne die bisher üblichen Vorschläge des lokalen oder sonstwie zuständigen Klerus zu berücksichtigen. Wegen seiner langen Amtszeit gelang Pius auf diese Weise eine strenge Formierung des episkopalen Korps. 1870 stammten von siebenhundertneununddreißig Bischöfen nur mehr einundachtzig aus der Zeit Gregors XVI.! Im Deutschen Bund wurden allein zwischen 1866 und 1870 rund fünfzig Prozent der Bischofssitze vakant, so daß sie mit romtreuen Geistlichen besetzt werden konnten. Auch die begehrte Kardinalsernennung wurde ausschließlich als kirchenpolitisches Mittel eingesetzt. – Die bisher eher formelle Pflicht der Bischöfe zum regelmäßigen Rombesuch wurde zum Imperativ erhoben, damit sie auf den ultramontanen Kurs eingeschworen werden konnten. Zur 1800-Jahr-Feier des Petrusmartyriums zum Beispiel gelang es Pius IX. 1867, fünfhundert Bischöfe nach Rom zu holen. Keiner der zweihundertsechsundfünfzig Päpste habe bisher, rühmte ihn Kardinal Manning, je so viele Bischöfe um sich versammeln können. – Die päpstlichen Nuntiaturen wurden in effektiv operierende Institutionen zur Durchsetzung der päpstlichen Entscheidungen verwandelt. – So lange wie irgend möglich sollte, diese Forderung wurde unnachgiebig vertreten, das Theologiestudium in Rom absolviert werden. Die Identifizierung mit der Neuscholastik galt als kirchenpolitisches Gebot.

Im Ergebnis führte dieser konsequent durchgehaltene Ultramontanismus zu einer päpstlichen Diktatur, wie sie so zuvor nie bestanden hatte. Sie war alles andere als das Ergebnis eines sogenannten organischen, historischen Wachstums, geschweige denn ein durch die Heilige Schrift legitimiertes System, sondern das Resultat einer sorgfältig kalkulierten «autoritätssüchtigen» Politik. Durch sie wurde auf unabsehbare Zeit jede Möglichkeit zerstört – an die erst wieder die kontrafaktische Frage nach denkbaren Alternativen erinnert –, die katholische Kirche in einen föderativen Weltverband der Landeskirchen, mit Repräsentativorganen für Kleriker und Laien und begrenzten Leitungsaufgaben für einen befristet gewählten Papst, zu verwandeln.

In welchen Etappen jetzt vielmehr der kuriale Absolutismus ausgebaut wurde, läßt sich klar erkennen. Pius IX. hatte bereits 1846 auf die Verkündigung eines Mariendogmas gedrängt. Aber erst im Dezember 1854 gelang es ihm, in Anwesenheit von zweihundertsechzig Bischöfen das Dogma, daß Maria «unbefleckt» empfangen worden sei, zu verkünden. Dieses neue Kirchengesetz besaß keine glaubwürdige Basis in der biblischen Überlieferung. Wohl aber erhob es einen populären Glauben, der sich – in den vertrauten Formen ähnlicher archaischer Mutterkulte – als Idolatrie um die Jesusmutter emporgerankt hatte, zur Glaubenspflicht – bis hin zur Dogmatisierung der leiblichen Aufnahme in den Himmel (1950). Die Umstände, unter denen das Dogma in Kraft gesetzt wurde, dienten dazu, die Vorrechte des Papstes zu unterstreichen. Ohne den Episkopat auch nur zu erwähnen, legte er alle Gläubigen auf dieses Manifest einer militanten Kirchenpolitik kraft seiner autonomen Vollmacht fest. Daß sich damit auch eine krasse Diskriminierung aller Mütter verband, die selber offenbar aus einer «befleckten Empfängnis» hervorgegangen waren und auf deren Geburtsmühen eine «Reinigungsmesse» zu folgen hatte, tauchte nicht einmal als diskussionswürdiger Einwand in der zölibatären Priesterriege der Verfasser auf.

Eigentlich wollte Pius, wie ihm das seit 1849 vorschwebte, schon diese Gelegenheit nutzen, um an die Bulle über das Mariendogma eine Verurteilung der aktuellen Fehlentwicklungen in der unmittelbaren Zeitgeschichte anzuhängen. Das gelang damals aber noch nicht im ersten Anlauf. Erst 1860 wurde eine Kommission der Kurie eingesetzt, die einen Entwurf erarbeitete. Ihm lag das Selbstverständnis der ultramontanen Partei zugrunde, daß die Kirche als einzige uneinnehmbare Festung in dem anstehenden Entscheidungskampf gegen Antichristentum und Revolution, gegen Liberalismus und Etatismus alle feindlichen Tendenzen ächten müsse. «Die Kirche wird es niemals als Prinzip zulassen», schwor Pius, «daß man den Irrtum und die Häresie katholischen Völkern predigt.»

Nach längeren internen Kontroversen konnte der Papst im Dezember 1864 mit der Enzyklika «Quanta Cura» zu einem Rundumschlag ausholen. Im «Syllabus Errorum» wurde eine Sammlung von achtzig «Zeitirrtümern» unter zehn Sachgesichtspunkten zusammengestellt – eine vernichtende Generalabrechnung mit dem modernen Staats- und Kulturleben. Verworfen wurden der Pantheismus und Naturalismus, der Rationalismus und jener Indifferentismus, der Religionen für gleichberechtigt halte. Verworfen wurden Kommunismus und Sozialismus, alle geheimen Vereine wie politischen Zirkel und Freimaurerlogen, aber auch «illa pestis» der evangelischen Bibelgesellschaften.

Eine zentrale Stellung besaß der Abschnitt, in dem «Irrtümer über die Kirche» aufgelistet wurden. Dem Staat wurde jede Befugnis abgesprochen, kirchliche Rechte zu beschränken oder von seiner Erlaubnis abhängig zu machen. Dagegen konnte die Kirche weiterhin dogmatisch entscheiden, daß die katholische Religion der einzig wahre Glauben sei. Papst und Kirche, hieß es, hätten niemals geirrt. Auch dürfe die Kirche äußeren Zwang, direkte und indirekte Gewalt in weltlichen Dingen ausüben. Sie besitze ein unantastbares Recht auf weltliche Güter, womit nicht nur der Säkularisierung von kirchlichem Grundbesitz und einer Vielzahl von Einrichtungen wie Klöstern, Schulen, Hospitälern usw., sondern vor allem auch dem Verlust der Herrschaft über den gefährdeten Kirchenstaat entgegengewirkt werden sollte. Alle Fürsten, selbst die nichtkatholischen, wurden der Jurisdiktion der Kirche unterworfen. Die Leitung öffentlicher Schulen wurde dem Staat prinzipiell bestritten. Jeder Etatismus, die Trennung von Staat und Kirche, die Proklamierung und Verwirklichung liberaler Religions-, Kultus- und Meinungsfreiheit wurde verfehmt. Jede Aussöhnung mit dem Liberalismus und dem Fortschritt, mit der freien Wissenschaft und der modernen Zivilisation galt fortab als verwerflicher «Irrtum» – schon jeder Schritt, sich mit einem dieser «Irrtümer» abzufinden, als eklatante Verletzung des Kirchengebots.

Gleichermaßen geleitet von exemplarischer Selbstherrlichkeit wie von tiefsitzender Furcht verkörperte der Syllabus eine gezielte Kampfansage an die moderne Gesellschaft und den modernen Staat überhaupt. Dem gesamten Modernisierungs- und Säkularisierungsprozeß sollte ein unüberwindbarer Damm entgegengesetzt werden, der in letzter Instanz durch die Sanktionsgewalt der Kirche: den päpstlichen Bannstrahl, verteidigt wurde. Der Syllabus verpflichtete, in diametralem Gegensatz zu einer ökumenischen Annäherung, zur offenen Intoleranz gegenüber allen anderen religiösen und weltanschaulichen Positionen, zur Ablehnung der weltlichen Schule und Mischehe, der undogmatischen Wissenschaft und fortschrittsgläubigen Zivilisation, zur Ächtung der liberalen Freiheitsrechte in Staaten, die zunehmend dieses Credo der Politik im Gemeinwesen zugrunde legten. Deshalb wirkt er bis heute als blindwütiger Angriff auf die eigentlich tragenden Fundamente der modernen Welt.

Der dramatische Charakter des Syllabus, der im Prinzip alle Gegenmächte zur bedingungslosen Kapitulation aufforderte, wurde zudem noch dadurch unterstrichen, daß er als Ausfluß des päpstlichen Lehramts, mithin ganz auf der Linie Pius' IX., als unfehlbare Lehrentscheidung deklariert wurde. Diesen Anspruch mühten sich zwar realistischere katholische Kleriker behutsam abzuschwächen. Das änderte aber nichts an der Springflut einer vehementen Kritik, die dem Syllabus vorwarf, mit der Lebens- und Denkweise des 19. Jahrhunderts schlechterdings unvereinbar zu sein.

Dieser Protest erhob sich nicht nur, wie das zu erwarten war, in den protestantischen Staaten, sondern insbesondere auch in einigen katholischen europäischen Ländern, und seine Schwungkraft wurde noch durch den Umstand verstärkt, daß 1864 der Plan des Papstes bekanntwurde, von einem Kirchenkonzil das Projekt des Ultramontanismus – das aber hieß: seine Infallibilität, den Neodogmatismus, den Syllabus – feierlich besiegeln zu lassen. Seit dem Tridentinum, das vor dreihundert Jahren (1545–1563) die Auseinandersetzung mit dem Protestantismus geregelt hatte, wurde damit zum erstenmal wieder eine Großkonferenz der Weltkirche angestrebt. Die Bestätigung der Nachricht, alsbald auch der Beginn der praktischen Vorbereitung, die ganz in der Hand ultramontaner Kleriker lag, waren eine Sensation und lösten erneut leidenschaftliche Kritik aus.

Der Münchener Theologieprofessor Ignaz v. Döllinger zum Beispiel, den damals der Nimbus höchster theologischer und kirchengeschichtlicher Gelehrsamkeit umgab, ging zu einem Frontalangriff über. Pius IX. strebe, diagnostizierte er, die Rückkehr zu einem mittelalterlichen theokratischen System an, das aber bedeute unter den gegenwärtigen Bedingungen nichts anderes als eine Revolution, welche der Kirche die Unfehlbarkeit und den Jurisdiktionsprimat des Papstes als Dogma aufzwingen solle. Die Mehrheit der deutschsprachigen Universitätstheologen teilte seine prinzipiellen Bedenken gegen den kirchenpolitischen Coup d'état. Auch etwa drei Viertel der deutschen Bischöfe entschieden sich gegen die Infallibilität, ehe sie das auch in einem Geheimschreiben ausdrückten.

Ungeachtet aller Einwände betrieb Pius sein Konzil weiter, so daß er schließlich 1868 die Einladung zu diesem auf den Dezember 1869 angesetzten Ersten Vatikanum der Weltkirche versenden konnte. Eine Zeitlang bemühte sich der liberale bayerische Ministerpräsident Fürst Hohenlohe-Schillingsfürst darum, eine Kooperation der europäischen Staaten gegen die «hochpolitische Natur» der nach dem Syllabus zu erwartenden päpstlichen Ansprüche zustande zu bringen. Sein Unternehmen versandete ganz so wie zunächst auch ein Gutteil des amtskirchlichen Widerstandes. Am 8. Dezember 1869 begannen siebenhundert «Kirchenväter», die siebzig Prozent des Weltepiskopats vertraten, mit ihren Beratungen. Unter ihnen besaßen die extrem privilegierten italienischen Kleriker mit fünfunddreißig Prozent und die französischen mit siebzehn Prozent die Mehrheit. Umgekehrt drückte sich die krasse Ungleichbehandlung darin aus, daß fünfundsiebzig deutsche und österreichische Repräsentanten gerade zehn Prozent stellten. Bereits seit dem Februar 1869 wurde der Hauptstreitpunkt: die Infallibilität des Heiligen Vaters, heiß diskutiert. Diese Kontroverse beherrschte auch die Plenarsitzungen. Dort standen sich sofort zwei Lager schroff getrennt gegenüber. Die ultramontane «Rechte» besaß mit rund fünfundsechzig Prozent der Stimmen die klare Majorität. Die «Linke», aus der die französischen Gallikaner und deutschen Theologen herausragten, zählte nur zwanzig Prozent; die restlichen fünfzehn Prozent schwankten zwischen serviler Unterwerfung und selbständigem Urteil. Erwartungsgemäß warf Pius das ganze Gewicht seiner Autorität zugunsten der Ultramontanen in die Waagschale. Die Geschäftsordnung wurde nach Kräften gegen die Opposition manipuliert. Der Sieg der papalistischen Mehrheit zeichnete sich schließlich immer deutlicher ab. Angesichts der herannahenden Niederlage verließen die meisten Gegner Rom. Bei der Endabstimmung am 18. Juli 1870 ließ das Ergebnis mit 533 zu 2 keinen Zweifel mehr zu, so daß es noch in einen einstimmigen Beschluß zugunsten der Unfehlbarkeit verwandelt werden konnte.

Der Papst konnte seither, das war der Kern der fatalen Entscheidung, in allen Glaubensfragen «ex cathedra», allein kraft seines Amtes und ohne jede Beratung mit der Kirche, sein Lehramt unfehlbar ausüben («sese non autem ex consensu Ecclesiae» – aus sich unabänderlich, nicht aber kraft Zustimmung der Kirche). Das bedeutete vor dem Hintergrund des Mariendogmas und des Syllabus eine triumphale Krönung der ultramontanen Kirchendiktatur. Außer der zutiefst illiberalen Binnenwirkung in der Kirche standen wegen des Infallibilitätsanspruchs auch schwere Störungen im Verhältnis zu den Staaten mit katholischer Bevölkerung zu erwarten. Tatsächlich ist es seither zu harten Konflikten mit der neu aufgewerteten Papstmacht gekommen. Der herannahende «Kulturkampf» in Preußen–Deutschland war keineswegs ein Sonderfall.

Auf der andern Seite hat jedoch die welterfahrene Diplomatie der Kurie eine ultimative Kundgebung zur Staats- und Sozialordnung ex cathedra vermieden, so daß das Verhältnis von Staat und Kirche in dieser Hinsicht bisher nicht prinzipiell in Frage gestellt worden ist.

Alle deutschen Bischöfe unterwarfen sich dem Willen des Ersten Vatikanums. Auch die einst mächtige Opposition schwenkte noch im August 1870 ein. Klerus und Kirchenvolk unterstützten ohnehin diese Haltung. Die Fuldaer Bischofskonferenz stellte sich mit einem Hirtenbrief hinter die neue Dogmatik der «monolithischen Kirche». Jede Zusammenarbeit mit den kritischen Theologieprofessoren wurde aufgekündigt. Seit dem Herbst 1870 setzte der Episkopat die Exkommunikation und Verweigerung der Sakramente gegen hartnäckige Gegner ein. Dennoch verhärtete sich der Widerstand, bis er sogar in ein neues Schisma mündete.

Seine Vorgeschichte reicht weit in die 1850er Jahre zurück. Gegen die anlaufende Disziplinierung im Geiste des Ultramontanismus und der Neuscholastik hatten angesehene deutsche Universitätstheologen, deren wissenschaftliche Reputation in der katholischen Welt damals unübertroffen war, eindringlich, aber maßvoll ihre Argumente vorgebracht. Woher indes der Wind jetzt wehte, zeigte der Fall Anton Günther. Auf Betreiben des autoritär ultramontanen Kölner Erzbischofs Geissel verdammte eine Kurienkommission im Januar 1857 die Lehren dieses Theologen, des letzten bedeutenden Vertreters einer auf Vernunft gegründeten Glaubensdoktrin. Die Parallele zu der 1835 ausgesprochenen Ächtung der Lehren des Bonner Professors Georg Hermes, des einflußreichsten katholischen Verfechters des theologischen Rationalismus, einschließlich seiner Anhänger, der «Hermesianer», drängte sich förmlich auf. Alle Schriften Günthers, der sich schließlich unterwarf, wurden auf den Index gesetzt. 1859/60 folgten die Veröffentlichungen weiterer preußischer Theologen.

Ungeachtet dieser amtskirchlichen Femepraxis wurde der Protest, den deutsche Universitätstheologen, insbesondere aus der Münchener, Bonner, Berliner und Braunsberger Fakultät, gegen den Syllabus und das Vatikanum sachkundig und wirkungsvoll vortrugen, weiter fortgesetzt. Döllinger stieg zur Symbolfigur dieses innerkirchlichen Widerstandes auf. Als er auch 1870 den Kampf gegen die Konzilsentscheidungen nicht aufgab, wurde er von dem Münchener Erzbischof v. Scherr exkommuniziert. Vier weitere Professoren traf dasselbe Exklusionsverdikt, um die «Gelehrtenhäresie» endgültig zu unterbinden. Statt dessen organisierte sich diese Opposition mit ihrem akademischen und bürgerlichen Anhang. Im September 1871 wurde ein erster Kongreß mit dreihundert Delegierten aus Deutschland, Österreich und der Schweiz in München abgehalten. Noch verstanden sich die Teilnehmer als besonders traditionstreue Glieder der Kirche. Erst auf dem Kölner Kongreß von 1874 beschloß diese innerkatholische Protestbewegung der «Altkatholiken», endgültig die Folgen aus ihrer Fundamentalopposition gegen den Ultramontanismus zu ziehen: Sie votierten für die institutionelle Selbständigkeit, die auch durch die Wahl des Breslauer Theologieprofessors Reinkens zu ihrem Bischof und die Einrichtung einer eigenen Seelsorge für die rund sechzigtausend Anhänger dokumentiert wurde. Unverzüglich verhängte Pius IX. den großen Kirchenbann. Als bildungsbürgerliche Sekte gingen daraufhin die «Altkatholiken», die von Preußen und Baden formell als Religionsgesellschaft anerkannt wurden, ihrem unaufhaltsamen Schrumpfungsprozeß entgegen.

Die Endphase des Vatikanums überschnitt sich bereits mit dem Deutsch-Französischen Krieg – vor dem Abschluß der Beratungen wurde es ohne neuen Termin auf ungewisse Zeit vertagt. Und dieser Krieg gab auch den letzten Anstoß zur Auflösung des Kirchenstaats. Die italienische Nationalbewegung hatte ihn schon in ihrem ersten Siegeslauf bis 1860 um etwa zwei

Drittel seines Umfangs verkleinert. Als die Romagna verlorenging, griff der Papst den neuen italienischen Staat wegen des «sakrilegischen Attentats auf die Souveränität der katholischen Kirche» leidenschaftlich an. Der Ultramontanismus wurde auf die Verteidigung der «römischen Priesterherrschaft» in der radikal verkleinerten Theokratie verpflichtet. Im März 1860 traf der päpstliche Bann die «Usurpatoren». Obwohl Pius seine weltliche Herrschaft unerbittlich verteidigte, erinnerte Döllinger 1861 in einer aufsehenerregenden Schrift eindringlich daran, daß das Papsttum durch einen eventuellen Verlust des Kirchenstaats keineswegs in seinem Kern als spirituelle Weltmacht getroffen werde.

Nur die Stationierung einer französischen Garnison in Rom verhinderte noch eine Zeitlang den Zugriff des jungen Nationalstaats. Als sie wegen des Krieges abgezogen wurde, folgte unverzüglich – da andere Staaten wie Österreich und Preußen ein Protektorat ablehnten – die Besetzung Roms am 20. Juli 1870. Anfang Oktober ergab ein Plebiszit eine riesige Mehrheit für den Anschluß an das neue Italien, der bereits am 6. Oktober vollzogen wurde. Damit ging eine tausendjährige Epoche zu Ende. Im Grunde wurde das Papsttum von der Bürde seiner Territorialherrschaft mit ihrer notorischen Mißwirtschaft befreit. Durch einen Eingriff von außen wurde es – ganz wie das die Säkularisierung seit 1803 für die deutsche Kirche bewirkt hatte – auf seine eigentlichen Aufgaben zurückgelenkt. Daß die Kurie sich empört darauf versteifte, den Anachronismus zu verteidigen, ja forderte, das Unrecht vollständig wiedergutzumachen, beschwor ein kirchenpolitisches Unglück herauf.

Bereits im November 1870 wurden alle am «Raub» Beteiligten, einschließlich des italienischen Königs, von Pius exkommuniziert. Großzügige «Garantiegesetze», mit denen der italienische Staat schon Mitte Mai 1870 den Abschied von der Vergangenheit hatte erleichtern wollen, boten dem Papst die volle «unabhängige geistliche Souveränität» an, dazu die Herrschaft über die Vatikanstadt, das freie Gesandtschaftsrecht und eine ewige Entschädigung in Gestalt einer jährlichen Rentenzahlung in Höhe von drei Millionen Lire. Ohne die Vorzüge des Ausgleichs abzuwägen, lehnte Pius schon zwei Tage später alles kompromißlos ab.

Indem er sich seither als «Gefangener im Vatikan» zum politischen Märtyrer stilisierte, hoffte er darauf, daß sein Widerstand auf längere Sicht die ersehnte Totalrevision bringen werde. Bewußt ließ er sich 1871 zu seinem fünfundzwanzigjährigen Pontifikat und später zur Achthundertjahrfeier Gregors VII. in seinem «Verlies» huldigen, während die Kirche mit allen Katholiken darauf festgelegt wurde, das Postulat der Wiederaufrichtung des Kirchenstaats zu unterstützen. Dazu ist es bekanntlich nicht gekommen – die neue Rechtslage wurde aber erst durch die Lateranverträge vom Februar 1929 formell anerkannt! Vorerst einmal hatte die katholische Kirche, hatte insbesondere der politische Katholizismus die schwere Bürde der päpstlichen Revisionspolitik zu tragen, die auf der Restitution der Theokratie so starrsinnig beharrte, daß auch gegen bessere Einsicht diese Priorität respektiert werden mußte.

Während vom Ultramontanismus auf seine Weise Vorbedingungen für den «Kulturkampf» geschaffen wurden, erlebte die katholische Volksfrömmigkeit einen neuen, kraftvollen Entwicklungsschub. Welche Mobilisierungskraft der Massenkatholizismus zu entfalten vermochte, hatten bereits die «Kölner Wirren» seit 1837, vor allem dann die Trierer Wallfahrt von 1844 gezeigt. Durch zielstrebige Indoktrination und geschickte Konzessionen an populäre Glaubensformen, durch Krisenbeschwörung und ein allgegenwärtiges Vereinswesen wurde das Gemütsleben des sogenannten einfachen Kirchenvolkes weiterhin beeinflußt. Nicht zuletzt trieb auch die katholische Kirche nach den Erfahrungen von 1848/49 in ihrem Stil die Konterrevolution voran. Auf der anderen Seite spürte die katholische Bevölkerung im Deutschen Bund selbstverständlich ebenfalls die anhaltende Schockwirkung von Revolution und Bürgerkrieg, den Anprall des kapitalistischen Wirtschaftswachstums und der politischen Großereignisse. All das aber steigerte das Bedürfnis nach verläßlicher Weltdeutung und bestätigter Heilsgewißheit, wie es die Kirche am ehesten glaubwürdig zu befriedigen versprach. Dem Einfluß «von oben» entsprach daher durchaus eine religiöse Bewegung «von unten».

Die Vertiefung und Ausdehnung der Volksfrömmigkeit läßt sich an vielerlei Indizien ablesen. Die Teilnahme an Prozessionen und Wallfahrten, an Dorfumzügen und Heiligenfesten wuchs an. Überall schossen katholische Vereine aus dem Boden: die Pius- und Bonifatius-, die Borromäus- und Kolping-Vereine zogen Abertausende von Mitgliedern an sich. Die Orden und Kongregationen gewannen neuen Zulauf. Die Volksmission der Jesuiten fand eine ungeahnte Resonanz. Unstreitig ging in diesem Massenkatholizismus die genuin christliche Lehre eine wunderliche Verbindung mit heidnischem Aberglauben und verzückter Heiligenverehrung, mit archaischen Riten und inbrünstiger Wunderhoffnung ein, die sich bis zu «Marienerscheinungen» und mirakulöser Krankheitsheilung steigern konnte. Ebendiese Mischung aber war es, welche Phantasie und Gefühl erreichte, innere Festigkeit vermittelte und Trost spendete, Daseinshilfe gewährte und Todesfurcht eindämmte. Für den Außenstehenden, auch für den katholischen Bildungsbürger mit seiner aufgeklärten Weltsicht und seiner Aversion gegen die archaischen Züge seiner Kirche, breitete sich da ein exotischer Kult aus. Aber soziale Kohäsion und belastbare Glaubensfestigkeit vermittelte er allemal.

Die katholische Kirche vermochte damals dem Drang nach Wissenschaft und Bildung nichts zu bieten, aber in der Mobilisierung und Organisation von gläubigen Massen blieb sie jeder Konkurrenz weit überlegen. Dabei verstand sie es, zusammen mit dem katholischen Vereinswesen und seiner politischen Partei, ebenjene liberalen Freiheitsrechte – wie etwa die Versammlungs- und Pressefreiheit – extensiv auszunutzen, die der Syllabus unlängst rigoros verworfen hatte. Sie verstand es, alle verfassungsrechtlichen Chancen für die politische Interessenverfechtung in ebenjenem modernen Staat wahrzunehmen, den Pius IX. und der Syllabus expressis verbis verteufelt hatten. Mit der vielbeschworenen Bejahung der liberalen Rechte und des modernen Verfassungsstaats sowohl durch den politischen Katholizismus als auch durch den Klerus und die konfessionellen Großorganisationen hatte es daher eine eigentümliche Bewandtnis: Die prinzipielle, dogmatische Verneinung durch die Amtskirche ließ sich offenbar mit einer beharrlichen instrumentellen Nutzung für die eigenen Zwecke durchaus vereinbaren.

An diesem pragmatischen Verhalten änderte sich auch nichts durch die Disziplinierung des Klerus im Geiste des Ultramontanismus und der Neuscholastik, obwohl damit das Prinzip des «extra Ecclesiam nulla salus» neuen Auftrieb erhielt, die Verbindlichkeit der Dogmen zur unbezweifelbaren Wahrheit gesteigert wurde. In anderen Bereichen stellten sich jedoch gravierende Konsequenzen ein.

Der frühe Sozialkatholizismus, wie ihn etwa der Mainzer Bischof v. Ketteler und die ersten «Arbeiterkapläne» seit den sechziger Jahren anstrebten, wurde durch die Kirchenstaatsfrage und das Vatikanum geradezu erdrückt. «Das Elend der Arbeiter mußte hinter dem Streit um die päpstliche Unfehlbarkeit» ebenso zurücktreten wie hinter dem verbissenen Kampf der Kurie um weltliche Herrschaft. Der Kontrast zwischen abstraktem sozialpolitischen Programm und konkretem ultramontanem Engagement trat kraß hervor. Im April 1869 reiste zum Beispiel eine Delegation des «Zentralkomitees der Katholischen Vereine Deutschlands» nach Rom, um an der Feier zum fünfzigjährigen Jubiläum der Priesterweihe Pius' IX. teilzunehmen. Als Gratulationsgeschenk wurden nicht nur vier Prachtbände mit einer Viertelmillion Unterschriften, sondern auch eine Million Francs als Spende überreicht. «Hier schlug das Herz des Katholizismus.» Eine vergleichbare Sammlung zugunsten notleidender Arbeiter während der großen Streiks in jener Zeit wäre schlechthin unvorstellbar gewesen.

Als ungleich folgenschwerer erwies sich jedoch die Gesamtwirkung, welche von dem ultramontanen Diktatorialregime mit seiner Dogmenpolitik auf die Einstellung des deutschen Katholizismus zur modernen Welt ausging. Sein ohnehin bereits schmerzhaft ausgeprägtes Modernitäts- und Bildungsdefizit wurde dadurch noch einmal gravierend verschärft. Seit dem Sieg der Reformation hatte sich auch der deutschsprachige Katholizismus in seiner Abwehrhaltung kontinuierlich verhärtet. Er opponierte gegen die Häresie und den sie stützenden oder duldenden Staat, gegen alle Spielarten des Kapitalismus und freien Unternehmertums, gegen Marktgesellschaft und Traditionsverlust, gegen Wissenschaft und Neuhumanismus, gegen Aufklärung und Liberalismus, gegen Urbanisierung und soziokulturelle Mobilisierung. Diese beharrliche Defensive, die sich häufig mit aggressiver Militanz paarte, wurde durch eine strukturelle Konstellation von großer Dauer unterstützt.

Seitdem in der Mitte des 17. Jahrhunderts die konfessionelle Mischlage im Zentrum der Kirchenspaltung gewissermaßen eingefroren worden war, blieb die territoriale Verteilung der deutschen Katholiken im Grund erstaunlich stabil. Auf dem Gebiet des späteren Kaiserreichs zerfiel am Anfang des Deutschen Bundes die Bevölkerung in dreiundsechzig Prozent Protestanten und fünfunddreißig Prozent Katholiken. Bei diesem Verhältnis ist es trotz der gewaltigen Ströme der Binnen- und Auswanderung bis 1944/45 kontinuierlich geblieben. Die Katholiken befanden sich mithin in der Lage einer «strukturellen Minderheit», die bis in die 1960er/70er Jahre hinein diesen Zustand nicht aufsprengen konnte. Ihre Siedlungsweise, ihre Präferenz für bestimmte Berufe und Ausbildungswege, ihre ideologische und politische Fixierung blieben auffällig konstant. Katholiken lebten überwiegend in ländlichen Gebieten und Kleinstädten. In Gemeinden mit bis zu zehntausend Bewohnern waren sie daher klar überrepräsentiert, in Gemeinden oberhalb dieser Größenordnung erheblich unterrepräsentiert. Im ökonomischen Leben bevorzugten sie klein- und mittelbäuerliche Betriebe oder eine handwerklich-kleingewerbliche Tätigkeit. Größere und kompakte katholische Gebiete – wie etwa Altbayern und die Oberpfalz, das Allgäu und der Hochschwarzwald, Oberschwaben und Westfalen – blieben daher, wie man ihren Zustand pointiert charakterisiert hat, auch noch im 19. Jahrhundert, ja darüber hinaus «Reserveräume vorkapitalistischer und vorindustrieller Wirtschaft» und Lebensweise. Eine marktorientierte katholische Unternehmerschaft gab es selbst in den wichtigen Industrialisierungsregionen entweder gar nicht oder nur als winzige Minorität, nicht einmal in Gebieten mit einer mehrheitlich katholischen Bevölkerung wie in Oberschlesien und im Saarrevier. Eine Folge dieser gesamten Ungleichverteilung der wirtschaftlichen Leistungskraft war eine krasse Einkommensdisparität zuungunsten des katholischen Bevölkerungsteils.

Frühzeitig hatte sich auch ein Bildungsrückstand im Verhältnis zu den Protestanten herausgebildet, dann im Laufe der Zeit weiter verfestigt. Unter den Professoren und Studenten der Universitäten, unter den Schülern der Gymnasien, Fach- und Berufsschulen lag die Zahl der Katholiken beträchtlich unter der prozentualen Größe ihres relativen Bevölkerungsanteils. Die Alphabetisierungsquote hinkte erschreckend weit hinter derjenigen in evangelischen Territorien her. Dieser soziokulturelle Rückstand war in geschlossenen katholischen Siedlungsgebieten folgerichtig noch weitaus stärker ausgebildet als in gemischtkonfessionellen Regionen oder in der Diaspora. Seit dem späten 18. und dem 19. Jahrhundert wurde er durch die unübersehbare Distanz zur säkularisierten Kultur der «Klassik» weiter unterstrichen. Bücher von Goethe, Schiller und Klopstock verfielen noch 1794 in katholischen

Städten der Konfiskation als verbotene Lektüre. Umgekehrt wurde Eichendorff für geraume Zeit als letzter katholischer Dichter im Kanon der «Gesamtkultur» rezipiert.

In der Domäne der Wissenschaft bildete sich ein zeitweilig exklusiver Vorrang protestantischer Gelehrter, insgesamt eine soziale Dominanz des evangelischen Bildungsbürgertums heraus. Als Reaktion auf den «glaubensfeindlichen Geist» der undogmatischen «Scientific Community» und auf ihre «antikatholische Personalpolitik» zogen sich katholische Intellektuelle auf die Theologie, auch auf gewisse Zweige der Philosophie und auf die Kirchengeschichte zurück, wo sie sich überall an dogmatische Vorentscheidungen gebunden fanden. Daher wuchs besonders der Abstand gegenüber der modernen Naturwissenschaft und Technik, aber auch gegenüber der modernen Geschichtswissenschaft mit ihrem prinzipiellen Anspruch auf die historische Erklärung schlechthin aller Phänomene und gegenüber der Philosophie mit ihrer radikalen Respektlosigkeit gegenüber doktrinären Denkverboten. Dem Ansturm der neuhumanistischen Bildungsideologie zeigte sich der intellektuelle Katholizismus einerseits nicht gewachsen, andrerseits spürte er in ihr zu Recht die Inbrunst eines Religionsersatzes und lehnte ihn auch deshalb ab. Für die «nationale» Kultur und die wissenschaftliche Welt galt auch in den 1850er/60er Jahren, erst recht während des «Kulturkampfes», der Katholizismus «unwiderruflich» als obsoletes Relikt der Vergangenheit – des vorprotestantischen «dunklen Mittelalters».

Politisch dominierten lange Zeit der Adel und der Klerus, dessen Zölibat die Weitergabe von Bildung und Erfahrung im Familienverband, als dem privilegierten Rekrutierungsfeld der nächsten Generation, verwehrte. In der politischen Ideologie hielt sich noch länger die Fixierung auf eine sozialromantisch verklärte ständische Welt, die Forderung nach einem wirksamen Sozialprotektionismus, die Ablehnung der Marktdynamik. Im engeren Sinne von Politik besaß Österreich den Nimbus der katholisch-gegenreformatorischen Vormacht, galt ein «großdeutsches» Reich unter ihrer Suprematie bis 1866 als staatlicher Idealzustand. Auf allen siebzehn Katholikentagen, die zwischen 1850 und 1870 abgehalten wurden, fand diese «großdeutsche» Lösung der nationalen Frage eine überwältigende Zustimmung, während die borussisch-kleindeutsche Option rigoros verworfen wurde. Deshalb symbolisierte das Entscheidungsjahr 1866 auch den Niedergang der katholischen Reichsmacht und eine Niederlage des deutschen Katholizismus. 1867 bekannte sich der Katholikentag, der trotzig nach Innsbruck gelegt worden war, noch einmal zur «großdeutschen» Politik. Um so demütigender und deprimierender wurde die Besiegelung des Minderheitenstatus durch die Reichsgründung empfunden.[2]

Vergegenwärtigt man sich die Effektivität des Ultramontanismus, die Auswirkungen des Neodogmatismus und nicht zuletzt die Serie der politischen Enttäuschungen, versteht man besser, warum der Katholizismus in der seit langem vertrauten Fluchtburg seiner Subkultur die traditionalistische Grundhaltung, die patriarchalisch-ständisch-konservative Politik, die Ideologie der autoritären Defensive seither noch entschiedener vertreten hat. Ehe eine Auflockerung, für die sich mancher freiere Geist einsetzte, vordringen konnte, wurde er durch den «Kulturkampf» erst recht in die Isolierung getrieben.

2. Der Ausbau des Schulsystems

Nach der Revolution gab es einen schulpolitischen Rückschlag während der Restaurationszeit. Vor allem die Volksschule wurde als Brutstätte des revolutionären Ungeistes, ihre Lehrerschaft als Inkarnation der Traditionsfeindlichkeit verketzert. Mit Hilfe der berüchtigten Stiehlschen «Regulative» von 1854 wurden sowohl die Lehrerseminare als auch die Elementarschulen zeitweilig an die kurze Leine gelegt. Trotzdem hielt in der Entwicklung des Grundschulwesens das Schwanken zwischen konservativer Disziplinierung und liberaler Modernisierung weiter an. Nur wenn man sich dieser Doppelpoligkeit der Schulpolitik und des Schulalltags bewußt bleibt, kann man die oft unvereinbar wirkenden Widersprüche verstehen.

Das Gymnasium konnte sich, ungeachtet einiger Schikanen, weiter als Eliteschule durchsetzen. Seit 1859 trat daneben ein differenziertes Ausbildungsangebot von mehreren anderen Typen höherer Schulen. Für sie alle gilt, daß es in der Zeit der deutschen Industriellen Revolution keine synchronisierte Ankoppelung des höheren Schulwesens an den technisch-industriellen Transformationsprozeß gab, um die Nachfrage nach «Humankapital» zu befriedigen. Gegen einen platten ökonomischen Funktionalismus muß man festhalten, daß diese schnelle Angebotsreaktion schlechthin nicht auftrat. Darüber hinaus erwies sich, daß der «Generalist» insbesondere des Gymnasiums, aber auch anderer höherer Schulen, auf die spätere Spezialisierung vorzüglich vorbereitet wurde.

Im gesamten Schulsystem kam in dieser Zeit der Prozeß der Verstaatlichung einen gewaltigen Schritt voran. Ob an den Volksschulen oder an den Gymnasien und anderen höheren Schulen – überall legte die Staatsverwaltung die Rahmenbedingungen fest, normierte den Lehrstoff und die Lernziele, die Ausbildungsgänge und Prüfungsabschlüsse. In ebendem Maße, in dem das Bildungssystem als Verteilungszentrale bei der Zuweisung von Lebenschancen an Bedeutung eminent hinzugewann, wuchs auch auf diese Weise der Einfluß des Staates auf die Formierung moderner Berufs- und Erwerbsklassen.

Ganz irreführend ist es freilich, den Staat nur als ausführendes Organ von klassenegoistischen Interessen zu sehen, die eine Abschottung des Gymnasiums zugunsten des Nachwuchses der privilegierten Funktionseliten und des höheren Wirtschaftsbürgertums erfolgreich durchgesetzt hätten. Statt dessen unterstützte das höhere Schulwesen eine Segmentierung, die einerseits eine Verteidigung des «kulturellen» und «sozialen Kapitals» (Bourdieu) dieser Oberklassen ermöglichte, andrerseits jedoch auch eine im internationalen Vergleich auffallende Offenheit für den sozialen Aufstieg in erster Linie aus den breiten kleinbürgerlichen Formationen zuließ und durch ein breit gefächertes Ausbildungsangebot zusätzlich förderte. Es ist hochinteressant zu verfolgen, wie sich dieser Trend auch gleichzeitig an den deutschen Universitäten weiter durchsetzte; an den jungen Technischen Hochschulen war er ohnehin seit längerem zu erkennen.

a) Die Elementarschulen

Nach der Revolution traf der restaurative Rückschlag das Elementarschulwesen jahrelang mit auffälliger Härte. Obwohl die Radikalisierung nicht einmal ein Prozent der Volksschullehrer erfaßt hatte – in Preußen wurden gegen fünfhundert von dreißigtausend, in Sachsen gegen fünfzig von dreitausend von ihnen disziplinarische Strafverfahren durchgeführt –, galten sie in den Augen der Hochkonservativen als besonders gefährliche Unruhestifter. Ihre Empörung drückte Friedrich Wilhelm IV. im Februar 1849 auf einer Konferenz aller preußischen Seminardirektoren mit ungehemmter Gehässigkeit aus, als er in den Lehrern die eigentlichen Sündenböcke für den Bürgerkrieg entdeckte. «All das Elend, das ... über Preußen hereingebrochen, ist ihre», klagte er sie an, «einzig ihre Schuld, die Schuld der Afterbildung, der irreligiösen Menschenweisheit», der «pfauenhaft aufgestutzten Scheinbildung», die «sie als echte Weisheit verbreiten, mit der sie den Glauben und die Treue in dem Gemüte meiner Untertanen ausgerottet und deren Herzen von mir abgewandt haben». Gerichtsverfahren, Disziplinarstrafen, Entlassungen – das war die Quittung, welche die siegreiche Gegenrevolution unverzüglich präsentierte. 1850 wurden die Lehrer vor den Landtagswahlen auf die «Pflicht der Treue» gegenüber den regierungsnahen Kandidaten eingeschworen; jede Verletzung der «Dienstpflicht» sei sofort «mit Entfernung aus dem Amte» zu ahnden. 1851 wurde ihnen darüber hinaus – wie sonst nur Schülern, Lehrlingen und Frauen – die Zugehörigkeit zu Vereinen, wo öffentliche Angelegenheiten erörtert wurden, ebenso verboten wie selbst die Teilnahme an öffentlichen Versammlungen. Die Schulverordnungen der fünfziger Jahre schnürten, von demselben ideologisierten Argwohn genährt, in Preußen wie in fast allen deutschen Staaten den Lehrstoff der Seminare und den Lehrbetrieb in den Schulen engstirnig ein.

Dennoch gab es in manchen Bereichen bis 1871/72 auch einen unleugbaren Aufschwung. Der reale Schulbesuch stieg an, die Analphabetenrate sank weiter, die Lehrerbildung, die Besoldung, der Schulbau wurden verbessert. Nichts konnte den Meinungsumschwung besser dokumentieren als das verbreitete Urteil, auch die Volksschule und ihr Schulmeister, die «Sieger» von Königgrätz und Sedan, hätten die Erfolge der Einigungskriege möglich gemacht. In die «Lücke», die auch noch ein straffer Befehl lasse, «trat der geistige Einschlag», jubelte etwa Friedrich Theodor Vischer damals, «mit dem die Masse unserer Krieger durchschossen war»: in der «Kriegszucht und Willigkeit» habe «Deutschland die Früchte seiner Volksschule geerntet».

In dem Schwanken zwischen Disziplinierung und Modernisierungsleistung, in der konservativ-liberalen Doppelpoligkeit der Schulentwicklung zwischen Revolution und Reichsgründung setzte sich im Grunde nur einer der Haupttrends seit dem Ende des 18. Jahrhunderts weiter fort. Er gehörte zu den vier «entscheidenden Strukturmerkmalen» dieser Geschichte des niederen Bildungswesens.

1. Die Ambivalenz der zentralstaatlichen Volksschulpolitik trat in Freiräumen zutage, die sie liberalen Reformen wie konservativen Beharrungskräften gleichermaßen gewährte. Selten nur gab es die völlig eindeutige Dominanz einer einzigen Strömung. Und im Hinblick auf den fördernswerten Ausbau der Elementarschulen, ob zum Zwecke des zielstrebig anvisierten «Fortschritts» oder der zäh verfochtenen Defensive, stimmten beide aus ihren unterschiedlichen Motiven gleichwohl überein.

2. Weiterhin erlebte die Volksschule eine polyvalente Funktionalisierung durch gesellschaftliche Einflüsse – durch das Wirtschaftsbürgertum, das adlige Schulpatronat, die Kirche und ihre Geistlichen.

3. Nicht mehr einzufangen war auch die partielle Eigendynamik des Bildungswesens: der Sog etwa, der von dieser soziokulturellen Mobilisierung und Vermittlung unverzichtbarer Kulturtechniken ausging, insbesondere aber die Schubkraft, welche die Eigeninteressen der Lehrerschaft zu entfalten vermochten.

4. Schließlich hielt sich auch der relativierende lokale und regionale Einfluß: Der scharfe Stadt-Land-Unterschied spaltete die Entwicklung ebenso auf, wie das die Unterschiede zwischen den Städten taten. Generell zehrte er von den Freiräumen, welche der Schulrat, der Seminardirektor, der Geistliche in seinem kleinen Königreich besaß, wo einförmige Verordnungen ignoriert, vielfältige Interessen berücksichtigt, nicht zuletzt die eigenen Intentionen verfolgt werden konnten.

Wie eng diese vier strukturellen Trends miteinander verflochten blieben, zeigt auch eine genauere Analyse der beiden Jahrzehnte nach 1849. Ein Blick zurück: Vor dem Ausbruch der Revolution gab es in Preußen gut vierzehntausend Schulen mit rund achtundzwanzigtausend Lehrern und 2.4 Millionen Schülern; der regional extrem verschiedenartige Realbesuch erfaßte rund achtundsiebzig Prozent der schulpflichtigen Kinder. 1848/50 entstand eine neue rechtliche Konstellation: Die erste preußische Verfassung erhob – auch in der revidierten Fassung blieb das unverändert – einige teils vertraute, teils neue schulpolitische Grundsätze in den Rang von konstitutionellen Normen im Grundrechtekatalog (Art. 21–26). Fortab sollten möglichst die öffentlichen Schulen mit unentgeltlichem Unterricht die Bildung der Jugend übernehmen; private Schulen blieben weiter zugelassen. Alle Schulen standen unter Staatsaufsicht; die Eltern mußten die Erfüllung der Schulpflicht gewährleisten. An den öffentlichen Schulen gewannen die Lehrer endlich «die Rechte und Pflichten der Staatsdiener». Den Religionsunterricht leiteten weiterhin die Kirchen. Die Schulfinanzen blieben im Prinzip Sache der Gemeinden, nur «ergänzungsweise» des Staates. Ein umfassendes «Unterrichtsgesetz» wurde als Verfassungsauftrag fixiert. (Der Anlauf, es auf den Gesetzgebungsweg zu bringen, scheiterte schon 1850, noch einmal 1868, wie das schon Süverns Versuch von 1819 widerfahren war. Danach verharrte die diffizile Materie ungeregelt, bis erst die Weimarer Republik eine Kompromißlösung fand.)

Die Verfassung hatte kein Individualrecht auf Bildung oder Bildungsfreiheit konstituiert, wohl aber eine institutionelle Garantie des Staatsschulwesens gegeben. Trotz der postulierten zentralistischen Staatszuständigkeit blieben jedoch die öffentlichen Schulen, wie bisher, Gemeindeschulen. Da die staatlichen Finanzmittel für das Schulwesen ein niedriges Niveau nie überschritten – eine interessenpolitisch aufschlußreiche Präferenzentscheidung –, zeichnete sich die Staatsbürokratie faktisch häufiger durch Leitungsinkompetenz als durch effektives Durchsetzungsvermögen aus. Von den Schulkosten übernahmen seit 1850 die Stadt- und Landgemeinden etwa fünfundsiebzig Prozent, die Eltern zwanzig Prozent mit dem Schulgeld – erst 1888 gab es für die Volksschulen die Schulgeldfreiheit! –, der Staat dagegen nur fünf Prozent. In seinem Haushalt wurden durchweg zwei Prozent für das Bildungswesen ausgewiesen, und der Hauptanteil fiel ohnehin an die Universitäten und Gymnasien. Konkret trug der Staat die Kosten der Kultusverwaltung und der Lehrerausbildung. Bei der Schulaufsicht verließ er sich auf die geistlichen Amtsträger. Schon die Tatsache, daß dieses Funktionärskorps überall präsent war, gebot weiterhin die Kooperation mit den Kirchen; der Pfarrbezirk blieb Schulbezirk. Bei Schulbauten und dem Gehalt für Lehrer sprang er gelegentlich mit Zuschüssen ein. Die Kommunen dagegen hatten für die kostspieligen Posten geradezustehen: für die Schulbauten und ihre Ausstattung, auch für das Auskommen der Lehrer in Gestalt von Barzahlung und Naturalien. 1852 hatten sie es in Preußen immerhin mit 28826 Lehrern an 14637 Schulen mit 2.58 Millionen Kindern zu tun.

Insgesamt blieb das Volksschulwesen noch denkbar heterogen, bis eine etatistische Vereinheitlichung seit 1872 einsetzte. Seine vorrangige Bedeutung behielt das Stadt-Land-Gefälle. Die einklassige ländliche Schule markierte den Tiefpunkt, vergleichbar nur mit der niederen, kostenfreien städtischen Armenschule für die Kinder der Unterschichten. Die schulgeldpflichtige mittlere städtische Volksschule diente breiteren bürgerlichen Schichten; armen Kleinbürgerkindern bot sie Freistellen. Die höhere städtische Volksschule war damals öfters auf dem Weg zur «höheren Bürgerschule». Die Privatschulen umfaßten alle drei Typen. Die durchschnittliche Klassenfrequenz lag selten unter neunzig Kindern.

Überall ging es um die abschließende Durchsetzung der seit mehr als zwei Jahrhunderten immer wieder proklamierten Schulpflicht. Einerseits war sie eine Pflicht der Eltern; sie konnte gegen ihren Willen durchgesetzt werden. Zu dieser Festlegung gehörte auch die Schulgeldpflicht, während Elternrechte vor den siebziger Jahren formell nicht anerkannt wurden. Andrerseits war die Schulpflicht eine Pflicht des Staates, der das Schulrecht notfalls mit Zwang durchzusetzen hatte. Da der Prozeß der inneren Staatsbildung auch im Schulwesen stetig weiterlief, stieg der Realbesuch bis 1864 auf 85 Prozent, bis 1871 auf 86.3 Prozent der schulpflichtigen Kinder.

Die Frage jedoch, ob der Schulbesuch auch regelmäßig erfolgte, muß offenbleiben. Zwar wurden seit 1825 Abgangszeugnisse für die polizeiliche Kontrolle ausgestellt. Aber Jahreszeugnisse mit Versetzungsentscheidungen, die als pädagogische Testate jeweils Noten und Informationen über versäumte Stunden enthielten, setzten sich erst um 1900 durch. Trotzdem: Die Abwesenheit vom Unterricht mußte dem Geistlichen oder einer anderen Ortsschulbehörde gemeldet werden. Durch eine Geldstrafe, die Rüge von der Kanzel, ja die Verweigerung der Konfirmation oder Kommunion wurde eine starke soziale Kontrolle, daneben materieller Druck ausgeübt, die beide den Schulbesuch vermutlich verstetigt haben. Seine Wochenzahl schwankte damals zwischen zwanzig und dreißig Vollzeitstunden.

Die preußische Volkszählung von 1871 ermittelte eine durchschnittliche Analphabetenrate von 13.7 Prozent. Diese Ziffer verzerrt jedoch die günstigere Realität in den meisten der zehn Provinzen. In Schleswig-Holstein (4.9 %), Hessen-Nassau (5.4 %), Westfalen (6.6 %) und Brandenburg (6.8 %) lag die Alphabetisierung nur knapp unter dem Maximum. Allein die Zahlen für Posen (32.2 %), Preußen (32.5 %) und Schlesien (15.3 %) trieben den Durchschnitt in die Höhe.

Die mühselige Modernisierung der Elementarschule kam am ehesten in den Städten voran. Dort wurden auch in einer auffallenden Bauphase zwischen 1865 und 1880 zahlreiche wohnortnahe neue Gebäude errichtet, zuerst für ein bis zwei Klassen, seit 1870 zunehmend für ein mehrklassiges System. Erst seit etwa derselben Zeit drangen Verbesserungen in die einklassige Dorfschule vor. Im Verwaltungsbezirk des Ritterguts blieb der Schulvorstand ein «Machtinstrument des gutsherrlichen Schulpatrons», dessen Abneigung selbst gegen geringfügige Abgaben die «chronische Finanzschwäche» großer Bereiche des ländlichen Schulwesens erhielt.

Demgegenüber förderten Städte mit breiten bürgerlichen Mittelschichten – wie etwa Berlin und Minden – nachhaltig ihre durchweg dreiklassigen mittleren und höheren Volksschulen, während andere Städte mit einer ausgeprägten Dichotomie zwischen höherem Wirtschaftsbürgertum und numerisch starken Unterschichten – wie etwa Barmen und Krefeld – eine strenge Trennung zwischen der Armenschule und der höheren Volksschule, die dort früh in eine höhere Stadtschule umgewandelt wurde, durchhielten. Überhaupt blieben ja außer dem Stadt-Land-Unterschied auch das West-Ost-Gefälle und eine Vielzahl von Unterschieden zwischen den Stadtschulen in den westlichen Provinzen erhalten.

Seit dem späten 18. Jahrhundert läßt sich dem Volksschulwesen insbesondere der protestantischen Länder das Etikett der allgemeinen Rückständigkeit nicht mehr aufkleben. Es gab in ihm einerseits straffe Disziplinierung und ideologische Indoktrination mit dem Ziel, den monarchistisch gesinnten Untertanen mit bescheidener Arbeitsqualifikation heranzuziehen. Andrerseits gab es aber auch eine gleichwie bescheidene Mobilisierung des Denkens, einen Reflexionsgewinn auf längere Sicht, eine Förderung von modernisierenden Einflüssen mit dem Ziel, den emanzipierten, liberal denkenden, weiterstrebenden Staatsbürgern zur Mehrheit zu verhelfen.

Unstreitig wirkte sich nun die zweite Restaurationszeit zugunsten der schulpolitisch Konservativen aus. Unter dem erzreaktionären Kultusminister Karl Otto v. Raumer, der nach dem von Alexander v. Humboldt aus nächster Nähe gewonnenen Urteil «bloß seiner eisigen Eingeschränktheit und seinem politischen Hasse» gegen jedes freie Denken folgte, hatte Friedrich Stiehl, der als Referent für das Volksschulwesen von 1844 bis 1873 unter sieben Ministern fungierte, seine große Zeit. Mit seinen drei berüchtigten «Regulativen» vom 1., 2. und 3. Oktober 1854 bemühte sich das Manteuffel-Regime darum, die Sozialisation der jungen Menschen in den Elementarschulen von verschiedenen Seiten her in den Griff zu bekommen. Die Volksschule habe es, erläuterte Stiehl, «mit Kindern zu tun, die als Menschen 1. evangelische Christen, 2. Untertanen S. M. von Preußen sind», und der Lehrer habe keine Meinung, sondern ein Amt.

Um die Fehlentwicklung an der Wurzel zu korrigieren, schnürte das erste Stiehlsche Regulativ die Seminarausbildung ein. Gefährlich wirkende Fächer wie Pädagogik, Methodik, Didaktik, Anthropologie und Psychologie wurden nicht minder einem strikten Lehrverbot unterworfen als die klassische – griechische und deutsche – Literatur. Zugelassen blieb als Stoff nur das, «was nach Inhalt und Tendenz kirchliches Leben, christliche Sitte, Patriotismus ... zu fördern» geeignet sei. Im Mittelpunkt stand seither eine praktische «Schulkunde» nach jenen Grundsätzen, die Stiehl aus der Heiligen Schrift ableitete. Die sogenannte Präparandenzeit, die künftige Lehrer zwischen der Volksschule und dem Seminar durchliefen, wurde im zweiten Regulativ ebenfalls in ein starres Korsett gezwängt.

Der Mehrzahl aller Elementarschulen, den ländlichen einklassigen Volksschulen, schrieb das dritte Regulativ eine genaue Gliederung des Unterrichts mit unverhüllt formulierten Lernzielen vor. Da sich der «Gedanke einer allgemeinen menschlichen Bildung» inzwischen «durch die Erfahrung als wirkungslos oder schädlich erwiesen habe», dekretierte Stiehl, sei ein «entscheidender Umschwung nötig», um einmal «das Unberechtigte, Überflüssige, Irreführende auszuscheiden», zugleich aber auch «amtlich vorzuschreiben», was einer «wahrhaft christlichen Volksbildung» guttue. Mit einer programmatischen Absage an alle liberalen Forderungen verband Stiehl die Hoffnung, «daß aus solchen Schulen ein Geschlecht hervorgehen» werde, das weniger zum «Schwatzen, Räsonnieren und Schwindeln befähigt» sei, «wohl aber verständig, besonnen ... und im Glauben an seinen Gott und in bewußter Treue gegen seinen König» lebe. Staat und Kirche sollten als Verbündete gegen die zerstörerischen Tendenzen einer gott- und rechtlosen Strömung antreten, die sich des «Werkzeugs des destruktiven Liberalismus» bediente.

Zur Erreichung dieses Zwecks wurde die bisher bunte Vielfalt der Lehrpläne rigoros zu einem einzigen Lehrplan vereinheitlicht. Von seinen neunundzwanzig Wochenstunden wurden sechs explizit als Religionsunterricht ausgewiesen. Tatsächlich aber waren es sechsundzwanzig, denn die zwölf Stunden für Lesen und Schreiben (Grammatik wurde verboten), die fünf Stunden für die Grundrechenarten und drei Gesangsstunden für kirchliche und patriotische Lieder mußten in eine allgegenwärtige religiöse Unterweisung, das Lieblingsmedium der «rückschrittlichen Zeitströmung», eingebunden werden. Hinzu traten noch drei Stunden für Geschichte und Naturkunde. Evident war der Primat der geistlichen Bevormundung anstelle der Erziehung zu «echter Volksmündigkeit», ebenso unverkennbar die dogmatische Absage an Pestalozzis Individualpädagogik.

Die neuen Richtlinien wurden energisch durchgesetzt. Aus seiner Jugend an einer pommerschen Landschule in den sechziger Jahren erinnerte sich ein Lehrer sehr genau daran, mit welcher Rigidität ihm achtzig biblische Geschichten, hundertzwanzig Kirchenlieder und dreihundert Bibelverse eingepaukt worden waren. Gewiß, das Regulativ war kein Sonderfall – in anderen Staaten gab es ähnliche Verordnungen. In Bayern zum Beispiel wurde im Januar 1851 die Förderung des bayerischen Nationalismus zum obersten Ziel erklärt. Die Lehrerausbildung mußte, wie es in zwei Erlassen vom Dezember 1850 und Mai 1851 hieß, auf der unverrückbaren Basis des christlichen Glaubens, ja der Verfechtung des «positiven Christentums» beruhen, auch um den Lehrer selber vor «törichtem Wissensstolze, ... vor religiöser Verirrung und Verkommenheit» zu schützen. In mancher Hinsicht trifft auch zu, daß der Geheimrat Stiehl die Realität des geläufigen Unterrichts an vielen Landschulen nur in ein System gebracht hat. Der entscheidende Gesichtspunkt ist einmal, daß jetzt allenthalben die doktrinären Vorschriften zwingend galten. Mindestens ebenso wichtig ist aber, daß der «staatliche Schulausbau», wenn auch «unter konservativem Vorzeichen», vorläufig zu seinem Abschluß gekommen war. Auch reaktionäre Kritiker konnten diese Entwicklung, die zahlreiche positive Chancen für die Zukunft umschloß, nicht mehr rückgängig machen.

Gegen die lebhafte Kritik von Liberalen wie Harkort, von Diesterweg und seinen Schülern verteidigte Stiehl noch einmal das politische Credo seiner Curricula vor dem preußischen Abgeordnetenhaus. Hinter den Regulativen stand die «bestimmte Absicht», wiederholte er 1858, endlich «einen Abschluß zu bringen in eine Richtung, die der Schule und Nation nach Ansicht der Regierung verderblich werden mußte»: nämlich durch «eine Emanzipation der Schule von der Kirche, eine Emanzipation des Lehrerstandes von der Autorität, eine Organisation des Lehrerstandes in sich». Diese «Agitation hat ein Ende nehmen müssen und darf nicht wieder Anfang nehmen». Die Schule bleibe nun einmal, insistierte er, «die Tochter der Kirche und die Gehilfin der Familie, sie muß ... dienen».

Dazu wurde sie in der Tat gezwungen. Und dennoch sollte man die Wirksamkeit der Regulative bei der Gestaltung des Schulalltags nicht überschätzen. In den Städten blieb mancher Spielraum erhalten. Liberale «Schulmänner» erlagen nicht dem konfessionellen Muckertum. Weitsichtige Seminardirektoren und Schulräte setzten sich über manchen obrigkeitlichen Zwang hinweg. Außerdem wurde schon in den sechziger Jahren die eine oder andere Modifikation eingeführt. Bethmann Hollweg etwa, der im Ministerium der «Neuen Ära» v. Raumer abgelöst hatte, ließ 1861 das Studium der deutschen Klassiker in den Seminaren wieder zu. Auch unter dem extrem konservativen Heinrich v. Mühler, seinem Nachfolger seit 1862, wagte Stiehl trotz seiner Schlüsselposition keine Verschärfung des Restaurationskurses. Unter dem nationalliberalen Kultusminister Adalbert Falk erfolgte dann eine tiefgreifende Revision mit den «Allgemeinen Bestimmungen» von 1872. Die mehrklassige Schule wurde zur Regel erhoben; einzelne Klassen sollten achtzig Schüler nicht mehr überschreiten. Der Religionsunterricht wurde eingeschränkt, Naturlehre, Geschichte und Erdkunde dagegen wurden aufgewertet. Zu allem aber gab es jetzt wieder spürbar Auftrieb für die Liberalen; die Anhänger Diesterwegs und Pestalozzis konnten sich erneut freier bewegen.

Ein wichtiges Element der Eigendynamik blieb, ungeachtet der ministeriellen Steuerungsversuche, die Lehrerschaft mit ihren spezifischen Interessen: an freier Berufsausübung, sozialem Aufstieg und materieller Anerkennung. Wegen des Stadt-Land- und des West-Ost-Gefälles war auch in diesem Bereich Heterogenität das auffällige Kennzeichen. Trotzdem befanden sich die Volksschullehrer auf dem Weg zu einer relativ homogenen Berufsklasse, die zwar nach staatlichen Kriterien ausgebildet wurde, aber weiterhin in Abhängigkeit von Gemeinde und Schulpatron lebte. Vor der Revolution hatte es in Preußen zweiundvierzig Seminare mit zweitausendzweihundert Schülern gegeben, von denen jährlich siebenhundertfünfzig das Examen absolvierten. Die Seminaristen stellten bereits rund fünfundsiebzig bis achtzig Prozent der Lehrer. Nach 1850 rückte schon ihre zweite Generation ein. Bis 1872 wuchs die Zahl der Seminare auf achtundsiebzig mit 4786 Schülern an. 1871 übten 52959 Lehrer ihren Dienst an 33120 Schulen mit 3.9 Millionen Schülerinnen und Schülern aus. Innerhalb von dreißig Jahren hatte sich ihre Anzahl verdoppelt, und die Seminarausbildung war zur selbstverständlichen Qualifikation geworden.

Dennoch blickten diese Lehrer noch nicht auf die gymnasiale Oberlehrerschaft als ihre Referenzgruppe, sondern auf die etablierten Subalternbeamten. Die Verfassungsurkunde hatte sie zwar formalrechtlich zu «Staatsdienern» gemacht, tatsächlich galt das aber vorerst nur im Hinblick auf die Kontrolle, noch nicht auf die materielle Absicherung, geschweige denn die Anhebung des Sozialprestiges. Endlich die kärgliche Besoldung zu verbessern, das bildete weiterhin das vordringliche Dauerproblem. Aber selbst nach der Verabschiedung einer Reihe von neuen Vorschriften zwischen 1855 und 1867 erreichten die am besten gestellten Lehrer bis zum Beginn der siebziger Jahre erst die Hälfte des durchschnittlichen Einkommens von Subalternbeamten! Eklatant blieben die Unterschiede zwischen dem Jahresgehalt von Lehrern in ländlichen und städtischen Schulen. Landlehrer erhielten hundertfünfzig bis vierhundertfünfzig Mark Bargeld, dazu die Wohnung, Heizmaterial und Naturalien im Gegenwert von dreihundertsechzig bis sechshundert Mark, so daß sie insgesamt auf fünfhundert bis tausend Mark kamen. In Kleinstädten lag das Bargehalt bei dreihundert bis sechshundert Mark, das Nebeneinkommen bei vierhundert bis sechshundert, so daß siebenhundert bis tausendzweihundert Mark herauskommen konnten. Die wenigen Großstädte boten tausendzweihundert Mark. Anders gesagt: Bis neunhundert Mark erhielten auf dem Land achtundsechzig Prozent, in der Stadt zweiunddreißig Prozent, mehr als neunhundert Mark einunddreißig bzw. siebenundsechzig Prozent. Erst die «Allgemeinen Bestimmungen» von 1872 leiteten eine spürbare Aufbesserung – bis 1878 um fünfunddreißig bis vierzig Prozent – ein.

Da die Lehrer ihre Pension noch selber ansparen mußten, während sie gleichzeitig zur Klassensteuer und zu Kommunalabgaben herangezogen wurden, blieb Sparsamkeit ihr höchstes Gebot, danach der Zwang, möglichst ein Nebeneinkommen zu erwerben. Auch deshalb arbeiteten viele Lehrer als «Kirchendiener», um als Kantor und Organist, als Küster und Pfarrhelfer ein mageres Entgelt oder Naturalien zu gewinnen. Ohne den inneren Halt an der Überzeugung, im Sinne der großen Pädagogen wie Diesterweg an der Heranbildung junger Menschen wesentlich mitzuwirken, ja überhaupt der Menschheit einen Dienst zu erweisen, ließ sich das spartanische Leben mit der ständigen Schurigelei durch die geistliche und weltliche Schulaufsicht kaum durchstehen. Kompensatorisch wirkte auch der soziale Aufstieg, den es innerhalb des differenzierten städtischen Schulsystems gab, wo sich ein tüchtiger Seminarist bis in die höhere Bürgerschule emporarbeiten konnte. Aber wie vielen Dutzend, allenfalls Hundert von mehr als fünfzigtausend Berufsgenossen eröffnete sich schon diese Möglichkeit?

Gleichzeitig drängten junge emanzipierte Frauen aus den bürgerlichen Mittelklassen in den Lehrerinnenberuf als eine der wenigen geöffneten Karrieren hinein – die Prüfungsordnung von 1853 markierte den ersten Bildungsabschluß für Mädchen überhaupt. Daher wuchs seit den 1840er Jahren allmählich die Zahl der Lehrerinnen (in Preußen 1852 = 1992, 6.9 %; 1871 = 3848, 7.4 %). Auch konnte die Ausbildung von Seminaristen mit der Bevölkerungsexpansion nicht Schritt halten, so daß das Wachstum der Schulkinderzahl die Anstellungschancen für Lehrerinnen verbesserte, obwohl ihnen ein noch anspruchsloseres Leben als den Grundschullehrern zugemutet wurde. Sie konnten nämlich lange Zeit keinen Anspruch auf eine feste Planstelle erheben, mußten aber eine Zölibatsvorschrift hinnehmen: Bei ihrer Heirat galt – bis ins 20. Jahrhundert – die Regel, daß sie entlassen wurden. Ihr Einkommen überstieg nirgendwo vierhundertfünfzig bis sechshundert Mark. Ein Anfang war jedoch gemacht. 1874 gab es in Preußen fünf Lehrerinnenseminare. Unter künftig günstigeren Bedingungen konnte die Laufbahn im Erziehungswesen zu einem typischen Ziel junger Frauen werden, die ein attraktives Berufsleben anstrebten.

Ihre Interessen nachdrücklich zu verfechten, wurde Lehrern und Lehrerinnen vor allem dadurch erschwert, daß 1849 auch das Ende der Lehrerbewegung markiert hatte. Ihre Vereine und Zeitschriften wurden verboten, selbst die Teilnahme an der jährlichen «Allgemeinen Deutschen Lehrerversammlung» wurde untersagt. Die «Neue Ära» brachte auch auf diesem Gebiet eine Auflockerung. In den sechziger Jahren konnte diese Konferenz – 1870 immerhin von fünftausend – wieder besucht werden. Für die interessenpolitische Organisation wurden aber erst 1871 die Weichen neu gestellt. Jetzt entstanden der «Deutsche Lehrerverein», auch der «Landesverein preußischer Volksschullehrer», die seither – unterstützt durch den liberalen Aufschwung in der Kulturpolitik der siebziger Jahre – die Lage der Volksschullehrer verbessern helfen konnten.[3]

b) Die Gymnasien und anderen höheren Schulen

Anders als die Volksschule geriet das Gymnasium, das Paradestück des höheren Schulwesens in Preußen und das Vorbild für alle anderen deutschen Staaten, nicht in das Zentrum der konservativen Kritik, obwohl 1848/49 der Riß mitten durch das Bildungsbürgertum hindurchgelaufen war. Viele führende Köpfe der Liberalen und Demokraten waren auf dem Gymnasium auf die neuhumanistische Verklärung der antiken Republik, auf das Ideal der Mitwirkung im Gemeinwesen eingestimmt worden. Für die Ultras lag es daher nahe, die feindliche Politik auf das «humanistische Heidentum» als ein fatales Ergebnis der Schulzeit direkt zurückzuführen. Auf der andern Seite hatte eine weitaus größere Zahl von konservativen Männern, hatte überhaupt die revolutionsfeindliche oder -skeptische Mehrheit der Akademiker dasselbe Gymnasium durchlaufen und neigte jetzt wohlweislich nicht dazu, die abstrakten Lehren ihrer Schule für den Bürgerkrieg haftbar zu machen. Außerdem: Wo sollte sich überhaupt eine überlegene Alternative für die Ausbildung der künftigen Staatsdiener so schnell finden lassen? Daher konnte sich, aufs Ganze gesehen, eine nahezu ungehemmte institutionelle Expansion des Gymnasialwesens fortsetzen.

1850 zählte man hundertsiebzehn preußische Gymnasien (nur 26 mehr als 1818!). 1860 gab es hundertfünfunddreißig (+ 10%), 1870 wegen des Zuwachses durch die Annexionen von 1866 zweihunderteins (+ 50%) und 1873 zweihundertsiebzehn (+ 7%), so daß ihre Zahl bis zum Ende der Industriellen Revolution um fast neunzig Prozent zugenommen hatte. Während die preußische Bevölkerung zwischen Revolution und Reichsgründung bereits um stattliche fünfundvierzig Prozent hochkletterte, verdoppelte sich die Gesamtzahl aller Gymnasialschüler von 1850 = 29470 und 1860 = 33750 auf 1870 = 59390. Bis 1873 (= 63610) vermehrte sie sich sogar um hundertzwanzig Prozent! Der Anteil der höheren Schüler an der Anzahl aller Schulpflichtigen zog von 1846 = 2.6 Prozent auf 1873 = 4.3 Prozent an, der Anteil der Gymnasiasten daran lag bei der Hälfte bzw. einem Drittel, bezogen auf die Gesamtbevölkerung bei nur zwei Promille (1860) bzw. 2.7 Promille (1875). Auch hier kam der größte Sprung aufgrund des Annexionsgewinns zustande.

Immerhin: Das stürmische Wachstum demonstriert die ungebrochene Anziehungskraft dieser staatlich privilegierten Eliteschule. Mit ihm kontrastiert freilich sehr scharf der relative Abfall des Abiturientenanteils. Natürlich wuchs er in absoluten Zahlen ebenfalls an: von 1850 = 1360 und 1860 = 1880 auf 1870 = 3600 und 1873 = 3075. Aber prozentual sackte er in dieser Zeit von acht Prozent aller Gymnasiasten auf nur mehr fünf Prozent ab. Die erdrückende Mehrheit aller Gymnasialschüler verließ mithin längst vor der Oberprima, meistens sogar schon nach Quarta oder aber Sekunda, ihre «Penne». Und nach dem Bestehen der Reifeprüfung entschied sich noch längst nicht jeder Abiturient für das Studium. Vielmehr nahm der Anteil der Studierwilligen unter ihnen von rund achtzig Prozent (bis 1860 = 1916) auf ziemlich genau siebzig Prozent ab (1873 = 2143). Diese Zahlen enthüllen ein eigentümliches Spannungsverhältnis zwischen dem rein numerisch bestechenden Wachstum aller Gymnasialschüler einerseits, dem schrumpfenden relativen Anteil der Abiturienten und künftigen Studenten andrerseits. Auf dieses erklärungsbedürftige Problem wird unten eingegangen.

Zunächst einmal ist das Urteil über die politische Behandlung der Gymnasien zu differenzieren. Begrenzte Polemik hieß keineswegs Verzicht auf jede Kritik. Die verschärften disziplinarrechtlichen Regelungen für die Beamten galten explizit auch für die Oberlehrer. Das konservative Ideal einer Erziehung zum «positiven Christentum» sollte zeitweilig durch die Gründung von «christlichen Gymnasien» verwirklicht werden. Das einzige Experiment mit einem solchen Antipoden zum antikegläubigen «Heidentum der Philologen», 1851 im pietistischen Gütersloh begonnen, blieb jedoch eine folgenlose Episode. 1854 verpflichtete der EOK die Generalsuperintendenten erneut, auf die «religiöse Tendenz der gelehrten Schulen», sprich: auf den Religionsunterricht, das Schulgebet und den Kirchenbesuch zu achten. Auch bot sich für Kultusminister v. Raumer die günstige Gelegenheit, als während seiner Amtszeit mehr als die Hälfte aller Direktorenstellen aus Altersgründen frei wurde, konservative Personalpolitik mit neuen Leitern voll «guter Gesinnung» zu betreiben.

Tief einschneidende Wirkungen hatten aber all diese Pressionen mitnichten. Auch die Gymnasien nutzten die Ambivalenz der Schulpolitik, die Liberalität von Behörden, die Freiräume für ihr Innenleben und ihre Entwicklung aus. Im Konfliktfall konnten sie meist darauf bauen, daß hochgestellte Persönlichkeiten ihre Hand über das Gymnasium hielten, in dem sie ihre verklärten Schuljahre verbracht hatten.

Zu diesen Figuren gehörte im Kultusministerium auch der neue Referent für das Gymnasialwesen, Ludwig Wiese, der von 1852 bis 1875 einen mit seinen Vorgängern Schulze und Süvern vergleichbaren Einfluß ausübte. Wiese war zwar ein gemäßigt konservativer, auch überzeugt protestantischer Beamter, aber nach seiner Auffassung genügte es, wenn das humanistische Gymnasium der christlichen Lehre angemessen Rechnung trug. Keineswegs zeigte er sich dagegen bereit, eine hochkonservativ-orthodoxe Umprägung der gymnasialen Bildung zuzulassen. Einige Konzessionen erwiesen sich als unumgänglich, sie waren jedoch eher kosmetischer Natur, keine tiefe Zäsur. Ohnehin besaßen die Gymnasien aufgrund ihrer Erfolgsgeschichte ein vielfach geschütztes Eigenleben, das ihnen auch einige reaktionäre Anordnungen nicht nehmen konnten.

Das wurde sowohl durch den neuen Lehrplan von 1856 als auch durch die neue Lehramtsprüfung von 1866 - beide auch ein Ergebnis von Wieses behutsamer Verteidigung – nachhaltig unterstrichen. Im allgemeinen wurde 1856 der Lehrplan von 1837 mit allen Lehrfächern und der Abiturordnung trotz des Murrens der Konservativen weiter zugrunde gelegt. Die Dominanz des Lateins blieb erhalten; das Griechische mußte auch nicht weichen; im Religionsunterricht gab es dafür mehr Bibellektüre; in den Geschichtsstunden wurde die Zeitgeschichte verpönt, die preußisch-dynastische Landesgeschichte indes obligatorisch. Insgesamt setzte das Gymnasium seine Entwicklung als eine auf den klassischen Sprachen aufbauende Bildungsanstalt mit dem vertrauten Verteilungsmonopol für hochbegehrte Berechtigungsscheine und Karrierechancen fort. Seine Leitfunktion als «normsetzender Typ» im höheren Schulwesen blieb unangefochten erhalten.

Dem entsprach auch die Behandlung der Lehrerschaft, die deutlicher an einige neuere Tendenzen angepaßt wurde. Für diese Gymnasiallehrer – 1850 waren es rund eintausendsiebenhundert gewesen, bis 1870 verdoppelten sie sich fast, entsprechend der neuen Schülerzahl – wurde 1866 eine neue Lehramtsprüfung eingeführt. Sie blieb bis 1917 in Kraft – ein Indiz dafür, daß sie als effektives Mittel der Bildungsgestaltung angesehen wurde. Als Zulassungsbedingungen schrieb sie das Reifezeugnis und ein mindestens dreijähriges Universitätsstudium vor. Anstelle der bisherigen Bildungsbereiche wurden jetzt vier Hauptfächer geprüft: das philologisch-historische, das mathematisch-naturwissenschaftliche, das theologische (mit Hebräisch) und das neusprachliche Fach. Ausdrücklich ging es dabei um den Nachweis der Beherrschung des Lehrstoffs, nicht primär seines Bildungsgehalts. Die im engeren Sinn pädagogische Ausbildung blieb minimal: Erst 1867 wurde ein Probejahr für Kandidaten zur Voraussetzung ihrer Anstellung gemacht. Aus Humboldts utopischer, allseitig gebildeter «pädagogischer Genossenschaft» wurde jetzt endgültig ein Schulbetrieb, in dem die ihren Lehrstoff paukenden Schüler einem Kollegium akademisch geschulter Fachspezialisten gegenüberstanden. Unter ihnen gewannen die Neuphilologen die Gleichstellung mit den Altphilologen.

In materieller Hinsicht scheiterte erneut der Kampf darum, mit den Richtern gleichgestellt zu werden, obwohl das der Finanzminister 1845/46, als nur die Pensionsregelung zustande kam, bereits befürwortet hatte. Der Normaletat von 1863 sah erstmals feste Sätze für Direktoren und Oberlehrer je nach der Ortsklasse vor, auch wurden 1872 die Gehälter angehoben. Aber das Abgeordnetenhaus blockierte die Gleichstellung mit der beneideten Referenzgruppe. Sie kam tatsächlich erst 1909, in Bayern dagegen schon 1872, zustande. Eine gewisse Kompensation bedeutete bis dahin das Avancement in den Räteklassen. Seit 1842 waren die Direktoren Räte 4., die wenigen Professoren an Gymnasien Räte 5. Klasse, während die große Majorität der Oberlehrer noch leer ausging. 1886 wurden jedoch alle fest angestellten Gymnasiallehrer automatisch Räte 5. Klasse, das aber hieß: endlich höhere Beamte.

Während bisher die Verfechtung materieller Interessen durch eigene Organisationen von den Oberlehrern ihres «Berufsstandes» meist für «unwürdig» gehalten worden war, überwand die Enttäuschung über die 1872 verweigerte Status- und Einkommensanhebung diese Bedenken, so daß seit 1872 erste Provinzialvereine die Interessenartikulation in Preußen übernahmen; auch in dieser Hinsicht war übrigens die Entwicklung in Bayern seit 1863 früher in Gang gekommen. Unzweifelhaft trennte die Gymnasiallehrer eine weite soziale Distanz von den Volks- und Mittelschullehrern. Der Abstand dagegen zu den höheren Verwaltungsbeamten und Richtern hatte sich in der Frühphase des neuen Reiches zwar vermindert, vollständig aufgeholt hatten sie ihn aber noch nicht.

Kurz nach der Vereinheitlichung des gymnasialen Lehrplans wurde auch die «höchst disparate» Vielfalt der anderen höheren Schulen durch einen energischen Vorstoß im Verlauf des «staatlichen Normierungsprozesses» neu geordnet. Im Oktober 1859 traten neben die Progymnasien, denen die Oberstufe fehlte, die drei Kategorien der Realschulen 1. und 2. Ordnung sowie der Höheren Bürgerschulen. Die Nachfrage nach höheren Schulen, auf denen nicht die alten Sprachen im Mittelpunkt standen, sondern die modernen und erweiterter Unterricht in Mathematik und den Naturwissenschaften, war im städtischen Bürgertum stetig angewachsen, da solche Schulen den praktischen Bedürfnissen der mittel- und kleinbürgerlichen Erwerbsklassen entgegenkamen. 1855 gab es auch schon hundertsechsundzwanzig solcher höheren Bürgerschulen mit 23 850 Schülern.

Die Realschule 1. Ordnung bot jetzt innerhalb von neun Jahren Französisch und Englisch, freilich auch Latein an, dazu eine größere Stundenzahl in Mathematik und den Naturwissenschaften. Sie wurde dem Gymnasium weithin gleichgestellt, ihre Absolventen gewannen zum Beispiel auch das Recht auf den «Einjährigfreiwilligen Dienst», aber das Abitur als Zulassungsprüfung für die Universität wurde ihnen noch länger verweigert. Den strengen Anforderungen genügten 1859 nur sechsundzwanzig Realschulen, 1864 aber schon neunundvierzig mit 16490 Schülern. Die Mehrheit der älteren städtischen Bürgerschulen wurde durch die neue Trennungslinie entschieden abgewertet, denn für die Realschulen 1. Ordnung blieb die «Leitfunktion des klassischen Gymnasiums» verbindlich. Die Tatsache, daß sie im Grunde einen alternativen Gymnasiumstyp neben dem neuhumanistischen Gymnasium verkörperten, wurde 1882 mit der äußeren Aufwertung zu «Realgymnasien» anerkannt.

Die Realschulen 2. Ordnung besaßen eine kürzere Ausbildungszeit und vermittelten auch erheblich weniger Berechtigungen. Im Grunde bildeten sie eine Restgröße mit 1864 = 2620 Schülern. Entweder gelang den Leistungsstarken der begehrte Aufstieg zur Realschule 1. Ordnung, oder aber sie wurden zu einer Mittelschule oberhalb der Volksschule. Zusammen mit den Gewerbeschulen hat man sie 1883 zum neuen Schultyp der «Oberrealschule» verschmolzen.

Die Höheren Bürgerschulen schließlich waren unvollständig ausgebaute Realschulen 1. Ordnung, eigentlich also Realprogymnasien (1864 = 2720 Schüler), die aber der differenzierten Ausbildungsnachfrage in den Städten offenbar entgegenkamen. Jedenfalls erlebten vor allem die Realschulen 1. Ordnung und die Höheren Bürgerschulen bis 1873 eine erstaunliche Expansion: Ihre Schülerzahl stieg auf 26190 bzw. 10970 an. Hatte die Gesamtschülerzahl der drei neuen Stadtschulen 1864 mit 21 830 schon rund fünfzig Prozent der Gymnasiasten ausgemacht, erreichte sie 1873 mit zweiundvierzigtausend fast siebzig Prozent. – Vergleichbare Schulen wurden auch in acht anderen deutschen Staaten eingerichtet. Aber als Preußen 1875 mit den drei neuen Kategorien auf hundertneunundsechzig Schulen (mit 38 460 Schülern) kam, besaß etwa Bayern gerade sechs Realgymnasien (mit 514 Schülern) neben seinen achtundzwanzig Gymnasien.

Die Auffächerung des höheren Schulwesens trug in dieser Zeit so gut wie ausschließlich denjenigen Ausbildungsbedürfnissen Rechnung, die Eltern mit der Zukunft ihrer Söhne verbanden. Mädchenschulen oberhalb der Elementar- oder der privaten Grundschulen führten weiterhin ein Schattendasein. 1850 existierten in Preußen rund dreihundertfünfundachtzig sogenannte Töchterschulen mit 53570 Schülerinnen – faktisch waren das Mittelschulen, die zwischen den Volksschulen und den höheren städtischen Knabenschulen lagen, zumal sie häufig über das Schulpflichtalter hinausführten. Der sozialen Herkunft nach dominierten eindeutig Mädchen aus bildungs- und besitzbürgerlichen Familien. Jeder staatliche Anhebungs- und Normierungsdruck fehlte, da einmal das Zentralmotiv der Gymnasialpolitik: die Ausbildung künftiger Beamter, entfiel. Zum zweiten gab es auch außerhalb des Staatsdienstes keinen Arbeitsmarkt für höherqualifizierte Frauen – nur der Sondermarkt für Volksschullehrerinnen bildete sich gerade heraus. Deshalb entfaltete sich eine bunte Vielfalt von unterschiedlichen Mädchenschulen. In protestantischen Regionen traten Privatleute, Elternvereine, Gemeinden als Träger solcher Institute auf. In katholischen Gebieten übernahmen die Pensionate der katholischen Lehrorden und Kongregationen dieselben Aufgaben.

Überall ähnelten sich auch die Ausbildungsziele: Im Vordergrund stand die Formierung des weiblichen «Geschlechtscharakters» mit seinen traditionalen Rollenzuweisungen, die Vermittlung frauenspezifischer Fertigkeiten (Handarbeit, Musik) und eine begrenzte intellektuelle Förderung. Das ganze Programm war noch darauf ausgerichtet, ein nicht zu anspruchsvolles Kenntnisniveau mit der Verhaltensschulung der «höheren Tochter» zu verbinden, die an der Seite ihres Ehemanns in den untergeordneten Funktionen der Haushaltsführung, der Kindererziehung, der Gastfreundschaft und Unterhaltung aufgehen sollte.

Aufgrund der sozialen Zusammensetzung der Schülerinnen wie der Lehrerschaft – öfters nahmen akademische Lehrer den Unterricht nebenamtlich wahr –, der Stellung der Direktorinnen und des Fächerkanons (mit ein, zwei modernen Fremdsprachen), nicht zuletzt wegen des hohen Schulgeldes blieben Exklusivität und Distanz zu den Volksschulen und einfachen Mittelschulen erhalten. Aber die Aufwertung zu einer höheren Lehranstalt, die mit dem Gymnasium, wenigstens mit dem Progymnasium, oder der Realschule 1. Ordnung vergleichbar war, wurde den Mädchenschulen vorenthalten. Eben dieses Ziel strebte dann die sich in den sechziger Jahren erneut formierende Frauenbewegung im Konsens mit den seit 1872 organisierten Mädchenschullehrerinnen an.

Faßt man die Gesamtentwicklung der höheren Schulen bis zum Beginn der 1870er Jahre noch einmal ins Auge, drängen sich vor allem vier Sachgesichtspunkte zur Charakterisierung der wichtigsten Trends auf.

1. Die Verstaatlichung des höheren Schulwesens, die in der Kontinuität der Modernisierungsreformen von oben voranschritt, kam bis 1859/66 zu einem gewissen Abschluß. Ein umfassendes, staatlich kontrolliertes System von höheren Schulen mit normierten Abschlüssen und gestaffelten Berechti-

gungstiteln stand seither einer rasch anwachsenden Zahl von Jungen zur Verfügung. Damit aber konnte die staatliche Verwaltung den sozialen Aufstieg und den Eintritt in das Berufsleben zunehmend beeinflussen. Das höhere Schulsystem wurde noch eindeutiger als zuvor zu einem Distributionszentrum für außerordentlich begehrte Lebenschancen.

Der anhaltende Zulauf, den die Spitzeninstitution des Gymnasiums fand, erklärt sich in erster Linie nicht aus einem unwiderstehlichen Bildungsdrang, vielmehr aus der Verkoppelung mit dem fein differenzierten Berechtigungswesen. Die erdrückende Mehrzahl seiner Schüler strebte keineswegs das Abitur als Studiumsvoraussetzung an, und selbst wer die Reifeprüfung ablegte, wollte häufig nicht zur Universität, sondern brauchte das Zeugnis für den Eintritt in den gehobenen Verwaltungsdienst, in die Post-, Bergbau-, Staatsbau- und Militärbürokratie oder in die Offizierslaufbahn ohne vorhergehende Fähnrichsprüfung.

Zum «Einjährigen» berechtigte bis 1859 bereits der Besuch der Untertertia, von 1859 bis 1868 der halben Untersekunda, von 1868 bis 1877 der gesamten Untersekunda, erst von 1877 bis 1918 die Versetzung nach Obersekunda, in die Oberstufe. Wer dem dreijährigen Drill in der Armee entgehen wollte, konnte vier bis sechs Jahre auf dem Gymnasium schon attraktiv genug finden. Je nach dem Klassenabschluß öffnete sich aber überhaupt eine Vielzahl von staatlichen Berufslaufbahnen. Die Primarreife gestattete den Eintritt in die Steuer- und Provinzialverwaltung, auch in den mittleren Justizdienst. Der Sekundaabschluß ermöglichte das Veterinärstudium, die Apothekerlehre und die Einweisung in die Stelle eines technischen Lehrers. Die Absolventen der Mittelstufe fanden Aufnahme in die Berg- und Gewerbeschule, auch noch in die mittlere Beamtenschaft der Provinzial- und Lokalverwaltung. Auf diese Weise sorgte das Gymnasium für die Rekrutierung der staatstragenden Berufsklassen.

Wer den Weg in die höhere Verwaltungs- und Justizbürokratie einschlagen wollte, konnte die Eliteschule, die jeder Aspirant neun Jahre lang durchlaufen mußte, nicht umgehen; für die wichtigsten freien Berufe besaß sie dieselbe Nadelöhr-Funktion. Daß das neuhumanistische Gymnasium maßgeblichen Einfluß auf diese Berufs- und Erwerbsklassenbildung besaß und besitzen sollte, läßt sich nicht ernsthaft bestreiten.

Da die Anforderungen und Leistungskriterien des Staatsdienstes oder der Professionen im Prinzip überall identisch sein sollten, ging von diesem Egalitätsgebot ein starker Zwang zur Vereinheitlichung der Lehrpläne und Noten, der Versetzungs- und Prüfungsmaßstäbe aus. Dadurch wurden regionale und konfessionelle Unterschiede eingeebnet. Dem Anspruch nach entstand ein gesamtstaatliches Qualifikationssystem, das überall denselben Imperativen gehorchte.

2. Die Differenzierung der verschiedenen höheren Schulen, die bis 1859 erreicht und staatlich sanktioniert wurde, relativierte die zentrale Stellung

des klassischen Gymnasiums. Um einem offenbar irreversiblen Prozeß Rechnung zu tragen, wurde eine breite Palette neuer Ausbildungsmöglichkeiten geschaffen. Die hochschnellenden Schülerzahlen bestätigten unverzüglich, wie sehr das Angebot der Nachfrage entgegenkam. Zahlreiche Funktionen in einer sich transformierenden Gesellschaft konnten seither mit verbesserter formeller Kompetenz wahrgenommen werden. Alles in allem gehörte dieser Differenzierungsreichtum des höheren Schulwesens zu den «bedeutendsten Faktoren der Modernisierung der Gesellschaft, der Effizienz der Verwaltung und der Entwicklung der Wissenschaft».

Dafür mußte jedoch ein doppelter Preis entrichtet werden. Einmal setzte sich die staatliche Reglementierung des höheren Schulwesens seither vollends durch. Staatliche Instanzen übten, indem sie Schultypen privilegierten oder ausschlossen, einen quasi-monopolistischen Einfluß auf die Verteilung von Bildungschancen aus. Private Ausbildungsalternativen, wie sie etwa in England und den Vereinigten Staaten ihre Bedeutung behielten, verloren vorerst jeden nennenswerten Einfluß. Zum zweiten löste das Gefälle zwischen den höheren Schulen erbitterte soziale und politische Positionskämpfe aus, in denen die verschiedenen Schultypen und ihre Absolventen um die Aufwertung ihrer Stellung und ihrer Prüfungszertifikate stritten.

3. An den neuhumanistischen Gymnasien, aber auch an vielen höheren Schulen mit anderen Bildungsschwerpunkten, wurde im allgemeinen die Ausbildung von «Generalisten» beibehalten. Obwohl die Industrielle Revolution auf den ersten Blick eine Vielzahl von Spezialisten zu verlangen schien, bewährte sich der intellektuell breit geschulte Absolvent mit solidem Allgemeinwissen und der Fähigkeit, neue Probleme und Anforderungen elastisch zu verarbeiten. Jenen schlichten ökonomischen Funktionalismus, der die schulische Differenzierung als das unmittelbare Ergebnis wirtschaftlicher Bedürfnisse hinstellt, kann man gar nicht entschieden genug kritisieren.

Woher hätte man auch erfahren können, welche Curricula an welchen Schultypen für welche künftige Berufstätigkeit optimal geeignet waren? Wie hätte man überhaupt die Bedürfnisse der industriellen und kommerziellen Unternehmen, der agrarischen Großbetriebe, des Dienstleistungsgewerbes auch nur annäherungsweise präzise bestimmen sollen? Nein, besonders in einer Zeit rapiden Wandels bestand die akute Gefahr, daß sich jede zu frühzeitige Spezialisierung als eine gleichsam von vornherein eingebaute, unvermeidbare Veralterung des geforderten Kenntnisstandes erwies. Diese gefürchtete «built-in obsolescence» konnte der Generalist mit dem an der Universität oder einer technischen Fachschule erworbenen, vielleicht sogar erst im Beruf vertieften Spezialwissen ungleich besser vermeiden. Auf jeden Fall trifft das Urteil zu: Wichtiger als die bisher nicht nachgewiesenen ökonomischen Antriebskräfte der Schulpolitik sind die sozialen Anreize und Auswirkungen des höheren Schulsystems gewesen.

4. Dieses Problem, wie sich die Stratifikationsordnung geltend gemacht hat und wie sie wiederum beeinflußt worden ist, wird von zwei diametral entgegengesetzten Positionen aus interpretiert. Die eine Richtung sieht in der Differenzierung des höheren Schulwesens eine systematisch vorangetriebene, klassenegoistische Abschottung der privilegierten Klassen und Funktionseliten, die das Gymnasium für ihren Nachwuchs reservieren wollten. Mit Hilfe einer zielbewußten Ausschließungspolitik sei die potentielle Konkurrenz auf die Schulen mit minderem Prestige und schmalerem Berechtigungsfächer, auf die Realschulen, die Realgymnasien, die Oberrealschulen, abgedrängt worden. Die andere Richtung betont demgegenüber das Gegenargument, daß das höhere Schulwesen zu einer «Segmentierung» im Sinne der mentalen Abgrenzung und des Einschleifens sozialer Unterschiede geführt habe, hält aber das Verhältnis zwischen Schultypen und Positionen in der gesellschaftlichen Rangordnung für viel flexibler; sie bestreitet daher auch die Existenz eines durchweg von oben gesteuerten Systems der sozialen Schließung, das von unverhüllten Klasseninteressen dirigiert wurde.

Diese Interpretation ist bei weitem realitätsnäher als die erste. Im Vergleich mit dem Jahrhundert vor 1850 entstand seither ein flexibles Angebot an reichhaltigen Chancen für eine höhere Schulbildung. Es kann nicht auf eine Verdrängungsstrategie, eine Purifizierung des Gymnasiums zurückgeführt werden. Selbstverständlich gab es weiterhin eine Tendenz zur elitären Abschließung, auch eine relative Kongruenz von Schultypus und sozialer Position in der Schichtungspyramide. Dadurch wurden die bereits vorhandenen Privilegien intergenerationell, in der Abfolge der Familien, befestigt. Mit anderen Worten: Sie wurden durch die Ausbildung der Söhne, etwa am Gymnasium, zeitlich verlängert. Auf diese Weise blieb das «kulturelle Kapital» dieser Berufsklassen und Funktionseliten in Form von relativen – keineswegs absoluten – Vorteilschancen erhalten. Die Examensdiplome bestätigten den gesellschaftlichen Vorrang, bildeten aber gleichzeitig ein hochkonvertibles neues «kulturelles Kapital», das Einkommen, Prestige und Macht verschaffen konnte. Dieser Zug zu einer elastischen Exklusivität läßt sich kaum leugnen.

Auf der andern Seite: Seit dem Beginn der zweiten Jahrhunderthälfte sank die Selbstrekrutierungsrate der Akademiker. Da das höhere Schulsystem formal nach unten geöffnet blieb – wie sehr auch das Schulgeld und die lange, einkommenslose Ausbildungszeit als Barriere wirken mochten –, hielt ein kontinuierlicher Zustrom von Söhnen aus den mittel- und kleinbürgerlichen Erwerbsklassen, aus der mittleren und sogar subalternen Verwaltung, aus dem Dienstleistungssektor und bisher schulfernen Kreisen an. Schon vor der Revolution stammten rund zwanzig Prozent der Gymnasiasten aus dem aufstiegsorientierten Kleinbürgertum, an westdeutschen Schulen waren es manchmal sogar vierzig Prozent. Seit den 1850er Jahren stieg dieser Schüleranteil, der nicht aus den Familien des Bildungs- und höheren Wirtschaftsbürgertums kam, auf dreißig bis sechzig Prozent an und erreichte auch unter den Abiturienten noch zwanzig bis dreißig Prozent!

Von völlig freier Bildungsmobilität kann selbstverständlich auch keine Rede sein. Die gesellschaftlichen Oberklassen machten fünf bis sieben Prozent der Bevölkerung aus, stellten aber je nach Stadt und Region weiterhin dreißig bis fünfzig Prozent der Gymnasiasten. Insofern wurde «kulturelles Kapital» weitergegeben, die Segmentierung nach Kräften aufrechterhalten. Aber die soziale Verflüssigung des Zugangs zu den höheren Schulen, auch dem Gymnasium, nahm doch zu. Und die 1859 neu geschaffenen höheren Schulen ließen sich, indem sie das Gymnasium imitierten und die Qualifikationskriterien anhoben, auf dem Wege zur Gleichberechtigung nicht einmal auf kurze Sicht aufhalten. Was dabei besonders zählt: Sie wurden, wenn man die üblichen Umstellungsschwierigkeiten nicht dramatisiert, auch nicht kompromißlos aufgehalten.[4]

Deshalb bleibt als Bilanz bestehen: Die Segmentierung hielt ohne Zweifel an, Privilegien wurden weiter verteidigt. An snobistischer Bildungsarroganz gegenüber den «Ungebildeten» herrschte kein Mangel. Aber es gab zunehmend auch soziale Öffnung anstelle von starrer Schließung, es gab die Schleusenwirkung der höheren Schulen zugunsten der Aufstiegsmobilität. Vergleicht man die Gymnasien mit den «Public Schools» in England, mit den «Boys' Academies» und «Private Schools» in den Vereinigten Staaten, wurden sie sogar immer offener. Wer von einer klüglich ausgeführten oder sogar einer erfolgreichen Abschottung als dem dominanten Trend der Gymnasialpolitik spricht, verfehlt darum die Realität des höheren Schulwesens, verfehlt erst recht ihr vorzügliches Abschneiden beim internationalen Vergleich.

3. Die Polytechnischen Institute auf dem Weg zur Technischen Hochschule

In jener Generationsspanne, die auf 1849 folgte, haben auch alle deutschen Polytechnischen Institute einen mächtigen Entwicklungsschub erlebt, der ihnen die Hochschulverfassung einbrachte. Bis 1879 sind dann fast alle in Technische Hochschulen verwandelt worden. In den wenigen Ausnahmefällen ging es eher um den Streit um den Namen und die damit verknüpften Autonomierechte, während sich das Ausbildungsniveau von dem der bereits arrivierten Schulen nicht wesentlich unterschied. Diese Wachstumsphase ist vor allem durch vier strukturelle Merkmale charakterisiert.

1. Überall erfolgte eine Ausdifferenzierung in mehrere Abteilungen mit fachspezifischer Konzentration. Manchmal untergliederte man auch ein Polytechnikum nach dem Vorbild der Universitätsfakultäten in «Fachschulen».

2. Die Eintrittsbedingungen wurden verschärft. Trotzdem stieg die Schülerzahl auffällig an. Daß die Schüler durch diese Anhebung der Rekrutie-

rungsschwelle nicht abgeschreckt wurden, verriet untrüglich den anhebenden Akademisierungssog. Die Polytechnika hatten einen festen Platz im öffentlichen Unterrichtswesen gefunden.

3. Seit 1865 erhielt eine Polytechnische Schule nach der anderen die Verfassung einer regulären Hochschule – das war nach den damaligen Maßstäben diejenige einer Universität. Der eminent tüchtige Direktor des Polytechnikums in Hannover, Karl Karmarsch, hatte schon 1856 behauptet, daß die «technische und realistische Bildung der sogenannten Gelehrtenbildung ebenbürtig an die Seite» getreten sei. Diesem Entwicklungszustand müsse jetzt «die technische Universität» Rechnung tragen. Das war ein früher Vorstoß, nach dem zehn weitere Jahre ins Land gingen. Erst als sich der «Verein deutscher Ingenieure» (VdI) auf seinem Jahrestreffen von 1864, auf dem der Direktor der Karlsruher Gewerbeschule, Franz Grashof, die moderne technische Hochschule mit Promotions-, Habilitations- und Berufungsrecht und autonomer Selbstverwaltung mit aller Entschiedenheit angemahnt hatte, diese Forderung nachdrücklich zu eigen machte und für öffentliche Resonanz sorgte, geriet in die zuständigen Ministerien Bewegung.

4. Bis in die späten sechziger Jahre hinein hatte Wien – dessen Hochschule schon 1850 eintausendfünfhundert Studierende besaß – zusammen mit Karlsruhe ein schwer erreichbares Spitzenduo gebildet. Hinter ihnen suchten sehr heterogene Gewerbeschulen, noch vergeblich, aufzuschließen. Innerhalb kurzer Zeit rückten jetzt aber die anderen Polytechnischen Institute heran, so daß um 1880 die qualitativ schon ziemlich nahe beieinanderliegenden Hochschulen in Karlsruhe, Berlin, Dresden, Stuttgart, Hannover, Braunschweig, Darmstadt, München und Aachen – bis 1866 hatten auch noch Wien und Prag dazugehört – in Konkurrenz miteinander um ihre Studenten warben.

Diese Entwicklung kann an einigen Beispielen illustriert werden. In Karlsruhe hatte Ferdinand Redtenbacher, der Begründer des wissenschaftlich fundierten Maschinenbaus, mit einem Kollegium von angesehenen Techniklehrern vorzügliche Aufbauarbeit geleistet. In die beiden Abteilungen für Mechanik, das heißt Maschinenbau, und für Chemie wurden nur mehr Absolventen der höheren Bürgerschule aufgenommen. Als er 1863 starb, konnte sein Nachfolger Grashof, der vom Berliner Gewerbeinstitut überwechselte, den bereits etablierten Ruf des Polytechnikums verteidigen. Als Anerkennung des Leistungsniveaus wurde 1865 die Hochschulverfassung, damit auch die Gleichstellung mit den Landesuniversitäten, gewährt. Das begehrte äußere Rangzeichen einer TH wurde freilich erst 1885 verliehen.

Die Berliner Bauakademie, die 1850 rund zweihundert Studierende besaß, erhob 1859 das Abitur eines Gymnasiums oder einer Realschule erster Ordnung zur Eingangsvoraussetzung. Während einer ein- bis dreijährigen Praxis- und zwei- bis dreijährigen Akademiezeit bildete sie Studenten – 1873 zum Beispiel siebenhundertachtzig – zu Baumeistern und -führern für den Wege- und Landbau, für den Wasser- und sogenannten Schönbau aus. Das Gewerbe-Institut eröffnete nach der Revolution seinen Unterricht mit zweihundertfünfzig Schülern, die jetzt eine dreijährige Ausbildung in fünf Abteilungen für Allgemeine Technik, Mechanik, Chemie, Hüttenkunde und Schiffsbau absolvieren konnten. 1866 avancierte das Institut zur Gewerbe-Akademie, deren Leitung der Redtenbach-Schüler Franz Reuleaux, bald einer der renommiertesten deutschen Technologieprofessoren, übernahm. 1871 unterstanden ihm sechshundertachtzig Studierende. Längerwährende Fusionsgespräche führten 1876 zu einer Entscheidung, so daß im Frühjahr 1879 aus beiden Institutionen die sogleich größte deutsche TH in Berlin-Charlottenburg hervorgehen konnte.

In Hannover leitete Karmarsch die Polytechnische Schule auch während dieser wichtigen Phase, insgesamt vierundvierzig Jahre lang bis 1875. Seit 1853 wurden die Aufnahmebedingungen so verschärft, daß das Abitur oder der Abschluß einer höheren Bürgerschule als Zulassungskriterium galt. Das Ausbildungsniveau konnte angehoben werden. Die Prüfung ermöglichte den Eintritt in den höheren Staatsdienst. Schon zwischen 1845 und 1866 stammten bis zu achtzig Prozent aller hannoverschen Straßen-, Wasser- und Eisenbahnbauingenieure aus dem Polytechnikum. Als 1866 die preußische Verwaltung einzog, hatte das keine nachteiligen Auswirkungen auf das Bildungswesen. Im Gegenteil, dank ihrer Förderung konnte das Fächerangebot von fünfzig Dozenten verdoppelt werden, bis 1879 die Aufwertung zur TH auch durch den Umzug in das verwaiste Welfenschloß unterstrichen wurde.

Auch in Darmstadt wurde das Polytechnikum 1869 in fünf Fachschulen für Bau- und Ingenieurwesen, Maschinenbau, Chemie und Landwirtschaft unterteilt. In den beiden ersten Departements konnte die Vorbereitung auf den höheren Staatsdienst erfolgen. Bei der Ausbildung von Gymnasial- und Realschullehrern wurde die Polytechnische Hochschule der Landesuniversität gleichgestellt, da sie sich zu «einer technischen Hochschule», deren Verfassung sie dann auch 1871 erhielt, entwickelt habe. Bis 1876 wurden die Ausbildungs- und Prüfungsanforderungen vereinheitlicht, im folgenden Jahr besiegelte die Erhebung zur TH den Abschluß dieser Aufstiegsphase.

Kurz zuvor hatte sich die Dresdener Polytechnische Schule in enger Anlehnung an die Vorbilder in Süddeutschland zu einer Organisationsreform durchgerungen. Mit dem Realschulzeugnis konnten Schüler in die vier Abteilungen für Mechanik, Ingenieurwesen, Chemie und Lehrerausbildung in Mathematik und Naturwissenschaften eintreten. 1871, als die Anerkennung als Höhere Fachschule ausgesprochen wurde, rangierte Dresden mit dreihundertzehn Studenten an vorletzter Stelle der technischen Ausbildungsstätten. Im selben Jahr erhielt auch Braunschweig eine Hochschulverfassung. Nach mühsamen Anfängen wurde das Münchener Polytechnikum von 1868 schon 1877 zur Hochschule aufgewertet. In Aachen war zwar 1870 dieselbe Einrichtung gegründet, aber von vornherein auf eine TH angelegt worden, wie das 1879 auch formell bekräftigt wurde. Und Stuttgart hatte 1862 neue Statuten erhalten, die eine systematische Technikerausbildung in den vier Abteilungen für Architektur, Ingenieurwesen, Maschinenbau und Chemie gestatteten. Der Zuschnitt der Ausbildung für die rund hundertsechzig Studenten wurde damit hochschulähnlich; die entsprechende Verfassung wurde aber erst 1876 eingeführt.[5]

Überwiegend hatten die Polytechnika bis 1879 den Status der TH errungen. Eine diversifizierte Ausbildung trug bis 1873 den Nachfragebedürfnissen von rund fünftausendzweihundertdreißig Studenten Rechnung. Mochte auch die Frequenz mancher Polytechnika damals recht gering wirken, lag sie doch immer noch höher als die der kleinen Universitäten. Die institutionelle Differenzierung der Abteilungen entsprach sowohl der Fächerentwicklung als auch dem internationalen Trend an vergleichbaren Institutionen. Da die Opposition der Universitäten und des neuhumanistischen Bildungsdünkels die völlige Gleichstellung, etwa im Hinblick auf Promotion, Habilitation und Berechtigungswesen, bisher verhindert hatte, traten die Technischen Hochschulen voller Selbstbewußtsein, daß sie den Geist eines technischen Zeitalters verkörperten, in den Kampf um den endgültigen Akademisierungserfolg ein. Aus einer anderen Perspektive betrachtet: Zu Beginn der deutschen Hochindustrialisierung war ein neues System Technischer Hochschulen herangewachsen, deren Leistungsfähigkeit die klassischen Leitsektoren unterstützen und die neuen Führungssektoren außerordentlich fördern sollte.

4. Die Universitäten

An den Universitäten hatten die «politischen Professoren» und zahlreiche Studenten den Aufstieg und Fall der Revolution mit hochgespannten Hoffnungen, ja mit aktivem Engagement begleitet. Seit dem Beginn der Restaurationsepoche bekamen sie den Haß der reorganisierten Verwaltung zu spüren, die eine «Säuberung» von den auffälligsten Unruhestiftern einleitete. Als Beispiel mögen hier Vorgänge an drei Universitäten genügen.

Nach dem badischen Aufstand griff die Karlsruher Regierung an der Landesuniversität Heidelberg zu. Dem Geschichtsprofessor Karl Hagen, der in Frankfurt zur «Linken» gehört hatte, wurde die Venia Legendi entzogen. In der Juristischen Fakultät widerfuhr dasselbe den Privatdozenten Friedländer und Oppenheim. Gegen Gervinus wurde ein Hochverratsprozeß angestrengt, der 1853 auch ihn die Lehrerlaubnis kostete. Der aufmüpfige «pantheistische» Philosoph Kuno Fischer verlor sie 1854 ebenfalls. Als der Privatdozent Jakob Moleschott, der über die Medizinische Fakultät hinaus mit seinen «Materialismus»-Vorlesungen Resonanz gefunden hatte, deshalb scharf abgekanzelt wurde, verzichtete er auf die Lehre.

In Rostock fanden sich drei Professoren wegen ihrer Sympathie für die achtundvierziger Bewegung 1850 entlassen, ohne daß vorerst ihr Gehalt geschmälert wurde. Mit typischer Rachsucht wurden sie jedoch einige Jahre später zu einem Jahr Zuchthaus und dem Verlust jedweder Pension verurteilt. Ein Privatdozent verlor seine Venia wegen eines angeblichen «Pressvergehens». Und der vorn bereits erwähnte Fall des Theologieprofessors Baumgarten endete keineswegs mit seiner Entlassung, sondern ging danach in sieben Prozesse über, die dem Altliberalen vierzig Wochen Gefängnis und eine empfindliche Geldstrafe einbrachten.

Wegen seines notorischen Liberalismus erhielt Rudolf Gneist, der Berliner Juraprofessor mit dem größten Lehrerfolg, nur das halbe Gehalt; eine Aufstockung wurde noch 1855 abgelehnt, seine Stellung am Obertribunal bereits 1849 gekündigt. Als sich Kuno Fischer nach der Heidelberger Strafaktion in Berlin um ein Ordinariat bewarb, riet man ihm sicherheitshalber zu einem neuen Habilitationsverfahren, das er 1855 glanzvoll hinter sich brachte. Mit einem Akt purer politischer Ranküne hob Kultusminister v. Raumer die Venia sofort auf. Daraufhin protestierte die Fakultät beim König. Hengstenberg, der in jedem Liberalen «das Wüten des Satans» entdeckte, sollte als allkompetenter Theologe die Entscheidung durch sein Gutachten vorbereiten. Während Alexander v. Humboldt und Josias v. Bunsen beim Monarchen zugunsten Fischers intervenierten, lieferte Hengstenberg guten Gewissens seinen Verriß ab – mangels Sachkunde aber über den falschen, einen anderen Dozenten namens Fischer. Nach dieser blamablen Posse setzte sich Friedrich Wilhelm zugunsten der Fakultät durch. Die Verfolgungspraxis besaß keinen totalitären Zuschnitt, das ist wahr, aber eine vielversprechende Karriere zerstören, einen Menschen zerbrechen oder in Zukunft schwer hemmen, das konnte sie schon. Zu den Auswanderern, die seit 1849 so zahlreich das Land verließen, gehörten deshalb auch auffallend viele Dozenten und Jungakademiker.

Während das politische Klima an den neunzehn deutschen Universitäten – 1872 kam mit der «Reichsuniversität» Straßburg die zwanzigste hinzu – seit 1849 seine illiberale Frostigkeit behielt, dauerte die Abschwungs- und Stagnationsphase, die seit den frühen 1830er Jahren die Studentenfrequenz bestimmt hatte, bis in die Mitte der sechziger Jahre weiter an (1850 = 12 374, 1860 = 11 901, vgl. Übersicht 67). Dann begannen die Ziffern sachte nach oben zu klettern, bis sie seit 1870 (= 14 157) schneller anwuchsen. 1873 (= 15 801) wurde erstmals wieder die Zahl von fünfzehntausend Studenten überschritten, erst 1874 aber mit 16 347 der Gipfelwert von 1830/31 (= 15 870) übertroffen. An den sechs alten preußischen Universitäten war das bei einer sonst identischen Entwicklung (1830 = 5952, 1850 = 4651, 1860 = 5100) schon zehn Jahre zuvor der Fall (1864 = 6072, 1870 = 7531).

Die langlebige Stagnation der Studentenpopulation spiegelte hemmende Umstände wider: Einmal wurden die Planstellen in der Verwaltungs- und Justizbürokratie lange eingefroren, ehe ihre Zahl allmählich wieder zunahm, und zweitens vermehrten sich auch die Positionen in den Freien Berufen und im Pfarramt nur langsam. Die kostspieligen, bis zu zehnjährigen Wartefristen, die im öffentlichen Dienst vor der Einweisung in eine Dauerstellung gang und gäbe waren, übten eine nachhaltig abschreckende Wirkung aus. Bis etwa 1860 blieb daher das Angebot an Berufschancen für junge Akademiker «bemerkenswert schwach». Seither nahm aber die Nachfrage spürbar zu und löste, da sie zuerst auf eine schmale Anzahl von Absolventen traf, den Entschluß zum Studium wieder häufiger aus. Der Aufschwung des Bildungssystems und der Professionen wirkte in dieselbe Richtung. Die Konjunktur steigerte das disponible Einkommen in den studierwilligen Schichten. Und obwohl der Boom auch auf neue Berufskarrieren hinlenkte, setzte sich doch für den sozialen Aufstieg die vertraute Mobilitätsschleuse der Universität wieder stärker durch.

In groben Umrissen läßt sich dieser gestreckte Übergang von der Stagnation bis zu dem Beginn einer säkularen, bis 1914 anhaltenden Expansion erkennen, wenn man sowohl das Wachstum in typischen akademischen Berufsklassen als auch die Verteilung der Studenten nach Fakultäten am preußischen Beispiel überprüft. So stieg etwa die Anzahl der Pfarrer von 1850 = 5920 auf 1870 = 6450, die der höheren Verwaltungsjuristen von fünftausendneunhundert wegen der Annexionen von 1866 auf siebentausendzweihundert; die Ärzte dagegen verharrten fast auf demselben Stand (5560–5690), während die Reform des höheren Schulwesens und der Zuwachs an Gymnasien in den neuen Provinzen seinen Lehrern eine Verdoppelung von 1930 auf 4210 einbrachte. Genaueren Aufschluß vermittelt der prozentuale Anteil, der auf die einzelnen Fakultäten entfiel. Besonders drastisch fiel der unaufhaltsame Abstieg der Theologen aus, die 1850 nur mehr ein Drittel ihrer Höchstziffer von 1830 (= 6076) erreichten und erst 1914 wieder auf diese Zahl kommen sollten. Die Jurisprudenz verlor ihren Spitzenplatz (1850 noch mit 36%), als gerade noch drittstärkste Fakultät erzielte sie 1875 wieder den Stand von 1830 (= 4502). Dagegen holten die Mediziner schon 1863 ihren früheren Spitzenstand ein, ja sie verdoppelten ihre Zahl in zwanzig Jahren und schoben sich auf Platz zwei. Die Philosophische Fakultät erlebte die geringsten Schwankungen, stagnierte allerdings auch bis 1850 ungefähr auf dem hohen Plateau von 1830, gewann aber dank einem Zuwachs von rund fünfzig Prozent bis 1873 den ersten Platz unter den Fakultäten – in Preußen sogar mit rund neunzig Prozent, fast einem Drittel aller Studenten.

Übersicht 67: Studenten nach Fakultäten an den preußischen (I) und 19 deutschen Universitäten (II) 1850–1873 (absolut/%)

I.	Theologie	Jura	Medizin	Philos. Fakultät	Gesamtzahl (I)		
1850	1322/28.4	1471/31.6	630/13.6	1228/25.4	4651		
1860	1852/36.3	744/14.6	842/14.6	1662/32.6	5100		
1870	1600/21.3	1292/17.2	1721/17.2	2293/30.5	7531		
1873	1204/16.3	1722/21.5	1587/23.3	2333/31.3	7400		
II.					Gesamt-zahl (II)	TH	Sa.
1850	3037/24.9	4391/35.9	1585/15.2	2934/24.0	12220		
1860	3777/31.7	2420/20.3	2108/17.7	3628/30.4	11933		
1870	2986/21.1	3178/22.5	3757/26.5	3734/26.4	14157	2759	16916
1873	2640/16.7	4078/25.5	4239/26.8	4339/27.5	15801	5223	21024

Diese Studenten verteilten sich extrem ungleich. Die drei größten Universitäten blieben Berlin (1), Leipzig (2) und München (3). Sie bewegten sich seit den vierziger Jahren in einer veritablen Größenordnung von mehr als tausend, 1871 von mehr als zweitausend Studenten (1850 = 1. 1428, 2. 963, 3. 1924; 1860: 1. 1501, 2. 874, 3. 1200; 1870: 1. 2208, 2. 1803, 3. 1107). Das aber bedeutete, daß an ihnen stets fünfunddreißig Prozent, zeitweilig sogar zwei Fünftel aller Studenten immatrikuliert waren. Zählt man Breslau als die viert- und Halle als die fünftgrößte Universität noch hinzu (1871: 913 und 833), konzentrierte sich die Hälfte aller Studenten an einem Viertel der deutschen Hochschulen. Zum Vergleich: An den beiden kleinsten Universitäten, in Rostock und Kiel, waren dagegen nur hundertacht bzw. hundertzwölf Studenten eingeschrieben – ihre Zahl wurde von jedem Polytechnikum oder Progymnasium übertroffen. Das restliche Dutzend bewegte sich zwischen zweihundert und sechshundertsiebzig Studenten, darunter auch so berühmte Universitäten wie Heidelberg (539) und Göttingen (669), Marburg (339) und Freiburg (204).[6]

Diese durchweg noch überschaubare, zum Teil geradezu winzige Größenordnung muß man sich vergegenwärtigen, um vier zentrale Probleme – Folgen und Bedingungen der Universitätsentwicklung in dieser Zeit – zu verstehen.

1. In gesellschaftsgeschichtlicher Perspektive ist die bedeutsamste Konsequenz der geringen Studentenfrequenz während der langen Schrumpfungs- und Stagnationsperiode von rund 1830 bis rund 1870 eine schlichte Tatsache gewesen: Das deutsche Bildungsbürgertum blieb numerisch klein, und das war eminent folgenreich (vgl. vorn III. 2b). Sie erhielt oder steigerte sogar die Homogenität seiner sozialen Verkehrs- und Heiratskreise, seiner verbindlichen Normen und Werte, seiner klassenspezifischen Verhaltensweisen und Gewohnheiten. Sie unterstützte die Erziehung zur Selbstrekrutierung, reservierte angemessene Berufskarrieren, förderte den geistesaristokratischen Nimbus, die Verteidigung des gesellschaftlichen Einflusses, der kulturellen Definitionsmacht und der politischen Herrschaftspositionen für diese erstaunlich schmale bürgerliche Sozialformation. Damit aber bestand der durchaus exklusive Existenzzuschnitt eines streng begrenzten Ensembles von Funktionseliten und privilegierten Berufsklassen weiter fort, die außerdem durch ihre fest etablierte soziale Ehre, ihren stereotypierten Lebensstil aufgrund ständischer Vergesellschaftung und ihre sakralisierten Bildungsgüter zusammengehalten wurden.

Ähnlich wie die Gymnasien waren auch die Universitäten keineswegs an die «Bedürfnisse» der Industriellen Revolution direkt angekoppelt. Erst in ihren letzten Jahren setzte der erwähnte Anstieg der Studentenzahlen ein, und auch dabei dominierten «Generalisten» wie die Juristen und künftige Oberlehrer aus den Geisteswissenschaften in der Philosophischen Fakultät, die immer noch relativ wenige Naturwissenschaftler (1861 = 18.3 %, 1871 = 19.3 %) ausbildete.

Übersicht 68: Deutsche Universitäten 1846–1871 (Frequenz in Fünfjahres-Durchschnitten/Prozent)

Ort	Staat	1846/51	1866/71	1871
1. Berlin	Preußen	1461/11.6	1948/14.8	2208
2. Bonn	Preußen	806/ 8.6	886/ 6.6	671
3. Breslau	Preußen	766/ 6.6	927/ 7.0	913
4. Erlangen	Bayern	396/ 3.4	361/ 2.8	294
5. Freiburg	Baden	291/ 2.9	277/ 2.1	204
6. Gießen	Hessen/Preußen	476/ 4.1	294/ 2.2	233
7. Göttingen	Preußen	676/ 5.8	772/ 5.9	669
8. Greifswald	Preußen	190/ 1.6	420/ 3.2	439
9. Halle	Preußen	671/ 5.7	838/ 6.4	833
10. Heidelberg	Baden	632/ 4.8	632/ 4.8	539
11. Jena	Sachsen-Weimar	402/ 3.2	384/ 2.9	336
12. Kiel	Dänemark/Preußen	151/ 1.3	172/ 1.3	112
13. Königsberg	Preußen	323/ 2.8	468/ 3.6	512
14. Leipzig	Sachsen	970/ 8.3	1433/10.9	1803
15. Marburg	Hessen/Preußen	265/ 2.3	332/ 2.5	338
16. München	Bayern	1695/14.5	1215/ 9.3	1107
17. Rostock	Mecklenburg	87/ 0.7	152/ 1.2	108
18. Tübingen	Württemberg	832/ 7.1	755/ 5.8	671
19. Würzburg	Bayern	582/ 5.0	613/ 4.7	673

Mit dieser beginnenden Expansion der Studentenzahlen kündigte sich aber auch eine drastische Ausweitung des Bildungsbürgertums an, die seine überkommene, zäh verteidigte Kohäsion von Grund auf in Frage stellen mußte. Je weiter der Zugang zu Bildungswissen und Bildungspatenten geöffnet wurde, desto stärker schwächte das vordringende Berechtigungswesen mit seiner pragmatischen Orientierung am Berufserfolg die tradierten normativen Ansprüche ab. Der jetzt – der Tendenz nach – anhebenden Generalisierung von Bildungschancen entsprach der Rückgang an lebensprägender Kraft, die bisher im kleinen Kreis von den klassischen Bildungsinstitutionen der Familie, des Gymnasiums, der Universität ausgegangen war. Bildungsbürgerliche Exklusivität blieb weiterhin begehrt, konnte aber aufgrund der neuen realhistorischen Entwicklung – der Expansion der Studentenzahlen um vierhundert Prozent innerhalb von nur vier Jahrzehnten – immer seltener gewonnen werden. Insofern markiert das Jahr der Reichsgründung auch in der Geschichte des deutschen Bildungsbürgertums eine unaufhebbare Zäsur.

2. In dem überschaubaren akademischen «Reich des Geistes» bewegte sich weiterhin eine erstaunlich kleine Anzahl von Professoren. Dennoch hatten sie die deutsche reformierte Universität bereits an die Spitze des Weltsystems der Wissenschaften gebracht. 1864 handelte es sich um siebenhundertdreiundzwanzig ordentliche Professoren, zweihundertsiebenundsiebzig Extraordinarien und dreihundertvierundsechzig Privatdozenten,

mithin um nicht mehr als 1364 Wissenschaftler. Bis 1870 kamen nur hundertsiebenundfünfzig hinzu, so daß 1521 Männer den Lehrkörper aller deutschen Universitäten bildeten. Im Durchschnitt waren das in den sechziger Jahren an jeder Universität nur achtunddreißig Professoren oder insgesamt zweiundsiebzig Dozenten – ein abstrakter statistischer Befund, der natürlich den Riesenabstand zwischen der forschungsintensiven «Zentraluniversität» Berlin und der verschlafenen Zwerguniversität Rostock grotesk nivelliert. Immerhin: Achtzig Lehrende an einer deutschen Universität des Jahres 1870 – auch das enthüllt rundum bescheidene Größenverhältnisse.

Unter den Wissenschaftlern hatte sich der Trend hin zum Typus der Koryphäe mit hochspezialisiertem Expertenwissen, weg von der vorgeblichen Einheit aller Wissenschaft, weiter durchgesetzt. Zum Gradmesser des Erfolgs war bereits die international anerkannte Forschungsleistung geworden, die den ursprünglichen Maßstab: die Resonanz im enzyklopädisch breit angelegten Lehrbetrieb, auf den zweiten Platz verwiesen hatte. Mit diesem Primat verlagerte sich aber auch der Schwerpunkt der wissenschaftlichen Tätigkeit in die Institute und Kliniken, in die Seminare und Bibliotheken, nicht zuletzt in das private Arbeitszimmer, wo die Ergebnisse formuliert, die Bücher geschrieben, die Übungen mit fortgeschrittenen Studenten abgehalten wurden. Lehren und Lernen an der Universität – sie wurden durch diese Forschungsorientierung von Grund auf verändert, und der Charakter des Lebens als Wissenschaftler veränderte sich genauso. Dieser langwierige Prozeß ist bereits eingehend geschildert worden (Bd. II, 504–20; Bd. I, 292–303, 472–85), er hielt in diesen Jahrzehnten weiter an. Ungeachtet aller politischen Wechselbäder und sozialökonomischen Veränderungen folgte er seiner Eigendynamik.

Von ihr vorangetrieben hatten deutsche Wissenschaftler in einflußreichen Disziplinen bereits einen unbestrittenen Spitzenrang in der globalen «Academic Community» erreicht. Das galt für die Philologie und Philosophie, für die Geschichtswissenschaft im engeren fachspezifischen Sinn und in einem weiteren Verständnis, das den Siegeszug des Historismus in der Rechts-, Sprach- und Kunstgeschichte mit einbezieht. Das galt für die wissenschaftliche Bibelkritik und wiederum für die Kirchengeschichte, aber auch schon für weite Bereiche der Mathematik, der Naturwissenschaften und medizinischen Spezialfächer. Dieser erstaunliche Vorstoß war einem Bündel von Antriebskräften zu verdanken, die in ihrer Mischung von ideellen, sozialen und wissenschaftsimmanenten Faktoren eine damals einzigartige Konstellation heraufgeführt haben.

Faßt man nur ihre jüngeren Ursachen, nicht mehr die gesamte Genese, ins Auge, erkennt man, wie der erkenntnistheoretische Optimismus des deutschen Idealismus beflügelnd gewirkt, wie die Aufklärung die Idee der oft noch dogmatisch gebundenen traditionalen Gelehrsamkeit aufgelöst, wie der Historismus die Sympathie für das Alte in seiner Eigentümlichkeit angeregt hat. In der traditionsreichen Institution der Universität hatten sich mit den Reformen, die zwischen den beiden Eckdaten der Gründung von Göttingen (1734) und von Berlin (1812) einen grundlegenden Wandel einleiteten, eine beispiellose Aufwertung der Wissenschaft, eine strenge Professionalisierung der akademischen Experten und der anhaltende Siegeszug des «Forschungsimperativs» mit seinen generalisierbaren und intersubjektiv kontrollierbaren Leistungskriterien durchgesetzt. Diesen Leistungskriterien gehorchten inzwischen die Ausbildung bis zur Promotion, die Habilitation, auch die meisten Berufungsverfahren. Die belebende Konkurrenz der Universitäten untereinander förderte – ähnlich wie der Wettbewerb im Staatensystem oder Wirtschaftsleben – zusätzlich jene Innovationen, auf welche der wissenschaftliche Ehrgeiz ohnehin gerichtet war. Auch für den anstößigen Querdenker, den Verfechter eines irritierend neuen, erst spät anerkannten Paradigmas gab es in dieser pluralistischen Ordnung eine befriedigende Wirkungsstätte.

Vor allem aber hatte der Neuhumanismus das Interesse an der Wissenschaft bis zu einer wahren Wissenschaftsgläubigkeit gesteigert. Indem seine machtvollen Leitideen zu einem Religionsersatz aufstiegen, verlieh diese säkularisierte Bildungsreligion der Wissenschaft insgesamt und dem Individuum in seiner wissenschaftlichen Tätigkeit eine quasi-religiöse Weihe. Auch der einsame Gelehrte, der mit weltentrückter Besessenheit seinem Problem nachspürte, fühlte sich als Mitwirkender an einem erhabenen Projekt der geistigen Durchdringung der ganzen Welt.

Sozialhistorisch aber blieb die entscheidende Voraussetzung, daß mit dem protestantischen Bildungsbürgertum ein gesellschaftliches Reservoir bestand, aus dem neuhumanistisch geprägte junge Männer unablässig in die Welt der Wissenschaft hineindrängten. Dort konnten sie ihrem Wunsch folgen, durch entsagungsvolle, lebenslange Arbeit neue wissenschaftliche Erkenntnisse zu gewinnen und damit nicht nur ihre individuelle Bildung, sondern auch den Bildungshorizont der gesamten Menschheit zu erweitern. Dort fanden sie auch einen Beruf als «Berufung», der dem Leistungsdenken des Neuhumanismus geradezu optimal entsprach. Ohne die ungeheure Prägekraft der neuhumanistischen Bildungsreligion, ohne den kontinuierlich einströmenden Nachwuchs aus ihrer Trägerschicht, dem Bildungsbürgertum, läßt sich die Einzigartigkeit der Konstellation an den deutschen Universitäten überhaupt nicht erklären. Es ist vielmehr diese eigentümliche Kombination von institutionellem Vorsprung in Gestalt der reformierten Universität, von ideellem Treibsatz in Gestalt des lebensprägenden Neuhumanismus und von sozialhistorischem Fundament in Gestalt der bildungsbürgerlichen «Reservearmee» für die «Wissenschaft als Beruf» gewesen, auf welcher der Vorsprung der deutschen Universitätswissenschaft beruhte.

3. Das höchste Einkommen, das ein prominenter Professor bezog, war sein «psychisches Einkommen» aus dem wissenschaftlichen Erfolg, aus der

Anerkennung durch berühmte Zunftgenossen, aus der Prämie, welche die Zuwahl in eine Akademie bedeutete. Materiell dagegen war er zwar sicher, aber alles andere als glänzend gestellt. Das mecklenburgische Rostock und Jena, die «Fürstlich-Sächsische Gesamt-Universität», kamen bis 1870 über den deutschen Tiefstand von siebenhundert Talern Jahresgehalt selten hinaus. In Halle erhielt ein anerkannter Ordinarius, zusammen mit dem Kolleg- und Prüfungsgeld, immerhin zweitausendzweihundertfünfzig Taler, während der Heidelberger Chemiker Bunsen mit dreitausendeinhundert Talern das zweithöchste Gehalt an der Universität überhaupt erreichte. Dafür wurde aber jeder ordentliche Professor zum Rat 4. Klasse ernannt. Der Geheimratstitel, dem kleine Extragratifikationen folgten, wurde recht großzügig verliehen. Mit dieser Mischung aus wissenschaftlicher Reputation, solidem Salär und prestigiösem Titel ließ sich wohl leben.

Demgegenüber mußten sich die Extraordinarien, ungeachtet ihrer oft herausragenden wissenschaftlichen Leistung, mit einem Oberlehrergehalt durchschlagen, und als Räte gehörten sie nur der 5. Klasse an. Die Privatdozenten führten sogar, wenn sie nicht über Privatvermögen verfügten, eine wahre Hungerexistenz, denn von den wenigen Talern Kolleggeld konnte keiner leben. Auf jede Art von Nebeneinkommen angewiesen, oft als Lehrer an einer höheren Schule tätig, kämpften sie im Vertrauen auf den Leistungserfolg darum, die Durststrecke bis zu der ersehnten Berufung zu überleben. Die Zumutung muß man unter sozialen Gesichtspunkten entschieden kritisieren. Die institutionelle Weisheit, auf diesem Weg jedem durch ein außergewöhnliches wissenschaftliches Oeuvre oder gar eine Innovation ausgewiesenen jungen Gelehrten im Prinzip die Berufung auf eine ordentliche Professur zu ermöglichen, wird durch den kargen Lebensstil nicht in Frage gestellt.

Überdies besaßen die Universitäten auch finanzpolitisch keinen Spielraum für Großzügigkeit. Obwohl der preußische Staat mit großem Abstand die meisten Universitäten finanzierte – bis 1866 seine sechs alten, seither noch mit Göttingen, Marburg und Kiel sogar neun, fast die Hälfte von allen –, wurden im Haushalt des «Kulturstaates» nicht mehr als zwei Prozent für das gesamte Bildungswesen einschließlich der Universitäten eingesetzt. 1853 machte der ordentliche Hochschuletat ganze 580345 Taler aus. Davon erhielten drei der größten deutschen Universitäten wie Berlin nur 157210, Breslau 90890 und Halle 79200 Taler. Bis 1871 hatte sich der Etat um fünfundsechzig Prozent auf 910528, bis 1876 erneut um fünfundsechzig Prozent auf 1.501 Millionen Taler vermehrt. In anderen Staaten wuchs die Förderung noch gemächlicher: Leipzig kletterte von 1856 = 120606 in zwanzig Jahren um siebenundneunzig Prozent auf 1876 = 337515 Taler, Heidelberg von 1853 = 65517 um hundert Prozent auf 1876 = 134726 Taler. Eindeutig setzte der schnellere Zufluß an Mitteln erst seit der Mitte der sechziger Jahre ein. Er war keine Folge der wachsenden Studentenzahl.

Vielmehr wanderte der größte Teil in den Ausbau der Kliniken und naturwissenschaftlichen Institute. In Berlin betrug dieser Anteil von den rund 260000 Talern des Jahres 1870 schon fast die Hälfte – in den letzten zwanzig Jahren war das eine Vermehrung um rund tausend Prozent. Auf dreißig bis vierzig Prozent des Universitätshaushaltes kletterten diese internen Modernisierungskosten fast überall. Kluge Investitionen für die Zukunft verkörperten sie allemal. An der immer noch prekären Finanzlage der Universitäten änderte sich bis in die 1870er Jahre hinein trotzdem sehr wenig. Private Zuschüsse, etwa in Gestalt von Stiftungslehrstühlen oder von Institutsbauten, gab es damals überhaupt nicht. Alle Universitäten waren ganz und gar Staatsuniversitäten.

In der Abhängigkeit von Staatsbeamten lebten denn auch die Universitätsprofessoren. Dennoch verstanden es viele, sich ein hohes Maß an Unabhängigkeit und selbständigem Urteil zu bewahren. Und als die schlimmen Jahre der zweiten deutschen Restauration zu Ende gingen, tauchten politisch engagierte Hochschullehrer, insbesondere auf der Seite der Liberalen, förmlich zu Dutzenden wieder auf. An jeder Universität gab es die typische Gesinnungsgemeinschaft der liberalen, nationalpolitisch aktiven Professoren. Die DFP gewann sofort eine solche Ausstrahlung in dieses akademische Milieu hinein, daß sich Kultusminister v. Mühler und Innenminister v. Jagow schon 1862 zu einem strengen Gängelerlaß zusammentaten, der von allen Professoren und Dozenten bei den Landtagswahlen die unzweideutige Entscheidung für den Regierungskandidaten verlangte. Darauf antwortete ein Ausbruch empörter Kritik, die sich bis zu dem schneidenden Protest der Berliner Fakultäten steigerte. Die fortschrittliche und nationalliberale Politik der sechziger Jahre, die vielfarbige politische Publizistik, die ebenso sachkundigen wie leidenschaftlichen Debatten der Landtage und Reichstage bis 1871 – sie alle sind ohne die neue Generation politischer Professoren nicht vorstellbar.

4. Während die Professorenschaft weiterhin – trotz aller bekannten Außenseitererfolge – eine sozial bemerkenswert homogene, überwiegend: zu zwei Dritteln aus dem Bildungsbürgertum stammende, bildungsaristokratische Funktionselite bildete, begann sich die soziale Herkunft der Studenten signifikant zu verändern. Eine sozialstrukturelle Analyse von allen Universitäten liegt noch nicht vor; sie ist vermutlich auch in dieser wünschenswerten Vollständigkeit empirisch gar nicht zu erreichen. Trotzdem sind anhand der vorliegenden Samples einige generalisierende Urteile möglich. Die Selbstrekrutierung aus den bildungsbürgerlichen Familien blieb zwar hoch – bis 1850 hatte sie noch bei fast fünfzig Prozent gelegen. Aber innerhalb von zwanzig bis fünfundzwanzig Jahren sank sie, parallel zur Expansion der Studentenschaft, offenbar überall um mindestens zehn Prozent ziemlich steil ab. In derselben Zeit stieg der Anteil aus dem Besitzbürgertum einschließlich der vermögenden ländlichen Familien unübersehbar an. Darauf ist die

zunehmende Frequenz aber nur zum geringeren Teil zurückzuführen. Der eigentlich verblüffende Anstieg vollzog sich im Umfeld des Kleinbürgertums: Der Prozentsatz der Söhne aus den Familien von Kaufleuten und Handwerkern, von Mittel- und Subalternbeamten, von Volksschullehrern und kleineren ländlichen Grundbesitzern kletterte um acht bis fünfzehn Prozentpunkte in die Höhe, so daß er schließlich durchweg schon ein Fünftel bis mehr als ein Drittel der Studenten erfaßte. Aus diesem überproportional starken Wachstumsbeitrag erklärt sich ganz wesentlich die steigende Frequenz seit den späten 1860er Jahren.

Einigermaßen exakte sozialstatistische Angaben liegen bisher nur für einige Universitäten vor. Auch dabei divergieren jeweils die Definitionsmerkmale der sozialen Zugehörigkeit, dennoch ist ein Gesamturteil möglich. Wichtig ist in diesem Zusammenhang Berlin, wo 1871 rund achtzehn Prozent aller deutschen Studenten immatrikuliert waren. Legt man, um die soziale Herkunft zu erfassen, das für diese Zwecke anhand der Väterberufe gebildete Dreierschema von 1. Bildungsbürgertum (Höhere Beamte, Richter, Pfarrer, Rechtsanwälte, Professoren, Gymnasiallehrer, Ärzte, Architekten, Ingenieure, Schriftsteller), 2. Besitzbürgertum (Großkaufleute, Industrielle, Rentiers, Großgrundbesitzer, Domänenpächter) und 3. Kleinbürgertum (Handwerker, Volksschullehrer, mittlere und untere Beamte) zugrunde, stößt man auf eindeutige, den allgemeinen Trend reflektierende Prozentzahlen, wobei der Rückgang in der ersten Kategorie um fast zehn und der Anstieg in der dritten um fast acht Prozentpunkte die folgenreichsten Veränderungen angeben.

1850:	1. 47.5 %	2. 31.2 %	3. 21.4 %
1860:	1. 45.1 %	2. 32.0 %	3. 23.0 %
1870:	1. 38.0 %	2. 32.8 %	3. 29.2 %

Im Vergleich mit der großstädtischen, anspruchsvollen und forschungsintensiven «Zentraluniversität» galt Halle seit jeher als Universität für Aufsteiger, die insbesondere in den «Plattform»-Beruf des protestantischen Pfarrers gelangen wollten. Auch hier läßt sich ein in etwa vergleichbares Herkunftsraster bilden (1. Höhere Beamte, Pfarrer, Ärzte, Professoren, Offiziere; 2. Industrielle, Kaufleute, Gutsbesitzer; 3. mittlere und untere Beamte, Handwerker), das die folgenden Prozentziffern ergibt:

1852:	1. 51.3 %	2. 19.8 %	3. 26.6 %
1874:	1. 37.7 %	2. 17.1 %	3. 30.3 %

Auch an Halle fällt die starke Schrumpfungsrate des bildungsbürgerlichen Anteils um rund vierzehn Prozentpunkte, andrerseits der Anstieg der Studenten aus dem kleinbürgerlichen Milieu auf dreißig Prozent der Gesamtzahl (darin stecken allein neunzehn bzw. zweiundzwanzig Prozent aus der mittleren und unteren Beamtenschaft) besonders eindringlich auf.

Für Leipzig kann man eine ganz ähnliche Bündelung der Sozialkategorien wie für Halle verwenden (1. identisch; 2. Unternehmer, einschließlich der Großkaufleute, Grundbesitzer, Bauern; 3. Kaufleute, Handwerker, mittlere und untere Beamte), so daß man für zwei spätere Stichjahre vergleichbare Resultate erhält:

1859–64: 1. 50.6% 2. 17.7% 3. 31.7%
1869–74: 1. 42.7% 2. 26.7% 3. 30.6%

Selbst wenn man der Trennschärfe der zugrundeliegenden Berufsbezeichnungen mit skeptischer Reserve begegnet, zeichnet sich in der sächsischen Metropole doch ein ähnlicher Trend ab: Im bildungsbürgerlichen Herkunftsbereich, wo übrigens der Anteil aus Pfarrerfamilien zwischen neununddreißig und sechsunddreißig Prozent konstant hoch blieb, gibt es einen auffälligen Rückgang, im wirtschaftsbürgerlichen aber einen Zuwachs um fünfzig Prozent, im kleinbürgerlichen den Stillstand bei einem Drittel. Die allgemeine Tendenz enthüllt auch ein derselben Untergliederung folgendes Regionalsample, das die württembergischen Studenten etwas später, 1875 und 1885, erfaßt:

1874: 1. 38.9% 2. 20.3% 3. 38.8%
1885: 1. 32.9% 2. 23.0% 3. 42.2%

Insgesamt bestätigen diese Einzelbefunde einen offenbar generellen Trend, der schon mehrfach charakterisiert worden ist. Er erhielt immer noch eine erstaunlich hohe Selbstrekrutierungsrate bildungsbürgerlicher Familien, aber der Abfall um rund zehn Prozentpunkte bedeutete im studentischen Sozialprofil eine gravierende Veränderung, die auch in Zukunft weiter andauern sollte. Das Wirtschafts- und Besitzbürgertum gewann vermehrte Zugangschancen. Das überraschendste Ergebnis ist jedoch das – auch im internationalen Vergleich – kräftig anwachsende Studentensegment aus kleinbürgerlichen, bisher universitätsfernen Familien, die auch seither in weiterwachsendem Maße den Weg zum Studium finden sollten.

Deshalb ist die Feststellung einerseits richtig, daß die Universität weiterhin von ihrer bildungsbürgerlichen Tradition geprägt wurde. Wahr ist andrerseits aber auch, daß sie eine soziale Offenheit gewann, welche die bildungsbürgerliche Exklusivität aufzulösen begann und – um noch einmal den komparativen Aspekt zu betonen – mit der sozialen Schließung westeuropäischer Universitäten und amerikanischer Privatkollegs vorteilhaft kontrastierte. Erwähnenswert bleibt auch, daß all dieser Wandel an der konfessionellen Zusammensetzung der Studentenschaft überhaupt nichts änderte. Die protestantischen Studenten stellten siebzig bis dreiundsiebzig Prozent (bei einem Anteil an der Reichsbevölkerung von fünfundsechzig Prozent), die Katholiken zwanzig Prozent (vierunddreißig Prozent), die winzige jüdische Minderheit aber sieben bis zehn Prozent (1.3%). Darin äußerte sich die ungebrochene Kontinuität einer positiven oder skeptischen Einstellung zur Modernität und einer ihrer Basisinstitutionen.[7]

5. Die Ausdehnung des literarisch-publizistischen Marktes: Konturen der modernen Kommunikationsgesellschaft

Auf den ersten Blick bietet jener Prozeß, der nach der Revolution die Verdichtung der öffentlichen Kommunikation weiter vorantrieb, ein widersprüchliches Bild. Die Bücherproduktion erlebte einen verblüffend scharfen Abfall, der sogar auf niedrigerem Niveau in eine längere Stagnation überging, ehe seit der Mitte der sechziger Jahre ein zunehmend beschleunigter Anstieg einsetzte, so daß 1879 endlich wieder der Gipfel des Vormärz erreicht wurde. Auf der andern Seite gab es seit den frühen fünfziger Jahren eine geradezu rasante Entwicklung im Bereich eines anderen Mediums, des Zeitschriftenwesens. Dort begannen die großen illustrierten «Familienblätter» Furore zu machen. Mit diesem neuen Zeitschriftentypus wurde der Grundstein für die moderne Massenpresse gelegt. Die Familienjournale übernahmen eine Zeitlang die Rolle des Vorreiters für die periodische Presse, während im Vergleich mit ihrem explosiven Vorstoß die Entfaltung der Tageszeitungen hinterherhinkte.

Eindeutiger als je zuvor setzte sich in diesen Jahrzehnten eine Basisinstitution der modernisierenden deutschen Gesellschaft auch in diesem Realitätsbereich weiter durch: Der Markt wurde in zunehmendem Tempo zum eigentlichen Regulator des publizistischen und literarischen Lebens. Das läßt sich an einer Vielfalt von Indizien verfolgen, und dieser Siegeszug hatte folgenschwere Auswirkungen. Daß die Nachfrage nach preiswerter, eingängiger Unterhaltung ebenso anstieg wie die nach schneller, anschaulicher Information, wurde nicht nur frühzeitig erkannt, sondern dieser Bedarf wurde auch erstaunlich schnell befriedigt. Das wachsende Lesepublikum verlieh den Annoncen eine gesteigerte Bedeutung, da die Anzeigenkunden den Wert der vervielfachten Resonanz sofort erkannten. Beide Faktoren wiederum ermöglichten eine Auflagensteigerung, die folgerichtig die Werbung attraktiver, ihre Auftraggeber noch einflußreicher machte. So geriet ein sich selbst vorantreibendes Wachstum in Gang, das für alle Beteiligten die Marktabhängigkeit erhöhte.

Sie regierte auch die Berufstätigkeit des Schriftstellers und Journalisten, denn die Bedürfnisse des entstehenden Massenmarktes prägten den Charakter jenes literarischen und publizistischen Angebots, das von ihnen geschaffen und an den Leser gebracht wurde. Der Erfolg oder Mißerfolg auf dem Markt – er bestimmte den Preis und die Honorarhöhe, den Romaninhalt und die Illustrationen, den Bekanntheitsgrad und die Investitionsrendite. Zugleich setzte dieser expandierende Markt Prämien auf Innovationen aus, die seiner Ausdehnung zugute kamen. Deshalb fiel keineswegs zufällig ein breit gestaffelter technologischer Entwicklungsschub in diese Jahrzehnte hinein. Außerdem ermöglichte gleichzeitig der Erfolg der «Verkehrsrevolution», den Transport aller Produkte der periodischen Presse, der Buchverlage, der Sortimenter- und Kolportagehandlungen immens zu beschleunigen. Nicht zuletzt dieses plötzlich enger geschnürte Netz der alltäglichen Kommunikation war das reale Substrat eines Eindrucks, der so vielen Menschen vermittelt wurde: Sie glaubten, in einen neuen gesellschaftlichen Zustand hinüberzuwechseln, dessen Signatur zunehmend in einem neuartigen Zeitrhythmus, in einer offenbar stetig anwachsenden Entwicklungsgeschwindigkeit gesehen wurde. Die Gesetzgebung hat sich dem Sog dieser neuen Verhältnisse verhältnismäßig zügig angepaßt. Die Rechtslage wurde so elastisch verändert, daß sich die Marktmechanismen unbehindert auswirken konnten.

Aufgrund der Dynamik, durch die eine marktbedingte Öffentlichkeit ganz so heraufgeführt wurde wie eine marktbedingte literarische Kultur, sind die Konturen einer von Marktgesetzen gesteuerten Kommunikationsgesellschaft seit den siebziger Jahren deutlich erkennbar. Daß die «Öffentlichkeit» in quantitativ ungleiche politische Segmente zerfiel, ändert nichts an dieser gemeinsamen Grundgegebenheit. Noch dominierte die große gemäßigt liberale Öffentlichkeit. Ihr konservativer Gegenspieler besaß trotz der Stärke der konservativen Politik keinen ebenbürtigen Rang. Eine Sonderrolle spielten sowohl die konfessionelle Öffentlichkeit der katholischen Minderheit als auch die neue proletarische Öffentlichkeit, welche von der Sozialdemokratie und den Gewerkschaften mit ihren eigenen Zeitungen und Zeitschriften als unverzichtbare Gegenmacht gegen das erdrückende Übergewicht der «bürgerlichen Öffentlichkeit» geschaffen wurde. Auch wenn der politische Pluralismus mühsam erkämpft werden mußte und keineswegs automatisch auf dem liberalen Meinungsmarkt gedieh, prägte er doch die publizistische Öffentlichkeit. Die intensivierte Marktabhängigkeit erzwang keineswegs Konformität, wohl aber schaffte sie für diese Arena verbindliche Rahmenbedingungen, die jeder seither respektieren mußte, wenn er nicht die Strafe des Untergangs riskieren wollte.

a) Die Buchproduktion

Das klassische Medium des literarischen Marktes, das Buch, erlebte, wenn man die jährliche Produktion graphisch darstellt, eine von 1843 bis 1879 währende Ab- und Aufschwungphase, die einer langwelligen Konjunkturbewegung ähnelt. Genau vierhundert Jahre nach Gutenbergs Säkularerfindung hatte die deutsche Bucherzeugung 1843 mit 14039 Titeln ihren absoluten Gipfel erreicht. Noch vor 1850 war sie jedoch unter zehntausend abgesunken. 1851 gelangte die Talfahrt auf den Tiefststand von 8346. Während der fünfziger Jahre stagnierte die Buchproduktion um rund achttausendsiebenhundert, ging dann in den sechziger Jahren allmählich wieder in einen Anstieg über, überschritt aber erst 1868 die Zehntausender-Marke, die sie bereits 1837 erreicht hatte. Seither beschleunigte sich der Auftrieb, bis 1879 mit 14179 der Spitzenwert von 1843 passiert wurde. (Danach hat sie sich bis 1913 auf 34871 verdoppelt!) Das war ein Symptom dafür, daß sich die Industrialisierung auch in der Herstellung von Büchern endgültig durchgesetzt hatte.

Die Titelstatistik der Sachgruppen enthüllt einige gravierende Veränderungen. Die «Belletristik», die in den fünfziger Jahren noch bei rund neunhundertfünfzig Bänden gelegen hatte, eroberte 1875 mit tausendeinundsechzig Büchern einen Spitzenplatz. Neben ihr schoben sich «Wirtschaft und Pädagogik» auf den vordersten Rang. Dagegen erwies sich das theologische Schrifttum als «Hauptverlierer», da es auf den fünften Platz abfiel. Billige «volkstümliche Schriften» schoben sich bereits auf Platz zehn. Unter den Sachbüchern hielt die Erfolgsgeschichte der großen Lexika an: Mit der elften Auflage, die in fünfzehn Bänden von 1865 bis 1868 erschien, kam allein der «Brockhaus» auf dreihunderttausend Exemplare.

Für das Verlagswesen blieb Leipzig weiterhin das deutsche Mekka. Seit 1871 war jedoch auch auf diesem Gebiet der Konzentrationsprozeß zugunsten Berlins nicht mehr aufzuhalten. Insgesamt wuchs die Zahl der Verlage in den beiden Jahrzehnten bis 1871 um fünfundachtzig Prozent auf achthundertsechsundsechzig Unternehmen. Überall hielt die Spezialisierung an, so daß die Produktionspalette der meisten Verlagshäuser auf bestimmte Buchgattungen und Zeitschriften eingeengt wurde.

Die Distribution ihrer Produkte wurde jetzt zunehmend erleichtert. Die Anzahl der Sortimenter, die wie Großhändler große Regionen oder Städte belieferten, kletterte von rund neunhundert vor der Revolution bis 1867 auf 1325, bis 1880 sogar auf 3375. Davon entfielen allein auf Preußen durchweg fünfundfünfzig Prozent, Berlin besaß 1870 rund hundert. Bedeutend schneller noch vermehrten sich die Buchhandlungen seit 1850 um fünfundsechzig Prozent bis 1871 auf 2949. Von diesen nahezu dreitausend Geschäften konzentrierten sich viele in den großen protestantischen Städten. 1860 zählte man in Berlin zweihundertdreißig, in Leipzig hundertachtzig, in Stuttgart sechsundsechzig; Dresden, Hamburg und Frankfurt besaßen zwischen vierzig und fünfzig, Nürnberg und Breslau zwischen dreißig und vierzig. Genau vier Fünftel aller deutschen Buchhandlungen lagen 1870 auf dem späteren Reichsgebiet. Ihre Verteilungsdichte zeigt eindeutig den Modernisierungsvorsprung der protestantischen Gebiete, ihr sporadisches Vorkommen in überwiegend katholischen Städten und Bundesstaaten das vertraute Bildungsdefizit.

Auch die Kolportagehandlungen mit ihrem nahezu allgegenwärtigen Verteilungssystem wuchsen überproportional an. Als dank der Gewerbefreiheit der Konzessionszwang für die gewerbliche Subskriptionssammlung entfiel, schoß ihre Zahl bis 1871 auf 443 hoch, und sie dehnten ihr ohnehin florierendes Geschäft noch einmal aus. Denn sie waren es, welche die

Vertriebsprobleme der in Schwung gekommenen massenhaften Druckproduktion in einem erstaunlichen Umfang zu lösen verstanden und insofern vorbildliche Absatzmethoden entwickelten. Seit den vierziger Jahren hatten etwa zwei Drittel des Kolportagehandels aus populären Zeitschriften, Klassikerausgaben, Fortsetzungsromanen, in erster Linie Räuber-, Ritter-, Kriminalgeschichten, insbesondere in der Form des sogenannten Kolportage-Romans (mit fünfzig bis hundertfünfzig Lieferungen von acht bis zwölf Seiten zu jeweils zehn Pfennig, öfters mit einer halben Million Auflage), aber auch aus Lexika und wissenschaftlichen Lieferungen bestanden; hinzu kamen zahllose Kalender, Devotionalien und Traktate. Auf diesem Wege wurden von C.J. Meyers «Miniaturbibliothek deutscher Klassiker» Hunderttausende von Exemplaren für zweieinhalb bis sieben Groschen abgesetzt. Brockhaus und Cotta schlossen sich mit eigenen Reihen nicht minder erfolgreich an. Franckh entdeckte mit seiner Reihe von Romanübersetzungen, die ihn keine Lizenzgebühren und Autorenhonorare kostete, eine Marktlücke und schloß sie geschwind. Für den Vertrieb der religiösen Devotionalienliteratur erwies sich der Kolportagehandel als optimal geeignet, da er mit seiner «frommen Literatur» bis zum abgelegensten Gehöft vorstieß. Allein in den sechziger Jahren setzte zum Beispiel eine evangelische Traktatgesellschaft aus Bremen 6.8 Millionen Traktate, dreihundertzwölftausend Broschüren und vierhunderttausend Bücher ab. Der Kolportageagent war in Stadt und Land eine jedermann vertraute Figur, die das Geschäft mit einer damals einzigartigen individuellen Leserbetreuung und auch -erziehung verband.

Wie man sich die positiven Aspekte des häufig abschätzig beurteilten Kolportagehandels zu vergegenwärtigen hat, muß man auch der Schlüsselrolle der populären Leihbibliotheken gerecht werden. Die Anzahl der offiziell registrierten Büchereien wuchs in den fünfziger und sechziger Jahren stetig an, bis sie 1875 rund neunhundertsiebzig erreichte. Hinzu kommt jedoch noch die hohe Dunkelziffer der kleinen Winkelbibliotheken, so daß von etwa viertausend Leihbüchereien ausgegangen werden kann. Hunderte von ihnen boten zehn- bis zwölftausend Bände an, die großen fünfzigtausend und mehr, die größte, Borstell in Berlin, erreichte sogar sechshunderttausend Leihexemplare; nach zwei bis drei Jahren verkauften die größeren Unternehmen ihre gebrauchten Bände an kleinere weiter.

Faktisch gab es Leihbibliotheken in jeder Stadt, sie stiegen zu einem geselligen Treffpunkt auf, den jedermann frequentieren konnte. Dort wurden neue Bücher und Zeitschriften aller Art einem breiten Publikum gegen eine relativ niedrige Gebühr, die jährlich zwischen zwei und fünf Talern oder sechs bis neun Gulden betrug, zugänglich gemacht. Vermutlich umfaßte dieses Publikum gut neunzig Prozent der regelmäßigen Leser, da die Anzahl der Privatkäufer noch denkbar gering blieb, jedenfalls unter zehn Prozent lag.

Auf dieser Stammkundschaft und der stabilen Nachfrage der Leihbibliotheken beruhte weithin auch die Verlagskalkulation. In der Belletristik wurde zum Beipiel während der fünfziger/sechziger Jahre die Standardauflage von siebenhundert bis achthundert Exemplaren selten überschritten. Selbst bei den beliebten historischen Romanen lag die Grenze bei tausend bis zwölfhundert. Bei den meisten Büchern wurde ein Absatz an die Leihbibliotheken in Höhe von neunzig Prozent vorausgesetzt, auch die Romane bekannter Autoren wurden nicht anders behandelt. Insofern hat die Anschaffungspolitik der tausend größeren Leihbibliotheken den kommerziellen Erfolg der Verlage und Autoren in entscheidendem Maße mitbestimmt.

Das Leih- und Lesepublikum scheint überall durchweg sehr heterogen gewesen zu sein. Sampleanalysen ergeben die offenbar nicht untypische Zusammensetzung aus rund vierzig Prozent Handwerkern und Kaufleuten, zwanzig Prozent Frauen und Mädchen, fünfzehn Prozent höheren Schülern, elf Prozent Arbeitern und neun Prozent Beamten. Während der anlaufenden Urbanisierung gab es gerade in den Städten, wo die Leihbibliotheken florierten, ein ausgeprägtes Orientierungsbedürfnis. Das bereitete den Nährboden für die anhaltende Nachfrage nach populärer Lektüre, aber auch nach Sachbüchern, Lexika und informativen Zeitschriften. Ein Teil der kompensatorischen Bedürfnisse, die aus der Erfahrungsumstellung und dem Mentalitätswandel der städtischen Bevölkerung hervorgingen, wurde offenbar durch den vielfältigen Lesestoff der Leihbibliotheken befriedigt; die Zeitkritik sprach von der «Flucht in die Romanwelt». Zugleich vermittelten sie den Umgang mit Lektüre an bisher leseferne Schichten. Auf längere Sicht trugen sie zudem zu einer Homogenisierung des literarischen Geschmacks bei, zu einer kulturellen Assimilierung der Klassen, nicht zuletzt auch zu einer Nationalisierung durch die Themen, Topoi und Appelle der Lektüre. Unübersehbar ist in diesem Bereich des Konsumentenverhaltens ein Sickereffekt eingetreten: Relativ zügig wanderte die Oberschichtenlektüre auf der sozialen Rangleiter nach unten: Schiller und Goethe wurden dort ebenso entliehen wie Zola und Freytag.

Trotz der voranschreitenden Expansion des Lesepublikums muß man sich bewußt bleiben, in wie engen Grenzen sich seine Größenordnung noch immer bewegte. Um 1870 konnten wohl fünfundsiebzig Prozent Bevölkerung über vierzehn Jahre gut genug lesen, um einen einfachen Text aufzunehmen. Die höchste Barriere gegen die Ausbreitung der Lesekultur stellte jedoch weiterhin das niedrige Durchschnittseinkommen dar, das selbst die geringen Leihgebühren vielen als unerschwinglich erscheinen ließ. Noch 1875 lagen in Preußen rund fünfzig Prozent der Erwerbstätigen mit ihrem Verdienst unter dem Mindestsatz der Klassensteuer. Von der bessergestellten anderen Hälfte verdienten siebenundvierzig Prozent weniger als jährlich hundertvierzig Taler; zweiundvierzig Prozent kamen auf hundertvierzig bis tausend, nur elf Prozent der Steuerpflichtigen oder fünf Prozent der Erwerbstätigen erreichten jährlich mehr als tausend Taler. Die mehr als sechzig Prozent aus den Unterschichten entfielen im allgemeinen als Lesepublikum. Gewiß gab es bemerkenswert viele Ausnahmen, aber regelmäßig las doch nur die Arbeiterelite politische Traktate, Hefte von Meyer und Reclam, dazu Zeitschriften und Zeitungen. Auch in den Mittelklassen ließ das Einkommen keine großen Sprünge zu, wenn man sein teures Hobby pflegen wollte. Wenn zwischen 1865 und 1870 ein Buchhalter vierhundertsechzig, ein Redakteur sechshundert Taler jährlich verdiente, lagen Bücherpreise für sie meistens in unerschwinglicher Höhe. Ein populärer Roman von Gutzkow zum Beispiel kostete 5.75 Taler. Da sparte man schon eher als einmalige «Anschaffung fürs Leben» die vier Taler für Cottas «Sämtliche Werke» von Goethe in sechsunddreißig Bändchen. Die trotz dieser Soziallage häufig aufgebrachten Leihgebühren bedeuteten ein spürbares Opfer.

Auch für die meisten Besserverdienenden stellte der Buchbesitz noch kein anerkanntes Zeichen gesellschaftlichen Ranges dar. Zur Selbstverständlichkeit waren der Kauf und der liebevolle, intensive Umgang mit Büchern vorerst nur in der kleinen Sozialformation der Bildungsbürger geworden. Auch dort aber herrschte in den oft kinderreichen Familien ein bescheidenes Einkommen vor. Das ließ zwar trotzdem den Habitus zu, mit kleinen Sparsummen die lang aufgeschobene Befriedigung des Wunsches nach Bücherbesitz zu erreichen. Ein Lesepublikum mit zugleich großer Kaufkraft verkörperte das Bildungsbürgertum aber noch nicht. Und wo die Kaufkraft vorhanden war, besaß die kleine Privatbibliothek noch keinen Wert als Statussymbol. Unter solchen Bedingungen kann es dann nicht mehr so sehr überraschen, daß 1871 der Gesamtumsatz an Büchern im Deutschen Reich vierundzwanzig Millionen Mark erreichte, bei einer Bevölkerung von rund vierzig Millionen Menschen also um sechzig Pfennig pro Kopf lag.[8]

Trotzdem: Im Lichte dieser Einkommensverhältnisse sticht das Wachstum des liberalen Marktes und der Verlage, sticht der Erfolg der Leihbibliotheken um so mehr ins Auge. Dieses positive Urteil gilt erst recht für die Ausbreitung des Zeitschriftenwesens und der Tagespresse.

b) Zeitschriften und Zeitungen

Der eigentliche Durchbruch zum modernen Massenmedium mit riesiger Auflage ereignete sich nicht im Zeitungswesen, das deshalb auch erst an zweiter Stelle behandelt wird, sondern im Zeitschriftensektor. Er war dem Auftauchen eines neuen Gattungstyps zu verdanken: den wöchentlich erscheinenden illustrierten «Familienblättern», die schon in den fünfziger Jahren eine derart hohe Durchschnittsauflage – von annähernd zwanzigtausend Exemplaren – erreichten, daß sie die Grundlage für die moderne Massenpresse in Deutschland legten. Dabei spiegelt das kräftige numerische Wachstum der Zeitschriftenzahl die neue Dynamik nicht angemessen wider: Beflügelt vom Gründungsfieber der Revolutionszeit hatte es 1850 = 1102

Zeitschriften gegeben, von denen 1858 noch 845 übriggeblieben waren; 1867 gab es 1217, 1872 = 1743, 1875 = 1971. Das bedeutete zwar innerhalb von zwanzig Jahren mehr als eine Verdoppelung, aber die eigentliche Expansion drückte sich in der vorbildlosen Auflagenhöhe aus.

Das berühmteste, zugleich auch erfolgreichste Pionierunternehmen dieser Branche war die «Gartenlaube». Im Herbst 1853 erschien das erste Heft des neuen «Illustrierten Familienblatts», das Ernst Keil gegründet und für ein Jahresabonnement von einem Taler und zwanzig Groschen auf den Markt gebracht hatte. Wie sehr dieser Vorläufer der modernen Illustrierten dem Publikumsgeschmack entgegenkam, läßt sich an der Steigerung der Auflage ablesen: 1861 lag sie bereits bei hunderttausend, 1867 bei zweihundertzehntausend, 1875 erreichte sie mit dreihundertzweiundachtzigtausend Exemplaren den höchsten Stand. Das war damals die größte Wochenauflage, die es auf der Welt gab.

Die Attraktion der Zeitschrift beruhte auf einem raffiniert gemischten Leseangebot. Jährlich erschienen vierzehn Fortsetzungsromane, für die bekannte Autoren mit lukrativen Honoraren gewonnen wurden: Berthold Auerbach, Ferdinand Freiligrath, Karl Gutzkow, Heinrich Laube, Fanny Lewald, Levin Schücking, Friedrich Spielhagen gehörten dazu. Zum Publikumsliebling avancierte jedoch eine Schriftstellerin, Eugenie Marlitt (d. i. John), die seit «Goldelse» den Kitschroman frühzeitig zur Perfektion entwickelte; hinter ihr tauchten bald Paul Heyse und Ludwig Ganghofer auf. Außer den Romanen brachte die «Gartenlaube» Erzählungen und Novellen, Reportagen und politische Aufsätze, sie führte einen Leserbriefkasten ein, fügte Spezialrubriken und Sonderbeilagen hinzu, alles mit Lithographien und Stahlstichen üppig illustriert.

Das Ziel des Unternehmens wurde geradlinig angesteuert. Jedermann sollte ohne Ansehen der sozialen Stellung und Bildung, des Alters und Geschlechts mit Unterhaltung und Belehrung erreicht werden. Die Ursache des Erfolgs lag darin, daß in einem Zeitalter ohne Markt- und Meinungsforschung die anonymen Leserwünsche intuitiv richtig erkannt und offenbar in hohem Maße befriedigt wurden. Nur so ist das riesige Publikum erklärbar. Denn auch und gerade für die «Gartenlaube» gilt, daß ihre Abonnentenzahl mit einem Leserkoeffizienten von zehn multipliziert werden kann. Auf ihrem Höhepunkt erreichte sie drei bis vier Millionen Leser. Politisch hielt sie zuerst eine rechtsliberale und nationale Linie ein, die ihre aus dem «Jungen Deutschland» stammenden Mitarbeiter verfochten. Seit 1870/71 wurde sie politisch neutralisiert, und das hieß: Sie schwenkte auf einen jede Reibung vermeidenden Alltagskonservativismus ein.

Von dem kometenartigen Aufstieg der «Gartenlaube» ging ein nachhaltiger Imitationssog aus, der eine Vielzahl ähnlicher Blätter hervorbrachte. Die «Illustrierte Welt» wurde bereits 1853 gegründet und erreichte bis 1867 eine Auflage von hunderttausend. «Über Land und Meer» (1858) kam bis zum selben Jahr auf fünfundfünfzigtausend, bis 1879 aber auf hundertfünfzigtausend, obwohl die Zeitschrift anspruchsvoller angelegt war, insbesondere auch den «guten» Fortsetzungsroman aus der Feder von Theodor Storm, Gottfried Keller, Peter Rosegger, Marie Ebner-Eschenbach pflegte. Das «Illustrierte Familien-Journal» (1854) holte mit sechzigtausend Exemplaren sein Vorbild nicht ein, aber der geschickt als Modeblatt aufgemachte «Bazar – Berliner Illustrierte Damen-Zeitung» steigerte bis 1872 seine Auflage auf hundertvierzigtausend. Als bewußte «christliche-konservative» Gegengründung entstand 1864 «Daheim», das aber – wie sein Bielefelder Verleger Klasing klagte – ein «Minoritätenblatt» blieb, dessen Höchststand 1870 bei siebzigtausend Exemplaren lag.

Dieselbe Rezeptionsbereitschaft nutzten auch andere Zeitschriften. Der «Kladderadatsch» zum Beispiel hatte als einziges satirisches Tageblatt die Revolutionsniederlage überlebt. Seine Redaktion wagte es, Militärs und Junker, Pfaffen und Bürokraten weiterhin zur Zielscheibe ihres Spotts zu machen. Das wurde 1852 von zwölftausend, 1872 von fünfzigtausend Abonnenten honoriert. Weit unter dieser Zahl blieben die populären «Fliegenden Blätter» (1870 = 14000), die eine zahme Satire für Spießbürger pflegten, aber großen Wert auf die Illustrationen von Wilhelm Busch, Carl Spitzweg und Moritz v. Schwind legten. Unvergleichlich erfolgreicher waren die sogenannten «Bunten Bilderbögen», deren bekanntester Prototyp seit dem Vormärz von den «Neuruppiner Bilderbögen» Gustav Kühns verkörpert wurde. Sie reagierten blitzschnell mit billigen, plakativen Informationen und kolorierten Zeichnungen. 1871 setzten sie mit jeder Ausgabe jeweils drei Millionen Exemplare ab. In vielen Familien bildeten die «Neuruppiner» die einzige Lektüre – sie waren die «Bildzeitung» des 19. Jahrhunderts.

Im Vergleich mit solchen beispiellosen Erfolgen konnten die seriösen Kultur- und Fachzeitschriften eine sehr bescheidene Größenordnung selten übertreffen. Die liberalen «Grenzboten» etwa, die im Jahresabonnement freilich auch zehn Taler kosteten, erreichten unter Gustav Freytag und Julian Schmidt, also von 1853 bis 1867, nicht mehr als zehntausend Exemplare; die «Preußischen Jahrbücher» und das «Magazin für die Literatur des Inlands und Auslands» erzielten unwesentlich mehr. Auch Gutzkows «Unterhaltungen am häuslichen Herd» brachten es nur auf einen wöchentlichen Absatz von siebentausend Stück, «Westermanns Monatshefte» allmählich auf immerhin zwanzigtausend.

Zeitweilig traf ein weiterer neuer Zeitschriftentypus die Bedürfnisse des «gehobenen» Publikums offenbar besser. Das war die «Rundschau», die eine fortentwickelte Form der literarischen Zeitschrift mit aktuellen politischen Kommentaren verband. Nach dem offen imitierten Vorbild der «Revue des Deux Mondes», des «Quarterly» und des «Edinburgh Review» wurde zum Beispiel die «Deutsche Rundschau» seit 1874 von Julius Rodenberg gestaltet. Er gewann nicht nur populäre Romanciers wie Theodor Storm und Conrad

Ferdinand Meyer, Auerbach, Keller und Gutzkow als ständige Mitarbeiter, sondern auch prominente Wissenschaftler wie Sybel und Virchow, Dilthey und Haeckel. Dank dieser Kombination von anspruchsvoller Unterhaltung und wissenschaftlichem Essay erreichte die «Deutsche Rundschau» in den siebziger Jahren den «Rang eines Nationaljournals», politisch durch und durch nationalliberal und von dieser Denkströmung in ihrem ersten Jahrzehnt sicher getragen. Seit 1877 wurde sie von der «Deutschen Revue» unverhohlen nachgeahmt, andere Zeitschriften orientierten sich später an demselben Demonstrationseffekt.

Die frühen Vorbilder wirkten auch auf die konfessionelle Öffentlichkeit ein. Kolping mit seinem Gespür für politische Wirkung gründete bereits 1856 die «Rheinischen Volksblätter für Haus, Familie und Handwerker», die 1861 zweihundertsechzigtausend Exemplare absetzten. Sie galten auch im frühen politischen Katholizismus und aufgeschlossenen Klerus als katholisches «Musterblatt». Dagegen konnte seit 1867 das katholische Familienblatt «Alte und Neue Welt» kein Gegengewicht gegen die ungleich effektiveren liberalen Journale schaffen.

Im allgemeinen wiesen die Familienblätter frühzeitig ein schnelles Wachstum auf, das seit der Mitte der sechziger Jahre in eine außerordentlich beschleunigte Expansion überging. Dieser Tempowechsel hing auch mit dem Fortfall hemmender Barrieren wie der Zensur und des Konzessionszwangs zusammen. 1864 tat Württemberg als erster Bundesstaat den Schritt zur vollen Pressefreiheit, deshalb erschienen 1875 in Stuttgart einundsiebzig Zeitschriften. Bald darauf hoben Baden, Bayern und Sachsen, wo zur selben Zeit allein in Leipzig hundertzweiundachtzig Zeitschriften residierten, die Konzessionspflicht auf. Preußen, Norddeutschland und das Reich folgten seit 1869/71, so daß Verlage, Druckereien, Sortimenter, Leihbibliotheken, Zeitschriften und Zeitungen nicht mehr durch die obligatorische Vergabe der staatlichen Lizenz gegängelt werden konnten. Die Präventivzensur wurde jedoch allgemein und endgültig erst 1874 durch das Reichspressegesetz abgeschafft. Zu dieser Zeit hielt die Dominanz der Familienblätter, die ohnehin den Zensor nicht durch Aggressivität herausforderten, bereits zwanzig Jahre an.

Im Vergleich mit dieser Überraschungskonjunktur hatte es die Tagespresse ungleich schwerer, sich gegenüber der – bereits geschilderten – schikanösen Kontrollpraxis der Restaurationspolitik zu behaupten (vgl. IV. 1). Dank der Aufbruchstimmung während der Revolution waren zweihundertneunundsechzig neue Zeitungen gegründet worden, die aber bis Ende 1849 alle wieder verschwunden waren. Auch die Pressefreiheit blieb eine Episode. Überall griffen seit 1849/50 die staatlichen Behörden auf alte oder neue Maulkorberlasse zurück. Ihr Würgegriff erzwang politische Zurückhaltung, schränkte auch die Anziehungskraft der Zeitungen generell ein. In den fünfziger Jahren kamen daher die auflagenstärksten von ihnen über eine relativ geringe Stückzahl nicht hinaus. Nur die «Hamburger Nachrichten», die «Kölnische Zeitung» und der «Schwarzwälder Bote» konnten etwa zehntausend Exemplare absetzen; in den sechziger Jahren kamen nur drei weitere Zeitungen mit dieser Verkaufsziffer hinzu. Die durchschnittliche Auflage der ganz überwiegend lokal oder regional orientierten Zeitungen, die in einem verwaschenen, gesinnungsfrommen «Generalanzeiger»-Stil redigiert wurden, lag in diesem Jahrzehnt erst bei rund zweitausendsiebenhundertsechzig Stück, die der wenigen Intelligenzblätter um tausend höher.

Die politische Meinungspresse konnte sich im allgemeinen erst seit dem Beginn der «Neuen Ära» erholen. Ihr Risiko wurde auch dadurch gemindert, daß das staatliche Anzeigenmonopol inzwischen aufgehoben worden war. Die Zeitungen konnten daher jetzt selber mit dem Hinweis auf die Reklamewirkung oder die politische Affinität zahlungskräftige Annoncenkunden anwerben. Das bewirkte eine fundamentale ökonomische Verbesserung ihrer Lage.

Die Entwicklung in Berlin, dem deutschen Pressezentrum, unterstützt dieses Urteil. Als Bismarck zum Ministerpräsidenten ernannt wurde, erschienen dort bereits zweiunddreißig Tageszeitungen und achtundfünfzig Wochenblätter. Die liberalen Organe lagen weit vorn, die «Volks-Zeitung» mit zweiundzwanzigtausend Exemplaren an der Spitze. Ihr folgte jetzt die «Vossische Zeitung» mit dreizehntausend, nachdem sie 1848 für kurze Zeit mit vierundzwanzigtausend Stück die höchste Auflage aller deutschen Tageszeitungen erreicht hatte. Zäh verteidigte die dezidiert liberale «National-Zeitung» ihre Position, die ihr bis 1852 nur fünftausend, bis 1861 achttausendfünfhundert Abonnenten einbrachte. Sie war im April 1848 von drei Liberalen, Duncker, Diesterweg und Siemens, gegründet worden, nach wenigen Jahren aber stieg ihr Geschäftsführer, Bernhard Wolff, zum Alleininhaber auf und blieb das bis 1879. Damit entstand eine durchaus typische Konstellation: Die liberale Einstellung des Unternehmers entschied über die politische Linie der Zeitung, von den liberalen Parteien in Preußen war sie dagegen formell unabhängig. Das traf damals auf die rund zweihundertzehn liberalen Tageszeitungen (1867) durchweg zu. Auch bei der bundesweit gelesenen «Frankfurter Zeitung» bestimmte der Besitzer, Leopold Sonnemann, aus eigener politischer Überzeugung den linksliberalen Kurs.

Das Übergewicht der liberalen Tagespresse haben die wenigen nennenswerten konservativen Zeitungen zu keiner Zeit in Frage stellen können. Die «Kreuz-Zeitung» als Hausblatt der Hochkonservativen kam über den Höchststand von achttausendfünfhundert Exemplaren nicht hinaus. Der «Kladderadatsch» erreichte mit seiner bissigen Adelskritik mühelos das Fünffache. Die 1861 gegründete «Norddeutsche Allgemeine Zeitung» wurde von Bismarck in ein Regierungsorgan verwandelt, das der ehemalige Achtundvierziger August Brass geschmeidig-beflissen redigierte. Man las es wegen seines offiziösen Charakters oder wegen seiner aus dem politischen Entscheidungszentrum lancierten Meldungen und Artikel, aber eine höhere Auflage als die «Neue Preußische Zeitung» erreichte sie genausowenig wie den meinungsprägenden Einfluß der liberalen Blätter.

Gegen ihre Dominanz kämpften auch die Organe der beiden bedeutendsten Minderheiten lange vergeblich an. Seit 1860 versuchte der katholische Verleger Joseph Bachem mit seinen «Kölner Blättern» den Vorrang der liberalen «Kölnischen Zeitung» in Frage zu stellen. Dieser erste Versuch scheiterte, erst mit der «Kölnischen Volkszeitung» konnte er seit 1868, bald durch den «Kulturkampf» unterstützt, den Abstand verringern. In Berlin nahm sogar noch später die «Germania» seit 1871 den Kampf für den politischen Katholizismus auf.

Für die junge Sozialdemokratie stritt im Sinne des ADAV seit dem Dezember 1864 der «Sozialdemokrat», der zunächst nur dreimal wöchentlich erschien, später von Lassalles Nachfolger v. Schweitzer selber herausgegeben wurde. 1868 trat das «Demokratische Wochenblatt» neben ihn, das unter Liebknechts redaktioneller Leitung zur Hauszeitung des VDAV wurde, 1869 in den Besitz der «Eisenacher» gelangte und seit dem Oktober 1869 als «Volksstaat» firmierte; 1873 konnten immerhin sechstausendachthundert Exemplare regelmäßig abgesetzt werden. Bis zum Gothaer Einigungskongreß sind im Grunde verblüffend schnell insgesamt dreiundzwanzig sozialdemokratische Organe entstanden, die von hunderttausend Abonnenten getragen wurden. Als zentrales Parteiblatt erschien nach der Fusion zur SAP der Berliner «Vorwärts», der bis 1877 bereits eine tägliche Auflage von zwölftausend Stück erreichte.

Die stärkste Wirkung erzielten die sozialdemokratischen wie auch die katholischen Zeitungen nach innen: in der allmählich entstehenden Subkultur, in der sich die sozialdemokratische Arbeiterschaft ganz ähnlich wie die katholische Minderheit vor einer feindlichen Umwelt einigelte. Nach außen, über diese Gesinnungsgemeinschaften hinaus, blieb der Effekt gering – allenfalls galt ihr Urteil als symptomatisch für den inneren Zustand des von ihnen vertretenen Lagers.

Übrigens besaß die liberale Presse in einer Zeit, in welcher der telegrafische Informationsfluß eine wachsende Rolle für die Aktualität spielte, auch auf diesem Gebiet einen Vorsprung. Wolff von der «National-Zeitung» hatte bereits 1849 mit sicherem Instinkt für das Notwendige das nach ihm benannte «Wolffsche Telegraphenbüro» gegründet. Dem Vorbild der Pariser Agentur Havas und der noch effizienteren Londoner Agentur Reuter folgend, sollte es Nachrichten aus aller Welt sammeln, um das Versorgungsmonopol der beiden Konkurrenten aufzubrechen. Das gelang in einem so beachtlichen Maße, daß alle drei Nachrichtenagenturen am Ende der fünfziger Jahre den Wettbewerb durch ein Kooperationsabkommen entschärften.

1865 wurde das «Wolffsche Büro» an eine neue Aktiengesellschaft verkauft und hinter dieser Fassade in eine offiziöse Agentur unter preußischer Kontrolle verwandelt.

Die Entwicklung eines weltumspannenden Systems telegrafischer Nachrichtenbeschaffung lenkt noch einmal auf die grundlegende Bedeutung hin, welche technologische Innovationen damals für den Medienmarkt gewannen. Gewiß, Schnellpresse und Stereotypie, Lithographie und Holzschliff – sie alle waren schon vor 1848 aufgetaucht. Aber der Zwang zur Kapazitätsausweitung, zum Zeitgewinn, zur industriellen Massenfertigung trieb seit den fünfziger Jahren die Suche nach Neuerungen voran. Daher konnte der Holzschliff dank der Zellulose endlich für die Druckpapierproduktion im Großbetrieb nutzbar gemacht werden. 1870 wurde die Gießmaschine mit Dampfantrieb installiert, 1873 folgte die Komplett-Gießmaschine, die es auf fünfzigtausend Lettern am Tag brachte. 1872 wurde die moderne Setzmaschine erfunden, welche die Produktivität eines Setzers von zweitausend auf siebentausend Typen pro Stunde steigerte; außerdem wurde sie sogleich zu dem erschwinglichen Preis von viertausendachthundert Mark angeboten. Seit 1873 baute MAN die in Amerika entwickelte Rotationspresse für den deutschen Markt. 1866 begann in Leipzig die erste Buchbinderei mit maschineller Produktion zu arbeiten. 1878 setzte sich die Drahtheftmaschine für die schnelle Herstellung billiger Massenauflagen durch. Die kumulative Wirkung all dieser Innovationen ballte sich zu einem Entwicklungsschub zusammen, der die industrialisierte Großproduktion in der zweiten Jahrhunderthälfte erst ermöglichte.

In derselben Zeit hat die «Verkehrsrevolution» den Vertrieb und Absatz enorm beschleunigt. Das rasch zusammenwachsende Netz der deutschen Eisenbahnen, aber auch der Schnellstraßen senkte nicht nur die Transportzeit, sondern erreichte auch die abgelegenste Kundschaft. Das nicht minder großzügig ausgebaute System der telegraphischen Verbindungen ließ Nachrichten und Geschäftsinformationen in Minuten gewaltige Entfernungen überwinden. 1868 lieferte die Post dank der neuen Kommunikationswege schon hundertfünfzig Millionen Zeitungen und Zeitschriften an Abonnenten aus. Das hing auch damit zusammen, daß der Norddeutsche Bund das Postwesen zur staatlichen Anstalt gemacht und sofort vorteilhafte einheitliche Taxen eingeführt hatte. 1874 schlossen sich zweiundzwanzig Staaten in einem «Allgemeinen Postverein» zusammen, der diese normierten Lieferungsbedingungen übernahm; 1879 wurde er vom «Weltpostverein» abgelöst. Kurzum: Im Vergleich mit dem Kutschentempo, mit dem im Vormärz etwa die «Deutsche Vierteljahrsschrift» aus Stuttgart nach Berlin oder Hamburg befördert worden war, herrschte seit den sechziger Jahren auf dem Medienmarkt eine ungeahnte Schnelligkeit, mit der Produkte und Informationen bewegt werden konnten. Sie erzwang eine neuartige Unternehmensstrategie, Kostenkalkulation und Risikobereitschaft.

Auch die Rechtssicherheit wurde in jenen Jahren vom Gesetzgeber verbessert. 1837 hatte Preußen nach langwierigen Auseinandersetzungen die dreißigjährige Schutzfrist für Verlagsprodukte eingeführt, seit 1845 galt sie als gesamtdeutsches Recht in fast allen Bundesstaaten. Trotzdem hielt der Streit um die Nachdruckrechte, die Raubdrucke, die Gültigkeit des Copyright weiter an. Der «Börsenverein» legte schließlich 1857 einen Gesetzesentwurf vor, wonach der Schutz der literarischen Rechte für die Lebenszeit des Verfassers und die bewährte Frist von drei Jahrzehnten nach seinem Tode gelten sollte; zugleich sollte ungeachtet aller früheren Verträge im November 1867 die Schutzfrist für die vor 1837 erschienenen Werke ablaufen. Im Mai 1864 entschied sich der Bundestag für dieses großzügige Urheberrecht. Vom Norddeutschen Bund wurde das dreißigjährige Copyright zum «Schutz des geistigen Eigentums» 1870 übernommen und wenig später reichsrechtlich sanktioniert.

Vorher aber kam es 1867 tatsächlich zum Untergang der sogenannten «ewigen Verlagsrechte», konkret gesprochen: zum Ende aller Klassiker-Privilegien und des Cotta-Monopols. Dadurch wurden sowohl ein phantastischer Preisfall als auch eine hektische Geschäftigkeit der Verlage ausgelöst. Cottas Goethe-Ausgabe sank von vierundzwanzig auf dreieinhalb, die Schiller-Ausgabe von zwölf auf einen Taler hinab. Und nicht nur das: Im Nu überfluteten extrem billige Reihen, die auf ein Totalangebot aller «Klassiker» zielten, den Büchermarkt. Hempels «Nationalbibliothek sämtlicher deutscher Klassiker» bot ihre Hefte für nur drei bis fünf Groschen an. Cottas «Bibliothek für alle», Meyers «Bibliothek der deutschen National-Literatur», Brockhaus' «Bibliothek der deutschen National-Literatur des 18. und 19. Jahrhunderts» – sie alle bemühten sich, mit Kampfpreisen die neuen Marktchancen zu nutzen. Durch einen dauerhaften Erfolg wurde Reclams «Universalbibliothek» gekrönt. Sie begann mit zwölf Schiller-Bänden für je zwei Groschen, danach erschienen jährlich achtzig Bände für höchstens denselben Preis. Die Reclam-Hefte sind zum eigentlichen Vorläufer des modernen Taschenbuchs geworden, das dann während der 1920er Jahre fortentwickelt und von deutschen Emigranten in den USA auf seine weltweite Siegesbahn gesetzt wurde.

Die Gewerbefreiheit, die zwischen 1869 und 1871 endgültig gesamtdeutsches Recht wurde, brachte den gewerberechtlichen Bruch mit allen Steuerungs- und Kontrolltraditionen der Vergangenheit, so daß der literarische und publizistische Markt, zumal auch die Zensur auslief, von jeder einschnürenden Staatsintervention befreit wurde. Daß die meinungsbildenden Eliten diese Privatisierung des Medienmarkts als vielverheißenden Auftakt einer progressiven Epoche verstanden haben, ist verständlich und erklärt zudem die weitverbreitete Auffassung, daß mit dem neuen Reich auch ein neues Zeitalter nationalkultureller Freiheit und geistiger Liberalität begonnen habe.

c) Schriftsteller und Journalisten

Mit dem Vordringen der Marktmechanismen hing es zusammen, daß in dieser Phase die Lage der Schriftsteller und der von ihnen noch immer kaum unterscheidbaren Journalisten als «brüchig, zwiespältig, isoliert» empfunden wurde. In mancher Hinsicht war diese Lage mit der des Handwerks zu vergleichen. Man konnte starr die idealistische Tradition mit ihrem hochgespannten Ziel verteidigen, als «Führer der Menschheit in höhere Regionen» zu wirken – so hatte Adalbert Stifter noch 1848 die Aufgaben des Schriftstellers definiert. Oder aber man konnte sich an die neuen Verhältnisse anpassen, dann wirkte man als ein Rädchen in der Marktmechanik der Kulturindustrie mit. Wie auch immer die Entscheidung ausfiel, der Schriftsteller konnte sich im Elendsquartier jenes «literarischen Proletariats» wiederfinden, das seit dem späten Vormärz beschworen wurde. Nach der Revolution hatte Riehl, der mit konservativer Gehässigkeit auch den engagierten Schriftsteller als Sündenbock für den Bürgerkrieg anprangerte, der Mehrheit diesen Abstieg vorhergesagt. Tatsächlich fiel ihnen die Umstellung auf einen Marktbetrieb unter politisch restaurativen Vorzeichen außerordentlich schwer. Aber schließlich – wie Hermann Marggraff, einer der besten zeitgenössischen Kenner, 1853 urteilte – gelang es den meisten, irgendwo eine Unterkunft zu finden: «als Zeitungsredakteure, als Bibliothekare, als Theaterdirigenten, als Universitätslehrer, selbst als deutsch-katholische Priester oder als Chef eines Industrie-Comptoirs».

Wer weiter schrieb, unterlag den Regeln eines marktabhängigen Gewerbes, das strikt dazu anhielt, sich am Ziel des Markterfolges zu orientieren. Das erforderte die Anpassung an den zeitgenössischen Geschmack mit seinen Modeströmungen. Wem es freilich gelang, sich ihnen anzuschmiegen, der konnte im Glücksfall den ökonomischen Erfolg mit einer beherrschenden Marktposition verbinden – an Felix Dahn und Viktor v. Scheffel, an Freytag und Auerbach läßt sich das verfolgen. Nur zu oft aber entsprach damals die Mediokrität des literarischen Niveaus dem biederen Mittelmaß der ästhetischen Kriterien und dem eingeengten ideologischen Erwartungshorizont der Konsumenten des wöchentlichen Fortsetzungsromans.

Auch in anderer Hinsicht machte sich die Marktabhängigkeit geltend. Der Inhalt des Feuilletons zum Beispiel spiegelte nicht selten die Rücksicht auf potente Anzeigenkunden wider. Verlagsanzeigen wurden mit wunderbarer Regelmäßigkeit durch Rezensionen belohnt. Intern galt diese gehorsame «Kritik» als verächtliche Auftragsarbeit, an der sich aber, spottete ein Insider, Beamte, Gelehrte und Offiziere, «heruntergekommene Börsenspekulanten und emeritierte Komödianten, ja sogar ein ehemaliger Heilgehülfe» (damit war Fontane gemeint) nur zu bereitwillig beteiligten. Allgemein nahm die Kommerzialisierung des literarischen Lebens in diesen Jahrzehnten sprungartig zu. Bis 1880 existierten schon für die «Vermittlung literarischer Geschäfte» vier Agenturen, die von der Anwerbung und dem Verkauf von Manuskripten gegen Erfolgshonorar lebten. Das Angebot stieg stetig an: So wurden 1865 etwa dem Familienblatt «Daheim» innerhalb von neun Monaten mehr als neunhundert unverlangte Texte zugeschickt.

Andrerseits ging von den zahlreichen Zeitschriften und Tageszeitungen eine unersättliche Nachfrage nach Romanen, Novellen, Feuilletonbeiträgen aus. Wer gehofft hatte, aus diesem «Literaturbetrieb» könne ein «reputierlicher Zweig bürgerlicher Arbeit werden», unterschätzte die unvermeidbaren Begleiterscheinungen der Kulturindustrie, die – so Gutzkows Resümee – in einer «Welt des absolutesten, verzweifelnden Egoismus» zu einem verbissenen Konkurrenzkampf anstachelte. «Die Schriftstellerei ist gegenwärtig», lautete bereits 1867 eine realistische Bilanz, «ein Geschäft, und die freie Konkurrenz, das Gesetz der Natur, wie der ökonomische Liberalismus sie nennt, erzeugt überall hunderttausend Bettler als Staffage eines einzigen Millionärs.»

Unter den 19380 hauptberuflichen Schriftstellern (darunter 350 Frauen), welche die Reichsstatistik 1882 erstmals erfaßte, herrschte längst ein krasses Gefälle des Einkommens und der Reputation. Erfolg und Honorar wurden insbesondere durch zwei Umstände bestimmt: durch die Kaufpolitik der Leihbibliotheken, zunehmend noch mehr durch den Vorabdruck in der periodischen Presse. In den fünfziger Jahren bewegte sich allerdings auch bei bekannten Autoren das Honorar noch auf einem denkbar kärglichen Niveau. Mehr als vier Taler für den Bogen (16 Seiten) wurden selten gezahlt. Mörike erhielt für das «Stuttgarter Hutzelmännchen» zweihundertfünfzig, Heyse für eine Novelle von dem generösen Cotta vierhundert, Stifter für den «Nachsommer» und «Wittiko» jeweils sogar viertausend Taler. Das waren aber schon Spitzenwerte in einer Zeit, als die jährlichen Lebenshaltungskosten einer kleinen bürgerlichen Familie zwischen siebenhundert und zwölfhundert Talern lagen. Einem damals beliebten Romanautor wie Robert Giseke wurden für fünfzehn Bücher, die zwischen 1850 und 1865 entstanden, ganze sechshundertdreißig Taler gezahlt. Davon konnten ein junges Ehepaar oder ein Junggeselle ein Jahr lang leben.

Als sich seit den sechziger Jahren der Nachfragesog voll durchsetzte, kletterten auch die Honorare in eine bisher unbekannte Höhe. Wilhelm Raabe erhielt für den Vorabdruck des «Hungerpastors» siebenhundertfünfzig, des «Abu Telfan» schon fünfzehnhundert, Storm für eine Novelle siebenhundertfünfzig, sechs Jahre später schon achtzehnhundert Taler. Eine ähnliche Verdoppelung erlebten auch Fontane, Keller und Heyse.

In einer anderen Sphäre bewegten sich indes die zeitgenössischen Bestsellerautoren. Auerbach kassierte für die «Dorfgeschichten» siebentausendfünfhundert, für die folgenden Bücher fünftausend Taler; bei der zwanzigbändigen Gesamtausgabe zahlte ihm Cotta sogar je Exemplar fünf Taler. Fritz Reuters «Werke» wurden mit fünfhunderttausend Mark honoriert, allein «Die Ahnen» von Freytag mit vierhundertfünfzigtausend Mark. Ein längst vergessener Illustriertenpublizist wie Friedrich Hackländer erschrieb sich vierhundertvierzigtausend, Georg Ebers sogar eine Million Mark.

Die wichtigste Ursache für diesen steilen Anstieg lag in dem gewaltig expandierenden Zeitschriften- und Zeitungsmarkt, der als wahrer Moloch gängiger Prosa erstaunliche Abdruckhonorare abwarf, sobald das «überall um sich fressende Verhältnis von Angebot und Nachfrage» einen bekannten Autor begünstigte. Spielhagens «Sturmflut» erbrachte allein fünfzigtausend Goldmark für die fünf gleichzeitig erscheinenden Vorabdrucke, Heyses «Kinder der Welt» immerhin fünfzehntausend Mark für die Fortsetzungsserie in der «Spenerschen Zeitung», und auch die «Gartenlaube» konnte einer Erfolgsautorin wie der Marlitt fünfzehntausend Taler für das Vorabdrucksrecht bieten. Auf diesem Wege wurde ein Millionenpublikum erreicht, längst ehe der Roman als Buch erschien, das von dem Erfolgsvorschuß mit hohen Absatzzahlen profitierte. Überhaupt konnten Popularität und verbesserte Marktchancen immer deutlicher auf dem Pressemarkt erworben werden, ehe sie in die kleine Welt der Leihbibliotheken und Buchhandlungen mit ihren Privatkäufern übertragen wurden.

Die Entwicklung, welche der Journalistenberuf in dieser Zeit durchlief, liegt noch im dunkeln. Hunderte, die sich im Alltag und für die Statistik als «Schriftsteller» ausgaben, arbeiteten tatsächlich in einer Zeitungsredaktion. Unverändert steuerten aber auch viele freie Mitarbeiter, insbesondere aus den bildungsbürgerlichen Berufen, so oft wie nur möglich einen Beitrag für das begehrte Zeilenhonorar bei. Die eigentliche Redaktionstätigkeit zu leisten hieß, eine schlecht bezahlte Kärrnerarbeit zu übernehmen. In der Chefredaktion der großen Familienblätter dagegen trafen hochdotierte Kenner des Metiers ihre Entscheidungen. Dort ballte sich auch ein nicht zu unterschätzender Einfluß zusammen, der mit den Wirkungsmöglichkeiten der prominenten Redakteure und Leitartikler der großen liberalen Blätter durchaus verglichen werden kann.

Auch diese Zeitungen kamen noch mit einem kleinen Stab von fest angestellten Redakteuren aus, die ihre Kompetenz in der Praxis erworben hatten. Eine Ausbildung zum Journalisten gab es noch nicht – man «wurde» es, indem einschlägige Erfahrungen gesammelt wurden. Daß aus anderen Berufen ein gleitender Übergang erfolgte, blieb die Regel – viele bekannte Historiker und notleidende Privatdozenten sind zeitweilig auch in diesen Jahrzehnten als Redakteur tätig gewesen. Mancher konnte freilich die Hektik dieses Berufs nicht ertragen, über dem tagtäglich das Damoklesschwert des pünktlichen Satzbeginns schwebte – und in den Großstädten gab es am Ende der sechziger Jahre sogar schon die Morgen- und Abendausgabe. Wer indes das bewegte Leben schätzen lernte, mit dem Ausstoß der Nachrichtenagenturen, den telegraphischen Korrespondentenberichten und den eigenen Recherchen pünktlich fertig wurde, dem öffnete sich eine attraktive Karriere, als auch für die Tagespresse seit den siebziger Jahren das Zeitalter der Massenproduktion heraufzog.

Trotz aller Heterogenität der beruflichen Herkunft entstanden seit den frühen sechziger Jahren in den großen Städten lokale Journalistenvereine. Seit dem Höhepunkt des Verfassungskonflikts traf sich jährlich der liberale «Deutsche Journalistentag». Von ihm aus gab es zahlreiche Querverbindungen zu dem 1865 neu formierten «Deutschen Schriftstellerverein», der nach langjähriger Repression einen zweiten Vorstoß unternahm, um die literarisch-publizistische Intelligenz zu organisieren. Trotz der seither regelmäßig abgehaltenen Jahresversammlungen mit ihrem rituellen Beschwerdekatalog konnte er aber nicht die Schlagkraft jener Interessenverbände erringen, die damals ein mächtiges ökonomisches Potential zu repräsentieren begannen.[9]

6. Der Pluralismus der Öffentlichkeit

Die Vermutung liegt nahe, daß mit der Herrschaft der zweiten Restauration und unmittelbar danach mit den triumphalen Siegen konservativer Politik bis zum Januar 1871 ein Aufschwung der konservativen Öffentlichkeit verbunden gewesen sein könnte. Diese Spekulation ist indes ganz und gar irreführend. Verfolgt vom Trauma der Revolution haben die autoritären Regime der fünfziger Jahre in der Tat die liberale Presse mit harter Hand unterdrückt – die systematischen, polizeistaatlichen Verfolgungsmethoden sind vorn eingehend geschildert worden (IV. 1). Auf der anderen Seite erfuhren etwa die «Kreuz-Zeitung» und die «Berliner Revue» ganz unverhohlen eine offiziöse Protektion. Während liberale Journalisten exiliert oder strafrechtlich mundtot gemacht wurden, stand ihren konservativen Gegenspielern der Zugang zu regierungsamtlichen vertraulichen Informationen weit offen. Geholfen hat diese Einseitigkeit denkbar wenig. Die liberale periodische Presse konnte trotz aller Schikane nie völlig unterdrückt werden. Kurze Zeit nach dem Beginn der liberalen «Neuen Ära» gewann sie zur Erbitterung der Konservativen die Meinungsführerschaft unzweideutig zurück. Daran hat sich bis in die siebziger Jahre hinein wenig geändert.

Weder die Durchsetzungskraft der alten Machteliten bei der Bekämpfung der preußischen Fundamentalkrise noch die beispiellose Erfolgsserie beim Ausbau der charismatischen Herrschaft Bismarcks, weder die drei siegreich beendeten Kriege noch die langersehnte Nationalstaatsgründung «von oben» haben zu einer umfassenden Synchronisierung von Politik und öffentlicher Meinung geführt. Das ist an sich schon bemerkenswert genug. Ein genauerer Blick auf den anhaltenden Strukturwandel der Öffentlichkeit ist noch aufschlußreicher.

Seitdem die «kritisch räsonierende» bürgerliche Öffentlichkeit auch im deutschsprachigen Mitteleuropa allen Widerständen zum Trotz am Ausgang des 18. Jahrhunderts beharrlich vorgedrungen und bis zum späten Vormärz unbestreitbar zu einer Macht des öffentlichen Lebens geworden war, hatte wie in einem System kommunizierender Röhren die Faszinationskraft der fürstlich-aristokratischen «repräsentativen» Öffentlichkeit stetig nachgelassen. Dann und wann prägte sie sich dem Bewußtsein noch einmal ein: Während des Wiener Kongresses etwa, auf den prunkvollen Festen der großen Standesherren, die dadurch ihre untergegangene Souveränität zu kompensieren suchten, auf dem Frankfurter Fürstentag im Vorfeld der Sprengung des Deutschen Bundes. Insgesamt aber wirkte das adlig-monarchische Zeremoniell bereits zu Beginn der zweiten Hälfte des 19. Jahrhunderts ein wenig wie ein exotisches Relikt. Als Instrument der Machtdemonstration behielten diese Ausläufer der repräsentativen Öffentlichkeit ihren Wert. Auch der kalte Protz, mit dem Fürsten, Militärs und Diplomaten im Versailler Spiegelsaal die Reichsgründung feierten, verfehlte seine Wirkung nicht. Aber seither tat sich der neue Staat mit repräsentativen Nationalfeiertagen schwer, und trotz der Aufwertung der Monarchie schrumpfte der Einflußbereich der aristokratisch geprägten Öffentlichkeit offenbar kontinuierlich.

Dagegen konnte die liberale Meinungspresse ihre führende Rolle in der politischen Öffentlichkeit befestigen. Die Vielzahl der blassen «Generalanzeiger»-Blätter hat diesen Erfolg nicht beeinträchtigt. Durchweg im Verhältnis von sieben zu eins übertraf die Auflage der liberalen Zeitungen diejenige der konservativen ganz gewaltig. Im Zeitschriftenwesen war die liberale Dominanz sogar noch stärker ausgeprägt. Hier bildete Wageners «Revue» geradezu ein kleines Eiland in der breiten liberalen See.

Dem Vordringen des politischen und wirtschaftlichen Liberalismus entsprach mithin durchaus die liberale Meinungsführerschaft in der Öffentlichkeit. Da die Liberalen ein waches Bewußtsein von der fundamentalen Bedeutung der Öffentlichkeit besaßen – es hatte in der sozialphilosophischen Zielvision von einer «bürgerlichen Gesellschaft» von Anfang an einen maßgeblichen Bestandteil des Marktes für konkurrierende Ideen und des politischen Entscheidungsprozesses gebildet –, hat ihre Führungsrolle im Bereich aller Medien ihren Zukunftsoptimismus eines unaufhaltsamen Siegeszugs nachhaltig bestärkt. Das muß man sich präsent halten, wenn man der liberalen Zuversicht, die trotz aller empfindlichen Schlappen erhalten blieb, gerecht werden will.

Obwohl in dieser Zeit des deutschen Staatenpluralismus die Vielfalt der Regionen und Städte noch scharf ausgeprägt war, machte sich doch schon in der Zeit des Deutschen Bundes und Zollvereins, erst recht dann des Norddeutschen Bundes und Deutschen Reiches die Dominanz der Berliner Metropole gerade auch auf dem publizistischen Markt immer stärker geltend. Von dort aus strahlten die Einflüsse, Meinungen und Ideen auf die Provinz aus. In Berlin aber waren die liberalen Organe nicht zu schlagen. Hier traf vielmehr jeder Reichstagsabgeordnete und Journalist, jeder Wissenschaftler und Schriftsteller auf die liberale Suprematie.

Dieser Vorsprung in der Öffentlichkeit war für die Konservativen so schmerzhaft spürbar, daß sie sich dem liberalen Modell anpassen mußten, indem sie eine kritisch argumentierende konservative Öffentlichkeit mit Leben zu erfüllen versuchten. Das ist ihnen bis in die siebziger Jahre hinein nur punktuell gelungen. Gewiß, die «Kreuz-Zeitung» verstärkte die Vorurteile ihrer Lesergemeinde. Die «Norddeutsche Allgemeine» gab über die Regierungsziele wohldosiert Auskunft. Das polemische Feuerwerk in den Leitartikeln eines Hermann Wagener oder Ernst Ludwig v. Gerlach konnten auch Andersdenkende als brillanten Stil genießen. Aber aufs Ganze gesehen blieb der Einfluß der konservativen Presse gering. Trotz der Illiberalität, mit der die Regierung die liberale Presse jahrelang bekämpfte, konnte ihre Überlegenheit vorerst nicht gebrochen werden.

Nicht nur die Konservativen ächzten unter dem liberalen Meinungsdruck. Noch ungleich massiver erlebte ihn die proletarische Emanzipationsbewegung in ihren Parteien und Gewerkschaften. Seit den Tagen der «Arbeiter-Verbrüderung» war sie sich der Notwendigkeit eines Gegengewichts bewußt. Schreibgewandte bürgerliche Intellektuelle stellten ihre Feder in den Dienst dieser Sache. Mit einer bewundernswerten Anstrengung gelang es der Arbeiterbewegung in den sechziger Jahren, eine plebejische Gegenöffentlichkeit zu schaffen, in der sie sich über ihre Ziele und Kampfaktionen verständigen, gegen Kritik von allen Seiten verteidigen, ihre Anhänger durch Information und Belehrung erziehen konnte. Gerade die junge Arbeiterbewegung glaubte ja geradezu mit Inbrunst an die aufklärende, die handlungsbestimmende Wirkung des Wortes.

Frühzeitig entdeckte sie jedoch auch, daß dieser Appell an Vernunft und Interesse durch emotionale Bande ergänzt werden mußte. Die politischen Feste, die Lassalle-Feiern etwa und die März-Feiern zum Gedenken an die achtundvierziger Revolution, vermittelten Gemeinschaftserlebnisse, die ein noch so prägnanter Leitartikel nicht hervorrufen konnte. Durch die Imitation der bürgerlichen Festkultur unter anderen politischen Vorzeichen gewann die Arbeiterbewegung eine zusätzliche Dimension für die Artikulation ihrer politischen und kulturellen Ziele.

Etwas später als sie wurde auch der politische Katholizismus durch die irreversiblen Entscheidungen von 1866 und 1871 dazu gezwungen, sich für seine Minderheitenposition in einer eigenen Öffentlichkeit Gehör zu verschaffen. Das gelang ihm mit seinen Zeitungen und Zeitschriften. Hinzu kam die öffentliche Wirkung der jährlichen Katholikentage, insbesondere aber die dezentralisierte lokale Öffentlichkeit des katholischen Vereins- und Festwesens. Allmählich gelang es, von diesen Medien und Gelegenheiten ausgehend, eine Defensivöffentlichkeit zu schaffen, die sich dann während des «Kulturkampfes» zu einem tiefgestaffelten System entfalten sollte.[10]

Für alle diese konkurrierenden «Öffentlichkeiten» galten die Gesetze des Marktes. Ihnen mußten sich alle fügen. Mit dem Vertrauen auf die Gesinnungstreue der Anhänger ließ sich allenfalls für kurze Zeit eine Zeitung betreiben. Dennoch hat die Marktabhängigkeit keine politische Konformität erzeugt. Ihre harten Rahmenbedingungen ließen es vielmehr durchaus zu, daß eine Polyphonie der Meinungen erkämpft werden konnte. Dieser unübersehbare Pluralismus der öffentlichen Meinung ist für die Zeitgenossen der 1860er und siebziger Jahre eine Selbstverständlichkeit gewesen. Trotz aller Konflikte im autoritären Preußen und kaiserlichen Deutschland vermittelte ihnen dieser Pluralismus durchaus den Eindruck, in einer offenen, liberalisierungsfähigen, der Modernität zugewandten Gesellschaft zu leben.

VI.

Deutschland in der zweiten Phase seiner «Doppelrevolution»: Die Verankerung des Industriekapitalismus und die Gründung des reichsdeutschen Nationalstaats – Fortsetzung oder Beginn eines «deutschen Sonderwegs»?

Lange Zeit ist die historische Bedeutung der dynamischen Transformationsepoche zwischen 1849 und 1871 entweder gar nicht erkannt oder gewaltig unterschätzt worden. Überwiegend wurde die Geschichte dieser Jahrzehnte auf den Vorlauf zur Reichsgründung reduziert oder sogar ganz personalistisch allein als Bismarcks Aufstieg glorifiziert: ein vielversprechendes Präludium in den fünfziger Jahren, der glanzvolle Triumphzug in den sechziger Jahren. Tatsächlich aber handelt es sich um eine der wichtigsten Epochen der neueren deutschen Geschichte, da die Schwelle zu einem neuartigen historischen Aggregatzustand überschritten wurde. Deshalb soll auch dieser Teil der «Gesellschaftsgeschichte», der die Vollendung der deutschen «Doppelrevolution» zwischen 1849 und 1873 behandelt, durch seine relativ ausführliche Analyse endlich ein Gegengewicht zu den älteren Darstellungen schaffen, mit andern Worten: zur Aufwertung dieser Epoche beitragen.

In jenen Jahren setzte sich die deutsche Industrielle Revolution als Säkularprozeß einer beispiellosen wirtschaftlichen, aber auch sozialen und kulturellen Umwandlung unwiderruflich durch. Wie die Belastungsprobe der Zweiten Weltwirtschaftskrise seit 1873 beweisen sollte, war das neue industriekapitalistische System bis dahin in den Fundamenten der Gesellschaft institutionell fest verankert. Zugleich kam nach dem Scheitern der politischen Ziele, welche die Revolution von 1848/49 verfolgt hatte, im zweiten Anlauf, jetzt aber als politisch dirigierte und militärisch exekutierte «Revolution von oben», die Gründung des deutschen Nationalstaats zwischen 1866 und 1871 zum Abschluß. Dieser atemberaubend forcierte Staatsbildungsprozeß, der ohnehin schon mit jahrhundertealten Traditionen brach und neue Fundamente legte, überschnitt sich außerdem mit einer zweiten liberalen Reformära, deren innenpolitische Resultate den Vergleich mit der ersten Reformepoche zwischen 1800 und 1820 nicht zu scheuen brauchen: Zwischen 1867 und 1877 wurden in vielen Bereichen die bis heute belastbaren Grundlagen einer modernen bürgerlichen Gesellschaft gelegt. Und schließlich kam es zum ersten Mal zur Ausbildung einer charismatischen Herrschaft in Deutschland, als Bismarck sein Kanzlerregime, gestützt auf den Mythos des großen Krisenbewältigers und Reichsgründers, in Preußen und im neuen Reich ausbauen konnte.

Sieht man diese eminent folgenreichen sozialökonomischen und politischen Veränderungsprozesse in ihrem inneren Zusammenhang, erfaßt die prägnante Kurzformel von der «Doppelrevolution» die Zwillingsnatur einer außerordentlich erfolgreichen, zeitlich enorm komprimierten Metamorphose der deutschen Gesellschaften und Staaten. Seither war alles anders: Das Wirtschaftssystem des entfesselten Industriekapitalismus, die vordringende Sozialhierarchie der marktbedingten Klassen, das gewaltige Potential einer neuen Großmacht, das politische Herrschaftssystem eines Charismatikers – sie führten mit dem Ende der «Doppelrevolution» eine neuartige Konstellation herauf.

Blickten die älteren Zeitgenossen auf die 1840er Jahre vergleichend zurück, tat sich für sie ein Riesenabstand zwischen dem Vormärz und der neuen Welt des Industrialismus und Nationalstaats auf. Dabei handelte es sich nicht um einen übertreibenden Eindruck mit den typischen zeitbedingten Verzerrungen. Vielmehr waren sie tatsächlich Augenzeugen eines Modernisierungssprungs gewesen, der ein neues Evolutionsniveau geschaffen hatte.

Vergegenwärtigt man sich noch einmal die verschiedenen Entwicklungen, tritt die eminente Beschleunigung der historischen Prozesse und ihr Wandlungsreichtum in aller Klarheit hervor. Das Bevölkerungswachstum hielt während der ersten Phase des «Demographischen Übergangs» kraftvoll an. Dadurch erhöhte sich der Problemdruck in Stadt und Land. Zugleich wuchs jedoch auch das Arbeitskräftepotential, dessen die Industrialisierung binnen kurzem bedurfte.

Mit dem «Take-off» der Urbanisierung drang in dieser Zeit ein ungewöhnlich durchsetzungsfähiger Modernisierungsprozeß vor. Eine wichtige Voraussetzung für ihn bildete der Umstand, daß die «alte Stadt» mit ihrer kleinen, hochprivilegierten Vollbürgergemeinde und der riesigen Mehrheit diskriminierter Hintersassen durch harte staatsrechtliche Entscheidungen endgültig in die moderne Einwohnergemeinde als Gebietskörperschaft mit freiem Zuzug für alle Staatsbürger verwandelt wurde. Seit den 1850er Jahren hielt dann die Expansion des Städtewachstums an. Vom neuen Produktionskapitalismus ging die entscheidende Antriebskraft aus, denn Industrie und Eisenbahn wirkten als Städtegründer, und ihre Schöpfungen fungierten als riesige Schleusenwerke für eine bisher unbekannte geographische Mobilität von Hunderttausenden von zu- und wieder abwandernden Arbeitskräften. Der Boom der städtischen Ausdehnung förderte nicht nur Spekulation und Bauanarchie, sondern auch eine klassenspezifische räumliche Trennung, welche die arbeitenden Klassen in ihren miserablen «Quartieren», die bessergestellten Bürger in ansehnlichen Wohnvierteln zusammenführte. Diese Segregation mit ihrer Homogenisierung des Wohnmilieus hat den Prozeß der Klassenbildung nachhaltig unterstützt. Überhaupt wurde in den Urbanisierungszentren ein eigener Lebensstil geprägt, der auf einem vielfältigen Verhaltenswandel beruhte.

Angesichts der neuartigen Massenzusammenballung gewannen die kommunalpolitischen Aufgaben eine erhöhte Dringlichkeit: Bebauungspläne und Eingemeindung, Wasserversorgung und Straßenbau, Beleuchtung und Nahverkehr, Schul- und Krankenhausbau – so beginnt ein langer Katalog von Problemen, denen sich die Stadtpolitik und Stadtverwaltung stellen mußten. Wegen dieses pressierenden Drucks entwickelten sich in den großen Städten die Anfänge der interventionistischen Leistungsverwaltung mit ihrem Ziel einer angemessenen Daseinsvorsorge erheblich früher als der moderne Interventionsstaat, der als Antwort auf die Herausforderung anderer Probleme auftauchte. Bis zum Beginn der siebziger Jahre hatte diese tendenziell moderne Kommunalpolitik das alte Honoratiorenregiment im allgemeinen abgelöst. Obwohl die stadtbürgerlichen Oberschichten es verstanden haben, durch das Wahl- und Steuerrecht ihre Exklusivität und Führungsrolle weiter zu verteidigen, wurden die Städte durch die Urbanisierungswelle in vielfacher Hinsicht von Grund auf verändert.

In der Wirtschaft hielt der Siegeszug des Kapitalismus an. Der florierende Agrarkapitalismus führte in der deutschen Landwirtschaft zu einer fulminanten Leistungssteigerung, die in den Jahren von 1850 bis 1875 diejenige des gesamten halben Jahrhunderts zuvor übertraf. Überall: in der Produktion, mit den Nettoinvestitionen, beim Kapitalstock, mit der Wertschöpfung und Beschäftigtenzahl wurden auffällig hohe Werte erreicht. Allein die Produktivität jeder Arbeitskraft stieg um neunundachtzig Prozent. Überhaupt blieb die Landwirtschaft bis 1880 mit neunundvierzig Prozent aller Beschäftigten der größte Arbeitgeber. Das aber hieß: Industrielle Revolution und Reichsgründung verliefen in einer noch überwiegend agrarisch geprägten Gesellschaft!

Diese ländliche Gesellschaft wirkte gerade in jener Zeit, der zweiten Hälfte einer langlebigen Agrarkonjunktur, durchaus lebensfähig, erfolgsverwöhnt, voll agrarkapitalistischer Dynamik. Die wichtigsten Wachstumsfaktoren sind klar identifizierbar: Der Binnenmarkt weitete sich stürmisch aus. Die Marktabhängigkeit stieg mit fortschreitender Urbanisierung. Die Industrielle Revolution und der weltwirtschaftliche Aufschwung wirkten stimulierend. Eine flüssige Kapitalversorgung blieb trotz aller Klagen jederzeit gewährleistet. Die dauerhafte Konjunktur steigerte die Gewinnspanne und das Interesse am Bodeneigentum – beides trieb die Grundbesitzpreise hoch. Vom Abschluß der Agrarreformen ging erneut ein belebender Schub aus. Die Ausdehnung des Kulturlandes hielt an. Intensivierte Kulturen und Anbautechniken drangen weiter vor. Zunehmend kam die Agrikulturchemie den Landwirten zur Hilfe. Dank der Nachfrage wurde die viehwirtschaftliche Produktion um gut fünfundneunzig Prozent hochgetrieben. Landwirtschaftliche Vereine, Verbände und Genossenschaften gewährten institutionelle Unterstützung. Die Akademien wurden zu Universitätsinstituten oder Fakultäten für Agrarökonomie aufgewertet.

Von der Hochkonjunktur getragen, erlebte die ländliche Gesellschaft, insbesondere der ökonomisch florierende ostelbische Landadel, die großpreußische Staatsbildung. Wie in der Industrie schienen alle Zeichen unbezweifelbar auf weiteren Aufschwung zu stehen. Da brach seit 1875/76 eine strukturelle Agrarkrise, deren Ausmaß über die herkömmlichen klimabedingten Mißernten unvergleichlich weit hinausging, über die mitteleuropäische Landwirtschaft herein. Erst der russische, dann vor allem der qualitativ hochwertige amerikanische Getreideexport zerschlugen ihr Preisgefüge. Diese gewaltig anschwellende Ausfuhr konnte dank der Verkehrsrevolution immer kostengünstiger angeliefert werden. Wie ein unausweichliches Fatum nahm der Druck der überseeischen Konkurrenz weiter zu. Nicht nur die Produktenpreise stürzten ab, sondern auch der Grundbesitzmarkt begann wegen der überhöhten Verschuldung, der riskanten Spekulationshausse und einer schmerzhaften Kreditkrise zu kollabieren. Unter dem Zugriff dieser Zangenbewegung von außen und von innen bewegte sich die deutsche Landwirtschaft seit 1876 in ihre Dauerkrise hinein.

Dank des überreichlichen Angebots der Neulandproduzenten fielen die Preise auf dem Weltagrarmarkt scharf ab. Aber der potentielle Vorteil, der den deutschen Konsumenten daraus unmittelbar hätte erwachsen können, wurde im Nu durch die hochprotektionistische Zollpolitik des Reiches zunichte gemacht, so daß der Verbraucher um die zum Greifen nahe Senkung der Lebenshaltungskosten politisch betrogen wurde.

Mit einer positiveren Bilanz schloß der kleingewerbliche Kapitalismus ab, in dessen Geltungsbereich eine Handwerksbevölkerung von immerhin rund fünfzehn Prozent lebte. Trotz des krisengebeutelten Jahrzehnts zwischen 1838 und 1848, das zu zahlreichen düsteren Prognosen, darunter auch Marx' populärer Proletarisierungsprophezeiung geführt hatte, haben die meisten Handwerke seit der Revolution einen Aufschwung anstelle des befürchteten Niedergangs erlebt.

Das hing mit den ambivalenten Auswirkungen der Industrialisierung zusammen. Wie zu erwarten stand, gab es auf der einen Seite eine tödliche Verdrängungskonkurrenz, die zum Verfall, ja zum völligen Verschwinden traditioneller Handwerkszweige führte. Auf der andern Seite gab es vielfach eine so erfolgreiche Anpassung und Ankoppelung an die industrielle Produktion, daß nicht nur das Überleben gesichert, sondern auch ein neuer Aufschwung eingeleitet wurde. Zeitweilig noch wichtiger waren die explosive Baukonjunktur mit zahllosen belebenden Impulsen, die Urbanisierung mit ihren neuen Chancen, das Bevölkerungswachstum mit seiner Bestandsgarantie für die Handwerksbetriebe im Grundnahrungsbereich. Gewiß: Tausende von pauperisierten Einzelmeistern, kurz vor dem Wechsel in die Industriefabrik, lebten neben blühenden Großfirmen von Bauhandwerkern oder saturierten Meisterbetrieben für die Lebensmittelversorgung. Einen einheitlichen, rosig-hoffnungsvoll gefärbten Auftrieb gab es nicht. Insgesamt aber überwogen sehr deutlich ökonomischer Erfolg, soziale Sicherheit und Zukunftsoptimismus. Die unentrinnbare Proletarisierung vieler wurde durch die elastische Anpassung, das beherzte Ausnutzen neuer Möglichkeiten durch die Mehrheit bei weitem übertroffen.

In die vertraute alte Welt der landwirtschaftlichen und kleingewerblichen Produktion fraß sich mit ungeahnter Unersättlichkeit der Industriekapitalismus hinein. Nach einer ersten Hochkonjunktur von 1845 bis 1847, die nur kurz durch eine Wachstumsschwäche und die Revolution unterbrochen worden war, setzte sich seine Dynamik in der Hauptphase der deutschen Industriellen Revolution endgültig durch. Eingebettet in einen weltwirtschaftlichen Aufschwung, der die deutsche Entwicklung sichtlich mittrug, gingen von seinem Wachstumskern die entscheidenden Impulse aus. In dessen Zentrum leitete die Verkehrsrevolution durch den Eisenbahnbau eine folgenreiche Kettenreaktion ein.

Während der Eisenbahnbau als der eigentliche Führungssektor voraneilte, zogen seine Rückkoppelungseffekte die Eisen- und Stahlindustrie, den Steinkohlenbergbau und den Maschinenbau, also die vier anderen klassischen Führungssektoren, in den Sog eines permanenten, sich selbst tragenden Wachstums hinein. Seine Ausbreitung erfaßte auch andere Industriezweige, mobilisierte Investitionen, förderte den Aufstieg der entwicklungsfähigen Wachstumsregionen, wo die strategischen Industrien bereits ihren Standort besaßen oder jetzt gewannen. Dort setzte auch frühzeitig der Konzentrationsprozeß ein, der an dem Vordringen der Großunternehmen, insbesondere in Gestalt der Aktiengesellschaften für Industriekonzerne und Banken, ablesbar ist.

Mit dem Durchbruch des Industriekapitalismus kam aber auch sein innerstes Entwicklungsgesetz zur Geltung: der unregelmäßige Rhythmus von Konjunktur und Krise, der seither Gesellschaft und Politik mit neuen Einflüssen und Bedingungen konfrontierte. Diese Fluktuationen haben sich in den vierziger Jahren erstmals klar gezeigt. Seit der Jahrhundertmitte prägten sie den industriellen Wachstumsverlauf, dessen hochkonjunktureller Trend 1857/1859 durch die Erste Weltwirtschaftskrise unterbrochen, durch den «Gründer»-Boom von 1866 bis 1873 steil nach oben gewendet und durch die Zweite Weltwirtschaftskrise von 1873 abgeknickt wurde. Die damit einsetzende erste schwere Industriedepression von 1873 bis 1879, überhaupt die schweren Wachstumsstörungen während der «Großen Deflation» von 1873 bis 1896, haben zwar die dunkle Kehrseite der industriekapitalistischen Entwicklung enthüllt, zugleich aber die Überlebensfähigkeit des Systems demonstriert, das in seinen Grundlagen bereits fest stabilisiert war.

Indem sich die Marktwirtschaft in der umstürzenden Form des Industriekapitalismus beschleunigt ausdehnte, verwandelte sich auch die Sozialordnung in eine Marktgesellschaft, in welcher die traditionalen Stände und außerständischen Schichten den marktbedingten Klassen als den dominierenden Sozialformationen weichen mußten. Auch das war für die meisten, die von dem Magnetfeld der Arbeitsmärkte auf einen neuen Platz im Stratifikationsgefüge plaziert wurden, ein schmerzhafter, schwer durchschaubarer Prozeß. Für eine Minderheit wirkte er dagegen wie die angemessene Belohnung für ihre Verwirklichung des Leistungsprinzips.

Das galt etwa für die Bourgeoisie der freien, verkehrswirtschaftlich orientierten Unternehmer im Industrie- und Bankwesen, im Groß- und Fernhandel. Sie blieb eine relativ kleine Erwerbsklasse, nach Familienherkunft, Startkapital und Ausbildung elitär abgehoben. Aber der Erfolg dieser «homines novi» verminderte den Abstand gegenüber dem mental altständisch geprägten Stadtbürgertum, so daß seine Oberschicht mit der Bourgeoisie ziemlich rasch zu einer neuen wirtschaftsbürgerlichen Oberklasse verschmolz. Auch die soziale Distanz gegenüber dem Adel und der verstaatlichten oder freiberuflichen Intelligenz des Bildungsbürgertums schrumpfte in dieser Zeit, während die Außengrenzen gegenüber dem Proletariat, weithin auch gegenüber den kleinbürgerlichen Mittelklassen, schroff verschärft wurden.

Im Binnenbereich dieses oberen Wirtschaftsbürgertums trugen ein hochdifferenziertes Vereinswesen, gemeinsam besuchte Schulen, informelle Verkehrszirkel und weitläufige Heiratskreise zu seiner Vernetzung bei. Insbesondere die Konnubiumsstrategien der Familienpolitik, die über die Weitergabe von sozialem und kulturellem Kapital entschied, zielten, oft erfolgreich, auf die Konsolidierung großer Unternehmerdynastien. Wenn die Familie im allgemeinen – nach Schumpeters erhellendem Wort – das «wahre Individuum der Klassentheorie» ist, da durch den Zufall der Geburt in eine bestimmte Familie weitreichende Vorentscheidungen über soziale Zugehörigkeit und verinnerlichte Normenwelt, über Leistungskompetenzen und Lebenschancen getroffen werden, mithin eine schwer revidierbare Weichenstellung im Hinblick auf den künftigen Ort im Klassengefüge erfolgt, gilt dieser Funktionszusammenhang in hohem Maße für die Unternehmer-Bourgeoisie. Wie zuvor haben aber auch die Bildungsidee, der Liberalismus und Nationalismus zu ihrer Homogenisierung beigetragen.

Auch das Bildungsbürgertum ist in jenen Jahrzehnten ein außerordentlich kleines, elitäres Ensemble von Funktionseliten und Berufsklassen geblieben. Dafür sorgte vor allem das langsame Wachstum der Abiturienten- und Studentenzahl. Aufgrund dieser schlichten sozialhistorischen Tatsache, daß das Bildungsbürgertum eine überschaubare, aber strategisch vorteilhaft postierte Minderheit blieb, konnte die innere Homogenität weiter bewahrt, die Summe der politischen und soziokulturellen Einflußchancen weiter effektiv verteidigt werden. Auch in diesem Umfeld spielte die Familie eine essentielle Rolle als Sozialisationsinstanz und Garant des Lebensstils. Die anhaltend hohe Selbstrekrutierung des Bildungsbürgertums kann daher nicht verwundern. Trotzdem blieb es, dem Leistungsprinzip auch gegenüber

Aufstiegswilligen verpflichtet, erstaunlich offen, wie die sozialstrukturelle Zusammensetzung der Gymnasialschüler und Studentenschaft unzweideutig zeigt. Als eine in komparativer Perspektive einmalige bürgerliche Formation behauptete das Bildungsbürgertum einen Spitzenplatz auf den obersten Rängen der Sozialhierarchie.

Im traditionsreichen Stadtbürgertum, dessen Geschichte sich unter dem Druck der inneren Staatsbildung und des egalisierenden Staatsrechts, des Bevölkerungswachstums und der industriekapitalistischen Marktwirtschaft dem Ende zuneigte, liefen in dieser Zeit zwei tief einschneidende Veränderungsprozesse ab. Die Oberschichten der alten Vollbürgergemeinde fusionierten, wie bereits betont, mit der erfolgreichen Bourgeoisie zu einer wirtschaftsbürgerlichen Spitzenklasse. Die Mehrheit der Stadtbürger verwandelte sich dagegen Schritt für Schritt in das neue Kleinbürgertum, das in sich wiederum in zahlreiche mittel- und kleinbürgerliche Berufs- und Erwerbsklassen zerfiel. Mit einem durchweg noch ständisch geprägten Selbstverständnis und einer nostalgischen politischen Rückorientierung auf die verklärte Zeit einer auskömmlichen «Nahrungswirtschaft» und eines gesicherten Sozialstatus begegneten sie ihrer Gegenwart.

Blieb daher das Bürgertum noch in durchaus verschiedenartige Sozialformationen untergliedert, wirkten doch unterschiedliche Kräfte weiter auf eine gemeinbürgerliche Integration hin. Die Durchsetzung bürgerlicher Werte und Normen, Verhaltensweisen und Moralkodices gehörte ebenso dazu wie die neuhumanistische Bildungsidee, liberale und nationale Zielvorstellungen. Unbestreitbar ging auch von der Zielutopie einer «bürgerlichen Gesellschaft» weiterhin eine vereinheitlichende Ausstrahlungskraft aus. Mit dieser Vision blieb eine scharfe Distanzierungspraxis gegenüber den arbeitenden Klassen verbunden, und der vermeintlich aufgezwungene Abwehrkampf verstärkte nach innen das Bewußtsein, gemeinsame Interessenlagen zu behaupten, und das Gefühl, gemeinsame Lebensziele zu besitzen. Trotz allen traditionsbewußten Widerstands gegen die Egalisierung altbürgerlicher Privilegien wirkte auch die reichsdeutsche Staatsbürgergesellschaft mit ihren neuen Gesetzeswerken auf eine Sozialsynthese hin.

Dagegen wurden die arbeitenden Klassen aus der entstehenden bürgerlichen Gesellschaft weiter ausgegrenzt, das Industrieproletariat sogar in eine Pariastellung hineingedrängt. Die Fabrikarbeiterschaft wuchs in der ersten Hochkonjunkturphase noch relativ langsam, dehnte sich dann aber seit den sechziger Jahren kräftig aus. Ihre scharf ausgeprägte interne Differenzierung blieb erhalten. Zahlreiche Unterschiede am Arbeitsplatz und in der Entlohnung, in der realen Lebenslage und Mentalität trennten die Facharbeiterelite von den angelernten Arbeitern und der Masse der Ungelernten und Tagelöhner. Immerhin: Die barbarisch lange Arbeitszeit sank ab, ein leichter Reallohnanstieg kam vor allem den qualifizierten Beschäftigten zugute. Aber der unerbittlich starre Lebenszyklus, der die verschiedenen Arbeitsperioden bestimmte, blieb unverändert erhalten. Allmählich konsolidierte sich das proletarische Milieu, insbesondere in den Unterschichtenquartieren der Städte, wo ein geborenes Proletariat heranwuchs.

Wägt man die Einflüsse auf den Klassenbildungsprozeß ab, läßt sich natürlich auch jetzt die fundamentale Bedeutung der ökonomischen und sozialen Dimension nicht abschwächen. Aber die entscheidende Arena für diese Konstituierung lag damals doch im Bereich der Politik und Ideologie. Während Städte und Staaten die Arbeiter von elementaren Partizipationsrechten und Lebenschancen weiter ausschlossen, meldeten in den sechziger Jahren die neuen sozialdemokratischen Parteien und die Gewerkschaften ihre Emanzipationsforderungen mit Nachdruck an. Lassalles ADAV und die Konkurrenz im VDAV von 1863/64, Bebels und Liebknechts SDAP von 1869, für die bereits der Anschluß an die Erste Internationale erfolgte, und schließlich die frühmarxistische SAP als Fusionsergebnis von 1875 insistierten auf politischer Reform, auf der Gewährung voller Staatsbürgerrechte, auf dem Ziel des «freien Volksstaats», keineswegs nur auf materieller Besserstellung im weitesten Sinn. Der autoritäre Staat erzwang nicht nur ein Vorgehen, das ihn zum Adressaten politischer Reformwünsche machte, sondern sein straffer Herrschaftsapparat erzwang auch das Ebenbild einer möglichst ebenso effektiven Gegenorganisation. Deshalb wurden auch die Gewerkschaften, die von den Arbeiterparteien protegiert oder sogar gegründet wurden, so wichtig, da in ihnen «Pflanzschulen» sowohl für den Klassenkampf als auch für den politischen Konflikt gesehen wurden. Obwohl die Anzahl der in Parteien und Gewerkschaften organisierten Arbeiter zu Beginn des Kaiserreichs noch gering war, hatte sich bis dahin doch eine entwicklungsfähige Emanzipationsbewegung konsolidiert, die das achtundvierziger Erbe mit einer radikalisierten Zielutopie verband.

Blickt man von dort, wo die Zukunft der industriellen Welt begonnen hatte, hinüber auf die ländliche Gesellschaft, war die rund tausendjährige Machtelite des Adels seit der Revolution in die Endphase ihres Niedergangs oder einer Transformation eingetreten, die zum Beispiel in Ostelbien aus einem längst aufgeweichten Herrschaftsstand immer zügiger eine agrarkapitalistische Unternehmerklasse machte. Diese einschneidenden Veränderungen wurden zwar zeitweilig durch einen blendenden, gleichwohl begrenzten ökonomischen und soziopolitischen Aufschwung verdeckt. Aber der vereinigten Offensive von Agrar- und Industriekapitalismus, von Bürgertum und Liberalismus, von Leistungsprinzip und Zentralstaat war selbst ein so zäher Kontrahent wie der Adel nicht gewachsen. Er mußte sich auf eine Defensivposition zurückziehen, die er – machtgewohnt und noch lange nicht zur Kapitulation bereit – mit aller Kraft verteidigte. Das äußerte sich in der «sozialen Schließung» seiner Reihen einerseits, in der «sozialen Öffnung» gegenüber Aufsteigern samt ihrer straffen Assimilierung andrerseits. Das äußerte sich in der Hartnäckigkeit konservativer Interessenpolitik, in der

Behauptung der strategischen Ränge in der Regierung, in der Bürokratie und im Militär. Aber mehr als von jedem anderen Erfolg während dieses Abwehrkampfes profitierte der Adel von einem ganz und gar unverdienten Bonus: von den Politik- und Kriegstriumphen, die Bismarck, der einzige Charismatiker aus seinen Reihen, innerhalb kürzester Zeit erzielte.

Schwerer fiel es den bäuerlichen Besitzklassen, sich in dieser Zeit einer beschleunigten Modernisierung der Landwirtschaft zu behaupten. Indes: Auch ihnen kamen die «goldenen» Jahrzehnte der Prosperität zugute. Der Abschluß des Reformwerkes stabilisierte die lebensfähigen Betriebe. An der dörflichen Hierarchie wurde bis zur Mitte der siebziger Jahre nicht gefährlich gerüttelt. Wer sich dank seiner Besitzgröße, Marktquote und Arbeitsintensität oben hielt, konnte häufiger als je zuvor einen Sohn auf die Höhere Schule, sogar auf die Universität schicken. Dagegen schlug sich die große graue Masse der Kleinbauern mit ihrer Subsistenzökonomie weiterhin mühselig durch.

Anders als der Landadel, der schon seit langem in dem politischen System seiner Clans und Beziehungen operierte, waren die meisten Bauern für eine konsequente Interessenpolitik noch nicht organisationsfähig. Seit den sechziger Jahren gelang es aber den ersten Bauernverbänden, den Horizont über den kommunalistischen Dorfverband und die Landgemeinde hinaus so zu erweitern, daß gemeinbäuerliche Interessen allmählich zur Grundlage ihrer Aktivität wurden.

Unter harter Kontrolle und ohne jede Aussicht, durch kollektive Aktion individuelle Schwäche wettzumachen, existierte dagegen das Millionenheer der Landarbeiterschaft. Ähnlich wie jede Fabrikbelegschaft war sie in sich nach Insten und Gesindeleuten, Knechten und Mägden, Tagelöhnern und Wanderarbeitern genau differenziert. Aber die ungemilderte Abhängigkeit bis hin zu den Formen einer modernen Hörigkeit, die rechtliche Diskriminierung bis hin zur faktischen Rechtlosigkeit, der kärgliche Lebensstil bis hin zur Entwurzelung durch ein erzwungenes Wanderleben – diese Ausbeutung und Wehrlosigkeit von Landbewohnern zweiter Klasse war ihnen allen gemeinsam. Auch die großagrarische Ideologie des benevolenten Patriarchalismus konnte diese Existenz am Rande des baren Minimums nicht übertünchen. Erst spät begann sich mit der anhaltenden Binnenwanderung auch für die Landarbeiter die Möglichkeit zu öffnen, in Industrierevieren und Städten eine neue Beschäftigung zu suchen. Ihre Abwanderung enthüllte nicht nur Aufstiegswillen, sondern bedeutete auch einen kaum kaschierten Streik gegen die Schinderei ihres ländlichen Arbeitslebens.

An machtvoll pulsierender Bewegung fehlte es Wirtschaft und Gesellschaft in dieser Epoche nicht. Der steile Anstieg der Bevölkerung, das Anschwellen der Urbanisierung, die Fluktuationen des Konjunkturverlaufs, die Klassenbildung und Elitenverteidigung, die Proletarisierung und Aufstiegsmobilität, die Expansion des Bildungssystems und der Durchbruch der

Massenpresse – überall standen Tradition und Herkommen unter einem hohen Veränderungsdruck. Überall auch triumphierten Märkte als Regelungsinstitutionen, trieben die Transformation der Gesellschaft voran, verteilten neue Lebenschancen und schwere soziale Kosten.

Und dennoch: Vorerst dramatischer und augenfälliger als die langen Schwingungen des sozialökonomischen Wandels waren die politischen Konflikte und kriegerischen Großereignisse, waren Nationalstaats- und Großmachtbildung. Zuerst freilich ist jede Politik, die über Regierungshandeln und Landtagsakklamation hinausging, von der zweiten Reaktion mit systematischen Polizeistaatsmethoden stillgelegt worden. Erneut wurde der Deutsche Bund zwischen 1849 und 1859 als Repressionsorgan erfahren – zu unitarischer Politik offenbar nur fähig bei der Unterdrückung von Opposition. Obwohl der liberale Zukunftsoptimismus nicht gebrochen werden konnte, verband er mit diesem Bund keine Reformhoffnungen mehr. Das wurde deutlich, als der Krimkrieg den internationalen Status quo aufbrach und die «Neue Ära» den Liberalen beträchtlichen neuen Einfluß auf die Innenpolitik eröffnete. Außerdem wirkte die italienische Nationalstaatsgründung auf die deutsche Einheitsbewegung wie ein Fanal, zumal der kleindeutsche Nationalismus eine ungewöhnlich folgenreiche Aufladung durch die borussischen Historiker und Publizisten erlebte, welche die bevorstehende Vollendung von Preußens «deutscher Mission» unermüdlich predigten.

Nicht im Lager des Liberalismus und Nationalismus, sondern im preußischen Verfassungskonflikt schürzte sich jedoch der Knoten jener Fundamentalkrise, aus der Bismarck herausführen sollte. Mit ihm trat eine politische Potenz sui generis in die deutsche Politik ein. Fünf Jahre nach einem extrem schwierigen Anfang war Bismarck, offenbar unaufhaltsam, auf dem Wege, eine moderne charismatische Herrschaft unter den Bedingungen der zweiten Jahrhunderthälfte auszuüben.

Obwohl die preußischen Liberalen jahrelang seine härtesten Gegner waren, konnte er eine informelle Allianz mit der liberalen Nationalbewegung eingehen, einmal um ihre Schwungkraft zu nutzen, zum zweiten, um mit dem Nationalstaat eine unvergleichlich durchschlagskräftige Legitimation für seine Politik, seine eigene Herrschaftsstellung und das preußische Machtkartell zu gewinnen. Darüber hinaus verband er sich mit dem freihändlerischen Wirtschaftsliberalismus – erst durch die Erfolge der Zollvereinspolitik, dann der Wirtschaftspolitik im Norddeutschen Bund und im Reich – zu einer zweiten Koalition, welche selbst die höchsten Spannungen des Verfassungskonflikts und des Staatsbildungsprozesses zwischen 1867 und 1871 überstand. Obwohl Bismarck auf diese Weise: indem er auch auf die Kräfte der «ökonomischen Revolution» setzte und ihre Entfaltung förderte, anstatt sie als ehemaliger Hochkonservativer zu bremsen, innenpolitisch ungleich breiter abgestützt war, als häufig angenommen wird, und obwohl er als Retter aus der Not durchweg der Unterstützung durch die preußischen Machteliten, den Staats- und Militärapparat sicher sein konnte, hat er doch nur durch das extraordinäre Mittel dreier Kriege, die er, weithin unter für ihn optimalen Bedingungen, jeweils zum rechten Zeitpunkt bewerkstelligen konnte, die Krise meistern können.

Der dänische Krieg von 1864, der mit der «Befreiung» Schleswig-Holsteins ein Ziel des vormärzlichen und des achtundvierziger Nationalismus erfüllte, schlug eine erste Bresche in die liberale Grundsatzopposition. Das Entscheidungsjahr 1866 präsentierte nach dem verblüffenden Sieg im Bürgerkrieg gegen Österreich und der Neugründung eines rein Norddeutschen Bundes unter preußischer Hegemonie, offensichtlich der Vorstufe zur kleindeutschen Einheit, eine klare Alternative: Entweder konnten die Liberalen einen gesinnungs- und grundsatztreuen Widerstand gegen das verhaßte, budgetlose Konfliktregime fortsetzen, oder sie konnten realpolitisch auf Mitwirkung und Ausgestaltung des neuen Staatswesens mit dem Fernziel der innenpolitischen Modernisierung unter liberalem Vorzeichen setzen. Die erste Option wurde von der DFP, die zweite von der neuen Nationalliberalen Partei gewählt.

Die Anklage, daß diese Entscheidung der Nationalliberalen «dem Liberalismus» auf Dauer das Rückgrat gebrochen habe, wird man ernsthaft nicht mehr wiederholen können. Der internationale Aufschwung des Liberalismus gerade in den sechziger Jahren, die Fortschrittsgläubigkeit der Mehrheit des deutschen Liberalismus, die noch immer die Gesellschaftsentwicklung und den Zeitgeist, zumindest auf etwas längere Sicht, zu ihren Gunsten wirken sahen, die nicht unbegründete Erwartung, daß die mächtige liberale Bewegung einen einzigen konservativen Ausnahmepolitiker wie Bismarck vermutlich binnen kurzem überstehen werde – all diese Erfahrungen und Hoffnungen lassen die Bereitschaft der Nationalliberalen, als Quasi-Regierungspartei geduldig, aber zielstrebig auf Mitherrschaft hinzuarbeiten, bis für sie die Stunde der Politik einer wahrhaft bürgerlichen Gesellschaft schlug, durchaus verständlich erscheinen.

Der Abschluß der großpreußisch-kleindeutschen Staatsbildung, zu der es seit 1866 keine realisierbare Alternative mehr gab, hat zahlreiche Auswirkungen gehabt: Der Einheitstraum der Nationalbewegung wurde endlich erfüllt – aber war der spät erreichte auch ein vollendeter Nationalstaat? Das europäische Staatensystem mußte sich auf eine neue Großmacht einstellen – aber konnte umgekehrt das Reich schnell genug lernen, mit seiner halbhegemonialen Stellung in Kontinentaleuropa klug umzugehen? Der triumphale Erfolg, mit dem Bismarck die extrem komplizierte Aufgabe der Reichsgründung gemeistert hatte, bekräftigte seinen Nimbus, als Charismatiker auch den schwierigsten Krisen gewachsen zu sein. Realpolitische Leistung und verklärender Mythos stabilisierten die Legitimationsbasis, auf der sein Kanzlerregime beruhte. Nach außen wirkte es in die Reichsverfassung eingebunden, da dieses Grundgesetz des kaiserlichen Deutschlands an der Hülle einer neuen konstitutionellen Monarchie formal festhielt. Aber ihre inneren Machtmechanismen sicherten der charismatischen Herrschaft des Kanzlers, den traditionalen Zentren von König, Kaiser und Hof, den Machteliten und dem Militär wesentliche Entscheidungsdomänen, in denen sie sich entweder souverän oder mit einem hohen Maß an Autonomie bewegen konnten.

Das Parlament war allerdings auch, daran gab es nichts zu rütteln, als Machtfaktor fest etabliert. Seine Zusammensetzung aufgrund des allgemeinen Männerwahlrechts, das über kurz oder lang durchorganisierte Parteien und den politischen Massenmarkt erzwang, seine Kompetenzen, die keineswegs bereits endgültig fixiert worden waren, seine mit der Ausdehnung der Staatsfunktionen ansteigende Entscheidungskapazität, deren Chancen freilich im Machtkampf erst erkundet und genutzt werden mußten – all diese Eigenschaften ergaben ein Potential nicht nur für die Modernisierung von Wirtschaft und Gesellschaft, sondern auch des politischen Systems.

Honoratiorenpolitiker namentlich aus dem Kreis der Liberalen erfüllte zwar der Reichstag des demokratischen Wahlrechts für alle Männer – in einer Zeit, als im Mutterland des Parlamentarismus soeben sechzehn Prozent, die als «Besitzbürger» qualifiziert galten, zur Wahl der Unterhausabgeordneten zugelassen worden waren – mit heftigem Argwohn, der angesichts ihres Politikverständnisses und ihrer Wählerbasis durchaus begründet war, zumal das konservative Kalkül hinter der Wahlrechtsinitiative anfangs nicht unrealistisch wirkte. Aber auch sie konnten nicht bestreiten, daß die Legislative endlich in größeren, freieren Dimensionen handeln, zudem auch noch weiter aufgewertet werden konnte. Die DFP, die aufgeklärten Konservativen in der «Reichspartei», das Zentrum und die Sozialdemokratie sahen das genauso.

Die Realverfassung des Reiches in seinen beiden ersten Jahrzehnten wies daher eine eigentümliche Mischung auf: von vorrangiger charismatischer Herrschaft, die aber kein Dauerzustand zu werden vermochte; von konstitutioneller Monarchie, die eng oder weit verstanden werden konnte; von parlamentarischem Mitregiment, dessen Entwicklungschancen auch vom Machtwillen der Parteien abhingen. Entgegen dem Anschein einer außergewöhnlich fest zementierten Ordnung war deshalb auch diese Verfassung für künftige Veränderungen offen. Die charismatische Herrschaft tendierte allemal zu Labilität, zur Veralltäglichung oder zum Scheitern an der Nachfolgefrage; die konstitutionelle Monarchie bewegte sich zwischen ihren weit auseinanderliegenden möglichen Entwicklungspolen; die parlamentarische Legislative konnte am straffen Zügel geführt werden oder sich zum überlegenen Machtzentrum aufschwingen. Obwohl parlamentarisches System und demokratische Politik an sich nichts miteinander zu tun haben und in der historischen Analyse über lange Zeiträume hinweg – wie auch die Geschichte von Westminster lehrt – auseinandergehalten werden müssen, war der Reichstag dank seinem Wahlrecht auch von Anfang an an die Schwungkraft der Demokratisierungstendenzen des Zeitalters gekoppelt. Das eröffnete für die Innenpolitik im Prinzip vielfältige Chancen, die gerade deshalb von den Verfechtern des Status quo als tödliche Gefahr bekämpft wurden.

Wie immer man das Kaiserreich von 1871 beurteilt – aus der zeitgenössischen Perspektive des Kanzlers, eines Nationalliberalen, eines Sozialdemokraten oder im Rückblick aus unserer Gegenwart –, eine eigentümliche Fusion von modernen und traditionalen Elementen verkörperte es ganz unstreitig. Von der Beurteilung des relativen Gewichts dieser Kräfte, erst recht ihrer Entwicklungsfähigkeit hängt das historische Urteil über die moderne deutsche Geschichte nach 1871, seitdem die Industrielle Revolution und die Nationalstaatsbildung im Verlauf der «Doppelrevolution» ihre Ziele erreicht und eine neuartige Konstellation geschaffen hatten, in einem ganz eminenten Maße ab. Deshalb müssen an dieser Stelle unausweichlich drei zusammenhängende Fragen geklärt werden: Ist seit 1871 ein «deutscher Sonderweg» im Sinne einer gravierenden Abweichung von dem Modernisierungspfad der westlichen Gesellschaften eingeschlagen worden? Oder ist ein bereits mehr oder minder lang bestehender «Sonderweg» nur weiter fortgesetzt worden? Oder aber hat es weder vor noch nach 1871 einen solchen «Sonderweg» gegeben?[1]

Diese Problematik ist bisher außerordentlich kontrovers diskutiert worden. Die wichtigsten Themen des Streits müssen daher unter einigen Sachgesichtspunkten möglichst straff, daher etwas holzschnittartig, erörtert werden. Lange Zeit, auf jeden Fall von 1871 bis 1945, hat es eine positive Vorstellung von einem solchen deutschen «Sonderweg» gegeben. Seit 1933, vollends erst seit 1945 setzte sich dann eine negative Vorstellung von einem deutschen «Sonderweg» durch, aus dem eine historisch plausibel wirkende Erklärung der großen Frage hergeleitet wurde, wie es dazu kommen konnte, daß die Weimarer Republik nach zwölf Jahren zerfiel, die nationalsozialistische Diktatur aber zwölf Jahre lang bestehen konnte, daß Deutschland als bisher einziges Industrie- und Kulturland der westlichen Zivilisation einen Radikalfaschismus praktiziert hat, der die Welt in einen fünfjährigen totalen Krieg und bis nach Auschwitz führte. Dieser «Sonderweg» mündete in eine beispiellose Vernichtungspolitik und Katastrophe, die aber paradoxerweise auch die Chance eröffnete, eine zweite, erfolgreichere liberal-demokratische Republik aufzubauen und zugleich auch eine westliche Staatsbürgergesellschaft mit ihrer politischen Kultur zu entwickeln und allmählich fest zu verankern.

Die kritische Interpretation besaß zeitweilig eine große Überzeugungskraft, die weit über den Kreis der Historiker hinaus bis in den tragenden Grundkonsens der Bundesrepublik reichte. Sie blieb aber stets umstritten und ist seit den 1980er Jahren wiederum in Zweifel gezogen worden, als neue Generations- und Politikerfahrungen, präzisierte methodische und theoretische Einwände geltend gemacht wurden.

Zunächst ist die klare Unterscheidung zwischen der älteren, positiven Variante und der neueren, kritischen Spielart der «Sonderweg»-Interpretation geboten. Das positive Selbstverständnis, einen spezifisch deutschen Entwicklungsweg eingeschlagen zu haben, gewann scharfe Konturen erst im letzten Drittel des 19. Jahrhunderts. Es konnte jedoch auf vorbereitende ältere Denkströmungen zurückgreifen. Seit der Reformation und der «Fürstenrevolution» der evangelischen Territorialherrscher gab es in den protestantischen Gebieten des Alten Reiches häufig die Überzeugung, bei diesem welthistorischen Schritt in eine neue Ära einen unschätzbaren Vorsprung gewonnen zu haben. Seit dem deutschen Aufgeklärten Absolutismus gab es unter seinen Verfechtern die selbstbewußte Auffassung, sich vor den reformunfähigen absolutistischen Monarchien und korrupten Adelsrepubliken an die Spitze der Entwicklung gesetzt zu haben.

Seit der Französischen Revolution in ihrer napoleonischen Phase wurde diese Überzeugung verstärkt, durch «Reformen von oben» den Weg der blutigen Revolution von unten vermeiden und sogar noch heilsamere Ergebnisse durchsetzen zu können. Die französische Fremdherrschaft konnte angeblich aus eigener Kraft, begleitet von der ersten Aufwallung eines gemeindeutschen Nationalgefühls in den «Befreiungskriegen», abgeschüttelt werden. Dem dürren Rationalismus und der herrschsüchtigen Aufklärung mit ihrer Utopie der ahistorischen, verstandeskalten Vernunft setzte die sogenannte «Deutsche Bewegung» die geistige Revolution des Historismus, die Romantik eine Aufwertung von Gemüt und Gefühl, von Seele und Phantasie entgegen.

Seitdem die Gegenrevolution von 1848/49 die Gefahr der «Pöbelherrschaft» in einer «roten Republik» mit brutalem Durchgreifen beseitigt hatte, blieb trotz der sogleich anschließenden bösartigen Unterdrückung während der zweiten Restauration der starke Staat die dominierende, Freiheit und Ordnung verbürgende Autorität. Ihr wurde von der Mehrheit der Bürgerlichen, insbesondere vom beamteten Bildungsbürgertum, die Fähigkeit zur Reformbereitschaft früherer Jahre weiter unterstellt. Da die Zeitgenossen des Kaiserreichs den seit Jahrhunderten vertrauten Vergleich mit den westlichen Pionierländern weiter pflegten, verglichen sie die reichsdeutschen Zustände mit denen in Frankreich und England, bald auch in den Vereinigten Staaten. Das Urteil über die russische Autokratie und das konfliktzerrissene habsburgische Vielvölkerreich fiel von vornherein abschätzig-abwertend aus. Natürlich gab es unverändert Bewunderer des englischen Parlamentarismus, der französischen Kultur, des amerikanischen Unternehmertums. Aber die Mehrheit, darunter auch die Wortführer der relativ weltoffenen, rechtsliberalen und linkskonservativen akademischen Intelligenz, tendierte zunehmend dahin, an die Überlegenheit des deutschen Wegs in die Moderne zu glauben. Dabei bildete sich ein Syndrom von Superioritätsvorstellungen heraus, das sich auch skeptischere Geister offen oder insgeheim zu eigen machten.

Insgesamt sei, hieß es da, die starke deutsche Monarchie mit ihrer unbestechlichen, leistungsfähigen Verwaltung der französischen Republik mit ihrer korrupten Demokratie und der englischen parlamentarischen Monarchie mit ihrer aristokratischen Cliquenwirtschaft weit überlegen. Außerdem werde die Funktionstüchtigkeit der Bürokratie, die abseits vom Parteienhader mit ihrer praktischen Politik dem Gemeinwohl diene, durch das moderne Verwaltungsrecht gesteigert, der Bürger andrerseits vor Mißgriffen durch die Verwaltungsgerichtsbarkeit geschützt. Der prekären geographischen Mittellage werde durch das bewährte Heer und eine kluge Außenpolitik Rechnung getragen, auch deshalb dürfe das Militär weiter seine Sonderstellung zu Recht beanspruchen. Die Reichsverfassung sei durch ihre Ausbalancierung von unitarischen und föderalistischen Elementen dem französischen Zentralismus ebenso überlegen wie den ungeschriebenen antiquierten Regeln der zentralistischen britischen Regierungsdiktatur. Ganz ähnlich sei in der deutschen Wirtschaftsverfassung ein besseres Mischungsverhältnis vorhanden, da neben der starken, dynamischen Industrie und dem hochqualifizierten Handwerk eine lebensfähige, im Notfall die Autarkie gewährleistende Landwirtschaft weiterexistiere. Die Auswüchse des Industrialismus würden durch eine zukunftsträchtige staatliche Sozialpolitik bekämpft. Das Leben in den deutschen Städten besitze dank seiner bürgernahen Kommunalpolitik einen wahrhaft progressiven Zuschnitt, es gewähre mehr Sicherheit und umfassendere Daseinsvorsorge, als Städte das irgendwo sonst vermöchten. Unstreitig liege das Wissenschafts- und Bildungssystem an der Spitze der zivilisierten Nationen, und in einer Welt, die immer mehr auf wissenschaftlicher Innovation und technischem Fortschritt basiere, sei das ein untrügliches Indiz überlegener Leistungsfähigkeit – der Garant einer hellen Zukunft. Überhaupt sei der durch Bildung und Religiosität, Innerlichkeit und Gemüt, Ordnung und Disziplin geprägte deutsche «Geist» der französischen Oberflächlichkeit, dem englischen Pragmatismus, der amerikanischen Monomanie der ewigen Jagd nach dem schnöden Mammon weit überlegen.

Diese Kombination wurde hier und da variiert und ergänzt, etwas verfeinert oder bis zur blanken Arroganz gesteigert, jedenfalls erwies sie sich als weithin konsensfähig. Es ist schon aufschlußreich, wie weit die bedeutendsten Köpfe der deutschen Sozial- und Geisteswissenschaft diese Auffassung mehr oder minder explizit teilten: An Max Weber und Gustav Schmoller, an Otto Hintze und Friedrich Meinecke, an Ernst Troeltsch und Adolf v. Harnack läßt sich das, trotz aller Differenzierung und Kritik im einzelnen, unschwer nachweisen.

Der Ausbruch des Ersten Weltkriegs und der Kriegsverlauf haben dann im Nu zu einer extremen Übersteigerung dieser bereits überaus positiven Selbsteinschätzung geführt. Die «Ideen von 1914», ein wüstes Konglomerat deutscher Überlegenheitsansprüche, wurden als Kampfideologie den universalistischen Werten der Französischen Revolution entgegengesetzt, die «deutsche Freiheit» sollte über die liberalen Freiheitsrechte des westeuropäischen Liberalismus triumphieren, die deutschen «Helden» traten gegen die englischen «Krämer» an.

Diese Radikalisierung des «Sonderweg»-Denkens seit 1914, erst recht in der Phase des totalen Kriegs seit 1916/17, wurde nach 1918 unter der Wirkung eines dreifachen Schocks im Grunde beibehalten. Die Kriegsniederlage, der Zusammenbruch aller deutschen Monarchien, die Revolution vereinigten sich zu einem schmerzhaften Trauma, das statt nüchterner Selbstprüfung weithin – die Historiker vorn an der Spitze – die kompensatorische Reaktion auslöste, den «Sonderweg» noch einmal zu dogmatisieren und zu glorifizieren. Allein wenn es aus diesen ureigensten Quellen schöpfe, an dieser seiner Kontinuität festhalte, könne Deutschland, lautete der Tenor zahlloser beschwörender Äußerungen, der Wiederaufstieg zu neuer Größe gelingen. Der Nationalsozialismus hat diese Denkklischees nicht nur bereitwillig übernommen, sondern sogar zu der Führungsmission eines deutschgermanischen Rassereichs pervertiert, das von der Basis eines «judenfreien» Kontinentalimperiums aus den Auftrag der «Vorsehung», die Weltherrschaft zu erringen, endlich erfüllen sollte. Mit diesem «Sonderweg» war es 1945 ein für allemal vorbei.

Läßt man plumpe Bemühungen im Dienst der alliierten Kriegspropaganda einmal beiseite, haben vor allem deutsche Wissenschaftler, die in die Emigration nach Amerika getrieben worden waren, zusammen mit einigen amerikanischen und englischen Deutschlandexperten schon in den späten dreißiger, vollends dann seit den vierziger Jahren die «Sonderweg»-Interpretation gewissermaßen umgestülpt, indem sie in der deutschen Geschichte nach besonderen Belastungen und gefährlichen Spezifika suchten, welche schließlich die Hitler-Diktatur, den Zweiten Weltkrieg, den Genozid möglich machten. Auf diese Weise sollte der schier unverständliche Absturz in die Tiefe der Barbarei des «Dritten Reiches» doch noch soweit wie möglich mit historischen, rational überprüfbaren Argumenten erklärt werden, die nach der Zäsur von 1945 zugleich zur Katharsis und damit zu einem neuen Anfang beitragen wollten.

Der Begriff des «Sonderwegs» wurde damals übrigens sehr selten gebraucht. Aber er bestimmte die leitende Fragestellung, welche historischen Bedingungen die fatale deutsche Abweichung vom Entwicklungsgang der «westlichen» Gesellschaften erklären konnten, die als hochentwickelte Industrie- und Kulturnationen trotz Weltkrieg und Weltwirtschaftskrise dem Faschismus nicht erlegen waren. Indirekt oder direkt wurde dem westlichen Modernisierungspfad, dem die abnormen Exzesse der deutschen Geschichte offensichtlich abgingen, die Dignität eines «normalen» Evolutionsgangs in die Moderne zuerkannt. Und nach den Erfahrungen der jüngsten Zeitgeschichte drängte es sich auf, ihn in den verschiedensten Realitätsbereichen auch als normatives Vorbild zu überhöhen. Auf diese Weise wurde ein teils realhistorisch fundierter, teils idealisierender Maßstab gewonnen, der die Abweichungen des deutschen «Sonderwegs» klar zu identifizieren gestattete.

Es kann kaum überraschen, daß die positiven Elemente der älteren deutschen Sonderwegsthese nicht mehr anerkannt wurden. Und nicht nur das: Jetzt gerieten nach erneuter Abwägung die belastenden Fernwirkungen auch ehemals verklärter Vorzüge in das Blickfeld. Vordringlich versuchte man, mit jeweils unterschiedlicher Akzentuierung, die einflußreichsten negativen Elemente zu ermitteln, deren Summierung für die Abweichung vom Westen verantwortlich gemacht werden konnte. Dabei ging es nie um die Konstruktion einer linearen Entwicklung auf den Nationalsozialismus hin, sondern um langlebige Vorbedingungen seiner Ermöglichung. Im Verlauf dieser Auseinandersetzung wurden von den Kritikern häufig einige Faktorenbündel herausgearbeitet. Die «deutsche Ideologie» eines «Sonderbewußtseins», das sich vom Westen bewußt abheben wollte, zeichnete sich durch ihre illiberale und antipluralistische, ihre aufklärungsfeindliche und staatsgläubige Stoßrichtung aus. Fortwährend konnte sie ihre Untertanengesinnung und Obrigkeitsgläubigkeit aus einer vulgarisierten lutherischen Zweireichelehre und der hegelianischen Staatsmetaphysik, aus der Politischen Romantik und einem irrationalen Kulturpessimismus nähren. Da es in der deutschen Geschichte keine «bürgerliche Revolution» gegeben habe, wie sie England, Amerika und Frankreich mit ihren klassischen Revolutionen angeblich erlebt hatten, war es dem Bürgertum nie gelungen, aus eigener Kraft über den Fürstenstaat zu triumphieren. Stets wurde Freiheit als die vom starken Staat gewährte und beschützte «Libertät» verstanden. Dadurch wurde die politische Stoßkraft des Bürgertums auf lange Sicht verhängnisvoll geschwächt. Und der Liberalismus, der als sein verlängerter Arm in der Politik galt, wurde durch seine Vereinbarungsstrategie, die gescheiterte Revolution von 1848/49, die Niederlage im Verfassungskonflikt und die Reichsgründung von oben endgültig um die Chance seiner Hegemonie in Staat und Gesellschaft gebracht.

Der lange erfolglose Nationalismus und dann der «verspätet» erreichte Nationalstaat, der nicht von der liberalen Nationalbewegung, sondern vom preußischen Militärstaat erkämpft wurde, erzeugten tiefe Verletzungen des Selbstwertgefühls, das durch einen leidenschaftlichen Hypernationalismus, der endlich einen prominenten «Platz an der Sonne» erringen wollte, kompensiert wurde. In diesem Nationalstaat wurden Parlamentarismus und Demokratie durch den unnachgiebigen Widerstand der traditionalen Eliten des Adels, der Bürokratie und des Militärs siegreich blockiert. Überhaupt spielten «vorindustrielle Faktoren» in der Politik und Sozialstruktur, in der Wirtschaft und Kollektivmentalität eine verhängnisvolle Rolle, da sie sowohl von einem ungebrochenen traditionalen Überhang als auch von neuen Erfolgen dieser Eliten zehren konnten. Unstreitig gab es eine rasante ökonomische Modernisierung durch den Industriekapitalismus, aber die fatal effektive Defensivpolitik der alten Gewalten erzeugte in Staat und Gesellschaft einen extrem belastenden Problemstau. Dieser hochgradig brisante Spannungszustand konnte bis zum Fall des Kaiserreichs nicht durch die Kongruenz von ökonomischer und politischer Modernität in einem bürgerlich parlamentarischen System überwunden werden.

Statt dessen gelang dem Adel die «Feudalisierung» des Bürgertums. Die Assimilation an die alte Herrenschicht siegte über die charakterfeste Selbstbehauptung namentlich in den Spitzenrängen, die eigentlich zu bürgerlicher Politikführung berufen waren. Die tief verwurzelten bürokratischen Traditionen des Landes, ihre Bestätigung durch die reale Reichsverfassung und das selbstbewußte Verwaltungshandeln engten die Grenzen der Parteipolitik übermäßig ein, erstickten die freie gesellschaftliche Selbstverantwortung, verhinderten die Lösung von Problemen durch autonome Initiative und bürgerliche Vereinigungen, lähmten die hochgelobte Selbstverwaltung, die tatsächlich am Gängelband der Staatsdiener lief. Währenddessen behauptete das Militär seine Sonderstellung, infizierte mit seinem spätfeudalen Ehrenkodex und anachronistischen Verhaltensweisen die bürgerlichen Aufsteiger und unterstützte einen Militarismus, der so weit wie nirgendwo sonst in das innere Gewebe der Gesellschaft eindrang. Auf diese Weise konnten sich der Primat des militärischen Denkens gegen die Politik von «Zivilisten», die Höherwertigkeit von militärischen Rangpositionen, Wertvorstellungen und Tugenden im Vergleich mit denen der bürgerlichen Gesellschaft durchsetzen.

Insgesamt dominierte in dieser «Sonderweg»-Interpretation eine Denkfigur, die durchaus den Regelfall der neuzeitlichen westlichen Entwicklung voraussetzte, während der Traditionsbestände eine je eigentümliche Fusion mit der Modernisierung der Gesellschaft eingegangen waren. In Deutschland aber erwiesen sich extrem langlebige belastende Traditionen als besonders wirkungsmächtig und eine nur partielle Modernisierung ließ soziale und politische Bollwerke der alten Gewalten, ließ obsolete mentale und kulturelle Einflüsse weiter bestehen. Deshalb konnte jene explosive giftige Mischung entstehen von Altem, dessen historische Lebenszeit übermäßig verlängert wurde, und von Neuem, dessen Wirkung sich nicht breit genug durchsetzen konnte, die letztlich die verhängnisvollen Bedingungen der Möglichkeit des Nationalsozialismus und seiner Vernichtungspolitik nach innen und nach außen zu schaffen imstande war.

Im einzelnen haben prominente Vertreter dieser – nur in einigen Grundzügen knapp skizzierten – Interpretation die Akzente durchaus unterschiedlich gesetzt: hier eher auf die Ideen- und Mentalitätsgeschichte, dort stärker auf die Sozial- und Politikgeschichte. Aber wie dem auch jeweils sein mochte: Alles in allem wurde ein kritischer, breitgefächerter Zugang zur neueren deutschen Geschichte eröffnet, der dem vitalen Bedürfnis in der Nachkriegszeit Rechnung trug, sich den Fehlentwicklungen dieser Geschichte endlich ohne jedes beschönigende Vorurteil zu stellen, sie soweit wie irgend möglich historisch zu «verstehen» und zu erklären. Diese Grundeinstellung wurde außerdem von der Überzeugung getragen, daß der deutsche «Sonderweg» unsägliche Opfer gefordert hatte und unwiderruflich an sein Ende gelangt war, daß jede Wiederbelebung einzelner Elemente mit aller Entschiedenheit bekämpft werden mußte, daß aber auch die schonungslose historische Kritik den Neuanfang moralisch legitimieren half.

Diese Impulse haben seit den 1950er Jahren zu einer Vielzahl kritischer Analysen geführt, die sich zu einer ausgedehnten Fachliteratur mit erheblicher Öffentlichkeitswirkung vereinigten. Die auf zahlreichen Problemfeldern verfeinerte «Sonderweg»-Interpretation gewann auf diese Weise einen festen Platz unter den Deutungen der neueren deutschen Geschichte.

Die neuere Kritik nicht nur an ihrer angeblich erdrückenden, zur Orthodoxie erstarrten Dominanz, sondern vor allem auch an ihrer angeblich evidenten Argumentationsschwäche entsprang aus sehr unterschiedlichen politischen und methodischen Motiven. Da wurde etwa auf der Linie eines sehr prinzipiellen, methodisch-theoretischen und zugleich politisch wie wissenschaftspolitischen Einwandes geltend gemacht, daß es in der deutschen Geschichte mehrere, positive und negative, Kontinuitätslinien gebe. Der Fluchtpunkt von «1933» sei heutzutage nicht der einzig mögliche, geschweige denn der einzig legitime. Vielmehr sei es genauso statthaft und politisch wünschenswert, die Vorbedingungen für die Weimarer Republik, erst recht für die Bundesrepublik herauszuarbeiten.

Nach diesen Vorbedingungen unbefangen zu fragen ist in der Tat legitim. Aber der bestürzend schnelle Zerfall der ersten Republik kann nicht allein aus der unmittelbaren Vorgeschichte von Weltkrieg und Versailles, von Inflation und Weltwirtschaftskrise erklärt werden, er besitzt auch weiter zurückreichende Vorbedingungen. Und vor der Erfolgsgeschichte der zweiten Republik liegt nun einmal der ungeheure Einschnitt der nationalsozialistischen Zeit, die nicht als erratischer Block übersprungen, sondern durch kritische Analyse dem historischen Verstehen erschlossen werden muß. Außerdem gehört sie gerade wegen ihres Zäsurcharakters zu den unumgehbaren Vorbedingungen der Erfolgsgeschichte seit 1949.

Mit diesem Plädoyer für den Pluralismus von Traditionen wurde auch gelegentlich ein schick drapierter Neurankeanismus, wonach alle Epochen gleich nahe zu Gott seien, oder ein modischer Neohistorismus verbunden, der alle Vergangenheit allein aus ihren eigenen Bedingungen zu verstehen forderte und das gegenwartsgebundene erkenntnisleitende Interesse leugnete oder verdrängte. Da aber ebendiese Interessen immer unauflöslich mit einem reflektierten Historismus, der zu einer unverzichtbaren Selbstverständlichkeit geworden ist, verknüpft sind, lenkte ein solcher Appell in eine Sackgasse. Auf die Mehrzahl der Kontinuitätsstränge ist aber gleich noch einmal zurückzukommen.

Englische und danach auch amerikanische Historiker einer jüngeren Generation haben mit Fleiß weitere Einwände gesammelt. Ihre entschiedene Kritik richtete sich gegen den Begriff des «Sonderweges», da er einen «Normalweg» historisch und normativ voraussetze. Ihn aber habe es wegen der Vielfalt eigener Entwicklungspfade, welche gerade die Gesellschaften des westlichen Kulturkreises eingeschlagen hätten, nicht gegeben. Die Geschichte einiger westlicher Länder, vor allem Englands, Nordamerikas und Frankreichs, werde vielmehr idealisiert, aus Unkenntnis mißverstanden oder schlechthin zurechtgestutzt, um deutsche Abweichungen konstatieren zu können. Weiche diese Idealisierung einer realistischen Bestandsaufnahme, entfalle sogleich das Konstrukt der «Abweichung». Auch die «bürgerliche Revolution» ist umstritten. Entweder wird den klassischen Revolutionen seit 1642, 1776, 1789 und 1848 das Prädikat «bürgerlich» abgesprochen (dafür sprechen nach dem gegenwärtigen Forschungsstand die besten Argumente), so daß es sinnlos wird, das Fehlen einer deutschen «bürgerlichen Revolution» weiter zu bedauern. Oder aber es werden die Überlegungen über die ausgebliebene «bürgerliche Revolution» als Mythenerzeugung abgetan, da sich doch eine revolutionsähnliche «bürgerliche Umwälzung» in eben jener Bismarckzeit realiter durchgesetzt habe, in der vermeintlich die alten Eliten noch einmal gesiegt hätten.

Überhaupt sei, heißt es immer wieder, der durch und durch moderne Charakter der deutschen sozialökonomischen und kulturell-wissenschaftlichen Entwicklung seit den 1850er Jahren ganz evident. Die unleugbaren Probleme ließen sich nicht auf spannungserzeugende vorindustrielle Faktoren, sondern primär auf die Folgen des rapide triumphierenden Industriekapitalismus zurückführen. Auch der deutsche Liberalismus habe nicht permanent die Verliererrolle gespielt, sondern nehme in vergleichender Perspektive an europäischen Auf- und Abschwungserfahrungen teil. Anstelle einer «Feudalisierung» des Bürgertums habe sich eine «Verbürgerlichung» der reichsdeutschen Gesellschaft durchgesetzt. Politisch habe das Bürgertum im Europa des 19. und frühen 20. Jahrhunderts ganz selten allein geherrscht, vielmehr Allianzen mit durchaus unterschiedlichem Einfluß auf die Herrschaftsausübung geschlossen. Sein politisches Übergewicht im Kaiserreich zu erwarten sei deshalb ein unmäßiger Anspruch. Unstreitig aber habe es darin die soziokulturelle und ökonomische Hegemonie erringen und behaupten können.

Der tatsächliche Einfluß des Adels werde ebenso maßlos überschätzt, wie er etwa in England unterschätzt werde. Selbst die ominösen Junker seien mehr und mehr aus strategischen Positionen zurückgedrängt worden, auf dem Rittergut eher agrarkapitalistische Unternehmer als Repräsentanten entschwundener Adelsherrschaft gewesen. Der behauptete Erfolg der manipulativen Herrschaftstechnik der alten Machteliten sei nichts als eine Illusion. Irreführende Fiktionen wie diese hätten aber dazu geführt, daß fundamentale Veränderungen der reichsdeutschen Innenpolitik wie die «populistische Selbstmobilisierung» ländlicher und städtischer Protestwähler, deren Interessen auf dem neuen politischen Massenmarkt nicht wirksam vertreten wurden, nicht einmal als Problem identifiziert worden seien. Deshalb sei die Politik der Interessenverbände und Parteien seit den neunziger Jahren in das Prokrustesbett einer Fehlinterpretation gezwungen, der neue Konservativismus und Radikalnationalismus in wesentlichen Zügen übersehen oder mißverstanden worden.

Die Sonderstellung des Militärs sei, heißt es weiter, dämonisiert und wiederum aus vormodernen Traditionen hergeleitet worden. Auch hier sei aber letztlich der fachlich kompetente, moderne Militärtechnokrat, der auf Vernichtungssieg und totalen Krieg hingewirkt habe, gefährlicher gewesen als der Einfluß aristokratischer Kriegernormen und eines vagen sozialen Militarismus. Gegen die unmäßige Bevorzugung und Belastung der preußischen Geschichte wurde die Realität des weiterbestehenden Föderalismus, die Vielfalt der regionalen Entwicklungen und historischen Landschaften mit ganz anderen als den ostelbischen Traditionen ins Feld geführt. Und was die zentrale Frage nach den Vorbedingungen des Nationalsozialismus anging, wurden sie auf die vergleichsweise «normalen» systemimmanenten, nur zugespitzten Konflikte der industriekapitalistischen Modernisierung im Verein mit den Auswirkungen des Weltkrieges und der Weltwirtschaftskrise reduziert.

Das ist nur ein Ausschnitt aus der Gegenargumentation, der noch erheblich erweitert werden könnte. Auf ihre empirische Unterstützung, deren Überzeugungskraft bisher von Problem zu Problem extremen Schwankungen unterliegt, kann an dieser Stelle nicht eingegangen werden. Die Postulate aber sind klar: Anstelle einer einzigen, privilegierten Entwicklung sollen mehrere unterschiedliche Kontinuitätslinien anerkannt werden. Anstatt der neueren deutschen Geschichte das Fehlen positiver, in anderen westlichen Ländern aber oft auch nur unterstellter Eigenarten vorzuwerfen, stehe eine realistische Analyse dieser Geschichte, wie sie «eigentlich gewesen» sei, stehe die Anerkennung ihrer modernen und gemeineuropäischen Züge mit all ihren üblichen Konflikten und Krisen auf der Tagesordnung. Entpathologisierung – das ist die Parole, und für die Erklärung des Nationalsozialismus sollen Kapitalismuskritik, Weltkrieg und Weltwirtschaftskrise im Grunde ausreichen.[2]

Welche Bilanz wird hier aus dem Wettstreit der Argumente gezogen? Kann heute eine gesellschaftsgeschichtliche Interpretation angesichts des lebhaften Pro und Contra für eine Position mit überlegener Erklärungs- und

Überzeugungskraft optieren? Zunächst auf eine Kurzformel gebracht: Selbstverständlich gibt es trotz der gemeinsamen (in Band I erörterten) Charakteristika der okzidentalen Gesellschaften eine Vielfalt von westlichen Entwicklungswegen. Aber seit der zweiten Hälfte des 19. Jahrhunderts treten die Sonderbedingungen des deutschen Modernisierungswegs immer prägnanter hervor. Die Hauptfragen lauten daher: Seit wann sind sie klar identifizierbar? In welchen Realitätsbereichen setzen sie sich durch? Wie lassen sich ihr Charakter, ihr relatives Gewicht, ihre Wirkungen genauer bestimmen?

Wird das Realphänomen als solches anerkannt, ist die sprachliche Kennzeichnung nicht ausschlaggebend. Hier wird von Sonderbedingungen gesprochen. Man kann aber auch von einer deutschen «Eigenproblematik» (Grebing), von «historischen Vorbelastungen» (Fraenkel) reden oder am «Sonderweg» festhalten, obwohl dann dieser umstrittene Begriff mit seinen unterschiedlichen Implikationen zu einer besonders wachsamen, immer wieder präzisierenden Verteidigung zwingt.

Diese Entscheidung wird zunächst einmal auf dreifache Weise begründet. 1. 1933, das bleibt eine universal- und nationalgeschichtliche Zäsur. Sie ist weiterhin erklärungsbedürftig und als ein Fluchtpunkt der Interpretation legitimierbar. Die historische Analyse muß, wenn sie denn ihren Namen verdienen soll, auch die langlebigen Voraussetzungen, nicht nur die kurzlebigen seit 1914, angemessen berücksichtigen, um die Einzigartigkeit des deutschen Radikalfaschismus, den Bruch von 1945/49 und die Natur des Neubeginns seither zu erfassen. - 2. Im Sinne des aufgeklärten Historismus müssen sowohl die okzidentalen und gemeineuropäischen Züge als auch die Sonderbedingungen des deutschen Entwicklungswegs in die Moderne, insbesondere auch ihre Verschränkung und Wechselwirkung herausgearbeitet werden. – 3. Dafür ist der Vergleich ein unverzichtbares Prüfinstrument. Da aber ein strenger Vergleich einzelner Hauptprobleme noch sehr selten unternommen worden ist und hier nicht nachgeholt werden kann, bedarf die abwägende Argumentation zumindest der komparativen Perspektive. Gerade das vergleichende Urteil unterstützt aber die Entscheidung, den deutschen Sonderbedingungen ihre spezifische Bedeutung zuzuerkennen. In diesem Zusammenhang gewinnt das dialektische Argument eine durchschlagende Bedeutung, daß der Vergleich vor allem mit solchen westlichen Ländern durchgeführt werden muß, wo die okzidentalen Gemeinsamkeiten stark hervortreten, da dann die deutschen Unterschiede und Abweichungen besonders auffällig und daher besonders erklärungsbedürftig sind.

Bevor die Grundlinien der Beweisführung verdeutlicht werden, ist es wichtig, sich zwei ihrer methodischen und interpretatorischen Prämissen zu vergegenwärtigen.

1. Man muß mit allem Nachdruck betonen, daß sowohl das Bündel der negativen Elemente, das die kritische «Sonderweg»-Interpretation einseitig

in den Vordergrund gerückt hat, als auch das Bündel der positiven Elemente, das die ältere Selbstdeutung ausschließlich betonte, von einem abwägenden Urteil berücksichtigt werden müssen. Es geht nicht an, unter den Sonderbedingungen allein die Summe der Fehlentwicklungen und Belastungen zu verstehen. Das ist ein schlichtes Gebot der historischen Gerechtigkeit.

2. Darüber hinaus ist es auch ein methodischer Imperativ, da der positive oder negative Charakter eines Phänomens nicht ein für allemal im historischen Prozeß feststeht. Vielmehr können seine Bedeutung und sein Stellenwert mehrfach wechseln. Dadurch wird eine jeweils neue komplexe Gemengelage geschaffen. So kann eine anfangs positiv bewertete Erscheinung ins Negative umschlagen, später aber wieder positive Züge gewinnen. Mutatis mutandis gilt das auch für die ursprünglich negativen Faktoren und ihre Veränderung. Und selbstredend gibt es den Grenzfall, bei dem sich positive und negative Aspekte gleichzeitig mischen und keineswegs fein säuberlich hintereinander auftreten.

Drei Beispiele sollen solche Metamorphosen illustrieren.

– Man kann die Rolle der frühen Bürokratie als Instrument effektiver Machtausübung und verbesserter Verwaltungsleistung im Vergleich mit den Mängeln des ständischen Regiments oder mit dem Schlendrian der höfischen Cliquen positiv beurteilen, wenn man für die Vorzüge der neuzeitlichen inneren Staatsbildung eintritt. Später hat die Bürokratie den Obrigkeitsstaat und Etatismus verstärkt, bis sie jenes «Gehäuse der Hörigkeit» schaffen half, das Max Weber fürchtete und das dann die NS-Diktatur errichtete. Zugleich haben jedoch im ausgehenden 19. Jahrhundert die bürokratischen Traditionen den Aufbau des frühen Sozial- und Interventionsstaates erleichtert, so daß die sozialen Kosten der Industrialisierung früher als anderswo abgefedert werden konnten. Und wer möchte ernsthaft auf die gegenwärtige Leistungsverwaltung mit ihrer Daseinsvorsorge verzichten?

– Die Universitäten haben dem frühneuzeitlichen Territorialstaat, insbesondere seit der Reformation, akademisch geschulte Juristen und Theologen zur Verfügung gestellt, und diese Staatsdienerschaft vertrat häufig zukunftsorientierte Reformmodernität und egoistische Staatsgewalt in einem. Die im Geist des Neuhumanismus umgestaltete Reformuniversität ist zeitweilig, auch in einem weltweiten Vergleich, zur Speerspitze des wissenschaftlichen Fortschritts geworden. Später wurden an ihr Illiberalität und Politikferne zusammen mit geistesaristokratischer Arroganz kultiviert und das positive Sonderwegsdenken dogmatisiert. Dem Nationalsozialismus ist sie entweder wehrlos erlegen oder sogar bereitwillig gefolgt. Andrerseits hat sie nach 1945 wiederum die Modernität der westdeutschen Entwicklungen mit fundiert.

– Das deutsche Bildungsbürgertum hat seit dem 18. Jahrhundert hochqualifizierte staatliche Funktionseliten und freiberufliche Professionen, dazu das ausschlaggebende Reservoir für die Universität und Wissenschaft des 19. Jahrhunderts gestellt. Seit dem Ende des 19. Jahrhunderts ist es aber weithin gegen Demokratie und Liberalismus angetreten, hat die Exzesse der Alldeutschen und der «Vaterlandspartei» unterstützt und zu dem politisch-moralischen Kollaps vor 1933 und während des NS-Regimes maßgeblich beigetragen. Trotzdem sind seine positiven Traditionen für die Universität, für den Liberalismus, für den Staatsapparat nach 1949 erneut einflußreich gewesen.

Kurzum: Die zeitspezifische, ob positive oder negative Aufladung bzw. Besetzung von Strukturen und Prozessen und der wiederholte Wechsel ihrer Wertigkeit ist nicht nur ausschlaggebend für das Selbstverständnis einer Zeit und ihrer Akteure. Vielmehr hängt von einer realitätsadäquaten Anerkennung der negativen oder positiven Spezifika auch ein überzeugendes historisches Urteil ab – vom Standpunkt der Gegenwart, mit all den Kenntnissen und normativen Vorentscheidungen, die dieses Urteil prägen, oder auch in der Perspektive von morgen, mit ihren veränderten Einsichten und Werturteilen.

Selbstverständlich kann man nicht alle Realitätsbereiche Revue passieren lassen, um sie auf eventuelle Sonderbedingungen hin zu überprüfen. Methodisch wäre bereits ein solcher Anspruch auf Totalitätserfassung illegitim. Wohl aber können einige wichtige Problemkomplexe beleuchtet werden, um generelle und spezifische Aspekte zu betonen und um die wechselnde Valenz der Phänomene gegenwärtig zu halten. Dabei wird es nur um einige Grundzüge und thesenartig zugespitzte Urteile gehen, zumal der genaueren Analyse der Kaiserreichsgeschichte in Teil 6 nicht vorgegriffen werden kann und soll.

1. Die Bevölkerungsgeschichte enthüllt keine deutsche Eigenproblematik. Das generative Verhalten, wie etwa das «europäische Heiratsmuster» als okzidentale Einzigartigkeit, entspricht ebenso allgemeinen westlichen Strukturen, wie das die Etappen der neuzeitlichen demographischen Entwicklung tun. Zählebige Klischeevorstellungen von gravierenden innereuropäischen Unterschieden – fatal verlangsamtes Bevölkerungswachstum in Frankreich, beschleunigtes Wachstum in England und Deutschland – werden sogleich relativiert, wenn man die Hochebene national aggregierter Daten verläßt und Regionen vergleicht. Dann gibt es in Frankreich genauso Wachstumsregionen wie in Deutschland Regionen mit sehr schleppender Zunahme oder langjähriger Stagnation.

2. Der ökonomische Säkularprozeß der Industrialisierung hat weder auffällig früh noch vergleichsweise spät eingesetzt. Das schnelle Einholen des englischen Vorsprungs zeigte die in jeder Hinsicht breite Ressourcenausstattung der wachstumsfähigen deutschen Gewerberegionen. Seit dem Beginn der deutschen Industriellen Revolution ist die wirtschaftliche Modernisierung nach den Maßstäben des 19. Jahrhunderts sogar außerordentlich rasch verlaufen. Aber in den Vereinigten Staaten herrschte ein noch höheres Tempo vor. Auch die staatliche Protektionspolitik ist keineswegs einzigartig gewesen. In den USA war die Staatshilfe, allen frommen Legenden zum

Trotz, ungleich intensiver und breiter gestaffelt, zum Teil auch in Belgien, Frankreich und Italien, öfters selbst in Großbritannien und seinen Kronkolonien.

Dennoch bleibt wichtig, daß der deutsche Industriekapitalismus im allgemeinen in einer Gesellschaft vordrang, die durch ältere Formen des Handels-, Agrar- und Gewerbekapitalismus noch nicht so durchsäuert, so verändert, so in Bewegung gesetzt war, wie das etwa in England und Nordamerika der Fall war. Daher hat das wirtschaftliche Modernisierungstempo in Deutschland soziale, politische, kulturelle Spannungen und Verwerfungen hervorgerufen, deren Sondercharakter ernst genommen werden muß. Wenn man dagegen auf höhere Wachstumsraten in kleinen europäischen Ländern hingewiesen hat, um die deutsche Industrialisierungsgeschwindigkeit zu relativieren, besagt das für ein vergleichendes Urteil wenig. Das soziopolitische Gewicht der Großagrarier war dort ungleich geringer oder gar nicht vorhanden; in Deutschland war mehr als die zwanzigfache Menschenzahl betroffen, deshalb wurde jene Grenze überschritten, wo Quantität in eine neue Qualität umschlägt; und schließlich stieß die deutsche Industrialisierung mit all ihren sozialökonomischen und politischen Auswirkungen in eine potentielle Großmacht hinein. Schon allein diese drei Unterschiede «make all the difference in the world».

3. Faßt man wichtige Aspekte der Sozialstruktur ins Auge, drängt sich die Ambivalenz der Erscheinungen noch stärker auf. Der ostelbische Adel zum Beispiel hat seit der Frühen Neuzeit auf Schübe der Kommerzialisierung und später auf das Vordringen des Agrarkapitalismus häufig mit elastischer Anpassung reagiert. Insofern unterschied er sich nicht von der englischen Gentry und Aristokratie, die auch genau wie er mit hochentwickeltem Interessenegoismus ihre Verwaltungs- und Rechtsprechungsfunktionen wahrnahm. Aber das ostdeutsche System der Fronarbeit, dann der Insten, Tagelöhner und Wanderarbeiter, mit dem die ritterliche Eigenwirtschaft betrieben wurde, mithin die Fortdauer der Herrschaft über Menschen, die außerdem in die preußische Militärverfassung eng eingebunden blieben – das war eine andere Sozialordnung, als sie mit einer faktisch zu vernachlässigenden adligen Eigenwirtschaft, mit der Dominanz der Pächter-Landwirte und der völligen Abwesenheit militärischer Einflüsse in der englischen ländlichen Gesellschaft vorherrschte.

Zählebig und politisch durchsetzungsfähig, das blieb der Adel nicht nur in Preußen, sondern gewiß auch in England. Aber der geringere Einfluß des politischen und wirtschaftlichen Liberalismus, die strategische Position im Heer und in der Bürokratie, der fehlende Auslauf in ein weltweites Imperium, die schwächer werdende und dann zerbröckelnde ökonomische Basis, die archaische Hartnäckigkeit bei der Verfolgung eigener Ziele ohne jede «patrizische» Berücksichtigung gesamtgesellschaftlicher Verantwortung, eben das spezifische Politikverständnis und der spezifische Stil der Interessenverfechtung – derartige Traditionen prägten dem preußischen Adel doch einen eigenen Stempel auf. Ein solches Urteil wird auch nicht durch den statistischen Befund ausgehebelt, daß in der englischen Regierung am Ausgang des 19. Jahrhunderts genausoviel oder noch mehr Adlige vertreten waren als in der preußischen Regierung oder der Reichsregierung. Denn auf den Typus des adligen Berufspolitikers, sein politisch-gesellschaftliches «Weltbild», seine Aktionsziele und -grenzen kommt es an, nicht primär auf die Anzahl der Aristokraten.

Für das arrivierte Bürgertum ist der Adel überall ein sozialnormatives Vorbild geblieben. Das ist eine gemeineuropäische Erscheinung auch noch im 19. und 20. Jahrhundert. Trotzdem fallen die Unterschiede ins Gewicht, so daß man zwar von der «Feudalisierung» des deutschen Bürgertums so plakativ nicht mehr sprechen wird, wohl aber von einer vielfältigen Imitation des Adels. Wie der Londoner Unternehmer den Kauf eines adligen «Country House», die Einheirat seiner Kinder in eine Kleinadelsfamilie, die Anerkennung durch die lokale Gentry erstrebte, das unterschied sich strukturell recht wenig vom Kauf eines Rittergutes durch einen reichen deutschen Wirtschaftsbürger, von seinen Heiratspräferenzen, zumindest für die Töchter, von seiner Bereitschaft zur Anpassung an den landadligen Lebensstil – fern von Chefzimmer und Vorstandsetage, wo andere Regeln galten. Wo aber wurde das Duell als ursprünglich adliger Ehrenhandel so intensiv kultiviert und so lange beibehalten wie in Deutschland? Wo schlugen sich Studenten, einem artifiziellen spätfeudalen Ehrenkodex äffisch folgend, so hingebungsvoll in Ersatzduellen auf dem Paukboden ihre Schmucknarben ins Gesicht? Wo ahmten ganze Generationen bürgerlicher Offiziere das adlige Vorbild so sklavisch nach? Wo drang der soziale Militarismus, zu dem auch die Anerkennung der Adelsdominanz gehörte, so tief in die Poren der Gesellschaft ein? Wo setzte sich der schnarrende militärische Kommandoton, den adlige Offiziere ihre Untergebenen gelehrt hatten, so zäh in der Verwaltung und in den staatlichen Dienstleistungsbetrieben fest? Zugegeben, hier läßt sich auch eine Gegenrechnung aufmachen: Es gab wie vielerorts in Europa auch einen Prozeß der «Verbürgerlichung» des Adels, eine Verdrängung aus wichtigen Positionen, eine Einflußminderung, die Transformation in ordinäre Agrarunternehmer und Staatsfunktionäre. Auch ist der Unterschied zwischen süddeutschem und preußischem Adel in der Tat gravierend gewesen. Aber in den zwei Dritteln des Reiches, die Preußen gehörten, bleiben nach der Bilanzierung Adelsmacht und Adelsstil als Sonderbedingungen bestehen.

4. Von einem allgemeinen «Defizit an Bürgerlichkeit», das so oft zu den Charakteristika des deutschen «Sonderwegs» gezählt worden ist, kann man heute nicht mehr sprechen. Inzwischen haben die Sozial- und Kulturgeschichte, insbesondere die endlich initiierte Erforschung der Bürgertumsgeschichte, vielfach nachgewiesen, daß diese Kurzformel nicht nur fragwürdig

ist, sondern vielfach geradewegs in die Irre führt. Zweierlei gilt es hier vor allem zu berücksichtigen. Einmal hängt wiederum viel vom Vergleichsmaßstab ab. Auch wenn man die Verhältnisse in Westeuropa und Nordamerika nicht idealisiert, ergibt sich ein anderes Bild, als wenn man Osteuropa und Rußland als Referenzgrößen wählt. Von Czernowitz und St. Petersburg aus wirkten die deutschen Gesellschaften einschließlich der reichsdeutschen als außerordentlich erfolgreiche, geradezu vorbildliche bürgerliche Gesellschaften. Geboten ist aber, wie gesagt, in erster Linie der Vergleich mit den westlichen Ländern, mit denen das deutsche Bürgertum viele Gemeinsamkeiten teilte, so daß die Unterschiede um so mehr der Erklärung bedürfen. Zum zweiten changieren gerade in der Bürgertumsgeschichte die positiven und negativen Auswirkungen der Phänomene, mit ihnen auch die historischen Werturteile.

Die Welt des deutschen städtischen Bürgertums weist auch im 19. und 20. Jahrhundert eine erstaunlich langlebige Herrschaft bürgerlicher Formationen auf, ob sie nun von älteren stadtbürgerlichen Schichten, neuen wirtschaftsbürgerlichen Oberklassen oder bildungsbürgerlichen Verwaltungseliten ausgeübt wurde. Kommunalpolitik und Selbstverwaltung waren überwiegend bürgerlich geprägt. Die Erfolge der städtischen Politiker und bürokratischen Experten samt ihrer Leistungsverwaltung stechen ins Auge. Auf der anderen Seite: Die Städte waren auch eine Art von Fluchtburg für bürgerliche Politiker und bürgerliche Politikpraxis. Denn auf der Ebene der obersten Reichspolitik – besonders außerhalb des Parlaments, zeitweilig aber auch in ihm – besaß eine zielbewußte bürgerliche Interessenvertretung häufig, vor allem seit 1879, eklatante Schwächen, blieben selbstbewußte bürgerliche Politiker von den innersten Entscheidungszirkeln ausgeschlossen. Dabei hätte in einem politischen System mit einer offeneren Elitenzirkulation manche herausragende Persönlichkeit des großstädtischen Führungspersonals fraglos das Zeug für Leitungsaufgaben in der Reichs- oder Länderpolitik besessen.

Daß insbesondere das großbetriebliche Unternehmertum erfolgreich und einflußreich, in seiner Interessendurchsetzung auch politisch stark gewesen ist, wird keiner ernsthaft bestreiten. Aber der vielbeklagte-vielgerühmte Paternalismus in der Schwerindustrie mit seinem rücksichtslosen «Herr-im-Haus»-Verhalten imitierte den Kommandostil auf dem aristokratischen Herrensitz, zumindest die umfassende hausväterliche Gewalt des «Ganzen Hauses», öfters auch den Kasernenhofton. Die Herrenallüren entsprachen auch dem Interesse an möglichst ungeschmälerter Unternehmerherrschaft im Betrieb. Aber die Allüren sind auf diese Interessen nicht reduzierbar, und erneut zeigt der Vergleich, daß in amerikanischen Großunternehmen auf demselben Entwicklungsniveau der «Boss» mit durchaus robust verfolgten Herrschaftsinteressen sich anders verhielt als der deutsche Industriepatriarch.

Aus welchen Gründen das deutsche Bildungsbürgertum im Kreis der westlichen Modernisierungseliten eine Sonderstellung einnahm, ist schon mehrfach erörtert worden. In ihm kumulierten sich lange Zeit genuin bürgerliche Erfolge: in der höheren Bürokratie und daher auch im politischen Entscheidungshandeln, im Rechtswesen, im Bildungssystem, in der prägenden Einwirkung auf gemeinbürgerliches Leben, um nur einige Leistungsdomänen zu nennen. Nicht wenige auffällige Züge der Modernität in Gesellschaft und Politik der deutschen Länder sind mit den Eigenarten des Bildungsbürgertums unauflöslich verbunden. Je später im 19. Jahrhundert, desto deutlicher trat aber auch reiner Karriereehrgeiz an die Stelle des ursprünglichen Bildungsstrebens, verdrängte der Erwerb von Berechtigungsdiplomen die Ausbildung der Persönlichkeit, schoben sich Bildungsdünkel und Illiberalität, Distanzierung von den «Ungebildeten» und Anfälligkeit für den konservativen Reichsnationalismus, Unterstützung für den alldeutschen Extremismus und Befürwortung des Imperialismus und maritimen Wettrüstens in den Vordergrund. Eine gerechte Bilanz ist da nicht leicht zu ziehen. Nur starke Vorurteile können zu einem unzweideutig weißen oder schwarzen Grundton führen. Tatsächlich blieb eine diffuse Gemengelage von Vorzügen und Belastungen erhalten – von deutschen Sonderproblemen allemal.

Auch am Kleinbürgertum läßt sich eine Fülle von widersprüchlichen Eigenschaften verfolgen: hier eine nostalgische Verklärung der alten stadtbürgerlichen «Gemeinschaft» und der auskömmlichen «Nahrung», dort eine lebenstüchtige Anpassung an den rapiden ökonomischen Wandel und eine unbeirrbare Unterstützung des sozialen Aufstiegs, der den Söhnen, erst später auch den Töchtern, unter den neuen Bedingungen ermöglicht werden sollte. Hier eine drei Jahrzehnte lang anhaltende Unterstützung von Liberalismus und Demokratie, dort ein Abschwenken ins Lager des alten und neuen Konservativismus und rechtsradikalen Antisemitismus. Hier die Pflege bürgerlicher Tugenden wie Leistungsorientierung, Bildungsstreben, Fortschrittsglauben, dort die Verkrustung eines engherzigen Muckertums, einer verklemmten Normendurchsetzung, einer spießbürgerlichen Selbstgerechtigkeit. Was daran gemeineuropäisches Charakteristikum oder deutsche Eigenschaft war, ist noch nicht hinreichend geklärt. Wahrscheinlich hat erst die Überlappung von forcierter Industrialisierung und zugleich Urbanisierung mit ihren sozialpsychischen Folgen einer Verstörung und Defensivmentalität einerseits und die gerade in diesen Gesellschaftsbereichen tiefgreifende Entliberalisierung seit den späten siebziger Jahren andrerseits große Teile des deutschen Kleinbürgertums in seine Anfälligkeit gegenüber antiliberalen, rechtskonservativen Sammlungsparolen hineingetrieben. Seine Neigung zu autoritärer Stabilisierung festzuhalten heißt aber noch lange nicht, eine unilineare Entwicklung auf den Nationalsozialismus hin zu unterstellen.

Unstreitig empfanden sich die meisten deutschen Kleinbürger im 19. Jahrhundert als Bürger – seit dem letzten Drittel zunehmend als bösartig benachteiligte Bürger. Aber die zu Recht diagnostizierte Verbürgerlichung wurde von den Millionen, die zu dieser außergewöhnlich heterogenen Mischung von Erwerbs- und Berufsklassen mit weithin ständischer Selbsteinschätzung gehörten, als Kern ihrer Tradition lange bejaht und getragen.

Überhaupt ist diese Verbürgerlichung unterschiedlichster Lebensbereiche viel weniger bestritten worden, als von Kritikern des «Sonderwegs» behauptet wird. Im politischen Leben der Groß- und Kleinstädte, in ihren öffentlichen Bauten, in ihrer kulturellen Aktivität, im unendlich vielfältigen Vereinswesen, aber auch im Rechts- und Bildungssystem, in den Sitten und Konventionen, in den Moral- und Sexualnormen, in den privaten Lebensidealen und proklamierten sozialen Tugenden – überall kann man eine siegreiche Expansion der bürgerlichen Welt beobachten.

Trotzdem besteht der Stachel der Frage weiter, vom Vergleich geschärft und nicht abgeschwächt, warum das Bürgertum im Kaiserreich fast vierzig Jahre lang vor der politischen Machtfrage ausgewichen ist oder bei der Machtprobe bis zuletzt versagt hat.

5. Am deutschen Industrieproletariat fallen zuerst die gemeinsamen Kennzeichen der westlichen Arbeiterklassen auf. Aber politisch gab es relativ frühzeitig, wie der Vergleich von neuem lehrt, eigenartige Entwicklungen. Eine selbständige, stabile, überlebensfähige Partei kam erstaunlich schnell, eigentlich schon in der Anfangsphase des industriellen Wachstums zustande. Die ebenfalls extrem rasche und vor allem dauerhafte Trennung vom bürgerlichen Liberalismus folgte nach wenigen Jahren. Jede informelle Allianz oder formelle Koalition war seither ein halbes Jahrhundert lang ausgeschlossen. Fast gleichzeitig öffnete das demokratische Reichstagswahlrecht den politischen Massenmarkt auch und gerade für die Arbeiterbewegung, und noch einmal relativ frühzeitig wurde ein popularisierter Marxismus zu ihrer Weltanschauung und Parteidoktrin.

Zugegeben, entgegen hoffnungsfrohen Prognosen behielt das Zentrum einen starken Wählerstamm in der katholischen Arbeiterschaft. Wie weit das Reservoir konservativer «Tory»-Arbeiterwähler reichte, ist noch nicht genau ausgemessen. Aber jeder liberale und konservative Politiker kannte seit 1868/75 die Sonderposition der Sozialdemokratie, und auch in der Zweiten Internationalen war sie später jedem Repräsentanten der Mitgliedsparteien bewußt.

6. Die Bauern waren seit der Reformära nicht mehr die «Heloten» der ländlichen Gesellschaft. Die Besitzklassen der Mittel- und Großbauern erwiesen sich vielmehr durchaus als lebensfähig. Bis in die 1870er Jahre verlief die strukturelle Trennungslinie zwischen mittel- und westeuropäischen Bauern auf der einen, russischen und südosteuropäischen Bauern auf der anderen Seite, nicht aber zwischen deutschen und westeuropäischen

Bauern. (Der amerikanische Farmer ist nie ein Bauer im europäischen Sinn, sondern ein mobiler agrarkapitalistischer Unternehmer mit dem Ziel schnellstmöglicher Ressourcenausbeutung gewesen.)

Die Agrarkrise seit 1876 hat jedoch eine neuartige ökonomische und politische Konstellation für die deutsche Landwirtschaft heraufgeführt. Anders als in England, wo die Weltmarktpreise weiter regierten, und anders als in den kleinbäuerlichen Regionen Frankreichs mit ihrer geringen Marktquote, gewöhnten sich die deutschen Landwirte an den staatlichen Protektionismus, der die Wirkung der Marktmechanismen zu ihren Gunsten abschwächte, überhaupt an eine privilegierte Behandlung, deren anachronistische Züge nach einigen Dekaden evident waren. Ohne den Rückgriff auf das politische Herrschaftssystem läßt sich jedoch auch diese Weichenstellung nicht verstehen.

7. Der staatliche Einfluß hat ebenfalls im Bildungssystem dominiert. Hier gibt es krasse Unterschiede im Vergleich mit England und den USA, umgekehrt deutliche Ähnlichkeiten im Vergleich mit Frankreich, dem neuen Italien und kleineren west- und nordeuropäischen Ländern. Die Alphabetisierung der Bevölkerung wurde in Deutschland außerordentlich früh erreicht. Der Volksschule wohnte, nachdem die städtische Armenschule in eine allgemeine Elementarschule umgewandelt worden war, eine demokratisierende Tendenz inne, da sie alle schulpflichtigen Kinder aufnahm. Das war eine von vergleichsweise autoritären Staaten erzielte Leistung, die exklusive Schulen für die Kinder der bessergestellten Familien zur Ausnahme werden ließ – ganz im Gegensatz zu England, wo mit der liberal-parlamentarischen politischen Kultur ein undemokratisches System durchaus vereinbar war und ist.

Das staatlich vielfältig privilegierte humanistische Gymnasium bestand auf einem anspruchsvollen Curriculum für seine «Generalisten»-Ausbildung, favorisierte auch unstreitig die Söhne des Bildungsbürgertums und anderer bürgerlicher Oberklassen, öffnete sich aber früher für soziale Aufsteiger, als das an englischen «Public Schools», amerikanischen Privatoberschulen und einer Vielzahl französischer Lyzeen der Fall war. Für Arbeiterkinder blieb es so gut wie unerreichbar, ihnen gegenüber funktionierten dieselben Abwehrmechanismen, die dem europäischen Trend entsprachen.

Daß die deutsche Reformuniversität, dank dem Treibsatz der neuhumanistischen Bildungsidee und dem sozialen Reservoir des Bildungsbürgertums, gerade im Vergleich eine unleugbare Spitzen- und Sonderstellung gewonnen hat, ist (in Band I und II und vorn) schon mehrfach diskutiert worden. Rund ein Jahrhundert lang hat sie als Modell wissenschaftlicher Leistungsfähigkeit und akademischer Ausbildung gedient. Ihre Schattenseiten schienen gegenüber diesem Innovationserfolg lange Zeit zurückzutreten.

Überhaupt kann man das gesamte Bildungssystem zuerst einmal für einen positiven «Sonderweg» in Anspruch nehmen. Erst die genauere kritische

Überprüfung seiner Geschichte, insbesondere seit dem letzten Drittel des 19. Jahrhunderts, läßt die inhärenten Klassenbarrieren, die materielle Vernachlässigung der Grundschule, die elitären Züge des Gymnasiums und der Universität, die auch zum Tummelplatz von Illiberalität, Antisemitismus und schlagenden Studentenverbindungen wurde – läßt überhaupt den tief eingeschliffenen unseligen Gegensatz zwischen «Gebildeten» und «Ungebildeten» mit all seinen Auswirkungen schärfer hervortreten, während gleichzeitig auch erstaunlich positive Leistungen an all diesen Institutionen weiter erbracht wurden. In kaum einem anderen westlichen Land hat aber diese Distanz zwischen «Gebildeten» und «Ungebildeten» im Alltag, im Berufsleben, im politischen Wählerverhalten eine derartige Rolle gespielt wie in den deutschen Staaten bis 1933.

8. Schließlich die Frage nach der «deutschen Ideologie» – nach jenem «deutschen Sonderbewußtsein», auf dem mancher selbst nach der Ablehnung eines eigenständigen «Sonderwegs» doch weiter beharrt.

Auch und gerade auf diesem weiten Feld muß der Hinweis auf einige Aspekte genügen. Die vulgarisierte lutherische Lehre habe, heißt es, auch ein spezifisch protestantisches Obrigkeits- und Untertanendenken geprägt. Aber diese Lehre war es nicht allein: Die Verbindung von Landeskirchenregiment, Orthodoxie und Konfessionalismus im Territorialstaat mußte offenbar noch hinzukommen. War außerdem die Obrigkeitsmentalität in den Geistlichen Herrschaften unter dem Krummstab weniger wirksam ausgeprägt? Fest steht dagegen, daß sich die politische Theorie des Calvinismus mit ihrer entscheidungsfähigen Gemeinde, den auf Zeit gewählten Repräsentanten als Lenkungsausschuß und einem ausgefeilten Widerstandsrecht flächendeckend nirgendwo durchsetzen konnte.

Die Staatsmacht wurde, erst recht nach dem Erfolg der «Fürstenrevolution» während der Reformationszeit, stetig ausgebaut. Aber es mußte die Kehrseite des Föderalismus, die territorialstaatliche Zersplitterung mit all ihren egoistischen Prätentionen hinzukommen, um den Anspruch der Duodezherrscher von Gottes Gnaden auf Verklärung der Staatsgewalt so schwer erträglich zu machen. Mit der erfolgreichen Behauptung des Staatenpluralismus im Alten Reich hängt es auch zusammen, daß «Libertät» frühzeitig als vom Staat gewährte und geschützte Freiheit, nicht aber als eine kraft Naturrecht vor dem Staat liegende, autonome Freiheit oder als eine gegen ihn zu erkämpfende Freiheit verstanden wurde.

Dieses Verständnis hat noch den deutschen Liberalismus des 19. Jahrhunderts bestimmt. Er zehrte auch von der deutschen Spätaufklärung als Variante einer gemeineuropäischen Denkströmung. Aber durch die Staatsnähe ihrer deutschen Verfechter wurde sie vielfach gebremst, verkürzt, gebrochen. Gegen ihre Leistungen und damit gegen den Einfluß, den sie trotzdem gewann, richtete sich bald der effektive Gegenschlag des Historismus, den so viele konservative deutsche Historiker als siegreiche geistige

Konterrevolution gegen die Aufklärung gerühmt haben. Und verdient es auch der literaturwissenschaftliche Begriff der Romantik, daß man ihm in der historischen Analyse mit viel Skepsis begegnet, hat doch die Politische Romantik diesen «Backlash» des Historismus vielfach unterstützt. Die antipluralistische Ideologie der «Gemeinschaft» hat seither, nachhaltig verstärkt durch die Auflösung der überkommenen städtischen Vollbürgergemeinde, eine starke Anziehungskraft behauptet.

In der Verwaltung, vielfach überhaupt im Bildungsbürgertum, hielt sich die aufklärerische Zielvorstellung von dem ständigen Reformwerk, das in Staat und Gesellschaft zu leisten sei. Einflußreich, auch honorig und menschenfreundlich waren diese Reformbestrebungen in der Tat – durchsetzbar aber nur in extremen Krisen- oder Umbruchsituationen, wie sie von 1800 bis 1820 oder von 1867 bis 1877 herrschten. In der neuhumanistischen Bildungsidee wurden die Reformwünsche gewissermaßen auf das Individuum übertragen, das sich durch kontinuierliche Bildungsanstrengung vervollkommnen sollte. Und das Bildungsbürgertum wiederum setzte folgerichtig auf einen behutsamen zeitgemäßen Anpassungswandel von Staat und Gesellschaft, setzte auf «Vereinbarung» mit dem Staat, um wünschenswerte Veränderungen zu erreichen – nährte aber immer wieder seine stets «frustrationsbedrohte Hoffnung» jahrzehntelang vergeblich.

Der frühe deutsche Liberalismus – im Kern eine bürgerliche Bewegung, in der solche Zielvorstellungen lebendig waren – befand sich lange im Einklang mit manchen Strömungen im europäischen Liberalismus, obwohl ihm die Kontinuität seiner Staatsnähe und die Hartnäckigkeit seiner Vereinbarungsstrategie eigene Konturen gab. Nicht durch den Ausgang der achtundvierziger Revolution, sondern erst durch den Verlauf der Reichsgründung als Bismarcksche «Revolution von oben» und durch seine Entmachtung seit 1877/79 wurde er nachhaltig geschwächt, da die «blockierte Parlamentarisierung» seine «politisch-gesellschaftliche Integrationskraft» eng begrenzte. Trotz aller Gesetzgebungserfolge blieb ihm die Krönung seines Wirkens durch die Ausübung der Regierungsgewalt und die Prägung der politischen Kultur versagt. Zur «deutschen Ideologie» hat daher auch ein eigentümlich gebrochener und etatistisch gezähmter Liberalismus gehört.

Um hier abzubrechen: Die ideelle und ideologische «Verarbeitung» der aufsteigenden Moderne legte hier und da Grundlagen für eine Kollektivmentalität, aus der durchaus ein «Sonderbewußtsein» hervorgehen konnte. Lange gab es jedoch starke Gegenkräfte. Vieles wirkt um 1870 noch offen. Überhaupt hat ja diese Überblicksskizze öfters den Vorgriff auf das letzte Drittel des 19. Jahrhunderts nicht vermeiden können, da sich erst dann die historischen Belastungen voll ausprägten. Auch das unterstreicht den tiefen Einschnitt der sechziger/siebziger Jahre und die Auswirkungen der neuen Konstellation seither.

9. Diese Neuartigkeit wurde in fundamentalem Maße durch die Politik bestimmt. Für ihre Antriebskräfte, Konflikte und Ergebnisse spielten auch soziale Machtkämpfe eine wichtige Rolle. Um sie angemessen zu berücksichtigen, führt kein Weg an der sozialhistorischen Analyse vorbei. Aufs Ganze gesehen stand jedoch der Kampf um politische Herrschaft im Vordergrund – ausgetragen mit Hilfe des Militärs und der Bürokratie, der Nationalbewegung und der politischen Parteien, gewiß nicht zuletzt mit den spezifischen Mitteln eines charismatischen Spitzenpolitikers. Trotz des Gewichts dieser genuin politischen Problematik, die zur Stabilisierung des alten Preußens und seiner neuen Hegemonialstellung, zur deutschen Nationalstaatsgründung und Bismarcks charismatischer Herrschaft führte, erfordert die Interpretation der «Doppelrevolution», von neuem auch der zweiten Zäsur, der zur selben Zeit ablaufenden deutschen Industriellen Revolution mit ihren sozialen, kulturellen und eben auch politischen Auswirkungen gerecht zu werden.

Beharrt man auf dem säkularen Charakter dieser neuen Gesamtkonstellation, wird ein hohes Maß an Diskontinuität im historischen Evolutionsprozeß anerkannt, obwohl manche wichtige Kontinuität in anderen Bereichen weiter anhielt. Deshalb wird hier die Position vertreten, daß ältere Sonderbedingungen der deutschen Entwicklung nicht etwa frühzeitig einen «Sonderweg» markierten. Vielmehr war die Transformationsepoche der deutschen «Doppelrevolution» ausschlaggebend dafür, daß seither der deutsche Modernisierungspfad durch neue Sonderbedingungen im Sinne klar ausgeprägter Eigenarten bestimmt wurde, die selbstverständlich auch die in der Geschichte geläufige Fusion mit bereits vorhandenen spezifischen Traditionsbeständen eingingen. Will man eine zugespitzte, verkürzende Formel, lautet sie: Wegen der deutschen «Doppelrevolution» kann man mit den besseren Gründen vom Beginn anstatt von der Fortsetzung einer deutschen Eigenproblematik auf dem Weg in die Moderne sprechen.

Die älteren Kontinuitätsfaktoren brauchen hier nicht noch einmal betont zu werden. Denn wohin immer man blickt, bleibt der Eindruck zwiespältig. Die Bürokratie zum Beispiel stützte sich auf mächtige Traditionen, aber es gab seit langem einen auf Liberalisierung drängenden starken Flügel – 1848 und der Verfassungskonflikt hatten es gezeigt. Das Militär zehrte von vergangener Glorie, aber zwischen 1815 und 1864 hatte es einen unleugbaren Bedeutungsverlust erlitten. Mit der Ausschaltung der ständischen Mitherrschaft waren auch die traditionalen Grundlagen für ein parlamentarisches System zerstört worden, aber die Kämpfe um die Aufwertung der deutschen Parlamente zwischen 1815 und 1870 zeigten die Lebendigkeit liberal-parlamentarischer Forderungen. Der Liberalismus war zwischen 1819 und 1860 unterdrückt oder geduckt worden, aber seit der «Neuen Ära» und dem Verfassungskonflikt stand hinter seinen Postulaten die Wucht einer starken Bewegung, die den modernen Zeitgeist hinter sich wähnte. Der starke Staat hatte sich behauptet, aber zum guten Teil lebte er von den Früchten seiner Reformfähigkeit, und zwischen 1862 und 1870 stand die Entscheidung über seine Zukunft mehrfach auf des Messers Schneide. So könnte man eine Vielzahl von Traditionen relativieren, in denen deutsche Eigenbedingungen gespeichert waren.

Auch der Ausgang der Revolution von 1848/49 ist nicht jener irreversible Rückschlag gewesen, den man so oft behauptet hat. Daß sie im Deutschen Bund keine Aussicht auf Erfolg hatte, da ihr unlösbare Probleme und überlegene Gegenkräfte entgegenstanden, ist ausführlich in Band II gezeigt worden. Indes: Überall in Europa ist die Revolution mit ihren politischen Zielen gescheitert. Nirgendwo war sie in sozialhistorischer Perspektive eine bürgerliche Revolution, genausowenig wie die Englischen Revolutionen des 17. Jahrhunderts, die Amerikanische und Französische Revolution des 18. Jahrhunderts – von den Motiven und Ursachen, den Trägerschichten und politischen Zielen her – bürgerliche Revolutionen gewesen sind. Richtig bleibt aber, daß bürgerliche Politiker und Parteien, überhaupt die bürgerlich-liberale und demokratische Bewegung weitgespannte Hoffnungen mit dem Aufbruch von 1848 verbunden hatten. Deshalb bedeutete für sie alle das Scheitern der Nationalstaatspläne, der Reichsverfassung, der Gesellschaftsreform einerseits, war die Konsolidierung der alten Gewalten, der Triumph der Machteliten, die siegreich bestandene existentielle Bewährungsprobe des autoritären Regimes andrerseits eine schmerzhafte Niederlage mit anhaltender Enttäuschung. Wahrscheinlich hätte, will man noch einmal hypothetisch argumentieren, ein Sieg der liberalen und demokratischen Bewegungen ihr politisches Selbstbewußtsein gewaltig gesteigert: Endlich wäre die Staatsgewalt aus eigener Kraft gestürzt und durch ein neues, selbstgestaltetes Herrschaftssystem ersetzt worden. Solch ein Triumph tut, wie nicht nur Max Weber konstatiert hat, der politischen Kultur eines jeden Volkes gut, das über seine politische und gesellschaftliche Entwicklung in mündiger Selbstbestimmung entscheiden will. Die Revolution als lebendige Bezugsgröße des politischen Denkens – sie demonstriert noch immer in England, Amerika und Frankreich diese heilsamen Auswirkungen.

Und dennoch: Die Schwungkraft von Liberalismus und Demokratie war mit dem Debakel von 1848/49 keineswegs endgültig gebrochen, die Dynamik der sozialökonomischen und kulturellen Modernisierung keineswegs zum Stillstand gebracht. Vielmehr herrschte in den fünfziger Jahren überall eine von der Restauration gewalttätig erzwungene Pause, ein eigentümlicher Schwebezustand, während dessen sich gewissermaßen unter der polizeistaatlich festgezurrten Decke die Kräfte neu sammelten und umgruppierten. Mit dem Beginn der «Neuen Ära» tauchten die vertrauten Fronten wieder auf. Die 1860er/70er Jahre sollten zu der entscheidenden Epoche werden, in der die Weichen neu gestellt wurden. Für dieses Urteil lassen sich unter einigen Sachgesichtspunkten gute Argumente anführen.

1. Die Gründung des Nationalstaats kam relativ spät und erfolgte «von oben». Wie ihre formative Anfangsphase jeder Institution ihren Stempel aufdrückt, wurde auch der deutsche Neustaat durch die vorn erörterten strukturpolitischen Entscheidungen im Sinne der von Bismarck verfochtenen Politik auf lange Zeit geprägt.

2. Die deutsche «Nation» bestand nicht als fest umgrenzte Einheit, die nur auf der Suche nach ihrer staatlichen Hülle war. Vielmehr setzte erst 1871, wortwörtlich genommen, die Nationsbildung ein – und zwar im Zeichen der zwischen 1866 und 1871 durchgesetzten inneren Machtverteilung und herrschaftlichen Struktur.

3. Traditionelle Machtfaktoren wurden seit den 1860er Jahren enorm aufgewertet. Das Militär zehrte seither von der Erfolgsgloriole, in kürzester Zeit hintereinander die entscheidenden Schlachten in drei Kriegen gewonnen zu haben. Dieser Triumph steigerte sein Ansehen in ungeahnte Höhe, und der seither vordringende soziale Militarismus war ein neuartiges Phänomen, das nicht auf die altpreußische Militärverfassung direkt zurückgeführt werden kann. Der Adel erlebte im sozialen Machtkampf eine zweite Stärkung, nachdem das Adelssystem 1848 gefährdet gewesen war, aber trotz des Verlusts ständischer Rechte noch einmal überlebt hatte. Erst diese neue Kraftinfusion als Ergebnis der Bismarckschen Politik verschaffte ihm im Herrschaftssystem jene herausgehobene und vielfach privilegierte Stellung, die ihm – auch und gerade im europäischen Vergleich – eine jahrzehntelang, bis 1918, erfolgreiche Defensive weiter ermöglichte. Und die Bürokratie gewann dank der Kräftekonfiguration, die von der geschriebenen und ungeschriebenen Reichsverfassung fixiert worden war, eine Vielzahl von neuen Einfluß- und Durchsetzungschancen, welche die angeblich allmächtige Bürokratie des Vormärz als eine eingeengte, stümperhaft ausgebildete Frühform erscheinen läßt.

4. Charismatische Herrschaft war eine durch und durch neue Erfahrung für die Preußen und die Deutschen im Norddeutschen Bund und Kaiserreich. Immer ist der Charismatiker ein Geschöpf der Krise, immer gewinnt er seine Exklusivstellung aus ihrer Meisterung. Aber welcher Glanz umgab Bismarcks charismatische Herrschaft, nachdem unter seiner Führung innerhalb von nur sechs Jahren drei Kriege gewonnen, der Verfassungskonflikt entschieden und das Reich gegründet worden waren! Zwanzig Jahre lang ist die Inkubationszeit der reichsdeutschen Politik, des reichsdeutschen politischen Denkens, der reichsdeutschen politischen Kultur durch die Erfahrungen mit dieser charismatischen Herrschaft zutiefst geprägt worden. Die Erinnerung an den überragenden Dompteur der politischen Krisen und Kräfte schliff sich tief in das Kollektivgedächtnis ein. Viele Erwartungen wurden von ihm erfüllt. Viele Aufgaben blieben aber auch ungelöst, und schließlich häufte sich ein böses Erbe an, das Bismarcks Regime der Folgezeit hinterließ. Irrte Hermann Baumgarten, als er schon 1881 Sybel vorher-

sagte, daß Bismarck «ein furchtbares Chaos hinterlassen» werde? Nach zu viel Vertrauen allein auf den großen Mann «werden wir für unsere Verblendung schrecklich büßen müssen». Ist nicht wegen dieser Grunderfahrung mit Bismarck, die immerhin während eines Drittels der gesamten Lebenszeit des neuen Reiches anhielt, die deutsche politische Mentalität für eine dominierende Persönlichkeit in der Politik besonders anfällig geblieben, wie das die bejubelte Herrschaft des zweiten Charismatikers seit 1933 unterstreicht?

5. Bismarcks Allianz mit dem Nationalismus war ein Bündnis mit der stärksten «politisch-sozialen Gravitationskraft» jener Jahre, welche die neue Ordnung gegen mächtige Kräfte der Fragmentierung durchzusetzen versprach – und in der Tat durchzusetzen half. Eine Alternative ist da nicht zu erkennen. Seine Koalition mit den Liberalen dagegen blieb zeitlich begrenzt. Ungeachtet der «inneren Reichsgründung», die das Bürgertum mit den liberalen Reformgesetzen nachvollzog, wurden die Liberalen, wie sich bestürzend schnell herausstellen sollte, durch die machtpolitischen Entscheidungen zwischen 1867 und 1879 von einer durchgreifenden innenpolitischen Umgestaltung definitiv abgehalten. Ihre «Handlungsschwäche auf Reichsebene» wurde «in keiner Weise» durch die Mitwirkung in der städtischen und einzelstaatlichen Politik aufgehoben. Außerdem gilt: Von der Arbeiterschaft war der Liberalismus seit 1868/69 geschieden. Die Industrialisierung schwächte zunehmend seine politische Basis. Der politische Massenmarkt zerstörte seine Honoratiorenpolitik. Dem «Doppeldruck» der charismatischen Herrschaft von oben und des demokratischen Reichstagswahlrechts von unten war damals nur er in Europa ausgesetzt. Die Hoffnungen auf eine nachholende Parlamentarisierung scheiterten – kaum vermeidbar wegen der fatalen Depressionswirkungen seit 1873 – endgültig 1878/79 in jenen Jahren, die als Symbol für die tiefste Zäsur in der Geschichte des deutschen Liberalismus als politische Partei, als Wirtschaftsdoktrin und als Weltanschauung stehen. (Eine vergleichbare Erfahrung haben der englische und amerikanische Liberalismus nicht einmal nach 1929 gemacht.) Dieses Mißlingen der innenpolitischen Modernisierung des Kaiserreichs versagte es aber der gesamten Gesellschaft, «ihre Konflikte selbstverantwortlich politisch zu regeln». Auch deshalb verfestigte sich seither «die deutsche Sonderentwicklung zum modernen Staat».[3]

6. Man kann die deutsche Konstellation der 1860er/70er Jahre auch in einer Begrifflichkeit ausdrücken, die in diesen Bänden schon mehrfach ihre Nützlichkeit bewiesen hat: in den Kategorien der historisch-komparativen Modernisierungsforschung. Wie während der Reformära von 1800 bis 1820 und während der Revolution von 1848/49 ging es auch jetzt in der deutschen Geschichte von neuem um die Überlagerung mehrerer komplizierter Modernisierungsaufgaben, von denen jede für sich schon genug schwierige Probleme aufwarf. Die Nationalstaatsgründung wurde von

oben durchgesetzt. Die Nationsbildung begann erst seither. Die Aufwertung des Parlaments, die auf der historischen Tagesordnung stand, wurde hart gebremst, die Demokratisierung trotz des Reichstagswahlrechts sogar rücksichtslos unterdrückt. Der Kampf für Liberalismus und Demokratie begegnete daher, da Kapitalismus und Industrialisierung keineswegs mit innerer Notwendigkeit zum Sieg von Liberalismus und Demokratie führten, einem außergewöhnlich hartnäckigen Widerstand. Er wurde jahrzehntelang von Bismarck geradezu personifiziert. Seine charismatische Herrschaft steht – wie jedes Auftreten eines Charismatikers – als Abkürzung für eine vorwärtstreibende Kraft, ja eine Umwälzung in der deutschen Geschichte. Aber sie akkumulierte auch gewaltige Belastungen, die sich weit in die Zukunft hinein auswirken sollten. Währenddessen stülpte der Industriekapitalismus die Wirtschaftsverfassung um. Die vordringende Marktgesellschaft forcierte die Bildung von marktbedingten Klassen, die als neuartige Sozialformationen auch neue Konflikte und neue Loyalitätsbindungen, neue Lebenswelten und neue politische Strukturen hervorbrachten. Alle diese Prozesse überschnitten sich während der Entscheidungsjahrzehnte zwischen 1862 und 1879. Kann es da verwundern, daß dadurch eine neue historische Konstellation mit ihren eigenen Entwicklungsbedingungen entstand?

Ist bisher vor allem das Neuartige und Belastende betont worden, schloß diese Konstellation keineswegs aus, daß Universität und Wissenschaft, Schulsystem und Sozialpolitik, Kommunalverwaltung und Verwaltungsgerichtsbarkeit, Arbeiterbewegung und Gewerkschaftspolitik die Meilensteine für eine vorbildliche Entwicklung setzten. Diese Erfolgsgeschichte hat indessen auf längere Sicht das Spannungsverhältnis zwischen dem politischen System und der gesellschaftlichen Modernisierung verschärft.

7. Das kritische Urteil über einen solchen Spannungszustand setzt die Vorstellung von einer flexibleren, besser austarierten Verfassung voraus. Damit kommt unvermeidbar eine normative Entscheidung darüber zum Zuge, welche Art von Verfassung in historischer Perspektive am ehesten geeignet wirkt, die politischen und gesellschaftlichen Gegensätze zu einem befriedigenden Ausgleich zu führen – also die Integrationsleistung jeder funktionstüchtigen Verfassung zu erbringen –, gleichzeitig aber auch liberale Freiheitsrechte und demokratische Gleichheitsrechte durchzusetzen. Im Lichte der historischen Erfahrungen ist die normative Entscheidung gut begründbar, daß damals auch unter den Bedingungen der deutschen Geschichte die Bejahung des liberalen Parlamentarismus und der politischen Demokratisierung zu einer elastischeren Verfassung geführt hätten, welche eine freiheitlichere und dauerhaftere Problembewältigung ermöglichen konnte als die ständige autoritäre Steuerung und die gelegentlich praktizierte bürokratische Reform von oben. Beim Streit über dieses Urteilskriterium werden sich die Geister weiterhin scheiden. Wer aber bereit ist, aus der

deutschen Geschichte seit 1848 zu lernen, kann darauf beharren, daß das politische Herrschaftssystem im Reich und in Preußen dank der gesellschaftlichen Machtverteilung, die es befestigt hat, und dank der fatalen Nah- und Fernwirkungen von Bismarcks charismatischer Herrschaft ein Bollwerk gegen die liberale und demokratische Modernisierung des Reiches errichten konnte, an dem jede rechtzeitige, strukturelle Veränderung bis 1918 gescheitert ist.

Sechster Teil

Das Deutsche Kaiserreich
1871–1914

Die Gründung des Deutschen Kaiserreichs von 1871 markiert einen tiefen Einschnitt in der Geschichte des deutschsprachigen Mitteleuropa. Nicht nur entstand eine neue Großmacht, die von Anbeginn an einen halbhegemonialen Status im Zentrum des Staatensystems besaß. Vielmehr trat damit auch ein neuer Nationalstaat ins Leben, in dessen Gehäuse die Nationsbildung erst begann, keineswegs aber kulminierte, wie das die zählebige Legende vom 1871 erreichten Telos der deutschen Nationalgeschichte weismachen will. Im Zeichen des Reichsnationalismus hat sich der soeben zusammengefügte Verband der Reichsbürger erst als neue «kleindeutsche» Nation herausbilden und konsolidieren müssen. Dabei erlebte der deutsche Nationalismus wegen der von Grund auf veränderten Rahmenbedingungen einen fundamentalen Inhaltswandel, der bald zur Auflösung des bisher vorherrschenden Liberalnationalismus führte. An seine Stelle trat ein zunehmend konservativer, dann integraler Nationalismus – die Vorstufe des deutschen Radikalnationalismus im 20. Jahrhundert.

Er entfaltete sich in einem neuen Großstaat, der im Inneren eine überaus dynamische Entwicklung erlebte. Das Bevölkerungswachstum hielt auf hohem Niveau an. Deswegen war das Kaiserreich vor 1914 ein «junges» Land. Die Urbanisierung setzte sich mit ungeahntem Tempo seit den siebziger Jahren durch. Der Industriekapitalismus expandierte mit Riesenschritten, so daß Deutschland in der internationalen Rangskala schließlich an zweiter Stelle hinter den Vereinigten Staaten, aber vor England als dem Pionierland der Industriellen Revolution lag. Mit der modernen Marktwirtschaft bildeten sich auch die marktbedingten Erwerbs-, Besitz- und Berufsklassen zu den dominierenden Sozialformationen aus. In der Klassengesellschaft des kaiserlichen Deutschland standen sich trotz des ständischen Überhangs große soziale Klassen gegenüber. Das Bildungssystem wurde weiter ausgebaut. In dieser Zeit stieg die deutsche Universität zur Modellinstitution der wissenschaftlichen Welt auf. Optimistisch wurde die Entwicklung nahezu aller Wissenschaften als Symbol des Fortschritts verstanden.

Einerseits in seiner Industriewirtschaft, seinen großen Städten, seinen Hochschulen, seiner Sozialpolitik unleugbar ein Muster an Modernität, litt das Reich doch andrerseits unter den spannungsreichen Widersprüchen, die durch die Vorherrschaft seiner traditionellen Machteliten, durch die Obrigkeitspolitik und Untertanenmentalität, durch das erstarrende politische Ordnungsgefüge hervorgerufen wurden.

Im Staatensystem bewegte sich Deutschland als Machtstaat. Bismarck versuchte, die Nachbarn an den Neuling zu gewöhnen, nach ihm trat dieser aber immer selbstbewußter und riskanter auf. Seit den achtziger Jahren nahm das Reich auch an der imperialistischen Expansion der okzidentalen Industriestaaten teil: offenkundig aus ökonomischen, vor allem aus konjunkturpolitischen Gründen auf Erweiterung der Außenmärkte bis hin zu eigenen Kolonien bedacht, eher aber noch, um durch äußere Erfolge die Legitimationsbasis eines vielfach gefährdeten Herrschaftssystems zu stabilisieren.

Die innere Kräftekonstellation blieb durch ein klassisches Modernisierungsdilemma gekennzeichnet: Die rapide sozialökonomische Entwicklung prallte auf das Beharrungsvermögen eines politischen Systems, dem es um die Verteidigung sowohl der überkommenen Machthierarchie als auch der vitalen Interessen von Großindustrie und Großlandwirtschaft ging, die von der konservativen «Sammlungspolitik» in einer konfliktgeladenen, aber dauerhaften Allianz gegen den Liberalismus und die sozialdemokratische Massenbewegung zusammengehalten wurden. Die politische Modernisierung des Kaiserreichs, die durch Parlamentarisierung und Demokratisierung eine flexiblere Verfassung zur Bewältigung der anwachsenden Spannungen hätte schaffen können, ist letzten Endes gescheitert.

Als die Berliner Politik, in die Defensive gedrängt, aber mit einer aggressiven Risikopolitik reagierend, 1914 die Hauptverantwortung dafür übernahm, daß die Julikrise den Ersten Weltkrieg auslöste, begann nicht nur der Niedergang des Kaiserreichs. Vielmehr endete in diesem Jahr auch das «lange» 19. Jahrhundert, das 1789 begonnen hatte. Das alte Europa, noch immer in mancherlei Kontinuität mit vergangenen Jahrhunderten verbunden, ging im Krieg unter. Seither war das meiste von Grund auf anders, nichts mehr blieb ganz so wie zuvor. Wegen dieser Zäsur gewinnt die Frage ihre eminente Dringlichkeit, ob das Kaiserreich im Frieden eine hinreichende politische Modernisierungsfähigkeit hätte gewinnen können oder ob es durch sein Modernisierungsdilemma in eine Krise getrieben wurde, in der es den selbstzerstörerischen Krieg in entscheidendem Maße selber auslöste.

Auch nach der Niederlage im ersten totalen Krieg und den Gebietsverlusten von 1918, auch nach der Zerschlagung der nationalsozialistischen Diktatur hat das Kaiserreich die politische Vorstellungswelt und die politische Phantasie der Deutschen weiterhin besetzt. Trotz seiner im Grunde kurzlebigen, nur fünfzig Jahre währenden Existenz galt es als der «eigentliche» deutsche Staat. Als auf den Trümmern des «Dritten Reiches» die beiden deutschen Neustaaten von 1949 entstanden und 1990 durch einen völker- und staatsrechtlichen Fusionsprozeß vereinigt wurden, beharrte die Umgangssprache auf dem Begriff der «Wiedervereinigung», obwohl es beide Staaten vor 1949 nie gegeben hatte. Auch darin trat die prägende Kraft des reichsdeutschen Nationalstaats zutage.

Nach der geglückten Staatsbildung von 1990 steht aber heutzutage die Nationsbildung erneut als schwierige Aufgabe an. Sie sollte in der Gestalt einer sozial- und rechtsstaatlich verfaßten Staatsbürgernation auf der normativen Legitimationsbasis eines liberal-demokratischen Grundgesetzes mit konstitutionell garantierten, naturrechtlich begründeten Individualrechten gelöst werden, nicht aber in Gestalt einer «Volksnation» auf der Grundlage einer fiktiven, archaischen Abstammungsgemeinschaft, geschweige denn als nationaler Machtstaat, der in den Fieberträumen des neuen Rechtsradikalismus schon wieder die Grenzen von 1937 oder sogar 1938 besitzt.

Als genuin historisches Problem und als aktuelles Orientierungsproblem in unserer Gegenwart behält daher die Gesellschaftsgeschichte des Deutschen Kaiserreichs ihre Faszination. Dem versucht die folgende Analyse gerecht zu werden.

I.
Die Bevölkerungsentwicklung

Während der gemeineuropäischen «Vital Revolution» hat sich auch im Deutschen Bund und dann im Deutschen Kaiserreich der Wandel von der traditionalen Bevölkerungsweise mit hoher Fertilität und Mortalität zu der modernen Bevölkerungsweise mit niedriger Geburtlichkeit und Sterblichkeit vollzogen. Dieser fundamentale Transformationsprozeß, der sowohl das gesellschaftliche als auch das private Leben von Abermillionen von Menschen in einen historisch beispiellos neuartigen Aggregatzustand überführt hat, setzte sich – wie das vorn (5. Teil, I; Bd. II, 3. Teil, I) bereits geschildert worden ist – während des «Demographischen Übergangs» in vier klar unterscheidbaren Phasen durch.

1. Nachdem der Gleichstand von hoher Fertilität und Mortalität bis etwa 1830 vorgeherrscht hatte, begann seither die Mortalität in wichtigen jugendlichen Alterskohorten leicht abzusinken. Da allmählich mehr Menschen länger lebten und gleichzeitig die hohen Geburtenüberschüsse erhalten blieben, hielt das steile Bevölkerungswachstum weiter an.

2. Bis zum Beginn der 1870er Jahre ist das Abfallen der altersgruppenspezifischen Mortalität noch deutlicher als langlebige Dauerbewegung zu erkennen, während die Fertilitätsziffern gleichbleibend hoch lagen. Von etwa 1872/73 ab datiert daher die zweite Phase des «Demographischen Übergangs». Die Mortalität ging bis zur Jahrhundertwende weiterhin auffällig zurück, und seit der Mitte der 1870er Jahre ist auch die unwiderruflich sinkende Fertilität an eindeutigen Zahlenbefunden ablesbar.

3. Die drastische Verringerung von Fertilität und Mortalität in einem parallel verlaufenden Abschwung charakterisiert die dritte Phase zwischen ca. 1900 und 1930.

4. Danach spielte sich auf niedrigem Niveau ein Gleichstand von vergleichsweise radikal reduzierter Geburtlichkeit und Sterblichkeit ein. Die moderne Bevölkerungsweise hatte sich endgültig durchgesetzt. An sie haben sich die Menschen in einem hochindustrialisierten und urbanisierten Land wie Deutschland als ein jedermann geläufiges generatives Strukturmuster längst gewöhnt. Im vergleichenden Rückblick auf die vergangenen Jahrhunderte behält sie aber noch immer den Charakter einer grundstürzenden Veränderung.

1. Das deutsche Bevölkerungswachstum in der Mitte des «Demographischen Übergangs»

Die Epoche der deutschen «Doppelrevolution» bildet bevölkerungsgeschichtlich eine Brücke zwischen der ersten und der zweiten Phase der demographischen Transition. Seither blieb die Konstanz des hohen Bevölkerungswachstums auch während der zweiten Periode erhalten, während der Wandel der generativen Grundstrukturen weiter anhielt.

Die Reichsbevölkerung nahm innerhalb von vierzig Jahren von einundvierzig auf fünfundsechzig Millionen, mithin um achtundfünfzig Prozent, zu. Das war innerhalb einer so kurzen Phase in absoluten Zahlen das größte Wachstum in der deutschen Geschichte. Vom sächsischen (88 %) und preußischen Zuwachs (63 %) wurde dieser Anstieg noch übertroffen. Der Hegemonialstaat behauptete währenddessen den Löwenanteil von rund zwei Dritteln der Reichsbevölkerung, die in der ersten Dekade nach der Staatsgründung mit zehn Prozent, in der zweiten mit neun Prozent, in der dritten jedoch mit dreizehn Prozent und im vierten Jahrzehnt sogar mit fünfzehn Prozent erstaunliche Wachstumsraten erreichte.

In Europa hatte die Einwohnerzahl des Deutschen Reiches schon 1871 an zweiter Stelle hinter derjenigen Rußlands gelegen. Diese Position hat sie bis zum Ausbruch des Ersten Weltkriegs vor allen anderen europäischen Groß-

Übersicht 69: Wachstumsziffern und Strukturdaten zur deutschen Bevölkerungsgeschichte 1871–1913

	1871 in Millionen	1910 in Millionen	Zuwachs in %
1. Reich	41.06	64.93	58.2
2. Preußen	24.68	40.17	62.7
3. Bayern	4.92	6.96	41.6
4. Sachsen	2.56	4.81	88.0
5. Württemberg	1.82	2.44	34.0
6. Baden	1.46	2.14	46.6

Reich 1880: 45.23/1890: 49.43/1900: 56.37

	Reich, pro 1000; c: Lebendgeborene	a) Fertilität	b) Mortalität	c) Säuglingssterblichkeit
1. Reich	1871/75	39	28.3	244
2. Preußen	1881/85	36.8	25.7	226
3. Bayern	1891/95	36.3	23.3	221
4. Sachsen	1901/05	34.3	19.9	199
5. Württemberg	1913	27.5	15.0	160
6. Baden				

Einwohner je km^2 1871: 76 – 1914: 120

mächten (Österreich-Ungarn: 51.4; Frankreich: 39.2; Großbritannien: 40.8; Italien: 34.6 Mill.) unangefochten behalten – ja, der Vorsprung hat sich im Hinblick auf die wichtigsten Konkurrenten noch vergrößert.

Diese in dreiundvierzig Jahren um sechzig Prozent vergrößerte Bevölkerung, von der 1871 erst sechsundsiebzig, 1914 aber schon hundertzwanzig Einwohner auf einen Quadratkilometer entfielen, verteilte sich sehr ungleichmäßig über das Reichsterritorium. Das war in erster Linie eine Folge der gewaltigen Binnenwanderung und der rapiden Urbanisierung. Beide zusammen haben erst das bereits vorhandene Gefälle so drastisch verschärft. Die Spitzenwerte wurden wegen der Expansion des Ruhrreviers in Westfalen, wegen der noch nicht eingemeindeten großen Berliner Vororte in Brandenburg (bis 1907 ein Wanderungsgewinn von 1.2 Mill.) und wegen der Verbindung von Industrialisierung und Urbanisierung in Rheinpreußen, Sachsen und Oberschlesien erreicht – allgemein also in Westdeutschland und im sächsischen Mitteldeutschland mit einem breiten Ausläufer nach Nieder- und Oberschlesien. Weit über dem Durchschnitt lagen auch Berlin (+ 150%) und die norddeutschen Seestädte (Hamburg: +260%), dazu das Rhein-Main-Gebiet und das saarländisch-lothringische Revier. Große ostelbische Gebiete, wo es zwischen den 1740er und den 1850er Jahren außerordentlich hohe Zuwachsraten gegeben hatte, fielen dagegen in der Zeit des kaiserlichen Deutschlands weit ab: Ostpreußen und Mecklenburg etwa, Pommern, Westpreußen und Posen. Wichtige Einzelheiten ergibt hinten (I. 2 u. 3) die Analyse der Binnenwanderung und Urbanisierung.

Genaueren Aufschluß über die Bevölkerungsbewegung gewährt erst eine eingehende Prüfung der wichtigsten demographischen Variablen. Das einzigartige «europäische Heiratsmuster» beruhte bekanntlich ganz wesentlich auf dem ungewöhnlich hohen Heiratsalter insbesondere der Frauen. Es blieb trotz der Beschleunigung zahlreicher Urbanisierungsprozesse bis in die 1890er Jahre hinein erhalten, als das weibliche Heiratsalter noch immer zwischen 25.1 und 28.8 Jahren schwankte. Immerhin stieg der Anteil der Verheirateten an der Reichsbevölkerung bis zum Weltkrieg um 2.3 Prozent von 33.5 auf 35.8 Prozent an.

Von entscheidender Bedeutung ist zunächst der Abfall der Mortalität gewesen. Sie sank von 1871 = 28.3 Promille auf 15 Promille im Jahre 1913 in einem ungewöhnlichen Ausmaß um fast die Hälfte ab. Die Ursachen dieses säkularen Rückgangs bestehen aus einem komplexen Zusammenspiel begünstigender Faktoren. Der Kalorien- und Vitamingehalt der Nahrung verbesserte sich ganz so, wie das die hygienischen Bedingungen, etwa durch die öffentliche Wasserversorgung und Kanalisation, und die Wohnverhältnisse taten. Die medizinische Versorgung durch akademisch ausgebildete Ärzte erfaßte, insbesondere seit der Einführung der staatlichen Sozialpolitik, rasch anwachsende Teile der Bevölkerung. Die Medikalisierung wurde effektiver. Epidemien traten nur noch selten auf. Der Anteil der gefährlichen Infektionskrankheiten an den Todesursachen sank. Die entscheidende Schwelle der sogenannten «epidemiologischen Transition» wurde überschritten. In der Industrie und im Kleingewerbe wurde über die Jahrzehnte hinweg die durchschnittliche Arbeitszeit verringert, während die Reallöhne langsam, aber stetig seit den 1880er Jahren hochkletterten. Dadurch und durch den Produktivitätszuwachs ermöglichte die Industrialisierung auf längere Sicht einen Anstieg des Lebensstandards, überhaupt der erweiterten Konsummöglichkeiten.

Trotz der positiven Veränderungen ist es irreführend, bereits eine allgemeine Diffusion dieser vermehrten Lebenschancen zu behaupten. Klassenspezifische Unterschiede blieben vielmehr in wichtigen Bereichen mit aller Härte weiterhin bestehen, ja die relative Deprivation der angelernten und ungelernten Arbeiter, überhaupt der städtischen und ländlichen Unterschichten hielt nicht nur weiter an, sondern wurde zeitweilig sogar noch vergrößert. Der naive Sozialoptimismus, der für diese Zeit bereits den Abbau der klassengebundenen Differenzierung dank der vermeintlich generellen Zugänglichkeit verbesserter Lebensbedingungen verkündet, ist daher – so eindrucksvoll der Mortalitätsabfall auch ausfiel – eine ganz unangebrachte Beschönigung.

Fortschritte aber gab es in der Tat. Besonders positiv wurde das Niveau der Sterblichkeitsziffern durch den einschneidenden Rückgang der Säuglingsmortalität abgesenkt. Seit jeher bedeutete für ein neugeborenes Kind das erste Lebensjahr die entscheidende Gefahrenzone. Hatte es sie heil durchmessen, stiegen seine Aussichten, ein relativ hohes Erwachsenenalter zu erreichen, tendenziell steil an. 1871 lag die Säuglingssterblichkeit im Reichsdurchschnitt noch immer bei der außerordentlich hohen Zahl von zweihundertvierundvierzig von tausend Lebendgeborenen. Sie stagnierte auf diesem hohen Niveau bis in die 1890er Jahre hinein. Kurz vor dem Ende des Jahrhunderts starb daher noch immer fast ein Viertel aller Säuglinge vor dem Erreichen des ersten Geburtstages. Diese Zahl war der deprimierende Höchstwert im Europa westlich der Weichsel.

Trotzdem gelang es dann in den Jahren bis zum Weltkrieg, die fatale Ziffer auf hundertsechzig Promille zu drücken (Bundesrepublik 1980: 13.5 ‰!). Insgesamt bedeutete das innerhalb eines Zeitraums von gut vier Jahrzehnten eine drastische Verminderung um fünfunddreißig Prozent. In den Einzelstaaten verlief dieser Absenkungsprozeß freilich durchaus unterschiedlich. In Preußen gingen die Werte von 1871 bis 1910 von zweihundertvierundzwanzig auf hundertachtundsechzig, in Sachsen von zweihundertsiebenundachtzig auf hundertachtundneunzig, in Bayern aber von extrem hohen dreihundertneunzehn nur auf zweihundertsiebzehn Promille zurück. Das war die höchste Durchschnittszahl im Reich; die niedrigste besaß Oldenburg mit hundertdreiundzwanzig Promille.

Differenziert man nach Stadt und Land sowie zusätzlich nach ehelichen und illegitimen Geburten, gewinnt dieser zentrale Wandlungsprozeß innerhalb des «Demographischen Übergangs» schärfere Konturen. Wegen seiner vorzüglichen Statistik dient Preußen erneut als Beispiel. In der Mitte der siebziger Jahre betrug dort die eheliche Säuglingssterblichkeit in der Stadt zweihundertelf, auf dem Land hundertdreiundachtzig Promille, ein Vierteljahrhundert später 195/185 Promille und 1913: 132/146 Promille. Erst nach der Jahrhundertwende sank in den Städten die tödliche Gefahr für Kleinstkinder unter den Durchschnittswert in der ländlichen Gesellschaft.

Bei der Sterblichkeit der extrem gefährdeten illegitim Geborenen lagen die Ziffern nahezu doppelt so hoch, mit demselben Wendepunkt zuungunsten des Landes am Ende des Jahrhunderts. 1875 machten sie 403/312, um 1900: 374/336, 1913 noch immer 241/272 Promille aus. Für diese vielfach benachteiligten Säuglinge blieb die Mortalitätsquote mithin noch höher als die Durchschnittsziffer für ehelich Geborene um die Mitte des 19. Jahrhunderts.

Klassenspezifische Unterschiede wurden auch im Bereich der Säuglingssterblichkeit nicht einfach abgeschliffen. Vielmehr haben sie sich seit den siebziger Jahren schärfer ausgeprägt. Ordnet man die Säuglingsmortalität der sozialen Stellung bzw. der Berufsposition des Vaters zu, treten eklatante Divergenzen im Hinblick auf die Eckdaten von 1877 und 1913 zutage. Bezogen auf tausend Lebendgeborene lauten nämlich die Ziffern für Preußen am Anfang und Ende dieses Zeitraums für

1. Beamte: 175/83 — 4. Facharbeiter: 189/131
2. Angestellte: 186/93 — 5. ungelernte Arbeiter: 206/174
3. Selbständige: 182/123 — 6. Dienstboten/Gesinde: 201/225

Während die städtischen, protestantischen, preußischen Beamten- und Angestelltenfamilien die Kleinkindersterblichkeit nicht nur halbieren, sondern auf fast die Hälfte des Reichsdurchschnitts drücken konnten, stieg die Mortalitätsziffer bei den Dienstboten und dem Gesinde sogar auf den im allgemeinen längst überwundenen hohen Wert von 1880 an, so daß mehr als ein Fünftel der Säuglinge starb.

Diese überaus gravierenden Unterschiede entziehen sich einer bequemen Pauschalerklärung. Auch die Säuglingssterblichkeit und Kleinkinderaufzucht sind in ein komplexes Wechselspiel von Klassenlage und Mentalität, von soziokulturellen Werten und Verhaltensweisen eingebettet. Offensichtlich entschied der Zufall der Geburt in eine Familie auf den höheren Rängen der Sozialhierarchie bereits in hohem Maße über die Überlebenschancen im ersten Jahr. Die relative materielle Sicherheit und die Konzentration auf eine bewußt gering gehaltene Anzahl von Kindern, aber auch die Einstellung gegenüber der Ernährung und dem Aufziehen von Kindern, die Aufgeschlossenheit gegenüber der hygienischen und medizinischen Vorsorge und der Aufwand an Pflegezeit kontrastierten denkbar kraß mit dem Gegenpol: den Verhaltensmöglichkeiten einer ländlichen Magd mit einem unehelichen Kind.

Außer dem unleugbar großen Einfluß des Wohlstandsniveaus ist offenbar die Ernährungsweise von hoher Bedeutung gewesen. Das Bruststillen vermittelte mit der Muttermilch die am stärksten immunisierende und bekömmlichste Nahrung. Mußte dagegen frühzeitig, etwa wegen der außerhäuslichen Berufstätigkeit oder Arbeitsbeanspruchung der Mutter, zu Tiermilch und anderen Beigaben übergegangen werden, stieg die Säuglingssterblichkeit infolge der Anfälligkeit gegenüber Ernährungs- und Infektionskrankheiten stark an. Augsburger Textilarbeiterinnen zum Beispiel, die ihre Säuglinge gleich nach der Geburt von Pflegepersonen mit Kuhmilch und Brei ernähren ließen, mußten um 1871/73 mit der bestürzenden Sterbeziffer von fünfundsechzig Prozent rechnen. In Berlin lag 1885 die Todesziffer bei künstlicher Ernährung siebenmal, auch 1910 noch viereinhalbmal so hoch wie bei Babys, die mit der Brust gestillt wurden. Weitere wichtige Einflüsse gingen aus von der zeitintensiven Pflege oder Vernachlässigung der Säuglinge, von der Schonung oder Belastung der Schwangeren und Gebärenden, von der familialen und sozialen Reaktion auf die Säuglings- und Müttersterblichkeit, von der Fertilitäts- und Wiederverheiratungsquote, von der Länge der Witwenzeit und der Witwerschaftsdauer.

Schlechthin unübersehbar ist schließlich die Auswirkung der Konfession: Die Säuglingssterblichkeit in den lutherischen und calvinistischen Gebieten West-, Nord-, Nordost-, Mittel- und Ostdeutschlands lag unverhältnismäßig viel niedriger als in den dominanten katholischen Regionen Süddeutschlands. Vermutlich drückte sich auch in diesem Unterschied das aktivere, modernitätsbejahende Verhältnis des Protestantismus zur diesseitigen Welt, sein Appell zur eigenverantwortlichen Daseinsgestaltung aus. Demgegenüber hielt der Katholizismus in Verbindung mit dem traditionalen Sozialmilieu, in dem er vorherrschte, eher zu der gottergebenen Hinnahme eines bösen Geschicks an – getreu seiner pastoralen Maxime: Der Herr hat's gegeben, der Herr hat's genommen. Wie auch immer die demographische Forschung diese Zusammenhänge noch genauer klären mag: In der Bilanz ist die Halbierung der allgemeinen Mortalitätsquote ganz wesentlich auf die Senkung der Säuglings- und Kleinkindersterblichkeit zurückzuführen.

Wendet man sich der dritten demographischen Schlüsselvariablen zu, der Fertilität, tritt die Veränderung der generativen Strukturen während der zweiten und dritten Phase des «Demographischen Übergangs» noch klarer hervor. Zunächst stiegen die hohen Fertilitätsziffern weiter an und stabilisierten sich um sechsunddreißig bis neununddreißig Promille. Mit einem relativ kurzen Abstand folgte dann die Geburtlichkeit dem Abfall der Sterblichkeit. Seit der zweiten Hälfte der siebziger Jahre, vollends seit den achtziger Jahren hat sich diese Bewegung bis zum Ersten Weltkrieg durchgesetzt. Seit 1900 ging die Fertilität sogar schneller zurück als die Mortalität. Die durchschnittliche Anzahl der ehelichen Geburten im Reich fiel von 1871 = 4.4 auf 1912 = 3.8 je Familie. Anders ausgedrückt: Die Fertilität von je tausend Ehefrauen sank von

1880 = 274.4 um ca. dreißig Prozent auf 1912 = 192.2. Bezogen auf die Reichsbevölkerung zeigte sich ein Rückgang von 1871 = 39.0 auf 1913 = 27.5 Promille.

Am schärfsten prägte sich diese Veränderung in großen Städten aus, wo die Fertilitätsziffern zwischen 1875 und 1905 bereits um vierzig Prozent schrumpften. In Berlin, ein zugegeben extremes Beispiel, verringerte sich damals schon die Anzahl der Zweitkinder um zwanzig Prozent, die der Drittkinder um fünfundvierzig Prozent, die der weiteren Kinder um fünfzig Prozent. Dagegen nahm die Zahl der Erstgeburten zunächst weiter zu, bis auch hier seit 1900 der Abschwung einsetzte.

Ermittelt man für die Zeitspanne von 1875 bis 1905 die durchschnittliche eheliche Fertilität in allen preußischen Städten, ergibt sich immerhin ein Rückgang von zwanzig Prozent, während sie in den Landgemeinden noch konstant blieb. Fragt man nach dem generationsspezifischen Verhalten, zeigt sich, daß es offenbar die zwischen 1875 und 1900 geborenen Frauen gewesen sind, welche die durchschnittliche eheliche Kinderzahl von fünf auf zwei reduziert haben. Dieser erstaunliche Einschnitt ergibt sich aus Durchschnittsziffern, die in den Städten erheblich niedriger lagen als auf dem Land und in evangelischen Gebieten eindeutig geringer ausfielen als in katholischen. In den städtisch-protestantischen Ober- und Mittelklassen drangen in dieser Zeit auch moderne Methoden der Kontrazeption und Geburtenkontrolle vor, die eine bewußte Familienplanung unterstützten.

Beide Bewegungen: der Rückgang der Mortalität und der Fertilität, standen jedoch in einem solchen Verhältnis zueinander, daß die jährlichen Geburtenüberschüsse bis zum Beginn des 20. Jahrhunderts weiter anwuchsen (von 1871 = 201 400 auf 1900 = 910 300), ehe sie leicht abfielen, aber 1913 noch immer 833 800 erreichten. Die allgemeinen jährlichen Wachstumsraten schwankten von 1871 bis 1894 zwischen 0.46 und 1.29, von 1895 bis 1913 zwischen 1.29 und 1.26 Prozent. Trotz aller Fortschritte der Medizin und Ernährung, trotz der Bekämpfung der Kindersterblichkeit und Verbesserung der Lebenschancen stieg die durchschnittliche Lebenserwartung, die 1871 bei 38.5 Jahren für Frauen und 35.6 Jahren für Männer lag, erst seit den achtziger Jahren allmählich an. Bis 1910 war statistisch ein Jahrzehnt hinzugewonnen, denn Frauen erreichten jetzt 48.3 und Männer 44.8 Jahre. So bescheiden dieser Zugewinn auch wirken mag, im Vergleich mit der vorangegangenen Zeit seit dem Beginn der dritten europäischen Welle der Bevölkerungsexpansion in den 1740er Jahren war das ein großer Sprung. Noch wurde die durchschnittliche Lebenserwartung vor allem durch die Säuglingssterblichkeit niedrig gehalten. Als sich die Überlebenschancen der Kleinstkinder und Kinder drastisch verbesserten, dazu medizinische Behandlung und Prophylaxe immer effektiver wurden, kletterte auch die durchschnittliche Lebenserwartung in bislang unbekannte Altersbereiche hoch: Von 1914 bis 1985 hat sie sich fast verdoppelt! (Bundesrepublik 1989: 82/78 Jahre).[1]

Im allgemeinen Bewußtsein, in das die statistischen Befunde der veränderten Fertilität und Mortalität so schnell nicht eindrangen, herrschte die Vorstellung von einer anhaltenden Dynamik des Bevölkerungswachstums vor, und die gewaltige Zunahme um sechzig Prozent in den Friedensjahren zwischen 1871 und 1913 gab dieser Vorstellung ständig neue Nahrung. Daraus entsprang eine Vielzahl von Hoffnungen, die auf ihre Weise etwa das Großmachtdenken und den Imperialismus nährten, aber auch von Ängsten, die sich in Schlagworten wie dem vom «Volk ohne Raum» oder von der «Massengesellschaft» ausdrückten. Direkt und indirekt machte die Bevölkerungsvermehrung des Kaiserreichs ihren Einfluß geltend: Sie wirkte ein auf politische Denkströmungen und auf die öffentliche Meinung, auf die Wahrnehmung des wirtschaftlichen Wachstums und der konjunkturellen Krisen, auf das Urteil über die soziale Ungleichheit und das Spannungsverhältnis zwischen den großen Klassen, auf die Sozialpolitik und Steuerung der Urbanisierung. Wenige Realitätsbereiche ließ sie unberührt. In der Kollektivmentalität besaß sie, ob mit Stolz oder Sorge verbunden, einen festen Platz. Die «steigende Menschenflut» – sie war alles andere als eine rein demographisch-statistische Größe.

Innerhalb der – wie es damals schien – unaufhaltsam wachsenden Reichsbevölkerung liefen gleichzeitig folgenreiche sozialhistorische und soziokulturelle Prozesse mit gravierenden politischen Folgewirkungen weiter. Hier kann nur auf einige wichtige Aspekte knapp hingewiesen werden: Die Ausdifferenzierung der Kindheit und Jugend als eigenständiger Lebensphasen hielt an. Die expandierende Altenzahl gewann eine wachsende Bedeutung. Der Funktionswandel der Familie setzte sich beschleunigt fort.

1. Die Herausbildung einer eigenen Kindersphäre hatte in der Mitte des 18. Jahrhunderts begonnen und erreichte um 1900 einen gewissen Abschluß, der jedoch einen weiteren Wandel und eine anhaltende qualitative Aufwertung – wie man inzwischen sehen kann – keineswegs ausschloß. An verschiedenen Indizien läßt sich dieser Prozeß, dem die langsam vordringende Anerkennung einer eigenen kindlichen Lebenswelt zugrunde lag, ablesen. Äußerlich zunächst daran, daß Kinder allmählich eine eigene Kleidung zugestanden erhielten; sie wurden in dieser Hinsicht nicht mehr wie kleine Erwachsene behandelt. Wenn es materiell möglich war, wurden Kinderstuben eingerichtet, die von den Erwachsenenzimmern getrennt waren. Bürger- und Adelsfamilien sahen sich als erste dazu imstande. Sie wurden auch als erste von den Produktionsfunktionen entlastet und konnten ein Familienleben führen, das von der Arbeitsstätte getrennt verlief. Die altersspezifische Erziehung, die auf der Respektierung sowohl des kindlichen Verhaltens als auch des sich stufenweise entwickelnden emotionalen und intellektuellen Reifezustands basierte, drang weiter vor. Eine volkspädagogisch inspirierte Kinderliteratur legte ihre Maximen aufgeschlossenen Eltern ans Herz, damit die erwünschten Werte und Verhaltensweisen von Kindern rechtzeitig ver-

innerlicht werden konnten. Das bürgerliche Leistungsprinzip wirkte sich auch dahin aus, daß Eltern die bewußte, methodische Förderung ihrer Kinder frühzeitig übernahmen. Ihre intellektuelle und musische Begabung sollte nach Kräften unterstützt werden.

Der Gesamttendenz nach bildete sich eine klare Trennung der Kinderwelt von der Erwachsenenwelt heraus. Darin trat vor allem ein von der Aufklärung und Individualpädagogik geförderter Einstellungswandel der Eltern zutage. Überpointiert hat man sogar von der «Entstehung der Elternliebe» gesprochen, deren Gefühle und Pflichten mit gesteigerter Hingabe und Verbindlichkeit kultiviert werden sollten.

Mit einer gewissen Folgerichtigkeit setzte sich diese Trennungslinie zwischen Kindern und Erwachsenen fort in der Ausgrenzung einer eigenen Sphäre für Jugendliche. Sie reichte bei Volksschülern bis etwa zum 14. Lebensjahr, umschloß dann aber auch noch Lehrlinge, junge Arbeiter und Knechte. Höheren Schülern verschaffte sie das Privileg einer Ausdehnung bis zum 18./19. Lebensjahr.

Diese an die Kindheit anschließende Jugendphase wurde gegen Ende des 19. Jahrhunderts zum Problem, da wegen der hohen Geborenenziffern und vor allem der Geburtenüberschüsse dank sinkender Säuglings- und Kleinkindersterblichkeit der Anteil der jugendlichen Bevölkerung stetig angestiegen war. Dieses Problem der bis ins neue Jahrhundert anhaltenden «akzelerierenden Verjugendlichung der Reichsbevölkerung» besaß unterschiedliche Aspekte. Die Sozialisationserfahrungen der industrie- und großstädtischen Vorkriegsgenerationen von 1880, vor allem von 1900 bis 1914 unterschieden sich zutiefst von älteren Bedingungen des Aufwachsens.

So gewann etwa der Generationenkonflikt eine neuartige Qualität. Die bündische Jugendbewegung stritt für die Eigenwelt der Jugendlichen, verknüpfte das aber auch mit programmatischen Forderungen zur Lebensreform und einer «wahrhaftigen» Politik. Die Binnenwanderung mit ihrer eindeutigen Mehrheit von relativ jungen Erwerbstätigen führte zu einer «kumulativen Großstadtverjüngung», die unter anderem für das Schulwesen und die Arbeitsplatzbeschaffung, für die Stadt- und Parteienpolitik – bis hin zur Radikalisierung der jungen Arbeiterschaft seit 1917 und bis zur Revolution – schwierige Fragen aufwarf.

2. Eine neuartige Dringlichkeit gewann auch die Problematik des Altwerdens und Altseins. Das statistische Konstrukt der durchschnittlichen Lebenserwartung verbirgt ja, daß Menschen, sofern sie einmal das Pubertätsalter gesund überstanden hatten, ohne Krieg und Epidemie auch früher relativ gute Chancen hatten, mehr als sechzig Jahre alt zu werden. Jetzt aber warf das rasante Bevölkerungswachstum mit seinem Anstieg des Altenanteils bisher unbekannte Fragen auf, zumal dieser Vorgang zunehmend in den Kontext der voll durchbrechenden Urbanisierung eingebettet war.

In der ländlichen Gesellschaft waren die Alten von der erweiterten Kernfamilie aufgefangen, auf vollbäuerlichen Höfen auf ihr eigenes Altenteil gesetzt worden. Diese Versorgung wurde nach Möglichkeit beibehalten. Die übergroße Mehrheit der ländlichen Bevölkerung jedoch: die Landarbeiter und das Gesinde, die Klein- und Zwergbauern, wurde durch die steigende Altenzahl mit schier unlösbaren Problemen konfrontiert. In diesem weiten Umfeld bedeutete die Altersphase in aller Regel eine äußerst kärgliche Existenz, einen Lebensabend im Elend.

In den Städten und quasi-städtischen «Konurbationen» stellte sich wegen der Verbindung von Industrialisierung und Urbanisierung die Altersproblematik mit gesteigerter Schroffheit. Mehrere Faktoren wirkten dabei zusammen. Die hochmobile junge Arbeiterschaft, die im Zentrum der Binnenwanderung stand, verließ die Eltern in den Herkunftsstädten oder -gebieten. Die außergewöhnlich hohe Umzugsmobilität in den Städten spielte sich meistens zwischen kleinen, schlecht ausgestatteten, relativ teuren Wohnungen ab. Dort war für alte Menschen kaum Platz. Für ihren Lebensunterhalt konnte, obwohl ihre gesparten Reserven gering waren und wegen der lebenszyklisch bedingten Altersverarmung früh dahinschmolzen, von den Kindern oder Verwandten nur mühsam Geld abgezweigt werden. Die wenigen Alten- und Siechenhäuser der Städte und Kirchen vermochten nur eine winzige Anzahl von Insassen aufzunehmen. Währenddessen wuchsen die Altengruppen beiderlei Geschlechts in die Breite, wobei insbesondere die alten Männer immer häufiger unter berufsbedingter Invalidität oder Krankheit zu leiden hatten. Das unerwartete, anhaltende quantitative Wachstum der Alten, vor allem in den engen städtischen Unterschichtenquartieren, verlieh dem Altwerden und Altsein neue Dimensionen, die schließlich – modisch gesprochen – einen unabweisbaren Handlungsbedarf herbeiführten.

Die klassenspezifische Lage hatte auch im Hinblick auf diese letzte Lebensspanne zu fundamentalen Unterschieden geführt. Für alternde Landadlige etwa änderte sich damals noch denkbar wenig. Im gehobenen Wirtschaftsbürgertum und im Bildungsbürgertum wurden alte Eltern in die Familie aufgenommen oder außerhalb versorgt, da die materiellen Voraussetzungen dafür bestanden. Im Kleinbürgertum, zum Beispiel im verarmten Handwerk mit seinen darbenden Einzelmeistern, wirkte sich demgegenüber die Belastung mit der Altenfürsorge niederdrückend aus, da weder der Wohnraum noch eine finanzielle Reserve vorhanden war. Noch ungleich schwieriger war die Situation für Arbeiterfamilien oder alleinstehende ehemalige Arbeiter und Arbeiterinnen. Die früh einsetzende Altersverarmung führte zu einem scharfen Absinken des Realeinkommens noch vor dem Ausscheiden aus der Erwerbstätigkeit. Die geringen Sparguthaben wurden schnell aufgezehrt. Die äußerst bescheidenen Leistungen von betrieblichen und genossenschaftlichen Hilfskassen ergaben zwar für manche einen Zuschuß, der aber weder zum Leben noch zum Sterben reichte. In den überlieferten Lebenserinnerungen von Arbeitern wird die Altenphase durchweg als Kümmerexistenz unter menschenunwürdigen Bedingungen beschrieben.

Es ist der Problemstau dieser unablässig expandierenden Altenzahl gewesen, der auf die sozialpolitische Intervention des Staates hindrängte. Daher ist die Altersversicherung seit 1889 trotz aller Unzulänglichkeiten, trotz des schmalen Einzugsbereichs und trotz der lange noch dürftigen Unterstützungsleistungen doch eine säkulare Zäsur, da seither ein ausbaufähiges staatliches Hilfssystem geschaffen werden konnte.

3. Von langlebigen Trends wurde auch der Funktionswandel der Familie vorangetrieben. Der fundamentale sozialhistorische Prozeß der Trennung von Arbeitsplatz und Wohnort hielt an – er bestimmte den Lebensrhythmus von Abermillionen Menschen. Ebenfalls hielt jener tiefgreifende Wandlungsvorgang an, der die Familie als ökonomische Produktionseinheit auflöste. Gewiß blieb diese traditionale Familienform in der bäuerlichen Welt und im Heimgewerbe noch weiter bestehen. Aber in allen bürgerlichen Sozialformationen, in den industriellen Arbeiterklassen, in der expandierenden Angestellten- und Beamtenschaft war es mit der Familie als eigenem Wirtschaftsverband vorbei. Natürlich mußten Millionen Frauen weiterhin ihre unbezahlte Hausarbeit leisten, mußten Arbeiterfrauen und -kinder mithelfen, Geld zu verdienen, damit die Kosten des Haushalts überhaupt bestritten werden konnten. Die Erwerbstätigkeit aller Familienmitglieder kam insofern einem gemeinsamen Solidarverband zugute. Eine Produktionseinheit im alten Sinn aber war er nicht mehr.

Ständig weitete sich vielmehr die innergesellschaftliche Kluft zwischen den Familien, in denen außer dem berufstätigen Mann alle anderen Mitglieder von Lohnarbeit freigestellt waren, und jener Mehrheit, in welcher der unentrinnbare Zwang zur Erwerbsarbeit weiterhin anhielt.[2]

2. *Die deutsche Binnenwanderung*

Seit der Mitte des 19. Jahrhunderts begann parallel zum industriellen «Takeoff» jene Binnenwanderung, die sich zur «größten Bevölkerungsbewegung in der deutschen Geschichte» entwickeln sollte. Sie hat sowohl den Prozeß der Urbanisierung als auch die Bereitstellung des industriewirtschaftlichen Arbeitskräftepotentials erst ermöglicht. Nach einer eher sacht ausgebildeten Anfangsphase verstärkte sich die Mobilität unübersehbar seit den 1880er Jahren und wurde mit dem Beginn der neunziger Jahre, aufs engste an den Aufschwung der wilhelminischen Hochkonjunktur gekoppelt, zu einem Massenphänomen, für das es in Europa bisher kein Vorbild gab. Gewiß hat es auch in den vorindustriellen Gesellschaften eine beträchtliche, lange Zeit unterschätzte geographische Mobilität gegeben. Aber die ganz überwiegend in den Friedensjahrzehnten des kaiserlichen Deutschlands ablaufende große

Binnenwanderung ist doch in Ausmaß und Wirkung eine neuartige Erscheinung gewesen. Sie hing einerseits ab vom Bevölkerungswachstum und der Arbeitsplatzsuche von Millionen Menschen, andrerseits von dem fundamentalen Strukturwandel der Wirtschaft und dem Durchbruch der Urbanisierung – von zwei Modernisierungsprozessen also, die selber wieder durch die Migrationswellen vorangetrieben wurden.

Einige allgemeine Angaben sollen, ehe auf einzelne Probleme der Wanderungsgeschichte eingegangen wird, eine erste Vorstellung von der Größenordnung vermitteln. Die letzte Bestandsaufnahme der Reichsstatistik vor dem Weltkrieg ergab für das Jahr 1907, daß von 60.4 Millionen im Reich Geborenen bereits neunundzwanzig Millionen (48%) außerhalb ihrer Geburtsgemeinde lebten. Jeder zweite Deutsche hatte bis dahin schon an der Binnenwanderung teilgenommen, die ihn unterschiedlich weit von seinem Geburtsort weggeführt hatte. Von diesen neunundzwanzig Millionen hielten sich zwanzig Millionen (33%) noch innerhalb desselben Staates oder der Provinz auf, in der sie zur Welt gekommen waren; neun Millionen aber lebten jenseits der Grenzen dieser Staaten oder Provinzen. Zwischen 1860/70 und 1914 hat die deutsche Binnenwanderung fünfzehn bis sechzehn Millionen grenzüberschreitende Wanderer erfaßt; diese Zahl übertraf das Dreifache der gesamten deutschen Auswanderung im 19. Jahrhundert.

Man kann innerhalb dieser Bevölkerungsbewegung drei Verlaufstypen unterscheiden: die regionale Mobilität bis hin zur relativ spät auftretenden Fernwanderung; die innerstädtische Mobilität und dazu noch den Sonderfall der innerstädtischen Umzugsmobilität. So gut wie ausnahmslos ging die Sogwirkung, der «Pull», von den Städten und jenen industriellen Agglomerationen aus, die sich auf dem Weg zur Stadt befanden. Denn hier lockte primär das expandierende Arbeitsplatzangebot der Industrie, zunehmend auch des Dienstleistungssektors. Nach den langjährigen Erfahrungen mit dem vormärzlichen Pauperismus sollte sich das als unwiderstehliche Attraktion erweisen.

An erster Stelle bildete sich die Nahwanderung heraus, die zwischen benachbarten Städten stärker ausgeprägt war als die Zuwanderung aus dem ländlichen Umfeld. Bei dieser handelte es sich oft um eine Etappenwanderung: Sie führte vom Land in kleinere Regionalzentren und von dort erst in die Großstädte. Auch deshalb blieb im allgemeinen die Zuwanderung aus den Städten stärker als vom platten Land: in München zum Beispiel zwei- bis viermal so hoch als aus dem agrarischen Umland; von 1890 ab galt das auch für Berlin.

Seit den achtziger Jahren, als die Binnenwanderung um etwa fünfzehn Prozent anstieg, wuchs die Fernwanderung über immer weitere Distanzen an. In den zweieinhalb Jahrzehnten vor 1914 löste schließlich die Ost-West-Wanderung eine wahre Massenbewegung aus. Hunderttausende zogen aus

Ostpreußen, Westpreußen und Posen nach Berlin und ins Ruhrgebiet, aus Schlesien nach Sachsen oder auch in die Reichshauptstadt. Bis 1907 hatten 1.94 Millionen Menschen Ostdeutschland im Zuge der Binnenwanderung verlassen. Im selben Jahr lebten von 6.69 Millionen in Ostpreußen, Westpreußen und Posen Geborenen 1.61 Millionen (24%) in anderen Teilen Deutschlands, 398000 von ihnen im Ruhrrevier und 358000 in Großberlin, das von 1890 bis 1900 einen Wanderungsgewinn von 323000, von 1900 bis 1910 sogar von 609000 verzeichnete. Bis 1914 haben allein mindestens 450000 polnisch und masurisch sprechende Preußen als Zuwanderer das «Ruhrvolk» vermehrt und auf ihre Weise diesen Schmelztiegel mitgeprägt.

Aufs Ganze gesehen dominierte die Einzelwanderung. Die erdrückende Mehrheit stellten junge ledige Männer. In geringerer Zahl suchten junge Frauen eine Stelle als Dienstmädchen oder Textilarbeiterin. Familien brachen selten gemeinsam auf, wohl aber kam es häufig zum Nachzug, wenn ein sicherer Arbeitsplatz die Grundlage dafür bot.

Die großen und mittelgroßen Städte, welche die Zuwandernden in erster Linie aufnahmen, fungierten in diesen Jahrzehnten wie riesige Pumpenwerke, die einen gewaltigen, fluktuierenden Zustrom temporärer Einwohner ansaugten, aber ebenso einen gewaltigen Abstrom gewissermaßen wieder ausspien. Die Mehrheit dieser hochmobilen Arbeiter blieb weniger als ein Jahr, ehe sie weiterwanderte. Eine vergleichsweise kleine Minderheit verharrte länger. Noch weniger stießen zum Kern der stabilen Einwohnerschaft, die zwar in der Regel auch stark anwuchs, das aber in einem Größenverhältnis tat, welches weit entfernt war von dem gesamten Wanderungsvolumen (der Summe aus Zu- und Abwanderung), mit dem es die Stadt Jahr für Jahr zu tun hatte. Dasselbe Strukturmuster setzte sich dann in den Großbetrieben fort, wo die feste Belegschaft durch eine enorme Zahl fluttierender Arbeiter jeweils für kurze Zeit ergänzt wurde.

Am Ruhrgebiet und an einigen großen Städten kann man sich diesen eigentümlichen Wanderungsmechanismus klarmachen. Im rheinisch-westfälischen Industrierevier versiebenfachte sich die Bevölkerung von 1850 bis 1900 (ca. drei Millionen). Damit erreichte sie fast die Berliner Zuwachsrate. Um die Jahrhundertwende bestanden fünfzig bis sechzig Prozent dieser Bevölkerung aus Zuwanderern, und danach hielt die Zustromquote kontinuierlich an. In Industriezentren wie Dortmund, Duisburg und Essen etwa, die in «amerikanischem Tempo» wuchsen, waren um 1900 weniger als fünfzig Prozent der Einwohner dort geboren worden. Duisburgs Einwohnerschaft ist – wie vorn bereits erwähnt – in einem halben Jahrhundert von 12880 auf 106770, also um 93890 Menschen, angewachsen. Tatsächlich aber wurden vom Einwohnermeldeamt in dieser Zeit 710400 Zu- und Wegzüge registriert, fast das Achtfache des Wachstumsgewinns.

Daß das Wanderungsvolumen das Acht- bis Zehnfache des Wanderungsgewinns erreichte, hatte sich ein Jahrzehnt nach der Reichsgründung geradezu als typisches Migrationsmuster dieser «Nomaden» herausgebildet. Die neue sozialhistorische Urbanisierungsforschung in den Vereinigten Staaten hat das zuerst als vermeintlich amerikanische Eigenart, als das Ergebnis einer extrem mobilen Einwanderergesellschaft herausgearbeitet. Boston zum Beispiel erlebte von 1880 bis 1890 eine Zuwanderung von achthunderttausend und eine Abwanderung von sechshundertneunzigtausend Menschen; als dauerhafter Zuwachs blieben sogar nur fünfundsechzigtausend. Auf je tausend feste Einwohner entfiel jährlich ein Wanderungsvolumen von dreiundzwanzigtausend. Inzwischen ist aber durch die Erforschung der deutschen Binnenwanderung und Verstädterung dieser «einmalige» Schleusenmechanismus als verallgemeinerungsfähig nachgewiesen worden. Das Wanderungsvolumen zahlreicher deutscher Großstädte, die im Strom der Binnenwanderung lagen, erreichte jährlich häufig das Zehnfache der Zuwachsquote; außerdem stieg es von 1880 bis 1912 um fünfzig bis sechzig Prozent an. Anders gesagt: Jedes Jahr wälzte sich ein Wanderungsstrom durch diese Städte, dessen Größe einem Viertel bis einem Drittel aller deutschen Großstadteinwohner entsprach. Sowohl das Wanderungsvolumen als auch die Zuwachsquoten der dauerhaft Verbleibenden verliefen durchaus parallel zu den entsprechenden amerikanischen Größen. Die zeitgenössische Redewendung vom «amerikanischen» Wachstumstempo der deutschen Städte war daher keine bombastische Prahlerei, sondern traf den strukturellen Verlauf der Entwicklung genauer, als man damals wissen konnte. Das veranschaulichen vier Beispiele, die aus vielen anderen für Übersicht 70 ausgewählt worden sind.

Übersicht 70: Bevölkerungswachstum und Wanderungsvolumen deutscher Großstädte 1880–1910 (abgerundete Zahlen)

Stadt	Zeitraum	Bevölkerungs-wachstum	Zuzug	Abzug	Wanderungs-volumen
1. Berlin	1880–1890	456500	1585000	1162600	2747600
	1890–1900	310000	2090700	1656800	3747500
	1900–1910	182500	2603000	2245000	4848000
2. Chemnitz	1880–1890	43800	285900	227100	513000
	1890–1900	75100	306000	284600	590600
	1900–1910	73800	421300	385400	806700
3. Dortmund	1880–1890	23100	135300	115000	250300
	1890–1900	54700	245800	202600	449400
	1900–1910	69900	400600	348100	748700
4. Essen	1880–1890	21800	118000	100000	218000
	1890–1900	118200	247800	210800	458600
	1900–1910	97800	459800	434300	894100

Nicht der sinkenden Mortalität und der hohen Fertilität, vielmehr vorrangig dem Wanderungsgewinn, der nach den heftigen Fluktuationen des Zustroms und Abstroms übrig blieb, verdankten die deutschen Städte ihr «stürmisches Wachstum».

Daß junge unverheiratete Proletarier die Mehrheit der Wandernden bildeten, führte zu einer Vielzahl von demographischen, sozialen und politischen Konsequenzen. Im preußischen Nordosten stellten zum Beispiel um 1900 die Alterskohorten der Sechzehn- bis Dreißigjährigen 21.7 Prozent der männlichen Bevölkerung, in Rheinland-Westfalen aber 26.3 Prozent. Überhaupt war die Hälfte aller Wanderer zwischen zwanzig und dreißig Jahre alt. Das bildete die ausschlaggebende Ursache für die Verjüngung der deutschen Großstädte.

Im Rheinland gehörten sechsundachtzig Prozent, in Westfalen sogar vierundneunzig Prozent der Wanderer zur Arbeiterschaft. Dadurch wurde in diesen Provinzen die Erwerbstätigenquote in die Höhe getrieben. Von den ortsgebürtigen Männern waren rund fünfzig Prozent erwerbstätig, von den männlichen Nahwanderern aber achtzig, von den Fernwanderern sogar neunzig Prozent. Bei den Frauen lauteten die entsprechenden Ziffern immerhin 24:34:31 Prozent.

Da die Migranten überwiegend kurze Zeit in den Zielstädten blieben, das Wahlrecht aber nachdrücklich die Seßhaften begünstigte, wurden ihnen in der Kommunalpolitik die Partizipationsrechte meistens vorenthalten. Auch dieser Umstand erhielt eine kleine Aktivwählerschaft und die bürgerliche Honoratiorenherrschaft. Auf der anderen Seite hatten Sozialdemokratie und Freie Gewerkschaften mit einer kolossalen Fluktuation ihrer Mitgliederschaft zu kämpfen, da die Menge an Eintritts- und Austrittserklärungen oft kaum überschaubar war. Abgesehen davon erwiesen sich viele flottierende Arbeiter gegenüber allen Organisierungsbemühungen als indolent oder renitent, und die ethnische Segregation zum Beispiel der Polen im Ruhrgebiet, wo sie durch ihren Katholizismus und ihr Vereinswesen befestigt wurde, bedeutete für die deutsche Arbeiterbewegung eine kaum überwindbare Barriere. Daß schließlich eine eigene polnische Gewerkschaft gegründet wurde, war insofern folgerichtig.

Die Intensität der Binnenwanderung hing eng mit dem Konjunkturrhythmus zusammen. Aufschwung und Stockung des Wirtschaftswachstums hatten im Nu eine symmetrische Expansion und Kontraktion der Wanderungsbewegung zur Folge. War sie bis 1873 deutlich angestiegen, erlebte sie seit der Zweiten Weltwirtschaftskrise von 1873 einen scharfen Rückgang während der Depressionsjahre, folgte auch in den achtziger Jahren dem Prosperitäts- und Krisenzyklus, spiegelte 1893/94 das Abschwungtief wider und stieg mit der Hochkonjunktur seither, von den ökonomischen Zäsuren von 1901/1902 und 1908/1909 abgeschwächt, steil an. Insgesamt folgte die Mobilitätskurve ziemlich genau den Konjunkturfluktuationen. Im allgemeinen paßten sich die Wanderungsbereiten dem sozialökonomischen Wandel durch ihren Aufbruch in die Ferne oder den Aufschub ihrer Initiative an.

In der Anfangsphase, als vor allem verarmte Handwerker und Facharbeiter Arbeitsplätze suchten und fanden, spielte die individuelle Migrationsbereitschaft eine entscheidende Rolle. Seit den neunziger Jahren wurde aber insbesondere die Ost-West-Wanderung von denjenigen Großbetrieben, die während der Expansionsperioden Arbeitskräfte dringend suchten, zielstrebig organisiert. Bergbau- und Schwerindustrieunternehmen unterhielten Werbeagenturen, deren «Schlepper» in den östlichen Grenzprovinzen Wanderungslustige mit verlockenden Angeboten zur gemeinsamen Fahrt in den Westen überredeten. Dort wurden sie unter primitiven Wohnbedingungen, die mit den ostelbischen «Schnitterkasernen» für polnisch-russische Wanderarbeiter durchaus verglichen werden können, in «Zechenkolonien» untergebracht und als Ungelernte in eine völlig unbekannte Arbeitswelt verpflanzt, die unter anderem einen hohen Tribut an Unfallverletzungen und Invaliditätsfällen forderte. Auch in dieser Hinsicht läßt sich noch einmal eine gewisse Parallele zur amerikanischen Immigration ziehen, die in dieser Zeit nur in der heroischen Legende noch Pionierwanderung an die Grenze im «Wilden Westen» war, tatsächlich aber weithin von den europäischen Werbeagenturen der großen transkontinentalen Eisenbahnunternehmen und ihrer Besiedlungsgesellschaften organisiert wurde.

Wegen der Fixierung auf das dramatische Anschwellen der Stadtbevölkerung ist ein gegenläufiger Prozeß lange unterschätzt worden. Das war die Rückwanderung aufs Land, wenn die hochgespannten Erwartungen enttäuscht oder die Hoffnungen durch eine Konjunkturschwankung durchkreuzt wurden. Überwiegend blieb es nicht bei einer dauerhaften Rückkehr, sondern bei der nächsten günstigen Gelegenheit ging es wieder auf die Suche nach einem Erwerbsangebot in anderen Städten. In der Zeit der Massenwanderung kehrten in manchen Städten des Ruhrreviers zwei Drittel der Zuwanderer zeitweilig wieder in ihre ländliche Heimat zurück. Die Wanderungsströme liefen also keineswegs nur von Stadt zu Stadt oder vom Land in die Stadt. Vielmehr bildete sich ein Kreislauf heraus, der Hunderttausende immer wieder zurück in die ländliche Gesellschaft führte. Den Gewerkschaften war dieses Verhaltensmuster übrigens wohlbekannt: Während der großen Streiks überredeten sie möglichst viele Zuwanderer zur temporären Rückkehr in die ländlichen Herkunftsgebiete, um die Streikkasse zu entlasten.

Daß diese Rückwanderung ein gewaltiges Ausmaß besaß, wird durch den statistischen Befund untermauert, wonach zwischen 1880 und 1912/13 jährlich achtzig Prozent der Zuwanderer, die in Städten mit mehr als fünfzigtausend Einwohnern registriert wurden, für einige Zeit aufs Land zurückkehrten – gewissermaßen für eine Parkzeit bei der Familie, die ihren wandernden Mitgliedern über widrige Umstände oder Erfolglosigkeit in der

Stadt hinweghalf. Ein wichtiger Nebeneffekt dieses Rückstroms war der Faktor, daß der Informationsstand der ländlichen Bevölkerung im Hinblick auf die Chancen der Abwanderung zunehmend präzisiert wurde.

Die Wanderungsströme, die sich von Stadt zu Stadt, aber auch von der Stadt wieder zurück aufs Land und erneut in die Stadt bewegten, wurden seit der Mitte der siebziger Jahre in stetig wachsendem Maße zu einer Dauererscheinung. Sie führte für Hunderttausende dazu, daß sich ein Lebensstil ausprägte, der zwischen konjunkturbedingter Mobilität und temporärer Seßhaftigkeit schwankte. Nur ein Bruchteil aller Wandernden stieß zur stabilen Einwohnerschaft der Städte, wo er in den Unterschichtenquartieren mühsam lernen mußte, sich mit den neuen Lebensbedingungen zu arrangieren. Wie schon den Zeitgenossen die «Heimatlosigkeit» der Wandernden einerseits, die Armseligkeit der städtischen Massenwohnviertel andrerseits ins Auge stach, hat sich seither eine Interpretation herausgebildet, die in der Binnenwanderung vor allem einen Prozeß der sozialen Desintegration sieht, der Entwurzelung, Orientierungslosigkeit und Anomie. In den Städten sei dann zum deprimierenden Alltag am Arbeitsplatz und zur Lebenslage des Proletariers noch die individuelle Isolierung, die allgemeine Kontaktarmut, die Abwesenheit oder Auflösung stabilisierender Bindungen, kurz: die graue Misere einer anonymen «Massengesellschaft» hinzugekommen.

Nun ist erst die latente, dann die manifeste Mobilitätsbereitschaft überwiegend die Folge einer bitteren Zwangslage gewesen, die durch den Bevölkerungsüberdruck und den Arbeitsplatzmangel geschaffen wurde. «Freisetzung» der ländlichen «Überschußbevölkerung» für die aufsteigende Industrie ist eine euphemistische Umschreibung dieser Lebenssituation, die zum Massenproblem wurde, da weder der Agrarkapitalismus noch der kleingewerbliche Kapitalismus nach einem bestimmten Sättigungspunkt dem anhaltenden Bevölkerungswachstum gewachsen war. Eben das hatte ja die Elendserfahrung des Pauperismus gelehrt, und zu der expandierenden Arbeitsnachfrage der Industrie, der modernen Verkehrs- und Dienstleistungssysteme, die oft nur durch Wanderung erreicht werden konnten, gab es keine überlegene Alternative. Die vielfältigen Belastungen und Nöte, die mit diesem Migrationszwang verbunden waren, die Bürde der mobilen Existenz, die psychischen Leiden und sozialen Kosten der Urbanisierung – sie alle wird heute keiner mehr unterschätzen.

Dennoch muß man sich auch die positiven Faktoren vergegenwärtigen, da man ohne sie die anhaltende Anziehungskraft nicht verstehen kann, welche die Wanderungsbewegung so lange in Gang hielt. Stadt und Industrie verhießen Arbeitsplätze, die in den übervölkerten ländlichen Regionen und Kleinstädten immer seltener frei wurden. Sie versprachen den begehrten Barlohn anstelle des Naturaldeputats. Sie boten eine Zuflucht vor der rigiden «dörflichen Sozialkontrolle», Stadtluft, glaubte man, mache noch immer frei. Sie lockten mit der Aussicht auf soziale Mobilität: Vielleicht gelang schon dem Zuwanderer ein Aufstieg, auf jeden Fall sollte es den Kindern bessergehen. In der freien Zeit offerierte die Stadt ein reicheres – und teureres – Vergnügungs- und Kulturangebot, das im Vergleich mit der «Idiotie des Landlebens» um so verlockender wirkte. Die «Reizüberflutung», welche konservative Kritiker an der Großstadt beklagten, faszinierte, sie stieß keineswegs von vornherein ab. Die Wirkung eines anderen Vergleichs wird oft übersehen: Der «soziale Krieg» jener städtischen Wohnungsnot, welche die Sozialreformer aller Couleur kritisierten, wurde durch das ländliche Wohnungselend oft noch übertroffen. Jedenfalls wurden die Slums von vielen Zugewanderten nicht als eine so drastische Verschlechterung empfunden, wie das bildungsbürgerliche «Kathedersozialisten» für selbstverständlich hielten. Wahrscheinlich hat auch die Etappenwanderung den Kulturschock abgemildert und die Assimilation erleichtert, zumal auf den Stationen dieses Wegs begehrte Qualifikationen erworben werden konnten.

Das informelle Informationsnetz und die gezielte Anwerbung in bestimmten Regionen führten dazu, daß häufig Verwandte und Freunde, Nachbarn und Berufskollegen aus demselben Herkunftsgebiet, landsmannschaftliche und gesellige Vereine, Kirchengemeinden und Gewerkschaften den neuen Ankömmling auffingen. Viele behielten auch das Sicherheitspolster eines ländlichen Wohnsitzes, zu dem sie regelmäßig oder notgedrungen zurückkehren konnten – das taten zum Beispiel drei Viertel aller städtischen Zuwanderer im Regierungsbezirk Düsseldorf. Diese Rückbindung vermittelte eine dürftige Sicherheit, sie warf aber auch neue Probleme einer gespaltenen Loyalität, eines permanenten Wertekonflikts, einer Überforderung durch unterschiedliche Verhaltenszumutungen auf.

Überhaupt läßt sich, obwohl die kulturpessimistische Deutung entschieden relativiert werden muß, schlechterdings nicht übersehen, welche brutalen Strapazen und neuartigen Pressionen für Millionen Menschen sowohl mit dem Wanderungsvorgang als auch mit der städtischen Existenz verbunden waren. Deshalb bleiben ihre Anpassungsfähigkeit, ihre Verhaltenselastizität, ihr Umstellungserfolg erstaunliche Phänomene. Die Negativbilanz trat nicht nur in schweren körperlichen Schäden, sondern auch in tiefreichenden individual- und sozialpsychischen Belastungen zutage, die zum Beispiel auch in den großen Streiks oder in den revolutionären Erhebungen seit 1918 ein Ventil gefunden haben.[3]

3. *Die deutsche Urbanisierung*

Von Urbanisierung im exakten Sinn kann man in den deutschsprachigen Staaten erst seit der Mitte des 19. Jahrhunderts sprechen. Bis dahin war das Städtewachstum im Gleichschritt mit der Bevölkerungszunahme auf dem Lande vor sich gegangen; eine geraume Zeit lang hinkte es sogar hinter der

Verdichtung der ländlichen Gesellschaft her. Erst nach der Revolution veränderte sich dieses Verhältnis von Grund auf. Die Verstädterung nahm seither rasch zu. Die deutsche Urbanisierung erlebte während der beiden Jahrzehnte bis 1871, mit einem steilen Aufschwung seit 1867, ihren «Takeoff» (vgl. vorn 5. Teil, I.2).

Der gesamtgesellschaftliche Umwälzungsprozeß der Urbanisierung wird hier weiterhin nicht nur als das quantitative Wachstum der städtischen Bevölkerung, der sogenannten Verstädterungsquote, sondern auch als der qualitative Wandel des Lebensstils der Stadtmenschen verstanden. Aus diesen Problemen resultierte schließlich auch eine neuartige Form der Kommunalpolitik, die mit Hilfe einer kompetenten Leistungsverwaltung in die städtische Wirtschaft und Gesellschaft gezielt eingriff, um Daseinsvorsorge zu betreiben. Vor dem Aufstieg des modernen Interventionsstaates wurde in den großen Städten ein gut Teil seines Handlungsrepertoires entwickelt und erfolgreich praktiziert.

Die strukturellen Grundzüge der Expansion des deutschen Städtewesens sind vorne schon hervorgehoben worden. Im Rahmen der allgemeinen Bevölkerungsvermehrung stieg auch das Wachstum der innerstädtischen Einwohnerschaft dank hoher Geburtenüberschüsse oft an. Als ungleich folgenreicher für die großen Städte: an erster Stelle die Industriestädte und Vororte der Großstädte, erwiesen sich jedoch die Effekte der Nah- und Fernwanderung. Aus ihrem gewaltigen Wanderungsvolumen gewannen sie ihre dramatischen Zuwachsziffern. Die Eingemeindung von Vororten und Nachbargebieten trieb die Einwohnerzahl ebenfalls in die Höhe. Rapide anwachsende Siedlungen in der Gestalt der wildwuchsartig wuchernden «Konurbationen» wurden zu Städten aufgewertet. Schließlich kamen noch Neugründungen hinzu, die manchmal in verblüffend kurzer Zeit den Status einer Großstadt gewannen.

Bis auf wenige regionale Ausnahmen war inzwischen auch überall die «alte Stadt» mit ihrer verkrusteten Dichotomie von Vollbürgerkorporation und entrechteten Hintersassen in die Einwohnergemeinde als Gebietskörperschaft mit freiem Zugang für alle Staatsbürger umgewandelt worden. Damit hatte das Staats- und Reichsrecht eine unabdingbare Voraussetzung für die ungehemmte horizontale Binnenmobilität geschaffen. Vor allem aber hatten sich Industrie und Eisenbahn schon als die eigentlich modernen «Städtegründer» erwiesen. Im Verlauf der deutschen Industrialisierungs- und Kommunikationsrevolution erlebte auch die Urbanisierung ihre Durchbruchsphase. An den Standorten der strategischen Wachstumsindustrien wurde die Verstädterung ganz so intensiv gefördert wie durch den Anschluß an das neue Verkehrsnetz, dessen Knotenpunkte eine eminente Attraktionskraft entwickelten. Umgekehrt entschieden Industrie- und Eisenbahnferne über die Provinzialisierung einer Region. Seit dem Beginn der siebziger Jahre setzte sich auf breiter Front die bis 1914 anhaltende Hochurbanisierung fort, die in einer atemberaubend kurzen Zeit die Mehrheit der Reichsdeutschen in ein neues städtisches Ambiente versetzte. Man übertreibt nicht mit der Behauptung, daß das urbanisierte Deutschland, wie es bis zum Weltkrieg entstand, sich von Grund auf von jener Umwelt unterschied, in welcher die Mehrheit der Deutschen in der Zeit der «Doppelrevolution» unlängst noch gelebt hatte.[4]

Die nüchternen Wachstumsziffern der Urbanisierung zeigen auf einen Blick, in welche Größenordnung sich dieser Transformationsprozeß hineinbewegte.

Übersicht 71: Deutsche Urbanisierung 1871–1910 (Städtezahl/% der Reichsbevölkerung/Einwohner in Mill.)

	Reich	1. Städte + 100000	2. 20–100000	3. 5–20000
1871	41.1 Mill.	8/ 4.8%/ 1.97	75/ 7.7%/3.15	529/11.2%/4.59
1910	64.9 Mill.	48/21.3%/13.82	233/13.4%/8.68	1028/14.1%/9.17
Einige Vergleichszahlen für Preußen				
1871	24.7 Mill.	4/ 3.4%	45/ 7.8%	11.9%
1910	40.2 Mill.	33/21.4%	155/14.7%	14.1%

	Reich	4. 2–5000	5. –2000 Landgemeinden	6. Stadtbevölkerung
1871	41.1 Mill.	1716/12.4%/5.09	63.9%/62.8	36.1%
1910	64.9 Mill.	2441/11.2%/7.30	40%/38.4	60.0%
Einige Vergleichszahlen für Preußen				
1871	24.7 Mill.	12.3%	62.8%	37.2%
1910	40.2 Mill.	10.2%	38.4%	61.6%

Während die Reichsbevölkerung innerhalb von vier Jahrzehnten um 23.8 Millionen Menschen anwuchs, stieg die Anzahl der Städter um 24.18 Millionen an, um rund hundertsechzig Prozent von 1871 = 14.8 Millionen (36.1%) in 2338 Städten (mit mehr als 2000 Einwohnern) auf 1910 = 38.97 Millionen (60%) in 3740 Städten. Das waren fast zwei Drittel aller Staatsbürger, nachdem bis 1871 noch vierundsechzig Prozent in Landgemeinden gelebt hatten. Die dramatischste Wachstumssteigerung erlebten die Großstädte. Ihre Bevölkerung, vor 1914 schon ein Drittel aller Städter überhaupt, nahm in absoluten Zahlen um das Siebenfache, prozentual immer noch um das Viereinhalbfache zu. 1914 war bereits jeder fünfte Deutsche ein Großstädter. 1871 hatte es nur drei Großstädte mit mehr als 200000 Einwohnern gegeben: Berlin, Hamburg und Breslau. 1913 aber waren es bereits dreiundzwanzig. Unter ihnen lag, unerreichbar weit vorn, Berlin an der Spitze, das mit einer in Europa beispiellosen Expansion von 1871 = 826000 um gut hundertfünfzig Prozent auf 1914 = 2.07 Millionen Einwohner anstieg – dabei wurden bis

1920 seine riesigen Vorstädte nicht einmal mitgezählt. Weitere fünf Städte hatten bis dahin die Schwelle von mehr als einer halben Million Bewohnern überschritten: München (596590), Leipzig (589800), Dresden (548300), Köln (516500) und Breslau (512100). Die durchschnittliche Wachstumsrate der deutschen Großstädte lag bei mindestens zweihundert Prozent.

Im allgemeinen war die Urbanisierung in der Kategorie der Städte mit mehr als zwanzigtausend Einwohnern am stärksten ausgeprägt. Ihr Anteil kletterte von 12.5 Prozent auf 31.7 Prozent der Gesamtbevölkerung. Indes: Auch die Städte mit fünf- bis zwanzigtausend Einwohnern erlebten einen starken Boom, da sich ihre absolute Bewohnerzahl verdoppelte. Nur im Hinblick auf den prozentualen Anteil stagnierten die Kleinstädte mit zwei bis fünftausend Einwohnern, in absoluten Ziffern wuchsen auch sie noch um fünfundvierzig Prozent an.

Der klassische Verlierer waren die Landgemeinden. In absoluten Zahlen betrug ihr numerischer Verlust über vierzig Jahre hinweg nur zweihundertfünfundsechzigtausend Menschen, prozentual aber verloren sie wegen der Bevölkerungs- und Urbanisierungsexplosion mehr als ein Drittel an Einwohnern (von 64 auf 40%). Kein Zweifel: Das Deutsche Reich beherbergte 1914 eine hochurbanisierte, hochmobile Bevölkerung, deren Lebenszuschnitt durch eine tiefe Zäsur von jener Agrargesellschaft geschieden war, die noch vor wenigen Jahrzehnten dominiert hatte.

Den höchsten Verstädterungsgrad (75%, davon 50% in Großstädten) erreichte die Rheinprovinz mit Ausläufern in den westfälischen Teil des Ruhrgebiets. Dort schob sich Gelsenkirchen an die Spitze, da sich seine Bevölkerung bis 1910 verzehnfachte. Wie die rheinisch-westfälischen Ballungszentren im Verlauf der Urbanisierung um mehr als das Dreifache expandierten, zeigt ein Sample von fünfzig westdeutschen Städten, die 1871 zusammen 2.63 Millionen (im Durchschnitt 52600) Einwohner besaßen. 1890 hatten sie immerhin schon 4.11 Millionen (im Durchschnitt 82200), bis 1910 aber 8.61 Millionen (im Durchschnitt 172400) Einwohner erreicht. Das bedeutete einen Zuwachs von zweihundertdreißig Prozent, wobei die höchsten Wachstumsraten in die Zeit um die Jahrhundertwende fielen.

Von den Einzelstaaten des Reichs wies Preußen die auffälligste Urbanisierung auf. Sie verlief im allgemeinen völlig symmetrisch zur Reichsentwicklung (s. Übersicht 71), übertraf aber noch deren Durchschnittswert für 1910 mit einem Städteanteil von 61.5 Prozent. Vor dem Ausbruch des Weltkriegs lebten in Preußen, das oft mit dem ländlichen Ostelbien leichtfertig gleichgesetzt wird, zwei Drittel der Bevölkerung in Städten.

Erwähnenswert ist auch der sächsische Urbanisierungsverlauf. In diesem mitteldeutschen Königreich hatte bereits 1815 ein Drittel der Bevölkerung zu den Städtern gehört. Bis ca. 1860 wuchsen Stadt- und Landbewohner im Gleichschritt, ehe zwischen den späten sechziger Jahren und 1885 die Urbanisierung beschleunigt vordrang. Seither führte sie als Folge eines erneuten steilen Anstiegs bis 1910 zu einer Stadtbevölkerung von fünfundfünfzig Prozent, so daß das Land dicht hinter Westfalen lag. Vier Großstädte – mit Leipzig, Dresden und Chemnitz an der Spitze – und immerhin dreißig Städte mit zehn- bis hunderttausend Einwohnern hatten zur Hälfte ihre Bevölkerung aus dem innerstädtischen Wachstum rekrutiert, zur anderen Hälfte aus der Zuwanderung, deren Sog bis nach Böhmen reichte. Leipzig gewann durch die Eingemeindung von siebzehn Landbezirken (1889/92) mit hundertdreiundvierzigtausend Einwohnern auf einen Schlag vierundachtzig Prozent hinzu.

Durch solch eine rechtlich sanktionierte Umlandannektierung haben viele Städte, vor allem seit der Mitte der achtziger Jahre, den Sprung in eine neue Größendimension hinein getan. Sie gewannen Siedlungsland für Wohnungen und Industrieanlagen, konnten ihr Wirtschaftsgebiet und den Rechtsbezirk zur Deckung bringen und verbesserte Chancen für die Bauplanung der künftigen Expansion gewinnen. Auch läßt sich vielerorts ein starker Zuwachs aufgrund von internen Wachstumsschüben in Gestalt der Geburtenüberschüsse nicht übersehen. Insgesamt aber erwies sich meistens, ausnahmslos in allen Industriestädten, als der entscheidende Faktor der – im Kontext der Binnenwanderung beschriebene – Wanderungsgewinn, der den Städten nach ihrer jahrzehntelangen Arbeit als immense Schleusenwerke für die Menschenmassen der Binnenmobilität zugute kam, so daß ihre Einwohnerzahl in ungeahnte Höhen getrieben wurde. Der Zuwachs der preußischen Städte zum Beispiel stammte zu 46.2 Prozent aus Wanderungs-, zu 41.6 Prozent aus Geburtenüberschüssen und zu 12.2 Prozent aus Eingemeindungen.

Diesen überwiegend ungesteuerten Wanderungsbewegungen, die mit seismographischer Genauigkeit auf das Arbeitsplatzangebot und die Konjunkturimpulse reagierten, entsprach in gewisser Hinsicht der Wildwuchs in der städtischen Baupraxis, die sich primär an der Nutzung privater ökonomischer Chancen orientierte. Ohne die private Spekulation mit dem Boden- und Wohnungswert ist die überschäumende Baukonjunktur jener Jahrzehnte nicht vorstellbar. Dabei taten sich einzelne erfolgreiche Großunternehmer hervor. Aber weit mehr als solche «Baulöwen» hatten eng kooperierende Terraingesellschaften und Bodenkreditbanken die Bebauung bisher unbewohnter Teile der städtischen Feldmark oder das Hochziehen ganzer Vororte in der Hand.

Gegen die Exzesse einer naturwüchsigen Bauhektik richteten sich die Bebauungspläne, mit denen die Stadtverwaltung und Kommunalpolitik ihre Zielvorstellungen von einem zeitgemäßen urbanen Leben zu fixieren versuchten. Eine Unzahl bitterer Entscheidungskonflikte mußte ausgefochten werden, bis diese strukturierenden Vorgaben dazu führten, daß sich die City als Kern herausschälte, daß klar unterscheidbare Geschäfts- und Verwaltungszentren, bürgerliche Wohnviertel und Arbeiterquartiere, Industrie- und Leistungsgebiete, Grünflächen und Baulandreserven entstanden.

Aus der Perspektive der Berufstätigen, insbesondere der unteren und mittleren Erwerbsklassen, war die Wohnungsnot ein Hauptproblem ihrer städtischen Existenz. Auf die extrem hohe, dazu noch ständig weiter steigende Nachfrage nach erschwinglichen Kleinwohnungen reagierte der Markt auf dreierlei Weise. Erstens wurden alle Kammern und Gelasse, Dachzimmer und Speicher, Keller und Anbauten als vermietbare Räume ausgenutzt. Das ergab den sogenannten Schwammeffekt im alten Baubestand. Zweitens wurden die noch freien Flächen der städtischen Feldmark so dicht wie möglich bebaut. Dadurch gewannen die Städte erst jenes kompakte Aussehen, das viele bis dahin nur innerhalb der Ringmauern besessen hatten. Drittens rückten Privatunternehmer und Terraingesellschaften mit dem Bau trister Mietskasernen in die ländliche Nachbarschaft vor, bis dort schließlich eigene Vorstädte entstanden. Überhaupt stiegen die großen Etagenhäuser, die auf bisher unbebautem Freiland und jenseits des Stadtrandes emporwuchsen, innerhalb von wenigen Jahrzehnten zum vorherrschenden Haustyp auf. In Berlin zum Beispiel kletterte zwischen 1860 und 1890 der Anteil der Mietparteien, die im dritten Stock und noch höher lebten, auf vierzig Prozent der Einwohnerschaft; in den meisten anderen Großstädten lag diese Zahl bei dreißig Prozent. Mit dem Siegeszug solcher Mietsilos war die Abwanderung aus dem Stadtkern verbunden, wo sich im Zeichen förmlich explodierender Quadratmeterpreise die City der florierenden Geschäfte, der Dienstleistungs- und Verwaltungsbauten herausbildete. In der Hamburger Innenstadt wohnte 1910 nur noch ein Zehntel der Stadtbevölkerung – 1871 war es noch die Hälfte gewesen –, wogegen siebzig Prozent in die Vororte abgezogen waren.

Während die städtische Baukonjunktur anhielt, trat die klassenspezifische Segregation der Wohnviertel immer schärfer hervor. Auffällig war die «Gunstlage» der bürgerlichen Stadtteile bis hin zu den parkähnlichen Luxusgebieten mit ihren Villen. Kraß unterschied sich davon die «Ungunstlage» der Arbeiterquartiere bis hin zu den Slums der noch immer pauperisierten Unterschichten. Bei der Verteilung der Einwohner auf räumlich getrennte Stadtteile arbeiteten zwei Steuerungsmedien zusammen. Die Rolle des Hauptregulators spielte der Wohnungs- und Bodenpreis. Ein Beispiel: Die Mieten in einem exklusiven Hamburger Oberklassenviertel lagen achthundertmal höher als in den erbärmlichen Unterschichtquartieren! Zum zweiten wirkten sich auch, wenngleich weniger durchschlagend, soziokulturelle Barrieren und Selektionsmechanismen aus, die Großunternehmer oder Facharbeiter, Angestellte oder «alten Mittelstand» in jeweils eigenen Vierteln zusammenrücken und bleiben ließen.

Durch solche eindeutig selegierenden Filter wurde die ungeheure Nachfrage hindurchgetrieben, die trotz der hohen Aufschwünge der Baukonjunktur unersättlich andauerte. Da die Zeitgenossen die neuartigen Formen der Verstädterung und die endlosen Wellen der Binnenwanderung zum ersten

Mal als eine geradezu überwältigende Erfahrung erlebten, verfestigte sich ihr Protest gegen das «Wohnungselend» und die überhöhten Mieten zu einer bitteren Daueranklage, zumal die «Erfahrung sozialer Ungleichheit durch die räumliche Segregation... entlang den Klassengrenzen» tagtäglich vertieft wurde. Diese Polemik ist von frühen bürgerlichen Sozialreformern, von Kennern im «Verein für Sozialpolitik», von den hochkarätigen sozialdemokratischen Kommunalexperten ernst genommen worden. Die Folge war eine Fülle von realistischen Untersuchungen, von deren Ergebnissen jede kritische Analyse bis heute zehrt.

Dagegen ist neuerdings der massive Vorwurf erhoben worden, daß es in solchen Erfahrungsberichten von «propagandistischen Halbwahrheiten» wimmele, denen bis heute zu «wenig statistisch gesichertes Wissen» entgegengesetzt werde. Nun gibt es natürlich überhaupt keinen Grund, die Wohnverhältnisse in der alten Stadt zu idyllisieren, um vor dieser Folie die Urbanisierung um so düsterer erscheinen zu lassen. Wohl aber gibt es gute Gründe, sowohl die nüchterne Bestandsaufnahme sachkundiger Zeitgenossen anzuerkennen als auch die eventuell verzerrte Perzeption pressierender Probleme zu korrigieren. Mit einer apologetischen Verharmlosung der Wohnungsnot von Millionen Menschen und dem naiven Aberglauben an die alleinseligmachende Statistik als letzte Instanz wird man diesen Fragen nicht gerecht.

Die Fluktuationen der Wohnungsnachfrage und des Mietpreises sind deutlich zu erkennen. In den frühen siebziger Jahren – bedingt durch den überschäumenden Boom der «Gründerjahre» –, in der zweiten Hälfte der achtziger Jahre – getragen von der Prosperitätsphase und dem Reallohnanstieg – und seit 1900 – wiederum von der Hochkonjunktur verursacht – liegen die Höhepunkte der Nachfrage, die wesentlich auf die Zuwanderungswellen und das Bevölkerungswachstum während des ökonomischen Aufschwungs zurückzuführen sind.

Diesem Nexus entsprechend, zogen die Mietpreise zu Beginn der siebziger Jahre an, bis ein langsames Abflachen auf hohem Niveau einsetzte. Ein neuer Anstieg folgte seit der Mitte der achtziger Jahre, bevor 1890 wieder der vorhergehende Stand erreicht wurde. Zwischen 1900 und 1905 kletterten die Mieten auf den Gipfelwert der frühen siebziger Jahre; seit 1913 wurde selbst er noch überschritten. Während dieser drei Perioden einer Nachfragehausse wurde auch Jahr für Jahr der sogenannte Hassesche Standard unterschritten, wonach in einer Stadt maximal drei Prozent der Wohnungen leer stehen sollten.

In den Phasen einer weniger scharf ausgeprägten Nachfrage bildete sich aber auch öfters ein Überangebot an Wohnungen heraus, die eine beträchtliche Zeit leer stehen konnten. So fanden um 1895 in Berlin ca. dreißigtausend, in Hamburg ca. fünfzehntausend Wohnungen keinen Mieter – das war immerhin das Drei- bis Fünffache der jährlichen Bauproduktion in diesen Städten. Da es sich dabei ganz überwiegend nicht um große Wohnungen für

Interessenten aus den höheren Einkommensklassen handelte, kann man, rein vom numerischen Angebot her, keinen «kontinuierlichen Kleinwohnungsmangel» konstatieren.

Was besagt aber schon ein solches abstraktes Angebot, wenn man es nicht mit der spekulativen, ständig nach oben tendierenden Mietpreisfixierung der Besitzer und dem Mietspiegel der klassenspezifischen Wohnviertel konfrontiert? Wohnungsvermieter kannten die Zwangslage von Arbeitern, möglichst betriebsnah eine Unterkunft zu finden; sie kannten die Unerfahrenheit der ländlichen Zuwanderer; sie kannten ihr eigenes Machtmonopol im Hinblick auf Vertragsdauer und Kündigungsrecht. Nein, Schwabes «Gesetz», daß der Mietanteil an den Haushaltsausgaben um so höher liege, je geringer das Erwerbseinkommen ausfalle, galt auch im Kaiserreich weiter. Die extrem hohe innerstädtische Mobilität ist ein Indiz für die ewige Suche nach erschwinglichem Wohnraum. Ein weiteres sicheres Indiz für die materielle Dürftigkeit zahlreicher Familien ist auch die Tatsache, daß mindestens ein Viertel aller Haushalte – in München zum Beispiel waren es sogar sechsundfünfzig Prozent – noch Untermieter oder Schlafgänger aufnehmen mußte, um seine Ausgaben zu bewältigen.

Schleppend langsam, für die miterlebenden Zeitgenossen nur allmählich spürbar, setzte jedoch seit etwa der Jahrhundertwende ein positiver Gegentrend an. Die Hochkonjunktur, das Reallohnniveau und die Wohnraumexpansion lagen ihm zugrunde. Man kann ihn etwa an der sinkenden Belegungsdichte der einzelnen Räume ablesen. Im Sonderfall Berlins fiel sie von 1890 = 1.91 bis 1910 nur auf 1.83 Personen. In Hamburg gingen die Ziffern von 1.4 auf 1.2, in München von 1.15 auf 1.12 zurück. Das sieht wie eine ridikulös anmutende Verringerung aus, bestätigt aber den Trend. Außerdem sollte man die damalige Belegungsdichte auch nicht für einmalig hoch halten. In der frühen Bundesrepublik lag sie bis 1956 bei 1.4, erst seit 1972 unter 1, bei 0.9. Vor 1914 wurde mithin in dieser Hinsicht ein Durchschnittswert erreicht, den die Bundesrepublik erst in den 1960er Jahren erneut erzielt und seither stetig verbessert hat.

Auf lange Sicht wichtig war auch die Verbesserung der Wohnqualität und die Anhebung der Ausstattungsstandards. Fragt man nach heizbaren Räumen, besaßen zum Beispiel in Berlin um 1875 von allen Haushalten 51.3 Prozent nur ein einziges heizbares Zimmer; 25.3 Prozent hatten zwei, nur 10.4 Prozent drei warme Räume. Bis 1910 haben sich diese Wohnbedingungen etwas, obwohl wieder nur geringfügig, verbessert. Immer noch konnten neunundvierzig Prozent der Haushalte nur ein Zimmer heizen, achtundzwanzig zwei und ganze elf Prozent drei Räume. Erneut erweist sich jedoch die Reichshauptstadt als negativer Sonderfall. In einer anderen Großstadt, dem fast ebenso schnell wachsenden Hamburg, sanken nämlich über denselben Zeitraum hinweg die Ziffern für ein heizbares Zimmer von 44.5 auf 15.7 Prozent, dagegen stiegen sie für zwei Räume von 24.4 auf vierunddreißig

Prozent und für drei von 12.2 auf dreißig Prozent. Hinter diesen wenigen Zahlen verbirgt sich ein unleugbarer Gewinn an Lebensqualität.

Ebenso unübersehbar ist die zunehmende Ausstattung mit fließendem Wasser und Wasserklosetts. Bis 1900 waren ca. fünfzig Prozent der Wohnungen in dieser Hinsicht renoviert oder von vornherein eingerichtet worden. Die größten Lücken fanden sich im Altbaubestand sowie in den Mietskasernen der siebziger bis neunziger Jahre, so daß für Unterschichtenmieter diese Errungenschaften meist eine Rarität blieben. Facharbeiter, Meister, Angestellte aber kamen zunehmend in ihren Genuß. Bis 1914 hatten sich die Wohnverhältnisse, wie der vergleichende Rückblick auf die vergangenen Jahrzehnte viele Mieter belehrte, in erheblichem Umfang verbessert. In einer umfangreichen Enquete kam der «Verein für Sozialpolitik» 1914 trotz aller berechtigten Kritik zu eben diesem Ergebnis, und der mit der Leitung beauftragte Leipziger Sozialwissenschaftler Franz Eulenburg, alles andere als ein Sprachrohr der Hausbesitzer- und Vermieterinteressen, konstatierte nüchtern, daß die reale Einkommenssteigerung seit 1890 die angewachsenen Mietkosten deutlich übertreffe.[5]

Mit den neuartigen Lebensbedingungen in den unaufhörlich expandierenden großen Städten war auch ein Verhaltenswandel verbunden, den die konservative Kulturkritik häufig maßlos übertrieben oder wegen ihrer Idealisierung der ländlichen Vergangenheit schlechthin erfunden hat. Veränderungen auf lange Sicht aber gab es in der Tat. Öfters nicht einmal zuerst in den neuen Industriestädten, wo sie insgesamt am intensivsten waren, sondern in älteren Städten, wo bereits etablierte Strukturen in Frage gestellt wurden, oder in Großstädten, wo sich eine hinreichende soziale Integrationskraft nur langsam entfalten konnte.

Gegen den Vorwurf, daß junge Leute, wider die bewährte Sitte, viel zu früh eine Ehe eingingen und in eine schwierige Zukunft verantwortungslos hineinlebten, kann man konstatieren, daß das Hochzeitsalter, durchaus in der Tradition des «europäischen Heiratsmusters», weiterhin hoch blieb. Bei den jungen Frauen lag es zwischen fünfundzwanzig und neunundzwanzig Jahren. Bei den Männern stieg es sogar noch etwas an, da sie auf der Suche nach einem sicheren Arbeitsplatz, der wegen des lebenszyklisch bedingten späten Lohnanstiegs eine Familie zu ernähren gestattete, mehr Zeit als früher brauchten.

Die Fertilität sank in den Städten seit den 1880er Jahren schneller als auf dem Lande, seit etwa 1900 auch schneller als die Mortalität. Eine relativ hohe Geburtlichkeit hielt sich aber in den Familien der industriellen Arbeiterschaft. Die vielen Kinder in den Unterschichtenquartieren erzeugten in einer Zeit, in der die Kinderzahl in den städtischen Mittel- und Oberklassen tendenziell sank, den Eindruck eines ungezügelten Wachstums. Im Vergleich mit dem Landproletariat bemühten sich städtische Arbeitereltern aber viel früher um eine Familienplanung und Geburtenkontrolle.

Die städtischen Sterberaten gingen seit dem Beginn der achtziger Jahre in eine langlebige Abschwungbewegung über. Fatal lange lag jedoch noch die Säuglingssterblichkeit erheblich über dem Niveau der ländlichen Regionen. Erst seit der Jahrhundertwende sank sie bei den ehelichen und illegitimen Geburten deutlich darunter.

Unter den jungen städtischen Ehepaaren drang die Mischehe relativ zügig vor. Das enthüllte an einer für die Orthodoxen aller Kirchen empfindlichen Stelle, wie sich die Verbindlichkeit konfessioneller Dogmen abschwächte. Die stärkere Säkularisierungstendenz in den großen Städten und die Abwesenheit der dörflichen Sozialkontrolle wirkte sich auch unter den Zuwandernden aus den katholischen Gebieten Posens, Westpreußens und Schlesiens aus. Für die Protestanten lag die Hemmschwelle offenbar ohnehin ungleich niedriger.

Während die Mischehe vor allem als Verrat des katholischen Glaubens galt, war in beiden christlichen Konfessionen die Perhorreszierung der Scheidung gleich stark ausgeprägt. Trotzdem stieg die Zahl der Scheidungen, nachdem sie durch die Zivilehegesetzgebung des «Kulturkampfes» erleichtert worden waren, seit dem Beginn der neunziger Jahre, verstärkt seit 1895 an. Im katholischen Bevölkerungsteil blieb der Anteil geschiedener Ehen noch recht gering. Im evangelischen nahm er deutlich zu. Das hing damit zusammen, daß sich grundlegende Mentalitätsveränderungen – wie die Öffnung gegenüber Säkularisierung, Rationalisierung und Individualisierung – wegen der begünstigenden historischen Voraussetzungen für die protestantischen Mittelklassen, sehr deutlich etwa für den «neuen Mittelstand», dort schneller durchsetzten. Dem entsprach die Abwertung des Sakraments der Ehe einerseits, die Aufwertung ihres Verständnisses als eines – eventuell zeitlich begrenzten – Kontraktes andrerseits. Es war daher alles andere als ein Zufall, daß vor 1914 auf Berlin und den Regierungsbezirk Potsdam, das künftige «Großberlin», mit einer überwiegend protestantischen Bevölkerung nicht weniger als ein Drittel aller preußischen Scheidungen entfiel.

Im Hinblick auf den vielbeschworenen Anstieg der illegitimen Kinder läßt sich zunächst kein klarer Trend erkennen, bevor gegen Ende des Jahrhunderts die Rate in den Städten diejenige des platten Landes übertraf. Seit ca. 1900 vergrößerte sich dieser Vorsprung, bis er 1910 sogar ein Verhältnis von zehn zu 5.9 Promille erreicht hatte. Erneut sind aber zwei Einschränkungen geboten. Keineswegs alle Städte besaßen eine gleichmäßig hohe Quote unehelicher Kinder. Vielmehr trieben erst die weit über dem Durchschnitt liegenden Ziffern in den Universitäts- und Garnisonsstädten sowie in den Regionalzentren die Gesamtzahl in die Höhe. Auffallend gering blieb die Unehelichenquote in den westdeutschen Industriestädten, wo das riesige Wanderungsvolumen den Sittenzerfall angeblich förderte.

Unstreitig stieg dagegen die Zahl der städtischen Prostituierten an, obwohl hier die Dunkelziffer die wahre Größenordnung verschleiert. Die Prostitution konzentrierte sich einmal in privatwirtschaftlich betriebenen Bordellen, die der sittenpolizeilichen Kontrolle unterlagen. Zum andern ging die «freie» Prostitution eine Fusion mit Teilen des Vergnügungsmilieus ein. Mit der Urbanisierung wuchs, insbesondere in den Großstädten, das Reservoir der männlichen Kundschaft an. Schrille Warnungen vor der Ausdehnung des Gunstgewerbes, der Geschlechtskrankheiten, der schlüpfrigen Amoralität «der» Städter fachten eine öffentliche Diskussion an, die seit den späten neunziger Jahren in den «Freudenmädchen» und ihren «Freiern» ein zentrales ethisches, hygienisches und soziales Problem der großen Städte erblickte.

Währenddessen hatte schon der Rückgang des Bordellwesens eingesetzt. München zum Beispiel besaß 1889 zweiunddreißig «Freudenhäuser» mit jeweils drei bis zehn Mädchen, bis 1910 waren die letzten verboten. In Hamburg wurden 1876 tausendfünfzig Mädchen in Bordellen ausgebeutet, 1910 konnten nur noch siebenhundertachtzig erfaßt werden. Durchweg zogen sich die Prostituierten in einzelne Straßenzüge zurück, hingen aber auf dem «Strich» von ihren Zuhältern ab, oder sie wurden in sogenannten Sperrbezirken kaserniert. Viele tauchten in der Anonymität der Großstadt unter, so daß die Sittenpolizei, entgegen der faktischen Expansion der «käuflichen Liebe», immer weniger «Dirnen» registrierte. Ihre Zahl ging angeblich in Berlin zwischen 1890 und 1910 von viertausendsiebzig auf dreitausendsiebenhundert, in Hamburg von tausendzweihundertsiebzig auf neunhundertfünfunddreißig, in München von zweihundertdreißig auf hundertfünfundsiebzig zurück. Aber jeder Kenner wußte, daß die Menge der von Gaststätten oder privaten «Etablissements» aus auf eigene Faust ständig oder je nach Gelegenheit operierenden Mädchen weit größer war. Ob trotzdem die Prostitution wirklich disproportional stark angewachsen ist, bedarf noch der empirischen Klärung. Eine Gesellschaft, die ihre rigiden sexualmoralischen Standards mit viel Heuchelei weiter verteidigte, konnte im Prinzip nicht verhindern, daß «Ventilsitten» den Befolgungsdruck auflockerten.

Zeitweilig kaprizierte sich die Kritik auch darauf, die Haltlosigkeit und die psychische Labilität der Städter als Folge der Unmenschlichkeit und Belastungen ihres Lebens an den Selbstmordziffern abzulesen. Tatsächlich lag die Suizidrate in den Großstädten deutlich höher als auf dem Lande, wo sie in katholischen Regionen am niedrigsten blieb. Mit der Binnenwanderung und Urbanisierung stieg sie auch seit den siebziger Jahren weiter an. In großen, überwiegend protestantischen Städten erreichte sie ihre Höchstwerte. Erneut ist es aber aufschlußreich, daß die westdeutschen Industriestädte, wo sich die Probleme der Wanderungsströme, der Verstädterung und der Konjunkturfluktuation am krassesten akkumulierten, am Schluß der

Selbstmordstatistik lagen. Ein Indiz individueller Lebenskrisen und Orientierungsschwierigkeiten, die sich namentlich in den Großstädten häuften, bleibt der Suizid. Aber jede lineare Rückführung auf die Urbanisierung im allgemeinen und die von ihr angeblich ausgelöste Anomie macht sich die Interpretation zu leicht.

Vergleichbaren Problemen steht die vertraute Behauptung gegenüber, daß wachsende Kriminalität ein typisches Kennzeichen der Verstädterung gewesen sei. Wie sieht die empirisch erfaßbare Realität aus? Die reichsdeutsche Kriminalitätsrate fluktuierte im Zeitverlauf, obwohl die Bevölkerung eine sechzigprozentige Zunahme erlebte, um eine relativ niedrig bleibende Trendkurve mit einem insgesamt sehr maßvoll ausgebildeten Anstieg. Auf hunderttausend Einwohner entfiel nämlich in bestimmten Stichjahren die folgende Deliktzahl: 1882: 568, 1890: 667, 1900: 745, 1910: 668, 1913: 662. Die Größenordnung der jährlich Verurteilten veränderte sich in absoluten Zahlen ebenfalls mäßig: Sie stieg von 1003 auf 1190, mithin um siebzehn Prozent an, was zum Teil auf die verbesserte Verfolgungseffizienz zurückzuführen ist. Zwischen 1900 und 1914 gab es keine höhere Diebstahlsrate als zwischen 1870 und 1880. Die Mordrate fiel bis 1900 sogar ab (von 516 auf 275 p.a.), kletterte danach aber auffällig steil um 453 Prozent bis 1914 auf 1459 in die Höhe.

Eine genauere Überprüfung der Kriminalitätsentwicklung widerlegt sowohl die sogenannte Schwellentheorie, wonach mit dem Beginn der Hochurbanisierung ein pathologisch hoher Anstieg der Delikte eingesetzt habe; sie relativiert darüber hinaus die oft unterstellte direkte, monokausale Wirkung der Urbanisierung und Industrialisierung im Sinn einer platten «Modernisierung des Verbrechens».

Ermittelt man für 1885 die Spitzenwerte der Eigentumsdelikte in den preußischen Regierungsbezirken (je 100000), erscheinen die überwiegend ländlichen Ostgebiete weit vorn an der Spitze: 1. Gumbinnen (1120), 2. Bromberg (1060), 3. Marienwerder (865), 4. Oppeln (826), 5. Posen (824), 6. Königsberg (786), 7. Danzig (779), 8. Berlin (625!), 9. Breslau (606) und 10. Stettin (445). Geht es um die Spitzenwerte der Körperverletzungen bis hin zum Totschlag und Mord, ergibt sich in wesentlichen Punkten dieselbe Hierarchie: 1. Oppeln (685), 2. Bromberg (626), 3. Posen (548), 4. Königsberg (541), 5. Marienwerder (496), 6. Breslau (476), 7. Gumbinnen (470), 8. Danzig (468), 9. Stettin (445) und 10. Köslin (408). Überall lag die Delinquentenrate in den Agrarregionen weit vorn. Von den industriellen Ballungsgebieten tauchte außer Berlin nur ein Teil von Oberschlesien auf.

Fragt man nach der Entwicklung der Kriminalität in den Stadtkreisen von der Jahrhundertwende bis zum Weltkrieg, tritt die Deliktkonzentration im östlichen Preußen noch einmal verblüffend klar hervor. Zwischen 1903 und 1912 behielten jährlich die höchste Durchschnittsrate: 1. Königshütte (3256), 2. Kattowitz (3178), 3. Gleiwitz (2773); hinter diese drei oberschlesischen Stadtkreise schoben sich Oberhausen (2439) und Köln (2396), dicht gefolgt wiederum vom oberschlesischen Beuthen (2345) und dem ostpreußischen Tilsit (2444). Zu dieser Zeit lagen also die schwerindustriellen Konurbationen des oberschlesischen Reviers eindeutig oben. Von den Industriestädten des Ruhrreviers und Sachsens, des Saargebiets und Lothringens tauchte als einzige die artifizielle Neugründung Oberhausen auf. Übrigens erreichte die Reichshauptstadt als vermeintliches «Sündenbabel», das die durchschnittliche Kriminalitätsrate des Reichs gewöhnlich um zwanzig bis dreißig Prozent übertraf, im selben Zeitraum mit 1602 Fällen knapp die Hälfte der Königshütter Rate.

Offensichtlich ist es irreführend, in allgemein beschriebenen Phänomenen wie der Verstädterung, der Industrialisierung, dem Bevölkerungswachstum und dann in der diffusen Vorstellung von einer eben deshalb grassierenden Anomie die ausschlaggebenden Gründe für die Kriminalität zu suchen. Vielmehr lenken die neueren Forschungsergebnisse auf ein anderes Ursachenbündel hin: Die Überschneidung von klassenspezifischer Armut, ökonomischen Fluktuationen, ethnischen, soziokulturellen und regionalen Unterschieden scheint den günstigsten Nährboden für Reaktionen auch in Gestalt von kriminellen Normverletzungen geschaffen zu haben. So stieg etwa besonders in ländlichen Gebieten die Diebstahlshäufigkeit, wenn die Getreidepreise längere Zeit hochzogen. So stieg auch die Zahl der Körperverletzungen und Eigentumsdelikte, wenn arme preußische Polen und Deutsche, deren Verhältnis durch den Nationalitätenkonflikt zunehmend vergiftet wurde, in industriellen Ballungszentren aufeinandertrafen und noch nicht friedlich zu koexistieren gelernt hatten.

Diese Motivkomplexe stehen auch hinter der Unterscheidung von zwei klar trennbaren Phasen der Kriminalitätsentwicklung. Bis 1900 herrschten offenbar in den ostdeutschen Agrargebieten die größten – durch soziale Ungleichheit, ethnische Gegensätze und soziokulturelle Divergenzen verursachten – Spannungen im Verein mit der tiefsten Armut. Das belegen die quantifizierten Ergebnisse der gegenwärtigen Kriminalitätsforschung. Seit 1900 aber ballte sich als Folge der unersättlichen Arbeitskraftnachfrage der Industrie, der Ost-West-Wanderung und des forcierten Vordringens der Urbanisierung ein Kriminalitätspotential vor allem in den Industriestädten zusammen. Denn dort waren jetzt die neue ethnische Mischung, der typische Zusammenprall soziokultureller Traditionen und das erlebte Wohlstandsgefälle am schärfsten ausgeprägt. Als Konsequenz davon ergab sich die vermehrte Kriminalität in Industriestädten und industriellen Agglomerationen, wie das die oberschlesischen Kreise unterstreichen.

Auch der mit Furcht und Schrecken wahrgenommene Kriminalitätsanstieg im Vorkriegsjahrzehnt blieb im internationalen Vergleich noch immer auf einem niedrigen Niveau. Schon in der zeitgenössischen Reformdebatte darüber, wie man das Leben in modernen Großstädten sicherer, gesünder, attraktiver, kurz: lebenswert gestalten könne, wurde das hohe Maß an Sicherheit in den deutschen Städten hervorgehoben. In Europa besaß nur noch Holland eine so flache Kriminalitätskurve. In Italien lag dagegen die Mordrate zwanzigmal so hoch – von den Verhältnissen in amerikanischen Großstadtslums ganz zu schweigen.[6] Die Frage nach der Sicherheit des Lebens in den Städten lenkt auf politische Aufgaben hin.

Da sich die Urbanisierung innerhalb der Zeitspanne von einer Generation zu einem gesamtgesellschaftlichen Wandlungsprozeß größten Ausmaßes entwickelte, stand die städtische Kommunalpolitik plötzlich einer Vielzahl von herandrängenden Problemen gegenüber. Schon das erzeugte einen hohen Handlungsdruck. Darüber hinaus öffneten sich ständig auch neue Politikfelder, auf denen eine Bewährungsprobe nach der anderen verlangt wurde, ohne daß historische Traditionen ohne weiteres das Vorbild für eine stabilisierende Orientierung, die Methodik der Problembewältigung, den Zielentwurf auf lange Sicht abgeben konnten. Auf der anderen Seite besaßen die deutschen Städte zu dieser Zeit – im vorgegebenen gesetzlichen Rahmen und mit dem üblichen staatlichen Genehmigungsvorbehalt – ein relativ hohes Maß an politischer Autonomie, die von tatkräftigen, reformwilligen Kommunalpolitikern und Verwaltungsfachleuten genutzt werden konnte.

Die Erfolge und Grenzen der städtischen Kommunalpolitik lassen sich am besten unter einigen Sachgesichtspunkten erörtern. Auf diese Weise wird deutlich, wie die moderne städtische Welt, in der heutzutage die erdrückende Mehrheit der Bundesbürger lebt, vor achtzig bis einhundertzwanzig Jahren Schritt für Schritt geschaffen worden ist.

1. Die neue Energiequelle des Gases, damals geradezu das leuchtende Symbol städtischen Fortschritts, hatten zahlreiche deutsche Städte, dem englischen Vorbild nacheifernd, ziemlich schnell zu erschließen begonnen (vgl. vorn 5. Teil, I. und hinten Übersicht 72). Gaslampen dienten zuerst zur Straßenbeleuchtung. Wichtiger wurde alsbald die private Nutzung als Leucht-, Heiz- und Kochgas. Zu Beginn hat man die Gaswerke durchweg als Privatunternehmen betrieben. Noch während der ersten Gründungswelle von etwa 1850 bis 1885 drang jedoch seit den späten sechziger und in den siebziger Jahren die Kommunalisierung des privaten Gasmonopols vor. 1870 traf das schon auf dreiunddreißig Prozent von dreihundertvierzig Werken zu. Diese Tendenz verstärkte sich während der beiden Jahrzehnte vor 1914, so daß schließlich vier Fünftel als Gemeindebetriebe geführt wurden: 1913 waren es achtundsiebzig Prozent von 1385 Unternehmen.

2. Als ungleich folgenreicher sollte sich die Einführung der Elektrizitätswirtschaft erweisen. Sie basierte auf zwei entscheidenden technischen Innovationen: auf Werner v. Siemens' Dynamomaschine und auf Thomas Edisons Kohlefaden-Glühlampe. Obwohl es keine zwingende kommunale Verwaltungspflicht dafür gab, wurden zur Befriedigung der Bedürfnisse, welche Handel, Handwerk und Industrie im Hinblick auf diese neue Licht- und

Motorenergie entdeckten, seit den späten achtziger Jahren zuerst private, nach dem Vorbild der Gasanstalten aber auch zunehmend kommunale Elektrizitätswerke gebaut. Bis 1907 besaßen zwei Drittel der großen und mittleren Städte Elektrizitätswerke, deren Mehrheit sich noch in privater Hand befand. Zum wichtigsten Abnehmer stieg seit den neunziger Jahren die elektrische Straßenbahn auf. Mit ihrem Vordringen als städtisches Verkehrsmittel erhielt auch die Kommunalisierung der Elektrizitätswerke neuen Auftrieb.

Die Tatsache, daß sie einen erheblich geringeren Gewinn als die Gasanstalten abwarfen, war jedoch nicht die Ursache des strukturellen Wandels der expandierenden Elektrizitätswirtschaft. Vielmehr erwies sich die Vielzahl kleiner, lokaler, dezentralisierter Stromerzeuger als Irrweg, die weiträumige Stromlieferung durch leistungsfähige Überlandwerke demgegenüber als weit überlegen. Sie übernahmen seit etwa 1900 die lukrative Versorgung größerer Städte von fünfzigtausend Einwohnern ab aufwärts. Bis 1914 operierten bereits hundert solcher Großerzeugungsanlagen, die überwiegend als kommunale oder als gemischtwirtschaftliche Unternehmen betrieben wurden (s. Übersicht 72). Das Zukunftspotential, das diese weit ausgreifenden, mit neuartigen Fernleitungen einen wachsenden Markt versorgenden Stromwerke in sich bargen, wurde von aufgeschlossenen Privatunternehmern frühzeitig gesehen. Noch vor dem Weltkrieg haben zwei prominente Figuren des Ruhrgebiets, Hugo Stinnes und August Thyssen, das «Rheinisch-Westfälische Elektrizitätswerk» gegründet. Unter Beteiligung zahlreicher Gemeinden wuchs das RWE zu einem gemischtwirtschaftlichen Riesenunternehmen heran, das in Westdeutschland ein Quasimonopol aufbauen konnte.

3. Die seit dem Mittelalter vorherrschende private Nutzung von Quellen und Grundwasser, von Flüssen und Bächen bedeutete wegen der Vergiftung durch die Fäkalien und Abfälle, deren Menge mit dem Städtewachstum ebenfalls stark anstieg, daß zunehmend verdorbenes Wasser verbraucht wurde. Infektionskrankheiten und Epidemien belehrten immer wieder über die verheerenden Folgen. Deshalb wurde mit der öffentlichen Wasserversorgung durch zentrale Werke ein neuer Standard gesetzt, hinter den die Städte nicht mehr zurückkonnten. Im Gegenteil, sie mußten die Wasserqualität ständig verbessern, zumal sie anfangs oft noch unbefriedigend war, wenn etwa Wasser aus belasteten Flüssen ungefiltert entnommen wurde.

Die Wasserwerke wurden meist sofort kommunalisiert. Kurioserweise galten sie zuerst als steuerpflichtige öffentlich-rechtliche Betriebe; erst 1891 wurden sie von der Gewerbesteuer befreit. Nach der Blütezeit ihrer Errichtung in den siebziger/achtziger Jahren – 1871 hatte es erst siebzehn gegeben –, setzten sie sich in den größeren Städten schnell durch (s. unten Übersicht 72). Bis 1910, als vierundneunzig Prozent der mehr als fünfzehnhundert Werke in städtischer Regie betrieben wurden, waren fünfundneunzig Prozent der Bevölkerung in Städten mit über fünftausend Einwohnern an ihr Versorgungsnetz angeschlossen. Innerhalb von zwanzig bis dreißig Jahren war sauberes, regelmäßig fließendes Wasser für den Städter zu einer Selbstverständlichkeit geworden.

4. Die massenhafte Verstädterung und der riesig anwachsende Wasserverbrauch machten die geregelte Entsorgung – bisher hatten Jauchegruben, offene Gräben, Wasserläufe, vor allem die Straßen dazu gedient – zu einer unabweisbaren Notwendigkeit, wenn man nicht eine unkalkulierbare Dauergefahr für die Gesundheit von Hunderttausenden riskieren wollte. Seit etwa 1880 wurde Straße für Straße, schließlich in fast allen Vierteln das städtische Kanalsystem ausgebaut. In Berlin zum Beispiel hatte Hobrecht, dank Virchows unnachgiebigem Drängen, bereits 1873 mit dem Bau eines unterirdischen Kanalsystems begonnen, das frühzeitig auch die Vorstädte erreichte. Andere Städte folgten diesem Vorbild. Bis 1907 waren alle Großstädte, auch viele größere Städte, mit modernen Tiefkanälen ausgestattet, von den Kleinstädten und Landgemeinden unter zweitausend Einwohnern dagegen nur ein halbes Prozent.

Die Schwemmkanalisation bedeutete für die deutschen, überhaupt für die europäischen Städter des ausgehenden 19. Jahrhunderts «eine kulturelle Revolution ersten Ranges», da diese Form des Umweltschutzes die schlechthin katastrophale hygienische Situation, die in den Städten seit ihrer Gründung geherrscht hatte, endlich beendete. Gleichzeitig wurde durch die Einführung des Wasserklosetts zwar die Wohnqualität immens verbessert, aber auch das Problem der Abwässerbeseitigung verschärft. Es konnte durch die Einrichtung kostspieliger Kläranlagen mit einem weitläufigen Verrieselungsgelände gelöst werden.

Profane Probleme sind das in der Tat. Aber daß die Städte sie im Verlauf der Hochurbanisierung mit all ihren anderen Schwierigkeiten innerhalb weniger Jahrzehnte zu bewältigen verstanden, erhöhte ihre Anziehungskraft. Zum ersten Mal konnte man dort gesünder und bequemer leben als auf dem Lande.

5. Den Bau fester Straßen haben die Städte durchweg zügig vorangetrieben. Gepflasterte Fahrbahnen mit abgehobenem Bürgersteig traten an die Stelle der alten Lehmwege, die Reitern und Fußgängern, Karrenschiebern und Pferdefuhrwerken gedient, Abfälle aller Art und als Kloake die Abwässer aufgenommen hatten. Mit der Expansion der Städte meldete sich währenddessen ein neues Problem an: die Überwindung der wachsenden Entfernung zwischen Wohnung und Arbeitsplatz.

Im Jahre 1871 sind alle deutschen Städte noch «Fußgängerstädte» gewesen. Selbst im großflächigen Berlin mußte man bis zu seinem Ziel gewöhnlich maximal vier bis fünf Kilometer hinter sich bringen. 1914 aber besaß Berlin – ohne seine Vorstädte – einen Durchmesser von fünfzehn Kilometern, Hamburg von zehn Kilometern. Dort mußten bereits 1890 rund fünfzigtausend Arbeiter morgens und abends einen ein- bis anderthalbstündigen Fußweg auf sich nehmen. Seit den achtziger Jahren wurden daher Nahverkehrsmittel wie vor allem die von Pferden gezogene Straßenbahn zügig ausgebaut.

Einen wahren Entwicklungssprung aber gab es seit den neunziger Jahren, als die elektrische Straßenbahn ihren Siegeszug antrat, nachdem die amerikanischen Städte mit Trams bereits vorangegangen waren. Große Elektrokonzerne wie Siemens und AEG sprangen den Kommunen beim Bau der Kraftstationen und der Anschaffung des ersten Wagenparks bei, um die Nachfrage nach ihren Produkten kontinuierlich zu stimulieren. Das gelang, denn das neue Verkehrsmittel setzte sich rasch durch. 1910 besaßen es bereits siebenundachtzig von vierundneunzig reichsdeutschen Städten mit mehr als fünfzigtausend Einwohnern, häufig sogar in der Gestalt dichter, geschlossener Verkehrssysteme (s. Übersicht 72). In den Großstädten entfielen jetzt bereits jährlich dreihundert Fahrten auf jeden Einwohner (1871: elf). Trotzdem: Auch die Straßenbahn diente noch dem Nahtransport der Besserverdienenden. Arbeiterleben in einem Vorort hieß auch: zusätzliche Belastung mit Fahrtkosten, die nicht leicht zu erschwingen waren.

In Berlin nahmen Stadt und Staat, als die Hauptstadt wie eine Krake in ihr Umland ausgriff, die Nahverkehrsmittel in ihre eigene Regie. Die Stadteisenbahn, die Straßenbahn, der Pferdeomnibus, schließlich U-Bahn, S-Bahn und Autobussystem wurden aufgekauft oder von Anfang an als öffentliche Unternehmen geführt. Andere Städte überließen Privatfirmen das kapitalintensive Geschäft. Bis 1914 blieben in diesem Bereich die Kommunalbetriebe noch in der Minderheit, obwohl auch hier die Zeichen eindeutig auf den stadteigenen Verkehrsverbund hinwiesen. Längst hatten außerdem die Stadtpolitiker erkannt, daß der zielstrebige Bau von elektrischen Eisenbahnen ihnen ein vorzüglich geeignetes Instrument an die Hand gab, um Stadtentwicklung, Citybildung und Siedlungspolitik voranzutreiben, um Stadtkernsanierung und Bodenwertregulierung zu fördern, um günstige Voraussetzungen für die Vorort- und Umlanderschließung bis hin zur Eingemeindung zu schaffen.

Übersicht 72: Erfolgsbilanz deutscher Kommunalpolitik. Städtische Gemeindebetriebe 1908 (absolute Zahlen und Prozentsatz der Kommunalunternehmen)

Stadtgröße Einwohnerzahl	Anzahl	Wasserwerke	Gaswerke	Elektrizitätswerke	Straßenbahn	Schlachthöfe
1. 2–5000	873	404/46.3%	186/20.6%	104/17.6%	–	223/25.6%
2. 5–20000	602	426/70.8%	333/55.3%	112/18.8%	17/28.0%	352/58.5%
3. 20–50000	134	123/91.8%	112/83.6%	62/46.3%	27/20.2%	101/75.4%
4. 50–100000	44	41/93.2%	32/77.7%	30/68.2%	17/38.6%	43/97.7%
5. +100000	41	38/92.7%	33/80.5%	33/80.5%	18/43.9%	39/95.1%

6. Das Schulwesen war seit langem Gemeindesache. Die Errichtung und Unterhaltung der Gebäude, die Gehälter der Lehrer und ihre Versorgung – das alles oblag den Städten. Erst 1906 wurden aber alle Volksschulen in Preußen kommunalisiert, ihre Kosten in den Stadthaushalt übernommen und aus einem Zuschlag zur staatlichen Einkommenssteuer finanziert; ähnlich sah die Regelung in den anderen Bundesstaaten aus. Bis 1911 stiegen die Kosten auf zweihundertachtzig Millionen Mark. In den kinderreichen Industriestädten mußte fast das gesamte Aufkommen aus der Einkommenssteuer für das Schulwesen verwendet werden.

Über die Elementarschulen hinaus hatten die Städte seit dem Beginn des 19. Jahrhunderts auf städtische Bürgerschulen Wert gelegt, die unterhalb des Gymnasiums eine praxisorientierte Erziehung vermittelten. Daneben traten jetzt Höhere Mädchenschulen, Mittel- und Sonderschulen, insbesondere auch die Berufsschulen, die Lehrlingen eine zusätzliche Ausbildung verschafften. Der bayerische Stadtschulrat Georg Kerschensteiner hat das Berufsschulwesen in München vorbildlich systematisiert. Dieses Vorbild wurde in zahlreichen Städten nachgeahmt. Das hochdifferenzierte städtische Schulsystem von der Volksschule über viele Spezialschulen bis hin zum Gymnasium verkörperte eine kommunalpolitische Leistung, die in den anderen westlichen Ländern ihresgleichen nicht besaß.

7. Eine andere «entscheidende Veränderung der Lebensverhältnisse» während der Urbanisierung wurde im Gesundheitswesen bewirkt. Die städtische Politik verfolgte auf diesem Gebiet weitreichende, ungemein anspruchsvolle Ziele – teils, wie so häufig, auf gravierende Probleme reagierend, teils aber auch von weitsichtigen Ärzten und Politikern beraten und vorangetrieben. Es ging ihr um die Bekämpfung akuter, gefährlicher Krankheiten, wie zum Beispiel der Tuberkulose, die nirgendwo so systematisch und intensiv eingedämmt wurde wie in den großen deutschen Städten. Es ging ihr um die Prophylaxe, etwa durch Massenimpfung, um sozialhygienische Aufgaben wie die Verbesserung der Wohnverhältnisse, der Wasserversorgung und -entsorgung und der Lebensmittelkontrolle, auch um die Straßenreinigung und die Müllabfuhr, schließlich um Badeanstalten, Sportanlagen und Grüngelände zur Erholung.

Seit den 1890er Jahren waren beamtete Stadtärzte für die Aufsicht zuständig, nachdem sich schon seit mehreren Jahrzehnten die sogenannten Armenärzte um die Unterschichtenquartiere aufopferungsvoll gekümmert hatten. (In Berlin zum Beispiel waren es 1912: 118.) Kurz nach der Jahrhundertwende begannen die ersten städtischen Gesundheitsämter damit, die öffentlichen Maßnahmen und Kontrolleingriffe zu koordinieren. Bis dahin hatte sich die Zahl der approbierten Ärzte von 1871 (= 13728) bis 1900 (= 27374) mehr als verdoppelt und nahm bis 1914 noch einmal um fünfzig Prozent auf 34136 zu. Deshalb entfielen jetzt zwar durchschnittlich rund zweitausend potentielle Patienten auf jeden von ihnen (noch immer das Vier- bis Fünffache von heute), aber da sich die akademischen Mediziner vor allem in den größeren Städten konzentrierten, kam ihr Leistungsangebot – unterstützt durch die Sozialpolitik seit den achtziger Jahren – in erster Linie den Stadtbewohnern zugute. Das galt auch für ihre Versorgung durch Apotheken und Krankenhäuser, deren Bettenzahl von 1871 bis 1911 um fast vierhundert Prozent auf ca. 267000 anstieg, so daß zweiundvierzig statt sechzehn auf zehntausend Menschen entfielen.

Wie vorne erörtert, sank auch die Mortalitätsrate in den größeren Städten kontinuierlich ab, zum Beispiel in den Städten mit mehr als fünfzehntausend Einwohnern allein in dem Vierteljahrhundert von 1877 bis 1904 um fünfunddreißig Prozent (von 270 auf 184 je zehntausend). Seit 1900 übertraf endlich auch der Rückgang der Säuglingssterblichkeit und der Mortalität der Ein- bis Fünfzehnjährigen die Rate des flachen Landes. Die gemeingefährlichen akuten Infektionskrankheiten – wie Scharlach, Diphtherie, Masern, Typhus, Keuchhusten, Lungenentzündung, Brechdurchfall – wurden effektiv eingedämmt. Trotz aller unübersehbaren Lücken und Mängel des städtischen Gesundheitswesens wurde doch von ihm bis 1914 ein gewaltiger Schritt nach vorn getan, so daß mit medizinischen und sozialhygienischen Mitteln die Lebensqualität von Millionen Menschen verbessert werden konnte.

8. Zu den ältesten Aufgaben im Fächer der städtischen Leistungen für die Bürgergemeinde gehörte die Armenpflege. Im 19. Jahrhundert hatten die Städte verschiedenartige Unterstützungssysteme wie das «Elberfelder» und das «Genter System» entwickelt, um mit Hilfe der ehrenamtlichen «Armenpflege» und überaus bescheidener Mittel die schlimmsten Auswüchse der Verelendung zu lindern. Das gelang namentlich im Zeichen der Urbanisierung noch schlechter als vorher. So wies zum Beispiel die Reichsarmenstatistik von 1885 1.6 Millionen nicht arbeitsfähiger Armer (3.4% der Gesamtbevölkerung) aus; in den Großstädten rechneten sogar sieben Prozent aller Einwohner zu ihnen. Wie die städtische Armenpolitik mit dem Problem der Dauerarmut, des Asozialentums, des Subproletariats umging, ohne daß ihr in diesem Bereich die neue staatliche Sozialpolitik zu Hilfe kam, soll hier nicht geschildert werden. Vielmehr geht es an dieser Stelle erneut um einige innovative Ansätze der städtischen Sozialpolitik, welche die Klassenkonflikte dämpfen wollte.

Gelegentlich wurden Arbeitsbeschaffungsprogramme gegen die Folgen eines konjunkturellen Abschwungs organisiert. Sie knüpften im Prinzip an den Typus der älteren Notstandsarbeiten an. Von den modernen antizyklischen Eingriffen in den Arbeitsmarkt waren sie noch weit entfernt, zielten aber in die richtige Richtung. Erfolgreicher funktionierte dagegen die Arbeitslosenvermittlung, die nicht nur von Unternehmern und Gewerkschaften, sondern seit dem Beginn des 20. Jahrhunderts auch von städtischen Büros, den späteren Arbeitsämtern, betrieben wurde. 1902 gab es allein in

Preußen schon hundertvierundvierzig solcher Einrichtungen, die sich außerdem in überregionalen «Nachweis-Verbänden» zusammenschlossen.

Die Arbeitslosenversorgung war im ausgehenden 19. Jahrhundert ein klassisches Betätigungsfeld der gewerkschaftlichen Fürsorge. Aber ihre Leistungen blieben notgedrungen extrem bescheiden, und den Auswirkungen der konjunkturellen Fluktuationen, die inzwischen Hunderttausende, ja Millionen von Arbeitern erfaßten, waren sie ohnehin nicht einmal von ferne gewachsen. Problembewußte Kommunalpolitiker griffen die schwierige Frage auf: Bis 1911 gab es die ersten sechs städtischen Versicherungsinstitutionen gegen Arbeitslosigkeit. Im selben Jahr empfahl bereits der «Deutsche Städtetag», der reichsweit operierende Interessenverband der Städte, all seinen Mitgliedern die obligatorische Arbeitslosenversicherung. Diese Initiative ist um so bemerkenswerter, als zu dieser Zeit die staatliche Sozialpolitik im Reich erlahmte, während die Kommunalpolitik einen Schritt in die Zukunft der Sozialpolitik tat.

Als Schlichtungsinstanz, die gleichfalls zur Entzerrung des Klassenantagonismus diente, hatten sich bis dahin die städtischen Gewerbegerichte zur Zähmung innerbetrieblicher Konflikte schon längst vielfach bewährt. Sie wurden seit den frühen neunziger Jahren eingerichtet, mit Arbeitgeber- und Arbeitervertretern paritätisch besetzt und gewöhnlich von höheren Stadtbeamten geleitet. Ihre Tätigkeit wurde als so erfolgreich betrachtet, daß ihre Einrichtung 1902 allen Städten mit mehr als zwanzigtausend Einwohnern zur Pflicht gemacht wurde. Ein Dutzend Jahre nach der Gründung des ersten Gewerbegerichts (1891) fungierten bereits fünfhundertvier dieser schiedsrichterlichen Gremien mit unbestreitbarer Effektivität – von den Reformisten in der Sozialdemokratie als erlebbarer Fortschritt begrüßt, von den Orthodoxen als irreführendes Blendwerk verdammt.

9. Um die Sicherheit ihrer Bürger kümmerten sich die Städte auf vielfache Weise. Die lokale Polizei übernahm, wenn auch noch immer in viel zu großen Revieren, die allgemeine Schutzfunktion. Freilich unterstand sie nicht allein der städtischen Exekutive, sondern konnte in Krisensituationen auch vom Staat direkt eingesetzt werden. Neben die traditionelle freiwillige Feuerwehr trat in den großen Städten, stets präsent, die Berufsfeuerwehr. Die Leichenbestattung wurde auf wenige städtische Friedhöfe konzentriert.

Als eine weitere sozialhygienische Sicherheitsmaßnahme von heilsamer Wirkung erwies sich die Einrichtung kommunaler Schlacht- und Viehhöfe. Jahrhundertelang waren Tausende von privaten Schlachtstellen über das Stadtgelände verstreut gewesen, ohne daß irgendeine Kontrolle der Fleischqualität ausgeübt worden wäre. Zwischen 1869 und 1881 wurde endlich die obligatorische Fleischbeschau in öffentlichen Schlachthöfen, wie sie in Frankreich schon seit der Zeit Napoleons I. üblich war, gesetzlich vorgeschrieben. Die durchschlagenden Gründe waren die Verbesserung der Volksgesundheit, der Stadthygiene und der verkehrspolizeilichen Kontrolle. Dieser staatlich verordnete Handlungszwang führte sofort zur Kommunalisierung der neuen Schlachthöfe, deren Zahl in den folgenden zwanzig Jahren auf achthundertsechsunddreißig Anstalten hochschnellte. Bis dahin waren schon fast alle Städte mit mehr als fünfzigtausend Einwohnern mit solchen streng überwachten, gewöhnlich am Stadtrand angesiedelten Großschlachtungen, bis 1914 so gut wie alle Städte in der Größenordnung über zwanzigtausend Einwohnern damit ausgestattet.

10. Neue Wege schlugen die Städte ein, um den Bürgern für ihre kulturellen Bedürfnisse und die Freizeitgestaltung ein immer breiter gefächertes Angebot machen zu können. Das war ein untrügliches Zeichen wachsenden städtischen Wohlstands. Großstädte bauten aufwendige Museen und unterhielten städtische Orchester mit Berufsmusikern. Hochsubventionierte Theater galten als Ausweis urbanen Lebensstils. 1911 besaß die Hälfte aller Städte mit mehr als achtzigtausend Einwohnern ein Theatergebäude mit einer eigenen Schauspielertruppe. Das Vorbild der privaten Leihbibliothek wurde imitiert: 1908 gab es bereits achtundfünfzig «Volksbibliotheken» im Besitz von stattlichen Beständen, aus denen gegen eine nominelle Gebühr Tausende von sonst unerschwinglichen Büchern entliehen werden konnten. Der starke Impuls, der in dieser Hinsicht von Skandinavien ausging, wurde mit der Gründung zahlreicher Volkshochschulen aufgegriffen, welche die Erwachsenenbildung ernst nahmen.

Kluge Stadtpolitiker reservierten während der Expansion ihrer Gemeinde Grüngelände für weitläufige «Stadtgärten», in denen man stundenlang wandern konnte. Zoos holten die exotische Welt zum Greifen nahe heran. Geräumige Sportanlagen bis hin zu den ersten Stadien trugen dem seit Jahrhundertbeginn unaufhaltsamen Siegeszug des modernen Leistungs- und Freizeitsports frühzeitig Rechnung. Kurzum: Auch in dieser Hinsicht waren die deutschen Städte jedem Vergleich mit anderen urbanisierenden westlichen Gesellschaften gewachsen.

11. Das waren sie auch im Hinblick auf den Stadtbau, die Stadterweiterung, die Stadtplanung. Als erste haben die deutschen Städte damals diese Herausforderung als genuin kommunalpolitische Aufgabe wahrgenommen und energisch zu bewältigen versucht. Sie sind dabei erstaunlich weit gekommen. Das gelang ihnen aufgrund einer adäquaten Rechtsschöpfung, mit Hilfe ihrer Bauverwaltung und Baupolitik, durch die Eingemeindung von Vororten und Umland, nicht zuletzt dank der Führungskontinuität ihrer Oberbürgermeister und Selbstverwaltungsorgane. Die frühe Unterstützung durch die bürgerlich-akademische Reformbewegung, wie sie etwa der «Verein für Sozialpolitik» repräsentierte, ist ihnen dabei fraglos zustatten gekommen. Denn der eigentümlich liberalkonservativen Grundeinstellung dieser Reformer entsprach es, einen quasi manchesterliberalen Wildwuchs in den Städten dezidiert abzulehnen, statt dessen aber, ganz auf der Linie der

reformbürokratischen Tradition, auf der möglichst planmäßigen Steuerung der Urbanisierung zu insistieren.

Die ersten Bebauungspläne sind der Ausdruck dieses kommunalpolitischen Gestaltungswillens. Sie legten den Grundstein für den gezielten Stadtbau und eine vorausschauende Stadtentwicklung. Der vielumstrittene Plan Arthur Hobrechts etwa, der 1875 Berlin eine feste Struktur zu geben versuchte und Großberlin bereits als eigene Provinz vorsah, scheiterte in dieser Hinsicht zwar schon an der Opposition des Landrats von Teltow, legte aber wichtige Grundlinien fest, die bis 1920 verbindlich galten, als Großberlin endlich entstand. Zahlreiche Bebauungspläne anderer Städte haben ihr ursprünglich naturwüchsiges Wachstum in rational konzipierte Bahnen gelenkt.

Außerdem haben die Fluchtliniengesetze, die seit 1868/1875 entstanden, die Rechtslage vereinheitlicht. Sie statteten die aufkommende Stadtplanung mit einem Korpus an Normen aus, die bis zum Bundesbaugesetz von 1960 weithin gültig geblieben sind. Schließlich hat die Eingemeindungspolitik eine weitsichtige Entwicklungsplanung ermöglicht. Sie verlief in drei Wellen. Bis 1885 diente sie überwiegend der Konsolidierung der Stadtgemeinde. Von 1885 bis 1900 hielt die nachholende Eingemeindung an, wurde aber durch die antizipierende ergänzt. Diese überwog dann seit 1901, als innerhalb von zehn Jahren siebenundfünfzig Städte rund 966 Quadratkilometer mit 1.025 Millionen neuen Einwohnern in ihren Gemeindebezirk einbezogen. Das waren Vorgänge von einer außergewöhnlichen Größenordnung, die einer selbstbewußten Zukunftsplanung entgegenkam. Während die großen Städte weiträumig in ihr Umland ausgriffen, wurden übrigens in derselben Zeit nur zwölf Landgemeinden mit dem Stadtrecht ausgestattet.

Einer auf ihren Lenkungsaufgaben bestehenden Stadtpolitik entsprach es im Grunde auch, den hohen Preisen und heftigen Schwankungen des privaten Wohnungsangebots mit einem kommunalen Wohnungsbau zu begegnen. Erste Ansätze dazu bildeten sich auch heraus, aber jeder Vorstoß in diese Richtung traf auf den erbitterten Widerstand der Hausbesitzermehrheit, die es in fast jeder Stadtverordnetenversammlung gab. Das preußische Dreiklassenwahlrecht garantierte diesen Eigentümern sogar von vornherein fünfzig Prozent der Sitze im Stadtparlament. Trotzdem gelang es allmählich in rund dreißig großen Städten, mit einer Politik der kleinen Schritte erste Baumaßnahmen für die schlecht bezahlten städtischen Angestellten und Arbeiter zu initiieren. Bis 1914 sind insgesamt achtzehnhundert Wohnungen in diesen Städten an solche Angehörigen des städtischen Dienstes vermietet worden. Allein in Berlin zählte man jedoch zu diesem Zeitpunkt zwölftausend Stadtarbeiter.

12. Während sich die Felder der Kommunalpolitik ausdehnten, wuchs in vergleichbarem Tempo auch das Volumen des städtischen Haushalts. Zwischen 1883 und 1911 stiegen in Preußen die Gemeindeausgaben von 366 auf

2294 Millionen Mark. Allein der Sach- und Personaletat vermehrte sich dort von 1870 = 97 Millionen bis 1913 = 1096 Millionen Mark um das Elffache. Um die Jahrhundertwende lag Preußen mit diesen städtischen Ausgaben in einer fingierten Weltrangliste an zweiter Stelle hinter Großbritannien.

Auf fünf Finanzquellen konnten die Städte zurückgreifen. Seit dem Mittelalter nahmen sie Grundsteuern ein. Das Kommunalvermögen warf eine Rendite ab. Indirekte Verbrauchssteuern wurden ebenso erhoben wie direkte Einkommens- und Vermögenssteuern, gewöhnlich als Zuschlag zur staatseigenen Steuer. Schließlich war noch die Kreditaufnahme möglich. Innerhalb des vorgegebenen gesetzlichen Rahmens besaßen die Städte eine relativ klar ausgeprägte Finanz- und Besteuerungsautonomie, die durch die staatliche Billigungskompetenz eingeschränkt wurde.

Am Ende der Bismarckzeit stammten im Durchschnitt vierunddreißig Prozent des städtischen Haushalts aus dem Steueraufkommen, vierunddreißig Prozent aus dem Gewinn der Kommunalbetriebe, sechs Prozent aus ihrem Vermögen, der Rest aus Gebühren und Anleihen. Zur Miquelschen Steuerreform von 1891/1893 gehörte dann auch ein neues Kommunalsteuergesetz, das 1895 in Kraft trat. Aus ihm ergab sich eine Umschichtung der Einkommensanteile. Seit der Jahrhundertwende warfen die städtischen Betriebe rund fünfundzwanzig Prozent des jährlichen Etats ab; die indirekte Steuer ergab nicht mehr als sieben Prozent. Zum wichtigsten und größten Posten stiegen die direkten Steuern auf, wobei etwa sechzig Prozent aus den Zuschlägen zur Einkommenssteuer, fünfundzwanzig Prozent aus denen zur Grund- und Gebäudesteuer herrührten. Die heutzutage zentrale Gewerbesteuer machte vor 1914 nur bescheidene elf Prozent aus.

Als absolut zuverlässige Schuldner konnten die Städte jederzeit den Kapitalmarkt aufsuchen. Davon wurde auch in bemerkenswertem Umfang Gebrauch gemacht. Allein fünfzig Städte mit mehr als fünfzigtausend Einwohnern hatten vor dem Krieg 3.01 Milliarden Mark aufgenommen. Davon bestanden dreiundneunzig Prozent aus langfristigen Anleiheschulden – ein sicheres Indiz dafür, daß vor allem kluge Investitionen in die zukünftige Entwicklung der Städte getätigt worden waren.

13. Blickt man auf die vielfältige Leistungsbilanz der reichsdeutschen Städte, sticht als besonders auffällige, innovative institutionelle Lösung von schwierigen Problemen der Kommunalbetrieb ins Auge, der für ganz unterschiedliche Bedürfnisse entwickelt worden ist. In gewisser Hinsicht rechneten auch die gemischtwirtschaftlichen, städtische und private Beteiligung kombinierenden Unternehmen zu diesem Wirtschaftskomplex. Während in anderen westlichen Ländern dieselben Aufgaben seit jeher – und zum Teil noch bis in die unmittelbare Gegenwart hinein – von Privatfirmen wahrgenommen werden, wurden in Deutschland Betriebe in öffentlicher Regie durchgesetzt. Wo sind die eigentümlichen Ursachen und begünstigenden Bedingungen zu suchen?

Offensichtlich ging von der lebendigen bürokratischen Tradition, die der Verwaltung möglichst viel Steuerungskompetenz reservieren wollte, ein starker Impuls aus. Hinzu kam die stadtbürgerliche Überlieferung, welche dazu anhielt, die Geschicke des Gemeinwesens selber zu lenken, das «Gemeinwohl» anzustreben und in seinem Sinn das rein privatwirtschaftliche Gewinnstreben zu zügeln. Frühzeitig erwies sich auch, daß Stadtbetriebe ein durchaus lukratives Unternehmen sein konnten, das den Säckel des Kämmerers füllte. Nach einer nüchternen Analyse ergab sich oft, daß dringende Bedarfsnotwendigkeiten durch städtische Unternehmen am effektivsten befriedigt werden konnten – und die direkte politische Kontrolle minimierte die Korruptionsanfälligkeit. Den Weg zur Kommunalwirtschaft einzuschlagen wurde außerdem durch das Plädoyer erleichtert, das einflußreiche Professoren, Politiker und Publizisten für sie hielten. Führende Köpfe des «Vereins für Sozialpolitik» schalteten sich in die Debatte ein. Konservative «Staatssozialisten» wie Adolph Wagner, Hermann Wagener und Karl Rodbertus drängten in dieselbe Richtung. Und das kommunalpolitische Programm der englischen «Fabian Society» wurde von verschiedenen Interessengruppen, nicht nur von der Sozialdemokratie, sinngemäß rezipiert und als deutsche Spielart des «Munizipalsozialismus» in die Tat umgesetzt. Schließlich hat die schmerzhafte Erfahrung mit der Serie von schweren Depressionen, die von 1873 bis 1895 auf den Wachstumsverlauf einwirkten, die Neigung verstärkt, auf eigene gemeinwirtschaftliche Betriebe zu setzen, die – jedenfalls zeitweilig – vom Zwang zur Gewinnerzielung entlastet werden konnten.

14. Insgesamt haben die Städte manche schwierige Herausforderung der Urbanisierungsepoche mit der breiten Palette ihrer Kommunalunternehmen verblüffend produktiv beantwortet. Unter einem anderen Sachgesichtspunkt ordnet sich diese Wirtschaftspolitik auch in den Aufstieg der modernen Leistungsverwaltung ein, die mit dem Ziel der Daseinsvorsorge einen weitgefächerten stadtbürokratischen Interventionismus entwickelte, dessen Wegweisern der Interventionsstaat folgen konnte.

Die Triebkräfte für diesen gleitenden Übergang von der Hoheits-, Ordnungs- und Vermögensverwaltung zur Leistungsverwaltung stammten vor allem aus drei Dimensionen des städtischen Lebens. An erster Stelle stand der Problemdruck, der sich mit der Urbanisierung aufstaute. Ihm gegenüber schien eine Laissez-faire-Einstellung völlig unangemessen zu sein. Denn die Städter mußten vor den schmerzhaften Folgen der Deregulierung der Wirtschafts- und Sozialverfassung durch die liberale Gesetzgebung geschützt werden. Insofern trugen die Kommunen mit ihrem «Sozialnetz» zuerst die Hauptlast jener Probleme, die später «sozialstaatlich» aufgefangen wurden. Akute oder latente Gefahren übten einen ebenso starken Ansporn aus, denn Gesundheit und Sicherheit waren in der Tat bedroht. Und von dem anwachsenden Proletariat schien eine so fundamentale Infragestellung der bürgerlichen Lebenswelt auszugehen, daß man diese Zeitbombe nur durch eine Vielzahl von allmählich ineinandergreifenden «Stückwerk»-Reformen entschärfen zu können glaubte. Auch dabei versprach eine realistische Vorsorge mehr als eine nachträglich ausbessernde Sozial- und Armenpolitik. Nicht zu unterschätzen ist aber auch die Gemeinwohl-Tradition, die – in welcher interessenpolitisch eingeschränkten Form auch immer – gerade in den bürgerlichen Trägerschichten sowohl der ehemaligen Stadtrepubliken als auch der verstaatlichten Städte fortbestand. Eine zeitgemäß neudefinierte Zielvorstellung vom «gemeinen Besten» bildete eine wichtige Komponente der reichsdeutschen Stadtpolitik, als sich die Leistungsverwaltung entfaltete.[7]

Mit diesem säkularen Vorgang war unvermeidlich verbunden der Ausbau eines städtischen Berufsbeamtentums, das sich in der Rekrutierung und Ausbildung, dem Karriereverlauf und der Verwaltungstechnik aufs engste an der Staatsbürokratie orientierte. Die bisher vorwiegende ehrenamtliche Tätigkeit im Dienst des Honoratiorenregiments wurde erst zurückgedrängt, dann vollends ersetzt durch hauptberufliche Verwaltungs- und Rechtsspezialisten im Dienst der Kommunalpolitik. Wegen der Kommunalisierung von Wirtschaftsbetrieben und Bauplanung, von Schul- und Gesundheitswesen übernahmen bald auch Ingenieure und Architekten, Philologen und Ärzte die Funktion eines städtischen Beamten. Dieser Trend zur Stadtbürokratie war unabhängig von dem Umstand, welchem Bundesstaat eine Stadt angehörte – er setzte sich reichsweit durch. Das illustrieren einige Beispiele.

Essen war 1840 mit einem Stab von neun Verwaltungsleuten ausgekommen, 1900 besaß die Stadt 377 hauptamtliche Beamte. Nürnberg zählte 1870 immerhin schon 529 Beamte und Angestellte, 1913 waren es 967 in 114 Ämtern. Zu dieser Zeit arbeiteten allein im Münchener Stadtbauamt 419 Beamte und Angestellte. In Mannheim kletterten die Mitglieder der Verwaltung von 1870 = 48 um vierzehnhundert Prozent auf 1906 = 1127 Köpfe. Auch Frankfurt kam bis dahin auf zwölfhundert Beamte und Angestellte, dazu auf dreitausendeinhundert Arbeiter. In Leipzig verdreifachte sich die Beamtenzahl allein von 1890 = 650 bis 1908 = 1940; hinzu traten 2560 Arbeiter. Die Reichshauptstadt mit damals zwei Millionen Einwohnern lag 1908 mit rund elftausend Beamten und Angestellten, dazu knapp achtzehntausend kommunalen Arbeitern an der Spitze – griff aber darüber hinaus auf immerhin noch zehntausendeinhundert ehrenamtlich tätige Bürger zurück.

Häufig stieg die Beamtenzahl bei diesem städtischen Bürokratisierungsprozeß, dessen Ergebnis das Wachstum der staatlichen Verwaltung weit übertraf, kraß überproportional zur Einwohnerzahl an. In Mannheim lautete in der vorn genannten Zeit das Verhältnis vierzehnhundert zu vierhundert Prozent, in Leipzig während der halben Spanne zweihundert zu fünfzig Prozent. Abgesehen von dem allgemeinen Verwaltungsstab im Rathaus lag der Schwerpunkt in den Ämtern für das neue städtische Leistungsangebot. Die Gas-, Wasser- und Elektrizitätswerke, das Straßenbahnsystem und die

Gewerbeinspektion, die Krankenhäuser und die Feuerwehr, die Friedhofs- und Schlachthofsverwaltung – sie übten den Sog aus, der immer mehr städtische Bedienstete im Beamten- oder Angestelltenstatus anzog. Dabei blieb die Schicht der höheren, meist juristisch qualifizierten Beamten relativ schmal. Die große Mehrheit wurde von der mittleren und subalternen Beamtenschaft gestellt. Absolventen einer höheren Schule, wo sie die Mittlere Reife erworben hatten, hielten sich ungefähr die Waage mit ehemaligen Unteroffizieren, denen der Weg in die untere Laufbahn zustand.

An der Spitze der städtischen Verwaltungshierarchie stand der Bürgermeister. Hier interessiert der neue Typus des Oberbürgermeisters in den großen Städten. Er bildete sich seit den siebziger Jahren heraus, nachdem bis dahin Repräsentanten des Honoratiorentums eindeutig vorgeherrscht hatten. Den komplizierter werdenden Aufgaben entsprechend, verband er die Fähigkeiten eines unabhängigen, oft promovierten Verwaltungsjuristen mit den von der Pike auf erworbenen Erfahrungen eines kommunalpolitischen Praktikers. Häufig stammte er aus der bürgerlichen Oberschicht der Region, kehrte aber erst, nachdem er sich die Sporen auswärts verdient hatte, für den Höhepunkt seiner Karriere zurück. Wegen des staatlichen Bestätigungsrechts blieb eine subtile oder massive Kontrolle bestehen, die den Oberbürgermeister dazu anhielt, als administrativer Fachmann, nicht aber primär als Parteipolitiker aufzutreten. An vorauseilendem Gehorsam hat es dabei nicht gefehlt, dennoch überwog im allgemeinen die Identifizierung mit den Interessen der Stadt.

Hier gehörte der Oberbürgermeister kraft seines Amtes zur Lokalelite, er suchte aber auch selber die enge Kooperation mit dem Wirtschafts- und Bildungsbürgertum, dem von ihm beherrschten Vereinswesen, nicht zuletzt mit den im Stadtparlament vertretenen Parteien. Häufig vertrat der Oberbürgermeister – als Diagonale der Kräfte und vom amtsbestimmten politischen Naturell her – einen aktiven Reformkonservativismus nationalliberaler Prägung. Die herausragenden Persönlichkeiten sind durch erfolgreiche Aktivität und geschickte Koalitionen zum Entscheidungszentrum der kommunalen Politik und Verwaltung geworden. Man braucht nur an Miquel, Hobrecht, Becker, Adickes, Rive, Forckenbeck, Schwander, Wallraf, Adenauer und manchen anderen zu denken. Das Urteil eines süddeutschen Kenners, daß der «Oberbürgermeister und sein Stab den Vormarsch der Stadt dirigieren», traf diese Schlüsselfunktion. Wer den politischen Spielraum nutzte, ihn geschickt erweiterte, verstand es, Rahmenbedingungen zu schaffen, unter denen sich ein kreatives Organisationstalent entfalten konnte. Das war auch über einen langen Zeitraum hinweg möglich, denn Oberbürgermeister wurden für zwölf bis neunundzwanzig Jahre oder sogar lebenslänglich gewählt.

Als einflußreiches Stadtoberhaupt die Modernisierung des urbanen Gemeinwesens sichtbar voranzutreiben befriedigte den Ehrgeiz. Auch konnte sich das materielle Einkommen sehen lassen. In Mannheim zum Beispiel verdoppelte sich von 1878 bis 1889 das jährliche Oberbürgermeistergehalt auf ansehnliche zwanzigtausend Goldmark. Politische Belohnung wurde von den Bundesstaaten, welche die Leistung in ihren Großstädten zu schätzen wußten, großzügig gewährt. Bayern etwa verlieh seinen Oberbürgermeistern den Personaladel. In Preußen wurden sie Mitglieder des Herrenhauses, wo sie schließlich einundfünfzig große Städte in der sogenannten Freien Fraktion gegenüber der Adelsmajorität vertraten. Außerdem besaßen sie seit 1897 im «Preußischen Städtetag», seit 1905 im «Deutschen Städtetag» zwei Interessenverbände, die je nach der Problemlage ein Forum für die Propagierung spezifisch stadtpolitischer Ziele bildeten.

15. Auch ein semisouveräner Oberbürgermeister mit seiner Bürokratie war – was immer auch die Legende von der unpolitischen, rein sachlichen Verwaltung weismachen wollte – in das Geflecht der mächtigen Interessen eingebunden. Bis 1918 führt kein Weg an der politischen Grundtatsache vorbei, «daß die mitteleuropäische Stadt durch das ganze 19. Jahrhundert hindurch privilegierte Bürgergemeinde war und blieb». An die Stelle der alten stadtbürgerlichen Korporation traten die neuen, marktbedingten bürgerlichen Erwerbs- und Berufsklassen, deren privilegierte politische Partizipationsrechte auf ihrer Einkommens- und Steuerleistung beruhten. Der plutokratische Charakter des städtischen Wahlrechts war überall in einem verschiedenartig gestaffelten Zensus verankert. Das preußische Dreiklassenwahlrecht ist das berüchtigste Verfahren gewesen, aber in Hamburg, Sachsen und vielerorts gab es auch ein Vielklassenwahlrecht. In den preußischen Städten besetzten die Wähler der I. Klasse – maximal fünf, oft aber weniger als ein Prozent aller Wahlberechtigten – ein Drittel aller Mandate in der Stadtverordnetenversammlung. Ebenfalls ein Drittel stand den vier bis vierzehn Prozent der Wähler in der II. Klasse, das letzte Drittel den achtzig bis siebenundneunzig Prozent der Wähler in der III. Klasse zu. Die eklatante Ungleichheit dieses Männerwahlrechts wurde durch weitere Begrenzungen zusätzlich verstärkt: Eine kurze, unter einem Jahr oder zwei Jahren liegende Aufenthaltsdauer in der Gemeinde führte zur Verweigerung des Stimmrechts, Hausbesitzer wurden dagegen gesetzlich immer favorisiert. In Preußen besaßen auch juristische Personen, zum Beispiel die Aktiengesellschaften mit ihrem hohen Steueraufkommen als prädestinierte «Wähler» der I. Klasse, das Stimmrecht. Dort mußte auch die Stimmabgabe öffentlich erfolgen. Bayern und Baden dagegen konzedierten die geheime Wahl, hielten aber die Wählerschaft mit Hilfe eines restriktiven Bürgerrechts so klein wie möglich.

Im Grunde blieb überall das kommunale Wahlrecht an den Idealtypus des «selbständigen bürgerlichen Hausvaters» gebunden – eine Sozialfigur, die aus der frühliberalen Theorie stammte und entgegen der sozialökonomischen Realität – von den politischen Gleichheitsrechten gar nicht zu reden – als einzige Verkörperung des politisch mitwirkenden Vollbürgers beibehalten wurde. Selbständigkeit hieß überall: die Fähigkeit zur Steuerzahlung und zu eigenem Hausstand, im Optimalfall zu einem Hausbesitz; konsequent disqualifizierte jeder Empfang von Armenhilfe. Außerdem war das Stimmrecht an den Besitz des Bürgerrechts gekoppelt, das öfters die Zahlung hoher Gebühren voraussetzte und dessen Natur von Staat zu Staat schwankte. Als Männerwahlrecht schloß es die Frauen, etwa fünfzig Prozent der potentiellen städtischen Wähler, bis 1918/19 überall von der politischen Teilhabe aus. Und die Schwelle zur politischen Mündigkeit wurde einigermaßen willkürlich in die Zeitspanne zwischen dem 21. und 26. Lebensjahr gelegt.

Als erste Bilanz ergibt sich, daß die traditionale, im Vormärz als Selbstverständlichkeit weiterpraktizierte Trennung zwischen privilegierter Vollbürgergemeinde einerseits und unmündigen Unterschichten, Hintersassen und Schutzverwandten andrerseits in den Städten des Kaiserreichs, den klassenspezifischen Bedingungen einer Marktgesellschaft angepaßt, unter dem maßgeblichen Einfluß der Liberalen fortgesetzt wurde. Getrieben von der Angst vor dem Machtverlust durch das demokratische Prinzip des «One Man – One Vote», diente das kommunale Wahlrecht bis 1918 zur Stabilisierung der bürgerlichen Herrschaft in der Stadt. Wie eng das Nadelöhr des Wahl- und Bürgerrechts gehalten wurde, damit die besitzenden Oberklassen in der Arena der Lokalpolitik möglichst unter sich blieben, zeigen einige aufschlußreiche Zahlen über die Größe der städtischen Wählerschaft in verschiedenen Bundesstaaten.

In München sank der Anteil der Bürger im Besitz des Gemeindewahlrechts von 1875 = 5.3 auf 1906 = 5.8 Prozent, das heißt auf einunddreißigtausend von fünfhundertvierzigtausend Einwohnern, die sich in derselben Zeit um zweihundertzehn Prozent vermehrt hatten. Dieser erzwungene Rückgang wurde freilich in Hamburg noch übertroffen, wo die Wählerschaft von 1875 = 8.74 Prozent auf 1892 = 4 Prozent schrumpfte. Auch in Nürnberg fiel der Prozentsatz der städtischen Wähler, der selbst 1849 noch 10.5 Prozent der Einwohner ausgemacht hatte, auf 4.6 Prozent im Jahre 1886 – diese 6980 Stadtwähler stellten gerade ein Drittel der Reichstagswähler (20920). In Regensburg, wo 1867 nur 1.17 Prozent das Gemeindewahlrecht besessen hatten, stieg die Zahl bis 1911 auf immerhin 9.4 Prozent. Das war, aufs Ganze gesehen, damals etwas höher als der Mittelwert der bayerischen Städte überhaupt. 1905, noch vor der Wahlrechtsreform von 1908, entfiel auf je hundert Einwohner in zehn großen bayerischen Städten der folgende Prozentsatz von Wählern:

1. Ingolstadt:	2.48 %	6. Nürnberg:	5.55 %
2. Bayreuth:	3.12 %	7. München:	5.79 %
3. Würzburg:	4.65 %	8. Regensburg:	5.97 %
4. Augsburg:	4.99 %	9. Aschaffenburg:	8.96 %
5. Bamberg:	5.50 %	10. Fürth:	15.06 %

In Bayern blieb das Wahlrecht im allgemeinen auf eine kleine Bürgerschaft eingeschränkt, die als wohlhabende Minorität von der Einwohnerschaft getrennt wurde. Diese Minderheit konnte allerdings politisch stark mobilisiert werden. 1905 zum Beispiel schwankte in den fünf größten Städten ihre Wahlbeteiligung zwischen siebenundsiebzig und einundneunzig Prozent.

In Baden sah die Situation im Prinzip ganz ähnlich aus. Bis 1883 hatte es zum Beispiel Mannheim von bisher 2790 erst auf 5665 Wähler, das heißt 12.1 Prozent seiner Einwohner, gebracht; auch 1914 waren es noch nicht mehr als 13.8 Prozent. In Karlsruhe blieb es in derselben Zeit bei 9.3 Prozent, in Freiburg bei 10.9 Prozent. In Mannheim konnten an den Stadtwahlen immerhin zwei Drittel der Reichstagswähler teilnehmen. Überhaupt schwankte in Baden wie auch in Hessen dieser Anteil zwischen sechzig und siebzig Prozent. In Frankfurt lag er bei fünfzig Prozent, in Sachsen bei nur dreißig bis vierzig Prozent, in Bayern sogar um fünfundzwanzig Prozent.

Im Hegemonialstaat mit seinem rigiden Dreiklassenwahlrecht schwankte diese Zahl zwischen fünfzig und fünfundsechzig Prozent. In Osnabrück zum Beispiel durften dreitausend von einundfünfzigtausend, in Celle zwölfhundert von zwanzigtausend Einwohnern vor der Jahrhundertwende zur Gemeindewahl gehen. In Essen besaßen in den 1890er Jahren siebzehn Prozent aller Einwohner das Stimmrecht, davon gehörten siebenundneunzig Prozent zur III. Klasse. Krupp, der von 1886 bis 1894 als einziger der I. Klasse angehörte, ernannte in einer Wahlfarce ein Drittel der Stadtverordneten. Barmen ließ 1867 nur 4.13 Prozent, 1913 aber schon 19.5 Prozent seiner Einwohner zur Kommunalwahl zu. In Bielefeld waren es 1890 neun Prozent, 1911 dann auch achtzehn Prozent (14435 von 80704 Einwohnern).

Zieht man für die preußischen Städte eine generalisierende Bilanz, kommt man auf die vorn genannten prozentualen Anteile von 0.1 bis fünf Prozent in der I., vier bis vierzehn Prozent in der II. und achtzig bis achtundneunzig Prozent in der III. Klasse. Zwei Entwicklungen trugen wesentlich dazu bei, die Größe der I. Klasse schrumpfen, diejenige der III. Klasse aber anschwellen zu lassen. Da das Wahlrecht auf dem versteuerten Einkommen beruhte, trieb einmal der aufklaffende Abstand zwischen den steigenden bürgerlichen Spitzeneinkommen und den Arbeiterlöhnen immer mehr Wähler auch aus den bürgerlichen Erwerbs- und Berufsklassen in die III. Wählerklasse hinunter. Zum zweiten besaß die Miquelsche Steuerreform die paradoxe Konsequenz, daß die stärkere Steuerbelastung der höheren Einkommen die Mehrheit der Stadtwähler in die III. Klasse abdrängte. In den Industriestädten waren das bis 1898 schon öfters achtundneunzig Prozent. Aber auch in einer alten Großstadt wie Köln mußten jetzt der Regierungspräsident und der Präsident des Oberlandesgerichts, viele Richter und Staatsanwälte, Rechtsanwälte, Ärzte und Gymnasiallehrer in der III. Klasse wählen.

Zementierten die Wahlrechtsbeschränkungen mit ihrem unzweideutig antidemokratischen Zweck überall in den Stadtverordnetenversammlungen das klare Übergewicht der Haus- und Grundbesitzer, der Spitzenverdiener und plutokratisch Privilegierten – sie standen in Städten mit patrizischer Tradition wie Hamburg am besten da –, begann doch auf längere Sicht das Vordringen der Parteien in die Stadtpolitik erst den politischen Stil, dann auch die Kräftekonstellation zu verändern.

Die liberalen Honoratioren, die in ihrer Stadt auch politisch den Ton angaben, trafen sich zur Entscheidungsfindung zuerst in ihren geselligen Vereinen, Logen und Presbyterien. Seit den siebziger Jahren waren es dann liberale Zirkel, in denen Fortschrittliche und Nationalliberale, Sezessionisten und Freisinnige bis zur Jahrhundertwende einträchtig gemeinsam tagten, um die lokalpolitischen Weichen zu stellen. Seit derselben Zeit tauchten auch die sozialdemokratischen Ortsvereine, die katholischen Vereine als Zubringer des Zentrums, dazu Interessenvereinigungen der Hausbesitzer und Vermieter auf. Während SPD und Zentrum sich auf den mühseligen Weg begaben, in der III. Klasse allmählich so viele Stimmen zu mobilisieren, daß es zu ersten Mandaten reichte, konnten die Besitzinteressen mit den liberalen Honoratioren aus ihrer Mitte mühelos koalieren. Wegen dieser Verfilzung und dank des parteiischen Wahlrechtes hielt sich die liberale Dominanz vielerorts ohne größeren organisatorischen Aufwand, bis die Konkurrenz in den neunziger Jahren eine Anpassung an die neuen politischen Umstände erzwang. Aus den Honoratioren wurden jetzt Parteipolitiker – oder aber sie verließen, von dem Getriebe angeekelt oder zeitlich überfordert, die Kommunalpolitik überhaupt. Die jüngere liberale Generation dagegen bildete feste Fraktionen in den Stadtverordnetenversammlungen, warb auf öffentlichen Versammlungen, mit Plakaten und Flugschriften für ihre Sache, stellte sich auf den politischen Massenmarkt auch in den Städten ein.

Nachdem sie eine offene Politisierung der Stadtgeschäfte aufgrund ihrer Überzeugung, daß liberale Politik die einzig wahre stadtbürgerliche Politik sei, lange verhindert hatten, verlor seither die Domäne der liberalen Honoratioren zwar ihre Exklusivität. Die Stadt als Refugium des Liberalismus konnte jedoch, trotz seiner Schwächung in der Reichspolitik seit 1878/79, weiter verteidigt werden, da das Wahlrecht nirgendwo von Grund auf verändert wurde. Deshalb gelang es, obwohl Sozialdemokratie und Zentrum in der Gemeindepolitik vordrangen, die bürgerliche Entscheidungsmacht bis 1918 zu verteidigen.

Kein Wunder, daß die Abschaffung der politischen Ungleichheit unter den Liberalen bis in den Krieg hinein nicht ernsthaft zur Debatte stand. Auch die Linksliberalen plädierten noch 1912 keineswegs für das allgemeine, gleiche Wahlrecht, sondern für eine ominöse «genuine» Umgestaltung. Eine kleine Minderheit von Bürgern schottete sich unentwegt nach unten ab. Mit unverhülltem Machiavellismus nahm sie die «schweren Verzerrungen im Verhältnis von Reichstagswahlrecht und Kommunalwahlrecht» in Kauf.

An ihrer Hegemonialstellung änderte auch die Aufgabe der bürgerlichen Ehrenämter und der Sieg des Berufsbeamten genausowenig wie die Tatsache, daß sich das industrielle Großbürgertum seit den achtziger/neunziger Jahren aus dem direkten stadtpolitischen Engagement zurückzuziehen begann. Den Konflikt mit den leitenden Beamten, welche die Planungskompetenz an sich zogen, ließ es eher durch delegierte Vertreter aus der Werksleitung oder Anwaltschaft ausfechten. Sie mußten auch mit den bildungsbürgerlichen Stadtjuristen streiten, die sich bei Eingriffen in die Eigentums- und Verfügungsrechte gegen den individuellen Besitzegoismus auf die «Gemeinverpflichtung» beriefen. Die liberale Politik wurde mit dieser Absetzbewegung prominenter Köpfe und potentieller Wähler genauso fertig wie mit dem Vorrücken von SPD und Zentrum.

Seit der Politisierung durch den «Kulturkampf» hatten sich die städtischen Repräsentanten des politischen Katholizismus um Mandate für die Mitwirkung an kommunalpolitischen Entscheidungen bemüht. Das erwies sich als ein mühsames Unternehmen, da das Zentrum überwiegend auf Erfolge in den untersten Wählerklassen angewiesen war. 1911 waren zum Beispiel von den neununddreißig größten Städten im Rheinland und in Westfalen noch immer dreißig fest in der Hand der Liberalen; nur in neun von ihnen hatte die katholische Einwohnermehrheit zu einer kommunalpolitischen Dominanz des Zentrums geführt. Auch in Bayern ermöglichte erst das Verhältniswahlrecht der Reform von 1908 den Einbruch des Zentrums in die Stadtpolitik, wo es seither mit dem liberalen Übergewicht oft ebenso vorbei war wie mit der Durchsetzungsfähigkeit der rechtsliberalen Bürokratie in der Staatspolitik.

Die Sozialdemokratie hatte sich seit dem Beginn ihrer parteipolitischen Formierung um kommunalpolitischen Einfluß bemüht. Bereits 1869 konnte sie in Fürth, 1878 in Mannheim, 1883 in Berlin die ersten Abgeordneten durchbringen. In Bayern ermöglichte es ihr erst die Reform von 1908, in Augsburg und Nürnberg zehn Vertreter ins Stadtparlament zu entsenden; in München war sie jetzt endlich imstande, mit zweiundzwanzig Gemeindebevollmächtigten die stärkste Fraktion zu stellen. Vor dem Weltkrieg hatte es die SPD immerhin auf rund dreizehntausend Gemeindevertreter in 3482 Kommunen gebracht.

Das verdankte sie nicht zuletzt ihrer realitätsnahen stadtpolitischen Programmatik, die von herausragenden Experten – ausnahmslos Vertretern des reformistischen Flügels – entwickelt worden ist. Ein Spitzenfachmann wie Hugo Lindemann etwa konnte es mit jedem deutschen Oberbürgermeister aufnehmen. Ganz so entschieden wie sachkundig forderte die SPD mit ihrer gezielten Agitation eine Ausweitung des städtischen Dienstleistungsangebots, sie unterstützte bewußt den Trend zur Leistungsverwaltung mit dem Ziel einer egalitären Daseinsvorsorge. Insbesondere trat sie für die Kommunalisierung privater Betriebe, für befriedigendere Armenpflegesätze und

Notstandsarbeiten, für die Einrichtung von Arbeitsämtern und der Arbeitslosenversicherung, für den Ausbau des Schulwesens und der sozialhygienischen Maßnahmen, für den städtischen Wohnungsbau und eine entschlossene Verbesserung der miserablen Situation in den proletarischen Wohnquartieren ein. Die Summe von kleinen, zäh errungenen Erfolgen in der Kommunalpolitik war es, die unstreitig mit dazu beigetragen hat, daß vor 1914 die jüngeren politischen Generationen in der Sozialdemokratie – trotz allen Widerstands gegen die «vaterlandslosen Gesellen» – in die reichsdeutsche Politik und Gesellschaft, die ihnen beide gerade in den Städten als reformfähig erschienen, eingebunden worden sind.[8]

16. Während der deutschen Hochurbanisierung hat sich als Ergebnis dieses langlebigen Wandlungsprozesses der neue Lebensstil des modernen Städters durchgesetzt. Er wurde bestimmt durch die strenge Trennung von Arbeit und Wohnung, durch den dauerhaften Aufenthalt in extrem unterschiedlich geprägten Wohnquartieren, insofern natürlich auch stets durch die scharfe räumliche Klassensegregation, blieb aber doch bezogen auf das gesamtstädtische Ambiente mit seinem Arbeits-, Konsum- und Vergnügungsangebot. Er wurde bestimmt durch den forcierten Rhythmus, das ruhelose Tempo des Alltags, das jedem Zuwanderer auffiel, ihn abstieß oder faszinierte. Er wurde bestimmt durch eine neue Art der Raumaneignung, der routinierten Überwindung von Entfernungen zu Fuß oder im Fahrzeug, den krassen Unterschied zwischen Arbeitsfron und Freizeit. Zu ihm gehörte, daß ein neuer Umgang mit Massenmedien wie Zeitungen, Bilderbögen und Zeitschriften zur Selbstverständlichkeit wurde. Das alles blieb bald nicht ohne Einfluß auf die Standardisierung der Sprache, auf die Fähigkeit, sich schnell im Hochdeutschen, den Dialekt verdrängend, zu artikulieren. Als direkt und frech, keß und schnoddrig empfanden Landbewohner den Umgangston des typischen Städters.

Im Konsumverhalten wurde die überlieferte Maxime der aufgeschobenen Befriedigung, bis das angesparte Geld und die soziale Sitte die Wunscherfüllung gestatteten, immer stärker aufgelöst. Der latente gesellschaftliche Druck, in der Kleidermode, der Wohnungseinrichtung, dem Freizeitvergnügen mitzuhalten, machte sich zunehmend geltend. Die Nahrungsgewohnheiten veränderten sich ebenso wie die Einstellung zu Gesundheit und Krankheit, mithin auch gegenüber den akademischen Ärzten anstelle anderer «Heilpersonen». Der Erwartungshorizont, in dem das städtische Leistungsangebot wahrgenommen wurde, dehnte sich ständig aus. Je erfolgreicher der kommunalpolitische Interventionismus agierte, desto deutlicher wuchs das Anspruchsniveau. Denn überkommene Lebensbedingungen konnten in der Stadt offensichtlich ungleich schneller und effizienter verändert werden als auf dem Dorf.

17. Überhaupt schnitten die reichsdeutschen Städte vor 1914 sowohl im binnendeutschen Vergleich mit den Zuständen vor vierzig Jahren als auch im

internationalen Vergleich mit anderen hochentwickelten europäischen und überseeischen Ländern vorzüglich ab. Das schlug sich im berechtigten Bürgerstolz, aber auch im Urteil kompetenter ausländischer Beobachter nieder. Die Wohlstandssteigerung stach in den großen und mittleren Städten, insbesondere in den Großstädten, ins Auge. Die Distributionseffekte erreichten allmählich auch die lange benachteiligten Klassen. Das hohe Maß an physischer Sicherheit, an sozialhygienischer Vorsorge, an moderner Verkehrserschließung zeichnete diese Städte ebenso aus wie der Vorsprung im planmäßigen Ausbau, überhaupt in der Entwicklungsplanung. Der kulturelle Aufschwung war unübersehbar. Die Freiheit des städtischen Lebens bot jedem, der einem ostelbischen Rittergut entkommen war, einen Zugewinn an Lebenschancen, zwängte ihn keineswegs in eine oft nur behauptete Anomie.

In einer international vergleichenden Perspektive besaßen die deutschen Städte die modernste Leistungsverwaltung, die mit einem hohen Maß an Interventionsbereitschaft eine weit verstandene Daseinsvorsorge anstrebte – und öfters auch schon erreichte. Ingeniöse Problemlösungen wie der Kommunalbetrieb oder das gemischtwirtschaftliche Unternehmen, das Arbeits- und Gesundheitsamt galten als vorbildlich. Der Oberbürgermeister und die Stadtverwaltung genossen eine erstaunlich weitreichende Unabhängigkeit bei der Verwirklichung stadtpolitischer und -bürokratischer Entscheidungen. Im Sinn der plumpen Bakschisch-Bestechung in Südosteuropa oder der offenkundigen Käuflichkeit der Partei-«Maschinen» in amerikanischen Großstädten ließ sich nirgendwo ein Pendant finden. Wohl aber gab es eine subtile Korrumpierung durch die asymmetrische Interessenberücksichtigung vorrangig der bürgerlichen Oberklassen.

Auch diese Kritik vermag jedoch nur den Tatbestand zu relativieren, daß die städtische Reformpolitik über Jahrzehnte hinweg von der bürgerlichen Wählermehrheit getragen und ganz offensichtlich gewollt wurde. Gerade wenn man die Persistenz der bürgerlichen Vorherrschaft in der Stadtpolitik betont, kommt man um die Anerkennung dieser Reformkontinuität nicht herum. Damit aber drängt sich die Frage auf, wie trotz des bürgerlichen Interessenegoismus so viele kostspielige Leistungen für alle städtischen Einwohner zustande kommen konnten.

Daß es um die Bewältigung eines anhaltend bedrohlichen Problemstaus ging, liegt auf der Hand. Diese «Herausforderung» galt aber für alle damals urbanisierenden Gesellschaften, die radikal unterschiedlich auf sie reagierten. An erster Stelle muß man wohl für die produktive «Antwort» der deutschen Städte die reformbürokratische Tradition, die zur Steuerung schwieriger gesellschaftlicher Prozesse anhielt, ins Feld führen. In diese Tradition stellte sich die höhere Stadtverwaltung mit den Oberbürgermeistern hinein. An zweiter Stelle steht die andauernde Verbindlichkeit des städtischen «Gemeinwohl»-Ideals. So oft es auch verfehlt oder durch den Interessenegoismus verzerrt wurde, behielt es doch als einflußreiche regulative Idee seine handlungsbestimmende Geltungskraft. Die relative Autonomie von Stadtregierung und -verwaltung, die im Rahmen der verbesserten Gemeindeordnungen operieren konnten, hat es erleichtert, diese beiden Traditionen unter den neuen Bedingungen fortzusetzen. Schließlich galt die unzufriedene Mehrheit der Einwohner, galten die Unterschichten und Arbeiterklassen, die von der Sozialdemokratie mit unübersehbarem Erfolg politisiert wurden, als eine gefährliche Mine, die rechtzeitig entschärft werden mußte. Es wäre naiv, das große Gewicht gerade dieses Faktors in den stadtpolitischen Entscheidungsprozessen nicht vorbehaltlos anzuerkennen. Bürokratischer Lenkungsehrgeiz und städtisches «Gemeinwohl» in allen Ehren – ohne den Stachel des städtischen Proletariats und sein wachsendes politisches Gewicht wären sie kaum so wirksam in Reformtaten übersetzt worden.[9]

Viele der Stadtbewohner, die ihr Leben in Fabriken und armseligen Wohnquartieren verbrachten, spürten ringsum vor allem jene die Urbanisierung begleitenden eklatanten Mängel. Vor dem Zeitalter des Massentourismus fehlten ihnen auch Vergleichsmöglichkeiten aus eigener Anschauung. Auf längere Sicht aber konnten auch zahlreiche dieser Städter eine Verbesserung der «Lebensqualität» wahrnehmen, sie empfanden das urbane Ambiente als ihr Zuhause, in dem sie auch politisch über ihr Geschick mitbestimmen konnten. Das Leistungsangebot und die Integrationskraft der deutschen Städte trugen mit dazu bei, daß es 1914 nicht von ferne eine vorrevolutionäre Situation gab.

4. *Der Höhepunkt und das Ende der deutschen Auswanderung*

Zur Spannungsminderung in der reichsdeutschen Gesellschaft trug auch die Auswanderung bei, die allein in den beiden Jahrzehnten vor 1871 rund zwei Millionen Menschen fast ausschließlich in die Vereinigten Staaten geführt hatte. Sie bildete eine Reaktion auf das «demo-ökonomische Kernproblem» der deutschen Staaten des 19. Jahrhunderts: auf den «Bevölkerungsdruck, dessen Kraftzentrum das Mißverhältnis» von wachsender Kopfzahl und nachhinkendem Erwerbsangebot war.

Die erste große Welle der deutschen Auswanderung hatte von 1846 bis 1857 ca. 1.1 Millionen Menschen erfaßt. 1864 setzte der Anstieg der zweiten Welle ein, die bis 1873 anhielt. In knapp zehn Jahren trug sie rund eine Million Menschen nach Übersee. 1867 erreichte sie ihren Gipfel mit 138000 Auswanderern. Aber auch nach der Reichsgründung hielt der Exodus weiter an (1872 = 128150, 1873 = 110430), bis die schwere Depression, die seit 1873 die USA ebenfalls erfaßte, abschreckend wirkte. Während dieses konjunkturellen Abschwungs ging die Zahl der Emigranten von 1874 bis einschließlich 1879 auf 193000 zurück, näherte sich also dem Niveau des Vormärz an.

Mit der Wiederbelebung der amerikanischen Konjunktur begann 1880 die dritte Welle, die bis 1893 andauerte. Mit 1.8 Millionen Menschen erreichte sie die höchste deutsche Auswanderungsziffer im 19. Jahrhundert. Als «Push»-Faktoren wirkten die entmutigenden Wachstumskrisen der deutschen Industrie im Verein mit der strukturellen Agrarkrise. Deshalb kam auch seit den achtziger Jahren die Mehrheit der Auswanderer aus dem deutschen Nordosten: Insten, Tagelöhner, nachgeborene Bauernsöhne, die das Glück in der «Neuen Welt», dagegen noch nicht von der Binnenwanderung im Reich erhofften. Als «Pull»-Faktoren wirkten die Verheißungen Amerikas: die Expansion seiner Industrie, das Arbeitsplatzangebot in den Städten, die Siedlungschancen im Mittleren Westen, die Aufstiegsmobilität einer angeblich «offenen Gesellschaft». Aus drei Gründen brach dann seit 1893 der deutsche Auswandererstrom ab. Eine neue schwere Industriekrise erschütterte die amerikanische Wirtschaft. Mit dem Ende der freien Landnahme auf Bundesland, für die in Gestalt der «Heimstätten»-Farm Siedlungsboden gegen eine nominelle Gebühr zur Verfügung gestellt worden war, ließ die Attraktivität des Agrarsektors nach. Gleichzeitig machte sich die anhaltende Arbeitskraftnachfrage der deutschen Hochindustrialisierung, des Dienstleistungssektors und der neubelebten Agrarwirtschaft kraftvoll geltend. Das einheimische Erwerbsangebot zeigte sich endlich imstande, das deutsche Arbeitspotential zu absorbieren, ja darüber hinaus noch ausländische Zuwanderer anzuziehen (s. unten 5.). In der Zeit der wilhelminischen Hochkonjunktur von 1895 bis 1913 sind nur mehr 511 000, jährlich etwa siebenundzwanzigtausend, Deutsche ausgewandert.

Die Vereinigten Staaten blieben zwischen 1820 und 1914, als 5.1 Millionen deutsche Auswanderer ihre Heimat verließen, das Hauptzielland. Während der ersten Wanderungswelle zogen fünfundachtzig Prozent, während der zweiten einundneunzig Prozent und während der dritten zweiundneunzig Prozent aller Emigranten dorthin. Von 1820 bis 1860 stellten sie nach den Iren die zweitgrößte Gruppe mit einunddreißig Prozent aller Einwanderer, von 1861 bis 1890 mit 28.5 Prozent sogar die größte. Unter den Menschenströmen der «Neuen Einwanderung» aus Süd- und Osteuropa machten die Deutschen zwischen 1891 und 1914 dann nur noch sieben Prozent aus.

Bis 1895 ist die deutsche Überseewanderung an erster Stelle Familienauswanderung gewesen, seit 1865 kam verstärkt die Einzelwanderung hinzu, die nach 1895 ganz überwog. Das hing wesentlich mit der organisierten Anwerbung zusammen, mit der die amerikanischen Eisenbahngesellschaften und ihre Besiedlungsunternehmen europäische Arbeitskräfte gezielt anlockten.

Hat die deutsche Auswanderung in der Zeit des Kaiserreichs, als sie zuerst eine ungeahnte Dimension erreichte, die Gesellschaft von sozialem Druck entlastet, wie sie das wahrscheinlich in der Phase des vormärzlichen Pauperismus getan hat? Das ist eine kontrafaktische Frage, die nie zufriedenstellend überprüft werden kann. Vergegenwärtigt man sich jedoch das rapide

Bevölkerungswachstum und die durch schwere Wachstumskrisen gestörte Hochindustrialisierung, die Auswirkungen der Agrarkrise und die jahrzehntelang begrenzte Aufnahmekapazität des Kleingewerbes und des tertiären Sektors, haben die rund 3.3 Millionen Menschen, die seit der Gründung des Norddeutschen Bundes bis 1914 Deutschland verlassen haben, für den Arbeitsmarkt und die sehr eingeschränkten sozialen Sicherungssysteme vermutlich eine nachhaltige Entspannung während der Periode eines durchaus kritischen Bevölkerungsdrucks bedeutet. Die zeitgenössische Polemik hat den Verlust an Arbeitskraft, Intelligenz und Ausbildungsinvestitionen wortreich bedauert. Klagen über einen solchen Aderlaß waren in der Tat verständlich genug. Aber das soziale Sicherheitsventil der Auswanderung hat auf seine umstrittene Weise mehr Probleme gelöst, als Wirtschaft, Gesellschaft und Politik damals von sich aus hätten bewältigen können.

5. Der Beginn der Zuwanderung: Deutschland als Einwanderungsland

Seit den 1880er Jahren, vollends seit den neunziger Jahren begann die Binnenwanderung die Funktionen der Auswanderung zu übernehmen. Innerhalb kurzer Zeit gewann sie ein größeres Ausmaß als die gesamte Auswanderung im 19. Jahrhundert. Gleichzeitig begann der deutsche Arbeitsmarkt seit den neunziger Jahren außer der inneren auch eine transnationale Massenwanderung magnetisch anzuziehen, da er in wichtigen Sektoren unter einem Arbeitskräftemangel, nicht mehr, wie bisher, unter einem Überangebot litt. Ohne daß es den Zeitgenossen sogleich bewußt wurde, erlebte das Reich seither den Übergang vom Auswanderungs- zum Zuwanderungsland. Vor allem aus dem russischen und österreichischen Osteuropa, aber auch schon aus Süd- und Westeuropa wurden Einwanderer zeitweilig oder auf Dauer importiert.

Die Steigerung dieses Zustroms läßt sich in zwei aufschlußreichen Zahlen einfangen. 1871 erfaßte die Statistik 207000 im Reich lebende Ausländer, von denen vermutlich ein beträchtlicher Anteil nicht zu den manuellen Arbeitskräften gehörte. Bis 1910 hatte sich die Ausländerzahl auf 1.26 Millionen verfünffacht. Trotz der deutschen Arbeitslosen war die Reichspolitik unter dem maßgeblichen Einfluß Preußens durchaus an diesem wachsenden Angebot freier Lohnarbeit interessiert. Eine staatliche Arbeitsmarktkontrolle, um Angebot und Nachfrage zu steuern, wurde nicht angestrebt. Nur private, gewerkschaftliche und städtische Einrichtungen kümmerten sich um die Weitervermittlung. Bis 1912 gab es mehr als siebentausend private, zweitausendzweihundertdreißig nichtkommerzielle und dreihundertzweiundachtzig städtische Agenturen, die nach ihren Interessen Arbeitsmarktpolitik betrieben.

Da die preußische Agrarwirtschaft seit der Mitte der siebziger Jahre wegen ihrer Konkurrenzschwäche auf dem deutschen und internationalen Markt an einer Senkung der Lohnkosten ihrer Landarbeiter vital interessiert war, zugleich aber wegen der Abwanderung von Hunderttausenden von Arbeitskräften unter der sogenannten «Flucht aus der Landwirtschaft» litt, unterstützte sie den Zustrom ausländischer Wanderarbeiter, die ausschließlich zur Erntezeit auf den Großbetrieben eingesetzt wurden. Die stärksten Kontingente dieser «Schnitterkolonnen» stammten aus Russisch-Polen und Galizien. Sie kamen aus übervölkerten, wirtschaftlich rückständigen Gebieten. Deshalb hingen sie in einem Zustand völliger Wehrlosigkeit, da sie keinerlei Marktmacht aufbieten konnten, von dem Lohnangebot und dem Arbeitsanspruch der Großagrarier ab. Gegen ein kärgliches Entgelt mußten sie vom ersten Sonnenstrahl bis in die Nacht hinein arbeiten, ehe sie in den «Schnitterkasernen» unter menschenunwürdigen Umständen für einige Schlafstunden zusammengepfercht wurden. Bei Widerspruch drohten Entlassung und Abschiebung.

Erst seit 1907 gab die «Preußische Feldarbeiterzentrale» die «Arbeiter-Legitimationskarten» aus, die das Recht auf begrenzte Anwesenheit im Lande bestätigten und eine gewisse Kontrolle des Zustroms ermöglichen sollten. Bis 1914 wurden 412000 Wanderarbeiter formell erfaßt. Einschließlich der hohen Dunkelziffer lag ihre Zahl in Preußen jedoch über einer Million. Auch das waren erst achtzig Prozent aller im Reiche anwesenden Wanderarbeiter, immerhin aber schon zwei Drittel aller preußischen Landarbeiter.

Ohne diese landwirtschaftlichen Wanderarbeiter registrierten allein die preußischen Behörden 1913 einen Zugang von 916000, einen Abgang von 555000 und einen Bestand von 361000 ausländischen Arbeitern. In diesem Jahr wurden in der Industriewirtschaft des gesamten Reiches auch rund 356000 ausländische Arbeitskräfte, die an erster Stelle aus Rußland, aber auch schon aus Italien und dem österreichischen Slowenien gekommen waren, beschäftigt. Diese wenigen Zahlen verdeutlichen, welche Größenordnung die Zuwanderung vor 1914 bereits erreicht hatte. Schon damals war Deutschland zum «zweitwichtigsten Arbeitseinfuhrland der Welt» aufgestiegen. Seither bahnten sich die zahlreichen Probleme einer multikulturellen Gesellschaft, die erst zwei Generationsspannen später ins öffentliche Bewußtsein drangen, unaufhaltsam an.[10]

II.
Strukturbedingungen und Entwicklungsprozesse der Wirtschaft

In der Epoche der deutschen Industriellen Revolution ist die moderne produktionskapitalistische Wachstumsmaschine in den mitteleuropäischen Führungsregionen endgültig installiert worden. Damit wurde auch das Grundgesetz ihrer Entwicklung: die unentrinnbare Fluktuation zwischen Konjunktur und Krise, ratifiziert. Seither übte dieser irreguläre Rhythmus auf die Wirtschaft und die Gesellschaft, die Politik und das sozialpsychische «Klima» einen eminenten Einfluß aus. In welchen zeitlichen Etappen der industrielle Wachstumsprozeß verlief, steht daher hier zuerst im Vordergrund, ehe seine Erfolge bilanziert, ehe auch neue strukturelle Veränderungen des industriekapitalistischen Systems in der Periode der Hochindustrialisierung analysiert werden.

Nachdem vorn (im 5. Teil, II. 5, 6) der tiefe Einschnitt der Zweiten Weltwirtschaftskrise von 1873 sowie der Beginn einer schweren, sechsjährigen Depression bereits geschildert worden sind, gilt es im Hinblick auf die Trendperiode von 1873 bis 1895 auch hier noch einmal zu betonen, daß das Wachstum selbst nach der schlimmen Krise von 1873 im allgemeinen weiter anhielt. Da es aber jetzt noch ausgeprägter als zuvor in scharf markierten Wachstumszyklen verlief, wurden wegen der drei langjährigen Depressionen bis 1895 die jährlichen Wachstumsraten im Vergleich mit der Periode von 1845/50 bis 1873 häufig mehr als halbiert, stets aber unter die Indexwerte für die Konjunkturspannen von 1863 bis 1874 und 1895 bis 1913 gedrückt. Von Stagnation, erst recht von absolutem Produktionsrückgang kann jedoch nur für eine relativ kurze Zeit in einigen wenigen Branchen die Rede sein. Auf die Industriewirtschaft insgesamt traf dieses drastische Negativurteil nie zu.

Während der folgenden Trendperiode von 1895 bis 1913 wurde die fulminante Hochkonjunktur nur von zwei scharfen, aber kurzlebigen Depressionen (von 1900 bis Anfang 1902 und vom Sommer 1907 bis Ende 1908) unterbrochen. Sie ließen während dieser herausragendsten europäischen Wachstumsphase im gesamten Industrialisierungsverlauf bis 1914 das Gespenst der Stagnation oder – modisch gesprochen – eines «Minuswachstums» gar nicht mehr aufkommen.

Es ist auch deshalb nötig, an erster Stelle die Wachstumskontinuität zu betonen, da die gravierenden Belastungen in den beiden Jahrzehnten nach 1873 beweisen, wie tiefreichend sich der Industriekapitalismus inzwischen durchgesetzt hatte, so daß selbst die langjährigen Abschwungphasen ihn nicht mehr aus seiner Verankerung herausreißen konnten. Im Rückblick erscheint das als eine Selbstverständlichkeit. Für viele Zeitgenossen wirkte das neuartige Produktionssystem aber noch zerbrechlich, zuweilen sogar aufs höchste gefährdet.

Der zeitgenössische Begriff der «Großen Depression» von 1873 bis 1895 ist seither wiederholt in der internationalen Wirtschafts- und Sozialgeschichte aufgegriffen worden – namentlich im Sinn der ausgedehnten Abschwungphase des sogenannten zweiten «Kondratieffs», einer «langen Welle» der Konjunktur. Während der intensiven Diskussion seit den 1960er Jahren ist dieser Begriff aber mit so viel guten Gründen in Frage gestellt worden, daß weder er selber noch überhaupt das Konstrukt der Kondratieffschen, extrem langen Konjunkturwellen von der Dauer eines halben Jahrhunderts überlebt haben. Dagegen ist die Realität kürzerer langwelliger Konjunkturbewegungen, die eine Schwingungsspanne von zehn bis zweiundzwanzig Jahren besitzen, immer wieder bestätigt worden. (Das ist vorn und in Band II schon ausführlicher erörtert worden.)

Als realitätsnähere Charakterisierung der Trendperiode von 1873 bis 1895 kann vielmehr der Begriff der «Großen Deflation» gelten, denn der säkulare Deflationstrend des 19. Jahrhunderts führte in jenen Jahrzehnten zu einem besonders markanten Abfall der Preise, Gewinne und Renditen, die weithin als wichtigste Parameter des wirtschaftlichen Erfolges angesehen wurden. Da aufgrund der dennoch fortlaufenden Produktionssteigerung und des Produktivitätsgewinns die Mengenkonjunktur durchweg anhielt, folgerichtig auch der verschärfte Konkurrenzkampf die Gewinnspannen reduzierte und die Preise nach unten trieb, entsprach dieser Vorgang durchaus den Regeln in den Lehrbüchern der klassischen liberalen Ökonomie. Daß aber die Preise so lange fielen, daß die Profitraten und Gewinne aus Kapitalvermögen so lange schrumpften – all das wurde ja damals immer gemessen an der ersten, überschäumenden Hochkonjunktur der beiden vorangegangenen Jahrzehnte! –, empfanden Unternehmer, Bankiers, Aktionäre, überhaupt Investoren als «Depression». Für die Bezieher fester Einkommen, für Arbeitsplatzbesitzer, für den sogenannten «kleinen Mann» als Konsumenten besaß dagegen der deflationäre Preistrend unübersehbar zahlreiche Vorzüge, obwohl die gleichzeitig anhaltende Belastung vieler von ihnen mit schlimmen Depressionsfolgen wie Lohnsenkung, Kurzarbeit und Arbeitslosigkeit nicht aus dem Auge verloren werden darf.

Trotz des folgenreichen Revisionismus, der die Vorstellung von einer überdimensionierten, zweieinhalb Jahrzehnte währenden «Depression» aufgelöst hat, bleibt doch der Tatbestand unumstößlich bestehen, daß in dieser deflationären Trendperiode drei gravierende industrielle Depressionen weitreichende ökonomische, soziale, politische und sozialpsychische Wirkungen ausgelöst haben. Im Erfahrungshorizont der Zeitgenossen wirkten sie auch deshalb besonders niederdrückend, da zum ersten Mal eine solche fatale Serie von Depressionen so dicht aufeinanderfolgte. Daß die statistische

Kunstfigur des später errechneten Wachstumstrends währenddessen weiter aufwärtsstrebte, bedeutete für die Benachteiligten keinen Trost.

Seit der Mitte der neunziger Jahre hat sich dann in allen westlichen Industriestaaten eine beispiellose Hochkonjunktur durchgesetzt. Trotz zweier schmerzhafter, indes kurzlebiger Depressionen hielt sie rund zwanzig Jahre an. Das waren die goldenen Jahre einer weltwirtschaftlichen und nationalwirtschaftlichen Dauerprosperität, die auch den Deutschen ihr erstes «Wirtschaftswunder» bescherte. Dank der Schubkraft neuer Führungssektoren stellten sich fabulöse Wachstumserfolge ein. Die Industriewirtschaft und das Bankgeschäft, der Binnenhandel und die Bauwirtschaft, der Waren- und der Kapitalexport wuchsen in neue Dimensionen hinein. Von dieser Flutwelle wurde auch der Anstieg des Volkseinkommens und der Reallöhne kontinuierlich mitgetragen. Die deutsche Wachstumsmaschine hat die Einbrüche von 1900/1902 und 1907/1908 so schnell überwunden, daß sie einem Vergleich mit den ungleich längeren und einschneidenderen Depressionen in der vorhergehenden Trendperiode nicht standhalten. 1913 setzte eine neue krisenhafte Fluktuation ein. Aber ehe sie sich voll auswirken konnte, hat der Weltkrieg die freie Konjunkturbewegung der Weltwirtschaft unterbrochen.

Die Depressionen zwischen 1873 und 1895 hingen wesentlich auch damit zusammen, daß die Dynamik der klassischen Führungssektoren der Industriellen Revolution erschlaffte. An ihrem Spitzenreiter, dem Eisenbahnbau, läßt sich das eindringlich nachweisen. Die Erholungstendenz seit den späten achtziger Jahren, erst recht aber die ungehemmte Konjunkturexpansion seit 1895 war dann in hohem Maße dem Aufstieg neuer Leitsektoren zu verdanken. Zu ihnen gehörten vor allem die Elektrotechnik und die Großchemie, der neudimensionierte Maschinenbau einschließlich des Motorenbaus, die Optikindustrie und erneut der Wohnungsbau. Sie konnten seither, ringsum begünstigt und stimuliert durch den weltwirtschaftlichen Aufschwung, die Rolle der vorantreibenden «Zyklusanführer» übernehmen. Dadurch wurden auch die bereits etablierten Sektoren der Eisen- und Stahlproduktion, des Kohlenbergbaus und der Metallverarbeitung revitalisiert, so daß sie eine neue Motorik entfalten konnten.

Während die deutsche Hochindustrialisierung zeitweilig abgebremst wurde, dann aber der Chimäre eines grenzenlosen Wachstums wieder unbeschwert entgegeneilte, lief auch der Konzentrationsprozeß auf unterschiedlichen Ebenen weiter. Die Großunternehmen selber konnten, ob nun in der Gestalt einer einzigen spezialisierten Aktiengesellschaft oder eines viele diversifizierte Betriebe zusammenführenden Konzerns mit horizontaler und vertikaler Konzentration, ihre Spitzenposition weiter ausbauen. Sie dominierten das auch in Deutschland vorherrschende duale Wirtschaftssystem, in dessen Kern sie sowohl mit ihren ökonomischen Ressourcen als auch mit ihrer geballten Marktmacht das Entwicklungstempo bestimmten, während sich mittelgroße oder kleine, «mittelständische», aber ebenfalls außerordentlich leistungsfähige Firmen in konzentrischen Kreisen um sie herumlegten.

Über die Riesenunternehmen und vertikalen Verbundsysteme hinaus setzte sich der Konzentrationsprozeß in branchenspezifischen Syndikaten und Kartellen fort. In gewisser Hinsicht trat auch in den regional und reichsweit operierenden Interessenverbänden ganzer Industriezweige, schließlich in der «nationalökonomischen» Konsolidierung durch den Zollprotektionismus und eine ausgreifende Subventionspolitik dieselbe Antriebskraft zugunsten der geballten Stärke der «Volkswirtschaft» zutage. Interessen wurden gebündelt und unterstützt, um sie dank dem gesteigerten Machtpotential mit dem Ziel der inneren und äußeren Marktbeherrschung durchsetzen zu können.

Parallel zu diesem strukturimmanenten und deshalb unaufhaltsamen Trend zur Großorganisation verlief, durch ihn bedingt und gefördert, die Bürokratisierung der Unternehmensverwaltung und der Verbandsmacht, die Formalisierung der strategischen und betriebswirtschaftlichen Entscheidungsprozesse, der Übergang vom Eigentums- zum Managerunternehmer, die zielbewußte Steuerung des Zuflusses wissenschaftlich erarbeiteter Innovationen durch betriebseigene Forschungsstätten oder alliierte Hochschulinstitute, die enge Kooperation mit der Staatsmacht, um sowohl wirtschaftliche als auch gemeinsame politische Ziele zu realisieren. Dieser Trend zur bürokratisierten Organisation der privaten Großwirtschaft, die mit Interessenverbänden, politischen Entscheidungsgremien und staatlichen Verwaltungsbehörden ein dicht verflochtenes Netzwerk bildete, indiziert einen tiefen Strukturwandel, der eine genauere Analyse und Erklärung verlangt. Sie ist mit Hilfe verschiedener theoretischer Konzeptionen schon mehrfach versucht worden: mit Hilfe des «Organisierten Kapitalismus» zum Beispiel, des «Korporativismus» oder, wenngleich völlig unzulänglich, des «Staatsmonopolistischen Kapitalismus» der marxistisch-leninistischen Orthodoxie. Dieser qualitativen Veränderung im ökonomisch-politischen Strukturgefüge gilt es, mit elastischen, trennscharfen Kategorien gerecht zu werden.

Ein Thema für sich stellt der Vorstoß der deutschen Wirtschaft auf dem Weltmarkt dar, wo sie dank der Verbindung von hochentwickelter privatkapitalistischer Leistung mit einer zielstrebig dosierten staatlichen Protektion und Subvention sogar einen Platz im Spitzentrio der industriellen Weltmächte erringen konnte. Daß Deutschland nach wenigen Jahrzehnten industriellen Wachstums hinter Großbritannien als erstem «Workshop of the World» oder hinter dem überseeischen Wirtschaftsgiganten, den Vereinigten Staaten, bis 1914 den zweiten oder dritten Rang – je nach dem betrachteten Sektor sogar den ersten – errungen hatte, das symbolisierte für jedermann, im Inland wie im Ausland, die offenbar unbezähmbare ökonomische Dynamik der jüngsten europäischen Großmacht.

Im Vergleich mit dem langlebigen industriellen Aufschwung im Kaiserreich tritt gewöhnlich die Leistung des Handwerks zurück, zumal es sich in der Tat auf den Primat der Industrie mühsam umzustellen hatte. Trotzdem darf man weder die effiziente «Performance» des modernisierten Kleingewerbes noch seinen hohen Beitrag zum Sozialprodukt, zur Wertschöpfung, zur Baukonjunktur usw. unterschätzen. Insofern ging seine Bedeutung im Rahmen der Gesamtwirtschaft über die oft konstatierte Anpassung an die Erfordernisse einer industrialisierenden Gesellschaft weit hinaus.

Im Grunde wurde aber der Landwirtschaft eine noch ungleich dramatischere Veränderung zugemutet. Nach ihrem «goldenen» halben Jahrhundert bis 1876 geriet sie seither unter dem Druck des neuformierten Weltagrarmarkts in eine strukturelle Dauerkrise. Sie verlor ihre Führungsrolle nicht nur als wirtschaftlicher, sondern auch als soziopolitischer Leitsektor, selbst wenn ihre Vertreter das jahrzehntelang so wenig einsehen wollten, daß sie unnachgiebig für eine untergegangene Position weiterkämpften. Wie alle Indikatoren ausweisen, fiel sie seit den achtziger Jahren kontinuierlich weit hinter der Industrie und dem Dienstleistungssektor zurück ins dritte Glied.

Als die Alternative zwischen «Agrarstaat» und «Industriestaat» seit den neunziger Jahren in der deutschen Öffentlichkeit noch einmal leidenschaftlich diskutiert wurde, handelte es sich bereits um ein Scheinproblem: Der Übergang zum Industriestaat war längst vor diesem überflüssigen Rückzugsgefecht vollzogen. Dank ihrer eigenen Modernisierungsleistung und der unterschiedlichsten, tief gestaffelten staatlichen Subventionsmaßnahmen, die ein grenzenloser Egoismus machtbewußt durchzusetzen verstand, hat aber die deutsche Landwirtschaft trotz der – bis heute – für sie nachteiligen Auswirkungen des Weltagrarmarkts noch einmal eine beträchtliche Produktionssteigerung und Modernisierungsleistung erzielen können. Die fundamentale Importabhängigkeit des Reiches im Hinblick auf essentielle Agrarprodukte vermochte sie jedoch nie mehr aufzuheben. Alle großspurigen Versprechen, den «Ernstfall» mit einer autarken Landwirtschaft jahrelang überstehen zu können, erwiesen sich schon seit dem Herbst 1914 als hohles Geschwätz.

Blickt man noch einmal auf den ökonomischen Umwälzungsprozeß, den das Deutsche Kaiserreich in seinen vier Friedensjahrzehnten erlebte, aus der Vogelperspektive zurück, bildet der Siegeszug des modernen, zunehmend in Großunternehmen organisierten Industriekapitalismus seine Signatur. Trotz aller heftigen Pendelausschläge des Konjunkturverlaufs hat er das Wirtschaftsleben und die Gesellschaft des Reiches in einem Ausmaß verändert, das selbst der Generation, welche soeben die Industrielle Revolution durchlebt hatte, noch unvorstellbar erschien.

Dieser Triumph der Hochindustrialisierung mit ihrer Fluktuation zwischen konjunkturellen Aufschwungphasen und niederdrückenden Depressionen, mit ihrem Zugewinn an Lebenschancen und zugleich ihren schweren sozialen Kosten soll jetzt an erster Stelle analysiert werden.

1. Die Hochindustrialisierung im Wechsel von Konjunktur und Krise

a) Die Depression von 1873 bis 1879

Bis 1873 war die Wachstumsmaschine der deutschen Industriewirtschaft derartig hochtourig in Gang gekommen, daß ein sich selbst tragender Entwicklungsprozeß initiiert worden war. Trotz der Zäsur der Zweiten Weltwirtschaftskrise seit dem Herbst 1873 und der nachfolgenden Depressionen trieb ihn seine Expansionsmotorik weiter voran. Dabei unterlag er jedoch drastischen Tempoveränderungen, welche die Natur der bis 1914 folgenden Wachstumszyklen geprägt haben. Eingebettet in eine weltweit wirkende Stockung, die den globalen Charakter des Industriekapitalismus nachdrücklich unterstrich, erlebte die deutsche Wirtschaft mit dem sechsjährigen Abschwung von 1873 bis 1879 nicht nur ihre längste, sondern auch ihre gravierendste Depression vor der Dritten Weltwirtschaftskrise seit 1929.

Nach ihrem überhitzten Vorwärtsstürmen, dem typischen «Overshooting», mußten die Führungssektoren des Wachstumskerns durch eine schwierige Umstellungsphase hindurch, bis sie sich dem «normalen» Wachstumstrend wieder angepaßt hatten. Zugleich erschlaffte die Zugkraft der klassischen Wachstumslokomotiven, und neue Führungssektoren mußten erst aufsteigen, um deren Funktion zu übernehmen. Dieser «Staffelwechsel» ist immer in zahlreiche Krisen eingebettet, die sich auch in Deutschland in den siebziger/achtziger Jahren summierten und zum guten Teil die Häufung der Abschwungjahre erklären.

Sowohl die Adjustierung der Überinvestitionen und Überkapazitäten, die mit ihrer Überproduktion die Märkte überschwemmten, als auch der quälend langgestreckte Wechsel der wirtschaftlichen Spitzenreiter führten dazu, daß wichtige Wachstumsraten im Vergleich mit der vorhergehenden rund zwanzigjährigen Hochkonjunkturperiode ein gutes Dutzend Jahre lang mehr als halbiert, auch danach noch bis 1895 unter den verklärten Hochwerten des «Gründerbooms» blieben. Angesichts des bereits von dem Konjunkturexperten Arthur Spiethoff empirisch solide abgesicherten Befunds, daß zwischen 1874 und 1894 die Menge von fünfzehn krisenhaften Stockungs- oder Depressionsjahren die Anzahl von maximal sechs Konjunkturjahren weit übertraf, wird diese Verlangsamung des Wachstums kaum überraschen. Heute kann das durch die neu ermittelten jährlichen Zuwachsraten des Nettoinlandsprodukts mit unübertrefflicher Klarheit demonstriert werden. Nachdem der Durchschnitt in den Hochkonjunkturjahren vor 1873 bei 3.31 gelegen hatte, sackte er seit 1874 fast zehn Jahre lang auf eine Wachstumsrate von 1.22 ab – das bedeutete eine Verminderung um nahezu zwei Drittel. Die zeitgenössische Wirtschaft wurde dadurch denkbar schmerzhaft getroffen.

Am tiefsten traf sie der anhaltende Preisverfall, die scharfe Reduktion der Profitraten und Kurswerte, der Renditen und Dividenden. Von dieser Preisdeflation ging der stärkste depressive Einfluß aus, der lange Zeit mit seinen vielfältigen Auswirkungen auch verbarg, daß der Wachstumsmotor durchaus weiterlief. Im Mittelpunkt der schweren Störung des Wirtschaftslebens stehe, diagnostizierte 1888 der Papst der neoklassischen Ökonomie, Alfred Marshall, die «Depression der Preise, die Depression der Zinsen und die Depression der Profite». Tatsächlich besaß keine Zeitspanne zwischen 1815 und 1914 eine «drastischer deflationäre Natur» als die Trendperiode zwischen 1873 und 1895, und in ihr markierte die Depression von 1873 bis 1879 den irritierendsten Abfall.

«Die großen weltgeschichtlichen Prozesse vollziehen sich nicht nur auf den Schlachtfeldern und durch die großen Aktionen der Staaten», urteilte ein bekannter deutscher Ökonom, nachdem er diese charakteristische Erfahrung selbst miterlebt hatte. «Es gibt vielmehr Vorgänge und Geschehnisse, die sich ganz lautlos und oft in der Stille der Kontore und den Rechnungsbüchern abspielen und die doch höchst wichtige Momente im Dasein der Völker darstellen. Dazu gehören die grundstürzenden Änderungen in den Preisen der Waren. Sie markieren in der Geschichte immer folgenschwere Wendepunkte des wirtschaftlichen und sozialen Lebens, deren Tragweite erst die Nachwelt ganz zu überblicken vermag. Die Preise sind nun einmal der empfindlichste Gradmesser des wirtschaftlichen Lebens.» Angesichts der tiefgreifenden «Umwälzungen ... in der Gegenwart» könne man, glaubte er, zu Recht «von einer Preisrevolution» sprechen.

Daß die Preise, dann die Gewinnspannen und die Erträge aus ganz unterschiedlichem Besitz und Vermögen nach den Gipfelwerten bis 1873 derart steil abstürzten, hat auch die öffentliche Diskussion beherrscht, sie auf ihrer hektischen Suche nach den Ursachen und nach wirksamen Mitteln der Abhilfe immer wieder vorangetrieben. Je länger die Preisdeflation anhielt, desto tiefer fraß sich der bittere Eindruck ein, einer beispiellosen «Großen Depression» ausgeliefert zu sein. Unstreitig hat diese psychische Auswirkung der Preis- und Wachstumsfluktuationen die objektivierbaren Schwierigkeiten noch einschneidend verschärft. Wegen der verzerrten, wenn auch verständlichen Perzeption der Wirtschaftslage löste sie einen abgrundtiefen Pessimismus aus, der wiederum das Handeln der Wirtschaftssubjekte negativ beeinflußte. Sie wurden in eine Spirale anwachsenden Mißtrauens und gelähmter Aktivität weiter hineingezogen.

Währenddessen erlebte das Produktionsvolumen, wie bereits betont, keineswegs eine allgemeine, dauerhafte Stagnation, geschweige denn einen allgemeinen, dauerhaften Rückgang, wie er umgangssprachlich mit dem Begriff der Depression häufig verbunden wird. Nur wenige Branchen wurden für relativ kurze Zeit von einer solchen drastischen Störung ihrer Aufwärtsbewegung heimgesucht; das war dann in der Tat schlimm genug. Aufs Ganze gesehen hielt aber das Wachstum an, wenn auch jahrelang mit kraß verminderten jährlichen Raten, und seit der zweiten Hälfte der siebziger Jahre setzte sich die allgemeine Mengenkonjunktur wieder generell durch. Wegen der Kumulierung von deflationärer Dauerbewegung und Wachstumsfluktuation zeigten wichtige, hinten noch heranzuziehende volkswirtschaftliche Meßwerte wie das Nettoinlandsprodukt, die Wertschöpfung und vor allem die Nettoinvestitionen das einschneidende Ausmaß der Depression an.

Am auffälligsten blieb die «großartige Preisrevolution», wie man auch damals schon aus einer konsumentenfreundlichen Perspektive urteilen konnte. Ihre weitverästelten Auswirkungen, die letztlich auf einem überdimensionierten Produktionsschub und enormen Produktivitätszuwachs beruhten, kann man sich erst im Hinblick auf die Gesamtwirtschaft, dann am Beispiel einzelner Industriereviere klarmachen, um die objektive Wirtschaftslage, aber auch die Verstörung zu verstehen, welche die erste lange Depression in der deutschen Industrialisierungsgeschichte auslöste.

Der Gesamtindex der Großhandelspreise im Reich (1913 = 100) sank während dieser sechs Jahre um ein volles Viertel: von 1873 = 118 auf 1879 = 79, nach einem neuen Index (1870 = 100) sogar um 38 Prozent von 130.4 auf 88.0. Auch bis 1895 schwankte er dann zwischen nicht mehr als 87 und 70 Indexpunkten. Der Preisindex für Industriestoffe sackte während derselben Zeit um 46 Prozent von 136 auf 77, erst 1908 erreichte er wieder den Stand von 1872. Der Index der Aktienkurse stürzte sogar um dreiundsechzig Prozent: von 1872 = 102.4 auf 1877 = 36.8; erst 1890 gelangte er wieder auf den Stand von 1873, der Gesamtfondindex erst 1910 auf den Stand von 1870. Am härtesten wurde das Preisgefüge der Schwerindustrie erschüttert. Der Roheisenpreisindex fiel um dreiundsechzig Prozent von 208.7 auf 76 (bei 1870 = 100: von 208.7 auf 80.6), der Stahlpreisindex fast um denselben Wert von 116 auf 49; die Ruhrkohlentonne ebenfalls von 10.99 auf 4.14 M./To.

Selbst die relativ resistenten Textilpreise gingen um ein Viertel von 108 auf 83 Indexeinheiten zurück. In Hamburg fielen die jährlichen Durchschnittspreise eines buntgemischten Samples von hundert wichtigen Handelsartikeln (1847/50 = 100) von 1873 = 138.28 auf 1879 = 117.10. Die häufig unterschätzte Wohnungsbauwirtschaft, die während günstiger Prosperitätsjahre ein außerordentlich hohes Volumen der Nettoinvestitionen in Anspruch nahm (1870/74 = 24, 1890/94 = 37.6 Prozent!), paßte sich verblüffend symmetrisch den Konjunkturzyklen an, verschärfte damit aber auch die Depression.

Dem Abschwung der Wertindikatoren folgte erst der Marktdiskontsatz, dann auch der Diskontsatz der Reichsbank seit 1874; nach seinem Tiefpunkt im Jahre 1892 kletterte er erst nach vierzig Jahren (1908) auf den Stand, den 1868 der Diskontsatz der Preußischen Bank besessen hatte. Die jährlichen Dividenden, die während des «Gründerbooms» auf durchschnittlich 12.59 Prozent angestiegen waren, fielen von 1873 bis 1879, auch noch weiter bis 1895, auf 7.08 Prozent, die Renditen von 8.64 auf 5.03 Prozent.

Der Kontrast mit der Hochkonjunktur bis zum Sommer 1873 tritt besonders grell hervor, wenn man sich die Veränderungen eines wichtigen Leitmerkmals vor Augen führt: Gemeint ist der Kapitalstock der neugegründeten Aktiengesellschaften, des Symbols großunternehmerischer wirtschaftlicher Modernisierung. Waren allein von 1871 bis 1873 928 Aktiengesellschaften mit einem Aktienkapital von 2.781 Milliarden Mark geschaffen worden, ging die Anzahl der Neugründungen zwischen 1874 und 1879 auf 318 Aktiengesellschaften mit einem geradezu kläglichen Gesamtkapital von 284 Millionen Mark zurück (von 1873 = 544, 1874 = 106, 1875 = 46, 1876 = 18, 1877 = 43, 1878 = 13 auf 1879 = 57 Mill. M.). Insgesamt wurden in der Trendperiode der Wachstumsstörungen zwischen 1874 und 1895 2.406 Milliarden Mark in 2572 Aktiengesellschaften investiert. Das waren 375 Millionen Mark weniger als in den drei Jahren von 1871 bis 1873.

So eindringlich solche Globalziffern auch den Absturz der Konjunktur in eine langwährende Depression verdeutlichen, illustrieren die regionalen Zahlen vielleicht noch deutlicher, wie die Industriebezirke und Einzelunternehmen getroffen wurden. Das Ruhrgebiet etwa, das in den vergangenen Jahrzehnten schon zur größten Industrieregion Europas aufgestiegen war, hatte unter der Preisdeflation und Wachstumsfluktuation außerordentlich schwer zu leiden. Innerhalb kürzester Zeit, vom Herbst 1873 bis Ende 1874, sackten dort die Tonnenpreise für Roheisen von 190 auf 45, für Stahlschienen von 408 auf 252, für Steinkohle von 18 auf 4.60, für Koks von 54 auf 9 Mark hinunter. Bis 1877 waren Stahlschienen sogar bei 140, Stabeisen von 352 bei 123, Puddelofeneisen von 162 bei 44 und Bessemereisen von 188 bei 69 Mark angelangt. Diese Turbulenz wirkte sich nicht nur kurzzeitig auf die Kurse und Dividenden der schwerindustriellen Großunternehmen aus. Vielmehr leitete sie eine lange Talfahrt während der gesamten Depressionsphase ein. Das veranschaulicht ein Blick auf wichtige Kurse der Berliner Börse und die Dividenden von sechs bekannten Industrie- und Bergwerksgesellschaften.

Übersicht 73: Kurse und Dividenden während der Depression von 1873 bis 1879

Unternehmen	1873	1877	
1. Harpener Bergwerks-AG	475/60%	68/2.5%	(1875, 1876: 0)
2. Arenberg	390/0	119/0	
3. Bochumer Verein	240/17%	20/0	(1875–1879: 0)
4. Pluto	221/0	41/0	
5. Dortmunder Union	185/0	4/0	(1873–1878: 0)
6. Hörder Verein	144/4 %	23/0	(1874–1878: 0)

Der unlängst gegründete Interessenverband der Schwerindustrie des Ruhrgebietes, der «Verein zur Wahrung der gemeinsamen wirtschaftlichen Interessen im Rheinland und Westfalen» – besser kurz als «Langnam-Verein» bekannt –, fand durch eine Umfrage unter seinen potenten Mitgliederfirmen über die «trostlosen Zustände» heraus, daß bis 1877 rund sechshundert Millionen Mark Unternehmenskapital durch die Kursverluste auf angeblich fünfunddreißig Prozent ihres ursprünglichen Investitionswertes reduziert worden seien. Zu dieser Zeit konnten von sechsunddreißig großen Bergwerks-Aktiengesellschaften nur neun, von hundertvierundfünfzig Kohlegewerkschaften nur fünfundvierzig überhaupt eine magere Dividende zahlen. Die Steinkohlenförderung stieg zwar seit der Krise (16.42) bis 1879 um siebenundzwanzig Prozent auf 20.4 Millionen Tonnen an. Ihr Verkaufswert wurde jedoch trotz dieser quantitativen Steigerung um mehr als die Hälfte: von 180 auf 84.4 Millionen Mark, reduziert. Auch die Nettowertschöpfung des Ruhrbergbaus ging folgerichtig von 1873 = 147.074 um etwa denselben Prozentsatz auf 1879 = 68.808 Millionen Mark zurück. Erst die im Vergleich mit 1873 verdoppelte Produktionsmenge von 1889 erreichte mit 180 Millionen Mark wieder den Wert von 1873. Auch jetzt erzielte eine Tonne Kohle in Essen mit 8.48 Mark nur die Hälfte des Preises von 1873.

Die Signale der Tiefkonjunktur standen auch in anderen Industrieregionen auf rot. Im Saargebiet sackten in den sechs bösen Jahren die Preise für Stabeisen von 333 Mark/Tonne um zwei Drittel auf 106 Mark/Tonne. Die Schienen- und Walzeisenpreise gaben um sechsundzwanzig Prozent nach. Trotz einer Produktionsverminderung um ein Drittel verkauften die Eisenhütten im Inland zeitweilig unter dem Selbstkostenpreis. Die Saarkohle erlebte denselben Wertverlust wie die Ruhrproduktion. Im Siegerland wurde der Förderwert des Eisenerzes von 6.48 Millionen Mark bis 1875 auf 3.70 Millionen Mark, der Wert der Roheisenprodukte von 1873 = 16.5 bis 1879 = 7.2 Millionen Mark trotz der kräftig gestiegenen Produktion sogar um mehr als die Hälfte reduziert. Da die Schwerindustrie allgemein litt, kletterte auch der Güterverkehr der Eisenbahnen, der allein von 1870 = 5.3 bis 1873 = 9.9 um 4.6 Milliarden Tonnenkilometer angestiegen war, von 1874 = 10.1 bis 1879 = 11.9 nur um 1.8 Milliarden Tonnenkilometer höher.

Überhaupt wurde im gesamten Reich die Eisenerzförderung und Metallproduktion hart getroffen. Bis 1879 = 5.6 blieb die Erzmenge unter der Ziffer von 1873 = 6.2 Millionen Tonnen. Ihr Wert sank aber in dieser Zeit von 43.4 auf 23.6 Millionen Mark. Die Roheisenproduktion erreichte nach 1873 = 2.219 Millionen Tonnen wegen ihres absoluten Rückgangs oder ihrer Stagnation nicht mehr diesen Gipfelwert, bis sie ihn endlich 1879 = 2.227 Millionen Tonnen knapp übertraf. Ihr Wert fiel jedoch sogar von 248.6 um 55 Prozent auf 112.4 Millionen Mark. Die Anzahl der in Betrieb gehaltenen Hochöfen sank von 1873 = 379 auf 1879 = 210. Der Eisenverbrauch pro Kopf – ein kruder, aber durchaus aussagekräftiger Indikator der industriellen Konjunktur – sackte von 1873 = 71.5 Kilogramm um mehr als die Hälfte auf 34.5 Kilogramm hinab; erst 1889 erreichte er wieder die Menge von 1873. Allein diese wenigen Zahlen illustrieren, mit welchen gravierenden

Problemen die Schwerindustrie zu kämpfen hatte. Selbst in der modernen Stahlindustrie, wo die Erzeugung von 1873 = 1.584 auf 1879 = 1.717 Millionen Tonnen immerhin noch hochkletterte, gab es zwischendurch auch absolute Schrumpfungs- oder Stagnationsjahre, vor allem aber wieder einen Wertverfall von 438.79 auf 282.42 Millionen Mark.

Auch ein Industriezentrum wie Berlin, das keineswegs schwerindustriell geprägt war, wurde schmerzhaft in Mitleidenschaft gezogen. Der Kurswert des Kapitals aller in Berlin domizilierenden Industrie-Aktiengesellschaften stürzte innerhalb von fünf Jahren von 1872 = 1.45 Milliarden Mark auf 1877 = 600 Millionen Mark um drei Fünftel nach unten. Die Gesamtsumme ihrer Dividenden schrumpfte noch mehr: von 107 auf 25 Millionen Mark, mithin auf ein Viertel des Boomwerts. Wie hart die Berliner Industriebranchen getroffen wurden, belegt indirekt auch die Anzahl der baupolizeilichen Konzessionen für Fabrikneubauten. Von 1872 = 204 ging sie auf magere zehn im Jahre 1878 zurück. Ein Prunkstück der Hauptstadt, Borsigs Maschinenbaufabrik, hatte dank ihrem Auftragspolster 1875 noch einhundertsiebenundsiebzig Lokomotiven hergestellt. 1877 brachte sie es soeben noch auf vierundvierzig, von denen allein siebzehn für den Export bestimmt waren. «Gegen die Tatsache der schweren Krankheit der Industrie verschließt niemand mehr die Augen», konstatierte der Spitzenmanager und nationalliberale Politiker Friedrich Hammacher gegenüber dem befreundeten Industriemagnaten Haniel. «Die Gründe der furchtbaren Krisis», die er seit Jahren im Ruhrrevier aus nächster Nähe beobachtete, erkannte er wie zahlreiche identisch urteilende Zeitzeugen in der Überkapazität vieler Unternehmen, die mit ihrer aufgezwungenen Preissenkung die «jetzige Kalamität» notgedrungen verschärften.[1]

In der Tat ist die Depression von 1873 bis 1879 durch eine gewaltige Spannung charakterisiert, die den zeitgenössischen Wirtschaftsakteuren und Politikern, den sachkundigen Fachwissenschaftlern und Publizisten während einer quälend langen Zeit unlösbar zu sein schien. Auf der einen Seite hielt die rasante Preisdeflation an. Sie erfaßte lückenlos die Rohstoffe und Produkte derjenigen Führungssektoren, die sich mit der Industriellen Revolution an die Spitze gesetzt hatten. Ihre Überkapazitäten, mithin gerade ihre nicht leicht zu drosselnde überdimensional ausgebaute Leistungsfähigkeit, hielt die Talfahrt der Preise in Gang. Von diesem Wachstumskern aus, dessen Probleme den «wichtigsten Grund für das Umschlagen der gesamtwirtschaftlichen Konjunktur» bildeten, strahlte die Deflationswirkung auf die anderen Branchen und Warengattungen so stark aus, daß sie mit in den Abschwung gezogen wurden. Überall gab der Preisfall dem Optimismus den entscheidenen Stoß, da erst die Roh-, dann die Reingewinne wegen der rasant verschlechterten «Profitabilität» zurückgingen oder sogar ausfielen.

Auf der andern Seite hielt – trotz der mehrjährigen Schrumpfungs- und Stagnationserscheinungen in einigen zentralen und auffälligen Produktionsbereichen, im Banken- und Börsengeschäft, im Groß- und Einzelhandel – der Anstieg der Erzeugungsmenge der Gesamttendenz nach weiter an. Nach den riesigen Investitionen von 1868 bis 1873 wuchs die Kapazitätsausweitung seither an, und da die Ausreifungszeit Jahre in Anspruch nahm, hinkte die Output-Expansion hinter den Investitionen her, so daß ein gut Teil der neuen Anlagen erst nach 1873 zur Produktionsreife gelangte. Seit der allgemeinen Mengenkonjunktur nach der Mitte der siebziger Jahre war dieses Phänomen gar nicht mehr zu übersehen.

Man muß sich dieses quantitative Wachstum während der Depressionsjahre vielleicht doch noch einmal vergegenwärtigen. Zwischen 1873 und 1879 stieg zum Beispiel die jährliche Produktion in den folgenden wichtigen, vom Preisabschwung schwer getroffenen Bereichen weiter an: Roheisen immerhin von 2.22 auf 2.23 Millionen Tonnen, Stahl von 1.58 auf 1.72 Millionen Tonnen, Metallhüttenerzeugnisse von 144000 auf 207000 Tonnen, die Ruhrkohlenförderung von 16.42 auf 20.4 Millionen Tonnen, die gesamtstaatliche Förderung von 36.39 auf 42.03 Millionen Tonnen.

Nun ist es richtig, daß während der Hochkonjunktur bis 1873 Überinvestitionen getätigt und Überkapazitäten aufgebaut worden waren, die eine Überproduktion zur Folge hatten, für welche die maßlos überschätzte Aufnahmefähigkeit der Binnen- und Außenmärkte nicht ausreichte. (Dieser offensichtlich unvermeidbare Krisenmechanismus des privatkapitalistischen modernen Wirtschaftswachstums ist bereits ausführlicher – in Band II, 4. Teil, I. 2 u. 3 – erörtert worden.) Das Kapazitätswachstum war der langfristigen Nachfrage weit vorausgeeilt. Zwar holte die Nachfrage in einer Wachstumsgesellschaft à la longue die Kapazitätsausweitung allmählich wieder ein – eben dieser Aufholprozeß machte weithin den Inhalt der Depressionsjahre aus. Insofern mochte das oft verkündete liberale Dogma, daß nach einem exzessiven Ausbau des Produktionssystems eine «Gesundschrumpfung» mit ihren schwerwiegenden sozialen und materiellen Kosten nach allen Regeln der klassischen Politischen Ökonomie unvermeidbar, daher als Kismet hinzunehmen und schicksalsergeben durchzustehen sei, für die Betroffenen wie blanker Zynismus klingen. Um die Anpassung an einen maßvoller steigenden, den Absatz- und Konsummöglichkeiten näher entsprechenden Wachstumstrend ging es aber in der Tat.

Die Wege zu einer solchen erfolgversprechenden realistischen Anpassung waren jedoch heftig umstritten. Außerdem: Wenn sie begangen wurden, konnte das Ergebnis zeitweilig durchaus kontraproduktiv sein. Häufig reagierten nämlich die Unternehmen ökonomisch durchaus rational auf den Preisfall mit Methoden, welche die Gestehungskosten senken und die Produkte verbilligen sollten, damit ein preiswerter Massenabsatz die radikal reduzierte Gewinnspanne wettmachen konnte. Deshalb wurde etwa zu dem vertrauten Mittel gegriffen, Arbeiter zu entlassen oder ihre Löhne zu senken, um den hohen Anteil derjenigen Produktionskosten, die wegen des unvermeidbaren, aber teuren Einsatzes von «Humankapital» zu Buche schlugen, zurückzuschrauben. Die unerwünschte Folge bestand im Absinken der Massenkaufkraft und im Anstieg sozialer Spannungen. Darüber hinaus wurden in den Betrieben Rationalisierungsmaßnahmen und technologische Innovationen eingeführt, um im Wettbewerb überleben zu können. Vor allem deshalb gelang während der Depression eine erstaunliche Produktivitätssteigerung (Jahresproduktion pro Kopf in Tonnen), zum Beispiel bei Steinkohle von 206 auf 242 (18 Prozent), bei Roheisen von 80.3 auf 125.6 (56 Prozent), bei Zink von 11.0 auf 14.1 (31 Prozent).

Eben diese durch die Existenznot erzwungene, von ihr gewissermaßen abgenötigte Leistung bildete eine der Grundlagen für den Aufschwung der nächsten Trendperiode. Nicht minder bemerkenswert ist die entschlossene Senkung der Herstellungskosten. Sie wurden etwa in der Peine-Ilseder Eisenindustrie von 1873 bis 1879 von 47.9 auf 25.2 Mark/Tonne (47 Prozent) gedrückt, die Fixkosten von 19.6 auf 9.1 Mark/Tonne (54 Prozent). Zu Recht konstatierte daher der «Zentralverband deutscher Industrieller», daß der «Preisdruck» wesentlich auf «natürliche Gründe» wie die «fortgesetzte Verminderung der Erzeugungskosten» bei gleichzeitiger «Steigerung der Produktion» zurückzuführen sei. Zunächst aber war die Konsequenz ein erhöhter Ausstoß mit neuem Druck auf das Preisgefüge. Im Grunde stieg daher die Massenproduktion weiter an und trug die anschwellende Mengenkonjunktur, vermehrte aber auch die Schwierigkeiten, sich dem sinkenden Preisniveau so anzupassen, daß die Ertragslage endlich wieder befriedigend ausfiel.

Wie immer man die Abschwungsproblematik der Preisdeflation während meist fortschreitender Mengenkonjunktur dreht und wendet: Die vom Wirtschaftssystem geforderte Adjustierung gestaltete sich nicht nur überaus schwierig, sondern für die zahllosen involvierten einzelnen auch überaus bitter. An einigen sozialen und ökonomischen Konsequenzen, welche diese vorn erwähnten Maßnahmen zur Überwindung der Depression auslösten, läßt sich dieses Urteil verdeutlichen. Wie bei jeder längeren geschäftlichen Flaute griffen die Unternehmen jetzt erst recht, als die Depression anhielt, zur Lohnkürzung. Sie taten das um so bereitwilliger, als während der «Gründerjahre» die Löhne dank der Prosperität und der erfolgreichen Arbeitskämpfe steil angestiegen waren. Insbesondere lohnintensive Großbetriebe spürten, wie diese Ausgaben auf ihr Kostenkalkül durchschlugen.

In der Eisenindustrie zum Beispiel sollen die Löhne von 1869 bis 1873 um dreißig bis sechzig Prozent gewachsen sein. Bis 1879 wurden sie im Durchschnitt aber wieder auf das Niveau von 1869 hinabgedrückt. Bei Krupp ist das Einkommen der Belegschaft zwischen 1873 und 1878 halbiert worden. «Jeder Ausdruck von Unzufriedenheit», kündigte er in seinem Zirkular über die «Ermäßigung der Löhne» 1874 an, «ist als Kündigung anzusehen». Beim «Bochumer Verein» sank der durchschnittliche Jahreslohn von 1874 bis 1879 immerhin um dreißig Prozent von 1190 auf 870 Mark, damit lag er um 29

Mark unter dem Einkommen von 1870. Sein Generaldirektor Baare gestand 1878: «Wir haben schon das Minimum unterschritten, was wir den Arbeitern an Löhnen geben müssen, damit sie sich ernähren und überhaupt aufrechterhalten.» Im Ruhrbergbau wurden die Spitzenschichtlöhne ebenfalls fast halbiert. Im OBAB Dortmund konnte 1873 ein erfahrener Hauer bis zu 5 Mark, 1879 nur mehr 2.55 Mark verdienen. In den achtziger und frühen neunziger Jahren wurde der Stand von 1873 nicht mehr erreicht, sondern erst 1899 überboten. Allgemein sackten die Schichtlöhne von 3.75 auf 2.33, die Jahreseinkommen von 1111 auf 701 Mark ab. Im gesamten Ruhrrevier seien die Löhne, faßte damals ein Konjunkturexperte wie Franz Xaver v. Neumann-Spallart die verfügbaren Informationen frühzeitig zusammen, bis 1878 mindestens um ein Drittel des Durchschnittseinkommens von 1873 gekürzt worden. Ob in Oberschlesien oder im Saargebiet, im Siegerland und im Bergischen oder in Berlin – überall wiederholten sich dieselben rigorosen Einsparungsmaßnahmen auf Kosten der Arbeiterschaft.

Für das gesamte Reich weist der Index der durchschnittlichen Industrie-Wochenlöhne von 1873 = 63 bis 1879 = 53 einen Abfall um mehr als fünfzehn Prozent auf. Der Reallohnindex fiel währenddessen trotz der verbilligten Lebenshaltungskosten von 79 auf 74 bzw. von 1875 bis 1880 in Mark (zu konstanten Preisen von 1875) von 577 auf 524.

So mühselig es auch war, mit solchen Einkommensverlusten überhaupt fertig zu werden, waren die Arbeitsplatzbesitzer immer noch besser gestellt als die Arbeitslosen und Kurzarbeiter. Eine zuverlässige Statistik der Arbeitslosigkeit und Kurzarbeit gibt es für diese Zeit noch nicht. Aus den Zahlenangaben über einzelne bekannte Unternehmen gewinnt man jedoch ein düsteres Bild. Von 28 129 Facharbeitern in der Eisenindustrie im Jahre 1873 waren 1878 noch 16 201 übriggeblieben, vierzig Prozent also entlassen worden. Auf hundertzehn Zechen, die dem «Verein für die Bergbaulichen Interessen» im Ruhrgebiet angehörten, wurde bis Ende 1876 achttausend Bergarbeitern, einem Fünftel der Belegschaft, gekündigt. «Die Lage der Kohleindustrie ist eine außerordentlich bedrückte», rechtfertigte das sein Geschäftsführer Natorp, «die Arbeiterentlassungen werden vielleicht einige Hilfe bringen.» Die «Dortmunder Union» reduzierte ihre Belegschaft von 1873 = 12 100 um die Hälfte auf 1877 = 6320; allein 1874 wurde auf einen Schlag viertausend Arbeitern gekündigt. Kaum weniger drastisch senkte der «Bochumer Verein» währenddessen seine Belegschaft von 1873 = 4077 auf 1878 = 2507, der «Hoerder Verein» von 4709 auf 2640, Schwartzkopff von 2100 auf 1200 und Borsig von 1874 = 1922 auf 1878 = 1014 Mann, die dazu nur mit halber Arbeitszeit tätig waren. Von dreißigtausend Berliner Metallarbeitern, die von ihrer Kranken- und Invalidenkasse erfaßt wurden, besaßen Ende 1875 nur mehr 18 500 eine Beschäftigung. Solche Daten lassen sich fast beliebig vermehren, unterstreichen aber nur immer wieder denselben Eindruck.

Deshalb mag, zumal das reichsdeutsche Arbeitskräftepotential zwischen 1873 und 1879 um volle sieben Prozent anstieg, die Arbeitslosigkeit in manchen Industriezweigen während der Depressionsjahre zeitweilig durchaus bis auf fünfundzwanzig Prozent, in anderen Branchen auf fünfzehn bis zwanzig Prozent angestiegen sein, während die Unterbeschäftigung wegen Kurzarbeit und Schichtausfall bei zwanzig bis achtundzwanzig Prozent gelegen haben kann. Eins ist gewiß: Überall regierte die Furcht vor dem Verlust des Arbeitsplatzes. Die Streikaktivität kam fast völlig zum Erliegen (1873 = 125; 1879 = 3). Die durchschnittlichen Reallöhne sanken trotz der Verbilligung der Lebenshaltungskosten, die (1870 = 100) von 1873 = 125 auf 1879 = 112.5 schrumpften, deutlich ab. Die Angst vor gefährlichen sozialen Spannungen breitete sich aus.

«Die wirtschaftlichen Leiden» haben, stellte v. Neumann-Spallart 1878 fest, «den Zustand des gesellschaftlichen Lebens aufgewühlt.» Selbstmorde, Verbrechen, Vagabundentum, Konkurse, vor allem aber die «sozialistische Agitation» seien «innig... mit dem Marasmus» verbunden. «Die neuen Phasen des Sozialismus und Sozial-Kommunismus sind», warnte er, «ein Reflex der wirtschaftlichen Zustände». Solche «gesellschaftlichen Krankheitserscheinungen» müßten, stimmte ein kritischer Publizist zu, «ohne allen Zweifel... eine Explosion hervorrufen, die leicht unser ganzes Wirtschaftssystem über den Haufen werfen könnte». Der Chef des «Bochumer Vereins» urteilte ähnlich skeptisch, daß zumindest «alle reichsfeindlichen Elemente» aus der Krisenstimmung «Nutzen ziehen und sie für ihre destruktiven Tendenzen zu verwerten suchen». Auch der zusammenfassende Lagebericht des Berliner Polizeipräsidenten vom Ende des Jahres 1879 ging von der «sehr bedenklichen Wahrnehmung» aus, daß die «andauernden Erwerbsstörungen» und «ausgesprochenen Notstände die Zweifel an der Richtigkeit der heutigen Wirtschafts- und Gesellschaftsordnung in immer weitere» Bevölkerungskreise trügen und ihnen «die Erwägung nahelegten, ob nicht doch vielleicht durch die Realisierung der sozialistischen Theorien eine Besserung der Zustände herbeigeführt werden könne».

Damit wurde ein Grundthema der weitverzweigten Krisendiskussion angeschlagen: Mußte sich die anhaltende Depression nicht über kurz oder lang auf die Stabilität der gesellschaftlichen und politischen Verfassung gefährlich auswirken?[2]

Die Sorge vor einer solchen Erosion gab der Suche nach effektiven antizyklischen Maßnahmen im engeren ökonomischen Sinn zusätzliche Dringlichkeit. Nicht nur wurde in den Unternehmen ungleich schärfer kalkuliert als während der Boomperiode, die Rationalisierung vorangetrieben, die Belegschaft verkleinert, der Lohnkostenanteil rücksichtslos gesenkt. Vielmehr wurde auch die richtige Schlußfolgerung beherzigt, trotz der hohen Investitionskosten durch die Einführung technologischer Innovationen und die Steigerung des – auf mittlere Sicht Produktionskosten sparenden – Maschineneinsatzes die prekäre Stellung auf dem Markt zu verbessern. Eben dieses Verhalten hatte übrigens auch soeben Marx im «Kapital» als positive Reaktion auf Krisenzeiten geradezu zur Verhaltensmaxime erhoben.

Daß es etwa der Eisen- und Stahlindustrie gelang, in dieser Zeit die Kosten rasant zu senken, war in erster Linie den neuen Herstellungsverfahren zu verdanken. Ungeachtet aller Belastungen setzte sich das Bessemer-Verfahren in den siebziger Jahren im allgemeinen durch. Hatte es bis dahin vierundzwanzig Stunden gedauert, um in einem Puddelofen drei Tonnen Roheisen zu frischen, benötigte jetzt eine Bessemer-Birne ganze zwanzig Minuten für dieselbe Menge Stahl. Kurz darauf wurde schon das Thomas- Gilchrist-Verfahren übernommen, das erstmals den Zwang zum Import phosphorarmer Erze aufhob, da es die Verwendung der phosphorreichen einheimischen, vor allem der lothringischen Minette-Erze gestattete. Vom «Hoerder» und «Bochumer Verein» über die Gutehoffnungshütte bis zu den oberschlesischen und saarländischen Werken führten die meisten Hütten das Thomas-Verfahren unverzüglich ein. Nicht minder schnell wurden Siemens- Martin-Öfen für eine qualitativ hochwertige Stahlerzeugung gebaut. Schon 1876 errichtete zum Beispiel der «Bochumer Verein» acht solcher Öfen, die bis 1879 bereits drei Viertel (34000 To.) seiner Bessemer-Produktion erreichten. Diese drei Innovationen ermöglichten eigentlich erst die moderne Eisen- und Stahlherstellung; sie trieben trotz der Depression die Entwicklung kapitalkräftiger Großunternehmen voran, die dank ihrer wachsenden Erzeugung zu sinkenden Kosten dem Preisfall begegnen konnten. An dem steigenden Output gab es indes nichts zu rütteln. Was tun? – diese Frage drängte sich jeder schwerindustriellen Betriebsleitung auf.

Die Kombination von Depressionswirkung, mithin von stagnierender oder sogar rückläufiger Nachfrage auf dem Binnenmarkt bei hartnäckigem Preisfall, von Innovationsinvestitionen und Produktionswachstum lenkte die Unternehmen in rasch wachsendem Maße darauf hin, neue Absatzwege zu den Außenmärkten zu suchen. Export – das wurde ein Zauberwort, das den Gewinn und die Entlastung, die der verstopfte Inlandsmarkt versagte, zu verheißen schien. Da «die Erzeugung regelmäßig vom heimischen Markt nicht mehr aufgenommen wurde», hat Spiethoff ein Resümee seiner konjunkturhistorischen Studien gezogen, «wurde die steigende Mehrausfuhr in der Stockung ein wichtiges Mittel zur Aufrechterhaltung und Steigerung der Erzeugung... und zur Bekämpfung der Überproduktion», die seither «in steigenden Ausfuhrziffern» zum Ausdruck kam. Der neueste Exportvolumenindex des deutschen Außenhandels (1913 = 100) bestätigt dieses Urteil, denn er stieg allein von 1873 = 17.7 bis 1878 auf 26.1 Einheiten an.

Dieser erstaunliche Zuwachs um fünfzig Prozent innerhalb von nur einem halben Dutzend Jahren brachte zahlreichen angeschlagenen Unternehmen eine willkommene Befreiung von ihrer schweren Bürde. Der Wert der Exportgüter des «Bochumer Vereins» erhöhte sich von 1873 = 2.68 auf 1879 = 8.2 Millionen Mark. Die deutsche Roheisenausfuhr stieg in derselben Zeit von 151000 auf 419000 Tonnen, der Schienenexport von 70700 auf 207000 Tonnen, der Maschinenexport von 37300 auf 72300 Tonnen. Allein von 1876 bis 1878 trieb der Stachel der Depression den Eisen- und Stahlwarenexport von 807000 auf 1.3 Millionen Tonnen hoch.

Jedoch: Alle Industrieländer litten unter der Depression, die folgerichtig die erbitterte Konkurrenz auf allen Märkten verschärfte. Daher gingen auch die deutschen Unternehmen insbesondere der Schwerindustrie zum «Dumping» über, indem sie auf den Außenmärkten ungleich niedrigere Preise als auf dem Binnenmarkt forderten. Zeitweilig verkauften sie zum Selbstkostenpreis oder manchmal sogar unter den Gestehungskosten, um überhaupt Waren absetzen und ausländische Marktsegmente auf längere Sicht behaupten oder erobern zu können.

Unternehmensstrategisch lag dem häufig das keineswegs unrealistische Kalkül zugrunde, das der amerikanische Stahlkönig Andrew Carnegie mehrfach als «Carnegies Gesetz» stolz verkündet hat. Carnegie ging von der Erfahrung mit seinen eigenen Großunternehmen aus, daß die Stillegung einer modernen Fabrik wegen einer Depression – und in ihrem Gefolge der Verschleiß ruhender Maschinen sowie die Kündigung der Facharbeiter – weitaus verlustreicher sei, als den Produktionsmechanismus trotz widriger Bedingungen weiter in Gang zu halten. Die Fortsetzung der Erzeugung sei deshalb profitabler als eine rigorose Schließung, da der Absatz für geraume Zeit durch einen gewinnlosen Export gewährleistet werden könne, bis die Rückkehr der Konjunktur den wirtschaftlichen Kreislauf wiederbelebe. Damit wurde das «Dumping» auf Außenmärkten mit der verlockenden Aussicht auf das ökonomische Überleben in einer depressionsgestörten Industriewirtschaft gerechtfertigt.

Dieser Maxime konnten auch deutsche Unternehmer bereitwillig folgen. Vor der großen Enquete-Kommission des Bundesrates, die 1878 den Konjunkturpegel der deutschen Metallindustrie zu erfahren suchte, gaben die Repräsentanten der großen Betriebe unumwunden ihre Praxis zu: «Durch forcierten Export» zu niedrigen Preisen müsse man «dem Ausland jene Produkte zuführen, die im Inland nicht mehr abgesetzt werden können». Seit 1873/74 steige deshalb ein «unfreiwilliger, durch die Umstände erzwungener» Export an. Baare berechnete Schienen für den Export mit 115 Mark/Tonne, für das Inland aber mit 145 Mark/Tonne, Hoesch mit 102 bzw. 140 Mark/Tonne. Die «Hüttenwerke Phoenix» in Duisburg nahmen dieselbe krasse Differenzierung genauso vor wie die De Wendel-Werke im Saargebiet, die den Verkauf unter Selbstkosten einräumten. Allgemein wurde damals an der Saar eine Tonne Stahl für den Export mit achtzig, der Inlandpreis dagegen mit hundertzwanzig Mark berechnet. Der «Lokomotiven-Verband», in dem die zehn führenden norddeutschen Fabriken unter der

Führung der Berliner Industriellen Schwartzkopff und Borsig zusammengeschlossen waren, verlangte ungleich niedrigere Export- als Inlandpreise. Die Schleuderkonkurrenz forderte freilich ihren Preis: «Billig und schlecht», faßte der Technologieprofessor Franz Reuleaux als Reichskommissar für die Weltausstellung von 1876 in Philadelphia das allgemeine Urteil über die Qualität der deutschen Waren zusammen.

Ein aktiver Promotor von Wirtschaftsinteressen wie der Chef der Reichskanzlei, Christoph v. Tiedemann, unterstützte jedoch unverhohlen-beschönigend die Entscheidung, «daß große Eisenwerke unter dem Selbstkostenpreis exportieren, um nicht völlig den Markt» zu verlieren. Mit schlagenden Beweisen konnte der Linksliberale Eugen Richter im Reichstag die Methoden von Krupp, der «Dortmunder Union» und des «Bochumer Vereins» anprangern, auf dem deutschen Markt «teuer zu verkaufen», aber «billig zu exportieren». Die Handelskammer Bochum unter Baares Leitung wehrte sich jedoch entschieden dagegen, daß «dieser entschlossene Versuch unserer Industrie, sich neue Märkte, wenn auch mit großen... Opfern zu erobern», zu einem verständnislosen Vorwurf führe.

Die deutsche Exportoffensive mit allen, auch dubiosen Mitteln, wurde von einem breiten Konsens getragen, der sich während der Krisendiskussion unter ihren profilierten Protagonisten bis hin zu kompetenten Fachökonomen ausbildete. Erfahrene Unternehmer wie Mevissen und Hammacher sahen frühzeitig mit aller wünschenswerten Klarheit den systemimmanenten Nexus von Überinvestition, Überkapazität und «Überproduktion», welche die unentrinnbare Konsequenz aufnötige, im Export das entscheidende «Sicherheitsventil» zu suchen. Für den 1876 gegründeten «Zentralverein deutscher Industrieller» konstatierte sein Geschäftsführer Beutner, daß «der innere Markt» die deutsche Industrie nicht mehr «vollauf beschäftigen kann». Deshalb sei sie zu «allen legitimen und loyalen Bestrebungen», den Export zu «heben», geradezu «genötigt», um «materielle Wohlfahrt und Gedeihen auf allen Gebieten» wieder zu erzielen. Ungeschminkt erklärte auch der «Deutsche Handelstag», daß die Industrie «mit Notwendigkeit eines erweiterten Absatzgebietes» bedürfe. Der «Überproduktion Luft zu verschaffen» durch die «Förderung des Exporthandels» – das sei unbestreitbar zur «Lebensfrage der deutschen Industrie» geworden. Die Bochumer Handelskammer, die Baare «wie ein absoluter Monarch» regierte, bekräftigte beflissen, daß Deutschland wie «alle Industrieländer» unter seiner Überproduktion leide und darum «genötigt» sei, bis in «weit entfernte Gebiete» kraftvoll zu exportieren. Selbst ein in der Wolle gefärbter Freihändler und Repräsentant der liberalen Ökonomie wie der Münchener Wirtschaftswissenschaftler Lujo Brentano hielt 1878 Exportprämien als Stimulus für eine Außenhandelsoffensive für geboten.

Diesem wirtschaftspolitischen Konsens, der ganz im Bann der einheimischen Überproduktion und der Verstopfung des Binnenmarktes stand, galt die Exportsteigerung nicht nur als ein Gebot der Stunde. Vielmehr erblickte er darin eine unumgängliche Notwendigkeit für ein wachsendes kapitalistisches Wirtschaftssystem. Nur wenn man dem «Gesetz der steigenden Bedeutung des Außenhandels» gehorche, ließen sich die Belastungen durch Krise und Depression abfangen, nur so aber auch die sozialen Konflikte und die dem politischen Regime drohenden Gefahren abwenden. «Werden nicht... für die Überproduktion der deutschen Arbeit regelmäßige, weite Abzugskanäle geschaffen, so treiben wir», auf diese politische Pointe wurde die Lageanalyse immer wieder zugespitzt, «mit Riesenschritten einer sozialistischen Revolution entgegen.» In ihrer Sprache begannen aufmerksame Zeitgenossen, ein zentrales Legitimationsproblem moderner Herrschaftssysteme zu umschreiben, deren Glaubwürdigkeit und Bestandsdauer seit jener Zeit in wachsendem Maße von der wirtschaftlichen Konjunktur und einem anhaltenden Wachstum abhängt, das die Gewähr für einen steigenden individuellen Wohlstandsanteil und vermehrte öffentliche Güter bildet.

Die Fixierung auf den Export besaß außer ihrer durchaus realistischen Komponente insofern aber auch Züge der Monomanie bis hin zu einer wahren Exportideologie, als die große Alternative: die Steigerung der Massenkaufkraft auf dem Binnenmarkt, durch eine dynamische Lohnpolitik und eine zielbewußte Anhebung des inneren Wohlstandsniveaus zunächst nur selten diskutiert, dann aber sogleich vorsorglich diskriminiert wurde. Trotzdem tasteten sich einige, vornehmlich die wirtschaftswissenschaftlich geschulten Teilnehmer an der Krisendebatte, an eine sozialpolitisch progressive Analyse heran, die sie mit einer gesellschaftspolitischen Zielvision verbanden. Unter ihnen ragten insbesondere Gelehrte hervor, die im 1873 gegründeten «Verein für Sozialpolitik» – einer freien Vereinigung engagierter akademischer Experten, der sogenannten «Kathedersozialisten», die sich der Diagnose pressierender Gegenwartsprobleme in der Hoffnung auf Politikberatung verschrieben hatten – über kurz oder lang eine prominente Stellung gewannen. So erkannte etwa der Bonner Ökonom Erwin Nasse 1879 – längst vor Aftalion, Schumpeter und Kuznets – eine Krisenursache im sektoralen «Overshooting» sowie im «anarchischen Charakter der Konkurrenz». Gegen ihr Ergebnis, die Depression, müsse der Staat zur Verkürzung der Fluktuationen eingreifen. Diese Einsicht, daß die «privatwirtschaftliche» industriekapitalistische Produktion eine strukturelle Schwäche besaß, die sie für bedrohliche Wachstumsschwankungen anfällig mache und die deshalb der öffentlichen Steuerung bedürfe, wurde alsbald präzisiert.

Ein unorthodoxer Kopf wie Mevissen argumentierte nach jahrelang anhaltender «Überproduktion» ganz unverblümt dafür, eine der «wesentlichsten Aufgaben einer jeden Regierung» darin zu sehen, «rechtzeitig und weit vorausschauend» sowohl auf «die Zügelung» eines maßlosen «Fortschritts in der Produktion» als auch gegen die bisher «erzwungene... Einschränkung in der Konsumption mit den ihr zu Gebote stehenden Kräften hinzuwirken»; dazu rechnete er zum Beispiel staatliche Konjunkturspritzen zum Ankurbeln der Wirtschaft. Auch der Nationalökonom Wilhelm Lexis hielt die permanente Tendenz zur «Überproduktion» für eine «fast unvermeidliche» Folge der «kapitalistischen Produktionsweise» mit ihrer «planlosen Konkurrenz der selbständig produzierenden Einzelunternehmungen». Zusammen mit einigen Fachgenossen sah er in der staatlichen Intervention das gebotene Gegenmittel. Mit den Worten von Wilhelm Neurath: Das «zersplitterte absolutistische System der Produktion» der «Kapitalistenklassen» müsse in ein staatlich reguliertes «konstitutionelles Regime» umgewandelt werden, das zugleich die «Massenkonsumkraft» stärke, um der Überproduktion zu begegnen. Nur durch eine solche zielstrebige «Steigerung der Konsumption» könne, sekundierte Eugen v. Bergmann, das tendenziell «allgemeine Übermaß an Gütern» vermindert werden. Und der Sozialkonservative Adolph Wagner – die Berliner Koryphäe der deutschen Finanzwissenschaft und ein Mitgründer des «Vereins für Sozialpolitik» – belehrte seine große Hörer- und Leserschaft, daß «das Übel» der Depression in der institutionellen Basis «des privatwirtschaftlichen Systems» selber sitze. Ihm entspringe die «Planlosigkeit der Produktion», dort sei der innere Zusammenhang der «Krisen mit dem herrschenden Wirtschaftssystem der freien Konkurrenz» und mit der Dynamik «der modernen Produktionstechnik» zu finden. Indem er mit erstaunlicher Unbefangenheit der Analyse von Rodbertus, Engels und Marx den «tieferen Nachweis» der Krisenanfälligkeit von modernen Industriewirtschaften zugestand, forderte er, die «partiell mögliche planmäßige Regelung» durch den Staat mit dem Ziel der «Abhilfe» endlich als eine lösbare politische Aufgabe anzuerkennen.

Über die enormen Schwierigkeiten, denen ein sozial ausgleichender Staatsinterventionismus begegnen mußte, gaben sich diese Männer keinen Illusionen hin, da zahlreiche «Vested Interests» dadurch in Frage gestellt wurden, zumal die «besitzenden Klassen» in letzter Zeit, wie sie etwa Rudolf v. Gneist mit typischer Offenheit 1879 kritisierte, eine «Gesinnung» entwickelt hätten, «welche die Erhöhung des eigenen Einkommens auf Kosten des Gesamtwohls als patriotische Realpolitik proklamiert». Dagegen konnte nur der Staat mit starker Hand übergeordnete Stabilitätsziele durchsetzen.

Mit solchen, durch die Erfahrung der Depression geprägten Argumenten wurde eine Lanze sowohl für eine kritisch distanzierte Analyse des industriellen Produktionskapitalismus als auch für die Steuerungsaufgaben eines modernen Interventions- und Sozialstaats avant la lettre gebrochen. Sein Aufstieg wurde seit diesen Jahren durch einen machtvollen Entwicklungsschub eingeleitet, der aus den ökonomischen Disparitäten und Wachstumsstörungen, ihren sozialen Folgelasten und politischen Legitimationsproblemen hervorging. Weitsichtige Köpfe der zeitgenössischen Wirtschafts- und

Sozialwissenschaft haben diesen Prozeß mit ihren Argumenten und Postulaten gefördert.[3]

Bereits die erste extreme Wachstumsfluktuation der deutschen Industriewirtschaft erwies sich als eine Art Hochdruckkammer, die außerordentliche ökonomische und soziopolitische Belastungen erzeugte. Sie wurden als um so drückender empfunden, als eine jahrzehntelange Hochkonjunktur, welche die Industrialisierung allein als glänzenden Aufstieg erscheinen ließ, dazu die von grenzenlosem Hochgefühl begleitete Reichsgründung vorangegangen waren. Zugleich erzwang jedoch die Depression von 1873 bis 1879 einen forcierten Lernprozeß, beschleunigte gesellschaftliche und politische Entwicklungen, schliff Reaktionen und Verhaltensweisen ein, die sich seither zählebig hielten. Ohne ihren Einfluß ist – wie hinten gezeigt wird – der Übergang vom liberalen Freihandel zum Zollprotektionismus, der Zerfall der Liberalen, die innenpolitische Wende bis hin zu einer neuen konservativen Regierungskoalition, die Konsolidierung der Sozialdemokratie, der Vorstoß des rassistischen, politisch organisierten Antisemitismus, das Auftauchen der Interessenverbände neuen Typs kaum vorstellbar. Vor allem aber bildete sie eine machtvolle Vorbedingung für ein politisches Säkularphänomen, den Aufstieg des konservativen Interventions- und Sozialstaats, der den älteren Prozeß der inneren Staatsbildung auf charakteristische Weise seit dem späten 19. Jahrhundert bis heute fortsetzt.

b) Die Konjunktur von 1879 bis 1882

Nachdem die Depression tiefe Wunden geschlagen, zugleich aber auch als Katalysator für derartig folgenschwere sozialökonomische und politische Prozesse gewirkt hatte, setzte im Herbst 1879 ein verhaltener Aufschwung ein. Nur zögernd kehrte indes die Zuversicht zurück, obwohl doch der Übergang zum Schutzzollsystem soeben damit begonnen hatte, die während der Prosperität unbestrittene «Privatisierung der Gewinne» mit einer unverhohlenen «Sozialisierung der Verluste» aus der Deflation und Depression zu verbinden.

Gedämpfte Erwartungen begleiteten vielmehr die konjunkturelle Belebung. Tatsächlich blieb sie nicht nur relativ schwach ausgeprägt, sondern hielt auch nur drei Jahre lang, bis zur Mitte des Jahres 1882, an. Immerhin: Endlich führte der Wachstumspfad aus der Talsohle wieder einmal nach oben. Nach dem «Abschluß der Epoche des allgemeinen wirtschaftlichen Niedergangs» schloß der «Deutsche Handelstag» 1882 aus den Jahresberichten der Handelskammern, daß «die jahrelang andauernde wirtschaftliche Krise ihren Höhepunkt überschritten habe, daß die Erwerbsverhältnisse fester geworden, die Umsätze vermehrt seien, daß das durch die beispiellose Ungunst der letzten Jahre erschütterte Vertrauen endlich zurückgekehrt sei». Weiterhin gelte aber unverändert, daß «die erzielten Produktionsmengen» den Bedarf des «inländischen Konsums erheblich übersteigen».

In der Tat zogen die Erzeugungs- und Beschäftigungsziffern, zeitweilig auch die Preise und Wertindikatoren unübersehbar an. Die Roheisenproduktion zum Beispiel stieg 1880 = 2.73 Millionen Tonnen zum ersten Mal, und zwar deutlich, über die Hochkonjunkturmenge von 1873 (= 2.22) und kletterte bis 1882 auf 3.38 Millionen Tonnen, ihr Wert von immerhin 173.89 auf 195.57 Millionen Mark. Die Stahlherstellung erreichte sogar 1880 mit 2.02 Millionen Tonnen eine neue absolute Rekordhöhe und wuchs bis 1882 auf 2.66 Millionen Tonnen weiter an, ihr Wert tat einen Sprung von 336.59 auf 455.32 Millionen Mark. Diese Expansion vermehrte auch die Arbeitsplätze: in der Eisenindustrie von 1879 = 16538 um ein Drittel auf 1882 = 22077, in der Stahlproduktion von 63830 um dieselbe Quote auf 84399. Der übliche Koppelungseffekt trieb die Kohlenförderung an der Ruhr von 1879 = 20.38 um ein Viertel auf 1882 = 25.07 Millionen Tonnen (im Reich von 39.6 auf 52.1 Millionen Tonnen), die Belegschaft der Zechen von 76494 auf 89718 Männer hoch, deren durchschnittlicher Jahreslohn ebenfalls von 701 auf 807 Mark anwuchs. Dem erstaunlichen Mengenwachstum entsprach jedoch nicht der allenfalls sachte Preisanstieg von 1879 = 4.14 auf 1882 = 4.59 Mark/Tonne. Und die Nettowertschöpfung, die in diesen Jahren immerhin von 68.81 auf 97.44 Millionen Mark stieg, blieb, obwohl der Output seit 1873 um fünfundfünfzig Prozent gesteigert worden war, hinter dem stolzen Spitzenwert jenes Jahres (147.07 Mill. M.) weit zurück.

Die Wachstumsimpulse weckten neues Leben in den Industriezentren. Die 128 industriellen Großunternehmen im «Langnam-Verein» bestätigten in einer Anfrage, daß ihre Arbeiterzahl von 1879 = 91832 um rund zwanzig Prozent auf 1881 = 109664 zugenommen habe. Auch Krupps eher skeptisches Urteil konzedierte Anfang 1880 den geschäftlichen Aufschwung, sah aber sofort wieder «eine Überproduktion», ein «gegenseitiges Unterbieten der arbeitshungrigen Industrie» voraus. Deshalb hob er erst 1882 die Löhne seiner Belegschaft an. Im Saargebiet, in Oberschlesien und im Siegerland stieg die Produktionsmenge der Montanindustrie ebenfalls an, zahlreiche Arbeitsplätze wurden besetzt, auch der Verkaufswert verließ die tristen Niederungen der Depression. Der Erlös für das Siegerländer Roheisen etwa schnellte von 1879 = 7.2 um 150 Prozent auf 1882 = 17.8 Millionen Mark, der Ausstoß dagegen nur von 123700 auf 272700 Tonnen. Der Groß- und Einzelhandel belebte sich: Soetbeers Index von hundert wichtigen Hamburger Handelsartikeln zog von 1879 = 111 auf 1882 = 122.14 hoch.

Sachkundige zeitgenössische Beobachter des Konjunkturbarometers erfaßten realistisch die Aufschwungtendenzen, fürchteten aber auch die typischen «Symptome» einer neuen «Überproduktion», während der Preisstand für Unternehmer und Händler noch immer unbefriedigend blieb. Experten wie v. Neumann-Spallart und Nasse konnten ihre Skepsis nicht verhehlen, wenn es um die vermutliche Dauer des Aufschwungs ging. Sie sollten recht behalten. Im Herbst 1882 setzte eine Rezession ein, die erneut in eine zählebige Depression überging. «Illusionen beherrschten den Beginn des Jahres 1882», kommentierte der «Deutsche Ökonomist» in seiner ersten Ausgabe diesen bestürzenden Abschwung, ehe «die realen Verhältnisse doch endlich ihr Recht» forderten. In den «hauptsächlichen industriellen Branchen» sei «gegen den Jahresschluß eine Art Stillstand eingetreten». Als bald von Illusionen keine Rede mehr sein konnte, hielt das neue Wirtschaftsmagazin die «Geschäftslosigkeit» für den «Hauptinhalt aller Klagen».

Warum war es seit dem Frühjahr 1879 überhaupt zu dem Aufschwung gekommen? Und warum brach die ermutigende Entwicklung nach nur drei Jahren bereits wieder ab? Es gab endogene, vor allem aber exogene Antriebskräfte, welche diese Zwischenkonjunktur auslösten und trugen, bevor sie ungewöhnlich rasch wieder nachließen. Mit rigorosen Mitteln, ohne jede Rücksicht auf die sozialen Kosten, hatten die Unternehmen auf die «Reinigungskrise» seit 1873 reagiert, die sie nach der überhitzten Hochkonjunktur zur Anpassung an den Wachstumstrend zwang. Mit Arbeiterentlassungen und Lohnkürzungen, mit Rationalisierungsmaßnahmen und technologischen Innovationen hatten sie sich intensiv um eine Kostensenkung bemüht. Die Summe dieser Anstrengungen begann 1878/79 ihre Früchte zu tragen. Angesichts der Flaute auf dem Binnenmarkt mit seiner eher schrumpfenden Massenkaufkraft war eine erste Exportoffensive in großem Stil angekurbelt worden, deren Ergebnis selbst hochgespannte Erwartungen übertraf. Außerdem hatte die Protektionspolitik von 1879 noch Schutzzollmauern um den einheimischen Markt errichtet, damit die deutschen Marktmachtbesitzer bei der Ausbeutung ihrer Domäne von ausländischen Konkurrenten weniger gestört werden konnten.

Die ausschlaggebende Initialzündung für das Anspringen des Konjunkturmotors ging aber vermutlich von dem Importsog der Vereinigten Staaten aus, deren gigantische Wachstumsfähigkeit die Weltwirtschaft der westlichen Industrieländer in zunehmendem Maße beeinflußte. Seit 1879 war der Ausbau des nordamerikanischen Eisenbahnnetzes nach jahrelanger Stagnation wieder energisch in Gang gekommen. Er löste eine starke Nachfrage auch nach ausländischen Stahlschienen und Eisenschwellen aus, wodurch die deutsche Schwerindustrie mit den ersehnten Aufträgen versorgt wurde. Im allgemeinen konnte die Ausfuhrwirtschaft des Reiches die hohen Leistungen während der Depression nicht mehr steigern, wenn auch ungefähr halten (1879 = 24.9, 1880 = 22.4, 1881 = 23.0, 1882 = 23.9 Indexeinheiten). Der schwerindustrielle Anteil an ihrem Wert wuchs jedoch beträchtlich. Als der transkontinentale Verkehrsausbau in der «Neuen Welt» abrupt kollabierte, so daß dort eine neue Depression hereinbrach, wurde auch die deutsche Industrie dank der internationalen Konjunkturverflechtung, wie 1857 und 1873, binnen kurzem von den negativen Auswirkungen erfaßt.

c) Die Depression von 1882 bis 1886

Die transnationale Stärkung der industriestaatlichen Wachstumskräfte erwies sich nunmehr als kurzlebiges Phänomen. Im Reich war das Erlahmen des klassischen Führungssektors, des Eisenbahnbaus, in den frühen achtziger Jahren nicht mehr aufzuhalten, da sein Anteil an den deutschen Nettoinvestitionen auf die Hälfte des Höchstwerts (1875/79) absackte. Die negativen Rückkoppelungseffekte lähmten auch die Aktivität der Schwerindustrie. Selbst die Belebung des wirtschaftlichen Kreislaufs durch eine Serie reicher Ernten, welche den – mit Ausnahme Englands – überall noch starken Agrarsektor mit seiner Kaufkraft und seinem Kapitalbedürfnis kräftigten, hielt ebenfalls nur so kurz an, daß sie ungefähr gleichzeitig abschlafften. Die Schutzzölle, die von ihren Befürwortern als wahre Wunderwaffe gepriesen worden waren, blieben vorerst wirkungslos. Und der unverändert empfohlene «Ausweg des Exports» als «Palliativ» gegen den «Überfluß der Produktion» und die Preisstagnation konnte, wie erwähnt, angesichts der harten Konkurrenz keineswegs im erwünschten Umfang eingeschlagen werden. Kein Zweifel, im Herbst 1882 hatte, wie das weithin registriert wurde, eine neue Depression mit ihrem Circulus vitiosus von Produktionswachstum und Preisdeflation eingesetzt.[4]

Diese zweite Depression in der Anfangsphase der deutschen Hochindustrialisierung schnitt zwar nicht so tiefe ökonomische Wunden wie ihr Vorläufer in den siebziger Jahren. Sie führte aber insofern eine gefährliche Situation herbei, als die traumatischen Erfahrungen aus jener Zeit nach einer nur knappen Atempause außerordentlich schmerzhaft vertieft wurden. Industriewirtschaftliches Wachstum war, schien es, ohne den hohen Preis schnell wiederkehrender Krisen und Stockungsperioden nicht zu haben. Darüber hinaus tauchte die akute Sorge vor den sozialen und politischen Auswirkungen der Depression sofort wieder auf. Sie steigerte sich sogar bis zu einer vibrierenden Nervosität, da die strukturelle Agrarkrise, wie sie seit 1876 in dem traditionellen sozialökonomischen und politischen Leitsektor anhielt, zu dem industriewirtschaftlichen Abschwung hinzukam, so daß sich seither zwei bedrohliche Krisenfelder überlagerten. Viele einflußreiche Akteure, die an wirtschaftlichen und politischen Entscheidungsprozessen teilnahmen, standen daher gerade während der zweiten Depression unter dem Eindruck, daß die Problembewältigungskapazität von Staat und Gesellschaft allenthalben überfordert sei. Das verlieh der hektischen Suche nach Abhilfe, wie sie zum Beispiel in einer neuen Exportoffensive und im Kolonialimperialismus jener Jahre gesucht wurde, ihre Dringlichkeit.

Realhistorisch besaß jedoch die zweite Depression einen durchaus anderen Charakter als der Konjunktureinbruch der siebziger Jahre. Das Produktionswachstum setzte sich unaufhaltsam fort. Und eine gewisse Gewöhnung an die anhaltende Preisdeflation sorgte, so widerstrebend sie auch ertragen wurde, für eine ruhigere Reaktion auf dieses Resultat des technischen Fortschritts und des Konkurrenzkampfes. Kurzum: Der Wachstumszyklus hielt sich auf ungleich höherem Niveau als nach 1873; der Wachstumstrend verlief auch nach 1882 deutlich aufwärts. Schlagend wird das durch den Anstieg der durchschnittlichen jährlichen Wachstumsraten des deutschen Nettoinlandsproduktes bewiesen: Anstatt wie nach 1873 bei 1.22 zu verharren, hielten sie sich seit 1883 auf dem hohen Wert von 3.02, der erst in der Hochkonjunktur der neunziger Jahre überboten wurde.

Aber noch einmal: Die objektiven Aufstiegstendenzen waren für die Zeitgenossen nicht leicht, geschweige denn schnell zu erkennen. Deshalb ist die Angst vor einer ungewiß lange andauernden neuen Depression, die dann ja auch Jahr für Jahr anhielt, wobei sie nur allzu viele Befürchtungen bestätigte, durchaus verständlich. Überdies handelte es sich erneut um eine weltweite Tiefkonjunktur, die England und die USA, Belgien und Deutschland genauso hart traf wie nunmehr auch Frankreich. Freihändlerische und protektionistische Industriestaaten durchliefen dieselbe niederdrückende Depression. Der Blick auf den Zustand der anderen entwickelten Länder bot daher nicht den geringsten Trost. Weder auf dem Binnenmarkt noch auf dem Weltmarkt tauchten die Vorboten eines neuen Aufschwungs, der zweifelsfrei eine Hochkonjunktur ankündigte, so bald auf.

Zunächst muß man sich wiederum das Zwillingsphänomen von engem Wachstum und Preisdeflation vor Augen führen, ehe auf sozioökonomische Auswirkungen und zeitgenössische Reaktionen einzugehen ist. In der Schwerindustrie hielt, obwohl die Konjunkturlokomotive des Eisenbahnbaus ihre Geschwindigkeit geradezu dramatisch abbremste, der Anstieg des Ausstoßes zwar durchaus an, aber eben deshalb doch erheblich gedämpfter als in den beiden Aufschwungjahren zuvor. An der offenbar unaufhaltsamen Talfahrt der Preise änderte sich dagegen gar nichts. Und beschäftigungspolitisch herrschte während der Depression auf dem Arbeitsmarkt überwiegend Stagnation.

Von 1883 bis 1886 wuchs die Produktion in einigen Leitsektoren weiter an: Eisen von 3.47 auf 3.53, Stahl von 2.63 auf 2.79, die Ruhrkohle von 27.86 auf 28.49 Millionen Tonnen. Der Verkaufswert des Eisens aber fiel gleichzeitig von 184.98 auf 142.27 Millionen Mark, der des Stahls von 399.69 auf 328.81 Millionen Mark; die Wertschöpfung der Bergwerke im Ruhrgebiet nahm ein wenig zu (von 108.48 auf 109.95 Mill. M.), obwohl der Tonnenpreis von 4.75 weiter auf 4.69 absank.

Die Arbeiterschaft in diesen drei Branchen schmolz in der Eisenherstellung von 22530 auf 20400 und in der Stahlindustrie von 85743 auf 84391, nur im Bergbau stieg sie von 97922 auf 99787 etwas an. Dasselbe Bild zeigte sich im Saargebiet und in Oberschlesien, im Siegerland und in anderen Industrieregionen: Kontinuierlich lief die Mengenkonjunktur weiter, während die Preise überall nachgaben.

Dieser anhaltende deflationäre Trend warf für die Wirtschaft weiterhin die eigentlich gravierenden Probleme auf. Typisch war die Klage der Montanindustrie, daß die seit 1882/83 «wachsenden Schwierigkeiten» in erster Linie bei den «niedrigen Preisen» zu suchen seien, ja daß 1884 die zugespitzte «Verschärfung» dieser Lage zu Preisen geführt habe, «wie sie auf solchem niedrigen Stand» seit 1875 «nicht wieder angelangt waren». Die vierteljährlichen Lageberichte der preußischen Oberpräsidenten im Rheinland, in Westfalen und Oberschlesien unterstützten dieses Urteil, indem sie den «Niedergang» ihrer Schwerindustrie ausdrücklich als «starkes Sinken der Preise» definierten oder die «schlechten Preise» als Folge der «Überproduktion» dafür verantwortlich machten. In der Tat ging trotz der steigenden Erzeugung der auf dem Markt erzielbare Wert wegen der Preisdeflation durchweg zurück: Der Wert aller deutschen Bergwerksprodukte etwa fiel von 1883 = 436.5 auf 1886 = 430 Millionen Mark, derjenige der Erzeugung der Eisengießereien von 119.7 auf 77.4, der Schweißeisenherstellung sogar von 253.3 auf 156.3 Millionen Mark.

Währenddessen häuften sich die vertrauten Krisenerscheinungen: Konkurs- und Bankrotterklärungen nahmen wieder zu, Emissionen und Kredittransaktionen aber ab. Die Rentabilität der Anlagepapiere sank, und die Effektenbörsen reagierten empfindlich auf geringfügige Einflüsse. Die Diskontsätze verharrten auf ihrem niedrigen Stand. Anlagesuchendes Kapital staute sich auf. Handel und Konsum erlitten eine empfindliche Einschränkung. Der Großhandelspreisindex sackte von 1882 = 81 bis 1886 auf 72 hinab. Die Ungewißheit, welche die Zukunft im Hinblick auf die Preisentwicklung in sich barg, wirkte sich lähmend aus.

Im Grunde konnten die überlebensfähigen Unternehmen das Produktionsvolumen trotz des Deflationstrends nur deshalb weiter steigern, weil ihr Produktivitätsgewinn aufgrund der verbesserten maschinellen Ausrüstung und der Übernahme technologischer Innovationen, mithin aufgrund des «technischen Fortschritts» es ermöglichte, diesen neuen Härtetest zu überstehen. Wiederum kam ihnen auch die forcierte Exportsteigerung zur Hilfe. Schon von 1882 bis 1884 kletterte der Index von 23.9 auf 26.4 – womit der bisherige Höchstwert von 1878 überboten wurde – und bis 1886 sogar auf 28.1. Dieser Zugewinn blieb nicht weit hinter dem Ergebnis der Ausfuhrsteigerung seit 1873 zurück.

Überhaupt traf die wirtschaftliche Aktivität trotz aller Klagen nicht auf solche Schwierigkeiten wie nach der Zweiten Weltwirtschaftskrise. Gewiß, in den beiden Konjunkturjahren 1880/1881 waren sogleich 208 neue Aktiengesellschaften mit 291 Millionen Mark Kapital gegründet worden. Während der fast fünfjährigen Depression von 1882 bis 1886 entstanden aber immerhin auch noch 528 Aktiengesellschaften mit einer halben Milliarde Mark Kapital – kontrafaktisch beurteilt also mit nur 127 Millionen Mark weniger, als wenn das Engagement während des vorhergehenden Aufschwungs gleichbleibend angehalten hätte. Die Höhe dieser «harten» Investitionssummen besagt über den abgemilderten Charakter dieser Depression mehr als zahlreiche andere Meßziffern der Wirtschaftslage.

Die Belastungen wurden zum guten Teil erneut externalisiert, indem sie auf die Arbeiterschaft abgewälzt wurden. Nicht nur stagnierte in der Schwerindustrie die Anzahl der Arbeitsplatzbesitzer, sondern vielerorts gab es auch wieder Entlassungen – im Saargebiet etwa von fünfundzwanzig Prozent der Beschäftigten –, dazu Lohnsenkungen und Kurzarbeit. An der Ruhr wurden die Schichtlöhne der Hauer von 3.15 auf 2.92 Mark, das durchschnittliche Jahreseinkommen der Bergleute von 824 auf 722 Mark gedrückt. Dennoch: Da ein Teil der allgemeinen Lebenshaltungskosten durch die Preisdeflation ebenfalls abgesenkt wurde – 1887 erreichten sie mit achtundsechzig Indexpunkten den tiefsten Wert seit 1874 (83) – konnte, wie sich in der Retrospektive herausstellt, der Anstieg der Reallöhne nicht mehr unterbrochen werden: Sie kletterten von 1882 = 75 auf 1886 = 85 und übertrafen seit 1884 sogar die Höchstwerte von 1872/73. Verfolgt man ihre Entwicklung (in Mark zu konstanten Preisen von 1875), zogen sie von 1880 = 524 bis 1885 um 65 Mark, fast dreizehn Prozent, auf 589 Mark stark an.

Wirtschaftsstatistisch läßt sich im nachhinein eindeutig rekonstruieren, daß der Abschwung von 1882 bis 1886 vergleichsweise abgeflacht verlief. Die zeitgenössische Krisendiskussion stand jedoch überwiegend unter dem schockartigen Eindruck, binnen kurzem zum zweiten Mal mit den gefährlichen Folgen von Wachstumsstörungen kämpfen zu müssen. «Heute ist die Überproduktion in allen industriellen Ländern» wegen des «Zurückbleibens der Konsumptionskraft» schon wieder «eingezogen», konstatierte 1883 der Autor eines sachkundigen Überblicks. Gleichzeitig laste der seit 1873 anhaltende Preisfall wie ein Alpdruck auf der Wirtschaft: «Kaum jemals», beschrieb Nasse den säkularen Einschnitt, «hat in der neueren Geschichte ein friedlicher, rein wirtschaftlicher Vorgang in so kurzer Frist einen solchen Einfluß auf die Produktionsverhältnisse, die Verteilung des Einkommens und die wirtschaftliche Gesetzgebung der Kulturstaaten gehabt.»

Diese Zangenbewegung löste die tiefsitzende Befürchtung aus, daß außer der ökonomischen Prosperität auch die gesellschaftliche und politische Stabilität erneut gefährlich bedroht werde. Den Zeitgenossen hat sich daher immer wieder das aufschlußreiche Bild aufgedrängt, daß Deutschland einem Dampfkessel unter Hochdruck ähnele, der außer Kontrolle geraten könne. Vor einer Reichstagskommission warnte Hammacher eindringlich, daß «unsere deutsche Industrie ... momentan einem überheizten Dampfkessel» gleiche, dem sofort durch verbesserten «Abzug» auf die Binnen- und Außenmärkte «Luft gemacht» werden müsse. Nicht nur von dem sozialdemokratischen Parteiführer August Bebel wurde dieses «Bild mit Vergnügen akzeptiert» – er glaubte damals im Sinne der platten Zusammenbruchstheorie ohnehin «an keine Prosperitätsperiode von irgendwelcher Dauer mehr, wir kommen aus der Überproduktion nicht mehr heraus». Vielmehr griffen auch andere Abgeordnete und Journalisten die Metapher sofort auf. Das «Elend der Überproduktion» und die Lawine der herannahenden «alles verschlingenden Revolution» vor Augen, fand der Kolonialpublizist Wilhelm Hübbe-Schleiden das «Sicherheits-Ventil» allein in der «Erweiterung unseres nationalen Wirtschaftsgebiets». «Unsere wirtschaftlichen und sozialen Verhältnisse gleichen einem stark geheizten Kessel», stimmte ihm Franz Moldenhauer zu, «eine der Grundbedingungen, von denen die Wohlfahrt unserer Zukunft abhängt», liege in der Bereitschaft, «die zu stark gespannten Dämpfe» in die «Kanäle» der überseeischen Ausbreitung zu leiten. Mit solchen Formulierungen wurde nicht nur die Exportideologie verstärkt, sondern darüber hinaus durch das aus den inneren Spannungen entspringende Postulat der Kolonialexpansion ergänzt.

Überhaupt breitete sich der Eindruck aus, daß die Suche nach erfolgversprechenden Lösungen immer dringlicher werde. Das verlieh der öffentlichen Diskussion ihren gepreßten, beschwörenden Ton. Ein nüchterner Sozialwissenschaftler wie der liberale Brentano hielt immerhin den «Zustand chronischen Leidens» seit 1873 für ein Damoklesschwert, das über dem Inneren des Reiches schwebe. Contre coeur, aber illusionslos verfocht er eine staatliche Ausfuhrförderung, Schutzzölle und Kartelle, um der Probleme Herr zu werden. Auch der gewöhnlich abwägend urteilende freikonservative Berliner Historiker und Herausgeber der «Preußischen Jahrbücher» Hans Delbrück klagte jetzt über die «ungeheure Krise», da der «Überproduktion» die evidente «Unzulänglichkeit» der Konsumkraft gegenüberstehe. In einer «Epoche sinkender Preise» könne aber, wie er erkannte, keine Gegenmaßnahme schnell genug wirksam greifen. Ein liberaler Publizist wie Max Wirth verteidigte seine Skepsis, daß der Verbrauch «unmöglich» dem modernen Erzeugungstempo folgen könne. Deshalb habe man mit einer ständigen Störung des «Gleichgewichts zwischen Produktion und Konsumption» zu rechnen.

Gegen solch einen Fatalismus mehrten sich aber jene Stimmen, die zwar die Unumgänglichkeit der Exportausweitung durchaus unterstützten – denn «nach Absatz schreit die ganze Welt» –, aber zunehmend das überlegene «Heilmittel» in der anzuhebenden «Kaufkraft der Massen» erblickten. Nur eine gezielte Politik der Expansion des Binnenmarktes könne erreichen, daß der «Güterverbrauch» die Überproduktion entschärfe. Ja, in der Leistungsfähigkeit der Industrie, die aufgrund der «Produktionskostenverminderung» und des technischen Fortschritts immer mehr Waren zu sinkenden Preisen anbieten könne, erkannten optimistische Stimmen, daß trotz der Belastung für Produzenten und Investoren die historisch einmalige Chance der Wohlstandssteigerung für alle auftauchte. Vertreter dieser Position, die vom liberalen Vertrauen auf die Entfaltung der Produktivkräfte und der Marktmechanismen getragen war, wurden während der von den Wachstumsfluktuationen angespornten Debatte über eine effektive Wirtschaftspolitik und eine realitätsadäquate Theorie von anderen Nationalökonomen zu Recht daran erinnert, daß die «unsichtbare Hand» der Marktkräfte keineswegs automatisch diesen Effekt herbeiführe, sondern erst der Interventions- und Sozialstaat durch gezielte Steuerung mehr Verteilungsgerechtigkeit schaffen könne.[5]

d) Die Konjunktur von 1886 bis 1890

Das gehemmte Wachstum wich im Herbst 1886 einem steilen Aufschwung, der innerhalb weniger Monate in eine vierjährige Hochkonjunktur überging. In ihrer Dynamik, die nach dem Schock der zweiten Depression um so mitreißender wirkte, war sie zwar objektiv noch nicht mit der Prosperitätsphase in der Mitte der fünfziger Jahre oder mit dem halben Jahrzehnt vor 1873 zu vergleichen, weckte aber vielerorts die Erinnerung an überschäumendes Wachstum. Das Produktionsvolumen schoß sprungartig in neue Höhen. Selbst die Warenpreise begannen sich zu erholen. Erstmals tauchte ein Ende der Deflationsepoche, wie es dann 1894/95 endlich eintrat, am Horizont auf. Auch die Aktienkurse stiegen wieder, und die Investitionen strömten in aussichtsreiche Projekte. Auf der andern Seite hielt der säkulare Prozeß der Verbesserung der Reallöhne ebenfalls an. Damit hob sich das Niveau der Massenkaufkraft, die sich in gesteigerte Binnennachfrage umsetzte.

Da die Konjunktur bereits in der zweiten Hälfte des Jahres 1886 zurückkehrte und die dritte Depression im Frühjahr 1890 einsetzte, gibt die Zahl der von 1887 bis 1890 gegründeten 948 Aktiengesellschaften mit einem Kapital von 996 Millionen Mark über die Konjunkturphase von 1886 bis 1890 nicht exakt Auskunft. Eine monatliche Registrierung liegt nicht vor. Man kann daher nur schätzen, daß während dieser Phase auf jeden Fall mehr als tausend Aktiengesellschaften mit mehr als einer Milliarde Mark Stammkapital gegründet worden sind. Wie kraftvoll, ungeachtet der zweiten Depression, der industrielle Wachstumsprozeß während der gesamten achtziger Jahre anhielt, läßt sich an den von 1880 bis 1889 in Aktiengesellschaften angelegten 1.5 Milliarden Mark ablesen. Mit ihnen wurde eine solide Grundlage für künftiges Wachstum gelegt, obwohl diese Investitionssumme im Vergleich mit derjenigen von 1871 bis 1873 = 2.78 und der bevorstehenden von 1895 bis 1900 = 2.25 Milliarden Mark sehr deutlich sowohl die Belastung durch die ökonomischen Fluktuationen als auch durch das noch immer skeptische Wirtschaftsklima verrät. Immerhin: Daß sich die Rückkehr der Konjunktur seit 1886 spürbar auswirkte, beweisen auch die unverteilten Einkommen der großen Kapitalgesellschaften, die von ihnen überwiegend zur Eigenfinanzierung und für Rücklagen verwendet wurden. Leider zerhackt die beste verfügbare Statistik mit ihren gleitenden Fünfjahresdurchschnitten den Konjunkturrhythmus. Dennoch ist nach dem Tief von 1875/79 = 79 der Aufschwung von 1881/85 = 84 an der Verdoppelung bis 1886/90 auf 161 Indexeinheiten untrüglich zu erkennen.

Obwohl in den späten achtziger Jahren bereits der Motor der neuen Führungssektoren wie etwa der Elektrotechnik und der Großchemie sozusagen warmgelaufen war, läßt sich gerade an den unter Druck stehenden klassischen Leitbranchen die positive Entwicklung ablesen. So stieg von 1887 bis 1890 die Produktion von Eisen von 4.03 auf 4.66, von Stahl von 3.36 auf 3.79, von Ruhrkohle von 30.15 auf 35.47 Millionen Tonnen (im Reich insgesamt von 60.33 auf 70.24 Millionen Tonnen). Noch eindrucksvoller als die anhaltende Mengenkonjunktur fiel jedoch, erstens, die Expansion der Arbeiterschaft aus: Sie wuchs dort von 20430 auf 23668 bzw. von 88829 auf 105751 und erneut im Ruhrbergbau am stärksten von 99543 auf 127794 Beschäftigte. Vor allem aber läßt sich, zweitens, überall eine ins Auge springende Preis- und Wertsteigerung feststellen. Weit über den Zuwachs hinaus, welcher dem erhöhten Erzeugungsvolumen zu verdanken war, kletterte der Wert des Eisenausstoßes von 116.44 um hundertzwanzig Prozent auf 262.31 und derjenige der Stahlherstellung von 391.13 um ca. hundertvierzig Prozent auf 563.23 Millionen Mark, während die Wertschöpfung der Ruhrbergwerke mit einem Zuwachs von ca. hundertfünfzehn Prozent (von 109.95 auf 224.21 Mill. M.) dem Trend folgte – kein Wunder, da der Tonnenpreis sich von 4.64 um mehr als siebzig Prozent auf 7.96 Mark verbesserte. Allenthalben kehrte spätestens im Hochkonjunkturjahr 1889 die nostalgisch verklärte Erinnerung an den langlebigen Boom vor 1873 zurück.

Es entsprach dem Leistungsvermögen der deutschen Industriewirtschaft, daß sie trotz des zunehmend verschärften Konkurrenzkampfes auf dem Weltmarkt ihren hohen Exportdurchschnitt von jährlich rund 29.4 Indexeinheiten halten konnte. Der Ausfuhranteil blieb mithin stabil, übertraf aber nur mehr um einen Hauch den Höchstwert während der zweiten Depression. Das hing unübersehbar mit der angestiegenen Massenkaufkraft zusammen, welche die Absorptionsfähigkeit des Binnenmarktes ausdehnte. Das durchschnittliche jährliche Arbeitseinkommen, das von 1882 bis 1886 (= 622) nur um 32 Mark gestiegen war, wuchs jetzt bis 1890 auf 711 Mark an, tat also in kurzer Zeit geradezu einen Sprung um rund fünfzehn Prozent (89 M.) nach oben. Anders ausgedrückt: Mit den durchschnittlichen Industrie-Wochenlöhnen stiegen die jährlichen Reallöhne (in konstanten Preisen von 1875) von 1885 = 589 um 46 Mark bis 1890 auf 635 Mark, daher allein in den achtziger Jahren um volle 111 Mark weiter stark an. Selbst Krupp hob für seine Arbeiter, deren Zahl sich dank dem Aufschwung von 10338 um die Hälfte auf 15003 vermehrte, in dieser Zeit den durchschnittlichen Tagelohn von 3.64 auf 3.95 Mark an, wodurch zum ersten Mal die dreiundsiebziger Marke übertroffen wurde. Ringsum im Ruhrgebiet wuchsen die Schichtlöhne der Bergarbeiter von 1887 = 2.57 sogar um rund vierzig Prozent auf 1890 = 3.49 Mark, die durchschnittlichen Jahreseinkommen um fast fünfunddreißig Prozent von 796 auf 1067 Mark. Der Säkulartrend der seit etwa 1882 stetig steigenden Reallöhne ist mithin in den achtziger Jahren in absoluten und relativen Werten, insbesondere im Vergleich mit den vorhergehenden drei Industrialisierungsjahrzehnten, markant ausgeprägt. Die Auswirkungen einer solchen Kaufkraftsteigerung haben mit dazu beigetragen, den Optimismus dieser Konjunkturperiode breit abzustützen.

e) Die Depression von 1890 bis 1895

1889 ist zweifellos – welche Kriterien auch immer angelegt werden – ein Boomjahr gewesen. Eindeutig schienen die Signale auf weitere Erholung und Expansion gestellt, dazu endlich auf Preisanstieg und Ertragslagenverbesserung. Trotzdem erwies sich erneut, daß der industriekapitalistische Evolutionsprozeß seinem spasmischen Rhythmus unterworfen blieb. Die Kräfte des Wachstumszyklus erlahmten schon im Frühjahr 1890, nicht ganz so geschwind wie seit 1882, aber doch enttäuschend frühzeitig, und die Depression hielt seither fünf Jahre lang bis zum Februar 1895 an. Die Banken- und Kreditkrise, die durch den Zusammenbruch des großen Londoner Bankhauses Baring Anfang 1890 im Nu auch in Mitteleuropa ausgelöst wurde, da die hochgetriebenen Aktienkurse und Warenpreise sofort in eine rückläufige Bewegung gerieten, wäre ein überwindbares Oberflächenphänomen geblieben, wenn die tieferliegenden Strukturprozesse in der deutschen Wirtschaft, die schwierige Anpassung an den Wachstumstrend, an die expandierende Massenproduktion bei weiterhin nicht inflationären Preisen und einem gleichzeitig erfolgenden Wechsel von Führungssektoren, nicht noch einmal gravierende Probleme aufgeworfen hätten.

Dennoch: Auch diese dritte Depression läßt sich mit der tiefen Zäsur von 1873 bis 1879 nicht vergleichen. Ihr Störpotential reichte nicht aus, um die Ausdehnung des Produktionsvolumens ernsthaft zu verlangsamen, aufzuhalten, geschweige denn zeitweilig zu unterbrechen; auch die anhaltende deflationäre Belastung der Preise, Profitraten und Wertpapierkurse unterlag nicht mehr so extremen Schwankungen. Wohl aber reichte es aus, um den Konjunkturverlauf fast fünf lange Jahre zu dämpfen. Übrigens setzte sich der internationale Fluktuationsrhythmus diesmal nicht voll durch. Die Vereinigten Staaten wurden erst 1893 in ihre dritte Depression gestürzt und konnten sich auch erst ein Jahr später als Europa, 1896, davon erholen. Anders als 1879 strahlten jedoch vom amerikanischen Binnenmarkt, der seit 1890 durch den hochprotektionistischen McKinley-Zolltarif abgeschirmt wurde, bis 1893 keine belebenden Impulse nach Deutschland aus.

Da eine optimistische Wirtschaftsstimmung noch bis in die erste Hälfte des Jahres 1890 hinein die Investitionstätigkeit beflügelte und damit den Kapazitätsausbau stimulierte, können die vier «reinen» Abschwungjahre von 1891 bis 1894 am besten dazu dienen, sich den Rückschlag zu vergegenwärtigen. In dieser Zeitspanne wurden etwa nur 474 Aktiengesellschaften mit einem äußerst bescheidenen Gesamtkapital von 335 Millionen Mark gegründet – das war knapp ein Drittel der Summe, die in der vierjährigen Konjunkturspanne von 1886/87 bis 1889/90 von solchen Großunternehmen investiert worden war; es lag trotz der Ausweitung der deutschen Industriewirtschaft weit unter der halben Milliarde, die sogar während der zweiten Depression von 1882 bis 1886 auf diese Weise angelegt worden war! In dem «Absinken der Zuwachsrate der Kapitalvermehrung in der Privatwirtschaft trat das für den neuen Abschwung repräsentative verlangsamte Wachstum der nominalen und realen Investitionen» erneut zutage. Ebenso verraten die unverteilten Gewinne der privaten Kapitalgesellschaften – von 1891 bis 1895 lagen sie mit 164 nur unwesentlich über den 161 Indexeinheiten der vorhergehenden fünf Jahre –, wie schwer sie sich im Geschäftsleben taten.

Die vertrauten Meßziffern illustrieren den gestörten Wachstumsprozeß, denn in dieser Zeitspanne von 1891 bis 1894 stieg das Erzeugungsvolumen des Roheisens von 4.65 auf 5.38, des Stahls von 4.04 auf 4.78 Millionen Tonnen allenfalls sehr verhalten, nur im Ruhrbergbau mit seiner Ausnahmerolle von 37.40 auf 40.61 Millionen Tonnen kräftiger an. Der Produktionswert fiel jedoch trotz des Mengenzuwachses wieder ab: bei Roheisen von 232.25 auf 231.57, bei Stahl von 533.83 auf 515.92, nachdem er 1889 sogar noch 262.31 bzw. 563.23 Millionen Mark betragen hatte. Der Tonnenpreis der Ruhrkohle gab von 8.36 auf 6.37 Mark, die Nettowertschöpfung der Bergwerke von 258.04 auf 214.85 Millionen Mark eklatant nach. In der Metallerzeugung stagnierte daher auch die Arbeiterschaft (Eisen: 23533/23401; Stahl: 106486/107234), nur an der Anzahl der Ruhrbergarbeiter, die von 138739 auf 152656 zunahmen, läßt sich die Sonderstellung dieser Montanindustrie ablesen.

Für jene Jahre steht zum ersten Mal die berühmte, von 1889 bis 1939 reichende Preisstatistik Wilhelm Gehlhoffs zur Verfügung. Die Indizes (1874/88 = 100) zeigen sehr klar, wie die Hoffnung auf eine anhaltende Konjunktur die Preise 1890 zunächst noch hochtrieb, ehe ein desillusionierender Absturz erfolgte. So setzte sich etwa bei den genannten schwerindustriellen Produkten die Preisfluktuation von 1883 über 1890 bis 1894 tendenziell ähnlich durch: bei Eisen von 87.3 über 104.4 auf 78.2, bei Stahl von 116.4 über 126.4 sogar auf 74.9; bei Kohle von 97.3 über 130.3 auf 112.8. Das bedeutete innerhalb der vier kritischen Jahre einen Verlust von 18 bis zu 52 Indexeinheiten. Deshalb sackten auch die «Güter des mittelbaren Verbrauchs» von 123.1 auf 96.4 um 27, die «Güter des unmittelbaren Verbrauchs» von 104.2 auf 90.4 aber nur um vierzehn Punkte ab. Gehlhoffs allgemeiner, auf fünfzig Warengruppen basierender Preisindex zeigt für diese Zeit immerhin einen Rückgang von 104.2 auf 91.3, mithin um dreizehn Einheiten, an. Da Unternehmer und Investoren, Politiker und Journalisten aus den recht zuverlässigen Informationen ihrer Zeit diese Preisdeflation ablesen konnten, während sie gleichzeitig nicht umhinkamen, sich die beiden kurzlebigen Konjunkturspannen der achtziger Jahre sehnsüchtig zu vergegenwärtigen, kann man den vorherrschenden Pessimismus während der dritten Depression ohne Mühe verstehen.

Auch die Arbeiterschaft wurde durch den Abschwung erheblich in Mitleidenschaft gezogen. Trotz des anhaltenden Aufstiegstrends wuchsen ihre Reallöhne von 1890 = 635 bis 1895 = 665 nur um dreißig Mark an, obwohl Teile des Jahres 1890 und vor allem 1895 noch zu Konjunkturphasen gehörten. Das war immerhin ein um die Hälfte oder doch ein Drittel geringerer Zuwachs als in den Fünfjahresperioden von 1880/85 (= + 65) und 1885/90 (= + 46). Selbst die eher noch günstig gestellten Ruhrbergleute erlebten noch einmal einen Fall der Schichtlöhne von 1891 = 3.54 auf 1894 = 3.16, so daß das Jahreseinkommen von 1086 auf 916 Mark schrumpfte. Wie der Reallohnindex beweist, konnte der Preisfall der Konsumgüter die durchschnittlichen Lebenshaltungskosten nicht besonders spürbar verbilligen.

Depressionstypisch positiv sah demgegenüber die Bilanz der Exportwirtschaft aus. Bereits 1890 erreichte die Ausfuhr einen neuen Höchstwert mit 29.8, bis 1894 sogar mit 31.7 Indexeinheiten. Das bedeutete im Vergleich mit der vorangegangenen Konjunkturspanne (+ 0.4) immerhin eine Verfünffachung der Zuwachsrate. Zum dritten Mal erwies sich, daß der Export, sobald ihn der Sporn des Abschwungs zu erhöhten Anstrengungen anstachelte, eindrucksvollere Leistungen als in den Prosperitätsperioden erzielte. Diese Bedeutungssteigerung der Außenwirtschaft muß man präsent haben, um den vehementen Streit um die deutsche Ausfuhrpolitik, wie ihn die exportfreundlichen Caprivischen Handelsverträge in den frühen neunziger Jahren auslösten, angemessen beurteilen zu können.[6]

f) Zwischenbilanz: 1873 bis 1895

Faßt man noch einmal die gesamte «Wechselspanne» vom Herbst 1873 bis zum Frühjahr 1895 unter einigen wichtigen Sachgesichtspunkten ins Auge, treten ihre charakteristischen Merkmale klar hervor. Die wirtschaftlichen Fluktuationen wirkten sich während der ersten Phase von 1873 bis 1882 am härtesten aus. Trotz der anhaltend gravierenden Probleme ist die zweite Phase von 1882 bis 1895 in vielen Bereichen durch einen klar erkennbaren Aufwärtstrend geprägt. Immerhin: Drei Viertel dieser Konjunkturperiode bestanden aus Stockungsjahren, deren Nachteile nicht uniform blieben, sondern jeweils variierten. Am schmerzhaftesten wirkte sich die säkulare Preisdeflation aus, die einen Großteil der Klagen über diese «Große Depression» verursachte. Erst in der Mitte der neunziger Jahre wurde eine Art Wasserscheide erreicht, jenseits derer ein langgestreckter Prosperitätsauftrieb anhielt, der auch mit vorteilhafteren Preisen, Zinsen und Dividenden die Unternehmen und Investoren begünstigte.

Wie die Hochkonjunktur zwischen 1850 und 1873 ein weltweites Phänomen war, besaß auch die durch Wachstumsstörungen und Preisfall bestimmte Trendperiode von 1873 bis 1895 einen durch und durch internationalen Charakter. Die deutsche Entwicklung blieb weiterhin in die globalen Wachstumsfluktuationen der okzidentalen Industrieländer eingebettet. Die jährlichen Zuwachsraten in den dreizehn wichtigsten Staaten, welche damals die moderne Weltwirtschaft dominierten, gingen von 1873 bis 1895 auffällig zurück: die der gesamten Weltproduktion (in diesem Sinn) von bisher 4.6 auf 3.1, der Weltkohlenproduktion von 5.2 auf 3.7, der Welteisenproduktion von 5.3 auf 3.3, der Weltdampfertonnage von 7.3 auf 5.3. Die Weltindustriewarenpreise (1870 = 100), die 1873 mit 147 einen Höchststand erreicht hatten, stürzten bis 1886 um fünfzig Prozent auf den Tiefststand von dreiundsiebzig und erreichten erst in der ersten Hälfte der neunziger Jahre neunzig Indexeinheiten.

Prüft man die verschiedenen Meßwerte für die Leistung der deutschen Wirtschaft – hier geht es in erster Linie um die Industrie –, wird ein vorn bereits mehrfach betonter Grundzug der Entwicklung erneut bestätigt. Trotz irritierender, folgenschwerer Einbußen, die für eine relativ kurze Zeit bis hin zu Stagnation oder gar Schrumpfung gehen konnten, hielt der gesamtwirtschaftliche Aufschwungstrend an. In der ersten Hälfte der Trendperiode wies er wegen der Überlastung mit der Problematik der Anpassung an ein realistisch dimensioniertes Wachstum eine flache Steigung auf, in der zweiten Hälfte strebte er wieder steiler nach oben. Zu keinem Zeitpunkt tauchte die ominöse Gefahr einer «stationären» Wirtschaft auf. Trotz dreier Depressionen hielt vielmehr das Wachstum des Produktionsvolumens, des Güterkonsums, überhaupt, wie die verschiedenen Indikatoren noch zeigen werden, der maßgeblichen Leistungsbereiche ungebrochen an.

Dafür gab es gute Gründe, die trotz aller Unkenrufe niedergedrückter Zeitgenossen die Voraussetzungen dafür schaffen halfen, daß der Wachstumspfad die Talsohle wieder verließ. Enorme Produktivitätsgewinne, technologische Innovationen, Intensivierung und Rationalisierung der Arbeitsprozesse, Ausweitung des Binnen- und Außenmarktes, sinkende Transportkosten, niedrige Löhne – so beginnt ein langer Katalog jener Bedingungen, welche die Überwindung der Abschwungsfolgen zumindest auf längere Sicht gewährleisteten. Das war um so wichtiger und auch schwieriger, als in dieser Zeit die Reichsbevölkerung um siebenundzwanzig Prozent, nicht mehr wie zwischen 1850 und 1873 nur um siebzehn Prozent angewachsen ist.

Andrerseits: Der Blick aus der Vogelperspektive erliegt leicht der Tendenz, die langlebigen überindividuellen anonymen Prozesse ausschließlich zu bevorzugen; er fördert die Neigung, zugunsten des auf lange Sicht durchsetzungsfähigen Trends lästige Unebenheiten einzuebnen. Damit aber werden die Schwankungen und Disparitäten des Konjunkturverlaufs, seine variablen Mischungsverhältnisse von Kontinuität und Diskontinuität, von Aufschwung in einem Sektor und Niedergang in einem anderen, von Outputsteigerung und Preisverfall häufig ausgeblendet oder zu untergeordneten Problemen degradiert, obwohl sie doch in der historischen Wirklichkeit das Denken und Handeln der Zeitgenossen ungleich stärker prägen, als ein tröstlicher, aber unbekannter Trend das zu tun vermag, den ihre Nachfahren erst im nachhinein mit Hilfe der Wirtschaftsstatistik genau ermitteln können.

Will man diesem zeitgenössischen Erfahrungs- und Aktionshorizont gerecht werden, muß die Veränderung der wirtschaftlichen Wachstumsraten und Strukturrelationen genauer überprüft werden. In groben Konturen spiegeln zuerst einmal die zehnjährigen Durchschnittswerte des Nettoinlandsprodukts (= NIP) die Konjunkturschwankungen wider. Von dem erstaunlich hohen Niveau der Dekade 1861/67 bis 1871/75 mit ihren 3817 Milliarden fiel das NIP wegen der ersten Depression im nächsten Jahrzehnt 1871/75–1876/80 um mehr als die Hälfte auf 1601 Milliarden, erreichte wegen der zweiten Depression auch von 1881/85 bis 1886/90 mit 2868 Milliarden bei weitem nicht den Wert der Schlußphase der deutschen Industriellen Revolution und überholte wegen der dritten Depression trotz einer markanten Verbesserung selbst zwischen 1886/90 und 1891/95 mit 3.44 Milliarden Mark noch nicht den Wert der «Gründerjahre».

Die jährlichen Wachstumsraten des NIP bilden die Konjunkturschwankungen viel genauer ab. Von der überaus stattlichen Rate von 8.1 Prozent im Jahre 1872 fielen die Werte auf 1873 = 4.2, 1875 = 0.6, dann 1876 und 1877 sogar auf – 0.6 und 1879 auf den Tiefpunkt von – 2.2 – eine Schrumpfung, die nur noch einmal vor 1914 (während der Krise von 1901 = – 2.3) nicht vermieden werden konnte. Während der Zwischenkonjunktur verharrte diese Wachstumsrate 1880 zuerst bei – 0.9, erholte sich bis 1883 auf 5.3, wurde während des zweiten Abschwungs halbiert und endete 1886 bei 0.6. Die neue Konjunktur trieb sie folgerichtig auf 2.7 bis 4.1 hinauf, ehe sich die dritte Depression im Nullwachstum von 1891 (0.0) und dem Abfall bis 1894 auf 2.4 ausdrückte.

Diese von Walther G. Hoffmann errechneten Zahlenangaben sind inzwischen von Carl-Ludwig Holtfrerich mit Hilfe eines genaueren Schätzverfahrens plausibel korrigiert und nach Juglarzyklen zusammengefaßt worden. Demzufolge lagen die durchschnittlichen jährlichen Wachstumsraten des NIP für die «Take-off»-Phase um elf bis dreizehn Prozent höher (z.B. 1857–1863 = 2.88, 1863–1874 = 3.31) als bei Hoffmann (2.56/2.94). In der ersten Hälfte der «Großen Deflation» (1874/1883) kamen sie über tiefenttäuschende 1.22 (1.14) nicht hinaus, kletterten aber wegen der eindeutigen Boomjahre in der zweiten Hälfte (1883/1890) wieder auf 3.02 (2.81), ehe sie wegen der Hochkonjunktur seit 1895 sogar den Höchstwert des Kaiserreichs zwischen 1890 und 1900 mit 3.62 (3.46) erzielten.

Auch die Struktur des NIP enthüllt sowohl die Belastungen für die Industrie bis in die Mitte der achtziger Jahre als auch die danach einsetzende Aufschwungtendenz.

Übersicht 74: Struktur des deutschen Nettoinlandsprodukts 1870–1894 (in Preisen von 1913, prozentualer Anteil)

	I. Industrie/Handwerk, Bergbau, Verkehr	II. Landwirtschaft	III. Tertiärer Sektor
1870/74	33.8	37.9	8.1
1875/79	35.2	36.7	8.1
1880/84	35.6	36.2	8.2
1885/90	37.4	35.3	8.5
1890/94	40.6	32.3	8.7

Gleichzeitig gibt sie den Blick darauf frei, daß die von 1876 an schwer angeschlagene Landwirtschaft seit eben diesem industriewirtschaftlichen Aufschwung den ökonomischen Primat verloren hat und im folgenden Jahrzehnt bereits weit abgehängt wurde. Dagegen hielt das behutsame Wachstum der Dienstleistungen, des tertiären Sektors, an, ohne daß seine künftige Dynamik bereits zu erkennen gewesen wäre.

Das Nettosozialprodukt (= NSP) bestätigt ebenfalls die Grundzüge der Entwicklung, desgleichen die Verwendung eines äußerst wichtigen Bestandteils: der Nettoinvestitionen.

Übersicht 75: Nettosozialprodukt, Nettoinvestitionen und ihre Struktur 1870–1894 (in Preisen von 1913)

	1. NSP (Mill. M.)	2. Anteil der Nettoinvestitionen in Prozent	3. Struktur in Prozent		
			a) Gewerbe	b) Eisenbahnen	c) Landwirtschaft1870/74
1870/74	18676	10.9	32.6	23.8	10.3
1875/79	21132	11.1	10.6	25.5	10.8
1880/84	21958	10.3	37.5	13.5	11.5
1885/89	25661	11.8	45.3	5.7	13.8
1890/94	29596	12.7	34.0	6.7	11.5

Erneut tritt im Wachstum des Nettosozialprodukts die Flaute von 1873 bis 1886, danach der zügige Aufschwung zutage. Insgesamt entsprachen die Nettoinvestitionen dem «Lewis-Axiom», wonach mindestens zehn bis zwölf Prozent der Nettoinvestitionen in den Industrialisierungsprozeß gelenkt werden müssen, um ein selbsttragendes Wachstum zu gewährleisten. Zugleich fungiert die Strukturskala der Nettoinvestitionen wie ein untrügliches Thermometer, das den Effekt des «Overshooting» bis 1873 in dem außergewöhnlich hohen Anteil für die gewerbliche Wirtschaft (32.6) zeigt, seither den dramatischen Abfall, der ihn unter dem Schock der Enttäuschungen um mehr als zwei Drittel auf 10.3 Prozent – auf den absoluten Tiefpunkt seit dem Beginn der deutschen Industriellen Revolution, der auch das einzige Mal nach 1870 unter der Quote der Landwirtschaft lag – tief absenkte, ehe in den achtziger Jahren der Optimismus wieder überwog, der indes durch die dritte Depression wieder deutlich gedämpft wurde.

Ebenso aufschlußreich sind die fünf dürren Zahlen, die über den Anteil der Eisenbahninvestitionen Auskunft geben. Der klassische Führungssektor der deutschen Industriellen Revolution absorbierte in den siebziger Jahren, noch ganz im Bann euphorischer Überinvestitionen bis zu – sage und schreibe – einem Viertel der gesamten Nettoinvestition. Deshalb wuchs auch das Schienennetz von 1873 bis 1879 noch einmal um zehntausend Kilometer auf eine Länge von 33094 Kilometer (von 1870 bis 1880 sogar um 15305 km) an. Als die industriellen Investitionen ihren fatalen Einbruch nach 1873 erlebten, blieb der Anteil des Eisenbahnbaus vorerst noch um hundertfünfzig Prozent höher als sie. Bis zum Beginn der achtziger Jahre hatte sich jedoch die Illusion unbegrenzter Expansion aufgelöst. Zuerst wurden die Nettoinvestitionen um die Hälfte auf 13.5 halbiert, dann auf ein gutes Fünftel der Höchstmarke, auf nur mehr fünf Prozent aller Nettoinvestitionen reduziert (5.7). In diesen beiden Ziffern des Höchst- und Tiefstwertes: in den fünfundzwanzig und 5.7 Prozent der Nettoinvestitionen, lassen sich Aufstieg und Niedergang des führenden deutschen Wachstumssektors in nuce einfangen.

Seine Investitionsrate wurde bis 1895 zwar noch nicht wesentlich erhöht, trotzdem zehrte der Eisenbahnbau von der langlebigen Ausreifezeit früherer Überinvestitionen und einem daraus hervorgehenden Kapazitätsausbau, so daß das Streckennetz von 1880 = 33711 Kilometer selbst in den fünfzehn mageren Anlagejahren bis 1895 = 45203 Kilometer doch noch um 11492 Kilometer verlängert wurde, wovon der größte Anteil (4200 km) in die Konjunkturjahre von 1886 bis 1890 fiel.

Der schon mehrfach verwendete Indikator des in Aktiengesellschaften festgelegten Stammkapitals unterstreicht die lange negativ geprägten Schwingungen der Konjunktur zwischen 1873 und 1895. Waren während der explosiven Boomjahre von 1871 bis 1873 2.781 Milliarden Mark in Aktiengesellschaften angelegt worden, blieb es von 1874 bis 1894 bei 2.406 Milliarden Mark, das heißt in rund zwanzig Jahren waren das 375 Millionen Mark weniger als auf dem Höhepunkt der «Gründerjahre». Zum Vergleich: In der hochkonjunkturellen Trendperiode von 1895 bis 1914 wurden 5.76 Milliarden Mark Aktiengesellschaftskapital, rund 140 Prozent mehr als in den beiden Jahrzehnten zuvor, ausgewiesen. Auch die unverteilten Gewinne der Kapitalgesellschaften reflektieren den Konjunkturtrend: Von 1870 bis 1873 (= 4.26 Mrd. M.) machten sie jährlich 1.06 Milliarden Mark, von 1874 bis 1895 (= 2.75 Mrd. M.) aber nur 102 Millionen Mark, von 1896 bis 1913 (= 6.92 Mrd. M.) das Vierfache: 406 Millionen Mark, aus.

Im Kapitaleinkommen hatten Gewerbewirtschaft und Verkehr schon zur Zeit der Reichsgründung einen klaren Vorsprung vor der Landwirtschaft gewonnen (1870/74: 46.5 zu 36.5 Indexeinheiten), den sie trotz der typischen tiefkonjunkturellen Abschwünge weiter behaupten konnten. 1890/94 betrug er wegen der dritten Depression immerhin nur 42.9 zu 36.8 Indexeinheiten. Auch der Kapitalstock wies, nachdem die Landwirtschaft 1873 mit 32.27 Milliarden Mark noch weit vor dem Gewerbe und Verkehr (19.37 Mrd. M.) gelegen hatte, wegen des seit 1879 kontinuierlichen industriewirtschaftlichen Wachstums bis 1894 die Spitzenposition des sekundären Sektors mit 46.82 zu 40.01 Milliarden Mark aus.

Überprüft man die Wertschöpfung der gesamten deutschen Volkswirtschaft, dazu von Industrie und Handwerk, Bergbau und Verkehr, ergeben sich für die Zäsurjahre der Konjunkturbewegungen die aufschlußreichen Ergebnisse der Milliarden-Beträge in Übersicht 76 für die Depressionen und Aufschwünge.

Übersicht 76: Wertschöpfung in Deutschland 1873–1894 (in Preisen von 1913 und Mill. M.)

	1. Gesamte Volkswirtschaft	2. Industrie und Handwerk/Bergbau	3. Verkehr
1873	16347	5568	387
1879	17839	5818	456
1880	17679	5749	506
1882	18441	5905	573
1886	20548	6696	658
1890	23589	8615	871
1894	26383	9769	1007

Der Gesamtzuwachs von 1873 bis 1894 in Höhe von 10.036 Milliarden Mark, etwas mehr als sechzig Prozent, verteilte sich auf die einzelnen Konjunkturphasen dergestalt, daß die Volkswirtschaft während der ersten Depression die Wertschöpfung noch um 1.492 Milliarden Mark verbesserte (1876 und 1877 blieben aber hinter der Leistung von 1875 zurück!); während der kurzen Zwischenkonjunktur bis 1882 war es fast die Hälfte davon: 762 Millionen Mark, während der zweiten Depression stieg sie um 2.107, während der Hochkonjunktur in der zweiten Hälfte der achtziger Jahre sogar um 3.005, während der dritten Depression aber nur um 2.794 Milliarden Mark. Der Beitrag des Verkehrs wuchs insgesamt um hundertsiebzig Prozent an, darin spiegelte sich die Expansion des Eisenbahnsystems wider. Dagegen schafften Industrie/Handwerk und Bergbau nicht einmal fünfundsiebzig Prozent: während der ersten Depression 250 Millionen Mark, bis 1882 nur 156 Millionen Mark, während der zweiten Depression 791 Millionen Mark, während der neuen Hochkonjunktur nur 1.92 Milliarden Mark und während der dritten Depression wiederum nur 1.15 Milliarden Mark. Auch die Wertschöpfung demonstriert mithin das retardierte Wachstum während der ersten Hälfte der «Großen Deflation», aber auch die weiter anhaltenden Belastungen bis 1894. Der Vergleich mit den Werten für die hochkonjunkturelle Trendperiode von 1895 bis 1913 wird hinten den auffälligen Unterschied in der Wachstumskapazität unterstreichen.

Noch genauer lassen sich die Fluktuationen am Index der Gesamtproduktion von Industrie und Handwerk ablesen.

Übersicht 77: Gesamtproduktion von Industrie und Handwerk 1873–1894 (1913 = 100)

1873	26.2	1886	30.8
1879	27.2	1890	39.9
1880	26.1	1894	45.4
1882	27.1		

Der Zuwachs in diesen beiden Jahrzehnten betrug mit fast 19.2 Einheiten fast fünfundsiebzig Prozent anstatt, dank dem rasanten Wachstumstempo in der folgenden Konjunkturepoche, 54.4 Einheiten oder hundertzwanzig Prozent. Wieder wird das vertraute Bild bestätigt: Die erste Depression ließ ebenso wie die Zwischenkonjunktur nur den Gewinn eines Indexpunktes zu; während der zweiten Depression waren es 1.5, in der Boomphase aber erstaunliche 6.5 und während der dritten Depression immerhin 5.5 Indexpunkte.

Konzentriert man sich allein auf die Industrieproduktion, weist der Wagenführsche Index von 1875 (= 100) bis 1895 einen Anstieg auf 224 nach. Im Vergleich mit der Hochkonjunktur von 1866 bis 1873, als ihre jährlichen Wachstumsraten zwischen vier und fünf Prozent pendelten, brachte die Industrieproduktion von 1873 bis 1890/94 nur drei Prozent, seither wieder vier bis fünf Prozent zustande. Dabei lag die Investitionsgütererzeugung mit jährlich 4.5 Prozent klar vor der Konsumgüterherstellung mit 3.5 Prozent. Das bedeutete schon auf mittlere Sicht, daß die Basis für eine leistungsfähige Industriewirtschaft ständig verbreitert wurde.

Das kann man auch am Exportvolumen ablesen, das gleichzeitig den starken Ausfuhrdruck während der Wachstumsstörungen enthüllt. Während der drei Depressionen kletterte der Index um 7.2, 4.1 und 1.9 Punkte, insgesamt um 12.7 von den vierzehn Einheiten, die er von 1873 = 17.7 bis 1894 = 31.7 zulegte. In der vorhergehenden Konjunkturspanne seit 1850 (= 5.9) hatte er fast dieselbe Steigerung (um 12.8) erzielt, die Wachstumsrate des deutschen industriellen Exports stieg aber zwischen 1873 und 1894 fast doppelt so schnell wie die der gesamten Industrieproduktion. Und nicht nur das: Der begehrte und gewinnträchtige Anteil an Investitionsgütern und Fertigwaren kletterte von 1873 = 38 bis 1894 auf fünfzig Prozent. (Das Sonderproblem des Kapitalexports wird unten im Kontext des deutschen Finanzmarktes aufgegriffen.) Auf dem Weltmarkt hatte die deutsche Ausfuhrwirtschaft bereits 1880 vor Frankreich den dritten Platz hinter England und Amerika, bis 1895 fast den zweiten Platz erreicht. Im Hinblick auf den Gesamtanteil am Welthandel konnte sie in dieser Zeit den zweiten Platz knapp vor den USA (11: 10.5) behaupten, während der Vorsprung Englands seit 1880 zunehmend geschrumpft war (von 22.4 auf 18 Prozent).[7]

Wendet man sich einem Kernproblem der «Großen Deflation», der Bewegung der Preise und Zinsen, anschließend damit verknüpften wichtigen Problemen des Kapitalmarktes und der Einkommensveränderung zu, gestatten es zuerst die verschiedenen Preisindizes, sich die beispiellose Talfahrt während des säkularen Deflationstrends noch einmal im Überblick zu vergegenwärtigen.

Durchweg sind die Preise bereits während der ersten Depression um mindestens ein Drittel, in manchen Bereichen sogar um mehr als die Hälfte gesunken. Nach einigen matten Schwankungen erreichten sie überwiegend am Ende der Wechselspanne von 1873 bis 1895 ihren Tiefpunkt. Der Gesamtindex aller Großhandelspreise zeigt für diesen Zeitraum einen Abfall von fünfundvierzig Prozent, derjenige der Produktionsgüter um vierundfünfzig Prozent, der Konsumgüter um sechsundvierzig Prozent, der Industriestoffe um fünfzig Prozent, der Steinkohle um fünfundvierzig Prozent, des Eisens um einundsechzig Prozent und der Baustoffe um fünfundvierzig Prozent. Im Vergleich damit nahm sich der lauthals beklagte Rückgang der Agrarpreise um nur vierundzwanzig Prozent ungleich weniger spektakulär aus. Wo lagen die Ursachen der deflationären Preisbewegung, die unstreitig das auffällige Charakteristikum dieser Trendperiode gewesen ist?

Sie sind, um es zu wiederholen, an erster Stelle in dem enormen Produktivitätsgewinn zu finden, in der rapide verbesserten maschinellen Ausrüstung und gesteigerten Leistungsfähigkeit der rationalisierten Produktionsstätten, in den positiven Folgen rasch eingeführter technologischer Innovationen, in der effektiven Senkung der Produktionskosten, zeitweilig einschließlich der Löhne, im Ausbau des Verkehrssystems mit seinen fallenden Transportkosten, last but not least in der verschärften Konkurrenz auf dem Binnen- wie auf dem Weltmarkt. Ungeachtet aller Kassandrarufe von Unternehmern und Investoren samt ihren publizistischen Hilfstruppen bestätigen diese Ursachen des Preissturzes, daß er durchaus als «Barometer einer erfolgreichen Industrialisierung und Massenproduktion» verstanden werden kann. Und die Bewältigung der Deflationsprobleme nach einer schwierigen Übergangszeit unterstreicht die positive Leistungsbilanz, welche durch den «technischen Fortschritt» und die Produktionssteigerung, die unternehmerische Expertise und die Kompetenz der Arbeiterschaft geschaffen worden ist.

Mit dem Preisfall und den Konjunkturschwankungen hängt aufs engste die Entwicklung des Zinsfußes zusammen. Nach dem hohen Anstieg während der deutschen Industriellen Revolution von der Mitte der vierziger Jahre bis 1873 fiel er von 1873 bis 1895 auf den «tiefsten Stand» des 19. Jahrhunderts – auf einen Stand, «von dem wir», wie ein zeitgenössischer

Übersicht 78: Index der Preisbewegung in Deutschland 1873–1894 (1913 = 100)

	1. Gesamter Großhandel	2. Produktionsgüter	3. Konsumgüter	4. Industriestoffe	5. Steinkohle	6. Eisen	7. Baustoffe
1873	118	145	118	136	116	181	156
1879	78	69	88	77	49	76	85
1880	87	75	91	82	52	90	81
1882	81	72	83	77	49	89	76
1886	70	64	75	68	48	62	90
1887	72	67	75	70	48	68	98
1890	85	88	75	83	75	103	94
1894	72	67	65	68	66	70	72

Definition: Produktionsgüter = Kohle, Eisen, NE-Metalle, Baustoffe. – Konsumgüter = Textilrohstoffe, Häute, Felle. – Industriestoffe = Kohle, Eisen, NE-Metalle, Textil, Häute, Chemikalien, Öle, Fette, Baustoffe.

Experte 1886 mit typischem Pessimismus urteilte, in der ganzen «Finanzgeschichte kein Beispiel kennen».

Schmale Gewinne oder gar Stagnation und Verlust haben nach der geschäftlichen Hypertrophie bis 1873 jahrelang die Privatwirtschaft bestimmt. Je weniger nach den exorbitanten Überinvestitionen das angelegte Kapital Gewinn abwarf, desto mehr wuchs die Anlagescheu. Daß die durchschnittliche jährliche Dividende, die in den «Gründerjahren» 12.48 Prozent betragen hatte, von 1873 bis 1895 auf 7.08, die durchschnittliche Rendite von 8.64 auf 5.03 Prozent absackte, hat diese Neigung ebenso nachhaltig verstärkt, wie die extremen jährlichen Schwankungen des Indexes der deutschen Aktienkurse (1913 = 100) das getan haben. Sie stürzten nämlich von 1872 = 102.4 auf 1877 = 36.8, bewegten sich während der zweiten Depression zwischen 60.7 und 70.8, erreichten erst als Folge des Boomjahres 1889 den Stand von 88.4, der zuletzt 1873 erzielt worden war, und erlebten während der dritten Depression eine weitere Baisse.

Der kapitalintensive Eisenbahnbau demonstriert mit aller Deutlichkeit, wie der Führungssektor par excellence den Kapitalmarkt immer weniger beanspruchte. Das Ergebnis all dieser Erfahrungen und Einflüsse war ein mächtig anwachsender Kapitalstau, der während der gesamten Trendperiode bis 1895 anhielt. Eben dieser Kapitalüberhang war es, der allenthalben den Zinsfuß niederdrückte. Mit ihm fiel auch der Hypothekenzins von 1873 = 5 auf 1895 = 3.75. Der Diskontsatz als empfindlichstes Meßinstrument kündigte die Veränderungen des Kapitalpreises frühzeitig an, denn der durchschnittliche Marktdiskontsatz, der von 1848 bis 1873 rund 4.8 Prozent betragen hatte, fiel vom Herbst 1873 ab bis Anfang 1895 auf 3.9 Prozent; seither erreichte er wieder 4.5 Prozent. Auch der niedrige Reichsbankdiskontsatz verriet die Sättigung des Kapitalmarkts; er schmiegte sich den Konjunkturfluktuationen aufs engste an und erreichte 1892/94 seinen Tiefpunkt.

Bereits 1874 hatte «Der Aktionär» die auftauchende «Geldplethora» weit eher «als eine Verlegenheit denn als einen Segen» beurteilt. Damit schlug das Frankfurter Insider-Blatt einen Ton an, der seither mit monotoner Regelmäßigkeit in der deutschen Wirtschaftswelt erklang. Über den kontinuierlichen «Kapitalüberfluß», der «das deutsche Kapitalistenpublikum ... in aller Herren Länder» eine Anlage suchen lasse, beklagte sich zehn Jahre später der «Deutsche Ökonomist». «Mit dem wachsenden Überschuß disponiblen, unbeschäftigten Kapitals» verringere sich die Attraktion des Banken- und Börsengeschäfts. Bisher seien alle Anstrengungen vergebens gewesen, «einen Ausweg aus dem verhängnisvollen Zirkel zu erspähen, in dem man sich durch Geldüberfluß und Geschäftslosigkeit gebannt sieht». «Wegen der großen Flüssigkeit des Kapitals» riet auch der Bankier Gerson v. Bleichröder seinem wertvollsten Kunden, dem Reichskanzler, in diesen Jahrzehnten immer wieder zum Kauf festverzinslicher Papiere.

Darin drückte sich eine allgemeine Tendenz aus. Wegen ihres Kapitalreichtums gingen die Investoren angesichts von Depression, Preis- und Zinsfall alsbald zum Kauf solider, von der Krisenlage unberührter, festverzinslicher Staats- und Kommunalpapiere über. Ihren vergleichsweise niedrigen Nominal- und Realzinssatz nahmen sie als Preis für die Risikominderung bereitwillig in Kauf. Die Kauflust traf jedoch vorerst auf ein begrenztes Angebot. Das Reich hatte mit Hilfe der französischen Reparationsmilliarden seine Schulden von siebenhundertsiebzig auf zwei Millionen Mark reduziert! Außerdem legte es bis 1875 keine neue Anleihe auf. Die Nachfragehausse ließ die restlichen Wertpapiere des Reichs, vor allem aber die Obligationen der Bundesstaaten und Schuldbriefe von staatlich-städtischen Institutionen äußerst begehrenswert erscheinen.

Das wurde von der öffentlichen Hand weidlich ausgenutzt. So stieg etwa in Preußen die Emission von Hypotheken-Pfandbriefen der «Landschaften» an, deren Kurswert allein von 1873 = 90.5 bis 1879 = 100 um zehn Prozent gesteigert werden konnte. Der «Run» auf die preußischen Staatspapiere erlaubte es der Regierung, alle Anleihen, die bis 1873 mit fünf Prozent verzinst werden mußten, bis 1885 in vierprozentige Papiere zu konvertieren, ja bis 1895 sie auf drei Prozent zu drücken. Als die privaten Eisenbahninvestitionen seit dem Ende der siebziger Jahre spektakulär zurückgingen, konnte Preußen die gewaltigen Summen für die Verstaatlichung seines privaten Netzes auf dem geradezu gierig wartenden deutschen Kapitalmarkt mühelos unterbringen. Von dieser Operation, welche die Nachfrage nach Staatspapieren erneut in die Höhe trieb, ging in den achtziger Jahren wahrscheinlich der bedeutendste Einfluß auf den deutschen Finanzmarkt aus. Die preußische Staatsschuld stieg vor allem deswegen von 1880 = 1.49 Milliarden Mark innerhalb von nur zehn Jahren, aber zu einem exorbitant niedrigen Zins, um 3.3 Milliarden Mark auf 1890 = 4.78 Milliarden Mark an.

Mit der langwierigen Flaute des Aktienmarktes kontrastierte daher aufs schärfste die lebhafte Bewegung des Obligationenmarktes. Während die Höhe und Rentabilität der Kapitalinvestitionen in der Privatwirtschaft zurückgingen, eröffnete die «Große Deflation» der öffentlichen Hand «eine Ära billiger, leicht plazierbarer Anleihen», was in Deutschland – wie Hans Rosenberg das Ergebnis prägnant auf den Punkt gebracht hat – «den Staatskapitalismus verstärkte, das autoritäre Regieren leichter machte und den Einfluß der Parlamente schwächte». Über diese strukturelle Begünstigung etatistischer Elemente können die wortreichen Klagen der Regierungsvertreter über ihre unerträglichen Finanzsorgen nicht hinwegtäuschen.

Während der Trendperiode von 1873 bis 1895 gelang es dem Reich und den Bundesstaaten, sich der von 1849 bis 1873, dann wiederum von 1895 bis 1914 andauernden engen Verbindung mit den Konsortien der Großbanken häufig zu entwinden. Das verlangsamte Wachstum, die extreme Liquidität des Kapitalmarkts und die geringen Zinssätze boten ihnen die Chance, ihre

Anleihen als begehrte Form der sichersten Kapitalanlage mühelos unterzubringen. Damit eröffnete sich ein finanzpolitischer Handlungsspielraum, den ihnen die Bedingungen der Banken während der Hochkonjunkturspannen verwehrten.

Selbstverständlich besaß der Kapitalreichtum für die Unternehmer seine durchaus positive Seite. Es war jederzeit unschwer möglich, selbst kostspielige Investitionen zur Modernisierung und Rationalisierung des Betriebes bei den Banken zu erhalten. Die kapitalintensive Ausrüstung konnte darum mit Hilfe billiger kurz- oder langfristiger Kredite verbessert, die Kostensenkung vorangetrieben werden. Zwar bestätigten Warenfülle und Kapitalüberhang die geläufige Rede von der «Verstopfung» des Binnenmarktes. Aber die Exportfinanzierung fiel gerade wegen der Kreditfülle während der Depressionsphasen um so leichter. Im Vergleich mit der Außenwirtschaft späterer Jahre ist es ja ein wichtiger Unterschied, daß das anlagesuchende Kapital zunächst die langfristige Finanzierung von Exportgeschäften auf dem Wege der Kreditgewährung an Firmen und Händler übernahm, ehe es zu dem finanztechnisch und -psychologisch anspruchsvolleren direkten Kapitalexport überging.

Seit den späten siebziger Jahren begannen jedoch deutsche Investoren, sich sowohl an der direkten finanziellen Versorgung neukapitalistischer überseeischer Länder als auch am Geschäft mit ihren Staatsanleihen intensiv zu beteiligen. Viele ausländische Wertpapiere, die mit hoher Verzinsung zum Kauf verlockten, unterlagen freilich starken Kursschwankungen. Der Besitz solcher «Exoten» ließ daher die deutschen Investoren die internationalen Konjunkturfluktuationen noch nachhaltiger spüren.

Trotzdem stieg der deutsche Kapitalexport bis Anfang der achtziger Jahre bereits auf 7.2 Milliarden Mark an. Bis 1894 legte er noch einmal fünf Milliarden Mark zu, so daß er insgesamt 12.19 Milliarden Mark erreichte. Welche Anziehungskraft von den vorteilhaft verzinsten Auslandseffekten im Vergleich mit den einheimischen Staatspapieren ausging, kann man zum Beispiel daran ablesen, daß von den 4.6 Milliarden Mark, die allein während der zweiten Depression in festverzinslichen Papieren angelegt wurden, fast die Hälfte (2.2 Mrd. M.) auf «Exoten» entfiel. Der Kapitalexport während der Trendperiode bis 1894 ist um so bemerkenswerter, als zwischen 1895 und 1913 die Gesamtsumme der deutschen Auslandsinvestitionen «nur» mehr um 7.8 auf zwanzig Milliarden Mark anstieg.[8]

Wie ambivalent die Leistungsbilanz während der Trendperiode von 1873 bis 1895 ausfällt, wird schließlich durch die Entwicklung der Reallöhne und des jährlichen Arbeitseinkommens in der Industrie eindringlich unterstrichen. Um die Größenordnung klarzustellen: Während die Beschäftigungsquote von 1873 = 43.0 auf 1894 = 45.1 Prozent der Bevölkerung anstieg, wuchs die Beschäftigtenzahl in Industrie und Handwerk, Bergbau und Verkehr von 1871 = 5.27 auf 1894 = 8.40 Millionen innerhalb einer Gesamtzahl von 17.34 bzw.

23.07 Millionen an. Die Rede ist mithin von einem knappen Drittel aller Erwerbstätigen. Viele bekamen die Wirkung der Depressionen mit aller Härte zu spüren: Lohnsenkung, Kurzarbeit, Entlassung, Arbeitslosigkeit trafen Hunderttausende und damit auch ihre Familien. An dieser Externalisierung der Unternehmensbelastung gibt es nichts zu beschönigen. Trotzdem ist es ganz verfehlt, die Lage der gewerblichen Arbeiterschaft während der gesamten Zeitspanne nur in schwarzer Farbe auszumalen.

Die tiefste Zäsur bildete auch für das Industrieproletariat die Depression der siebziger Jahre. Danach wirkten sich die Fluktuationen des Konjunkturverlaufs zwar immer wieder nachteilig aus. Dennoch brach der Säkulartrend der realen Einkommensvermehrung seit dem Beginn der achtziger Jahre nicht mehr ab. Die durchschnittlichen jährlichen Arbeitseinkommen spiegelten sowohl diese Schwankungen als auch die vordringende Aufwärtsbewegung wider.

Übersicht 79: Durchschnittliche jährliche Arbeitseinkommen 1873–1894 in Industrie und Handwerk (in Mark)

1873	–	620	1879	–	558	1885	–	622	1891	–	727
1874	–	659	1880	–	565	1886	–	632	1892	–	726
1875	–	669	1881	–	583	1887	–	652	1893	–	731
1876	–	654	1882	–	500	1888	–	681	1894	–	732
1877	–	569	1883	–	601	1889	–	702			
1878	–	662	1884	–	609	1890	–	711			

Diese Tabelle zeigt, daß es nach 1873 noch geraume Zeit dauerte, bis die Unternehmer den hochschießenden Lohnanstieg der «Gründerjahre» zunichte gemacht hatten. Bis 1879 aber waren die Jahreseinkommen um 62 Mark unter den Stand von 1873, sogar um 111 Mark unter den Stand von 1875 abgesenkt worden. Die Zwischenkonjunktur bescherte einen Anstieg von insgesamt 32, die zweite Depression von immerhin 42 Mark, denn seit jener Zeit hielt die langlebige Einkommensverbesserung an. Die Hochkonjunkturjahre bis 1890 trieben den Jahresverdienst um 79 Mark nach oben, ehe die dritte Depression nur einen Gewinn von 21 Mark zuließ. Immerhin blieben die Einkommen von 1877 bis 1887 unter dem Niveau von 1875!

Insgesamt wuchsen sie jedoch von 1873 bis 1894 um rund zwanzig Prozent (112 M.) an. Das war zwar ein Rückschritt im Vergleich mit der einmaligen, explosiven Lohnentwicklung der Gründerzeit (1866 = 434/1873 = 629), die einen beispiellosen Zuwachs von 186 Mark innerhalb von gut sieben Jahren erbracht hatte. Vergleicht man aber die «Große Deflation» mit der Zeit vor 1866, muß man bis weit in den Vormärz zurückgreifen, um auf einen geschätzten Zuwachs von 112 Mark bis 1866 zu kommen.

Faßt man die Bewegung der durchschnittlichen wöchentlichen Industrie-Reallöhne (1913 = 100) mit dem Blick auf die markanten Konjunkturjahre ins Auge, sackten sie von 1873 = 79 über 1879 = 74 auf den Tiefstand von 1880/81 = 70 ab, ehe sie sich seit 1882 = 75, 1886 = 85, 1890 = 87 und 1895 = 89 unaufhaltsam nach oben bewegten, so daß seit 1880 eine Verbesserung um siebenundzwanzig Prozent zustande kam. Der Überblick über die jährlichen Reallöhne, die für einen anderen Index (in konstanten Preisen von 1875) ermittelt worden sind, bestätigt diesen Gewinn. Sie fielen – nach dem außergewöhnlichen Anstieg um vierundzwanzig Prozent von 1871 = 466 bis 1875 = 577 Mark – zunächst um rund zehn Prozent auf 1880 = 524 Mark ab. Danach setzte ein stetiges Wachstum ein (1885 = 589 / 1890 = 635 M.), das für die achtziger Jahre einen Zuwachs von 111 Mark eintrug. Während der dritten Depression kamen bis 1895 = 635 nur mehr 46 Mark hinzu. Unter dem Strich bedeutete das aber seit 1880 auch den Zugewinn von siebenundzwanzig Prozent.

Seit den frühen achtziger Jahren «war die Entwicklung der Löhne» unübersehbar «durch eine dauerhafte Sonderstellung im Preisgefüge der Wirtschaft gekennzeichnet». Die ausschlaggebenden Reallöhne folgten «einem säkularen, beharrlich nach aufwärts gerichteten Strukturtrend», der seither nicht nur während der kurzlebigen «Wirtschaftskreisläufe», sondern auch während der langlebigen Wachstumszyklen anhielt. Gesellschaftsgeschichtlich gehört es «zweifellos zu den bedeutendsten Errungenschaften» der zweiten Hälfte der «Großen Deflation», «daß sie von einer geradezu revolutionierenden Erhöhung des Reallohnniveaus begleitet war». Keine andere Konjunkturperiode des 19. Jahrhunderts hat vor den «goldenen Jahren» nach 1896 «in bezug auf die Zuwachsrate des Realeinkommens für die Arbeiterklassen einen so eindrucksvollen Fortschritt bedeutet». Da im Alltag der Reallohn zählt, gehörten sie zu den «Nutznießern» dieser folgenreichen «Relationsverschiebung in der Klassenverteilung des Nationaleinkommens».

Dennoch: Selbst die genaueste Reallohnstatistik ermittelt eine Einkommenssteigerung, die noch immer weit hinter der «Zunahme der Arbeitsproduktivität» liegt. Ein Index (1875 = 100) dieses Resultats aus «technischem Fortschritt» und Investition, Rationalisierung des Arbeitsprozesses und Qualifikationsniveau zeigt von 1875 bis 1895 eine Steigerung der Produktion je Arbeiter um vierundfünfzig Prozent an. Das war eine ganz außerordentliche Vermehrung innerhalb von zwei Dekaden. An einem anderen Index (auf der Basis der Preise von 1913) läßt sich von 1871/75 = 24 bis 1891/95 = 97 eine Steigerung um 73 Einheiten in Mark ablesen. Dieser Wert lag nicht nur über der Verbesserung zwischen 1850/52 und 1871/75, sondern wurde auch nach 1891/95 vor 1914 nicht mehr überboten. Das Wachstum der wöchentlichen Reallöhne und der durchschnittlichen Jahreseinkommen hat nicht von ferne mit dieser Produktivitätszunahme Schritt halten können. Insofern wird der reale Einkommensgewinn, so spürbar er auch anstieg, deutlich relativiert.

Im übrigen hat die graduelle, gleichwohl kontinuierliche Anhebung des Realverdienstes in der Arbeiterschaft den Drang nach einer weiteren sozialökonomischen Verbesserung ihrer Lage, daher auch nach erhöhter Marktmacht gesteigert, um diese Verbesserung nachhaltiger beeinflussen zu können. Damit war auch das Fernziel verbunden, endlich einen anerkannten Rang in der Gesellschaft einnehmen zu können.

Der Rückblick auf die wirtschaftliche Entwicklung während der ersten zweieinhalb Jahrzehnte des Kaiserreichs muß sowohl die schweren Belastungen des Wachstumsprozesses als auch die Kontinuität seiner Aufwärtsbewegung anerkennen. Es geht nicht an, diese Zeit zu einer «Großen Depression» zu stilisieren, die ein ganzes Vierteljahrhundert umfaßt habe. Genausowenig ist es zulässig, wegen der ökonomischen Erfolge, insbesondere seit den achtziger Jahren, die folgenschweren Konsequenzen der Fluktuationen der Wachstumszyklen zu verharmlosen. Außer den drei langwierigen Depressionen sorgte schon die säkulare Preisdeflation dafür, daß zahlreiche Wirtschaftssubjekte unter einem zählebig anhaltenden Problemdruck agieren mußten. «Damit eröffnet sich der Ausblick auf einen zweiten, weniger präzis faßbaren, jedoch sehr realen Trend», der auf die depressiven Züge «im subjektiven Bewußtsein der Zeit» hindeutet.

Nicht nur verlangsamte sich ganz unübersehbar der Triumphzug des materiellen Fortschritts, sondern ihn zu erwirtschaften «erforderte auch erhöhte Anstrengungen und ein besonderes Maß an Umstellungsfähigkeit, Einfallsreichtum und schöpferischer Energie». Im Gegensatz zu der verklärten Hochkonjunkturzeit vor 1873, in der «das Leben namentlich für Unternehmen und Investoren so viel leichter, aussichtsreicher und gesicherter war», vollzog sich seither der «Weiteranstieg unter ungünstigeren Bedingungen, erschwerten Absatzverhältnissen, häufigen Bedrohungen, großen Risiken und angesichts schwerer Hemmungen und Rückschläge». Dieser langen Abfolge von ungewohnten Hindernissen entsprach ein «Umschwung in der psychischen Bewußtseinslage und den Reaktionsweisen». Dazu gehörte «ein vorwiegend sorgenvoll und pessimistisch gestimmter, zu ständiger Klage neigender Wirtschaftsgeist», eine Steigerung chronischer «sozialer Unzufriedenheit und Unruhe, eine Zunahme der ideologischen Dynamik und Aggressivität», die aus einer weitverbreiteten, jeweils klassenspezifisch ausgeprägten Sozialangst entsprang, schließlich ein unablässig anhaltender, hitziger und zunehmend «mit politischen Mitteln ausgefochtener Streit» um die Aufteilung des «nationalen Realeinkommens». Die in jedem Modernisierungsprozeß auftretende Distributionskrise nahm in den Fronten und Ideologien dieses Verteilungskonflikts erstmals jene konkreten Züge an, die sie seither behalten hat.

In einem dialektischen Wechselverhältnis führte die von sehr realen Schwierigkeiten ausgelöste depressive Wirtschaftsgesinnung zu einer verzerrten Perzeption der Wirklichkeit – auch dann noch, als diese faktisch schon wieder aussichtsreichere Chancen bot –, und diese verzerrte Wahrnehmung verstärkte wiederum den Pessimismus der Wirtschaftsakteure. Angesichts der zahlreichen, ungewohnten, langlebigen Probleme kann dieses Resultat nicht überraschen. In der sozialpsychischen Verfassung während der «Großen Deflation» drückte sich eine Anpassungskrise aus, die auf die unerwartet komplizierten und schmerzhaften Phänomene des industriekapitalistischen Wachstumsprozesses zurückzuführen ist.

Trotz aller Labilität hielt dieses Wachstum aber bekanntlich an. Unmittelbar vor dem Ende dieser Trendperiode konnte ein hellsichtiger zeitgenössischer Beobachter wie Gneist bereits die Einsicht formulieren, daß zur Signatur der Gegenwart die Gleichzeitigkeit von Wirtschaftskrise und Wohlstandssteigerung gehöre, mit anderen Worten: Die Konjunkturfluktuationen müßten vorläufig als Preis für die neue Prosperität betrachtet werden. «Der industriellen Gesellschaft fehlt bei allem Glanz und Reichtum der Entwicklung», konstatierte er 1894, «die Stabilität der alten. Deshalb knüpfen sich die sozialen Parteibildungen an die starken Depressionen, welche auf dem Weltmarkt periodisch wiederkehren und größere Klassen der Gesellschaft in zeitweise Notstände versetzen. Sie beginnen am häufigsten mit Bewegungen der breitesten unteren Schichten, gehen nach Umständen aber auch von den besitzenden Klassen oder Mittelständen aus.» Deshalb erscheine «unter meistens ungünstigen Konjunkturen des Weltmarkts ... die Klage über einen Notstand von allen Seiten». «Aber ist», fragte Gneist, «ein solcher Notstand im großen und ganzen wirklich vorhanden? Die Listen der Einkommenssteuer bestätigen die Behauptung eines Notstandes nicht. Der vermeintliche Notstand entsteht vielmehr aus dem Gefühl der Unsicherheit des Gewinns infolge der Schwankungen der Konjunkturen in unserer noch nicht abgeschlossenen Epoche in der Massenproduktion.»

Tatsächlich reichten die Folgewirkungen der Konjunkturfluktuationen und der Preisdeflation zwischen 1873 und 1895, so unzweideutig sie auch für die Spanne einer ganzen Generation gewaltige Probleme aufwarfen, über das von Gneist abgesteckte Umfeld noch weit hinaus. Darauf wird hinten noch mehrfach eingegangen. Auf einige wichtige Aspekte die Aufmerksamkeit hinzulenken, lohnt sich aber bereits an dieser Stelle.

Die Nationbildung der Reichsdeutschen zum Beispiel begann erst 1871. Auf ihr lastete aber schon von 1873 ab die schwere Bürde heftiger Wachstumsstörungen. Wenn seither dieser komplizierte Integrationsprozeß, nachdem der Enthusiasmus der Reichsgründung verflogen war, auch unter dem Einfluß einer «zunehmend deprimierenden, materialistischen, streitsüchtigen, erstickenden Atmosphäre» voranschritt, haben Depression und Deflation die realhistorischen Bedingungen dafür wesentlich mitbestimmt.

Der Siegeszug der kapitalistischen Marktwirtschaft hat die Bildung marktbedingter Klassen zusehends beschleunigt. Mit diesen neuen Sozialformationen tauchten ohnehin schroffe gesellschaftliche Gegensätze auf. Die Erfahrung von drei Depressionen hat jedoch diese Antagonismen noch vielfältig verschärft. Sie hat auch dazu beigetragen, daß Marx' Lehre von der unüberwindbaren Dichotomie zwischen Kapitaleignern und Proletariern in der organisierten Arbeiterbewegung, aber auch von Intellektuellen als realistische Analyse empfunden wurde. Die rhetorische Frage, warum dann trotz der Gewalt der langwährenden Krisen seit 1873 eine Revolution ausgeblieben sei, überschätzt allerdings ganz so die Brisanz der Gegensätze und die Revolutionsneigung, wie sie die abschreckende Wirkung von 1848/49 und des Kommuneaufstands, die Problembewältigungskapazität relativ fortgeschrittener industrieller Gesellschaften, die Entspannungswirkung der Reallöhne, überhaupt der Wachstumserfolge unterschätzt.[9]

In der Tat wurde aber das neue politische System schweren Belastungen ausgesetzt. Bis 1873 hatten die Staatsbildung, der dreifache Kriegserfolg und die Hochkonjunktur seine Legitimationsbasis befestigt. Als die Konjunktur jedoch plötzlich einbrach, als die ökonomischen und sozialen Probleme Jahr für Jahr anwuchsen, erwies sich auch die Verteidigung charismatischer Herrschaft als äußerst diffizile Aufgabe.

Da die Depressionen und die Preisdeflation den Erfolgsmythos der liberalen Marktwirtschaft radikal in Frage stellten, wurde der Liberalismus als Wirtschaftspolitik, als Theorie der Ökonomie, vor allem aber als politische Partei diskreditiert. Die Folgen blieben jahrzehntelang spürbar. Ohne diese Entliberalisierung aufgrund der ersten Tiefkonjunktur wäre die neukonservative Regierungskoalition seit 1879 kaum möglich gewesen, hätte sich das System des «Solidarprotektionismus» (Hans Rosenberg) in der Zollpolitik und im Sozialistengesetz, in der Sozial- und Mittelstandspolitik schwerlich so schnell durchgesetzt. Der Charakter der Trendperiode beschleunigte die Ökonomisierung der Parteien, begünstigte die neuen, schlagkräftigeren Interessenverbände, förderte den ideologischen Glaubenskrieg, trieb den rechtsradikalen Protest des politischen Antisemitismus hervor. Und gewiß nicht zuletzt begann der Konjunkturverlauf Wirtschaft und Politik die Lehre einzupauken, daß nur der Interventions- und Sozialstaat den neuartigen Problemen ihre systemgefährdende Spitze nehmen könne.

Damit genug: Die Hochkonjunkturperiode seit 1895 führte, wenn auch zahlreiche Kontinuitätslinien weiterliefen, eine andere Konstellation herbei, warf andere Fragen auf, brachte andere Ergebnisse hervor. Sie muß jetzt in ihren Grundzügen charakterisiert werden.

g) Die Konjunkturlage von 1895 bis 1913

Im Frühjahr 1895 setzte ein furioser wirtschaftlicher Aufschwung ein, der eine bis 1913 anhaltende Hochkonjunkturperiode eröffnete. Diese «goldenen Jahre» der global triumphierenden privatkapitalistischen Industrialisierung und eines beispiellos prosperierenden Welthandels prägten die beiden Vorkriegsjahrzehnte in vielfacher Hinsicht. Außerdem wurden sie nur zweimal schmerzhaft unterbrochen. Vom März 1900 bis zum März 1902 löste eine erste Depression schwere Störungen des Wirtschaftslebens aus, während eine zweite Depression vom Juli 1907 bis zum Dezember 1908, ohne einen ähnlich tiefen Einschnitt zu verursachen, schneller überwunden werden konnte. Beide Stockungsphasen erreichten bei weitem nicht die gefährliche Dimension der langjährigen Depression von 1873 bis 1879, ja nicht einmal derjenigen von 1890 bis 1895. Sie hielten den Zeitgenossen aber die Fluktuationen des Wachstumszyklus spürbar präsent. Faßt man die dominante Tendenz dieser Trendperiode ins Auge, ist es eine «durchgehende Aufwärtsbewegung» mit steiler Stoßrichtung nach oben – wegen der beiden Depressionen freilich mit zwei kurzen «treppenförmigen Unterbrechungen».

Die Dynamik des kapitalistischen Produktionsprozesses während dieser beiden Friedensjahrzehnte kann im Grunde nur mit dem Entwicklungstempo in den Hochkonjunkturphasen der deutschen Industriellen Revolution verglichen werden. Welche Meßwerte für die jetzt explosiv expandierende industriewirtschaftliche Leistungskraft man auch immer heranzieht, sie bestätigen, daß die Deutschen damals ihr erstes «Wirtschaftswunder» erlebten. Der Weltkrieg, die Hyperinflation und die Dritte Weltwirtschaftskrise seit 1929 haben dann erst recht dazu beigetragen, diese «wilhelminischen» Prosperitätsjahre in nostalgisch verklärtem Glanz erscheinen zu lassen. Der objektive Kern dieser Erinnerung bestand aber in der Tat aus einem außergewöhnlichen Wachstumserfolg, der eine ungeahnte Wohlstandssteigerung ermöglichte.

Die jährlichen Wachstumsraten des Nettoinlandsprodukts vermitteln davon einen ersten Eindruck. Während des furiosen Fünfjahresbooms vom Februar 1895 bis zum März 1900 schnellten sie bis auf 4.7 Prozent hoch – das war ein Wert, der in der gesamten deutschen Industrialisierungsgeschichte bis dahin nur viermal übertroffen worden war. Zu keiner Zeit fielen sie unter 3.6 Prozent ab. Die Härte der Zäsur von 1901 wird durch den Wachstumsrückgang auf sage und schreibe – 2.3 Prozent bloßgelegt, die das einzige Schrumpfungsjahr vor 1914 grell unterstreichen. In der zweiten Hochkonjunkturspanne bewegten sich dann diese Meßziffern zwischen 5.5 Prozent, dem Höchstwert vor 1914, und 2.2 Prozent, ehe die 1.7 Prozent für 1908 ein Krisenjahr indizierten. Bis 1913 war die Rate wieder auf 4.5 Prozent angestiegen.

Während der drei Wachstumszyklen vor 1914 kamen die neunziger Jahre wegen der Hochkonjunktur bis 1900 auf eine durchschnittliche Wachstumsrate des Nettoinlandsprodukts von 3.62 Prozent. Das heißt aber: Sie erzielten den Spitzenwert in der gesamten Zeitspanne zwischen den frühen 1840er Jahren und dem Ersten Weltkrieg. Die erste Depression nach der Jahrhundertwende drückte diese Rate in der Zeit von 1900 bis 1907 auf 2.87, während sie zwischen 1907 und 1913 3.29 Prozent erreichte, fast soviel wie die 3.31 Prozent in den «Gründerjahren» vor 1873. Die durchschnittliche jährliche Wachstumsrate während der gesamten Trendperiode von 1895 bis 1913 lag deshalb bei bestechend hohen 3.3 Prozent.

Auch die Zehnjahresdurchschnitte des NIP mit ihrer unvermeidbaren statistischen Glättung der ökonomischen Wechsellagen verdeutlichen den Entwicklungssprung in dieser Konjunkturphase, lassen aber auch den Einbruch von 1901/1902 sehr deutlich erkennen: 1891/95–1896/1900: 52.12 Milliarden Mark in Preisen von 1913; 1896/1900–1901/05: 40.57; 1901/05–1906/10: 58.42; 1906/10–1911/13: 57.64. Genauere Auskunft gibt die Struktur des NIP, die in Fünfjahresschnitten vorliegt.

Übersicht 80: Struktur des deutschen Nettoinlandsprodukts 1895–1913 (in Preisen von 1913)

	1. Industrie/Handwerk, Bergbau, Verkehr (in %)	2. Landwirtschaft (in %)	3. Tertiärer Sektor (in %)	4. Mill. M.
1895/99	42.8	30.8	9.0	29678
1900/04	44.8	29.0	9.2	34037
1905/09	47.7	26.0	9.5	39527
1910/13	51.0	23.4	9.1	45590

Der Anteil der Industriewirtschaft und des Verkehrssystems, der 1873 noch bei 33.8 gelegen und bis 1894 = 40.6% erreicht hatte, kletterte in den achtzehn Jahren von 1895 bis 1913 auf mehr als die Hälfte des NIP hinauf. Die Landwirtschaft dagegen, die 1873 noch mit 37.9% eindeutig vor ihrem gefährlichsten Rivalen gelegen hatte, schrumpfte um vierzig Prozent unaufhaltsam auf ein knappes Viertel des NIP. Währenddessen stieg der Anteil des tertiären Sektors langsam, aber beharrlich auf fast zehn Prozent an.

Das Wachstum des Nettosozialprodukts bekräftigt den Grundzug der Konjunkturentwicklung, und die Struktur der Nettoinvestitionen enthüllt erneut mit aller wünschenswerten Deutlichkeit, wie unwiderstehlich sich gerade in dieser Zeit der Übergang Deutschlands in die industrielle Welt des 20. Jahrhunderts fortsetzte.

Übersicht 81: Nettosozialprodukt, Nettoinvestitionen und ihre Struktur 1895–1913 (in Preisen von 1913)

	1. NSP (in Mill. M.)	2. Anteil der Nettoinvestitionen (in %)	3. Struktur in %				
			a) Gewerbe	b) Eisenbahn	a) + b)	c) Landwirtschaft	d) Baugewerbe
1895/99	35895	15.0	54.5	5.9	60.4	9.0	22.9
1900/04	39070	13.5	36.1	7.8	43.9	11.3	33.5
1905/09	45495	15.0	43.2	8.4	51.6	10.0	28.4
1910/13	50215	15.5	42.9	7.9	50.8	13.9	24.5

Das Nettosozialprodukt spiegelt zuerst einmal mit seinem enormen Anstieg von 1890/94 = 29596 Millionen Mark auf das Hochplateau von 1895/99 = 35895 Millionen Mark die Auswirkungen der stürmischen Konjunktur, in der folgenden Zeitspanne den Depressionseinfluß wider. Seither hielt seine Expansion an, wobei der erstaunlichste Zuwachs in den wenigen Jahren vor dem Kriegsausbruch erreicht wurde.

Die Höhe der Nettoinvestition lag während der gesamten Trendperiode weit über dem Prozentsatz des «Lewis-Axioms». Vor 1914 strebte sie sogar einem neuen Rekord entgegen, denn mehr als fünfzehn Prozent der jährlichen Produktion wurden für die Sachkapitalbildung aufgewandt. Investitionen sind, um es zu wiederholen, der essentielle Treibstoff für den Motor der industriekapitalistischen Wachstumsmaschine. Insofern zeigt der Löwenanteil, den die gewerbliche Wirtschaft an sich zog, welche Beschleunigung der deutsche Industrialisierungsprozeß gewonnen hatte – und welche künftige Ausweitung ihm noch bevorstand. Das gilt erst recht, wenn man das aus der «Verkehrsrevolution» hervorgegangene moderne Kommunikationssystem mit einbezieht. Bereits in den achtziger Jahren waren einundvierzig Prozent der Nettoinvestitionen in das Gewerbe geflossen. Im Durchschnitt blieb es auch zwischen 1895 und 1913 bei zweiundvierzig Prozent, einschließlich der Eisenbahn sogar bei mehr als fünfzig Prozent. Addiert man noch die hohen Investitionen im Baugewerbe hinzu, kommt man seit den 1880er Jahren auf siebzig bis fünfundsiebzig Prozent der Nettoinvestitionen. Daneben nimmt sich der absolute Tiefpunkt der Landwirtschaft zwischen 1890 und 1895 mit neun Prozent geradezu kläglich aus, denn selbst nach dem Beginn der strukturellen Agrarkrise in der Mitte der siebziger Jahre hatte sie noch 10.8 Prozent erreicht. Dank der Schutzzölle und der vielfältigen staatlichen Subventionen, auch wegen der eigenen Modernisierungsanstrengungen verbesserte sich aber ihr Anteil bis 1914 nicht unbeträchtlich.

Für die Gesamtwirtschaft blieb entscheidend, daß die «Fortschrittsinvestitionen» im Gewerbe- und Eisenbahnwesen, die 1850 gerade ein Drittel ausgemacht hatten, während der letzten Trendperiode vor 1914 mehr als zwei Drittel der Nettoinvestitionen erreichten. Mit ihnen wurde das Fundament für die Entwicklungschancen der Zukunft gelegt.

Der bewährte Indikator des in den neuen Aktiengesellschaften angelegten Stammkapitals verdeutlicht zusätzlich die Wachstumsschübe und Depressionswirkungen, insgesamt wiederum die langlebige Aufschwungtendenz. Folgt man den Einschnitten des Konjunkturverlaufs, zogen von 1895 bis 1900 1551 Aktiengesellschaften 2.247 Milliarden Mark an sich. Während des Abschwungs von 1901/02 waren es typischerweise nur 245 mit 276 Millionen Mark. Die Prosperitätsjahre von 1903 bis 1906 sahen die Gründung von 507 Aktiengesellschaften mit 1.302 Milliarden Mark Kapital. Die Depression von 1907/1908 trat auch in der Zahl von 368 Neugründungen mit nur 423 Millionen Mark zutage, der bestechende Boom von 1909 bis zum Frühjahr

1913 dagegen in 1013 Gesellschaften mit 1.511 Milliarden Mark. In den achtzehn Jahren dieser Trendperiode wurden mithin 3768 Aktiengesellschaften mit 5.760 Milliarden Mark ins Leben gerufen. Sie repräsentierten einen Kapitalzuwachs, der um mehr als hundertvierzig Prozent über dem neuen Aktiengesellschaftskapital lag, das während der längeren Wechselspanne von 1873 bis 1894 investiert worden war.

Auch das Kapitaleinkommen und der Kapitalstock bestätigen erneut den Vorrang der Gewerbe- und Verkehrswirtschaft vor dem Agrarsektor. Beim Kapitaleinkommen öffnete sich die Schere zwischen ihnen immer weiter, wie das die prozentualen Anteile der Fünfjahresdurchschnitte seit 1895 demonstrieren: 1895/99 = 48.1 : 30.5; 1900/04 = 52.3 : 26.2 (trotz der Depression fiel das Kapitaleinkommen der Landwirtschaft auf die Hälfte desjenigen der Konkurrenten ab!); 1905/99 = 50.2:49.4; 1910/13 = 51.5 : 29.

Kontrastiert man die Größenverhältnisse des Kapitalstocks im sekundären und primären Sektor, tritt ein ähnlich drastischer Vorsprung zutage, wenn man die jeweiligen Werte von Gewerbe und Landwirtschaft (in Mrd. Mark in Preisen von 1913) wieder anhand von markanten Konjunkturjahren verfolgt: 1895 = 34.6:40.4 (Eisenbahn: 14.3!); 1900 = 49.8:42.9; 1901 = 51.2:43.1; 1907 = 67.0:47.6; 1913 = 85.2:53.2 (Eisenbahn: 22.0!). Das Resultat ist eindeutig: Gewerbe- und Verkehrswirtschaft übertrafen vor 1914 mit 107.2 Milliarden Mark den Kapitalstock der Landwirtschaft um mehr als das Doppelte.

Legt man denselben chronologischen Konjunkturraster zugrunde, treten in der Wertschöpfung erst der gesamten Volkswirtschaft, dann der großgewerblichen Bereiche und des Verkehrs sowohl die Wachstumsschwankungen als auch die enormen Raten des Zugewinns hervor.

Übersicht 82: Wertschöpfung in Deutschland 1895–1913 (in Preisen von 1913 und Mill. M.)

	1. Gesamte Volkswirtschaft	2. Industrie/Handwerk und Bergbau	3. Verkehr
1895	27621	10489	1073
1900	33169	13269	1576
1901	32406	12731	1595
1902	33142	13024	1686
1907	39993	17071	2410
1908	40665	16968	2344
1913	48480	21805	3146

Der Gesamtzuwachs von 1895 bis 1913 in Höhe von 20859 Millionen Mark, mithin eine Steigerung um fünfundsiebzig Prozent, übertraf das Wachstum während der vorhergehenden Trendperiode von 1873 bis 1894 in absoluten Zahlen um mehr als das Doppelte! Bei näherem Hinsehen verteilt er sich erwartungsgemäß durchaus ungleich: In den drei Konjunkturphasen stieg er um 5.55, 6.85 und 7.81 Milliarden Mark an, während in der ersten Depression die Wertschöpfung um 763 Millionen Mark schrumpfte und in der zweiten nur um 780 Millionen Mark zunahm. Parallel dazu verlief die Entwicklung in der Gewerbewirtschaft, wo sich ein Zuwachs von 11315 Millionen Mark einstellte, der um hundertfünfundsiebzig Prozent über dem Wachstum von 1873 bis 1894 lag. In den drei Konjunkturspannen gab es einen Anstieg um 2.78, 4.05 und 4.84 Milliarden Mark, wogegen die beiden Depressionen zu einem Rückgang von 598 bzw. 103 Millionen Mark führten. Faßt man Gewerbe- und Verkehrswesen zusammen, trugen sie zu Beginn der hochkonjunkturellen Trendperiode (1895) rund fünfunddreißig Prozent zur gesamten deutschen Wertschöpfung bei. 1913 war es aber bereits mehr als die Hälfte!

Welchen gewaltigen Satz nach vorn die deutsche Industriewirtschaft seit 1895 getan hat, wird geradezu schlagend durch das Wachstum bewiesen, das der Index mißt, der für die Gesamtproduktion der Gewerbewirtschaft konstruiert worden ist: Von 1894 = 45.4 hat sie sich bis 1913 = 100 mehr als verdoppelt. Dabei nahm wegen der kontinuierlich verbreiterten industriellen Basis der Zuwachs während der drei Hochkonjunkturspannen ständig zu: von 12.5 über 18 auf 22 Indexeinheiten, fiel aber jeweils wegen der beiden Depressionen markant ab.

Übersicht 83: Gesamtproduktion von Industrie und Handwerk 1895–1913 (1913 = 100)

1895	48.9	1907	78.7
1900	61.4	1908	78.0
1901	58.7	1913	100
1902	60.2		

Dieser Rekordsteigerung war die Absorptionsfähigkeit des Binnenmarkts – so sehr sie sich in dieser Zeit auch ausweitete – nicht von ferne gewachsen. Der deutsche Export nahm daher seit 1895 in einem Siebenmeilenstiefel-Tempo nicht etwa proportional, sondern sogar um ca. hundertachtzig Prozent zu, denn der Index seines Volumens stieg von 35.8 bis 1913 auf hundert an. Zum Vergleich: Von 1873 bis 1894 hatte der damals schon bestechend wirkende Zuwachs etwa achtzig Prozent betragen. Trieb während der «Großen Deflation» der Sporn der Depressionen die Ausfuhr auffällig hoch, veränderte sich der Exportrhythmus nach 1895 von Grund auf. Seither sprangen die Erfolgsziffern nur mehr während der Hochkonjunkturphasen weiter hoch: zuerst um 9.9, dann um 17.4, schließlich allein in den fünf Jahren vor 1914 um 34.2 Indexeinheiten. Dagegen erbrachte die erste Depression noch soeben einen knappen Zuwachs von 0.5, die zweite sogar einen Rückgang in derselben Höhe. Dank seinem Leistungsanstieg in der Außenwirtschaft erreichte Deutschland 1913 dicht hinter Großbritannien (14.2 : 12.3 %) den zweiten Platz im Welthandel.

Die Wachstumserfolge seit der Mitte der neunziger Jahre sind im wesentlichen Maße dem Aufstieg neuer Führungssektoren zu verdanken, die – wie die Elektrotechnik, die Großchemie, der modernisierte und diversifizierte Maschinenbau – den Aufschwung vorangetrieben haben. Auf ihre strategische Rolle wird hinten (in II.2) noch genauer eingegangen. Gerade an

Übersicht 84: Konjunkturdaten «klassischer» Industriesektoren 1895–1913

	1. Ruhrbergbau		
	Produktion 1000 t	Preise M./t	Arbeiter
1895	41146	6.66	154702
1900	59619	8.53	226902
1901	58448	8.76	243926
1902	58039	8.39	243963
1907	80183	9.52	303089
1908	82665	10.06	334860
1913	110765	11.01	401715

	2. Eisenproduktion		
	Produktion 1000 t	Wert Mill. M.	Arbeiter
1895	5465	236.95	23412
1900	8516	550.52	34859
1901	7876	491.30	32605
1902	8526	455.30	32700
1907	12870	823.45	44529
1908	11805	715.30	42888
1913	19312	1218.45	47141

	3. Stahlproduktion		
	Produktion 1000 t	Wert Mill. M.	Arbeiter
1895	5040	541.21	112352
1900	7377	1142.37	160615
1901	7033	916.81	152215
1902	8317	967.05	153179
1907	12082	1691.97	201483
1908	11240	1467.66	195645
1913	16200	–	–

den klassischen Leitsektoren, die ja ihre Basisfunktion für die Industrialisierung durchaus behielten und nur in ihrer relativen Bedeutung geschmälert wurden, lassen sich jedoch die Wirkungen sowohl der machtvollen Hochkonjunktur als auch der Depression eindringlich ablesen. Die Meßziffern der Produktion, ihres Verkaufswerts und der numerischen Größe der branchenspezifischen Arbeiterschaft unterstreichen nachdrücklich die wachstumszyklischen Schwingungen während der Trendperiode von 1895 bis 1913.

Mit seiner bestechenden Wachstumskontinuität nahm der deutsche Steinkohlenbergbau eine Ausnahmestellung unter den Industriezweigen des ursprünglichen deutschen «Wachstumskerns» ein. Zweiundsechzig Prozent der deutschen Produktion von 1914 stammten aus dem Ruhrgebiet, zwanzig Prozent aus Oberschlesien, die restlichen achtzehn Prozent aus dem Saarrevier, Lothringen und Sachsen. Die durchschnittliche jährliche Wachstumsrate hielt sich seit 1895 – wie auch schon in der vorhergehenden Trendperiode – bei 4.7 Prozent. Bezieht man die Braunkohle mit ein, hat 1894 die gesamte Kohlenproduktion des Reiches erstmals die Hundert-Millionen-Tonnen-Grenze übertroffen. Nach einem Zuwachs von fast hundertfünfzig Prozent innerhalb von nur zwanzig Jahren erreichte sie 1913 247.5 Millionen Tonnen. Das war exakt die Hälfte der gesamten europäischen Kohlenförderung! Da sich seit 1900 der jährliche Ausstoß auf sieben Millionen Tonnen steigerte, konnten trotz der enormen Binnennachfrage noch zehn Prozent in den Export geleitet werden.

Die deutsche Metallproduktion erreichte in den Jahrzehnten vor 1914 sogar eine durchschnittliche jährliche Wachstumsrate von 5.7 Prozent. Dadurch wurde die Nachfrage nach Erz ständig weiter in die Höhe getrieben, so daß die deutsche Eisenerzförderung von 1871 = 5.5 Millionen Tonnen bis 1900 auf das Vierfache: auf 22.5 Millionen Tonnen, und dann bis 1913 auf rund 35 Millionen Tonnen gesteigert wurde. Vor dem Krieg kamen achtzig Prozent des deutschen Erzes aus den Minettelagern Elsaß-Lothringens und Luxemburgs, das bekanntlich bis 1918 weiter zum Deutschen Zollverein gehörte. Erst seit etwa 1890 tauchte schwedisches Erz, das sich durch einen doppelt so hohen Eisengehalt auszeichnete, auf dem deutschen Binnenmarkt auf. Da es auf dem Wasserweg bis ins Ruhrrevier transportiert werden konnte, erleichterte es dem größten europäischen Schwerindustriezentrum den ungewöhnlich billigen Bezug eines essentiellen Rohstoffs.

Es hing mit diesem Faktor, aber auch mit der wachen Innovationsbereitschaft und der zielstrebigen Ausnutzung der «Economies of Scale» zusammen, daß seit den frühen neunziger Jahren in den deutschen Industrierevieren Eisen, insbesondere aber Stahl billiger erzeugt wurde als irgendwo sonst in Europa. Bereits um 1900 lag der durchschnittliche jährliche Output der deutschen Stahlwerke bei 75 000 Tonnen, der englischen Unternehmen dagegen bei 40000 Tonnen. Unangefochten behauptete Thyssen in Hamborn mit jährlich 769900 Tonnen Roheisen und 839300 Tonnen Rohstahl die erste Stelle. Seit dieser Zeit wurde zum Teil ein volles Viertel der Eisen- und Stahlproduktion in den Export gelenkt, womit die britische Ausfuhr fast erreicht wurde. Im Hinblick auf das Volumen der Metallerzeugung hatte die deutsche Schwerindustrie schon eindeutig den Spitzenrang gewonnen. Die 16.2 Millionen Tonnen Stahl etwa, welche bis 1913 jährlich hergestellt wurden, machten nicht weniger als zwei Drittel der europäischen Gesamtproduktion aus!

Seit 1895 hatte sich die deutsche Stahlproduktion verdoppelt, die Eisenerzeugung sogar verdreifacht. Nach dem Ende der «Großen Deflation» bedeutete diese Ausstoßleistung in den beiden Jahrzehnten steigender Preise, daß der Wert der Stahlproduktion um hundertsiebzig Prozent, derjenige der Eisenproduktion sogar um fünfhundertfünfzig Prozent anwuchs. Trotz der brillanten Erfolgsbilanz zeigen der unübersehbare Produktionsrückgang, die drastische Wertschrumpfung und die Verringerung der Arbeiterzahlen den harten Einschnitt der Depressionsjahre von 1901/1902, auch noch des Abschwungs von 1907/1908. Wenn selbst die erfolgsverwöhnten Ruhrzechen in den Jahren 1901 und 1902 die Produktion drosseln, einen Preisabfall und eine fünfprozentige Reduktion der Wertschöpfung hinnehmen mußten, während die Eisen- und Stahlproduktion 1901, 1902 und 1908 einen Rückgang der Erzeugungsmenge, des Verkaufswerts und der Beschäftigtenzahl erlebte, erkennt man, wie sich die klar markierten Niedergangsphasen der Konjunktur durchsetzten.

Daß dennoch der hochkonjunkturelle Trend von 1895 bis 1913 unzweideutig die stärkste Durchsetzungskraft besaß, wird nicht nur durch die Produktionssteigerung, sondern auch durch andere Indikatoren des wirtschaftlichen Wohlbefindens bewiesen. Der Dividendenindex kletterte von 7.08 Punkten, die er während der beiden Jahrzehnte vor 1895 nicht übertroffen hatte, auf 9.83, der Renditenindex von 5.03 auf 5.97. Angesichts der anhaltenden wirtschaftlichen Expansion stieg die Nachfrage nach Kapital unentwegt an, bis es ein so begehrter Produktionsfaktor wurde, daß Banken und Investoren seinen Preis stetig anheben konnten, ihren Gewinn und Einfluß kontinuierlich wachsen sahen. Auf zwei Dekaden des Kapitalüberflusses folgten mithin zwei Jahrzehnte der relativen Kapitalknappheit mit all jenen erquicklichen Folgen, die sich damit für die Besitzer dieser Machtressource einstellen.

Der Kapitalsog des Binnenmarktes wirkte sich folgerichtig auf die Auslandsinvestitionen ziemlich bremsend aus. Der Zuwachs von 7.5 Milliarden Mark seit 1895 steigerte zwar den deutschen Kapitalexport bis 1914 auf zwanzig Milliarden Mark. Das war eine erkleckliche Vergrößerung, aber im internationalen Vergleich blieb sie eher medioker und lenkte auf die nahezu unbegrenzten, sicheren Anlagechancen im Inland zurück.

Der entscheidende strukturelle Wandel seit 1895 drückte sich vor allem darin aus, daß nach der säkularen Deflation des 19. Jahrhunderts die Preise jetzt allgemein anstiegen: bis 1913 im Durchschnitt um mindestens ein Drittel. Von diesem Trendwechsel der Preisentwicklung ging eine Unzahl von belebenden Impulsen aus, ohne welche das fulminante ökonomische Wachstum nicht vorstellbar ist. Erneut erwies sich, daß die Preise als hochempfindliches Thermometer fungierten, sobald sich die Konjunktur überschlug oder zeitweilig abkühlte. Deshalb enthüllt der Verlauf der Preisbewegung in Übersicht 85 sowohl den beharrlichen Aufschwungtrend als auch den empfindlichen Rückschlag während der Depressionen.

Das inzwischen vertraute Bild erhält durch den Verlauf der Preisschwankungen noch einmal geschärfte Konturen. Der mächtigste Zuwachs stellte sich während der Boomjahre zwischen 1895 und 1900 ein, ein kräftiger, nur im Vergleich mit diesem Aufschwung gedämpfter wirkender Anstieg folgte zwischen 1900 und 1907, dann noch einmal von 1908 bis 1913. Der enttäuschendste Rückgang begleitete die Depressionsjahre 1901 und 1902, während zur Zeit der Depression von 1907/1908, sofern man den Wertverlust der unter heftigem Konkurrenzdruck stehenden schwerindustriellen Produkte relativiert, ein ungleich milderer Abfall gehörte. Insgesamt entsprach dem hochkonjunkturellen Treibhausklima eine Preisinflation, wie es sie zuvor – zeitlich allerdings weitaus enger zusammengepreßt – nur während der «Gründerjahre» gegeben hatte.

Obwohl die Konsumgüterpreise auch um rund ein Drittel anstiegen – darin stimmen die beiden besten Indexreihen in der Übersicht 85 überein –, wurde trotzdem der Säkulartrend der realen Einkommensverbesserung für die Lohnabhängigen und allemal die Selbständigen nicht unterbrochen. Dieser eindeutige Befund bestätigt, daß sich im wilhelminischen Deutschland der folgenreiche gesellschaftsgeschichtliche Basisprozeß anhaltender, meist im Konflikt erstrittener Wohlstandsverteilung fortsetzte. Das schloß – wie hinten (in Kapitel III) noch zu zeigen ist – keineswegs aus, daß sich im System der Sozialen Ungleichheit der Abstand zwischen den Spitzenrängen der Reichen und dem breiten Sockel der unteren Einkommensklassen noch etwas vergrößerte. Zu einer systemgefährdenden Distributionskrise ist es aber wegen der entspannenden Auswirkungen der Verteilungspolitik nicht gekommen.

Unstreitig klang die zeitgenössische Klage über die «Teuerung» der Güter des alltäglichen Verbrauchs aus guten Gründen zu keinem Zeitpunkt ab. Unstreitig hielten auch die Schutzzollmauern das inländische Preisniveau im Vergleich mit dem Weltagrarmarkt künstlich hoch. Und dennoch stiegen – wie die Übersicht 86 auf Seite 606 zeigt – die durchschnittlichen nominalen Jahreseinkommen in der Gewerbewirtschaft während dieser Trendperiode, in der überdies die Arbeitszeit von sechsundsechzig auf siebenundfünfzig Wochenstunden gesenkt werden konnte, um rund sieben-

Übersicht 85: Indices der Preisbewegung in Deutschland 1895–1913
(I: Jacobs/Richter, 1913 = 100; II: Gehlhoff, 1874–1888 = 100)

I	1. Gesamter Großhandel	2. Produktionsgüter	3. Konsumgüter	4. Industriestoffe	5. Eisen	6. Steinkohle	7. Baustoffe
1895	71	68	68	69	73	65	74
1900	87	106	79	97	132	87	106
1901	82	89	72	86	94	84	97
1902	80	82	74	80	79	82	97
1907	95	102	95	99	109	90	103
1908	89	90	84	88	89	95	93
1913	100	100	100	100	100	100	100

II	1. Allg. Preisindex	2. Preise mittelbaren Verbrauchs	3. Preise unmittelbaren Verbrauchs	4. Eisen	5. Stahl	6. Steinkohle
1895	88.1	97.7	85.5	115.8	72.7	115.8
1900	103.6	139.4	93.4	150.4	138.8	150.4
1901	104.7	131.7	97.3	113.5	83.1	159.0
1902	102.7	123.4	97.5	97.1	80.7	150.4
1907	116.3	139.0	109.7	116.4	107.4	165.7
1908	114.9	139.5	108.6	110.1	80.2	175.2
1913	122.8	151.1	114.6	114.7	81.9	191.2

undfünfzig Prozent, die nominalen industriellen Wochenlöhne um vierundfünfzig Prozent, die aussagekräftigen Reallöhne noch immer um zwölf Prozent an!

Übersicht 86: Einkommensentwicklung 1895–1913
Durchschnittliche jährliche Arbeitseinkommen (Industrie/Handwerk in Mark), Reallöhne (in konstanten Preisen von 1875), durchschnittliche wöchentliche Industrie- und Reallöhne (1913 = 100)

	Einkommen p. a.	Reallöhne p. a.	Wöchentl. Industrielöhne	Wöchentl. Reallöhne
1895	738	665	65	89
1900	843	737	73	98
1901	847	–	74	95
1902	857	–	74	95
1905	928	755	80	98
1907	1018	–	89	101
1908	1020	–	88	100
1910	1063	788	91	99
1913	1163	834	100	100

Bei den Jahreseinkommen erfolgte eine jeweils stoßartige Zunahme während der drei Konjunkturspannen (um 105, 161, und 143 Mark), wogegen in den beiden Depressionen nur ein auffallend geringfügiger Anstieg um vier bzw. zwei Mark möglich war. Ganz ähnlich verhielten sich die durchschnittlichen industriellen Wochenlöhne und die wöchentlichen Reallöhne, die während der Hochkonjunktur kräftig anzogen, während der ersten Depression aber stagnierten und während der zweiten sogar um einen Indexpunkt nachgaben. À la longue haben sich – das ist der entscheidende positive Trend – die jährlichen Reallöhne von 1895 bis 1913 um mehr als ein Viertel verbessert.

Die Durchschnittsziffern verhüllen die gedrückte Lage, ja die häufige Misere der untersten Einkommensklassen, verwischen aber auch die noch vorteilhaftere Lohnentwicklung von bevorzugten Erwerbsklassen der Facharbeiterschaft. So kletterte etwa der Schichtlohn der Hauer im Ruhrbergbau von 1895 = 3.18 Mark auf 1913 = 5.36 Mark um fast siebzig Prozent, ihr Jahreseinkommen in derselben Zeit von 968 auf 1755 Mark um fast achtzig Prozent in die Höhe. Bei Krupp stiegen allein von 1895 bis 1906, als sich die Belegschaft innerhalb von zehn Jahren von 16350 auf 32874 Mann verdoppelt hatte, die durchschnittlichen Tagelöhne von 4.10 auf 5.35 Mark an. Auch innerhalb der Arbeiterschaft ist mithin die Asymmetrie der Einkommensverhältnisse weiter bestehen geblieben. Selbst das erste «Wirtschaftswunder» hat dieses scharf ausgeprägte Lohngefälle noch nicht wirksam abmildern können. Der anhaltende Reallohnanstieg bleibt jedoch das hervorstechende Merkmal der Epoche. Ohne ihn läßt sich der Aufstieg des sozialdemokratischen Reformismus, das Konfliktverhalten der Freien Gewerkschaften, das Scheitern radikaler Ideologie und Politik nicht verstehen.[10]

Nach dem Überblick über die Grundtendenzen der letzten Trendperiode vor dem Weltkrieg sollen die wachstumszyklischen Schwankungen, die auch während dieser Wechselspanne die hochkonjunkturellen von den depressiven Phasen scharf voneinander geschieden haben, noch einmal im chronologischen Durchgang knapp charakterisiert werden.

h) Die Konjunktur von 1895 bis 1900

Da ist zuerst einmal unstrittig, daß sich der Boom von 1895 bis 1900 nur mit dem explosiven Wachstum der «Gründerjahre» vergleichen läßt. Bereits ein zeitgenössischer Konjunkturexperte wie Richard Calwer hat annähernd richtig ermittelt, daß die Produktion der deutschen Volkswirtschaft damals um rund ein Drittel anwuchs. Zeitweilig stieg die Investitionsquote bis auf achtzehn Prozent an, eine für damalige Verhältnisse exzeptionelle Höhe; in keinem Jahr fiel sie unter fünfzehn Prozent ab. Durch die Dynamik neuer Leitsektoren wie der Elektrotechnik, der Großchemie und des Maschinenbaus, durch die machtvollen Impulse, die weiterhin vom alten «Wachstumskern» der Schwerindustrie, nicht zuletzt von der Wiederbelebung des Wohnungsbaus ausgingen, wurde die Konjunktur Jahr für Jahr hochgetrieben. Wahrscheinlich hat auch der zügig voranschreitende Ausbau der städtischen Versorgungs- und Verkehrsunternehmen, der Kommunalbetriebe überhaupt, auf dem städtischen Arbeitsmarkt einen wichtigen Beitrag zu diesem Aufschwung geleistet.

Der einzige welthistorisch bedeutende internationale Konflikt in dieser Zeit, der Spanisch-Amerikanische Krieg von 1898, aus dem die transatlantische Republik als neue Weltmacht mit einem Kolonialreich hervorging, hat die Konjunkturentwicklung in Europa überhaupt nicht negativ beeinflußt. Vielmehr hielt das Investitionsfieber unentwegt an, die Produktionssteigerung setzte sich fort.

Erst im Frühjahr 1899 tauchten vertraute Symptome eines wirtschaftlichen Tempowechsels auf: Die Börsenkurse wichtiger Papiere begannen zu fallen, die Bauaktivität schrumpfte wegen der hohen Zinsen, die Klage über «Geldknappheit» machte die Runde. Überhaupt liege, urteilte zu diesem Zeitpunkt der Tübinger Nationalökonom Troeltsch, «etwas in der Luft, was auf die Stimmung drückt. Es ist die Überproduktion» und in ihrem Gefolge «das dauernde Sinken der Preise».

Diese Diagnose enthielt nur die halbe Wahrheit, denn der Deflationstrend war schon längst gebrochen. Dagegen hielt das charakteristische «Overshooting» der Führungssektoren in der Tat an, und die in ihnen getätigten Überinvestitionen und aufgebauten Überkapazitäten begannen, ihren Schatten über den Prosperitätsgenuß zu werfen.

i) Die Depression von 1900 bis 1902

Zur typischen Peripetie, dem Wendepunkt von der Konjunktur zur Krise, kam es jedoch erst im März/April 1900. Wieder wirkte sich ein harter ökonomischer Rückschlag in den Vereinigten Staaten binnen kurzem auf die europäische Industriewirtschaft aus, als die Baisse des Wertpapiermarkts auf die Produktionssphäre übergriff. Damit ging die Krise beschleunigt in eine Depression über. Eine Serie von sensationellen Bankrotten begleitete das Sinken der Gesamtproduktion. Zum ersten Mal seit 1879 schrumpfte 1900/1901 sogar das reale Sozialprodukt. Die anderen drastischen Zäsuren in vielen Bereichen des Wirtschaftslebens sind vorne bereits geschildert worden. Freilich muß man auch betonen, daß die neue Elektrotechnische und Chemische Industrie eine erstaunliche Resistenz gegenüber der Wachstumsverzögerung bewiesen. Von einer allgemeinen Talfahrt wie in den 1870er Jahren kann daher keine Rede sein.

j) Die Konjunktur von 1902 bis 1907

Vor allem aber dauerte diese Depression, so schwer ihr Alpdruck auch auf dem Wirtschaftsleben lastete, nur knapp zwei Jahre. Noch im März 1902 kehrte der Optimismus zurück. Ein lebhafter Aufschwung drang seither vor. Die Preise, die auf das Niveau von 1897/98 zurückgefallen waren, stiegen wieder an. Die Nachfrage auf dem Arbeitsmarkt, die Anzahl der neugegründeten Unternehmen, die hochziehenden Wachstumsraten des Bruttosozialproduktes unterstrichen die Trendwende. Das Jahr 1902, das noch im Zeichen starker Belastungen begonnen hatte, endete schon wieder mit einer positiven Handelsbilanz.

Kurzum: Seit dem Frühjahr 1902 schaltete die reichsdeutsche Wachstumsmaschine wiederum auf Hochtouren. Sie trieb eine neue Konjunktur voran, die bis zum Februar 1907 anhielt. Die Leistungskraft der Führungssektoren ermöglichte es, den Ausstoß zügig zu steigern. Fraglos wirkte der stetige Preisanstieg – von 1902 bis 1907 hob sich das Niveau im Durchschnitt um 17.5 Prozent! – wie ein Tonikum, das zu Investitionen und zum Kapazitätsausbau ermunterte. Der Absatz auf dem Binnen- wie Außenmarkt warf keine gravierenden Probleme auf. Immerhin: Erst 1906 wurde der Rekordstand des Jahres 1900 erreicht, dann aber sogleich auch überboten. Dem Verbraucher bescherte der Aufschwung allerdings einen Anstieg der Konsumgüterpreise um rund zwölf Prozent. Im allgemeinen konnten jedoch die gleichfalls anwachsenden Nominallöhne damit durchaus Schritt halten.

k) Die Depression von 1907 bis 1908

Noch bis zum Frühjahr 1907 schienen die Weichen für eine langlebige Konjunktur gestellt. Im Juli kündigte sich indes eine neue Krise an. Außer den endogenen Ursachen, unter denen das Erschlaffen der Wachstumskräfte nach einer fünfjährigen Hochkonjunktur an erster Stelle stand, wirkten exogene Einflüsse nachhaltig auf den Wirtschaftsverlauf ein. Wiederum war in den USA, die als eines der Leitländer der westlichen Weltwirtschaft fungierten, ein ökonomischer Einbruch erfolgt. Der Kollaps in der Wallstreet zog auch den deutschen Kapitalmarkt in Mitleidenschaft. «Geschäftslosigkeit» beherrschte die Börse, ehe durch die Aktienbaisse hochkarätige Industriewerte um dreißig bis vierzig Prozent (es verloren z. B. der «Bochumer Verein»: 53 Prozent, Phönix: 42 Prozent, GHH: 43 Prozent, Harpener: 22 Prozent), die Großbankenaktien um zwanzig Prozent, ein Spitzenreiter des Aufschwungs wie die HAPAG sogar um zweiundvierzig Prozent niedergedrückt wurden. Den Umschlag hatten viele Unternehmen zu spät erkannt. Dann aber reagierten sie hastig mit Produktionseinschränkung, Kurzarbeit, Entlassung von Arbeitskräften. Die Preise gaben drastisch nach. Das Geschäftsklima erlag dem heraufziehenden Pessimismus. Bis zum Herbst hatte sich die Depression voll durchgesetzt.

Sie brachte keinen «wirtschaftlichen Zusammenbruch», wie ihn manche Sektoren 1901 und 1902 erlebt hatten; sie traf auch weniger die Großunternehmen als vielmehr zahlreiche mittelgroße und kleine, vielfältig abhängige Betriebe. Aber selbst der «robuste Produzentenegoismus» der Kartelle, der zunächst noch zu einer Anhebung ihrer Preise geführt hatte, mußte sich der Übermacht der Depression beugen. Die syndizierte Produktionsmenge des Stahlwerkverbandes zum Beispiel mußte von 5.58 auf 4.76 Millionen Tonnen herabgesetzt werden. Zwar gab es in der Großindustrie keine «Kapitalverwüstungen», wie sie sieben Jahre zuvor aufgetreten waren, aber die Ertragslage, die Preisstagnation, der Beschäftigungsrückgang verrieten unmißverständlich, wie sich die tiefkonjunkturelle Fluktuation auswirkte.

l) Die Konjunktur von 1908 bis 1913

Als im Herbst 1908 in den Vereinigten Staaten ein neuer Boom einsetzte, erreichten seine energischen Anstöße binnen kurzem auch die Alte Welt. Schon im Dezember veränderte sich der Zustand der ökonomischen Malaise in Deutschland so nachhaltig, daß mit dem neuen Jahr der Aufschwung auf breiter Front wieder vordrang. Damit setzte sich mit einem gewaltigen Spurt die dritte, die letzte Hochkonjunktur vor 1914 durch, die fast viereinhalb Jahre bis zum Frühjahr 1913 anhielt. Sie vor allem hatten die Menschen im Sinn, wenn sie nach dem Kriegsausbruch, erst recht nach dem Untergang des alten Europa an die vermeintlich sorglosen Friedensjahre mit ihrem wachsenden Wohlstand zurückdachten.

Der ungeheure Wachstumssprung innerhalb einer relativ kurzen Zeitspanne – von kompetenten Zeitgenossen in seinem Ausnahmecharakter bereits klar erkannt – läßt sich auf den verschiedensten Feldern der wirtschaftlichen Aktivität nachweisen. So stiegen zum Beispiel das Investitionsvolumen um fünfundvierzig Prozent, der Güterverkehr auf Schienen und die Steinkohleproduktion um ein Drittel, der Roheisenausstoß um die Hälfte, der Wert des Außenhandels um sechzig Prozent bei laufenden Preisen, allein der Export um mehr als drei Milliarden Mark an. Die Elektrotechnik und Großchemie vermochten ihre führende Stellung auf dem Weltmarkt auszubauen, bei einigen Produkten faktisch bis hin zum Monopol.

In ungeahntem Maße konnte der Binnenmarkt die Springflut an Investitions- und Konsumgütern absorbieren. Daß durch die offenbar unvermeidbare «Überproduktion» alsbald «mächtig gesteigerte Absatzbedürfnis» verstand es, wie Arthur Feiler, der Wirtschaftsredakteur der «Frankfurter Zeitung», in seiner brillanten Konjunkturanalyse konstatierte, sich «auf dem Weltmarkt Luft» zu machen. Die großen innenpolitischen Auseinandersetzungen: der Streit um die Reichsfinanzreform, um die Aufrüstung zu Wasser und zu Lande, um Reichskanzler Bülow und seinen Nachfolger – nichts von alledem vermochte den frappierenden Wachstumsschub zu beeinflussen, geschweige denn zu bremsen.

m) Die Krise seit 1913

So vital wirkte dieser Schub jedenfalls bis zum April 1913. Dann jedoch ließ seine Antriebskraft abrupt nach. Im Frühsommer hatte sich die Konjunkturlandschaft bereits «völlig gewandelt». Was zuerst wie eine lästige, kurzlebige Rezession ausgesehen hatte, entpuppte sich als eine ausgewachsene Depression, deren internationale Dimension bald zutage trat. Allenthalben wurde die Notbremse gezogen. Bis zum Dezember 1913 war die Arbeitslosenquote bereits auf fünf Prozent – ebenso hoch wie 1908 und 1901 – angestiegen. Die Klage, daß die Kreditüberspannung nach der Ausschöpfung aller Reserven den Kapitalmarkt lähme, damit aber auch zahlreiche angeschlagene Unternehmen paralysiere, wurde immer schriller. Vermutlich hat die binnendeutsche Kapitalbildung mit dem enormen Wachstumstempo tatsächlich nicht Schritt gehalten. Fest steht jedenfalls, das die Stockung nicht schnell überwunden werden konnte. In einem Zustand irritierender Ungewißheit und quälenden Zweifels, wie lange der depressive Abschwung noch dauern werde, bewegte sich die deutsche Wirtschaft in die Gefahrenzone des Juli 1914 hinein.[11]

2. Wachstumserfolge im ersten deutschen «Wirtschaftswunder»

Faßt man unter einigen Sachgesichtspunkten die Wachstumserfolge der deutschen Industriewirtschaft seit der Reichsgründung noch einmal ins Auge, läßt sich zuerst eine erstaunliche Steigerung des deutschen Anteils an der Weltindustrieproduktion konstatieren. Als Bismarck preußischer Ministerpräsident wurde, konnten die Gewerberegionen des Deutschen Bundes mit respektablen 4.9 Prozent immerhin schon den fünften Platz belegen, während Großbritannien mit 19.9 Prozent unangefochten die Führung innehatte. (Die Indexbasis ist die englische Industrieproduktion ohne den

Bergbau, im Jahre 1900 = 100.) Von 1880 bis 1900 lag das Kaiserreich bereits an dritter, 1913 mit 14.8 Prozent sogar an zweiter Stelle hinter den Vereinigten Staaten (32.0), deutlich aber vor Großbritannien (13.6). Zwischen 1860 und 1913 hat sich der deutsche Anteil an der Weltindustrieproduktion verdreifacht, der britische dagegen war um ein Drittel gesunken. Zum absoluten Spitzenreiter waren die Vereinigten Staaten mit einer Steigerung um dreihundertfünfzig Prozent aufgestiegen. Und blickt man nur auf Europa, erzeugte die deutsche Industrie seit etwa 1900 fast ein Viertel (23.5 Prozent) seiner Gesamtproduktion.

Nicht minder erstaunlich ist der hohe Anteil, den sich Deutschland als junge Industrienation am Welthandel errungen hat. Bereits 1880 erreichte es mit 10.3 Prozent die zweite Stelle hinter Großbritannien, das damals noch mehr als ein Fünftel davon (22.4 Prozent) kontrollierte. 1913 besaß das Reich noch immer den Rang des Zweitplazierten, hatte aber trotz des weltweit in Gang gekommenen Industrialisierungsprozesses mit 12.3 Prozent dicht hinter England (14.2 Prozent) aufgeschlossen und die USA (11 Prozent) klar abgehängt.

Auch bei der Verteilung des Bruttosozialprodukts pro Kopf hat sich bis dahin der Abstand zwischen dem Pionierland der Industrie und seinem kontinentaleuropäischen Hauptkonkurrenten auffallend verringert. Betrug er 1890 noch 1130 zu 729, machte er 1910 nur mehr 1302 zu 958 aus (nach der besten neuen Berechnung in US-Dollars von 1970). Damit behauptete Deutschland auf der Rangskala der ökonomisch entwickelten europäischen Länder in den Jahrzehnten vor 1914 den fünften Platz. Dabei muß man sich jedoch sofort vergegenwärtigen, daß die vor ihm liegenden reicheren Länder (außer England mit 40.8 Millionen Einwohnern) ausnahmslos Kleinstaaten wie Belgien (7.4 Mill./1110), Dänemark (2.8 Mill./1050) und die Schweiz (3.8 Mill./992) waren; sie hatten das erwirtschaftete Sozialprodukt auf relativ wenige Köpfe zu verteilen. Man darf deshalb nicht einem statistischen Trugschluß erliegen: Diese kleineren Länder produzierten vergleichsweise so wenig, «daß selbst ein bescheidener Zuwachs sich verhältnismäßig kräftig auswirkte». Dagegen muß die Wohlstandsstatistik beim Deutschen Reich vor 1914 mehr als fünfundsechzig Millionen Menschen berücksichtigen, um zu dem soeben genannten Pro-Kopf-Einkommen zu gelangen.

Diese Distributionsleistung, zu der sich der deutsche Industriekapitalismus unter dem Druck des Verteilungskampfes imstande erwies, beruhte auf einer zeitweilig atemberaubenden Steigerung der Produktivkräfte in der Zeitspanne vom Ende der deutschen Industriellen Revolution bis zum Ersten Weltkrieg. Das Wachstumstempo während der «Großen Deflation» ist schon eindrucksvoll genug. Aber seit den 1890er Jahren haben sich seine Resultate – wie die Übersicht 87 noch einmal verdeutlicht – innerhalb von knapp zweieinhalb Jahrzehnten in den Kernbereichen verdoppelt oder sogar verdreifacht.

Übersicht 87: Index des deutschen industriellen Wachstums 1870–1913 (1913 = 100)

	Metall	Kohle	Verkehr	Bau	Textil	Gesamt-industrie	Gesamt-produktion
1870	7.5	13.9	8.9	20.1	31.9	18.8	29.2
1880	13.9	24.7	16.1	29.0	40.1	26.1	36.5
1890	23.8	36.9	27.9	45.6	65.0	39.9	48.7
1900	47.5	57.5	50.1	67.0	72.8	61.4	68.4
1913	100.0	100.0	100.0	100.0	100.0	100.0	100.0

Diese Zahlen bestätigen erneut zwei Grundtendenzen: Erstens tritt die beharrliche Expansion während der siebziger, achtziger und frühen neunziger Jahre trotz der Serie von drei Depressionen und der Preisdeflation hervor; zweitens erkennt man den überwältigenden Wachstumssprung während des ersten deutschen «Wirtschaftswunders» von 1895 bis 1913. Nicht nur ist in dieser Zeit der Output der gesamten Industrie um hundertfünfzig Prozent weitergewachsen, vielmehr wurde die Metallerzeugung um dreihundert Prozent, die Kohlenproduktion um zweihundert Prozent, der Wohnungsbau um hundertzwanzig Prozent, auch die Verkehrsleistung noch einmal um zweihundertfünfzig Prozent vermehrt.

Hinzu kommen noch die Erfolgsziffern der Chemischen und Elektrotechnischen Industrie, die es zum Beispiel ermöglichte, daß bereits 1913 in Deutschland mit acht Milliarden Kilowatt-Stunden Strom zwanzig Prozent mehr an elektrischer Energie als in Großbritannien, Frankreich und Italien zusammen verbraucht wurden. Zwischen 1890 und 1913 erreichte die Elektroindustrie eine jährliche Zuwachsrate von 9.75 Prozent, die Großchemie von 6.39 Prozent, und von 1900 bis 1913 waren es sogar 15.7 bzw. 6.4 Prozent, während der Maschinenbau auch noch auf 5.96, die Metallerzeugung und der Bergbau auf 4.88 Prozent kamen.

Die Struktur des deutschen Exports enthüllt gleichfalls die Dominanz einer «reifenden» Industriewirtschaft. In dem Jahrzehnt vor 1913 kletterte nämlich der Anteil der industriellen Fertigwaren auf mehr als die Hälfte (53 Prozent) und derjenige der Halbprodukte auf einundzwanzig Prozent, während Rohstoffe nur fünfzehn Prozent und Nahrungsmittel gerade noch zehn Prozent der Ausfuhr ausmachten – Warengruppen, die während der Spätphase des Deutschen Bundes noch weit vorn an der Spitze gelegen hatten.

Wohin immer man auch blickt: Vor 1914 konnte kein Zweifel mehr daran aufkommen, daß die deutsche Industriewirtschaft nach einer furiosen Aufholjagd in das weltweit führende Spitzentrio vorgestoßen war, das jetzt aus den Vereinigten Staaten, Großbritannien und dem Deutschen Reich bestand.[12]

a) Die neuen Führungssektoren seit den 1890er Jahren: Großchemie – Elektrotechnik – Maschinenbau

Die überschäumenden Boomphasen in der Trendperiode seit 1895 beruhten auf einem Bündel von komplexen endogenen und internationalen Ursachen. Fraglos gehört zu ihnen der frappante Aufstieg neuer Führungssektoren, die bereits vor 1914 eine herausragende Stellung gewonnen haben, aber erst im Verlauf des 20. Jahrhunderts ihr dynamisches Potential voll entfalten sollten. Das Erschlaffen klassischer Führungssektoren, insbesondere des Eisenbahnbaus, hatte zu den schwierigen Wachstumsbedingungen während der «Großen Deflation» maßgeblich beigetragen, zumal sich in derselben Zeit der Staffelwechsel zugunsten der neuen Leitbranchen vollzog. Die Aufschwungbewegung seit den späten achtziger Jahren, vollends seit der Mitte des folgenden Jahrzehnts basierte dann in hohem Maße auf ihrer unbändigen Expansionskraft.

An erster Stelle ist hier der Maschinenbau zu nennen. Er gehörte zwar seit dem Vormärz zu den Leitsektoren der deutschen Industrialisierung, erlebte aber dank seiner rasanten Modernisierung und Diversifizierung seit dem letzten Jahrzehnt des 19. Jahrhunderts einen beispiellosen Auftrieb.

In seinem Verlauf stieg er zum größten deutschen Industriezweig überhaupt auf. Wenn der Bereich der Metallverarbeitung bereits vor dem Krieg als größter deutscher Arbeitgeber fungierte (1913 = 1.9 Mill. Beschäftigte), hatte der Maschinenbau im weitesten Sinn daran entscheidenden Anteil.

1871 wurden von der Reichsstatistik erst rund 1400 Maschinenbaufabriken erfaßt. Selbst ohne Berücksichtigung des Schiffbaus, der Wagen-, Waffen- und Apparateherstellung ist ihre Zahl bereits bis 1875 auf fast zehntausend mit hundertvierundfünfzigtausend Arbeitern angestiegen, wobei die großen Lokomotivunternehmen klar an der Spitze lagen. Seither haben die Gewerbeerhebungen des Statistischen Reichsamts in den Jahren 1882, 1895 und 1907 jeweils eine explosive Zunahme um Tausende von Betrieben ermittelt.

In den siebziger, selbst in den achtziger Jahren blieben diese Maschinenbauanstalten noch überwiegend auf die Auftragsarbeit zur Erfüllung spezieller Wünsche eingestellt. Mit dem Wachstumsschub seit den neunziger Jahren drang jedoch – gefördert, ja erzwungen vom Vorbild der amerikanischen Konkurrenz – die Standardisierung der Produkte so rapide vor, daß bald eine breite Palette auf dem Lager abrufbar bereitgehalten wurde. Erst damals gingen etwa die Borsig-Werke zu einem voll standardisierten Lokomotiventyp endgültig über.

Wegen des Nachfragesogs veränderte sich auch die Betriebsgröße. Hatten mittelgroße Unternehmen mit fünfzig bis vierhundert Beschäftigten jahrzehntelang das Gros gestellt, setzte sich in der Konjunkturphase seit 1895 der Trend zum Großbetrieb mit mehr als achthundert Beschäftigten durch. Innovationen trieben ihre Zahl regelmäßig in die Höhe. Die erste deutsche

Fabrik für Maschinenwerkzeuge zum Beispiel, die Firma Reinecker im klassischen Branchenzentrum Chemnitz, kam nach zehnjährigem Bestehen um die Jahrhundertwende schon auf einen Facharbeiterstamm von 1200 Mann, deren Erzeugnisse sich dem Wettbewerb mit den amerikanischen Marktführern vollauf gewachsen zeigten.

Auf einem anderen Gebiet hat in jener Zeit die Zukunft des späten 20. Jahrhunderts begonnen. Der Bau von Verbrennungsmotoren und von Automobilen entwickelte sich erstaunlich schnell zu einer neuen Wachstumsbranche. 1886 eröffneten Daimler und Maybach die Herstellung ihrer Autos in Cannstatt. Benz erreichte 1897 mit fünfhundert in Mannheim hergestellten Kraftfahrzeugen bereits die höchste Produktionsziffer in Europa. Zehn Jahre später gab es in Deutschland siebenundzwanzigtausend Autos. Zu diesem Zeitpunkt liefen aber schon 552000 Verbrennungsmotoren für andere Zwecke. 1912 erreichten achtundfünfzig Hersteller einen Jahresausstoß von 16400 Personenkraftwagen; Opel war mit dreitausend Fahrzeugen der größte von ihnen. Mit der Produktion, die Renault und Peugeot bereits erreicht hatten, war diese Zahl aber noch nicht von ferne zu vergleichen. Immerhin strebte der deutsche Autobestand im Jahre 1914 der Hunderttausender-Marke entgegen.

Wie so manche zukunftsverheißende Branche orientierte sich auch der Maschinenbau in zunehmendem Maße an den verlockenden Chancen des Weltmarkts. Von 1871 bis 1913 stieg der Wert seines Exports um das Sechzehnfache. Im letzten Friedensjahr betrug er mehr als 680 Millionen Mark; das waren immerhin sieben Prozent des deutschen Gesamtexports. Der deutsche Anteil am Weltmaschinenexport erreichte 1913 sogar rund dreißig Prozent. Damit lagen die deutschen Maschinenproduzenten unangefochten vor ihren Rivalen in Großbritannien, ja selbst in den USA.

Eine ungleich erstaunlichere Karriere durchlief ein Neuling: die Chemische Industrie. Sie genoß die Vorzüge der relativ späten deutschen Industrialisierung, da sie sich erst seit den 1860er/70er Jahren kräftig entfaltete, so daß sie sogleich in den Genuß der fortgeschrittensten westlichen Technologie kam. Anstatt zum Beispiel den alten Leblanc-Prozeß für die Sodaherstellung übernehmen zu müssen, konnte sie sofort das neue, weit überlegene Solvay-Verfahren einführen. Ohne die Bürde einer veralteten Ausrüstung und die Bindung von wertvollem Fixkapital traten die meisten Chemiebetriebe unbeschwert in den Wettbewerb ein.

Die Erfolgsursachen für den seither einsetzenden fabelhaften Aufstieg der deutschen Großchemie lassen sich klar bestimmen.

Vom Weltmarkt ging eine außergewöhnlich starke, seither nicht nachlassende Nachfrage aus, die ständig durch neue Bedürfnisse erweitert wurde.

Die Entwicklung der chemischen Technik machte in kurzer Zeit große Fortschritte, welche die sichere, vorauskalkulierbare Massenproduktion ermöglichten.

Naturwissenschaftliche Methoden wurden systematisch genutzt, um Innovationen in den Produktionsprozeß einzuschleusen. Das galt für die eigentliche Grundlagenforschung, etwa im Bereich der Farbsynthese. Es galt aber auch für die Herstellungsverfahren und die Anwendungstechnik.

Akademisch ausgebildete Chemiker gewannen daher frühzeitig eine Schlüsselrolle. Weitaus früher als anderswo wurden diese Absolventen der Universitäten zu einer strategischen Funktionselite in den Chemieunternehmen. Der wissenschaftliche Input bildete ihren eigentlich «kritischen Wachstumsfaktor» vor 1914.

Vorausgegangen war aber – und das wird oft übersehen – eine außerordentlich rührige, hartnäckige, kundennahe Werbungs- und Verkaufsaktivität auf den Binnen- und Außenmärkten, die von Kaufleuten dieser Betriebe systematisch analysiert und erfolgreich beliefert wurden. Um den bereits derart gewonnenen Vorsprung zu sichern, wurde frühzeitig die unternehmensinterne Forschung organisiert, die sich aus kleinsten Anfängen binnen kurzem zu einer wissenschaftlichen Großinstitution entwickelte. Kurz: Der Verkäufer ging dem Chemiker voran, nicht umgekehrt. Die Erschwernisse während der depressionsgeplagten Jahrzehnte vor 1895 haben zur Konsolidierung durch eine betriebseigene Forschung ebenfalls angespornt. Und Chemiker mit dem Prestige eines Hochschuldiploms stellten die Reformuniversitäten, wo das forschende Lernen in den Laboratorien der Philosophischen Fakultäten oft schon ein hohes Niveau besaß, reichlich zur Verfügung. Während in anderen Industrieländern noch der erfahrene Praktiker dominierte, verließen sich die großen deutschen Chemieunternehmen zunehmend auf wissenschaftliche Forschung und wissenschaftsangeleitete Produktion: Die «Badische Anilin und Soda Fabrik» (BASF) etwa beschäftigte um 1900 zweihundertdreißig akademische Chemiker, die Farbwerke Hoechst AG etwa hundertfünfundsechzig, und bis 1914 hatten die Bayer-Werke in Leverkusen schon rund sechshundert angestellte Chemiker in ihrer Personalkartei.

Auf der wissenschaftlichen Leistungsfähigkeit der unternehmenseigenen Forschung beruhte daher weithin ein vielbewunderter Aufstieg, der die Großchemie zum «Prunkstück» der deutschen Industriewirtschaft vor 1914 gemacht hat. Aus der Laborarbeit der akademischen Experten zur Farbsynthese entwickelte sich ein eminent folgenreicher «Spin-off» für ganz neue, lukrative Herstellungsbereiche. Dazu gehörten etwa medizinische Präparate, Photofilme, Kunstfasern, erste Plastikstoffe und neue Sprengmittel. Teer, der anfangs als lästiges Nebenprodukt des Koksprozesses gegolten hatte, wurde als wertvoller Rohstoff entdeckt, der in die ungeahnten Kostbarkeiten der künstlichen Farbstoffe verwandelt werden konnte.

Insgesamt band die Organische Chemie vor dem Krieg die Hälfte des Kapitals und der Beschäftigten in dieser Branche. Nur noch in der Nordschweiz gewann sie eine tendenziell vergleichbare Bedeutung. Die Anorganische Chemie expandierte gleichfalls, da sie zahlreiche Zwischenprodukte für die Chemieunternehmen, aber auch künstlichen Dünger für die Landwirtschaft bereitstellte. Ihren wirtschaftlichen Spitzenrang errangen diese Unternehmen mit zweihundertneunzigtausend Beschäftigten (1913). Im Vergleich mit anderen Sektoren (Kohle: 728 000, Metall 443 000, Textil sogar 1.1 Mill.) war das eine geringe Zahl, die aber dank des verstetigten Flusses von Innovationen aus den Laboratorien und der höchst effizienten Produktion eine verblüffende Leistung ermöglichte: 1913 zum Beispiel einen Umsatz von 2.4 Milliarden Mark – fünfzig Prozent mehr als der des zweitgrößten Produzenten, der USA.

Sie trat insbesondere im Export zutage, denn zweiundachtzig Prozent des Umsatzes wurden im Ausfuhrgeschäft erreicht. Vom Weltchemieexport entfielen 1913 achtundzwanzig Prozent auf Deutschland, auf das an zweiter Stelle liegende England dagegen nur sechzehn Prozent. Beim Weltfarbstoffexport konnte sich die Großchemie sogar den absoluten Löwenanteil von neunzig Prozent sichern. Für die Farbsynthese bedeutete das faktisch ein Globalmonopol. Die Schweiz erreichte mit 7.3 Prozent den zweiten, England mit 2.1 Prozent den dritten Platz. Chemiewaren aller Art haben darum bis 1913 schon zehn Prozent der deutschen Gesamtausfuhr erreicht.

Auffällig markant wirkte sich in der Chemiebranche der Konzentrationsprozeß aus. Carl Duisberg, die führende Persönlichkeit der Farbenfabriken Bayer, betrieb seit den neunziger Jahren die Fusion möglichst aller Farbstoffinteressenten in einem marktbeherrschenden Kartell. Auf seine Initiative hin kam 1904 die sogenannte «Kleine Interessengemeinschaft», die erste «I. G. Farbenindustrie» zustande. Ihr gehörten außer Bayer die BASF und die «AG für Anilinfabrikation» (AgfA) an, die zusammen gut vierzehn Prozent der Chemieproduktion repräsentierten. Im Gegenzug schlossen sich Hoechst, Casella und Kalle zu einem Dreibund zusammen, in dem Hoechst mit zehntausend Beschäftigten und der Fähigkeit, seit etwa 1890 jährlich zwanzig bis dreißig Prozent Dividende auszuschütten, eindeutig den Ton angab. Die Vereinigung zur sogenannten «Großen I. G.» ließ freilich bis 1916 auf sich warten. Die sorgfältig abgestimmte Produktions- und Preispolitik der «Kleinen I. G.» bescherte den Mitgliedern von 1900 bis 1913 eine jährliche Wachstumsrate von 6.4 Prozent – sie lag über derjenigen der gesamten «Chemischen Industrie», aber weit hinter derjenigen der Elektrotechnik (15.7 Prozent).

Die Zusammenballung von ökonomischer Macht in den beiden Chemieallianzen war seit 1904 schlechterdings unübersehbar. 1913 vertrat allein die «Kleine I. G.» ein Aktienkapital von 144 Millionen Mark. Die Großunternehmen der Branche wie Hoechst, BASF und Bayer, die seit den achtziger Jahren alle sechzehn bis einundzwanzig Prozent Dividende zahlen konnten, wiesen jeweils ein Grundkapital von sechsunddreißig Millionen Mark aus. Das war nach den zeitgenössischen Maßstäben ein erstaunliches Finanzpotential, dessen Bedeutung freilich durch den Vergleich mit den Giganten der Schwer- und Elektroindustrie eindringlich relativiert wird: Krupp gab 1907 ein Stammkapital von 180, Siemens von 153, die AEG von hundert Millionen Mark an.

Das schnellste Produktionswachstum seit 1871 überhaupt wies die Elektrotechnische Industrie auf. Siemens hatte hier seit 1847 den eminent erfolgreichen Vorreiter gespielt. Dadurch gewann das Unternehmen bis in die 1880er Jahre hinein eine «eindeutige Vormachtstellung», da «keiner der Konkurrenten nach Größe, Kapitalausstattung, Differenziertheit der Produktion, technischem Wissen, Erfahrung, Qualifikation, Ansehen, Kontakten, Marktbeherrschung und Macht an Siemens & Halske herankam». Erst 1883 tauchte mit der «Deutschen Edison-Gesellschaft», die 1887 von Emil Rathenau in die «Allgemeine Elektrizitäts-Gesellschaft» (AEG) umgegründet wurde und Thomas Edisons Patente auf dem deutschen und europäischen Markt zu verwerten begann, ein Rivale auf, der nach einer blitzartigen Expansion bereits bis 1890 ein größeres Unternehmen aufgebaut hatte. Derart unter einen unvorhergesehenen Wettbewerbsdruck gesetzt, reagierte Siemens mit breiter Diversifizierung, 1903 auch mit der Fusion mit der Firma Schuckert. In seinem breiten Produktionsprogramm wurde dieser Siemens-Konzern der AEG immer ähnlicher. Zusammen stellten Siemens und AEG, die seit 1903 die Firma Telefunken (1919 Osram) gemeinsam betrieben, vor dem Krieg fünfundsiebzig Prozent der deutschen elektrotechnischen Produktion her. 1913 lagen die Siemensbetriebe mit siebenundfünfzigtausend Beschäftigten im Reich und vierundzwanzigtausend im Ausland erneut an der Spitze.

Zusammen besaßen beide Unternehmen, die in der Zeit von 1883 bis 1914 zwischen 9.5 und 10.5 Prozent Dividende auswarfen, die führende Position nicht nur in Europa, sondern auch auf dem Weltmarkt. Ihre Forschungsabteilungen, zum Beispiel für die Fortentwicklung der Starkstromtechnik, genossen höchstes Prestige. Der deutsche elektrotechnische Export übertraf die Ausfuhr der größten Konkurrenten in den USA um mehr als das Dreifache. Fabulöse Wachstumsraten, die seit 1890 bei mehr als neun Prozent, seit 1900 um sechzehn Prozent lagen, trieben die Entwicklung der deutschen Elektroriesen voran. Ihr Umsatz von 1.3 Millionen Mark im Jahre 1913 umfaßte ein Drittel der gesamten Weltproduktion.

Zur ökonomischen Konzentration kam eine räumliche Zusammenballung hinzu. Bis 1907 hatten sich zweiundsechzig Prozent der deutschen Elektrotechnischen Industrie in Berlin angesiedelt, zumal dort die Hauptbetriebe von Siemens und AEG lagen. Fast fünfzig Prozent der 119000 Beschäftigten waren in den zwei größten Betrieben tätig.

Die kontinuierliche Ausweitung des Elektromarkts hing ganz wesentlich mit den Folgen der Urbanisierung zusammen. Zuerst einmal die öffentliche, dann die private Beleuchtung und auch die neuen elektrisch angetriebenen Transportsysteme boten der Elektrotechnischen Industrie grenzenlos wirkende Chancen. 1902 lief zum Beispiel mehr als die Hälfte aller elektrischen Straßenbahnen Europas in Deutschland. Hinzu kamen die ersten Untergrundbahnen und andere Nahverkehrsmittel. Allein bis 1900 entstanden 774 Elektrizitätswerke. Hundertzehn große Kraftwerke, die als reine Kommunalbetriebe oder als gemischte öffentlich-private Unternehmen organisiert waren, versorgten bis 1910 alle Großstädte und weiträumige Regionen mit Strom.

Als eine weitere unauffällige Revolution der Energieversorgung erwies sich der Elektromotor, der unverhältnismäßig billiger und kleiner, mobiler und effizienter war als die klobige, unbewegliche Dampfmaschine oder die frühen Typen des lärmenden, stinkenden Verbrennungsmotors. Als größter Stromverbraucher Europas trat die städtisch-industrielle Gesellschaft des Reiches in das Jahrhundert der Elektrifizierung ein. Auf dem Weltmarkt besaß die deutsche elektrotechnische Industrie vor 1914 einen uneinholbar wirkenden Vorsprung.[13]

b) Die Irreversibilität der Industrialisierung: Vom «Agrarstaat» zum «Industriestaat»

In der deutschen öffentlichen Meinung um die Jahrhundertwende hat die Auffassung eine wichtige Rolle gespielt, daß gerade jetzt die entscheidende Weichenstellung bevorstehe, ob das Reich ein «Agrarstaat» mit angegliederter Industrie bleibe oder sich in einen «Industriestaat» mit agrarischem Annex verwandle. Zahlreiche prominente Ökonomen und Historiker, Journalisten und Politiker haben sich damals an der mit großer Leidenschaft geführten Debatte beteiligt. Und selbst in der Geschichtswissenschaft ist bis in die zweite Hälfte des 20. Jahrhunderts hinein an dem sogenannten Wendepunkt in den 1890er Jahren, an dem die Entscheidung zugunsten der Industrie vermeintlich erst unwiderruflich gefallen sei, häufig festgehalten worden.

Gewöhnlich verweist man dafür auf den überaus kruden Indikator der Beschäftigtenzahl, die damals noch im primären Sektor über der des sekundären lag, und auf den relativ späten statistischen Vorsprung, den Industrie und Handwerk im Verhältnis zur Landwirtschaft in der Volkswirtschaft gewonnen hätten. Tatsächlich führt diese schmale Interpretationsbasis in die Irre. Im Effekt wird damit nur das Fehlurteil parteiischer Zeitgenossen noch einmal in der Sprache der modernen Wissenschaft wiederholt.

Überprüft man nämlich sorgfältig die Leistungskraft der Industrie, des (von der amtlichen Statistik getrennt ausgewiesenen) Bergbaus und des maßgeblich von der Eisenbahn bestimmten Verkehrssystems, erkennt man ganz unmißverständlich, daß sich unmittelbar nach dem Durchbruch der deutschen Industriellen Revolution die neue Wirtschaftsverfassung bereits in den 1880er Jahren strukturdominant durchgesetzt hat. Durch alle zuverlässigen Meßwerte wird dieses Resultat bestätigt. Ob man den Beitrag zum

Nettoinlandsprodukt und Nettosozialprodukt, den Anteil an den Nettoinvestitionen, an der Gesamtproduktion der Wirtschaft, am Kapitaleinkommen, am Kapitalstock, an der Wertschöpfung und so fort ins Auge faßt – wie das vorn die Übersichten 50 bis 53, 74 bis 77 und 80 bis 83 unschwer ermöglichen –, überall tritt der Vorrang der industriellen Welt klar hervor. Überdies zeigt auch die zweite Phalanx von Führungssektoren, die in Gestalt der neuen Wachstumsbranchen, wie etwa der Großchemie und der Elektrotechnik, kometenhaft emporstiegen, welche gesteigerte Dynamik der Industrialisierungsprozeß auf höherem Entwicklungsniveau zu entfesseln vermochte, ohne daß die Agrarwirtschaft auch nur von ferne hätte mithalten können.

Demgegenüber wird eine exakte Klärung verhindert, wenn man den Vorrang von Industrie und Handwerk in eine spätere Zeit verlegt, ohne den Bergbau, die «Verkehrsrevolution» und einen Teil des tertiären Sektors überhaupt zu berücksichtigen. Erst recht verrät es kein überzeugendes Urteil, wenn man ausschließlich die Beschäftigtenzahl der Landwirtschaft mit der von Industrie und Handwerk kontrastiert, um die Realitätsnähe der «Agrarstaats»-Protagonisten nachzuweisen. Folgt man diesem viel zu eng angelegten Vergleich, lag in der Tat 1890 mit 42.6 zu 32.4 und 1900 mit 38 zu 34.4 der prozentuale Anteil der landwirtschaftlich Beschäftigten noch vorn, bis endlich 1913 mit 35.1 zu 35.1 ein Gleichstand eintrat. Aber schon wenn man zu den Beschäftigten in Industrie und Handwerk die Arbeitnehmer im Bergbau und Verkehrswesen addiert, käme man für 1900 auf ein Übergewicht von 39.9 zu 38, ohne daß jener Teil des tertiären Sektors, der in die industrielle Marktwirtschaft integriert war, mit einbezogen würde (Anteil 1890 = 6.0 Prozent, 1913 = 7.2 Prozent).

Ohnehin ist aber die «Beweisführung» mit Hilfe der Beschäftigtenanteile ein müßiges Spiel, da das ökonomische Gravitationszentrum eines Landes nicht von der Beschäftigtenzahl abhängt. Die soeben erwähnten Kennziffern für das interne Kräfteverhältnis ergeben vielmehr den einzigen zuverlässigen realhistorischen Befund.

Dieser nun läßt die gesamte Kontroverse über «Agrarstaat» contra «Industriestaat» als eigentümlich verspätetes Scheingefecht erscheinen, nachdem die wahren Entscheidungen schon längst gefallen waren. Aus den Informationen der Reichsstatistik und der Statistischen Büros der Einzelstaaten ließ sich bereits damals ein ziemlich wirklichkeitsgerechtes Bild gewinnen. Auf eben diese Unterlagen griffen auch die Befürworter des «Industriestaats» ständig zurück. Wenn solche empirischen Beweisstücke von der Gegenseite als manipuliert oder jedenfalls als nicht überzeugungskräftig genug abgelehnt wurden, während ihre Prognose einer lichten Zukunft für die Landwirtschaft auf der Verlängerung längst abgebrochener Entwicklungstrends beruhte, unterstreicht dieses Konfliktverhalten den durch und durch ideologischen Charakter der Argumente, welche die Anhänger des «Agrarstaats» ihren Kontrahenten aufzuzwingen versuchten. Es ist auch viel zu kurz gegriffen, den Anlaß der Kontroverse in den Caprivischen Handelsverträgen von 1891/93 zu erblicken. Gewiß, sie erkannten das Übergewicht der Industriewirtschaft realistisch an, und diese «Industriefreundlichkeit» löste auch Caprivis Sturz durch das ostelbische Machtkartell aus. Aber die Kontroverse setzte früher ein, und sie hielt auch noch fast zehn Jahre nach der Vertragsdebatte weiter an.

Im Grunde stand für die «Agrarier» nicht das rein ökonomische Übergewicht der Land- oder Industriewirtschaft im Vordergrund. Das tat vielmehr das Plädoyer für die soziopolitische Vorherrschaft des traditionalen Führungssektors und seiner machtgewohnten Herrschaftselite – damit aber für einen ihren Zielvorstellungen entsprechenden Charakter der Politik und der Gesellschaft des Kaiserreichs. Diese rückwärtsgewandte Utopie haben die Verteidiger des «Industriestaats» unschwer erkannt. Dadurch wurden sie in ihrem Überlegenheitsgefühl nur weiter bestärkt, daß sie den mächtigsten Basisprozeß der gesamtgesellschaftlichen Entwicklung repräsentierten. Sie wurden in ihrer Überzeugung bestätigt, daß eine gesellschaftspolitische Grundsatzdebatte geführt und zu ihren Gunsten entschieden werden müsse. Aus dem Fanfarenstoß der berühmten Freiburger Antrittsrede von Max Weber (1895) kann man die Härte des Zusammenpralls unschwer heraushören.

Mochte der erbitterte Streit der «Agrarier» angesichts des erreichten industriekapitalistischen Evolutionsniveaus auch letztlich ein Kampf gegen Windmühlen sein, wäre es doch voreilig, ihn als pure Donquichotterie abzutun. Einmal enthüllte er, wie schmerzhaft der Übergang zum Industriestaat die große Zahl der dadurch politisch und gesellschaftlich auf ihrem oberen Podest gefährdeten Mitglieder der ländlichen Führungseliten traf. Zum andern bewies ihr leidenschaftlicher Defensivkampf, der aus Überzeugung oder Interessenkalkül eine offene historische Situation mit einer Entscheidungsmöglichkeit zu ihren Gunsten fingierte, die unbeirrbare Entschlossenheit insbesondere der ostelbischen Großagrarier, ihre Privilegien wie bisher mit harten Bandagen zu verteidigen.[14]

3. Expansion – Konzentration – Protektion

Der Primat des «Agrarstaats» stand nach der deutschen Industriellen Revolution keineswegs auf der historischen Tagesordnung. Statt dessen wurde der Charakter auch des deutschen Industriekapitalismus durch drei langlebige Evolutionsprozesse mehr und mehr geprägt.

Zum ersten hielt die Expansion leistungsfähiger, markttüchtiger Betriebe an. Nachdem in den ersten Jahrzehnten der deutschen Industrialisierung kleine, allenfalls mittelgroße Betriebe ganz überwiegend die Szene beherrscht hatten, wuchsen seit den 1880er/90er Jahren immer häufiger wahre

Riesenunternehmen heran, die mehrere tausend, nach der Jahrhundertwende sogar dreißigtausend bis fünfundsechzigtausend Arbeiter und Angestellte beschäftigten. Aus dem vielbewunderten Einzelfall eines Großunternehmens wie Krupp, das bereits im Reichsgründungsjahr mehr als achttausend Arbeitnehmer zählte, wurde eine eigene Kategorie von Mammutbetrieben.

Ihre Ausweitung wurde durch verschiedene Faktoren vorangetrieben. Da gab es als Antriebskräfte die ökonomischen Vorzüge der «Economies of Scale», den geraume Zeit steigenden Grenznutzenwert beim Einsatz von vermehrtem Fixkapital, den Gewinn von Macht im Inland wie im Ausland, die Führungsrolle bei der Auswertung gewinnträchtiger Innovationen, aber auch den Drang zur monopolartigen Kontrolle ganzer Wirtschaftsbereiche, nicht zuletzt den Ehrgeiz von Privat- und Manager-Unternehmern beim «Empire-Building».

Hand in Hand mit dieser Expansion ging immer häufiger die Diversifikation in Gestalt einer möglichst breit ausgelegten Produkt- und Leistungspalette einher, welche die Großunternehmen nach Kräften zu erweitern versuchten. Sie gehorchten damit einem doppelten Imperativ. Einmal diente das verbreiterte Angebot der Risikominderung zu einer Zeit, in der das an Fabrikhallen und maschinelle Ausrüstung, Rohstoffbeschaffung und Lagerhaltung, Lohnempfänger und Aktionärsbedienung gebundene fixe und zirkulierende Kapital immer gewaltigere Ausmaße erreichte. Zum zweiten wurde die Stabilität der Produktion und des Absatzes verbessert, denn je reichhaltiger die Diversifikation ausfiel, um so eher eröffneten sich Chancen eines internen Ausgleichs von Marktschwankungen. So gesehen bestand die strategische Bedeutung anhaltender Diversifizierung darin, das Unternehmen auch auf lange Sicht durch ein weitgespanntes Sicherheitsnetz zu schützen.

Mit der Expansion und Diversifikation hing aufs engste ein Prozeß zusammen, der in Deutschland gewöhnlich als Konzentration, in der neueren internationalen Wirtschaftsgeschichte als funktionale Integration bezeichnet wird. Man versteht darunter das erfolgreiche Bestreben von Großunternehmen, in den verschiedenartigsten Produktionsbereichen, auch die Rohstoffbeschaffung und den Transport, den Vertrieb und die Finanzierung, in einer einzigen formalen Organisation, kurzum: in ihrer Hand zu vereinigen.

Der Drang nach Expansion und zunehmend komplexerer Diversifizierung hat den Impuls, sich sowohl durch die Rückwärtsintegration in die Rohstoff- und Halbstoffversorgung als auch durch die Vorwärtsintegration in die Weiterverarbeitung und den Absatz hinein funktional vorteilhafte Aktivitätsfelder anzugliedern, unablässig wachgehalten. Dieser horizontale und vertikale Konzentrationsprozeß hat in den beiden Jahrzehnten vor 1914 machtvoll begonnen. Seinen vorläufigen Höhepunkt erreichte er aber erst mit den Fusionswellen und Konglomeraten im letzten Drittel des 20. Jahrhunderts.

Parallel zum industriellen Konzentrationsprozeß verlief derselbe Vorgang im tertiären Sektor. Dort führte er besonders augenfällig im Bankwesen dazu, daß sich wenige Großbanken herausbildeten, die eine einsame Spitzenstellung errangen, mit einem weitverzweigten Filialnetz die «Provinz» durchdrangen und in enger Kooperation insbesondere mit der Großindustrie ihren Einflußbereich kontinuierlich ausdehnten. Die großen deutschen Universalbanken bildeten das Pendant zu den hochgradig integrierten und diversifizierten Großunternehmen der Industrie.

In mancher Hinsicht setzte sich der Konzentrationsprozeß auch in den Kartellen und Syndikaten, in den Unternehmens- und Interessenverbänden weiter fort. Den unkalkulierbaren Fluktuationen des Marktes sollte mit koordinierter Marktkontrolle, mit straffer Regulierung der Produktionsmengen und Preise, mit Kooperation statt Konkurrenz begegnet werden. Für die gesamte Volkswirtschaft wurde nach einem kurzen Freihandelsintermezzo derselbe Drang nach der Reduktion des freien Wettbewerbs mit ausländischen Rivalen in ein Protektionssystem übersetzt, das seit 1879 mit rasch wachsenden Zollmauern den «Schutz der nationalen Arbeit» versprach, anders gesagt: die ungestörtere Ausbeutung des Binnenmarktes erleichterte. Im Grunde wirkten sich in diesem System dieselben Organisationsprinzipien aus, die auf der Ebene der Einzelunternehmen und Branchenkartelle wirksam waren.[15]

a) Der Siegeszug der Großunternehmen und Großbanken: Die zweite Etappe

Auch in den beiden Jahrzehnten der wilhelminischen Hochkonjunktur wurde das wirtschaftliche Wachstum weiterhin in starkem Maße von den mittelgroßen Betrieben (statistisch gesprochen: mit elf bis zweihundert Beschäftigten) getragen. Die Anzahl der Kleinbetriebe dagegen sank bis 1907 auf die Hälfte der Größenordnung von 1875 herab. Das auffälligste Kennzeichen der Unternehmensentwicklung war jedoch der unaufhaltsame Aufstieg der Großunternehmen mit mehr als tausend Beschäftigten. In ihnen ballten sich Leistungskraft und Marktmacht auf unübersehbare Weise zusammen. 1907 gehörten 478 Unternehmen mit insgesamt 879 305 Beschäftigten in diese Größenordnung. Das waren 8.1 Prozent aller Erwerbstätigen, aber es war ein volles Drittel der 2.756 Millionen Erwerbstätigen in industriellen Unternehmen mit mehr als zweihundert Arbeitnehmern.

Legt man als wichtigstes Auswahlkriterium den Umfang des Nominalkapitals zugrunde, kann man an den hundert größten deutschen Unternehmen, die sich für die (wegen der Gewerbestatistik günstigen) Stichjahre von 1887 und 1907 ermitteln lassen, wichtige Merkmale und Entwicklungstrends dieser «Riesenbetriebe», wie die Zeitgenossen sagten, ermitteln. Knapp zur

Charakterisierung der Lage vor 1914: Achtzig Prozent von ihnen gehörten zu den Bereichen der Eisen- und Metallerzeugung, des Bergbaus, des Maschinenbaus, der Chemie- und Elektrotechnik. Allein fünfundzwanzig Prozent der fünfzig Größten stammten aus der Schwerindustrie. Die fünfzig größten Aktiengesellschaften repräsentierten sechzig Prozent des gesamten Kurswerts an der Berliner Börse, die zweihundert größten etwa achtzig Prozent in Höhe von rund achtzehn Milliarden Mark.

1887 mußten die Unternehmen 9.4 Millionen Mark Kapital besitzen, um zu den hundert größten zu gehören. Die Mammutbetriebe lagen aber schon weit über dieser Schwelle. Blickt man auf die wichtigsten Industriebranchen, drängten sich die meisten Großunternehmen (32) im Bereich der Eisen- und Metallerzeugung bzw. -waren zusammen. Das Feld wurde von Krupp, dem Spitzenreiter der Industrieunternehmen überhaupt, angeführt. Die exakte Größe seines Nominalkapitals im Jahre 1887 ist zwar noch nicht bekannt, höchstwahrscheinlich aber lag sie deutlich über vierzig Millionen Mark, während rund zwanzigtausend Beschäftigte für die Firma tätig waren. Auf 39.68 Millionen Mark kam der Zweitplazierte, die «Dortmunder Union» mit sechstausendfünfhundert Beschäftigten, weitere siebzehn Betriebe lagen immer noch zwischen zehn und siebenundzwanzig Millionen Mark.

An zweiter Stelle rangierte der Bergbau mit siebenundzwanzig Großunternehmen, die von der «Gelsenkirchner Bergwerks Aktien-Gesellschaft» (GBAG) mit 28.06 Millionen Mark und viertausendsiebenhundert Beschäftigten angeführt wurden, gefolgt von der «Hibernia» in Herne und dem «Eschweiler Bergwerksverein» mit 16.8 bzw. zwölf Millionen Mark und dreitausendsiebenhundert bzw. zweitausendsechshundert Beschäftigten. Die übrigen vierundzwanzig blieben alle klar unter einem Nominalkapital von zehn Millionen Mark.

Von den zwölf Großunternehmen des Maschinenbaus behauptete sich Borsig, wie seit langem, mit mehr als fünfzehn Millionen Mark und rund viertausend Beschäftigten. Mit der einzigen Ausnahme der «Deutschen Continental Gas AG» in Dessau lagen die anderen Firmen unter der Zehn-Millionen-Mark-Grenze.

In der Chemischen Industrie gab es bereits dieselbe Anzahl von Großunternehmen. Von den Giganten des späteren 20. Jahrhunderts nahmen die BASF (16.5 Mill. M./2600 Beschäftigte), die Farbwerke Hoechst (12 Mill. M./2000 Beschäftigte) und Bayer (7.5 Mill. M./780 Beschäftigte) den ersten, dritten und sechsten Platz ein. Dagegen fielen in der Elektrotechnischen Industrie nur zwei Firmen in diese Kategorie: Siemens besaß mit dreißig Millionen Mark und dreitausend Beschäftigten noch unangefochten die Führung vor der jungen AEG mit fünf Millionen Mark und zweitausend Beschäftigten.

Zwanzig Jahre später (1907) hatten nach einer außerordentlichen Beschleunigung des wirtschaftlichen Entwicklungstempos vierundfünfzig der hundert größten Unternehmen von 1887 in derselben Größenordnung überlebt. Fast die Hälfte hatte sich mithin auf dieser Rangskala nicht halten können – inzwischen betrug die durchschnittliche Kapitalausstattung 26.8 Millionen Mark, dreimal soviel wie 1887 – und war durch Neuankömmlinge ersetzt worden. Jene vierundfünfzig, die auch 1907 weiterhin zum Spitzenfeld gehörten, repräsentierten die vergleichsweise kapitalstärkeren, diversifizierteren, integrierteren Großunternehmen des neuen Zuschnitts.

Die Mammutbetriebe von 1907 waren in der Tat in neue Dimensionen hineingewachsen. Unverändert stammten die meisten von ihnen, noch immer einunddreißig, aus dem Bereich der Eisen- und Metallerzeugung bzw. -waren. Krupp hatte mit hundertachtzig Millionen Mark Kapital und mehr als 64300 Beschäftigten seinen Vorsprung gewaltig ausgebaut, nahm aber auf der Gesamtrangliste hinter der «Deutschen Bank» mit zweihundert Millionen Mark Kapital den zweiten Platz ein. Die GBAG, die dank ihrer Diversifizierung sogleich als Nummer zwei in diesen Bereich hatte überwechseln können, war auf hundertdreißig Millionen Mark und 31250 Beschäftigte geklettert, gefolgt von «Phoenix» mit hundert Millionen Mark und einunddreißigtausend Beschäftigten.

Etwas geschrumpft (auf 23) war die Anzahl der großen Bergwerke, die jetzt von der «Harpener Bergwerks AG» (27 Mill. M./26000 Beschäftigte) angeführt wurden, während die «Hibernia» (60 Mill. M./19200 Beschäftigte) den zweiten Platz verteidigt hatte, den ihr die oberschlesischen Magnaten-Zechen der Pless (80 Mill. M./8600 Beschäftigte), Schaffgotsch und Ballestrem nicht streitig machen konnten.

Unter den dreizehn Maschinenbauanstalten stand Borsig (44 Mill. M./10000 Beschäftigte) weiterhin an der Spitze, spürte jetzt aber die Henschel-Werke in Kassel (mit 49 Mill. M./7–8000 Beschäftigten) und die MAN nach der Fusion der Augsburger und Nürnberger Betriebe (1898) mit zwölftausend Beschäftigten dicht auf den Fersen. Die Großchemie war auf siebzehn Firmen angewachsen, während sich die Führungsrolle von Hoechst (25.5 Mill. M./6000 Beschäftigte), BASF (21 Mill. M./8900 Beschäftigte) und Bayer (21 Mill. M./7800 Beschäftigte) auf den ersten drei Plätzen zusehends konsolidiert hatte. In der Elektrotechnischen Industrie war es bei der Sonderstellung der beiden Marktführer geblieben. Siemens hatte es verstanden, mit 153 Millionen Mark und 42900 Beschäftigten den Spitzenrang zu behalten. Die AEG kam dahinter auf hundert Millionen Mark und dreißigtausend Beschäftigte, kontrollierte aber außerdem ein Imperium im Werte von rund achthundert Millionen Mark. Beide zusammen beherrschten jetzt siebzig Prozent des deutschen Elektromarktes. Mit großem Abstand folgten Felten & Guilleaume/Mülheim und Bergmann/Berlin.

Das Bild verändert sich, wenn man alle, nicht nur die industriellen Großunternehmen des Jahres 1907 ins Auge faßt. Auf den Rangplätzen eins bis sechs dominieren dann nämlich augenfällig die vier D-Banken (1. Deutsche Bank, 200 Millionen Mark; 3. Dresdner Bank, 180 Millionen Mark; 4. Diskonto-Gesellschaft, 170 Millionen Mark und 5. Darmstädter Bank, 154 Millionen Mark Nominalkapital). Nur Krupp (2. mit 180 Mill. M.) und Siemens (6. mit 153 Mill. M.) konnten sich in einer solchen Höhenluft bewegen. Außer diesen beiden Konzernen gab es nur drei weitere Industrieunternehmen unter den zwanzig größten (die GBAG mit 130 Mill. M., die AEG und Phoenix mit je 100 Mill. M.), demgegenüber aber zwölf Banken und drei Transportfirmen. Dann folgte freilich das dichte Feld industrieller Großunternehmen.

Ihr Wachstum hing in entschiedenem Maße von den zunehmend beschleunigten Prozessen der Integration und Diversifizierung ab. Sie setzten zwei entscheidende Bedingungen voraus, die in der Phase der Hochindustrialisierung nach 1873 nicht nur gegeben waren, sondern sich zunehmend stärker ausbildeten. Das war zum ersten der Zugang zu großen, dauerhaft aufnahmefähigen Märkten im In- und Ausland. Das war zum zweiten die Existenz fortgeschrittener Technologien und der Zufluß von industriell verwertbaren, möglichst für die Massenproduktion geeigneten Innovationen.

Die Rückwärtsintegration, bei der es vornehmlich um die Angliederung von Rohstoffressourcen an die eigentlichen Verarbeitungsbetriebe ging, hatte sich bis 1900 insbesondere in der Montanindustrie und Großchemie durchgesetzt. Die Vorwärtsintegration, die vor allem auf die Kontrolle der Verkaufsorganisation, des Absatzes und Transportes zielte, läßt sich an der Angliederung des Vertriebs, zunehmend auch an der Zugehörigkeit zu Syndikaten als rechtlich selbständigen Verkaufsinstitutionen einer Branche ablesen. So hatte es 1887 unter den hundert größten Unternehmen nur siebzehn mit einem eigenen Vertrieb gegeben, während acht einem Syndikat angehörten. 1907 lauteten aber die entsprechenden Zahlen schon dreiunddreißig und neunundvierzig. Mehr als vier Fünftel aller Unternehmen verstanden es, Produktion und Vertrieb zu kombinieren. Sogar die Vollintegration im Sinne der Verbindung von Rohstoffbesitz, Verarbeitung und Vertrieb war bis dahin bereits zweiundsechzig Konzernen gelungen.

Parallel dazu drang die Diversifikation vor. 1887 waren noch sechsundsechzig der größten Unternehmen hochspezialisiert, aber seit den achtziger Jahren setzten sich die Diversifizierungsbestrebungen in der Schwerindustrie, im Maschinenbau und in der Elektrotechnik mit beträchtlicher Geschwindigkeit durch, so daß 1907 einundfünfzig Prozent dieser Betriebe breit diversifiziert arbeiteten. In struktureller Hinsicht gehörten zu dieser Differenzierung auch die raffiniert konstruierten, formell selbständigen Finanzierungsgesellschaften, welche die Großkonzerne mit Hilfe ihrer Banken gründeten, um sich die Expansionsfinanzierung zu erleichtern.

Blickt man genauer auf einige Führungssektoren, läßt sich in der Montanindustrie die voranschreitende Integration und Diversifikation am Aufstieg der «gemischten» Konzerne verfolgen. Ihnen gelang es, in mehr oder minder vollendeter Form, die Kohle- und Erzförderung, Roheisen- und Stahlherstellung, die Weiterverarbeitung einschließlich des Schwermaschinenbaus bis hin zum Absatz und zu der Verwertung von Nebenprodukten unter einem Konzerndach zu vereinigen.

Als die wesentlichen Antriebskräfte kann man ein halbes Dutzend Motive ausmachen. Den Unternehmen ging es 1. um Wettbewerbsvorteile und Ersparnisse, 2. gleichzeitig um die Kontrolle interdependenter Produktionsstufen. 3. Je größer der Betrieb, desto stärker machte sich das Bedürfnis nach kontinuierlicher Kapazitätsauslastung und Sicherung des Fixkapitals geltend. 4. Selbst kleine Störungen der Produktion konnten zu riesigen Verlusten führen. Integration und Diversifikation dienten daher der Risikominderung mit dem Fernziel der «Marktunabhängigkeit». 5. Auch technische Innovationen unterstützten diese beiden Prozesse. Die Auswertung von Hochofengasen als Energiequelle zum Beispiel lenkte Hütten auf die Angliederung von Stahl- und Walzwerken, umgekehrt auch Stahlwerke auf den Erwerb von Hütten hin. 6. Schließlich förderten Kartelle und Syndikate die Integration. Das Problem des reglementierten Kohleabsatzes zum Beispiel förderte den Zusammenschluß von Bergwerken und Hütten, da der Selbstverbrauch an Kohle kein Teil der fixierten Kartellquote war.

Im Verbund miteinander wirkten diese Antriebskräfte in den drei Jahrzehnten vor 1914 darauf hin, daß die schwerindustriellen Großunternehmen durch Einverleibung und Zusammenschluß, mindestens durch Abhängigmachung, kaum aber durch Neugründung, die Integration und Diversifikation zielstrebig verfolgten. Ihrer Expansion kam das unübersehbar zustatten. So machte etwa der Anteil der sechs größten Unternehmen an der Stahlproduktion vor 1913 44.5 Prozent aus. Im «Roheisen-Verband» kontrollierten die sechs größten 35.4 Prozent der Eisenherstellung. Im «Rheinisch-Westfälischen Kohlensyndikat», das nach mehreren gescheiterten Experimenten mit «Kohlenklubs» und «Fördervereinen» 1893 endlich zustande gekommen war, beherrschten die drei größten siebenundzwanzig Prozent, die zehn größten Unternehmen sechzig Prozent der Steinkohlenförderung.

Die herausragenden Maschinenbaufabriken zeichneten sich seit den neunziger Jahren durch ein breites Produktionsprogramm aus, wobei die Standardisierung anstelle der Befriedigung individueller Auftragswünsche den Vorrang gewonnen hatte. Die Verbindung mit der Metallherstellung und -verarbeitung lag für sie eigentlich nahe. Dennoch wurden die Integration und Diversifikation gravierend erschwert, da die Unternehmensleitungen durch die neuen Anforderungen überfordert wurden. Die vertikale Konzentration von den Rohstoffen bis zum Maschinenbau blieb eben deshalb eine seltene Ausnahme, da die Unternehmens- und Managementtechnik noch zu begrenzt war. Insbesondere das Fehlen einer fortgeschrittenen Koordinationsplanung ließ die Interessenten vor der komplizierten, heterogenen Kombination von Montan- und Maschinenbauunternehmen zurückschrecken.

Im Vergleich mit anderen Industriezweigen wurde die Elektrotechnik von hochdiversifizierten und integrierten Großunternehmen völlig beherrscht. Die in Konzernen wie Siemens und der AEG akkumulierten vielseitigen Kenntnisse und die ebenso vielseitigen Experten drängten geradezu daraufhin, die Komplexität des Produkt- und Leistungsangebots zu steigern, zumal sich in diesem Bereich ständig neue Anwendungsmöglichkeiten eröffneten. Zuerst setzte die Diversifikation ein, bis schließlich alles: vom Telegrafen bis zum Kraftwerk, vom Unterseekabel bis zum Elektromotor, angeboten wurde. Die kostspieligen Innovationen wurden gerade in diesem Sektor häufig von den potenten Finanzierungsgesellschaften der Firmen getätigt. Seit der Mitte der achtziger Jahre gewann die Integration an Boden, als wegen der Kompliziertheit der Produkte der Handel bis hin zum Endverbraucher übernommen wurde. Ein Jahrzehnt später wurden auch, durchweg auf dem Wege der Fusion, die Grundstoffe und Produktionsstätten für Halbfabrikate den Großunternehmen angegliedert, so daß eine nahezu perfekte Rückwärts- und Vorwärtsintegration zu ihren Kennzeichen gehörte.

Frühzeitig hat sich als bevorzugte Unternehmensform der Großbetriebe die Aktiengesellschaft durchgesetzt, deren offensichtliche Vorzüge vorn bereits geschildert worden sind (5. Teil, II.4). Rund vier Fünftel der größten Unternehmen waren 1887 und auch 1907 als Aktiengesellschaft organisiert; nur sieben Personalgesellschaften hatten bis dahin überlebt. Die Hauptursache war der enorme Kapitalbedarf. Dazu war die Kooperation mit Großbanken nötig, die wiederum am Aktiengeschäft und an der Ausübung von Einfluß auf den Aufsichtsrat vital interessiert waren. Daß sich aus diesen Beziehungen trotzdem keine Herrschaft der Banken als Repräsentanten des «Finanzkapitals» ergeben hat, wird gleich noch erörtert.

Der auffällig schnelle Siegeszug der auch und gerade im internationalen Vergleich hochgradig integrierten und diversifizierten deutschen Großunternehmen kann nicht allein als Ergebnis der immanenten allgemeinen Konzentrationstendenzen der modernen Industriewirtschaft interpretiert werden. Vielmehr ist der spezifisch historische Kontext angemessen zu berücksichtigen. Hierzu bietet sich erneut Alexander Gerschenkrons Denkfigur der Vorzüge und Nachteile der relativen Rückständigkeit jener industriellen Nachzügler an, welche die Pionierländer einholen wollten.

Trotz des vielbewunderten Tempos der deutschen Industriellen Revolution fehlte den deutschen Staaten, schließlich auch noch geraume Zeit dem Deutschen Reich jene breit entwickelte gewerblich-kommerzielle Struktur, wie sie etwa England auszeichnete. Es mangelte an spezialisierten Zulieferanten, Händlern, Transporteuren, überhaupt an jenem dichtgewebten Netzwerk einer feindifferenziert ausgebildeten Arbeitsteilung. Dieser relative Rückstand legte es den großen Unternehmen, die sich diese Aufgabenbündelung zutrauten, nahe, möglichst viele Funktionen in ihrer Hand zu kombinieren. Außerdem machte sich die mangelhafte Transparenz der Märkte geltend. Diese Undurchsichtigkeit steigerte die ohnehin hohen Risiken, die den Firmen während ihrer Expansion zum Großbetrieb begegneten.

Derartige Entwicklungsbedingungen ballten sich zu einer «Herausforderung» zusammen, welche die «Antwort» in Gestalt einer frühzeitig einsetzenden Diversifizierung und zügig vorangetriebenen funktionalen Integration besonders attraktiv und adäquat erscheinen ließ. Die «stumme Macht» dieser historischen Umstände war es, die das Entscheidungskalkül, das zum modernen Großunternehmen hinführte, maßgeblich beeinflußte.

Den Weg zum Großunternehmen hatten deutsche Banken in nuce bereits während der zwei Gründungsphasen von 1848/1856 und 1869/1872 eingeschlagen, als alle späteren Branchenführer entstanden waren. Zu ihnen gehörten etwa die «Darmstädter», die «Deutsche» und die «Dresdner Bank», die «Diskonto-Gesellschaft» – mithin die vier berühmten D-Banken –, die «Berliner Handels-Gesellschaft», die «Commerzbank» und der «Schaaffhausensche Bankverein» (vgl. vorn 5. Teil, II.4). Bis zum Beginn der siebziger Jahre hatten sie sich zu sogenannten «Universalbanken» entwikkelt, die das Engagement in langfristigen gewerbewirtschaftlichen Investitionsvorhaben mit dem Depositen- und regulären Bankgeschäft vereinigten. Die traditionelle englische Unterscheidung zwischen «Investment» und «Commercial Banks» wurde daher von vornherein überwunden. Durchweg waren sie auch wegen der evidenten Vorzüge zur Unternehmensform der Aktiengesellschaft übergegangen.

Bis zur Hochkonjunkturperiode nach 1895 hatten die Universalbanken vier Schwerpunkte ausgebildet. An erster Stelle stand die kurz- und langfristige Finanzierung von Industrie- und Verkehrsunternehmen. Solche Projekte verbanden sich fugenlos mit der Emission von spekulationsfähigen Wertpapieren und der Pflege des Kapitalexports. Eine rasche Bedeutungszunahme erlebte das übliche Bankgeschäft mit dem Kontokorrent-, Wechsel-, Diskont-, Lombard- und Akzeptkredit. Öfter gewann es sogar ein höheres Gewicht als die Aktienemission und Spekulation.

Nach der Zweiten Weltwirtschaftskrise von 1873 konnten die jungen Großbanken durch die systematisch betriebene Übernahme fallierender Bankinstitute ihren Einflußbereich zielstrebig erweitern. So hat etwa die «Deutsche Bank», die bereits 1876 zur größten deutschen Bank aufgestiegen war, bis 1888 nicht weniger als einundsiebzig gescheiterte oder verkaufswillige kleinere Konkurrenten aufgekauft. Diese Expansion überschnitt sich am Ende mit dem energischen Aufbau eines möglichst dicht gestreuten Filialsystems. Da den Universalbanken die Aktivität der zahlreichen Sparkassen und Kreditgenossenschaften «vor Ort» selbstverständlich genau bekannt war, während gleichzeitig die voranschreitende Industrialisierung, ja das wirtschaftliche Wachstum überhaupt, ihre eigene Präsenz dringend gebot, kam es zuerst einmal zu Interessengemeinschaften der Großbanken mit zahlreichen Provinzbanken, da diese Form der engen Kooperation eine billigere Lösung als die Fusion darstellte. Auf solche Weise gewannen die neuen Berliner Großbanken (Deutsche Bank, Diskonto-Gesellschaft, Dresdner Bank, Darmstädter Bank, Berliner Handels-Gesellschaft, Commerzbank, Schaaffhausenscher Bankverein, Nationalbank, Mitteldeutsche Kreditbank) bis 1914 276 zusätzliche Depositenkassen und zugleich allgemeine Repräsentanten ihrer Geschäftsinteressen hinzu. Diese faktisch angegliederten, nur äußerlich selbständigen Provinzbanken wiederum fusionierten bis dahin mit 375 kleinen, oft privaten Bankinstituten, deren Besitzer nicht selten als angestellte Direktoren weiterfungierten. Auf diese Weise wurde das Netz des Berliner Einflusses immer engmaschiger.

Zum zweiten erwarben die Großbanken natürlich auch attraktive Institute, sofern diese Angliederung mehr Vorteile versprach als eine Interessengemeinschaft. Insgesamt haben die neun Berliner Universalbanken zweiundsechzig von hundertsechzig nennenswerten Kreditbanken übernommen. Wie sorgfältig sie die Auswahl vorgenommen haben, wird durch den Befund bestätigt, daß die zweiundsechzig gekauften Banken dreiundachtzig Prozent des Kapitals aller hundertsechzig kontrollierten.

Daß sich die Großbanken im Aufwärtstrend bewegten, demonstrieren auch ihre ausgeschütteten Dividenden. Von den achtziger Jahren bis 1914 konnten zum Beispiel die «Deutsche Bank» rund zehn Prozent, die «Diskonto-Gesellschaft» zehn bis zwölf Prozent, die «Dresdner Bank» 7.5 bis neun Prozent, die «Commerzbank» sechs bis neun Prozent jährlich an ihre Aktionäre verteilen.

Von Anfang an haben sich die großen Banken im Industrie- und Eisenbahngeschäft engagiert. Sie blieben weiterhin für die Schwerindustrie, aber auch für die neuen Führungssektoren wie die Elektrotechnische und Chemische Industrie unentbehrlich. So war zum Beispiel die «Deutsche Bank» sowohl bei Siemens als auch bei der AEG, die «Dresdner Bank» bei Thyssen, die Berliner Handels-Gesellschaft beim «Harpener Bergwerksverein» und bei Krupp intensiv involviert.

Im Gegenzug für die Investitionsbeschaffung sicherten die Großbanken ihren Einfluß durch eigene Vertreter im Aufsichtsrat ab. Von den für 1905 ermittelten 6783 Aufsichtsräten deutscher Aktiengesellschaften hatten die Banken mehr als dreißig Prozent (1996) mit ihren Repräsentanten besetzt. Freilich führten dabei noch immer 1180 Vertreter der Privatbanken vor den 816 Direktoren der AG-Banken. Auch die Hälfte jener Aufsichtsratsmitglieder, die mehr als einen Sitz innehatten (28%), stammte aus der Bankwelt. Ihre Spitzenreiter waren der rheinische Bankier Louis Hagen mit vierundvierzig und der AEG-Chef Walther Rathenau mit fünfunddreißig Posten.

Bis zum letzten Friedensjahr ließ das Bemühen der Berliner Großbanken nicht nach, ihren Einfluß in den Aufsichtsräten der hochkarätigen Aktiengesellschaften sorgfältig abzusichern. Die «Deutsche Bank» war damals in 186, die «Diskonto-Gesellschaft» in 161, der «Schaaffhausensche Bankverein» in 148, die «Darmstädter Bank» in 132, die «Berliner Handels-Gesellschaft» in 123, die «Dresdner Bank» in 120, die «Nationalbank» in 100 Gesellschaften vertreten. Wegen der Riesensummen, welche die Universalbanken bewegten, und wegen ihres sichtbaren Einflusses auf die Industriewirtschaft sprachen schon die zeitgenössischen Beobachter von einer mächtigen «Oligarchie der Hochfinanz», die von den Berliner Großbanken in Reinkultur verkörpert werde.

Die neomarxistische Kritik hat aus diesem Einfluß eine alles beherrschende Bankensuprematie gemacht, die in der Herrschaft des «Finanzkapitals» kulminierte. Rudolf Hilferding stellte in seiner noch immer lesenswerten, einflußreichen Studie von 1910 diese Interpretation als absolut schlüssig hin – und viele sind ihm darin gefolgt. Tatsächlich aber hat es ein einziges Entscheidungszentrum in Hilferdings Sinn – der «Beherrschung der monopolistisch organisierten Industrie durch die Großbanken» – nie gegeben. Großunternehmen und Großbanken bildeten zwar häufig ein interdependentes Gefüge, solange ihre Interessen parallel verliefen. Wichtige Expansionsvorhaben ließen sich gerade in den Schlüsselindustrien ohne die Mitwirkung der Universalbanken oft nicht verwirklichen. Dennoch: Interessenkongruenz stand im Mittelpunkt, nicht aber die Herrschaft weniger Banken über die Großindustrie. Aufs Ganze gesehen behielten die Riesenunternehmen durchaus ihre relative Autonomie. Sie wird auch durch die Tatsache nachdrücklich unterstrichen, daß diese Unternehmen das Gros ihrer Sachinvestitionen bis 1914 durch Selbstfinanzierung aufgebracht haben!

Immerhin war ja auch das Betriebskapital der großen Aktiengesellschaften fast so gewaltig wie das der prominenten Universalbanken. Krupp und die GBAG, Siemens und die AEG etwa lagen mit ihrem ausgewiesenen Nominalkapital nicht erheblich unter ihnen. Außerdem muß man jeweils noch das große informelle Imperium, das sie im Verlauf des Konzentrationsprozesses, nicht zuletzt mit Hilfe ihrer Finanzierungs- und Beteiligungsgesellschaften aufgebaut hatten, zu ihrer Einflußsphäre mit hinzurechnen.

Es wäre töricht, den häufig ausschlaggebenden Einfluß der Großbanken zu leugnen, die mit ihrem flüssigen Investitionskapital – zumal wenn sich potente Bankenkonsortien mit Riesensummen engagierten – die Gründung und vor allem den Ausbau von Unternehmen ermöglichten. Sie im Sinn einer simplifizierenden Verschwörungstheorie zu den einzigen Drahtziehern in der Welt der Großunternehmen zu dämonisieren, verfehlt jedoch die ausgeglichenere Machtverteilung, die dort vorherrschte.

Überdies sollte man die Konkurrenz, die den Großbanken begegnete, nicht unterschätzen. Zu den traditionsbewußten Privatbanken gehörten weiterhin einflußreiche Institute, die im internationalen Geldgeschäft, bei der Finanzierung sorgsam kultivierter Großunternehmen und im Effektengeschäft ihren Vorrang vor den AG-Banken oft genug behaupten konnten. Fast der gesamte Kapitalexport nach Rußland, auch nicht minder lukrative Anleihen für westeuropäische und amerikanische Investoren lagen in der Hand weniger privater Bankhäuser, die ihre Machtposition ebenso eifersüchtig wie erfolgreich verteidigten.

Die Hypotheken- und Bodenkreditbanken betrieben ein lukratives Realkreditgeschäft mit Pfandbriefen, in das die Großbanken nur auf dem Wege der Beteiligung an solchen Spezialbanken eindringen konnten. Vor allem aber darf man die Sparkassen nicht übersehen. Entgegen der verbreiteten Legende, daß sie sich außer dem Depositengeschäft mehr oder minder ausschließlich dem Real-, Hypotheken- und Personalkredit gewidmet hätten, ist inzwischen klargeworden, daß sie frühzeitig auch in die lokale und regionale Industriefinanzierung eingestiegen sind (vgl. Bd. II, 3. Teil, II.4). Dabei handelte es sich alsbald um schwindelerregende Summen. Blickt man zum Beispiel auf die Finanzierung der Nettoinvestitionen in den «Gründerjahren» und in dem überaus schwierigen Jahrzehnt nach der Krise von 1873, konnten die Sparkassen 1871/1875 einen Anteil von 20.7 Prozent, die Banken von 43.4 Prozent erringen. 1876/1880 lautete aber das Verhältnis sogar 43.7 zu 15.9 Prozent, auch 1881/1885 noch immer 26.3 zu 53.6 Prozent; den Rest übernahmen andere Kreditinstitute. 1885 belief sich das Kreditvolumen der Sparkassen auf 2.37 Milliarden Mark, um die Jahrhundertwende jedoch schon auf 5.96 Milliarden Mark, während die Spareinlagen 2.11 bzw. 5.49 Milliarden Mark erreichten.

Um sich die Größenordnung der verschiedenen Gruppen von Banken und Kreditinstituten zu vergegenwärtigen, genügt es, ein Schlaglicht auf die Bilanzsummen zu werfen, die sich für wichtige Stichjahre in Übersicht 88 finden.

Übersicht 88: Bilanzsummen deutscher Bankengruppen 1884–1913 (in Mrd. M.)

	1884	1885	1900	1907	1913
1. Sparkassen	3.4	6.7	8.9	14.0	20.8
2. Private Hypothekenbanken	2.4	5.9	7.9	11.0	14.0
3. AG-Großbanken	1.0	2.1	3.3	6.2	8.4
4. Provinzbanken	1.1	1.8	3.7	5.9	7.8

Die Gesamtbilanz aller Bankengruppen sprang von 1884 bis 1913 um fünfhundert Prozent von 10.7 auf 66.4 Milliarden Mark hoch. An der Rangordnung hat sich jedoch seit den achtziger Jahren nichts mehr verändert. Bis 1895 gab es auch nur geringfügige interne Strukturverschiebungen, und selbst bis 1914 lagen die Sparkassen und Realkreditinstitute um Längen vorn. Seit der Trendwende von 1895 expandierten die Großbanken mit einem Zuwachs um 315 Prozent am stärksten, so daß sie bis 1914 zügig aufholen konnten. Dieses Tempo bestimmte wiederum am nachhaltigsten das erstaunliche Wachstum der deutschen Bankenproduktion von 1895 = 24.9 auf 1913 = 100.

Insoweit muß man die oft bedenkenlos übertriebene Bedeutung der Großbanken relativieren. Diese realistische Einbettung in den größeren Zusammenhang des gesamten deutschen Bankenwesens ändert aber nichts an der strategischen Rolle, welche die Hochfinanz der AG-Banken für die deutschen Wachstumsindustrien und das Verkehrssystem, überhaupt für die Führungssektoren der deutschen Wirtschaft gespielt hat. Überdies sollte der Aufstieg dieser Großbanken nach 1914 keineswegs erlahmen. Vielmehr setzte er sich bis in die letzten Jahrzehnte des 20. Jahrhunderts weiter fort.[16]

b) Die Kartellbewegung

In der intensiven Diskussion über die Industriestruktur und Wirtschaftspolitik des Deutschen Reiches hat seit jeher die Vielzahl und Macht der Kartelle eine prominente Rolle gespielt. Sie verkörpern im Grunde eine neue Variante des ubiquitären Vereinswesens. Denn Kartelle sind Unternehmensverbände auf der Basis von formellen Verträgen (deren Inhalt die reichsdeutsche Rechtsprechung als verbindlich, mithin als einklagbar anerkannte); sie verfolgen das Ziel, die Produktion und die Preise einer Branche regional oder sogar gesamtstaatlich im Interesse ihrer Mitglieder zu regulieren. Mit anderen Worten: Kartelle sind kollektive Marktmachtbesitzer, die ihren beträchtlichen, manchmal sogar ausschlaggebenden Einfluß dazu nutzen, die Ertragslage zu stabilisieren, die Konjunkturschwankungen zu glätten und – im Optimalfall – den Markt möglichst lückenlos zu kontrollieren.

Diese spezifische Erscheinung des Konzentrationsprozesses trat in den USA in der Rechtsform des branchenbeherrschenden Trust auf, in Deutschland aber frühzeitig in Gestalt von Unternehmensassoziationen. Wohlwollende Kommentatoren haben daher – etwa auf der Linie der von Otto v. Gierke entfalteten Genossenschaftstradition oder der allgemeinen Bejahung des bürgerlichen Vereinswesens – in ihnen nur eine neue Art von freiwilliger «Berufsgenossenschaft» – so Schmollers Analogie – in einer Zeit gesehen, in welcher die freie Konkurrenz nicht nur allenthalben eingeschränkt wurde, sondern auch als wirtschaftspolitischer Leitstern allmählich erlosch. Daß die Kartelle nicht allein Macht, vielmehr Herrschaft als sozial legitimierte Macht unverhüllt beanspruchten und zeitweilig ausübten, trat bei dem verständnisvollen Ausziehen der historischen Traditionslinien gewöhnlich zurück.

Zuerst einmal muß man sich die Zahl der Kartelle, ihre branchenspezifische und gesamtwirtschaftliche Bedeutung sowie einige wichtige Urteilskriterien vergegenwärtigen. Vor dem Krieg von 1866 soll es gerade vier, 1875 auch nur acht Kartelle gegeben haben. Bis zum Ende der «Großen Deflation» ist ihre

Zahl dann auf 143 (1895) angestiegen. Ihr eigentlicher Aufstieg setzte aber erst seither ein, denn in den folgenden fünfzehn Jahren vermehrten sie sich um 530 auf 673 im Jahre 1910; 1914 zählte man rund siebenhundert.

Kartelle entstanden ursprünglich vor allem in der Grundstoffindustrie und den unmittelbar nachgelagerten Wirtschaftszweigen. In den verarbeitenden Industriebranchen breiteten sie sich erst kurz vor 1914 aus. Ihre Zahl an sich besagt jedoch, da es zwischen ihnen extreme Unterschiede gab, noch nichts über die gesamtwirtschaftliche Bedeutung. Zum Teil waren die Kartelle nämlich rein regional organisiert, zum Teil erfaßten sie auch nur weniges aus der Vielfalt der Produkte einer Industriebranche. Manchmal aber übten sie eine zeitweilig effektive Kontrolle über die ganze Produktion eines Wirtschaftszweiges aus.

Um ihren gesamtwirtschaftlichen Einfluß ermessen zu können, ist es unabdingbar, den Anteil der kartellierten Produktion an der Gesamterzeugung einer Industrie zu ermitteln. Dabei trifft man erneut auf eklatante Differenzen. Für das Stichjahr 1907 lassen sich etwa folgende Anteile bestimmen: Im Bergbau erfaßten die Kartelle vierundsiebzig Prozent der Produktion (Steinkohle 82 Prozent, Eisenerz dagegen nur 38 Prozent, Kali sogar 100 Prozent), in der Eisenindustrie neunundvierzig Prozent (Roheisen 26 Prozent, Rohstahl 50 Prozent, Walzwerkerzeugnisse 59 Prozent), von den Eisen- und Stahlwaren zwanzig Prozent, im Maschinenbau nur zwei Prozent, in der Elektroindustrie neun Prozent, in der Glasindustrie sechsunddreißig Prozent, in der Optischen Industrie aber nur fünf Prozent; die Chemische Industrie bedurfte angesichts der Suprematie ihrer beiden «Interessengemeinschaften», die wie Kartelle funktionierten, überhaupt keines zusätzlichen Kartells. Insgesamt lag die Kartellierungsquote der deutschen Industrie bei höchstens fünfundzwanzig Prozent.

Jedes Urteil über den bedrohlichen oder wohltätigen Einfluß der Kartelle hängt nun unbestreitbar von dem ordnungspolitischen Leitbild ab, mit dem man an diese Unternehmensverbände herangeht. Folgt man der Idealvorstellung von der «freien Konkurrenz», wie sie von der klassischen Politischen Ökonomie entwickelt und dogmatisiert worden ist, ergibt sich daraus zwangsläufig eine Fundamentalkritik an der oligopolistischen Verzerrung des Wettbewerbs, im Extremfall an dem unheiligen Monopol eines Großkartells. Orientiert man sich demgegenüber an dem instrumentellen Nutzen ökonomischer Organisationen zur Erreichung bestimmter Zielwerte, drängt sich der Schluß auf, daß leistungsfähige Oligopolisten beim Preiswettbewerb und bei der Einführung kostspieliger Innovationen müheloser operieren als kleine oder mittelgroße Wirtschaftsakteure. Als allgemein legitimierbare Zielwerte wiederum können positive Marktergebnisse gelten: Wachstum und Produktivitätssteigerung, erschwingliche Preise und steigende Löhne. Im einzelnen gilt es dann zu überprüfen, ob solche Ergebnisse wegen oder trotz der Kartelle oder eventuell unabhängig von ihnen erreicht bzw.

verfehlt worden sind. Methodisch ist ein strenges Untersuchungsverfahren, wie man sogleich sieht, mit der Klärung schwieriger kontrafaktischer Fragen verbunden.

Auf der Linie dieser Vorüberlegungen werden hinten die Folgen der Kartellierung in wichtigen Branchen kurz ins Auge gefaßt. Zuerst aber ein Blick auf die Entstehung der Kartelle und ihre Ausbreitungsbedingungen.

Frühzeitig hat sich seit den 1880er Jahren unter Wirtschafts- und Sozialwissenschaftlern das Urteil herausgebildet, daß die Kartelle eine institutionalisierte Reaktion auf die Labilität der konjunkturabhängigen Marktverhältnisse in einer liberalen Verkehrswirtschaft verkörperten. Einer der ersten Analytiker des Kartellwesens, der Ökonom Friedrich Kleinwächter, hat 1883, als er die Kartelle schon «überall in der Großindustrie» heranwachsen sah, sie in einer berühmt gewordenen Formulierung als «die Kinder der Not» charakterisiert. Die meisten Kartelle – 1887 gab es erst siebzig – seien zur Bekämpfung der konjunkturellen Fluktuationen entstanden, als Palliativ gegen den «Preisfall» und die «Überproduktion». Der altliberale Tübinger Staatswissenschaftler Albert Schäffle, ehemals Handelsminister in Wien, stimmte zu: Die Kartelle dienten der «Herstellung des volkswirtschaftlichen Gleichgewichts zwischen Bedarf und Produktion».

Auch der gewöhnlich entschieden freihändlerisch gestimmte, eher linksliberale Lujo Brentano sah die Kartelle voller Verständnis «aus dem Bedürfnis des Praktikers» entspringen, der die «Absatzstockungen und ihre Folgen» beseitigen wolle. Er verstand sie daher als offenbar unumgängliche «Vereinigungen von Produzenten, um durch planmäßige Anpassung der Produktion an den Bedarf einer Überproduktion vorzubeugen». Prägnant befürwortete er die Kartelle als «Fallschirme», welche die «zu hoch geflogene Produktion» abbremsen sollten. Ganz ähnlich hielt es der sozialdemokratische Wirtschaftsexperte Bruno Schoenlank 1890 – als man hundertsiebzehn Kartelle zählte – für ein «dringendes Gebot», daß die Kartelle in den «Kampf gegen die Überproduktion und das Sinken der Preise» regulierend eingriffen.

An diesem wohlwollenden Urteil hat sich auch später in den deutschen Wirtschaftswissenschaftlichen Instituten und in Expertengremien wie dem «Verein für Sozialpolitik» wenig geändert – das zeigen die Vereinsdiskussionen von 1894 und 1905 mit aller wünschenswerten Deutlichkeit. Mit viel Sympathie wurden die Kartelle überwiegend als sachgerechte Antwort auf die inneren Widersprüche der kapitalistischen Marktwirtschaft und der gängigen Wirtschaftsdoktrin verstanden. Sie galten vielen als ingeniöser privatwirtschaftlicher Ersatz für eine Planungsinstanz. Während im amerikanischen Trust alle Teile ihre rechtliche und ökonomische Selbständigkeit verlören, zögen die deutschen Unternehmer die elastischere Marktregulierung durch genossenschaftliche Kooperation vor.

In dieser Perspektive trugen auch die Kartelle – ganz offensichtlich im Gegensatz zur Gewerbeordnung von 1869 – dazu bei, durch die «Verschiebung der Marktmacht und der Allokationsmechanismen eine neue Ordnung der Volkswirtschaft» zu schaffen, in der korporative Organisationsprinzipien vorherrschten. Zu Recht urteilte daher Max Weber, daß die Bedeutung der Kartelle über den unmittelbar einsichtigen «unternehmerischen Solidarschutz» weit hinausgehe. Vielmehr befriedigten sie als Regulierungsverbände tiefgelagerte «ökonomische Bedürfnisse» des stets zu Disparität und Ungleichgewicht tendierenden und daher nach Steuerung rufenden modernen Produktionskapitalismus.

Nachdem Gerichte schon mehrfach den bindenden Charakter der Kartellverträge anerkannt hatten, wurden die Kartelle im Februar 1897 durch eine Grundsatzentscheidung des Reichsgerichts endgültig legalisiert. Damit gewannen sie für ein halbes Jahrhundert die «volle privatrechtliche Legitimität und den Schutz der Gerichte». Unstreitig wurde damit auch die vordringende «korporative Marktwirtschaft» durch die reichsrechtliche Letztinstanz formell abgesegnet.

Den Schwankungen der Marktwirtschaft blieben die Unternehmen auch nach 1895 ausgesetzt. Während sie in größere Dimensionen hineinwuchsen, nahm auch ihr Sicherheitsbedürfnis zu, denn diese Schwankungen konnten gewaltige Kapitalanlagen gefährden, dazu jedes zuverlässige Kalkül künftiger Gewinn- und Investitionschancen immens erschweren. Grund genug also, um durch die Zusammenballung von Marktmacht in der Gestalt der Kartelle Steuerungsmöglichkeiten zu gewinnen.

Um aber das Bild von den Kartellen, die angeblich nur an einer schrankenlosen Ausbeutung ihres Inlandsmarktes interessiert waren, zu entdämonisieren, lohnt sich ein prüfender Blick auf die Eisen- und Stahlindustrie sowie auf den Steinkohlenbergbau, um herauszufinden, ob die Kartelle das Erreichen der vorn erwähnten Zielwerte verhindert, erschwert oder erleichtert haben.

Nach den ersten Vorläufern im späten Vormärz bildeten sich straffere Kartelle in der Eisenindustrie erst seit den späten 1870er Jahren heraus. Ihre Einflußsphäre lag in den großen Montanrevieren, wo Regionalkartelle entstanden, die seit 1896 auf eine reichsweite Verflechtung hindrängten. 1897 wurde der «Roheisen-Verband» gegründet, noch immer eine ziemlich lokkere Organisation, die erst 1904 in ein strengeres Syndikat umgewandelt wurde. Schon nach vier Jahren zerbrach es an inneren Spannungen. Die verbandslose Zeit warf freilich die alten Probleme mühseliger Produktions- und Preislenkung auf. Aber erst im November 1912 kam ein neuer Roheisenverband als ein die gesamtdeutsche Produktion umfassendes Kartell zustande. Das zügige Wachstum, das in dieser Schwerindustrie insbesondere nach 1895 anhielt, stellte sich als Folge des allgemeinen Konjunkturaufschwungs ein. Es war keine Leistung der Kartelle, die bis dahin relativ erfolglos geblieben waren. Daß andrerseits die Wachstumsrate nicht noch steiler anstieg, ergab sich nicht aus ihrer Bremswirkung, sondern aus dem

Umstand, daß die wichtigsten technologischen Innovationen bereits vorher eingeführt worden waren. Die Preisgestaltung entsprach weit eher Konkurrenz- als Monopolpreisen, ein «exzessives Preistreiben» wurde nur zwei Jahre lang riskiert. Offenbar sind die Eisenkartelle – einschließlich des neuen Roheisen-Syndikats, übrigens des «preispolitisch schwächsten» – bis 1914 ohne «wesentlichen und dauerhaften Einfluß auf die Preis- und Gewinnbildung» sowie auf die Durchsetzung des technischen Fortschritts geblieben.

In der Stahlindustrie gelangte die Kartellbewegung etwas schneller zum Ziel. Bis 1904 waren die Unternehmen im «Stahlwerksverband» so gut wie «lückenlos kartelliert». Das Preisniveau hob sich. Das kann aber auch, zumindest zum guten Teil, eine Konsequenz der Schutzzölle gewesen sein. Trotzdem wirtschaftete die deutsche Stahlindustrie ebenso effizient wie die britische, die dem rauhen Wind des Weltmarktes ausgesetzt blieb. Und nicht nur das: Seit 1900 wies sie sogar eine um zehn bis fünfzehn Prozent höhere Gesamtproduktivität als die noch immer sehr leistungsfähige englische Konkurrenz auf.

Als erfolgreichstes Kartell gilt gemeinhin das «Rheinisch-Westfälische Kohlensyndikat» von 1893. Es entstand gewissermaßen aus der Verlängerung eines langjährigen Konzentrationsprozesses: 1873 hatten im Ruhrrevier 267 Zechen durchschnittlich 57 100 Tonnen gefördert. Bis 1893 waren davon noch 160 übriggeblieben, jetzt jedoch mit einer um mehr als dreihundert Prozent gesteigerten durchschnittlichen Förderung von 239 000 Tonnen. Die Generaldirektoren der beiden Branchenriesen, Emil Kirdorf von der GBAG und Robert Müser von der «Harpener», erwiesen sich als die «treibenden Kräfte», die auf die Koordinierung durch ein Großkartell erfolgreich hinwirkten. Von ihm geschützt und gefördert, expandierten die ohnehin privilegierten Riesenbergwerke noch zügiger als zuvor: Hatten die zehn größten Zechen 1893 rund 36.6 Prozent der Gesamtförderung im OBAB Dortmund erzielt, waren es 1910 bereits sechzig Prozent.

Andrerseits: Trotz der Schutzzölle und der Kartellregeln stieg die Einfuhr englischer Importkohle allein zwischen 1900 und 1913 von sechs auf neun Millionen Tonnen an. Vor 1914 wurde Hamburg noch immer zu sechzig Prozent, Berlin zu vierzig Prozent mit englischer Kohle versorgt. Selbst in seiner Einflußsphäre konnte das «Rheinisch-Westfälische Kohlensyndikat» kein Monopol erringen. Und was eine andere, oft unterstellte Wirkung mächtiger Kartelle angeht, nämlich ihren negativen Einfluß auf die Lohnentwicklung, sind die Schichtlöhne und ihre Zuwachsraten im Bereich des «Rheinisch-Westfälischen Kohlensyndikats» schneller angestiegen als im saarländischen und oberschlesischen Revier mit ihren weniger effektiv operierenden Kartellen. Lautete das Verhältnis 1903 noch 100: 89: 69, hatte es sich bis 1913 zu 100: 79: 65 verändert. Der durchschnittliche Jahresverdienst eines Bergmannes im Ruhrgebiet war in dieser Zeit um 45.5 Prozent auf 1760

Mark hochgestiegen. In Oberschlesien dagegen vermehrte sich dasselbe Einkommen nur um 36.2, an der Saar um noch geringere 29.3 Prozent.[17]

Mißt man die Wirksamkeit der großen Kartelle an ihren selbstgesteckten Zielen, steht einer begrenzten, aber nicht zu unterschätzenden Serie von Erfolgen weit häufiger die enttäuschende Erfahrung des Scheiterns, der Vergeblichkeit, eben der Erfolglosigkeit gegenüber. Über längere Zeit hinweg ließen sich die Produktionsmengen und Absatzpreise nicht straff regulieren. Die Konjunkturausschläge konnten nicht gebändigt werden.

Fragt man aber nach den positiven Zielwerten eines effizienten Industriekapitalismus, sind weder Wachstum noch Produktivitätssteigerung durch die oligopolistischen Kartelle verhindert worden. Dasselbe gilt für vertretbare Preise und steigende Reallöhne. Alle diese Ziele sind vielmehr von diesem Wirtschaftssystem erreicht worden. Wahrscheinlich haben die meisten Kartelle diesen «Fortschritt» auch nicht erschwert, sondern vielleicht sogar eher erleichtert. Vor allem aber kann man ihre Aktivität in der ersten Entwicklungsphase vor 1914 als schwierigen Lernprozeß deuten, der die Einzelunternehmen und die gesamte Industriewirtschaft auf dem Weg in die verbandsstrukturierte korporative Wirtschaftsverfassung der Zukunft voranbrachte. Denn wie entschieden man auch immer von der Position der klassischen oder neoklassischen Wirtschaftstheorie aus die Kartelle verurteilen mag – ohne Branchenverbände, Kartelle und Trusts, ohne organisierte Kooperation haben die Unternehmen der privatkapitalistischen westlichen Länder die Probleme des Wachstums und des Konjunkturrhythmus seither nicht bewältigen können.

c) Die Zollpolitik von 1879 bis 1914

Wie die Großunternehmen dem Imperativ des Konzentrationsprozesses folgten, wie die Branchen sich in Kartellen und Syndikaten zusammenschlossen, wie ganze Industriezweige ihre Marktmacht in Interessenverbänden politisch zu effektivieren suchten, so setzte sich dieselbe Grundströmung in der Anstrengung fort, die gesamte Volkswirtschaft als einen einzigen schutz- und förderungswürdigen Produktionsverband zu behandeln. Auf diese Weise gewann der wissenschaftliche Begriff der «Nationalökonomie» eine neuartige politische Bedeutung. Als gemeineuropäisches Phänomen trat sie seit den 1870er Jahren in der Zollpolitik besonders augenfällig, aber auch in zahlreichen anderen Interventions- und Subventionsmaßnahmen zutage.

Für das Urteil über diesen Strukturwandel, den die Wirtschaftspolitik seither erlebt hat, spielen ordnungspolitische Kriterien erneut die entscheidende Rolle. Man kann für die Wohltaten der «freien Konkurrenz», mithin auch für Freihandel um jeden Preis optieren oder aber für den Schutz der einheimischen Wirtschaft eintreten, der gewöhnlich als «nationales Interesse» dramatisch überhöht wird. Beide Positionen unterliegen seit jeher der akuten Gefahr der Dogmatisierung. Seitdem der Freihandel in der frühviktorianischen Zeit als quasi natürliche Außenwirtschaftspolitik der englischen «Werkstatt der Welt» theoretisch begründet und faktisch durchgesetzt worden war, war er in aller Regel das Prinzip des ökonomisch Starken. Angeblich drängten, verkündete seine Legitimationsideologie, die Gesetze des Wirtschaftslebens auf den ungehinderten Fluß aller Waren- und Kapitalströme hin, um den perfekten Wettbewerb einschließlich der Nutzung aller komparativen Kostenvorteile auch in globalem Rahmen zu ermöglichen. Insofern kann man die Freihandelsidee, die von der im Banne des physikalischen Gesetzesdenkens stehenden Klassischen Ökonomie entfaltet worden ist, in der Tat als «Prunkstück ihres sozialen Newtonismus» charakterisieren. Da im Inneren die industriellen und agrarischen Unternehmer eines vergleichsweise hochentwickelten Landes aus der Freihandelspolitik an erster Stelle Gewinn zogen, wurde das «Laissez-Faire» in Gestalt des «Free Trade» jahrzehntelang auch zu einer «Rechtfertigungsmaxime der herrschenden Klassen».

Auf der andern Seite ist ein Zollschutz offensichtlich unumgänglich, wenn angesichts der Überlegenheit der Pionierländer eine junge Industriekapazität so ausgebaut werden soll, daß sie – selbständig und überlebensfähig – dem internationalen Wettbewerb überhaupt gewachsen ist. Unstreitig steht der Protektionismus aber stets in Gefahr, nach der Anfangsphase, in der die Schwachen stark gemacht werden sollen, die Starken noch weiter zu stärken.

Die Schlußfolgerung für ein unbefangenes Urteil liegt auf der Hand: Je nach der historischen Konstellation kann man sich aus Zweckmäßigkeitsgründen für Freihandel oder Schutzzoll, aber ebensogut auch für ein pragmatisches Mischungsverhältnis entscheiden. Das ausschlaggebende Kriterium für die Zweckmäßigkeit ist wiederum das Erreichen allgemein akzeptabler Zielwerte. Zu ihnen gehören vor allem Wachstumskontinuität und Produktivitätssteigerung, internationale Konkurrenzfähigkeit und massenwirksame Wohlstandssteigerung.

Ist man sich über diese Urteilsmaßstäbe im klaren, gilt es im Hinblick auf die Außenwirtschaftspolitik außerdem noch, an einer eindeutigen Unterscheidung festzuhalten. Man muß die ökonomischen Ziele und Ergebnisse von den gesellschaftlichen und politischen Absichten und Resultaten handelspolitischer Entscheidungen analytisch klar trennen. Denn nur auf diese Weise kann man zu einer differenzierten Beurteilung eventuell ganz unterschiedlicher Effekte gelangen. Welche Perspektiven öffnen solche Vorüberlegungen im Hinblick auf die reichsdeutsche Außenhandelspolitik?

Am Ende einer knapp zwanzigjährigen Freihandelsära, die durch einige moderate Industriezölle des Zollvereins und Reichs nicht in Frage gestellt wurde, fand sich die Wirtschaftspolitik des neuen Kaiserstaats völlig unerwartet einer zweifachen Zangenbewegung ausgesetzt. Die internationale Depression von 1873 bis 1879 führte zu einer langgestreckten Absatzkrise auf dem Binnen- und Außenmarkt, während sich der internationale Konkurrenzkampf gleichzeitig verschärfte. Seit der Mitte der 1870er Jahre wurde außerdem die Landwirtschaft durch die mit einschneidenden Belastungen verbundene Herausbildung des modernen Weltagrarmarktes schmerzhaft in Mitleidenschaft gezogen. In beiden Sektoren machte sich das Bedürfnis nach Schutz vor der ausländischen Konkurrenz immer stärker geltend, zumal die Binnenwirkung der Wirtschaftsfluktuationen im Aufstieg der sozialdemokratischen Partei eine systemsprengende Form anzunehmen schien.

«Die volkswirtschaftliche Krisis und die Sozialdemokratie», hat Gustav Schmoller die Interessenkonstellation pointiert beschrieben, «wurden die geburtshelferische Zange», um der «längstgereiften... Wirtschaftspolitik großen Stils zum Leben zu verhelfen». Mit dem Festhalten am Freihandel «haben wir», argumentierte er 1879, «vom Standpunkt des nationalen Egoismus aus gefehlt». Denn nur die «Zeiten der Hausse, des zunehmenden Exports, der Neueröffnung von überseeischen Märkten sind die natürlichen Freihandelsepochen, wie umgekehrt die Zeiten der auswärtigen Absatzstokkung, der Depression, der Krisis naturgemäß zum Schutzzoll drängen». Die Grundtendenz dieses Urteils wurde von zahlreichen zeitgenössischen Beobachtern geteilt. «Infolge der langen Dauer der traurigen Wirtschaftslage», faßte etwa der «Deutsche Handelstag» die dominierende Meinung seiner Mitglieder am Ende der siebziger Jahre zusammen, «wurde das Verlangen der Industriellen nach Änderung der Wirtschaftspolitik immer ungestümer». Und der führende Freikonservative Wilhelm v. Kardorff forderte bereits 1875 Schutzzölle, damit die «schwere wirtschaftliche Krisis, an der wir kranken», sich nicht «zu einer chronischen Krankheit» auswachse.

Der zweite Zangendruck ging von der in wichtigen europäischen Ländern inaugurierten Rückkehr zum Schutzzoll aus. Damit reagierten sie zuerst auf die industriellen Konjunkturschwankungen, später auf die Folgen der agrarischen Strukturkrise. In Österreich-Ungarn zum Beispiel trat die protektionistische Strömung 1877 so kraftvoll in den Vordergrund, daß sie bereits im Juni 1878 einen Schutzzolltarif durchsetzen konnte – mit maßvollen Sätzen noch, aber mit der Verpflichtung, die Gebühren in Gold zu bezahlen, was einem zusätzlichen Wertzoll gleichkam. Italien schloß sich bereits im selben Jahr solchen Schutzmaßnahmen an. Rußland erhob seit 1877 Wertzölle in Gold, die eine fünfzig- bis sechzigprozentige Steigerung der Belastungssätze bedeuteten. Vor dem verschärften Zolltarif von 1882 wurden die Einfuhrbarrieren noch weiter erhöht. Frankreich, das aufgrund des Cobden-Vertrags von 1860 und seiner darauf folgenden zahlreichen bilateralen Abkommen mit ihrer Meistbegünstigungsklausel eine handelspolitische Schlüsselstellung in Europa gewonnen hatte, richtete bis hin zum Tarif von 1881 ein autonomes Zollsystem ein, nachdem seine Exportprämien den Erfolg staatlicher Förderung schon bewiesen hatten. In den Vereinigten Staaten wurde der extrem schutzzöllnerische Kurs seit dem Morrill-Tarif von 1861, dem eine Art Erstgeburtsrecht des modernen Hochprotektionismus gebührt, mit den

Tarifen von 1883 und 1890 bestätigt. Sogar in Großbritannien, dem Mutterland des Freihandels, wurde der Schutzzoll seit 1877 zum Tagesgespräch. 1881 entstand die «National Fair Trade League», die anstelle des zerbröckelnden Cobdenschen Freihandelssystems effektive Schutzmaßnahmen forderte. Zieht man eine allgemeine Bilanz, setzte seit der Mitte der siebziger Jahre ein protektionistischer Trend ein, der dazu führte, daß sich bis 1895 die Industriezölle der westlichen Länder verdoppelten.[18]

Unter der Druckglocke sowohl der Depression als auch der sich anbahnenden Veränderungen in der Wirtschaftspolitik wichtiger Außenhandelspartner gerieten die Verhältnisse in der deutschen Innenpolitik auf charakteristische Weise in Bewegung. Moderne «Pressure Groups» entstanden, um die Verteidigung von vitalen Interessen in Krisenzeiten schlagkräftiger als zuvor wahrnehmen zu können. Sie artikulierten zunächst ihre Aversion gegen die bisherige Handelspolitik, organisierten jedoch bereits im zweiten Schritt den Widerstand dagegen, dann die Unterstützung einer offen protektionistischen Wende. Bereits 1873 hatten sich auf Drängen Louis Baares vom «Bochumer Verein» westdeutsche Eisen- und Stahlfirmen zusammengeschlossen. Die Verbindung mit der oberschlesischen Industrie wurde sofort hergestellt. Wenige Monate nach dem Ausbruch der Zweiten Weltwirtschaftskrise waren sich führende Figuren der deutschen Schwerindustrie einig, daß die Gründung eines gesamtdeutschen Interessenverbandes geboten sei. Im Oktober 1874 entstand er in Gestalt des «Vereins Deutscher Eisen- und Stahlindustrieller» (VDEStI) unter der Leitung von Baare und Servaes («Phoenix»). Als Geschäftsführer wurde Henry Axel Bueck gewonnen, der – aus dem landwirtschaftlichen Vereinswesen Ostpreußens kommend – seit 1873 als Generalsekretär des «Langnam-Vereins» und seit kurzem auch der «Nord-Westlichen Gruppe» des VDEStI fungierte – in den folgenden dreißig Jahren geradezu der Prototyp des agilen, versierten, durchsetzungsfähigen Interessensyndikus.

Während der VDEStI seine Operationsbasis zügig verbreiterte, begann er seit 1875, ohne scharfe Töne gegen die Freihandelspartei direkt anzuschlagen, eine lebhafte Zollagitation anzukurbeln, da am 1. Januar 1877 die letzten Eisenzölle fallen sollten. Dieser Vorgang wurde weithin als faktische und symbolische Vollendung der bisherigen Handelspolitik verstanden. Deshalb mußte für den Widerstand gegen eine Politik, die als stolze Errungenschaft des neuen Zeitalters betrachtet wurde, vorsichtig und zäh um Verständnis geworben werden. Dank der Rührigkeit Buecks, seiner Förderer und Hilfstruppen, gewann die Propaganda unübersehbar an Wirkung, obwohl in der Industrie noch keineswegs Übereinstimmung über die Gefahren des Freihandels und die Vorzüge des Protektionismus herrschte. So bedauerte etwa der Geschäftsführer des «Vereins für die Bergbaulichen Interessen» im Dezember 1875 den «Fanatismus, womit hier in manchen Kreisen für die Zölle eingetreten wird»; man könne meinen, spottete er, «das Heil der Welt und die ganze Zukunft unseres Landes hänge nur davon ab ... Aber auch dieser Paroxysmus wird vorübergehen.»

Dieses herablassende Verdikt teilte auch die traditionell wirtschaftsliberale höhere Bürokratie in den Reichsämtern und preußischen Ministerien, als deren Repräsentant der Architekt der preußisch-deutschen Wirtschaftspolitik in den vergangenen zwei Jahrzehnten galt: Vizekanzler Rudolph v. Delbrück. Als der Kaiser, der dem Wegfall der letzten Zölle mit Skepsis gegenüberstand, informiert werden wollte, hielt eine Denkschrift aus dem von Delbrück straff geleiteten Reichskanzleramt das Credo seiner freihändlerischen Experten im Oktober 1875 noch einmal fest: «Die Produktionskosten müssen vermindert und das Absatzgebiet vergrößert werden», forderte sie als Mittel gegen die Depression. «Beides aber wird durch Schutzzölle nicht erreicht.» Gegen den resoluten Widerspruch Wilhelms I. setzte sich Delbrück, zusammen mit den Protagonisten des uneingeschränkten Wirtschaftsliberalismus wie den Ministern Camphausen und Achenbach, noch einmal durch.

Über diesen Abwehrerfolg fiel freilich der Schatten, daß Bismarck, der seit der Krise von 1873 sarkastische Kritik an der «sogenannten Volkswirtschaft der Liberalen» zu üben begonnen hatte, im Vorfeld der Sitzung erstmals gegen Delbrück Stellung bezog. Im November 1875 ließ der Reichskanzler sogar durchblicken, daß er selbst den bisher unentbehrlichen «Vize» fallenlassen könne. Als böses Omen wirkte zudem, daß im September 1875 der streng freihändlerische «Kongreß Deutscher Volkswirte» mit Mehrheit für einen zollfreundlichen Antrag votierte. Dagegen wollte sich der «Verein für Sozialpolitik» trotz Schmollers Drängen noch nicht für einen protektionistischen Schwenk aussprechen.

Mit der Gründung des «Zentralverbandes deutscher Industrieller» (ZdI) unter der Ägide v. Kardorffs, der selber von Anfang an die künftige Allianz von schwerindustriellen und großagrarischen Interessen verkörperte, entstand im Februar 1876 ein Interessenverband der deutschen Industrie, der ihren Forderungen die bisher fehlende reichsweite Resonanz und Durchschlagskraft verlieh. Erst die «National Association of Manufacturers» in den Vereinigten Staaten fungierte seit 1895 als eine vergleichbar einflußreiche Dachorganisation. Ein führender ZdI- und VDEStI-Politiker wie der Ruhrindustrielle Servaes definierte auch sogleich eine goldene Verhaltensmaxime für die künftige Verbandsaktivität: Man müsse, riet er, unter Umgehung des bürokratischen Instanzenwegs und des Reichstags «soviel als möglich ... direkt an den Reichskanzler gehen».

Bismarck aber, der seit dem Herbst 1875 die Kooperation der Industriellen mit den «notleidenden Landwirten» immer nachdrücklicher befürwortete, drängte den ZdI sofort mit Nachdruck, endlich den interessenpolitischen Kontakt mit den Agrariern zu suchen. Kardorff, selber Gutsbesitzer, und Bueck, jetzt auch noch Topmanager des ZdI und seiner beruflichen

Herkunft nach ebenfalls voller Verständnis für die Sorgen der Landwirtschaft, leiteten alsbald diese Zusammenarbeit ein. Dadurch wurde das Fundament für die «Sammlungspolitik» von Großindustrie und Großagrariertum gelegt, auf dem die Politik des Kaiserreichs bis 1918 ruhen sollte.

Der «Deutsche Handelstag» bemühte sich, die freihändlerische Opposition zu organisieren, versagte aber binnen kurzem. Seine Position wurde aufgeweicht, als er im Frühjahr 1876 vom Freihandel sans phrase zur Forderung nach Reziprozitätsverträgen überging. Dem ZdI gelang es, diesen Rivalen zu unterhöhlen, bis er ihn seit 1878 geradezu zu seiner «Nebenstelle» degradiert hatte. Dem Einzelprotest zahlreicher Handelskammern mangelte es an einer wirksamen Bündelung zu einer so massiven Aktionspropaganda, wie sie der ZdI zustande brachte. Für ihren Widerstand rächte sich Bismarck durch den Erlaß vom 30. November 1881, in dem er die «Einreichung des Jahresberichts vier Wochen vor der Publikation behufs ministerieller Korrekturlesung» postulierte. Das war im Klartext nichts anderes als eine amtliche Zensur, wie er sie ähnlich bereits von 1863 bis 1866 gegenüber der liberalen Presse praktiziert hatte. Erneut sollte diese Gängelung dazu dienen, einen einflußreichen, aber widerspenstigen Teil der öffentlichen Meinung im Regierungssinn zu steuern.

Unter dem Druck der Depression und der immer heftigeren Kritik an der liberalen Wirtschaftspolitik, ja der liberalkapitalistischen Marktwirtschaft überhaupt, schürzte sich im Frühjahr 1876 in Berlin der Knoten: Bismarck warf politischen Ballast ab – Delbrück wurde im Juni entlassen. Die bürokratische Opposition gegen die Schutzzollagitation verlor mit ihm ihre exponierte Symbolfigur. Das wurde zu Recht als wohlkalkulierter Ausdruck einer beginnenden Abwendung von der bisher verfolgten Freihandelspolitik verstanden. Von der Entscheidung beflügelt, steigerte der ZdI seit dieser Zeit seine protektionistischen Propagandaanstrengungen. Geschickt forderte er, daß nach dem bewährten Vorbild der englischen «Royal Commissions» vom Reichsparlament eine Enquetekommission zur Erkundung der Lage der deutschen Industrie eingesetzt werden solle. In ihren Anhörungen hoffte er, nicht nur einen lauten Widerhall seiner eigenen Notrufe, sondern auch eine wissenschaftsähnliche Legitimation für die Notwendigkeit eines neuen Außenhandelsgesetzes zu finden.

Seither wurde die Gangart verschärft, obwohl der ZdI geschickt genug taktierte, um das Verlangen nach Industriezöllen vorerst mit dem Ruf nach Reziprozitätsverträgen oder Meistbegünstigungsklauseln zu verbinden. Bis es zu einer utopischen universellen Zollbeseitigung komme, sei doch, unterstützte ihn die bayerische Regierung, «wenigstens der heimische Markt» vor einer weiteren Überflutung durch ausländische Waren «zu bewahren». Auch der Kaiser warf, insgeheim von Bismarck ermutigt, erneut die Frage danach auf, «woher es denn komme, daß ein Eisenfabrikunternehmen nach dem anderen seine Öfen ausblase, seine Arbeiter entlasse, die herumlungerten usw.» Die Auskunft von Minister Camphausen, «bei solchen allgemeinen Kalamitäten müßten einzelne zugrunde gehen. Das sei nicht zu ändern», entsprach zwar unverschnörkelt dem wirtschaftsliberalen Axiom der Reinigungskrise, verkörperte aber nach Wilhelms Meinung keineswegs eine «staatsweise Auffassung». Von Krupp ausführlich «unterrichtet», insistierte er auf einer Kronratssitzung im Oktober 1876 wieder darauf, daß «der Zustand der Eisenindustrie inzwischen nicht günstiger geworden und deren Ruin zu befürchten» sei, wenn die Zollaufhebung im kommenden Januar nicht verschoben werde. Vergebens – obwohl der Kaiser in seiner Thronrede vom selben Monat wegen der Depression noch einmal eine andere Handelspolitik anmahnte, reichte doch die Kraft des wachsenden protektionistischen Lagers noch nicht aus, um zu verhindern, daß seit dem Januar 1877 die letzten Eisenzölle entfielen.[19]

Dadurch wurde im Nu frisches Öl in das Feuer des ZdI gegossen. Bismarcks Drängen folgend, nahm er im Februar 1877 die Zusammenarbeit mit den landwirtschaftlichen Vereinen formell auf. Unverzüglich arrangierte er sich auch mit der in diesem Monat gegründeten neuen «Pressure Group» der Agrarier. Das war die fraktionsübergreifende «Vereinigung der Steuer- und Wirtschaftsreformer» (VSW), die bis zur Gründung des «Bundes der Landwirte» im Jahre 1893 die stärkste agrarpolitische Interessenorganisation der ostelbischen Großagrarier bildete. Hinter dem euphemistischen Namen verbarg sich eine scharf antiliberale, rechtskonservative Programmatik. Bereits im Frühjahr 1876 forderten die «Reformer» Bismarck unverhohlen zu einer «Art Diktatur» auf.

Zum ersten Mal griffen die neuen Interessenverbände mit den Mitteln einer neuartigen Agitation in die Reichstagswahlen von 1877 ein. Dreiundzwanzig zusätzliche Mandate für die Konservativen gehörten zur Ausbeute. Sie wiederholten ihren Anfangserfolg im Sommer 1878, als Bismarck wiederum Reichstagswahlen durchgesetzt hatte. Achtundfünfzig neue konservative Abgeordnete – insgesamt hundertsechzehn – zogen ins Parlament ein, während die Nationalliberalen, gemessen an der imposanten Fraktionsstärke von 1874 (155), um mehr als ein Drittel auf neunundneunzig reduziert wurden.

Nachdrücklicher als je zuvor bemühte sich der ZdI auch darum, den Nationalismus auf seine Mühlen zu lenken. «Es ist Zeit», forderte sein Generalsekretär Bueck, «daß auch wir daran gehen, den nationalen Gedanken in der Wirtschaftspolitik zu entwickeln.» Diesen Appell vor dem Forum des «Vereins für Sozialpolitik» beantwortete Schmoller, ganz im Stil des staatstreuen «Kathedersozialismus», mit seinem gleichgesinnten Bekenntnis zum «nationalen Egoismus».

Als besonders durchschlagskräftig erwies sich nach fünfjähriger Depressionszeit das Argument des ZdI, daß weder die Industrie noch die Reichsregierung sich ein passives Abwarten auf die Heilung durch die «unsichtbare

Hand» der Marktgesetze noch weiter leisten könnten. «Sollen wir länger die Hände in den Schoß legen und die wirtschaftlichen Krisen, die immer wieder in das unbewehrte Land einbrechen und Elend und Verderben über dasselbe verbreiten, als eine unabwendbare Notwendigkeit ansehen», plädierte Bueck rhetorisch geschickt für die staatliche Intervention, «oder sollen wir versuchen, auch hier schöpferisch zu verfahren und die Natur, wo sie sich ungenügend erweist, zu ergänzen und zu supplieren?» Solle etwa «die widersinnige Erscheinung beständig wiederkehren, daß ... während auf der einen Seite Überproduktion vorhanden ist, in dem größeren Teil der Gesellschaft die Kaufkraft fehlt?»

Vor der in diesem schlüssigen Gedankengang angelegten Konsequenz: die Massenkaufkraft durch eine dynamische Lohnpolitik anzuheben, schreckte jedoch in erster Linie die Verbandsprominenz selber wie der Teufel vor dem Weihwasser zurück. In der Sprache der ZdI-Publizisten ging es mitnichten um Sozialreform, vielmehr um den «Schutz der nationalen Arbeit», deshalb auch um die «Solidarität aller volkswirtschaftlichen Arbeit» beim Aufbau eines protektionistischen Systems. Warum sollten «wir gerade unser eigenes Vaterland», fragte der oberschlesische Industriemagnat und Bismarck-Intimus Henckel v. Donnersmarck, «zum Tummel- und Abladeplatz der Überproduktion des Auslands machen?»

Auf einer gemeinsamen Tagung im Februar 1878 einigten sich der «Zentralverband», die «Steuerreformer» und der «Kongreß deutscher Landwirte» auf ein Aktionsprogramm, das – vom neuen Reichskanzleichef Christoph v. Tiedemann im Auftrage Bismarcks begrüßt – ganz unverhohlen neue Industrie-, aber auch Agrarzölle vorsah. Diese Interessenallianz entsprach durchaus dem Projekt der «konservativen Sammlung», das Bismarck im Dezember 1877 noch einmal explizit befürwortet hatte. Im März bat er Kardorff um «Belehrungen über allerlei handelspolitische Dinge», bevor er ihm seine Bereitschaft eröffnete, demnächst zu Schutzzöllen überzugehen. Offenherzig stand er zu seiner realistischen Diagnose: «Wer die Klinke der Gesetzgebung in der Hand hat, wird sie auch gebrauchen.»

Während der folgenden Monate arbeiteten sich die Verbände im Zusammenspiel mit Bismarck und dem intimen Kreis seiner Vertrauten näher an ihr Ziel einer handelspolitischen Wende heran. Hochwillkommene Unterstützung wuchs ihnen durch die «Freie Wirtschaftliche Vereinigung» von zweihundertvier Reichstagsabgeordneten zu, die sich, eingeschworen auf den Protektionismus, unter der Leitung des ehemaligen württembergischen Ministers Friedrich v. Varnbüler im Oktober 1878 quer durch die Fraktionen gebildet hatte. In enger Zusammenarbeit mit Bismarck unterstützte sie die Forderung nach einem Kurswechsel, der von einer Enquetekommission vorbereitet werden sollte. Am 17. Oktober trat sie mit einer aufsehenerregenden Erklärung für «die Reform des deutschen Zolltarifs» ein. Aufsehen erregte diese Proklamation einmal deshalb, weil damit eine potentielle

Mehrheit von Schutzzöllnern unter den dreihundertsiebenundneunzig Abgeordneten erstmals klar erkennbar wurde. Zum zweiten enthüllte der Aufruf einen neuen Zug in der deutschen Innenpolitik, denn ebenfalls zum ersten Mal appellierten Parlamentarier in derart ungeschminkter Form an Wählerinteressen, deren Artikulation sie geradezu herbeiwünschten.

Auf dem Höhepunkt des Wahlkampfes setzte der Bundesrat tatsächlich die angemahnten Enquetekommissionen für die Eisen- und die Textilindustrie ein. Mit dem «Delbrück des Bundesrats», dem mecklenburgischen Vertreter Karl Oldenburg, wurde der hartnäckigste Opponent ausgeschaltet. Der weitere Verlauf geriet zu einem wahren Musterstück moderner Interessenpolitik. Die Fragebögen der Kommissionen wurden nach den Richtlinien des ZdI entworfen. Die Auswahl der Kommissionsmitglieder und der zur Anhörung eingeladenen Repräsentanten der Industrie wurde von ihm, der damit die Kompetenz zur Entscheidung über das Ergebnis erhielt, mitbestimmt. Ihre wortreichen Klagen wurden unter Ausschluß der Öffentlichkeit protokolliert. Im Hotel «Kaiserhof», wo Bueck als graue Eminenz residierte, wurde die lange Reihe der Sachverständigen vor ihrer Aussage von ihm sorgfältig instruiert und die Erstfassung der stenographischen Berichte ebenso aufmerksam von ihm redigiert. Die beiden Enqueteberichte stießen infolgedessen einen einzigen Notschrei nach Schutzmaßnahmen aus. Lange Zeit blieb dieses Zusammenspiel, das nichts dem Zufall überlassen wollte, aber nicht verborgen. Schon im Februar 1879 konnte der Fortschritts-Chef Eugen Richter das Preußische Abgeordnetenhaus mit der dubiosen Praxis bekanntmachen.

Zu dieser Zeit lief die Pressekampagne, die ebenso wie ein wahrer Petitionssturm zugunsten des Protektionismus aus der Reichskanzlei nach Kräften gesteuert wurde, auf Hochtouren. Außerdem tagte bereits die ebenfalls sorgfältig zusammengestellte Zolltarifkommission des Bundesrats, in der alle «wesentlichen Positionen» in «schutzzöllnerische Hände» gelegt worden waren. Varnbüler als Vorsitzender wachte, assistiert von Tiedemann, unermüdlich darüber, daß alle heiklen Klippen umschifft wurden. Zum Vorsitzenden der Tarifkommission des Reichstags wurde der nationalliberale Abgeordnete Wilhelm Loewe-Calbe bestimmt, leitender Direktor der «Dortmunder Union» und Schwager Baares, mit dem er sein Vorgehen minuziös abstimmte. Der ZdI-Entwurf eines Wertzolltarifs wurde fast ohne Änderung in die preußische Gesetzesvorlage übernommen, wobei die beiden Kommissionen des Bundesrats und Reichstags Hand in Hand arbeiteten.

Zum ersten Mal fungierten die Interessenverbände derart massiv als «Policy-Makers» bis hin zu dem Punkt, wo die begehrten Gesetzesvorlagen von ihnen selber geschrieben wurden. Ihre Lobbyisten schienen allgegenwärtig zu sein. «Das Foyer des Reichstags glich damals einer Schacherbude», beobachtete August Bebel. «Die Vertreter der verschiedensten Industriezweige und Agrarier bevölkerten zu Hunderten das Foyer und die Fraktionszimmer.» Der Sozialkonservative Rudolph Meyer notierte sich empört, daß die «Interessenten ihren egoistischen Wünschen ein nationales und loyales Mäntelchen» umhingen, «und unter dem Gekläff der Preßmeute... beginnt die Periode der Bereicherung durch die Zölle, nachdem die Bereicherung durch den Schwindel» der Gründerjahre «unmöglich geworden war». Und vom hohen Kothurn seines liberalaristokratischen Politikideals lamentierte auch Heinrich v. Treitschke über «die neue Praxis wirtschaftlicher Interessenpolitik, die sich im Verlaufe dieser Session zu trauriger Virtuosität ausgebildet» habe, da der «Klassenselbstsucht Tür und Tor» geöffnet werde.

Tatsächlich wurde damals die Epoche der unverhüllt ausgetragenen Interessenkonflikte eröffnet. Ihre durchgängige moralische Abqualifizierung ist aber ganz unangemessen, da sich der strukturell neuartige Typus der pluralistischen Gesellschaft durchzusetzen begann, zu deren Wesen die offene Austragung solcher Interessenkonflikte gehört: eingehegt durch formelle Normen und stillschweigend geltende Regeln der politischen Kultur, in einer modernen westlichen Gesellschaft jedoch auf möglichst ungehindertes Kräftemessen angelegt. Mit dem empörten Vorwurf der «Massenkorruption organisierter Wirtschaftsgruppen, bei der sich ganze Berufsstände» seit 1878/79 «unpersönlich auf Kosten anderer Schichten bereicherten» und diese Raffgier sogar «als etwas Selbstverständliches» ansahen, wurde daher der nackte Interessenegoismus aus verständlichen Gründen angeprangert.

Daß die großen Assoziationen der Kapitaleigner und die Vertreter der industriellen und großagrarischen Produktionszweige jahrzehntelang einen Vorsprung behaupten konnten, ist auch nicht zu leugnen. Dennoch verfehlt eine affektgeladene Verurteilung des Widerstreits der organisierten gesellschaftlichen Interessen die Grundtatsache, daß sich seither eine neue Arena für das öffentliche Kräftemessen dieser Interessen auftat. Diese Konfrontation, für welche die Formen des erträglichen Kompromisses erst erzwungen und erlernt werden mußten, ist der bis dahin vorherrschenden verschleiernden Privilegierung durch die Bürokratie und Regierung allemal vorzuziehen. Eine produktive Kritik muß sich daher darauf richten, wie die Transparenz des Wettbewerbs, damit auch ein öffentliches Urteil über die reale Bedeutung der Interessen, wie vor allem aber ein institutionell abgesichertes tendenzielles Gleichgewicht der Kräfte – und das heißt über eine lange Zeitspanne hinweg: eine Aufwertung der Konsumenteninteressen – erreicht und gewährleistet werden kann.[20]

Vordergründig ging es auch bei der außenhandelspolitischen Entscheidung von 1878/79 um das «Gemeinwohl», da die Verbesserung der Reichseinnahmen durch Zolleinkünfte, mithin die Finanzierung von verbesserten staatlichen Dienstleistungen für alle Staatsbürger, angeblich im Mittelpunkt stand. Bismarck selber wurde nicht müde, diesen allgemeinen Gesichtspunkt, der sein Hauptmotiv bilde, immer wieder wie eine Monstranz vor sich herzutragen. Deshalb ist diese Begründung, der zahlreiche Historiker und Ökonomen gefolgt sind, seither weit überschätzt worden. Gewiß, es stellte seit 1871 ein Dauerproblem dar, die Einkommensquellen des Reichshaushalts zu vermehren, damit die Finanzpolitik selbständiger in erweiterten Tätigkeitsbereichen betrieben werden konnte. Unstreitig bildeten auch die erhofften Zolleinnahmen einen Teil des Pakets, das damals in der Reichskanzlei geschnürt wurde, um durch die Importabgaben, das sogenannte Tabakmonopol für den Reichsfiskus und indirekte Verbrauchssteuern den Handlungsspielraum der Regierung zu erweitern. Daß die Zollerträge zugleich die parlamentarische Budgetgewalt schwächen sollten, muß freilich sofort hinzugefügt werden.

Den Vorrang besitzt jedoch in historischer Perspektive einmal der Anlauf zu einer antizyklischen Konjunkturbeeinflussung, die mit gesellschaftlicher Stabilisierung und politischer Legitimationszufuhr unauflöslich verknüpft war (darauf wird noch genauer eingegangen). An zweiter Stelle geht es um die innenpolitische Stoßrichtung des Unternehmens, das zur Fundamentierung der neuen konservativen Parteienkoalition die Großindustrie und das Großagrariertum in der soziopolitischen Allianz der «Sammlung» zusammenführen sollte (das wird im Rahmen der Politikgeschichte in IV. A 3 erörtert). Bisher war das Verhältnis zwischen diesen rivalisierenden Führungssektoren durch schroffe Gegensätze gekennzeichnet. Im Interesse der traditionalen landadligen Machtelite, die durch die Agrarkrise seit 1876 schwer angeschlagen war, aber durch einen verständnisvollen Großgrundbesitzer wie Bismarck in der optimalen strategischen Position denkbar effektiv repräsentiert wurde, lag neuerdings die Rückkehr zum agrarischen Protektionismus. Andrerseits besaßen die industriellen Unternehmer keine Illusionen darüber, was eine dadurch verteuerte Lebenshaltung für ihre Arbeiter nach jahrelanger Depression bedeuten mußte. Politisch hieß «teures Brot»: Wasser auf die Mühlen der Sozialdemokratie leiten. Deshalb wehrten sie sich zäh, um die erwünschten Industriezölle nicht mit den riskanten Agrarzöllen verkoppeln zu müssen, bis der massive Druck, der von Bismarck – unterstützt durch Tiedemann, Kardorff, Bueck und ihre Kohorten – ausging, endlich die erhoffte Wirkung zeigte.

Nach der Kommissionsberatung sprach sich Bismarck am 15. Dezember 1878 mit überraschender Klarheit für Importzölle, insbesondere aber auch für Agrarzölle aus. Varnbüler ließ er ganz offensichtlich zum Zwecke der «Public Consumption» wissen, daß er «in der schutzzöllnerischen Strömung nur so lange mitschwimme, als der Landwirtschaft auch ein Schutz gewährt werde». Tiedemann durfte sogar sonst mit dem Festhalten am allgemeinen Freihandel drohen. Von Anfang Januar bis Anfang Februar 1879 wurde die Gesetzesvorlage von den Interessenten hinlänglich geknetet, überarbeitet und am 13. Februar dem Bundesrat zugeleitet. Dort war die Koalition der Sympathisanten so sorgfältig eingeschworen worden, daß am 3. April seine

Zustimmung vorlag. Ungleich stärker als in dieser Staatenkammer äußerte sich aber der Widerstand im Vorfeld der Reichstagsdebatten, dann im Parlament selber, wo zuerst noch immer eine feindliche Mehrheit zu bestehen schien, der Bismarcks Ziel einer fünfzehnprozentigen Zollerhöhung schlechthin unerträglich war.

Seit der Aufhebung der englischen Kornzölle (1846), besiegelt durch den Cobden-Vertrag (1860), war der Anspruch auf zollfreie internationale Nahrungsmittelströme geradezu in den Rang eines Menschenrechtes erhoben worden. Auch in den deutschen Staaten und im Reich hatte sich jedermann seit gut zehn Jahren daran gewöhnt, daß Lebensmittel ohne Aufschläge aus den Exportregionen des entstehenden Weltagrarmarktes eingeführt werden konnten. Die junge gemeineuropäische Schutzzollbewegung hatte es bisher peinlich genau vermieden, dieses Tabu der Zollfreiheit zu verletzen. In dem Augenblick, als nach dem lautstarken Geplänkel der Interessenten unwiderruflich klar wurde, daß sich nicht nur die «industriell-agrarische Front» auf Agrarzölle geeinigt hatte, sondern daß auch die geballte Autorität des Reichskanzlers hinter ihrer Forderung stand, steigerte sich die öffentliche Diskussion zu einer furiosen Kontroverse über das Pro und Contra dieser Schutzmaßnahme.

Dem heftigen Widerstand setzte Bismarck schließlich ein Ultimatum entgegen, mit dem er auf Agrarzöllen bestand, deren Höhe er allerdings etwas zu reduzieren bereit war. Die entsprechend veränderte Vorlage wurde durch ihre Kombination von Industrie- und Agrarzöllen der neuen Protektionsströmung gerecht. Auch wegen der «Brotverteuerung» besorgte Industrielle gaben jetzt nach, da ohne die Stimmen der agrarischen Konservativen das Zollsystem nicht zu haben war. «Ich bin wahrhaftig nicht doktrinär genug», gestand etwa Friedrich Hammacher, «um einen kleinen Zoll auf Getreide für so gefährlich zu halten, daß ich denselben unter Gefährdung wichtiger industrieller Interessen ablehnen sollte.» Andrerseits hatten die VSW-Strategen alles getan, um sowohl die unter der amerikanischen und russischen Getreidekonkurrenz leidenden Großagrarier als auch die auf den billigen Futtergetreideimport erpichten Bauern mit florierender Viehzucht für ihren Kurs zu gewinnen.

Als die erste Lesung am 2. Mai 1879 im Reichstag eröffnet wurde, warf sich Bismarck mit aller rhetorischen Verve, die ihm zu Gebote stand, in die Debatte, beschwor den ohnehin nur «mäßigen», aber unvermeidbaren «Schutz der nationalen Arbeit», umwarb die renitenten Freihandelsanhänger aus den ländlichen Wahlkreisen und vermied jede unnötige Polarisierung. Zähneknirschend gestand der nationalliberale Fraktionsführer v. Bennigsen, daß dem Reichskanzler ein «demagogisches Meisterstück» gelungen sei, «namentlich in der Richtung, die Grundbesitzer politisch einzufangen». Die Opposition gab sich aber noch nicht geschlagen. Erregt schleuderte Eduard Lasker dem Reichskanzler den Vorwurf entgegen, er betreibe «die Finanzpolitik der Besitzer gegen die Nichtbesitzer», worauf Bismarck mit einer unverhüllten Haßtirade gegen die Liberalen und akademischen Berufspolitiker überhaupt reagierte. «Die Gelehrten ohne Gewerbe, ohne Besitz, ohne Handel, ohne Industrie, die von Gehalt, Honoraren und Coupons lebten, werden sich», schäumte er noch Tage später, «im Laufe der Jahre den wirtschaftlichen Forderungen des produzierenden Volkes unterwerfen oder ihre parlamentarischen Sitze räumen müssen.» Überhaupt äußerte er sich seit diesen Tagen immer wieder offenherzig über die Ökonomisierung der Politik und den seines Erachtens notwendigen Funktionswandel des Parlaments. «Wenn unsere parlamentarische Tätigkeit mit dem praktischen Leben parallel bleiben soll», erklärte er etwa «ganz vertraulich» in einem Geheimbericht an den preußischen Gesandten in Dresden, müsse «der Schutz der materiellen Interessen im Parlament mehr in den Vordergrund treten, als dies zur Zeit der Fall ist. Gegenüber der parlamentarischen Verwöhnung und Verblendung wird dieser Schutz nur dann fruchtbar und wirksam werden, wenn die Regierungen im Gegensatz zu den theoretischen Rednern der Parlamente mit offenkundiger Bereitwilligkeit und mit ihrem vollen Gewicht, in Zeiten der Not wie der gegenwärtigen, einhellig für die materiellen Interessen der Nation eintreten. In dieser Überzeugung habe ich mich je länger je mehr befestigt. Mißglückt dieser Zug gegen eine fehlerhafte Strömung des Parlaments, in welchem zu viele Gelehrte, Rhetoren und negative Kräfte sitzen, die ohne unmittelbare Verbindung mit dem praktischen Leben nur von Gehalt, Vorlesungen und Zinsen leben, – gelingt es nicht, der abschüssigen Bewegung auf dieser Stelle und durch eingreifende Mittel ein Halt zu gebieten, so wird nicht bloß der Notstand mit seinen Folgen in geometrischen Proportionen steigen, sondern wir verfallen überhaupt in eine ganz idealistische und unpraktische Behandlung der Geschäfte.»

Am Ende der sechstägigen Generaldebatte erwies sich, daß Bismarck selber und die Reichskanzlei, die VSW und die «Freie Vereinigung» der zweihundertvier Abgeordneten, die keineswegs alle sogleich für Agrarzölle zu haben gewesen waren, nicht zuletzt die Interessenverbände und produktionsfreundliche Publizistik ihr Trommelfeuer lange genug aufrechterhalten hatten. Die frisch geschlossene Allianz von «Roggen und Eisen», von «Junkern und Schlotbaronen» bewährte sich erstmals in einer Entscheidungssituation. Am 12. Juni 1879 wurde das Zollgesetz mit zweihundertsiebzehn gegen hundertsiebzehn Stimmen angenommen; am 1. Januar 1880 traten die neuen Gesetze in Kraft.

Dramatisch fiel diese Einfuhrverteuerung noch keineswegs aus. Industriegüter wurden mit einem zehn- bis fünfzehnprozentigen Wertzoll belegt. Das glich in etwa der Belastung, die bis 1868 gegolten hatte. Hundert Kilogramm Weizen, Roggen und Hafer wurden mit einer Abgabe von einer Mark belastet; das entsprach einem Wertzoll von 4.6 bis 6.3 Prozent. Ihn konnte man vorerst keinen effektiven Schutzzoll im strengen Sinne nennen.

In vergleichender Perspektive ist vielmehr das Entscheidende, daß Deutschland mit seinen Agrarzöllen den Vorreiter spielte und – wie sich alsbald herausstellte – einen Eskalationsmechanismus in Gang setzte. Der große innenpolitische Umschwung hin zur konservativen Wende der Innenpolitik und zum «Solidarprotektionismus» von Industrie und Landwirtschaft war daher zugleich ein Ereignis, das «wie kein zweites die wirtschaftspolitischen Verhältnisse Europas beeinflußte». Als erste Antwort auf die strukturelle Agrarkrise, die seit den 1870er Jahren anhielt, wurde der auf lange Sicht eminent folgenreiche moderne deutsche Agrarprotektionismus mit einem Paukenschlag inauguriert.[21]

Diese neue Agrarpolitik orientierte sich an vier Zielwerten. Unbestreitbar stand weit vorn an erster Stelle die Absicht, das Einkommen in der Landwirtschaft an das dank der Industrie insgesamt steigende allgemeine Einkommensniveau fest anzukoppeln. Damit sollte auch zugleich die privilegierte Position der preußischen Großagrarier verteidigt und ein Großteil der ländlichen Gesellschaft in seiner konservativen politischen Mentalität bestärkt werden. Zweitens ging es darum, den bedrohlichen Importwettbewerb nach Kräften einzudämmen. In der Sprache der Verbandspolitiker hieß das: die gefährliche Abhängigkeit von ausländischen Lieferungen möglichst gering zu halten oder gar abzuschütteln. Überdies sollte, drittens, trotz des Vorsprungs von weit überlegenen Anbietern auf dem Weltmarkt der lukrative Außenhandel mit Agrarprodukten staatlich gefördert werden. Und schließlich ging es, viertens, selbstverständlich darum, die rasch weiterwachsende Zahl der deutschen Verbraucher mit Nahrungsmitteln zu versorgen.

Für diese Zwecke wurde das Instrumentarium eines Schritt für Schritt entwickelten Protektionismus und einer Zug um Zug verfeinerten Interventions- und Subventionspolitik entwickelt. Zur Verwirklichung der Ziele arbeiteten Verbandsmacht und Staatsapparat aufs engste zusammen. Im Verlauf dieser Kooperation bildete sich ihr geradezu symbiotisches Verhältnis heraus, das bis in die unmittelbare Gegenwart hinein ein untrügliches Kennzeichen der Agrarpolitik geblieben ist.

Die Zollgesetzgebung von 1879 stellte nur einen allerersten Auftakt dar. In mehreren Etappen wurde sie erst 1885, dann 1887 und zuletzt 1902 zusehends verschärft. Die konkrete Belastung durch die steigenden Abgabengesetze wurde dabei mehr als verfünffacht. Bereits der dritte Bismarck-Tarif von 1887, der hundert Kilogramm Brotkorn mit fünf statt mit einer Mark Importgebühr belegte, führte dazu, daß der Zoll für Weizen immerhin in der Höhe von fünfundzwanzig Prozent, für Roggen von dreißig Prozent der durchschnittlichen deutschen Großhandelspreise für diese Getreidesorten lag. Der Bülow-Tarif von 1902 steigerte diesen Zuschlag auf durchweg dreißig Prozent. Zu keinem Zeitpunkt handelte es sich, wie die verharmlosende Umschreibung lautete, um «Anpassungszölle», die für eine gewisse Zeit die Umstellung auf das Preisgefüge des Weltmarktes erleichtern sollten.

Vielmehr ging es um dauerhafte, langlebige Schutzzölle, die seit dem März 1906, als der Bülow-Tarif endlich in Kraft trat, voll zum Tragen kamen – und übrigens im Kern bis 1945 gültig blieben.

Trotzdem ist die 1877/78 enthusiastisch genährte Hoffnung, durch Schutzzölle die Agrarpreise schnell fühlbar wieder in die alte Höhe zu treiben, jahrzehntelang nicht in Erfüllung gegangen. Ein kombinierter Index (1913 = 100) der wichtigsten landwirtschaftlichen Produkte für die Lebenshaltung verzeichnet unmißverständlich den Absturz von der Konjunkturspitze 1873 = 95 aufgrund der Agrarkrise seit 1876 um fast zwanzig Prozent auf 1879 = 77. Nach den Stichjahren der drei Bismarck-Tarife läßt sich keine positive Beeinflussung feststellen (1880 = 88, 1885 = 82, 1887 = 69). Ganz im Gegenteil: 1887 wurde ein absoluter Tiefpunkt erreicht, der wegen der neuen Agrardepression in den neunziger Jahren auch bis 1895 = 70 nicht überwunden werden konnte. Erst 1907 = 92 stieg der Index wieder in die Nähe der 1873er Meßziffer – eine Aufwärtsbewegung, die bis 1913/14 (= 100) anhielt.

Auch der verhaßte Getreideimport konnte durch die Schutzzollbarriere, der von ihren Protagonisten ein wahres Wunderwerk zugetraut worden war, nicht effektiv blockiert werden. Vieleicht wurde er dann und wann, hier und da ein wenig abgeschwächt. Insgesamt aber blieb er stets hoch. Trotz der deutschen Zölle stieg zum Beispiel der russische Kornexport, der 1878 ein Volumen von 4.7 Millionen Tonnen erreicht hatte, bis 1890 auf 6.8, bis 1904 sogar auf 7.8 Millionen Tonnen. Noch etwas günstiger fielen die Ziffern der amerikanischen «Exportinvasion» aus. In den Jahren vor 1914 nahm das Deutsche Reich nicht weniger als ein Viertel des gesamten Weltgetreideexports auf!

Nun muß man sich an dieser Stelle vergegenwärtigen, daß nicht nur Zölle zum Schutz der landwirtschaftlichen Erzeuger eingesetzt wurden, sondern daß den Hunderttausenden von Viehzüchtern unter ihnen mit veterinärpolizeilichen Vorschriften gegen die Importwaren außerordentlich wirkungsvoll unter die Arme gegriffen wurde. Fast gleichzeitig mit dem ersten Bismarck-Tarif trat das Seuchenverhütungsgesetz vom Juni 1880 in Kraft. Ihm folgten Schlacht- und Fleischinspektionsordnungen, die bis zum Juni 1900 perfektioniert wurden. Der Erfolg ist leicht meßbar: Bis 1889 waren die Reichsgrenzen gegen die Einfuhr von Lebendvieh faktisch dichtgemacht worden. Durch die lückenlose Kontrolle von importiertem Kühlfleisch, konserviertem Fleisch und Würsten gelang es, bis 1895 den gesamten Rind- und Schweinefleischimport um neunzig Prozent zu drosseln. Seit 1900 wurden die letzten Lücken geschlossen. Kein Wunder also, daß von 1885 ab der Preisindex für die deutsche Fleischproduktion nicht nur ständig höher als der Kornindex lag, sondern bis 1914 auch kontinuierlich eine steigende Tendenz aufwies. Diese effiziente Intervention demonstriert, daß die Reichsregierung, gedrängt von den agrarischen Interessenverbänden, frühzeitig erkannte, wieviel leichter sich eine dichtmaschige Grenzinspektion rein bürokratisch steuern ließ, als die Durchsetzung neuer Schutzzölle für Fleischprodukte im Reichstag zu versuchen.

Durch die Preisfluktuation der landwirtschaftlichen Erzeugnisse und die Kontinuität des Getreideimports darf man sich indes nicht vorschnell zu einem rundum negativen Urteil über die ökonomischen Auswirkungen der Schutzzölle verleiten lassen. Vielmehr muß man den «effektiven Schutz» überprüfen, der aufgrund plausibler Berechnungen in jenem prozentualen Anteil der Preise ausgedrückt werden kann, der sich auf die Wirksamkeit der Agrarzölle und Fleischinspektionsvorschriften zurückführen läßt. Dadurch tritt eine bemerkenswert positive Bilanz zugunsten der großen Mehrheit der deutschen Agrarproduzenten zutage, wie das Übersicht 89 verdeutlicht.

Übersicht 89: Erfolge des deutschen Agrarprotektionismus 1879–1913

I. Zollsätze (in Mark/100 kg)

	Weizen	Roggen	Hafer	Braugerste	
1. 01. 01. 1880	1.—	1.—	1.—	0.50	
2. 20. 02. 1885	3.—	3.—	1.50	1.50	
3. 30. 03. 1887	5.—	5.—	4.—	2.25	
4. Ab 1891	3.50	3.50	2.80	2.—	
5. 01. 03. 1906	5.50	5.—	5.—	4.—	(Futtergerste: 1,30)

II. Effektiver Schutz (im Prozentanteil der Preise)

	Weizen	Roggen	Schweinefleisch	Rindfleisch
1. 1883/85	7	9	–	–
2. 1900/02	28	37	26	10
3. 1911/13	37	48	27	36

Diese Zahlen für den «effektiven Schutz» drängen den Schluß auf, daß die meisten Angehörigen der ländlichen Besitz- und Erwerbsklassen sowohl durch die Zölle als auch durch die veterinärpolizeilichen Schutzmaßnahmen mit aller Wahrscheinlichkeit nachhaltig begünstigt worden sind. Der Gewinn kontrastierte jedenfalls scharf mit dem pausenlosen Lamento der Agrardemagogie, die der liberale Reichstagsabgeordnete und Bankier Georg v. Siemens vor der Jahrhundertwende sarkastisch verspottete: «Der Glaube an die Notlage der deutschen Landwirtschaft ist nationale Anstandspflicht» geworden. Der Zugewinn wurde jedoch ungleich verteilt. Die Großagrarier hätten ohne das Zoll- und Inspektionswesen wahrscheinlich einen gut Teil ihres Einkommens, des Kapitalwerts ihrer Güter, auch ihrer Belegschaft verloren. Die politisch mächtigen Großbetriebe für Getreideanbau und

Viehzucht profitierten vergleichsweise am meisten von den Schutzmaßnahmen – mindestens durch eine Verdoppelung ihrer Einkünfte und durch das, was diese ökonomische Unterstützung an sozialer und politischer Einflußverlängerung mit sich brachte. Aber auch jene Bauern, die überwiegend marktorientiert handelten, zogen für ihren Getreideabsatz Gewinn aus den Zöllen. Und als Viehzüchter kamen sie trotz der Verteuerung des ehemals billigeren Imports von Futtergetreide in den vollen Genuß der veterinärpolizeilichen Fürsorge.

Die genaue Höhe des Zugewinns läßt sich natürlich nicht mehr ermitteln. Die besten Schätzungen ergeben jedoch, daß dank der Zölle eine staatlich erzwungene Subsidie in Höhe von einem Prozent des reichsdeutschen Nettosozialprodukts allein in die Taschen der Weizen- und Roggenproduzenten geflossen ist. Anders geschätzt: Die Landwirte mit großen und mittelgroßen Betrieben, die eine erhebliche Marktquote erwirtschafteten, haben bis 1906 jährlich etwa eine halbe Milliarde Mark, seit 1906 sogar eine volle Milliarde Mark an Einkommen hinzugewonnen.

Der Privatisierung der Protektionsgewinne entsprach umgekehrt die schnöde Benachteiligung der Konsumenten. Durch Zölle verteuerte Nahrungsmittel sind von Anfang an ein heiß umstrittener Gegenstand gewesen, dem sachkundige Ökonomen wie etwa der Hallenser Johannes Conrad und der Münchener Lujo Brentano zusammen mit ihren Mitarbeitern ihre skeptische Aufmerksamkeit gewidmet haben. Im Vergleich mit Großbritannien, in dem die Preise des freien Weltmarkts unbehindert weitergalten, sind die Lebensmittelkosten in Deutschland wegen des Protektionismus um mindestens acht Prozent angestiegen. Ein hypothetisches Gedankenspiel zur Präzisierung: Falls englische Arbeiter damals nach Deutschland übergewechselt wären und trotzdem ihr Konsumverhalten hätten beibehalten wollen, wären um achtzehn Prozent teurere Ausgaben auf sie zugekommen. Mit anderen Zahlen: Der durch nackte klassenegoistische Gesetze erzwungene, unverschleierte Zuschuß, den die deutschen «Normalverbraucher» den protektionsbegünstigten Agrarproduzenten entrichten mußten, lag bei etwa zwei Prozent des gesamten Bruttosozialprodukts!

Was aber die Wirkungen der Industriezölle angeht, haben sie keineswegs, wie am Ende der Depression der siebziger Jahre vielfach kühn behauptet wurde, künftige Depressionen ferngehalten. Die Berg- und Talfahrt der Konjunktur setzte sich vielmehr ungeachtet aller Zölle mit den Depressionen von 1882 bis 1886, von 1890 bis 1895, von 1900 bis 1902, von 1907 bis 1908 und seit 1913 immer wieder durch. So wie der Agrarprotektionismus aber dazu beigetragen hat, noch stärkere Preisfluktuationen und Einkommenseinbußen abzufangen, haben wahrscheinlich auch die Industriezölle einen nachweisbaren Begünstigungseffekt ausgeübt. Er kam jedoch an erster Stelle den möglichst weit rück- und vorwärtsintegrierten, kartellierten Großunternehmen der Schwerindustrie zustatten. Mißt man nämlich den «effektiven Schutz» (in dem vorn erläuterten Sinn), ergibt sich für die Roheisenpreise der Mammutbetriebe ein erstaunlich hoher prozentualer Anteil von 1883/1885 achtzehn Prozent, 1900/1902 siebzig Prozent und 1911/1913 zweiundfünfzig Prozent. Für die Hochofen- und Walzwerkproduktion desselben Unternehmenstypus gilt in diesen Stichjahren ein Anteil von zwölf, achtundzwanzig und acht Prozent. Demgegenüber haben die nichtintegrierten, nichtkartellierten Betriebe einen meßbaren «effektiven Schutz» offenbar nicht erfahren.

Da die integrierten, diversifizierten, kartellierten Großunternehmen in den Interessenverbänden die Hegemonie besaßen, die Tarife nach ihren eigenen Bedürfnissen beeinflussen und auch Antikartellgesetze erfolgreich blockieren konnten, hat für sie die kombinierte Wirkung von Zolltarifen und Kartellen das Erreichen vorteilhafter Ergebnisse unterstützt. Sie konnten den kostspieligen Integrations- und Diversifikationsprozeß mit diesem Rückenwind vorantreiben. Ihre Risiken bei der Einführung kapitalintensiver Technologien wurden gemindert, und das Produktivitätswachstum, das nach 1900 um volle fünfzehn Prozent über dem der englischen Eisen- und Stahlindustrie lag, wurde aufgrund solcher Vorteile vermutlich anhaltend unterstützt.

Wegen der frühzeitig befürchteten und dann sogleich erkannten Belastung, welche die Agrarzölle für die Lebenshaltung von Abermillionen Konsumenten herbeiführten, nicht minder wegen der einseitigen Privilegierung weniger Industriezweige, fiel die Kritik der Opponenten um so scharfzüngiger aus. Lujo Brentano, der sich über die «Schamlosigkeit der mammonistischen Interessen» ereiferte, konnte sich den Weg des Reiches unter die «Herrschaft des Schutzzöllnertums» nur als «organisierte Brutalität» vorstellen. Der Linksliberale Friedrich Kapp prangerte die «Ausgeburten der frechsten Interessenpolitik», den «Wettlauf der kleinlichsten, engherzigsten Interessen» an. Mit der ihm eigenen offenherzigen Polemik zog Theodor Mommsen gegen die «gemeinste Interessenpolitik» der «Kornspekulanten und Branntweinbrenner» vom Leder, gegen die «Politik des Schwindels», die deshalb «um so nichtswürdiger ist, weil die Interessen miteinander eine Koalition schließen, um diejenigen auszubeuten, die sich ihr nicht anschließen». Und Hermann Heinrich Meier, der Gründer des «Norddeutschen Lloyd» und ein gestandener Bremer Liberaler, sah in dem «Protektionismus», der durch den «Kompromiß zwischen Agrariern und Fabrikanten von der Regierung durchgesetzt worden war», nur den «reinen Schacher», den «ersten Schritt zur parlamentarischen Korruption».

Alle diese Liberalen vergaßen in ihrer verständlichen Empörung, daß auch die Freihändler klassische Interessenpolitik betrieben hatten. Sie nahmen außerdem nicht wahr, daß mit der Ökonomisierung der Politik und der Politisierung der Wirtschaft in einem fortgeschrittenen Stadium der kapitalistischen Entwicklung neue, lebensfähige, aber oft abstoßend wirkende Formen der organisierten Interessendurchsetzung verbunden waren. Und sie versagten sich der nüchternen Abwägung der Frage, ob es überlegene, durchsetzbare wirtschaftspolitische Optionen in einer von Depressionen und Weltmarkteinflüssen erschütterten Wirtschaft und Gesellschaft überhaupt gab. Erst recht stellten sie nicht das gebotene Kosten-Nutzen-Kalkül an, das sie gezwungen hätte, die schon damals bald erkennbaren Vorzüge des Protektionismus gegen die Nachteile der Konsumentenbelastung und der Befestigung der soziopolitischen Privilegienhierarchie exakter abzuwägen.

Verständliche Enttäuschung breitete sich auch im Hinblick auf das von Bismarck proklamierte formelle Hauptziel aus, das ja angeblich aus der Verbesserung der Reichsfinanzen bestanden hatte. Die protektionistische Parlamentsmehrheit machte eben diese Absicht zunichte. Der Zentrumsabgeordnete v. Franckenstein, einer der schutzzöllnerischen Vorsitzenden der Tarifkommission des Reichstags, setzte die nach ihm benannte Klausel zu dem Gesetzeswerk durch. Danach fiel der gesamte Mehrertrag aus Zolleinkünften, der über dem Durchschnitt der letzten drei Jahre lag, den Einzelstaaten zu, die bekanntlich in einem genossenschaftlichen Umlageverfahren ihre nach der Bevölkerungsstärke bemessenen jährlichen Matrikularbeiträge an das Reich zu leisten hatten. Anstelle einer erhöhten Selbständigkeit der Reichsfinanzpolitik wurde daher genau das Gegenteil erreicht: ein neues Zugeständnis mit vertiefter Abhängigkeit vom Föderalismus. Freilich machte die Franckensteinsche Klausel selbst bescheidene Konzessionen an den liberalen Parlamentarismus mit seinem Ideal der uneingeschränkten Budgetgewalt über alle Einnahmen und Ausgaben weiterhin überflüssig.

Gegen die gängige Überschätzung der finanzpolitischen Intention gilt es dagegen noch einmal zu betonen, daß die konjunkturpolitische Funktion und die innenpolitische Wende – beide zugunsten der Stabilisierung des Herrschaftsregimes und der Gesellschaft in Angriff genommen – die Hauptsache des ersten Bismarck-Tarifs und seiner beiden Nachfolger waren; auf die «Sammlungspolitik» wird noch mehrfach eingegangen. Aber im Hinblick auf die heftigen Konjunkturschwankungen muß an dieser Stelle festgehalten werden, daß es damals noch keine ausgefeilte, geschweige denn eine bewährte Theorie und Praxis der antizyklischen Staatsintervention gab. Von den heute vertrauten Säulen der staatlichen Beeinflussung des Wirtschaftsablaufs entfiel außer der Steuerpolitik, dem staatlichen «Deficit-Spending» und anderen gezielten Interventionsmaßnahmen vor allem die Geldpolitik, da das Reich sich sogleich auf die international verbreitete, mithin unbeeinflußbare Goldwährung festgelegt hatte. Für eine aktive Finanzpolitik fehlte eine Reichszentralbank, die konjunkturglättende Maßnahmen hätte initiieren können. Deshalb blieb an erster Stelle die Außenhandelspolitik, bald verbunden mit der Infrastruktur- und Eisenbahntarifpolitik, zur Bekämpfung der Depression übrig, zumal die Regierungen spätestens seit der Zeit des Merkantilismus und Kameralismus an Experimente mit dem Zollschutz und der Exportförderung gewöhnt waren.

Auf diesem Feld tastete sich daher auch die Regierung Bismarck – pragmatisch suchend, ohne theoretische Anleitung – allmählich voran. Die Zollpolitik stellte einen solchen Anlauf zur Konjunkturbeeinflussung und Wiedergewinnung von Wachstumsstabilität dar. Die Fleischinspektion an den Grenzen, die günstigen Eisenbahn- und Kanaltarife für Exportwaren und die Einfuhr begehrter Rohstoffe, die neuen Handelsverträge, die Reform des Konsulatswesens und die Kolonialpolitik gehören in dasselbe Repertoire.[22]

In diesem Zusammenhang kann es nicht überraschen, daß eben jener Trend, der den Konzentrationsprozeß, die Kartellierung, den nationalwirtschaftlichen Protektionismus vorantrieb, auch zu den Plänen einer mitteleuropäischen Zollunion führte – eines internationalen Staatenkartells zur Regulierung von Märkten, deren Gefüge durch Konjunkturfluktuationen und Weltmarkteinwirkungen heftig erschüttert wurde.

Diese Unionserwägungen, die mit der gemeineuropäischen Neuorientierung der staatlichen Wirtschaftspolitik verknüpft waren, besaßen von Anfang an eine typische Doppelstoßrichtung, die bis heute bei solchen Zusammenschlüssen verfolgt wird. Auf der einen Seite gab es das Ziel der erfolgreichen Defensive: die gemeinsame Verteidigung gegen übermächtige Konkurrenten, die von außen in den Binnenmarkt hineinstießen. Auf der andern Seite gab es das ebenso wichtige Ziel der dynamischen Expansion: sowohl die Erweiterung des allen Mitgliedern frei zugänglichen gesamteuropäischen Marktes im Inneren als auch die dank überlegener Verhandlungsmacht erreichbare Ausdehnung des Außenmarktes. An solche Vorstellungen dachte etwa Treitschke, als er nach einem Überblick über das Panorama zeitgenössischer Probleme damals konstatierte: «Überall verlangt der Gewerbefleiß nach neuen Absatzgebieten: der mitteleuropäische Zollverein ... gehört heute nicht mehr in das Reich der Träume.»

Am häufigsten verbanden sich defensive Absichten mit dem Zollkartell Mitteleuropa, da die überseeische Agrarinvasion die meisten Unionsimpulse auslöste. Die Projekte des französischen Ökonomen De Molinari, der 1878/79 einen westeuropäischen Zollverein vorschlug, und der österreichischen Abgeordneten Guido v. Baussnern und Alexander v. Peez – sie regten als erste Stufe eine deutsch-österreichisch-ungarische Zollunion an, die Deutschland zum «Regulator des gesamten Welthandels» machen werde – wurden trotz ihrer Betonung der landwirtschaftlichen Notlage von Bismarck abgelehnt, da die Schwierigkeiten auf dem Gebiet des Industriewarenaustauschs noch unüberwindbar erschienen. Immerhin fiel seine Absage keineswegs schroff aus. De Molinari gegenüber hielt er es zwar für «nicht wahrscheinlich, namentlich in der Zeit einer industriellen Krise, daß Frankreich bereit wäre», deutsche Industrieexporte «frei einzulassen», verhehlte aber keineswegs das Kernproblem, «daß die deutschen Fabrikanten» auch nicht «geneigt seien, vor einer weiteren Erstarkung die ausländische Konkurrenz auf dem deutschen Markt» sich wieder unbeschwerter bewegen zu lassen. Und Baussnern erfuhr von ihm, daß man trotz der gegenwärtigen Hindernisse das vorrangige «Ziel, die Zolleinigung zwischen Deutschland und Österreich-Ungarn», nicht aus dem Auge verlieren dürfe.

Das hatte der Reichskanzler auch selber nicht getan, als er 1879 seinen Vorschlag eines «organischen», «ewigen» Bundes mit der Habsburger Monarchie – woraus als Minimalergebnis der Zweibund der beiden Kaiserreiche hervorging! – auch mit dem seit 1877 erneut erwogenen «Zollbund» verknüpfte; er sollte Nachteile von den Agrariern fernhalten, zugleich aber durch die Abschließung gegenüber anderen Staaten die deutsch-österreichische Verbindung fester verklammern.

Überhaupt fielen mit dem Anhalten der Industriedepressionen und der Agrarkrise die innerdeutschen Äußerungen zusehends positiver aus. So verlangte zum Beispiel der Präsident der Handelskammer im elsässischen Mühlhausen in einem vielbeachteten Vorschlag ein «Zollbündnis der Staaten des europäischen Kontinents». Daß der pragmatisch denkende Schmoller angesichts der neuartigen amerikanischen Getreidekonkurrenz 1882 die «mitteleuropäische Zollsolidarität» anmahnte, um dem «sich in Extremen» bewegenden Wettbewerb auf dem «heutigen Weltmarkt» gewachsen zu sein, konnte weniger verwundern als die Tatsache, daß Brentano in dasselbe Horn stieß. Die Bestürzung, die er wegen der Agrarkrise empfand, wirkte bei ihm, der mit der Idealisierung der englischen Freihandelspolitik gemeinhin auch Getreidezölle perhorresziert hatte, während der achtziger Jahre so tief, daß er solche Zölle jetzt für notwendig erklärte. Zugleich wollte er diesen Abwehrring auch um die postulierte europäische «Zollunion» legen. Um die Jahrhundertwende stieß Schmoller noch einmal nach, als er gegen die Dominanz der «drei riesenhaften Eroberungsreiche» (Englands, Rußlands, der USA) im neuen Weltstaatensystem einen unter deutscher Leitung stehenden «mitteleuropäischen Staatenbund oder Zollverein» als unumgängliches Gegengewicht forderte.

Es charakterisiert das defensive Element in diesen frühen deutschen Mitteleuropaideen, daß sie zwar die «Fortdauer unserer jetzigen Weltstellung» für selbstverständlich erklärten, auch ihre «Erweiterung» durch die Handelsexpansion und den Kolonialimperialismus für geboten hielten. Die schwierige Behauptung gegenüber den «autarken» Weltreichen des Britischen Empire, der Vereinigten Staaten und des zaristischen Rußland («vielleicht» bald auch Chinas, fügte Brentano hinzu!) stand aber durchaus noch im Vordergrund. Allein im sicheren Gehäuse einer solchen europäischen Wirtschaftsgemeinschaft könne das Deutsche Reich nicht nur seine Position weiter behaupten, sondern sie erst von dieser breiteren Basis aus auch weiter ausbauen, um im künftigen Wettbewerb mit den globalen Imperien nicht hoffnungslos zurückzufallen.

Auch Caprivi hat mit seinen Handelsverträgen das Projekt eines «mitteleuropäischen Zollbundes» zeitweilig noch einmal verfolgt, scheiterte aber wiederum am nationalwirtschaftlichen Egoismus aller Verhandlungspartner. Daran hat sich bis zur frühen Entstehungsphase der «Europäischen Wirtschaftsgemeinschaft», deren Präludium schon in den 1870er Jahren beginnt, nichts mehr geändert.[23]

Nach der Erörterung allgemein wichtiger Probleme des neuen Protektionismus ist noch ein Rückblick auf die Etappen seiner Entwicklung seit 1879 geboten. Der zweite Bismarck-Tarif vom Februar 1885 erhöhte die Agrarzölle. Diese Anhebung stellte das eigentliche Kernstück der Novelle dar. Erst recht gilt das für den unmittelbar darauf folgenden dritten Bismarck-Tarif, der im März 1887 mit einer auffälligen Agrarzollsteigerung bis auf das Fünffache der 1879er Sätze den landwirtschaftlichen Produzenten wiederum beisprang. Da die meisten Handelsverträge des Reiches, auch die älteren des Deutschen Bundes seit der Mitte der achtziger Jahre ausliefen, konnten die Berliner Verhandlungsexperten die neuen Tarifsätze als Vertragsgrundlage der Fortsetzungsabkommen durchsetzen.

Kurze Zeit nach seiner Amtsübernahme fand sich Bismarcks Nachfolger, Reichskanzler Leo v. Caprivi, dem Zugzwang zu neuen handelspolitischen Entscheidungen ausgesetzt. Frankreich, seit dem Cobden-Vertrag das Herzland des europäischen Außenhandelssystems, wollte bis 1892 zum Hochschutzzoll zurückkehren. Österreich-Ungarn suchte eine neue Einigung mit dem Reich, weitere Verträge mit Italien, Belgien und der Schweiz standen an. Caprivi verfolgte mit seinem kleinen wirtschaftsliberalen Beraterkreis, zu dem unter anderem der neue Chef der Reichskanzlei, sein Duzfreund Karl Goehring, und Johannes Conrad als Agrarexperte gehörten, zwei Ziele, die – wie er hoffte – sich wechselseitig ergänzen sollten.

Auf der einen Seite sah er durchaus realistisch die Notwendigkeit, dem wachsenden Industrieexport freiere Bahn zu schaffen. «Wir müssen exportieren», erklärte Caprivi beschwörend, «entweder wir exportieren Waren, oder wir exportieren Menschen.» Für diese Industrieausfuhr mußten aber die deutschen Agrarzölle abgesenkt werden, um als Gegenleistung niedrigere Industriezölle der Vertragspartner aushandeln zu können. Daß eben diese Reduktion sakrosankte Eigeninteressen der preußischen Großagrarier verletzen und ihre politische Loyalität auf eine harte Probe stellen mußte – «die Königstreue» der Konservativen, spottete damals der liberale Publizist Karl Jentsch, «bedeutet hohe Kornpreise» –, wurde als unvermeidbarer Kostenfaktor dieser Umorientierung verbucht. «Es ist dem Ganzen nicht förderlich», argumentierte Goehring 1891 in einer internen Denkschrift über den hochverschuldeten adligen Grundbesitz, der ohne Verstand, Sparsamkeit und schwere Arbeit geführt werde, «auf seine Kosten Elemente zu erhalten, die den fundamentalen Regeln der Nationalökonomie nicht zu folgen verstehen und nur Kostgänger des Staates bleiben können.» Dieser

Skepsis stand Caprivi, der aufgrund seiner Herkunft aus einer Juristenfamilie ja keineswegs ein Repräsentant des orthodoxen Junkertums war, nicht fern, wie sich bald herausstellen sollte.

Caprivis zweite Zielvorstellung richtete sich angesichts der schwierigen außenpolitischen Lage darauf, eine innereuropäische Entspannungspolitik mit wirtschaftlichen Mitteln einzuleiten. Die bald sondierte deutsch-österreichische Verständigung sollte, wie erwähnt, ursprünglich als Kristallisationspunkt einer europäischen Handelsunion dienen. Dieses Vorhaben scheiterte jedoch, wie überhaupt eine gesamteuropäische Regelung in diesem Zeitalter mißtrauisch konkurrierender Nationalstaaten mißlang. Für den Vertrag mit Österreich-Ungarn, der im Mai 1891 zustande kam, wurden die deutschen Agrarzölle spürbar gesenkt. Auch Italien wurde diese Konzession gemacht, um den Dreibund zu erhalten; auf diese Weise galten für die drei Alliierten wenigstens identische Tarife. Weitere Handelsverträge wurden nach denselben Methoden des «do ut des» geschlossen. Während der Reichstagsdebatte über die Außenhandelspolitik stimmte die SPD im Dezember 1891 erstmals für eine Regierungsvorlage, dagegen fand sich nur ein Drittel aller konservativen Abgeordneten dazu bereit.

Mochte auch die europäische Zollunion fehlgeschlagen sein, erzielte Caprivi dennoch wichtige Ergebnisse. Da die liberalisierten Verträge auf mindestens zwölf Jahre abgeschlossen wurden, blieben die meisten bis zum März 1906 in Kraft. Freilich hatte sich Caprivi durch seinen Kurs bei den konservativen Ultras zur «persona non grata» gemacht. Der Protest der Agrarier, der sich vor allem Ende 1892 zu ungeahnter Vehemenz steigerte, bis er 1893 zur Gründung des «Bundes der Landwirte» führte, wurde durch den neuen Preisfall der landwirtschaftlichen Produkte verursacht. Mit ihm hatten Caprivis Verträge ebensowenig etwas kausal zu tun wie damit, daß 1895 der zyklische Aufschwung der Industriekonjunktur einsetzte.

Für die neuformierte agrarische Opposition aber galt Caprivi als der eigentlich Schuldige, als Personifizierung des Unverständnisses gegenüber den «Nöten des ersten Standes» im Staat. Seither begann ihre Treibjagd, die schließlich zum Rücktritt des zweiten Kanzlers führte. «Wenn unser Junker anfängt», urteilte er bitter über seine Kontrahenten, «seine Gesinnung von seinen Einnahmen abhängig zu machen und wenn er zur Bedingung seines Royalismus macht, daß der Staat Unmögliches für ihn tun soll, dann ist schon das Beste in unserem kleinen Adel, seine staatliche Gesinnung, zerstört», so «daß man sich fragen kann, lohnt es dem Staate noch, für diese Klasse Opfer zu bringen?»

Obwohl die ersten Handelsverträge erst Ende 1903 abliefen, setzte die Revisionsagitation bereits 1897 ein – mit lärmendem «Geräusch», wie Adolf Wermuth vom Reichsamt des Inneren notierte, «damit jeder sich auf die Zukunft spannte». Sie lag noch in weiter Ferne, denn es dauerte fünf Jahre, bis das neue Zollgesetz verabschiedet war, sogar acht Jahre, bis es in Geltung trat.

In Berlin macht sich der preußische Finanzminister Johannes v. Miquel – seit 1897 auch Vizepräsident des Staatsministeriums, vor allem aber energischer Promotor der antisozialistischen industriell-agrarischen «Sammlungspolitik» – zum Fürsprecher der Revisionsforderungen. Dabei bediente er sich des «Ausschusses zur Vorbereitung von Handelsverträgen», den Caprivi aus Vertretern der Industrie, des Handels und der Landwirtschaft gebildet hatte. Seit 1897 schaltete sich auch der neue handelspolitische Beirat beim Reichsamt des Inneren ein, der unter dessen Staatssekretär Arthur v. Posadowsky-Wehner nach der lebhaften Zustimmung des ZdI, des DHT und des Deutschen Landwirtschaftsrats (DLR) eine klar protektionistische Linie verfolgte. Das fiel beiden Gremien um so leichter, als seit dem Juli 1897 der Dingley-Tarif als neues Extrem des amerikanischen Hochschutzes die europäischen Industrieländer tief erschreckte. Der «Ausschuß» wurde allerdings durch eine prinzipielle Differenz gespalten. Der ZdI insistierte als Sprachrohr seiner exportstarken Mitglieder auf neuen Verträgen und einem Zolltarif, der dieser Absicht wegen neuer «Liebesgaben» für die Landwirtschaft nicht im Wege stand. Der DLR opponierte dagegen, wie der BdL ohnehin, da er eine Senkung der Agrarzölle fürchtete. Daher vertuschte die Schönfärberei des DLR-Vorsitzenden Hans v. Schwerin-Löwitz, daß zwischen den «maßgebenden Vertretern der Industrie und Landwirtschaft heute vollkommene Übereinstimmung» herrsche, die Härte der Gegensätze.

Die Exponenten des verschärften Protektionismus: Miquel, Posadowsky-Wehner und Ernst v. Hammerstein, der preußische Landwirtschaftsminister, forderten nicht nur einen «Mindestzoll» von sechs Mark auf hundert Kilogramm Brotgetreide. Vielmehr bestanden sie auch noch auf der zusätzlichen Barriere eines «Doppeltarifs», wie ihn die französische und russische Außenhandelspolitik unlängst verwirklicht hatten. Darunter verstand man die Kombination eines autonom festgesetzten Zollsatzes, der jeden Handelspartner ohne Vertrag mit dem Reich betraf, mit einem Minimalzoll, der auch bei Vertragsverhandlungen nicht unterschritten werden durfte.

Reichskanzler Bernhard v. Bülow setzte sich zwar mit seiner Vorlage, die einen Zollsatz von 5.50 Mark vorsah und den Doppeltarif verwarf, im interessenpolitischen Nahkampf durch. Unverkennbar aber behielt auch sein Entwurf ein «ausgeprägt agrarfreundliches Aussehen». Im Juni 1901 gelang es ihm, sich mit den Einzelstaaten auf die Grundlinie seiner Vorlage zu einigen, wobei die Tarifsätze wiederum unter denen des «Ausschusses», erst recht des BdL blieben. Unüberhörbar fiel der Protest der Agrarier jetzt noch giftiger aus als die liberale und sozialdemokratische Opposition gegen Zölle überhaupt. Trotzdem stimmte der Bundesrat im Oktober 1901 zu. Danach aber benötigte der Reichstag wegen der Aktivität der Interessenverbände mehr als ein Jahr für seine drei Lesungen. Aus einem geradezu klassischen «Kuhhandel», bei dem es der Regierung schließlich gelang, einen noch krasseren Protektionismus zu vermeiden, ging der Kompromiß der

Sammlungspartner hervor, der mit zweihundertzwei gegen hundert Stimmen angenommen wurde; dagegen votierten die SPD, der Freisinn, aufsässige BdL-nahe Abgeordnete und die Antisemiten.

Insgesamt bedeutete der Bülow-Tarif, der erst zum 1. März 1906 in Kraft trat, für die Agrarier eine «Konsolidierung der wirtschaftlichen und politischen Machtstellung», dazu ganz unverblümt erneut die Gewährung einer hohen «Staatsdotation in der Form des Zollprofits». Außerdem wurden Export- und Handelssubventionen zu ihren Gunsten sowohl durch die Aufhebung des sogenannten Identitätsnachweises für Getreide als auch in Gestalt des Einfuhrscheinsystems formell in das Tarifgesetz aufgenommen. Treffend charakterisierte der Linksliberale Helmuth v. Gerlach diesen dubiosen Erfolg der «Sammlungspolitik»: «Auf der Basis der gemeinsamen Abneigung gegen die mächtig emporstrebende Arbeiterklasse kam man zu einer handelspolitischen Verständigung. Die Agrarier garantierten den ‹schweren› Industriellen ihre Eisen- und sonstigen Rohstoffzölle und bekamen dafür eine Revision des Zolltarifs im agrarischen Sinne zugesichert.» Der «wirtschaftliche Ausschuß» war «die fleischgewordene ‹Politik der Sammlung›. Agrarier und schutzzöllnerische Großindustrielle hatten in ihm eine Mehrheit ... Miquels Direktive, agrarisch-industrielle Verbrüderung unter dem Zeichen der Hochschutzzollversicherung auf Gegenseitigkeit, Posadowskys Bienenfleiß, das sind die drei Hauptelemente, aus denen der neue Zolltarif hervorgegangen ist.»

Polemik ist in der Tat angebracht. Trotzdem muß man festhalten: Kein erkennbarer Schaden entstand für die Exportindustrie; die Getreideeinfuhr blieb «fortdauernd hoch» bis hin zu dem Rekordvolumen vor 1914; weitere günstige Handelsverträge wurden durch den Bülow-Tarif nicht torpediert. Mit Belgien, Italien, Rußland, Rumänien und der Schweiz wurden vielmehr 1904 neue Abkommen vereinbart, 1905 kamen sieben weitere Verträge hinzu. «Umfang, Struktur und Richtung des deutschen Außenhandels», lautet daher eine ökonomische Bilanz, sind «von der Zoll- und Handelspolitik nicht entscheidend beeinflußt worden». Abgesehen von diesem Urteil muß man jedoch auch die unverfroren initiierten Begünstigungseffekte festhalten, die der Landwirtschaft und Industrie in Milliardenhöhe zugute kamen. Und schließlich ist die Außenhandelspolitik für die soziale und politische Machtkonstellation im Inneren des Reiches von hoher Bedeutung gewesen, wie die Analyse der reichsdeutschen Politikgeschichte noch nachweisen wird. Die Behauptung ist darum ganz und gar realitätsblind, daß sie an den sozioökonomischen Strukturen und der politischen Machtverteilung nichts geändert habe.[24]

4. Deutscher Korporativismus und Aufstieg des Interventionsstaates

Aufgrund des strukturellen Wandels, der während der Trendperiode von 1873 bis 1895 vorgedrungen war, erreichte der moderne deutsche Produktionskapitalismus in der Mitte der neunziger Jahre ein Plateau, das eine «Wasserscheide» zwischen zwei Epochen seiner historischen Entwicklung bildet. Denn bis dahin hatte sich ein tiefgreifender Umbruch im Institutionengefüge, in der Ordnungspolitik, in der Werte- und Normenwelt als strukturdominant erwiesen. Zwar blieb der Kernbereich dieses Wirtschaftssystems erhalten: Er umschloß den privaten Besitz an Produktionsmitteln, die private Investitionsentscheidung, die private Gewinnaneignung und -verteilung. Aber eine neuartige Konstellation hatte sich, wie kluge Zeitgenossen schon damals erkannten, trotzdem durchgesetzt. Die «natürliche» Entwicklung des Kapitalismus, wie sie die Chimäre einer vollständig «selbstgeregelten» Marktwirtschaft fingiert, war von der Realität nachdrücklich dementiert worden. Zunehmend trat zielgerichtete Organisation an die Stelle «naturwüchsiger» marktförmiger Prinzipien. Staatliche Hilfe und Schadensreparatur, staatliche Förderung und Steuerung der sogenannten «freien» Verkehrswirtschaft hatten sich als unumgänglich erwiesen.

Daß sich der Staat im Wirtschaftsleben involvierte, wie das seit undenkbarer Zeit als bare Selbstverständlichkeit gegolten hatte, war während der kurzen wirtschaftsliberalen Ära nicht nur verblaßt, sondern geradezu als systemwidrig geächtet worden. In den gut zwanzig Jahren seit der Mitte der siebziger Jahre war jedoch der vorn angedeutete Strukturwandel bereits so unübersehbar seiner eigenen Entwicklungsbahn gefolgt, daß seither die Suche nach einem neuen Begriff eingesetzt hat und im Grunde noch immer anhält, um diesen folgenreichen Transformationsprozeß mit angemessenen Kategorien zu erfassen.

Wegen der zumindest oberflächlich einleuchtenden Analogie wurde zum Beispiel seit dem Beginn des neuen Zollprotektionismus vom «Neomerkantilismus» gesprochen. Die staatliche Wirtschaftspolitik des Merkantilismus im ausgehenden 17. und im 18. Jahrhundert ist jedoch als wachstumsinduzierende Entwicklungshilfe gedacht und praktiziert worden. Seit dem letzten Viertel des 19. Jahrhunderts ging es dagegen um eine grundsätzlich andere Stoßrichtung, nämlich darum, die unerwünschten Folgen eines äußerst effektiven Wachstums durch Eingriffe der Unternehmen und des Staates mit dem Ziel der Erhaltung der Funktionstüchtigkeit zu korrigieren. Werner Sombarts «Spätkapitalismus» – als Kennzeichnung einer relativ frühen Phase des Industriekapitalismus ohnehin verfehlt! – blieb ebenso blaß wie der «Politische Kapitalismus» Gabriel Kolkos. Der «Monopolkapitalismus» der marxistischen Theorie ist mit gescheiterten Diagnosen und Prognosen überfrachtet. Sie charakterisieren in einer hochdogmatisierten Form auch Lenins «Staatsmonopolistischen Kapitalismus». Dieser dumpfen «Stamokap»-Doktrin, die bis vor kurzem als Universalschlüssel zur Geschichte des Westens im 20. Jahrhundert angepriesen und im Machtbereich des Staatskommunismus der Wissenschaft als exklusive Glaubenslehre vorgeschrieben wurde, galt das angebliche Zusammenwachsen von staatlichen und wirtschaftlichen Leitungsgremien in Staatsmonopolen als letztes, vergebliches Palliativ vor dem unaufhaltsamen Absturz der kapitalistischen Länder in ihre große Endkrise, sprich: in die Revolution des siegreichen Proletariats.

Der «Corporation Capitalism» der amerikanischen Kritik zielt demgegenüber nahezu ausschließlich auf das mächtige Netzwerk der Großunternehmen, blendet den Interventionsstaat aber so gut wie völlig aus. «Modern Capitalism» ist, da er ein zu vager, nach präziser Definition rufender Begriff bleibt, nicht akzeptiert worden. Das gilt auch für den Vorschlag, vom «Kollektiven Kapitalismus» zu sprechen.

Inzwischen muß man auch konstatieren, daß das Interpretationsmodell des «Organisierten Kapitalismus» sich als vielfach unbefriedigend, daher auch als nicht durchsetzungsfähig erwiesen hat. Unter dem Dach dieses von Rudolf Hilferding stammenden Begriffs (1915), der die systemimmanente Reformierbarkeit des Wirtschaftssystems impliziert, wurde am Anfang der 1970er Jahre ein neuer Versuch unternommen, das Definitionsdilemma zu lösen. Dafür wurde ein Bündel struktureller Merkmale dieser neuen Entwicklungsphase des Kapitalismus in idealtypischer Zuspitzung zur Debatte gestellt und mit dem politischen Anspruch verbunden, eine dem «Stamokap» überlegene Deutung, die auf die Reformfähigkeit westlicher Industriestaaten vertraute, ins Feld zu führen. Gleichzeitig haben einige westdeutsche Historiker dieses Begriffsraster, das durchaus schon mit dem Anspruch auf eine gewisse Erklärungskraft verbunden wurde, ihren Untersuchungen zugrunde gelegt, die zu anregenden Ergebnissen geführt haben. Dennoch: So hilfreich auch wichtige Merkmale des anvisierten Struktur- und Verlaufstypus bleiben – sie werden daher hinten bei der genaueren Bestimmung der sozialökonomischen Transformation auch wieder verwendet –, konnten doch, selbst auf längere Sicht, zentrale kritische Einwände nicht schlüssig entkräftet werden.

1. Die genaue Periodisierung des «Organisierten Kapitalismus» blieb unklar: Begann er in den 1870er oder in den 1890er Jahren, wie zuerst überwiegend argumentiert wurde, vielleicht aber erst im Ersten Weltkrieg oder gar danach? Wann endete er? Oder hält er etwa noch in der Gegenwart an?

2. Einen unorganisierten Kapitalismus hat es, sensu stricto, nicht gegeben. Schon frühzeitig gab es zum Beispiel Kartelle, Rationalisierungsmaßnahmen, Anfangsformen der Aktiengesellschaft. Auch die Organisation kollektiver Interessen in Verbänden ist ungleich älter als ein seit der zweiten Hälfte der siebziger Jahre sich herausschälender «Organisierter Kapitalismus».

3. Der Begriff selber ist zu statisch geblieben. Er vermag die Bewegungen einer schlechthin rasanten Entwicklung nicht realitätsnah einzufangen. Vielmehr steht er ständig in Gefahr, eine Art endgültiges Evolutionsniveau zu suggerieren. Tatsächlich orientierte er sich aber an der Anfangsphase einer neuen Konstellation, der ungeahnte Veränderungen noch bevorstanden. Wie insbesondere die Zeitgeschichte seit 1945 gelehrt hat, ist die anhaltende Transformation des Industriekapitalismus offenbar noch längst nicht abgeschlossen – das wird es überhaupt nie geben!

4. Obwohl von Anfang an umstritten war, ob «Organisierter Kapitalismus» als umfassender Epochenbegriff verwendet werden konnte oder ob man auf einem «Duumvirat» von «Organisiertem Kapitalismus» und Interventionsstaat, der seine eigenen Stabilitäts- und Legitimationsinteressen verfolgt, insistieren sollte, wurde die Eigendynamik der politischen Entwicklung insgesamt zu schwach berücksichtigt. Je nach der Bedeutung der vorindustriellen Faktoren konnte es etwa bei der Bewältigung der Großen Weltwirtschaftskrise seit 1929 in Deutschland zur radikalfaschistischen Diktatur des Hitler-Regimes, in Amerika zur liberaldemokratischen Reformpolitik des «New Deal» unter Roosevelt kommen. Das unterstreicht einerseits die verblüffende Polyvalenz des modernen westlichen Kapitalismus, der sich mit den unterschiedlichsten politischen Systemen zu arrangieren vermag. Zugleich sprengt die radikal unterschiedliche, ja diametral entgegengesetzte Politik westlicher Industrieländer in den 1930er und 40er Jahren den Anspruch, die Einheit der Epoche zu erfassen. Außerdem geht die Aufwertung der Staatsintervention durch den Ersten Weltkrieg und den Nationalsozialismus, den Zweiten Weltkrieg und den keynesianischen Wohlfahrtsstaat über die in der ursprünglichen Konzeption anerkannte Rolle des Staates weit hinaus.

5. Die Gegenmacht der organisierten Arbeiterbewegung ist nicht hoch genug veranschlagt worden – sie fiel gewissermaßen der eigengesetzlichen Entwicklung des «Organisierten Kapitalismus», auch der Statik des Begriffs zum Opfer. Tatsächlich sind aber der Ausbau des Sozialstaats, die Erfolge der Lohn- und Tarifpolitik, die staatsbürgerliche Gleichberechtigung mühsam erkämpft worden. Sie haben sich nicht als Wohltaten der kapitalistischen Marktwirtschaft oder der Politik quasi-automatisch eingestellt. Vielmehr ist es als Ergebnis harter Konflikte zu einem Umbau erst von Binnenräumen der Gesellschaft, dann ihres gesamten Gehäuses gekommen.

Läßt sich aus solchen Gründen am ursprünglichen Konzept des «Organisierten Kapitalismus» nicht mehr festhalten, drängt sich erneut die Frage nach Alternativen auf. Hier scheint nun der von der internationalen Politikwissenschaft in den vergangenen Jahren viel diskutierte Strukturtypus des «Korporativismus» die neue Chance einer elastischen Interpretation zu bieten. Mit ihm ist der Verzicht auf den hohen Anspruch verbunden, die Grundtendenz einer gesamten Epoche zu erfassen. Vielmehr setzt er zunächst einmal nur einen relativ hohen Stand der kapitalistischen Entwicklung mit ihren typischen Problemen voraus, bevor sich die Aufmerksamkeit in erster Linie auf die vielfältigen Formen der Kooperation zwischen Unternehmen, Interessenverbänden, Gewerkschaften und Staatsapparat richtet. An die Stelle der Vorherrschaft von Marktmechanismen und Konkurrenz, der klaren institutionellen Trennung von Wirtschaft, Arbeitnehmerorganisationen und Verwaltung tritt ihre Verflechtung und Zusammenarbeit bei gemeinsamen Entscheidungen, damit auch die Verstetigung dieser Kooperation in «korporativen» Institutionen, welche die Regulierung weiter Politikfelder übernehmen. Dabei erkennt dieses Interpretationsmodell die beiden prinzipiellen Möglichkeiten durchaus an, daß sich ein solcher Korporativismus in einem autoritären oder in einem liberaldemokratischen Staat – mit je spezifischen Eigenheiten – durchsetzen kann. Das Gewicht der organisierten Interessen und der staatlichen Instanzen, ihre Durchsetzungsfähigkeit und ihre Zielvorstellungen – sie lassen sich dann jeweils im einzelnen bestimmen, so daß trotz eines tendenziell gleichartigen Grundmusters unterschiedliche Arrangements, unterschiedliche Entwicklungswege, unterschiedliche Problembewältigungskapazitäten, unterschiedliche politische Systemveränderungen berücksichtigt und herausgearbeitet werden können.

Für den Neuzeithistoriker des 19. und 20. Jahrhunderts sind freilich wesentliche Ursachen, Merkmale und Trends der «korporativen» Entwicklung, die von Politikwissenschaftlern absolut vorrangig in der Zeit nach 1945 verfolgt worden ist, nicht präzise genug bestimmt worden. Sie müssen zuerst einmal im Anschluß an die früheren Überlegungen zum «Organisierten Kapitalismus» in idealtypischer Pointierung herausgearbeitet werden.

Der Strukturwandel, der seit 1873 beschleunigt und seit der Mitte der neunziger Jahre klar sichtbar wurde, ist durch Herausforderungen und Krisen vorangetrieben worden, die den Zwang – auch die Gelegenheit – zur Systemveränderung geschaffen haben.

1. Den Basisprozeß bildete die schnelle Industrialisierung mit den unaufhaltsam steigenden Auswirkungen des ungleichmäßigen Wachstums. Zugleich wuchs die Bedeutung des konstanten, des fixen Kapitals an, dessen Verwertung unter dem Imperativ der Risikokontrolle stand. Die im letzten Viertel des 19. Jahrhunderts wieder anhaltende säkulare Preisdeflation belastete die unternehmerische Aktivität. Auf der anderen Seite gelang die Überwindung der «relativen Rückständigkeit» im Vergleich mit den Pionierländern der Industrialisierung – ein Vorhaben, das unter anderem effektive Institutionen erforderte – gerade in jener Zeit auch dank der institutionellen Neuordnung, die durch die großartige liberale Reformgesetzgebung zwischen 1867 und 1877 geschaffen wurde.

2. Der Preis, der für die Erfolge des neuartigen industriellen Wachstums entrichtet werden mußte, bestand aus den heftigen Konjunkturschwankungen und Entwicklungsdisparitäten mit ihren außerordentlich gravierenden ökonomischen, sozialen und politischen Folgen. Vor allem die Depression

von 1873 bis 1879 erwies sich als der große Lehrmeister, der einen folgenreichen Lernprozeß zur Bewältigung künftiger Fluktuationen auslöste. Das galt für die Industriewirtschaft, traf aber fast gleichzeitig, seit der zweiten Hälfte der siebziger Jahre, auch auf die krisengebeutelte Agrarwirtschaft zu, die in mancher Hinsicht sogar zum Vorreiter der «korporativen» Entwicklung wurde, da sie ihre ökonomische Schwäche durch den politischen Einfluß einer alten Machtelite kompensieren konnte.

Ermöglicht wurde die mühselige Korrektur von Fehlleistungen der industrie- und agrarkapitalistischen Marktwirtschaft durch die Lernfähigkeit des ökonomischen und des politischen Systems, die beide, wie sich herausstellte, ihre «Grenzen selbstadaptiv hinausschieben» konnten. Mit anderen Worten: Der sich allmählich entwickelnde Interventionismus ist nicht, «wie die ältere liberale Schule meinte, systemfremd aufgepfropft, sondern systemimmanent, Inbegriff von Selbstverteidigung». Dieses Potential an Lern- und Verteidigungsfähigkeit haben nicht nur zahllose von den Wachstumsschwankungen betroffene Zeitgenossen, sondern vor allem auch die linken Kritiker des modernen Kapitalismus, die ihn aufgrund ihrer «Zusammenbruchstheorie» unentrinnbar dem Ende entgegeneilen sahen, beharrlich unterschätzt.

3. Die Großunternehmen bemühten sich, den Fährnissen des Marktes und den konjunkturellen Schwankungen mit einer privaten Kryptoplanung zu begegnen. Unübersehbar stand ja die rationale Organisation der Einzelbetriebe in scharfem Kontrast zu der quasi-anarchischen Verfassung der Gesamtwirtschaft. In der «Gesamtbewegung dieser Unordnung» hatte Marx frühzeitig «ihre Ordnung» gesehen. Wenn jedoch «die unsichtbare Hand» der Marktmechanismen vor der Steuerung dieser «Unordnung» akut versagte, war eingreifendes Handeln geboten.

Das drückte sich in den Unternehmen selber, in der Diversifizierung und Integration, in der Konsolidierung und Expansion aus. Darüber hinaus drückte es sich in dem Bestreben aus, nicht nur das «wissenschaftliche Management» zur Vorbereitung und Erfolgskontrolle der Unternehmensaktivität, sondern auch die betriebsinterne Forschung zur Gewährleistung eines stetigen Zuflusses an Innovationen zügig einzuführen. Über solche Anstrengungen hinaus, wie sie insbesondere im Konzentrationsprozeß mit seiner weit ausgreifenden Rückwärts- und Vorwärtsintegration zutage traten, können auch die Kartelle und Syndikate als Formen eines Planungsersatzes mit dem Ziel der Marktkontrolle verstanden werden.

Die Verbände neuen Typs wiederum, wie sie seit dem ZdI entstanden, verkörperten noch deutlicher das Bemühen, durch die kollektive Organisation der Interessen sowohl konkrete Ziele der Unternehmen zu erreichen als auch das gesamte soziopolitische Umfeld in ihrem Sinn überschaubar, nach Möglichkeit sogar beherrschbar zu machen. Die Existenz und die Aktivität der Interessenverbände beruhten auf der Einsicht, daß es immer wichtiger wurde, politischen Einfluß zu gewinnen, auszuüben, auszudehnen, da die

Staatsverwaltung und das Parlament durch die Gesetzgebung künftige Chancen zuteilen oder blockieren konnten.

4. Erleichtert wurden diese Veränderungen im Unternehmensverhalten durch die Trennung von Eigentums- und Produktionsfunktion: Besitz und Kontrolle traten auseinander, als der Manager-Unternehmer allenthalben aufstieg. Das war in der Regel ein bestimmter Phänotyp, der sich durch seine Ausbildung, seine Beweglichkeit, sein Politikverständnis vom herkömmlichen Besitzunternehmer unterschied.

Überhaupt gehörten zu dem hier betrachteten Wandel auch bedeutsame sozialstrukturelle Veränderungen, da etwa außer den angestellten Spitzenmanagern die leitenden, mittleren und unteren Angestellten in raschem Tempo, dazu gewissermaßen Hand in Hand mit einem verblüffenden numerischen Wachstum, ihren Aufstieg in der reichsdeutschen Sozialhierarchie erlebten. Durch die von ihnen repräsentierte Bürokratisierung gewann der Leitungs- und Verwaltungsstil der Unternehmen einen anderen Zuschnitt, gewann überhaupt der Betrieb als Herrschaftsverband einen anderen Charakter.

5. Blickt man auf den Arbeitsmarkt als Arena von Klassenkonflikten, wurde dort das individualistische Vertrags-, Tausch- und Konkurrenzsystem Schritt für Schritt durch kollektive Organisation verdrängt. In der Gestalt von Gewerkschaften und Arbeitgeberverbänden standen sich schließlich die Kontrahenten der künftigen Tarifpolitik gegenüber, die bereits vor dem Ersten Weltkrieg, erst recht dann seit 1916 diesen Namen verdiente.

Dabei drängte insbesondere die organisierte Arbeiterschaft auf eine stärkere Steuerung des Wirtschaftsverlaufs, weil sie die konjunkturellen Fluktuationen am härtesten, buchstäblich am eigenen Leibe, erfuhr. Gezielte Intervention versprach eine materielle Verbesserung ihrer Lage. Mit einer solchen Politik verband sich aber auch die von der marxistischen Theorie genährte Hoffnung auf eine Kontrolle der sozialanarchischen Wirtschaftsdynamik, die weithin auf ihre Kosten noch immer vorherrschte. Da das Industrieproletariat die strukturbrechende Revolution nur verbal beschwor, trug es durch seinen disziplinierten Arbeitskampf selber zur korporativistischen Institutionalisierung des Klassenkampfes maßgeblich bei.

6. Ihr schärfstes Profil gewann die korporativistische Kooperation jedoch im Zusammenwirken der Verbände der Produktionsinteressen mit dem Staatsapparat. Es erwuchs aus der Kritik an den Defekten der weithin verwirklichten liberalen Marktwirtschaft. Um sie zu überwinden, insistierten die Repräsentanten der industriellen und agrarischen Großbetriebe auf staatlichen Beistand. «Die Industrie... ist der Bauherr», drückte das in geradezu klassisch-unverfrorener Direktheit Generaldirektor Caro von der BASF 1887 vor einer Enquetekommission des Reichstags aus, «der Jurist (d. h. der Staat) ist der Architekt; wir kommen zu ihm und zeigen ihm, daß es bei uns einregnet und verlangen von ihm Abhilfe. Wie dies nun geschieht, ist seine Sache!»

Zu den Schwachstellen des Wirtschaftssystems kam die Passivität der parlamentarischen Honoratioren und staatlichen Bürokraten hinzu, die dem evidenten Zwang zur Marktregulierung eine geraume Zeit lang auswichen. Auch deshalb wurden die Verbände als aktive Promotoren der Interessenpolitik aufgewertet, zumal die internationale Konkurrenz den Handlungsdruck erhöhte.

An schneidender Kritik an den Verbänden hat es dabei nicht gefehlt. Sie trafen auf dieselbe Skepsis, die sich zuvor gegen die Parteien als Verfechter von Partikularinteressen gerichtet hatte – und teilweise noch immer richtete. Zuerst wurden sie für dubiose Makler des materiellen Egoismus gehalten; sie förderten die Fragmentierung der Wählerschaft und betrieben ihre strittige, nolens volens sogar demokratische Mobilisierung. Allmählich aber wurde ihre Legitimation als Repräsentationsorgane anerkannt. Dadurch wurde die sich anbahnende Verschränkung von sozialökonomischer und politisch-staatlicher Sphäre, wie sie 1878/79 zutage getreten war, nachhaltig gefördert.

7. Dem staatlichen Interventionismus, der seither in eine rasch anwachsende Zahl von wirtschaftlichen und gesellschaftlichen Bereichen eindrang, ging es um einen Ausgleich bedrohlicher Disparitäten, um die Entschärfung systemgefährdenden Sprengstoffs, um die Stabilisierung des wirtschaftlichen Wachstums und der politischen Legitimationsgrundlage. Unter dem Signum des Interventions- und Sozialstaats trat er seinen Siegeszug auch in Deutschland an. Dieser setzte ebenso die Existenz des Steuerstaates voraus, wie er dessen Ausbau mächtig vorantrieb, damit die Finanzmasse für die Interventions- und Transferleistungen akkumuliert werden konnte.

Im Hinblick auf diese neue Eingriffspolitik kann man, grosso modo, vier typische Strategien unterscheiden. Es entwickelte sich a) ein Erhaltungsinterventionismus, der zur Verteidigung des Status quo gegen mächtige Rivalen oder Konjunktureinbrüche antrat. Daneben gab es b) einen Anpassungsinterventionismus, der die unumgängliche Adaption an neuartige Marktbedingungen, vor allem dank der Auswirkungen des Weltmarkts, unterstützte. Drittens tauchte c) ein Entfaltungsinterventionismus auf, der rückständige oder noch zu schwache Branchen fördern wollte, bis sie konkurrenzfähig geworden waren. Und schließlich erschien auch noch d) ein Reforminterventionismus, der auf realitätsgerechte oder zukünftige Marktverhältnisse antizipierende Strukturveränderungen prophylaktisch oder therapeutisch hinarbeitete. Vor 1914 ging es in aller Regel um eine Mischung der drei ersten Typen.[25]

Die Ergebnisse dieses Transformationsprozesses, der den Interventionsstaat mit seinen korporativistischen Arrangements und Konsultationsmechanismen hervorbrachte, müssen wegen der fundamentalen Bedeutung, die sie auf lange Sicht für das politische Herrschaftssystem gewonnen haben, besonders hervorgehoben werden.

1. Der ökonomische Strukturwandel beschleunigte die mit der frühneuzeitlichen inneren Staatsbildung einsetzende und bis heute anhaltende Expansion der Staatsfunktionen mit einem gewaltigen Schub. Von scharfsichtigen zeitgenössischen Wissenschaftlern, wie etwa dem Berliner Nationalökonomen Adolph Wagner, wurde dieser Trend ahnungsvoll als das später viel zitierte «Gesetz der wachsenden Staatsausgaben» umschrieben. Die Ausweitung der staatlichen Aufgabenfelder in bisher autonome Bereiche, in eine beispiellose Größenordnung hinein hing fraglos mit dem allgemeinen Phänomen des wachsenden Regelungsbedarfs in modernen Großgesellschaften zusammen. Als akute Antriebskraft kann jedoch der Anprall neuer Destabilisierungsprobleme und damit auch neuer Steuerungsaufgaben seit der Periode der Hochindustrialisierung kaum überschätzt werden. Hier drohte das Menetekel einer existentiellen Krise, wenn die Resultate der Reaktion auf diese Herausforderung chronisch enttäuschten. Eine solche Enttäuschung dehnte sich aber, wie die 1870er und 80er Jahre demonstrierten, auch deshalb schnell aus, weil der Staat zunächst aus einer Position der Schwäche, keineswegs der Stärke agierte, als er auf den «Challenge» des ungleichmäßigen Wachstums antworten mußte. Doch noch einmal: Binnen kurzem erwies er sich als durchaus lernfähig. Seine Kapazität nicht nur zur Anpassung an die neue Lage, vielmehr darüber hinaus zur Problembewältigung wurde von den Kritikern fatal unterschätzt.

2. Mit der Reaktion auf den sozialökonomischen Strukturwandel begann sich der «Modus operandi» des politischen Systems insgesamt zu verändern. Im Verhältnis von Exekutive und Legislative wurde die ursprünglich fein austarierte Machtkonstellation mit ihrer Privilegierung der Staatsleitung durch neuartige Fluktuationen beeinflußt. Einmal arbeiteten die Interessenverbände – wie bei der Etablierung des «Solidarprotektionismus» – mit der Regierung aufs engste zusammen. Dann wieder bot das Parlament den besten Ansatz, um die von den Verbanden vertretenen Interessen am effektivsten zur Geltung zu bringen. Überhaupt wurde ja der Reichstag – wie vorn bereits erörtert (5. Teil, IV.6) – durch das kontinuierlich anwachsende Regulierungsbedürfnis, das im Verfassungsstaat mit innerer Notwendigkeit immer häufiger durch das Parlament – nicht allein durch die Verordnungsflut der Verwaltung – befriedigt werden muß, unaufhaltsam aufgewertet.

Das hing auch mit dem neuartigen Nexus zwischen Parteien und Verbänden zusammen. Auf dem entstehenden politischen Massenmarkt mußten die Parteien das Gewicht der organisierten Interessen berücksichtigen, wenn sie die Strafe des Einflußverlustes vermeiden wollten. Dabei sahen sich die Parteien nicht nur genötigt, diese Interessen von sich aus in ihr Kalkül und Abstimmungsverhalten mit einzubeziehen. Vielmehr wurden sie von machtbewußten Verbänden mit harten Forderungen konfrontiert – bis hin zu dem ultimativ formulierten Katalog von Postulaten, von deren Erfüllung die

Finanzierung des Wahlkampfes und die Unterstützung der Kandidaten ganz unverhohlen abhängig gemacht wurde.

Stellt man sich die Arena des Reichstags als politischen Markt vor, trat dort der Staat als Anbieter begehrter Güter auf, da er den Interessenten zum Beispiel Einkommenssicherung, Stabilität, Schutz vor der ausländischen Konkurrenz, der sozialistischen Bedrohung und dem sozialen Abstieg in Gestalt von Gesetzen in Aussicht stellte. Die Interessenten als Nachfrager konnten im Gegenzug zum Beispiel erhöhte Wahlchancen für Politiker, die Sicherung zuverlässiger Mehrheiten, die Steigerung öffentlicher Einnahmen dank einer protegierten und daher florierenden Wirtschaft, die Aussicht auf soziale und politische Stabilisierung, damit auf Herrschaftslegitimation anbieten. Bei der jeweils anstehenden Kraftprobe war es keineswegs von vornherein ausgemacht, wer die überlegene Marktmacht besaß, dank deren er sich letztlich durchsetzen oder einen ihn begünstigenden Kompromiß erzielen konnte.

Unbestreitbar wurde durch die Tatsache, daß in den deutschen Staaten die bürokratische Tradition so stark ausgeprägt war, das Vorgehen der Verwaltung enorm erleichtert, als sie von ihrer wirtschaftsliberalen Zurückhaltung wieder zu einer interventionsfreundlichen Aktivität überging. Man kann unter dem Gesichtspunkt der verzögerten parlamentarischen und demokratischen Entwicklung Deutschlands das Übergewicht seiner Bürokratie scharf kritisieren. In vergleichender Perspektive zeigt jedoch die Kehrseite der Medaille, daß die ungebrochene Tradition einer machtbewußt agierenden Bürokratie auch die Entfaltung des Interventions- und Sozialstaats nachhaltig begünstigt hat. Das ist keine späte Entdeckung, vielmehr haben das Experten der Verwaltungsgeschichte wie Schmoller, Hintze und Weber frühzeitig erkannt! Fördernd trat noch hinzu, daß die bürokratische Steuerungsbereitschaft durch tief verwurzelte traditionale «ordnungspolitische Denkgewohnheiten» unterstützt wurde. Sie wurden durch Lorenz v. Steins und Gustav Schmollers Zielvision eines «sozialen Königtums», sprich: eines handlungsfreudigen Sozialstaats, in der öffentlichen Diskussion zu einem ganz modernen Imperativ aufgewertet.

Trotz der zentralen Rolle des Staates und der wirtschaftlichen Interessenverbände darf man die Bedeutung der organisierten Arbeiterschaft nicht übersehen. Der korporativistische Interventionismus kann daher nicht mit einer Ellipse mit den beiden Brennpunkten des Staates und der Wirtschaftsverbände verglichen werden. Vielmehr spielte er sich innerhalb eines Dreiecks ein, zu dem außer diesen beiden Machtfaktoren noch die politische und gewerkschaftliche Arbeiterbewegung gehörte. Sie wurde als Antriebskraft zunehmend wichtiger. Entweder gelang es ihr, selber Veränderungen herbeizuführen, oder aber sie trug durch die Angst vor den systemsprengenden Auswirkungen ihrer Expansion und Programmatik maßgeblich dazu bei, daß entschärfende Interventionsmaßnahmen von der Gegenseite eingeleitet wurden.

Überhaupt können die Legitimationsbedürfnisse des politischen Regimes, das ihnen hinter der äußerlich glänzenden Fassade des jungen Kaiserreichs gerecht werden mußte, als Antriebskräfte des Interventionismus kaum überschätzt werden. Tatsächlich ging es, entgegen dem irreführenden äußeren Anschein, von Anbeginn an um Systemstabilisierung, um den Gewinn und die Erhaltung von Funktionstüchtigkeit unter sehr schwierigen Bedingungen. Denn es handelte sich ja um eine neue Staatsgründung, in welcher die Nationsbildung 1871 erst begann, keineswegs kulminierte. Beide Vorgänge überschnitten sich mit der deutschen Industriellen Revolution und Hochindustrialisierung samt ihren tiefgreifenden gesellschaftlichen und soziokulturellen Auswirkungen, außerdem bald auch noch mit den Folgen der strukturellen Agrarkrise seit 1876. Vor allem die ganz unerwartet hereinbrechende, einschneidende Industriedepression seit 1873 hat es außerordentlich erschwert, den Legitimationskonsens zu erhalten. Immer wieder mußte hart um ihn gerungen werden, denn dieser ohnehin noch labile, von erheblichen Teilen der Reichsbevölkerung abgelehnte oder doch noch nicht voll geteilte Konsens beruhte auf die Dauer ganz wesentlich auf einer angemessenen Berücksichtigung heterogener Interessen und akzeptabler Ergebnisse für ihre Träger. Das zu erreichen wurde seit 1873 zusehends schwieriger, als der Reichsgründungsenthusiasmus durch die sozialökonomischen Verwerfungen radikal untergraben wurde. Der Übergang zum Protektionssystem von 1879 ist ein augenfälliger Beweis dafür, daß der Krisenlage mit unorthodoxen Mitteln begegnet werden sollte.

Man blickt hier auf die Frühphase eines inzwischen voll entwickelten Phänomens: In industriekapitalistischen Wachstumsgesellschaften gewinnt das wirtschaftliche Wachstum, das mit seinen Früchten die Lebenschancen einer rasch wachsenden Zahl von Menschen auf eine vorher unvorstellbare Weise vermehrt, eine legitimationsstiftende Funktion für das politische System. Sie tritt zunächst neben die Legitimation durch Tradition, durch parlamentarisches Verfahren, durch charismatische Handlungserfolge. In dem Maße aber, in dem Tradition und Charisma dem Verschleiß unterliegen, wird offenbar die legitimatorische Wirkung von Wachstumserfolgen ständig aufgewertet, so daß die Regierung geradezu unter den Zugzwang gerät, durch ökonomische Leistungen ihre Legitimationsbasis zu sichern.

Versagt nun die «Invisible Hand» der Marktmechanismen derartig kraß, wie sie das während der fünf Depressionen zwischen 1873 und 1908 immer wieder getan hat, muß daher auch aus diesen Gründen die «Visible Hand» einer gezielten Organisation – eben nicht nur der Unternehmen, Kartelle und Verbände, sondern vor allem des mächtigsten Herrschaftsverbandes: des Staates – steuernd eingreifen. Sonst kann die Risikoschwelle so bedrohlich sinken, daß eine akute Systemgefährdung mit Riesenschritten herannaht. Die Konsequenz liegt auf der Hand: An die Stelle des blinden Vertrauens auf die wohltätige Wirkung der Selbststeuerungsfähigkeit der Marktmechanik tritt eine «Ersatzprogrammatik», welche entgegen der liberalen Dogmatik die Regulierungsaufgabe des Staates anerkennt, deshalb aber zu einer komplizierten Mischung von marktwirtschaftlichen Elementen und staatlichem Interventionismus führt, die mit dem verklärten freien Spiel der Kräfte wenig gemein hat. Die durchorganisierte Industrie- und Agrarwirtschaft bedarf vielmehr zwingend «von einem bestimmten Punkte an der ständigen staatlichen Intervention, ... weil sie keine selbsttragende Konstruktion» ist.

Für die prekäre Lage des Reiches, auch für die Krisensituation seit 1873 besaß Bismarck ein hochsensibles Gespür, das ihn in der zweiten Hälfte der siebziger Jahre auf einen neuen Kurs einschwenken ließ; übrigens hat gerade seine charismatische Herrschaft die Interessenverfolgung außerhalb des Parlaments nachhaltig ermutigt. Aber auch nach ihm gebot der Primat der Systemerhaltung, gebot das Herrschaftsinteresse des politischen Machtkartells in diesem jungen Staatsgebilde, sowohl den Wachstumspfad zu glätten als auch extreme Sozialkonflikte zu vermeiden. Das aber hieß: Es gebot den staatlichen Interventionismus, da andernfalls die ökonomischen Fluktuationen und die soziopolitischen Spannungen die Funktionsfähigkeit und Legitimationsbasis des Reiches noch gravierender in Frage gestellt hätten, als das die linke Opposition ohnehin tat. Insofern ist vermutlich die allzu scharfe «Unterscheidung zwischen den ökonomischen und politischen Ursachen» des Interventionismus tatsächlich «eine unrealistische» Trennung.[26]

Die Ziele der drei an ihm zusammenwirkenden Machtaggregate treten mithin, will man sie noch einmal kurz ins Auge fassen, klar hervor.

1. Für die Wirtschaft und ihre Verbände ging es um ein geebnetes, kontinuierliches Wachstum, verbunden mit der Maximalhoffnung auf Dauerkonjunktur, um überschaubare Märkte ohne überlegene ausländische Konkurrenz, um eindeutig kalkulierbare Investitions- und Gewinnchancen, um Risikominderung und ein stabiles, kontrollierbares gesellschaftliches und politisches Umfeld. Dafür waren die Unternehmen sogar zu einem partiellen Verzicht auf ihre uneingeschränkte Betriebsautonomie bereit, indem sie Entscheidungsvollmachten an Kollektivgremien wie Kartelle und Verbände delegierten.

2. Für die politischen und gewerkschaftlichen Organisationen der Arbeiterschaft ging es um die Anhebung der Lohnquote, also um die materielle Verbesserung im Sinne steigender Reallöhne, um die Beseitigung der von überlegenen Marktmachtbesitzern praktizierten Willkür, nicht zuletzt um die Aufwertung zu gleichberechtigten Staatsbürgern – ein Ziel, das in der Tat überall nur mit Hilfe des Staates selber erreicht werden konnte.

3. Für den Staat ging es um die Unterstützung möglichst gleichmäßigen Wirtschaftswachstums und gesellschaftlicher Stabilität mit Hilfe erfolgreicher Klassenkampfdämpfung, an erster Stelle aber um die Erhaltung der Funktionsfähigkeit des politischen Systems und die Demonstration seiner hinreichenden Problembewältigungskapazität, um durch wirtschaft-

lichen Wohlstand die bitter benötigte Legitimationszufuhr zu gewährleisten.

Hier muß man sich freilich noch einmal eine Maxime Schumpeters vor Augen halten: «Niemals sollte man eigentlich sagen: Der Staat tut das oder jenes. Immer kommt es darauf an zu erkennen, wer oder wessen Interesse es ist, der oder das die Staatsmaschine in Bewegung setzt», denn «nur diese Auffassung wird der Wirklichkeit gerecht». Im allgemeinen gilt: «Der Staat reflektiert jeweils die sozialen Machtverhältnisse, wenn er selbst auch kein bloßer Reflex derselben ist.» Unstreitig besaß das Deutsche Kaiserreich von 1871 ein institutionell, dazu in Tradition und Mentalität fest verankertes Eigengewicht als Staat. Ebenso unstreitig diente aber auch der erfolgreiche Interventionismus in erster Linie den privilegierten Gesellschaftsklassen. Deshalb stützte der frühe deutsche Interventionsstaat, der alles andere als bereits der demokratisch-egalitäre Wohlfahrtsstaat im Stile des späten 20. Jahrhunderts war, die konservative Machtkonfiguration, auf der das Reich bis 1918 beruhte.

Die ganze Bandbreite der Ergebnisse des frühen korporativistischen Interventionismus trat erst nach geraumer Zeit zutage. Aber auch in seiner Anlaufphase sind einige in die Zukunft weisende Resultate bereits zu erkennen. Auf den wirtschaftlichen und politischen Märkten drang ein Vermachtungsprozeß vor, der sich gegen die Fiktion der «freien Konkurrenz» und der prinzipiellen Scheidung von Staat und Wirtschaft richtete. An die Stelle des Interessenausgleichs als eines marktförmigen «Bargaining» trat zunehmend ein politisch gelenkter Kompromiß, bei dem das Großkartell von Interessenverbänden und Ministerialbürokratie den Markt unter aktiver staatlicher Mitwirkung zu regulieren versuchte. Natürlich blieb weiterhin die Ungleichheit aller Marktmachtbesitzer erhalten. Daher gab es keine unzweideutige Suprematie des einen oder anderen Machtaggregats. Alle anders lautenden Behauptungen führen in jene Sackgasse, in der sich nur Dogmatiker wohlfühlen.

Andere folgenreiche Effekte des vordringenden korporativistischen Interventionismus sind ebenfalls schon zu erkennen. Der autoritäre Staat wurde aufgewertet. Gewiß: Strukturell blieben diese neuen Organisationsformen politisch polyvalent, da sie sich mit unterschiedlichen Regimen als kompatibel erwiesen. Aber zunächst einmal kamen ihre Erfolge dem konservativen System des Kaiserreichs zugute. Andrerseits spricht ihre Langlebigkeit für die Problemangemessenheit und Durchsetzungsfähigkeit der korporativistisch-interventionistischen Arrangements, welche die Stabilitätsbedingungen einer modernen Industriegesellschaft offenbar verbesserten.

Aufgewertet wurde auch die Bürokratie, und zwar in einem Maße, wie sich das sogar selbstbewußte Repräsentanten der Staatsverwaltung in ihren kühnsten Träumen nicht hatten vorstellen können. Der neue Zustrom von Herrschafts- und Autoritätschancen rührte daher, daß die Bürokratie an der

Vorbereitung, der Durchsetzung, der Ausführung oder aber der Verhinderung von Entscheidungen, die eine stetig anwachsende Millionenzahl von Menschen direkt oder indirekt betrafen, unumgänglich und immer häufiger ausschlaggebend beteiligt war.

Vielleicht noch augenfälliger stieg das Machtgewicht der Verbände und korporativistischen Gremien, da sie in den siebziger Jahren fast am Nullpunkt antraten, binnen relativ kurzer Zeit aber den Status von «privaten Regierungen» gewannen. Ohne einer wirksamen Kontrolle durch die Mitglieder zu unterliegen, konnten sie ihnen dennoch Konformitätspflichten auferlegen und sie bei einer Abweichung vom Verbandskurs Sanktionen unterwerfen. Die funktionalistischen Verteidigungsargumente sind hinlänglich bekannt: Für die exponierte Rolle der Interessenverbände in einem korporativistischen System sprächen, heißt es, ihre Leistungs- und Anpassungsfähigkeit, ihre Effizienz, der Anschluß an ihre spezielle Sachkunde, die relative Konfliktarmut und, last but not least, die Dauerhaftigkeit der Kooperation. Vermögen aber solche Vorzüge die Nachteile aufzuwiegen?

1. Das «eherne Gesetz der Oligarchie», wie es damals Robert Michels für die Massenparteien formuliert hat, galt auch auf diesem Politikfeld. Eine kleine antiliberale Machtelite zog die maßgeblichen Entscheidungen an sich. Insgeheim fungierte eine «Große Koalition» von Verbandsfunktionären und Ministerialbürokraten – beide gleichermaßen weit entfernt von einer effektiven Kontrolle und Rechenschaftspflicht.

2. Unübersehbar wanderte die Macht aus dem Parlament in vorgelagerte informelle Entscheidungsgremien ab, so daß den gewählten Repräsentanten des Wählervolkes oft nur mehr die Ratifizierung ihrer Beschlüsse übrig blieb.

3. Dadurch wurden jedoch grundlegende Verfassungsnormen und Organisationsprinzipien des modernen Staates verletzt, in dem ein aus dem allgemeinen Wahlrecht hervorgehendes Parlament als Gesetzgebungsorgan privilegiert worden war. Mit den korporativistischen Gremien entwickelten sich «soziopolitische Regelungsinstanzen», die im Verfassungsstaat schlechterdings nicht vorgesehen waren, ihn auch unterhöhlten.

4. Während dieses Evolutionsprozesses setzte sich eine Verwischung jener Grenzen durch, die bisher zwischen Privatrecht und Öffentlichem Recht bestanden hatten. Allmählich entstand eine «breite Misch- und Übergangszone zwischen Freiwilligkeit und Zwang», als die «zweckgeleitete Einflußnahme» durch staatliches Recht, das zugunsten von korporativistisch-interventionistischen Zielen mehr und mehr als politisches Einflußmittel eingesetzt wurde, vordrang. Einen Fluchtpunkt dieses Trends hat der österreichische Rechtswissenschaftler Anton Menger frühzeitig (1889) ins Auge gefaßt: «Das Ende dieses Zustandes wird allerdings darin bestehen», begrüßte er die Entwicklung, «daß das Eigentum und damit das ganze Privatrecht vollständig von dem öffentlichen Recht überflutet wird!»

Zugleich läßt sich im Lichte der Entwicklung des 20. Jahrhunderts schwer bestreiten, daß das korporativistische Organisationsniveau und die Fortschritte des Interventionismus das Deutsche Reich «besonders ‹modern›» machten, denn hier schälte sich ein «neuer Realtypus» von hochentwickeltem Kapitalismus, bürgerlicher Gesellschaft und aktionswilligem Staat heraus, die zusammen ein enges Netzwerk bildeten. Die bitter moralisierende Kritik der Unterlegenen von 1879 – und danach – beklagte zu Recht die Kräftigung des autoritären Staates und seiner Verwaltung, die Abwertung der liberalen Selbststeuerung und Konkurrenz, die schleichende Entliberalisierung überhaupt. Sie versperrte aber den Blick darauf, daß die neue Wirtschaftspolitik einige «ausgesprochen zukunftsweisende», ja mehr noch: «historisch dauerhaft ‹moderne› Elemente» der aufsteigenden «post-liberalen» Gesellschaft und des interventionistischen Staates besaß. Die Kritik verkannte außerdem, daß die «Policy-Makers» von 1878 entgegen der liberalen Fiktion einer autonomen Marktrationalität auf ihre Weise die durch und durch gesellschaftliche Natur der Produktion, Distribution und Konsumtion erfaßten und demgemäß handelten. Das gab ihnen einen gewaltigen strategischen Vorsprung!

Diese Steuerung stand, rebus sic stantibus, natürlich unter konservativem Vorzeichen. Sie beförderte die Politisierung der Wirtschaft, die wiederum ihrerseits die staatliche Intervention herbeiwünschte. Sie unterstützte die Ökonomisierung der Politik, da den organisierten Interessen Einfluß auf die Entscheidungen gewährt werden mußte. Nichts hielten die Verbände dabei höher in Ehren als ihre Leitmaxime: Privatisierung der Gewinne, Sozialisierung der Verluste. Sie unterstützte auch die ohnehin anhaltende Fragmentierung der Gesellschaft nach klassen- oder milieuspezifischen Interessenlagen. Diesem Prozeß suchte der Staat durch mehr oder minder direkte Beeinflussung der Gesellschaft zu begegnen. Riehl hat diesen Anlauf, «das Volk» durch Gesellschaftspolitik «zu verstaatlichen» und gleichzeitig «den politischen Sondergeist durch die sozialen Sonderinteressen zu beugen», bereits 1883 für «neu, genial und zukunftsreich» erklärt. Den fatalen Irrweg, auf welchen die Reichspolitik dabei manchmal geraten konnte, haben ihre Kritiker freilich ungleich schärfer gesehen. Auf jeden Fall aber wurden mit dieser Zielbeschreibung typische Charakteristika der frühen korporativistischen Interessenvermittlung und interventionsstaatlichen Politik erfaßt.

Die Ausdehnung der Staatsfunktionen im Verein mit korporativistischen Regelungsmechanismen hat im kaiserlichen Deutschland bereits eine beträchtliche Anzahl von Politikfeldern erfaßt. Als politische und symbolische Wende gilt zu Recht der «Solidarprotektionismus» von 1878/79 (vgl. vorn II. A 3c). Ihm folgte innerhalb kurzer Zeit ein Bündel von folgenschweren Entscheidungen, die in diesen Kontext gehören. An erster Stelle steht selbstverständlich der Beginn der staatlichen Sozialpolitik seit der Mitte der achtziger Jahre. Mit diesem säkularen Projekt begann der Aufstieg des modernen Sozialstaats in Deutschland – als einer spezifischen, Modernisierungsfolgen korrigierenden Form der gesellschaftspolitischen Intervention; darauf wird noch eigens eingegangen (IV. A 2c).[27]

Bismarcks Plan, ein «Reichseisenbahnmonopol» durchzusetzen, scheiterte. Die Kontrolle über den gesamten deutschen Schienenverkehr konnte er daher nicht erringen. Wohl aber gelang die Verstaatlichung des großen preußischen Eisenbahnnetzes. Damit gewann die Reichsregierung nicht zu unterschätzende Einnahmen, vor allem aber mit der Tarifhoheit ein neues wirtschaftspolitisches Machtinstrument. Daß Bismarck allem Widerstand zum Trotz an dem Ziel eines staatlichen Transportwesens, letztlich erfolgreich, festhielt, «bekundete seinen überlegenen Machtsinn», da «in der Trendperiode von 1849 bis 1873 die Expansion des Eisenbahnwesens mit ihrem ökonomischen Kettenreaktionseffekt im Mittelpunkt der Revolutionierung des Wirtschaftslebens gestanden» hatte. Ganz offensichtlich wollte der Reichskanzler diesen Leitsektor der Industriellen Revolution in der Übergangsphase zur Hochindustrialisierung, eben wegen der vermuteten Kontinuität seiner Dynamik, unter staatliche Kontrolle bringen. Als ihm das in Preußen – immerhin mit der größten Verkehrsgesellschaft der Welt! – glückte, überkamen selbst einen staatsnahen Liberalen wie Gustav Mevissen böse Ahnungen: «Welche Machtfülle muß aus der Verfügung ad nutum über diese immense... Beamten- und Arbeiterschar entspringen», notierte er sich, «welche ihrerseits die produzierende und distribuierende Tätigkeit unseres Volkes auf weiten Gebieten beherrscht. Eine solche Machtfülle, in einer Hand konzentriert», lege die Befürchtung «nur zu nahe, daß dadurch auf dem wirtschaftlichen Gebiete jener Absolutismus wieder ins Leben gerufen werden könnte, welchen die Kulturstaaten Europas nur nach harten Kämpfen in feste, verfassungsmäßige Schranken eingedämmt haben». Auch ein leidenschaftlicher Anhänger des ökonomischen Liberalismus wie der Hamburger Senator Johann Versmann sah in dieser «Stärkung der wirtschaftlichen Machtstellung» des Zentralstaates nur einen verhängnisvollen Rückfall in überwundene Zustände.

Solche Vorahnungen entsprangen, wie sich herausstellte, einem übertriebenen Pessimismus. Tatsächlich konnte jedoch die Regierung seither den Spielraum ihrer Tarifhoheit nach Kräften nutzen, um durch spezielle Frachtraten sowohl den Export von Fertigwaren als auch den Import von Rohstoffen spürbar zu begünstigen. Das lief auf verbesserte industrielle und agrarische Subventionsmaßnahmen hinaus. Im einzelnen wurden dabei neue Beratungsgremien wie die Bezirks- und Landeseisenbahnräte beteiligt, so daß die Entscheidungen aus einer Interessenvermittlung hervorgingen, durch welche die organisierten Interessen gegenüber dem Staat aufgewertet wurden. Diese gezielte Frachtratensenkung erstreckte sich auch auf das Kanalsystem, für das es dieselbe korporativistische Regelung mit den Provinzial- und Landeswasserstraßenbeiräten gab. Die staatliche Intervention im Verkehrswesen 1878 wurde ganz unverhohlen in den Dienst der «nationalen Arbeit» gestellt.

Dieser Aufgabe sollte auch der «Preußische Volkswirtschaftsrat» dienen, den Bismarck im Januar 1881 als «berufsständisches» Beratungsgremium, das neben dem Landtag als offiziell anerkannte Lobby für jede wirtschaftspolitische Materie fungieren sollte, ins Leben rief. Mit dieser Frühform einer korporativistischen Quasi-Legislative ging ein Wunschtraum der Interessenverbände in Erfüllung, da alle einschlägigen Gesetzesentwürfe vor der Vorlage im Parlament durch die hauptsächlich Betroffenen selber beurteilt und überarbeitet werden sollten. Der erbitterte Widerstand des Abgeordnetenhauses gegen diesen gefährlichen Konkurrenten, der seine Daseinsberechtigung untergraben hätte, war nur zu verständlich, es blockierte den Rat, wo nur eben möglich, lehnte ihn 1883 noch einmal förmlich ab und hungerte ihn durch Etatverweigerung bis 1886 aus. Der ebenfalls vorgesehene «Reichsvolkswirtschaftsrat», dem Bismarck dieselben Funktionen zugedacht hatte, kam über das Planungsstadium erst gar nicht hinaus. Insofern scheiterten binnen kurzem die Versuche, neben den beiden wichtigsten Parlamenten zwei unverhohlen korporativistische Beratungskörperschaften mit antiparlamentarischer Stoßrichtung zu installieren.

Erfolge heimste dagegen der Interventionismus bei der Förderung der Außenwirtschaft bis hin zum Kolonialimperialismus ein. Jede Art von Export erhielt durch die Gesetzgebung seit 1878 Unterstützung. Seit 1886 wurden exportorientierte Dampferlinien aus Reichsmitteln direkt subventioniert. Das Konsulatswesen wurde zügig ausgebaut. «Exportmuseen» wurden als attraktive Leistungsschau eingerichtet. Und ein Teil der Motive, welche die Bismarcksche Kolonialpolitik vorantrieben, entsprang einer klaren, vom Stachel der Depressionen stimulierten, interventionistischen Abwägung, die den deutschen Wirtschaftsinteressen den Zugang zu potentiell vielversprechenden Zukunftsmärkten mit dem Einsatz staatlicher Mittel offenhalten wollte.

Man muß sich freilich hüten, den vordringenden Interventionismus ausschließlich in der Sphäre der Reichspolitik zu verfolgen. Da die föderalistische Struktur des Kaiserreichs den Bundesstaaten eine Fülle von wichtigen Kompetenzbereichen erhielt, sind zahlreiche interventionistische Innovationen gerade in den Einzelstaaten eingeführt worden. Dort – und in den Städten, wie das im Zusammenhang der Urbanisierung (vorn I.3) bereits am «Munizipalsozialismus» erörtert worden ist – gab es den Vorlauf für eine Regulierungspraxis, die erst später vom Zentralstaat übernommen worden ist. An einigen Politikfeldern läßt sich das im Hinblick auf Preußen beispielhaft verdeutlichen.

Dort wurde seit den späten siebziger Jahren eine neue Art von Infrastrukturpolitik praktiziert, die zugleich gezielte Regionalpolitik war. Die Staatsregierung bediente sich dabei insbesondere der Verkehrspolitik, die ihr «höchst wirkungsvolle Steuerungsmöglichkeiten» bot. Nachdem die Industrialisierung bereits innerhalb weniger Jahrzehnte zu einer stupenden Agglomeration in wenigen Revieren und Städten geführt hatte, ging es ihr um einen interregionalen Wohlstandsausgleich, der auch eine «systemsichernde» Funktion besaß, da er die soziopolitischen Folgen dieses Prozesses abmildern sollte. Als Instrument bot sich dafür an erster Stelle die Eisenbahnpolitik an, da das Entwicklungstempo und Wachstum der Regionen, aber auch ihre Entleerung durch dieses Verkehrssystem maßgeblich beeinflußt wurde. Seine Bedeutung zu Beginn dieser Regionalpolitik muß man sich noch einmal kurz vergegenwärtigen: Zwölf Prozent der gewerblich Beschäftigten, doppelt so viele wie im Bergbau, waren 1879 in ihm beschäftigt; fünfzehn Prozent der Wertschöpfung und 6.5 Prozent der gesamtwirtschaftlichen Leistung (BSP) stammten aus ihm; 62.4 Prozent des gewerblichen Kapitalstocks waren in ihm angelegt. Das war ein ökonomisches Potential, mit dem sich in der Tat nachhaltige Effekte erzielen ließen. Sie kamen an erster Stelle den preußischen Ostprovinzen zugute. Zu Recht hatte man in den Westprovinzen nach der Verstaatlichung der Eisenbahn eine Benachteiligung gefürchtet. Als 1879 der Ausbau der ostdeutschen Bahnstrecken begann, gab es dort zwei Drittel der westdeutschen Netzlänge. 1914 lag der Osten eindeutig vor dem Westen. Das war ein Ergebnis der Entscheidung, Nebenbahnen zur feinmaschigen Erschließung der Region zu bauen. Von 1890 bis 1912 wuchsen die östlichen Nebenbahnen um hundertfünfzig Prozent, die Hauptstrecken dagegen um nur sechzehn Prozent an. Zweieinhalb Milliarden Mark wurden dort insgesamt für den Neubau ausgegeben: zwei Drittel davon für die Nebenbahnen, zweiundzwanzig Prozent für die Hauptlinien.

Explizit verfolgte die Staatsregierung das Ziel, die Ressourcen der Stammprovinzen besser zu erschließen, das west-östliche Wohlstandsgefälle zu korrigieren und damit auch die «soziale Frage» zu entschärfen. Bismarck selber umschrieb seine Absicht, die preußischen Kernlande zu bevorzugen, ziemlich euphemistisch als allgemeine Wohlstandsförderung. Als daraufhin von Liberalen der Vorwurf erhoben wurde, diese Art von Staatshilfe führe geradewegs in einen sozialistischen Staat hinein, konterte er im April 1884: «Ist das Kommunismus, bin ich in keiner Weise dagegen.» Bis dahin hatten sich schon die ersten Erfolge eingestellt, und bis 1914 war die positive Bilanz dieser Infrastrukturpolitik zur Regionalförderung ganz unbestreitbar. Die wirksame Bevorzugung der östlichen Landesteile hing, um es zu wiederholen, eindeutig von der Eisenbahnpolitik ab. Denn mit der Verstaatlichung hatte die Regierung ein wirtschaftspolitisches Instrument mit einer «Breitenwirkung und Zielgenauigkeit» gewonnen, das «ideale Eingriffsmöglichkeiten» zur Korrektur der relativen Rückständigkeit der altpreußischen Regionen eröffnete.

Mit identischen Absichten wurde jetzt auch die staatliche Kanalpolitik betrieben. 1876 gab es in Preußen Kanäle mit einer Gesamtlänge von 2914 km. Im folgenden Jahr schlug die Regierung zwölf große Projekte vor, die mit staatlicher Finanzierung die Regulierung fast aller großen Stromgebiete zum Zwecke der Schiffbarmachung vorsahen, sofern diese Aufgabe bisher noch nicht gelöst worden war. Bis 1914 wurden außerdem Kanäle mit einer Länge von 1442 km gelegt. Rund zwei Milliarden Mark sind seit 1880 für den Ausbau des Wasserstraßennetzes ausgegeben worden – fast soviel wie für den preußischen Eisenbahnbau in derselben Zeitspanne. Das Hauptprojekt, der Mittellandkanal, der als eine durchgehende Wasserstraße Westdeutschland mit Ostdeutschland verbinden sollte, scheiterte allerdings, nachdem bereits zweihundertsechzig Millionen Mark angelegt worden waren, am politischen Widerstand der ostelbischen Agrarier, die in diesem Unternehmen ein Unterlaufen ihres Agrarzollschutzes sahen! (Erst 1920 wurde die Vollendung beschlossen.)

Trotz dieser Schlappe konnte die Staatsregierung in ihren umfangreichen Rechtfertigungsberichten die positiven Effekte auch in diesem Bereich der Verkehrspolitik nachweisen: Industriestandorte in der Nähe von Kanälen wurden attraktiv. Die Anzahl der Erwerbstätigen stieg dort um hundert bis zweihundert Prozent. Die Verkehrsleistung für alte und neue Industrien wurde erhöht. Andere Verkehrswege wurden entlastet. Allgemein wurden regionale Ressourcen besser erschlossen. Industrie- und Agrarwirtschaft wurden gleichermaßen subventioniert, wie auch die günstigen Wirkungen im Osten und Westen übereinstimmten.

Zu einem weiteren Aktivitätsbereich des Interventionismus stieg die Politik des inneren Finanzausgleichs auf. Sie schloß sich an die Tradition der sogenannten Provinzial- und Kreisdotationen an, die für den Straßenbau, den Landesausbau und das Armenwesen verwendet wurden. Seit 1873 orientierten sich die Dotationsgesetze an den unterschiedlichen Bedürfnissen der Provinzen, und seit dem Ende der siebziger Jahre begann der Übergang zu einem direkten Finanzausgleich, der ebenfalls auf die Beseitigung des interregionalen Wohlstandsgefälles zielte. Dabei wurden, angesichts der Machtverhältnisse im preußischen Adelsstaat kaum verwunderlich, die Ostprovinzen erneut mit weitem Abstand vor den Westgebieten bevorzugt. Allein von 1886 bis 1896 wurden hundertsechzig Millionen Mark in diese Vorhaben gelenkt, wovon siebzig Prozent der materiellen Infrastruktur zugute kamen. Die Miquelsche Steuerreform schnitt 1893 diesen Geldfluß ab, aber da die Sorgen der vorrangig betroffenen Landesteile politisch effektiv geäußert wurden, gelang 1902 der «entscheidende Durchbruch» zum regionalen Finanzausgleich mit dem Ziel, die ökonomisch schwachen Provinzen und Gemeinden mit systematisch gestaffelten Subventionen zuerst einmal zu entlasten, dann Schritt für Schritt auf das Niveau der bereits höher entwickelten Gebiete zu führen.

Auch der Blick auf die Interventionspolitik des Hegemonialstaates zeigt mithin, daß nach dem Ende des Wirtschaftsliberalismus die neue Wirtschaftspolitik auf eine «historisch-dauerhafte Basis gestellt» wurde. Auf ihrem wichtigsten Operationsfeld bemühte sie sich darum, das «Ungleichgewicht der Wirtschafts- und Lebensbedingungen in Preußen im allgemeinen und das West-Ostgefälle des Wohlstandes» nach Kräften auszugleichen, zumal die Situation durch die Agrarkrise seit 1876 verschärft wurde. Natürlich setzte sich dabei der Egoismus der ostelbischen Machtelite immer durch, so daß die Präferenzen dieser Politik nicht zu übersehen sind. Gegen ihre Einseitigkeit muß sich verdiente Kritik richten. Darüber hinaus handelte es sich aber durchaus um ein «allgemeines raumwirtschaftliches Entwicklungsproblem», das wegen des ungleichmäßigen Wachstums der Regionen in allen Industrieländern bis heute existiert. Vom Ergebnis her geurteilt, ist im Kaiserreich eine wesentliche Förderung des interregionalen Ausgleichs bereits in Gang gekommen. Das war dem «Interventionswillen einer sozialkonservativen Ministerialbürokratie» und Staatsregierung zu verdanken. Ihr Ziel war es ganz unverhüllt, die Disparitäten und Defizite einer ursprünglich von den Marktmechanismen gesteuerten Entwicklung durch zielbewußt organisierte staatliche Eingriffe zu korrigieren.[28]

5. Das Handwerk in der Umstellung auf den Primat der Industrie

Krisengeschüttelt ist die Entwicklung des deutschen Handwerks seit dem Vormärz verlaufen. Auch während der Industriellen Revolution und dann in der Zeit der Hochindustrialisierung im Kaiserreich hielt ein tiefgreifender Strukturwandel an, der die Verhältnisse im «alten» Handwerk radikal umgestülpt hat. Diese Veränderungen fielen so drastisch aus, daß die «pessimistische» Interpretation ihrer Folgen von der Mehrheit der deutschen Sozialwissenschaftler vor 1914 geteilt wurde. Dazu gehörten solche Experten wie Schmoller, Sombart, Bücher, überhaupt der größte Teil des «Vereins für Sozialpolitik». Die «optimistische» Deutung der neueren Handwerksgeschichte wurde dagegen nur von wenigen Kennern wie Stieda und Thissen verfochten, hat sich dafür aber mit ihrem Grundtenor in der jüngsten Vergangenheit durchgesetzt. Eine realistische historische Analyse muß freilich dem ambivalenten Charakter von erfolgreicher Expansion und Adaption einerseits, von fatalem Verfall und Stagnation andrerseits gerecht werden.

Man kann davon ausgehen, daß die Kleinbetriebe mit bis zu fünf Beschäftigten durchweg Handwerksbetriebe waren, obwohl die Kategorien der Reichsgewerbestatistik von 1875, 1882, 1895 und 1907 keine definitive Sicherheit gewähren. Ihre Gesamtzahl sank von 1882 (2.17 Mill.) bis 1907 (1.87 Mill.) um nicht ganz fünfzehn Prozent, ihr prozentualer Anteil an der Zahl aller Gewerbeunternehmen um 6.1 Prozent. Anfangs stellten die Einzelmeister zwei Drittel, 1901 nur mehr dreiundfünfzig Prozent der Kleinbetriebe. Bei diesen Alleinbetrieben fiel der Rückgang am drastischsten aus.

Die Beschäftigtenzahl in absoluten Ziffern blieb fast stabil, als Anteil aller Erwerbstätigen schrumpfte sie nur um fünf Prozent, als Anteil der gewerblich Beschäftigten jedoch von sechzig Prozent um fast die Hälfte auf zweiunddreißig Prozent. Die genauen Angaben lassen sich aus Übersicht 90 entnehmen.

Übersicht 90: Orientierungsdaten zur Entwicklung des deutschen Handwerks 1882–1907

	1) Zahl der Kleinbetriebe (1000)	2) Anteil an der Gesamtzahl	3) Alleinbetriebe (1000)	4) Beschäftigte in Alleinbetrieben (1000)
1882	2173	95.9%	1430	3264
1895	1988	92.7%	1237	3187
1907	1868	89.8%	995	3195

	5) Gesamtzahl der Erwerbstätigen (1000)	6) Anteil aller Erwerbstätigen in Kleinbetrieben	7) Anteil der gewerblich Beschäftigten in Kleinbetrieben	8) Beschäftigte je Kleinbetrieb im Durchschnitt
1882	19958	16.4%	60%	1.50
1895	23405	13.6%	43%	1.60
1907	28106	11.3%	32%	1.71

1873 waren noch zwei Drittel aller gewerblich Beschäftigten in Kleinbetrieben mit einer Belegschaft bis zu fünf Mann tätig, 1907 war es dagegen gerade noch ein Drittel. Obwohl die Gesamtzahl dieser Beschäftigten von 1882 (5.5 Mill.) bis 1907 (9.9 Mill.) um 4.5 Millionen hochkletterte, kam der Zuwachs allein den großen und mittleren Betrieben zugute. Dabei war ein langlebiger Aufschwung in der numerischen Entwicklung des Handwerks von rund 1850 bis 1875 vorausgegangen. Die Meisterzahl wuchs absolut um 52.4 Prozent und damit proportional zur Bevölkerungsvermehrung. Von 1875 bis 1907 folgte dann jedoch ein Abfall in Höhe von 12.6 Prozent. In diesem Jahr lag die absolute Zahl zwar höher als 1849, aber niedriger als 1875. Die Gesellenzahl blieb, aufs Ganze gesehen, ziemlich stabil.

Einige Indikatoren der ökonomischen Entwicklung des Handwerks geben einen genaueren Aufschluß über seine Lage. Der Kapitalstock, insbesondere in Gestalt von Antriebs- und Werkzeugmaschinen, erhöhte sich bis 1907 in beachtlichem Maße, dennoch blieb diese Ausrüstung «noch immer bescheiden». Der Anteil am Realkapitalbestand betrug 1882 16.2 Prozent, sank bis 1895 auf 8.8 Prozent und stieg bis 1907 auf 10.4 Prozent. Der Schwerpunkt lag mithin ganz eindeutig außerhalb des Handwerks; es bewegte sich aber immerhin seit 1895 etwas über der durchschnittlichen gewerblichen Wachstumsrate. Viel schwächer fiel der Anstieg der Wertschöpfung aus: Zwischen 1882 und 1907 lag er im Gesamtgewerbe bei 6.72 Prozent p. a., im Handwerk dagegen bei nur 1.82 Prozent. Sein relativer Anteil sank in diesem

Vierteljahrhundert um fast fünfzig Prozent, obwohl die Produktion in absoluten Zahlen weiter zunahm. Die Arbeitsproduktivität blieb nicht wesentlich hinter derjenigen der Gesamtwirtschaft zurück, obwohl der Grad der vieldiskutierten Motorisierung des Handwerksbetriebes bis 1895 erst 3.8 Prozent erreichte und bis 1907 auch noch nicht über 5.8 Prozent hinausgelangte. In den größeren Betrieben erreichte er freilich schon 32.6 bzw. 46.8 Prozent, immerhin das Achtfache des Durchschnitts. Bis zur Jahrhundertwende herrschte übrigens der Leuchtgasmotor vor, erst seither begann der Siegeszug des kleinen Elektromotors.

Die Geldkapitalbildung stieg, wenn man sie an den Spareinlagen und Bilanzen kleingewerblicher Kreditanstalten mißt, um das Viereinhalb- bzw. Sechsfache. Die Sparquote hinkte daher keineswegs hinter der Leistung in anderen Wirtschaftszweigen hinterher. Ihre Höhe darf jedoch nicht über die extremen Disparitäten des Arbeitseinkommens hinwegtäuschen, das deutlich hinter dem Wachstum des allgemeinen Realeinkommens zurückblieb, nur punktuell das Niveau der Industrie erreichte oder sogar manchmal übertraf.

In der großen Handwerksenquete des «Vereins für Sozialpolitik» in der Mitte der neunziger Jahre wurde ein Jahreseinkommen bis zu 1250 Mark als «notdürftig» bezeichnet. In dieser Größenordnung bewegte sich aber offenbar die Mehrheit; in Leipzig zum Beipiel waren das sechsundachtzig Prozent der Schuhmacher, vierundachtzig Prozent der Schneider und neunundvierzig Prozent der Tischler. Das Mittel der Verteilung, der Median aller Handwerkereinkommen, lag damals wahrscheinlich zwischen 1350 und 1500 Mark. Ein Einkommen bis zu 3300 Mark, das nach sachkundiger Meinung immer noch als «bescheiden» galt, erreichte selbst in gutverdienenden Handwerken nur rund ein Viertel. Das gelang zum Beispiel dreiundzwanzig Prozent der Bäcker und dreißig Prozent der Metzgermeister, während ganze fünf Prozent der Tischler, Schlosser und Klempner so viel verdienten. «Großverdiener» mit jährlich zwischen 5400 und 12000 Mark fanden sich in der Regel nur im Bau- und Nahrungsmittelgewerbe, wo ihre Zahl immerhin zwischen neun und neunzehn Prozent schwankte. Gesellen konnten in florierenden Regionen ihr Einkommen zwischen 1875 und 1907 von 650 auf maximal 1500 Mark steigern. Für die große Majorität der Handwerker blieb darum die materielle Lage alles andere als rosig. Wie schon das durchschnittliche Jahreseinkommen zeigt, erreichte es soeben die Reallohnhöhe vieler industrieller Facharbeiter, übertraf sie selten, sondern blieb eher darunter. Die ohnehin breite Grauzone der «proletaroiden Existenzen» ist daher auch während der wilhelminischen Boomjahre breiter geworden.

Hat es deshalb in dieser Zeit eine allgemeine Verdrängung des Handwerks durch die Industrie gegeben? Anders gefragt: Ist der Anteil des Handwerks am gesamtwirtschaftlichen Wachstum unterproportional, gegenläufig zum Trend negativ ausgefallen? Oder hat es im Gleichschritt mithalten, ja vielleicht sogar einen überproportional hohen Anteil beisteuern können? Insgesamt ist, um die Antwort vorwegzunehmen, das Handwerk – trotz aller unumgänglichen Differenzierung nach Gewerbezweigen – ein «Weggenosse des Wachstums» geblieben, auch in dem Sinne, daß sein Beitrag zum gesamtwirtschaftlichen Wachstumsprozeß höher als die Rate der Bevölkerungsvermehrung ausfiel.

Drei parallel verlaufende Prozesse haben die Entwicklung des Handwerks in den vier Friedensjahrzehnten des Kaiserreichs geprägt. Einerseits hielt eine kräftige Expansion und Konzentration an, die zu großen, überaus leistungsfähigen Betrieben führte. Sie fanden sich vor allem im Baugewerbe, das besonders seit 1896 enorm in die Breite wuchs, bis 1913 viermal soviel Beschäftigte wie 1849 zählte und Betriebe mit mehr als tausend Arbeitnehmern aufwies; außerdem gab es sie aber auch im Nahrungsmittelgewerbe, wo die erfolgreichen Fleischer und Bäcker die Spitzengruppe bildeten.

Andrerseits herrschte in manchen Gewerben entweder Stagnation oder sogar Schrumpfung. Das galt insbesondere bis rund 1895, vornehmlich auch eher in Süd- und Westdeutschland. Seither verlangsamte sich dieser Vorgang, hielt aber auf Kosten der weiterhin verschwindenden Alleinbetriebe in der Grundrichtung an. An erster Stelle galt weiterhin, daß zahlreiche Schneider, Schuhmacher und Möbelschreiner die ärmlichste und unsicherste Existenz fristeten, denn das Verlagssystem und die Hausindustrie drangen in diese Massenhandwerke immer tiefer ein. Aus einer proletaroiden Soziallage erfolgte dann nur zu häufig der Übergang in die Lebenswelt des Proletariats. In Bochum waren zum Beispiel 1884 – wie in den schlimmsten Zeiten des Vormärz – nur neun Prozent aller Handwerksmeister gewerbesteuerpflichtig, in Hamburg 1890 siebenundachtzig Prozent aller Handwerker kärglich lebende Einzelmeister.

Schließlich dehnte sich der Unterschied zwischen Stadt- und Landhandwerk weiter aus. Während sich auf dem Land die Anzahl der Meister je tausend Einwohner von 1858 bis 1895 von dreiundzwanzig auf sechsundzwanzig noch etwas erhöhte, sank sie in den Städten von achtundvierzig auf siebenundzwanzig hinab. Auf hundert Landmeister entfielen aber in den neunziger Jahren nur zweiundsiebzig Gesellen (wie 1858), auf hundert Stadtmeister dagegen hundertachtundfünfzig (1858 nur 115), von denen freilich eine wachsende Zahl in die Industrie abwanderte. Auch im Hinblick auf die geographische Rekrutierung galt um 1900, daß etwa drei Viertel aller Handwerker vom Lande stammten.

Trotz der unübersehbaren Schattenseiten in der Entwicklung des Handwerks zeigt die vorn skizzierte ökonomische Leistungsbilanz, daß es, aufs Ganze gesehen, nicht nur wirtschaftlich lebensfähig blieb. Vielmehr zeichneten sich wichtige Branchen durch eine außerordentlich hohe Anpassungsfähigkeit aus. Das zeigt unter anderem die Übernahme neuer Dienstleistungsfunktionen, etwa der Reparatur und Wartung. Zunehmend wanderten

Handwerker in den tertiären Sektor ab und wurden von ihm, nicht mehr von der Produktion, geprägt. Andere, wie das Bau- und Nahrungsmittelgewerbe, profitierten vom Bevölkerungswachstum und der Urbanisierung mit ihrem Bauvolumen und der sinkenden Zahl von Selbstversorgern, vom steigenden Realeinkommen und neuen Ansprüchen an den Lebensstandard. Schlossern, Klempnern, überhaupt den Metallhandwerkern öffnete sich in den Städten eine Vielzahl neuer, teilweise auch lukrativer Chancen. Nicht selten erlebten auch spezialisierte Handwerksbetriebe eine Aufwertung gegenüber der Massenproduktion, in ihnen triumphierte Flexibilität, kleine Warenserien genossen den Nimbus der soliden Handarbeit.

Zu der Adaptionsbereitschaft trat der Sozialprotektionismus der staatlichen Gewerbepolitik hinzu, die allein wahrscheinlich nicht genügt hätte, das Handwerk am Wachstumsprozeß teilnehmen zu lassen. Aber das vorhandene ökonomische Potential, die Mentalität des Kleinunternehmers, die Elastizität der Reaktion auf die neuen Rahmenbedingungen wurden durch sie doch nachhaltig unterstützt.

Die Etappen dieser Gewerbepolitik sind leicht zu erkennen. Unter dem Einfluß des Triumphs der Gewerbefreiheit, wie sie seit 1869 im Norddeutschen Bund und anschließend im Reich galt, fiel es den Interessenvertretern des Handwerks zunächst schwer, vertraute Privilegien zurückzugewinnen. Nach der Schockwirkung der Depression der siebziger Jahre gab dann aber das Innungsgesetz von 1881 den Fachinnungen den Charakter öffentlichrechtlicher Körperschaften zurück. Der Zusammenschluß zu Bezirksinnungsverbänden wurde erlaubt. Zwar wurde die Gesellenprüfung noch nicht obligatorisch, aber die Aufsicht über das Lehrlingswesen fiel wieder an die Meister, und Schiedsgerichte bedeuteten einen wichtigen Schritt hin zur Autojurisdiktion. Seit 1882 nahm sich der «Allgemeine Deutsche Handwerkerbund» (ADHB) der beiden Hauptziele der Meister an: der Einführung der Zwangsinnung und des großen Befähigungsnachweises, das heißt: der Bindung des Ausbildungsrechts allein an Handwerker im Besitz des Meisterdiploms. Trotz aller Bemühungen dauerte es jedoch bis zur Handwerksnovelle von 1897, ehe eine neue Rechtslage verbrieft wurde.

Jetzt wurden fakultative Zwangsinnungen gestattet, sofern die örtliche Mehrheit der Meister dafür stimmte. Außerdem entstanden seither Handwerkskammern, die wie die Industrie- und Handelskammern und die seit 1894 bestehenden preußischen Landwirtschaftskammern als korporativistische Gremien die Interessenvermittlung gewährleisten sollten. In die neue Handwerksrolle wurden jene Betriebe eingetragen, die sich nur und ausschließlich als Handwerksbetriebe verstanden. Von der Zwangsinnung, dem Befähigungsnachweis und dem Recht auf Preisfestsetzung hielt sich der Gesetzgeber jedoch weiter fern. Immerhin hatten sich zehn Jahre später 233000 Meister in den fakultativen Zwangsinnungen organisiert, während 289000 in den freien Zünften blieben. Im folgenden Jahr (1908) brachte eine weitere Novelle den «kleinen» Befähigungsnachweis für die Lehrlingsausbildung. Die Maximalziele wurden jedoch erst unter dem NS- Regime erfüllt.[29]

Die Ursachen dieser Gewerbepolitik und ihres Sozialprotektionismus sind in erster Linie in den politischen Interessen der Reichsregierung und der «reichsfreundlichen» Parteien zu finden, den «alten» Mittelstand des Handwerks als Gegengewicht gegen das Proletariat und die Sozialdemokratie zu stärken und als politisch konservatives Wählerpotential zu erhalten. Für die neue «Sammlungspolitik» gewann das seit den späten neunziger Jahren erhöhte Dringlichkeit. Ob die «Mittelstandspolitik» vor 1914 erfolgreich war oder mehr Rhetorik als Leistung bot – das wird mit anderen soziopolitischen Problemen im Rahmen der Sozialgeschichte des Kleinbürgertums noch genauer erörtert. Im ökonomischen Bereich ist jedoch die Bilanz gerechtfertigt, daß dem Handwerk insgesamt die Umstellung auf den Primat der Industrie weithin gelang.

6. Die deutsche Landwirtschaft von 1876 bis 1914

Im Zentrum der Entwicklung, welche die Landwirtschaft des kaiserlichen Deutschland seit dem Beginn der Strukturkrise in der Mitte der siebziger Jahre durchlaufen hat, standen einige auffällige Tendenzen.

1. Sie verlor den Primat in der Gesamtwirtschaft an die Industrie bereits wenige Jahre nach jener tiefen Zäsur, die durch die Auswirkungen des neuen Weltagrarmarktes geschaffen wurde. Dieser frühe Verlust des traditionellen Vorrangs blieb den meisten Zeitgenossen noch verborgen. Aber zuverlässige ökonomische Indikatoren gestatten es, wie vorn erörtert, den folgenschweren Entwicklungsbruch auf die erste Hälfte der achtziger Jahre zu datieren.

2. Trotzdem drang der Agrarkapitalismus weiter vor und steigerte – in einer Langzeitperspektive – unentwegt die Leistungsfähigkeit der Landwirtschaft. Zwar bescherte der auch von ihr durchgesetzte Zollprotektionismus dem städtischen Konsumenten schwere Belastungen. Aufs Ganze gesehen trug der Agrarsektor jedoch weiterhin zum Wachstum der deutschen Volkswirtschaft bei.

3. Der Anteil der in ihm Beschäftigten sank relativ steil von 1878 (49 Prozent) bis 1913 (35 Prozent) um fast dreißig Prozent ab. Aber mehr als ein Drittel aller Erwerbstätigen – sie verkörperten immer noch ein großes Arbeitskräftepotential, zumal der Grad der Maschinisierung in den beiden Vorkriegsjahrzehnten deutlich hochschnellte.

4. Die Abhängigkeit von ausländischen Wanderarbeitern, die insbesondere aus Russisch-Polen stammten, nahm bei den Großbetrieben stetig zu. Daß Deutschland bereits vor 1914 ein Gastarbeiterland war, wird durch diese halbe Million Saisonarbeiter schlagend demonstriert.

5. Während in absoluten Zahlen der Beitrag zur Wertschöpfung, der Kapitalstock, das Arbeitseinkommen, die Agrarproduktion, der Kapitalbe-

stand weiter anwuchsen, stieg auch der Bodenpreis trotz der Abflachung zwischen 1876 und 1900 dem Trend nach weiter aufwärts, so daß Investitionen in Grund und Boden weiter attraktiv wirkten. Landbesitz blieb eine begehrte Ware, ein umworbenes Spekulationsobjekt, ein hochgeschätztes Statussymbol.

7. Unverändert folgte auch die deutsche Landwirtschaft dem Grundgesetz des modernen Produktionskapitalismus, da sie den Fluktuationen von Konjunktur und Krise unterworfen blieb, die jetzt vom Weltagrarmarkt zusätzlich gravierend beeinflußt wurden. Kein Schutzzoll hat daran etwas zu ändern vermocht, wohl aber wurden die heftigen Pendelausschläge durch ihn abgemildert, Einkommen und Soziallage der Erzeuger wirksam privilegiert, indem der Staat die deutschen Getreidepreise gegenüber den Weltmarktpreisen durch seine Intervention aufbesserte.

Die ambivalente Signatur des Agrarsektors seit dem Beginn der Strukturkrise um 1875/76 läßt sich herausarbeiten, indem man die wichtigsten Basisprozesse und Indikatoren seiner negativen und positiven Entwicklung ins Auge faßt. Zunächst ermöglichen es erneut die Getreidepreise während der Zeitspanne von 1876 bis 1913, die relativ langlebigen Schwingungen der Konjunktur zu erkennen (vgl. hierzu Übersicht 91). Zwar sind die Preise von dem Höchststand (1855), den sie in der zweiten Hälfte des 19. Jahrhunderts erreicht haben (Gesamtindex: 132.8; Weizen: 148; Roggen: 136; preußischer Weizen: 284 M./t), bis zum Beginn der siebziger Jahre eindeutig abgesunken. Dennoch hielten sie sich zwischen 1872 und 1874 vergleichsweise noch auf einem Hochniveau, das vor 1914 nie wieder erreicht worden ist (zum Beispiel 1873: Gesamtindex: 117; Weizen: 134; Roggen: 114; preußischer Weizen: 264 M./t; vgl. hierzu Übersicht 91).

Aufgrund der weltmarktbedingten Strukturkrise setzte dann aber seit 1875/76 eine Talfahrt ein, die vorläufig 1887 ihren ersten Tiefpunkt erreichte. Der Getreidepreisindex fiel von 1873 bis 1887 (117–77) um siebenunddreißig Prozent, der des Weizens (134–86) um sechsunddreißig Prozent, der des Roggens (114–74) um fünfunddreißig Prozent. Der politisch sensibelste Preis: der des preußischen Weizens (264–164 M./t) sank trotz der drei Zollgesetze sogar um achtunddreißig Prozent ab.

Ein kurzlebiges Zwischenhoch von 1889 bis 1892 schien die erhoffte Erholung anzukündigen, ehe der Abschwung seit 1893 wiederum einsetzte.

Erst 1894 wurde der Tiefststand der Preise seit den ominösen 1820er Jahren erreicht. Wählt man 1873 als Vergleichsjahr, ist der Gesamtindex (117–73) bis 1894 um vierzig Prozent, der des Weizens (134–70) um achtundvierzig Prozent, der des Roggens (114–71) um achtunddreißig Prozent, der preußische Weizenpreis (264–135 M./t) sogar um fünfzig Prozent abgefallen! Der Aufschwung wollte seither jahrelang nicht recht gelingen. Im Grunde setzte er erst 1905 unmißverständlich ein. Vor allem dank der außergewöhnlich hohen Ernteergebnisse von 1911 und 1912 sorgte er bis

Übersicht 91: Getreidepreise in Deutschland 1871–1913 (1913 = 100)

Jahr	Roggen	Weizen	Gerste	Hafer	Jahresdurchschnitt/Getreide	Preuß. Weizen M./t
1876	100	108	107	102	103.2	210
1877	101	119	107	93	105.6	230
1878	83	103	95	81	89.8	202
1879	85	103	100	79	90.9	196
1880	114	112	106	90	109.3	219
1881	120	114	104	94	112.7	220
1882	94	104	98	86	96.3	208
1883	87	93	93	80	88.7	185
1884	89	84	97	84	88.0	173
1885	87	84	91	86	86.6	162
1886	80	82	87	77	81.1	157
1887	74	86	80	65	77.1	164
1888	82	91	87	80	84.9	174
1889	94	94	89	92	93.0	183
1890	102	100	103	100	101.2	192
1891	125	114	106	101	116.4	222
1892	108	92	96	90	100.0	189
1893	81	79	88	97	83.7	152
1894	71	70	84	84	74.3	135
1895	75	73	84	76	75.9	140
1896	75	80	88	82	78.9	153
1897	82	87	92	89	85.8	165
1898	92	96	100	95	94.4	156
1899	90	81	97	90	88.3	155
1900	86	80	94	85	85.4	150
1901	86	85	95	91	87.4	162
1902	88	84	93	97	88.6	164
1903	82	80	85	82	82.0	155
1904	81	87	89	84	84.3	169
1905	89	89	99	91	90.6	171
1906	98	91	101	103	97.1	174
1907	115	104	108	114	110.9	201
1908	110	106	111	104	108.4	204
1909	105	117	106	108	108.7	226
1910	92	103	97	96	96.1	204
1911	103	103	118	109	105.6	204
1912	114	110	126	121	115.3	217
1913	100	100	100	100	100.0	199

1913 für einen Ausgleich, der in diesen Jahren wenigstens das Niveau von 1875 ungefähr wieder erreichte.

Dieser Konjunkturtrend wird sowohl durch die Berliner Großhandelspreise für das wichtigste Getreide als auch durch den durchschnittlichen deutschen Weizen- und Roggenpreis – beide sind in den gröberen Meßziffern von Fünfjahresdurchschnitten erfaßt – noch einmal überzeugend bestätigt, wie die Übersicht 92 zeigt.

Übersicht 92: 1. Großhandelspreise für Weizen und Roggen – 2. Deutsche Weizen- und Roggendurchschnittspreise p. a. 1876–1914

1. Weizen- u. Roggengroßhandelspreise in Berlin (1851–1870 = 100)			2. Durchschnittliche deutsche Weizen- und Roggenpreise a) M./t b) (1913 = 100)				
	Weizen	Roggen	Weizen			Roggen	
1876/80	97	97		211	107.6	166	100.6
1881/85	82	99		189	96.9	160	96.9
1886/90	81	91		174	88.8	144	87.2
1891/95	77	97		166	85.7	152	92.1
1896/1900	76	87		161	82.6	136	82.4
1901/05	78	90		164	83.6	139	84.2
1906/10	97	121		209	103.0	169	102.4
1911/14	97	112	1913	196	100	165	100

Im chronologischen Längsschnitt weist die Preisentwicklung der wichtigsten Getreidesorten in einem vollen halben Jahrhundert, nämlich von 1860 bis 1912 (1861/70 = 100), beim Weizen überhaupt keinen Zuwachs, beim Roggen eine Steigerung um nur zwölf, bei Hafer und Gerste immerhin um achtunddreißig bzw. zweiunddreißig Einheiten auf.[30]

Wo lagen die wesentlichen Ursachen dieser Konjunkturbewegungen? Zugegeben, endogene Bedingungen wie die Schwankungen des Erntewetters behielten für die Agrarkonjunktur ihre Bedeutung. Wichtiger aber wurde jetzt der Einfluß, den der Weltmarkt auf ein klassisches Importland ausübte, das seit 1852 das wichtigste Brotgetreide, den Roggen, seit 1867 Gerste, seit 1871 Hafer und seit 1872 Weizen einführen mußte – und zwar in so stark anwachsenden Mengen, daß Deutschland bis 1913 zum größten Getreideimporteur der Welt aufstieg. Seine Einfuhr machte schließlich die Hälfte der Eigenproduktion aus.

Die agrarische Strukturkrise seit 1876 war durch die anlaufende amerikanische Exportinvasion ausgelöst worden, die durch die kanadische und argentinische, die indische und australische Ausfuhr verschärft wurde. Vor allem dem qualitativ erstklassigen und unglaublich billigen Weizen aus den Vereinigten Staaten hatte die deutsche Landwirtschaft nicht von ferne etwas Gleichwertiges, geschweige denn ähnlich Preiswertes entgegenzusetzen. Das galt aber für ganz Europa, so daß die Agrarkrise einen gemeineuropäischen Charakter besaß. Rein quantitativ gelang es Rußland, das sich mit staatlich regulierten Preisen dem immensen Druck aus Übersee anpaßte, soeben noch, bis zur Jahrhundertwende der Hauptlieferant zu bleiben. Dann aber mußte es endgültig dem überlegenen amerikanischen Export weichen.

Die amerikanische Anbaufläche, die sich vom Bürgerkrieg (1866 = 15.4 Mill. Acres) bis 1880 (38.1 Mill. Acres) bereits um hundertfünfzig Prozent vergrößert hatte, wuchs seither bis 1914 (55.6 Mill. Acres) noch einmal um die Hälfte an. Dementsprechend schnellte die Weizenproduktion von 1866 = 152 bis 1880 = 499 Millionen Bushels um mehr als das Dreifache, bis 1914 = 737 Millionen Bushels erneut um fünfzig Prozent hoch. Diese Produktion schoß weit über die Bedürfnisse des amerikanischen Binnenmarktes hinaus und verlangte den forcierten Export als Sicherheitsventil. Die extremen Zuwachsraten der beiden ersten Nachkriegsjahrzehnte konnten zwar nicht beibehalten werden, dafür sanken aber die Frachtsätze des Eisenbahn- und Dampfschiffverkehrs in einem staunenerregenden Ausmaß, so daß immer billigere und größere Lieferungen in Europa eintrafen. Die Frachtsätze von Chicago bis zur europäischen Getreidebörse in Liverpool sanken zum Beispiel von 1870 bis 1890 um fünfzig Prozent (5.41–2.04 Dollar je dz), bis 1905 (1.67) sogar um siebzig Prozent! Die amerikanischen Frachtraten (1830 = 100) fielen überhaupt schneller als die Getreidepreise: von 1875 = 94 auf 1905 = 36. Mit anderen Worten: Eine Tonne Weizen von New York bis nach Mannheim zu befördern, kostete 1888 noch 17.38 Mark, 1902 aber nur mehr 8.14 Mark. Das entsprach in etwa den Beförderungskosten für dieselbe Menge von Berlin nach Kassel. Für die Strecke von Königsberg bis Mannheim kam dieser Transport teurer zu stehen als für die Riesenentfernung von New York nach Rotterdam, wo für die Rheinschiffahrt bis Mannheim nur noch einmal drei Mark hinzukamen.

Das Hauptergebnis der internationalen Getreideüberproduktion, die mit Macht auch auf den deutschen Markt drängte, war ein permanenter Preisdruck, der die Erzeuger außerordentlich harten restriktiven Bedingungen unterwarf. Ohne den Schutzzoll wären die Getreidepreise vor 1914 wahrscheinlich um etwa achtunddreißig bis achtundvierzig Prozent noch weiter zurückgegangen (vgl. vorn Übersicht 90). Angesichts dieser schwierigen und schmerzhaften Umstellung auf den Weltmarkt, von dem auch der Protektionismus die deutsche Landwirtschaft keineswegs abschotten konnte, ist ihr relativer Bedeutungsrückgang besser zu verstehen. Der letztlich entscheidende Faktor ist aber natürlich die voranstürmende Hochindustrialisierung, die zu einer auffallenden, drastischen Verschiebung der Relationen zwischen dem primären und sekundären Sektor führte. Der Primatsverlust wird besonders klar, wenn man sich den Rückgang des Anteils am Nettoinlandsprodukt, das Verharren der Nettoinvestitionen auf niedrigem Niveau sowie die Stagnation des Kapitaleinkommens vergegenwärtigt, wobei es sich, wohlgemerkt, um relative Verschiebungen bei gesamtwirtschaftlichem Wachstum, also um absolut noch steigende Meßwerte handelt.

Übersicht 93: Deutsche Landwirtschaft: 1. NIP in Prozent – 2. Nettoinvestitionen in Prozent – 3. Kapitaleinkommen in Prozent 1875–1913

	1.	2.	3.
1875/79	36.7	10.8	29.3
1880/84	36.2	11.5	35.2
1885/89	35.3	13.8	31.8
1890/94	32.2	11.5	36.0
1895/99	30.8	9.0	30.5
1900/04	29.0	11.3	26.5
1905/09	26.0	10.0	29.4
1910/13	23.4	13.9	29.0

Nicht nur schrumpfte der landwirtschaftliche Anteil an der Struktur des Nettoinlandsproduktes innerhalb von knapp vierzig Jahren um vierzig Prozent. Vielmehr wurde er auch seit etwa 1884 durch den Anteil von Industrie und Verkehr in rasch wachsendem Maße so eklatant übertroffen, daß dieser 1913 bei einundfünfzig Prozent, also mehr als doppelt so hoch lag. Die landwirtschaftlichen Nettoinvestitionen hatten 1865/69 immerhin noch 21.8 Prozent ausgemacht. Seit dem Beginn der Agrarkrise erreichten sie gewöhnlich nicht einmal mehr die Hälfte davon, sie gingen mithin auf rund zehn Prozent der gesamtwirtschaftlichen Nettoinvestitionen zurück. Das Kapitaleinkommen fluktuierte ein wenig mit dem Konjunkturverlauf, verharrte aber im Durchschnitt unter einem Drittel.

Soweit der negative Befund, der wesentlich auf die Industrialisierungserfolge und Weltmarkteinflüsse zurückzuführen ist. Rundum positiv sieht freilich das Bild aus, wenn man auf die Leistungskraft und Wachstumsfähigkeit der Landwirtschaft an sich blickt. Zunächst einmal muß man von der Grundgegebenheit ausgehen, daß sich die Größenordnung der Bodennutzung im Kaiserreich, aufs Ganze gesehen, nicht mehr nennenswert verändert hat. Ungeachtet einiger charakteristischer Verschiebungen trifft das auch auf die Gesamtzahlen und Größenklassen der landwirtschaftlichen Betriebe zu, wie Übersicht 94 zeigt.

Bei der Bodennutzung besticht die Konstanz der Relationen zwischen landwirtschaftlicher Nutzfläche, Forsten und Unland bei gleichbleibender Gesamtfläche. Die grundlegenden Veränderungen hatten sich in der Tat zwischen 1800 und 1870 vollzogen. Allerdings wurde die Brache von 1878 (2.31) bis 1900 (1.23 Mill.ha) noch einmal halbiert. Für die Getreideproduktion, die wegen der Zollpolitik häufig überbewertet wird, wurden 1883 55.2 Prozent und 1913 60.7 Prozent (+ 10%) der Nutzfläche in Anspruch genommen, für Kartoffeln immerhin 14.8 und 19.6 Prozent (+30%).

Übersicht 94: 1. Bodennutzung in Deutschland 1878–1913 – 2. Zahl und Größe der landwirtschaftlichen Betriebe 1882–1907

1. Bodennutzung (LN/1000 ha):

	LN		Wald		Öd-, Unland		Gesamtfläche
1878	36726	68%	13873	25.7%	3997	6.4%	53998
1883	35640	66%	13908	25.7%	4476	8.3%	54024
1893	35165	65%	13957	25.9%	4927	9.1%	54049
1900	35055	64.8%	13996	25.9%	5014	9.3%	54065
1913	34814	64.3%	14224	26.3%	5072	9.4%	54110

2. Zahl und Größe der landwirtschaftlichen Betriebe: 1. Zahl, 2. Fläche (LN/1000 ha), 3. Prozent der LN

	1882			1907			% aller Betriebe
	1.	2.	3.	1.	2.	3.	
1. Bis 2 ha	3061831	1826	5.7%	3379000	1731	5.4%	58.9
2. 2–5 ha	981407	3190	10.0%	1006277	3305	10.4%	17.5
3. 5–20 ha	926605	9158	28.8%	1065539	10422	32.7%	18.6
4. 20–100 ha	281510	9908	31.1%	262191	9322	29.3%	4.6
5. + 100 ha	24991	7786	24.4%	23566	7055	22.2%	0.4
6. Gesamt	5279344	31869	100%	5736082	31835	100%	100

Bei der Anzahl der landwirtschaftlichen Betriebe vermehrten sich noch einmal am stärksten die Zwergbesitzungen (bis 2 Hektar, + 10%), insgesamt die Betriebe in der Kategorie der Parzelleneigner und Kleinbauern (bis 20 Hektar), wobei auch ihre Fläche um knapp zehn Prozent zunahm. Dieses Ergebnis ist auf die Neulandgewinnung, die Umwandlung der Insten in Deputatarbeiter mit ein wenig Land und die «Ostmarkenpolitik» mit rund 22250 neugeschaffenen deutschen Höfen zurückzuführen. Die Großbauern und großagrarischen Unternehmer, zusammen anfangs 5.8 Prozent, besaßen 1882 55.5 Prozent der landwirtschaftlichen Nutzfläche, 1913 gehörten diesen fünf Prozent der Besitzer rund zweiundfünfzig Prozent der Nutzfläche, wobei die Zahl der Betriebe im Zuge des agrarkapitalistischen Konzentrationsprozesses um neun Prozent geschrumpft war, während sie ihren Landanteil verteidigt hatten.

Die regionale Landverteilung, die durch die Betriebszählung von 1907 ermittelt wurde, ergab für die folgenden vier Größenklassen ein charakteristisch divergierendes Muster. Die Betriebe mit bis zu fünf Hektar besaßen in Ost- und Westpreußen, Posen, Pommern, Brandenburg, Schlesien und Mecklenburg 8.7 Prozent der landwirtschaftlichen Nutzfläche, im ganzen Reich 16.2 Prozent. Betriebe mit fünf bis zwanzig Hektar erreichten in Ostdeutschland 21.3 Prozent, im Reich 33.4 Prozent. Betriebe mit zwanzig bis hundert Hektar kamen in Ostdeutschland auf 29.5 Prozent, im Reich fast identisch auf 29.8 Prozent. Aber Großunternehmen mit mehr als hundert

Hektar nahmen in Ostdeutschland 40.5 Prozent, im Reich dagegen nur 20.6 Prozent der Nutzfläche in Anspruch.

Daß die Landwirtschaft trotz dieser regionalen Unterschiede weiterhin ein Wachstumssektor blieb, läßt sich anhand von vier aufschlußreichen Indikatoren verfolgen. An der Steigerung der Wertschöpfung, des Kapitalstocks, des Kapitalbestandes und des Arbeitseinkommens kann man das in Übersicht 95 im einzelnen verfolgen.

Übersicht 95: 1. Wertschöpfung, 2. Kapitalstock, 3. Kapitalbestand, 4. Arbeitseinkommen der deutschen Landwirtschaft 1875–1913 (Mill. M./2. u. 3.: Mrd. M.)

	1.	2.	3.		4.	4. M. p. c.	IHBV 1.	Deutsche Volkswirtschaft 1.
			Boden	Gesamt				
1875	6595	33.29	49.3	79.3	4347	471	6221	17651
1880	6427	34.63	47.9	72.7	3855	403	6655	17679
1885	7525	36.38	45.8	71.6	3890	401	7301	20417
1890	7737	38.34	46.5	77.9	3899	417	9493	23589
1895	8573	40.36	43.6	71.8	4346	444	11562	27621
1900	9924	42.86	48.0	84.8	4984	511	14845	33163
1905	10231	46.27	55.3	95.7	5469	551	17116	37189
1910	10625	46.61	65.2	110.7	6515	618	21167	42981
1913	11270	53.21	73.1	126.3	7298	682	34951	48480

Ihren Beitrag zur Wertschöpfung konnte die Landwirtschaft von 1875 bis 1913 um nahezu achtzig Prozent steigern. Bereits 1887 verlor sie aber ihre Spitzenstellung an den sekundären Sektor (7931 zu 7629 Mill. M.), und vor dem Krieg hatte er sie um mehr als zweihundert Prozent (34951 zu 11270 Mill. M.) übertroffen. Der Kapitalstock wuchs um rund sechzig Prozent an. 1889 zog jedoch der sekundäre Sektor (39.26 Mill. M.), der 1875 noch weit zurückgelegen hatte (22.57 zu 33.29 Mill. M.), bereits vorbei und vergrößerte seinen Vorsprung bis 1913 (108.10 Mill. M.) so schnell, daß sein Kapitalstock den agrarischen um mehr als hundert Prozent abhängte. Auch beim Kapitalbestand gelang dem primären Sektor ein Wachstum um mehr als vierzig Prozent, beim Boden kam es freilich über knapp fünfundzwanzig Prozent nicht hinaus. Selbst beim Arbeitseinkommen ist nach langwährender Stagnation während der Krisenzeit bis in die Mitte der neunziger Jahre seither ein Anstieg um rund fünfundfünfzig Prozent festzustellen. Währenddessen sank der Anteil der landwirtschaftlichen Erwerbstätigen von 1878 (49.1 %) bis 1913 (35.1 %) um rund dreißig Prozent. In absoluten Zahlen stieg er sogar von 1878 = 9.69 im Reich (und 5.39 in Preußen) auf 1907 = 12.68 Millionen (8.54 in Preußen) noch an.

Durch den Vergleich mit der Industrie und dem Eisenbahnsystem, erst recht mit der Leistung der gesamten Volkswirtschaft wird der Wachstumsbeitrag des Agrarsektors relativiert. Unstreitig bewegten sich jedoch seine Ergebnisse in diesen vier zentralen Bereichen in einer beachtlichen Größenordnung. Seine Leistungskapazität wird auch durch weitere Resultate des anhaltenden Wachstums unterstrichen, wie es in Übersicht 96 (s. S. 694) zutage tritt.

Während die gesamte deutsche Agrarproduktion von 1800 bis 1850 um erstaunliche fünfundneunzig Prozent, von 1850 bis 1875 um neunundsiebzig Prozent gewachsen war, kamen in den dreißig Jahren zwischen 1871 und 1900 nur mehr rund fünfundzwanzig Prozent hinzu. Der Hauptanteil ist auf die viehwirtschaftliche Produktion zurückzuführen, deren Steigerung bei rund fünfundfünfzig Prozent lag. Die landwirtschaftliche Produktion je Arbeitskraft war in dem Vierteljahrhundert von 1851 bis 1875 um rund fünfzig Prozent hochgeklettert. In den drei Jahrzehnten vor 1900 nahm sie nur mehr um rund siebzehn Prozent zu. Beide Male ist der Zugewinn von fünfundzwanzig bzw. siebzehn Prozent immer noch sehr erheblich gewesen, obwohl das Expansionstempo der vorhergehenden Jahrzehnte wegen der Krisenzeit bei weitem nicht mehr erreicht werden konnte. Nimmt man jedoch die anderthalb günstigen Konjunkturjahrzehnte bis 1913 noch hinzu, kommt man auf eine Leistungssteigerung der Boden- und Viehproduktion zwischen 1873 und 1913 von dreiundsiebzig Prozent! Damit wurden die Wachstumsraten der beiden vorhergehenden Dekaden fast noch einmal erreicht. Diese Raten wurden im Hinblick auf die Hektarerträge der wichtigsten Getreidesorten sogar übertroffen. Hatten die Erträge von 1850 bis 1875 um rund zwanzig Prozent zugenommen, stiegen sie von 1875 bis 1900 um rund fünfunddreißig, bis 1913 um vierzig Prozent an. Im gesamten 19. Jahrhundert haben sie sich damit verdoppelt. Allein zwischen 1883 und 1913 stieg die Getreideproduktion um rund sechzig Prozent von 18.44 auf 29.94 Millionen Tonnen. Und nicht nur das: 1913 besaß Deutschland die höchsten Erträge in ganz Europa, wobei es sich von anderen Agrarproduzenten erstaunlich weit abgesetzt hatte (z. B. Weizen: 21.6, Roggen: 19.1, Kartoffeln: 158.6 dz/ha – England: 21.0, –, 164.4 – Frankreich: 13.4, 11.3, 87.3 – Rußland: 9.1, 8.5, 74.4).

Angesichts der kontinuierlich wachsenden Bevölkerung und ihres noch schneller sinkenden Selbstversorgeranteils gewann die Vermehrung des Viehstapels und der viehwirtschaftlichen Produktion eine besondere Dringlichkeit. Diesen Anforderungen konnte die deutsche Landwirtschaft aber gerecht werden.

Wählt man 1883 als Indexbasis (= 100), nahm der Bestand der Pferde, der wichtigsten Zugtiere der Landwirte, um achtundzwanzig Prozent, der des Rindviehs um dreiunddreißig Prozent, derjenige der Schweine sogar um hundertachtzig Prozent zu. Von der erheblich verbesserten deutschen Fleischproduktion, die innerhalb der dreißig Jahre vor 1913 um hundertfünfzig Prozent gesteigert wurde, machte daher auch das Schweinefleisch,

Übersicht 96:
1. Deutsche Agrarproduktion (1800/10 = 100)
2. Landwirtschaftliche Produktion je Arbeitskraft (Getreidewertbasis/1000 t, Mill., 1800/10 = 100)
3. Hektarerträge (dz/ha, 1800 = 100)

1871–1913											
	1.			2.			3.				
	Gesamt	Pflanzl.	Vieh	Gesamt	Arbeits-kräfte	Index		Weizen		Roggen	
1871/75	274	266	291	60405	10.11	257	1873/77	14.7	143	13.0	144
1876/80	272	261	311	64864	10.32	270	1878/82	14.6	142	11.6	129
1881/85	275	251	328	64295	10.53	262	1883/97	15.1	147	11.9	132
1886/90	292	258	369	67928	10.32	284	1888/92	15.8	153	11.7	130
1891/95	312	268	405	72073	10.12	306	1893/97	16.9	164	13.9	154
1896/1900	345	299	448	79847	11.40	302	1898/1902	18.5	190	14.9	166
							1903/07	19.8	192	16.1	178
							1908/11	20.7	201	17.8	198
							1913	23.6		19.1	

Übersicht 97: Deutscher Viehbestand 1873–1913 (in 1000)

	Pferde	Rindvieh	Schweine	Schafe	Ziegen
1873	3552	15777	7124	24999	2326
1883	3523	15787	9206	19190	2641
1892	3836	17556	12174	13590	3092
1900	4195	18946	16807	9693	3267
1913	4558	20994	25659	5521	3548

dessen Volumen allein um rund zweihundertfünfzig Prozent anwuchs, rund fünfundsechzig Prozent der Gesamtmenge aus. Der Anstieg der Fleischproduktion war auch eines der Ergebnisse der Agrarkrise, denn bis rund 1880 hatte sich die Meinung verbreitet, daß die Verfütterung eines gut Teils der Korn- und Hackfruchtproduktion lukrativer sei als der Verkauf der Einzelprodukte.

Übersicht 98: Deutsche Fleischproduktion 1883/1913 (1000 t)

	Rind	Kalb	Schwein	Gesamt
1883	484.4	95.8	656.9	1364
1900	812.4	158.4	1428.6	2502
1913	931.8	200.8	2283.7	3498

Der deutsche Fleischverbrauch, der 1873 noch bei 29.5 kg p. c. gelegen hatte, ist auch aufgrund dieser Leistung – dazu wegen des steigenden Realeinkommens und der Blockierung fast des gesamten Imports – bis 1913 auf gut 45 kg p. c. aus deutschen Beständen angestiegen.

Auch wenn man die sogenannte viehwirtschaftliche Produktion, die sich aus Fleisch-, Milch- und Wollerzeugung zusammensetzt, zur Veranschaulichung der Leistungskraft heranzieht, stellt sich heraus, daß auf die Steigerung um rund siebenundvierzig Prozent in der Zeit zwischen 1850 und 1876 im folgenden Vierteljahrhundert noch einmal ein Zuwachs von nicht mehr, aber auch nicht weniger als siebenunddreißig Prozent (Index 1800/10 = 100: 292 zu 425) folgte. Erst nach der Jahrhundertwende kam bis 1913 erneut eine Verbesserung um weitere achtundzwanzig Prozent hinzu.

Vergegenwärtigt man sich noch einmal einige Grundzüge der agrarwirtschaftlichen Entwicklung im Kaiserreich, stößt man zuerst auf eine wegen des Bevölkerungsanstiegs kontinuierlich wachsende Nachfrage. Ihr begegnete die Landwirtschaft mit einem eindrucksvoll vermehrten Angebot, das sich aber frühzeitig als unzureichend erwies. Die Binnenversorgung mußte daher stets durch den Import gewährleistet werden, dessen Ausmaß Deutschland auch auf diesem Gebiet zum Spitzenreiter machte. Die Produktionssteigerung des Primärsektors war also einmal dem Stimulus der Nachfrage zu verdanken. Mit der Urbanisierung und Ausweitung der Lohnarbeit stieg die Marktabhängigkeit, während die Selbstversorgungsrate sank. Die Marktquote der leistungsfähigen großen und mittleren Betriebe nahm zu. Das war besonders der Fall, als nach dem langjährigen Abschwung im letzten Vorkriegsjahrzehnt die Agrarkonjunktur zurückkehrte. Die Produktionssteigerung beruhte konkret auf der Intensivierung der Landwirtschaft, da eine spürbare Ausdehnung der landwirtschaftlichen Nutzfläche nicht mehr möglich war. Zum zweiten resultierte sie aus den Fortschritten der Agrarwissenschaft und drittens aus der Maschinisierung der Betriebe sowie der zunehmenden Produktivität der landwirtschaftlichen Arbeit. Trotz der endlosen Klagen war für die erforderlichen Investitionen stets ein hinreichender Kapitalzufluß gewährleistet, der über die Kreditgenossenschaften auch die Kleinbauern erreichte.

Blickt man auf die Bodenpreise als ein Indiz der agrarischen Wirtschaftslage, muß ihr durchschnittliches Wachstum buchstäblich in jedem Jahr zwischen 1855 und 1913 betont werden. In der Schlußphase der «Goldenen Jahre», von 1855 bis 1871, betrug die jährliche Wachstumsrate 5.8 Prozent, von 1867 bis 1888 nach dem Einbruch der Agrarkrise 1.7 Prozent und wegen des anhaltenden Abschwungs von 1888 bis 1900 sogar nur ein Prozent. Die Erholung ist dann an den Wachstumsraten der Folgezeit: 1902–1907 fünf Prozent, 1908–1911 sogar sieben Prozent, 1911–1917 (bereits kriegsbedingt verzerrt) zehn Prozent, deutlich ablesbar.

Wie wirkte sich der vielbeschworene «technische Fortschritt» auf die Landwirtschaft in jenen Jahrzehnten aus? Die Agrarwissenschaft erlebte einen kraftvollen Aufschwung. Für das Gebiet des Pflanzenschutzes wurde 1889 eine erste Forschungsstelle, 1905 die reichsweit operierende «Anstalt für Landwirtschaft und Forstwirtschaft» in Berlin-Dahlem gegründet. Neue Pflanzen wie Sommerweizen und Winterroggen wurden erfolgreich gezüchtet.

Die naturwissenschaftliche Umorientierung der landwirtschaftlichen akademischen Ausbildung und auch der Fachschulen machte große Fortschritte. Neue agrarökonomische Universitätsinstitute wurden 1871 in Gießen, 1874 in München, 1876 in Königsberg, 1879 in Bonn, 1880 in Breslau gegründet. In Berlin wurde das seit 1859 bestehende Institut 1881 zu einer Landwirtschaftlichen Hochschule verselbständigt; auch Hohenheim wurde 1904 genauso aufgewertet.

Für einen hohen Diffusionseffekt sorgte die 1884 von dem Landmaschineningenieur Max Eyth ins Leben gerufene «Deutsche Landwirtschafts-Gesellschaft» (DLG), die bis 1896 zwar nur auf zwölftausend Mitglieder kam, aber weit über ihren Kreis hinaus Landwirten beistand, informative Mitteilungen veröffentlichte, vor allem aber durch ihre jährlichen Wanderausstellungen Hunderttausende von Besuchern erreichte. Für die Verbreitung moderner Sachkenntnisse sorgten auch die Ackerbauschulen für Bauernsöhne, dazu die Fortbildungskurse an Abendschulen. Um 1900 gab es von dem ersten Schultypus rund zweihundert, 1914 von den Fortbildungsschulen aber sogar dreitausendfünfhundert. Nur in Dänemark war das Netz vergleichbarer Institutionen so dicht gespannt.

Ein eindeutiger Gradmesser für das Vordringen des «technischen Fortschritts» auch im Agrarsektor ist das Maß der Ausrüstung mit Maschinen. Sie wurden in den beiden Jahrzehnten nach 1850 eingeführt, primär um die menschliche Arbeitskraft zu vervielfachen. Erst später wurden sie mit der Absicht eingesetzt, Lohnkosten zu sparen. Da alle Maschinen nur saisonal ausgelastet waren, konnten sie sich allein die größeren Betriebe leisten. Bei ihnen nahm der Zuwachs, wie Übersicht 99 zeigt, auffällig zu.

Übersicht 99: Landwirtschaftliche Betriebe mit Maschinen 1882–1900

	1882	1895	1907	Zuwachs in %
Mähmaschinen	13660	35000	281400	1450
Dreschmaschinen	218400	596900	947000	217
Sämaschinen	63150	169500	290000	750
Dampfpflüge	836	1700	3000	258

Die Preise für diese Maschinen sanken wegen des Übergangs zur industriellen Herstellung von 1870 bis 1900 um rund die Hälfte, zumal hochentwickelte englische und amerikanische Vorbilder zum Teil imitiert und nachgebaut wurden. Die Firma Lanz zum Beispiel, die bis 1870 erst tausend Dreschmaschinen ausgeliefert hatte, steigerte ihren Ausstoß bis 1900 auf hundertdreißigtausend Dreschmaschinen und zweihunderttausend Häckselmaschinen. Ein Spitzenunternehmen wie die Firma Sack in Plagewitz bei Leipzig produzierte bis 1873 nur tausend Drillmaschinen, bis 1883 aber hunderttausend, bis 1911 nicht weniger als zwei Millionen Universalpflüge.

Trotz der Maschinisierung nahm die Anzahl der Landarbeiter wegen der Intensivierung des Hackfrüchteanbaus zu. Um 1900 mußten auf zwei Prozent der landwirtschaftlichen Nutzfläche 1364000 Tonnen Rüben, auf fünfzehn Prozent der Nutzfläche dreißig Millionen Tonnen Kartoffeln geerntet werden. Das geschah in reiner Saisonarbeit, welche die polnischen, russischen, galizischen Wanderarbeiter zu Hunderttausenden anlockte. In Verbindung mit dem Maschineneinsatz stieg die Produktivität der landwirtschaftlich Erwerbstätigen von 1855 bis 1900 immerhin um sechzig bis neunzig Prozent, die der Industriearbeiter in derselben Zeitspanne aber um hundertdreiundzwanzig Prozent.

Außer der Maschinisierung leistete die deutsche Agrikulturchemie, deren Entwicklungsstand die Weltspitze repräsentierte, einen unschätzbaren Beitrag zur Leistungssteigerung der Landwirtschaft. Dank der bahnbrechenden Vorarbeiten von Liebig und Sprengel drang seit etwa 1870 die mineralische

Düngung vor, dank ihnen wurden überhaupt die Grundlagen für die moderne Düngemittelindustrie gelegt. Zusätzliche Düngung dieser Art erwies sich deshalb als notwendig, weil durch die Intensivierung der Landwirtschaft der Nährstoffbedarf des Bodens progressiv schneller gesteigert wurde, als ihn Stalldung und Leguminosen befriedigen konnten. Vor allem der Hackfrüchteanbau hing von reichlicher Düngung ab. Frühzeitig wurde Guano, das aus Vogelexkrementen auf peruanischen Inseln bestand, eingeführt (1875 = 116000 t). Da die begrenzten Vorräte schnell erschöpft waren, reichte es 1885 nur mehr zu 40980 Tonnen. Chilesalpeter nahm demgegenüber an Bedeutung zu: von 1870 = 66000 und 1890 = 337000 auf 1900 = 484000 Tonnen.

Beide Düngestoffe wurden vom Kali übertroffen. Das war als Abraum in der Staßfurter Region, auch in Elsaß-Lothringen reichlich vorhanden, ehe sein Wert entdeckt wurde. Von 1870 = 288600 Tonnen schnellte es auf den Spitzenwert von 1913 = 21.6 Millionen Tonnen hinauf. Der begehrte Phosphatdünger stammte zuerst aus Knochenmehl, bis sich seit 1885 feingemahlene Thomas-Schlacke wegen ihrer Überlegenheit durchsetzte. Anfangs war sie so teuer, daß sie nur für Kulturen mit hohem Verkaufspreis – wie Zuckerrüben, Obst, Wein – verwendet wurde. Bis 1900 ließ aber die Erschwinglichkeit eine gleichmäßigere Verteilung zu.

Allgemein wurde der Anteil der künstlichen Düngemittel an den jeweiligen Pflanzennährstoffen in den drei Jahrzehnten vor 1913 (1878/89–1911/13) enorm in die Höhe getrieben: Bei Phosphat von dreiundzwanzig auf achtundfünfzig Prozent, bei Kali von fünf auf neunundreißig Prozent und bei Stickstoff von sechs auf fünfzehn Prozent. Das war die frühe Anlaufphase für jene exzessive Kunstdüngung, die sich hemmungslos erst seit den 1950er Jahren durchsetzte.

Institutionelle Hilfeleistungen für die Landwirtschaft kamen von den verschiedensten Seiten. Die Genossenschaften erlebten einen unaufhaltsamen Aufstieg. Das traf auf die von Schulze-Delitzsch, Raiffeisen und Haas initiierten Selbsthilfeverbände zu, so daß 1914 28140 landwirtschaftliche Genossenschaften den Bauern unter die Arme griffen. Außerdem existierten damals 16600 genossenschaftliche Kreditorganisationen, so daß bis dahin neunzig Prozent des Kredits an kleinere Bauern gegeben worden waren, während die illustre «Preußische Central-Boden-Kredit-AG» mit ihren hypothekarischen Pfandbriefen lange Zeit die Großagrarier und Großbauern bevorzugte.

Aktive korporativistische Gremien und Interessenverbände haben die Nah- und Fernziele der Landwirtschaft zäh, aggressiv, kompromißlos vertreten. Der «Kongreß Deutscher Landwirte» von 1868, der «Deutsche Landwirtschaftsrat» von 1872 und das aufgewertete preußische Landesökonomiekollegium wurden durch die Effektivität der «Vereinigung der Steuer- und Wirtschaftsreformer» seit 1876 weit in den Schatten gestellt. Verglichen mit der Durchsetzungsfähigkeit des «Bundes der Landwirte» wirkte die VSW freilich wie eine Laienschauspielertruppe. Außerdem bemühten sich noch die zahlreichen, auch im Vergleich nicht zu unterschätzenden Bauernvereine darum, die Interessen der ländlichen Besitzklassen wahrzunehmen. Darauf wird unten (III. 3 u. 4) noch eingegangen.[31]

Welche Entwicklung hat der Agrarsektor, kurz gesagt, von 1870 bis 1914 durchlaufen? Das entscheidende Faktum ist der Entwicklungsbruch, durch den die Landwirtschaft den traditionellen ökonomischen Primat in der ersten Hälfte der achtziger Jahre an die Industrie verlor. Den gesellschaftlichen Vorrang hatte sie bis dahin schon an die bürgerliche Welt abtreten müssen. Ihren politischen Einfluß nutzte sie aber in einem erbitterten Verteidigungskampf aus, um sich dem Bedeutungsschwund, ja dem relativen Niedergang so lange wie möglich entgegenzustemmen.

Diese Defensive war mit unvorhersehbaren neuen Schwierigkeiten verbunden, da sich die Landwirtschaft dem schmerzhaften Wechselbad von säkularer Agrarkrise seit 1876 und zeitweiliger Erholung seit 1905 ausgesetzt fand. Selbst dieser Aufschwung, der auf eigener Leistungssteigerung und staatlichem Protektionismus beruhte, konnte die vom Weltmarkt bestimmte Strukturkrise nicht dauerhaft überwinden. Die massive staatliche Unterstützung für die Korn- und Viehproduzenten zeitigte unstreitige Erfolge – sofern man die Produktionsinteressen als Maßstab anlegt. Für die Konsumenten jedoch, die um die niedrigeren Weltmarktpreise betrogen wurden, nahm sich die Bilanz ganz anders aus. Nach der Jahrhundertwende kam ein Teil der Getreidewirtschaft sogar in den Genuß der staatlichen Exportförderung. Die sogenannten Einfuhrscheine fungierten als notdürftig kaschierte Ausfuhrprämien. Mit ihrer Hilfe gelang es, insbesondere seit 1908, den Roggenexport aus einem Importland derart zu steigern, daß Deutschland 1913 mit einer Million Tonnen auf der Welt an zweiter Stelle lag.

Diese krasse Begünstigung der exportfähigen ostelbischen Großagrarier änderte aber nichts an der Grundtatsache, daß sich bis dahin eine extreme Einfuhrabhängigkeit bei allen Kornsorten ausgebildet hatte. Die Illusionen von einer landwirtschaftlichen Autarkie – und mit der Erreichung und Verteidigung dieses Ziels hatte die egoistische Interessenpolitik der Produzenten den staatlichen Protektionismus in all seinen Formen auch zu rechtfertigen gesucht –, alle diese Illusionen sind im Nu zerstoben, als der Krieg die Bewährungsprobe erzwang.

III.
Strukturbedingungen und Entwicklungsprozesse Sozialer Ungleichheit

«Gläserne Mauern durchziehen von allen Seiten» die reichsdeutsche Gesellschaft, notierte sich Walther Rathenau zu Beginn des 20. Jahrhunderts, «durchsichtig», aber «unübersteiglich» trennten sie die Klassen und Milieus in der wie erstarrt daliegenden Sozialordnung. Jenseits dieser Barrieren, fuhr er fort, «liegen Freiheit, Selbstbestimmung, Wohlstand und Macht. Die Schlüssel des verbotenen Landes aber heißen Bildung und Vermögen, und beide sind erblich.» Mit diesen nahezu poetischen Worten charakterisierte der Paradiesvogel unter den deutschen Großindustriellen das System der sozialen Ungleichheit im späten Kaiserreich.[1]

Ehe auf seine spezifisch klassengesellschaftliche Ausprägung eingegangen wird, soll noch einmal (wie das ausführlicher in Bd. I, 1. Teil, III geschehen ist) an die wichtigsten Dimensionen und Einflüsse erinnert werden, die das Stratifikationsgefüge konstituieren und umformen.

Im Kern handelt es sich stets um die ungleiche Verteilung von Lebenschancen und Ressourcen auf verschiedenartige Positionen in der Sozialhierarchie. Diese Verteilung vollzieht sich einerseits als anhaltender, freilich oft schleichender Wandel der Chancen- und Ressourcenallokation. Andrerseits besitzen die Ungleichheitsstrukturen eine außerordentliche Zählebigkeit, die lange Zeit einem hohen Veränderungsdruck zu trotzen vermag.

Für die wissenschaftliche Analyse sozialer Ungleichheit hat sich die – ergänzungsfähige – Trias der Hauptkategorien Max Webers bisher am besten bewährt. An erster Stelle steht der ungleiche Zugang zu Macht- und Herrschaftschancen, der Besitz oder Ausschluß von sozialökonomischen und politischen Steuerungsqualifikationen. In einem streng systematischen Sinn besitzt diese Dimension der Herrschaft den Vorrang, denn von der Verfügung über Herrschaftskapazität werden zahlreiche andere Ungleichheitsdimensionen abgeleitet oder letztlich determiniert. Das gilt im Prinzip auch für die ökonomische Lage und das materielle Einkommen, die beide jedoch unter pragmatisch-historischen Gesichtspunkten ein unübersehbares Eigengewicht besitzen. Und schließlich drücken Sozialstatus, Prestige, «soziale Ehre» die extrem unterschiedliche Wertschätzung von einzelnen oder Gruppen aus.

Für eine umfassendere Ungleichheitsanalyse müssen außerdem drei anthropologische Konstanten berücksichtigt werden: Das sind Geschlecht, Alter und Zugehörigkeit zu ethnischen Verbänden. Ohne die fundamentale Bedeutung der Geschlechterdifferenz in Frage zu stellen, läßt sich aber für das Stratifikationssystem des Kaiserreichs konstatieren, daß es noch nicht von gleichwertigen Geschlechterpositionen geprägt war. Status, Einkommen und politischer Einfluß der Frau hingen hauptsächlich vom Mann, seinem Beruf oder seiner Rangstellung in der sozialen Schichtungspyramide ab. Altersdivergenzen gewannen im kaiserlichen Deutschland an Bedeutung, evident wird das etwa im lebenszyklischen Auf und Ab der Arbeiterexistenz. Aber wegen der relativ geringen durchschnittlichen Lebenserwartung gab es noch keine Alterskohorten mit durchweg fünfzehn- bis zwanzigjähriger Ruhestandszeit. Und die Jugendphase war noch nicht so aufgewertet worden, wie das im späteren 20. Jahrhundert der Fall sein sollte. Im Unterschied etwa zu den USA spielte auch die ethnische Zugehörigkeit bei der Klassenbildung in Deutschland keine nennenswerte Rolle. Das Ungleichheitsgefälle existierte vielmehr durchweg in einem «ethnisch homogenen Milieu» (Schumpeter).

Über diese Komponenten der Ungleichheit hinaus sollte man sich stets ein weiteres Faktorenbündel präsent halten, von dem Einflüsse in variierendem Ausmaß ausgehen. Hier ist an erster Stelle das demographische Verhalten im Verein mit Haushalt und Familie zu nennen. Von diesem Umfeld werden zahlreiche «ungleichheitsgenerierende» Entwicklungen und Entscheidungen beeinflußt. Die Kinderzahl, das Heiratsalter, die Lebenserwartung, das Haushaltsbudget, der Konsumverzicht oder die Konsumsteigerung, die Erschwerung oder die Erleichterung von Ersparnissen – all diese Umstände wirken auf die konkrete Lebenslage anhaltend ein. Das trifft auch in weit begrenzterem Maße auf die Wohnsituation zu. Wohnviertellage und Quartierqualität, Wohnungsgröße und -ausstattung, Wohndichte und -dauer, Miethöhe und Hauseigentum besitzen im Alltag eine scharf segregierende Bedeutung. Im Hinblick auf Gesundheit und Krankheit existiert ebenfalls ein klassenspezifisch bedingter Zugang zu regelmäßiger und vitaminreicher Nahrung, zu ärztlicher und medikamentöser Versorgung, zu Heilstätten und Krankenhäusern. Die neuere Forschung hat eine eklatante soziale Ungleichheit vor Krankheit und Tod überzeugend nachgewiesen. Überlebenschancen und Lebenserwartungen sind in Friedenszeiten weithin an die Klassenzugehörigkeit gebunden.

Folgenreiche Vorentscheidungen für den Lebensgang des Individuums werden auch durch seine Konfessionszugehörigkeit gefällt. Ob die Prägung durch die protestantische Tradition oder das katholische Milieu stattfand, das hat gerade in Deutschland als dem klassischen Land der Konfessionsspaltung langlebige Konsequenzen gehabt. Bildung und Fachwissen können im Rahmen der Weberschen Trias angemessen berücksichtigt werden. Sie verdienen aber vielleicht doch, insbesondere im Hinblick auf das 20. Jahrhundert, die Anerkennung als eigene Einflußfaktoren, da der Erwerb von kulturellem Kapital zwar in der Regel die Verfügung über ökonomisches und soziales Kapital voraussetzt, andrerseits aber kulturelles Kapital wiederum relativ leicht in ökonomisches, soziales und politisches Kapital verwandelbar ist. Das Bildungssystem fungiert daher als Filter und zentrale Drehscheibe bei der Verteilung von Lebenschancen und begehrten Ressourcen.

Nicht zuletzt behielt der Stadt-Land-Unterschied eine «konstituierende» Bedeutung für das Ungleichheitssystem des Kaiserreichs. Sowohl die ländlichen Besitzklassen als auch die ungleich größeren besitzlosen ländlichen Erwerbsklassen blieben von den städtischen Klassen in vielfacher Hinsicht unterschieden. Zwar verwandelten sich die städtischen wie die ländlichen Sozialformationen im Zeichen des siegreichen Industrie- und Agrarkapitalismus in marktbedingte Klassen. Aber in den Städten gab es eine ungleich stärkere Aufstiegs- und Abstiegsmobilität, eine ungleich bewegtere «Makro- und Mikrodynamik» (Geiger) bei der Klassenbildung und inneren Klassenhomogenisierung als auf dem Lande, wo die hohe Barriere des Grundbesitzes (oder des Ausschlusses davon) die Familienverbände, wenn sie nicht dem Sog der Binnenwanderung folgten, in einer Klassenlage dauerhaft festhielt.

1. Die beschleunigte Expansion der marktbedingten Klassen: Die reichsdeutsche Klassengesellschaft

Seit dem ausgehenden 18. Jahrhundert haben sich im System der sozialen Ungleichheit, das in den deutschen Staaten und Regionen vorherrschte, marktbedingte Klassen herausgebildet. Da sie in einem unauflöslichen Kausalnexus mit der vordringenden kapitalistischen Marktwirtschaft entstanden sind, bedeutete deren Bodengewinn auch den Aufstieg solcher Erwerbs-, Berufs- und Besitzklassen. Denn ein spezifisches Angebot von Arbeitskompetenzen und Leistungsqualifikationen auf den Arbeitsmärkten und die Verwertung dieser Fähigkeiten haben eine gemeinsame Marktlage geschaffen, die Menschen auf längere Sicht in Marktklassen zusammenführte. Durch ein allmählich entstehendes gemeinsames Bewußtsein und gemeinsames Handeln bei der Verfolgung eigener Interessen schlossen sich verwandte Marktklassen vor allem auch dank ihrer politischen Konflikterfahrungen zu großen «sozialen Klassen» zusammen. Eigene Organisationen, wie etwa die SPD und die Freien Gewerkschaften, die bürgerlichen Parteien und konservativen Interessenverbände, bewiesen schließlich die Fähigkeit zu solidarischem Handeln, wenn es um klassenspezifische Interessen in der politischen Arena ging.

Als seit den 1870er Jahren die deutsche Industrielle Revolution in die Hochindustrialisierung überging, wurde dieser sozialstrukturelle Basisprozeß der Klassenformierung forciert weitergetrieben. Politische Kämpfe haben die Klassenbildung und die Vertiefung der Klassengrenzen weiterhin maßgeblich beeinflußt. Zugleich schritt die innere Klassenhomogenisierung voran, wie auch das Verhältnis der großen Sozialklassen zueinander einem steten latenten Wandel unterlag, so starr die Kampffronten auf lange Zeit auch wirken mochten. Um eine einflußreiche Unterscheidung zu nennen: Als hervorragender Sachkenner hat Max Weber vor allem fünf große «soziale Klassen» im kaiserlichen Deutschland unterschieden: die Arbeiterschaft, das Kleinbürgertum, die «Intelligenz und Fachgeschultheit» einschließlich der Beamten und Angestellten, die Besitzenden und die Bildungsprivilegierten, wobei die «Besitzenden» nach «positiv oder negativ privilegierten» städtischen und ländlichen Besitz- bzw. Erwerbsklassen zu differenzieren seien.

Beim analytischen Zugriff auf diese Probleme empfiehlt es sich weiterhin, die gesellschaftliche Grunddynamik in die vier Dimensionen der Klassenbildung und -entwicklung zu zerlegen. Die ökonomische Dimension lenkt auf die Zwillingsnatur der voraneilenden kapitalistischen Marktwirtschaft und der aus einer Vielzahl von Klassen bestehenden Marktgesellschaft hin. Die wirtschaftliche Lage, insbesondere das im Industrie-, Handels-, Agrarkapitalismus gewonnene Vermögen oder Einkommen bestimmte damals besonders auffällig die ungleiche Verteilung von Lebenschancen, die Verteilung auch der nichtökonomischen: der kulturellen, symbolischen, sozialen, politischen Kapitalsorten, die scharfe Ausdifferenzierung distinkter Lebenswelten, da ständischer Rang, ständische Geltung, ständische Ehre unleugbar an prägender Bedeutung verloren.

Die soziale Dimension umfaßt die innere Komposition der Klassen, den Zustrom und Abfluß von Mitgliedern, die Mechanismen der Vergesellschaftung aufgrund von zweckrationaler Interessenbindung, die Auswirkung von Außen- und Binnengrenzen, die vertikale und horizontale Mobilität, nicht zuletzt die Homogenisierung mehrerer Erwerbs-, Berufs- und Besitzklassen zu einer einzigen sozialen Klasse. Schließlich gehört jener Modernisierungsprozeß hierhin, den wir als Urbanisierung bezeichnen. Denn in den Städten entfaltete sich in atemberaubendem Tempo ein Milieu, das die auffällig beschleunigte Ausbildung von Klassenstrukturen begünstigte.

In der politischen Dimension dominierten Konflikte der unterschiedlichsten Art einschließlich der Antagonismen zwischen repräsentativen Klassenorganisationen, zwischen einzelnen Klassen und staatlichen Institutionen. Das politische System des Kaiserreichs und die Mentalität seiner Machteliten haben solche Konflikte gefördert. Zu schroff war die Hierarchie der politischen Herrschaftspositionen und der sozialen Machtverteilung ausgebildet, als daß die bürgerlichen und adligen Klassen, von den diskriminierten Arbeiterklassen ganz zu schweigen, eher im Konsens als im Streit hätten existieren können. Ohne die Fronten des politischen Klassenkampfes wäre das harte Profil der deutschen Klassengesellschaft nicht so zustande gekommen, wie es dann tatsächlich die Realität des Kaiserreichs bis zuletzt bestimmt hat.

In der kulturell-ideologischen Dimension bildete sich die bürgerliche, proletarische, bäuerliche Kultur weiter aus. Gleichzeitig hielt der Kampf um kulturelle Hegemonie oder um relative Eigenständigkeit ununterbrochen an. Ungleiches Prestige heftete sich weiterhin an unterschiedliche ökonomische Leistungen und Bildungspatente, Vermögenstitel und Machtpositionen. Und die verschiedenartigsten klassenspezifischen Ideologien, neue und alte «Weltbilder», schlichte oder ausgeklügelte Systeme der Weltdeutung von Marx bis Nietzsche, von Darwin bis Chamberlain rangen um Anhänger.

Es lag in der Natur der rapiden deutschen Industrialisierung, des politischen Herrschaftssystems, der unversöhnlich miteinander konkurrierenden Ideen und Interessen, daß sich nicht nur die Außengrenzen zwischen den sozialen Klassen tief eingegraben haben. Vielmehr ist auch ihre innere Vereinheitlichung unter dem Hochdruck dieser gesamtgesellschaftlichen Konstellation kraftvoll unterstützt worden. Die «beklagenswerten Klassengegensätze... in Deutschland» seien, kritisierte 1906 einer der führenden Köpfe der deutschen Wirtschafts- und Sozialwissenschaft, Johannes Conrad, ein Hallenser Professor mit weitem Gesichtsfeld und der für diesen Vergleich nötigen Welterfahrung, «schärfer als in irgendeinem anderen Kulturlande» ausgebildet.

Auch wenn man davon ausgeht, daß die Klassenformationen eine neuartige Ausprägung von sozialer Ungleichheit in der modernen Marktgesellschaft und Marktwirtschaft verkörpern, fällt doch die relative Konstanz und Stabilität der Ungleichheitsrelationen in jenem Teil des deutschsprachigen Mitteleuropa auf, in dem das Deutsche Kaiserreich lag. Schätzungen für die Zeit um 1800 haben ergeben (vgl. Bd. I und II), daß 0.5 bis maximal ein Prozent der Bevölkerung zum Adel, rund vierundzwanzig Prozent zu den Bürgern und Stadtbewohnern im weiten Sinn und rund fünfundsiebzig Prozent zu den Bauern und ländlichen Unterschichten gehörten. Für Preußen in der Reichsgründungszeit hat eine sorgfältige statistische Kalkulation außer dem gleichbleibenden Adelsanteil rund fünfundzwanzig Prozent Angehörige der Ober- und Mittelschichten und etwa vierundsiebzig Prozent für die Arbeiter- und Unterschichten errechnet. Noch für die Mitte der Weimarer Republik (1925) hat dann Theodor Geiger ebenfalls einschließlich der ländlichen Gesellschaft ein Prozent «Kapitalisten» an der Spitze, sechsundzwanzig Prozent für die «mittelständischen» und dreiundsiebzig Prozent für die proletarischen und proletaroiden Schichten und Klassen ermittelt.

Welche tendenziellen Größenverhältnisse ergeben sich in der Zeit zwischen dem Deutschen Bund und der Weimarer Republik im Hinblick auf die Binnenstruktur der reichsdeutschen Gesellschaft, für die eine exakte sozialstatistische Untergliederung wegen des fehlenden oder heterogenen Quellenmaterials nicht möglich ist?

Als ziemlich realitätsnah gelten die gut begründeten Schätzungen, die Werner Sombart, einer der profilierten Köpfe der Jüngeren Historischen Schule der Nationalökonomie, auf der Grundlage der Reichsgewerbestatistik von 1895 und der preußischen Steuerstatistik für die Zeit um die Jahrhundertwende angestellt hat. Zur Oberschicht rechnete er einen Adelsanteil von 0.5 Prozent der Bevölkerung und die «Kerntruppe der Bourgeoisie» in derselben Größenordnung. Diese Spitze der «Unternehmerklasse» setzte sich um 1895 zusammen aus den Besitzern oder Leitern von 19000 Betrieben mit mehr als fünfzig Beschäftigten, von 10000 Handelsfirmen mit bis zu fünfzig Arbeitnehmern, von 23000 «sonstigen» Unternehmern dieser Größe und 8000 Großagrariern. Bis 1900 war, schätzte Sombart, ihre Gesamtzahl wahrscheinlich auf 70–75000 Köpfe, mit den Angehörigen auf 200–250000 «Vollblutbourgeois» angewachsen. In der preußischen Finanzstatistik entsprachen dieser Unternehmerklasse ziemlich genau die Angehörigen der obersten Steuerklasse mit mehr als 12500 Mark steuerpflichtigen Einkommens. Da Sombart die statistischen Angaben für Preußen, wo fast zwei Drittel der Reichsbevölkerung wohnten, zu Recht für einigermaßen repräsentativ für ganz Deutschland hielt, sah er seine Kalkulation durch beide Quellenbestände wechselseitig bestätigt.

Indem Sombart die soziale Welt des Wirtschaftsbürgertums auf kleinkapitalistische Unternehmer in der Industrie, im Handel und Handwerk, auf Manager und Prokuristen, Hausbesitzer und Agenten, Krämer und sogar Großbauern ausdehnte, ermittelte er die Größe der «gesamten Bourgeoisklasse» einschließlich ihrer Angehörigen mit drei bis fünf Prozent der Bevölkerung, damals rund 2.25 bis 2.5 Millionen Menschen. Die Größe des Bildungsbürgertums hat er dagegen nicht einmal ansatzweise zu bestimmen versucht. Sie lag, um ein späteres Ergebnis vorwegzunehmen, im gesamten Reich zwischen 0.75 und einem Prozent der Bevölkerung.

Für das «Kleinbürgertum» veranschlagte Sombart großzügig den fünffachen Umfang der Bourgeoisie: nämlich 12.54 Millionen Menschen. Zu diesem amorphen Ensemble von Erwerbs- und Berufsklassen gehörten nach seiner Rechnung (1) Handwerker im Sinne von «selbständigen Gewerbetreibenden», die auf eigene oder fremde Rechnung in Betrieben mit bis zu fünf Gehilfen arbeiteten (rund 636000, mit 1856000 Angehörigen rund 2492000 Menschen); (2) «kommerzielle und transportierende Handwerker» im Sinne von Krämern und Kleinkaufleuten, Wirten und Fuhrleuten mit bis zu fünf Beschäftigten (315000, mit 818000 Angehörigen rund 1133000 Menschen); dann aber auch (3) noch 1995000 selbständige Bauern mit Höfen bis zu hundert Hektar und 6.92 Millionen Angehörigen, das heißt 7915000 Menschen – mehr als das Doppelte der anderen kleinbürgerlichen Existenzen.

Die meisten Bauern in das «Kleinbürgertum» umstandslos einzubeziehen, stellte allerdings eine äußerst bestreitbare Entscheidung dar. Unter allen Kriterien zur Bestimmung von klassengesellschaftlicher sozialer Ungleichheit wirkt es realitätsadäquater, die bäuerlichen Besitz- und die ländlichen besitzlosen Erwerbsklassen getrennt auszuwerfen, anstatt sie dem vage bestimmten Sombartschen «Kleinbürgertum» bzw. seiner identischen (ohnehin dubios definierten) «Handwerkerklasse» zuzuschlagen.

Um den Umfang der «Klasse des Proletariats» einschließlich der «proletaroiden Existenzen» zu bestimmen, ging Sombart von Unternehmen mit mehr als zwanzig Beschäftigten aus, zog aber – wiederum eine strittige Entscheidung – die beamteten Staats- und Kommunalarbeiter ab. Auf diese Weise gewann er 3.5 Millionen «Vollblutproletarier», die mit ihren Angehörigen dreizehn bis vierzehn Prozent der Bevölkerung stellten. Zu ihnen rechnete er ferner ein Drittel der ärmsten Landarbeiter, anderthalb Millionen, so daß er auf einen proletarischen Klassenkern von zwanzig Prozent der Bevölkerung kam. Wurden im nächsten Schritt die Arbeiter in Betrieben mit bis zu zwanzig Beschäftigten und weitere 650000 Landarbeiter hinzugezählt, stießen noch einmal zwei Millionen «Proletarier» hinzu, die mit ihren Familien ein Drittel der Reichsbevölkerung ausmachten. Wenn darüber hinaus noch alle «lohnabhängigen» Arbeiter, Dienstboten, Einzelmeister, kleinen Handels- und Gewerbetreibenden, Subalternbeamten, Unteroffiziere und Berufssoldaten sowie die Kleinbauern mit bis zu zwei Hektar Landbesitz addiert wurden, ergab sich für die «proletarischen und proletaroiden» Klassen eine Gesamtzahl von 35.12 Millionen: das waren rund 67.5 Prozent der Bevölkerung. In der preußischen Einkommensstatistik entsprachen diesen Klassen jene 68.7 Prozent, die damals jährlich weniger als neunhundert Mark verdienten. Grosso modo bewegten sich mithin die Angehörigen der Arbeiterklassen und Unterschichten zwischen achtundsechzig und siebzig Prozent der Reichsbewohner. Auf die bürgerlichen und bäuerlichen Mittelklassen entfielen nach dieser Rechnung rund neunundzwanzig bis zweiunddreißig Prozent, auf die adligen und bürgerlichen Oberklassen kam nur ein Prozent. So sah in groben Umrissen Sombarts Sozialhierarchie der deutschen Gesellschaft im Jahre 1900 aus. Sie bestätigt trotz des inhaltlichen Wandels hin zur Klassengesellschaft die Dauerhaftigkeit der Ungleichheitsrelationen vom frühen 19. bis ins 20. Jahrhundert.

In derselben Zeit, in der Sombart seine Überlegungen zum Stratifikationssystem anstellte, versuchte auch Gustav Schmoller, über vier Jahrzehnte hinweg der führende Repräsentant der Historischen Schule der Nationalökonomie, die deutsche Schichtungspyramide zu charakterisieren. 1897 äußerte er sich zu der umstrittenen, hochemotionalisierten Frage, die damals die öffentliche Diskussion so unentwegt in Gang hielt, wie das die Pauperismusproblematik im späten Vormärz getan hatte: Schrumpfte der bürgerliche «Mittelstand» und unterlag er damit der von Marx prophezeiten Proletarisierung? Oder gelang es ihm statt dessen, seine Existenz zu verteidigen oder seinen Umfang sogar auszudehnen, also andere Gesellschaftselemente in den Verbürgerlichungsprozeß einzubeziehen?

Schmoller bildete, indem er die Kategorie der Familie zugrunde legte, vier große «soziale Klassen». (1) Aus 250000 Familien bestand danach die «aristokratische und vermögende Gruppe» der Großgrundbesitzer und Großunternehmer, der hohen Beamten, der Spitzenverdiener unter den Ärzten, Anwälten und Künstlern sowie der Rentiers – eine hauchdünne «Oberschicht». (2) 2.75 Millionen Familien konstituierten den «oberen Mittelstand», dem Unternehmer und mittlere Grundbesitzer, die Mehrzahl der Freiberufler und die höheren Beamten angehörten. Davon unterschied Schmoller (3) die 3.75 Millionen Familien des «unteren Mittelstandes», der sich aus Handwerkern, Kleinhändlern, mittleren und subalternen Beamten, Werkmeistern, Facharbeitern und Kleinbauern zusammensetzte. Darunter lebten (4) die 5.25 Millionen Familien der «unteren Klassen», die von den Lohnarbeitern, armen Handwerkern und Kleinstbauern dominiert wurden. Legt man einen Familienkoeffizienten von 4.5 bis 5 zugrunde, kommt man mit diesen zwölf Millionen Familien in der Tat auf die Größe der Reichsbevölkerung kurz vor der Jahrhundertwende.

Den «mittelständischen» Bereich der Gesellschaft mit seinen 6.5 Millionen Familien – mithin 1.25 Millionen mehr als in den gesamten «unteren Klassen»! – hat jedoch Schmoller, der sonst auf vielen Gebieten über stupende Sachkenntnisse verfügte, viel zu wohlwollend, zu sozialoptimistisch, ja direkt beschönigend ausgeweitet. Dieses Ausmaß an Verbürgerlichung gab es erst in der westdeutschen Gesellschaft seit den 1970er Jahren. Trotz mancher Übereinstimmung ist daher Sombarts Analyse insgesamt weit überzeugender ausgefallen.

Ihre Ergebnisse werden auch durch illustrierende Einzelbefunde zur Sozialstruktur deutscher Städte in groben Umrissen bestätigt. Um hier nur drei Beispiele herauszugreifen:

- In einer Provinzverwaltungsstadt wie Trier standen 1895 «Oberschicht», «Mittelstand» und «Unterschichten» im Verhältnis von 1: 21: 78 Prozent zueinander.
- In einer alten Gewerbestadt wie Barmen gehörten 1907 zur «kapitalistischen» Oberklasse 1.4 Prozent, zu den «mittelständischen», den mittleren Bürgerklassen 23.3 Prozent und zum Proletariat 75.3 Prozent.
- In der neuen Industriestadt Bochum ergaben sich für dasselbe Jahr nach demselben Schema sogar 0.3, 16.4 und 83.3 Prozent.[2]

Dieselben oder doch außerordentlich ähnliche Resultate lassen sich für eine Vielzahl von Städten beibringen. Dadurch wird die Konstanz der Größenverhältnisse, also auch die Härte des Ungleichheitssystems, kurzum: die langlebige strukturelle Ordnung der Stratifikationshierarchie nachdrücklich bestätigt. Darüber darf man jedoch das zweite fundamental wichtige Phänomen, das sich auf lange Sicht als noch folgenreicher erwiesen hat, nicht aus dem Auge verlieren. Die reichsdeutsche Gesellschaft befand sich – wie andere westliche Industriegesellschaften auch – aufgrund der produktionskapitalistischen Wohlstandssteigerung in einem säkularen Aufwärtstrend, der um so deutlicher hervortritt, je mehr man ihn am Ende des 20.

Jahrhunderts aus einer den Norden und Süden der Welt vergleichenden Perspektive wahrnehmen kann. Mit anderen Worten: Die Gesellschaft des kaiserlichen Deutschland erlebte einen «Fahrstuhleffekt», der zu einer historisch beispiellosen relativen und absoluten Verbesserung der materiellen Lage ihrer Mitglieder führte, wobei gravierende regionale Unterschiede bestehenblieben.

Die Ungleichheit der Herrschaftschancen und des Prestiges läßt sich auf bestimmten Rängen der Sozialhierarchie zwar strukturell verorten, dann aber leichter beschreiben als – streng operationalisiert – mit Hilfe eines exakten Verfahrens (das etwa einen überzeugenden Machtkoeffizienten zur Präzisierung des Einflusses ständischer oder staatlicher Führungseliten ergibt) genau messen. Dagegen kann man die wirtschaftliche Lage, zum Beispiel anhand der steuerstatistischen Einkommensstufen, viel genauer bestimmen. Dadurch wird die ökonomische Dimension der Klassenlagen erhellt, obwohl sie selbstverständlich mit den politisch fixierten Einkommensstufen nicht gleichgesetzt werden dürfen, wie diese auch denkbar wenig über die Natur traditioneller Adelsvorrechte und bildungsbürgerlicher Beamtenmacht aussagen.

Trotz des allgemeinen «Fahrstuhleffekts» ist das Hervorstechende der reichsdeutschen Einkommensentwicklung ihr «plutokratischer» Grundzug, so daß sich eine «typische Verteilungsschiefe» aufgrund der extrem ungleichen Einkommens- und Vermögensschichtung herausbildete, die das Reformideal größerer «sozialer Verteilungsgerechtigkeit» (Adolph Wagner) kraß verletzte. In einer Langzeitperspektive erfolgte der weiteste Sprung nach vorn auf den höchsten Rängen. Die obersten ein Prozent der preußischen Einkommensbezieher konnten zwischen 1873 und 1913 ihren Anteil um zwei bis drei Prozent auf zwanzig Prozent, mithin auf ein Fünftel des Gesamteinkommens, erhöhen. Spätestens seit 1881 traf das auch auf Sachsen zu. Die oberen fünf Prozent in Preußen vermochten von 1854 bis 1913 ihren Anteil von einundzwanzig Prozent (1873 schon 27.8 %) auf 32.6 Prozent, in Sachsen von 1882 bis 1913 auf dreiunddreißig Prozent, in beiden Staaten also auf ein Drittel zu steigern. (In Großbritannien lag derselbe Anteil, dies zum Vergleich, gleichzeitig sogar bei 45 Prozent!) Die obersten fünf Prozent im gesamten Reich kamen 1913 auf ein knappes Drittel, rund einunddreißig Prozent, die obersten zehn Prozent auf 40.5 Prozent des Gesamteinkommens.

Demgegenüber ging der Einkommensanteil der fünfundzwanzig Prozent in den untersten Steuerklassen von acht bis neun Prozent auf sieben Prozent zurück, der Anteil der nächsthöheren fünfundzwanzig Prozent stagnierte bei zwölf bis dreizehn Prozent. Noch einmal: Der Trend der absoluten Einkommensverbesserung ist unbestreitbar. Ebenso auffällig ist jedoch die relative Verschlechterung der Einkommens- und Vermögenslage der unteren Klassen, da die «überproportionalen Einkommenszuwächse» der Oberklassen insbesondere während der Hochkonjunktur die aufklaffende Disparität zwischen den obersten und den mittleren, erst recht zwischen den obersten und den untersten Einkommensstufen weiter ausdehnten.

Am Nominaleinkommen, das die preußischen Zensiten zwischen 1895 und 1912 erzielten, kann man sich diesen Trend genauer verdeutlichen. Das zeigt Übersicht 100 (s. S. 710).

Die Anzahl der Zensiten, der besteuerungsfähigen Staatsbürger, mit einem Jahreseinkommen bis 900 Mark lag 1895 bei 8 496 000 und 1913 bei 8 086 000, war also ein wenig gesunken. 1913 besaßen jedoch diese 900 Mark viel weniger Wert, da die Lebenshaltungskosten während der leicht inflationären Hochkonjunkturphase um ein Drittel angestiegen waren: von 1895 = 100 auf 1912 = 131.3 Indexpunkte. Deshalb weist, obwohl die Nominallöhne um dreiundsechzig Prozent anstiegen, der Reallohnindex nur einen Zuwachs von fünfundzwanzig Punkten aus. Und darum benötigte man 1912/1913 rund 1182 Mark, um denselben Bedarf zu befriedigen, für den 1895 noch 900 Mark ausgereicht hatten. Die preußische Steuergesetzgebung trug dem Kaufkraftverlust in etwa Rechnung, indem sie 1912 für die erste Einkommensstufe 1125 Mark p. a. ansetzte. Von einer relativen Verbesserung kann daher für diejenigen 10 557 000, die 1912 in der untersten Steuerklasse erfaßt wurden, im allgemeinen nicht die Rede sein.

Für die Zensiten der zweiten bis sechsten Einkommensklasse weist die Statistik von 1895 (1 957 000) bis 1912 (4 Mill.) ein Wachstum um hundert Prozent aus. Hier stellte sich zum guten Teil eine reale Verbesserung der materiellen Lage ein. Hier wurde die vulgärmarxistische Verelendungstheorie am nachhaltigsten dementiert. Aber erst jenseits der sechsten Steuerklasse – 1895 besaß sie ein Jahreseinkommen von 1650, 1912 von 2065 Mark – begann eine «mittelständische» Existenz, von jährlich 6000 Mark (1912: 7500 M.) ab aufwärts die exklusive Region der «Wohlhabenden», während wahrer «Reichtum» erst mit einem versteuerten Einkommen von 9000 Mark (1912 von 11 250 M.) verbunden war.

Es ist richtig, daß zwischen 1895 und 1912 2.66 Millionen Zensiten über die Neunhundert-Mark-Grenze in höhere Einkommensklassen aufgestiegen sind. Das waren jedoch 2.06 Millionen weniger, als der numerische Zuwachs an Zensiten in dieser Zeitspanne (4.72 Mill.) ausmachte. Daher stieg die Anzahl der Minderbemittelten um vierundzwanzig Prozent an. 1895 lagen drei Viertel aller Zensiten unter einem jährlichen Einkommen von 900 Mark. Aber auch 1912 waren es noch zwei Drittel, die nur ein Einkommen von bis zu 1125 Mark erzielten – und das entsprach nicht einmal ganz, wie vorn erläutert, der Kaufkraft der 900 Mark von 1895.

Faßt man jeweils für Preußen mehrere Einkommensstufen in den Stichjahren 1895 und 1912, für Sachsen in den Jahren 1892 und 1912 zusammen, um die Schichtung der Zensiteneinkommen klarer erkennen zu können, und zieht man das sorgfältig geschätzte Einkommen der sächsischen Familien-

Übersicht 100: Nominaleinkommen in Preußen 1895–1912
1. Einkommensobergrenze in Mark, 2. Zensitenzahl in 1000, 3. Prozentsatz der Zensiten

	1895			1902			1912		
	1.	2.	3.	1.	2.	3.	1.	2.	3.
1.	900	8496	75.2	972	9477	68.7	1125	10557	65.9
2.	1050	888	7.9	1134	1177	8.8	1312	1412	8.8
3.	1200	499	4.4	1296	623	5.6	1500	1092	6.8
4.	1350	239	2.1	1458	359	4.0	1688	730	4.6
5.	1500	331	2.9	1620	220	3.0	1875	489	3.1
6.	1650	331	2.9	1782	183	1.5	2063	274	1.7
7.	1800	126	1.1	1944	106	1.2	2250	198	1.2
8.	2100	136	1.2	2268	177	1.7	2625	274	1.7
9.	2400	114	1.0	2592	135	1.0	3000	161	1.0
10.	2700	84	0.7	2916	92	0.8	3375	205	1.3
11.	3000	61	0.5	3240	77	0.6	3750	97	0.6
12.	4200	126	1.1	4536	169	1.2	5250	224	1.4
13.	6000	79	0.7	6480	87	0.7	7500	120	0.7
14.	9000	52	0.5	9720	65	0.5	11250	67	0.4
15.	mehr	61	0.5	mehr	78	0.5	mehr	111	0.7

haushalte zusätzlich heran, ergibt sich der folgende Überblick über wichtige Aspekte der materiellen Lage von mehr als siebzig Prozent der Reichsbevölkerung.

Übersicht 101: Schichtung der Nominaleinkommen der Zensiten in Preußen und Sachsen 1892/1895 und 1912

Preußen			Sachsen			
Nominal-einkommen	Zensitenanteil		Nominal-einkommen	Zensitenanteil		Familien-haushalts-einkommen
	1895	1912		1892	1912	1912
1. Bis 900	75.2	50.4	Bis 950	74.9	52.2	21.3
2. 900–1200	12.3	19.8	950–1250	9.8	17.0	16.0
3. 1200–1650	5.0	15.0	1250–1600	5.1	12.3	17.3
4. 1650–2400	3.3	7.7	1600–2500	5.1	10.1	23.3
5. 2400–4800	2.5	5.0	2500–4800	3.2	5.3	15.9
6. 4800–9500	1.0	1.2	4800–10000	1.2	1.8	4.5
7. 9500 u. mehr	0.7	0.9	10000 u. mehr	0.7	0.9	1.8

Hatten 1892/1895 noch rund fünfundsiebzig Prozent der preußischen und sächsischen Zensiten in «gedrückten» Verhältnissen mit jährlich nicht mehr als 900 bzw. 950 Mark Nominaleinkommen gelebt, war es 1912 immerhin ein Drittel weniger. Das waren aber immer noch rund zweiundfünfzig Prozent. Weitere fünfzehn Prozent lebten 1912 in soeben «auskömmlichen» Verhältnissen, in denen sich zum Beispiel gesunde Facharbeiter mit sicherem Arbeitsplatz bewegen konnten. Diese fünfundsechzig Prozent entsprachen den proletarischen Arbeiterklassen, die auch Sombart ermittelt hat. Nur zwischen fünfundzwanzig und dreißig Prozent genossen aufgrund ihres höheren Nominaleinkommens die «mittelständische» Sicherheit bürgerlicher Mittelklassen. Die Spitzendomäne der «Wohlhabenden» blieb auf vier bis maximal fünf Prozent eingegrenzt. In der Welt der «Reichen» bewegten sich nur ein bis knapp zwei Prozent.

Insgesamt gleicht die Wohlstandsverteilung einer Pyramide mit einem breit ausgebuckelten Sockel, einem schlanken Mittelteil und einer schmalen, nadelartigen Spitze ganz oben. Auf der einen Seite stellte sich in der Langzeitperspektive bis 1914 eine spürbare relative Verbesserung auch in einem gut Teil der unteren Einkommensklassen ein. Auf der andern Seite vergrößerte sich die Kluft zwischen den Ober- und Mittelklassen, besonders kraß zwischen den Ober- und Unterklassen. Deshalb gehörte damals zur «sozialen Frage» auch das Problem der wachsenden Polarisierung der Gesellschaft zwischen der «reichen Geldaristokratie» und allen übrigen Klassen. Zwischen den Mittel- und Unterklassen gab es dagegen an manchen Stellen eine «gewisse Annäherung» der materiellen Lage, da sich bestimmte

Berufsklassen der Facharbeiter, der mittleren Beamten, der besserbezahlten Angestellten usw. an den unteren Saum der «mittelständischen» Welt anschichteten.

Dieser auch damals schon klar wahrgenommenen positiven Tendenz einer expandierenden Verbürgerlichung stand freilich die häufig dramatisierte Perzeption eines Abgleitens von Mitgliedern der Mittelklassen in das Proletariat, zumindest die Angst vor einer beschleunigten Reduktion der sozialen Distanz gegenüber. Und schließlich verhärteten sich, vor allem im neuen Jahrhundert, nicht nur die Unterschiede zwischen den Arbeiterklassen und Unterschichten, da zum Beispiel die Facharbeiter einen Reallohnanstieg erlebten, der Hunderttausende von Ungelernten und Landarbeitern nicht erreichte. Vielmehr tat sich die Schere der regionalen Einkommensdisparitäten ungeachtet aller staatlichen Gegenmaßnahmen weiter auf. Trotz des «Fahrstuhleffekts» war daher das System der sozialen Ungleichheit im Kaiserreich vor 1914 durch eine tiefe Zerklüftung und wachsende Distanz zwischen den Klassen, damit auch durch ein steigendes latentes Konfliktpotential charakterisiert.[3]

2. *Das Bürgertum*

Im kaiserlichen Deutschland hielt der Aufstieg der wichtigsten bürgerlichen Klassen, insgesamt auch «des» Bürgertums weiter an. Trotz aller Blockaden, Konflikte und Grenzen, die noch zu erörtern sind, machte daher auch die Verbürgerlichung der Gesamtgesellschaft unübersehbare Fortschritte. Man kann die erste erfolgreiche Aufwärtsbewegung der wirtschafts- und bildungsbürgerlichen Sozialformationen der Phase von der zweiten Hälfte des 18. Jahrhunderts bis in den späten Vormärz, danach eine kraftvolle Durchsetzung der zweiten Phase von den 1840er Jahren bis in die 1870er Jahre zuordnen. Mit der dritten Phase nach den siebziger Jahren bis zum Ersten Weltkrieg ist jedoch keineswegs ein Nachlassen, geschweige denn ein Abbruch des bürgerlichen Vordringens verbunden gewesen. Trotz aller Hemmnisse, die seinem prinzipiellen Hegemonialanspruch entgegenstanden, blieb die Entfaltung und Konsolidierung des deutschen Bürgertums die vorherrschende Tendenz – obwohl die Zielvision der «bürgerlichen Gesellschaft» noch immer nicht voll verwirklicht werden konnte, obwohl trotz einer starken Homogenisierung auf der Beletage der Bürgerwelt viel Heterogenität anderswo erhalten blieb, obwohl auch neuartige Zerfallserscheinungen hinzukamen.

Um zunächst die Größenordnung zu verdeutlichen: Numerisch stellte das Bürgertum weiterhin einen im Grunde genommen relativ kleinen Anteil der Reichsbevölkerung. Seinen Doppelkern bildete bekanntlich das Wirtschafts- und Bildungsbürgertum. Um 1870 machten die oberen wirtschaftsbürgerlichen Klassen etwa drei bis vier Prozent der Erwerbstätigen aus, um 1913 auch nur maximal vier bis fünf Prozent. Das Bildungsbürgertum kam im ersten Stichjahr bei einer Reichsbevölkerung von neununddreißig Millionen auf schätzungsweise dreihunderttausend Angehörige, im zweiten auf nicht mehr als mindestens fünfhundertfünfzigtausend bis höchstens sechshundertfünfzigtausend, insgesamt also auf etwa 0.75 bis ein Prozent aller fünfundsechzig Millionen Reichsbewohner. Berücksichtigt man die Familienangehörigen, gewinnt man mit Hilfe strenger Abgrenzungskriterien für beide Formationen in den letzten Friedensjahren eine absolute Zahl von 3.6 bis 3.8 Millionen Menschen – das waren nur rund sechs Prozent der Bevölkerung!

Erst wenn man das Kleinbürgertum der kleinen Selbständigen im Handel, Gewerbe und Dienstleistungssektor, in der Sphäre der Handwerker und Krämer, der Fuhrleute und Gastwirte aus guten Gründen zum Bürgertum mit hinzurechnet, steigt seine Gesamtgröße um acht Prozent auf vierzehn Prozent der Bevölkerung an. Im günstigsten Fall erreicht man, wenn der «neue Mittelstand» der Angestellten und der Subalternbeamtenschaft – beide steckten freilich voller proletaroider Existenzen – sowie die unteren Offiziersränge, die Künstler, die Bohème und andere dubiose «Bürger» dazugezählt werden, maximal fünfzehn Prozent, das heißt nicht einmal ein Sechstel der gesamten reichsdeutschen Bevölkerung. Nichts führt mithin leichter in die Irre als die vage Vorstellung vom sogenannten «bürgerlichen Zeitalter», nach der das Bürgertum im Kaiserreich bereits die Mehrheit der Staatsangehörigen gestellt habe. Umgekehrt bleibt es aber erstaunlich, welche Ausstrahlungs- und Prägekraft im wesentlichen von sechs Prozent, allerhöchstens von fünfzehn Prozent der Reichsbewohner auf die Gesamtgesellschaft ausgeübt worden ist.

Das Wirtschaftsbürgertum, getragen vom Trend des anhaltenden Wirtschaftswachstums, reüssierte weiter seit den 1870er Jahren mit deutlich steigender Tendenz, nachdem die Hochkonjunktur in der Mitte der 1890er Jahre zurückgekehrt war. Die Basis seiner Vergesellschaftung durch zweck- und wertrationale Interessenverbindung ist unverändert klar zu erkennen: Der Besitz von Produktionsmitteln der unterschiedlichsten Art oder doch die Verfügungsgewalt über sie, die daraus entspringenden gemeinsamen individuellen und kollektiven Interessen, welche auch durch Verbände und Parteien politisch vertreten wurden, die soziale Vernetzung durch Heirats- und Verkehrskreise, die kulturelle Verbindung durch gemeinsame «Weltbilder», gemeinsame Elemente des Lebensstils, gemeinsame soziokulturelle Werte und Normen – diese Faktoren banden die wirtschaftsbürgerlichen Klassen in erster Linie zusammen.

Die Nahaufnahme ergibt, daß die Binnenhomogenität der Oberklassen im Wirtschaftsbürgertum zunahm, während in seinen mittleren und unteren Klassen die Kohäsion deutlich schwächer ausgeprägt blieb. Die Außengrenzen, welche die Oberklassen vom Adel und Bildungsbürgertum jahrzehntelang getrennt hatten, verloren streckenweise, wie sich das schon in den

Jahrzehnten nach 1849 angebahnt hatte, einen Großteil ihrer scharfen Konturen. Gegenüber anderen Bürgerformationen dagegen wurden sie selbstbewußter und strenger betont, und die langlebige dichotomische Abgrenzung vom Proletariat nahm währenddessen ohnehin noch an haß- und furchterfülltem Insistieren auf sozialer Distanz zu.

Die geläufige, aus der zeitgenössischen Kritik stammende Deutung, daß die wirtschaftsbürgerlichen Oberklassen einer «Feudalisierung» im Sinne einer rückgratlosen Anpassung an den Lebensstil, die Verhaltensweisen und den Normenkodex des Adels erlegen seien, läßt sich in ihrer traditionellen Form – das hat die neuere Forschung nachgewiesen – nicht mehr aufrechterhalten; das Problem muß hinten noch eingehender diskutiert werden. Es bleibt jedoch das gemeineuropäische Phänomen, daß die Imitation der – von einem jahrhundertealten Vorsprung als Vorbild zehrenden - adligen Herrschaftseliten durch die neuen bürgerlichen Eliten weit verbreitet war. Auch in Deutschland haben Bürger auf den Führungsrängen die Lebensweise des Adels in manchen Bereichen nachgeahmt, sich seine Werte zu assimilieren bemüht. Trotzdem: Im Vergleich mit England und Frankreich scheint in Deutschland die Trennlinie zwischen den rivalisierenden Lagern markanter durchgezeichnet geblieben zu sein. Die Fusion zu einer bürgerlich-adligen Notabelnklasse hat es im Kaiserreich nicht gegeben. Andrerseits wurde der neuhumanistische Bildungskanon im Wirtschaftsbürgertum bereitwilliger rezipiert, nachdrücklicher für ein verbindliches, gemeinbürgerliches Ideal gehalten, als das in den meisten anderen westlichen Ländern der Fall war.

Im Bildungsbürgertum behielt die verstaatlichte Intelligenz der höheren Beamtenschaft ihren unverschleierten politischen Einfluß aufgrund der Tatsache, daß sie wegen ihrer hochkarätigen Steuerungsqualifikationen ein unverzichtbarer Bestandteil des modernen bürokratisierten Herrschaftssystems im Gesamtstaat, aber auch in den Bundesstaaten und in den Städten blieb. Sie erlebte sogar eine neue Aufwertung, als das weltweit als Modell betrachtete Wissenschaftssystem ausgebaut wurde. Erst recht dann, als es zu der frühzeitigen Ausbildung des Interventions- und Sozialstaats sowie einer effizienten Stadtverwaltung kam, die sich mit den gravierenden Problemen der Urbanisierung eindrucksvoll auseinandersetzte. Als Gegenströmung bekam sie allerdings mit zunehmendem Druck zu spüren, daß die Bourgeoisklassen sozial und politisch mächtiger wurden, während der Adel zahlreiche soziopolitische Privilegien weiter verteidigte.

Diffuser stellte sich die Lage der akademischen Freiberufler dar, da sie abseits der politischen Machtzentren an deren Nimbus nicht teilhatten und ihr spezialisiertes Fachwissen die traditionelle Bildung, auf deren Nachweis ihr Prestige doch wesentlich beruhte, einer Fragmentierung unterwarf. Diesen strukturellen Nachteilen stand freilich die Entfaltung von selbstbewußten Professionen gegenüber, die sich eigene Einflußsphären und Machtchancen zu erstreiten verstanden.

Die Vergesellschaftung des Bildungsbürgertums beruhte auf einer ungleich diffuseren Basis als die des oberen Wirtschaftsbürgertums. Machtteilhabe, Herrschaftsnähe, Elitenstatus, kulturelle Güter der «Bildungsreligion» verschafften vielen eine gemeinsame Grundlage. Sie ließ aber auch zahlreiche divergierende Interessen weiterexistieren, die leicht über die gemeinsamen triumphieren konnten. Sie ließ eine gemeinsame Handlungsfähigkeit selten entstehen, und sie ließ eine unleugbare Beliebigkeit der politischen Optionen zu. Diese reichten von den Nationalliberalen bis zu den Deutschkonservativen, vom «Verein für Sozialpolitik» bis zu den «Alldeutschen», von Naumanns «Nationalsozialen» bis später zu Hitlers «Nationalsozialisten».

Der Zerfall des alten Stadtbürgertums war zu Beginn des Kaiserreichs schon weit fortgeschritten. Bis zum Ende des 19. Jahrhunderts erreichte er insofern einen Endpunkt, als einerseits seine traditionellen Oberschichten mit der jungen, ehemals «außerständischen» Unternehmerbourgeoisie zu einer neuartigen wirtschaftsbürgerlichen Oberklasse fusionierten. Das plutokratische Klassenwahlrecht stabilisierte ihre Herrschaft in den Städten – trotz mancher Koalitionszwänge durchweg bis 1918. Andrerseits entstand durch die Auflösung der alten Gemeindebürgerschaft und damit die Aufhebung ihrer zahlreichen aktivbürgerlichen Vorrechte auch der Kern des Kleinbürgertums im modernen Sinn, da sich zunächst die kleinen stadtbürgerlichen Existenzen durch die schmerzhafte Zertrümmerung der altständischen Lebenswelt in ihm zusammengedrängt fanden. Seither wurde es durch den Zustrom der industriellen und städtischen sowie der aus dem Dienstleistungsgewerbe stammenden Angestellten, der Techniker und Werkmeister, Lehrer und Subalternbeamten, Krämer und Transportgeschäftsleute, allmählich auch der obersten Facharbeiterschicht unablässig erweitert. Die gängigen Schlagworte vom «alten» und «neuen» Mittelstand vermitteln nur eine sehr eingeschränkte Vorstellung von dieser außerordentlich diffusen Gemengelage unterschiedlichster Erwerbs- und Berufsklassen. Ihre weit auseinanderstrebenden Interessen suchten einflußreiche Ideologien zu bündeln, indem sie den geringsten gemeinsamen Nenner der allgemein begehrten materiellen Sicherheit, der Respektabilität und des Ordnungsfanatismus zur sozialmoralischen Norm dieses Milieus überhöhten.

Obwohl die einzelnen Formationen des Bürgertums weiterhin ihre eigene Geschichte besaßen, die noch je für sich zu verfolgen ist, breitete sich die bürgerliche Kultur als ein von der adligen, bäuerlichen, proletarischen Kultur durchaus unterschiedenes Phänomen unaufhaltsam, wie es scheint, weiter aus. Das gilt sowohl für die kulturelle Praxis als auch für die Geltungskraft der Normen. Das Kleinbürgertum betrachtete sich ohnehin als einen Teil des bürgerlichen Kosmos, indem es dessen Kultur nach Kräften mittrug, zumindest ihren Richtliniencharakter vorbehaltlos akzeptierte. Bürgerliche Werte drangen auch in den beamteten und unternehmerisch tätigen Adel noch tiefer ein. Und das Proletariat orientierte sich ebenfalls zunehmend an den Ansprüchen und Praktiken der bürgerlichen Kultur, die in die vermeintlich eigenständige Arbeiterkultur von den verschiedensten Seiten her einsickerte.

a) Die Bourgeoisie im Aufstieg

Anders als im Bürgertum Westeuropas und Nordamerikas, wo das Wirtschaftsbürgertum bis weit in das 20. Jahrhundert hinein die bürgerliche Welt dominierte, ohne auf den rivalisierenden Führungsanspruch eines einflußreichen, hochangesehenen Bildungsbürgertums zu treffen, mußte sich die deutsche Bourgeoisie in einem langwierigen Konkurrenzkampf auf die obersten Ränge der Gesellschaftshierarchie hochkämpfen. Ihr Siegeszug war seit der Jahrhundertmitte – wie vorn (5. Teil, III. 2a) erörtert – ungleich zügiger als zuvor verlaufen, und die Aufstiegsdynamik, welche insbesondere die Oberklassen stetig vorantrieb, hielt im Kaiserreich, noch einmal kraftvoll gesteigert, weiter an.

Im Hinblick auf diese Oberklassen, auf die «Vollblutbourgeoisie» der Sombartschen Funktionselite von fünfundsiebzigtausend Köpfen um 1900, trifft weiterhin zu, daß Unternehmer sich kontinuierlich und überwiegend aus dieser selbst rekrutierten. Zwischen 1871 und 1914 waren dreiundfünfzig Prozent von ihnen Unternehmersöhne – wie schon seit etwa 1800 und künftig auch noch bis 1933! Keine andere Klasse stellte eine derart hohe Quote der Rekrutierung. Im westfälischen Teil des Ruhrreviers stammten sogar zweiundsechzig Prozent der Schwerindustriellen, in ganz Westfalen fünfundsiebzig Prozent der Großunternehmer und so gut wie alle Textilindustriellen aus Unternehmerfamilien. Die große Mehrheit aller Unternehmer, etwa achtzig Prozent, kam aus den Familien wirtschaftlich Selbständiger; meistens waren das, wie gesagt, schon Unternehmer, danach folgten Großgrundbesitzer, größere Handwerker und Landwirte. Relativ wenige gehörten zum Kreis der sozialen Aufsteiger wie jene Minderheit, die in die Familien kleiner Handwerker und Bauern hineingeboren worden war. Überhaupt gilt es von der Vorstellung endgültig Abschied zu nehmen, daß damals vom Industriesektor per se eine starke Intensivierung der Aufstiegsmobilität in Gang gesetzt worden sei. «Die Sonderung der Stände ist bei uns so scharf», konstatierte Rathenau 1917, «daß ich nur einmal in dreißig Jahren den Fall erlebt habe, daß ein Arbeiter und Arbeitersohn zu einer hohen bürgerlichen Stellung aufstieg.» Die Resultate der neueren Sozialgeschichte haben dieses skeptische Urteil vielfach bestätigt.

Unverändert behielt die Familie als Hort des sozialen und ökonomischen Kapitals ihre zentrale Bedeutung. Sie entschied über Sozialisation und Kompetenzerwerb, Ausbildung und Karriere, Startkapital und Marktkenntnis, Heirat und soziales Netzwerk, mithin über jene zahlreichen strategisch wichtigen Vorbedingungen, die den Söhnen ihren Weg in die Berufswelt erleichterten. So bedeutsam auch die Verfügung über familiäres Sozialkapital war, erwies sich doch seit dem letzten Drittel des 19. Jahrhunderts in steigendem Maße, daß finanzieller Kapitalbesitz für die Statusverteidigung des Unternehmens, erst recht für seine Expansion an Wichtigkeit gewann. Fehlten ausreichende Finanzressourcen, türmten sich schwer überwindbare Barrieren für einen Eigentümer-Unternehmer auf. Deshalb mußte er oft den Weg zur Aktiengesellschaft einschlagen, damit aber einen gravierenden Autonomieverlust in Kauf nehmen. Hohes Kapitalvermögen wirkte demgegenüber als Eintrittsbillett in die großbetriebliche Montan- und Textilindustrie, in die Großhandels- und Bankenoligarchie.

Das Bildungsniveau der Unternehmer hielt sich weit über dem Durchschnitt. Die Mehrzahl hatte Höhere Schulen, ein Viertel die Universität oder technische Hochschulen besucht. In der Spitzengruppe der Schwerindustriellen des Ruhrgebiets zum Beispiel besaßen zweiundsiebzig Prozent das Abitur, fünfzig Prozent der Eisenindustriellen und einundsiebzig Prozent der Bergbauunternehmer hatten danach ein Hochschulstudium absolviert.

Kurzum, für arrivierte bürgerliche Unternehmer bestand die traditionell exklusive Rekrutierung weiter fort: Sie stammten überwiegend aus vielfach begünstigten Familien, besaßen ein hohes Sozialkapital von Anfang an und zeichneten sich durch die intellektuelle Schulung und den formalisierten Wissenserwerb an höheren Bildungsinstitutionen aus. Auch die Unterschiede im Vergleich mit der westeuropäisch-nordamerikanischen Welt blieben erhalten. Aus den vorn bereits diskutierten Gründen (5. Teil, III. 2a) stammten deutsche Unternehmer weitaus seltener als dort aus adligen, bäuerlichen und freiberuflichen Familien. Soziale Aufsteiger aus den Unterklassen fehlten so gut wie völlig. Dagegen vermehrte sich die Zahl mit einer Herkunft aus höheren Beamtenfamilien in dem Maße, wie die Kontaktdichte zwischen Bürokratie und kapitalistischem Wirtschaftssystem noch weiter zunahm.

Mit der voranschreitenden Hochindustrialisierung seit 1873 prägten sich bestimmte Eigenarten der Unternehmerschaft zusehends klarer aus. Immer häufiger erfolgte der Wechsel aus einer bürokratischen Karriere in die Unternehmertätigkeit. In der Industrie und im Geschäftsleben wurden gleichzeitig Fachkenntnisse immer wichtiger. Sie konnten an erster Stelle auf den Hochschulen erworben werden. Infolgedessen wuchs der Akademikeranteil unter den Unternehmern ständig an, bis er 1914 einen Durchschnitt von 54.2 Prozent erreichte (bei Eigentümer-Unternehmern 41.2, bei Manager-Unternehmern sogar 77.1 %).

Die Trennung der unternehmerischen Eigentums- und Kontrollfunktionen machte im Verlauf der Vermehrung der Großbetriebe rasche Fortschritte. Daher wuchs zugleich die Macht der Manager, als diese «Generaldirektoren» oder «Direktoren», wie die Zeitgenossen sagten, in die strategischen Positionen einrückten. An Selbstbewußtsein standen sie den Eigentümern nicht nach. Das gilt etwa für die Bergassessoren und Generaldirektoren in der

Montanindustrie ebenso wie für die Manager der großen Berliner D-Banken, die sich alsbald den alteingesessenen, vermögenden Privatbankiers gegenüber durchaus ebenbürtig fühlten. Mit dem Wandel in der Trägerschaft unternehmerischer Funktionen hing wiederum eine Veränderung der sozialen Herkunft zusammen. Denn Manager stammten in einem zunehmenden Maß aus Beamten-, später auch aus höheren Angestelltenfamilien, während der Anteil der Söhne von Landwirten und Handwerkern eine stark rückläufige Tendenz aufwies.

Als Erwerbs- und Besitzklasse erlebten Unternehmer und Manager einen allseits wahrgenommenen Aufstieg in der Sozialhierarchie. Und mentalitätsgeschichtlich erwies es sich als folgenreich, daß die Entfaltung des erfolgreichen Industriekapitalismus breitenwirksamer als zuvor akzeptiert und dadurch auch die Unternehmerkarriere auf neue Weise attraktiv gemacht wurde. Zu diesem soziokulturellen Strukturwandel kam freilich hinzu, daß der politische Einfluß auf die Unternehmer und die Unternehmensaktivität ebenfalls anstieg. Denn die Betriebe orientierten sich Schritt für Schritt immer enger an einer interventionsfreundlichen Verwaltung, während daraus Beamte mit ihren etatistischen Präferenzen in die Wirtschaft überwechselten. Zugleich honorierte der Staatsapparat sowohl den ökonomischen Erfolg, der auch ihm zugute kam, als auch jene konservative, royalistische Loyalität, an der ihm so gelegen war. Das äußerte sich in Orden und Titeln (dazu gleich mehr), aber auch im öffentlichen Engagement, wenn etwa der preußische Kultusminister Robert v. Bosse höchstpersönlich die Universitätsprofessoren unverblümt ermahnte, «in den Vorlesungen den Standpunkt der Unternehmer... mehr als bisher zur Geltung» kommen zu lassen – «eingedenk des Wortes, daß man die Henne nicht schlachten solle, die die goldenen Eier legt».[4]

Die linksliberale zeitgenössische Kritik hat aus der Imitation des adligen Lebens durch erfolgreiche bürgerliche Unternehmer den bitteren Vorwurf abgeleitet, daß die nach ihrer Meinung zur politischen Herrschaft gewissermaßen prädestinierten oberen Bourgeoisklassen vor dem traditionsbewußten Adelskontrahenten kapituliert hätten. Indem sie ein Rittergut als Statussymbol erwarben, ihren demonstrativen Luxuskonsum pflegten, ihre Söhne in schlagende Verbindungen mit ihrem spätfeudalen Ehrenkodex schickten, später ein Reserveoffizierspatent von ihnen erwarteten, nach Kräften das Konnubium mit dem Adelsnachwuchs förderten, nach Auszeichnung mit dem Kommerzienratstitel und dem Roten-Adler-Orden lechzten und – Gipfel der Glückseligkeit im Elitenhimmel – nach der Nobilitierung gierten, seien sie einer «Feudalisierung» erlegen. Die fatale Konsequenz sei gewesen, daß sie der harten bürgerlichen Berufsarbeit entfremdet und in der politischen Arena dazu gebracht worden seien, sich mit der Rolle eines deklassierten Juniorpartners zufriedenzugeben, anstatt den Kampf um die Vormacht des Bürgertums endlich siegreich zu Ende zu führen. Die ganze Enttäuschung über den Ausgang des preußischen Verfassungskonflikts, die zähneknirschend gewährte Anerkennung unnachgiebiger adliger Machtverteidigung, die ringsum vielfach konstatierbare Adelsimitation – das alles drückte sich in dieser Anklage gegen die «Feudalisierung» genuin bürgerlicher Klassen aus. Bis zum Untergang des Kaiserreichs hat etwa Max Weber, wie viele vor und mit ihm, diese «Feudalisierung» wortgewaltig angeprangert.

Die neuere Sozialgeschichte ist dieser Kritik jahrzehntelang gefolgt, zumal die «Feudalisierung» oder – unpolemisch gewendet – die Aristokratisierung jenes «Defizit an Bürgerlichkeit», das einen Gegenstand der «Sonderweg»-Interpretation bildete, mit erklären half. Die Resultate der neueren empirischen Forschung erzwingen jedoch jetzt eine Inhaltsveränderung und Umformulierung der Kritik. Wie weit reichte überhaupt, lautet die erste Frage, die Aristokratisierung des oberen Wirtschaftsbürgertums? Wie breit wurde das «aristokratische Modell» im Sinne der gemeineuropäischen Imitation der traditionalen Elite tatsächlich nachgeahmt?

Vor allem die exemplarischen Untersuchungen von Dolores Augustine und Hartmut Kaelble haben diese Probleme methodisch überzeugend geklärt. Der erste Test: Von den 747 preußischen Millionären vor dem Ersten Weltkrieg (1908) sind die reichsten 502 mit einem Vermögen von mehr als fünf Millionen Mark für ein repräsentatives Sample ausgewählt worden: Unternehmer, Vorstandsvorsitzende und Generaldirektoren, ihre Söhne, Schwiegerväter und -söhne wurden mit einbezogen. Die Söhne und Schwiegersöhne von erfolgreichen Unternehmern stellten die große Mehrheit; je zur Hälfte stammten sie aus der Industrie und dem Dienstleistungssektor bzw. aus dem Großhandel und Bankwesen. Drei Viertel davon waren typischerweise Protestanten; es gab nur eine «Handvoll» Katholiken; auf zweiundzwanzig Prozent aber belief sich der Anteil von Juden.

Drei Viertel (76.7%) dieser fünfhundertzwei Multimillionäre besaßen keinen Adelstitel, vierundsiebzig (14.7%) dagegen führten ihn zwischen 1871 und 1918; fast derselbe Prozentsatz wurde erst nach 1871 nobilitiert. Der Adelsanteil lag zwar unzweideutig höher als in allen anderen Unternehmerkategorien – so wurden etwa von zweihundertachtundvierzig untersuchten westfälischen Schwerindustriellen ganze drei nobilitiert, von den zweihundertfünfundzwanzig westfälischen Textilunternehmern war es nur ein einziger. In Großbritannien aber wurden von den hundertzweiundsechzig reichsten nichtagrarischen Millionären, die in den sieben Jahrzehnten vor 1939 lebten, dreiundfünfzig, das war nicht weniger als ein volles Drittel, nobilitiert. Gar nicht so selten wurde sogar die angebotene Erhebung in den Adelsrang von millionenschweren deutschen Unternehmern selbstbewußt abgelehnt: von Carl Fürstenberg und von Max Warburg etwa, auch von Albert Ballin, Emil Kirdorf, August Scherl und anderen.

Die Behauptung, daß die wirtschaftsbürgerlichen Oberklassen aristokratisiert worden seien, ist vor allem mit der Hilfe von drei Indikatoren genauer überprüft worden: das waren (1) die Wahl der Ehepartner, (2) der Beruf der Söhne und (3) der Beruf der Schwiegersöhne.

1. Die meisten preußischen Multimillionäre (52 % der Fälle mit hinreichenden Informationen) haben bürgerliche Frauen geheiratet, überwiegend Töchter von Unternehmern und Geschäftsleuten; dreißig Prozent davon stammten aus den bürgerlichen Oberklassen. Nur 8.9 Prozent besaßen einen adligen Schwiegervater. Mehr als neunzig Prozent folgten mithin bei ihrer Eheschließung keineswegs einer zielstrebigen Annäherung an den Adel. Überdies war die Adelsheirat bei den nach 1850 geborenen Millionären, die dem Aristokratisierungsdruck seit 1866/1871 angeblich besonders nachhaltig ausgesetzt waren, keineswegs weiter verbreitet als vorher. Die ausgeprägt bürgerliche Endogamie blieb erhalten.

2. Drei Viertel der Söhne blieben im Geschäftsleben, zwei Drittel in Großunternehmen. Dabei handelte es sich meistens um Familienbetriebe, und das Hauptziel bestand offensichtlich darin, die Kontinuität des Familienbesitzes zu wahren. Die Hälfte der Söhne heiratete ein Mädchen aus einer Unternehmerfamilie, immerhin ein knappes Viertel aber eine Adlige. Das ist kein geringer Anteil, der auf das Bedürfnis hinweist, nicht nur staatsnah, sondern auch adelsnah zu sein. Außerdem: Nur fünfzig Prozent der Söhne geadelter Unternehmer wurden wieder Geschäftsleute. Hier wirkte sich der Sog der aristokratischen Welt am ehesten aus.

3. Beim Beruf der Schwiegersöhne trat eine größere Varianz auf: Die Hälfte stammte aus großbürgerlichen Familien, etwa ein Drittel aus dem Adel, achtzehn Prozent kamen aus dem Beamten- und dem Freiberuflertum. Im Unterschied zu den Söhnen, bei denen die väterliche Heiratsstrategie an Unternehmensinteressen gebunden blieb, waren die Töchter freier in der Wahl ihres Ehepartners, solange er zur Prestigeerhöhung und Erweiterung des Beziehungsnetzes beitrug. Von den Mädchen heirateten sechsunddreißig Prozent einen Eigentümer- oder Manager-Unternehmer. Nur bei jedem siebten war es ein Großagrarier, bei jedem vierten ein Offizier, in beiden Fällen waren das Adlige, die eine Hälfte aus dem alten, die andere aus dem frisch nobilitierten Adel. Zusammengenommen machten die adligen Schwiegersöhne zweiunddreißig Prozent aus. Auch dieser Anteil unterstreicht die Attraktivität der Adelsnähe und relativiert damit eine zu ausschließliche Betonung der Staatsnähe.

Gegen die «Feudalisierung», die in den obersten, besonders exponierten Klassen des Wirtschaftsbürgertums am deutlichsten nachweisbar sein müßte, spricht daher nach alledem der klare empirische Befund, daß 76.7 Prozent der Multimillionäre bürgerliche Unternehmer blieben, daß mindestens zweiundfünfzig, vielleicht neunzig Prozent ihrer Schwiegerväter auch in der Sphäre der modernen kapitalistischen Wirtschaft tätig waren, daß fünfundsiebzig Prozent der Söhne und mindestens dreiunddreißig Prozent der Schwiegersöhne ihren Beruf ebenfalls dort ausübten. Auf der andern Seite führten nur rund fünfzehn Prozent der «Superreichen» einen Adelstitel; 8.5 Prozent der Schwiegerväter, 11.5 Prozent der Söhne und zweiunddreißig Prozent der Schwiegersöhne gehörten ebenfalls zum Adel.

«Feudalisierung» oder besser Aristokratisierung meint aber auch immer die Imitation des adligen Lebensstils einschließlich der Befolgung seiner verhaltensleitenden Normen. Dem anschwellenden Reichtum der wirtschaftsbürgerlichen Oberklassen entsprach es durchaus, daß die städtische Villa immer pompöser, die Garten- und Parkanlage immer weitläufiger, das Konsumverhalten immer aufwendiger wurde – bis hin zum prunkvollen Protzen mit solchen Statussymbolen. Aber Prachtentfaltung hatte seit jeher zu den charakteristischen Kennzeichen bürgerlicher Oberschichten in ganz Europa gehört. Darin steckte gewiß nicht zuletzt ein gutes Stück Adelsnachahmung. Frühzeitig gelangte jedoch der bürgerliche Macht- und Luxusbeweis, der im Konkurrenzkampf mit den Edelleuten eine auffällige Rolle spielte, über das adlige Niveau auch häufig hinaus, wenn man von den Sonderfällen wie zum Beispiel der weit abgehobenen englischen, venezianischen oder böhmischen Hocharistokratie einmal absieht. Insofern standen die reichen deutschen Wirtschaftsbürger durchaus in einer jahrhundertealten Tradition, ohne einem akuten Feudalisierungsdruck nachzugeben.

Es trifft auch zu, daß sie Rittergüter oder großzügig bemessenen Landbesitz erwarben. Solch eine Entscheidung entsprang unterschiedlichen Motiven. Unstrittig ist der Umstand, daß das adlige Landleben seit langem wie ein Magnet wirkte. Schloß und Grundbesitz demonstrierten, daß man mithalten, ja, den Adel aus seiner eigentlichen Domäne sogar verdrängen konnte. 1885 gehörten bereits siebenundsechzig Prozent der ostelbischen Rittergüter bürgerlichen Besitzern. Nur außerordentlich wenige Bürgerliche schwenkten aber zugleich zu einer agrarkapitalistischen Unternehmertätigkeit über oder genossen als Frührentiers allein die Muße ihrer ländlichen Idylle. Fast alle dirigierten vielmehr ihre städtischen Betriebe weiter.

Nicht wenigen Unternehmern diente das Gut auch als Refugium, in das sie sich aus dem hektischen Stadtbetrieb zurückziehen konnten – und adelsgleich sollte diese Zufluchtstätte dann schon sein, ebenso wie der Rahmen für die prahlerische Gastlichkeit. Nicht zuletzt eignete sich der Güterkauf für eine diversifizierte Vermögensanlage in einer Zeit, als sich die Investition in großagrarischem Besitz durchaus noch lohnte, zumal nach der zeitweiligen Abschwächung der strukturellen Agrarkrise, der Begünstigung durch die Zollpolitik und der Rückkehr einer animierenden Agrarkonjunktur die Grundstückspreise seit der Mitte der neunziger Jahre wieder stiegen. Barrieren gab es aber weiterhin: Auch steinreichen bürgerlichen Unternehmern gelang es vergleichsweise selten und nur mühsam, in die Welt der großen Adelsgüter einzudringen. Nur zweiunddreißig Prozent dieser Besitzungen über tausend Hektar gingen in ihre Hand über, von den einhundertneunundfünfzig Latifundien über fünftausend Hektar sogar nur zehn!

Und wie stand es um die politische Sozialisation der Unternehmersöhne in den schlagenden Studentenverbindungen? Unleugbar nahm die Eintrittshäufigkeit seit den 1870er/80er Jahren zu. Je reicher die Familie, desto exklusiver sollte die Korporation sein. Abgesehen davon, daß die rein adligen Korps ihre antibürgerliche Homogenität zäh verteidigten, war der anachronistische feudale Ehrenkodex der anderen schlagenden Verbindungen keine bürgerliche Erfindung. Das galt erst recht für die Mensur als gezähmte Form des Duells sogenannter adliger Ehrenmänner. Trotzdem: Die bürgerlichen Studenten unterwarfen sich bereitwillig diesem Ritual, um die leibhaftige Visitenkarte rotverquollener Schmucknarben zu gewinnen, die aufgeklärte Kolonialbeamte damals schon als barbarischen Brauch exotischer Stämme anprangerten.

Anpassung an degenerierte Adelsbräuche erzwang das Verbindungsleben in der Tat. Aber ging es nur um die Nachäffung oder nicht doch eher um das Einfädeln in ein Netzwerk wertvoller Beziehungen, die durch Kommilitonen und «Alte Herren» gleichermaßen vermittelt wurden? Um karrierefördernde Kontakte zumal mit der Bürokratie und den politisch tonangebenden Klassen, zu denen im Herrschaftssystem des Reichs und der meisten Bundesstaaten ganz unmißverständlich, ja vorrangig noch immer der Adel gehörte? Stand mithin die von Herkunft und Ehrgeiz gebotene Orientierung am monarchischen Staat mit seinen festen Adelsbastionen im Vordergrund, weniger aber eine unterwürfige «Feudalisierung»?

Und galt das nicht auch für die Jagd nach dem Reserveoffizierspatent, das im erfolgreichen Militärstaat mit seiner durchdringenden Ideologie des sozialen Militarismus die intime Zugehörigkeit zu den systemtragenden Kräften, die Staatsnähe und Loyalität in Reinkultur demonstrierte, weniger wiederum die beflissene Adaption an die Adelsallüren des Offizierkorps? Auf diesen etatistischen Grundzug, diese Fixierung auf die starke, bürokratisierte Monarchie als Leitstern bürgerlichen Verhaltens ist gleich beim Versuch seiner Neuinterpretation zurückzukommen.[5]

Zunächst zum zweiten Test der Aristokratisierungsthese. Er basiert auf der Analyse der Eigentümer-Unternehmer, Aufsichtsratsvorsitzenden und Manager jener hundert größten deutschen Unternehmen vor 1914, die vorn II. 3a) bereits erörtert worden sind. Auch bei dieser bürgerlichen Funktionselite trat die Verflechtung mit dem Adel relativ selten auf. Nur eine Minderheit heiratete außerhalb des eindeutig bevorzugten Kreises von Unternehmerfamilien. Einer von sechs heiratete die meist adlige Tochter eines Großgrundbesitzers oder Offiziers. Knapp ein Viertel gehörte dem Adel an, aber das hing mit der spezifischen Bedeutung der oberschlesischen Magnaten als Großunternehmer und der jüngst Nobilitierten zusammen. Nur jeder zehnte wurde geadelt. Während die Eheplanung der Söhne, genau wie beim ersten Sample, an die Unternehmensinteressen gekoppelt blieb, heiratete immerhin die Hälfte der Töchter in Adelsfamilien hinein. Insgesamt rechtfertigt es auch dieser Befund keineswegs, von einer breitenwirksamen Aristokratisierung zu sprechen.

Dieses Urteil wird erst recht bekräftigt, wenn man nur die Manager aus diesem Sample ins Auge faßt. Fünfzig Prozent kamen aus bürgerlichen Unternehmerfamilien, weitere fünfundzwanzig Prozent aus anderen Bürgerklassen. Adlige gab es unter ihnen fast gar nicht. Sie hatten häufig die Ausbildung an einer Universität oder Technischen Hochschule, danach ebenfalls oft eine erfolgreiche bürokratische Karriere hinter sich gebracht (20%), ehe sie in ein Großunternehmen überwechselten, wo sie schließlich ein Drittel der Chefsessel besetzten. Die Abhängigkeit vom Eigentümer-Unternehmer oder von außerbetrieblichen Kapitalbesitzern wie Banken und Großaktionären war in der Regel ein Teil ihrer beruflichen Existenz, ohne daß ihre erstaunliche Autonomie starr begrenzt worden wäre. Während sie eindeutig stärker akademisiert waren als die Eigentümer-Unternehmer und ungleich mehr Wert auf den Doktortitel legten, besaß eine weit geringere Zahl (50%) ein Offizierspatent. Beim Konnubium neigten sie fast ausschließlich zu Ehepartnerinnen aus gleichrangigen bürgerlichen Familien. Die Berufswahl ihrer Söhne und die Heirat ihrer Töchter war offenbar schwerer zu beeinflussen, öfters brachen sie in unternehmensfremde Gefilde aus. Sozialkapital spielte für die Manager eine ungleich geringere Rolle als für die Unternehmenserben, dafür stieg der Wert des akademischen Fachwissens. Die Nachfrage nach Finanzkapital überforderte durchweg ihre familiäre Liquidität; wegen der Allgegenwart investitionsbereiter Bankinstitute besaß jedoch der Kapitalbesitz von Managern ohnehin nur geringe Bedeutung. Eine folgenreiche gesellschaftliche Konsequenz ihres Aufstiegs trat darin zutage, daß weitere Trennungslinien das obere Wirtschaftsbürgertum durchzogen: Eine neue, adelsfremde bürgerliche Oberklasse begann sich zu formieren.

Sie ist etwa an den Bergassessoren zu erkennen – jenen seit der Mitte der sechziger Jahre aus dem Staatsdienst kommenden, angestellten Bergwerksdirektoren, die spätestens bis 1900 in allen großen Zechengesellschaften die strategisch entscheidenden Spitzenpositionen dominierten. Sie stammten durchweg aus bürgerlichen protestantischen Familien, häufig von Bergbeamten und Bergwerksbesitzern, die nicht selten seit mehreren Generationen mit dieser Montanindustrie verbunden waren. Ihr Titel verwies auf die Bedeutung sowohl der formalen akademischen Ausbildung als auch des habitusprägenden höheren Staatsdienstes. Sie kultivierten ein «spezifisch obrigkeitliches, bürokratisches Herrschaftsbewußtsein» mit paternalistischen Zügen. Ihrem typischen Korpsgeist entsprach eine intensive Binnenkommunikation. Die Tendenz zur Exklusivität, begleitet von einem sprichwörtlich arroganten Selbstbewußtsein, verband sich mit einem autoritären Herr-im-Haus-Verhalten, das den gängigen Vorwurf des «Grubenmilitarismus» nährte. Wegen ihrer engen Bindung an das Unternehmen, in dem

«Ruhe und Ordnung» herrschen sollten, neigten nicht wenige zu einer patriarchalischen betrieblichen Sozialpolitik mit eindeutig antigewerkschaftlich-antisozialdemokratischer Spitze. Da alle Beamte gewesen und viele Reserveoffizier geworden waren, fiel ihnen die Pflege eines engen Kontakts zur Verwaltung und zum Militär leicht. Die ständige Berufung auf den bürokratischen Dienstgedanken unterstrich zusätzlich ihre Staatsnähe.

Staatsnähe – das ist nun das Stichwort für die Interpretation der vorherrschenden Grundorientierung im oberen Wirtschaftsbürgertum, nachdem die These von der «Feudalisierung» alten Stils nicht mehr glaubwürdig wirkt. In der Tat ist die Fixierung auf die bürokratisierte Monarchie außerordentlich stark ausgeprägt gewesen. Das läßt sich zunächst einmal an der Verflechtung mit der Staatsverwaltung selber ablesen, die außerdem häufig als Modell für die Unternehmensverwaltung diente. Ein Sechstel der Unternehmer hatte erst in der Bürokratie Karriere gemacht. Im Hinblick auf die sozialen Verkehrskreise stand das Beamtenmilieu an zweiter Stelle unmittelbar hinter der Unternehmerumwelt. Auch bei der Herkunft der Ehefrau rangierten Beamtenfamilien auf Platz zwei. Mit keiner anderen Berufsklasse waren Spitzenunternehmer so eng verbunden wie mit der höheren Bürokratie.

Auch vom Militär, das in den sechziger Jahren immens aufgewertet worden war, ging eine anhaltende Attraktion aus. Das traf insbesondere auf Preußen zu, wo die Armee geradezu die Erfolgsgrundlage des neuen Reiches geschaffen hatte. Wenigstens mit dem Reserveoffizierspatent am Nimbus des Militärs teilzunehmen, das erwies sich daher als starker Sog. Die Autorität des Offiziers, die Disziplin und der Gehorsam der Mannschaften galten als begehrte Eigenschaften, die auch die Hierarchie im Betrieb durchdringen sollten. «Ein erfolgreiches Unternehmen», so sah der saarländische Großindustrielle v. Stumm seine «uneingeschränkte Autorität» am besten gewährleistet, «muß soldatisch, nicht parlamentarisch verwaltet werden.» Auf die militärische Einfärbung des Herr-im-Haus-Stils ist gleich noch zurückzukommen.

Als begehrte Anerkennung konservativ-royalistischer Staatsloyalität galten auch Titel und Orden. Seit 1848 wurde die Auszeichnung als Kommerzienrat – schon der Begriff sollte an die angesehenen hohen Räte der Verwaltung erinnern – nicht nur an die Vermögenshöhe und Bereitschaft zu wohltätigen oder amtlich erwünschten Stiftungen, sondern vor allem auch an den Nachweis unbezweifelbar regierungstreuer Gesinnung gebunden. Danach bestand die Chance, als «Geheimer Kommerzienrat» oder «Geheimer Bergrat» eine elitäre Eigenexistenz in der eigenen Klasse noch einmal zu unterstreichen. Zwei Drittel der Besitzer oder Spitzenmanager der hundert größten deutschen Unternehmen durften sich Kommerzienrat oder sogar Geheimer Kommerzienrat nennen. Von den hundertsiebenundsechzig Schwerindustriellen des Ruhrreviers besaßen rund vierzig Prozent diese Titel oder den des Geheimen Bergrats. Die Sonderrolle der jüdischen

Unternehmerschaft drückte sich auch in ihren rund zweihundert Kommerzienräten aus, wovon sechzig wiederum eine distinkt abgehobene crème de la crème als Geheime Kommerzienräte bildeten.

Mit Orden, etwa mit den mehr als ein halbes Dutzend Klassen des preußischen Roten-Adler-Ordens oder seinem Pendant in anderen Bundesstaaten, konnte ebenfalls die monarchistisch-etatistische Mentalität erfolgreicher Wirtschaftsbürger belohnt werden. Zwei Fünftel des Führungspersonals aus den hundert Spitzenunternehmen vermochten sich dieser Belohnung für staatlich prämiertes Wohlverhalten ebenso zu rühmen wie rund fünfundvierzig Prozent der schwerindustriellen Elite an der Ruhr. Im Effekt verschmolzen Staatstreue und Nationalismus, ökonomisches Interesse und soziales Klassenprestige miteinander. «Bismarck, Deutschland, Politik, Wirtschaft, Eisenindustrie und ‹Bochumer Verein› sind», hieß es charakteristischerweise von dessen Generaldirektor Baare, «für ihn ein und dasselbe.»

Das Urteil läßt sich in gewisser Hinsicht verallgemeinern. Die Orientierung an der starken, bürokratisierten Monarchie markierte eine Mentalitätskonstante der wirtschaftsbürgerlichen Oberklassen. Diese Orientierung prägte den Lebensstil, die Normen, das Denken, und mit ihr ließen sich wirtschaftliche und soziale, individuelle und kollektive Interessen in Einklang bringen, ohne daß dadurch die ökonomische Dynamik irgendwie gehemmt worden wäre. In diesem Staat behielt der Adel unleugbar eine Machtposition sui generis. Ihn umgab außerdem die Aura der traditionalen Elite. Insofern blieb er aus beiden Gründen imitationswürdig. Aufs Ganze gesehen behielten aber Etatismus und Staatsnähe den Vorrang vor der Aristokratisierungswilligkeit, wenn man die beiden aufgrund der Sachlage eng miteinander verquickten Motivkomplexe aus analytischen Gründen unterscheiden und getrennt bewerten will.

Ebenso wichtig wie die Annäherung an den Adel ist die Tatsache, daß der ökonomische Erfolg, der krösusartige Lebensstil und die staatlich honorierte Systemloyalität den Abstand zu den anderen Bürgerformationen vergrößerten, während sich gleichzeitig der großbürgerliche Handlungsspielraum ausdehnte. Darin blieb auch Platz für die bewährte politische Koalition mit dem Adel. Auch wenn die Aristokratisierung an der Spitze des Wirtschaftsbürgertums nicht so weit reichte, wie das lange angenommen worden ist, hielt sich trotzdem nicht nur ein beträchtliches Maß an Adaption, sondern auch ungeachtet mancher Interessenkonflikte das renditereiche Machtkartell zwischen Großindustrie und Großagrariern.

Mit dem Komplex der «Feudalisierung» ist auch seit jeher ein spezifischer unternehmerischer Leitungsstil verknüpft worden, der inmitten der Welt der modernen Industrie von vorindustriellen Traditionen zehrte. Zu ihnen gehörte das Vorbild des adligen Rittergutsbesitzers mit seiner Herrschafts- und Disziplinierungsgewalt, mit seinem hochfahrenden Anspruch, alle abhängigen «Leute» weiterhin wie Untertanen des «ganzen Hauses» zu behandeln.

Da sich die altpreußische Sozial- und Militärverfassung wechselseitig durchdrangen (vgl. Bd. I, 1. Teil, IV. 5), hatte das adlige Herrenverhalten mit seiner Arroganz den Offizier geprägt, umgekehrt die militärische Kommandoposition die Befehlsgewalt des junkerlichen Gutsbesitzers. Als attraktives Vorbild großbetrieblich-militärischer Führung verklärt, lebte dieses symbiotische Verhältnis in abgewandelter Form im Herrschaftssystem des Industrieunternehmens fort, wo die Fusion von patriarchalischen, aristokratischen und militärischen Elementen auch zur Legitimierung der Unternehmerautorität diente.

Der «Abglanz feudaler und militärischer Herrschaftsanschauung wurde», hat Goetz Briefs diesen «Herr-im-Haus»-Stil pointiert charakterisiert, «in die Betriebsleitung auf dem Wege über das Reserveoffizierswesen, die akademische Ausbildung der Oberschichten und das Korporationswesen überführt. Mehr und mehr wurden das deutsche Unternehmertum und die höheren Stäbe der Betriebsleitung von einem militärischen Pathos des Kommandos, der Distanzierung und des Befehls, dem schlechthin Gehorsam gebührte, verlockt.» Darum wurde in vielen deutschen Unternehmen «eine Abhängigkeit und Unterworfenheit von den Betriebszugehörigen verlangt, die über die sachlichen Anforderungen des Produktionsprozesses weit hinausreichte und die Belegschaft als ‹Betriebskontingente› auch in ihrem bürgerlichen Leben anzusehen neigte». Obwohl der vorherrschende «streng liberale Eigentumsbegriff» eigentlich «öffentliche Funktionen negiert und schon deshalb nicht die Attribute etwas so spezifisch Öffentlichen wie des Militärischen hätte beanspruchen dürfen», wurde das Unternehmen wie «das erweiterte Haus» angesehen und «die Betriebsbelegschaft nach dem Gesichtspunkt des Herrn im Hause» dirigiert. Das Insistieren auf den Privilegien des Eigentümers «verband sich vielfach mit der militärischen Führungs- und Befehlsideologie zu einem zwar im Effekt wirkungsvollen, aber Protesthaltung und seelische Widerstände entfesselnden Betriebsmilitarismus».

Dieses Urteil ist auch heute noch nicht revisionsbedürftig. Der genuine Paternalismus des Unternehmers, der «seinen» Betrieb regierte wie der «Pater familias» das «ganze Haus», ist in der Industrie frühzeitig eine Legierung mit starken Einflüssen aus der Welt des Militärs und des Landadels eingegangen. Diese in der Tat vorindustriellen Faktoren haben das Herrschaftsgefüge namentlich der großen Werke bis in das 20. Jahrhundert hinein geprägt. Der überkommene Führungsstil verband sich selbstverständlich mit der Berücksichtigung moderner Imperative einer straffen, ja autoritären Lenkung kapitalistischer Betriebe. Auch das ist unbestritten. Die Kritik am Nachweis vorindustrieller Traditionen hat diese jedoch völlig negiert, da sie sich im Banne der Vorstellung von einem allmächtigen «Monopolkapitalismus» damit begnügt hat, das «Herr-im-Haus»-Verhalten auf den konsequenten Ausdruck eines rein interessengeleiteten Handelns und der kapitalistischen Betriebshierarchie zu reduzieren. Auf der einen Seite ist diese Interessenpolitik unleugbar vorhanden gewesen, auf der andern Seite greift die Kritik angesichts der Mischung von Altem und Neuem schlechthin zu kurz.

So entsprach es durchaus zweckrationalem Verhalten, mit einer Mischung von paternalistischer Sozialpolitik und offener Repression ein Kontrollmonopol im Betrieb anzustreben. Durch ungleich verteilte sozialpolitische und betriebliche Sonderleistungen konnte nicht nur der Facharbeiterstamm angebunden, sondern auch für Entsolidarisierung und «Ruhe während der Arbeit» gesorgt werden. Solche Leistungen dienten der Verhaltensbeaufsichtigung, überhaupt einer weit verstandenen Sozialdisziplinierung. Als Sanktionsmittel fungierten der Entzug von Prämien, die Verweigerung von Pensionen, die Kündigung von Betriebswohnungen. Die Bevorzugung mußte sogar häufig mit einer Freiheitseinschränkung erkauft werden, da die Zugehörigkeit zur Sozialdemokratie und den Freien Gewerkschaften geächtet, sogar die Lektüre ihrer Zeitungen und der Besuch anstößiger «linker» Lokale untersagt wurde.

Aus ihrer Interessenlage heraus wird auch verständlich, daß Unternehmer gegen staatliche Schiedsrichter bei Streiks opponierten, da sie ihre Marktmacht beschnitten; daß sie sich dem kommunalen oder staatlichen Wohnungsbau widersetzten, da er den politischen Wert ihrer Betriebswohnungen minderte; daß sie gegen die Arbeitsvermittlung der Gewerkschaften gifteten, da ihre Entscheidungsfreiheit auf dem Arbeitsmarkt tangiert wurde. Einem durchschaubaren Interessenkalkül entsprang gleichfalls die Politik, die Arbeiterschaft nach Kräften zu fragmentieren: Die Unterschiede zwischen Arbeitern und Angestellten wurden scharf betont, Lohndifferenzen zielstrebig betriebspolitisch eingesetzt, unternehmerfreundliche «gelbe» Gewerkschaften unverhohlen protegiert. Vor 1914 erfaßten sie bei der BASF fünfzig Prozent, bei Siemens sogar zweiundachtzig Prozent, insgesamt zweihundertachtzigtausend Mitglieder.

Schließlich trifft es zu, daß auffällige Vorgänge wie die Ausweitung der betrieblichen Sozialpolitik, die Unterstützung der «Gelben» und die Forcierung der Repression im letzten Vorkriegsjahrzehnt zu den Reaktionen auf die proletarische Militanz, auf die Fortschritte der Gewerkschaften und die Wahlerfolge der SPD gehörten. Insofern war das paternalistisch-autoritäre Unternehmerverhalten auch eine Antwort auf Probleme, welche durch die modernen Industriewerke, die Streikbewegungen, die Arbeiterorganisationen aufgeworfen wurden – schließlich verkörperte die deutsche Sozialdemokratie vor 1914 die größte sozialistische Partei der Welt.

Man wird die «modernen» Züge der Unternehmerpolitik bereitwillig anerkennen, ohne daß doch die vorindustriellen Traditionen geleugnet werden sollten. Denn der herablassende Kommandoton und die hochmütigen Herrenallüren von Unternehmern und Managern stammten nun einmal aus der älteren Welt des Militärs und des Adels, von der in zeitgenössischen Institutionen wie dem Offizierkorps und den Studentenkorporationen viel perpetuiert wurde. Auch die barsche Befehlssprache der Werkmeister und Bürovorsteher, der Steiger und Vorarbeiter, die letztlich auch noch Unterwürfigkeit erwarteten, konnte ihre Herkunft aus der Armee nicht verleugnen. Die Imitation der staatlichen Bürokratie durch die Unternehmensverwaltung führte eine straffe Hierarchisierung ein, ehe die Ausdifferenzierung der Betriebsfunktionen danach verlangte. Auch die Förderung, die das «Privatbeamten»-Leitbild der Angestellten erfuhr, orientierte sich am überkommenen Vorbild der streng loyalen staatlichen Bürokraten. Die angestrebte Reglementierung des Privatlebens ging weit über eine betriebsfunktionale Beeinflussung hinaus, wie das die bekannten Beispiele der Gängelung durch Krupp und den «König von Saarabien», den Freiherrn v. Stumm, überdeutlich beweisen. Nein, im umfassenden Machtanspruch und in der Herrschaftspraxis zahlreicher deutscher Unternehmen trat der Einfluß vorindustrieller Traditionen zutage, die keineswegs mit den Geboten einer strikten Marktrationalität gleichgesetzt werden dürfen.

Der Vergleich mit der hochentwickelten amerikanischen Industrie unterstreicht die Unterschiede. Gewiß gab es auch dort eine schroffe Bekämpfung der Gewerkschaften. Gegen Streikende wurden öfters sogar schwerbewaffnete Privatarmeen eingesetzt, Tote gehörten zu den bitteren Arbeitskonflikten hinzu. Trotz des hierarchischen Instanzenzugs im Unternehmen gab es jedoch keine Spur eines «Betriebsmilitarismus». Das harte Durchsetzungsvermögen eines «Bosses» in der Stahlindustrie unterschied sich zutiefst vom Auftreten eines deutschen Bergassessors. Den rücksichtslosen amerikanischen Manager kennzeichnete ein anderer Stil und Ton als den deutschen Direktor mit Schmissen und Offizierspatent. Der Leistungsdruck des «Crew-Pushing» entsprang anderen Motiven als dem Verlangen nach militärähnlicher Autorität und Gehorsamserzwingung. Von einer betrieblichen Sozialpolitik als Ausdruck eines auch traditionalen Paternalismus konnte keine Rede sein. Vor allem galt außerhalb des Werkes in hohem Maße die tendenzielle Demokratie im Alltag, während in Deutschland die Distanz zwischen Vorgesetzten und Arbeitnehmern eben dorthin verlängert wurde. Betriebliche Eingriffe in die Privatsphäre von Arbeitnehmern blieben in den USA eine extreme Rarität, die sich allein auf die Pullman-Werke beschränkte. Sachkundigen Besuchern aus dem wilhelminischen Deutschland, gleich ob Unternehmern oder Mitgliedern des «Vereins für Sozialpolitik», Männern wie Walther Rathenau, Max Weber, Johannes Conrad etwa, ist diese andersartige Natur der Betriebshierarchie, des Umgangstons, des Selbstbewußtseins der Arbeiter im zivilen Leben immer wieder als diametraler Gegensatz zu den einheimischen Verhältnissen aufgefallen.

Kurzum: Der Traditionsüberhang, der in der reichsdeutschen Gesellschaft an so vielen Stellen zur «Gleichzeitigkeit des Ungleichzeitigen» führte, hat auch den «Herr-im-Haus»-Stil geprägt und gestützt – und das auch noch zu einer Zeit, als eine evidente Dysfunktionalität für den Arbeitsprozeß und das Betriebsklima den Übergang zu aufgeklärteren, liberalen Managementmethoden längst verlangte.

Unabhängig von diesem Problem einer spezifischen soziokulturellen Überformung des betrieblichen Herrschaftssystems kamen den Klassen des oberen Wirtschaftsbürgertums, insbesondere den deutschen Unternehmern, sämtliche Vorzüge der asymmetrischen Machtstruktur im Verhältnis von Kapital und Arbeit zugute.

Zu ihren Gunsten wirkte sich die Ungleichheit der numerischen Größe aus. Millionen von Arbeitern stand eine vergleichsweise winzige Zahl von Arbeitgebern gegenüber, deren Organisation, Kommunikation und Interessenverfolgung dadurch eminent erleichtert wurde.

Zu ihren Gunsten wirkte sich die Ungleichheit der Zusammensetzung aus. Der individuelle Arbeiter stand im Grenzfall einem Mammutunternehmen gegenüber. Seine Ohnmacht konnte er nur auf sehr lange Sicht durch den kollektiven Zusammenschluß in Gewerkschaften verringern.

Zu ihren Gunsten wirkte sich die Ungleichheit in der Effizienz der Organisationen aus. Unternehmer und Arbeitgeberverbände saßen im Alltag, gewöhnlich auch im Konfliktfall bis hin zur Aussperrung, am längeren Hebel. Die Gewerkschaften und die Sozialdemokratie konnten nur in zäher Auseinandersetzung eine respektable Gegenmacht aufbauen.

Zu ihren Gunsten wirkte sich die Ungleichheit der materiellen Ressourcen aus. Der Produktionsmittelbesitz, die betriebsinternen Rücklagen, die Finanzreserven der Kreditgeber – sie alle verschafften den Unternehmern eine eklatante Überlegenheit. Arbeiter besaßen allerbestenfalls ein geringes Konsumvermögen. Bei Streiks verloren sie ihr reguläres Einkommen. Arbeitslosigkeit sah sie im Nu ohne zureichenden materiellen Rückhalt.

Zu ihren Gunsten wirkte sich die Ungleichheit der immateriellen Ressourcen aus. Eigentümer-Unternehmer und Manager verfügten meist über hochqualifiziertes Expertenwissen, über begehrtes «Know-how», über symbolische Attribute der Überlegenheit. Demgegenüber hing auch die Verwertung der hochgeschätzten Sachkunde von Facharbeitern ungleich stärker von konjunkturellen Schwankungen und dem Arbeitsmarkt ab.

Zu ihren Gunsten wirkte sich die Ungleichheit in der Dimension der «selektiven Assoziation» aus. Kleine, strategisch postierte Cliquen konnten eine Vielzahl von Betrieben der Großindustrie oder die Großbanken entscheidend beeinflussen. Für den Wert des Sozialkapitals von Unternehmern gab es auf der Arbeiterseite nicht von fern ein Äquivalent. «Dreihundert Männer, von denen jeder jeden kennt», glaubte Rathenau aus intimer Kenntnis 1912 behaupten zu können, «leiten die wirtschaftlichen Geschicke des Kontinents.» Zu dieser «Oligarchie», die so «geschlossen» sei «wie die des alten Venedig», gehörten auch rund hundertfünfundzwanzig (42 %)

deutsche Unternehmer, Aufsichtsratsvorsitzende und Generaldirektoren. Sie bildeten innerhalb der Unternehmerschaft eine kleine Elite für sich, welche die Asymmetrie von Marktmacht par excellence verkörperte.

Zu ihren Gunsten wirkte sich die Ungleichheit der Interessenlagen aus. Klaren Unternehmermaximen wie der Optimierung der Ertragslage und der ungestörten Kapitalverwertung stand das «Trittbrettfahrer»-Prinzip zahlreicher Arbeiter gegenüber, die von den Errungenschaften der Gewerkschaften, ohne selber zahlendes Mitglied zu werden, direkt profitierten.

Zu ihren Gunsten wirkte sich schließlich auch die Ungleichheit der Optionen aus. Arbeiter gewannen Durchsetzungschancen nur, indem sie sich in Gewerkschaften kollektiv organisierten, gravierende Risiken im Streik übernahmen. Unternehmer dagegen besaßen eine Vielzahl von Reaktionsmöglichkeiten, um sowohl den Arbeitsmarkt als auch das Belegschaftsverhalten zu beeinflussen. Von der Betriebsstrafe über die Aussperrung bis zur Entlassung, von informellen Absprachen über die Entscheidungsreichweite dank der funktionalen Integration in hochkonzentrierten Branchen bis zu Kartellen, vom Kapitaltransfer über den Investitionsstopp bis zur Verlagerung von Produktionsstätten in Billiglohnländer reichte die Palette ihrer Handlungschancen.[6]

Welche dieser Gesichtspunkte man auch immer noch weiter diskutiert: Strukturell hochprivilegierte Marktmachtbesitzer waren vor 1914 allein die Unternehmer. Den gewaltigen Abstand zu den Bourgeoisklassen im strengen Sinn suchten Gewerkschaften und Sozialdemokratie durch Gesetzgebung, Streik und Tarifpolitik Schritt für Schritt zu vermindern. Die Asymmetrie der Machtverteilung konnten sie aber damals noch nicht prinzipiell verändern.

b) Das Bildungsbürgertum in der Erweiterung

Im Bildungsbürgertum hatten viele seit langem auf den Erfolg des deutschen Nationalismus und die Zielvision eines deutschen Nationalstaates gesetzt. Sie wurden durch die Reichsgründung zeitweilig in einen hochemotionalisierten Rauschzustand versetzt. Zugleich konnte sich diese Euphorie aber auch mit erwartungsvollen erdnahen Überlegungen verbinden. Denn in dem neuen Großstaat mußten sich für die gebildeten höheren Verwaltungs- und Justizbeamten neue Planstellen auftun, neue Wirkungsfelder und damit neue Herrschaftschancen eröffnen. Auch für die freien akademischen Berufe weitete sich der Arbeitsmarkt in seine neuen reichsdeutschen Dimensionen aus. Und Urbanisierung und Bevölkerungswachstum versprachen neue Berufsmöglichkeiten in der Stadtbürokratie, in Pfarrer- und Gymnasiallehrerstellen, im Lehrkörper der Universitäten und in den Redaktionen. Kurz: Die Zeichen standen auf Expansion.[7]

Das Bildungsbürgertum war trotz der fundamentalen Veränderungen bis 1871 im Grunde immer noch ein relativ kleines Ensemble von akademisch geschulten, vom Neuhumanismus mehr oder minder stark geprägten, vielfach privilegierten, staatsnahen Berufsklassen geblieben. Im internationalen Vergleich hatte es seinen einzigartigen Charakter unter den westlichen Funktionseliten während der beschleunigten deutschen Modernisierung behauptet. Freilich hatte die verstaatlichte Intelligenz der höheren Beamtenschaft, deren Familien noch immer eindeutig die Mehrheit in dieser Sozialformation stellten, hatten die akademischen Professionen und höheren Lehrberufe zusammen mit eher peripheren Betätigungsfeldern für die Angehörigen der «gebildeten Klassen» in den beiden Jahrzehnten zwischen 1849 und 1871 nur ein durchaus maßvolles Wachstum erlebt (vgl. vorn 5. Teil, III. 2b). Seit 1850, als etwa zweihundertdreißig- bis zweihundertachtzigtausend Angehörige des Bildungsbürgertums auf dem Gebiet des späteren Reiches lebten, war die Zahl samt ihren Familienmitgliedern bis 1870 auf zweihundertvierzig- bis maximal dreihunderttausend angestiegen.

Die beiden Hauptgründe für dieses gedämpfte Wachstum trotz vieler belebender Impulse während der Phase der ersten langlebigen Hochkonjunktur sind darin zu suchen, daß sich das Angebot an attraktiven Berufspositionen nur gemächlich ausdehnte. Infolgedessen stieg aufgrund eines nüchternen sozialökonomischen Kalküls die Anzahl der Abiturienten und Studenten auch nicht drastisch an. Von 1849 bis 1860 hatte etwa die Studentenfrequenz nur um zehn Prozent auf 11900 zugenommen. Seit der zweiten Hälfte der sechziger Jahre tat sie dann allerdings – durch die Neugründung des Norddeutschen Bundes und die liberale Gesetzgebung offenbar angetrieben – einen großen Sprung um vierzig Prozent auf 1870 = rund 17800 nach oben, wenn man die Studierenden aller Universitäten, Technischen Hochschulen, Theologischen, Tierärztlichen, Landwirtschaftlichen, später noch Handels-Hochschulen und der Bergakademien addiert (Universitäten: 14157; mit den Technischen Hochschulen: 16400).

Damit kündigte sich jene vehemente Expansion an, die ihrem Trend nach in der Zeit des Kaiserreichs bis zum Sommersemester 1914 anhalten sollte. Von 1870 bis 1890 hat sich die Anzahl der Studenten an den deutschen Hochschulen auf rund fünfunddreißigtausend verdoppelt (Universitäten: 28359; mit den Technischen Hochschulen: 32020); bis 1910 = 70274 (Universitäten: 53378; mit den Technischen Hochschulen: 63969) wiederholte sich derselbe Vorgang noch einmal. Am Vorabend des Krieges hatte sich die Studentenfrequenz auf 79304 erhöht (Universitäten: 60225; mit den Technischen Hochschulen: 71676). Dementsprechend verbreiterte sich auch der Sockel an Abiturienten der verschiedenen Typen von höheren Schulen: 1870 hatten sich unter 3643 Abiturienten nur 1475 Studierwillige gefunden, 1912 waren es von 9742 volle 7332. Auf diese Weise war für Nachwuchs in den begehrten bildungsbürgerlichen Berufen gesorgt.

Von welchen konkreten Karriereanreizen jedoch wurde die Zahl der Erwerbstätigen in den «gebildeten Klassen» in die Höhe getrieben? Blickt man aus der Perspektive der letzten Vorkriegsjahre zurück, ergibt sich eine auffällige Vermehrung bildungsbürgerlicher Berufschancen über die letzten vier Jahrzehnte hinweg. Für das Reich gab es schließlich rund 28 000, allein in Preußen als größtem Einzelstaat rund 18 500 höhere Beamte. Die Anzahl der Richter war auf rund 10 300, der Pfarrer auf rund 26 000, der Gymnasialoberlehrer auf rund 9300, der Professoren und Privatdozenten auf rund 4500 gestiegen. Von den beiden größten Professionen lagen die Ärzte mit rund 34 000 Angehörigen weit vorn, mit rund 12 500 folgten die Rechtsanwälte an zweiter Stelle. Rechnet man die hohe Bürokratie der anderen Bundesstaaten und der Städte, ein gut Teil der Schriftsteller und Journalisten, zum Teil auch Künstler und Priester zu dieser Sockelgröße von rund 135 000 «Gebildeten» hinzu und wählt einen Familienkoeffizienten von fünf, kommt man vor 1914 auf schätzungsweise mindestens 540 000, maximal auf 680 000 Mitglieder bildungsbürgerlicher Familien. Bezogen auf die Reichsbevölkerung von rund 65 Millionen Menschen waren das etwa 0.8 bis ein Prozent. Im Grunde blieb das immer noch eine außerordentlich kleine bürgerliche Sozialformation mit einer erstaunlichen Reichweite des Einflusses und Prestiges. Immerhin hatte sich der Umfang des Bildungsbürgertums, während die gesamte Reichsbevölkerung um fünfundsechzig Prozent zunahm, von 1871 bis 1914 rundum verdoppelt. Addiert man Sombarts «Vollblutbourgeoisie» hinzu, bewegte sich der Anteil der wirtschafts- und bildungsbürgerlichen Oberklassen trotzdem noch immer deutlich unter zwei Prozent aller Beschäftigten!

Die Bildungsidee blieb in dieser Zeit weiterhin attraktiv, ja in einer Epoche, in der die Säkularisierung beschleunigt vordrang, behauptete sie ihren Rang als Ersatzreligion. Vor allem im kulturprotestantischen Milieu konkurrierte oder koexistierte sie mit anderen Säkularreligionen wie etwa dem Nationalismus. Sie ermöglichte eine spezifische innerweltliche Lebensgestaltung, sie bot ein «Weltbild» zur Existenzdeutung, sie fungierte als ein Glaubenssystem zur Sinnvermittlung. Insofern prägte sie noch immer einen stereotypierten Lebensstil, privilegierte die klassischen Bildungsgüter und gewährte jenen psychischen Halt, dessen auch gerade die «Geistesaristokratie» bedurfte.

Es steht außer Frage, daß «Bildung» für Tausende von Bildungsbürgern die Aufgabe einer umfassenden, verbindlichen Lebensorientierung wie seit jeher zufriedenstellend übernahm. Von ihnen wurde auch der ursprüngliche Appell des Neuhumanismus, Bildung zu verstehen als einen lebenslang währenden Prozeß der Selbstbildung der intellektuellen und ästhetischen Fähigkeiten, der Kräfte des Gemüts, der Empathie und Phantasie unentwegt ernst genommen. Berühmte Gelehrte und Theologen, hohe Beamte und Richter repräsentierten auch in der Ära des Kaiserreichs den deutschen Bildungsbürger in klassischer Form.

Zugleich ist es aber eine schlechthin unübersehbare Tatsache, daß damals die Deformierung zu jenem «Berechtigungswesen», dem die gymnasialen und akademischen Prüfungspatente primär oder gar ausschließlich als Eintrittsbillets in attraktive Karrieren erschienen, unaufhaltsam voranschritt, während die Selbstbildung der Persönlichkeit nur mehr als unverbindliches Postulat aus einer schemenhaften Vergangenheit weiterwirkte. Zu diesem Primat der Karrierepolitik gehörte auch die gesteigerte soziale Distanz nach unten – der Exklusivitätsgewinn, den die höhere, insbesondere die universitäre «Bildung» ihrem Besitzer weiterhin einbrachte.

Bildung, hieß es etwa arrogant, sei nur der «anständigen Minorität» zugänglich. Eben an ihr aber rügte 1895 ein so hervorragender zeitgenössischer Sachkenner wie der Historiker des deutschen Bildungssystems Friedrich Paulsen, daß sie immer häufiger ein «inhumaner Hochmut» charakterisiere, «der durch Prunksucht und Schneidigkeit den Minderen die eigene Vornehmheit zu Gemüte zu führen» suche; «ein enger und engherziger, in Klassenvorurteilen befangener Kastengeist», der sich vollmundig einer «guten Gesinnung» rühme; «ein lärmender, phrasenhafter, bornierter Nationaldünkel, der sich für Patriotismus» ausgebe. Mit all diesen «widerwärtigen Erscheinungen» exzellierten «vorzugsweise» die «Gebildeten», die darum in Wirklichkeit nur über eine «Halbbildung» verfügten. Dieser «Bildungsflitter» aber mache «eitel und gefallsüchtig», «hochmütig und herrisch», «unduldsam und brutal». Da Halbbildung keinen «inneren Wert» besitze, «sieht man um so mehr auf äußere Anerkennung der Vorzüge und verachtet die anderen, die keine ‹Bildung› haben».

Das war keineswegs ein isoliertes Urteil. Vielmehr steht es paradigmatisch für die Selbstkritik, zu der realistische Verteidiger der wahren Tugenden des Bildungsbürgers auch damals imstande waren. «In keinem anderen Lande der Welt», pflichtete etwa der Ökonom Johannes Conrad 1906 dem pessimistischen Eindruck bei, «tritt der Bildungsdünkel so kraß hervor und ist so verbreitet wie bei uns ..., weil der Grad der Bildung die Menschen in ganz scharf abgegrenzte Kasten einreiht, aus denen sich emporzuarbeiten kaum möglich ist.» Mit solch einer Skepsis kontrastierte dann freilich aufs schärfste Treitschkes berüchtigte Apologetik, daß «keine Kultur ohne Dienstboten» möglich sei; zu Recht müßten für die Gebildeten, letztlich «einige Tausende» nur, «Millionen ackern, schmieden und hobeln», um den abgehobenen Lebensstil zu ermöglichen. Wer fand wohl eher das Ohr junger Akademiker – der empört protestierende Paulsen, der nüchtern warnende Conrad oder der mit rhetorischer Brillanz gängige Vorurteile bedenkenlos verfestigende Treitschke?

Die Ursachen jenes Verwässerungsvorgangs, währenddessen Bildung zum Berechtigungsanspruch, auf der Sprosse der Karriereleiter emporzuklettern, degenerierte, überhaupt ihren verpflichtenden Charakter weithin einbüßte, so daß es zum Ausfransen, in breiteren Randzonen schon zum Zerfall des Bildungsbürgertums kam, sind nicht leicht ausfindig zu machen. Ein halbes Dutzend der wesentlichen Bedingungen läßt sich jedoch herausarbeiten.

1. Zuerst einmal verkörperte die neuhumanistische Bildungsidee von vornherein und jederzeit einen extrem hochgespannten normativen Anspruch. Ihm konnten immer nur einzelne tendenziell gerecht werden. Das muß man jeder Verklärung des Bildungsbürgertums entgegenhalten. Daß das Bildungsideal von Tausenden ernst genommen und beherzigt wurde, ist insofern schon erstaunlich genug. Trotzdem behielt es seine Geltungskraft immer nur in verhältnismäßig kleinen normsetzenden Eliten. Mit der numerischen Expansion des Bildungsbürgertums verlor es Schritt für Schritt seinen absolut verpflichtenden Charakter. Ungeachtet allen Strebens überforderte es die meisten mit seiner Rigorosität, seinem Totalitätsanspruch.

2. Ist also die steigende Zahl der Bildungsbürger und damit auch die zunehmende soziale Heterogenität ihrer Herkunft der einflußreichste Veränderungsfaktor gewesen? Hier gilt es zunächst festzuhalten, daß man die soziale Homogenität des Bildungsbürgertums auch in seiner Entstehungs- und Aufstiegsphase keineswegs überschätzen darf. Diese bürgerliche Formation war vielmehr von Anfang an relativ offen für Aufsteiger aus den unterschiedlichsten Schichten, Klassen und Milieus. Je nach der Eigenart des Gymnasiums und der Universität muß man der neueren sozialgeschichtlichen Forschung zufolge von zwanzig bis zu vierzig Prozent solcher Aufsteiger ausgehen, die zum größten Teil aus dem mittel- und kleinbürgerlichen Milieu mit seiner ausgeprägten Aufstiegsorientierung stammten. In der Regel wurden diese Neuankömmlinge ziemlich mühelos absorbiert, denn das Bildungsbürgertum ist zu keiner Zeit eine abgeschottete geistesaristokratische Kaste gewesen.

Diese Assimilierung gelang auch weiterhin in den Jahrzehnten maßvoller Ausdehnung vor 1870. Deshalb noch einmal die Frage: Hat die Verdoppelung, die das Bildungsbürgertum in den vier Friedensjahrzehnten des Kaiserreichs auf vermutlich knapp siebenhunderttausend Angehörige erlebte, zu einer drastischen Schwächung der Absorptionsfähigkeit geführt? Wer diese Frage umstandslos bejaht, gibt aller Wahrscheinlichkeit nach eine arg simplifizierende Antwort. Unablässig wurden Aufsteiger integriert, und so gewaltig war ihr Zustrom ja wiederum auch nicht, obwohl die zunehmende Heterogenität unleugbar Probleme aufwarf. Hier einige Beispiele. Unter den 4463 Hochschullehrern (1910) etwa spielte die Selbstrekrutierung nicht mehr eine solche Rolle wie noch zwischen 1860 und 1890, als sie bei hohen fünfundsechzig Prozent gelegen hatte. Im Zusammenhang mit dem Ausbau der Naturwissenschaftlichen und der Medizinischen Fakultäten – deren Professorenquote von 1864 bis 1910 von vierunddreißig auf zweiundfünfzig Prozent anstieg –, auch mit dem Wachstum der Technischen Hochschulen sank der Anteil der Söhne von Professoren und höheren Beamten kontinuierlich, während der Anteil aus dem Wirtschaftsbürgertum stieg. Vor dem Krieg war jeder dritte Professor ein Aufsteiger aus den bürgerlichen Mittelklassen.

Von den 34000 Ärzten (1910) stammten wegen der langwierigen teuren

Ausbildung rund zwei Drittel aus den oberen Mittelklassen, darunter nicht wenige aus Arztfamilien, so daß eine relative Exklusivität vorherrschte. Andrerseits gab es rund ein Drittel Aufsteiger, denen der Studienweg durch Stipendien geebnet wurde. Ein exaktes Sozialprofil steht aber noch ebenso aus, wie es sowohl für die 22500 Rechtsanwälte (1912) als auch die 10300 Richter (1913) fehlt. Von den 8500 Gymnasiallehrern um die Jahrhundertwende stammten immerhin rund siebzig Prozent aus den bürgerlichen Mittelklassen, wobei unter den Vätern mittlere Beamte, Gewerbetreibende und Volksschullehrer dominierten. Die Selbstrekrutierung blieb gering, weil der Oberlehrerberuf eher als Plattform für den Aufstieg in die prestigeträchtigere Welt der Juristen und Mediziner diente.

Im Hinblick auf die höhere Beamtenschaft divergieren die empirischen Befunde. Immerhin stammte in Bayern und auch in Westfalen ein Drittel aller Spitzenbeamten aus dem Bereich der bürgerlichen Mittelklassen. Unter diesen Aufsteigern herrschte eindeutig die Herkunft aus Familien aus dem mittleren Beamtentum vor. Ob nun die Integration in das Bildungsbürgertum sogleich in der ersten Generation der Aufsteiger glückte oder zentrifugale Tendenzen unterstützte: Elitär blieb der Bildungsanspruch seiner ganzen Natur nach, und es mag durchaus eine unsichtbare Schwelle gegeben haben, jenseits derer die neuartige Quantität in eine neue Qualität umschlug. Beweisen läßt sich das, streng genommen, nicht, gleichwohl mag dieser Umstand seinen Einfluß ausgeübt haben.[8]

3. Folgenreicher könnte die Entwicklung gewesen sein, durch die das überlieferte Generalisten-Ideal der Gebildeten zugunsten des Spezialistentums aufgesplittert wurde. Dieser Auflösungsprozeß läßt sich auf den wesentlichen Rekrutierungsfeldern des Bildungsbürgertums beobachten, wo er nicht selten zu dem wortreich beklagten «Fachidiotentum» führte.

In der höheren Beamtenschaft forderte das Juristenmonopol die Vorherrschaft der sachkundigen, aber engstirnigen Rechtstechniker für Administration und Justizwesen. Allenthalben gab es hochtrainierte Verwaltungs- und Staatsrechtler, Zivil- und Strafrechtler, Handels- und Völkerrechtler, denen gewöhnlich jener sprungartig anwachsende Wissensfundus zu Gebote stand, über den man in der Praxis verfügen mußte. Das war mit erheblichen Anforderungen verbunden, da sich zum Beispiel das neue Verwaltungsrecht, von Otto Mayer in Guß gebracht, ebenso herausbildete wie das neue Außenhandels- und Industrierecht, das neue Kolonial- und Nationalitätenrecht. Hinzu kam schließlich auch das Bürgerliche Gesetzbuch mit seiner riesigen neugeordneten Rechtsmaterie. Es gab genug gute Gründe, im Hinblick auf das erforderliche Fachwissen mit aller Anstrengung auf dem laufenden zu bleiben. Der neuhumanistische Bildungsanspruch aber blieb dabei nur zu leicht auf der Strecke, wenn diese Rechtsspezialisten, die mit ihren Prüfungsdiplomen nur ein traditionelles Bildungsattribut stolz präsentierten, allein ihre Karriere verfolgten.

Eine strukturell gleichartige Spezialisierung, welche das überkommene Bildungsideal allmählich auflöste, setzte sich auch in den klassischen freiberuflichen Professionen durch. Die Entwicklungsgeschichte der beiden größten, derjenigen für Ärzte und Rechtsanwälte, ist bis zur Jahrhundertmitte bereits verfolgt, die allgemeine Professionalisierungsproblematik charakterisiert worden (Bd. II, 221–36); sie kann an dieser Stelle fortgeführt werden. Zuvor muß man sich noch einmal die Grundzüge und Ziele der Professionsbildung kurz vergegenwärtigen.

Im Prinzip geht es um die Monopolisierung einer Machtressource, denn darum handelt es sich bei dem Expertenwissen für Krankheit, Recht, Häuserbau usw. Solange das Monopol noch nicht erreicht ist, wird die Absicht verfolgt, eine möglichst große Marktmacht auf spezifischen Dienstleistungsmärkten zu erringen. Auf dem Weg dorthin bemühen sich die akademischen Experten mit aller Kraft darum, die Kontrolle über die Nachwuchsrekrutierung, über die Bedingungen des Eintritts in die Ausbildung, über ihren Inhalt und die Examina, über die Zulassung zur beruflichen Praxis, die Dienstleistungspreise zu gewinnen und durch das Recht auf Autojurisdiktion in Konfliktfällen – Verletzung der sogenannten «Standesehre» oder des Pflichtenkodex – zu krönen. In den deutschen Staaten, dann im Kaiserreich ist schließlich eine Mischung von weitreichender Teilautonomie und fortbestehendem staatlichem Einfluß entstanden. Diese Form der Professionsbildung hat sich in der modernen Welt als der Regelfall durchgesetzt, nicht aber die lange Zeit privilegiert behandelte staatsferne, weithin tatsächlich freie englisch-amerikanische Profession, die in vergleichender Perspektive eher einen exotischen Sonderfall darstellt. Zu Recht insistieren die meisten modernen Staaten darauf, kollektive Güter wie Gesundheit und Rechtssicherheit für so wertvoll zu halten, daß sie den Umgang mit ihnen einer gewissen staatlichen Aufsicht unterstellen wollen. So sah auch die Konstellation in Deutschland aus.

In Preußen wurde die Basis für eine homogene Berufsklasse von Ärzten mit Universitätsausbildung durch das Gesetz vom 8. Oktober 1852 gelegt. Damit war eine entscheidende Etappe des Professionalisierungsprozesses durchmessen, da seither die «traditionelle Hierarchie der Heilpersonen» endgültig verschwand. An ihre Stelle trat «eine einheitlich vorgebildete akademische Ärzteschaft», die «sowohl die gesamte Heilkunde abdeckte als auch alle Bevölkerungsgruppen zu versorgen beanspruchte». Andere Heilpersonen, wie etwa die Hebammen, unterstanden jetzt ihrer Aufsicht und Anweisungsbefugnis. Zum neuen Leitbild stieg anstelle des «gelehrten» Arztes der Praktiker auf – der «Praktische Arzt, Wundarzt und Geburtshelfer», wie er seit 1852 hieß –, der sich primär durch seine Berufstätigkeit definierte, mithin nicht mehr so ausschließlich wie zuvor durch seine Zugehörigkeit zu den «Gebildeten». Allerdings standen noch dringliche Probleme zur Lösung an.

Die Ausbildung war noch nicht konsequent auf eine praxisrelevante Wissenschaft ausgerichtet.

Die Selbstkontrolle in möglichst autonomen Berufsverbänden war noch nicht von ferne erreicht.

Die Klassengrenzen bei der Inanspruchnahme der ärztlichen Expertise waren noch längst nicht überwunden.

Auf dem Markt für medizinische Dienstleistungen besaßen die Ärzte noch immer kein Monopol, denn die sozialen Barrieren hielten eine große potentielle Klientel, die weiterhin vertraute Heilkundige bevorzugte, von den akademischen Ärzten fern.

Außerdem standen typische Professionalisierungsfragen auf der Tagesordnung: Nachwuchsrekrutierung, Ausbildung und Examina, Interessenvertretung und «Standesorganisation», gravierende Veränderungen auf dem Dienstleistungsmarkt insbesondere als Folge der sozialpolitischen Versicherungsgesetze.

Die Anzahl der Medizinstudenten hatte 1865 = 2516, also endlich wieder den Stand von 1833 erreicht. Dem Trend nach hielt eine langsame, aber kontinuierliche Zunahme bis zum Ende der siebziger Jahre an (1870 = 3757, 1880 = 4728). Vermutlich lenkte die Depression seit 1873 nicht wenige Interessierte auf eine andere Ausbildung hin, die in den sicheren Staatsdienst führte. Jedenfalls gingen auch die Examens- und Approbationsziffern zurück, so daß etwa 1879 nur 563 neue Ärzte im gesamten Reich zugelassen wurden; damals lag die preußische Ärztedichte niedriger als im Vormärz. Seit 1880 setzte dann jedoch, als ob auch auf diesem Gebiet die Konjunktur durchschlüge, ein «beispielloses Wachstum» der Menge der Medizinstudenten ein. Bis 1890 (10149) hatte sich ihre Zahl mehr als verdoppelt, sie bedeutete zugleich den höchsten Prozentsatz (35%), den die Medizinische Fakultät je unter allen Universitätsstudenten vor 1914 erreichte. Diese Frequenz blieb auf relativ hohem Niveau erhalten, obwohl es bis 1900 (8930) einen gewissen, bis 1903 (7483) sogar einen klaren Rückgang um fünfundzwanzig Prozent gab. Seither hielt jedoch ein neuer steiler Anstieg (1910 = 12807) an, der 1914 mit 18189 (30%) Medizinstudenten kulminierte. Seit dem ersten Höchststand von 1890 hatte sich ihre Zahl um achtzig Prozent, in den letzten zehn Jahren seit 1903 sogar um hundertvierzig Prozent erhöht.

Mit der Expansion veränderte sich auch die soziale Herkunft der Studenten, die eine anerkannt kostspielige Ausbildung durchlaufen mußten. Die Selbstrekrutierung aus Akademikerfamilien sank von 1852 bis 1891 bereits von extrem hohen 56.4 auf 36.5 Prozent, während der Anteil aus dem Wirtschaftsbürgertum von 4.5 auf 14.2 kletterte und der Anteil der Söhne von mittleren und unteren Beamten bei elf Prozent stehenblieb. Mit der Ausdehnungswelle im neuen Jahrhundert wird sich – eine exakte Analyse fehlt noch – aller Wahrscheinlichkeit nach die Komposition im Sinne einer sozialen Diversifizierung weiter verändert haben. Schon sachkundige Zeitgenossen wie Conrad sprachen von einer «aufsteigenden Klassenbewegung», die mit der Vermehrung der Studenten, auch der Mediziner, verbunden sei. Die «relative soziale Öffnung» der Universitäten wird sich auch bei dem Anstieg auf mehr als 18000 Medizinstudenten noch stärker durchgesetzt haben.

Die organisierten Ärzte begegneten diesem Zuwachs mit drastischen Warnungen vor einer bedrohlichen «Überfüllung» ihres Berufs, vor einem neuen «akademischen Proletariat» – ein vertrauter Topos seit dem frühen Vormärz. Sie forderten eine Eindämmung des Universitätszugangs, die Kürzung der Stipendien, eine härtere Auslese durch die Examina. Als nach rund fünfzigjähriger Debatte 1901 endlich eine neue Prüfungsordnung verabschiedet wurde, trug sie nur zum Teil diesen Einwänden Rechnung, zum Teil wurden die Schleusen sogar noch weiter geöffnet. Zuerst einmal erschwerte die Prüfungsordnung die Ausbildungsbedingungen. Die Studienzeit wurde von neun auf zehn Semester angehoben; nach dem Staatsexamen mußte ein unbezahltes praktisches Jahr absolviert werden. Diese Erhöhung der Ausbildungskosten ließ den Anteil der Akademikersöhne von 1887 = 23 Prozent auf 1906 = 29 Prozent wieder ansteigen. Mancher wird wohl zur Philosophischen Fakultät abgewandert sein, da etwa ein Oberlehrer schneller ein festes Gehalt auf seiner Planstelle erhielt. Insgesamt aber war die Expansion durch solche Hürden nicht aufzuhalten, auch wenn das Gerede von der «Überfüllungskrise» noch schriller wurde.

Dieses numerische Wachstum hing auch damit zusammen, daß die organisierten Ärzte den Kampf dafür, weiterhin allein das Gymnasialabitur als Zeugnis der «Entlassung auf die Universität», also auch in die Medizinische Fakultät, anzuerkennen, im Vorfeld der Verabschiedung der Prüfungsordnung verloren hatten. Das Abitur der Gymnasien, Realgymnasien und Oberrealschulen wurde in dem Reglement als gleichberechtigt behandelt. Aller Protest gegen die vermeintliche Aufweichung der Zulassungskriterien blieb verlorene Liebesmüh. Bis 1912 begann immerhin schon mehr als ein Fünftel aller Medizinstudenten (21.4%) ohne ein Gymnasialabitur sein Studium. Auch das hilft mit, die vehemente Expansion zu erklären. Und bis dahin kamen auch die erst vor wenigen Jahren zum Studium zugelassenen Frauen immerhin schon auf fünf Prozent der Medizin Studierenden.

Die Hauptsogkraft für ihre erstaunliche Vermehrung vor 1914 ging jedoch von der beispiellosen Ausdehnung des Gesundheitsmarktes aus. Dieser qualitative Veränderungssprung war in Deutschland in erster Linie ein Ergebnis des gewaltigen Medikalisierungsschubs, der von der staatlichen Krankenversicherung seit 1883 ausging. Medikalisierung meint hier die Ausweitung des Marktes für ärztliche Dienstleistungen durch den relativ regelmäßigen Kontakt eines Großteils der Bevölkerung mit approbierten Medizinern. Dieser Vorgang implizierte auch einen tiefreichenden Mentalitätswandel, denn der Kranke gewöhnte sich daran, seinen Körper der Kontrolle des ärztlichen Experten zu unterstellen, seinen Anweisungen zur

Wiederherstellung der Gesundheit zu folgen. Infolgedessen erfuhr der Patient auch eine Kompetenzeinschränkung, da seine Abhängigkeit vom Beistand des Fachmannes zunahm, während gleichzeitig aber auch das Vertrauen auf dessen Leistungsfähigkeit für eine Kompensation sorgte. Intern verdeutlicht auch diese Professionalisierungsentwicklung noch einmal, wie sehr es sich bei ihr um die Verfügung über eine Machtressource handelte. Die anwachsende Klientel hob überdies den Sozialstatus des Arztes an, da er für die Angehörigen der Unter- und Mittelklassen als ein Oberklassenvertreter galt; parallel dazu schwand seine langlebige ökonomische Abhängigkeit von wenigen reichen Patienten dahin.

Das erste Krankenversicherungsgesetz von 1883 erfaßte nur eine begrenzte Zahl von gewerblichen Arbeitern. Berücksichtigt man jedoch außerdem die Knappschafts- und die Beamtenversicherung, wurden 1885 rund 4.3 Millionen Menschen erfaßt: fast zehn Prozent der Bevölkerung. Im Vergleich mit der Zeit vor dem Einschnitt von 1883 hatte sich aber dieser Anteil – wie einer der Mitbegründer der staatlichen Sozialpolitik, Staatssekretär Theodor Lohmann, als Sachkenner feststellte – schon verdoppelt. Bis 1900 waren die entsprechenden Ziffern auf 9.1 Millionen bzw. 17.5 Prozent, bis 1914 aufgrund der neuen Reichsversicherungsordnung, die zu Beginn dieses Jahres in Kraft trat, sogar auf 15.6 Millionen angewachsen – das war rund die Hälfte der erwerbstätigen Reichsbevölkerung!

Dieses Wachstum der Versicherungspopulation bedeutete eine riesig anschwellende Nachfrage nach approbierten Ärzten, und tatsächlich stieg die Ärztezahl schneller an, als die Bevölkerung zunahm. Allein von 1887 = 15824 verdoppelte sie sich in zwanzig Jahren bis 1909 auf 30558. Gleichzeitig wurde dadurch natürlich auch die Akzeptanz der akademischen Gesundheitsexperten gefördert, während die Differenzierung ihrer Berufsrollen anhielt. Neben die Praktiker und die staatlichen Ministerialbeamten traten, dem enormen Fortschritt der medizinischen Wissenschaft entsprechend, zunehmend Spezialisten für die unterschiedlichsten Krankheitsfelder: 1909 waren von den rund 18300 preußischen Ärzten rund 3530, fast ein Fünftel, schon Spezialisten. Freilich verteilten sich die Ärzte, und das zeigt die Grenzen der Reichweite einer effektiven Medikalisierung, auf Stadt und Land überaus ungleich. 1876 zum Beispiel entfielen von 13728 Ärzten noch 75.6 Prozent auf Gemeinden mit weniger, 24.4 Prozent auf solche mit mehr als fünftausend Einwohnern. 1909 waren es von 30558 aber 54.3 bzw. 45.7 Prozent. Darin spiegelte sich die Urbanisierung, vor allem die Bevorzugung der Großstadt wider, wo um 1900 auf einen Arzt weniger als tausend Klienten entfielen, während es auf dem flachen Land durchschnittlich noch erheblich mehr als viertausend waren.

Zurück zum zentralen Prozeß der Ausweitung des Versichertenkreises und damit auch zu der einflußreichen Rolle der neuen Krankenkassen. Zuerst schlossen sie zum Teil privatrechtliche Verträge mit einzelnen Ärzten, zum Teil benannten sie Distriktärzte, zum Teil gestatteten sie die sogenannte eingeschränkte freie Arztwahl. Nach einiger Zeit setzte sich die generelle Regel durch, daß approbierte Ärzte die Kassenzulassung beantragten und erhielten. Diese Kassenfähigkeit wurde in erstaunlich kurzer Zeit für die meisten Ärzte zur Grundlage ihrer materiellen Existenz. 1908 waren neunzig Prozent aller Ärzte Kassenärzte und widmeten drei Viertel ihrer Tätigkeit den Kassenpatienten.

Obwohl der Zwangscharakter der deutschen Versicherungsgesetze die organisierte Arbeiterschaft zuerst tief irritierte, milderte die staatlich unterstützte Krankenversorgung die Wirkung der «sozialen Klassenschranken» im Hinblick auf das Krankheitsverhalten und die medizinische Versorgung einer überaus rasch anwachsenden Klientel. Unstreitig verbesserte der Arzt währenddessen seine Machtposition gegenüber den kranken Versicherten. Der Preis dafür trat darin zutage, daß er vom Kassenvorstand, seinen Vorgaben und Honorarsätzen abhängig wurde. Dagegen richtete sich die Dauerklage der Ärzte, die gegen die fachfremde Einmischung und eine angeblich eklatante Unterbezahlung unentwegt protestierten.

Wenn die Ärzte zuerst langsam, dann aber erquicklich schnell ihr Einkommen trotzdem steigern konnten – allein von 1900 bis 1909 um sechzig Prozent –, war das ein Resultat ihrer zielbewußten Interessenpolitik. Sie wurde als «Standespolitik» verklärt, unterschied sich aber in nichts von dem materiellen Interessenegoismus der Agrarier und Industriellen, der Arbeiter und Handwerker. Seit dem September 1873 bemühte sich der «Ärztevereinsbund» darum, die Aktivität der verschiedenen Medizinervereinigungen zu koordinieren. Er war eine späte Reaktion auf die Gewerbeordnung von 1869, die den Arztberuf als Gewerbe freigegeben und dadurch sozioprofessionelle Irritation erzeugt hatte, auch auf die liberale Wirtschaftspolitik des Reiches, die eine kollektive Interessenvertretung nahelegte. Gegen die Gewerbeordnung ließ sich eine eigene «Ärzteordnung» nicht durchsetzen, und obwohl sie das Gesetz von 1852 im Prinzip durchlöcherte, scheiterten auch alle Bemühungen um ein «Kurpfuschereiverbot», welches das ersehnte Monopol reichsrechtlich besiegelt hätte.

In den folgenden Jahrzehnten staute sich der Unmut wegen der Ineffektivität des «Ärztevereinsbundes» auf, bis er im September 1900 zu der von dem Leipziger Arzt Hermann Hartmann initiierten Gründung des «Verbandes der Ärzte Deutschlands zur Wahrung ihrer wirtschaftlichen Interessen» führte. Der «Hartmann-Bund», wie er bald genannt wurde, betonte gegenüber den Kassen unverhüllt seine Arbeitnehmerposition, trat aber im allgemeinen für eine aggressive Statuspolitik mit dem Ziel einer möglichst weitreichenden professionellen Autonomie der Ärzteschaft ein. Sein Kampf mit harten Bandagen trieb ihren Organisationsgrad rasch in die Höhe. Zehn Jahre später waren von rund 31 100 Ärzten bereits achtzig Prozent (ca. 24 830) Mitglieder des Bundes geworden.

Auch in anderer Hinsicht gab es Professionserfolge. Im Mai 1887 wurden endlich Ärztekammern für die preußischen nichtstaatlichen Mediziner genehmigt. Jeweils eine durfte am Sitz des Oberpräsidenten gebildet werden. Ihre Disziplinierungsgewalt im Konfliktfall war freilich zunächst schwach ausgebildet, da sie Mitglieder nur durch den Entzug des Wahlrechts für die Kammer bestrafen konnte. 1899 traten daneben die seit Jahrzehnten geforderten Ehrengerichte, die vorher in Hamburg (1894) und Sachsen (1896) eingerichtet worden waren und der staatlichen Aufsicht unterstellt blieben. Um sie funktionstüchtig zu machen, hätte es einer explizit formulierten «Standesordnung» zur Beurteilung des korrekten Verhaltens bedurft. Gerade sie gab es jedoch nicht, so daß ein weiter Spielraum für die Urteilsfindung und Disziplinierung irgendwie nonkonformer Ärzte erhalten blieb. Immerhin waren von 1904 bis 1908 rund dreitausend Ärzte in Ehrenverfahren verwickelt. Darunter waren auch Homöopathen und Sozialdemokraten, die wegen der ständigen Gesinnungsverfolgung ihren eigenen Ärzteverein gründeten, der es bis 1914 allerdings nur auf rund hundert Mitglieder brachte.

Im übrigen scheute die robuste Interessenverfechtung der organisierten Ärzte auch nicht vor dem Streik zurück. So kam es zum Beispiel 1904 wegen eines Konfliktes mit den Kassen zum großen Leipziger Ärztestreik, an dem achtundneunzig Prozent aller örtlichen Mediziner im «Schutzbündnis» so lange teilnahmen, bis sie nach fünf Wochen auf der ganzen Linie gesiegt hatten. Als der Gesetzesentwurf für die Reichsversicherungsordnung 1911/1912 im Reichstag ohne hinreichende Berücksichtigung der Forderungen der Ärzte definitiv formuliert wurde, beschloß ein außerordentlicher Ärztetag im Herbst 1913 «unter tosendem Beifall» mit 454 zu 4 Stimmen, am 1. Januar 1914, wenn die Reichsversicherungsordnung in Kraft treten sollte, mit einem «Generalstreik» aller Ärzte zu kontern. Auch wenn die Wirkung der frechen Drohung bestritten wurde, kam es daraufhin noch rechtzeitig zu einem Kompromiß zwischen dem «Hartmann- Bund» und den Krankenkassen. Zimperlich ging der ärztliche Interessenverband mit denjenigen Kontrahenten, die sich den materiellen Forderungen der Profession entgegenstellten, gewiß nicht um – wie es das «Standesethos» offenbar zuließ.

Insgesamt brachte der Professionalisierungsprozeß den Ärzten bis 1914 ein «tendenzielles Monopol auf dem Markt für medizinische Dienstleistungen, eine durch wissenschaftliche Spezialistenausbildung abgesicherte Expertenstellung, hohen Sozialstatus und weitgehende berufliche Autonomie» im Sinne der Freiheit von Kontrolle durch berufsfremde Instanzen, die erfolgreiche Organisation in einem Interessenverband und in professionseigenen Kammern, dazu die Autojurisdiktion durch Ehrengerichte. Der starke Staatseinfluß auf die Zulassung zum Medizinstudium, die Universitätsfakultäten, den Lehr- und Prüfungsstoff, die Medizinalordnung und die Gebührentaxen blieb bestehen, aber diese staatliche Intervention konnte durchweg von Ärzten in der staatlichen Medizinalverwaltung, zum Beispiel im Reichsgesundheitsamt und in den einzelstaatlichen Ministerien, mitbestimmt und inhaltlich festgelegt werden. Im Effekt förderten jedoch gerade solche Professionalisierungserfolge die Fragmentierung des Bildungsbürgertums.

Hinter den Ärzten schoben sich die Rechtsanwälte auf den zweiten Platz der großen Professionen, mit deutlichem Abstand allerdings, da sie nur ein Drittel der Medizinerzahl erreichten. Ihre berufstypischen Aufgaben und die Charakteristika ihrer Entwicklung sind bereits erörtert worden (Bd. II, 226–30). Seit dem 18. Jahrhundert hatte sich in den deutschen Staaten ein klarer Unterschied herausgebildet: Mancherorts war allmählich die freie Advokatur entstanden, von der ein direkter Weg zur Anwaltsprofession hinführte. In größeren Ländern wie Preußen und Bayern wurde der verstaatlichte Rechtsexperte bevorzugt, der – wie seit 1794 in Preußen der Justizkommissar – ein überaus einträgliches Monopol auf die Wahrnehmung von Anwaltsaufgaben besaß; seit 1849 hieß er zwar auch Rechtsanwalt, blieb aber Staatsbeamter auf einer streng begrenzten Anzahl von Planstellen.

Diese Regulierung führte dazu, daß um 1870 auf einen preußischen Rechtsanwalt zwölftausend Staatsangehörige entfielen. Faktisch bedeutete das nicht nur eine direkte Favorisierung plutokratischer Privilegien, sondern für viele materiell schlechtgestellte potentielle Klienten auch geradezu eine Rechtsverweigerung. Noch immer gab es zu dieser Zeit eine Vielzahl von Bezeichnungen: Advokat, Justizkommissar, Prokurator, Rechtskonsulent, Justizrat, Advokat-, Obergerichts-, Hofgerichtsanwalt. Am häufigsten aber wurde inzwischen doch der Begriff Rechtsanwalt verwendet.

Im Zuge der großen Reformgesetzgebung zwischen 1867 und 1878 wurde auch die liberale Leitvorstellung von der freien Anwaltschaft in Gesetzesform gegossen. Damit entstand die ausschlaggebende Grundlage für den Professionalisierungsprozeß der nichtstaatlichen Rechtsexperten. Seit dem März 1871 hatte der «Deutsche Anwaltsverein» eine reichseinheitliche Rechtsordnung für die von ihm repräsentierte Berufsklasse gefordert, um die gravierenden Nachteile der Rechtsungleichheit in den Bundesstaaten zu beseitigen. Obwohl sich der «Anwaltsverein» alsbald zur maßgeblichen öffentlichen Interessenvertretung entwickelte und obwohl auch der «Anwaltstag» seit 1874 sein Gewicht in dieselbe Waagschale warf, dauerte es doch bis zum Oktober 1877, ehe der Entwurf für eine gesamtdeutsche Rechtsanwaltsordnung in den beiden Häusern der Legislative zu zirkulieren begann; am 1. Juli 1878 wurde das Gesetz verabschiedet.

Es brachte den reichsweit einheitlichen Beruf des Rechtsanwalts im Sinne der völlig «freien Advokatur», mithin den Abschied von der Beamtenstellung. Aufgrund generalisierter Bedingungen, deren Kernstück die «Befähigung zum Richteramt» bildete, mußte auf Antrag die Zulassung durch die Landesjustizverwaltung erfolgen. Vor Gericht galt der Anwaltszwang, das sicherte den Rechtsexperten eine mehr oder minder lukrative Pfründe. Das

Prinzip der «Lokalisierung» wurde durchgesetzt: Jeder Anwalt wurde nur am örtlichen Amts- oder Landgericht, an einem Oberlandesgericht oder einem Reichsgericht zugelassen. In jedem Oberlandesgerichtsbezirk konnte eine Anwaltskammer eingerichtet werden, die zugleich als Ehrengericht fungierte, das Notariat regelten die Bundesstaaten: Es wurde teils mit dem Anwaltsberuf vereint, teils institutionell getrennt. Im Juni 1879 trat die Gebührenordnung mit ihrem verbindlichen Schema für die Dienstleistungspreise hinzu.

Die Rechtsanwaltsordnung verbriefte ein Höchstmaß an professioneller Autonomie. Wie sehr sie die Interessen der freien Juristen befriedigte, läßt sich daran ablesen, daß sie bis 1914 keine essentielle Veränderung gefordert haben.

Als eine direkte Folge der Freigabe des Anwaltsberufs stieg erst die Anzahl der Jura-Studenten, dann die der Rechtsanwälte an. Von 1880 bis 1890 wuchs die Studentenzahl von 5198 schon auf 6687, bis 1900 auf 9664 und bis 1910 sogar auf 10976 an. In den dreißig Jahren seit dem Inkrafttreten der Rechtsanwaltsordnung hat sie sich mithin mehr als verdoppelt, weshalb sie auch stets ein Fünftel bis ein Viertel aller Studierenden ausmachte. Für Preußen, an dessen Universitäten durchweg mehr als fünfzig Prozent aller Jurastudenten immatrikuliert waren, liegen auch zuverlässige Angaben über die Referendare und Assessoren vor. Von 1890 bis 1900 stieg die Zahl der Referendare, die nach dem Ersten Staatsexamen eine vierjährige praktische Ausbildung durchlaufen mußten, von 2975 auf 4602, bis 1913 jedoch sogar auf 7155 an. Und die Anzahl der Assessoren, die nach dem Zweiten Staatsexamen eine Anstellung suchten, wuchs in der Zeitspanne von 1879 = 299 bis 1900 auf 1756 bzw. dank einer Verdoppelung im folgenden Dutzend Jahre auf 3478 an.

Die Staats- und Stadtverwaltung, die Justizbürokratie und die Unternehmen der Industrie- und Bankenwelt konnten diesem hohen Angebot zu keiner Zeit mit einer entsprechenden Nachfrage begegnen, ganz abgesehen von den politischen Gesinnungsfiltern, die den Eintritt in den Staatsdienst kontrollierten. Jedenfalls wanderte eine hohe, außerdem steigende Zahl von «Volljuristen» in den Anwaltsberuf, der einer anhaltenden Differenzierung unterlag: Zivil- und Strafrechtler, Patent- und Industrieanwälte, Scheidungsexperten und politische Strafverteidiger traten neben die «Generalisten». Von 1880 = 4091 stieg jedenfalls die Berufsklasse der Rechtsanwälte bis 1890 auf 5249, bis 1900 auf 6814, bis 1913 aber sogar beinahe um das Doppelte auf 12297 Köpfe an. Damit hatte sich die Anwaltschaft in drei Jahrzehnten verdreifacht, im Verhältnis zu der ja keineswegs langsam wachsenden Reichsbevölkerung verdoppelt. Denn 1880 entfielen auf einen Anwalt immer noch 11057 potentielle Klienten, 1913 aber nur mehr 5208.

In Berlin, um ein Beispiel zu nennen, waren vor 1878/79 neunzig, höchstens hundert Justizkommissare tätig gewesen. Die nun folgende rasche

Vermehrung weist unter anderem auch darauf hin, wie viele Aufgaben die Justizkommissare nicht wahrgenommen hatten. Gut zwanzig Jahre später boten dort nämlich mehr als tausend Rechtsanwälte ihre Expertenkenntnisse an. Das hatte natürlich auch eine verschärfte Konkurrenz zur Folge, die wiederum eine ausgeprägte Disparität der Einkommen förderte. Als Profession behielt die Anwaltschaft jedoch stets ihren Rang unter den höchsten Einkommensklassen. Sie verlor den Glanz, den ehemals die Beamtenstellung in manchen Staaten vermittelt hatte, wurde aber durch eine reichliche Alimentierung und weitreichende professionelle Autonomie mehr als angemessen entschädigt.

Es ist richtig, daß auch die Anwälte dem staatlichen Einfluß auf vielfältige Weise ausgesetzt blieben. Denn die Zulassung zum Jurastudium, die Zusammensetzung der Fakultäten, der Lehrinhalt und die Prüfungsmaterie, der Eintritt in den Beruf, die Preistabelle für die Dienstleistungen – all das blieb innerhalb der Kontrollsphäre des Staates, obwohl auch hier beamtete Juristen Bedingungen für die freiberuflichen Experten konstituieren halfen. Selbst sie konnten freilich nicht verhindern, daß – vergleichbar mit den «Kurpfuschern» – zahlreiche Winkeladvokaten ihrem Gewerbe weiter nachgingen. Die soziale Hürde zwischen dem arrivierten Rechtsanwalt und dem «einfachen Mann» blieb vergleichsweise hoch, und diese Tatsache verschaffte den sogenannten «Volksanwälten» ihre Gewinnchancen.

Blickt man noch einmal auf die Juristenausbildung zurück, blieb die Juristische Fakultät wegen ihrer Rekrutierungsfunktion für die Verwaltungs- und Justizbürokratie in der Zeit des Kaiserreichs ein «Arsenal der Herrschaft». Das erzeugte den Nimbus der «vornehmsten» Fakultät, von dem sie bis 1914 zehrte. Trotzdem darf man nicht übersehen, daß sie auch zur Ausbildungsstätte für Abertausende von liberalen Rechtsanwälten wurde. Darunter waren viele, die ursprünglich einmal in den Staatsdienst hatten eintreten wollen, während der Referendars- oder Assessorenzeit aber als Folge der peinlich genau gehandhabten politischen Gesinnungsschnüffelei auf eine unüberwindbare Mauer trafen. Als positive Konsequenz dieser Selektion stellte sich heraus, daß in der Anwaltschaft ein politisches Potential für die Parteien links von der Mitte heranwuchs.[9]

4. So nachhaltig auch das Spezialistentum der erfolgreichen Professionen dazu beitrug, wider den Willen ihrer Mitglieder das Bildungsideal abzuwerten, muß man doch noch weitere wichtige Entwicklungen ins Auge fassen, um den allmählich voranschreitenden Bedeutungsschwund, den vermehrten Substanzverlust, die zunehmende soziopolitische Erosion des Bildungsbürgertums genauer zu erfassen. Ein außerordentlich einflußreicher Prozeß, der deshalb auch in diesem Zusammenhang besondere Aufmerksamkeit verdient, läßt sich auf die abkürzende Formel bringen, daß «Bildung» auf die harte, oft überlegene Konkurrenz anderer Säkularreligionen traf. Diese Rivalen traten mit frischem Schwung, mit der Attraktivität des wahrhaft

Modernen auf dem Markt der Ideen auf, wo sie in die traditionsgeheiligte Domäne der Bildungsideologie aggressiv einbrachen. Dabei kam es zwar nicht selten zu einer Fusion, häufig aber doch zu einer Art von Verdrängungswettbewerb. Zu denken ist hier an das Vordringen des Reichsnationalismus, vor allem in seiner radikalisierten, seiner integralen Form, an den popularisierten Sozialdarwinismus, an den rassistischen Antisemitismus und den ideologisierten Imperialismus, an den Monismus und die Naturwissenschaftsgläubigkeit, an die Vulgärphilosophien im Anschluß an Nietzsche und Schopenhauer, an Paul de Lagarde, Julius Langbehn und Houston Stewart Chamberlain, auch an den Richard-Wagner-Kult, die Lebensreform- und Jugendbewegung, sogar am hauchdünnen linken Rand an die Ausstrahlung des Marxismus oder eines pragmatischen sozialdemokratischen Reformismus. Von den unterschiedlichsten Seiten her wurde die Prävalenz der Bildungsidee in Frage gestellt oder in eine neuartige, oft degradierende Allianz mit solchen Denkströmungen gezwungen.

Seit den achtziger Jahren gab es eine unübersehbare Tendenz zu einer breitgefächerten ideologischen Diversifizierung, die eine Aushöhlung speziell des bildungsbürgerlichen Selbstverständnisses und Selbstbewußtseins, einen auffälligen Wertewandel, schließlich ein anschwellendes Krisengefühl verriet. Dieser Schub wurde durch einen Komplex von unterschiedlichen Antriebskräften verursacht. Dazu gehörten der Strukturwandel hin zur Klassengesellschaft, die Zunahme offener Interessenkonflikte, der Aufstieg des organisierten Proletariats, die Urbanisierung und Binnenwanderung, die Auflösung der bildungsbürgerlichen Honoratiorenverbände, die Veränderung der sozialen Mobilitätsbedingungen, der Druck der wirtschaftsbürgerlichen Oberklassen im Wohnviertel und in der Kommunalpolitik, die wachsende Distanz zum Lebensstil der «Geldaristokratie». Das alles löste eine zutiefst irritierende Statusverunsicherung breiter bürgerlicher, insbesondere aber bildungsbürgerlicher Formationen unterhalb der etablierten Oberklasse aus. Ein Bildungsbürger par excellence wie Friedrich Meinecke erkannte die «elementarste Ursache in den sozialen Umschichtungen» des ausgehenden 19. Jahrhunderts. «Das akademisch gebildete Bürgertum, einst in der Offensive gegen die alten herrschenden Schichten, dann zu einer gewissen Mitherrschaft mit ihnen vereinigt und zum Teil verschmolzen, fühlte sich nunmehr in der Defensive gegenüber allen denjenigen Schichten, die durch den Übergang vom Agrar- zum Industriestaat entstanden sind.»

Diese Defensive nährte die Ausbreitung eines Krisenbewußtseins, das von weiten Teilen des Bildungsbürgertums typischerweise als «Kulturkrise» wahrgenommen wurde – das war eine spezifisch verzerrte «gesellschaftliche Konstruktion der Wirklichkeit». Um ihr zu begegnen, setzte die Flucht aus der herkömmlichen Bildungswelt und die Suche nach neuer kultureller Stabilisierung, nach neuer Sinnstiftung, nach neuem Religionsersatz ein. Damit hing zusammen, daß sich als Grundhaltung zahlreicher bildungsbür-

gerlicher Intellektueller des Fin de Siècle ein vager, aber vehementer Protest gegen nackte materialistische Gesinnung, gegen ungerechtfertigtes Sekuritätsdenken, gegen das Spießertum im eigenen Lager ausbreitete. Diese Mentalität und die Reaktion auf die «Kulturkrise» äußerten sich auf vielfältige Weise. Das kann hier an einigen Organisationen und am Einfluß prominenter Ideologen des Kulturpessimismus verfolgt werden.

Kennzeichnend für die neuen Verbände ist der Rückgriff auf vorliberale Assoziationsformen, welche von der bürgerlichen Bewegung längst überwunden worden waren. An die Stelle der freien Mitgliedschaft trat wieder die Kooptation, die ritualisierte Einbindung, die Exklusion durch Nichtöffentlichkeit. Der zeitgenössische Modeausdruck für solche Vereinigungen lautete «Bund». Das «bündische Prinzip» sollte den freien, offenen Verein verdrängen, die «Fiktion der geschlossenen Gesinnungs- und Lebensgemeinschaft» den Rückzug auf eine elitäre Position erleichtern, für die es langlebige Sympathien im Bildungsbürgertum gab.

Zu einer der größten Vereinigungen dieses Typs stieg etwa der «Dürerbund» mit rund 300000 Mitgliedern auf. Sein Chefideologe, Friedrich Avenarius, redigierte den «Kunstwart» als Organ für die Angehörigen und die zahlreichen Sympathisanten. Im Zentrum der Bundesaktivität einschließlich seiner einflußreichen Publizistik stand der Appell zugunsten einer verquasten Rückbesinnung auf «echte deutsche», «wahrhaft nationale» Kulturwerte. Vom «Dürerbund» und seinem Verleger Eugen Diederichs verliefen dann wiederum zahlreiche Querverbindungen zu anderen Bünden, zum «Wandervogel», zum «Deutschen Werkbund», zu Volksbildungs- und Heimatvereinen.

Die Wagner-Vereine, ebenfalls bündisch organisiert, dienten zuerst der Förderung der Bayreuther Festspiele, wurden dann jedoch von den Herausgebern der «Bayreuther Blätter» in eine zentral gelenkte Gesinnungsgemeinde umgewandelt, die auf Richard Wagner, seine idiosynkratischen Vorstellungen von deutscher Nationalkultur und seinen dumpfen Antisemitismus eingeschworen war.

Die Bündische Jugend verkörperte in Reinkultur den Protest gegen die bürgerliche Erstarrung, auch gegen die Kanonisierung lebensferner Bildungsgüter. Geradezu paradigmatisch wich ihre Organisationsform vom bürgerlichen Verein ab, und ihre Postulate der freien Selbstgestaltung des Lebensentwurfs, eines Daseins in «Wahrhaftigkeit», einer grundlegenden Reform der bürgerlichen Existenz zogen auch durch den offen elitären Anspruch den bildungsbürgerlichen Nachwuchs an.

Mit der Lebensreform-Bewegung gab es zahlreiche Berührungspunkte, hier und da auch mit der Siedlungs-Bewegung, der Bodenreform-Bewegung Adolf Damaschkes, der Freiland-Bewegung Silvio Gesells, den Agrarkommunen, der Freikörperkultur, ja bis hin zum St. Georgs-Bund von Fidus, der Alternativkultur à la Monte Verità und der Anthroposophie Rudolf Steiners.

Militante Verbände wie der antisemitische Hammer-Bund und der Mitgart-Bund kämpften gleichfalls gegen die Bedrohung «deutschen Lebens». Kurzum: Eine Vielzahl von bündischen Organisationen widmete sich der Kultur- und Lebensreform. Es waren Sammlungsbewegungen mit dem Anspruch auf Erneuerung der Nation, oft getragen von einem sektiererischen Gesinnungsfanatismus, der seine Fundamentalkritik am Liberalismus, an der Aufklärung und der neuhumanistischen Bildung konzessionslos kultivierte.

Viele Bünde kennzeichnete ein pseudoreligiöser Grundzug, der seinen Ausdruck auch in säkularisierten Sakralformen, wie etwa Fidus' Tempelentwürfen, suchte. Gefordert wurde eine neue «Innerlichkeit», die als Erbe der romantischen Tradition den krassen Materialismus, die versteinerte Bildungsidee der Gegenwart überwinden sollte. Durchweg ging es um eine schwärmerisch verklärte Rückbesinnung auf gefährdete nationale Kulturwerte. Sogar die sozialen Integrationshoffnungen mancher Bünde zielten darauf, die Mittelklassen und einen Teil der Unterschichten mit ästhetisch-künstlerischen Mitteln für das «Deutschtum» zurückzugewinnen.

Zusammen bildeten die Verbände der bürgerlichen «Reform»-Bewegung eine antimodernistische Subkultur. Häufig gaben sie sich dem rassistischen Antisemitismus, dem integralen Nationalismus, dem popularisierten Sozialdarwinismus hin; sie bekämpften die Herrschaft des «jüdischen Großkapitals», den Niedergang wahrer deutscher Bildung, den Verlust nationaler Kulturtraditionen. Politisch führte das zu einer Erhöhung der Spannungen und Konflikte gerade innerhalb des Bildungsbürgertums, dessen politische Optionen zusehends, bis hin zur völligen Beliebigkeit, zerfaserten.

Bekanntlich hat eine vulgarisierte Version von Nietzsches, aber auch von Schopenhauers Philosophie den modischen Kulturpessimismus genährt. Allemal richteten sich die verhunzten Lehren gegen die Aufklärung und den Liberalismus, gegen die moderne Zivilisation überhaupt und ihre Politik, so daß sich eine antidemokratische, antiparlamentarische, antikapitalistische Stoßrichtung alsbald geltend machte. Nun ist kein bedeutender Kopf gegen die Umdeutung seiner Gedanken durch rückwärtsgewandte Kleingeister gefeit. In mancher Hinsicht aufschlußreicher als der Nietzscheanismus ist daher die enorme Resonanz, die drei heute zu Recht vergessene «Kulturphilosophen» damals gefunden haben.

Paul de Lagarde (1827–1891) gewann als Orientalist frühzeitig eine Reputation, die bis heute anerkannt wird. Nach einer als degradierend empfundenen Zeit als Gymnasiallehrer, während der er sich zum «Radikal-Konservativen» mauserte, erhielt er vergleichsweise spät, dreiundvierzigjährig, eine Professur in Göttingen. Jetzt setzte der Strom seiner zeit- und kulturkritischen «Deutschen Schriften» ein, der ihn über kurz oder lang in engen Kontakt zum Wagner-Kreis, zu Julius Langbehn und Adolf Stoecker, zu aktiven Antisemiten wie Liebermann v. Sonnenberg und Theodor Fritsch brachte. Als Lagardes Ziel kristallisierte sich eine vage «Geistreligion» außerhalb der christlichen Amtskirchen heraus. Sie sollte die Überwindung der Moderne und des Kulturverfalls im Reich zustande bringen. Mit seinem wirren Ideengebräu wurde Lagarde in seinem letzten Lebensjahrzehnt zu einem der Hauptprotagonisten der neokonservativen Kulturkritik.

Julius Langbehn (1851–1902), ein studierter Philosoph und Archäologe, stand schon unter dem Einfluß Lagardes, als er – als Privatgelehrter von Gönnern in Dresden ausgehalten – mit seinem «Rembrandt als Erzieher» 1890 auf Anhieb ein immenses Echo auslöste. Der Traktat wurde ein Kultbuch der «Bünde», vor allem dann der Bündischen Jugend: Innerhalb von zwei Jahren kam er auf vierzig Auflagen. 1892 konnte Langbehn mit einem zweiten Erfolgsbuch, dem «Rembrandtdeutschen», seinen Einfluß vertiefen. Mit einem Konglomerat historischer Skizzen und exotischer Interpretationen deutscher «Kulturschöpfungen» verfolgte er sein Ziel, eine «praktische Philosophie» zur Orientierung in der deutschen Gegenwart zu bieten. Beide Bestseller stiegen, nicht nur im «Wandervogel» und im «Dürerbund», in den Rang eines Bibelersatzes auf, der sowohl als vollendeter Ausdruck der pessimistischen Kulturkritik als auch eines beschwörenden Appells zur nationalromantischen Kulturerneuerung galt.

Nicht minder verhängnisvoll ist die Wirkung von Houston Stewart Chamberlain (1855–1927) gewesen, der als gebürtiger Engländer nach dem Studium der Naturwissenschaften Deutschland zu seiner Wahlheimat erkor, wo er seit 1892 als freier Schriftsteller lebte. In Essays forderte er eine neue naturphilosophisch fundierte Religion, schwenkte früh auf den antisemitischen Rassismus ein und fand in Richard Wagner, dessen Tochter er heiratete, seine schrankenlos idealisierte Leitfigur – die Verkörperung deutscher Schöpferkraft schlechthin. In seiner auch von Arthur de Gobineau inspirierten Rassenideologie verkörperten die Deutschen den Genius der arischen Germanen, die allenthalben auf einen absoluten Gegner, das Judentum, trafen. Um dennoch den Anschluß an die christliche Religion zu bewahren, stilisierte er Jesus in einem abstrusen Gedankengang zum «psychischen» Arier. Mit seinen «Grundlagen des 19. Jahrhunderts» (1899/1942^{28}) gelang Chamberlain ein mit Langbehns «Rembrandt»-Büchern vergleichbarer Erfolg. Offenbar traf diese Pseudosynthese aus Arierverherrlichung und Judenhaß genau die Tonlage der zeitgenössischen Kulturkritik, denn Chamberlain gewann mit seinem antisemitischen Credo und der Verklärung der germanischen Rasse zeitweilig eine ungeheure Popularität. Für sein Publikum, darunter den enthusiastisch zustimmenden Kaiser, verschmolz Chamberlains universalhistorische «Schau» mit der prophetischen Gewißheit, daß dem Wertezerfall durch eine deutsch-arische Kulturrenaissance begegnet werden könne. Der attraktive Mythos eines nationalen Aufstiegs der rassisch gereinigten Deutschen half seinen Anhängern offenbar über den wüsten Eklektizismus seines dezisionistischen Irrationalismus hinweg.[10]

Schwarmgeister waren sie allemal, die Lagarde, Langbehn und Chamberlain, oder auch Arthur Moeller van den Bruck, der in ähnlich krausen Wendungen und mit Hilfe desselben ideologischen Gebräus die Zukunftsvision eines «Dritten Reiches» der arischen Deutschen entwarf. Aber auf dem Nährboden einer pessimistisch gedeuteten «Kulturkrise» konnten sie die Erosion des Bildungsbürgertums auf unheilvolle Weise vorantreiben.

5. In Frage gestellt wurden Rang und Status des Bildungsbürgertums, auch seine auf Bildungsdemonstration beruhende mentale Sicherheit, durch eine Kräfteverschiebung innerhalb des Bürgertums. Sie mündete in eine verschärfte Konkurrenz mit den steil aufsteigenden wirtschaftsbürgerlichen Oberklassen. Die aufklaffende soziale Distanz im Verhältnis zu ihnen wurde als immer bedrängender, ja degradierend empfunden. Alle beschönigenden Formulierungen, die in vager Allgemeinheit eine zunehmende Homogenität des Besitz- und Bildungsbürgertums im Zeichen der angeblich allseits akzeptierten Bildungsidee konstruieren, verkennen diese Konkurrenzsituation. Die Einteilung beim Mehrklassenwahlrecht etwa, ob in Preußen, Sachsen oder Hamburg, wiederholte jedes Mal die schmerzhafte Lektion, daß für viele Bildungsbürger der Abstieg in den unteren Saum der Mittelklassen unaufhaltsam wirkte. Mancher fühlte sich auf das Niveau des «neuen» und des «alten» Mittelstands hinabgedrängt, aus dem andrerseits wohlhabend gewordene Bürger ständig aufstiegen.

Diese interne Dynamik erzeugte Pressionen, auch die Suche nach Kompensationen, nach Bestätigung und Vergewisserung des eigenen individuellen Werts und der kollektiven Bedeutung. Da beides im Vergleich mit der Erfolgsgeschichte des oberen Wirtschaftsbürgertums nicht leicht zu gewinnen war, nahmen Selbstzweifel und Statusverunsicherung weiter zu.

6. Hinzu kam schließlich der Eindruck eines unübersehbaren politischen Bedeutungsschwunds. Offensichtlich wurden immer mehr wesentliche Entscheidungen von den großen Parteien, von den Interessenverbänden, von den Berufspolitikern im Reichstag und in den wichtigen Landtagen vorbereitet und getroffen oder verhindert. Obwohl die bildungsbürgerliche Mehrheit der höheren Beamtenschaft manche Domäne verteidigte, ging doch ihr relatives Gewicht im Herrschaftssystem zurück. Unstreitig gab es eine Bedeutungsaufwertung dieser Bürokratie durch den Interventions- und Sozialstaat. Aber in aller Regel war die neuartige ökonomische oder sozialrechtliche Problematik vom herkömmlichen Bildungskanon weit entfernt. Insofern wurde das vorn erwähnte juristisch-administrative Spezialistentum weiter gefördert. Die Reformtradition, in der sich so viele gebildete Beamte sahen, brach nicht ab, aber der Charakter der Reformmaterie veränderte sich grundlegend. An die Stelle der Säkularaufgabe der «Bauernbefreiung» oder des Zollvereins trat der Streit um die Beitragssätze zur gesetzlichen Krankenversicherung oder um die Höhe der Exportsubventionen und Zolltarife. Die Stadtverwaltung mit ihrer Chance, die Urbanisierung mit effektiver,

spürbarer Modernisierung zu verbinden, konnte den Staatsbeamten keinen Ausgleich bieten. Und in der höheren Stadtbürokratie war ebenfalls der hochgradig spezialisierte Experte gefragt, nicht der altertümlich gebildete «Generalist».

So stand das Bildungsbürgertum vor 1914 in einer zutiefst ambivalenten Situation: Noch immer genoß dieser kleine Verband privilegierter Berufsklassen mit ihrem ständisch stereotypierten Lebensstil, ihrer weiterwirkenden Bildungsidee und ihrem Normenkodex ein unleugbar hohes Prestige, meist materielle Sicherheit und häufig auch noch immer weitreichenden politischen Einfluß. Aber dem hochgespannten Anspruch des neuhumanistischen Bildungsideals konnte, auch wegen der zunehmenden Vermehrung der Akademiker, eine wachsende Zahl nicht mehr gerecht werden. Das Spezialistentum, verkörpert gerade durch die erfolgreichen freiberuflichen Professionen, zehrte den Allgemeincharakter der Bildung auf. Das ökonomisch erfolgreiche obere Wirtschaftsbürgertum, das mit dem Vorwurf des nackten Materialismus nicht mehr disqualifiziert werden konnte, zog in der Gesellschaftshierarchie unentwegt nach oben davon – in eine Klassenlage, die für die allermeisten Bildungsbürger unerreichbar war. Auf dem politischen Massenmarkt, im modernen Getriebe der Parteien und Verbände, der Berufspolitiker und Funktionäre schrumpften ihre Machtchancen empfindlich. Und rivalisierende Säkularreligionen, neokonservative Denkströmungen und kulturpessimistische Vulgärphilosophien verdrängten nicht nur den Vorrang der Bildungsideologie. Vielmehr zogen sie auch zahlreiche Bildungsbürger in eine sozialökonomisch und politisch motivierte Modernisierungsfeindschaft hinein. Sie konnte sich allzuoft mit der Verklärung der autoritären Monarchie als «General Dr. von Staat», mit dem arroganten Rückzug in eine politisch fatale «machtgeschützte Innerlichkeit» verbinden.

c) Das Kleinbürgertum in der Expansion: «Alter» und «Neuer» Mittelstand

Zur Zeit der Reichsgründung war der Zerfall des traditionsbewußten Stadtbürgertums längst unwiderruflich in seine Endphase eingetreten. Zerfall bedeutete natürlich nicht Verschwinden. Vielmehr fusionierten die alten Oberschichten mit den aufgestiegenen, ehemals «außerständischen» Bürgerlichen der jungen Unternehmer-Bourgeoisie zu einer neuen wirtschaftsbürgerlichen Oberklasse, welche die schmale urbane Elite verkörperte.

Die Mehrheit der früheren Vollbürger bestand aber seit jeher aus den mittleren und kleineren Existenzen der Handwerker und Kaufleute, der kleinen Gewerbetreibenden, Krämer und Spediteure; sie hatten gewöhnlich zwischen zehn und fünfundzwanzig Prozent der Einwohnerschaft ausgemacht. Für sie alle war der Sturz aus der privilegierten Gemeindebürgerschaft besonders schmerzhaft, seitdem die innere Staatsbildung, das Bevölkerungswachstum und die Gewerbefreiheit ineinandergriffen, um diesen korporativen Verband aufzusprengen. Als dann die Gesetze des Norddeutschen Bundes über die Freizügigkeit, die Gewerbe-, Niederlassungs- und Ehefreiheit sofort Reichsrecht wurden, trat die städtische Einwohnergemeinde aus formal gleichgestellten Staatsbürgern endgültig an die Stelle der heimatrechtlich geschützten «Home Town». Informell blieb jedoch erstaunlich viel von der alten städtischen Sozialhierarchie erhalten. Die herkömmliche Diskrepanz zwischen Patriziern oder Honoratioren einerseits, den faktisch rechtlosen Hintersassen oder Schutzverwandten andrerseits verwandelte sich in die krasse Dichotomie zwischen oberen Bürgerklassen und diskriminierten Unterschichten. Gewissermaßen dazwischen bildete sich aus dem Großteil des Stadtbürgertums, das einen bescheidenen Lebenszuschnitt besaß, ein heterogener Verband von mittleren und unteren Einkommensklassen, die zusammen das neue Kleinbürgertum formierten.

Über alle sozioökonomischen Unterschiede hinweg vereinigte seine Angehörigen ihre traditionalistische Mentalität, die in einem eigentümlich spannungsreichen Gemenge mit einer ausgeprägten zukunftsbejahenden Aufstiegsorientierung, in erster Linie für die Söhne, lag. Unter dem Einfluß der nostalgisch verklärten Erinnerung an das Leben in der «alten Stadt» wurden die aus ihr stammenden «Leitideen und Vorstellungen» in die «Gegenwart zeremoniell weitergeschleppt und restauriert», da das «Verharren in den alten, überkommenen sozialen Leitbildern» den «hohen Sicherheitsbedürfnissen» entgegenkam. Angesichts der tiefen Verunsicherung versprach diese Sozialmentalität sowohl Verhaltenssicherheit als auch ein Berufungsrecht auf Schutz und Unterstützung.

Emphatisch verstand sich daher das Kleinbürgertum auch in der vordringenden Klassengesellschaft unverändert als «Mittelstand», der im Grunde auf standesgemäße «Nahrung», auf anerkannten Status, auf Verbindlichkeit seiner sozialmoralischen Normen pochte. Auf diese Weise hoffte es, der gemeinsamen Grunderfahrung anhaltender ökonomischer Labilität, wachsender sozialer Distanz nach oben und schrumpfender Distanz nach unten, damit auch der daraus resultierenden psychischen Dauerbelastung begegnen zu können.

Das Kleinbürgertum wurde im Laufe der Zeit, zunächst während der Epoche des Kaiserreichs, rein numerisch immer größer. Das beruhte nicht etwa auf einem anhaltenden Wachstum allein des «alten» Mittelstands mit seinem Doppelkern von Handwerkern und Kleinhändlern, da er sich eher gemächlich ausdehnte. Vielmehr beruhte der Vorgang ungleich nachhaltiger auf dem Aufstieg des «neuen» Mittelstands aus industriellen, kaufmännischen, städtischen und staatlichen Angestellten, aus Subalternbeamten und Lehrern, Meistern und Technikern, nicht zuletzt aus den obersten Schichten der Facharbeiterschaft. Das sich derart erweiternde Kleinbürgertum wurde von einer machtvollen Aufstiegs-, aber auch Abstiegsdynamik unablässig in Bewegung gehalten. Eine Antwort auf diese Herausforderung bestand darin, daß es seine politischen Zielvorstellungen immer anspruchsvoller artikulierte. Ihnen begegneten die Regierungen und Parteien mit sichtlich steigendem Interesse an dieser zügig anwachsenden potentiellen Wählerschaft, vor allem an einer loyalen Klientel, die sich auch allgemein in den Abwehrblock gegen die Sozialdemokratie einfügen ließ.

Der «alte» Mittelstand. Das Handwerk im Kernbereich des «alten» Mittelstands unterlag, wie das vorn unter wirtschaftshistorischen Gesichtspunkten analysiert worden ist (II.5), dem anhaltenden sozioökonomischen Strukturwandel, der die Ära des Kaiserreichs beherrschte. Währenddessen spitzte sich die schroffe Binnendifferenzierung weiter zu. Auf der einen Seite standen die stabilen und gut verdienenden Gewerbe der Bauhandwerker, der Bäcker und Metzger. Wegen der Marktabhängigkeit infolge der Urbanisierung sank die Selbstversorgung und stieg der Zuwachs der Nahrungsgewerbe steil an; das Baugewerbe erlebte ohnehin eine denkbar kraftvolle, lukrative Expansion. Auf der andern Seite bewegten sich die ärmsten und unsichersten Angehörigen des Handwerks: Schneider, Schuhmacher, Tischler – mindestens ein Drittel der Gesamtzahl. Zwischen diesen beiden Polen stand die Mehrheit, die häufig eher zu einer proletaroiden als zu einer materiell gesicherten Existenz tendierte.

Anders formuliert: Im reichsdeutschen Handwerk lief ein folgenreicher «Doppelprozeß» ab. Einmal machte die Konzentrationsbewegung hin zu großen, leistungsfähigen Betrieben unübersehbare Fortschritte. Im Baugewerbe etwa entstanden Großunternehmen mit mehr als tausend Beschäftigten, die formell immer noch als Handwerker geführt wurden; gerade unter ihnen gab es folgerichtig die geringsten Aufstiegschancen für Gesellen. Aber Meister mit Dynamik und Startkapital, Innovations- und Anpassungsbereitschaft konnten die Erfolgsleiter hinaufklettern.

Gleichzeitig hielt jedoch, zweitens, sowohl die Proletarisierung als auch die Ausdehnung von proletaroiden Lebensverhältnissen an. Zu den rund 1.3 Millionen Handwerksmeistern in der Mitte der 1890er Jahre gehörten zum Beispiel mindestens siebenhunderttausend ärmlich lebende Einzelmeister ohne jede Hilfskraft, wahrscheinlich sogar – nach Schmollers sachkundigem Urteil – bis zu neunhundertfünfzigtausend, die überwiegend ohne Gehilfen arbeiteten. An der wachsenden Zahl dieser Alleinbetriebe läßt sich die Auflösung des patriarchalischen Meisterhaushalts mit dem Verlust aller Gesellen und Lehrlinge verfolgen; sie wiesen selbstverständlich auch die höchste Schwundquote auf. In diesem Bereich wirkte sich überdies das Vordringen des Verlagssystems am verhängnisvollsten für die kleinen Selbständigen aus. Denn Verleger konnten auf Produktions- und Konjunkturschwankungen flexibler reagieren, dazu ohne die Belastung durch Sozialversicherungsbeiträge kalkulieren. Da sie die großen Magazine und Warenhäuser als Abnehmer gewannen, fanden sich die Einzelmeister einem häufig fatalen Konkurrenzdruck ausgesetzt. Symptomatisch für diesen Druck ist nicht nur die Tatsache, daß die Meisterzahl von 1875 bis 1907 in einer insgesamt kraftvoll wachsenden Wirtschaft um zwölf Prozent absank. Vielmehr kann man die Folgen auch am Rückgang des Hausbesitzes ablesen. In den drei Jahrzehnten vor 1907 sank etwa die Anzahl der rheinischen Handwerksmeister mit einem Eigenheim um mehr als die Hälfte: von 33.2 auf 13.8 Prozent hinunter.

Angesichts dieser Belastungen fand der Ruf nach eigener Interessenorganisation und direktem Beistand des Staates allmählich immer mehr Resonanz. Nachdem ein «Deutscher Handwerkerbund» in den liberalen sechziger Jahren ohne spürbaren Einfluß geblieben war, wurde während der zweiten Phase der «Großen Deflation» der «Allgemeine Deutsche Handwerkerbund» 1882 in Magdeburg gegründet. Dreihundert Delegierte vertraten dort ihre rund hunderttausend Wähler, in deren Namen sie Zwangsinnungen, die Führung eines selbständigen Gewerbebetriebs nur nach der Meisterprüfung und den Befähigungsnachweis forderten. Damit wurden Postulate auf die Tagesordnung gesetzt, die erst ein halbes Jahrhundert später erfüllt werden sollten. Der neue «Handwerkerbund» brachte es in den achtziger Jahren auf nur vierzig- bis fünfzigtausend Mitglieder – zu einer Zeit also, als es weit mehr als eine Million Meister gab. Die Zentren lagen im katholischen Handwerk Bayerns, Westfalens und Rheinpreußens. Dort befanden sich aber nicht die Hochburgen des Innungswesens, welches durch das vorn (II. 5) erwähnte Gesetz von 1881 über die neuen Fachinnungen mit dem Charakter von öffentlich-rechtlichen Verbänden solchen Auftrieb erhalten hatte, daß es in den frühen neunziger Jahren dreihunderttausend Innungsmitglieder gab. Vermutlich nahm das aber auch der akuten Interessenartikulation etwas von ihrer Spitze.

Seit den neunziger Jahren wurde Mittelstandspolitik im strengeren Sinn von den Parteien und Verbänden als eine vielversprechende politische Arena erst entdeckt. Während die SPD im Bann der Marxschen Proletarisierungsprognose auf das unvermeidbare Absinken der unteren Mittelklassen in die Arbeiterschaft wartete und die realistische Kritik, die der Bernsteinsche Revisionismus an dieser verfehlten Hoffnung übte, vorerst verdrängte, reagierten die Nationalliberalen, die im Handwerk traditionell eine erhebliche Klientel besessen hatten, mit einem politischen Hilfsangebot an den «alten» Mittelstand. Vor allem aber wurde die neue sozialprotektionistische Mittelstandspolitik rechts inauguriert: von den Deutschkonservativen und vom Zentrum. Sie suchten einen weiteren Garanten der soziopolitischen Stabilität, der sich in die Sammlungspolitik gegen die Sozialdemokratie einfügen ließ. Deshalb wurde auch zumeist von ihnen die «Handwerkerfrage» in ihre Parteiprogramme aufgenommen.

Das erste Ergebnis der handwerksfreundlichen Koalition von Konservativen, Zentrum und Rechtsliberalen war die Gesetzgebung von 1897, welche, wie erwähnt, die fakultativen Zwangsinnungen und die neuen Handwerkskammern einführte, dagegen noch nicht die allgemeine Zwangsinnung und den Befähigungsnachweis brachte. Die Enttäuschung über diese legislative Ausbeute führte 1900 zu einer Interessenfusion im «Deutschen Handwerks- und Gewerbetag», der binnen kurzem den «Allgemeinen Deutschen Handwerkerbund» überflügelte. Inzwischen empfahlen die Repräsentanten des «alten» Mittelstands einen zielbewußten Protektionismus, indem sie auf der staatserhaltenden, zwischen den Extremen ausgleichenden Funktion der Mittelklassen angesichts der bedrohlichen Klassenspannungen insistierten. «In allen Fällen bildet der Mittelstand», drückte das der «Westfälische Handwerkerfreund» in einer charakteristischen Formulierung aus, «einen notwendigen Ausgleich zwischen Aristokratie und Proletariat. Eine breite Mittelschicht ist für die soziale Struktur, für die nationale Wohlfahrt unentbehrlich. Der Mittelstand bildet im Volkskörper das Rückgrat, und wenn der Mittelstand schwindet, so führt das zu einer sozialen Volkskrankheit, zu einer Art Rückenmarksschwindsucht.» Das war ein seit der Krise des Vormärz vertrauter Topos, der mit Besorgnis, aber auch nicht ohne Arroganz variiert wurde.

1908 bescherte eine Gesetzesnovelle den Kleinen Befähigungsnachweis, an den das Recht auf die Lehrlingsausbildung gekoppelt wurde. Bis dahin waren auch zahlreiche Zwangsinnungen gegründet worden, die rund 235 000 Mitglieder zählten, während immerhin 289 000 Meister in den freien Zünften blieben. Solche eingeschränkten Erfolge waren dem Beistand der Rechtsparteien und dem Engagement der Reichsregierung zu verdanken. Die «mittelstandspolitischen Ideen» seien überhaupt, urteilte damals ein so gut informierter Sachkenner wie Johannes Wernicke, «mehr und mehr gouvernemental geworden». Auf die Unterstützung der Berliner Regierung baute auch die dezidiert konservative «Deutsche Mittelstandsvereinigung» (1904–1913), erst recht der größere «Reichsdeutsche Mittelstandsverband» (1911–1920), der von 1911 bis 1914 immerhin sechshundertdreißigtausend Mitglieder gewinnen konnte. Diesem Kurs stimmten die anderen mittelständischen Dachverbände zu: Vom «Deutschen Handwerks- und Gewerbetag» über den «Verband Deutscher Gewerbevereine» bis hin zum «Allgemeinen Deutschen Handwerkerbund».

Im Grunde vertrat diese Mittelstandspolitik die gutgestellten Meister, ihnen kamen die Ergebnisse in erster Linie zugute. Die Mehrheit der ärmlichen oder bereits proletarisierten Existenzen wurde dagegen gar nicht erreicht. Dennoch hielten auch die meisten von ihnen an den Orientierungswerten der kleinbürgerlichen Sozialmentalität zäh fest. Unbeirrt beharrten sie auf einem ideologisch verhärteten Abstand gegenüber dem Industrieproletariat. Andrerseits schwenkte ein nicht unerheblicher Teil zur Wählerschaft der SPD über, wanderte auch in die sozialdemokratische Subkultur ab – und wurde schließlich sogar von der Partei nachdrücklich umworben. Vor 1914 stammte ein gut Teil der rund fünfundzwanzig Prozent nichtproletarischer SPD-Stimmen aus dem degradierten unteren Mittelstand, insbesondere aus der Handwerkerschaft. Vielleicht lebte darin sogar ein Rest des kleinbürgerlichen Radikalismus von 1848 weiter fort. Auf einer ähnlichen Linie lag die Entscheidung von rund hunderttausend proletaroiden Einzelmeistern, die Mitgliedschaft in den gewerkschaftsnahen Konsumvereinen zu erwerben, nachdem sie diese sozialdemokratische Selbstorganisation der Konsumenten als evidente Bedrohung selbständiger mittelständischer Betriebe lange Zeit feindselig abgelehnt hatten.

Blickt man auf den konkreten «Output» der Mittelstandspolitik, stellt sich vorwiegend Skepsis ein. Auch nach dem Gesetzeswerk von 1897 gab es keine Zwangsinnung, keinen Großen Befähigungsnachweis, kein Preisfestsetzungsrecht. Die Innungskrankenkassen konnten nur 2.5 Prozent aller Versicherten an sich binden. Die Meister von größeren Betrieben scherten aufgrund ihrer Interessenlage aus der angeblich festen Front aller Handwerker aus, sie ließen sich auch nicht mehr rechtsverbindlich zurückgewinnen. Aber auch unabhängig von dieser Meister-Aristokratie rechneten sich viele Meister zum Arbeitgeberlager, opponierten etwa gegen Streiks ganz so vehement wie großindustrielle Unternehmer. Demgegenüber optierten weiterhin zahlreiche Gesellen nicht nur für den Übergang in die Fabrik, sondern auch für die Sozialdemokratie, in der die traditionelle Schlüsselfigur des Gesellen-Arbeiters kontinuierlich wichtig blieb. Kurzum: Der Gegensatz von Kapital und Arbeit trieb auch die Handwerksmeister und die Gesellen so weit auseinander, daß die angebliche Homogenität des «alten» Mittelstands unübersehbar als Fiktion enthüllt wurde. Er konnte eben doch nicht, wie er das beanspruchte, gleichzeitig gegen die «Herrschaft des Kapitals» und gegen die Umsturzdrohung der Sozialdemokratie antreten.

Wohl aber konnte er seine Unzufriedenheit mit der unzulänglichen Hilfe unisono äußern. Er hatte es gelernt, wie Eugen Richter von der Fortschrittspartei mit seinem notorischen Sarkasmus spottete, zu «klagen, ohne zu leiden». Wegen dieser Enttäuschung über seine sozioökonomische Lage und die geringen politischen Beistandsleistungen öffnete sich auch ein Einfallstor für den Antisemitismus, da sich im jüdischen Großkapitalisten ein Sündenbock dingfest machen ließ, dem die Schuld an der eigenen Misere zugeschoben wurde.

Letztlich übertraf der Aufwand an politischer Rhetorik bei weitem die greifbaren Auswirkungen des Sozialprotektionismus. Freilich stellte sich eine Gewöhnung an die staatlichen Hilfsmaßnahmen ein, so unzureichend sie vorerst ausfallen mochten, auch an die vollmundigen Versprechungen, die dem individuellen und kollektiven Selbstgefühl wohltaten, die Hoffnung auf eine bessere Zukunft wachhielten. Nicht die begrenzten Erfolge des Sozialprotektionismus, sondern ungleich mehr die bedrückenden Mißerfolge der Mittelstandspolitik im Kaiserreich waren es, welche die spätere fatale Erwartungshaltung in der Zeit der Weimarer Republik, vor allem gegenüber dem Nationalsozialismus, geprägt haben.

Wie die Handwerker sahen auch die Kleinhändler, Krämer und Detaillisten auf die untergegangene «alte Stadt» mit verklärendem Blick zurück. Die Gewerbestatistik von 1883 erfaßte fünfundsechzig Prozent aller rund 617000 Warenhandelsgeschäfte als Alleinbetriebe. Zum Kleinhandel insgesamt gehörten aber jene rund neunundsiebzig Prozent, in denen bis zu fünf Erwerbstätige beschäftigt waren (rund 20% besaßen sechs bis fünfzig, nur 1.5% fünfzig und mehr Gehilfen). Vier Fünftel aller Handelsgeschäfte, rund 494000, kann man daher getrost dem Kleinhandel zurechnen. Seither drang – wie in den meisten anderen Wirtschaftsbranchen – auch im Handel der Konzentrationsprozeß vor, zu dessen sinnfälligem Ausdruck der Aufstieg der großen Warenhäuser, etwa von Tietz und Wertheim, wurde, obwohl sie bis 1913 nur 2.2 Prozent des Gesamtumsatzes auf sich vereinigen konnten. Bis 1907 ist die Zahl der Handelsgeschäfte auf 1088000 angewachsen, der Anteil der Kleinhandelsbetriebe jedoch auf sechsundsechzig Prozent abgesunken, was in absoluten Zahlen den Gleichstand mit 1882 (494000), also Stagnation bedeutete (27% besaßen sechs bis fünfzig, immerhin 7% fünfzig und mehr Gehilfen).

Zwar stieg das Absatzvolumen des Handels wegen des Bevölkerungswachstums und der sinkenden Selbstversorgung in die Höhe. Zugleich drangen aber neue Unternehmensformen vor: die Großkaufhäuser und Magazine, die Versandgeschäfte und Konsumvereine, die alle über kurz oder lang moderne Methoden der Lagerung, Konservierung und Werbung ausnutzten. Dadurch wurde der Radius des Kleinhandels vielerorts gravierend eingeschränkt. Die Spezialisierung nach Kundenbedürfnissen und einkaufsorganisatorischen Gesichtspunkten brachte keine dauerhafte Entlastung. Dagegen nahm die Konkurrenz der größeren Warenhäuser und der Konsumvereine, auch der Warenhändler und der Abzahlungsgeschäfte immer weiter zu, so daß die empörte Klage über diesen vermeintlich «unlauteren Wettbewerb» immer schriller erscholl. Konkurrenz befriedigte die Verbraucherwünsche, senkte aber die Preise auf ein Niveau, das für den kleinen Einzelhändler leicht ruinös wurde. Zwei Reichsgesetze, die 1896 und 1909 zum Schutze des Kleinhandels im Zuge der neuen Mittelstandspolitik erlassen wurden, vermochten das Vordringen der überlegenen Rivalen ebensowenig zu bremsen wie die diskriminierende Warenhaussteuer, die 1899 in Bayern eingeführt und alsbald von Preußen, Sachsen, Baden und Württemberg nachgeahmt wurde. Anstatt zu hemmen, spornte sie die Aktivität der Großkaufhäuser an, die ohnehin die neue Belastung zum großen Teil auf ihre Lieferanten abwälzten. Ebensowenig konnte die Ausdehnung der leistungsfähigen Konsumgenossenschaften verhindert werden.

Da es für das Betreiben eines Kleinhandelsgeschäftes keinen Befähigungsnachweis gab, hielt ein großer Zustrom in diese Branche an, so daß Überbesetzung und Bankrott zum Dauerproblem wurden. Gut die Hälfte der fast achthunderttausend Detailgeschäfte nach der Jahrhundertwende wurde unter dürftigen Umständen von einer Person ohne Hilfe betrieben; die gleiche Zahl mußte den Geschäftsraum mieten, da sie keine Immobilien besaß. Symptomatisch ist vermutlich der Bremer Befund, daß sich zwischen 1890 und 1914 zwei Drittel der Kleinhändler allenfalls sechs Jahre lang zu halten vermochten. Hält man diesen Anteil reichsweit für repräsentativ, enthüllt er die Neugründung und das Scheitern von Hunderttausenden von kleinen Geschäften jeweils innerhalb von wenigen Jahren.

Eine zwölf- bis fünfzehnstündige Arbeitszeit im Laden scheint die Regel gewesen zu sein. Der Prinzipal war immer tätig. Wenn der Umsatz es erlaubte, halfen ihm Familienmitglieder. Sonst mußten Ehefrau und Kinder ein Nebeneinkommen verdienen, da die meisten Alleinbetriebe keine dauerhaft existenzsichernde Gewinnspanne abwarfen. Ökonomische, soziale und psychische Unsicherheit prägten mithin den Alltag von Millionen dieser Kleinbürger. Im Hinblick auf die Arbeitszeit, das Einkommen, die Labilität der Lebenslage gab es eine unleugbare Annäherung an den Minimalstandard des ungelernten Arbeiters. Ungezählte Kümmerexistenzen des Einzelhandels sanken sogar in subproletarische Verhältnisse ab. Für manchen war es dann ein kurzer Weg zum Votum für die Sozialdemokratie. Trotzdem: In der oberen Hälfte, statistisch gesprochen: im Detailhandel mit mindestens einem fest angestellten Gehilfen oder sogar mehreren, hielt sich eine ausgeprägt kleinbürgerliche Mentalität. Sie führte dazu, daß sich diese Einzelhändler dem Absinken ins Proletariat verbissen entgegenstellten, ihre symbolische Distanz nach unten und ihre politische Option für die Sammlungsparteien hartnäckig verteidigten. Diese Mentalität trieb auch Abertausende in die «Deutsche Mittelstandsvereinigung», später in den «Reichsdeutschen Mittelstandsverband». In der gemeinsamen Defensivfront mit Handwerkern konnten sie Interessenegoismus und Klagegeschrei mit dem Anspruch auf effektiven Sozialprotektionismus verbinden.[11]

Der «neue» Mittelstand. Bereits während der Hochkonjunkturperiode vor 1873, klarer erkennbar dann seit den achtziger Jahren, tauchte eine neue Sozialfigur in der städtischen Arbeitswelt auf: der Angestellte. Binnen kurzem konstituierten seither industrielle, kaufmännische, administrative Angestellte eigene Erwerbs- und Berufsklassen. Im Ergebnis führte das zu einer Zweiteilung der Arbeitnehmerschaft in Arbeiter und Angestellte, denen eine atemberaubende Expansion bevorstehen sollte. Daher können hier die Angestellten paradigmatisch für die Formierung des «neuen Mittelstands» stehen, zu dem auch noch Abertausende von Subalternbeamten und Lehrern, Technikern und Ingenieuren, Industriemeistern und Geschäftsführern und viele andere Angehörige der damals auftauchenden kleinbürgerlichen Klassen gehörten.

Angestellte nahmen – in welchem Privatunternehmen oder Behördenapparat sie auch immer unter Vertrag standen – arbeitsvorbereitende, kontrollierende, koordinierende, kaufmännische, verwaltungsmäßige Funktionen wahr, die von den Aufgaben des frühen Unternehmers und gehobenen Bürokraten, vor allem des Arbeitspersonals im Produktionsprozeß abgespalten wurden. Dieser Trennung entsprach frühzeitig eine «ideologisch-elitäre» Selbstabgrenzung. Räumlich wurden die Angestellten von den manuell Arbeitenden strikt separiert: in den Büroabteilungen von Industriebetrieben, von Handels-, Banken- und Versicherungsunternehmen, von staatlichen und städtischen Verwaltungsstäben. Dort leisteten sie nichtkörperliche Arbeit mit geringer physischer Belastung in sauberer, geheizter Umgebung; oft besaßen sie einen höheren Ausbildungsgrad. Der Sonderstatus wurde dadurch unterstrichen, daß sie ein Monatsgehalt anstelle des Wochen- oder Tagelohns des Proletariers empfingen. Häufig kam ihnen eine Einkommenssteigerung aufgrund des Anciennitätsprinzips zugute. Im allgemeinen lagen die Gehälter, die relativ unabhängig von den Marktschwankungen blieben, höher als die Löhne gelernter Arbeiter. Hinzu kam eine größere Arbeitsplatzsicherheit, nicht selten auch eine kürzere Arbeitszeit. Frühzeitig wurde Angestellten ein Urlaubsanspruch eingeräumt. Weitere betriebliche Sonderleistungen dienten der Loyalitätssicherung in einem «staatsbeamtenähnlichen Dienstverhältnis». Diese von den Arbeitern beneideten Vorzüge bestimmten das alltägliche Berufsmilieu der Angestellten.

Angestellte besaßen überdies durchweg bessere Aufstiegschancen als der durchschnittliche Arbeiter, da in den Büros differenziertere Aufgabenbereiche entstanden, in die man avancieren konnte. Häufig wurden Angestellten «delegierte Anordnungsbefugnisse» übertragen. Daher partizipierten sie am Herrschafts- und Informationssystem der Betriebsleitung. Ganz unzweideutig ist das an den Gipfelpositionen der angestellten Direktoren und Manager-Unternehmer zu erkennen. Es traf aber auch auf den unteren Rängen der Angestelltenschaft nicht selten zu, daß sich Sachleistung und Autoritätsausübung vermischten. Schließlich wurden die Angestellten durch ein eigenes Versicherungssystem sozialrechtlich privilegiert. Diese 1911 besiegelte Sonderstellung ließ sich ökonomisch nicht rechtfertigen. Aber wegen der internen Konfliktstruktur der Unternehmen und wegen der Klassenspannungen außerhalb machte sich sowohl ein starkes «unternehmensintegratives» Interesse als auch ein konservatives politisches Kalkül geltend, durch diese Form der Sozialpolitik die Angestellten als Klientel für die «reichsfreundlichen» Parteien und die Staatsregierung zu gewinnen.

Bis zur Jahrhundertwende waren wichtige Ergebnisse dieses Prozesses der Herausbildung einer neuen Sozialformation zutage getreten. Die Angestellten wurden zu marktbedingten Erwerbs- und Berufsklassen zusammengefügt. Sie genossen ein höheres Sozialprestige als Arbeiter. In der politischen Sprache und von der Statistik wurden sie als eigene Größe anerkannt. Ihr Lebensstil folgte ganz überwiegend dem bürgerlichen Modell, und bürgerlich geprägt war auch ihre Sozialmentalität. Sie bewegten sich frühzeitig in eigenen Verkehrs- und Heiratskreisen, nach Möglichkeit auch in eigenen

Wohnquartieren. Sie gründeten Interessenverbände und optierten für politische Parteien, die sich beide unmißverständlich von den proletarischen Organisationen unterschieden. Im Zuge der neuen Mittelstandspolitik fanden sie sich von den Rechtsparteien und der Reichsregierung nachdrücklich umworben, so daß sie wichtige Kollektivinteressen in erstaunlichem Ausmaß realisieren konnten.

Die Größenordnung der deutschen Angestelltenschaft vor 1914 ist wegen der Unzulänglichkeit der Sozialstatistik bis heute noch nicht exakt ermittelt worden. Unstrittig ist dagegen, wie Übersicht 102 zeigt, trotz aller Differenzen dieser Schätzwerte im einzelnen ihre vehemente Ausdehnung und die Grundtendenz ihrer Vermehrung.

Übersicht 102: Angestellte in Deutschland 1882–1907

	a) Angestellte[1]	% der Erwerbstätigen	Industrieangestellte	% der Erwerbstätigen	b) Angestellte[2]	% der Erwerbstätigen	c) Angestellte[2]	% der Erwerbstätigen
1882	307268	1.9%	99076	1.5%	516000	2.8%	530000	4.0%
1895	628825	7.3%	263745	3.2%	935000	4.4%	1.11 Mill.	7.8%
1907	1290728	5.2%	686007	5.7%	1871000	7.1%	2.0 Mill.	11.7%

[1]) In Industrie, Handwerk, Handel, Versicherungswesen, Landwirtschaft, ohne Stadt- und Staatsbehörden.
[2]) In der Wirtschaft und der Stadt- und Staatsverwaltung.

Faßt man die Angestellten in der Wirtschaft und im staatlich-kommunalen Verwaltungsdienst zusammen, wurde zu Beginn der achtziger Jahre erst eine halbe Million von ihnen registriert. Bis 1895 hatten sie sich um achtzig Prozent auf 935000 und fast fünf Prozent der Erwerbstätigen vermehrt. Innerhalb der nächsten Dutzend Jahre verdoppelten sie sich aber sogar auf rund 1.9 Millionen – das waren mehr als sieben Prozent der Erwerbstätigen. Vor dem Ersten Weltkrieg gab es rund zwei Millionen Angestellte, denen vierzehn Millionen Lohnarbeiter gegenüberstanden, so daß sich bis dahin bereits ein Verhältnis von eins zu sieben entwickelt hatte. Die vieldiskutierten industriellen Angestellten bildeten keineswegs die Mehrheit, sondern ein gutes Drittel; die beiden anderen Drittel verteilten sich im wesentlichen auf kaufmännische, staatliche und städtische Angestellte.

Hinter dem Pauschalbegriff der Angestelltenschaft verbarg sich ein spektakulärer Vorgang der Geschlechtergeschichte: Das war das Wachstum der Anzahl weiblicher Angestellter. Von 1892 = 92800 stieg sie bis 1895 um hundert Prozent auf 188900 an, bis 1907 sogar um vierhundert Prozent auf 451600, das heißt auf ein gutes Viertel aller Angestellten. In diesen Zahlen drückte sich das massive Vordringen weiblicher Erwerbstätiger in die Bürowelt aus, wo sich schließlich für Millionen von Frauen ihr Berufsleben abspielte. Damals begann also eine Bewegung, die seitdem angehalten hat. (1925 erreichten die weiblichen Angestellten bereits ein Drittel der Gesamtzahl!)

Die soziale Herkunft der Angestellten ist empirisch außerordentlich schwierig zu ermitteln. Zur Zeit läßt der Wissensstand das Urteil zu, daß es auch unter ihnen nur einen niedrigen Anteil von Aufsteigern in diese neuen Erwerbsklassen gab. Vermutlich stammten zuerst allenfalls fünfundzwanzig Prozent aus einer Unterschichtenfamilie; bei den Bankangestellten waren es höchstens fünf Prozent. Nach unten erwies sich die Angestelltenschaft schon wenige Jahrzehnte nach der Zeitspanne, als ihre Konturen erstmals aufgetaucht waren, fast als so geschlossen wie arriviertere Erwerbs- und Berufsklassen. Überwiegend stammten die ersten Generationen der Angestellten bereits aus dem Kleinbürgertum: aus den Familien von Handwerkern, Detailhändlern, subalternen und mittleren Beamten, Volks- und Mittelschullehrern – und alsbald auch von Angestellten selber.

Das Auftauchen dieser neuen Erwerbsklassen löste im ausgehenden 19. Jahrhundert einen lange anhaltenden Streit um die Antwort auf einige gesellschaftspolitisch akute Fragen aus. Tendierten die Angestellten auf kurze oder längere Sicht zum Anschluß an das Bürgertum oder an das Proletariat? Stand ihnen vielleicht sogar eine unvermeidbare Proletarisierung bevor, wie sie skeptische Beobachter, Marx an der Spitze, seit dem Vormärz für das Handwerk prophezeiten? Wurden die Angestellten tatsächlich primär ständisch geprägt, wie es die Bezeichnung «neuer» Mittelstand suggerierte? Oder zielte das beanspruchte ständische Element auf ihre Selbsteinschätzung, auf die verzerrte Perzeption und Eigendefinition ihrer sozialen Wirklichkeit ab, obwohl sie sich doch dem objektivierenden Blick in erster Linie als ein heterogenes Bündel von kleinbürgerlichen marktbedingten Erwerbsklassen darstellen? Waren die Angestellten hauptsächlich rückwärts, an vorindustriellen Traditionen, vornehmlich am Ideal des angesehenen, materiell sichergestellten, konservativen Staatsbeamtentums orientiert? Oder überwogen, je länger desto deutlicher, die relativ modernen, zukunftsoffenen, politisch flexiblen Züge von jungen Berufsklassen in der bejahten industriellen Welt?

In der Industrie und im tertiären Sektor hießen die Angestellten in der Frühzeit tatsächlich «Privatbeamte». Darin spiegelten sich auch ihre eigenen Wunschvorstellungen, ihr Selbstverständnis und ihr ideologischer Identifikationsversuch wider. In den frühen neunziger Jahren bürgerte sich statt dessen der Begriff des «Privatangestellten» oder – bald überwiegend – des Angestellten ein. Seit 1889 wurden Angestellte in Versicherungsgesetzen als Berufsgruppe zusammengefaßt. Die Gewerbeordnungsnovelle von 1891 regelte erstmals explizit das Dienstverhältnis von Angestellten. Die Berufsstatistik von 1895 operierte ebenfalls zum ersten Mal mit demselben Begriff. Neben ihm blieben jedoch die herkömmlichen Berufsnamen für eine Angestelltentätigkeit weiter erhalten: Buchhalter und Kaufmann, Faktor und Werkmeister, Direktor und Geschäftsführer. Seit der Jahrhundertwende forderten Angestellte, die jetzt in ihren Erwerbsklassen vollends gesellschaftlich sichtbar wurden, ein eigenes gesetzliches Versicherungswerk. Zu dieser Zeit gehörte ihre große Mehrheit der gesetzlichen Krankenversicherung an (1903: 62.3 % der männlichen, 93.6 % der weiblichen Angestellten). Zur Erreichung dieses Ziels war, wie sich herausstellen sollte, eine zehnjährige Agitation notwendig, während der sich die eigene Interessenlage schärfer herauskristallisierte und der soziopolitische Charakter der neuen Erwerbsklassen verfestigte.

Für den politischen Entscheidungsprozeß spielten die Interessenorganisationen der Angestellten eine wichtige Rolle. Nach dem politisch harmlosen «Deutschen Privat-Beamten-Verein» von 1881 gelang es dem 1893 gegründeten «Deutschnationalen Handlungsgehilfen Verband» (DNHV), der es mit seinem unverhüllt nationalistischen, antisemitischen Kurs schnell auf 123 000 Mitglieder brachte, Lobbymacht zu mobilisieren und Einfluß auf die öffentliche Meinungsbildung zu gewinnen. Dahinter trat die Wirkung der gewerkschaftsähnlichen, streikbereiten Vereine zurück: Der «Bund technischer und industrieller Beamter» (Butib) gewann maximal dreiundzwanzigtausend Angehörige, der sozialdemokratische «Zentralverband der Handlungsgehilfen» etwa achtzehntausend, der «Verband der Büroangestellten Deutschlands» nur achttausend. Vor 1914 war von zwei Millionen Angestellten immerhin doch ein Drittel (650000) organisiert.

Die Unternehmer gingen seit 1908 mit Kampfmaßnahmen gegen die organisierten Angestellten vor. Als folgenreicher stellte sich heraus, daß seit 1906/07 – beschleunigt durch die Reichstagswahlen dieses Jahres – das Interesse der Rechtsparteien und der Reichsregierung an der Begünstigung der Angestellten anwuchs. Dadurch wurde das Ziel der organisierten Angestellten aufgewertet, die eine beamtenähnliche Pensionsversicherung, damit Sicherheit und Prestige anstrebten, zumal ihr geringster gemeinsamer Nenner in dem gemeinsamen Ziel lag, daß sie die Unsicherheit und Geringschätzung der proletarischen Situation partout vermeiden wollten.

1911 wurde durch ein Reichsgesetz die Angestelltenversicherung geschaffen, vermutlich gerade noch rechtzeitig, ehe die ökonomische Basis für diese privilegierte Stellung dahinschwand. Auch jetzt wurde der Kreis der versicherungspflichtigen Angestellten keineswegs so präzise wie nur möglich umrissen. Es blieb vielmehr bei politisch nützlichen Kautschukformulierungen. Seither galt, daß die Aufnahme in dieses Versicherungswerk den Erwerbstätigen als Angestellten definierte. Der Erfolg war nur zum Teil ein Resultat der lebhaften Aktivität der Angestelltenverbände. In hohem Maße läßt er sich auf die intensivierte Mittelstandspolitik der Reichsregierung, außerdem auf die Konkurrenz der Rechtsparteien um eine Klientel in der offensichtlich immer schneller wachsenden Angestelltenschaft zurückführen. Sowohl diese Politik als auch das Absetzungsbestreben der neuen Erwerbsklassen wurde im Schlagwort des «neuen Mittelstandes» eingefangen: Es betonte die ständisch-hierarchische Konnotation, implizit auch die Bedrohung durch das Proletariat und die resolute Frontstellung dagegen, insofern die «Unterstützungsbedürftigkeit und -würdigkeit» der Angestellten, für die in der Anerkennung als «neuer Mittelstand» das Versprechen einer erfolgreichen «kollektiven Selbstidentifikation» lag.

Vor 1914 waren die vorn skizzierten Streitfragen, obwohl die Diskussion über sie weiterlief, zum guten Teil entschieden. Ganz überwiegend zählten sich die Angestellten, zählte sich überhaupt der «neue Mittelstand» zum Kleinbürgertum. Diese Zuordnung traf realhistorisch im Hinblick auf Mentalität und Lebenslage, auf Interessenartikulation und politisches Verhalten zu, nicht zuletzt auch auf die bewußte Entscheidung gegen jedwede Affinität zum Proletariat. Der Selbsteinschätzung nach empfand sich die Mehrheit der Angestellten als berufsständische Gruppe. Tatsächlich aber gehörten sie der Entstehung und Funktionswahrnehmung nach zu den marktbedingten neuen Erwerbsklassen.

Ihre ideologische Orientierung blieb offenbar durchaus ambivalent. Einerseits wirkte der starke Einfluß vorindustrieller Traditionen unleugbar nach. Das zeigt die Fixierung auf die beamtenähnliche Stellung, auf ein vergleichbares Pensionsrecht und Prestige. Zugleich reflektierte ihre Aversion gegen die sozialistische Bewegung und die proletarische Lebenswelt eine tiefsitzende Statusfurcht, die aus einer durchaus modernen klassengesellschaftlichen Konstellation hervorging. Auf eine zeitgemäße Prägung verweisen auch ihre Zukunftsorientierung, ihre Bejahung des technisch-industriellen Fortschritts, ihre Innovationsbereitschaft, nicht zuletzt auch ihre Suche als traditionslose Erwerbsklasse nach einer eigenen, nicht traditionalistischen, sondern «modernen» Kollektividentität.

Darüber hinaus traten auch im Sozialverhalten moderne Züge hervor. Die eheliche Fertilität und durchschnittliche Kinderzahl der Angestellten ging seit dem späten 19. Jahrhundert zurück, die Tendenz zur Zweikinderehe drang vor. Darin drückte sich eine langlebige Einstellung, mithin eine Eigenart ihres klassenspezifischen Sozialcharakters aus. Seit etwa 1900 lag ihre Kinderzahl unter derjenigen der Selbständigen, und diese intentional vollzogene Reduktion wurde ebenso beibehalten wie die bewußte Anstrengung, durch verbesserte Hygiene und Medikalisierung die Säuglingssterblichkeit so gering wie möglich zu halten. Das generative Verhalten wurde mithin «radikaler modernisiert», als sich das bei anderen Besitz- und Erwerbsklassen beobachten läßt.

Ein signifikanter Unterschied trat auch im Konsumverhalten hervor. Angestellte zeigten oft, je nach ihren materiellen Möglichkeiten, ein spontanes Verhältnis zum Erwerb von modischen Verbrauchsgütern und zur Ausnutzung von Freizeit. Ihr Verzicht auf das überlieferte Wertmuster der «aufgeschobenen Befriedigung» verweist auf ein Verhalten, das in der Konsumgesellschaft des späteren 20. Jahrhunderts dominieren sollte.

Schließlich läßt sich auch ihr politisches Verhalten nicht einseitig auf die bekannten konservativen, rechtsliberalen, nationalistischen Präferenzen festlegen. Einige Verbände operierten von einer dezidierten Arbeitnehmerposition aus, wozu auch die Streikbereitschaft gehörte. Unter dem Einfluß des Weltkriegs ist dann ein erstaunlich hoher Prozentsatz der organisierten Angestellten zeitweilig in das Lager der Sozialdemokratie abgewandert, die bereits 1912 einen nicht unerheblichen Wähleranteil aus dem «neuen Mittelstand» hatte gewinnen können.[12]

Unter welchen Bedingungen auch immer der Aufstieg der Angestellten einsetzte, wie intensiv sich auch traditionale und moderne Elemente in der Mentalität, im generativen Verhalten, im Lebensstil unauflöslich verbanden – zwei spezifisch moderne Entwicklungszüge stechen doch hervor: Zum ersten fanden Frauen in den verschiedenen Formen der Büroarbeit als Angestellte immens ausdehnungsfähige Berufsfelder. Zum zweiten führte die Funktionsdifferenzierung, die im Wirtschafts- und Verwaltungssystem der deutschen Gesellschaft im 20. Jahrhundert anhielt, zu einer ungeahnten Expansion der kleinbürgerlichen Erwerbs- und Berufsklassen, insbesondere der Angestelltenschaft mit ihrer arbeits- und versicherungsrechtlichen Sonderstellung, bis sie um die Mitte der 1980er Jahre in der Bundesrepublik die Anzahl der Lohnarbeiter übertrafen. Schon deshalb verdient es die Geschichte der angestellten Kleinbürger, auch in der Zeit nach der Epochenscheide des Ersten Weltkriegs unvoreingenommen analysiert zu werden.

d) Homogenisierung und Desintegration des Bürgertums im Widerstreit – Erfolge und Grenzen der «Bürgerlichen Gesellschaft»

Die bürgerlichen Sozialformationen haben sich im Kaiserreich stetig weiter ausgedehnt – vorangetrieben vom modernen kapitalistischen Wirtschaftswachstum und von der Funktionsdifferenzierung der reichsdeutschen Gesellschaft, wie sie sich etwa in der staatlichen Verwaltung und Justiz, im Bildungs-, Rechts- und Gesundheitswesen, aber auch im Kleingewerbe und Handel, in der industriellen und städtischen Administration beobachten läßt. Daher erlebten die wirtschafts- und bildungsbürgerlichen Erwerbs- und Berufsklassen, namentlich auf den oberen Rängen der Stratifikationshierarchie, einen enormen Aufschwung. Parallel dazu verlief auf den unteren Rängen die anhaltende Expansion des Kleinbürgertums.

Blickt man auf die Gesamtgesellschaft, wirkt der bürgerliche Anteil trotzdem verblüffend klein: Die Großbourgeoisie und die höchsten bildungsbürgerlichen Berufsklassen brachten es zusammen auf ganze zwei Prozent, einschließlich der oberen Mittelklassen ergibt sich ein bürgerlicher Anteil von fünf bis sechs Prozent der Bevölkerung. Addiert man dazu das äußerst diffuse Kleinbürgertum, das in der Sprache der Zeitgenossen vornehmlich in den «alten» und den «neuen Mittelstand» zerfiel, kommen noch einmal acht bis neun Prozent hinzu, so daß das Bürgertum auf höchstens fünfzehn Prozent der Bevölkerung veranschlagt werden kann. Das war der sozialhistorische Nukleus der vielbeschworenen bürgerlichen Gesellschaft, während die übergroße Mehrheit der Reichsnation von den städtischen Unterschichten und der ländlichen Bevölkerung gestellt wurde.

Über den sozialhistorischen Befund hinaus erhebt sich natürlich die Frage, ob und wie weit die Gesamtgesellschaft durch bürgerliche Organisations- und Rechtsprinzipien, durch bürgerliche Kulturideale und Verhaltensleitbilder so dominant geprägt worden ist, daß man sie dem Typus der «Bürgerlichen Gesellschaft» zurechnen kann. Wie bürgerlich war schließlich das Kaiserreich? Wo lagen die Erfolge und Grenzen seiner «Bürgerlichen Gesellschaft» im doppelten Sinne des Wortes?

Ehe eine Antwort auf diese Frage versucht werden kann, muß aber auf durchaus widersprüchliche Tendenzen eingegangen werden, die sich dem unvoreingenommenen Blick aufdrängen. Denn Homogenisierung und Heterogenisierung, Integration und Desintegration «des» Bürgertums lagen in offenem Widerstreit miteinander. Was hielt die bürgerlichen Formationen zusammen? Was vereinigte sie vielleicht zu einem einzigen Bürgertum? Was andrerseits trennte sie, da es ja eklatant unterschiedliche bürgerliche Klassenlagen gab?

Wendet man sich den vier Dimensionen der Klassenbildung zu, kann man überall sowohl anhaltende Konsolidierung und zentripetale Kräfte als auch auseinanderstrebende Bewegungen und zentrifugale Kräfte erkennen.

In der ökonomischen Dimension dehnte das Wirtschaftsbürgertum seine Sphäre gewaltig aus. Das läßt sich am Besitz der Produktionsmittel und Kapitalressourcen eines gigantisch anwachsenden Produktionssystems in der Industrie und im komplementären tertiären Sektor ablesen. Im internationalen Vergleich konnte der von ihm gesteuerte ökonomische Großapparat nicht nur den Spitzenrang in Kontinentaleuropa erringen, vielmehr stieß er generell und in den wichtigsten Wachstumssektoren unter die drei führenden Staaten der Weltwirtschaft vor.

Das Bildungsbürgertum, das sich im kaiserlichen Deutschland numerisch verdoppelte, besaß einerseits zum guten Teil die materielle Sicherheit einer zufriedenstellenden staatlich-städtischen Alimentierung. Schmerzhaft spürte es die zunehmende soziale Distanz, die zwischen ihm und den obersten Bourgeois-Klassen entstand. Aber «Bildung» behielt erstaunlich viel von ihrem überkommenen Nimbus aus der Hochzeit des Neuhumanismus. Unentwegt spendete sie Prestige, Anerkennung und Selbstwertgefühl. Und die neue Gloriole des deutschen Wissenschaftssystems sowie der vorzüglich funktionierenden höheren Schulen kam jetzt hinzu. Andrerseits fällt auch die ins Auge stechende Ausdehnung der freien akademischen Berufe in diese Epoche hinein. Hier öffneten sich teilweise äußerst lukrative Einkommensmöglichkeiten, die von ebenso funktionstüchtigen wie selbstbewußten Professionen errungen und dann verteidigt wurden.

Die Mittel- und Unterklassen des Kleinbürgertums unterlagen einem Prozeß kontinuierlicher Diversifizierung der ökonomischen Erwerbschancen – das war alles andere als der düster prophezeite allgemeine Abstieg ins Proletariat. Das Handwerk und Kleingewerbe zum Beispiel erlebte dank der Urbanisierung, die Angestelltenschaft dank dem Ausbau der Unternehmensverwaltung und öffentlichen Administration einen Wachstumsschub nach dem anderen. Umgekehrt gelangte eine Vielzahl von Kleinbürgern über das Niveau einer proletaroiden Existenz nicht hinaus. Auf jeden Fall bildete das Kleinbürgertum eine breite Zone, von der ein starker Verbürgerlichungssog ausging, so daß sie zum Auffanggebiet erfolgreicher Aufsteiger wurde.

In der sozialen Dimension fällt beim Wirtschaftsbürgertum ungeachtet aller «From Rags to Riches»-Legenden die hohe Selbstrekrutierung der Unternehmer aus dem Umfeld der selbständigen Erwerbstätigen auf, vor allem aus der Unternehmerschaft selber. Zugleich hielt freilich die Aufstiegsmobilität aus den oberen Mittelklassen: aus den Familien erfolgreicher Handwerker, Kaufleute, Beamter weiter an. Bei den angestellten Managern herrschte seit den 1880er Jahren dieselbe soziale Herkunft vor. Da sich die relativ exklusive Rekrutierung insbesondere der oberen Unternehmerklassen fortsetzte, blieb außer dem Bonus des ökonomischen Kapitals auch noch die Privilegierung durch das bereits mitgebrachte soziale und kulturelle Kapital erhalten. Insofern erwies sich die Familienherkunft weiterhin als die wichtigste Mitgift für das Berufsleben.

Der aus dem Arsenal der zeitgenössischen liberalen Kritik stammende Vorwurf der «Feudalisierung» des oberen Wirtschaftsbürgertums läßt sich so pauschal nicht mehr aufrechterhalten. Wohl aber gab es eine extrem anpassungsbereite Staatsorientierung, eine starre Fixierung auf die starke, bürokratisierte Monarchie bis hin zu einer ideologisierten Staatsobödienz und gemeineuropäischen Imitation der Adelseliten, die im Staatsapparat und Gesellschaftsleben noch immer so viele strategische Positionen innehielten.

Trotz seiner Erweiterung blieb auch im Bildungsbürgertum die Selbstrekrutierungsrate auffällig hoch, obwohl sie auf längere Sicht eine sinkende Tendenz aufwies. Der Zustrom aus dem Wirtschaftsbürgertum und vor allem aus dem Kleinbürgertum machte zum Beispiel vor 1914 rund sechzig Prozent der immatrikulierten Studenten aus. Aber weder seine Expansion noch seine zunehmende soziale Heterogenität vermögen, obwohl sie das Vordringen des nackten Berechtigungswesens erleichterten, die unverkennbar einsetzende Erosion des Bildungsbürgertums hinreichend zu erklären. Dafür müssen vielmehr noch andere Kausalfaktoren von ganz unterschiedlicher Natur berücksichtigt werden.

Zu ihnen gehörte der extrem hohe Anspruch des Bildungsideals, das von vornherein zu einer Überforderung der meisten seiner Adepten tendierte. Das Spezialistentum verdrängte unwiderstehlich den gebildeten «Generalisten» – im Staatsdienst und in den Professionen war nun einmal in erster

Linie der kompetente, aber engspurige Experte gefragt. Die Konkurrenz mächtiger Säkularreligionen: des Nationalismus, des Darwinismus, der Vulgärphilosophie à la Lagarde, Langbehn und Chamberlain unterminierte den Monopolanspruch der Bildungsidee. Die Kräfteverschiebung im oberen Bürgertum ließ erfolgreiche Wirtschaftsbürger so hoch emporsteigen, daß sich zahlreiche Bildungsbürger in ihrer Mittelklassenexistenz nahezu degradiert sahen. Und der politische Bedeutungsverlust, den die verstaatlichte Intelligenz – trotz der Aufwertung der Bürokratie durch die Vermehrung der Staatsfunktionen – im Vergleich mit den Politikern in den Parlamenten, Parteien und Verbänden, mit den führenden Köpfen in den Großunternehmen und Banken erlebte, trug das Seine dazu bei, den Eindruck des Einflußrückgangs zu vertiefen.

Im Kleinbürgertum gab es eine gewisse Kontinuität unter den etablierten Erwerbsklassen, in erster Linie im «alten Mittelstand». Aufs Ganze gesehen aber wurde gerade das Kleinbürgertum in den sozialen Hexenkessel des 19. und 20. Jahrhunderts hineingeworfen, da es einer gewaltigen Dynamik mit scharf ausgeprägter Aufstiegs- und Abstiegsmobilität ausgesetzt blieb. Auf diese Weise weitete es sich zu einem ständig in die Breite wachsenden Sammelbecken unterschiedlichster Existenzen aus, in dem sich solide fundierte Handwerker und proletaroide Kleinhändler, ärmliche Kaufmannsgehilfen und emporstrebende angestellte Bürovorsteher nebeneinander fanden.

In der kulturell-ideologischen Dimension spielten sich weitreichende Veränderungsprozesse ab. Wenn an dieser Stelle unter Kultur wiederum nicht allein die Hochkultur, sondern – im Sinne der Sozialanthropologie – die von Normen und Werten, von institutionellen und ideellen Traditionen gesteuerten Verhaltensweisen und Methoden der Lebensführung, die Denkfiguren und Alltagspraktiken, die gesamte symbolisch verschlüsselte Interaktion der Menschen verstanden wird, dann breitete sich die bürgerlich geprägte Kultur mit ihren Lebensformen erstaunlich weit aus. In verschiedenen Bereichen gewann sie eine hegemoniale Stellung: im Rechtswesen und in der Sphäre der Öffentlichkeit, im Vereinswesen und Wohnstil, in der Literatur und den Künsten. Aus ihr stammten die normativen Grundlagen der vorbildhaften Lebensführung und des Sexualverhaltens, des Arbeitsethos und der verhaltensdirigierenden «Weltbilder». Gewiß: Wirtschafts-, Bildungs- und Kleinbürgertum unterschieden sich in dem Grad des materiellen Aufwandes, in der Rigidität der Regelbefolgung, in der Verfeinerung der kulturellen Praktiken, in den unterschiedlichen Chancen der Teilhabe an bürgerlicher Kultur und der Intensität ihrer Verinnerlichung. Aber insgesamt war ihre Geltungskraft doch unbestritten. Einen überlegenen Rivalen gab es nicht.

Der Adel, die Bauernschaft, das Proletariat – sie behielten jeweils ihre eigene kulturelle Sphäre. Alle standen sie jedoch unter einem hohen Anpassungsdruck, der vom Modell, vom Vorbildcharakter der bürgerlichen Kultur ausging. So wirkte etwa die genuin bürgerliche Bildungsidee für alle attraktiv und – in welcher Abschattierung auch immer – als Verpflichtung. Das traf auf das Wirtschaftsbürgertum und das aufstiegsbewußte Kleinbürgertum ganz so zu wie auf die Arbeiterschaft, insbesondere die organisierte Arbeiterbewegung, und dazu auf Teile des jüngeren Adels. Dieses gemeinsame Bildungsideal beförderte auch zusehends die soziale und mentale Vereinheitlichung der oberen Bürgerklassen, es ließ die konkreten Unterschiede zwischen den bürgerlichen Sozialformationen zurücktreten.

Auf seine Weise behielt auch noch das bürgerliche Ideal der Selbständigkeit seine Ausstrahlungskraft. Für das Wirtschaftsbürgertum galt das – bis hinunter ins Kleinbürgertum – allemal. Trotz der unterschiedlichsten Formen der Abhängigkeit blieb es als das Fernziel einer wahrhaft bürgerlichen Existenz bestehen. Für einen Großteil des Bildungsbürgertums sollte Bildung von Anfang an als ein Äquivalent fungieren, da sie geistige Selbständigkeit und Freiheit verschaffen konnte.

Die Bildungsidee und das Selbständigkeitsideal, der Leistungsgedanke, das Arbeitsethos, die autonome Aufgabenbewältigung, die Hochschätzung von Sachkompetenz, die methodische Lebensführung, die Intimsphäre der Kleinfamilie, die Bejahung der Wissenschaft und Hochkultur – diese normativen Richtwerte prägten das Weltbild, das Weltverständnis, die Weltdeutung der bürgerlichen Klassen. Ihnen wurde dadurch eine Grundlage weitreichender Gemeinsamkeiten verschafft, und insofern wurde die Homogenisierung unterstützt. Demgegenüber trat die Heterogenität der «Bürgertümer» zurück. Die innerbürgerlichen Fronten als Ergebnis sozioökonomischer Unterschiede und konfessioneller Gegensätze verloren an Trennschärfe.

Unter dem Strich bleibt als Resultat, daß sich die kulturelle bürgerliche Integration allmählich stärker auswirkte als die Desintegration aufgrund abweichender Klassenlagen. Diese bürgerlichen Richtwerte übten – sosehr sie dem Bürgertum auch zur Abgrenzung dienten – einen immensen Einfluß auf die weite nichtbürgerliche Welt aus. Sieht man von der adelsfreien nordamerikanischen Gesellschaft ab, läßt sich dieser Einfluß durchaus mit der Wirkung in westeuropäischen Ländern vergleichen. Es bleiben wichtige graduelle Unterschiede weiter bestehen, zum Beispiel im Hinblick auf die Schweiz und auf Frankreich, weniger wohl auf England. Aber fundamentale Divergenzen sind schwerlich auszumachen. Auch im Deutschen Reich erfaßte die Faszinationskraft der Bürgerlichkeit alle nichtbürgerlichen Klassen so tief, daß sie Schritt für Schritt dem Hegemonialanspruch nachgaben.

In der politischen Dimension bestanden zwei Hauptfronten weiter, deren Konturen unterschiedlich scharf hervortraten. Der bürgerliche Aufstieg war jahrzehntelang vor 1848, dann aufgrund des Ausgangs der Revolution und schließlich wegen der soziopolitischen Grundentscheidungen der Reichsgründung maßgeblich durch den Adel gehemmt, letztlich vor dem Arkanbereich der politischen Machtzentren abgebremst worden. Die zwischen 1848 und 1871 erneut befestigte Fürstenherrschaft, der Einfluß der Höfe und Zweiten Kammern, die Bedeutung des Adels in der Regierung und Verwaltung, im Militär und in der ländlichen Selbstverwaltung – alle diese Erfolge unterstrichen, wie widerstandsfest die Bastionen der aristokratischen Welt geblieben waren. Durch den zwischen 1866 und 1871 geschlossenen bürgerlich-adligen «Basiskompromiß» rettete der Adel zahlreiche Privilegien bis mindestens 1918. Aber den bürgerlichen Liberalen blieb vorerst die Hoffnung, auf längere Sicht doch noch die innenpolitische Modernisierung des Reiches in ihrem Sinne durchsetzen und das hieß auch: ihre Vorherrschaft in der Regierung etablieren zu können.

Aber die politischen Repräsentanten des Bürgertums wurden bestenfalls «nur halb an die Macht» gelassen, ohne daß sich die Waage je weiter zu ihren Gunsten gesenkt hätte. Seit der fatalen innenpolitischen Wende am Ende der siebziger Jahre mußten dann die selbstbewußten Zukunftspläne aufgegeben werden. Der liberal-bürgerliche Elan blieb seither gebrochen, und folgerichtig trat die traditionelle Staatsnähe sowohl des Bürgertums als auch des Liberalismus in gesteigerter Form hervor. Nach abgrundtiefer Enttäuschung im Gefolge von demütigenden Siegen der adligen Gegenmacht, aber auch nach den Erfahrungen mit den unleugbaren Modernisierungsleistungen des Kaiserreichs verdichtete sie sich bis zur Staatsfrömmigkeit, der die Lähmung selbstbewußter politischer Ansprüche entsprach. Staatsorientierung, Liberalismusschwäche, Parlamentarisierungsblockade – sie unterschieden in der Tat die politische Lage des deutschen Bürgertums zutiefst von der seines westeuropäischen Pendants.

Der diametrale Gegensatz, der alle bürgerlichen Klassen vom Proletariat trennt, bestand weiter fort. Er wurde auch noch für unüberwindbar gehalten, als nüchterne Beobachter längst den reformistischen Charakter der Sozialdemokratie als systemimmanenter Oppositionsbewegung erkannt hatten. Die tiefe Außenabgrenzung des Bürgertums erschwerte die Verbürgerlichung der Arbeiterschaft, vermittelte aber andrerseits ein gut Teil der bürgerlichen Binnenhomogenität.

Die Frage ist schwer zu entscheiden, ob das soziopolitische Gewicht des Adels und seine vielerorts weitergeltende formelle wie informelle Suprematie das Bürgertum mehr blockiert haben, als das die feindselige Dichotomie tat, die sein Verhältnis zum Proletariat so sehr beherrschte, daß etwa eine Koalition zwischen bürgerlichen Parteien und Sozialdemokratie ausgeschlossen war. Der Machtkampf auf beiden Konfliktfeldern hemmte jedenfalls die Entfaltung erfolgreicher bürgerlicher Politik im Sinne der Parlamentarisierung, mithin einer strukturellen Umwandlung des politischen Systems, aber auch im Sinne der bürgerlichen Integrationswirkung auf die Gesamtgesellschaft.

Mit diesem grundsätzlichen Dilemma ist die Frage aufs engste verknüpft, was im kaiserlichen Deutschland von der Zielutopie einer «Bürgerlichen

Gesellschaft», wie sie große Sozialtheoretiker der Aufklärung ursprünglich entworfen hatten, realisiert worden ist. Eine eindrucksvolle Erfolgsbilanz ist zunächst einmal unbestreitbar. Die anvisierte dynamische Markt- und Konkurrenzwirtschaft war durchgesetzt worden, in der überwiegend die Selbststeuerung durch individuelle und organisierte Wirtschaftssubjekte vorherrschte. Der Verfassungs- und Rechtsstaat schränkte die Staatsmacht ein. Zwar fehlte in der Reichsverfassung ein Grundrechtekatalog, faktisch aber waren die Grundrechte weitgehend gesichert, so daß sie als Schutzwall die Arena des bürgerlichen Privat- und Wirtschaftslebens umgaben. Das Privatrecht wurde auf der Linie bürgerlicher Leitvorstellungen kodifiziert. Die Anerkennung der individuellen Rechte und der formalen Gleichheit war weithin gewährleistet. Auch der Ausbau des Verwaltungsrechts und der Verwaltungsgerichtsbarkeit, zukunftsmächtige Ergebnisse bürgerlicher Rechtsgestaltung, erhöhten die Rechtssicherheit des Staatsbürgers. Die Mitwirkung an politischen Entscheidungen im Reichstag und in den Landtagen, auch in der hohen Bürokratie war gewährleistet. In der Gesellschaft hatte sich das freie bürgerliche Assoziationswesen durchgesetzt. In der Öffentlichkeit konnten – trotz der zeitweilig geltenden bösartigen Einschränkungen wie während des Sozialistengesetzes – die Meinungen frei vertreten, die Interessen mobilisiert und im politischen Entscheidungsprozeß geltend gemacht werden. Das Wissenschafts- und Bildungssystem vermochte sich ebenso wie die Welt der Kunst relativ autonom zu entfalten. Überall kam zwar der Staatseinfluß unübersehbar und kontinuierlich zur Geltung, aber nur selten nahm er unerträgliche Formen an.

Diesen Erfolgen stand jedoch als entscheidendes Manko gegenüber, daß es zu dem erhofften politischen Entscheidungsmonopol des Bürgertums nicht gekommen war: Bürgerliche Herrschaft bildete nicht die Essenz der Reichspolitik. Ihre Parlamentarisierung wurde bis zum Oktober 1918 effektiv blockiert. Freilich hätte auch ein parlamentarisches System seit den achtziger Jahren leicht Mehrheiten gegen die vorwiegend bürgerlichen Parteien ergeben können. Immerhin: In Frankreich und Belgien, in der Schweiz und Italien, auch in der amerikanischen Präsidialdemokratie war die politische Durchsetzungsfähigkeit der Bürgerklassen ungleich größer. Das traf letztlich auch auf England zu, wo das häufig idealisierte Parlament aus einem traditionsreichen Ständeorgan hervorging und diese Schlacken durch Demokratisierungsreformen langsam abstreifte, obwohl es auch im 19. Jahrhundert noch lange Zeit von Adelscliquen dominiert wurde.

Außerdem involvierte die Zielutopie der «Bürgerlichen Gesellschaft» die Bejahung von universalistischen Prinzipien, die in der reichsdeutschen Realität in einen schroffen Konflikt mit bürgerlichen Interessen gerieten. Zu denken ist hier etwa an das allgemeine gleiche Männerwahlrecht, an die Durchsetzung der Massenparteien auf dem politischen Massenmarkt, an die allgemeine Schulbildung, an den steigenden Lebensstandard, an die Demokratisierung von Lebenschancen, aber auch an ihre Zuteilung nach Leistung und Verdienst.

Diese Entwicklungen und Institutionen konnten als Ausfluß von verallgemeinerungsfähigen Basisprinzipien des Entwurfs einer «Bürgerlichen Gesellschaft» gelten. Zu ihnen gehörten etwa Freiheitsrechte, Chancengleichheit, Emanzipation. Realiter kollidierten sie jedoch mit der klassenegoistischen Verteidigung bürgerlicher Honoratiorenherrschaft, des Vorrangs bürgerlich-liberaler Parteien, des elitären Bildungsideals, der Leitvorstellung vom selbständigen Vollbürger kraft Besitz oder Bildung. Deshalb wuchs auch das Gefühl der Bedrohung durch die «Massengesellschaft». Die ursprünglichen Leitwerte wurden als zweischneidig empfunden, da sie jetzt konkrete Interessen der Bürgerwelt in Frage stellten.

Zu alledem kam noch hinzu, daß der große ominöse Gegner, die Sozialdemokratie, die Realisierung dieser Basisprinzipien einer Bürgergesellschaft umfassender und nachdrücklicher als der Großteil des Bürgertums selber verfocht. Demokratisch erweitert und sozialstaatlich abgefedert, mit Liberalität und Toleranz ausgestattet, wurde die zeitgemäß modernisierte Konzeption einer Gesellschaft gleichberechtigter Staatsbürger von der Linken dem Bürgertum entgegengehalten.

Freilich, auch Teile des Bürgertums erwiesen sich als lernfähig: Sie unterstützten den Sozialstaat, sie begrüßten die Regulierung des Klassenkampfes, sie forderten die Liberalisierung des Herrschaftssystems. Die bürgerliche Frauenbewegung begann die deklassierende Ungleichheit der Frauen zu korrigieren. Die bürgerliche Jugendbewegung und – eng verwandt mit ihr – die Reformpädagogik stellten verkrustete Lebensformen und überholte Erziehungsprinzipien in Frage.

Stärker aber wirkte sich die Erosion von innen her aus, die ohne eigenes freiwilliges Dazutun die Grundlagen der überkommenen Leitbilder bürgerlichen Lebens untergrub. Als Antwort auf Schwächen des marktwirtschaftlich-hochkapitalistischen Systems schob sich zum Beispiel der Interventions- und Sozialstaat in Bereiche vor, wo er die Regulierung von Markt und Gesellschaft anstrebte und teilweise auch schon erreichte. Die Bürokratie wurde keineswegs durch eine bürgerliche Selbstverwaltung abgebaut, sondern wuchs unaufhaltsam als abhängiger Apparat der Exekutive weiter, wobei sie immer mehr ehemals autonomen sozialen Beziehungen ihren Stempel aufprägte. Die möglichst staatsfreie Selbststeuerung, der ursprünglich einmal die Verfassung als «privatrechtsakzessorische» Schutzmauer (Grimm) hatte dienen sollen, schrumpfte, so daß sie in Wirtschaft und Gesellschaft nur noch in abnehmendem Maße, manchmal schon nur mehr partiell möglich war. Das bürgerliche Familienleben mit der Verbindlichkeit seiner Verhaltensweisen und Sexualnormen unterlag einer schleichenden Veränderung. Längst war der bürgerliche Verein in eine allgemeine Assoziationsform verwandelt worden. Unablässig wirkten sich zudem jene desintegrierenden Einflüsse aus, die vorn im Hinblick auf das Bildungsbürgertum bereits erörtert worden sind.

Aber noch einmal: In ihrer allgemeinen Formulierung ist die ältere These vom deutschen «Defizit an Bürgerlichkeit» irreführend. Denn, um es zu wiederholen, bürgerliche Herrschaft bestand in den Städten bis 1918 weiter fort. Auch die Erfolge der Stadtverwaltung stellten durchaus eine bürgerliche Leistung dar. Museen, Kunstsammlungen, Konzerthallen wurden von Bürgern und ihren Vereinigungen gebaut. In der Staatsbürokratie gab die bürgerliche Sachkompetenz meistens den Ausschlag. Das Bildungs- und Wissenschaftssystem war durch und durch ein Produkt des bürgerlichen Geistes, des bürgerlichen Leistungsgedankens, der bürgerlichen Experten. Die Vorreiterrolle in der Gesundheitspolitik bildete einen Teil der bürgerlichen Erfolgsgeschichte. Das Privat-, Wirtschafts- und Verwaltungsrecht – sie alle entsprangen bürgerlichem Rechtsdenken. Bis zur Jahrhundertwende gehörten Literatur und Kunst zur Domäne des Bürgertums. Schon diese kurze Zwischenbilanz dementiert die These von einem allgemeinen «Defizit» an bürgerlicher Weltprägung.

Dennoch behält die «Sonderweg»-Interpretation, sofern nur ihr Schwergewicht auf die politische Entwicklung verlagert wird, ein gut Teil ihrer realitätsaufschließenden Kraft. Ein Blick auf das Verhältnis zwischen Adel und Bürgertum enthüllt die bürgerlichen Schwachstellen sowohl in der Reichspolitik als auch in vielen Bundesstaaten, zum Teil auch in den gesellschaftlichen Kräftekonstellationen. Die Machtpositionen, welche die traditionellen Eliten in der Verfassung des Reichs errungen und in Preußen behauptet hatten, wurden bis zum Untergang der Monarchie fatal erfolgreich behauptet. Der Einfluß, den Bismarck als größter aller Junker im Rahmen seiner charismatischen Herrschaft gewann, lebte ungeachtet ihrer autoritären Züge als faszinierendes Vorbild erfolgreicher Politik im kollektiven Gedächtnis, insbesondere aller bürgerlichen Klassen, weiter fort. Von der Verführungskraft dieser Erinnerung zehrten Wilhelm II., Hindenburg und auch noch der neue Charismatiker von 1933.

Die strukturpolitischen Grundentscheidungen von 1867/71 wurden vom alten Machtkartell beharrlich weiterverteidigt. Die Parlamentarisierung der Reichs- und Bundesstaatenpolitik blieb bis 1918 eine Chimäre. Zwar ging vom Reichstagswahlrecht unleugbar auf längere Sicht eine demokratisierende Wirkung aus. Aber jede weiterreichende Demokratisierung des Reichs, der Länder, der Städte wurde effektiv eingedämmt. Der Liberalismus mußte seit den späten 1870er Jahren alle hochfahrenden Hoffnungen auf innenpolitische Modernisierung fahrenlassen. Im innereuropäischen Vergleich rückte er seither, bis 1949 irreparabel geschwächt, als Machtfaktor ins hintere Glied. Nicht zuletzt der immense Einfluß der Bürokratie, die letztlich ein gefügiges Instrument des Herrschaftssystems blieb, verstärkte die «unbürgerlichen Züge» des Kaiserreichs. Und die bürokratische «Einfärbung» deutscher Bürgerlichkeit markierte im Vergleich mit Westeuropa und Nordamerika eine «ihrer empfindlichsten Grenzen».

Die Bilanz bleibt daher ambivalent, vielleicht sogar paradox: Sozialhistorisch gab es vor 1914 in der Tat eine bürgerliche Gesellschaft mit ihren immer noch klar unterscheidbaren großen Sozialformationen, zu denen die Erwerbs- und Berufsklassen des Wirtschafts-, Bildungs- und Kleinbürgertums konvergierten. Auch auf der Linie der politischen Zielutopie war eine «Bürgerliche Gesellschaft» über weite Strecken realisiert worden. Sie gewann aber nicht den Primat in der Herrschaftsordnung, die zugunsten der traditionellen Adelseliten autoritär verformt blieb.[13]

3. Die Klassen der Arbeiterschaft

An erster Stelle gilt es, Abschied zu nehmen von dem zählebigen Mythos der einen, der großen Arbeiterklasse – Umsturzdrohung für die einen, Heilsbringer für die anderen. Dem unvoreingenommenen Blick zeigt sich vielmehr in der Zeit der Reichsgründung und in den Jahrzehnten danach eine Vielzahl von proletarischen Erwerbsklassen, welche die vordringende Lohnarbeit buchstäblich verkörperten. Da gab es die Industriearbeiterschaft, die bereits auf relativ kurze Sicht sozialökonomisch und politisch die wichtigste dieser Erwerbsklassen werden sollte, so frühzeitig aber keineswegs numerisch die größte war. Vielmehr wurde auch nach dem Ende der deutschen Industriellen Revolution in den 1870er Jahren die größte von der Landarbeiterschaft gestellt: Diese Männer und ihre mitarbeitenden Familienangehörigen brachten es auf rund sechs Millionen, ein Siebentel der gesamten Reichsbevölkerung. «Es gibt keine Gruppe von Arbeitern irgendeiner Berufsart», konstatierte Max Weber, «welche an die Zahl nur von Ferne heranreicht.» Das Urteil traf noch nach der Jahrhundertwende zu. Fern den Industriefabriken wuchs mit der Urbanisierung auch die Bauarbeiterschaft in die Breite. Noch immer bestand das Millionenheer der Heimarbeiterinnen und Heimarbeiter weiter fort, denn nachdem alte Hausgewerbe untergegangen waren, hatten findige Verleger längst lukrative neue entdeckt. Dazu gab es Aberhunderttausende von Dienstboten, von fluktuierenden Tagelöhnern und Handarbeitern.

Der erste Schlüsselbegriff muß daher «Lohnarbeit» heißen. Sie expandierte seit Jahrzehnten kontinuierlich, trat aber in zahlreichen distinkten marktbedingten Erwerbsklassen in der Stadt und auf dem Lande auf. Nur im Sonderfall der städtischen Industriearbeiterschaft, die als eine Formation dieser besitzlosen Lohnabhängigen besonders rasch anwuchs, entstand der Kern einer sozialen Klasse mit gemeinsamen – erst latenten, dann manifesten – strukturellen Interessen, mit gemeinsamer Konfliktbereitschaft und -erfahrung, gemeinsamen Organisationen, gemeinsamer Integrations- und Kampfideologie, gemeinsamer Sozialmentalität, gemeinsamer Kulturbewegung, gemeinsamem Weltbild. Dadurch wurden die Bedingungen für eine klassenspezifische Subkultur innerhalb der reichsdeutschen Gesellschaft geschaffen. Deshalb steht das Industrieproletariat hier erneut im Mittelpunkt, an das sich die Bau- und Eisenbahnarbeiter, die Werft- und Transportarbeiter, die Drucker und Schneider und viele andere Erwerbs- und Berufsklassen angegliedert haben.

Auch die Industriearbeiterschaft im strengen Sinne war noch einmal nach zahlreichen Erwerbsklassen in sich geschichtet. Sie reichten von der «Arbeiteraristokratie» an der Spitze der Pyramide, von den Gießern, Schlossern, Setzern, Druckern, Lithographen, Bildhauern, Steinmetzen, Stukkateuren, Goldschmieden, Buchbindern und so fort über die diversen Klassen der Facharbeiter, der Angelernten (1907: 4.9 Mill.) und Ungelernten (3.5 Mill.) bis hinunter zum Subproletariat der ausländischen Tagelöhner. Angesichts der fraglos sehr unterschiedlichen Klassenlagen dieser Arbeiter bleibt die Entwicklung hin zur sozialen Klasse mit dichter Binnenhomogenität und scharfen Außengrenzen, mit eigener Kollektivmentalität und spezifischem Identitätsgefühl, mit aktiver Interessenverfechtung und Organisationsbildung, mit eigener Weltdeutung und Zukunftsutopie auffällig genug.

Als eine solche «Klasse für sich», als aktionsfähige soziale Klasse hat das deutsche Industrieproletariat mit seinen Annexklassen knapp hundert Jahre lang bestanden. Dann erlebte es aufgrund der westdeutschen Wohlstandsschübe seit den 1950er Jahren, des weitgespannten sozialen Sicherheitsnetzes und der Konsenspolitik eine tiefreichende Heterogenisierung und Entstrukturierung. Sie ließen zwar die typischen marktbedingten Erwerbsklassen der neudeutschen Marktgesellschaft weiter bestehen, lösten aber die ehemals umfassende soziale Klasse offensichtlich auf.

Zunächst muß man sich einen Überblick über die quantitative Größe der Lohnarbeiter-, insbesondere dann der Industriearbeiterschaft verschaffen, soweit das trotz der Mängel der amtlichen Sozialstatistik, die zum Beispiel in der Sparte «Industrie und Handwerk» die verschiedenartigsten Berufe jahrzehntelang zusammengefaßt hat, überhaupt möglich ist. Der Anteil der Lohnarbeiter an der Gesamtzahl aller deutschen Erwerbstätigen stieg von 1875 = 56.7 Prozent bis 1907 auf 76.3 Prozent an, um rund fünfunddreißig Prozent auf etwa drei Viertel der 28.11 Millionen Erwerbstätigen. In diesen wenigen Zahlen wird der anhaltende Proletarisierungsprozeß: mithin die Ausbreitung der besitzlosen Lohnarbeit, eingefangen. Blickt man genauer hin, läßt sich – wie das Übersicht 103 versucht – der Umfang, die Zusammensetzung und die Entwicklung der Arbeiterschaft etwas genauer aufschlüsseln.

Übersicht 103: Die Lohn- und Industriearbeiterschaft in Deutschland 1882–1907 (Mill., %)

	1882	*1895*	*1907*
I. Arbeiter 1. Arbeiter aller Wirtschaftssektoren	10.705	12.817	17.83
2. Arbeiter in Industrie und Handwerk	4.096	5.956	8.593
3. Anteil der Arbeiter in Industrie und Handwerk an der Gesamtheit der Arbeiter	38.3%	47.6%	55.9%
4. Anteil aller Arbeiter an den Lohnabhängigen	97.2%	91.7%	87.9%
II. Arbeiterinnen 1. Weibliche Erwerbstätige	5.05	–	8.5
2. Arbeiterinnen aller Wirtschaftssektoren	2.94	–	6.4
3. Arbeiterinnen in Industrie und Handwerk	0.54	–	1.46
4. Anteil der Arbeiterinnen (3) an den weiblichen Erwerbstätigen	18.4%	–	44.6%
5. Anteil der Arbeiterinnen an allen Erwerbstätigen	27.5%	–	21.6%

Da die Zahl der handwerklich Beschäftigten von 1882 bis 1907 nicht einmal stabil blieb, sondern insgesamt um etwa fünf Prozent rückläufig war (vgl. II.5), ging die Verdoppelung der Arbeitskräfte in «Industrie und Handwerk» – die oben in Übersicht 103 die Zeile I, Nr. 2 aufweist – vollständig auf das Wachstum der Industriearbeiter zurück. Innerhalb der Zeitspanne von nur einer Generation stiegen sie als «höchste Berufsgruppe des Industriesystems» auf die Hälfte aller Lohnarbeiter an, von denen sich sogar bis zu sechzig Prozent dauernd oder gelegentlich auf dem industriellen Arbeitsmarkt bewegten. In derselben Zeit kletterte auch die Frauenerwerbsquote von siebenundzwanzig auf einunddreißig Prozent (die der Männer dagegen bekanntlich von rund zweiundvierzig auf sechsundvierzig Prozent), und die Anzahl der Industriearbeiterinnen ging um erstaunliche zweihundertzehn Prozent in die Höhe; diese 1.46 Millionen Frauen (1907) machten indessen – wegen des Übergewichts der Landwirtschaft und Heimarbeit – nur 44.6 Prozent aller weiblichen Erwerbstätigen aus. Zu diesem Zeitpunkt stellte die Industriearbeiterschaft einen Anteil von mindestens 32.1 Prozent aller Erwerbstätigen. Mit den Familienangehörigen (bei einem konservativen Koeffizienten von vier) waren das in absoluten Zahlen rund zwanzig Millionen Menschen: Ein Drittel der Reichsbevölkerung gehörte damals zum Industrieproletariat.

Der generelle Wachstumstrend zugunsten der Industriearbeiterschaft beiderlei Geschlechts kam in auffälligem Maße den größeren Betrieben, dort wiederum den eigentlichen Großunternehmen zugute. Die Verteilung nach den Betriebsgrößenklassen des Jahres 1907 ergibt für Unternehmen mit bis zu zehn Beschäftigten: 1.71, mit zehn bis fünfzig Beschäftigten: 1.72, mit fünfzig bis zweihundert Beschäftigten: 1.97, mit zweihundert bis tausend Beschäftigten: 1.74, mit mehr als tausend Beschäftigten: 0.82 Millionen Arbeiter. Dreiundvierzig Prozent von ihnen (3.43 Mill.) waren mithin in kleinen und mittelgroßen Betrieben tätig, aber siebenundfünfzig Prozent (4.53 Mill.) in den größeren Betrieben und den Großunternehmen, die zusammengenommen ein Drittel an sich gebunden hatten.

Die großbetriebliche Produktion setzte sich vor allem im Bergbau und in der Hüttenindustrie durch. Dort fand sich 1907 fast die Hälfte (225) von den 478 Großunternehmen mit mehr als tausend Arbeitern; die Betriebe mit mehr als zweihundert Beschäftigten zählten sogar 87.7 Prozent der montanindustriellen Arbeiterschaft. An zweiter Stelle folgten dann die hundertzweiundzwanzig Großunternehmen des Maschinenbaus, der bekanntlich auch 1895 einer der dynamischen Führungssektoren blieb.[14]

Verfolgt man erneut die Klassenbildung und -konsolidierung in den vier vertrauten Dimensionen, bleibt im Bereich der ökonomischen Konstituierung die zunehmend mit Kraft und Arbeitsmaschinen ausgerüstete Industriefabrik der zentrale Ort. Als Produktions- und Organisationseinheit, aber auch als Herrschaftsverband bezog sie die Belegschaft Tag für Tag in ihren Arbeitsrhythmus ein, unterwarf sie ihren strengen Regeln und Sanktionen. Natürlich variierten die Anforderungen und Arbeitsverläufe von Branche zu Branche. Aber nachdem die fundamentale Trennung von Wohnung und Arbeitsplatz einmal vollzogen war, wie sich das mit der Ausnahme der Heimarbeiterschaft zu Beginn dieser Zeitspanne durchgesetzt hatte, wurden das Arbeiterleben und die Lebenschancen in der arbeitsfreien Zeit durch die berufliche Tätigkeit von Grund auf bestimmt. Es waren an erster Stelle die gemeinsamen Erfahrungen im proletarischen Milieu des Unternehmens, die eine Prägekraft von einer derartigen Intensität und Dauerhaftigkeit besaßen, daß man sie sich heutzutage erst mühsam wieder vergegenwärtigen muß.

Die Hierarchie im Unternehmen spiegelte sich mit unübertrefflicher Klarheit im Lohngefälle wider, das zwischen Spitzenlöhnen und Tagelohnsätzen noch immer einen Abstand von eins zu acht, ja eins zu zwölf besitzen konnte. Vom Realeinkommen hing in hohem Maße der Lebensstandard ab, und dieses Einkommen unterlag wiederum einschneidenden lebenszyklischen Schwankungen, die auf den Lebensstandard unmittelbar durchschlugen.

Der entscheidende Vorgang ist – trotz aller gebotenen Differenzierung – der säkulare Anstieg der Reallöhne der gewerblichen Arbeiter gewesen, und zwar in einem solchen Maße, daß sie sich von 1871 bis 1913 fast verdoppelt haben. Der zuverlässigste Index (1895 = 100) setzt 1871 auf dem Niveau von 66 Einheiten an, registriert die lohnsteigernden Auswirkungen der «Gründerjahre» mit 1875 = 87, anschließend die der ersten Depression mit 1880 = 79, ehe er einen kontinuierlich anhaltenden Aufschwung seit den achtziger Jahren (1885 bereits 89, 1890 = 96) festhält, so daß 1895 mit der Rückkehr des Booms die Hunderter-Marke erreicht wurde. Die hochkonjunkturelle Trendperiode seither drückt sich auch darin aus, daß die Reallöhne allein bis 1900 auf 111, bis 1913 noch einmal auf 125 Einheiten, in dieser siebzehnjährigen Konjunkturphase also um ein volles Drittel hochkletterten. In dieser anonymen Bewegung, die ziemlich genau der Zunahme der Arbeitsproduktivität folgte, drückte sich eine materielle Besserstellung aus, die während der deutschen Industriellen Revolution bestenfalls von einigen Enthusiasten für möglich gehalten worden war, jedenfalls die orthodoxe Verelendungstheorie Lügen strafte.

Die Nominallöhne wuchsen in diesen vier Friedensjahrzehnten von 1871 = 74 auf 1913 = 167 an. Um jede irreführende Illusion einer Lohnverbesserung um solche hundertdreißig Prozent zu vermeiden, ist die realistische Korrektur in Gestalt des Reallohns schlechterdings unabdingbar. Zugleich ist aber die Warnung davor, sich nicht auf die Reallohnentwicklung als einzigen «direkten Indikator der materiellen Wohlfahrt» der Arbeiter zu verlassen, weithin berechtigt. Auf andere dabei noch zu berücksichtigende Faktoren – wie etwa die Länge der Arbeitszeit, die physische und psychische Arbeitsbelastung, die Wohnungsqualität, die Vorsorge bei Krankheit und Arbeitslosigkeit, die Bürde der nichtverdienenden Familienangehörigen, die mangelhafte Überschau- und Vorhersehbarkeit der wirtschaftlichen Lage – wird noch eingegangen. Dennoch bleibt der säkulare Anstieg des Reallohntrends ein Beweis für die allmähliche Anhebung des Lebensstandards auch des gewerblichen Proletariats.

Im internationalen Vergleich der entwickelten Industrieländer schneidet die deutsche Industriearbeiterschaft gut ab. Die Zuwachsraten der Reallöhne fielen zwischen 1860 und 1913 in Großbritannien, Amerika und Deutschland ziemlich «ähnlich» aus. Zwar verharrte das deutsche Reallohnniveau in diesem Bereich durchweg noch dreißig Prozent unter dem hohen englischen. Aber in der hochkonjunkturellen Trendperiode von 1860 bis 1873 war der Anstieg in Deutschland kräftiger ausgeprägt als in England, Frankreich und den USA; erheblich schwächer dagegen in der Trendperiode von 1895 bis 1913 – wie Übersicht 104 zeigt –, und während der depressionsgeplagten Zwischenspanne von 1873 bis 1895 fiel er erwartungsgemäß vergleichsweise «gering» aus.

Übersicht 104: Nominallöhne, Reallöhne, Lebenshaltung 1883–1913 Durchschnittliche jährliche Wachstumsraten in Deutschland und im internationalen Vergleich

	1883–1899			1899–1913		
	NL	RL	LHK	NL	RL	LHK
Deutschland	2.0	1.9	0.1	2.2	0.5	1.7
Großbritannien	0.9	2.0	−1.1	0.9	1.3	−0.3
Frankreich	0.8	1.6	−0.9	0.9	1.0	−0.1
USA	0.7	1.8	−1.2	2.3	1.3	1.1

(NL = Nominallöhne, RL = Reallöhne, LHK = Lebenshaltungskosten)

In komparativer Perspektive stiegen die Nominallöhne in Deutschland sogar am steilsten an. Die reale Kaufkraft wurde jedoch durch die hohen Preissteigerungswellen reduziert. Einmal wurden die Urbanisierungskosten auf die Mieter abgewälzt. Vor allem aber machte sich die eklatante Verteuerung der Lebensmittel durch die Schutzzölle und veterinärpolizeilichen Grenzkontrollen geltend. Beide zusammen hielten die Wohltat sinkender Weltagrarmarktpreise vom reichsdeutschen Verbraucher effektiv fern, so daß der Agrarprotektionismus zum Rückgang des Reallohnwachstums auf nahezu nur zwei Fünftel der englischen und amerikanischen Zuwachsraten von 1899 bis 1914 entscheidend beitrug. Weil die Lebenshaltungskosten durch ihn derart in die Höhe getrieben wurden, muß man sich an den Reallöhnen orientieren. Gerade sie zeigen jedoch, daß sich auch der proletarische Lebensstandard zwischen 1871, vor allem 1885/95 und 1914 «bedeutend erhöht» hat, sofern man zuerst auf die durchschnittliche Bewegung blickt.

Natürlich wird dadurch in gewisser Hinsicht ein zu positives Bild gezeichnet, da auch und gerade bei den Realeinkommen die Lohnunterschiede weit aufklafften. Während sich die schmalen Berufsklassen der «Arbeiteraristokratie» der materiellen Sicherheit einer gefestigten kleinbürgerlichen Lebensweise, ja vielleicht hier und da sogar dem untersten Saum der bürgerlichen Mittelklassen annäherten, bewegte sich ein Millionenheer von Angelernten und Ungelernten weiterhin um die Armutsgrenze herum. Hier konnte nicht nur jederzeit der Absturz in Elend, Arbeitslosigkeit und Dauerkrankheit erfolgen, sondern hier mußte als Routineverhalten von Tag zu Tag mit Pfennigbeträgen gerechnet werden. Wie die Steuerstatistik vorn demonstriert (III.1), haben etwa in Preußen die 8.5 Millionen Einkommensbezieher, die 1895 bis neunhundert Mark, und die 10.6 Millionen, die 1912 bis 1125 Mark jährlich verdient haben – und in diesen beiden Zahlen steckt vermutlich noch die Mehrheit der Industriearbeiterschaft –, den anonymen Reallohnanstieg punktuell, kaum aber als lebensgeschichtlich zunehmend spürbare, geschweige denn dominierende Verbesserung wahrgenommen.

Die jährlichen Nominalarbeitseinkommen variierten außerdem je nach der Branche in einem teilweise geradezu drastischen Maße, obwohl eine tendenzielle Annäherung der Einkommenshöhe in wichtigen Industriezweigen bis 1914 ebenfalls unübersehbar ist. Diese Varianz und Kongruenz, die selbstverständlich auch von dem erheblich reduzierten Realeinkommen abgebildet wurde, fängt die Übersicht 105 ein.

Übersicht 105: Durchschnittliche jährliche Nominalarbeitseinkommen von unselbständigen Erwerbstätigen in sechs Branchen 1873–1913 (M.)

	1873	1875	1890	1900	1913
1. Metallerzeugung	924	734	915	1078	1513
2. Steinkohlenbergbau	1012	699	966	1173	1496
3. Druckgewerbe	1213	1198	1402	1317	1493
4. Baugewerbe	866	709	900	1072	1446
5. Metallverarbeitung	764	721	880	1010	1417
6. Textilindustrie	427	466	509	594	786

Auch diese Einkommensentwicklung zeigt prägnant das Hochplateau am Ende der «Gründerjahre», dann den Einbruch während der ersten Depression seit 1873, deren Folgen in manchen Branchen seit 1885, allgemein aber erst seit 1895 überwunden werden konnten. 1873 verdienten Textilarbeiter rund ein Drittel des Lohns von hochqualifizierten Druckern, deren Einkommen sie auch bis 1913 nur zur Hälfte erreichten. Die Facharbeitereinkommen in der Metallindustrie, im Bergbau und im Baugewerbe lagen dagegen bis dahin nach der Abschleifung ursprünglich deutlicherer Unterschiede relativ dicht beisammen.

Freilich verbirgt die Pauschalstatistik der gewerblichen Reallöhne und der durchschnittlichen Jahreseinkommen die krassen Unterschiede, die zwischen Facharbeitern und Ungelernten teilweise kaum verändert bis 1914 fortbestanden. Außerdem traten darüber hinaus auch in dieser Hinsicht wiederum schroffe Divergenzen zwischen den einzelnen Branchen auf, wie die Übersicht 106 erkennen läßt.

Übersicht 106: Stundenlohn gelernter und ungelernter Arbeiter 1913 (Pfg)

	a) Gelernte Arbeiter	b) Ungelernte Arbeiter	c) % b von a
1. Bergbau	81.1	35.9	44.3
2. Metallindustrie	66.2	42.5	64.2
3. Baugewerbe	70.5	55.7	79.0
4. Buchdruck	61.0	48.5	79.5
5. Chemische Industrie	57.0	46.0	80.7
6. Textilindustrie	44.7	34.6	77.4

So erreichte etwa eine ungelernte Arbeitskraft im Bergbau nur vierundvierzig Prozent des Stundenverdienstes, den ein erfahrener Hauer erzielte. In der Metallindustrie kamen Ungelernte auf vierundsechzig Prozent, in großen anderen Branchen auf achtzig Prozent des Stundenlohnes von Gelernten, wobei die Distanz zu den begehrten Experten der «Arbeiteraristokratie» überall ohnehin noch ungleich höher ausfiel. Auch das Lohnniveau der Arbeiterinnen lag durchweg um fünfzig, ja fünfundsechzig Prozent unter dem der gelernten Arbeiter.

Von der öfters behaupteten dichten Annäherung der Löhne von gelernten und ungelernten Arbeitern kann daher vor 1914 im Sinne eines empirisch gelungenen Nachweises nicht die Rede sein. Vielmehr bestand in allen Branchen, mehr oder minder klar ausgeprägt, dieser seit der Frühindustrialisierung sozialökonomisch scharf differenzierende Unterschied weiter fort. Deshalb wird auch durch die niedrige Lohnhöhe der Millionen von Ungelernten der statistische Durchschnitt des jährlichen Arbeitseinkommens (vgl. Übersicht 105) spürbar abgesenkt. Mit anderen Worten: Gelänge es, diese Erwerbsklassen statistisch exakt zu isolieren, fiele das durchschnittliche Jahreseinkommen von Facharbeitern, erst recht von Berufsklassen der «Arbeiteraristokratie» ganz erheblich höher aus.[15]

Wie bereits mehrfach erörtert (Bd. II, 3. Teil, III. 5; vorn 5. Teil, III. 3), wurden Lebensstandard und Lohneinkommen der Arbeiter in einem bestürzend hohen Maße von den lebenszyklischen Schwankungen beeinflußt. Der folgenschwerste Einschnitt resultierte aus dem Lohnabfall, der gewöhnlich in der Mitte, spätestens am Ende des vierten Lebensjahrzehntes einsetzte. Diese Einschränkung hing wie ein Damoklesschwert über der ohnehin prekären proletarischen Existenz.

Die Altersgliederung der Arbeiterschaft um 1907 verdeutlicht daher zweierlei: Einmal zeigt sie, wie gering der Anteil der mehr als Fünfzigjährigen zu dieser Zeit noch ausfiel; zum zweiten macht sie darauf aufmerksam, wie jung das Durchschnittsalter als Folge des raschen industriellen Wachstums, insbesondere der Konjunkturschübe seit 1895 war. Auf die Altersgruppe der Arbeiter unter fünfundzwanzig Lebensjahren entfielen nämlich neununddreißig Prozent, mithin rund zwei Fünftel (bei den Arbeiterinnen sogar 60.7 %); die Altersgruppe zwischen fünfundzwanzig und fünfzig umfaßte mehr als die Hälfte, 51.5 Prozent (32.1 %), während die älter als Fünfzigjährigen nur noch 9.6 Prozent (7.1 %) stellten.

Die im vierten Lebensjahrzehnt als Folge des Verlustes besser bezahlter Arbeitsplätze absinkenden Nominal- und zumal Reallöhne führten in eine Altersarmut, die den Arbeitersenior mit der Härte der «Proletarität» (G. Briefs) als Lebensschicksal noch unerbittlicher als zuvor konfrontierte. Sein Wert auf dem Arbeitsmarkt fiel steil ab; seine Besitzlosigkeit verwehrte ihm ein materielles Auffangpolster; die Gefahren der Berufskrankheit und Invalidität nahmen sprungartig zu, wie überhaupt die Ungewißheit, mit der er in die nahe, erst recht die fernere Zukunft ging. Regelmäßig gab es den altersbedingten Proletarierabstieg in eine demütigende Hilflosigkeit.

Die Kinder des älteren Arbeiters oder die Gewerkschaften, die 1913 immerhin einunddreißig Millionen Mark zur «Linderung proletarischer Lebensrisiken» ausgaben, konnten gewöhnlich nicht von ferne für einen angemessenen Beistand sorgen. Das vermochte auch die vielgerühmte staatliche Sozialpolitik mit ihrer tatsächlich nur «bescheidenen Wirksamkeit» noch nicht. Mit der Krankenversicherung erfaßte sie schließlich zwar fast die Hälfte der Bevölkerung. Für die Altersphase gab es jedoch noch «keineswegs ausreichende Sicherheitsleistungen». Die gesetzliche Altersrente setzte erst mit dem siebzigsten Lebensjahr ein, dessen Schwelle selten genug überschritten wurde. Aber selbst dann machte sie nur ein Sechstel des durchschnittlichen jährlichen Verdienstes während der aktiven Berufszeit aus.

Hier muß man sich auch noch einmal vergegenwärtigen, daß in Arbeiterfamilien das väterliche Einkommen äußerst selten ausreichte, um die gesamten Haushaltskosten abzudecken. Auch in den letzten Friedensjahren verdienten gelernte Arbeiter häufig nur vier Fünftel (82%) des wöchentlichen Familienbudgets. Selbst Spitzenkräfte wie etwa die Former (94%) und Schriftsetzer (90%) konnten es in der Regel nicht vollständig erwirtschaften. Ungelernte kamen sogar im Schnitt nur auf fünfundsiebzig, Straßenarbeiter auf siebzig Prozent. Fast immer erzwang diese prekäre Finanzlage, daß Frauen und Kinder einen Nebenverdienst beisteuern mußten. Bei den Frauen reichte das – je nach dem Alter der Kinder – von der Ganztagsarbeit etwa in einer Textilfabrik über die Teilzeitarbeit als Waschfrau oder Dienstbote bis hin zum kurzlebigen Kleinsthandelsgeschäft mit einigen Lebensmitteln, Kurz- und Tabakwaren. Kinder mußten nach der Schulzeit ihren Verdienst an den elterlichen Haushalt jahrelang abführen, selbst nach der Adoleszenz hatten sie um jedes Taschengeld zu kämpfen. Die Altersarmut wirkte auch deshalb so niederdrückend, weil die Kinder sich zu dieser Zeit meistens selbständig gemacht hatten, während das Einkommen der älteren Arbeiterfrauen nicht gesteigert werden konnte, sondern mit dem des Mannes ebenfalls absank.

Angesichts dieser Labilität einer bescheidenen Lebenslage, die jeder «respektable» Facharbeiter möglichst lange zu verteidigen suchte, während es bei den Ungelernten ohnehin um die Sicherung ihres Existenzminimums ging, hat die gleitende Senkung der Arbeitszeit nicht eine derart durchschlagende Erleichterung bedeutet, wie das manchmal behauptet wird. Die barbarischen Arbeitszeiten der frühen Industrialisierungsphase bis ca. 1860: vierzehn bis sechzehn Stunden täglich, achtzig bis fünfundneunzig wöchentlich, waren bis 1871 auf zwölf bzw. zweiundsiebzig Stunden verkürzt worden. 1890 wurden durchschnittlich elf bzw. sechsundsechzig Stunden verlangt, dank der Gewerbeordnungs-Novellen von 1891, 1906 und vor allem 1908 im letzten Friedensjahr durchschnittlich neuneinhalb bis zehn bzw. vierundfünfzig bis sechzig Stunden. Seit 1908 war als gesetzliche Norm eine zehnstündige Arbeitszeit mit zwei Stunden Pause fixiert, vor dem Weltkrieg dominierte wohl dieser Zehn-Stunden-Tag. Dennoch variierte die faktische Arbeitszeit in den verschiedenen Industrie- und Gewerbezweigen noch ganz erheblich.

Immerhin: Die Reduktion von sechzehn auf zehn tägliche, von fünfundachtzig auf fünfundfünfzig wöchentliche Stunden, vollzogen in der Zeitspanne eines halben Jahrhunderts – das ist eine Erfolgsbilanz, die sich auch im internationalen Vergleich sehen lassen kann. Die konkreten Auswirkungen der Arbeitszeitverkürzung summierten sich zu einer erheblichen physischen Entlastung.

Allerdings wurde der Gewinn an arbeitsfreier Zeit nicht selten durch eine neue Bürde wettgemacht. Als Folge des vermehrten Maschineneinsatzes, überhaupt der Mechanisierung der Arbeitsprozesse nahm das Tempo zu, mit dem der einzelne Arbeiter seine Aufgaben ausführen mußte. Und aus denselben Gründen stieg die psychische Belastung, zumal dem Diktat des Maschinenrhythmus und der frühen Rationalisierungsmaßnahmen schwerer zu entkommen war als zuvor dem barschen Befehl des Vorarbeiters oder Meisters. Die erhöhte Arbeitsgeschwindigkeit und der psychisch-mentale Druck mochten zwar weniger greifbar wirken als die körperliche Beanspruchung während langer Arbeitszeiten, sie beeinflußten aber auf ihre Weise die Lebensqualität im Betrieb nicht minder.

Nicht zu übersehen ist schließlich die Geißel der Arbeitslosigkeit, die jeden Arbeiter einmal oder sogar mehrfach treffen konnte – Ungelernte und Tagelöhner geradezu regelmäßig, aber auch Angehörige der aus Facharbeitern bestehenden Stammbelegschaft. Da eine umfassende Statistik hierfür nicht zur Verfügung steht, lassen sich die bisher ermittelten Informationen vorerst so zusammenfassen, daß nach der Überwindung der schlimmen Depression in den siebziger Jahren der konjunkturelle Aufschwung, vollends seit 1895, für eine Annäherung an Vollbeschäftigung gesorgt hat. Praktisch schwankte, heißt das, in den beiden Vorkriegsjahrzehnten die durchschnittliche Arbeitslosigkeit vermutlich zwischen zweieinhalb und drei Prozent. Gewiß, sowohl die Fluktuation des Wachstumsverlaufs als auch verfehlte Unternehmensentscheidungen hinterließen ihre tiefen Spuren auf dem Arbeitsmarkt. In jedem individuellen Fall beschwor die Kündigung neue Lebensrisiken und die sorgenerfüllte Suche nach einem anderen Arbeitsplatz herauf.

Zu anhaltender Massenarbeitslosigkeit ist es aber trotz der Konjunkturschwankungen seit den achtziger Jahren nicht gekommen. Vielmehr zeigt eine zwar nur punktuell für 1895 geltende, aber genaue und einzigartige Ermittlung durch die Reichsstatistik, daß im Juni 1.11 Prozent (180000), im Dezember 3.4 Prozent (554000) der Gesamtzahl von 16147000

Erwerbstätigen als Arbeitslose registriert worden waren. In Flautemonaten konnte die Arbeitslosigkeit wohl auf fünf Prozent steigen, im zeitlichen Längsschnitt aber blieb sie unter dem Durchschnittswert von drei Prozent. Das bestätigt auch die Statistik der arbeitslosen Gewerkschaftsmitglieder, seitdem die «Generalkommission» der Freien Gewerkschaften zuverlässige Zahlen besaß. Kurzarbeit und «versteckte» Arbeitslosigkeit sind nicht einmal in einer annähernd zutreffenden Größenordnung zu erfassen. Dagegen gehörte es zu der evidenten lebenszyklischen Benachteiligung, daß die Arbeitslosenquote in der Altersgruppe über dem fünfzigsten Lebensjahr stets ungleich höher ausfiel als bei den Jüngeren.

Auf der andern Seite blieb ein formell gewährter, bezahlter Urlaub für Arbeiter vor 1914 noch eine Rarität, wogegen ein einwöchiger Erholungsurlaub in der Beamten- und Angestelltenschaft damals durchaus schon vordrang. Nur wenige Unternehmen entschlossen sich zu einigen Tagen bezahlten Jahresurlaubs – durchweg als Loyalitätsbelohnung. In wenigen Tarifverträgen, zum Beispiel für die Buchdrucker und einige Brauerei- und Metallbetriebe, wurde ein solcher bezahlter Kurzurlaub schon vor dem Krieg erstritten. Für die riesige Mehrheit blieb jedoch die urlaubslose sechstägige Arbeitswoche die Regel.

Trotzdem: Die beharrlich steigenden Reallöhne, das sachte zunehmende durchschnittliche Jahreseinkommen, die schrumpfende Arbeitszeit – sie indizieren den Trend einer unverkennbaren Verbesserung der materiellen Klassenlage der Industriearbeiterschaft.[16]

In der sozialen Dimension der Klassenformierung drangen zwei gleichläufige Prozesse vor: Einmal hielt eine enorme quantitative Expansion der Industriearbeiterschaft an; zum zweiten wurde ihre Struktur durch eine ständige innere Differenzierung, die unablässig neue Kategorien von Arbeitern hervorbrachte, in Bewegung gehalten. Aufgrund dieser internen Veränderungen entstand ein breit gefächertes, streng «hierarchisch gestaffeltes System» von Klassenlagen innerhalb des Industrieproletariats. Es wurde zuerst durch eine Rangordnung bestimmt, die fünf unterschiedlich große Verbände kannte: die «Arbeiteraristokratie» an der Spitze, die Facharbeiterschaft vom älteren, aber fortbestehenden Typus des «Gesellen-Arbeiters», die Angelernten, die Ungelernten, die Arbeiterinnen; hinzu kamen als eigene Gruppe noch die arbeitenden Kinder.

Innerhalb dieser Verbände spielten zahlreiche Grob- und Feindifferenzierungen eine große Rolle. Neben die handwerkliche Ausbildung der Spitzenkräfte trat etwa die betriebsinterne Berufsqualifikation mit zahlreichen Abstufungen, um das kostbare «Humankapital» der Experten nach Möglichkeit zu vermehren. Geschlecht und Alter konstituierten eine grundlegende Distinktion: Die Industriearbeiterschaft blieb auch noch im frühen 20. Jahrhundert ganz überwiegend männlich; die lebenszyklischen Einflüsse privilegierten die Sechzehn- bis Fünfundvierzigjährigen, sie diskriminierten die Älteren beider Geschlechter. Noch immer wirkte sich die soziale und regionale Herkunft ebenso auf den Status aus, wie das oft auch noch die Konfession tat. Die Dauer-, Saison- und Gelegenheitsarbeit verursachten weitere Trennungslinien. Mit ihnen überschnitt sich die Unterscheidung nach Grob- und Schmutzarbeit einerseits, Fein- und Reinarbeit andrerseits. Zwischen Werks- und Heimarbeit verlief ein tiefer Graben, der aufgrund eines Arbeitsplatzangebots überwunden werden konnte oder wegen einer Notlage überquert werden mußte, aber bis 1914 als grundsätzliche Differenz fortbestand. Und selbstverständlich behielt die Lohnhöhe ihre ungleichheitsgenerierende Kraft, sorgten Zeit-, Stück- und Akkordlohn für zusätzliche Divergenzen.

Bezieht man die politische Dimension schon mit ein, entschied auch und erst recht die Organisationsfähigkeit und Marktmacht über den Rang, den die proletarischen Erwerbsklassen gewinnen, behaupten oder verlieren konnten. Aus der Summe dieser Einflußfaktoren resultierte eine denkbar unterschiedliche Hoch- oder Geringschätzung, die diesen Klassen entgegengebracht wurde – mithin ihr Sozialprestige in der Fremd- und Selbsteinschätzung, im Proletariat selber und in der Gesamtgesellschaft –, aber auch ihre politischen Einflußchancen bestimmte.

Eine derart kraftvolle Differenzierungsdynamik hemmte natürlich zugleich die Homogenisierung, die zur Bildung einer sozialen Klasse vonnöten war, in außerordentlich starkem Maße. Die Vereinheitlichung wurde trotzdem durch die Gemeinsamkeiten der proletarischen Lebenswelt und des proletarischen Milieus außerhalb des Betriebs – im Wohnquartier und während der freien Zeit, in Partei- und Gewerkschaftsvereinen – vorangetrieben. Letztlich haben die politischen Erfahrungen sowohl mit der Illiberalität der Diskriminierung durch die «bürgerliche Gesellschaft» als auch mit der Repression durch den autoritären «Klassenstaat» die Integration seit den siebziger Jahren am nachhaltigsten gefördert.

Im Unternehmen selber blieb der strukturelle Konflikt zwischen den lohnabhängigen Arbeitern auf der einen Seite, der Unternehmensleitung auf der andern Seite eine prägende Lebensmacht. Dieses Spannungsverhältnis, welches man, schlagwortartig verkürzt, den Gegensatz von «Kapital und Arbeit» zu nennen pflegt, behielt gerade im schnell industrialisierenden kaiserlichen Deutschland seine «fundamentalistische Tönung». Der Einfluß dieser innerbetrieblichen Erfahrungswelt braucht hier nicht noch einmal beschrieben zu werden (vgl. vorn III. 3; Bd. II, 3. Teil, III. 5). Mindestens zwölf Stunden – unbestechlich reguliert durch die Einheiten der physikalischen Zeitmessung – in einer lärm-, staub- und hitzeerfüllten Fabrik, die Monotonie und Gefahr des Arbeitsprozesses, das Herrschaftsverhältnis zwischen den Arbeitern und den verschiedenen Rängen ihrer Vorgesetzten, die Sanktionen nach einer Regelverletzung, der ungewisse Einfluß von Auftrags- und Konjunkturlage, das Erlebnis von Streik oder Aussperrung, die evidente Belohnung von Loyalität und Gefügigkeit, dagegen die Ahndung von Kritik und Aufbegehren, die Erfahrung von Solidarität und gemeinsamem politischen Lernen – solche Konstanten wurden zu Bestandteilen der innerbetrieblichen Sozialisation, die auch der Klassenbildung zugute kam.

Aber noch einmal: Die soziale Distanz zwischen den Arbeitereliten und den Tagelöhnern, den Facharbeitern und Ungelernten konnte nicht ganz aufgehoben werden; sie bestand weiter fort, wurde aber durch gemeinsame Ziele und Erfahrungen verkürzt, in ihrer trennenden Wirkung abgemildert. Überraschen kann diese Kontinuität der internen Hierarchie des Proletariats keineswegs. Geht man etwa von den beiden Grenzfällen aus, wird das unmittelbar einsichtig.

Ein Angehöriger der «Arbeiteraristokratie» hatte in aller Regel eine längere, formalisierte Lehrzeit hinter sich gebracht, ehe er schwierige, verantwortungsbewußte Aufgaben übernahm. Für seinen Aufstieg war zunächst das Familienambiente vergleichsweise ähnlich wichtig wie für Unternehmersöhne, denn hier wurden Motivation und Leistungsorientierung geweckt, Lebensziele gesteckt und Kompetenzen gepflegt. Es ist daher nicht verwunderlich, daß sich Facharbeiter in erstaunlich hohem Maße lange Zeit aus Facharbeiterfamilien rekrutierten. An die familiale Sozialisation schloß sich der Besuch einer guten Volksschule bis zum vorgeschriebenen Abschluß an, danach die Lehrlingsausbildung im Handwerk oder – allmählich häufiger – in der Industriefabrik selber. Die innerbetriebliche Qualifikationsvermittlung sollte man freilich für die damalige Zeit nicht überschätzen. Um 1910 etwa wurden in Preußen noch zwei Drittel, in Baden zwischen sechzig und siebzig Prozent der Lehrlinge weiter im Handwerk ausgebildet. Im Reich waren es insgesamt vierundfünfzig Prozent von einer Million; die Mehrheit von ihnen wanderte nach dem Abschluß in die Industrie ab. Im Industrieunternehmen gab es zudem noch keine Gesellenprüfung, keinen Facharbeiterbrief; zum Meister wurde man ernannt. Auch deshalb behielt der herkömmliche «Gesellenarbeiter» seine Bedeutung unter den Facharbeitern. Schule und gewerbliche Ausbildung stellten für ihn die Weichen. Von allen Industriearbeitern des Jahrgangs 1901 zum Beispiel besaßen nur 37.6 Prozent den Volksschulabschluß, fast genausoviel – vermutlich waren viele identisch –, nämlich 38.4 Prozent, eine gewerbliche Lehre. Außer den beruflichen Vorteilen gewannen sie aus dieser Ausbildung auch psychische Stabilität, Fortbildungswillen und eine Erweiterung des allgemeinen, nicht zuletzt des politischen Interessenhorizonts.

Demgegenüber fehlte dem ungelernten Tagelöhner aus dem ländlichen Ostelbien jedwede Expertenfähigkeit. Seiner Familie war die Orientierung am Werte- und Verhaltenskanon der industriellen Welt noch fremd. Die Rückständigkeit der ostdeutschen Dorfschule und der überaus häufige Abbruch ihres Besuches vor dem Ende der formellen Schulpflicht wirkten sich nachteilig aus. Die gewerbliche Ausbildung während einer Lehrlingszeit fehlte ihm. Daher blieb ihm nur der ominöse Verkauf der puren Arbeitskraft, damit aber der Dauerstatus in einer der untersten Erwerbsklassen, zumal auch die Mechanisierung auf eine Nivellierung der erforderlichen Fertigkeiten hinwirkte.

Im Betrieb, im Wohnquartier, im Ortsverein der Gewerkschaft, in der Sozialdemokratie – überall blieben Mitglieder der «Arbeiteraristokratie» und solche Tagelöhner in extrem unterschiedliche Lebenskonstellationen eingebunden. Ihre Vielzahl läßt sich weder für die rund 6.9 Millionen überwiegend aus der Stadt stammenden gelernten Arbeiter noch für die sechs Millionen primär vom Land kommenden ungelernten Arbeiter (1907) genau erfassen. Zweifellos aber ging für sie alle die stärkste integrative Kraft von den politischen Erfahrungen einschließlich der politischen Ideologie aus.

Das außerbetriebliche Sozialmilieu bildete das zweite beherrschende Prägezentrum für die entstehende soziale Klasse des gewerblichen Proletariats. Dieses Milieu besaß, einer Ellipse gleich, zwei Brennpunkte: das Wohnquartier und die (unten zu behandelnde) politische Aktivität in Gewerkschaft und Partei. Auf die fortschreitende Segregation der Arbeiterviertel ist vorn schon wiederholt hingewiesen worden (5. Teil, I.2; III.3; 6. Teil, I.3). Sie wuchsen – vom Kern der öffentlichen Gebäude, von den Geschäftsstraßen der City und den bürgerlichen Stadtteilen scharf getrennt – im Verlauf der Industrialisierung und Urbanisierung überall in die Breite. Obwohl in den meisten deutschen Städten die schlimmsten Auswüchse des englischen Slums vermieden werden konnten, besaßen die proletarischen Wohnbezirke doch einen ghettoähnlichen Charakter. Kein Bildungs- oder Wirtschaftsbürger suchte dort eine Wohnung, nur ein arrivierter Facharbeiter konnte in eine kleinbürgerliche Wohngegend umsiedeln. Gerade die Konstanz der räumlichen Fesselung an das Arbeiterquartier trug maßgeblich dazu bei, daß sich ein proletarischer Sozialcharakter ausbildete, der auf der stetigen Wiederkehr des Gleichen, eben auch auf der lokalen Immobilität beruhte. Das «systemoppositionelle Klassenbewußtsein» und die «klassenspezifische Arbeiterkultur» erwuchsen nicht nur aus der blockierten sozialen Aufstiegsmobilität, sondern auch aus der Permanenz gleichbleibender Einflüsse im Arbeiterwohnviertel.

Die paradoxe Kehrseite der lebenslänglichen Verbannung in das segregierte Quartier war die extreme Fluktuation in ihm. Unablässig zogen Hunderte, ja Tausende von Arbeitern und Arbeiterfamilien in ihren Stadtteilen um, da sie die Miete nicht mehr bezahlen oder aber eine etwas höhere endlich erschwingen konnten. In Berlin wechselte um die Jahrhundertwende die Hälfte aller Arbeiterwohnungen einmal im Jahr den Mieter; ebenda, in Hamburg, München und Frankfurt wurde ein Viertel aller Wohnungen nur ein Jahr lang, ein weiteres Viertel zwei bis fünf Jahre lang vermietet. Das Maximum dieser innerstädtischen Mobilität entfiel auf proletarische Mieter, die als moderne Nomaden innerhalb eines fest abgezirkelten Umkreises ständig in Bewegung waren. Zur Fixierung auf das Wohnmilieu gehörte also die geradezu regelmäßig erzwungene Ruhelosigkeit des Lebensrhythmus hinzu. Sowohl die Erfüllung des Wunsches, das Quartier endlich einmal verlassen, als auch der Hoffnung, eine erträgliche Wohnung auf Dauer behalten zu können, erwies sich für die allermeisten als aussichtslos.

Wegen der äußerst beschränkten Wohnfläche wurde die Straße, nolens volens, in den «sozialen Raum» der Arbeiterfamilie mit einbezogen. Das verlieh auch dem Privatleben seine «halboffene Struktur», zumal trotz der beengten Verhältnisse aus Geldnot häufig «Schlafburschen» als Untervermieter aufgenommen wurden. Nicht minder eingeengt mußte der proletarische Haushalt geführt werden, da essentielle Bedürfnisse wie Nahrung, Wohnung und Kleidung bereits gut vier Fünftel des durchschnittlichen Einkommens aufzehrten. Die zuverlässig ermittelte Ausgabenstruktur des Privatverbrauchs eines großstädtischen Arbeiterhaushalts (1907) weist für diese drei Posten 48.8 Prozent, 20.8 Prozent (einschließlich der Energiekosten) und 12.1 Prozent aus. Die restlichen Anteile entfielen vor allem auf die übrigen Haushaltsaufgaben (6.1 %), auf Körperpflege und Medizin (2.8 %), Verkehrsmittel (1.5 %) und persönliche Ausstattung (2 %).

Für die Frauen bedeutete das, ständig unter dem Zwang zu äußerster Sparsamkeit und zu zeitaufwendiger Hausarbeit einschließlich des Kinderaufziehens, mithin unter allgegenwärtigen materiellen Existenzsorgen zu leben. Da das Einkommen des Familienvaters, wie erwähnt, selten ausreichte, um alle Unkosten zu bestreiten, mußten die Frauen überdies eine hausindustrielle Nebentätigkeit übernehmen oder jede andere sich bietende Gelegenheit beim Schopf ergreifen, um einen zusätzlichen Verdienst als Dienstmädchen, Wäscherin, Hausiererin, Händlerin zu finden. Die niederdrückende Doppelbelastung der haushaltführenden und Kinder großziehenden, gleichzeitig aber auch noch berufstätigen Frau – sie fand sich in nahezu jeder Arbeiterfamilie.

Aufgrund der allgemeinen Lebensbedingungen stand die proletarische Existenz außerdem im Schatten erhöhter Krankheitsgefahr. Das zeigte sich nicht nur bei jeder Epidemie, sondern trat vor allem in den riskanten Berufskrankheiten zutage. Nicht zuletzt drohte auch plötzliche Invalidität oder sogar ein früher Unfalltod. Erst seit der Jahrhundertwende, als die gesetzliche Krankenversicherung etwa ein Fünftel der Bevölkerung erfaßte, fanden Arbeiter den Zugang zu regulär approbierten Kassenärzten. Die moderne medizinische Versorgung, die bis 1914 auch die zwangsversicherte Hälfte der Reichsdeutschen erreichte, verminderte die Gesundheitsrisiken zahlreicher Arbeiterfamilien trotz aller Einschränkungen so wirksam, daß Deutschland in dieser Hinsicht damals schon in die kleine Gruppe von Industrieländern im Übergang zum Sozialstaat gehörte. Durch die Ausdehnung der staatlichen Kranken-, Invaliditäts- und Altersversicherung auf wachsende Teile der Arbeiterschaft konnten auch die fatalen Auswirkungen der lebenszyklisch bedingten Abschwungphase spürbar abgemildert werden. Die staatliche Sozialpolitik schuf zwar noch längst kein hinreichend dichtes Sicherheitsnetz, aber im Verein mit den betrieblichen und gewerkschaftlichen Leistungen, mit den Zahlungen der traditionellen Hilfskassen, insbesondere auch mit den steigenden Reallöhnen verbesserten sich in den beiden letzten Friedensjahrzehnten die proletarischen Lebenschancen doch erheblich.

Ein weiteres Indiz dafür ist der Rückgang der industriellen Kinderarbeit. Da die Gewerbeordnung von 1869 als Reichsgesetz sogleich übernommen wurde, war die Beschäftigung von Kindern unter zwölf Jahren in Fabriken seither verboten. Zwölf- bis Vierzehnjährige durften dort täglich sechs Stunden arbeiten, sofern sie auch mindestens drei Stunden Schulunterricht erhielten. Dagegen war es erlaubt, Jugendliche, und das hieß: Vierzehn- bis Sechzehnjährige, jeden Tag bis zu zehn Stunden zu beschäftigen. Freilich haben erst die Fabrikinspektoren seit 1878, einigermaßen konsequent seit den neunziger Jahren, für die Verwirklichung dieses Schutzes gesorgt. 1891 wurde Fabrikarbeit von Kindern unter dreizehn Jahren verboten, beim Zehn-Stunden-Tag für Jugendliche dagegen blieb es.

Bis zur Mitte der neunziger Jahre sank die Anzahl dieser Industriekinder auf 4300, die der Fabrikjugendlichen auf knapp 210000. Die Arbeitsnachfrage der Hochkonjunkturjahre vor 1914 hat dann nicht nur die Zahl der Arbeiterinnen verdoppelt. Vielmehr kletterte auch noch einmal die Anzahl der Kinder auf rund 14000, die der Jugendlichen auf immerhin 556000 hoch (1913). Darüber hinaus wurden Aberhunderttausende von Kindern im Kleingewerbe und Handwerk, Millionen sogar in der Landwirtschaft und im Heimgewerbe zur Arbeit, meist unter den Bedingungen krasser Ausbeutung, herangezogen. Für den Kern des Industriesystems läßt sich indes die effektive Eindämmung der Kinderarbeit nicht bestreiten.

Die Kehrseite dieser Erfolgsmedaille zeigt eine neue Ungleichheit. Als Pariahs, denen die Schwerst- und Schmutzarbeit zugewiesen wurde, drangen ausländische Arbeitskräfte, meist aus Russisch-Polen, Österreich-Ungarn und Italien kommend, in der Industrie rasch vor. In einem Prozeß der «Unterschichtung» füllten sie die untersten Erwerbsklassen auf, durchweg in der ersten Generation zu einer subproletarischen Existenz verurteilt. Rund sieben Prozent der Arbeiterschaft vor 1914 stammten bereits – das gehört bis heute nicht zum historischen Bewußtsein – aus dem benachbarten Ausland; nur ein Viertel davon wurde, überwiegend für Saisonarbeit, von der Landwirtschaft beschäftigt. Im Schmelztiegel der industriellen Ballungszentren begann seit den neunziger Jahren unter diesen frühen Gastarbeitern ein Adaptionsprozeß, der für eine steigende Zahl zur Integration in die einheimische Bevölkerung führte. Die Anfänge der multikulturellen Gesellschaft reichen daher in Deutschland genau hundert Jahre zurück.

Insgesamt ist die Heterogenität der Lebens- und Klassenlagen innerhalb der deutschen Industriearbeiterschaft, erst recht der gewerblichen Arbeitnehmer und der gesamten Lohnarbeiterschaft vor 1914 schlechterdings nicht zu übersehen. Sie ist auch nie beseitigt worden. Seit den 1870er Jahren drang trotzdem aufgrund der prägenden inner- und außerbetrieblichen Erfahrungen mit der «Proletarität» die Homogenisierung zu einer sozialen Klasse vor; sie gewann seit den neunziger Jahren an Intensität, ohne doch je so etwas wie den Endzustand einer vollendeten Klassenstruktur zu erreichen. In einem eigenen Sozialmilieu mit hoher Binnenintegration und tief eingefrästen Außengrenzen richtete sich jedoch ein klassenbewußtes Proletariat ein. Indem es sich angesichts der Feindseligkeit der anderen Gesellschaftsklassen und wegen der verweigerten Gleichberechtigung in seiner Subkultur einigelte, baute es eine proletarische Gegenwelt auf, die ihm nach Möglichkeit einen vollgültigen Ersatz für die versperrten bürgerlichen Institutionen bieten sollte. So entstand ein eigener Mikrokosmos, der vom Jugend-, Frauen-, Sport- und Wanderverein über den Taubenzüchter-, Gesang- und Feuerbestattungsverein, die Leihbibliothek, den Lesezirkel und Schachklub bis zu den Gewerkschafts- und Parteiorganisationen reichte. Für nahezu jedes Interesse war gesorgt. Das machte diese Subkultur wohnlich, gab ihr den Charakter eines verläßlich schützenden Gehäuses, in dem man sich vom Kindesalter bis zum Lebensende bewegen konnte. Imponierend bleibt diese Leistung der Arbeiterkultur im weitesten Sinn allemal. Sie nährte die Energie von zahllosen Angehörigen der Arbeiterklassen, in der Gesellschaft einigermaßen menschenwürdig zu überleben, ja sogar politisch aktiv zu bleiben. Aber sie absorbierte auch ein gut Teil der Energie, die sich auf eine zügigere politische Umgestaltung der Gesamtgesellschaft hätte richten können.[17]

In der politischen Arena machten sich gleichwohl die stärksten klassenbildenden Einflüsse geltend. Man muß den Politikbegriff nur weit genug verstehen, damit er von der Streikvorbereitung bis zur Aktivität im sozialdemokratischen Wahlverein, von der geheimen Diskussion im «roten Wirtshaus» bis zur Demonstration gegen das Klassenwahlrecht reicht. In mancher Hinsicht war die «Arbeiterfrage» oder die «soziale Frage» – wie die Zeitgenossen häufig sagten – des anwachsenden Industrieproletariats von Anfang an ein genuin politisches Problem, da es um die Integration vielfach diskriminierter Klassen in die deutsche Staatsbürgergesellschaft ging. Der Verfassungs- und Rechtsstaat, wie er zwischen 1867 und 1877 ausgebaut wurde, bot dafür im Verein mit dem Reichstagswahlrecht die formalen Voraussetzungen.

Diesem Drängen auf politische Partizipation und Aufnahme in die Reichsnation als gleichberechtigte Mitglieder entsprach nicht nur eine kraftvoll verfolgte Stoßrichtung der sozialdemokratischen Politik, vielmehr waren sich auch einige kluge Konservative, die wegen der Stabilisierung der gesellschaftlichen Ordnung auf Sozialreformen insistierten, dieser politischen Aufgabe bewußt. Zu ihnen gehörte etwa auch Hermann Wagener, einst Chefredakteur der «Kreuzzeitung» und Herausgeber des «Staats- und Gesellschafts-Lexikons», der frühzeitig zum engsten Beraterkreis Bismarcks gestoßen war. 1873, zwei Jahre vor der Fusion der beiden sozialdemokratischen Parteien in Gotha, konstatierte er in einer geheimen Denkschrift für den Reichskanzler, «daß jeder Versuch der Verständigung und Ausgleichung mit den arbeitenden Klassen durchaus aussichtslos ist, solange man sich nicht auf den Standpunkt vollkommener politischer und sozialer Gleichberechtigung stellt. Die Periode patriarchalischer Bevormundung und Beherrschung ist für immer dahin», mahnte Wagener in Worten, die an den von ihm verehrten Lorenz v. Stein und an seinen Freund Rodbertus-Jagetzow erinnern, denn «es ist kein Kompromiß ... möglich, wenn nicht beiden Teilen, den Arbeitern wie den Besitzenden, gleiche Vorteile gewährt werden, und zwar Vorteile, welche unter die Garantie und Reformtätigkeit der Staatsgewalt gestellt werden». Auf seine Diagnose und sein Postulat hätten sich die Lassalleaner und die meisten Anhänger von Wilhelm Liebknechts «sozialem Volksstaat» mühelos einigen können.

Eben diese Vorzüge der «vollkommenen Gleichberechtigung» wurden jedoch aufgrund von politischen Entscheidungen und aufgrund der sozialen Machtverhältnisse unentwegt verweigert. Überall machte der Proletarier die kränkende Erfahrung der Ausschließung. Im Betrieb wurde er von jeder Mitwirkung an Entschlüssen, die seiner tagtäglichen Arbeitswelt ihre feste Form gaben, von vornherein ausgeschlossen. Im sozialen Leben fand er sich außerhalb der bürgerlichen Gesellschaft. Ihr Vereinswesen und ihr Kulturleben blieben ihm ebenso versperrt wie die besseren, kostenpflichtigen Schulen für seine Kinder. An der Kommunalpolitik konnte er lange Zeit nicht teilnehmen. Mit dem Klassenwahlrecht bildeten die Bundesstaaten und Freien Städte gerade deshalb plutokratische Schotten, um ihm Teilhaberrechte zu verweigern. Allein das demokratische Reichstagswahlrecht für Männer bot alle vier oder fünf Jahre eine Chance, auf die zentralstaatlichen Entscheidungsgremien einzuwirken.

Auf dieser oberen, dazu selten betretenen Etage der Politik sollte man jedoch nicht beginnen, die politische Klassenbildung weiter zu verfolgen. Vielmehr empfiehlt es sich, zuerst auf den Betrieb zu blicken, wo sich gemeinsame strukturelle Interessen herausbildeten, die im Konflikt manifest wurden, wenn durch kollektive Marktmacht die individuelle Ohnmacht des Arbeiters überwunden werden sollte. Konflikt – das hieß immer häufiger Streik, denn seit der Mitte der 1860er Jahre hatte sich anstelle des älteren, naturwüchsigen sozialen Protestes in Spannungssituationen, auch anstelle erster spontaner Arbeitskämpfe der moderne Streik als die bevorzugte Form der Konfliktaustragung durchgesetzt.

Beim Streik handelt es sich um die «befristete, kollektive Arbeitsniederlegung von Lohn- oder Gehaltsabhängigen zur Durchsetzung geforderter

Arbeits- und Einkommensverhältnisse», wobei der Grundsatz der Gewaltlosigkeit gegenüber dem Gegner beachtet wird. Die Organisationsbasis der Streikenden ist gewöhnlich zuerst die «betriebliche Arbeitsgemeinschaft», bald aber wird sie von den Gewerkschaften geschaffen, die durch ihre ständig präsente Interessenvertretung im Prinzip den Streik überflüssig machen wollen – insofern, wie gesagt, ihrem langlebigen Kalkül gemäß eher «Streikvermeidungsvereine» sind –, im Grenzfall aber zu diesem risikoreichen Kampfmittel greifen. Die Ziele sind primär Lohnanhebung und Arbeitszeitverkürzung. Zu den mindestens ebenso wichtigen, zunächst meist nichtintendierten Folgen gehört die Solidaritätserfahrung und ein politischer Lernprozeß, der über den inneren Rahmen des Unternehmens hinauswirkt. Seiner Funktion nach ist der Streik ein Regelungsmechanismus für aufgestaute Spannungen, häufig auch ein «Symbolkonflikt» zur Neuregulierung der Arbeitsbedingungen, der Einkommens- und Kräfteverhältnisse. Als Kampfmittel widerspricht der Streik nicht der gesellschaftlichen Ordnung, er stellt sie auch nicht prinzipiell in Frage. Vielmehr verkörpert er in der entstehenden pluralistischen Gesellschaft eine legitime Interessenverfechtung durch einen Marktmachtbesitzer gegen einen anderen, strukturell überlegenen Kontrahenten. Dabei können sich die Unternehmer auf vielfältige Weise wehren, im Grenzfall sogar zum Gegenmittel der Aussperrung greifen, der «befristeten Verweigerung der sonst üblichen oder vertraglichen Arbeitsgelegenheit» zur Verteidigung der eigenen Zielvorstellungen von den Arbeitsbedingungen und der Einkommenshöhe.

Die Streikentwicklung in den deutschen Staaten wurde seit den späten 1860er Jahren vor allem durch vier Einflußfaktoren bestimmt.

1. Es gab erst einen Aufschwung, dann die Dominanz kapitalismuskritischer, aber auf systemimmanente Reform ausgerichteter Kräfte in den Gewerkschaften. Sie verstanden es in der Regel, die Wünsche und Forderungen der betriebspolitisch aktiven Arbeiter zu kanalisieren. Die Folge war eine quantitative Ausweitung der Streiks. Allerdings schmiegte sich ihre Frequenz dem Konjunkturrhythmus an: Die Höhepunkte fielen in die Boomjahre, die Tiefpunkte in die Depressionsphasen.

2. Der Anerkennung dieser sozialen Konflikte und ihrer regulierten Austragung stand jedoch die obrigkeitliche Politik- und Denktradition entgegen. Mit ihren Zielwerten der permanenten «Ruhe und Ordnung», der harmonisierenden Deutung des Gegensatzes von Kapital und Arbeit, der Verteidigung des «natürlichen» Gefälles in der Gesellschaftshierarchie prägte sie weithin das politische und gesellschaftliche Streikverständnis außerhalb der Arbeiterschaft – mindestens bis 1918.

3. Außerdem lief auch eine öffentliche Diskussion, die über die Jahrzehnte hinweg vor allem von sozialreformerisch gesinnten Wissenschaftlern und Beamten in Gang gehalten wurde und einem wohlwollenderen Verständnis den Weg bahnte, zum Teil sogar Sympathie und Unterstützung für strei-

kende Arbeiter, zum Beispiel bei den Ruhrstreiks von 1889 und 1905, gegen schwerindustrielle Scharfmacher mobilisierte. Gustav Schmoller und Lujo Brentano etwa haben sich bereits 1872 unmißverständlich für das Streikrecht und für die Anerkennung der Gewerkschaften ausgesprochen, beide freilich auch mit dem Ziel, den Einfluß der Sozialdemokratie einzudämmen, womöglich gar auszuschalten. Nicht wenige Mitglieder des «Vereins für Sozialpolitik», der «Gesellschaft für soziale Reform» und anderer veränderungswilliger Vereinigungen teilten das aufgeklärte Streikverständnis.

4. Im Laufe der Zeit stellte sich eine gewisse Gewöhnung an Streiks ein, so hartnäckig ihre Legitimität auch weiter bestritten werden mochte. Zum andern wirkten England, wo Streiks seit langem an der Tagesordnung waren, und weitere westeuropäische Länder als Vorbild in dem Sinne, daß der gezähmte Arbeitskampf zu einer vertrauteren Erscheinung wurde, die nicht mehr von vornherein als Teufelswerk verblendeter Agitatoren galt.

Mit dem Überschäumen der Hochkonjunktur seit 1867 wuchs sowohl die Anzahl als auch das Ausmaß der Streiks. Allein von 1869 bis 1873 wurden rund tausend (945) an 250 Orten gezählt. An den dreihundertzweiundfünfzig Streiks des Jahres 1872 nahmen bereits mehr als hunderttausend Arbeiter teil; zu dieser Zeit besaßen die frühen Gewerkschaften rund sechzigtausend Mitglieder. In diese Zeitspanne fallen auch die bereits erwähnten ersten Massenstreiks: 1869 traten sechs- bis siebentausend Waldenburger Bergarbeiter in den Ausstand, 1871 sechstausendfünfhundert Chemnitzer Metallarbeiter, 1872 fünfundzwanzigtausend Ruhrbergleute. Verhandlungen mit ihnen wurden abgelehnt; da kein Streikgeld gezahlt werden konnte, mußte der Kampf nach fünf Wochen erfolglos abgebrochen werden; die Staatsbürokratie verbot den «Rheinisch-Westfälischen Grubenarbeiterverband» bis 1889. Andrerseits gelang es den Buchdruckern im Frühjahr 1873, den ersten Tarifvertrag zu erstreiken – rund ein halbes Jahrhundert vor den anderen Gewerkschaften.

Als Folge des Streiks von 1869 erwog Bismarck eine Zeitlang einen Gesetzesentwurf, der den Gewerkschaften die Rechte einer juristischen Person eingeräumt und sie ein Stück weit aus der Diskriminierung herausgelöst hätte. Nach dem Anhalten der Arbeitskämpfe reagierte er jedoch statt dessen mit einem doppelten Gegenangriff: Ende 1873 legte er dem Reichstag eine «Kontraktbruch-Novelle» zur Gewerbeordnung vor. Dadurch sollten einmal die Bestimmungen gegen den Koalitionszwang antigewerkschaftlich verschärft, zum andern die zeitweilige Auflösung des Arbeitsverhältnisses, die im Streik ohne fristgerechte Kündigung erfolgte, als Kontraktbruch definiert, damit aber das Koalitionsrecht faktisch zerstört werden. Die Nationalliberalen verhinderten es damals jedoch noch, daß diese tragende Säule der Gewerkschaften bedroht wurde. Daraufhin konterte ein preußischer Erlaß im Frühjahr 1874 mit der ominösen Drohung, daß jede kampfbetonte Streikaufforderung fortab strafbar sei.

Es war aber nicht die seit 1874 einsetzende systematische polizeilich-gerichtliche Unterdrückung – vor allem in Preußen, Sachsen und Bayern –, welche die Streikaktivität eindämmte, sondern die scharf dämpfende Wirkung der Depression von 1873 bis 1879. Waren 1873 noch zweihundertdreiundachtzig Streiks zustande gekommen, sanken sie wegen des zunehmenden Risikos bis 1879 auf ganze fünfzehn ab. Ihre Zahl blieb wegen der Konjunkturschwankungen auch weiterhin niedrig – mit Ausnahme des Jahres 1885 (146), in das auch ein neuer Massenstreik von zwölftausend Berliner Maurern fiel –, bis mit dem wirtschaftlichen Aufschwung seit 1886 auch die Streikaktivität sogleich wieder zunahm (1887 = 225, 1889 = 280, 1890 = 390).

Unverzüglich zog der preußische Innenminister Robert v. Puttkamer die Repressionsschraube noch einmal an, indem er in einem Erlaß für die Behörden den Streik als eine «dem Umsturz dienende Tendenz» stigmatisierte. Mit dieser massiven Intervention scheiterte er jedoch: Weder das Wachstum der Streiks noch der Gewerkschaften ließ sich dadurch bremsen. Das zeigte auch 1889 der Großstreik im Ruhrrevier, als neunzigtausend von hundertviertausend Bergleuten aufbegehrten. Er verband traditionale Protestformen – zum Beispiel die von einer Delegation dem Kaiser überbrachte Petition als Hilferuf an den fernen gerechten Fürsten – mit dem Charakter eines zeitgemäßen Massenstreiks, der auch zur Neugründung einer Bergarbeitergewerkschaft, des «Alten Verbandes», führte. Aufgrund von Versprechungen – trotz der öffentlichen Sympathie nicht etwa von Verhandlungsergebnissen – wurde der Ausstand schließlich beendet.

Die dritte industrielle Depression verringerte auf typische Weise die Streikzahl, ehe mit der Hochkonjunktur seit der Mitte der neunziger Jahre ein steiler, freilich weiterhin konjunkturabhängiger Anstieg einsetzte (1895 = 204, 1899 = 976). Seit dieser Zeit wurde übrigens auch das Streikphänomen genauer registriert, da 1890 die Gewerkschaftsstatistik, 1899/1900 auch die Reichsstatistik diese Arbeit aufnahmen. Mit Ausnahme der Krisenjahre 1901/1902 und 1907/1908 hielt dieser Anstieg nicht nur kontinuierlich an, sondern erreichte auch immer neue Spitzenmarken: 1903 wurden erstmals tausend Streiks (1200) im Jahr überschritten, 1904 zweitausend (2070) und im nächsten Jahr sogar dreitausend (3059). Dieser Höhepunkt hing nicht nur mit der Hochkonjunktur, sondern mehr noch mit der Ausstrahlung der ersten russischen Revolution zusammen. Staatssekretär v. Posadowsky fürchtete deshalb auch, daß das «Streikfieber» die gesamte Wirtschaft zerrütten werde. Davon konnte ernsthaft nicht die Rede sein, aber diese Streikaktivität wurde erst 1917 übertroffen.

Seit 1910 hielt sich die jährliche Streikfrequenz ständig über zweitausend. Rund achtzehn Prozent der Arbeitskämpfe ergaben einen vollen Erfolg, vierzig Prozent dagegen gar keinen, zweiundvierzig Prozent gemischte Ergebnisse. In den Gipfeljahren erreichte auch die Teilnehmerzahl ihre Spitzenwerte: 1905 etwa 364000 und 1912 397000. Sonst oszillierte sie in der

Trendperiode zwischen 1895 und 1913 zwischen vierzigtausend und knapp vierhunderttausend. Auf jeden Fall kann die immense Wirkung der Streiks auf die Klassenformierung, auf die Ausbildung eines Klassenbewußtseins, überhaupt auf die Politisierung der Arbeiterschaft kaum überschätzt werden. In diesen Konfliktsituationen wurden gemeinsame Interessen bewußtgemacht, Solidarität eingeübt, Erfolgserlebnisse als Bestätigung der Kampfbereitschaft empfunden. Jede Niederlage dagegen bestätigte die Macht des «Klassenfeindes», jede Streikdiskriminierung die Unterdrückungspraxis des «Klassenstaats». Ohne diese Vielzahl von materiell und psychisch schwer belastenden Auseinandersetzungen, ohne die Erfahrung des Dauerkonfliktes, der eigenen Macht und der Gegenmacht wäre aus dem Großteil der gewerblichen Arbeiterschaft kaum die soziale Klasse des Proletariats geworden.[18]

Mit der Geschichte des Streiks ist die Entwicklung der Gewerkschaften unauflöslich verbunden. Erst durch die Gewerkschaften wurden auch die Arbeiterbewegungen zu einer «antikapitalistischen Massenbewegung». Insofern hängen Gewerkschaftsaufstieg und proletarische Klassenbildung aufs engste zusammen.

Trotz der unverhohlenen Aversion, mit der Marx und Lassalle den frühen Gewerkvereinen begegnet waren, hatten diese zwischen 1865 und 1869, während ihrer Gründungs- und Konsolidierungsphase, einen ersten Höhepunkt erlebt (vgl. vorn 5. Teil, III. 3). Die fulminante Streikaktivität der «Gründerjahre» wäre ohne sie undenkbar gewesen. Seit dem Einbruch der Depression wurden die sozialdemokratischen Gewerkschaften und die sozialdemokratischen Parteien noch enger zusammengeführt. Das bot manche Vorzüge der Kooperation, brachte aber auch Nachteile mit sich. So weigerten sich etwa die Gewerkschaften, die ihre institutionelle Autonomie gefährdet sahen, zu bloßen Schleppertrupps für die Parteien zu werden.

Als die Repressionspolitik des «Klassenstaats» das Ihre dazu beigetragen hatte, 1875 die Parteienfusion von Gotha zu erzwingen, sollten auch die verschiedenen sozialdemokratischen Gewerkschaften durch Einigungsverhandlungen zu einem schlagkräftigen Verband verschmolzen werden. Diese Gespräche nahmen lange Jahre in Anspruch, da viele einflußreiche Gewerkschaftler gegen den parteipolitischen Druck eine politikferne Interessenvertretung auch als Fernziel verteidigten. Jedenfalls kam bis zum Sozialistengesetz von 1878 kein SAP-naher gewerkschaftlicher Dachverband zustande. Die Mitgliederzahl schwankte zwischen sechzig- und siebzigtausend – in den konkurrierenden liberalen Gewerkvereinen ging sie währenddessen auf sechzehntausend zurück. Aber der Schwerpunkt lag durchaus auf handwerklichen Berufen, allenfalls auch auf den «Gesellen-Arbeitern», während die Masse der eigentlichen Fabrikarbeiterschaft in der Großindustrie von den Werbeaktionen noch nicht erreicht wurde.

Das Sozialistengesetz brachte zwar kein allgemeines Gewerkschaftsverbot, löste aber eine forcierte Verfolgung aus. Dazu gehörte auch das Verbot zahlreicher Gewerkvereine. Die staatlichen Eisenbahn- und Postarbeiter erlebten eine scharfe «Säuberung». Einige Gewerkschaften lösten sich selber auf, um ihre Kasse vor der Beschlagnahmung zu retten. Manche Berufsverbände, wie die Buchdrucker, schwenkten dagegen auf einen «kaisertreuen» Kurs ein, um die Krisenzeit zu überleben. Das war angesichts der Welle von Schikanen und Repressalien schwierig genug. Die Staatsbehörden scheuten sogar davor nicht zurück, aufgrund der Berichte von Polizeispitzeln Unternehmer über die politische Gesinnung sozialdemokratischer Arbeiter zu informieren: Umstandslos wurden sie daraufhin entlassen.

Einen schmerzhaften Rückschlag erlebten die Freien Gewerkschaften während der ersten Jahre des Sozialistengesetzes in der Tat, aber zerbrochen wurden sie nicht. Krise und Verfolgung erzeugten vielmehr eine vertiefte Solidarität und Loyalität, sie zwangen auch Partei und Gewerkschaften enger zusammen. Die staatliche Repression erreichte im Grunde das Gegenteil ihres Ziels: Die Gewerkschaften wurden dadurch gestärkt, von den Gerichten verurteilte oder außer Landes verwiesene Funktionäre umgab die Gloriole ihres Märtyrertums, eine Wagenburgmentalität stärkte den Verteidigungswillen. Angesichts dieser Sachlage verpuffte die politische Wirkung der Arbeiterschutzmaßnahmen von 1878, welche die obligatorische Fabrikinspektion, das Verbot der Arbeit von Kindern unter zwölf und der Untertagearbeit von Frauen sowie den ersten Mutterschutz von drei Wochen nach der Entbindung gebracht hatten. Dieselbe Ablehnung aus demselben Grund erlebten zunächst auch die Versicherungsgesetze der staatlichen Sozialpolitik in den achtziger Jahren.

Seit dieser Zeit begannen die Gewerkschaften, sich zu regenerieren, oft unter dem Schutzschirm von Fach- und Kassenvereinen. Überraschend schnell, schon 1885, standen sie stärker als je zuvor da, der Mitgliederverlust seit 1873, erneut seit 1878 war ausgeglichen. Bis 1890, als das Sozialistengesetz nicht mehr verlängert werden konnte, hatten sie innerhalb weniger Jahre ihre Mitgliederzahl auf dreihunderttausend verdoppelt.

Zu dieser Zäsur von 1890 gehört auch, daß jetzt das Zentralverbandsprinzip über den Lokalismus der isolierten Gewerkvereine siegte. Moderne Industrieverbände bestimmten seither das Profil der Freien Gewerkschaften, die zwischen 1890 und 1914 zu «Massenorganisationen der Lohnarbeiterschaft» aufstiegen. Zugleich entstand mit der «Generalkommission» die seit langem anvisierte Koordinationszentrale, deren Leitung der dreißigjährige Carl Legien für die nächsten dreißig Jahre übernahm. Sie fungierte als Ersatz für einen gesamtdeutschen Dachverband – ständig auf den Kompromiß mit den Einzelgewerkschaften angewiesen, in vielerlei Hinsicht aber erfolgreich und effektiv. Die Kräfteballung war auch deshalb nötig, weil die Unternehmer durch das Vordringen des Großbetriebs und des Konzentrationsprozesses einen Zugewinn an Marktmacht erlebten, der sich in den verteilungspolitischen Kämpfen sogleich zu ihren Gunsten auswirkte.

Beflügelt von diesem Aufschwung der neunziger Jahre, überholten die Freien Gewerkschaften bereits vor der Jahrhundertwende den Mitgliederbestand der SPD, den sie seither immer weiter hinter sich ließen. Auf dem Kölner Parteitag von 1893 konnte die Partei noch einmal ihren Vorrang mühsam durchsetzen. Aber 1905/1906, während der Massenstreikdebatte, mußte sie, drei Jahrzehnte nach Gotha, die Gleichberechtigung der Gewerkschaften anerkennen. Dieser Erfolg beruhte wesentlich auf der Organisationsmacht, die diese über Millionen von Mitgliedern ausübten. Die herkömmlichen Berufsvereine waren in Industrieverbände umgeformt worden. Diesen Vorgang begleitete ein Bewußtseinswandel, der vom handwerklichen Selbstverständnis zum Identitätsgefühl des gelernten Industriearbeiters führte, das durch die Mechanisierung, die Dequalifikation veralteter Kenntnisse, die Entwertung des traditionellen Berufsinhalts schweren Belastungen unterworfen und stabilisierungsbedürftig war. In den sieben größten von sechsundvierzig selbständigen Industrieverbänden waren schließlich 1.7 Millionen Mitglieder, zwei Drittel aller Angehörigen der Freien Gewerkschaften, organisiert; der Metallarbeiterverband hielt mit einer halben Million unangefochten die Spitze, vier weitere Industriegewerkschaften kamen auf mehr als hunderttausend Angehörige.

Daneben entstand der «Fabrikarbeiterverband», der mehr als hundert Berufe, auch angelernte und ungelernte Arbeiter vor allem in den expandierenden neuen Industriezweigen – wie etwa der Großchemie und Gummiherstellung –, vertrat. Von den zweitausend Mitgliedern der Gründungsphase wuchs er bis 1914 auf imponierende zweihunderttausend an. Schließlich bestand eine Vielzahl von Berufsvereinen in Bereichen fort, wo die handwerkliche Arbeit weiterhin dominierte. Das traf etwa auf die Drucker und Buchbinder, die Kupferschmiede und Zimmerer zu, die im Grunde auch ein «vorgewerkschaftliches Bewußtsein» weiter kultivierten. Kurzum, es gab die unterschiedlichsten Organisationssysteme: vom engen Berufsverein über den weiten Fachverband bis zur Großgewerkschaft für alle Arbeiter eines Industriezweigs.

Der Organisationsstand differierte nach Konjunkturlage und Branche, nach Beruf und Region, und außerdem behielt die Konfession ihren Einfluß. Wie die Streikaktivität fiel auch die Expansion der Gewerkschaften in die Hochkonjunkturspannen. Stagnation oder sogar Rückgang stellten sich in den Depressionsphasen ein. Der Streik bei günstiger Wirtschaftslage zog neue Mitglieder an, die Tiefkonjunktur führte zu Austrittswellen. Auf längere Sicht stieg indes der Organisationsgrad zügig an: von knapp zehn Prozent im Jahre 1903 auf achtundzwanzig Prozent zehn Jahre später. Wegen der kontinuierlichen Entwicklung wäre Ende 1914 vermutlich ein Drittel der gewerklichen Arbeiterschaft erreicht worden. Immerhin überschritten die Freien Gewerkschaften 1913 die Zweieinhalb-Millionen-Marke, 36.4 Prozent aller Industriearbeiter gehörten ihnen im letzten Friedensjahr an, von den Facharbeitern oft die Mehrheit; 16.5 Prozent wurden schon von Tarifverträgen erfaßt, welche die Gewerkschaften – zu achtzig Prozent ohne Streik – erwirkt hatten.

Bis dahin hatten sich auch klare Schwerpunkte der geographischen Verbreitung und des Organisationsgrades herausgebildet. Im industriereichen Preußen lag der Prozentsatz der organisierten Lohnarbeiter und -arbeiterinnen doch erst bei 13.1 Prozent, die Gesamtzahl bei 1.14 Millionen; im Königreich Sachsen mit seiner Gewerbetradition dagegen in der doppelten Höhe, bei 25.4 Prozent und 387700 – zusammengenommen waren das bereits drei Fünftel aller deutschen Gewerkschaftsmitglieder. In gewerbestarken Großstädten wie Hamburg (41.8 %) und Bremen (56.6 %) stieg der Organisationsgrad noch ungleich höher an. Überhaupt boten Großstädte, mit einigem Abstand auch mittelgroße Städte, den besten Rekrutierungsboden. 1913 lebte mehr als die Hälfte (56.4 %) aller Gewerkschaftsmitglieder in Großstädten, allein in Berlin waren es dreihunderttausend, ein Viertel aller preußischen. Dennoch: Auch in kleineren Städten gab es 578 lokale Gewerkschaftskartelle.

Am ehesten konnten die Gewerkschaften in mittelgroßen Betrieben Fuß fassen, zumal wenn eine relativ schwache Interessenvertretung durch Unternehmerverbände hinzukam. In den Großunternehmen trafen sie dagegen auf geballte Marktmacht, verstärkt durch robust ausgeübte Verbandsmacht, und in den Kleinbetrieben auf einen paternalistischen Zugriff auf die Belegschaft, unterstützt durch permanente soziale Kontrolle. Insbesondere in den arbeiterreichen Zentren der Schwerindustrie gehörte zur Gewerkschaftsarbeit eine erhebliche Zivilcourage.

Andrerseits wirkten sich dort auch fördernde Faktoren aus. Die Urbanisierung, die Loslösung vom Lande, die Verjüngung der Arbeiterschaft erleichterten die Politisierung und Werbung der Gewerkschaften. Eine starke Gegenströmung: die hohe geographische Mobilität, hemmte dagegen ihre Organisierung und Stabilisierung. Ähnlich wie die industriellen Ballungszentren im Verlauf des Urbanisierungsprozesses und der Binnenwanderung wie Schleusenwerke Hunderttausende von Arbeitern anzogen und wieder verloren, litten viele Gewerkschaften unter einem Zugang und Abgang von mehr als hundert Prozent, das heißt: Mehr Arbeiter traten ein und wieder aus, als die Mitgliederzahl eines Gewerkvereins im Jahresdurchschnitt ausmachte! Der Metallerverband zum Beispiel registrierte in den zwanzig Jahren vor 1913 2.1 Millionen Eintritts-, aber auch 1.6 Millionen Austrittserklärungen; so kamen 1913 seine fünfhunderttausend Mitglieder zustande. In fast allen Gewerkschaften herrschte eine ähnlich heftige Fluktuation.

Durch diese horizontale Mobilität wurde die Bedeutung der Gewerkschaftsbürokratie aufgewertet. Im Strom der Mitgliederbewegung mußte sich das feste Gerüst der Berufsfunktionäre geradezu als funktional notwendig aufzwingen. Robert Michels' berühmte Kritik an der Bürokratie der deutschen Sozialdemokratie und der Freien Gewerkschaften, verallgemeinert zum angeblich «ehernen Gesetz der Oligarchie», verfehlte dieses Stabilitäts- und Kontinuitätsbedürfnis. Wenn man sich vergegenwärtigt, daß in den acht Jahren vor 1913 bis zu neunzig Prozent aller Mitglieder des Metallarbeiterverbandes an der Nah- und Fernwanderung beteiligt waren, gewinnt man für die kleine, ständig überlastete Funktionärs-«Oligarchie» mehr Verständnis. 1898 entfielen auf einen Gewerkschafts-«Beamten» rund 4750 Mitglieder, 1914 noch immer 2870. Zur Leitung einer reichsweit operierenden Gewerkschaftsföderation mit zweieinhalb Millionen Mitgliedern waren hauptamtliche Funktionäre ganz und gar unvermeidbar. In Deutschland kam außerdem noch das Vorbild der staatlichen Bürokratie hinzu, und die Repression durch den bürokratischen Staatsapparat nötigte zur Anpassung in eigenen, schlagkräftigen, bürokratisch geleiteten Organisationen, um sich in diesem Dauerkonflikt behaupten zu können. Auch dieser Kontext gehört zu den wesentlichen, unschwer zu verstehenden Bedingungen des vielkritisierten «Organisationsfetischismus». In den Gewerkschaften, in dem Mikrokosmos ihrer Ortsvereine, in den von ihnen getragenen und durchgestandenen Streiks erlernten Millionen von Arbeitern und Hunderttausende von Arbeiterinnen Solidarität; dort erfuhren sie die Gemeinsamkeiten ihrer proletarischen Soziallage – und die Summe dieser soziopolitischen Einflüsse übte eine unerläßliche Prägekraft auf dem Weg zur sozialen Klasse aus.[19]

Dieser Befund gilt auch für die sozialdemokratische Partei, welche der Subkultur des Proletariats an zahlreichen Stellen ihren Stempel aufdrückte. 1875 war die «Sozialistische Arbeiterpartei» als Union der beiden sozialdemokratischen Parteien entstanden, um ihre Kräfte in einer feindlichen Umwelt, in der sich der Staatsapparat mit seinen Schikanen gegen die roten «Reichsfeinde» hervortat, endlich zu bündeln. Sie operierte unter der allgemeinen Konstellation, die seit der Gründung des neuen Reiches bestand.

1. Die Industrialisierung schritt zügig voran, nachdem die deutsche Industrielle Revolution die entscheidenden institutionellen Grundlagen geschaffen hatte. Damit erweiterte sich das Organisationspotential der Arbeiterbewegung, zugleich vertieften sich aber auch die Fluktuationen des Konjunkturverlaufs.

2. Die Existenz des kleindeutschen Nationalstaats, welcher die großdeutschen Hoffnungen der «Eisenacher» zutiefst enttäuschte, während er die Lassalleaner im Grunde rundum befriedigte, erzwang von der Sozialdemokratie ein Arrangement mit dieser neuen Realität.

3. Das Reich bot als Verfassungsstaat, auch dank des Reichstagswahlrechts, neuartige politische Chancen. Ihnen standen aber im Alltag sperrige Hindernisse entgegen, nicht zuletzt seitdem August Bebel in einer denkwürdigen Reichstagsrede am 25. Mai 1871 den Aufstand der Pariser Kommune

als «kleines Vorpostengefecht» der herannahenden Revolution unverbrämt begrüßt hatte und die Streikwellen zunächst Jahr für Jahr den Ruch der Gefährlichkeit intensivierten.

Die einschneidende Depression von 1873 bis 1879 traf die Arbeiterschaft mit beispielloser Härte. Auf ihre Löhne, auf ihre Arbeitszeit wurde der Kostendruck abgewälzt. Arbeitslosigkeit und Kurzarbeit grassierten. Materielle Existenznot breitete sich aus, der Lebensstandard sackte ab. Die Marktmacht der Unternehmer stieg, die Gegenmacht der Beleg- und Gewerkschaften sank. Die innerbetriebliche Abhängigkeit nahm ganz so zu wie die außerbetriebliche Isolierung. Die polizeiliche Verfolgung und die gerichtliche Bestrafung wurden routinisiert. Staatsapparat und Unternehmerschaft wirkten ungeniert in einem festen Bündnis zusammen, um den proletarischen Klassengegner zu schwächen, zu zähmen, zu unterdrücken.

«Die Krise machte», das empfanden Hunderttausende von Arbeitern, «den Klassenstaat manifest.» Nie zuvor und danach wurde er so als Instrument unverhüllter Klassenherrschaft wahrgenommen wie in den 1870er und 80er Jahren. Diese Klassenpolitik vertiefte aber auch das Solidaritätsgefühl und die Massenloyalität gegenüber der Sozialdemokratie wie gegenüber den Freien Gewerkschaften. Das äußerte sich zum Beispiel in der Reichstagswahl von 1877, als die SAP mit 9.1 Prozent der Stimmen (493000 und zwölf Mandaten) bereits viertstärkste Partei wurde – zur allgemeinen Konsternation dicht hinter den «Deutsch-Konservativen» mit 9.7 Prozent (526000, wegen der Wahlkreisbegünstigung mit über vierzig Mandaten). Dieser unerwartete Erfolg löste einen so tiefen Schock aus, daß nun erst recht – wie der Staatswissenschaftler und frühere österreichische Handelsminister Albert Schäffle spottete – «das rote Gespenst bis in die letzte Bierstube spukte».

Erst in diesen Depressionsjahren begann die Marxsche Lehre in das deutsche Proletariat tiefer einzudringen, da sie als realitätsgerechte Analyse der eigenen Wirklichkeit empfunden, von ihren Verfechtern auch emphatisch so geschildert wurde. Die Alltagserfahrungen schienen die Glaubwürdigkeit dieses «Theorie-Konglomerats», das sowohl als Kampfanweisung als auch zur Weltdeutung diente, allenthalben zu bestätigen. Deshalb setzte ein wechselseitiger Verstärkereffekt ein: Die Wachstumsschwankungen, die Soziallage und Verfolgung erhöhten die Rezeptionsbereitschaft, der entstehende Marxismus erklärte diese soziopolitische Lebenswelt. Während der Stern des bürgerlichen Liberalismus sank, stieg – in Deutschland und Österreich, in Italien und Rußland – die Attraktivität des Marxismus, da er einen überlegenen Ersatz für die liberale Emanzipationsideologie versprach. Umgekehrt blieb die politische Arbeiterbewegung lange Zeit dort schwach, wo der Liberalismus – wie in England, der Schweiz und den USA – eine starke Position im öffentlichen Leben behielt. Aus dem zuerst genannten Grund wurden auch Institutionen wie die SAP und die Freien Gewerkschaften aufgewertet, die zunehmend marxistische Positionen und Richtwerte übernahmen, ihre Realitätswahrnehmung in marxistischer Sprache ausdrückten – und damit wachsende Resonanz fanden. Von einflußreichen theoretischen Köpfen wie Karl Kautsky und Eduard Bernstein wurde die Lehre gegen die sich ändernden Verhältnisse entweder orthodox verteidigt oder aber auf der Grundlage eines pragmatischen Realismus revidiert. Dank dieser Zwiespältigkeit blieben vielerlei Anschlußmöglichkeiten für Anhänger mit ganz unterschiedlichem politischem Temperament erhalten.

Was damals als Marxismus galt, fungierte als vermeintlich wissenschaftlich abgesicherter Glaube an einige Grundüberzeugungen: Der Klassenkampf treibe die Geschichte voran, das Proletariat, auch und gerade das deutsche, habe dabei eine historische Mission zu erfüllen; anstelle einer Revolution wie 1848 werde sich eher ein langwieriger Evolutionsprozeß in Schüben vollziehen; schließlich werde sich, vielleicht doch mit einem letzten Schub: der proletarischen Revolution, der Übergang zur sozialistischen Gesellschaft vollziehen, werde die – schwach konkretisierte – Utopie des freien, gerechten, «sozialen Volksstaats» endlich verwirklicht.

Wegen der Stärke der Arbeiterorganisation und wegen der Überzeugungskraft ihres Weltbilds ist in Deutschland kein «basisnaher Syndikalismus» – wie etwa in den romanischen Ländern Europas – entstanden. Und ein zu spontanen Kampfaktionen aufrufender Anarchismus spielte nur während einiger Jahre, als Johannes Most und Wilhelm Hasselmann sich als Parteirenegaten an seine Spitze setzten, eine bescheidene Rolle. Statt dessen gab es eine Radikalisierung der marxistischen Theorie, genauer: der revolutionären Rhetorik, um sowohl für das mühsame Geschäft der pragmatischen Reform politische Energie zu mobilisieren als auch mit Hilfe dieses emotionalen Sicherheitsventils die erforderliche Geduld zu erhalten.

Eine enorme Zuspitzung der Klassenspannungen und eine tiefreichende Beeinflussung der proletarischen Sozialmentalität resultierten aus dem Sozialistengesetz, das seit 1878 – mehrfach verlängert – bis 1890 in Kraft war. Es fungierte als eine wahre Hochdruckkammer der Verfolgung, aus der aber die Arbeiterschaft trotzdem gestärkt hervorging. Bismarck hatte schon seit längerer Zeit auf eine günstige Gelegenheit zum Zuschlagen gewartet, zumal er die Sozialdemokratie nicht nur für eine politische Fundamentalbedrohung hielt, sondern auch für die wirtschaftliche Depression verantwortlich machte. «Solange wir» nicht, erklärte er 1877 mit der ihm eigenen brutalen Offenheit, «den kommunistischen Ameisenhaufen mit der inneren Gesetzgebung austreten, werden wir keinen Aufschwung haben».

Nach zwei Attentaten auf den Kaiser im folgenden Jahr, die der Reichskanzler ohne begründeten Anlaß, allein aus machiavellistischem Kalkül der Sozialdemokratie in die Schuhe schob, war die ersehnte Gelegenheit gekommen. Die geschickt geschürte Krisenpsychose in der Öffentlichkeit erzeugte ein hysterisches Geschrei nach kompromißlosem Durchgreifen. Im zweiten Anlauf, bei dem die Nationalliberalen vor der Forderung, dem illiberalen

Ausnahmegesetz endlich zuzustimmen, schmählich kapitulierten, wurde das erste Sozialistengesetz im Oktober 1878 verabschiedet, dessen Legalitätsmantel seither den Verfolgungskurs deckte.

In den folgenden zehn Jahren wurden 332 sozialdemokratische Vereine verboten – darunter siebzehn gewerkschaftliche Zentralvorstände, achtundsiebzig Ortsvereine und dreiundzwanzig Unterstützungskassen. Tausenddreihundert Druckschriften wurden konfisziert, alle Parteizeitungen mundtot gemacht. Rund tausendfünfhundert Jahre an Zuchthaus- und Gefängnisstrafen wurden verhängt, neunhundert Ausweisungen außer Landes vollzogen. Trotz der herben Repression ließ sich kein durchschlagender Erfolg erzwingen. Im Gegenteil, die Loyalität gegenüber der Sozialdemokratie und den Gewerkschaften wurde vertieft, eine radikale Mentalität gefördert. Die Unterdrückungszeit verwandelte sich geradezu in ein «heroisches Zeitalter», das in der Erinnerung aller Arbeiterführer und einfachen Mitglieder der SPD und der Freien Gewerkschaften verklärt wurde – es prägte die Jüngeren bis 1933. Denn der Angriff der feindlichen Kräfte, die den Untergang der organisierten Arbeiterbewegung herbeiführen und jeden einzelnen Arbeiter in einen gehorsamen Untertanen verwandeln wollten, konnte glorreich abgewehrt werden. Seither blieb dieser Widerstand und die Erinnerung an die Behauptung gegen staatliche Übermacht in der Arbeiterkultur tief verwurzelt.

Als nach der Maxime «Zuckerbrot und Peitsche» die Bismarcksche Sozialpolitik die Staatsloyalität der kujonierten Arbeiter befestigen oder zurückgewinnen wollte, schlug auch dieser Teil der Zähmungsstrategie zunächst völlig fehl. Was zählte, war allein die Anhänglichkeit an Partei und Gewerkschaft. Schlagkräftige, verteidigungsfähige Organisationen galten nach dem bitteren Erlebnis der letzten Jahre als absolut notwendig, um im «Klassenstaat» bestehen zu können. In dieser breit gestreuten Erfahrung, daß sich die eigenen Verbände in der Verfolgungszeit als lebenswichtig erwiesen hatten, liegt eine weitere Wurzel des sozialdemokratischen «Organisationsfetischismus».

Der Kurs forcierter Repressalien, wie er vom preußischen Innenminister v. Puttkamer und Generalstaatsanwalt v. Tessendorf verkörpert wurde, mußte seit 1886/87 als mißlungen gelten. 1890, in der Krisenphase des Kanzlerwechsels, stellte sich dann heraus, daß die Verlängerung des Sozialistengesetzes im Reichstag nicht mehr konsensfähig war. Ähnlich wie die Gewerkschaften als eine «auf Sozialreform und Interessenpolitik konzentrierte Massenbewegung» tat die eng verschwisterte SPD als proletarische Partei, die trotz ihrer Revolutionsrhetorik durch gesetzliche Veränderungen die Systemüberwindung anstrebte – insofern auch durchaus dem europäischen Normaltypus der sozialdemokratischen Reformpartei entsprach – einen Riesensatz nach vorn. Bereits in den Reichstagswahlen von 1890 gelang ihr mit 19.7 Prozent der Stimmen (1.43 Mill., aber nur 35 Mandaten) der Sprung auf den ersten Rang, während das Zentrum (18.6%, 1.34 Mill.) und die Nationalliberalen (16.3%, 1.18 Mill.) den zweiten und dritten Platz erreichten. In Großstädten wie Berlin und Hamburg kam die SPD jedoch schon auf 52.2 bzw. 58.7 Prozent, im industriereichen Sachsen auf 42.1 Prozent; selbst der Einbruch in ländliche Wahlkreise hatte begonnen.

In dem knappen Vierteljahrhundert danach änderte sich trotz gelegentlicher Rückschläge an dieser Rangordnung nichts mehr. 1893, 1898, 1903, 1907 und 1912 verteidigte die SPD den ersten Platz, was den Prozentsatz der abgegebenen Stimmen angeht, obwohl ihr durch das unreformierte Wahlkreissystem eine entsprechende Mandatsausbeute versagt blieb. Der Triumph von 1912 bescherte ihr sogar 4.25 von 12.2 Millionen Stimmen (35%) und hundertzehn von 397 Abgeordnetensitzen. Wäre die politische Kluft nicht zu tief gewesen, hätte sich mit der neuen linksliberalen «Fortschrittlichen Volkspartei» (12.3%) und den Vertretern der nationalen Minderheiten (5%) bereits eine absolute Mehrheit gegen den konservativen Block, zu dem das Zentrum und die Nationalliberalen ja längst gehörten, bilden lassen. Das wäre zwar, da der Reichskanzler im nichtparlamentarischen System Deutschlands allein vom Vertrauen des Monarchen abhing, für die Bildung der Reichsregierung folgenlos geblieben, hätte sie aber über kurz oder lang zu einer Kooperation im Reichstag gezwungen oder in die totale, politisch aussichtslose Blockade geführt. Angesichts der wachsenden Chancen der SPD und der Auflockerung bei den Linksliberalen, darin stimmten kompetente zeitgenössische Experten links, vor allem aber – voller Furcht – rechts von der Mitte überein, rückte bei den nächsten Reichstagswahlen von 1917 eine «sozial-liberale» Mehrheitskoalition offenbar in greifbare Nähe.

Die Wahlerfolge auf der Ebene der Reichspolitik hingen wesentlich damit zusammen, daß das Organisationspotential der organisierten Arbeiterbewegung dank der Ausbreitung des modernen Produktionskapitalismus kontinuierlich anwuchs, sich aber auch seit der Mitte der siebziger Jahre, vollends seit 1895, zugleich verschob. Die Schwerindustrie mit ihren klassischen Führungssektoren der deutschen Industrialisierung wuchs weiter; in ihr zogen die Großunternehmen einen immer größeren Arbeiteranteil an sich. Das traf seit den neunziger Jahren auch auf den verfeinerten Maschinenbau, die Elektrotechnik und Großchemie zu. Im Vergleich nahm aber die Metallverarbeitung, auch mit ihren Großbetrieben, die Spitze ein. In der größten Gewerkschaft der Welt, dem Metallarbeiterverband, spiegelte sich das auch wider. Da das Baugewerbe seit dem «Take-off» der Urbanisierung seit etwa 1867 und der immensen Baukonjunktur seit 1895 explosiv expandierte, zog es Hunderttausende von Arbeitern an sich. Relativ eindeutige Verlierer waren dagegen die Textilindustrie und die Handwerksbetriebe, während der Tertiäre Sektor stetig neue Beschäftigte, meist aber als Angestellte der Handelshäuser, Banken, Versicherungen und Verwaltungen, hinzugewann;

überwiegend waren sie außerhalb ihrer eigenen Berufsverbände für die «Freien» schwer zu organisieren.

Dank dieser Veränderungen gelang es in den großen zweieinhalb Jahrzehnten der deutschen Arbeiterbewegung vor 1914, nicht nur 2.53 Millionen Arbeitnehmer in den Gewerkschaften und 1.085 Millionen Mitglieder in der SPD zu organisieren. Vielmehr konnte sie auch einen Großteil des proletarischen Milieus im Sinne einer sozialdemokratischen Subkultur prägen. Sie traf jedoch auch auf hohe Barrieren, die sich manchmal nicht überwinden ließen.

An erster Stelle standen die Konfessionsunterschiede. Die sozialdemokratischen Arbeiter waren überwiegend protestantisch, faktisch weithin atheistisch oder doch Anhänger der marxistischen Ersatzreligion mit ihren eigenen Göttern. Katholiken konnte sie nur außerordentlich schwer, meistens gar nicht erreichen. «Die Kohlengräber», hatte Friedrich Engels noch 1890 über die politische Zukunft der Bergarbeiter siegesgewiß geurteilt, «gehören uns heute potentiell und mit Notwendigkeit.» Von dieser angeblich «unaufhaltsamen Bewegung» konnte dann aber gerade in den Montanrevieren nicht die Rede sein. 1912 hatte zum Beispiel der sozialdemokratische «Alte Verband» zwar 114000 von 394000 Bergleuten organisiert, 78000 hielten jedoch zu den Christlichen, sprich Katholischen Gewerkschaften, die vor 1914 immerhin 343000 Mitglieder zählten. Diese konfessionelle Bindung hat sich bis in die achtziger Jahre des 20. Jahrhunderts gehalten. Auch in der allgemeinen politischen Arena traf die SPD mit dem Zentrum auf einen überlegenen Rivalen, der die Arbeiter in der katholischen Minderheit auch auf Dauer an sich zu binden verstand.

Andere Hürden baute sich die Sozialdemokratie selber auf. Zu lange hat sie etwa die Proletarisierung aller Handwerker für unausweichlich gehalten. Deshalb stellte sie sich nicht realistisch auf eine eigene Politik gegenüber einem gut Teil des Kleinbürgertums ein. Geraume Zeit traf das auch auf die Angestelltenschaft zu. Vor allem aber versperrte ihr der Zuschnitt ihrer Ideologie auf das städtische gewerbliche Proletariat eine realistische Agitation unter den Millionen von Landarbeitern. Die «Agrarfrage» blieb für die Sozialdemokratie, erst recht für ihre orthodoxen Dogmatiker, ein quälender Gegenstand. Erst der praktische Reformismus, unterstützt vom theoretischen Revisionismus, hat in manchen Regionen Süddeutschlands, in Südostpreußen und Schleswig-Holstein zu einer Ausdehnung in die ländlichen Unterklassen geführt.

Auf lange Sicht arbeiteten auch anonyme Entwicklungen gegen den Anspruch der SPD auf proletarische und politische Homogenität der Arbeiterschaft. Innerhalb gewisser Grenzen gab es im Kaiserreich eine «negative Integration» der Arbeiterschaft durch die Erfahrung ihrer Klassenlage und Lebensrisiken, ihrer Ausgrenzung und Diskriminierung. Als Staatsbürger zweiter Klasse wurde dem linken Proletarier ein inferiorer Platz in der Reichsnation zugewiesen.

Es gab jedoch auch eine zunehmend wirksamere «positive Integration». Dazu trugen die steigenden Reallöhne ebenso bei wie die staatliche Sozialpolitik. Die Erfolge der Gewerkschaften und der Reformgewinn der Sozialdemokratie wirkten in dieselbe Richtung. Wenn auch peinigend langsam erwies sich das Kaiserreich doch als beeinflußbar. Es war keine starre zaristische Autokratie, der die kritische russische Intelligentsia schließlich nur noch mit Zerstörung begegnen zu können glaubte. Die politische Sozialisation in der Schule und während der mehrjährigen Militärzeit hinterließ tiefe Spuren. Die leidenschaftliche Ablehnung der russischen Despotie war seit jeher ein fester Bestandteil der Marxschen und marxistischen Lehre. Dort konnte die Sorge vor der russischen «Dampfwalze» mühelos anknüpfen, verstärkt durch die Diffusion der weitverbreiteten Vorstellung vom west-östlichen Kulturgefälle und die Slawophobie des Reichsnationalismus. Wenn die Kosaken kämen, donnerte der alte Bebel im Reichstag, werde jeder Sozialdemokrat zur Flinte greifen.

Von denkbar unterschiedlichen Einflüssen genährt, nahm die Identifikation mit dem deutschen Nationalstaat, insbesondere in den jüngeren politischen Generationen, stetig zu. Im Grenzfall gab es dort eher etwas zu verteidigen als nur die Ketten des Proletariats abzuwerfen. An der verbohrten, teilweise militanten Ablehnung der Sozialdemokratie durch das bürgerlich-konservative Gegenlager hat dieser von gescheiten Köpfen frühzeitig diagnostizierte Integrationsprozeß jedoch nichts geändert.

Die kritische Ablehnung des Kaiserreichs durch die Stigmatisierten und Orthodoxen einerseits, die Hoffnung auf Reform und Gleichberechtigung andrerseits und demgegenüber die verbissene Opposition der Mehrheit gegen die gesamte Linke – all diese Tendenzen sollten zwischen 1914 und 1917/1918 in voller Schärfe aufeinanderprallen. Es war jedenfalls die Ambivalenz von offener Integrationsverweigerung und latenter Eingewöhnung, von Systemkritik und Leistungsstolz, die das proletarische Klassenbewußtsein mit all seinen widersprüchlichen Eigenarten vor dem Ersten Weltkrieg tief geprägt hat.[20]

Welche Einflüsse sich in der ideologischen Dimension der Klassenformierung geltend machten, ist inzwischen schon mehrfach angeschnitten worden. Bis in die neunziger Jahre hinein hielt die heftige Konkurrenz der Ideologien um den Primat in der Arbeiterschaft an. Während der Liberalismus rapide an Leuchtkraft verlor, so daß schließlich nur mehr 107000 Mitglieder in den Hirsch-Dunckerschen Gewerkvereinen versammelt waren, und während die katholische Soziallehre ihre Domäne unter den katholischen Arbeitern, aber ohne jede Wirkung über sie hinaus, zäh verteidigte, trat ein popularisierter Marxismus seinen Siegeszug an. Unter protestantischen Arbeitern, die sich von der Amtskirche ohnehin und zu Recht im Stich gelassen, ja ins Abseits gedrängt fühlten, gewann der Religionsersatz der Marxschen Erlösungslehre und Emanzipationsstrategie ständig an Boden. Da der Charakter einer politischen Religion am Marxismus unschwer erkennbar ist, verfehlt der Begriff der Säkularisierung leicht den spirituellen Kern dieses neuen Engagements. In welcher holzschnittartigen oder intellektuell verfeinerten Form auch immer der Marxismus entwickelt oder rezipiert wurde – bis zur Jahrhundertwende hatte er sich in der Sozialdemokratie und in den Freien Gewerkschaften durchgesetzt. Von ihnen wurde in seinen Kategorien die Realität eingefangen, in seiner Sprache wurden die anstehenden Probleme ausgedrückt, mit seiner Diagnose und Prognose die eigene Selbstsicherheit verteidigt.

Allerdings gab es zu keinem Zeitpunkt eine absolute Dominanz des Marxismus. Frühzeitig hat er sich mit der Darwinschen Evolutionslehre, häufig in Gestalt des Haeckelschen Monismus, vermischt. Dadurch wurde das Vertrauen auf einen naturgesetzlich determinierten Weg in eine bessere Zukunft gestärkt. Die Revolution mit all ihren unüberschaubaren Risiken verlor darum an Attraktivität, aber auch die politische Kampfbereitschaft hat unter der Passivität dieser Evolutionsgewißheit gelitten.

Unstreitig blieb auch das Erbe der achtundvierziger Revolution in der sozialdemokratischen Arbeiterschaft lebendig. Ihr Weltbild wurde dadurch fortdauernd mitbestimmt. Der «social-demokratische Volksstaat», die liberalen Freiheits- und die demokratischen Gleichheitsrechte, sie alle wurden in keinem politischen Lager so ernst genommen wie dem der «vaterlandslosen Gesellen».

Und schließlich fand der Historische Materialismus Marxscher Provenienz auch deshalb einen solchen Widerhall, weil die Klassenlage als Ergebnis der kraß ungleichen Verteilung von Lebenschancen die Sozialmentalität des Proletariats nur zu offensichtlich prägte. Ob es nun der aufgeklärte Materialismus der Parteiintellektuellen oder der krude Ableitungsmaterialismus des einfachen Mannes war, beide waren imstande, mit ihren analytischen Mitteln eine befriedigende Deutung der Umwelt zu leisten. Und nicht nur das: Auch der Historische Materialismus vermittelte das Gefühl, kraft seines Realismus dem ringsum anzutreffenden bürgerlichen Vulgäridealismus weit überlegen zu sein. Als stabilisierende «Weltanschauung» besaß auch er die Züge einer Säkularreligion.

Von diesen Stützpfeilern der dominierenden Ideologie getragen, konnte das Proletariat ein Klassenbewußtsein entwickeln, in dem Siegesgewißheit und Zukunftsglaube, Einsicht in die Gesetze der Gesellschaftsentwicklung und Vertrauen auf die eigene Fortschrittsmission zu der Kollektivmentalität einer sozialen Klasse verschmolzen, die sich ihrer historischen Aufgabe gewiß war. Wie weit aber, schließlich unüberbrückbar weit, die Überzeugungen auseinanderklaffen konnten, als es um die konkrete Ausführung dieser vermeintlich so eindeutigen Aufgabe unter extremen Bedingungen ging, sollte der Weltkrieg vollends demonstrieren.

4. Der Adel zwischen Herrschaftselite und Unternehmerklasse

Bereits 1833 spottete Heinrich Laube, eine der Galionsfiguren des «Jungen Deutschland», daß der deutsche Adel einem exotischen Indianerstamm gleiche, der bald von den Historikern als naturhistorische Merkwürdigkeit klassifiziert werde. Für einen dezidiert liberalen Protagonisten der «Bürgerlichen Gesellschaft» war das kein abwegiges Urteil, überdies sollte es auf längere Sicht zutreffen. Aber für das lange 19. Jahrhundert von 1789 bis 1914 unterschätzte es die Überlebensfähigkeit und die Verteidigungskraft der deutschen Aristokratie, die ihre Herrschaftspositionen auch im Zeichen einer unaufhaltsamen Adelsagonie machtbewußt zu behaupten suchte – ohne jede Rücksicht auf die politischen Kosten, die der Gesamtgesellschaft durch diese verbissene Defensive aufgebürdet wurden. Andrerseits: Warum hätte eine Machtelite mit tausendjähriger Tradition, die durch hektische Auf- und Abschwünge des soziopolitischen Einflusses gekennzeichnet war, auf die hartnäckige Verteidigung ihrer Sonderstellung freiwillig verzichten sollen? Und: Gelang ihr nicht trotz allen vergangenheitsorientierten Widerstands auch eine bisweilen auffällige Anpassung an die neue Zeit der bürgerlichen und industriellen Welt? Konnte sie nicht selbst dann, als sie immer sichtbarer weichen mußte, als sozialnormatives Vorbild für zahlreiche bürgerliche Aufsteiger weiterwirken, so daß ein gut Teil ihrer Privilegien und Exklusivrechte allzu schneidender Kritik entzogen wurde?[21]

Durch die tiefe Zäsur, die von der Französischen Revolution und der Reformära zwischen 1800 und 1821, schließlich von der Aufhebung ständischer Vorrechte durch die Revolution von 1848/49 und die neuen Verfassungen geschaffen worden war, hatte die traditionale Herrenstellung des Adels unwiderruflich fatale Einbußen erlitten, die nicht mehr wettgemacht werden konnten. Mehr noch: Der säkulare Prozeß der adligen Machtdeflation schien seither auch in den deutschen Staaten in eine unaufhaltsame Talfahrt überzugehen. In der Tat hielt die offensichtliche und schleichende Unterminierung der restlichen Adelsbastionen an. Der Agrarkapitalismus zum Beispiel verwandelte den nord- und nordostdeutschen Landadel, der numerisch das absolute Gros der Edelleute stellte, in eine Unternehmerklasse, die freilich auf ihre herrschaftsständischen Attribute nicht verzichten wollte. Der Industriekapitalismus erwies sich von Jahr zu Jahr immer deutlicher als eine überlegene Macht. Mit dem steilen Aufstieg des Bildungs- und Wirtschaftsbürgertums drangen auch das Leistungsprinzip und der Liberalismus vor, die den zugeschriebenen Status und den Konservativismus des Adels unterhöhlten. Gleichzeitig arbeiteten die Bürokratie und der moderne Anstaltsstaat im Verlauf der beschleunigten inneren Staatsbildung mit zähem Nachdruck darauf hin, die Reste der Adelsautonomie aufzulösen oder doch zumindest ihre Einflußsphäre weiter einzuschränken. Das alles waren machtvolle, strukturverändernde Prozesse, die nur zu offensichtlich imstande waren, sich über individuelles Aufbegehren über kurz oder lang hinwegzusetzen.

Trotzdem wurde das Rad der Geschichte noch einmal angehalten, sein Gang danach wider Erwarten verlangsamt. Die Ursache war eine ebenso unvorhersehbare wie ungeheure Aufwertung, die der deutsche Adel in den 1860er und 70er Jahren erlebte. Der preußische Militärstaat führte innerhalb weniger Jahre drei erfolgreiche Kriege mit einem Heer, dessen Kern unzweifelhaft das adlige Führungskorps bildete. Ungeachtet der altpreußischen Vorbehalte – «wir sahen», bestätigte Elard v. Oldenburg-Januschau, «im Deutschen Reich ... nur ein vergrößertes Preußen» – konnte die Reichsgründung auch als Adelswerk triumphierend in Anspruch genommen werden. Ganz offensichtlich spielten adlige Politiker und Militärs eine entscheidende Rolle. Die Prominenz Moltkes wurde durch den Bismarckmythos noch bei weitem übertroffen. Kein Schlachtensieg, kein Fürst, überhaupt kein anderes Individuum hat mehr zur Stabilisierung des deutschen Adels beigetragen als die Erfolgsbilanz, die Bismarcks charismatische Herrschaft nach knapp zehn Jahren aufzuweisen hatte. Von der politischen Leistung des «größten aller Junker» ging eine eminente Legitimationskraft zugunsten der gesamten Adelswelt aus. Und schließlich ist nicht zu übersehen, daß die fünfzig «goldenen Jahre» der deutschen Landwirtschaft bis zur Agrarkrise seit 1876 anhielten. Daher wurde der Adel auch von einer scheinbar endlosen Hochkonjunktur mit all ihren vorteilhaften sozialökonomischen und sozialpsychischen Auswirkungen getragen.

Sah die größte Adelsformation auf dem Höhepunkt des preußischen Verfassungskonflikts der endgültigen Niederlage entgegen, befestigte die überraschende Konstellation der folgenden fünfzehn Jahre den gesamten deutschen Adel noch einmal so effektiv, daß er von diesem Erfolgspolster im Grunde bis 1918 zehren konnte. Wenn ein so sachkundiger Sozialwissenschaftler wie Werner Sombart mit der für ihn typischen Überpointierung 1912 behauptete, daß die deutsche «Adelsklasse» an «politischer Macht und gesellschaftlicher Geltung» überhaupt noch «keine Einbuße erlitten» habe, und wenn eine kritische Publizistin wie die Gräfin Dönhoff ein Dreivierteljahrhundert später über ihre ostpreußische Kindheit urteilte, daß Deutschland «im Grunde ... bis zum Ende des Ersten Weltkriegs eine halbfeudale Gesellschaft» als Ausläufer des Ancien Régime blieb – dann beruhten solche Eindrücke auf Erfahrungen mit der Verlängerung der historischen Lebensspanne, die dem Adel während der Reichsgründungsepoche in den Schoß gefallen ist.

Zu dem politischen «Sonderweg», den das großpreußische Reich seither einschlug, gehörte eben auch der Tatbestand, daß der Adel in der Phase seines Niedergangs noch einmal ganz unerwartet aufgewertet, sein Sonderstatus noch einmal bekräftigt, sein politischer Einfluß wider alle liberalen und parlamentarischen Strömungen noch einmal zementiert wurde. Es ist nicht seine soziale und ökonomische Begünstigung, die hier an erster Stelle zählt. Vielmehr ist es seine strategische Position im politischen Herrschaftssystem des Reiches bis zu dessen Zusammenbruch.

Angesichts seiner politischen Revitalisierung konnte der Adel jenen Doppelkurs weiterverfolgen, den er schon in den vergangenen Jahrzehnten eingeschlagen hatte. Sein Kollektivverhalten als Gesellschaftsformation wurde durch soziale Schließung, zugleich aber durch Anpassung bestimmt.

Um den ersten Pol ordneten sich all jene Reaktionen, die erfahrungsgemäß zur entschlossenen Verteidigung von Adelsprivilegien dienten. Eine unübertrefflich feine Filterwirkung besaß die Heirats- und Familienpolitik, die Homogenität gewährleistete. Mit seinem sozialen und kulturellen Kapital verstand der Adel vortrefflich zu wuchern. Die Kontrolle des Zugangs zu Herrschaftspositionen in der Bürokratie, Armee und Diplomatie diente der Monopolisierung von Einflußchancen; dazu eignete sich auch besonders die Entscheidung über die Hoffähigkeit, die in Berlin nach sechsundfünfzig Klassen differenziert wurde. Adlige Herrenrechte wurden solange wie möglich an den Grundbesitz gebunden. Die Zugehörigkeit zur Ersten Kammer des Parlaments beruhte für zahlreiche Edelleute auf ihrem Status als geborene oder bevorzugt ernannte Mitglieder. Um die Rekrutierung des Nachwuchses für wichtige Positionen zu beherrschen, wurden die Entscheidungsrechte von Kadettenanstalten und Offizierkorps, die Selektionsmechanismen von studentischen Korporationen und administrativen Konduitenlisten unnachgiebig verteidigt. Durch die Verpflichtung auf einen spätfeudalen Ehrenkodex, den es im Konfliktfall durch das Duell zu beachten galt, wurde die Exklusivität unterstrichen. Dem diente außerdem die Verpflichtung auf einen «standesgemäßen» Demonstrationskonsum. Auch für den staatlich alimentierten Adligen blieb dieses «Standesgemäße» das «Übergehaltsmäßige». Die einzelnen Maßnahmen dieser Schließungsstrategie griffen wie ein kompliziertes Räderwerk ineinander, um den Adel möglichst dicht abzuschotten.

Andrerseits erwies sich auch die Anpassung als unumgänglich. Fest auf die Erhaltung adliger Vorrechte bedacht, wurde sie geschmeidig praktiziert. Das Konnubium mit Bürgerlichen führte den Familien finanzielle Ressourcen zu, oder es stabilisierte die Stellung in der Amtshierarchie. Da die «kastenartige Abneigung» gegen tägliche Erwerbsarbeit «ganz langsam» dahinschwand, konnte eine Wirtschaftsgesinnung vordringen, die zu einer robusten Bejahung des Agrarkapitalismus, im Sonderfall der oberschlesischen Magnaten auch des industriellen Unternehmertums im großen Stil führte. Der Katalog standeskonformer Berufe dehnte sich allmählich aus. Das Leistungsprinzip mußten Adlige im Staatsdienst – in den dreißig Jahren vor 1912 verdoppelte sich der Anteil der promovierten Adligen in den Berliner Ministerien auf 20.7 Prozent – oder als großagrarische Betriebsleiter nolens volens akzeptieren. Als der politische Massenmarkt einen neuen Stil erzwang, wurde die

Umstellung auf moderne Parteien und Verbände endgültig vollzogen, obwohl es überwiegend nur zu einer «Pseudodemokratisierung» des politischen Verhaltens reichte. Häufig gelang es dem Adel, sich aus einem traditionellen Herrschaftsstand in eine regionale oder sogar gesamtstaatliche Funktionselite zu verwandeln, deren Einfluß es noch mit jedem Konkurrenten aufnehmen konnte. Dagegen hielt sich, im Gegensatz etwa zum russischen Adel, die deutsche Aristokratie von den «Künsten und Wissenschaften» kontinuierlich fern, so daß rühmliche Ausnahmen – wie etwa Franz v. Holtzendorff, Hermann v. Keyserlingk, Paul York v. Wartenburg, Georg v. Below, Theodor v. d. Goltz, Ulrich v. Wilamowitz-Moellendorf – um so mehr auffielen.

Indem er die soziale Schließung mit der sozialen Anpassung sowohl machtbewußt als auch lebensklug kombinierte, gelang es dem Adel, sich in seiner Exklusivstellung weiter zu halten, als Vorbild zu fungieren und vor allem seine Dominanz auf dem «Korridor der Macht» zu behaupten.

Das bisher der Analyse zugrundeliegende Viererschema (Dynastien, Hochadel/Standesherren, Niederadel, Neunobilitierte) kann weiterhin beibehalten werden, wenn man den Überblick über den Adel im Kaiserreich etwas vertiefen will.

1. Dem «ewigen Bund» von 1871 gehörten zweiundzwanzig souveräne Fürsten an, deren Familien den politischen Konzentrationsprozeß seit 1803 überlebt hatten. Im Gehäuse der Bismarckschen Verfassung, die auf die Monarchen mit Bedacht viel Rücksicht nahm, verstand es der regierende Adel, seine Exklusivität weiterhin zu verteidigen. Keinem Fürstenhaus gelang es jedoch mehr, die abgehobene Sonderposition der Hohenzollern zu schmälern. Als «Reichsmonarchen» erlebten sie vielmehr voller Genugtuung die stetig zunehmende soziale Distanz, die sich zwischen ihnen und ihren früheren «Standesgenossen» auftat. Gleichzeitig stieg der Berliner Hof zu dem eigentlichen monarchischen Machtzentrum Deutschlands auf. Neben dieser Schaltstelle für Protektion, Personalinformation und Kommunikationsbeeinflussung verblaßte das Leben der mittel- und kleinstaatlichen Hofgesellschaften in den Residenzen, wieviel Ehrgeiz und Duodezpracht sich auch immer noch mit ihnen verbinden mochte.

2. Unnahbar wie zuvor bewegte sich der Hochadel in seinen Kreisen. In der Heiratspolitik blieb er so elitär, wie es sein feudaler Verhaltenskodex seit jeher verlangte. Und nicht selten genoß er auch eine finanzielle Ausnahmestellung, die ihm seinen extrem aufwendigen Lebensstil erlaubte. Die Liste der sechzig reichsten preußischen Adligen vor 1914 zum Beispiel wurde von drei oberschlesischen Hocharistokraten angeführt: Der Fürst Henckel v. Donnersmarck besaß ein Vermögen von hundertzweiundsiebzig, dazu ein jährliches Einkommen von zwölf Millionen Mark; der Herzog von Ujest aus der Familie v. Hohenlohe-Oehringen kam auf hunderteinundfünfzig bzw. sieben Millionen Mark; der Fürst von Pless auf vierundachtzig bzw. zwei

Millionen Mark. Von den vierzig Adligen, die mehr als zwanzig Millionen Mark Vermögen nachweisen konnten, stammte mehr als ein Viertel (12) aus dem Hochadel. In der Kategorie derjenigen mit zehn bis zwanzig Millionen Mark waren es von sechsundachtzig Adligen sogar noch einmal dreiunddreißig. Zum Vergleich: In Bayern gehörten nur die hochadligen Familien v. Öttingen-Wallerstein und v. Töring zu den elf Adligen mit mehr als zwanzig Millionen Mark Vermögen.

Im adelsreichsten Bundesstaat, in Preußen, ballte sich die Hocharistokratie allein in Schlesien zusammen, spielte aber sonst keine auffällige Rolle. Auch der reiche Uradel gehörte gemeinhin zum junkerlichen Landadel, einer «provinziellen Gentry par excellence», die geradezu durch die Entfernung eines Lichtjahres von der Lebenswelt des international orientierten Hochadels getrennt blieb.

Reichtum sammelte sich vor allem bei standesherrlichen Familien an, kaum in Preußen, aber im Süden und Südwesten. Mit großem Abstand die vermögendsten Standesherren blieben unverändert die bayerischen v. Thurn und Taxis, die um 1900 allein 1.24 Millionen Hektar Landbesitz in Bayern und Württemberg, Preußen und Böhmen ihr Eigen nannten, von ihrem Einkommen aus dem landwirtschaftlichen Nebengewerbe, den Industrieinvestitionen und dem Staatspapierfolio ganz abgesehen. Sie zählten zu den wenigen kontinentaleuropäischen Adelsfamilien, deren Reichtum mit dem der englischen Hocharistokratie uneingeschränkt verglichen werden kann.

Westlich von ihnen, in Württemberg, haben sich bis 1914 nur achtzehn anerkannte standesherrliche Familien gehalten, die es selbst in dem adelsarmen Land nie zu einer Herrschaftselite brachten. In Baden und Bayern konnten einige Standesherren auf großem Fuß leben. Im Vergleich mit den oberschlesischen Magnaten oder dem Spitzenclan der Thurn und Taxis verblaßte jedoch auch ihr Lebenszuschnitt. Freilich zeichneten sich Standesherren öfters durch eine flexible Mentalität aus. Nicht nur in der Diplomatie und Verwaltung, sondern auch in der einzelstaatlichen Politik spielten sie einen aktiven Part, der in dieser Form den meisten anderen Hochadligen fremd blieb. Und die spärlich vorhandenen deutschen «Whigs» adliger Herkunft stammten überwiegend aus standesherrlichen Familien.

3. So eindrucksvoll sich auch die wenigen hundert monarchischen, hocharistokratischen und standesherrlichen Familien an der Spitze der Adelspyramide ausnehmen mochten, gehörte doch die erdrückende Mehrheit der Edelleute, einschließlich der Neunobilitierten, dem Niederadel an. Durch ihn aber lief weiterhin die historische Strukturgrenze zwischen West- und Ostelbien, der auch eine Spaltung des aristokratischen Konservativismus entsprach.

Im Bereich der west- und süddeutschen Grundherrschaft ging nur eine Minderheit des Adels zur Eigenwirtschaft auf dem Landbesitz in der neuen Rolle des großagrarischen Unternehmers über. Die Mehrheit setzte ihre überkommene, auf bäuerlicher Rentenzahlung beruhende arbeitsfreie Existenz unter modernen Bedingungen fort, indem sie ihr Grundeigentum verpachtete, den Gewinn aus der «Bauernbefreiung» lukrativ anlegte und ihr Einkommen durch den traditionellen Staatsdienst in Verwaltung, Heer und Diplomatie aufbesserte. Da die Säkularisierung und Mediatisierung seit 1803 die landständische Verfassung zerschlagen, die hundertzwölf Geistlichen Herrschaften aufgelöst und einen tief einschneidenden Verlust an Souveränität und Ämtern, Einkommen und Besitz, Prestige und Stabilität der Lebensform herbeigeführt hatten, stand der überwiegend katholische west- und süddeutsche Adel unter einem ungleich härteren Anpassungszwang als das ostelbische Junkertum. Weil der westliche Adel insbesondere die oberen Herrschaftspositionen nicht so erfolgreich verteidigen konnte wie der ostdeutsche, tat sich einerseits eine größere Distanz gegenüber dem Staat auf, während er andrerseits seine Mutation in regionale Funktionseliten dadurch abstützte, daß er eine breitere politische Basis ausbaute und zugleich an seiner Konfession Halt suchte. Um gegen die befürchteten neuen Einbußen seines Einflusses gewappnet zu sein, mußte er sich unter erheblichem Druck umstellen.

Das strategische Ziel vor Augen: ein möglichst hohes Maß an Macht und Rang trotz aller Erschütterungen weiter zu behaupten, gelang ihm diese Umwandlung durch die Fusion von zentralen Leitideen und dann die Verwirklichung dieser politischen Konzeption. Indem sich der Adel weiter als «geborener Führer» präsentierte, dazu sich mühelos zum Träger der scharfen Kritik an der Bürokratie – sei es an der preußischen Verwaltung im Rheinland und Westfalen oder sei es an der süddeutschen Reformbeamtenschaft – machte, schaffte er es mit großer Energie, einige Jahrzehnte lang leitende Positionen im Zentrum als der Partei des politischen Katholizismus und in den katholischen Bauernvereinen zu besetzen. Nachdem er sich außerdem eine neue innerliche Religiosität, die auch seine Erziehung und sein Familienleben prägte, zu eigen gemacht hatte, praktizierte er erfolgreich einen hegemonialen religiösen und politischen Stil, in dessen Mittelpunkt der Adel als «natürlicher» Verfechter der Kirchenfreiheit, aber auch als energischer Vertreter der regionalen Interessen stand. Sowohl das katholische Sozialmilieu als auch die katholische Soziallehre hielten den Adel dazu an, die Eigenarten und Interessen anderer ländlicher und städtischer Klassen zu berücksichtigen. Auch das ging nur im Wechsel von Kompromiß und Krise, gefährdete aber auf lange Sicht die politische Demokratisierung ungleich weniger als das politische Verhalten des ostelbischen Adels.[22]

Von der größten deutschen Adelsformation, dem preußischen Junkertum, hat man lange angenommen, daß sie ein halbes Prozent der Bevölkerung im langen 19. Jahrhundert ausmachte. Neue Berechnungen auf der Grundlage der Zählkarten für eine bisher noch nicht ausgewertete amtliche Erhebung ergeben für das Stichjahr 1880 aber nur 0.3 Prozent (der preußischen Bevölkerung von 27.28 Mill.), etwa 85000 Köpfe und rund 20000 Familien. Zahlreicher ist der ominöse ostelbische Adel offenbar nicht gewesen, und in diesem Umfang hat er sich bis zum Ende der Monarchie gehalten, da das übliche Aussterben einiger Geschlechter durch die strikt eingeschränkte Nobilitierungspolitik wettgemacht wurde. Im Unterschied zu Süd- und Westdeutschland blieb der ostdeutsche Adel jedoch eine herrschende Klasse, die ihre Herrschaftspositionen mit Zähnen und Klauen verteidigte.

Da er aufgrund seiner historischen Genese in erster Linie Landadel gewesen war, behielt der große Grundbesitz seine Bedeutung als zentrales Fundament seiner Macht und seines Prestiges, nicht zuletzt im eigenen Selbstverständnis. Landbesitz reichte jedoch als Klassenbasis seit dem ausgehenden 18. Jahrhundert, als bürgerliche Großagrarier in die Welt der Rittergüter unaufhaltsam einbrachen, längst nicht mehr aus. Deshalb wurden die Machtbollwerke in der Staatsregierung und Verwaltung, im Heer und in der Diplomatie so überaus hartnäckig gegen die hier ebenfalls schwer aufzuhaltenden Bürgerlichen verteidigt.

Bereits nach der Jahrhundertmitte hatten sich von 12339 preußischen Rittergütern 7023 (58%) in der Hand von Adligen, 5316 aber schon in der von Bürgerlichen befunden. Überdies klafften der Grundbesitz im Eigentum von Adligen und Bürgerlichen, Korporationen, Städten und Landesherren (in unmittelbarer Nachbarschaft besaß zum Beispiel auch der Großherzog von Mecklenburg-Schwerin allein 301 landwirtschaftliche Großbetriebe) und der Rittergutsbesitz mit seinen spezifischen Verfügungsrechten auseinander. Vor der Annexionswelle von 1866 wurden in Preußen 18197 Großgrundbesitzungen im Sinne der amtlichen Statistik (also mit mehr als 600 Morgen = 133 ha) gezählt. An 12150 von ihnen haftete die Rechtsqualität von Rittergütern. Da mehr als sechstausend Großbetrieben dieser Sonderstatus abging, waren damals schon Großagrariertum und Rittergutsadel nicht mehr schlichtweg identisch.

Vergegenwärtigt man sich die Betriebsgrößenstatistik, besaßen 0.6 Prozent der ländlichen Eigentümer in Preußen die Großbetriebe mit mehr als 100 Hektar, deren Gesamtzahl 1882 = 20439, 1895 = 20390 und 1907 = 19117 – von rund 23570 im gesamten Reich – betrug. Auf sie entfielen einundvierzig Prozent der landwirtschaftlichen Nutzfläche in Ostelbien, wie dort überhaupt die agrarischen Unternehmen zwischen zweihundert und tausend Hektar die Struktur der Bodenverteilung prägten. Seit dem Beginn der achtziger Jahre stellten Bürgerliche etwa zwei Drittel dieser Eigentümer. 1885 zum Beispiel waren bereits die 10987 Besitzer der 15635 privat bewirtschafteten Großbetriebe nur mehr zu dreiunddreißig Prozent adlig. An dieser Grundrelation hat sich in Ostelbien, wenn man die Abweichungen in einigen Provinzen einmal ignoriert, vor 1914 nichts Wesentliches mehr geändert.

Dennoch gelang es dem Adel, die «Spitzenstellung der Grundbesitzhierarchie» weiter so energisch zu behaupten, daß die adelsbegünstigende «Klassenstruktur der Bodenbesitzverteilung» erhalten blieb. Insgesamt gab es nämlich in den achtziger Jahren 6454 agrarische Großbetriebe mit mehr als 1000 Hektar, auf die ein Drittel der Gesamtfläche aller sieben östlichen preußischen Provinzen entfiel. Von ihnen gehörten gut zwei Drittel: 4393 (68 %) und damit achtundzwanzig Prozent der ostelbischen Betriebsfläche nicht mehr als 1882 Adligen, die als größte Eigentümer in den Genuß der hohen Besitzkonzentration kamen. Im Vergleich mit England war das allerdings noch ein eher begrenzter Konzentrationsprozeß, denn dort ergab 1873 die erste vollständige Bodenbesitzregistrierung, daß siebentausend von einer Million Eigentümern achtzig Prozent der gesamten Staatsfläche besaßen. Bei den 2602 preußischen Latifundien mit mehr als fünftausend Hektar – ihnen gehörten immerhin elf Prozent der ostelbischen Gesamtfläche! – fiel die Adelsdominanz noch drastischer aus, da von 159 Eigentümern 149 Adlige waren. Dadurch wurde das aristokratische «Oligopol der Bodenverteilung» noch einmal besiegelt.

Unstreitig muß man die riesigen Unterschiede zwischen den Adelsbesitzungen hervorheben. Die schlesischen Magnaten mit ihren Aberzehntausenden von Hektar an Latifundienfläche – wie etwa Henckel von Donnersmarck mit mehr als dreißigtausend Hektar – lassen sich durchaus mit den großen Herren des englischen, böhmischen und russischen Adels vergleichen. In Ostpreußen besaßen die v. Dohnas vierzigtausend, die v. Finckensteins einundzwanzigtausend Hektar. Auch die v. Arnims in Brandenburg besaßen fünfzehntausend Hektar – der gesamte Arnim-Clan siebenundsiebzigtausend Hektar –, die v. Zobeltitz in ihrer Nachbarschaft dagegen mit achtundachtzig Hektar ein Grundstück von mittelbäuerlichem Umfang, wie überhaupt viele Junker über die Größe eines bäuerlichen Eigentums nicht hinausgelangten, ja hinter manchem ostpreußischen Kölmer- oder westfälischen Meierhof zurückstanden. Gleichfalls muß man gegen die Legende von der konstanten Mehrheit adliger Großgrundbesitzer betonen, daß der Adelsbesitz rein numerisch zurückging. Das war selbst im großagrarischen Pommern der Fall, wo die Zahl der adligen Gutsbesitzer von 1879 = 710 auf 1910 = 607 mit 771 bzw. 824 eigenen Großbetrieben sank (Bürgerliche: 920 und 880 mit 943 bzw. 950 Gütern, aber ein Abfall von 54.7 auf 43.6 % der großbetrieblichen Gesamtfläche). Auch in Mecklenburg-Schwerin ging die Zahl der adligen Großagrarier von 1888 = 349 auf 1913 = 272 mit 463 bzw. 485 eigenen Großbetrieben und zuletzt 191 135 Hektar Land zurück (Bürgerliche: 319 und 327 mit 325 bzw. 378 Gütern auf 329 319 ha Land). Das änderte aber wenig an der sozialen und politischen Vorrangstellung des Adels in der ostelbischen Gesellschaft. Er bildete weiterhin das «Rückgrat» der «aristokratisch-autoritären» Machtelite auf dem Lande, die sich gegen den Abbau ihrer «Klassenprivilegien» vehement wehrte. Außerdem erwies sich «die Assimilationskraft der herrschenden gutsherrschaftlichen Grundbesitzer» (M. Weber) doch als weitaus stärker als ihre Absorption in die von bürgerlichen Rentabilitätsprinzipien bestimmte großagrarische Unternehmerklasse.

Dieser Behauptungswille läßt sich an einigen Etappen der preußischen Politik gegenüber den Großagrariern verfolgen. Während der «Neuen Ära» wurde, noch vor der Zuspitzung des Verfassungskonflikts, der Skandal der Grundsteuerfreiheit der Rittergüter beseitigt. Der fulminante Protest der hellauf empörten Interessenten hat zunächst wenig genützt, da die Aufhebung des anachronistischen Privilegs längst überfällig war. Durch ein ingeniöses Verfahren wurde die perhorreszierte Belastung jedoch entschärft. Die Einschätzung der Steuerlast oblag dem Landrat, dem durchweg adligen Vertrauensmann der kreiseingesessenen Junker. Dadurch wurde das Einfallstor für eine teils grobe, teils subtile Korruption geöffnet, deren Ausmaß erst unlängst entdeckt worden ist. Im Effekt führte sie jedenfalls zu einer Minimierung der Grundsteuer. Genau eine Generation später machte die Miquelsche Reform der preußischen Klassensteuer, die 1891 in eine leicht progressive Einkommenssteuer umgewandelt wurde, diese ritterliche Steuerpflicht praktisch wieder zunichte. Denn der Finanzminister mußte ein Kompromißpaket schnüren, in dem er aus Rücksicht auf die Konservativen darauf verzichtete, die Grund- und Gebäudesteuer in den Gutsbezirken einzuziehen. Das verminderte die gesamte Steuerlast der Rittergutsbesitzer in einem erheblichen Maße – auf Kosten des beweglichen Vermögens.

1872 gelang es einer nationalliberal-freikonservativen Reformkoalition, eine neue Kreisordnung für das ländliche Preußen einzuführen. Dort hatte bisher im Grunde das alte ständestaatliche Recht, mit Ausnahme der 1848 aufgehobenen Patrimonialgerichtsbarkeit, weitergegolten. Die Reform bewegte sich auf drei Handlungsfeldern. Im Dorf mußten der Gemeindevorsteher und zwei Schöffen vom Landrat bestätigt werden. Das sicherte zwar den adlig-konservativen Einfluß, aber daß der Landrat den Rittergutsbesitzer, der automatisch das Vorsteheramt in seinem Gutsbezirk übernahm, nun auch bestätigen mußte, empörte die Junker, die ohnehin dem Verlust ihrer patrimonialen Polizeigewalt nachtrauerten. Für die neugeschaffenen Amtsbezirke empfahl der Kreisrat einen Bezirksvorsteher, der vom Oberpräsidenten bestätigt werden mußte. Auch hier avancierte durchweg ein Ritter, aber der Vorbehalt zugunsten der Verwaltung löste ebenfalls bittere Kritik aus. Und in den Kreisen wurde das Dreiklassenwahlrecht für die Wahl zum Kreistag eingeführt, wodurch die adligen Grundbesitzer, welche die persönliche Kreisstandschaft verloren, in der Ersten Klasse geschwächt wurden. Außerdem mußten für das Amt des Landrats drei Vorschläge unterbreitet werden. Durch dieses Verfahren wurde die autonome Entscheidung der kreiseingesessenen Junker eingeschränkt, obwohl ihr bevorzugter Kandidat regelmäßig ernannt wurde.

Im Abgeordnetenhaus konnte für diese behutsame Veränderung der Kreisverfassung eine erdrückende Mehrheit von 256 zu 61 Stimmen gewonnen werden. Das Herrenhaus als Bastion des intransigenten adligen Hochkonservativismus lehnte sie jedoch noch entschiedener mit 145 zu 18 ab, da es aus Prinzip kein Jota der überkommenen ständestaatlichen Ordnung der seit 1867 anschwellenden Reformgesetzgebung opfern wollte. Erst als Bismarck mit dem Monarchen die politischen Daumenschrauben anzog, den offenen Bruch mit den Konservativen in Kauf nahm und durch das Notmittel eines äußerst umstrittenen Pairsschubs vierundzwanzig neue Mitglieder ins Herrenhaus schleuste, wurde dort das Gesetz mit einer Mehrheit von fünfundzwanzig Stimmen angenommen. Die Quittung wurde den Konservativen in den Landtagswahlen von 1873 präsentiert, als ihre Abgeordnetenzahl von 116 auf 32 zurückging. Der Konflikt führte zum Zerfall der Konservativen Partei, die erst seit 1876 als «Deutschkonservative Partei» reorganisiert werden konnte.

Faktisch hat sich aber auch seit 1872 an der lokalen Herrschaftsstellung des Adels wenig geändert. Sie blieb gleichfalls nach der Herrfurthschen Landgemeindeordnung von 1891 erhalten. Von rund sechzehntausend Gutsbezirken wurden nur 167, in der Regel Zwergbesitzungen, eingemeindet, zugleich einundzwanzig neu gegründet, während alle anderen als selbständige Gemeindeeinheiten bestehen blieben – bis sage und schreibe 1928!

Die Verteidigung adligen Bodenbesitzes und Obrigkeitsrechts, aber auch adliger Lebenstradition und Sozialehre kulminierte im Kampf um die Expansion des Fideikommisses – einer Rechtsform für den adligen Großgrundbesitz, die ihn dem freien Marktverkehr entzog und die Unveräußerlichkeit samt dem Vererbungszwang in einer Adelsfamilie mit Gesetzeskraft sicherstellte. 1870 gab es erst siebenhundert preußische Fideikommißgüter. Bis 1914 hat sich aber ihre Zahl dank der zielstrebigen Kooperation von Adel und Krone auf 1311 fast verdoppelt. Sie gehörten 1160 Besitzern, so daß mehrfach zwei- und dreifaches Fideikommißeigentum vorkam. Diese Großgüter besaßen immerhin eine Gesamtfläche von 2.5 Millionen Hektar, das waren 7.3 Prozent des Staatsgebietes. Eine kleine Gruppe von Hochadligen und Grafen verfügte allein über dreißig Prozent der Fideikommißfläche.

Selbst im Weltkrieg wurde noch auf Drängen der Konservativen die sogenannte Fideikommiß-«Reform» fortgesetzt, bis 1369 privilegierte Güter eingerichtet worden waren. Schließlich erzwang die öffentliche Kritik im Frühjahr 1917 die Zurückstellung eines neuen, vom Landtag aber bereits befürworteten Gesetzesentwurfs. Erst jetzt stieß der blindwütige Adelsegoismus auf eine Barriere, die er vor Toresschluß nicht mehr überwinden konnte. Bis dahin hatte er alles darangesetzt, um durch die «schrankenlose Expansion» des privilegierten Fideikommißbesitzes möglichst viel Adelsboden der agrarkapitalistischen Verkehrswirtschaft zu entziehen, damit die rechtlich unerschütterliche materielle und symbolische Basis traditioneller aristokratischer Herrschaft erweitert wurde.

Das war um so mehr geboten, als gerade der adlige Landbesitz einer rasanten Verschuldung und daher der häufigen Versteigerung ausgesetzt blieb. Die hohe Fluktuation dieses Bodeneigentums in früheren Jahrzehnten ist vorn bereits geschildert worden; sie hielt auch im Kaiserreich an, so daß der Großgrundbesitzwechsel zwischen 1835 und 1914 «verhältnismäßig gleichbleibend» hoch ausfiel. Jährlich wurden im preußischen Nordostdeutschland zwölf Prozent der Grundstücke von neuen Besitzern übernommen. Die durchschnittliche Besitzdauer betrug dort nur rund zehn Jahre – im Rheinland und in Westfalen immerhin zwanzig bis dreißig Jahre. Jede Besitzergeneration verkaufte mithin mindestens einmal an Fremde.

Gewöhnlich war der agrarische Grundbesitz «hoch verschuldet». Die Statistik hält nüchtern fest, daß die hypothekarische Verschuldung von 1886 bis 1914 «gleichmäßig» anstieg. Bei zwei Dritteln aller ostelbischen Großbetriebe übertraf die Schuld – ungeachtet aller Steuerhinterziehung, also des kontinuierlichen Steuerbetrugs – durchweg mehr als die Hälfte des gesamten Vermögens. Schuldenfreie Güter besaßen darum einen notorischen «Seltenheitswert».

Verschuldung und Spekulation mit dem «Güterschacher» hingen erneut mit der «stürmischen Aufwärtsentwicklung» der Güterpreise nach dem temporären Abklingen der Agrarkrise zusammen. Während des ersten Dutzends Jahre nach dem Einschnitt von 1876 war die durchschnittliche jährliche Preissteigerung der Landgüter von den sechs Prozent der nachrevolutionären Jahrzehnte auf 1.7 Prozent, im zweiten Dutzend Jahre bis 1900 sogar auf ein Prozent abgefallen. Dann setzte jedoch eine Erhöhung ein, die nicht nur bis 1907 wieder auf das Niveau der Zeit vor 1876, sondern in dem Jahrzehnt bis 1914 sogar noch einmal zu einer Verdoppelung der Hektarpreise des Großgrundbesitzes, in manchen Fällen zu einer Steigerung um zweihundertfünfzig Prozent führte. Diese überhitzte Bodenkonjunktur, der keine angemessene Leistungssteigerung gegenüberstand, war auf Sand gebaut. Durch die Kriegsverhältnisse wurde der marode Zustand getarnt, in der Weimarer Republik trat er endlich mit aller Schärfe zutage.

Zieht man eine Zwischenbilanz, ist es dem ostelbischen Adel bis zum Ersten Weltkrieg in einem bemerkenswerten Maße gelungen, in einer Zeit beschleunigter agrarkapitalistischer Entwicklung und bürgerlichen Vordringens auch in die Großlandwirtschaft einen vergleichsweise erstaunlich hohen Anteil des Grundbesitzes zu verteidigen. Außerdem konnte er in seiner lokalen Domäne seine Herrschaft weiterhin mit wenig geschmälerter Intensität ausüben. Ganz überwiegend blieb die paternalistische Machthierarchie zu seinen Gunsten erhalten. Sie bestimmte im Werktag das Verhältnis zu den Gutsarbeitern. Sie bestimmte aber auch die Feiertage. Da der Adel zum Beispiel das Kirchenpatronat behielt, konnte er es für seine Herrschaftssymbolik ausnutzen. Der Pfarrer predigte für den Herrn vor Ort, für Thron und Altar, für den Adel als Vermittler zwischen Land und Krone. Er betete für den Gutsherrn, der einen eigenen Platz im Kirchengestühl besaß, und selbstverständlich stand ihm auch ein eigens abgegrenzter Begräbnisplatz zu.

Die wenigen tausend Landadligen, die ihre Güter in Eigenwirtschaft selber betrieben, verwandelten sich unterdessen auch in «ländliche Arbeitgeber», die kapitalistische Rentabilitätskriterien zu beherzigen versuchten. Insofern entsprachen sie im Vergleich allmählich einem Unternehmertyp von «durchaus bürgerlicher Art, der je nach der Größe seines Gutes und Einkommens geschätzt» wurde. Kraft einer vielhundertjährigen Tradition blieben sie jedoch «zu feudaler Lebensführung verpflichtet und gewohnt, aristokratische Ansprüche zu stellen», deren höchster nicht der Aufwandkonsum, sondern die Fortführung adliger Herrschaftspraxis blieb.

Die «Umwandlung der Bodenaristokratie in eine moderne Unternehmerklasse von landwirtschaftlichen Geschäftsleuten» kennzeichnete mithin eine Seite des Januskopfes dieser vielfach privilegierten Besitz- und Erwerbsklasse. Daher liefen auch die ökonomischen Interessen von adligen und bürgerlichen Großagrariern durchaus parallel. Das führte relativ frühzeitig zu einer weitreichenden «Verschmelzung in einer solidarischen agrarkapitalistischen Produzentenschicht». Die «Verbürgerlichung» der «wirtschaftlichen Klassenaktivität» des Landadels wurde jedoch mehr als «kompensiert durch die gesellschaftliche Rezeption» der bürgerlichen Gutsbesitzer von seiten des Adels sowie durch «die allmähliche Aristokratisierung der sozialen Standesgesinnung und der politischen Haltung». Diese lebenskluge Akzeptierung befriedigte «den Geltungsdrang, das Prestigebedürfnis und die Eitelkeit» der bürgerlichen Agrarunternehmer, erst recht der «Karrieremacher» unter ihnen. Aus bürgerlich-liberalen Grundbesitzern wurden nahezu regelmäßig «stockkonservative» adelsfreundliche Agrarier, wie sich das etwa an der Familiengeschichte der Nathusius, Thaer, Scharnweber, Wilcken, Hansemann, Miquel, Kapp und vieler anderer verfolgen läßt. Wenn es auch nicht zu der pauschalen «Feudalisierung» der wirtschaftsbürgerlichen Oberklassen gekommen ist, siegte der Adel doch bei der Kraftprobe auf dem Lande mit der Aristokratisierung der allermeisten bürgerlichen Gutseigentümer.[23]

Weiter die «Herren des Landes» im Hegemonialstaat des Kaiserreichs zu bleiben – das genügte jedoch längst nicht mehr, um den adligen Vorrang in anderen politischen Machtzentren zu behaupten. An Erfolgen fehlte es auch dabei nicht. Sowohl die Reichsregierung als auch die preußische Staatsregierung sowie die meisten Landesregierungen wurden von adligen Reichskanzlern und Ministerpräsidenten geleitet. Unter den Ministern besaß der Adel die absolute Mehrheit, auch wenn es sich öfters um Neuadlige handelte, die aufgrund ihrer «Verdienste» nobilitiert worden waren.

In der Bürokratie – und zwar sowohl in der Verwaltung Preußens als auch des Reiches – wurde die Position des Adels seit den 1880er Jahren erneut gestärkt. Darin drückte sich eine allgemeine Abwehrreaktion des konservativen Establishments auf die liberale Ära aus, im besonderen aber auf die Erfahrungen, die es mit dem Vormärz, während der Revolution von 1848/49, im Verfassungskonflikt und soeben in der zweiten Reformepoche von 1867 bis 1877 mit zahlreichen gesinnungsfesten liberalen Beamten gemacht hatte. In Preußen symbolisierte die Personalpolitik von Innenminister Robert v. Puttkamer den konservativen Schwenk, der ohne die Billigung Bismarcks nicht möglich gewesen wäre. Ihre Ergebnisse traten in der Zusammensetzung der Spitzenbeamtenschaft, des oberen Offizierkorps, des Diplomatischen Dienstes zutage. Die strategisch wichtigen hohen Posten wurden solange wie nur irgend möglich mit Adligen besetzt. Adlige Herkunft spielte häufig schon eine entscheidende Rolle bei der Vorauslese für den beruflichen Einstieg, später erst recht bei der Beförderungspräferenz. Bürgerliche Spitzenbeamte und Offiziere wurden bevorzugt nobilitiert, um ihr monarchistisches Loyalitätsgefühl, ihre politische Mentalität, ihren konservativen Normen- und Verhaltenskodex zu beeinflussen.

Auf den oberen Rängen ergab die gelungene Fusion zu einer «adligbürgerlichen Amtsaristokratie» (O. Hintze) das erwünschte Resultat. Damit hing zusammen, daß 1914, aufs Ganze gesehen, die höhere Bürokratie konservativer dastand als 1871, als der liberale Einfluß auf die Verwaltung ungleich stärker war. Der Liberalismus «kommt gegen die Junker nicht auf», notierte sich 1898 Reichskanzler Hohenlohe-Schillingsfürst, umgeben von lauter «preußischen Exzellenzen». «Sie sind zu zahlreich, zu mächtig und haben das Königtum und Armee auf ihrer Seite.» «Wie ist es möglich, bei uns liberal zu regieren?» stimmte der gewisse liberale Neigungen hegende Staatssekretär Clemens v. Delbrück in einem vertraulichen Gespräch zu. «Seit fünfundzwanzig Jahren ist kein Landrat, kein Regierungspräsident ernannt, kein Amtsvorsteher bestellt, kaum ein Gemeindevorsteher bestätigt worden, der nicht konservativ bis in die Knochen gewesen wäre. Wir befinden uns in einem eisernen Netz konservativer Verwaltung und Selbstverwaltung.» Ganz ähnlich lamentierte der liberale Bankier Georg v. Siemens über den sinistren Einfluß der adligen Großagrarier: «Die Leute haben seit fünfundzwanzig Jahren alle» ausschlaggebenden «Beamtenstellungen besetzt und sich vermittelst der Bürokratie die Herrschaft in den Parlamenten gesichert.»

In solchen Urteilen mochte manche Enttäuschung und Einseitigkeit mitschwingen, in der Substanz aber war die Klage berechtigt. Das bestätigen bereits wenige Zahlen. In Preußen stellte der Adel vor 1914 zweiundneunzig Prozent der Oberpräsidenten, fünfzig Prozent ihrer Vizepräsidenten, fünfzig Prozent der Oberpräsidialräte, vierundsechzig Prozent der Regierungspräsidenten, achtundsechzig Prozent der Polizeipräsidenten und siebenundfünfzig Prozent der Landräte. Von den Regierungsreferendaren waren 1893 und 1903 noch vierzig Prozent adlig, 1913 aber gut fünfundfünfzig Prozent; von den Regierungsassessoren sogar 1918 noch fünfundfünfzig Prozent. In einer Abgeordnetenhausdebatte über diese soziale Herkunft des bürokratischen Nachwuchses drückte der Konservative v. Hammerstein 1903 den Konsens der herrschenden Adelsklasse mit brüsken Worten aus: Der Adel habe «seit jeher den preußischen Staat verwaltet, und sein hoher Anteil beweist nichts, als daß die Regierung gut damit fährt».

Die Anzahl der Alt- und Neuadligen blieb in etwa gleich hoch; ihr relativer Anteil sank jedoch wegen der Stellenvermehrung. Deshalb ist zum Beispiel auch die veränderte Komposition der rheinischen Staatsbehörde, in der zwischen 1875 und 1905 der Prozentsatz der bürgerlichen Beamten von einundfünfzig auf siebenundachtzig anstieg, nicht so verwunderlich. Erstens ging es dort wie überall um die Positionen mit Entscheidungsbefugnis, die meistens an Adlige vergeben wurden, und zweitens besaßen die Westprovinzen ohnehin eine von Berlin respektierte Sonderstellung.

Auch die soziale Rekrutierung unterstreicht die Homogenität, denn aus oft adligen Gutsbesitzer-, Offiziers- und Beamtenfamilien stammten alle Oberpräsidenten, neunundachtzig Prozent der Landräte, dreiundachtzig Prozent der Regierungspräsidenten, vierundsiebzig Prozent der Polizeipräsidenten und fünfundsiebzig Prozent der Oberpräsidialräte. Angesichts dieser Vernetzung kann man in der Tat von einer adlig-bürgerlichen Amtsaristokratie sprechen.

Im Diplomatischen Dienst bildete die adlige Herkunft eine «praktisch unerläßliche» Vorbedingung für die Zulassung auf die oberen Ränge. Erst unten, in der bürokratischen Alltagsarbeit des Auswärtigen Amtes, gewannen bürgerliche Räte eine knappe Mehrheit. Vor 1914 gehörten von den Botschaftern alle, zusammen mit den Gesandten immer noch vierundachtzig Prozent und von den Staatssekretären sogar hundert Prozent dem Adel an. Erst bei den Verwaltungsbeamten in der Wilhelmstraße: bei den Unterstaatssekretären (57%), den Direktoren (50%) und den Vortragenden Räten (48%) sank der Adelsanteil scharf ab, da hier juristische Sachkenntnisse anstelle von Konnexionen und stereotypierten Verhaltensformen als erforderlich galten. Insgesamt waren in den 1870er Jahren nicht mehr als siebenunddreißig Prozent der Beamten des Auswärtigen Amtes bürgerlicher Herkunft, 1914 auch noch nicht mehr als zweiundvierzig Prozent.

Gewiß, der Diplomatische Dienst blieb in der Bismarckzeit ein reines Instrument des Kanzlers, und nach 1890 gewann er nicht sonderlich viel Spielraum dazu. Gewiß, gewöhnlich gab es einige welterfahrene und politisch kluge Männer sowohl als Diplomaten im Außendienst als auch als Experten in der Zentrale. Häufiger aber überwogen aristokratische Vorurteile, Blickverengung oder Kurzsichtigkeit aus aristokratischer Weltfremdheit, aristokratische Arroganz in Verbindung mit fehlender Zivilcourage, die von der antrainierten Geschmeidigkeit in schwierigen Situationen erdrückt wurde. Und waren Männer, die durchweg in schlagenden Verbindungen auf den Duellersatz eingeschworen worden waren, prädestiniert für die Suche nach einem tragfähigen Kompromiß und rationalen Interessenausgleich? Für die soziale Homogenität des Diplomatischen Korps zahlte das Reich einen hohen politischen Preis.[24]

Im preußischen Offizierkorps, das seit dem «Soldatenkönig» und Friedrich dem Großen zu einer Domäne des Junkertums gemacht worden war, sticht zunächst einmal ins Auge, daß der Adelsanteil von 1860 = fünfundsechzig Prozent auf 1913 = dreißig Prozent um mehr als die Hälfte absank. Vergegenwärtigt man sich dann jedoch, daß sich in dieser Zeitspanne der Umfang des Offizierkorps von rund fünftausend auf rund zweiundzwanzigtausend aktive Offiziere mehr als vervierfachte, erkennt man, daß sich die absolute Adligenzahl von 3250 auf 6630 verdoppelte! Gegen die machtvolle Verbürgerlichung auch dieser Berufsklasse hat sich daher der Adel im Grunde vorzüglich behauptet.

Dieser Eindruck wird durch seine Prävalenz auf den oberen Rangstufen mit zunehmender Entscheidungskompetenz bestätigt. Die aufsteigende Linie setzte nach den untersten Offiziersrängen des Leutnants (29.8 %) und Oberleutnants (30.2 %) bereits mit den Hauptleuten (38.3 %) und Majoren (49.6 %) ein und kletterte nach der «Majorsecke» steil nach oben: bei den Obersten auf 68.1 Prozent, den Generalmajoren auf 70.7 Prozent, den Generalleutnants auf 86.2 Prozent und den Generälen auf 84.1 Prozent. Vom Obersten ab aufwärts gab es mithin eine unzweideutige Adelsdominanz. Allerdings verteilten sich die adligen Offiziere gemäß ihren traditionellen Vorurteilen ungleich dicht über die einzelnen Waffengattungen. Bei der Kavallerie waren noch achtzig Prozent aller Offiziere adlig, bei der Infanterie achtundvierzig Prozent, bei der Feldartillerie einundvierzig Prozent, bei den typisch bürgerlich-technischen Pionieren dagegen nur sechs Prozent. Diese Ungleichverteilung trat schon auf dem untersten Rang auf, denn bei den modernen technischen Verkehrstruppen waren nur sieben von hundertsieben Leutnants adlig, bei den Pionieren ganze acht von zweihundertsiebenundfünfzig und bei der Fußartillerie nur siebzehn von dreihundertdreiundvierzig.

Sechzehn Regimenter besaßen noch immer ein exklusiv adliges Offizierkorps, zweiundsechzig Prozent aller Regimenter immerhin achtundfünfzig Prozent Adlige. In allen Gardeeinheiten gab es 1908 vier leibhaftig bürgerliche Offiziere. Selbst im Generalstab stellten 1914 die Adligen von sechshundertfünfundzwanzig Offizieren mit drei Vierteln den Löwenanteil. Trotz dieser Erfolge spürte der Militäradel, der mit wachsender Präsenzstärke immer mehr bürgerliche «Standesgenossen» akzeptieren mußte, einen lastenden Druck auf seinem Exklusivitätsanspruch, auf den er aber bis zuletzt nicht verzichten wollte.

Konsequent hatte schon Helmuth v. Moltke 1861 bürgerliche Offiziersaspiranten abgelehnt, «weil sie die Gesinnung nicht mitbringen, die man in der Armee bewahren muß». Auf dieser Linie argumentierte auch der General und spätere St. Petersburger Botschafter Lothar v. Schweinitz, als er 1870 Bismarck beschwor: «Unsere Macht findet dort ihre Begrenzung, wo unser Junkermaterial zur Besetzung der Offizierstellen aufhört.» Offenherzig gestand ihm daraufhin der Kanzler: «Das darf ich nicht sagen, aber ich habe danach gehandelt.»

Als in der Innenpolitik die «rote Gefahr» immer bedrohlicher wirkte, forderte ein politischer Offizier wie Alfred Graf v. Waldersee – kein bizarrer Außenseiter, sondern als fähige Nachwuchskraft gerühmt und 1889 Moltkes Nachfolger als Chef des Generalstabs – in einer geheimen Denkschrift von 1877 ganz ungeschminkt, «daß der Kastengeist mehr bei uns entwickelt werden möchte», damit der adlige «Offiziersstand sich mehr als für sich bestehender Stand von den übrigen abgrenzt». Darin sah er «das einzige Mittel, die Überflutung des Offizierkorps durch die Geldaristokratie» zu bekämpfen. Nur durch «Fernhalten von den anderen Ständen» in der «festen Gemeinschaft des Offizierstandes» erreiche man dieses Ziel. Waldersee verlangte schon damals den Verzicht auf das «System der allgemeinen Dienstpflicht», denn wenn es demnächst «zum Kampf der Besitzlosen gegen die Besitzenden» komme, könne «nur eine Berufsarmee den totalen Zusammenbruch» im Bürgerkrieg verhindern, da nur sie, «kurz ausgedrückt», «ohne Bedenken ... die Kanaille zusammenschießt. Hiermit hätten wir die Kriegerkaste.»

Der Grundlinie dieses sozialarroganten Exklusionsprinzips stimmte auch Alfred v. Schlieffen 1900 ausdrücklich zu, und 1903 bekräftigte der Kriegsminister Karl v. Einem, daß «dem Mangel» an Offizieren nur durch «geringere Ansprüche an die Herkunft» der Anwärter abgeholfen werden könne. Eben dazu dürfe «aber nicht geraten werden, weil wir es dann nicht verhindern könnten, in vermehrtem Umfang demokratische und sonstige Elemente» aus dem Bürgertum aufzunehmen, «die für den Stand nicht passen». Auch die Debatte über die große Militärnovelle von 1913, mit der die numerische Überlegenheit für den Angriff im Westen gemäß den Vorgaben des berüchtigten Schlieffenplans geschaffen werden sollte, spitzte sich intern noch einmal zu einem Streit über die soziale Zusammensetzung des Offizierkorps zu. Gegen den Generalstab, in dem vor allem der bürgerliche Planungsexperte Erich Ludendorff auf eine unabdingbare Vermehrung um drei Armeekorps drängte, verteidigte der Kriegsminister Josias v. Heeringen die traditionelle Adelsbastion. Wenn jetzt «eine Vergrößerung der preußischen Armee um fast ein Sechstel ihres Bestandes» gefordert werde, müsse, insistierte er, «eine so einschneidende Maßnahme noch einmal eingehend erwogen werden», da «ihr innerer Gehalt, gerade was die Offiziere ... angeht, wesentlich darunter leidet». An welches Leiden er dabei ausschließlich dachte, machte seine Opposition unmißverständlich klar: «Ohne ein Hineingreifen in für die Ergänzung des Offizierkorps wenig geeignete Kreise, das ... dadurch der Demokratisierung ausgesetzt wäre», lasse sich der «außerordentlich erhöhte Bedarf nicht decken». Vom aristokratischen Militärkabinett vorbehaltlos unterstützt, konnte sich v. Heeringen im wesentlichen durchsetzen. Nicht die sogenannten militärischen Notwendigkeiten, wie sie Schlieffens Plan künstlich heraufführte, determinierten allein die Aufrüstung. Vielmehr wurde die Entscheidung über die gebotene Expansion des Offizierkorps durch den sozialen Machtkampf im Inneren bestimmt.

Nach alledem kann es nicht überraschen, daß das Herkunftsprofil des preußischen Offizierkorps zwischen Revolution und Weltkrieg bemerkenswert konstant blieb. Selbst 1914 stammten noch achtundzwanzig Prozent aller Offiziere – zwei Drittel jenseits der Majorsstelle – aus dem Adel, siebenunddreißig Prozent aus der höheren Beamtenschaft, fünfzehn aus Unternehmerfamilien. Die Begünstigung des Adels wurde aber mit einer eklatanten Senkung der intellektuellen Leistungsanforderung erkauft. Während etwa in Bayern seit 1872 bei einem Offiziersaspiranten das Abitur vorausgesetzt wurde, erwartete Preußen nur die «Primarreife», die zudem alles andere als rigoros definiert wurde, so daß auch die minderbegabten Junkersprößlinge, zumal die Zöglinge der Kadettenanstalten durch dieses Nadelöhr hindurchschlüpfen konnten. Die auffällige Adelsdominanz blieb jedoch eine preußische Eigenschaft. In Bayern und Sachsen dagegen gab es vor 1914 nur mehr fünfzehn Prozent adliger Offiziere, in Württemberg neunzehn Prozent. Noch geringer fiel der Anteil in der Kriegsmarine aus, wo auch im Kadettenkorps zu dieser Zeit die Bürgersöhne mit sechsundachtzig Prozent unzweideutig dominierten; überdies besaßen mehr als neunzig Prozent der Seeoffiziere das Abitur.

In einer Langzeitperspektive ist der Rückgang des Adels in den Leitungspositionen der Streitkräfte eine sozialhistorische Tatsache. Da er aber im Hegemonialstaat seine Vorherrschaft im oberen Offizierkorps dennoch behaupten konnte, reichte sein Einfluß im größten Militärverband, damit auch im Reichsheer, immer noch erstaunlich weit. Außerdem hatte der Offizierberuf durch die drei Einigungskriege, ähnlich wie die Adelsgeltung, eine enorme Aufwertung erlebt, die mit der Abwertung während der jahrzehntelangen Existenz im Windschatten der Zeit von 1815 bis 1864 aufs schärfste kontrastierte. Plötzlich fand sich der Berufsmilitär an die Spitze der Prestigehierarchie katapultiert. Dadurch gewannen Habitus und Verhaltensstil, Werte- und Normenkanon des adligen Offiziers einen weit in die Gesellschaft hinein ausstrahlenden Vorbildcharakter, der den neuartigen sozialen Militarismus im Kaiserreich mittrug und nachhaltig förderte.

Man kann das hohe Maß an Verbindlichkeit dieses Vorbilds an vielen Erscheinungen ablesen: Alle Reichskanzler trugen im Reichstag Uniform. An der königlich-kaiserlichen Tafel mußte Theobald v. Bethmann Hollweg, der es nur bis zum Major gebracht hatte, nach den Obersten und Generälen seinen Platz einnehmen. Der tüchtige Finanzminister Scholz hielt es für den glücklichsten Augenblick seines Lebens, als er die Uniform eines Vizefeldwebels dank der monarchischen Huld mit der eines Leutnants vertauschen durfte. Auch der «Hauptmann von Köpenick» zehrte bekanntlich vom Nimbus des Offiziers. An der Institution des Reserveoffiziers läßt sich ein besonders folgenschwerer Effekt ablesen. Und gerade weil die sozialökonomische Entwicklung die Absonderung und Privilegienhäufung des Offizierkorps als des «staatstragenden Standes» permanent in Frage stellte, erstarrte es in der erbitterten Defensive bis hin zur Kastenbildung. Damit verband sich ein hochgezüchtetes Selbstbewußtsein, das mühelos in pathologische Arroganz überging.

Dafür gibt es schier zahllose Beispiele; hier folgt ein typisches, das in nuce die Situation erfaßt. Ein junger irisch-englischer Sprachwissenschaftler besuchte 1913 eine berühmte deutsche Linguistik-Koryphäe in Berlin, wo beide auf dem Kurfürstendamm einem jungen Generalstabsoffizier begegneten. Während der Deutsche sogleich Platz machte und devot in die Gosse trat, ging der Gast auf dem Bürgersteig weiter. Auf die empörte Beschwerde des Uniformierten hin, daß ihm freie Bahn zu gewähren sei, erklärte der deutsche Universitätsprofessor aufgeregt, sein Begleiter sei Ausländer und kenne die Sitten hierzulande noch nicht.[25]

Abgesehen von seiner Präsenz in den Machtzentren der Regierung, der Bürokratie und des Militärs dominierte der Adel die Erste Kammer, das preußische Herrenhaus, das wegen der Konstruktion der Bismarckverfassung auch in der Reichspolitik eine kaum verhüllte Vetogewalt besaß. Zu seinen zweihundertsiebenundvierzig Mitgliedern gehörten sechzig Vertreter des Hochadels (einschließlich der Standesherren) und der Adelsfamilien mit «erblichem Sitz» sowie hundertsiebenundachtzig «auf Lebenszeit». Davon stellten die Junker das Gros mit hundertzwei Repräsentanten; bevorzugt wurden die Inhaber der Fideikommißgüter. Von den restlichen fünfundachtzig hatte der König aus «allerhöchstem Vertrauen» dreiunddreißig durchweg adlige Vertreter ernannt, zum Teil aufgrund des Vorschlagsrechts alteingesessener, reicher Adelsfamilienverbände; fünfzehn rückten als Inhaber eines pseudohistorischen «Landesamts» und drei auf Vorschlag von Domkapiteln ein, auch sie fast ausschließlich Edelleute. Nur achtundzwanzig Mitglieder wurden von privilegierten Städten, sechs von den Universitäten vorgeschlagen und ebenfalls vom Monarchen berufen. Häufig folgte für diese Bürgerlichen die Nobilitierung, um den Adelscharakter der Ersten Kammer zu unterstreichen.

Bis 1918 hat das Herrenhaus die Adelsinteressen und nichts als die Adelsinteressen mit engstirniger Konsequenz verfochten. Und da es seine Entscheidungen nicht nur für die Junker traf, sondern dank seiner institutionellen Schlüsselstellung auch auf die Reichspolitik massiv einwirken konnte, wußte die preußische Aristokratie, warum sie dieses Bollwerk, ohne auch nur ein Quentchen nachzugeben, bis zum Untergang der Monarchie verteidigte.

Es hing vermutlich mit dieser Erfolgsbilanz zusammen, auf die der Adel dank seiner hartnäckigen Kampfbereitschaft zurückblicken konnte, wenn er die Schaltstellen in Regierung und Verwaltung, Heer und Herrenhaus ins Auge faßte, daß er sich der modernen Welt doch nur begrenzt öffnete. Insgesamt gab es in ihm außerhalb der traditionell anerkannten Betätigungsfelder nur eine geringe Berufs- und Bildungsmobilität. Dadurch verlor er auch endgültig den «Anschluß an zahlreiche zukunftsträchtige Funktionsbereiche des Staates, zum Beispiel an Wissenschaft, Technik und Dienstleistungsverwaltung». Das war ein hoher Preis für sein rückwärtsgewandtes Beharrungsvermögen, auch wenn sich seine historische Zeit dem Ende zuneigte.

4. Ein Mittel, dem Niedergang zu begegnen, wäre die belebende Kooptation von neuen, kräftigen Bundesgenossen gewesen. Voll ungebrochener Selbstsicherheit, wie sie ihm als prominentem Mitglied einer herrschenden Klasse eigen war, insistierte Bismarck darauf, daß es im wohlverstandenen Eigeninteresse des Adels liege, «sich die Existenzen, deren Wohlhabenheit einigermaßen dauerhaft begründet ist, zu assimilieren». Das Plädoyer wurde vergeblich gehalten: Während der englische Niederadel seit langem an die Vorzüge einer großzügigen Selbstergänzung gewöhnt war, wurde die Nobilitierung im Kaiserreich sehr restriktiv gehandhabt. Das zeigt erneut das Beispiel Preußen, wo von den rund fünfundachtzigtausend Adligen nicht einmal elfhundert, ganze 1.2 Prozent, zu den frisch Nobilitierten gehörten. Denn von 1871 bis 1918 wurden 1094 Bürgerliche in den Adelsstand erhoben, 221 Edelleute erlebten ihre Anhebung in eine höhere Adelsklasse. In den achtzehn Jahren Wilhelms I. gab es 419 (23 p. a.), in den drei Monaten Friedrichs III. als Nachholdemonstration gegenüber bisher Benachteiligten sechzig und in den dreißig Jahren Wilhelms II. 831 (28 p. a.) Rangerhöhungen. Zwei Drittel der Begünstigten kamen aus dem Militär, der Bürokratie und dem Großgrundbesitz. Nur langsam stieg die Herkunft aus den Familien von Unternehmern, Bankiers und freiberuflichen Akademikern an. Die geraume Zeit ungefährdete Vorherrschaft von Protestanten (87%) wurde schließlich etwas geschmälert (68%). Der katholische Anteil am Neuadel stieg nach dem Abschluß des Kulturkampfes ein wenig an, der jüdische Anteil erst im Jahrzehnt vor 1914.

In siebenundvierzig Jahren wurden – Ausdruck der Mißachtung des Parlaments – nur vier Mitglieder des Reichstags nobilitiert, dagegen erfuhren siebenundvierzig Herrenhaus-Mitglieder diese Gunst oder die der Standesanhebung. Hundertsiebzig Nobilitierungen (13%), auch zweiunddreißig Standeserhöhungen, entfielen allein auf die Fideikommißbesitzer. Unverkennbar hing die Auswahl der Bürgerlichen nicht nur von ihren «Verdiensten um den Staat» oder von den oft erwarteten großzügigen Stiftungen und Spenden ab. Vielmehr besaßen einunddreißig Prozent von ihnen eine adlige Mutter oder Frau, ein weiteres Indiz für die Verschmelzung zu einer kaiser- und königstreuen adlig-bürgerlichen Amtselite. Offensichtlich wurde die preußische Nobilitierung weniger als Auszeichnung von «homines novi», sondern weit mehr als Schutz des älteren Adels mitsamt seiner Privilegienordnung eingesetzt. Die Klassentrennung sollte verschärft, keineswegs verwischt oder zugunsten einer neuen Meritokratie porös gemacht werden.

Unstreitig blieb bis 1914 in Preußen-Deutschland von der adlig-höfischen Welt des Fürstenstaats im 17. und 18. Jahrhundert noch viel erhalten. Angesichts der anachronistischen Erstarrung kann man aber nicht mehr davon sprechen, daß dieser Traditionsbestand noch vitale Lebendigkeit besaß. Auch und besonders im Adel hielten sich die antiquierten Vorstellungen vom Gottesgnadentum und monarchischen Prinzip, von Lehnstreue und vom natürlichen Primat der Aristokratie mit ihrer historisch legitimierten Begabung für Führung und Regierung. Die verfassungsrechtlich unbegründeten, aber mit der normativen Kraft des Faktischen ausgestatteten Privilegien blieben ihm sakrosankt. Standestradition und Endogamie, das soziale und kulturelle Kapital der Familienverbände behielten ihre normativen, selbstverständlich auch ihren lebenspraktischen Wert. Der Familienstolz diente zur Orientierung und zur Prestigebehauptung. Die Assimilationskraft gegenüber bürgerlichen Aufsteigern kompensierte manche Schmälerung der herkömmlichen Rangstellung. Zutiefst blieb der Adel von der gottgegebenen Ungleichheit zwischen den Menschen und von der Berechtigung der Sozialhierarchie, an deren Spitze er thronen sollte, überzeugt. Ein «weitverzweigtes Konnexionsnetz» sicherte den formellen Einfluß auf Staatsinstitutionen, aber auch die informelle Herrschaft des Adels, der sich in den Zentren des Elitenkartells von Aristokratie, oberem Bildungsbürgertum und vermögendem Wirtschaftsbürgertum machtsicher zu bewegen verstand.

Souverän war er jedoch längst nicht mehr, und mancher schroffe Exponent adliger Machtbehauptung spürte hinter dem Glanz der wilhelminischen Fassade die Adelsagonie. «Die Zukunft gehört Ihnen ja doch», eröffnete der konservative Parteiführer Ernst v. Heydebrand und der Lasa, der «ungekrönte König von Preußen» vor 1914, halb ernsthaft, halb ironisch einem liberalen Abgeordneten. «Die Masse wird sich geltend machen und uns, den Aristokraten, den Einfluß nehmen»; «diese Strömung» konnte nur durch einen «starken Staatsmann» wie Bismarck «eine Weile aufgehalten werden. Freiwillig wollen wir jedenfalls unsere Position nicht opfern. Zwingen Sie uns doch, dann haben Sie, was Sie wollen!» Rückblickend klingt der Appell, die antikonservative Mehrheit zum offenen Konflikt, notfalls mit Zwangsanwendung gegenüber der adligen Machtelite aufzufordern, wie blanker Hohn. Aber zugleich ist der resignative Unterton nicht zu überhören.

Gegen die politische Resignation und den gesellschaftlichen Niedergang stemmte sich der Adel indes mit aller Macht. «Die alte Herrenschicht» ist, beobachtete der Liberale Friedrich Naumann in einer hellsichtigen Analyse, «in Verteidigungszustand geraten und benutzt alle nur möglichen Mittel, um sich in einem demokratisch werdenden Zeitalter über Wasser zu halten». Deshalb verfechte sie außer dem Dreiklassenwahlrecht, dem «Bund von Großgrundbesitz und Großindustrie», dem «Kartell der Ordnungsparteien» und den nackten Agrarinteressen auch noch in bunter Melange «Zölle nach außen, Berufsbindung bis zum Befähigungsnachweis im Inneren, Kampf gegen Börse und Judentum und die Anerkennung des Mittelstandes als Grundlage des Staates». Immerhin sähen sich die «Herrenmenschen» gezwungen, «mit demokratischen Handschuhen» als «agitierende Aristokratie» aufzutreten – «schon dies ist ein Erfolg der demokratischen Gesamtströmung». In der Tat handelte es sich um einen ganz und gar äußerlichen «Anschluß an die Demokratisierung», da die unumgängliche Teilnahme am «egalisierenden politischen Wettbewerb» nur «der Verteidigung der oligarchischen Vormachtstellung diente». Insofern beschränkte sich, wie Hans Rosenberg treffsicher geurteilt hat, die zeitgemäße Anpassung des Adels an die politischen und gesellschaftlichen Rahmenbedingungen der reichsdeutschen Modernisierung «auf das Tragen der demokratischen Maske und die Ausbeutung demokratischer Methoden für undemokratische Ziele bei antidemokratischer Gesinnung».

Bei der Verteidigung seiner egoistischen Interessen ohne jede Rücksicht auf die Bedürfnisse der erdrückenden Mehrheit des kaiserlichen Deutschland blieb der Adel – ungeachtet aller Rückschläge und Gewichtsverschiebungen – fatal erfolgreich. Die Chance zu seiner Entmachtung, von der man gesprochen hat, ist auch während der großen Agrarkrise in Wirklichkeit nie aufgetaucht – zu effektiv konnte er sich in der Herrschaftsallianz mit Bismarck auch gegen die Einwirkungen des Weltagrarmarkts behaupten. Unverkennbar kam ihm die Leistungsfähigkeit des ersten charismatischen Regimes in Deutschland gerade damals zugute. Das hat ihn in seinem Selbstbewußtsein gestärkt, sich auch weiterhin der innenpolitischen Modernisierung des Reiches entgegenzustemmen. Diese Grundhaltung hat sich bis zum Winter 1932/33 gehalten. Ohne sie wären weder die konservative Koalition mit Hitler noch die Machtübertragung an den neuen Kanzler in der tödlichen Krise der ersten Republik zustande gekommen.[26]

5. Die bäuerlichen Besitzklassen und das Landproletariat

Die ländliche Gesellschaft des kaiserlichen Deutschland präsentierte sich dreifach gespalten: In erster Linie blieb sie «Bauernland», da fünfundsiebzig Prozent der landwirtschaftlichen Nutzfläche darauf entfielen; ein Viertel der Fläche gehörte zur Domäne der adlig-bürgerlichen Großagrarier, während das Millionenheer der Landarbeiter mit der eigenen Lebenssphäre dieser Unterklassen im Grunde eine zweite, neben der Problematik des Industrieproletariats bestehende «soziale Frage» aufwarf.

Einige Grundtendenzen haben die Entwicklung der bäuerlichen Besitzklassen und des Landproletariats in den vier Friedensjahrzehnten des Reiches bestimmt. Die Umwälzung der ländlichen Verhältnisse als Folge der Agrarreformen war bereits zu Beginn beendet, sehr bald aber auch die Ära der fünfzig «Goldenen Jahre» der deutschen Landwirtschaft von etwa 1825 bis 1875. Seit der Mitte der siebziger Jahre fand sich der Agrarsektor einer konstanten strukturellen Benachteiligung durch die Überlegenheit der Konkurrenten auf dem Weltagrarmarkt ausgesetzt – in Gestalt einer säkularen Dauerkrise besteht sie seither bis heute fort, mehr oder minder lukrativ durch massive staatliche Protektion und Subvention abgemildert. Deutlich läßt sich aber seit 1876 eine rund zwanzigjährige konjunkturelle Belastung von einer darauffolgenden Erholungsphase unterscheiden.

Endgültig hat sich auch in der reichsdeutschen Landwirtschaft der Agrarkapitalismus durchgesetzt. Die Sozialhierarchie der bäuerlichen Besitzklassen, die aus den Privateigentümern extrem verschiedenartiger kapitalistischer Betriebe bestanden, bildete sich jetzt klarer denn je zuvor aus. Die ganze Spannweite dieser Unterschiede wird sogleich durch die genauere Analyse verdeutlicht.

Durch eine immense soziale Distanz blieben die Millionen zählenden Sozialformationen der Landarbeiter und Gesindeleute, der Knechte und Mägde von den Grundbesitzern – ob adliger, bürgerlicher oder bäuerlicher Herkunft – unüberbrückbar getrennt. In Ostdeutschland, wo die große Masse des Landproletariats lebte, hat sich die traditionelle Untertänigkeit in eine dank den Rechtsreformen nur mehr informelle, gleichwohl die Emanzipation noch immer verweigernde neue Abhängigkeit verwandelt. Aus ihr brachen jedoch mit dem Strom der Binnenwanderung Hunderttausende in die industriellen Ballungszentren des Westens aus. Das war ein «latenter Streik», der mit dem Import ausländischer Saisonarbeiter von seiten der Agrarunternehmer beantwortet wurde.

Unterhalb des Großagrariertums nahm eine Minderheit die nächste Spitzenstellung ein: Das waren die Besitzklassen der Großbauern (mit zwanzig bis hundert Hektar Land), gefolgt von denjenigen der Vollbauern mit mittelgroßem Grundeigentum (fünfzig bis dreißig Hektar Land). Ihr Minoritätenstatus war überall im ländlichen Kosmos scharf ausgeprägt, denn ungeachtet der variierenden Größenverhältnisse von Region zu Region machten die Großbauern im Reichsdurchschnitt nicht mehr als fünf Prozent, die Mittelbauern achtzehn Prozent aus. Nur ein knappes Viertel der Landwirte verkörperte daher die bäuerliche Gesellschaft im strengen Sinne des Wortes.

Diese Vollbauernminderheit hob sich klar ab von den Kleinbauern mit gewöhnlich zwei bis fünf, allenfalls bis zu zehn Hektar Landbesitz, noch schroffer natürlich von den «Parzellisten», den Zwergeigentümern mit bis zu zwei Hektar Grundfläche. Gegen die von der älteren Agrargeschichte und der romantisierenden Volkskunde liebevoll verklärte Idylle vom deutschen «Bauernstand» muß man daher das außerordentlich steile Gefälle im ländlichen System der sozialen Ungleichheit betonen. Als seine Determinanten hielten sich an erster Stelle: der Wert und die Größe, die Bodenqualität und die Marktquote des Besitzes. Sie entschieden über die Position in der lokalen Stratifikationsordnung, damit auch über das Prestige und über den politischen Einfluß. Zunehmend wirkte auch die erfolgreiche Behauptung auf den regionalen, ja gesamtstaatlichen Agrarmärkten auf diese Position ein, während die soziopolitischen Sonderrechte der größeren Vollbauern gegenüber administrativen Veränderungen auffallend resistent blieben.

Im Vergleich mit den Bauern lebte das Landproletariat, in seinen Rechten extrem beschnitten, unter der mehrfach rechtlich bekräftigten herrischen Verfügungsgewalt seiner Arbeitgeber. Mehr als sechs Millionen Angehörige von Landarbeiterfamilien standen – um das Größenverhältnis zu illustrieren – vierundzwanzigtausend Großagrariern und rund zweihundertsechzigtausend Vollbauern gegenüber. Eine genauere Vorstellung vom Umfang der agrarischen Besitzklassen zu Beginn und gegen Ende des Kaiserreichs vermittelt die Übersicht 107, die auf den zuverlässigen Angaben der Reichsstatistik beruht.

Übersicht 107: Agrarische Besitzklassen in Deutschland 1882 und 1907 (fünf Größenklassen mit ihrer Landfläche, LN/1000 ha)

	1882			1907		
Hektar	1. Anzahl	2. Fläche	3. %-Satz	1. Anzahl	2. Fläche	3. %-Satz
1. bis 2	3061831	1826	5.7	3378509	1731	5.4
2. 2–5	981407	3190	10.0	1006277	3305	10.4
3. 5–20	926605	9158	28.8	1065539	10422	32.7
4. 20–100	281510	9908	31.1	262191	9322	29.3
5. 100 u. mehr	24991	7786	24.4	23566	7055	22.2
6. Summe 1–5	5278344	31868	100.0	5636082	31825	100.0

Der relative Anteil der verschiedenen Besitzklassen an den landwirtschaftlich selbständig Erwerbstätigen ist seit der Reichsgründung bemerkenswert konstant geblieben. Die Großagrarier machten 0.4 Prozent der Landbesitzer aus, die Bauern rund fünf Prozent, die Mittelbauern rund achtzehn Prozent, die Kleinbauern ebenfalls rund achtzehn Prozent und die Parzellisten durchweg achtundfünfzig Prozent. Die Kleinbauern und Zwergbesitzer stellten mithin mehr als drei Viertel der ländlichen Eigentümer (4.38 von 5.64 Mill.), bewirtschafteten jedoch nur gut fünfzehn Prozent der landwirtschaftlichen Nutzfläche. Dagegen verfügten allein die Großbauern über rund dreißig Prozent, zusammen mit den Mittelbauern über fast zwei Drittel davon.

Blickt man auf die Veränderung der absoluten Größenverhältnisse, findet sich der auffälligste Befund bei den Mittelbauern, die um etwa fünfzehn Prozent zunahmen und fast ebensoviel Land gewannen. Auch die Zahl der Zwergbesitzer nahm noch einmal um rund zehn Prozent zu, trotzdem verringerte sich ihr Landanteil; die Kleinbauern legten nur zwei Prozent zu, ihr Besitz stagnierte. Auf den beiden obersten Rängen wirkte sich – charakteristisches Merkmal für die Mechanismen auch des deutschen Agrarkapitalismus – der Konzentrationsprozeß aus, denn die Anzahl der Großbauern nahm um gut sechs Prozent ab; folgerichtig verloren sie auch ebensoviel Land, während der Produzentenverband der Großagrarier um rund fünf Prozent schrumpfte, aber sogar zehn Prozent der landwirtschaftlichen Nutzfläche abgeben mußte.

Zu den aufschlußreichsten Strukturdaten der ländlichen Gesellschaft gehört des weiteren hinzu, daß der Anteil der Erwerbstätigen in der Landwirtschaft 1882 mit 8664000 rund 43.2 Prozent aller reichsdeutschen Erwerbstätigen umfaßte, während er ein Vierteljahrhundert später (1907 = 9582000) trotz eines absoluten Zuwachses auf ein Drittel der Gesamtzahl geschrumpft war. Noch drastischer fällt das Ergebnis aus, wenn man alle «landwirtschaftlichen Berufszugehörigen» (Großagrarier, Bauern, Pächter, Landarbeiter und ihre Familien) ins Auge faßt. 1882 betrug ihre Zahl noch 18704000, das waren mehr als zwei Fünftel (41.4%) der Reichsbevölkerung. Bis 1907 dagegen war diese statistische Sammelgröße auf 16.92 Millionen, mithin auf gut ein Viertel (27.4%) der Gesamtpopulation abgesunken. Auch dadurch wird noch einmal der reichsdeutsche Weg in die industrielle Welt verdeutlicht.

Wendet man sich den einzelnen ländlichen Besitzklassen zu, kommt die vielfältig privilegierte Minderheit der Großbauern je nach Region auf vier bis maximal sechs Prozent der Landwirte, auch wenn man dabei jenen kleinen, exklusiven Anteil berücksichtigt, der in der Großagrarierklasse mit mehr als hundert Hektar steckt.

Diese oberste bäuerliche Besitzklasse genoß nicht nur zahlreiche soziopolitische Sonderrechte, sondern in aller Regel auch das dörfliche Machtmonopol, das mit bestechender Zielstrebigkeit für den Familienclan und die Klientel im weiteren Sinn ausgenutzt wurde. Eine strenge klassenhomogene Endogamie hielt den Kreis der Zugehörigen so eng wie möglich. Für sie blieb die Verteidigung, Vermehrung und Vererbung des Besitzes die schlechthin existentielle Aufgabe. Die erfolgreiche Bewältigung setzte sich in lokale Macht, aber auch in gezielte Reichtumsdemonstration um, die in den Hofbauten, ihrer Inneneinrichtung, bald auch an der Maschinenausrüstung und beileibe nicht zuletzt an der «Morgengabe», der Mitgift für die heiratende Tochter, zutage trat.

In einer turbulenten Zeit der deutschen Agrarwirtschaft vermochten sich die Großbauern dennoch gut zu behaupten. Sie profitierten unmittelbar vom Bevölkerungswachstum, dem daher anwachsenden Binnenmarkt und von der Urbanisierung, in deren Gefolge die Masse der marktabhängigen Konsumenten anwuchs. Die Betriebsgröße der Großbauern gestattete die Diversifizierung. Dazu gehörte auch die gewinnbringende Viehzucht, die durch die veterinärpolizeilichen Grenzkontrollen gegen billige Fleischimporte geschützt wurde. Trotz der Unternehmensgröße kam der Besitzer mit relativ wenigen fremden Arbeitskräften aus, so daß er auch von den Folgen der «Landflucht» nicht so einschneidend getroffen wurde wie manche Güter.

Die Ertragslage förderte die Bereitschaft zur agrartechnischen Modernisierung. Auch die verbesserte Ausbildung der erbenden Söhne trug ihr immer häufiger Rechnung. Genossenschaften und ländliche Kreditbanken kamen dem Absatzwunsch und Finanzbedarf der Großbauern weit entgegen. Eine effektive Interessenvertretung wurde von den Bauernvereinen sowie vom «Bund der Landwirte» wahrgenommen. Beschwerden, Sonderforderungen, Schutzbedürfnisse – alles konnte auf diesem Weg ohne Umschweife artikuliert, in die Öffentlichkeit gebracht und in die politischen Entscheidungsgremien hineingetragen werden. Der Agrarprotektionismus, der seit 1879 mit seinem differenzierten Instrumentarium entwickelt wurde, kam den Großbauern sofort zugute. Unter solchen Bedingungen gehörten sie zu den direkten Nutznießern des perhorreszierten Übergangs zum «Industriestaat».

Die Mittelbauern bewegten sich – obwohl Vollbauern wie die Besitzklasse über ihnen, dennoch unübersehbar scharf von ihr geschieden – in ihrer eigenen dörflichen Lebenssphäre. Die große Mehrheit besaß existenzfähige Betriebe, obwohl an ihrem unteren Saum immerhin rund acht Prozent einer Nebenbeschäftigung nachgehen mußten. Als einzige Bauernklasse erwiesen sie sich sogar als expansionsfähig, wie die Zunahme um fünfzehn Prozent beweist. Dabei handelte es sich nicht nur um einen geringfügigen Abstieg von Großbauern, vielmehr um einen erheblichen Aufstieg von erfolgreichen Kleinbauern.

Die Getreidezölle haben sie zeitweilig benachteiligt, da ihr Futtergetreide dadurch verteuert wurde. Aber die zahlreichen Viehzüchter unter ihnen wurden über kurz oder lang durch die ausgeklügelten Schutzmaßnahmen gegen die ausländische Fleischeinfuhr begünstigt.

Viele vermochten dank der Verstädterung und des verbesserten Verkehrssystems ihre Marktquote zu steigern, da sich der Zugang zu den städtischen Konsumenten stetig verbesserte. Eine erhebliche Zahl von Mittelbauern konnte neben den mithelfenden Familienmitgliedern noch Knechte und Mägde, manchmal sogar noch freie Lohnarbeiter zur Zeit der saisonalen

Spitzenbelastung anstellen. Insgesamt bildeten die Mittelbauern zusammen mit den Großbauern jenes knappe Viertel der ländlichen Betriebsbesitzer, die hauptberuflich in der Landwirtschaft tätig waren.

Noch schroffer abgesondert, nach unten eher zu den Parzellenbesitzern offen als zu den Mittelbauern hinaufstrebend, fristeten die Kleinbauern eine überwiegend prekäre Existenz. Häufig auf die schlechten Böden an der Peripherie des Dorfes abgedrängt, zu einer gedrückten Subsistenzwirtschaft und ärmlichen materiellen Lage verurteilt, dazu jahrzehntelang ohne hörbare politische Stimme, sah sich die wahrscheinlich eindeutige Mehrheit nicht imstande, allein von der Landwirtschaft zu leben. Sie mußte jede sich bietende Nebenbeschäftigung ergreifen: im protoindustriellen Gewerbe und Straßenbau, in Ziegeleien und Steinbrüchen, als Pendelarbeiter ins städtische Gewerbe oder als Tagelöhner bei Großbauern und Gutsbesitzern. Häufig bot der Landbesitz nur einen Rückhalt, nicht aber die hinreichende Existenzgrundlage. Selbst wenn man die genaue Zahl der allein von ihrem Agrarbetrieb lebenden Kleinbauern ermitteln könnte, kämen vermutlich zu den 1 328 000 Groß- und Mittelbauern nur einige Zehntausend hinzu, die unter den 5.6 Millionen Landwirten zu den hauptberuflich Erwerbstätigen hinzuzuzählen wären. Mit anderen Worten: Von den 4.4 Millionen Kleinbauern und Parzellisten blieben mehr als vier Millionen auf Nebenerwerb angewiesen. Deshalb noch einmal: Von der bäuerlichen Gesellschaft lebensfähiger Landwirte reden heißt von allenfalls einem Viertel der deutschen ländlichen Gesellschaft reden!

Bei den Parzellenbesitzern handelte es sich im Regelfall nicht um Landwirte, sondern um ländliche oder städtische Arbeitskräfte, die dank dem minimalen Landbesitz ihren Lebensunterhalt besser bestreiten konnten. Bei der Abfederung von konjunkturellen Krisenzeiten konnte ihr Stück Land eine existenzerhaltende Bedeutung gewinnen. Sonst vermittelte es neben dem Lohneinkommen eine hochwillkommene zusätzliche materielle Sicherheit, die sowohl sozial als auch politisch stabilisierend wirkte. Die südwestdeutschen «Arbeiter-Bauern» und der Kern der Ruhrbergleute bieten dafür die bekanntesten Beispiele.

Die regionale Verteilung der bäuerlichen Besitzklassen weist einige eindeutige Schwerpunkte auf. Ostelbien besaß zwar die meisten Großgrundbesitzungen, aber fast überall – mit Ausnahme von Pommern, Posen und Teilen von Schlesien – überwog mit mehr als der Hälfte das Bauernland. Wegen der reichlich ausgestatteten ehemaligen Domänenbauern, der Kölmer und Schatullbauern, der günstig ausgeschiedenen grund- und gutsherrschaftlichen Bauern gab es dort auch die meisten Großbauern. Zwischen ihnen und den Großagrariern hielt sich eine stabile Klasse von Mittelbauern.

Aufgrund der Anerbensitte gab es sonst die eigentlichen Großbauerngebiete mit einer manchmal dichten Häufung in Schleswig-Holstein, Friesland, Oldenburg, Braunschweig, Hannover und Westfalen. In den Realteilungsgebieten dagegen dominierte eindeutig der kleinbäuerliche Besitz. Das war in zugespitzter Form im Rheinland, in Hessen, im badisch-württembergischen Südwesten der Fall. Auch im angeblichen Bauernland Bayern lag der Landanteil der Groß- und Mittelbauern mit lediglich zwanzig Prozent klar unter dem Reichsdurchschnitt. Kleinbauern bewirtschafteten hier fünfundfünfzig Prozent des Kulturlandes, auf Zwergbesitzer mit einer Grundfläche von bis zu einem Hektar entfielen immerhin fünfundzwanzig Prozent. Vier Fünftel der bayerischen Landwirte besaßen mithin keine Vollbauernstelle, so daß vermutlich die allermeisten von ihnen auf den Nebenerwerb aus Lohnarbeit angewiesen waren.

Über die soziale Dimension der bäuerlichen Besitzklassenbildung fällt das Urteil knapp aus, zumal es an exakten sozialhistorischen, klassenanalytisch angelegten Studien völlig mangelt. Die Grundtatsache bleibt die konstante Herkunftshomogenität der auf Selbstrekrutierung beruhenden bäuerlichen Welt. Es mag eine geringe Einsteigerquote in der Sockelzone der Parzellisten, allenfalls noch der Kleinbauern gegeben haben. Natürlich gab es auch einen Abstrom gescheiterter Existenzen in die städtisch-industrielle Welt. Beide Mobilitätsvorgänge lassen sich jedoch noch nicht einmal annäherungsweise quantifizieren. Daher dominiert der Eindruck, daß sich zwar die bäuerlichen Besitzklassen zunehmend schärfer herausdifferenzierten, das interne Gefälle mithin zunahm. Aber innerhalb der reichsdeutschen Gesellschaft blieb der bäuerliche Kosmos eine relativ geschlossene Sphäre für sich, die nicht von ferne solche Zustrombewegungen erlebte, wie sie für das Bürgertum oder die städtischen Arbeiterklassen charakteristisch waren.

Die politische Formierung der bäuerlichen Klassen hing im Kaiserreich nicht nur von den unterschiedlichen regionalen, kulturellen, konfessionellen Traditionen des ländlichen Milieus ab; diese Traditionen lassen sich keineswegs, wie das die ländliche Revolution von 1848/49 bewiesen hat, als durchweg konservativ charakterisieren. Vielmehr schlugen auch die Konjunkturfluktuationen und die Entwicklungsschübe des politischen Massenmarkts in diesem Formierungsprozeß voll durch.

Die Veränderung der materiellen Bedingungen läßt sich in groben Grundzügen an den Einkommensschwingungen ablesen. Von 2.9 Milliarden Mark im Jahre 1870 stieg das Einkommen der deutschen Landwirtschaft in dem letzten halben Dutzend der Hochkonjunkturjahre bis 1876 auf erkleckliche 4.9 Milliarden Mark an. Den herben Abschwung der Folgezeit nach dem Einschnitt der Agrarkrise enthüllen die 3.9 Milliarden Mark, auf die das Einkommen trotz der Protegierung und Modernisierung der Landwirtschaft bis 1890 abfiel. Seit 1891 machte sich eine langsame Aufschwungbewegung geltend, die jedoch vorerst durch heftige Schwankungen gekennzeichnet blieb. 1890 kostete zum Beispiel eine Tonne Roggen in Leipzig 179 Mark, 1891 215, aber 1894 nur mehr 120 Mark; eine Tonne Weizen in Breslau in denselben Stichjahren 185, 217 und 136 Mark. In ebendiese Zeitspanne fällt der Streit um die Caprivische Handelspolitik mit ihrer angeblich agrarierfeindlichen Tendenz und die Gründung des «Bundes der Landwirte». Erst 1896 wurde das Preisniveau erreicht, das bereits zwanzig Jahre zuvor geherrscht hatte. Nach der Jahrhundertwende setzte dann wiederum ein beschleunigter Anstieg ein, so daß die Prosperität der sechziger und frühen siebziger Jahre zurückzukehren schien.

Diese beiden Krisenjahrzehnte sind nicht mit einem allgemeinen «Notstand» oder gar mit einer generellen «Verarmung» gleichzusetzen. Wohl aber hielt eine inzwischen ganz und gar ungewohnte, überaus schmerzhafte «Einkommensschmälerung» an, eine Krise auch «des ländlichen Wirtschaftsbewußtseins» und «des Erwartungshorizonts» bis hin zu dem «ressentimentgeladenen Eingeständnis», mit Industrie und Stadt endgültig nicht mehr Schritt halten zu können – wie das etwa in der Debatte über «Agrarstaat oder Industriestaat» oder in der Politik des «Bundes der Landwirte» zutage trat.

Die Zollpolitik seit 1879 half – wie vorn gezeigt (II.3.c) – nachhaltig und direkt nur zwanzig bis vierundzwanzig Prozent der Landwirte, da man die Kleinbauern und Parzellenbesitzer nicht zu den unmittelbar Begünstigten rechnen kann. Dank der «einseitigen Klassengesetzgebung» zogen jedoch Großagrarier und Vollbauern aus dem Agrarprotektionismus in vielfacher Hinsicht ihren Gewinn. Gleichzeitig befestigte er, je raffinierter er durch die veterinärpolizeilichen Kontrollen, die Sondertarife der Eisenbahnen und Kanalschiffahrt, die Exportprämien usw. verfeinert wurde, die überkommene Auffassung der Agrarier, daß der Staat «geradezu verpflichtet» sei, «ihren Besitz und angemessenen Verdienst zu sichern». Diese fordernde Grundhaltung wurde auch weiter beibehalten, als die konjunkturelle Belebung längst zurückgekehrt war.

Die zweite große Schubkraft ging vom Aufstieg des politischen Massenmarktes aus. Dabei verbanden sich mehrere Antriebskräfte, die zusammen schließlich eine weitreichende Veränderung herbeiführten. Das Reichstagswahlrecht demokratisierte die politische Partizipation für Männer. Im Zeichen der industriellen Wachstumsstörungen und der Agrarkrise erhielt die Verfechtung sozialökonomischer Interessen einen ungeahnten Auftrieb – schon die Zeitgenossen beklagten diese «Ökonomisierung der Politik». Statusängste und Stabilitätsverlust spielten keine geringere Rolle. Das Gefühl politischer Ohnmacht griff um sich. Der Typus der klassischen Honoratiorenpartei erwies sich, wie von einer Wahlperiode zur anderen deutlicher wurde, den veränderten Anforderungen als nicht mehr gewachsen. Neuartige Interessenverbände und straffer durchorganisierte Parteien stellten demgegenüber eine adäquatere Antwort auf die Herausforderung der Situation dar.

Wegen der Enttäuschung, daß die verschiedenartigen agrarischen Interessen angeblich oder tatsächlich nicht mehr angemessen artikuliert und im politischen Entscheidungsprozeß zur Geltung gebracht werden konnten, lösten sich ältere Loyalitätsbande, die bisher breite ländliche Wählerschichten insbesondere an die Konservativen und Liberalen gebunden hatten, immer häufiger auf. Die Suche nach einer energischeren Interessenverfechtung setzte in zahlreichen ländlichen Regionen eine überraschend kraftvolle politische Mobilisierung in Gang, die nicht von oben gesteuert, geschweige denn allein machiavellistisch manipuliert wurde – so unübersehbar es auch bald eine solche Einflußnahme gab. Sie äußerte sich vielmehr auf dem Nährboden einer weitverbreiteten Unzufriedenheit als spontaner Druck von unten. Insofern kann man – trotz aller länderspezifischen Unterschiede – in Anlehnung an den amerikanischen Agrarprotest des «Populismus» im ausgehenden 19. Jahrhundert auch im Hinblick auf die reichsdeutsche ländliche Gesellschaft von einer «populistischen» Strömung sprechen, die allerdings meistens wieder von Organisationen kanalisiert wurde. Das taten zum Beispiel die Bauernvereine und Antisemitenparteien, aber auch der «Bund der Landwirte» und jene Parteien, die – wie die Liberalen in Schleswig-Holstein oder das Zentrum in Bayern – von ländlichen Protestwählern als Sprachrohr anerkannt wurden.

Im Zeichen dieser tektonischen Umwälzung im politischen Gefüge der ländlichen Gesellschaft wurde die fundamentale Tatsache bestätigt, daß der Agrarsektor weiterhin «eine der entscheidenden Machtfragen des preußisch-deutschen Staates» vor 1914 aufwarf. Dabei ging es nicht nur um die soziopolitische Schlüsselstellung der Junker und die ökonomische Unterminierung ihrer Machtbasis, sondern allgemeiner auch um das politische Verhalten, die politischen Optionen der Landbevölkerung auf längere Sicht. Jedenfalls wurde durch das Zusammenspiel dieser Faktoren eine spezifische «Agrarfrage wie nirgendwo sonst» geschaffen. Dazu gehörte auch der Umstand, daß das politische System des Kaiserreichs für die Verfolgung von agrarischen Interessen «eine einzigartige und unvergleichbare Konstellation» bot, da den Fürsprechern und Repräsentanten dieser Interessen der direkte Weg zu den Machtzentren der Regierung, der Verwaltung, des Parlamentes offenstand. Deshalb haben sich in Deutschland auch damals keine «Bauernbewegungen mit revolutionären oder wenigstens progressiven Absichten» entwickelt. Die eng an den gravierenden Eigeninteressen orientierten Verbände und Parteien reichten als Vermittlungsinstitutionen, die in die Entscheidungsgremien hineinwirken konnten, nach der Phase des populistischen Aufbegehrens durchweg aus.

In wichtigen Endzielen stimmten Großagrarier und Bauern nämlich überein. Ihnen allen ging es um die Herauslösung der deutschen Landwirtschaft aus den Zwängen der weltwirtschaftlichen Marktmechanismen, letztlich um die Entwicklung einer staatlich garantierten Sonderstellung mit einem die eigenen Preise und Einkommen garantierenden Regelwerk außerhalb der internationalen Marktwirtschaft. Auf diese Weise sollte der soziopolitische und ökonomische Status der agrarischen Produzenten erhalten werden. Darüber hinaus war es ihr Konsens, daß der hohe Preis des allmählich zu ihren Gunsten entwickelten Hochprotektionismus auf die Konsumenten abgewälzt werden sollte. Den «Klassenkampf vom Lande» führten daher in Deutschland «die Etablierten und Besitzenden gegen die, die weniger besaßen», nicht etwa, wie in Nordamerika, die benachteiligten kleinen Farmer des Populismus gegen die agrarkapitalistischen Großunternehmer und die Bankenoligarchie in Wallstreet. Wegen der strategischen Rolle der deutschen Großagrarier kann man das durchaus einen «Klassenkampf von oben» nennen, der sich durch eine Praxis der Rücksichtslosigkeit auszeichnete, vor der die Revolutionsrhetorik der Sozialdemokratie völlig verblaßte.

Die kontrafaktische Frage, ob es nicht doch ungenutzte, aber einigermaßen realistische Alternativen gegeben hat, sollte man nicht gleich mit der linken Hand beiseite schieben. Ließ sich aber wirklich die Besitzstruktur und Produktionsweise namentlich in Ostelbien, dessen Bodenqualität nun einmal ganz überwiegend derjenigen der amerikanischen Neuland- und der russischen Getreideregionen weit unterlegen blieb, unter dem Druck des Weltagrarmarktes und der Agrarkrise relativ zügig ändern? Ließen sich die rentablen Betriebe weiter vergrößern, die mittel- und kleinbäuerlichen dagegen in lebensfähigen Genossenschaften zusammenschließen? Ließ sich statt der ostdeutschen Monokultur generell eine marktgerechte Diversifizierung mit einer zielklaren Ausrichtung auf die Versorgung der Städte mit qualitativ hochwertigen Konsumgütern erreichen? Ließen sich die Produktionskosten, die hoffnungslos über dem Niveau der Hauptrivalen lagen, durch eine kostspielige Modernisierung schnell genug senken? Konnte der Besitzindividualismus der Bauern mit der genossenschaftlichen Nutzung von Geräten und Maschinen, dem gemeinsamen Verkauf und Vertrieb versöhnt werden? Hielten die Schockwirkungen, die vom Weltagrarmarkt, von den Erfolgen der Industrie und Urbanisierung ausgingen, lang genug an, um solche Änderungen zu erzwingen?

Viele solcher Fragen kann man, angestachelt von den immensen Kosten der deutschen Agrarpolitik, aufwerfen. Aber bei der Antwort überwiegt letztlich die skeptische Verneinung. Der Hauptgrund dafür liegt darin, daß die reichsdeutsche Machtkonstellation es den Agrariern immer wieder ermöglichte, die staatliche Protektion und Subvention auf Dauer durchzusetzen. Angeführt von erfahrenen Eliten konnten sie sich der Klinke der Gesetzgebung verführerisch schnell bedienen. Die vielbeschworene und auch ganz unbestreitbare ökonomische Schwächung hat ihre politischen Durchsetzungschancen keineswegs so drastisch und so anhaltend gemindert, daß sie sich einer strukturellen Radikalkur, die eine wahrhaft grundlegende Transformation der ländlichen Gesellschaft mit ihrem ohnehin tiefverwurzelten Beharrungsvermögen bedeutete, hätten stellen müssen. Und für den Staatsapparat, der in so starkem Maße mit Agrarinteressen, insbesondere mit der ostelbischen Großlandwirtschaft, verfilzt blieb, gab es keine zwingende realistische Alternative zur Politik des Solidarprotektionismus, wie Caprivis schnelles Scheitern zeigt. «Wenn eine Regierung die Wahl hat», konstatierte der Liberale v. Siemens ganz «matter of fact», aber dennoch bitter, «geht sie immer mit den Mächtigen. Und der Mächtige ist zur Zeit die vorzüglich organisierte konservative Landwirtschaft.» Keine überlegene Gegenkraft konnte diese Mächtigen in Deutschland vor 1918 entmachten, so daß eine völlige agrarökonomische Umstellung überhaupt erst einmal ermöglicht worden wäre.

Kaum hatten sich die Anfänge der Agrarkrise ausgewirkt, als die «Vereinigung der Steuer- und Wirtschaftsreformer» unter ihrer geschickten Camouflage als fraktionsübergreifende Sammlung agrarfreundlicher Abgeordneter die staatliche Wirtschaftspolitik zu beeinflussen begann. 1879 wurde ihr erster Triumph sichtbar, die Erhöhungen des Bismarcktarifs in den Jahren 1885 und 1887 unterstrichen ihn. Seit 1885 legte der «Deutsche Bauernbund» die organisatorischen Fundamente, die den blitzschnellen Erfolg des 1893 gegründeten «Bundes der Landwirte» mit erklären helfen. Der «Bauernbund» verschmolz mit seinen vierzigtausend Mitgliedern sofort mit dem «Bund». Ein Jahr später zählte der «Bund der Landwirte» schon zweihunderttausend, 1913 sogar dreihundertdreißigtausend Mitglieder. Ein Prozent davon stammte aus dem Großbesitz, vierundzwanzig Prozent kamen aus den vollbäuerlichen Besitzklassen, fünfundsiebzig Prozent aus dem Kleinbauerntum. Aber alle Entscheidungsgremien wurden von diesem einen Prozent der Großagrarier beherrscht, die freilich politisch klug genug waren, mit Hilfe weitsichtiger Verbandsfunktionäre auch die unterschiedlichsten bäuerlichen Interessen so zu berücksichtigen, daß der Anspruch auf Vertretung «der» Landwirtschaft weithin glaubwürdig wirkte.

Nach der Startphase traten die Erfolge des «Bundes der Landwirte» zutage. 1898 waren von dreihundertsiebenundneunzig Mitgliedern des Reichstags bereits hundertachtzehn in fünf Parteien dem «Bund der Landwirte» verpflichtet, sechsundsiebzig gehörten ihm als Mitglieder an. Seither erreichte er stets zwischen rund neunzig und rund hundertvierzig Abgeordnete, die sich besonders bei den Deutsch- und Freikonservativen kumulierten. Im preußischen Abgeordnetenhaus konnte er sogar immer auf ein Drittel der Abgeordneten rechnen.

Typisch für die Stoßrichtung des «Bundes der Landwirte» war der seit 1895 mehrfach gestellte Antrag Kanitz', der eine Verstaatlichung des Getreidehandels durch die Monopolisierung des Kornimports, dazu die Garantie durchschnittlich hoher Festpreise verlangte, um die inländischen Produzenten vor den Weltmarktrisiken zu schützen. Diese Maximalforderung scheiterte freilich dreimal hintereinander. Aber mit den Veterinärmaßnahmen gegen die Fleischeinfuhr, bei der Börsenreform von 1896, mit den neuen

Eisenbahntarifen, dem Margarinegesetz von 1897, dem Zuckergesetz, den Branntwein-«Liebesgaben» konnte der «Bund der Landwirte» einen Großteil seiner Ziele verwirklichen. Als Kompensation für den Handelsvertrag mit Rußland erreichte er, daß der Identitätsnachweis für Getreide aufgehoben und das sogenannte Einfuhrscheinsystem eingeführt wurde. Das lief auf eine äußerst lukrative, nur notdürftig versteckte Ausfuhrvergütung für die ostelbischen Getreideproduzenten hinaus. Durchweg gelang es dem «Bund der Landwirte», im Zusammenspiel mit seiner informellen Parteienallianz alle Strukturreformen abzublocken und statt dessen «öffentliche Wohlfahrtsleistungen» für die Landwirtschaft zu gewinnen. Unbekümmert um die Konsistenz ihrer politischen Forderungen agierten die Agrarier als Schutzzöllner, wenn es um ihren Gewinn und die Bodenrente ging, ebenso entschieden aber als Anhänger des Manchesterliberalismus, wenn der Landarbeiterimport auf dem Spiele stand.

Abgesehen von der Befriedigung materieller Interessen zog der «Bund der Landwirte» auch den oberen und unteren «ländlichen Mittelstand» durch die «Integrationskraft» der von ihm propagierten «militanten, neukonservativ-agrarischen, völkisch-nationalistischen, wirtschaftsharmonistischen Ideologie mit sozialdarwinistischen» und «antisemitischen Zügen» an. Damit band er einen Teil des Protestpotentials an sich, das der Sieg des Industrie- und Agrarkapitalismus «auch von rechts freigesetzt hatte».

Die Sozialdemokratie als möglicher Konkurrent sah sich mit enormen Schwierigkeiten konfrontiert, in das ländliche Milieu überhaupt einzudringen. Aber sie verzichtete auch fast vier Jahrzehnte lang auf die Mobilisierung von ländlichen Wählern aus dem Bauerntum und der Landarbeiterschaft, da sie auf den Untergang der Kleinbetriebe, die unaufhaltsame Proletarisierung und den quasi automatischen Zustrom dieser Wählerschichten dogmatisch fixiert blieb. Im Grunde überließ sie diese kampflos, wie das kleine Häuflein ihrer Agrarexperten jahrzehntelang vergeblich klagte, den konservativen, katholischen und rechtsliberalen Kontrahenten, bis sie sich seit 1908/09 stärker zu engagieren begann.

Trotz der Bedeutung, die der «Bund der Landwirte» vorrangig in Ostelbien gewann, wäre es irreführend, den ländlichen Protest und Einfluß allein auf ihn zu reduzieren. Die überwiegend katholischen Bauernvereine in den verschiedenen Regionen des Reiches verkörperten eine ernstzunehmende andere politische Kraft mit erheblichem Gewicht. Seit 1862 hatte sich – wie vorn geschildert – der «Westfälische Bauernverein» unter v. Schorlemer-Alst ausgebreitet. Erst 1882 folgte ihm der «Rheinische Bauernverein», dem sich Gründungen in Baden und Bayern, Elsaß-Lothringen und Hessen, Ostpreußen und Schlesien anschlossen. Der neue «Deutsche Bauernbund» war ein nationalliberaler Verband mit immerhin fünfzigtausend Mitgliedern (1914), während die meisten anderen Bauernvereine sich eng mit dem Zentrum alliierten.

Gewiß, es gab hier und da Querverbindungen zum «Bund der Landwirte»; so übernahm etwa der «Rheinische Bauernverein» 1893 direkt die BdL-Forderungen. Auch spielten, zumal in der Anfangsphase, Adlige, Bürgerliche und Geistliche eine prominente Rolle. Sie behielten auch später häufig eine einflußreiche Position: In Westfalen und im Rheinland behaupteten Adlige sogar ihre Führungsstellung bis 1933; anderswo wurden sie früh ausgebootet. Der Trierer Kaplan Dasbach, der Eichsfelder Prälat Owy, der evangelische Pfarrer Oertel im Hunsrück – sie alle verbanden ihr geistliches Amt mit profanem Verbandsmanagement. Akademisch geschulte Beamte stellten den Vereinen ihre Sach- und Schreibkunde zur Verfügung. Von der Interessenlage, vom politischen Druck her dominierte aber das Vollbauerntum, weit weniger die Kleinbauernschaft.

In Bayern zum Beispiel hatte die katholische «Patriotenpartei» die antipreußische, antiliberale, partikularistische Welle auf ihre Mühlen gelenkt, sich aber auch der ländlichen Interessen angenommen, bis sie 1887 mit dem Zentrum fusionierte. Beide Parteien, in denen zahlreiche Kleriker als Funktionäre tätig waren, standen in einem eigentümlichen Spannungsverhältnis zum liberalen Etatismus der Bürokratie, der sich durchaus auch mit einer antiklerikalen Haltung verbinden konnte. In mancher Hinsicht verstand es der Beamtenliberalismus, der auch für die Übernahme von Teilen der preußischen Kulturkampfgesetze (z. B. von Zivilehe und Jesuitenverbot) sorgte, den Druck der «Patriotenpartei» zu neutralisieren. Wegen der Dominanz konfessionspolitischer Probleme im «Kulturkampf» wurden die bäuerlich-agrarischen Interessen trotz der Agrarkrise vernachlässigt. Die ländlichen Wähler präsentierten die Quittung bei den Landtagswahlen von 1887, als der politische Katholizismus nur mehr dreiundzwanzig Prozent der Stimmen in einem Land mit einer zu siebzig Prozent katholischen Bevölkerung gewann. Der Protest artikulierte sich in den Christlichen, sprich: katholischen Bauernvereinen, die zuerst meist von Priestern und lokalen Adligen angeführt wurden. Ihre Bündelung gelang 1893/94 Georg Heim, der alsbald eine landespolitische Macht verkörperte, wie sie sein Spitzname «bayerischer Bauernkönig» verriet.

Außerdem tauchte aus einer Fusion regionaler Bauernverbände zwischen 1893 und 1895 der von dem protektionistischen Freiherren v. Thüngen-Roßbach geleitete «Bayerische Bauernbund» auf, der als neue Partei ungleich radikaler und demagogischer als die «Patriotenpartei» operierte. Angetrieben von der Agrarkrise und dem Widerstand gegen Caprivis Politik kam er 1893 in Wahlkreisen mit eigenen Kandidaten bereits auf zwanzig Prozent der Stimmen; das Zentrum fiel in Niederbayern, wo es 1890 noch fünfundachtzig Prozent der Stimmen errungen hatte, sogar auf den zweiten Platz zurück. Der «Bauernbund» übte am Zentrum unverbrämte Kritik, da es die konfessionellen Interessen privilegiere, die ländlichen Probleme aber kraß vernachlässige, ja geradezu von ihnen ablenke. Da hinter seiner Politik zu Recht der

Einfluß des Klerus vermutet wurde, trat im «Bauernbund» ein pointierter Antiklerikalismus zutage, der im vermeintlich erzkatholischen Bayern seit dem ausgehenden 18. Jahrhundert ebenso wie seit dem Josephinismus im katholischen Österreich als ideologiepolitische Strömung aufgetreten war und jetzt dazu führte, daß die Anzahl der Geistlichen im Landtag um die Hälfte reduziert wurde.

Zu einer dauerhaft einflußreichen Macht wurde der «Bauernbund» freilich nicht, denn die Christlichen Bauernvereine unter Heim untergruben seine Basis. Aber auch in diesen Bauernvereinen blieb eine autonome, verbissene Kritik an der Mißachtung vitaler Eigeninteressen durch die staatliche Agrarpolitik lebendig. Sie zwang das bayerische Zentrum dazu, ungleich stärker als zuvor auf die bäuerlichen Interessen Rücksicht zu nehmen.

In Hessen, um noch ein anderes Beispiel zu nennen, gelang es dem politischen Antisemitismus, die ländliche Unruhe auszunutzen, da er den radikalen Widerstand gegen die Vernachlässigung agrarischer Interessen zeitweilig so geschickt artikulierte, daß er enttäuschte Protestwähler zuhauf an sich zog. Mit diesem ländlichen Antisemitismus in Hessen ist der Name Otto Böckels verbunden, der in Marburg und Gießen studiert, Land und Leute während der Agrarkrise kennengelernt hatte. Seit 1893 trat er als Marburger Bibliothekar für die «notleidende Landwirtschaft» öffentlich ein, indem er mit giftiger antisemitischer Polemik die Juden zum Sündenbock machte. 1887 verschafften ihm seine Protestwähler ein Abgeordnetenmandat im Reichstag. Acht Jahre lang galt der überaus populäre Agitator als «der Bauernkönig von Hessen», bis er 1894 von seinem Rivalen Philipp Köhler gestürzt wurde, der mit vergleichbarem Erfolg an der Spitze des «Hessischen Bauernbundes» seit 1895 eine Mischung von agrarischem Populismus und radikalem Antisemitismus im Landtag und Reichstag bis 1914 vertrat.

Wie immer auch die Bauernvereine und Bauernbünde geprägt waren, ob katholisch oder antisemitisch, ob protestantisch oder gemeinbäuerlich – immer fungierten sie als Ausdruck und Sprachrohr starker Proteströmungen in der ländlichen Gesellschaft, wo sich zahlreiche Mitglieder der bäuerlichen Besitzklassen mit dem Sieg des Agrarkapitalismus und den konjunkturellen Schwankungen, die ihnen der neue Weltagrarmarkt bescherte, mit dem neidisch wahrgenommenen Aufschwung der Industrie und der Städter nicht widerstandslos arrangieren wollten. Das hinterließ in der Parteienlandschaft und im Wählerverhalten tiefe Spuren, die es verbieten, immer nur den «Bund der Landwirte» als einziges Paradebeispiel rücksichtsloser agrarischer Interessenpolitik vorzuführen. Das trug aber auch nachdrücklich dazu bei, daß die politische Formierung der ländlichen Klassen durch starke Polarisierungsschübe und langlebige Konflikterfahrungen weit vorangetrieben wurde.[27]

In der ländlichen Sozialhierarchie existierte unterhalb der bäuerlichen Besitzklassen die Welt der Landarbeiter, deren Zahl diejenige aller Vollbauern und Kleinbauern zusammengenommen, selbst aller Parzellenbesitzer bis hin zum Weltkrieg kontinuierlich weit übertraf. Allerdings: Nur in Ostelbien wurde das Phänomen einer «sich selbst ergänzenden und sehr zahlreichen» Arbeiterklasse zum Dauerproblem; dagegen existierte in West- und Süddeutschland nicht von ferne eine «Landarbeiterfrage in ostelbischen Dimensionen». Zwar gab es aus Ostdeutschland eine von der agrarfreundlichen Publizistik als «Landflucht» stigmatisierte Binnenwanderung in die mittel- und westdeutschen industriellen Urbanisierungsgebiete. Dennoch hielt sich die hohe Zahl der Landarbeiter, da die Großbesitzungen und Bauernhöfe als agrarkapitalistische Betriebe auf Lohnarbeit angewiesen blieben, selbst wenn diese – sei es notgedrungen, sei es nach exaktem Kalkül – mancherorts nach Kräften auf Saisonarbeiter reduziert wurden.

Der Umfang der Landarbeiterschaft, die aus Tagelöhnern, Kontrakt- und Deputatarbeitern, aus Knechten, Mägden und Gesindeleuten bestand, ist nicht exakt zu bestimmen, zumal die statistischen Erhebungsmethoden gewechselt haben. Die Zahl der männlichen Arbeitskräfte (1882 = 4.2, 1895 = 3.46, 1907 = 3.17 Mill.) vermittelt nur einen unzureichenden Eindruck. Viele Landarbeiter und Knechte waren unverheiratet, aber die Frauen der Verheirateten gehörten in aller Regel zum ländlichen Arbeitskräftepotential hinzu; in der Erntezeit galt das auch für ihre älteren Kinder. Als Faustregel hat sich daher herausgebildet, von einem gut sechs Millionen zählenden Landproletariat auszugehen, dessen numerische Größe zwischen den 1870er Jahren und dem Ersten Weltkrieg nicht wesentlich schwankte. Was die Agrarbetriebe durch die Binnenwanderung verloren, konnte vor allem dank der Konjunkturlage seit 1896 aus der ländlichen Reservearmee – bis weit hinein nach Osteuropa – wieder nachgeschöpft werden.

Auch im Kaiserreich unterschieden sich die Landarbeiter nach ihrem Rechtsstatus und ihren Arbeitsfunktionen, nach der Art ihrer Entlohnung durch Bargeld oder Deputat und nach ihren Lebensverhältnissen. Seit den 1850er Jahren war jedoch der Typus des freien Lohnarbeiters unaufhaltsam auf dem Vormarsch begriffen; er setzte sich in den folgenden Jahrzehnten auf breiter Front durch, während die älteren Formen der Kontraktarbeit dahinschwanden, das Gesindewesen aber erhalten blieb.

Aus dem gutsuntertänigen Adelsbauern war während der Ausführung der Agrarreformen der an das Gut gefesselte Inste geworden, der außer seinem Naturaldeputat und ein wenig Bargeld gewöhnlich zwei, drei Morgen Land zur eigenen Bestellung erhielt, dafür aber auch noch aus dem Familienkreis einige Scharwerker zu stellen hatte. In den Dekaden nach der Jahrhundertmitte siegte jedoch das reine Lohnvertragsverhältnis immer häufiger, da für den Agrarunternehmer der Produktverkauf günstiger wurde als die Deputatvergabe, da der Bodenwert so anstieg, daß er die Einziehung des Instenlandes nahelegte, da die Dreschmaschine den Anteil am Dreschertrag verdrängte. Trotzdem bestanden in den 1850er Jahren noch «mehrere hunderttausend Instenwirtschaften» auf den ostelbischen Gütern weiter fort, lösten sich dann aber unter dem Druck der genannten ökonomischen Umstände zusehends auf. Ähnlich erging es den Deputatisten, Dreschern und Lohngärtnern, die verwandte Sozialfiguren verkörperten.

Der beschleunigte Übergang zur formal freien Lohnarbeit führte dazu, daß bereits seit der Mitte der 1870er Jahre die Masse der Landarbeiter aus seßhaften Tagelöhnern bestand; nur eine Minderheit lebte mithin als Insten, Häusler, Büdner, Kätner weiter. Mit diesem Aufstieg der Lohnarbeit entstand auch ein latenter «Interessenkampf, den die verstreute, der Organisation unfähige Arbeiterschaft durchzufechten nicht die Macht» hatte. Sie konnte auch noch nicht die individuelle Einsicht in kollektive strukturelle Interessen an der Verbesserung ihrer Lage in eine gemeinsame politische Mentalität mit manifester Konfliktbereitschaft verwandeln. Ihre traditionelle Untertänigkeit war nicht nur durch die Abhängigkeit des Arbeitsvertrages, sondern auch durch eine neue Unmündigkeit ersetzt worden, denn seit 1854 unterstanden sie dem Gesinderecht, das die alte hausväterliche Gewalt des Dienstherren auf sie ausdehnte. Das Koalitionsverbot blieb auch nach 1869, als die Landarbeiter aus der Gewerbeordnung ausgegrenzt wurden, erhalten. Selbst wenn sich die Rechtslage nach 1871 hier und da auflockerte, blieb doch der Gutsbesitzer de facto ein «politischer Autokrat» (Max Weber), der seinen lokalen Herrschaftsbereich als selbständigen Kommunal- und Ortspolizeibezirk leitete, teilweise noch als Richter in eigener Sache fungierte, als Wahlvorsteher die offene Stimmabgabe organisierte und einen ihm genehmen Vertrauensmann für den Posten des Landrates vorschlug. Dieser Monokratie en miniature entsprach folgerichtig die Kontinuität des paternalistischen Herrenstils gegenüber den abhängigen Arbeitern.

«Auf meinen Gütern... mußte ich», berichtete Elard v. Oldenburg-Januschau als Prototyp des modernen, auch politisch aktiven Junkers mit aller Unbefangenheit, «manchem ungehorsamen und aufsässigen Gesellen persönlich entgegentreten und mit der Faust Ordnung und Gehorsam erzwingen. Im Laufe der Zeit wurden die schlechten Arbeiter dadurch abgestoßen und die guten angezogen. Mein Mittel dazu hieß Gerechtigkeit» von jener Sorte, wie er sie als Offizier kennengelernt hatte. «Freilich war ich auch niemals nachsichtig, sondern hielt darauf, daß im Betrieb Gehorsam der oberste Grundsatz blieb. Auf diese Weise bildete sich im Laufe der Jahrzehnte auf all meinen Gütern zwischen meinen Leuten und mir ein Vertrauensverhältnis, dessen Formen manchem nicht aus dem Osten stammenden Deutschen vielleicht eigenartig erscheinen mögen.» Wegen dieses strengen, aber gütigen Patriarchalismus, den Oldenburg mit unangefochtenem Selbstbewußtsein für sich in Anspruch nahm, zählte er den Landarbeiter zu den «gesichertsten menschlichen Existenzen». Vermutlich mochte ein sicherer Arbeitsplatz in mancher Hinsicht eine Kompensation für das Fortleben alter Abhängigkeit in neuem Gewande bieten, aber der Preis für das ländliche Helotentum war bestürzend hoch.

Neben der Tagelöhnerschaft blieb das Gesinde bestehen, das aus vertraglich gebundenen männlichen und weiblichen Arbeitskräften auf den Gütern und größeren Bauernhöfen bestand; es erhielt meist nur Kost und Logis, dazu eine minimale Bargeldsumme. Für die einen, vornehmlich Bauernsöhne und -töchter, blieb es eine Durchgangsstation, für die meisten jedoch ein lebenslang währendes festes Arbeitsverhältnis. Es wurde durch das Gesinderecht, das den Arbeitgeber mit der vollen Verfügungs- und Strafgewalt des «Pater Familias» im «Ganzen Hause» bis 1918 erhielt, eisern reguliert. Auch das «Bürgerliche Gesetzbuch» wagte diesen Kernbestand ländlicher Unfreiheit nicht anzutasten. Die staatliche Sozialversicherung schloß Landarbeiter und Gesinde aus den Versicherungsgesetzen genauso aus wie aus den Arbeitsschutzvorschriften. Eine Begrenzung ländlicher Frauen- und Kinderarbeit wurde nicht eingeführt. Ein Reichslandarbeitergesetz, das überfällige Korrekturen vorsah, scheiterte an jenem konservativ-agrarischen Vetoblock in Parlament und Regierung, der jede minimale Veränderung der ländlichen Gesellschaft zu verhindern verstand.

Die materielle Lebenslage der Landproletarier wurde durch einen denkbar bescheidenen Zuschnitt bestimmt. August Meitzen, der «Grand Old Man» der preußischen Agrarexperten, unterschrieb ihn mit äußerster Zurückhaltung als die «verhältnismäßig sehr ärmlichen Bedingungen der Mehrheit». Zwar zogen auch in der ländlichen Gesellschaft die durchschnittlichen Nominal- und Reallöhne seit den 1890er Jahren etwas an: Die zunehmende Binnenwanderung zwang dazu, die Konjunktur ermöglichte es. Aber ein schlesischer Tagelöhner kam trotzdem nicht über ein jährliches Bruttoeinkommen von sechshundertfünfundachtzig Mark, der bestgestellte Lohnarbeiter in Mecklenburg-Schwerin nicht über neunhundertsiebenundvierzig Mark hinaus; selbst das Einkommen größerer Familien überschritt selten elfhundert Mark. Dagegen erreichte ein angelernter Industriearbeiter in der Eisenverarbeitung zur selben Zeit durchweg 1423 Mark.

Je nach Region fluktuierte auch noch immer das Verhältnis zwischen Barlohn und kärglichem Deputat ganz erheblich, enthüllte aber, aufs Ganze gesehen, die Ausbreitung der freien Lohnarbeit. So stieg etwa das Geldeinkommen vor 1914 im Königreich Sachsen auf 92.4 Prozent, in der preußischen Provinz Sachsen auf 85.3, in Schlesien auf 82.3, in Schleswig-Holstein auf 51.8 Prozent. Im hintersten Ostelbien dagegen überwog noch immer der Deputatentgelt, denn in Pommern erreichte der Barlohn der Lohnarbeiter 31.7, in Ostpreußen sogar nur 17.5 Prozent.

Angesichts der konkreten Lebensverhältnisse der Landarbeiter fürchtete ein Sachkenner wie Theodor v. d. Goltz schon Anfang der siebziger Jahre, daß sich die «sozialistische Agitation» aufs flache Land ausbreiten werde.

Zwanzig Jahre später wiederholte er angesichts der schnöden Vernachlässigung des Landproletariats seinen Ruf nach Reformen, um es «für sozialdemokratische Einflüsse unempfänglich zu machen». Die Mahnung war honorig, die Sorge unbegründet. Das faktische Gewerkschaftsverbot funktionierte, die SPD kultivierte ihre realitätsferne Abstinenz gegenüber den ländlichen Problemen. Als endlich 1909 der «Deutsche Landarbeiterverband» gegründet wurde, kam er über allererste, ziemlich kümmerliche Anfänge nicht hinaus. Bis 1914 hatten sich ihm rund 20300 Mitglieder angeschlossen, davon kamen ganze siebenunddreißig aus Posen, vierundfünfzig aus Ostpreußen, zweihundertsechzig aus Schlesien. Noch erfolgloser agitierte freilich ein kleiner christlich-nationaler Verband mit 3500 Mitgliedern. Angesichts des Potentials von sieben Millionen Menschen unterstreichen solche Zahlen noch einmal den Erfolg der paternalistisch-repressiven Herrschaftssicherung.

Anstelle des offenen Interessenkampfes optierten unter den vorgegebenen Bedingungen, die allenthalben seine Aussichtslosigkeit demonstrierten, Hunderttausende für den Zug nach Westen: nach Berlin, in die mitteldeutschen Gewerberegionen, vor allem dann in die westdeutschen Industriereviere. Diese Binnenwanderung, die in den beiden Jahrzehnten vor 1914 ihren Höhepunkt erreichte, ist vorn bereits erörtert worden (I.2.3). Aus der ländlichen Bevölkerung wuchsen zwar trotz des Lamentos über den Abfluß genügend Arbeitskräfte nach. Aber zu dieser Zeit hatten die Großagrarier längst die Vorzüge des Imports eines preiswerten osteuropäischen Subproletariats entdeckt, das ausschließlich für die Spitzenmonate der Erntezeit in unsäglich primitive «Schnitterkasernen» geholt, minimal entlohnt und im Zustand faktischer Rechtlosigkeit gehalten wurde. Es liegt auf der Hand, daß diese degradierten Nomaden erst recht die deutsche Landarbeiterschaft lähmten, in einen «Lohnkampf mit den Großproduzenten» einzutreten. Umgekehrt bedeutete die zeitlich begrenzte Einfuhr landwirtschaftlicher Saisonarbeiter ein Kampfmittel der Großagrarier im «antizipierten Klassenkampf».

Vor 1914 erfaßte die offizielle Statistik fast eine halbe Million solcher Pendelarbeiter, fast die Hälfte von ihnen Frauen. Die Dunkelziffer treibt diese Zahl noch weiter in die Höhe. Gerade jene Großagrarier, welche die Germanisierungspolitik gegen die preußischen Polen unterstützten und lauthals die nationale Verteidigung des Deutschtums gegen die «slawische Flut» forderten, orientierten sich als Unternehmer ausschließlich an ihren Lohnkosten. Eine Verbesserung der Lage der deutschen Landarbeiterschaft konnte erst in Angriff genommen werden, als mit dem Sturz der Monarchie endlich auch das agrarische Machtkartell geschwächt wurde.[28]

6. Die Sozialhierarchie des kaiserlichen Deutschland: Das marktgesellschaftliche Klassensystem mit ständischem Überhang

Nachdem die Industrielle Revolution auch in Deutschland die neuartige produktionskapitalistische Marktwirtschaft zur gesellschaftsprägenden Macht erhoben hatte, setzte sich mit innerer Folgerichtigkeit auch der beschleunigte Übergang zur Marktgesellschaft weiter fort, in der die marktbedingten Klassen zu den dominierenden Sozialformationen aufstiegen. Da die Geschichte nun einmal die unreinen Mischungen liebt, haftete diesen Klassen noch geraume Zeit manches ständische Erbe an. Unzweifelhaft hat sich aber während der Zeit des Kaiserreichs der Markt als die zentrale Verteilungsinstitution für Lebenschancen endgültig etabliert, der ständische Überhang blieb erhalten, unterlag jedoch unübersehbar einem Schrumpfungsprozeß. Der Markt, insbesondere seine jüngste Form: der Arbeitsmarkt, wurde zum ungleichheitsstrukturierenden Zentrum der Stratifikationsordnung. Er verdrängte die traditionellen Mechanismen der Zuweisung von Rang, Prestige und Einfluß, wie sie etwa in den Adelsprivilegien kraft familiärer Herkunft am längsten weiterlebten.

Dieser Interpretation des Charakters, den das System der Sozialen Ungleichheit in Deutschland seit der zweiten Hälfte des 19. Jahrhunderts gewonnen hat, liegt erneut ein weiter Begriff des sozialen Marktes zugrunde. Wie schon bisher wird er als eine weitläufige Arena verstanden, in der um das Angebot und die Nachfrage, um den Ankauf und die Verwertung von Leistungsqualifikationen und Arbeitskompetenzen zwischen Marktmachtbesitzern und Machtarmen, ja Machtlosen unter Beachtung oder Mißachtung bestimmter Regeln gestritten wird. Das Ergebnis wird mehr und mehr in Arbeitsverträgen mit dem Anschein eines Kontraktes zwischen formal gleichgestellten Rechtsparteien festgehalten.

Dieses weite Verständnis des Arbeitsmarktes gestattet es nicht nur, die marktbedingte Klassenbildung von städtischen und ländlichen Arbeitern zu verfolgen, an denen die Verteilungsmechanismen des Arbeitsmarktes am frühesten verfolgt werden können; dort sind sie einem auch am ehesten vertraut. Vielmehr rückt gleichfalls die Marktabhängigkeit von solchen Berufsklassen in das Blickfeld, bei denen man nicht sofort an diese Abhängigkeit denkt, bei denen auch im eigenen illusionsreichen Selbstverständnis der Markt häufig nicht einmal auftaucht. Für Gymnasiallehrer, Chemiker und Rechtsanwälte, für höhere Beamte, Architekten und Professoren fungiert jedoch nicht minder ein jeweils spezifischer Arbeitsmarkt als Regulator. Der Sonderfall, daß der Staat (später im Verein mit der Stadt) für den Beruf des Beamten ein Nachfragemonopol besitzt, mithin als Monopsonist mit nahezu absoluter Marktmacht auftreten kann, ändert an der prinzipiellen Marktabhängigkeit beim Einstieg in die Bürokratenkarriere gar nichts. Im Gegenteil: Sie wird dadurch nachdrücklich bestätigt.

Trotz des Vorrangs, den der Markt als Distributionszentrale gewann, blieb vielerorts ein traditionalistischer Überhang aus der Ständewelt noch erhalten – nicht nur bei adligen Agrarunternehmern und Offizieren, bei Bildungsbürgern und Handwerkern, sondern auch bei Facharbeitern und Angestellten, bei Unternehmern und Bauern. Deshalb traf Walther Rathenaus klarsichtiges Urteil eine Kernproblematik der Sozialen Ungleichheit im Kaiserreich: «Es wird später deutschen Geschichtsschreibern schwer verständlich sein», vermutete er in den letzten Friedensjahren, «wie in unserer Zeit zwei Schichtungssysteme sich wechselseitig durchdringen konnten: das erste ein Überrest der alten Feudalordnung, das zweite das kapitalistische.» Dieser Einsicht entsprang auch im Juli 1918 seine bittere Kritik an den herrschenden Klassen, zu denen man nur «als Angehöriger oder Assimilant des militärischen Feudalismus, des feudalisierten Bürokratismus oder des feudalisierten, militarisierten und bürokratisierten Plutokratismus» gehören könne.[29]

Dennoch: Aufs Ganze gesehen und auf längere Sicht unterstützte die Marktgesellschaft die Wirkung jener Reformgesetzgebung, die eine Staatsbürgergesellschaft freier und gleichberechtigter Individuen heraufführen wollte. Indem sie einerseits zur Befreiung von ständischen Bindungen beitrug, band sie aber andrerseits die Berufstätigen – und damit auch ihre Familien – in die neue Abhängigkeit von Marktwert und Marktlage ein. Das erwies sich als ein mindestens ebenso starres Gehäuse, wie es für die früheren Berufsstände bestanden hatte.

Freilich muß man sich stets präsent halten, daß auch in der allseits vordringenden Marktklassengesellschaft nicht-marktmäßige Faktoren weiterhin eine eminent wichtige Rolle spielten. Mit anderen Worten: Außer dem Markt blieben relativ autonome Einflüsse weiter bestehen, die unleugbar auf das System der Sozialen Ungleichheit einwirkten. Abgesehen von den Basisdifferenzierungen nach Geschlecht und ethnischer Zugehörigkeit, nach Jugend und Alter, behielt die Familie, in die jedermann durch den Zufall der Geburt hineingeriet, ihre Schlüsselrolle als «das wahre Individuum» (Schumpeter) der Klassenformierung. Denn die Familie verfügte – in wie großem oder minimalem Umfang auch immer – über die verschiedenen Kapitalsorten: über das soziale, das kulturelle, das ökonomische Kapital; sie trug in der Sozialisationsphase ihrer heranwachsenden Mitglieder zum Aufbau der psychischen Ressourcen, der Sprachkompetenz, der Motivationsfähigkeit, der Lebensziele bei; sie entschied über den Zugang zu Bildungsinstitutionen, zu anderen Ausbildungs- und Karrierechancen, zum Heiratsmarkt, zu Reserven der sozialen Abfederung. Am Beispiel des Adels, aber auch des Bildungsbürgertums und der Unternehmerschaft läßt sich genau verfolgen, wie trotz der formalen Rechtsgleichheit zahlreiche informelle Vorzüge der Familienherkunft und des klassenspezifischen Netzwerks die Angehörigen mit sichtbaren und unsichtbaren Vorteilen ausstatteten. Selbstverständlich mußten sich die allermeisten in einer bestimmten Lebensphase mit ihrer Leistungskapazität auch auf dem Markt bewähren. Gerade dann aber stellte sich heraus, wie oft sie «positiv privilegierte» Marktmachtbesitzer waren, deren Lebenschancen und -risiken aufs schärfste mit denjenigen der «negativ privilegierten» Arbeitskraft- und Kompetenzverkäufer kontrastierten.

Ein anderes wichtiges Beispiel ist die Bürokratie, die ihre ursprüngliche Sperrigkeit gegenüber der Marktmechanik behielt. Als hierarchische Organisation, die dem Bedürfnis nach qualifizierten Steuerungsexperten während des Staatsbildungsprozesses entsprungen war, bestand sie auf Befehl und Gehorsam, gewährte ständische Sonderrechte und soziale Sicherheit, entband weitgehend von der Haftung für Handlungsfolgen; sie insistierte auf einem eigenen Ehrenkodex, eigener Gerichtsbarkeit, eigener «standesgemäßer» Lebensführung. Die Mitglieder des bürokratischen Herrschaftsapparats fungierten daher als solche keineswegs regelmäßig marktorientiert – sooft das auch vorkommen mochte –, und ihr Lebensschicksal im Amt verlief nicht im strengen Sinne marktbedingt. Im Vergleich mit den in der Tat marktbedingten Klassen etwa der Unternehmer, der freiberuflichen Akademiker, der Stahlarbeiter, die ihre Produkte und Leistungen gegen Geld tauschen, also dem Marktprinzip der Interdependenz gehorchen mußten, unterlagen Beamte dem Zwillingsprinzip der abgestuften Entscheidungskompetenz, damit aber zugleich ihrer Abhängigkeit von der Position in der Rangordnung ihrer strikt gegliederten Organisation.

Auch wenn all diese Charakteristika bereitwillig eingeräumt werden, ändern sie doch nichts daran, daß in einer entscheidenden Konstituierungsphase vor der endgültigen Aufnahme in die Bürokratie die Anbieter bestimmter Leistungsqualifikationen auf ihrem Arbeitsmarkt von einem Monopsonisten ausgewählt werden mußten, so daß sie die typischen Merkmale einer marktbedingt rekrutierten Berufsklasse besaßen.

Ob nun dauerhaft oder nur in der Entstehungszeit eine marktabhängige Erwerbs- oder Besitz- oder Berufsklasse – sie alle verband die Abhängigkeit vom Leistungsprinzip in der sozialen Wirklichkeit und als hochstilisierte Ideologie. Das traf auf Wirtschafts- und Bildungsbürger, auf Bürokraten und Facharbeiter grundsätzlich gleichermaßen zu, auch wenn diese Abhängigkeit immer wieder durch Konnexionen oder Anciennitätsregeln durchbrochen wurde. Insofern stand die Marktgesellschaft insgesamt unter einem permanenten Leistungs- und Bewährungszwang.

Blickt man auf die Hierarchie der reichsdeutschen Klassenordnung, wie sie sich bis 1914 herausgebildet hat, noch einmal zurück, treten erneut die Größenverhältnisse mit ihrer extremen Unterschiedlichkeit drastisch hervor. Das gilt namentlich für die im Rückblick vielfach verklärten goldenen wilhelminischen Jahrzehnte. Die Oberklasse des Adels (0.3–0.5 %), die Spitzenbourgeoisie (0.5 %), das Wirtschaftsbürgertum (3–4 %) und das

Bildungsbürgertum (0.75–1%) machten zusammen gut fünf Prozent der Reichsbevölkerung von fünfundsechzig Millionen Menschen aus. Mit den Familienangehörigen waren das nicht mehr als etwa 3.6 Millionen. Zusammen mit dem Kleinbürgertum (8–10%) kam das gesamte Bürgertum auf nicht mehr als bestenfalls fünfzehn Prozent, auf weniger als ein Sechstel der Bevölkerung. Es verkörperte im engeren sozialhistorischen Sinne die «bürgerliche Gesellschaft» des Kaiserreichs, wobei die unverändert faszinierende Prägekraft von dem wirtschafts- und bildungsbürgerlichen Spitzenklassenverbund, mithin von nur sechs Prozent der Bevölkerung ausging.

Unterhalb der obersten Gesellschaftsränge umschlossen diejenigen bürgerlichen Mittelklassen und bäuerlichen Besitzklassen, die in der Regel eine hinreichende materielle Sicherheit genossen, rund ein Viertel, maximal dreißig Prozent der Reichsangehörigen. Der plutokratische Grundzug der Einkommensentwicklung bestätigt die «Verteilungsschiefe», die mit diesen Größendimensionen verbunden war. Das oberste Prozent zog ein Fünftel des Gesamteinkommens an sich, den obersten fünf Prozent floß ein Drittel zu, und auf die obersten zehn Prozent entfielen immerhin zwei Fünftel.

Trotz der relativen Verbesserung der Realeinkommen, die seit den achtziger Jahren auch dem Oberbereich der Unterklassen zugute kamen, blieben zu Beginn der neunziger Jahre rund fünfundsiebzig Prozent, kurz vor 1914 immer noch siebzig Prozent, im allergünstigsten Fall sechsundsechzig Prozent unter der Grenze des niedrigsten Jahreseinkommens, jenseits derer die Besteuerung überhaupt erst einsetzte. Man hat daher davon auszugehen, daß die städtischen und ländlichen proletarischen und proletaroiden Erwerbsklassen zwischen fünfundsiebzig und mindestens sechsundsechzig Prozent der Reichsbevölkerung umfaßten. Insofern trifft die bekannte bildliche Darstellung des Stratifikationssystems als eine birnenförmige Gestalt zu: Aus einem weit ausgebuckelten riesigen proletarischen Sockel wächst der schlanke Hals der Mittelklassen empor, der mit dem nadeldünnen Schlußstück der Oberklassen endet. Auch und gerade die Wohlstandssteigerung während der Hochkonjunkturperiode nach 1895 hat dazu geführt, daß sich die Distanz zwischen Ober- und Unterklassen, vor allem aber auch zwischen Ober- und Mittelklassen kontinuierlich vergrößert hat.

Angesichts des krassen Gefälles, das im Hinblick auf Macht, Prestige und Einkommen die Sozialhierarchie des kaiserlichen Deutschland bis zuletzt charakterisierte, kann das hohe Spannungspotential schwerlich verwundern, das sich vor 1914 in dieser Marktklassengesellschaft aufgespeichert hatte. Das bedeutet keineswegs, daß Deutschland sich in einer vorrevolutionären Phase befand, geschweige denn mit Notwendigkeit in sie hineinbewegte. Das soziopolitische System hatte sich seit Jahrzehnten als veränderbar, als –

wenn auch in engen Grenzen – reformierbar erwiesen, so daß die Spannungsmeisterung immer wieder geglückt war. Dieser Leistung entsprach weithin eine politische Mentalität des Drängens, aber Abwartens – nicht der Bereitschaft zum revolutionären Umsturz. Es bedurfte der erbarmungslosen Druckkammer des Ersten Weltkriegs, um die gesellschaftlichen Antagonismen bis zu jener Gefahrenmarke hochzutreiben, wo der revolutionäre Bürgerkrieg nicht mehr zu vermeiden war.

IV.
Strukturbedingungen und Entwicklungsprozesse Politischer Herrschaft

In der neueren deutschen Geschichte gibt es nur wenige Zäsuren, die mit dem Einschnitt von 1871 verglichen werden können. Nach langen Jahrhunderten eines überaus lockeren föderalistischen Zusammenlebens der Staaten im vorwiegend deutschsprachigen Mitteleuropa – ob in der Gestalt des traditionsreichen Heiligen Römischen Reiches Deutscher Nation bis 1806 oder des Deutschen Bundes in dem folgenden halben Jahrhundert von 1815 bis 1866 – wurde ein Großteil dieses deutschen Staatensystems, das von Anfang an als integraler Bestandteil innerhalb des europäischen Staatensystems existiert hatte, plötzlich zu einem modernen Zentralstaat zusammengefaßt. Zugleich bedeutete die Reichsgründung, daß ein deutscher Nationalstaat entstand, der den Hoffnungen des kleindeutschen Nationalismus und der liberalen Nationalbewegung entsprach, den Wunsch jedoch nach einer großdeutschen Lösung der «deutschen Frage» bis 1938 nie völlig zum Schweigen bringen konnte.

Die entscheidende Schubkraft ging in den 1860er Jahren, als sich der Ansporn einer im Verfassungskonflikt kulminierenden Fundamentalkrise auswirkte, von der großpreußischen Expansionspolitik aus. Sie wurde – ein unvorhersehbarer, seltener Sonderfall – von einem charismatischen Berufspolitiker mit Hilfe des glücklich operierenden Militärs und der informellen Allianz mit der Nationalbewegung zum Ziel geführt. Nachdem die strukturpolitischen Grundentscheidungen zugunsten der preußischen Hegemonialmacht gefallen waren, trug Bismarck beim Ausbau des Reiches, als die neue Konstellation auch verfassungsrechtlich verankert wurde, den föderalistischen Traditionen elastisch Rechnung. Ihr zählebiges Fortbestehen, ja ihre Vitalität ist nicht zu unterschätzen. Trotzdem traf Heinrich v. Treitschke mit seiner pointierten Analyse der reichsdeutschen Realverfassung einen Kernpunkt dieser komplizierten Konstruktion. «Unser Reich ist in Wahrheit», konstatierte er 1874, «der die Mehrheit der Nation unmittelbar beherrschende preußisch-deutsche Einheitsstaat mit den Nebenlanden, welche seiner Krone in föderativen Formen untergeordnet sind, oder kurz: die nationale Monarchie mit bündischen Institutionen.» Die Aufwertung der Reichspolitik und des Reichsmonarchen hat gerade auf längere Sicht dieses Urteil bestätigt. Im Grunde traf es bis zum Untergang des großpreußisch-kleindeutschen Herrschaftskomplexes im Spätherbst 1918 zu.

A. Die Bismarckära: Charismatische Herrschaft von 1871 bis 1890

Blickt man aber genauer auf die vier Friedensjahrzehnte des Kaiserreichs, springt der Unterschied zwischen zwei Epochen seiner Entwicklung ins Auge. Die Bismarckära von 1871 bis 1890 brachte den Reichsdeutschen eine neuartige Erfahrung: Zum ersten Mal erlebten sie die Erfolge und Grenzen, den Charakter und die Auswirkungen charismatischer Herrschaft, wie sie vorn bereits ausführlicher charakterisiert worden sind (5. Teil, IV. 6d). 1890 entfiel der große Koordinator, auf den auch die Verfassung zugeschnitten war. Von seiner Regierungszeit unterschied sich, durchaus im Sinn eines tiefreichenden Strukturbruchs, die wilhelminische Epoche mit ihrer Polykratie erbittert rivalisierender, dauerhaft aufgesplitterter Herrschaftszentren. Aus dieser Systemveränderung erklärt sich an erster Stelle der eigentümlich diffuse, entscheidungsschwache, fluktuierende Charakter der Reichspolitik seit 1890. Daher drängt sich für die Darstellung eine Zweiteilung der politischen Entwicklung auf, die der Wendemarke von 1890 Rechnung trägt. Zuerst geht es mithin um jene Jahrzehnte, die schon die Zeitgenossen das «Zeitalter Bismarcks» genannt haben.

1. Das politische Herrschaftssystem

Die Grundzüge der politischen Ordnung, die seit 1871 das neue deutsche Reich geprägt hat, sind vorn schon hervorgehoben worden (5. Teil, IV. 6). Hier geht es noch einmal um eine knappe Charakterisierung von Eigenarten einer Verfassung, die oft als sogenannter «deutscher Konstitutionalismus» firmiert. Dabei steht nicht allein das politische Institutionengefüge als solches zur Debatte, sondern auch die gesellschaftsprägende Macht, die von ihm ausging. Denn wie stets zuvor und danach hat das politische Herrschaftssystem Rahmenbedingungen geschaffen und Einflußfaktoren zur Geltung gebracht, die auf die Gesellschaftsgeschichte mehr oder minder bestimmend einwirkten.

a) Bismarcks Kanzlerregime: Koordination in der Herrschaftszentrale

Es entspricht der inneren Hierarchie eines charismatischen Herrschaftssystems, daß die Führungspersönlichkeit an der Spitze wegen ihres außergewöhnlich weitreichenden Einflusses vorrangig behandelt wird. Die existentielle Krise, die immer die entscheidende Voraussetzung für den Aufstieg des Charismatikers ist, hatte Bismarck mit Hilfe dreier Kriege und der nationalen Einigungspolitik vorerst gelöst. Der Triumph der Reichsgründung bestätigte die Sonderqualität seines politischen Talents. Seither dehnte sich der Bismarck-Mythos schier unaufhaltsam aus. Auch nach 1871 folgte jedoch eine Krise auf die andere. In der Außenpolitik mußte das Staatensystem an die neue, angeblich definitiv «saturierte» Großmacht gewöhnt, mußte seine Gemeinverträglichkeit glaubwürdig bewiesen werden. Das gelang, ließ sich aber nicht ohne manche schwere Belastung und gefährliche Zuspitzung durchführen. Bismarck erwies sich durchweg, schien es, als der große Dompteur, der sich all diesen Problemen gewachsen zeigte. Der Preis für einige seiner glänzenden Erfolge ist durchweg erst später zutage getreten.

In der Innenpolitik brach nach kurzer Zeit die Hochkonjunktur zusammen. Seit 1873 sah sich Bismarck langlebigen Wachstumsstörungen gegenüber: zwei schweren industriellen Depressionen und der ebenso unerwarteten Agrarkrise. Nur eine kurze Spanne seiner Reichskanzlerzeit, das muß man sich immer wieder vergegenwärtigen, bestand aus störungsfreien Konjunkturjahren. Zugleich wurde er mit dem Aufstieg der Sozialdemokratie, dem Zerfall des Nationalliberalismus, dem «Kulturkampf», dem fremdartigen politischen Massenmarkt, mit den Folgen der Industrialisierung und Klassenformierung – kurzum: mit einer Fülle von inneren Krisenerscheinungen konfrontiert. Auch ihnen gegenüber wurde die Bewährung seiner charismatischen Fähigkeiten erwartet. Daß ihm die Bewältigung der inneren Krisen gelungen sei, läßt sich mit durchschlagenden Gründen bestreiten. Mit der ihm eigenen Illusionslosigkeit registrierte er das gelegentlich auch selber. Manchmal griff er darum sogar zu dem probaten Mittel dieses Politikertypus, dessen Charisma bei Erfolglosigkeit notwendig einem gefährlichen Verschleiß unterliegt: nämlich die Krisen selber zu fabrizieren, um seine alte Meisterschaft doch noch einmal beweisen zu können.

Bis in die letzten Jahre seiner Kanzlerschaft hinein vermochte Bismarck, wie das vorn durch das Urteil von Zeitgenossen schon ausführlicher belegt worden ist (5. Teil, IV. 6a), von dem beispiellosen Erfolgsfundus zu zehren, den er als charismatischer Politiker angehäuft hatte – oder der doch weithin seiner extraordinären Leistungsfähigkeit zugeschrieben wurde. «Die Diktatur Bismarcks», von der Lothar v. Schweinitz unverbrämt sprach, übte nach seinem Urteil «auf die Masse des deutschen Volkes eine erziehende und im ganzen wohltätige Wirkung» aus. Trotzdem konzedierte er bei «aller Bewunderung», die er für das «Genie» des Kanzlers hegte, daß «niemals» zuvor auch die Kehrseite der glänzenden Medaille, mithin «neben solcher Größe so allgemeine Unterwürfigkeit zu sehen» gewesen sei. Erbittert grollte die Kronprinzessin über Bismarcks Spitzenposition: «Sein Wille ist hier Gesetz», «von seinem guten oder bösen Willen» seien sogar «Krieg und Frieden abhängig». Selbst Franz v. Roggenbach, der engen Kontakt zum liberalen Umkreis des Kronprinzen Friedrich pflegte und seit langem den «allmächtigen Junker» mit kaustischer Schärfe kritisierte, erkannte an, daß Bismarck durch «seine Wesenheit und die begünstigenden Umstände» eine weit abgehobene «Stellung» gewonnen habe, in der er dank seiner unleugbaren Begabung ganz «er selber sein konnte». Neben einem Mann dieses Formats «mußten darum alle ... politische Nullen» werden.

Die zutiefst ambivalente Wirkung von Bismarcks Regime faßten auch manche seiner früheren Bewunderer scharf ins Auge. Gustav Freytag konstatierte zum Beispiel voller Bitterkeit, daß das «Leben einer Nation» nicht allzulange von einem «Einzelnen» abhängen und durch die «Selbstherrlichkeit eines Mannes», dem man «alles Große und Gute angedichtet» habe, geleitet werden dürfe, denn «das Volk bezahlt solche Herrschaft zu teuer». Auf dem rechten Flügel der Nationalliberalen nannte der Württemberger Julius Hölder Bismarck einen neuen «Ivan den Schrecklichen», der «weder Bundestag noch Reichstag noch Kollegen im Ministerium und selbst den Kaiser etwas gelten» lasse; «seine Gewalttätigkeit und Rücksichtslosigkeit überschreitet jedes Maß». «Umsonst hat eine Nation keine großen Männer an der Spitze. Allein – alles, auch solche Opfer können zu viel werden.» Hermann Baumgarten, der 1866 noch in seiner «Selbstkritik» den Liberalen, um sie regierungsfähig zu machen, die Rolle des Juniorpartners neben Bismarck empfohlen hatte, hielt 1881 den Kanzler für einen «cäsarischen Demagogen», der – allein seine egoistischen Ziele vor Augen – den «Fanatismus der Massen» bedenkenlos aufputsche, seine Politik «gewaltsam, ja roh und brutal» betreibe. «Bismarck hat», stellte Theodor Mommsen, meilenweit vom Enthusiasmus nach 1866 entfernt, mit epigrammatischer Kürze apodiktisch fest, in wenigen Jahren «der Nation das Rückgrat gebrochen», denn sie finde sich mit seinem «pseudokonstitutionellen Absolutismus» ab.[1]

Unumstritten waren mithin weder der Nimbus des Mannes noch die Natur seines Regimes. Aber in der Anerkennung seiner Sonderstellung, ob sie glorifiziert oder dämonisiert wurde, stimmten Freund und Feind überein. Auch die wesentlichen Charakterzüge und politischen Eigenarten von Bismarcks Schlüsselstellung sind nicht erst von der historischen Forschung im 20. Jahrhundert herausgearbeitet, sondern frühzeitig von klugen Zeitgenossen erfaßt worden. Hier kann etwa an das erhellende Urteil Ludwig Bambergers über den «weißen Revolutionär» in seiner Aufstiegsphase erinnert werden. Auch die außerordentlich widerspruchsvolle Mischung von Eigenschaften hat die Phantasie politischer Beobachter von Anfang an beschäftigt. «Es ist in dem antediluvianischen Mann», erkannte etwa Bluntschli, «eine seltene Verbindung von lauterster Offenheit und tiefer Verschlagenheit, von rückhaltloser Wahrhaftigkeit und bewußter Täuschung.» Mit Eiseskälte setze Bismarck nach Maßgabe seiner Absichten Menschen ganz instrumentell ein: «wie Postpferde, mit denen er bis zur nächsten Station fährt». Nicht nur Menschen, sondern auch Parteien, überhaupt Institutionen behandelte er wie auswärtige Mächte, mit denen er ungerührt manövrierte, je nach Interessenlage ein Bündnis schloß oder wieder brach. Er brauchte oder mißbrauchte sie, wie es seinen strategischen oder taktischen, auch seinen rein persönlichen Zwecken entsprach.

Immer aber setzte er alle Anstrengung daran, sich unter noch so komplizierten Bedingungen eine Mehrzahl von Optionen offen zu halten, um eine gefährliche Eingleisigkeit in Entscheidungssituationen zu vermeiden. Bei allen «inneren und äußeren... Fragen» bewahre sich Bismarck, resümierte der bayerische Gesandte in Berlin, möglichst mehrere Auswege, mindestens aber «eine Alternative», um gegebenenfalls «nach zwei entgegengesetzten Seiten» entscheiden zu können.

Bismarck selber hielt das bewunderte Spiel mit mehreren Bällen für einen politischen Imperativ schlechthin, auch für seine eigene Stärke. Er bemühe sich, beschrieb er seine Grundeinstellung, «alle Eventualitäten im Auge zu behalten, die im Reiche der Möglichkeit liegen». Zumindest müsse man «stets zwei Eisen im Feuer haben». «Einförmigkeit im Handeln», konnte er rückblickend in der Tat behaupten, «war nicht meine Sache.»

In der Anarchie des Machtkampfes führten für ihn nur kühles Interessenkalkül, Furcht vor schmerzhaften Folgen und egoistische Klugheit zum Ziel. Interessen sogleich zu erkennen, ihre vitale oder periphere Bedeutung realitätsnah zu erfassen, sie rechtzeitig zu befriedigen oder sie zu isolieren, aufzugreifen oder zu schwächen – das hielt er für eine Hauptaufgabe des handelnden Politikers. An ihrer Lösung erweise sich sein Talent. Wenn Fedor Dostojewski einmal geurteilt hat, daß das größte von Bismarcks Talenten sein «geniales Mißtrauen» sei, bewährte sich diese Eigenschaft zuvorderst daran, daß er meist schneller als andere Akteure Interessenlagen erfaßte und – unter «gänzlicher Abstraktion von den gemütlichen Regungen» – politische Schachzüge ersann, um sie nach seinen Zielvorstellungen berücksichtigen, beeinflussen, ausbeuten zu können. Bismarck, der dem materialistischen «Determinismus innerlich viel näher stand als die Pathetiker der marxistischen Kirche», hat Maximilian Harden diesen Wesenszug des ersten Reichskanzlers erfaßt, witterte «hinter jedem Glaubensbekenntnis... ein wirtschaftliches oder soziales Bedürfnis, die Regung eines gesunden Egoismus oder Klassengefühls, gegen die mit Redekünsten» allein nichts auszurichten sei, wohl aber mit einem weltklugen, geschmeidigen Handeln.

Trotz dieser hellwachen Bereitschaft zur interessengeleiteten Aktivität hielt sich Bismarck weit entfernt von jener Naivität, die Geschichte für «machbar» hält. Immer wieder hat er glaubwürdig seine Einstellung beschrieben, daß sich die «Geschichte überhaupt nicht machen» lasse. Der Staatsmann «kann den Strom der Zeit nicht schaffen und nicht lenken», dieses Bild wurde von ihm immer wieder variiert, «er kann nur darauf hinfahren und steuern». Dabei müsse er sich «nach den jeweilig obwaltenden Umständen richten; er könne die vorliegenden Tatsachen und Zeitströmungen nicht meistern, sondern sie nur geschickt für seine Zwecke benutzen». Oder ein anderes Mal: «In der Politik kann man nicht einen Plan für lange Zeit festlegen und blind in seinem Sinn vorgehen. Man kann sich nur im großen die zu verfolgende Richtung vorzeichnen,... aber kennt die Straßen nicht genau, auf denen man zu seinem Ziel gelangt»; der Staatsmann dürfe nur «die gangbaren Wege einschlagen, wenn er sich nicht verirren soll».

Manche Historiker haben deshalb Bismarck zum demütigen Lutheraner stilisiert, dessen eigentliche Meisterschaft als Politiker darin bestanden habe, übermächtige Tendenzen für seine Ziele zu nutzen. Das ist bestenfalls die halbe Wahrheit. Gegen die Hybris, historische Konstellationen für eine reine Verfügungsmasse von «Männern, die Geschichte machen», zu halten, blieb Bismarck in der Tat gefeit. Aber er hat doch auch seine Demut vor dem schicksalhaften Gang der Geschichte, der vom einzelnen nicht steuerbar sei, mit großem rhetorischen und publizistischen Geschick geheuchelt, das Image eines Politikers voll weisen Respekts vor den überindividuellen Mächten bewußt kultiviert. Denn alle realistische Selbstbescheidung hielt ihn zu keiner Zeit davon ab, mit aller Macht gegen «feindliche Kräfte» zu intervenieren, und das hieß oft genug: entgegen dem eigenen Lippenbekenntnis mit voller Kraft gegen den Strom zu steuern, gegen den Liberalismus im Verfassungskonflikt und in den Jahren seit 1876, gegen den politischen Katholizismus, gegen die sozialdemokratische Opposition, gegen den Parlamentarismus, gegen eine umfassende Sozialpolitik, gegen eine Gesellschaft mündiger, gleichberechtigter Staatsbürger. Die dunklen Drohungen mit dem Staatsstreich, um die politische Ordnung des Reiches gewaltsam zu revidieren, die Verletzungen, die er der politischen Kultur des neuen Staates zugefügt hat, die Vereitelung der institutionellen Weiterentwicklung, deren Notwendigkeit sich zusehends aufdrängte – sie resultierten auch aus seinem unnachgiebigen Widerstand gegen starke Zeitströmungen. Immer wieder nahm er Konflikte nicht nur in Kauf, sondern spitzte sie bewußt so zu, daß sie schließlich zu traumatischen Schäden führten. Denn trotz aller Elastizität hielt er beharrlich an seiner rückwärtsgewandten Utopie fest: Im Zentrum seines Weltbildes behielt eine von Konservativen stabilisierte Sozialordnung und Staatsverfassung unverrückbar ihren festen Platz.

Ein Berufspolitiker mit den raren Fähigkeiten eines Charismatikers, wie es seinesgleichen während der zweiten Hälfte des 19. Jahrhunderts in Europa nicht gab, ein Mann mit meist unbestechlichem Realismus, aber auch mit unzeitgemäßen Leitideen – und beides konnte dieselbe unbezähmbare Energie freisetzen –, diese Persönlichkeit war zwanzig Jahre lang der erste Reichskanzler des neuen deutschen Staates.

Aus der Individual- und Sozialpsychologie, auch immer wieder aus der Geschichte und aus der zeitgenössischen Problematik von unterentwickelten Ländern, ist die wortwörtlich grundlegende Bedeutung der formativen Anfangsphase in der Geschichte der Individuen, Kleingruppen und Gesellschaften bekannt. Während dieser Periode werden die Weichen für die künftige Entwicklung gestellt, Denk- und Verhaltensmuster tief eingeschliffen, Sozialideologien und tragende Bauelemente der politischen Kultur fest verankert. Diese Prägung erfahren auch große Verbände wie die Nationen, vor allem in den Epochen ihrer Revolution oder der erfolgreichen Staatsbildung. «Über den Ländern bilden sich» dann, hat das Eugen Rosenstock-

Huessy prägnant ausgedrückt, «geistige Klimata», die noch lange Zeit über ihnen «stehen bleiben». Unverkennbar besitzt auch die Gründungszeit des neuen großpreußisch-kleindeutschen Staates diesen Charakter einer Inkubationsperiode, in der ein Pluralismus zunächst offener Optionen radikal reduziert, eine Vielzahl von strukturellen Grundentscheidungen getroffen, ein neuer politischer Stil eingeübt wurde.

Es ist eine Selbstverständlichkeit, daß die Heroisierung Bismarcks als «Reichsgründer» allein aus eigener Kraft keinesfalls durch seine Dämonisierung zum singulären Unheilbringer ersetzt werden darf. Unbestreitbar bleibt jedoch, daß Bismarcks charismatische Herrschaft die «Gründerzeit» des Reiches in außergewöhnlichem Maße mitgeprägt hat – ohne ihn wäre alles anders verlaufen. Wessen Bismarck fähig war, um seine Macht zu behaupten und die politische «Hemmung bürgerlichen Mündigwerdens» fortzusetzen, wohin sein kompromißloser Kampfkurs gegen innere «Reichsfeinde», die skrupellose Fabrikation künstlicher Krisen, der häufige «Mißbrauch der Außenpolitik zu Wahlmanövern», die eklatante «Mißachtung humanitärer Gefühle und moralischer Bedenken» führte – das lenkt im Blick auf die formativen Jahre der Reichspolitik bereits an dieser Stelle unabwendbar auf einen Fluchtpunkt des kritischen historischen Urteils hin. «Wie lange und verschlungen auch der Weg von Bismarck zu Hitler gewesen ist», mit diesen Worten ist selbst ein so bismarckfreundlicher Historiker wie Hans Rothfels dem Problem unmittelbar nach 1945 nicht ausgewichen, «der Reichsgründer erscheint als der Verantwortliche für eine Wendung, mindestens aber für die Legitimierung einer Wendung, deren fatale Steigerung bis zum Gipfel in unseren Tagen nur allzu augenscheinlich geworden ist.»[2]

b) Die Monarchie als zweites Herrschaftszentrum

Als sich die hochkonservative Militärpartei im preußischen Verfassungskonflikt vor die Alternative von «Königsheer oder Parlamentsheer» gestellt glaubte, hat sie Bismarck als Stabilisator des Alten Regimes zu Hilfe gerufen. Auf dem Bündnis zwischen ihr und Bismarck beruhte die Politik der Folgezeit. Nach den Erfolgen zwischen 1866 und 1871 diente die Verfassung erst des Norddeutschen Bundes, dann des Reiches ganz wesentlich dem Zweck, dem Militär eine parlamentsautonome Sonderstellung als «status in statu», dem König seine ungeschmälerte Kommandogewalt zu erhalten. Dieses Arrangement bestand bis zum Herbst 1918. Abgesehen von manchen anderen Sonderbedingungen ist es diese privilegierte Eigenexistenz des Militärs und seines Befehlshabers, die den harten Kern des «deutschen Konstitutionalismus», daher auch im internationalen Vergleich eine politische Eigenart des deutschen «Sonderwegs» gebildet hat.

Eine Fortentwicklung der Verfassung, ein neuer zeitgemäßer Kompromiß unter Anerkennung der parlamentarischen Kontrollfunktionen erwies sich bis zuletzt als nicht durchsetzbar. Umgekehrt ist aufgrund dieses Verteidigungserfolgs auch der Berliner Monarch mit seinen Beraterstäben bis zuletzt eines der Herrschaftszentren des Reiches geblieben. Wer über die quasi unabhängigen Streitkräfte im preußisch-deutschen Militärstaat mit einer so spätfeudalistisch-personalistischen Entscheidungskompetenz, wie sie die «Kommandogewalt» implizierte, kontinuierlich verfügen konnte, stellte jederzeit einen nicht zu umgehenden Machtfaktor im politischen Herrschaftsgefüge dar. Da Preußen außerdem eine Vetoposition in der Reichspolitik innehatte, blieb der preußische König nach 1871 «als einziger noch Monarch im vollen Sinne» – pointiert gesagt: «eine Art Ein-Mann-Regierung» mit ausgewählten Fürstendienern als Beratern. Auch dieser Umstand erleichterte ihm in seiner Funktion als Kaiser die Erhöhung zum «Reichsmonarchen».

Was die Stabilisierung des alten preußischen Regimes zwischen 1862 und 1871 und damit die Vermeidung eines liberalen, parlamentarischen Systems bedeutete, hat Bernhard v. Bülow dreißig Jahre später mit bemerkenswerter Direktheit auf den Punkt gebracht. «1862 blieb uns», behauptete er mit der Sicherheit der Retrospektive eines Konservativen, der seine vorbehaltlose Zustimmung zum Gang der Dinge bekundete, «keine andere Wahl mehr als der Weg, der zu 1866 und 1870 führte. Das selbstregierende Königtum hatte vierzehn Jahre vorher – als Friedrich Wilhelm IV. vor der siegreichen Revolution die Mütze zog – eine schwere Wunde empfangen. Die Galvanisierungsversuche des Systems Manteuffel blieben erfolglos. Die Abführmittel der ‹Neuen Ära› verschlimmerten den Zustand des Kranken. Bismarck unterzog denselben einer Blut- und Eisenkur. Es mag sein, daß der Kräftezustand des Patienten vorher (d. h. vor 48) ein frischerer, natürlicherer war; daß derselbe nachher (d. h. nach 66 und 70) ein künstlicheres, prekäreres Dasein führte. Aber ohne jene Pferdekur würde der Kranke allmählich in seinem Bett an Entkräftung gestorben sein. Ohne die 1862 eingeschlagene Politik würde – soweit menschliche Wahrscheinlichkeitsberechnung reicht – Wilhelm I. abdiziert haben; der Kronprinz hätte ein rein parlamentarisches Regiment inauguriert, und Preußen wäre heute eine Art von Belgien oder Baden, wenn es überhaupt noch existierte.»

Das alles klingt wie «His Master's Voice», denn nicht viel anders als der langjährig erprobte AA-Diplomat, der sich damals Bismarcks politische Position ganz zu eigen gemacht hatte, hätte auch der Reichskanzler selber die Unausweichlichkeit dieser Entwicklung beschrieben. Unausweichbar erschien sie ihm seit der Zuspitzung des Verfassungskonfliktes deshalb, weil nur so die möglichst autonome Königsherrschaft mit ihrem Königsheer gerettet werden konnte. Als dann dank der Kriegserfolge und der unerbittlichen Blockade Bismarcks alle Anläufe der Liberalen, sowohl die Monarchie einzuhegen als auch das Heer der parlamentarischen Kontrolle zu unterwerfen, gescheitert waren, konnte die militärische Spur des deutschen «Sonderwegs» beharrlich weiterverfolgt werden.

Daß der Kaiser das Reichsheer leitete, hatte die Verfassung von 1871 festgeschrieben. Als Inhaber der «Kommandogewalt» über die preußische Armee dirigierte er das größte Kontingent. Um diese Lenkungsfunktion im Alltag wahrnehmen zu können, stand dem Monarchen seit langem als ausschlaggebende Institution das Militärkabinett zur Seite, das vorn bereits charakterisiert worden ist. Es war keineswegs nur ein Instrument des königlichen Willens, vielmehr ein Expertenstab, der mit Eigengewicht und Eigenegoismus seine Schlüsselrolle zu spielen vermochte. Denn das Militärkabinett regelte zum Beispiel in seinen Geheimsitzungen alle Personalangelegenheiten des Offizierkorps. Deshalb besaß es die wertvolle Machtressource der Entscheidung über alle Beförderungen. Wie die Spinne im Netz kontrollierte es auf diese Weise sämtliche Fäden bis in die abgelegenste Garnison.

In der Zeit Wilhelms II. wurde das Militärkabinett als Beratungsgremium noch einmal aufgewertet. Jetzt wuchs sein allgemeinpolitischer, nicht nur sein militärpolitischer Einfluß weit über das Maß hinaus, das es in der Bismarckära erreicht hatte. Da die Flotten- und Heerespolitik damals in die erste Rüstungsspirale modernen Zuschnitts hineintrieben, wanderte auf unsichtbaren Wegen noch mehr Macht in dieses politisch keinem Parlament verantwortliche Gremium mit seiner Arkanpraxis ab.

In denselben Jahren gewann auch das Zivilkabinett des Kaisers und Königs, über das sich weder in der Verfassung Preußens noch in der des Reiches ein einziges Wort fand, an Einfluß. Es war 1872 aus der Fusion des königlichen Sekretariats mit dem Büro des Ministerpräsidenten hervorgegangen und genoß den unschätzbaren Vorzug der Immediatstellung: des unmittelbaren Zugangs zum Monarchen. Da es um 1890 jährlich immerhin siebzig- bis achtzigtausend Vorgänge: insbesondere die personalpolitisch strategisch wichtigen Beförderungen, Auszeichnungen, Ernennungen bearbeitete, wurde das ebenfalls keiner übergeordneten Instanz verantwortliche Amt der grauen Eminenzen «eine der gefährlichsten Einbruchstellen des Kryptoabsolutismus». Die Schattenzone, in der es operierte, wurde, als es unter der Leitung von Friedrich v. Lucanus (1888–1908) und von Rudolf v. Valentini (1908–1918) stand, zielbewußt ausgenutzt. Parlament und Reichsregierung konnten nur ohnmächtig zusehen. Beide Kabinette wirkten als Stützpfeiler der fürstlichen Macht. Außerdem stand aber der Monarch mit seinen Beratern jederzeit in einer dritten Institution, dem Hof, im Mittelpunkt eines informellen Kommunikationssystems, das zahlreiche Einflußkanäle eröffnete.

Verfassungsrechtlich und militärpolitisch, institutionell und informell abgesichert, bewegte sich mithin der preußische König und deutsche Kaiser in einem eigenen Machtzentrum. Wie weit Bismarcks Einflußsphäre auf dem Höhepunkt seiner charismatischen Herrschaft auch reichte, um die Berücksichtigung der monarchischen Vetogewalt kam er nicht herum. Und als sich das politische Duell mit Wilhelm II. zuspitzte, konnte er nicht nur entlassen werden, weil sein Charisma verblaßt und seine politische Basis zerbröselt waren, vielmehr nutzte der neue Kaiser auch durchaus verfassungskonform die rechtlich verbrieften Möglichkeiten seines Amtes aus. Der Hausmeier konnte den Fürsten im offenen Konflikt nicht besiegen.

Mochte der Kaiser auch nach innen und außen als Träger der Reichssouveränität gelten, besaß diese doch formalrechtlich ihren Sitz im Bundesrat. Diese permanente Delegiertenkonferenz der Reichsmitglieder symbolisierte die staatenbündische Spitze des Regierungssystems. In Wirklichkeit avancierte sie aber nie zu einer Ersten Kammer, die als Machtfaktor sui generis in das politische Geschäft unablässig mit hätte einbezogen werden müssen. Da die preußische Hegemonie konstitutionell und realhistorisch abgesichert war, stieg jedoch der Preußische Landtag zur «heimlichen» zweiten Kammer des Reiches auf. Denn dort konnte die Politik des «Empire State» formuliert, der Ministerpräsident festgelegt und in seinem Doppelamt als Reichskanzler zur Beachtung des erwünschten Kurses angehalten werden.

Das Abgeordnetenhaus, erst recht das Herrenhaus besaßen daher eine Vetomacht – nicht etwa nur in Preußen, sondern auch und gerade in der Reichspolitik. Dieses Arrangement zugunsten des preußischen Herrschaftskartells hing freilich ganz und gar von der fortwährenden Geltung des Dreiklassenwahlrechts ab. Deshalb biß sich die auf Reform drängende Opposition bis zum Oktober 1918 daran die Zähne aus. Und deshalb konnte Innenminister v. Puttkamer als Sprecher des Elitenverbunds zu Recht erklären, daß dieses Wahlrecht «ein kostbares Gut» verkörpere, «das die Regierung aufzugeben nicht gesonnen ist».[3]

c) Die Bürokratie als drittes Herrschaftszentrum: Machtträger und Machtinstrument

Während des wiederholten Systemwechsels, der mit dem Übergang von den Revolutionsregierungen zum Manteuffel-Regime, dann zur «Neuen Ära», schließlich zum Bismarckschen Herrschaftstypus in Preußen und dann auch im Reich verbunden war, sorgte die Bürokratie für ein hohes Maß an Kontinuität in den politischen Geschäften. Politik im Alltag – das hieß weithin Politik der Verwaltung. Sie bildete unverändert das harte Gerüst des obrigkeitlichen Staatsapparats. Mit ihrem Eigengewicht hatten Monarchen, Minister und Kanzler zu rechnen. Deshalb blieb auch ihr Janusgesicht erhalten, da sie sowohl als Herrschaftsinstrument als auch als Herrschaftsträger fungierte, der die Vielzahl der Optionen reduzierte, damit die Entscheidungen vorbereitete und fällen half, ja selber fällte oder aber – ebenso häufig und wichtig – Entscheidungen verzögerte und verhinderte. Zwar kooperierte die Bürokratie im engsten Verbund mit der politischen Spitze und den herrschenden Klassen. Insofern wirkte sie als gehorsames, sogar als gefügiges Exekutivorgan. Aber sie machte auch immer wieder ihren auf akkumulierter Sachkunde und Erfahrung, auf tradiertem Selbstbewußtsein und faktischem Schwergewicht beruhenden Einfluß geltend.

Als das Deutsche Reich entstand, beruhte die Leistungsfähigkeit der Bürokratie darauf, daß sie während einer langen Entwicklungsgeschichte typische Organisationsmethoden, Rekrutierungsmuster, Karrierewege und Verhaltensweisen im Dienst bis dahin längst ausgebildet hatte (vgl. Bd. I u. II, jeweils Kap. IV). In der Bürokratietheorie Max Webers, in der sich die historische Erfahrung von einigen Jahrhunderten deutscher Verwaltungsgeschichte in idealtypisch komprimierter Form gespeichert findet, ist diese Dimension neuzeitlicher Staatsbildung auf den Begriff gebracht. Der anhaltenden Differenzierung der Aufgaben und dem Wachstum der Staatsfunktionen entsprach die Entfaltung und strikt regulierte Ausbildung eines Expertenkorps, das von der höheren Beamtenschaft – prototypisch für die anderen Staatsdiener – verkörpert wurde. Strenge Formalisierung und unpersönliche Regelhaftigkeit des Verfahrens, Schriftlichkeit und Kontinuierlichkeit der Geschäftsführung, Archivierung der Akten und Verfeinerung des Formularwesens – sie dienten dazu, die Anweisungen und Entscheidungen zu planen und auszuführen, ihre Kontrolle und Korrektur zu erleichtern. Als Zielvorstellung setzte sich die möglichst vollständig vorauskalkulierte Berechenbarkeit und Rationalisierung des Verwaltungshandelns durch. Der Staatsapparat sollte in der Tat, wie es immer wieder hieß, wie eine gut geölte Maschine funktionieren.

Der geregelte Instanzenzug, die klare Kompetenzengliederung, die Institutionalisierung einer festen Hierarchie von Staatsfunktionären und von Behörden trugen dieser Tendenz zu schematisch geregelten Organisationsabläufen Rechnung. Allgemeinverbindliche Ausbildungs-, Prüfungs- und Qualifikationskriterien verbanden sich mit einer nach Spezialkompetenz und Seniorität gestaffelten Beförderungsmechanik, die jedoch durch politische «Konnexionen» umgangen werden konnte. Die finanzielle und rechtliche Privilegierung durch ein krisensicheres Gehalt auf Lebenszeit, die Pensions- und Urlaubsrechte, das eigentümliche Loyalitätsverhältnis gegenüber Fürst und Staat, der staatliche Sonderschutz im Konfliktfall, aber auch die straffe Disziplinierung durch Beamtenrechte und Disziplinargerichte, durch Personalakten und Verhaltensvorschriften unterschieden die Bürokratie von anderen Berufs- und Erwerbsklassen zutiefst. Dadurch wurde wiederum ihr Korpsgeist gefördert. Uniform, Säbel, Ordensschnalle blieben bis 1918 unübersehbare Symbole ihrer Sonderstellung und sozialen Geltung. Selbst an die subalterne Position eines unteren Eisenbahn- oder Postbeamten heftete sich etwas von dem Selbstgefühl, ein Quentchen staatlicher Machtvollkommenheit zu repräsentieren.

Zu diesem Institutionengefüge und seinen Funktionsmechanismen gehörte jedoch auch eine ausgeprägte Neigung zu lähmender Erstarrung, zu formalistischer Verschleppung von Entscheidungen, zu pedantischer Federfuchserei. In diesem negativen Sinn gab es durchaus eine Habitualisierung evident nachteiliger bürokratischer Eigenschaften. Deshalb garantierte auch ein Höchstmaß an technisch perfekter bürokratischer Organisation keineswegs von vornherein den höchsten Stand an effizienter Leistung, da Erfindungsreichtum, Reaktionsschnelligkeit, Verhaltensspontaneität, unkonventionelles Vorgehen außerhalb des einschnürenden Regelwerks gerade nicht prämiiert wurden, wenn es um die Bewältigung von schwierigen Aufgaben ging, von denen die Routinebehandlung in Frage gestellt wurde. Das monotone Leben am «grünen Tisch», die Laufbahnschranken, der Karriereehrgeiz, die Schalterdistanz, der Dünkel nach außen gegenüber dem «Publikum» einerseits, die Liebedienerei nach innen gegenüber den Vorgesetzten andrerseits führten häufig zu gravierenden, auch schwer wiedergutzumachenden Fehlern.

Darüber hinaus stand die deutsche Bürokratie zur Zeit des Kaiserreichs auch nicht – wie es ihr sorgsam kultivierter Nimbus suggeriert – als einzigartige Verwaltungsmaschine da. Die höhere französische Administration bewies ebenso wie der junge englische «Civil Service», daß sie zu vorzüglichen Leistungen imstande waren. Richtig bleibt jedoch, daß die höhere deutsche Beamtenschaft eine Vielzahl von Verwaltungs- und Justizaufgaben effektiv wahrnahm. Sie hielt ihre alten und neuen Einflußbereiche fest im Griff. Aber sie bewährte sich auch erneut, durchaus in der Tradition des Reformbeamtentums zu Beginn des Jahrhunderts, gegenüber außergewöhnlichen Aufgaben, mit denen sie während der zweiten großen Reformgesetzgebung zwischen 1867 und 1878 oder während der Ausgestaltung des Interventions- und Sozialstaats zuhauf konfrontiert wurde. Als Element der Herrschaftsstabilisierung behielt sie aus all diesen Gründen einen unschätzbaren Wert.

Die Reichsverfassung schwieg sich über die Verwaltung des neuen Staates vollständig aus. Bismarck konnte sie daher mit seinem «Vizekanzler» Delbrück als Chef des Bundeskanzleramtes nach politischen Bedürfnissen, nach Maßgabe ihrer Absichten, als Antwort auf andrängende Aufgaben auf- und ausbauen. Dabei gingen beide mit der Gründung der neuen Reichsbehörden vorerst außerordentlich zurückhaltend vor. Der Reichskanzler, allgemeiner: die Reichsexekutive stützte sich in ihrer Tätigkeit zunächst durchweg auf die funktionstüchtige preußische Verwaltung, die ihre Leistungsfähigkeit in den soeben vergangenen vier Jahren erneut demonstriert hatte.

Im Mai 1871 wurde das kurzlebige Bundeskanzleramt in das Reichskanzleramt umgewandelt. In erster Linie nahm es die kombinierten Aufgaben eines Wirtschafts-, Handels- und Finanzministeriums wahr. Für andere Zwecke nutzte Bismarck weiterhin das Potential der preußischen Ministerien aus; als neue Behörde entstand nur frühzeitig das Reichseisenbahnamt – Reflex der Bedeutung des zentralen Wachstumssektors. Als Leiter des Reichskanzleramts konnte Delbrück den liberalen Kurs mit der Reformmehrheit des Reichstags jahrelang fortsetzen. Drei Jahre nach dem Beginn der schweren Depression seit 1873 stieg jedoch die Spannung zwischen freihändlerischen Liberalen und solidarprotektionistischen Konservativen so hoch, daß Bismarck im April 1876 Delbrück als Symbolfigur des Wirtschaftsliberalismus zum Rücktritt zwang. Diese Aktion bereitete die innenpolitische Wende von 1878 vor. Der neue Chef des Reichskanzleramts, der frühere Ministerpräsident von Hessen-Darmstadt Karl Hofmann, erwies sich als gefügiger Beamter, der Bismarcks Willen ausführte.

Seit 1876 entstanden mehrere neue «Reichsämter», wie Bismarck sie nannte, um den Namen zentralstaatlicher Reichsministerien nach Kräften zu vermeiden, zumal die Liberalen sogleich die parlamentarische Verantwortlichkeit ihrer Leiter gefordert hätten. 1876/80 wurde das Reichspostamt, 1877 das Reichsjustizamt, 1879 endlich das Reichsschatzamt eingerichtet. Das Kanzleramt hatte seit 1871 das «Reichsland» Elsaß-Lothringen – das einzige Territorium, wo das Reich ein unitarisches Gesicht besaß und direkt Gebietsherrschaft ausübte – mitverwaltet, trat diesen Aufgabenbereich aber 1879 an ein eigenes Ministerium ab. Das bisherige Reichskanzleramt wurde nach der Auslagerung wichtiger Funktionsbereiche in das Reichsamt des Inneren verwandelt. Gleichzeitig wurde das preußische Außenministerium zum Auswärtigen Amt des Reiches erhoben.

Erst im Zuge dieser institutionellen Differenzierung wurde auch die Sonderstellung der erst 1878 geschaffenen Reichskanzlei eindeutig etabliert. Dieses Büro des Reichskanzlers, das bis 1881 von Christoph v. Tiedemann, danach bis 1890 von Franz Josef v. Rottenburg geleitet wurde, stieg zur «allerobersten Zentralbehörde» auf, er selber wurde in der Hierarchie der neuen Verwaltungsämter endgültig zu der «über den Reichsämtern stehenden Zentralbehörde». Das war ein später institutioneller Ausdruck der Tatsache, daß Bismarck seit 1871 in der Realverfassung des Landes der alleinige Träger der Reichspolitik war.

Nicht etwa trotz, vielmehr wegen der Bedeutung des Militärs verhinderte Bismarck die Einrichtung eines Reichskriegsamtes. Der Kanzler fürchtete wegen seines tiefsitzenden Respekts vor den militärstaatlichen Traditionen Preußens einen mächtigen Nebenkanzler mit dem Recht des Immediatzugangs zum Monarchen. Intern gestand Bismarck offen ein, daß er einen «verantwortlichen Reichskriegsminister» partout vermeiden wolle, da dieser «in fortwährender Kollision mit dem Reichskanzler stehen» müsse. In der politischen Praxis gab es daher zwei Kriegsminister: Vor dem Reichstag trat der Kanzler in politischen Fragen auch wie ein Reichskriegsminister auf, während der preußische Kriegsminister als Vertreter des Hegemonialstaats wie der «faktische Inhaber der Reichsmilitärverwaltung» – so Bismarcks treffende Charakterisierung – fungierte.

Das 1889 eingerichtete Reichsmarineamt, das aus der seit 1872 bestehenden Kaiserlichen Admiralität hervorging, spielte in der Bismarckzeit noch keine nennenswerte Rolle. Sein kometenhafter Aufstieg begann erst am Ende der 1890er Jahre unter Alfred v. Tirpitz. Nach diesen grundlegenden Organisationsentscheidungen hielt zwar nach 1890 der Ausbau der Reichsverwaltung an, um den zunehmenden Staatsfunktionen durch Differenzierung Rechnung zu tragen, ohne daß doch das institutionelle Grundgefüge in Frage gestellt oder verändert worden wäre.

Die Reichsbürokratie stieg bis zum Ende der 1870er Jahre auf nicht mehr als rund fünfhundert Angehörige an (1914 waren es 2000), die von der numerisch nicht einmal halb so großen höheren Beamtenschaft dominiert wurden. Dazu gehörten die Reichsstaatssekretäre als Chefs der Reichsämter, die Unterstaatssekretäre, Direktoren und Vortragenden Räte. Schon vom Regierungsrat ab aufwärts wurde die Ernennung vom Reichskanzler selber vorgeschlagen und vom Kaiser unterzeichnet. Überblickt man den gesamten Zeitraum bis 1890, tritt die vorn (III. 4) diskutierte zielbewußte Besetzung der Spitzenpositionen mit umfassender Entscheidungskompetenz in der Verwaltungshierarchie klar hervor. Doppelt so viele Adlige wie Bürgerliche amtierten als preußische Minister, die ja geraume Zeit auch in ihrer Doppelfunktion für das Reich tätig waren. Von einunddreißig Reichsstaatssekretären gehörten zwölf dem Adel an, aber alle bürgerlichen Amtsinhaber wurden spätestens beim Ausscheiden aus dem aktiven Dienst nobilitiert. Mehr als ein Fünftel der Räte in den Reichsämtern (22 % von 167) besaß eine adlige Herkunft. Auf dieser Ebene dominierten frühzeitig die bürgerlichen Experten, zumal auch in den Reichsbehörden vom Assessor ab aufwärts das Juristenmonopol herrschte. Da der «vorwiegend protestantische Kurs der reichsdeutschen und preußischen Personalpolitik» beibehalten wurde, gab es eine unzweideutige Dominanz evangelischer Beamter; die katholischen ließen sich jahrelang an zwei Händen mühelos abzählen. Selbst 1907 stellten Protestanten noch 71.2 Prozent der höheren Reichsbeamten.

Ein weiterer informeller Filter der Personalpolitik machte sich in Gestalt der studentischen Korporationen zunehmend geltend. Binnen kurzem gewann vor allem der Kösener Seniorenkonvent einen weitreichenden Einfluß. Ein Zeitgenosse mit so guten Insider-Kenntnissen wie Alexander v. Hohenlohe urteilte, daß es zeitweilig in der Verwaltung des Reiches und Preußens, erst recht im Diplomatischen Dienst, keinen jüngeren Beamten gegeben habe, der nicht einem Korps angehörte. Auf diese Weise bildete sich die «typisch deutsche Erscheinung» des «Korporationsnepotismus» heraus. Durch ihn wurde ein orthodox monarchistischer, streng konservativer Bürokratentypus gefördert. Seinem Vordringen entsprach die Verdrängung der liberalen Beamten.

Bismarck hatte sich oft genug im Kampf mit liberalen Beamten durchsetzen müssen; nicht selten war er auch an ihrem Widerstand aufgelaufen. Sie verkörperten für ihn die Anwesenheit des Erzfeindes mitten im Staatsapparat. Deshalb hielt er am Ziel einer gefügigen Beamtenschaft fest, die ohne

Schwanken auf konservativem Regierungskurs blieb. Unverblümt erklärte er «Beamte, welche für regierungsfeindliche ... Bestrebungen Partei nehmen», für schlechthin unerwünscht. Die Abgabe einer Beamtenstimme für einen liberalen Reichstagskandidaten erschien ihm als «etwas Ungeheuerliches». Selbst Kanzleidiener sollten am Wahltag Urlaub für den Urnengang erhalten, nachdem sie im Bekanntenkreis gegen die Liberalen gewirkt hatten.

Seit der Zäsur von 1878 stellte Bismarck freihändlerisch gesinnte Beamte von vornherein mit «durchgefallenen Examenskandidaten» gleich. Die Personalpolitik wurde härter gemäß seiner Maxime, daß «die Ressorts purifiziert werden» müßten. Das bedeutete zweierlei. Einmal sei es «unerläßlich, diejenigen Verwaltungsbeamten», die nicht vorbehaltlos die Regierungspolitik unterstützten, «durch Zurdispositionstellung ihrer Ämter zu entheben». Das war freilich bei Berufsbeamten nur in vergleichsweise seltenen Fällen möglich. Wohl aber gab es während des «Kulturkampfes» eine gezielte Verdrängung katholischer Beamter, gleichzeitig und ständig danach auch eine strikt antiliberale Beamtenpolitik, die dazu führte, daß liberale Beamte kaltgestellt, auf ein Nebengleis geschoben, bei der Beförderung umgangen wurden. Sie sollten auf einflußlosen Stellen gewissermaßen ausgehungert werden.

Zum zweiten wurde die bereits auf ziemlich kurze Sicht mehr Erfolg versprechende konservative Nachwuchspolitik verschärft. Diese Praxis hatte sich nach der Niederlage des Beamtenliberalismus seit den 1830er und 40er Jahren immer klarer herausgebildet, so daß bei der Beamtenrekrutierung die Schrauben nur stärker angezogen zu werden brauchten. Um die gesinnungspolitische Homogenität des Verwaltungsstabes, aber auch der Justizbürokratie zu gewährleisten, wurden schon während der vierjährigen Referendarsausbildung die Personalakten mit Bedacht so geführt, daß mißliebige junge Juristen herausgefiltert werden konnten. Reserveoffizierspatent und Korporationszipfel beeinflußten zunehmend diese Vorauswahl, die dann während der acht- bis zehnjährigen Assessorenzeit endgültig getroffen wurde. Das «Sustentationszeugnis» der Eltern mußte vorher garantieren, daß sie imstande waren, dem Sohn hinreichend private Mittel während seiner einkommenslosen Tätigkeit im Staatsdienst zur Verfügung zu stellen, damit er die lange Zeit bis zur Einweisung in eine Planstelle «standesgemäß» durchleben konnte. Wer währenddessen unter strenger Aufsicht inner- und außerhalb des Dienstes unbeirrbare «Staatstreue» bewiesen hatte, galt als politisch hinreichend zuverlässig. Bei Bewerbern um eine Stelle im Reichsdienst sollten, darauf insistierte Bismarck wiederholt, die Personalakten sogar noch einmal unter dem Gesichtspunkt sorgsam geprüft werden, ob die politische «Vergangenheit der betreffenden Persönlichkeiten vollständig einwandfrei» sei.

Gesinnungsfeste liberale Juristen wurden durch diese Beamtenpolitik nahezu zwangsläufig in die freie Anwaltschaft abgedrängt. Dagegen stiegen auf der einen Seite die besonderen Günstlinge dieses Systems, das sich in den achtziger Jahren besonders mit dem Namen des Innenministers v. Puttkamer verband, zu Staatsanwälten auf. In der Verfolgungsbehörde mußten sie sich als straff weisungsgebundene Beamte, vom Ministerium fest am Zügel geführt, noch einmal bewähren. Aus dem Kreis dieser Hochkonservativen, die den Typus des dogmatisch obrigkeitsgläubigen Staatsdieners verkörperten, wurden dann im Verlauf einiger Beförderungswellen auch die Gerichtspräsidien besetzt. Auf der andern Seite öffnete sich gesinnungstreuen konservativen Juristen eine sichtlich beschleunigte Karriere in der Verwaltungsbürokratie, wo der Typus des altliberalen oder nationalliberalen Beamten durch die «zuverlässigen» Jungkonservativen weithin ersetzt wurde.

Als v. Puttkamer sich sogar erdreistete, durch einen Erlaß das Wahlrecht der Beamten auf die «Wahl» der Kandidaten regierungsfreundlicher Parteien zu beschränken, verteidigte Bismarck vehement diese Beschneidung eines vitalen politischen Teilhaberechts, da er selbst solche Mittel für geboten hielt, um sein Ziel einer möglichst stromlinienförmig konservativen Bürokratie zu erreichen. «Die Betätigung der Beamten im Sinne der Regierung» sei, sprang er v. Puttkamer bei, «ein Erfordernis des monarchischen Staates.» Er selber wolle «dieses System ... noch mehr ausbilden». Ohne Bismarcks Billigung und Unterstützung wäre der gesamte Säuberungskurs ohnehin nicht möglich gewesen. «Jeder, der nicht mit uns ist», das blieb unzweideutig sein Imperativ, «ist wider uns.»

Da die Verwaltungs- und Justizbürokratie des Reiches und Preußens ein überschaubares Beamtenkorps bildete, konnte die politische Auslese mit systemgerechter Konsequenz und auch unleugbarem Erfolg betrieben werden. Wegen der Zementierung des Beamtenkonservativismus rückte die Mitte nach rechts, und als verdächtig liberal galt schon, wer seine Bedenken nicht immer völlig verschwieg. Entgegen der zählebigen Legende vom unpolitischen, neutral agierenden deutschen Beamtentum stand seit den 1880er/90er Jahren fest, daß die Bürokratie im Reich und in Preußen politisch einheitlicher als je zuvor in «zuverlässiger Gesinnung» auf konservativ-autoritäre Maximen ausgerichtet war. Der eminent einflußreiche juristische Positivismus der Schule Paul Labands, des vierzig Jahre lang dominierenden Hauptes des Reichsstaatsrechts, trug das Seine dazu bei, den «gouvernementalen Status quo» von 1871 gegen jeden politischen Zweifel abzuschirmen und «ihm die Weihe unpolitisch ‹reiner› Richtigkeit» zu verleihen. Unbeschwert konnte «das Schwindelevangelium der exekutiven Objektivität und Neutralität ... von der Bürokratie eifrigst gepredigt» werden, bis es weithin zum Glaubensbestand der reichsdeutschen politischen Mentalität geworden war.

Nach Bismarck hielt Reichskanzler Hohenlohe-Schillingsfürst die fast einer Kaste ähnelnde Höhere Beamtenschaft – diesen «weltlichen Klerus der Regierenden gegenüber den Regierten» – für «mächtiger als Kaiser und

Kanzler». Im «eisernen Netz» der Bürokratie sei, hieß es, jeder Versuch, die Reichspolitik zu liberalisieren, von vornherein zum Scheitern verurteilt. Denn wer immer diesen Anlauf dennoch wage, komme nicht darum herum, zuerst «den gesamten Beamtenorganismus» zu verändern – eine Sisyphusarbeit, welche die Kräfte jedes Politikers überforderte. Dem Gedanken einer Liberalisierung der Reichspolitik, damit auch der Bürokratie, ist jedoch nach Bismarcks entscheidender Weichenstellung ohnehin kein Reichskanzler nähergetreten.[4]

d) Der Reichstag als viertes Machtzentrum

Die Macht, welche die liberalen und konstitutionellen Ideen zu Beginn der zweiten Hälfte des 19. Jahrhunderts in den deutschen Staaten gewonnen hatten, spiegelte sich auch darin wider, daß der neugebildete deutsche Staat von 1871 den Reichstag als zentrales Organ der Gesetzgebung erhielt. Im Zeichen des westlichen Verfassungsstaates, aber auch angesichts der Stärke der liberalen Nationalbewegung war es schlechterdings undenkbar geworden, das Reich ohne ein Parlament als autoritäre Monokratie einzurichten. Die entscheidenden Weichen waren bereits bei der Gründung des Norddeutschen Bundes gestellt worden. Damit war das Novum des allgemeinen Männerwahlrechts verbunden, das in Deutschland als erstem europäischen Großstaat eingeführt wurde. Der nur relativ demokratisch, da nicht auch von den Frauen gewählte Reichstag besaß – zumindest auf dem Papier der Verfassungsurkunde – das volle Budgetrecht. Und obwohl Bismarck mit der erdrückenden Mehrheit der herrschenden Klassen das parlamentarische System kompromißlos ablehnte, hing doch die Regierung seither von einer Majorität aus freigewählten Abgeordneten ab, um die jährliche Haushaltsvorlage zusammen mit zahlreichen anderen Gesetzesentwürfen durch den vorgeschriebenen parlamentarischen Entscheidungsprozeß hindurchsteuern zu können. Bismarck erkannte diese Abhängigkeit mit dem Begriff an, daß die Reichsleitung mit derjenigen Partei oder Koalition, die ihr «Majoritäten ... verschafft», «notwendig» in eine enge «Interessengemeinschaft» eintrete.

Freilich wurde die Position des Reichstags als vierten Machtzentrums des Kaiserreichs von vornherein auf dreifache Weise geschwächt. Das Einberufungs- und Auflösungsrecht lag beim Kaiser und Bundesrat; eine rundum autonome Institution war er daher nicht. Der Mehrheitspartei blieb es versagt, den Regierungschef zu stellen. Der Bundesrat schirmte zusätzlich die Reichsleitung als Vertreter der «Verbündeten Regierungen» ab. Und das Budgetrecht wurde auf dem umstrittensten Terrain politisch eingeschränkt, weil das Militär seine Sonderstellung behielt; sie konnte das Reichsparlament bis zuletzt nicht aufbrechen.

Trotz dieser strukturellen Schwachpunkte wurde aber der Einfluß des Reichstags auf lange Sicht durch anonyme Entwicklungsprozesse, keineswegs durch den Kampfeswillen, die Risikobereitschaft, den Machthunger der Parlamentarier selber aufgewertet. Zuerst einmal war er von vornherein mit einem größeren Machtpotential ausgestattet als alle deutschen Landtage zuvor. Dieser Vorsprung tritt erneut hervor, wenn man ihn mit den Landtagen in der Zeit des Kaiserreichs vergleicht. Das allgemeine Männerwahlrecht übte nach relativ kurzer Zeit eine eminent mobilisierende Wirkung aus. Die Wahlbeteiligung ist dafür eins von mehreren Indizien: Bei den Wahlen zum Norddeutschen Reichstag lag sie bei neununddreißig Prozent, 1871 immerhin bei einundfünfzig Prozent, 1912 aber bei fünfundachtzig Prozent der Stimmberechtigten. Daß das neue Partizipationsrecht die Fundamentalpolitisierung beschleunigte, läßt sich aber auch daran ablesen, wie gesellschaftliche Interessen in der Arena der Innenpolitik artikuliert, von Parteien und Verbänden gebündelt und dann im Reichstag in massiver Form zur Geltung gebracht wurden. Auf keinem anderen Forum konnte das so effektiv geschehen.

Die stärkste Schubkraft ging jedoch von einem systembedingten Machtzuwachs aus, da auf das Parlament einer komplexen modernisierenden Gesellschaft wie der reichsdeutschen fast zahllose regelungsbedürftige Aufgaben mit innerer Notwendigkeit zuwanderten. Mit anderen Worten: Die Logik des institutionalisierten Entscheidungsprozesses erzwang eine Schlüsselrolle des Reichstags, da derartige Aufgaben eine gesetzliche Lösung von ihm verlangten. Diese von der liberalen Staatstheorie seit jeher erhoffte und den Interessenverbänden und Parteien frühzeitig durchaus bewußte Bedeutungssteigerung war ein Ausfluß der prinzipiellen Entscheidung, einem Parlament eine solche Regelungskompetenz anzuvertrauen.

Obwohl selbstbewußte Parlamentarier die damit eröffneten Machtchancen erkannten, muß man noch einmal betonen, daß sie es jahrzehntelang nicht gewagt haben – auch nicht, als der erratische Block von Bismarcks charismatischer Herrschaft verschwunden war –, die Vorherrschaft des Parlamentes zu erkämpfen oder doch zumindest einmal einen energischen Anlauf dazu zu unternehmen. Ohne einen bitteren, riskanten Konflikt war eine so folgenreiche Gewichtsverlagerung nicht zu bewirken. Auf die existentielle Kraftprobe wollte es aber weder die Mehrheit noch auch nur eine aktive Minderheit ankommen lassen. Das Ergebnis war, daß die mißlungene Parlamentarisierung «die deutsche Sonderentwicklung auf dem Weg zum modernen Staat» befestigt hat, weil sie es der reichsdeutschen Gesellschaft versagte, «ihre Konflikte selbstverantwortlich politisch zu regeln». Die gelegentlich praktizierte Augenwischerei, daß die Parlamentarisierung des Kaiserreichs aus eigener Kraft gelungen sei, besitzt kein tragfähiges empirisches Fundament. Das ist schlimm genug. Darüber hinaus trägt eine solche Schönfärberei dazu bei, das Versagen der Parlamentarier noch einmal zu kaschieren, nachdem sie selber schon tausend fadenscheinige Gründe für ihre Konfliktscheu, ihre Anpassung an das vermeintlich Unabänderliche, ihren fehlenden Machtwillen gefunden hatten.

So stand die Reichslegislative vor 1914 als eine durchaus einflußreiche Körperschaft da, deren Gewicht mit dem Wachstum der Staatsfunktionen, mit der Gesetzesflut stetig angewachsen war, aber sie konnte die Regierung noch immer nicht aus ihrer Mitte heraus bestimmen. Sie vermochte das Militär der parlamentarischen Kontrolle noch immer nicht zu unterwerfen. Und die Parlamentarisierung als friedliche Verfassungsrevolution zeichnete sich wegen der resignativen Anerkennung der innenpolitischen Kräftekonstellation, welche die Überlegenheit der antiparlamentarischen Machtfaktoren zu signalisieren schien, noch immer nicht ab.[5]

Der Nationalliberalismus als Quasi-Regierungspartei bis 1878. Seit 1867 hatten die Nationalliberalen eine imponierende Reformpolitik im Reichstag verwirklicht, die sie auch nach 1871 – als überragender Seniorpartner in ihrer informellen Koalition mit den Freikonservativen – noch ein halbes Dutzend Jahre lang fortsetzen konnten. Bis 1878 galt, wie ein prominenter badischer Liberaler behauptete, liberal zu sein «als die normale politische Durchschnittsbildung». Dieses Urteil ignorierte mit souveräner Arroganz alle anderen politischen Konkurrenten. Aber da die Nationalliberalen mit dem Werk der Nationalstaatsgründung aufs engste identifiziert waren, traf es das Selbstbewußtsein jener Partei, die sich seit 1866 als Speerspitze der Nationalbewegung verstanden hatte und zwölf Jahre lang mit Stolz auf eine außerordentlich erfolgreiche politische Praxis als Quasi-Regierungspartei zurückblicken konnte. Kritikern galt der von ernsthaften Selbstzweifeln freie Nationalliberalismus sogar als gefährliche «neue Religion», und da auch der deutsche Nationalismus den Charakter einer politischen Säkularreligion gewonnen hatte, wurde mit diesem Vorwurf ein wichtiger Aspekt des nationalliberalen Weltbildes erfaßt.

Durch die strukturprägenden Entscheidungen der Bismarckschen Politik zwischen 1867 und 1871 war zwar den Nationalliberalen die Krönung ihrer Anstrengungen durch die innenpolitische Modernisierung des Reiches im Sinne der Einführung des parlamentarischen Regierungssystems vorerst verwehrt worden. Aber zu Beginn der siebziger Jahre konnten sie durchaus noch auf die künftige Synthese von mächtigem Nationalstaat und liberalparlamentarischem Verfassungsstaat hoffen. Zum ersten wurde Jahr für Jahr durch neue Gesetze die rechtliche Basis des neuen Reiches ausgebaut, vor allem die liberale Wirtschaftsgesellschaft weiter fest verankert. So entstanden etwa die Reichsbank, das Reichsgericht, die Reichsämter als Ressorts der zentralstaatlichen Verwaltung. Die Münzreform führte eine einheitliche Währung ein, das Reichspatentgesetz schützte Innovationen, das Aktiengesellschaftsrecht wurde novelliert. Das Reichspressegesetz sicherte die kritische Öffentlichkeit mit ihrem freien Austausch von Ideen und Argumenten ab. Weite Bereiche des bürgerlichen Rechts wurden bereits zwischen 1873 und 1877 kodifiziert, mit den Reichsjustizgesetzen andere Rechtsbereiche normiert. Auch die Gerichtsverfassung wurde neu geordnet und dabei für das gesamte Gerichtswesen – eine typische Entscheidung für den inneren Ausbau eines Nationalstaats! – der Vorrang des Deutschen als Staatssprache fixiert. Sowohl die institutionelle Neuordnung als auch die Bewältigung einer riesigen Rechtsmaterie nach der anderen erfüllte die Nationalliberalen mit Stolz – sie lösen auch heute noch uneingeschränkte Hochachtung aus.

Zum zweiten glaubten alle führenden Köpfe der Nationalliberalen, daß es zu der engen Kooperation mit Bismarck keineswegs die überlegene Alternative einer offenen Machtprobe gab. Bismarck habe nun «einmal das Reich gemacht», mahnte Hermann Baumgarten frühzeitig, «seinen Stempel müssen wir ertragen». Die Liberalisierung des Herrschaftssystems schien dennoch nur eine Frage der Zeit zu sein, bis die Liberalen – voller Zukunftsoptimismus und zutiefst davon überzeugt, daß sie die gesellschaftliche Entwicklung und den «Zeitgeist» auf ihrer Seite hatten – auf konservative Durchschnittsfiguren trafen, denen die erstrebten Veränderungen abgerungen werden konnten. Von einem Verzicht auf ihre Zielvision konnte damals, trotz der Verfassungsschlappen von 1867 und 1871, noch keine Rede sein. «Ihre innerste, im internen Kreis oft ausgesprochene Absicht» blieb es vielmehr, konstatierte Max Weber, der im väterlichen Berliner Haus, wo sich alle nationalliberalen Honoratiorenpolitiker trafen, auch noch persönliche Eindrücke hatte sammeln können, «durch die Zeit der Herrschaft dieser grandiosen Persönlichkeit im Reich jene Institution hindurchzusteuern, auf deren Leistungsfähigkeit nun einmal später, wenn man sich auf Politiker gewöhnlicher Dimensionen würde einrichten müssen, die Stetigkeit der Reichspolitik allein beruhen könne».

Deshalb fungierten die Nationalliberalen wie eine Regierungspartei, ohne es doch in der autoritären Monarchie formell zu sein. Sie verstanden sich mitnichten als «bloße Mehrheitsbeschaffer», sondern als kooperative Politiker, die an dem großen Werk, die «Rechtseinheit der Nation» herzustellen und zu sichern, gemäß ihren eigenen Zielvorstellungen mitwirkten. Nach der militärischen Revolution von oben sollte die Staatsbildung durch eine bürgerlich-liberale Reichsgründung von innen fundamentiert werden. Das war sachlich berechtigt, ohne Abstimmung mit dem Charismatiker an der Spitze aber nicht zu haben. Diese Rahmenbedingungen bestimmten das politische «do ut des» der liberalen Ära.

Da die Liberalen Bismarcks Leistung bereitwillig anerkannten, hatte «niemals» zuvor – so Weber – «ein Staatsmann, der nicht aus dem Vertrauen des Parlaments heraus an das Ruder gekommen war, eine so leicht zu behandelnde und dabei so zahlreiche politische Talente umfassende Partei als Partnerin wie Bismarck von 1867 bis 1878». Ihre Rechnung hatten die Nationalliberalen jedoch ohne mächtige überindividuelle Prozesse wie den Aufstieg des politischen Massenmarkts und die Fluktuation des Konjunkturverlaufs gemacht.

Die ersten Reichstagswahlen von 1871 hatten den Nationalliberalen einen glänzenden Auftakt beschert. Von 382 Abgeordnetensitzen errangen sie 125 – ein rundes Drittel (32.7%) – mit 30.1 Prozent des Stimmenanteils. Zählt man die anderen liberalen Mitglieder des Reichstags hinzu, kam der liberale Block sogar auf 52.9 Prozent aller Mandate, getragen von 46.6 Prozent aller abgegebenen Stimmen. 1874, auf dem Höhepunkt ihrer Geltung, konnten die Nationalliberalen ihre Position im Parlament sogar noch einmal ausbauen, da ihnen 155 (39%) von 397 Mandaten bei einem ungefähr gleichbleibenden Stimmenanteil (29.7%) zufielen. Der liberale Block verteidigte seinen Vorrang mit 52.4 Prozent aller Abgeordneten.

Seit 1873 verfügten die Liberalen auch im Preußischen Abgeordnetenhaus über die absolute Mehrheit; von 432 Sitzen besaßen allein die Nationalliberalen 174 (40.2%). Mehrheiten hatten sie auch in Baden, Hessen und Sachsen erobert, eine starke Vertretung stellten sie in Württemberg und Bayern. Ein Jahr nach dem Beginn der Depression war für die Nationalliberalen die parteipolitische Welt noch im Lot.

Unter dem Druck der gleich zu schildernden Umstände setzte nach der Ausnahmesituation in der ersten Hälfte der siebziger Jahre, als bei geringer Wahlbeteiligung der Anteil der Nationalliberalen an der Staatsgründung hoch honoriert wurde, die unaufhaltsame Desintegration ein. 1877 stellten die Nationalliberalen noch 32.2 Prozent aller Mitglieder des Reichstags (alle liberalen Parteien 45.2%), aber der Stimmenanteil fiel bereits auf 27.2 Prozent (38.2%), und 1878 landeten sie bei einem knappen Viertel der Mandate (24.9%, alle Liberalen bei 34.8%) und einem Stimmenanteil von 23.1 Prozent (33.6%). Innerhalb von sieben Jahren war die Wählerschaft der Nationalliberalen um rund dreiundzwanzig Prozent, diejenige aller liberalen Parteien um fast dreißig Prozent geschrumpft.

Welche Faktoren verursachten diesen Negativtrend, der am Ende die ehemalige Regierungspartei zertrümmert hat?

1. Die Nationalliberalen blieben eine Honoratiorenpartei, die sich auf lokale Wahlvereine, aber nicht auf eine straffe, reichsweit funktionierende Organisation stützte. Der Schwerpunkt lag in der Reichstagsfraktion, deren führende Persönlichkeiten, manchmal zusammen mit dem 1873 gebildeten «Zentralkomitee», die politische Aktivität koordinierten. Die Fraktion ratifizierte die Absprachen zwischen ihren Repräsentanten und der Reichsleitung durch die Abstimmung im Plenum. Nur zu offensichtlich blieb die nationalliberale Partei ein «Verband ohne Unteroffiziere und Mannschaften». Daß es im Zeitalter der Fundamentalpolitisierung nicht gelang – oder: trotz der Niederlagen nicht für unabdingbar gehalten wurde –, eine aktionsfähige Organisation und «zentrale Reichspartei» zu schaffen, erwies sich als fataler Nachteil.

2. Er wurde dadurch verschärft, daß die Nationalliberalen nicht – wie etwa das Zentrum und die Sozialdemokratie – in einem relativ festgefügten

«sozialmoralischen Milieu» verankert waren. Zwar bildete der deutsche Liberalismus zu dieser Zeit ein rein protestantisches Phänomen, aber der Protestantismus allein reichte als Bindekraft nicht aus, zumal er selber nicht liberal wurde. Von hoher Bedeutung für die Machterosion war daher die feste Basis der politischen Konkurrenten: Milieu, Klerus, Verwaltung, Landräte oder aber demokratische Tradition wie bei der DFP und SPD, während den Nationalliberalen ein vergleichbares Fundament fehlte. Als sich Rivalen wie die Konservativen, die «Fortschrittlichen», die Antisemiten um die ehemals nationalliberalen Stimmen aus dem «Lager» der evangelischen, städtischen, nationalistischen Wähler bewarben, trat dieser Mangel kraß zutage. Die Charakterisierung der Nationalliberalen als «bürgerliche» Partei überschätzt, anders gesagt, ihre Homogenität. Tatsächlich vereinten sie eine bunte Mischung von Manchester-Liberalen und Schutzzöllnern, von Geschädigten des preußischen Verfassungskonflikts und unbefangenen neupreußischen Verfechtern des Einheitsstaats, von Großbürgern und Angehörigen der Mittelklassen. Überhaupt litten sie unter der anhaltenden Differenzierung der besitz- und bildungsbürgerlichen Erwerbs- und Berufsklassen. Die inneren Widersprüche wurden durch die wirtschaftspolitischen Differenzen, die regionalen Unterschiede, die antiklerikalen und antisozialistischen Emotionen zusehends verschärft. Jahrelang wurden die Nationalliberalen eher durch länderspezifische und lokale anstatt durch gemeindeutsche Integrationskräfte zusammengehalten. In Baden bewirkte das die antikatholische Konfessionspolitik, in Bayern der Kampf gegen die «Patriotenpartei», in Württemberg gegen die «Demokratische Volkspartei», in Hannover die Befreiung von einer reaktionären Regierung; in Hessen und Sachsen waren die Verhältnisse labiler. Manchmal schien es, als ob die bunte Interessenkoalition der Nationalliberalen vor allem auch – wie der Reichskanzler stichelnd mahnte – eine «Bismarck-Wähler-Partei» sei. Obwohl «der Zahl nach die mächtigste», urteilte Friedrich Kapp aus genauer Kenntnis bereits 1875, sei doch die «nationalliberale Partei ... ein solches Sammelsurium aller möglichen, zum Teil unvereinbaren Bestrebungen, Ansichten und Ziele, daß sie aus dem Leim gehen muß».

Die voranschreitende politische Mobilisierung, ob vom Zentrum, von der Sozialdemokratie oder seit 1874/76 auch von den Konservativen betrieben, richtete sich mit Notwendigkeit immer gegen die Liberalen. Die große liberale Gesetzgebung galt auf der Gegenseite nicht als Weg in eine neue Freiheit, sondern als Unterdrückung vertrauter Traditionen – als antikatholisch, antipartikularistisch, antizünftlerisch, durchweg als Stärkung des fremden, protestantischen, wirtschaftsliberalen Zentralstaats. Die Nationalliberalen wiederum wußten, daß sie als genuine Partei der Mitte die Polarisierung durch die konservativ-ultramontane Reaktion einerseits, die radikale Demokratie andrerseits verhindern mußten. Auch deshalb setzten sie auf die Zähmung der Gegensätze durch das parlamentarische System, indem sie die Mehrheit und den Mittelpunkt zu behalten hofften. Dieses Wunschbild entschwand allmählich seit 1875. Vier Jahre lang kämpften sie seither gegen stetig vordringende Gegner. Zusammengehalten wurden sie währenddessen durch die Vorzüge ihrer strategischen Position, da sie die parlamentarische Hauptstütze der Regierung bildeten und durch Entgegenkommen belohnt wurden. Als sie diese Schlüsselstellung nicht mehr behaupten konnte, zerfiel die Partei in ihre heterogenen Verbände. Aus dem Vorhof der Macht verdrängt, stürzte sie in die politische Bedeutungslosigkeit ab.

3. Bis 1871 hatten die Nationalliberalen eine Art von Alleinvertretungsanspruch in der nationalen Frage erhoben. Seither fehlte ein derart überwältigend großes Ziel wie die Gründung des Nationalstaats. Sein rechtlicher Ausbau besaß unleugbare Dringlichkeit. Ihr zu gehorchen entpuppte sich aber als ein eher prosaisches Geschäft. Der innenpolitische Triumph der Parlamentarisierung, der alle Schwächen vorerst kompensiert hätte, blieb den Nationalliberalen versagt. Auch deshalb verlor die nationalliberale Politik in bestürzender Eile ihre frühere Mobilisierungs- und Integrationsfähigkeit.

4. Während die Ausstrahlungskraft der Nationalliberalen sichtbar nachließ, wirkte das seit jeher von ihnen abgelehnte demokratische Reichstagswahlrecht auf die Bürger von Besitz und Bildung um so gefährlicher, als es unerwartet schnell dem politischen Gegner zugute kam. Zur Staatsbildung von oben kam die Bedrohung von unten hinzu. Im internationalen Vergleich war nur der deutsche Liberalismus seit 1867/71 diesem «massiven Doppeldruck» ausgesetzt, der ihn mit den ersten Auswirkungen der Massendemokratie konfrontierte, ohne daß ihm die Parlamentarisierung der autoritären Staatsmacht gelungen wäre.

Symptomatisch für die empörte Ablehnung des allgemeinen Wahlrechts war etwa Treitschkes Urteil, daß es «die organisierte Zuchtlosigkeit, die anerkannte Überhebung des Unverstandes» installiere. Mit vielen anderen Liberalen forderte auch Haym die Abschaffung dieses demokratischen Partizipationsrechts: Deutschland werde sonst untergehen, da jeder Wahlkampf eine neue Bresche in den Wall um die bürgerliche Welt schlage. Solche Äußerungen enthüllten die Belagerungsmentalität der Nationalliberalen. Daher beharrten sie auch, ganz auf der Linie des traditionellen etatistischen Vereinbarungsliberalismus, auf der Anlehnung an den starken Staat. Da «die Sozialdemokraten und Ultramontanen kommen», um die Freiheit des Bürgers zu bedrohen, bleibe – wiederholte Sybel, der das allgemeine Wahlrecht seit 1867 für den «Anfang vom Ende» des Parlamentarismus gehalten hatte – der starke Staat noch immer ein unverzichtbarer Ordnungsgarant. Und Gneist lieferte prompt im Stil der Hegelschen Staatsverklärung eine theoretische Rechtfertigung der Unterordnung des Individuums unter die «bleibende höhere Macht» des Staates.

5. Schlechthin nicht zu überschätzen ist die unterminierende Wirkung der Depression seit dem «Gründerkrach», verschärft durch die Agrarkrise wenige Jahre später. Die liberale Wirtschaftspolitik, überhaupt die gesamte liberale Markt- und Verkehrswirtschaft wurden abgrundtief diskreditiert. In atemberaubendem Tempo wurde den Liberalen das Vertrauen auf ihre politische Führungskompetenz entzogen – mehr noch, sie galten geradezu als die direkt Schuldigen, welche die Misere herbeigeführt hatten. Angesichts der völlig unerwarteten Heftigkeit und Dauer der Wachstumsstörungen nutzte die orthodox liberale Verteidigung, daß man unentwegt auf die Selbstheilungskräfte des Marktes vertrauen müsse, gar nichts mehr. Sie brachte ihnen nur neue Vorwürfe gegen ihre menschenfeindliche Apathie und weltfremde Hilflosigkeit ein. Auf der andern Seite fand jedes Versprechen, die Krise aktiv, endlich aber auch durch Staatsintervention zu bekämpfen, ein positives Echo. Diese beiden diametral entgegengesetzten Standpunkte wirkten sich wie Mühlsteine aus, zwischen denen die Machtbasis der Nationalliberalen zerrieben wurde. Auf ihrem rechten Flügel hielt Friedrich Hammacher den drohenden «Zusammenbruch» für «unvermeidlich», denn «eine Partei, die sich hoch in den Wolken nicht um wirtschaftliche Beschwerden des Landes kümmert oder gar standespolitische Verschiedenheiten mit theologischem Übermut behandelt, muß untergehen».

6. Bismarck erkannte seit 1875/76, daß die veränderte Konjunkturlage auch eine andersartige politische Konstellation sowohl mit unabweisbaren Handlungszwängen als auch mit neuen Handlungsspielräumen heraufführte, die es gestatteten, die Abhängigkeit von der liberalen Majorität abzustreifen und den Schwenk zu einer konservativen Regierungskoalition zu vollziehen. Ende 1877 unternahm er zwar noch einen letzten Versuch, den nationalliberalen Fraktionsführer Rudolf v. Bennigsen mit dem Angebot, das Amt eines preußischen Ministers und Stellvertreters des Reichskanzlers zu übernehmen, in die Regierungsverantwortung einzubinden und damit auch die Nationalliberalen als gouvernementale Jasager fest an die Leine des Kanzlerregimes zu legen. Aber der Anlauf scheiterte an Bennigsens verständlicher Forderung, mit Forckenbeck und Stauffenberg zwei weitere prominente Liberale in das Staatsministerium zu holen sowie eine Gewähr dafür zu bieten, daß der Artikel 109 der preußischen Verfassung, der zur Abstützung der berüchtigten «Lückentheorie» während des Verfassungskonfliktes gedient hatte, im Hinblick auf künftige Konflikte (etwa wieder wie 1874 um den Militäretat) nicht zum Tragen kam.

Nach Bismarcks Absage vollzog sich seit dem Februar 1878 – am Siegeslauf des solidarprotektionistischen Lagers ablesbar – die Wende zu der neuen konservativ-katholischen Allianz in schnellen Zügen. Dieser prinzipielle Kurswechsel markierte die «größte innere Umwälzung neudeutscher Reichsgeschichte». Nach der militärisch-diplomatischen Reichsgründung von oben und nach der bürgerlich-liberalen Reichsgründung durch die Reformgesetzgebung folgte jetzt ein dritter Gründungsakt: die innenpolitische Umstellung auf die Rechtskoalition, bei der es vierzig Jahre lang bleiben sollte.

Im Verein mit den Konservativen triumphierte der Zentrumsführer Windthorst hämisch über den «Bankrott des Liberalismus». Nur zum Teil wurden die Nationalliberalen aber von jenen politischen «Kräften ausgeschaltet, die 1866 bis 1871 vergebens die Inaugurierung der liberalen Ära hatten verhindern wollen». Wichtiger war, daß «Bismarck keine wie immer geartete irgendwie selbständige, das heißt nach eigenen Verantwortlichkeiten handelnde Macht neben sich zu dulden vermochte». Und der Kanzler konnte sich von dem langjährigen Partner der informellen Regierungsallianz nur lösen, weil die anonymen Prozesse des unregelmäßigen Wirtschaftswachstums und der Fundamentalpolitisierung zu einer fatalen Erosion der liberalen Machtbasis geführt hatten. Erst diese, vom persönlichen Einfluß des Reichskanzlers unabhängigen Entwicklungen eröffneten ihm die Möglichkeit zum Koalitionswechsel. Da die Bedingungen der Krisenjahre das Bedürfnis, aktiv gegenzusteuern, ständig anwachsen ließen, zwangen diese ihn angesichts der Renitenz der Freihandelsliberalen sogar zu dem Experiment, für den neuen Staatsinterventionismus die Unterstützung eines kooperationswilligen Parteienbündnisses zu suchen. Außerdem entsprach die Abwendung von den Liberalen wichtigen anderen politischen Interessen des Reichskanzlers: Er blieb auf ein möglichst hohes Maß von Autonomie bedacht; er wollte der Parlamentarisierung einen neuen Riegel vorschieben, und seit 1862 hatte er ohnehin im Liberalismus den eigentlich gefährlichen Kontrahenten gesehen, der das Potential für den Umbau des alten Preußen besaß, zu dessen Verteidigung Bismarck angetreten war.

Die Niederlage beim Übergang zum Solidarprotektionismus von 1878/79 besiegelte den Zerfall der Nationalliberalen Partei. Im Juli 1879 verließen fünfzehn schutzzöllnerische Abgeordnete des rechten Flügels – darunter Treitschke und Wehrenpfennig – die Fraktion. Endgültig wurde der Bruch aber erst durch die sogenannte «Sezession» der politisch gesinnungsfesten, freihändlerischen Liberalen vollendet. In ihrer «Liberalen Vereinigung» schloß sich die Mehrheit jener profilierten Persönlichkeiten zusammen, die seit den 1860er Jahren nicht nur die Geschichte des deutschen Liberalismus, sondern auch des preußischen Staates und Deutschen Reiches mitgeprägt hatten. Zu ihnen gehörten Ludwig Bamberger, Eduard Lasker, Max v. Forckenbeck, Franz August Schenk v. Stauffenberg, Theodor Mommsen, Heinrich Rickert, Theodor Barth, Georg Siemens, Kurt Schrader, Friedrich Kapp und andere mehr. Sie bäumten sich gegen den «von Bismarck mit Hilfe der Junker, Pfaffen und Ultramontanen, kurz aller Reichsfeinde gewonnenen Sieg» noch einmal auf. Revidieren konnten sie die Wende zur konservativen Sammlungspolitik nicht mehr.

Jetzt erst traf das Verdammungsurteil eines zeitgenössischen Kritikers im Hinblick auf die parteipolitischen Kräfteverhältnisse im Kern zu: «Die Bismarcksche Herrschaft ist die Vorderseite der Medaille, deren Rückseite der bürgerliche Verfall ist.» In seiner abgrundtiefen Skepsis, daß die Aufsplitterung der Nationalliberalen «gleichbedeutend mit dem inneren und äußeren Zerfall des Parlamentarismus» sei, übertrieb Forckenbeck das Resultat ebenso wie Kapp, der Bismarck seither an der «Spitze derer» sah, «welche das Reich nicht wollen, ... es wie einen karnevalistischen Zwischenakt betrachten und dementsprechend handeln». Aber die Aussicht auf ein parlamentarisches Regierungssystem mit liberaler, bürgerlicher Mehrheit war in der Tat ein für allemal im Kaiserreich dahin.

Bis zur Unkenntlichkeit amputiert, stellten sich die Nationalliberalen mit dem Heidelberger Programm von 1884 auf eine neue Grundlage: bismarcktreu, etatistisch, stramm national, imperialismusfreundlich – eher eine linkskonservative als eine rechtsliberale Partei, die egoistischer als je zuvor für besitzbürgerliche Klasseninteressen focht. Nach Bambergers bitterem Verdikt trug sie «ein gut Teil» dazu bei, «die Demoralisation einzubürgern, welche das Bismarcksche Regiment systematisch ausstreute, um Deutschland schließlich unter eine Junkerherrschaft zu bringen, ... wie ähnlich nichts derart je vorher gesehen worden war». Daraus sprach die Enttäuschung über das eigene Scheitern. Eine progressive Kraft wie in ihrer großen Zeit zwischen 1867 und 1878 sind die neuen Nationalliberalen aber tatsächlich nie mehr geworden.

Ein abschließender Blick auf die Linksliberalen: Die Fortschrittspartei unter Eugen Richter äußerte häufig eine ebenso schneidende wie ehrenwerte Kritik, erlag aber noch öfter der Neigung zu einem starren Dogmatismus und antiquierten Freihändlertum. Ihre letzten verblüffenden, wenngleich kurzlebigen Erfolge brachten die Reichstagswahlen von 1881, als die DFP (60) und die «Liberale Vereinigung» (46) auf 106, ein gutes Viertel aller Abgeordneten, kamen. Daran schloß sich die 1884 vollzogene Fusion von «Fortschritt» und «Sezession» zur «Deutschen Freisinnigen Partei» an, die bei den Reichstagswahlen dieses Jahres immerhin 67 von 397 Mandaten gewann. Nach dem Urnengang von 1887 schmolz sie jedoch um die Hälfte auf ein knappes Zehntel (32) aller Abgeordneten zusammen. Zwischen 1881 und 1884 flackerte mithin ein Strohfeuer auf. Erst ein Vierteljahrhundert später kündigte sich ein neuer Aufschwung an. Aber auch zu dieser Zeit konnten Liberale nur sehnsüchtig an den Einfluß der nationalliberalen «Quasi-Regierungspartei» bis 1878 zurückdenken.[6]

e) Das Militär als fünftes Machtzentrum

Aus dem Verfassungskonflikt und der Epoche der Reichsgründung war das preußisch-deutsche Militär in vielfacher Hinsicht als Sieger hervorgegangen. Alle Bestrebungen, es der parlamentarischen Kontrolle des Landtags und des

Reichstags zu unterwerfen, waren gescheitert. Es behielt seine Exklusivstellung im Verfassungssystem. Die «Kommandogewalt» des preußischen Monarchen und Kaisers war erhalten geblieben. Ihm unterstand weiterhin ein «Königsheer»; das Schreckgespenst eines «Parlamentsheeres» hatte sich in nichts aufgelöst. Damit hatte auch Bismarck zwei der Hauptziele, für die er zu Beginn seiner Ministerpräsidentschaft zu kämpfen angetreten war, nicht nur in Preußen, sondern auch im Reich erreicht. Die einen bitteren neuen Konflikt verheißende Verlängerung des Militäretats von 1867, der bis Ende Dezember 1871 Gesetzeskraft besaß, war unter dem schlechterdings erdrükkenden Einfluß der Kriegserfolge von 1870/71 vom Parlament wie eine Selbstverständlichkeit gebilligt worden. Der «eiserne Etat», der auf einer Friedenspräsenzstärke von einem Prozent der Bevölkerung des Jahres 1867 und einer jährlichen Pauschale von 225 Talern je Soldat beruhte, behielt daher bis 1874 seine Gültigkeit.

Die Reichsverfassung billigte dem Kaiser als Oberstem Befehlshaber das Recht zu, den «Präsenzstand ... des Reichsheeres» zu bestimmen. Ihr Charakter als ein System aufgeschobener Entscheidungen trat aber auch im Hinblick auf das Kernproblem, welche Stellung die Streitkräfte in der neuen Monarchie besitzen sollten, insofern zutage, als die Friedenspräsenz mit Pauschquantum auch «im Wege der Reichsgesetzgebung festgelegt» werden sollte. (RV Art. 60, 63). Der evidente verfassungsrechtliche Schwebezustand verlegte die Entscheidung in dieser Machtfrage in die Zukunft. 1874 nahte die erste Kraftprobe heran, wer sich angesichts dieser widersprüchlichen Rechtslage durchsetzen konnte: der König und Kaiser im Verein mit dem Kanzler und der Armee oder das Reichsparlament.

Darüber hinaus hatte alles Militärische aufgrund des siegreichen Ausgangs der drei Kriege eine ungeheure Aufwertung erfahren. Verflogen war die Bitterkeit des Verfassungskonflikts, verschwunden der tiefverwurzelte Widerwille gegen den Barras. Unter dem endlosen Jubel der Massen wurde die Berliner Siegesparade im Frühjahr 1871 wie ein römischer Triumphzug abgehalten. «Keine Spur von der früheren Animosität gegen das Militär, die sonst im Pöbel zu bemerken war», das fiel dem Fürsten Hohenlohe-Schillingsfürst auf. «Der gemeinste Arbeiter sah die Truppen mit dem Gefühl an, daß er dazu gehöre oder gehört habe.» Das Prestige des Offizierkorps und des Dienstes in der Armee erreichte eine ungeahnte Höhe. Der Mythos des Generalstabs blähte sich auf. Der militärische Verhaltens- und Ehrenkodex gewann eine beispiellose verbindliche Ausstrahlungskraft. Für die älteren Offiziersgenerationen, die den Tiefpunkt der 1830er und 40er Jahre, 1848 die Schmach der Räumung von Berlin und den Schwächezustand bis 1862 erlebt hatten, bedeutete das einen unlängst noch unvorstellbaren Aufstieg zum Vorbild der Nation. Und dieser von Grund auf veränderte Charakter der sozialen Geltung des Militärs bedeutete auch in historischer Perspektive einen qualitativen Umschlag in der Einstellung der reichsdeutschen Gesellschaft zu den Streitkräften. Max Webers Kurzdefinition des Nationalstaats als «weltliche Machtorganisation der Nation» setzte die emphatische Bejahung militärischer Stärke voraus.

Die Heerespolitik bis 1890. Nachdem sich das Heer drei Jahre lang im Glanz seiner unerwarteten Erfolge gesonnt hatte, nahte 1874 die Debatte über den neuen Finanzierungsmodus, im Prinzip aber noch einmal über die Stellung der Armee im Verfassungsstaat. Als der «eiserne Etat» auslief, ließ Wilhelm I. von den führenden Figuren des Kriegsministeriums, des Militärkabinetts und des Generalstabs eine Etatvorlage entwerfen, die eine Maximallösung im Sinne des Militärstaats forderte. Postuliert wurde nämlich ein sogenanntes «Äternat», eine vom Parlament auf «ewig», jedenfalls auf unabsehbare Zeit zu bewilligende Fixsumme für den jährlichen Haushalt des Heeres, dessen Friedenspräsenz bis zu einer wiederum vom Kaiser festzulegenden «weiteren gesetzlichen Abänderung» 401 660 Mann und 17 000 Offiziere ausmachen sollte. Moltke wollte sogar noch einen wesentlichen Schritt weitergehen, da er zunächst darauf drängte, eine automatische Steigerung der Präsenzziffer durch ihre Ankoppelung an das Bevölkerungswachstum durchzusetzen.

Das Ziel der Vorlage war ebenso klar erkennbar wie während des Streits im Verfassungskonflikt. Das Haushaltsrecht des Reichstags sollte in einem Zentralbereich außer Kraft gesetzt und durch Gefügigkeit gegenüber dem Militär, das hinter seiner absolutistischen Abschottung weiter «einen Staat für sich» (Lucius) bilden wollte, ersetzt werden. Jedermann, ob Liberaler oder Konservativer, erkannte auch sofort, daß damit wegen der Höhe des Heeresetats, der seit dem Norddeutschen Bund fünfundneunzig Prozent aller Ausgaben verschlang, das Budgetrecht des Parlaments fast eliminiert worden wäre. Kein Wunder mithin, daß die Fronten des Verfassungskonflikts sogleich wieder auftauchten. Für die DFP prangerte Eugen Richter den «Vorbehalt des Absolutismus gegen das parlamentarische System in militärischen Angelegenheiten» ungeschminkt an, bevor er für den Fall eines Erfolgs der Gegenseite prophezeite, daß sich «ein solches Stück Absolutismus krebsartig weiterfressen» werde. Der «Militarismus nimmt mehr und mehr Gestalt und Fleisch und Blut an», attackierte auch der Zentrumsabgeordnete Hermann v. Mallinckrodt die Äternatsvorlage. Und die Nationalliberalen widersetzten sich der Zumutung auf das entschiedenste.

Tief irritiert strengten sich die führenden Militärs an, den Kaiser davon zu überzeugen, daß er «gar nicht nachgeben» könne. Bezeichnenderweise wurde in der Argumentation die Aufgabe der Armee als Instrument der äußeren Kriegführung mit der Funktion einer potentiellen Bürgerkriegstruppe verknüpft. «Eine tüchtige Armee», deren Qualität Roon wieder einmal von der Verabschiedung dieser und keiner anderen Vorlage abhängig machte, erschien ihm auch als «der einzig denkbare Schutz gegen das rote als gegen das schwarze Gespenst. Ruinieren sie die Armee, dann ist das Ende da.» Diese routineartige hochkonservative Panikmache führte indes nicht zu dem erhofften Ziel. Allmählich drängte sich die Notwendigkeit eines Kompromisses auf, der dann die relative Stärke und Schwäche der beiden Kontrahenten enthüllte.

Er wurde in der Gestalt eines «Septennats», eines sieben Jahre gültigen Etatgesetzes, gefunden, das den Reichstag über zwei Legislaturperioden hinweg band. In der langjährigen Umgehung des parlamentarischen Bewilligungsrechts traten die Durchsetzungsfähigkeit der Militärführung, umgekehrt auch die Grenzen der Macht der nationalliberalen Regierungspartei zutage. Ihre Einflußstärke aber ließ sich daran ablesen, daß sie nicht nur das «Äternat», sondern auch die volle numerische Ausschöpfung der allgemeinen Wehrpflicht verhindern konnte, es blieb bei der vorgeschlagenen Friedenspräsenz. Selbst das beschwörende Argument der Generäle, daß Frankreich seine Sollstärke soeben auf 450000 Mann erhöht habe, verfing nicht mehr.

Ermöglicht aber wurde der Kompromiß nicht zuletzt dadurch, daß Bismarck keineswegs mit voller Energie für das «Äternat» stritt, sich vielmehr in der entscheidenden Phase bedeckt hielt. Der Grund für sein Verhalten lag in dem ungebrochenen Mißtrauen gegenüber der aus einem «Äternat» fließenden immensen Einflußsteigerung des Militärs als unabhängigem Machtfaktor neben ihm. Denn mit der Finanzierungsgarantie auf Dauer hätte es sich noch mehr vom politischen Zentrum abkapseln und völlig in der Domäne der «Kommandogewalt» bewegen können.

Mochte der Septennatskompromiß auch schmerzhafte Konzessionen von beiden Seiten verlangen, erkannte der nationalliberale Fraktionsvorsitzende v. Bennigsen doch sehr deutlich die prinzipielle Bedeutung der parlamentarischen Niederlage, als es zum ersten Mal im neuen Reich um die jährliche Kontrolle des Heereshaushalts ging und die Scharte des Verfassungskonflikts unbedingt ausgebügelt werden sollte. «Die Kriegsverfassung, die Heereseinrichtung bilden», resümierte er bitter nach der Annahme des Gesetzes, «bis zu einem hohen Maß das Knochengerüst der Verfassung eines jeden Staates, daß, wenn es nicht gelingt», endlich «die Heeresverfassung und Wehrverfassung einzufügen in die konstitutionelle Verfassung überhaupt, die Konstitution in einem solchen Lande noch keine Wahrheit geworden ist». In diesem Sinne besaß das Kaiserreich auch vierzig Jahre später noch keine vollständige «konstitutionelle Verfassung».

Längst ehe das «Septennat» im Dezember 1881 ablief, brachte die Reichsleitung im September 1880 eine zweite Septennatsvorlage ein, mit der überdies die Erhöhung der Friedenspräsenz auf 427370 Soldaten gefordert wurde. Wegen des konservativen Umschwungs von 1878/79 wurde das Gesetz zügig bewilligt. Unter der von Bismarck bedenkenlos fabrizierten Drohung einer «Kriegsgefahr» konnte dann auch 1887 das dritte «Septennat» mit einer Präsenzstärke von 468400 Mann durchgepeitscht, damit aber auch erneut vermieden werden, wie Bismarck triumphierte, «aus dem Kaiserlichen Heer ... ein Parlamentsheer zu machen». Kaum war die langjährige Bindung der Etatmittel für die Streitkräfte sichergestellt, erwiesen sich neue Reorganisationsmaßnahmen als angeblich unabweisbar, so daß der Kartellreichstag die Präsenz 1890 auf sogar 486980 Mann anhob. Hiermit wurde die verfassungsrechtlich vorgesehene Größe der Armee, ein Prozent der Bevölkerung von 1890 = 49.4 Millionen, endlich erreicht. Die materielle Konsequenz: 1890 nahmen die Rüstungsausgaben mehr als neunzig Prozent des Nettobedarfs der Reichsfinanzen in Anspruch!

Den militärpolitischen Siegern des Jahrzehnts von 1862 bis 1871 war es, wie bereits erörtert (5. Teil, IV. 6) gelungen, die preußische Unterscheidung zwischen der kontrollfreien Sphäre der monarchischen «Kommandogewalt» und derjenigen der Militärverwaltung, über die dem Parlament Auskünfte vom preußischen Kriegsminister gegeben wurden, auch für das Reich durchzusetzen. In der Verfassungswirklichkeit lief diese Entscheidung darauf hinaus, daß die «Anordnungen des Kaisers in Kommandosachen von der ministeriellen Gegenzeichnung», die gemeinhin im preußisch-deutschen Konstitutionalismus erforderlich war, freigestellt wurden. Die «Kommandogewalt» blieb auch im Gehäuse des Reiches ein Kernstück spätabsolutistischer Herrschaft über Menschen. Darum konnte sie auch im liberal-konstitutionellen Staatsrecht nicht genau definiert werden. Diesem zäh verteidigten Relikt aus der Zeit der Feudalordnung lag die Vorstellung zugrunde, daß der Fürst, dem die Krieger durch ein persönliches Loyalitätsverhältnis – bekräftigt durch den Eid auf den Monarchen, nicht auf die Verfassung – verpflichtet waren, als geblütscharismatischer Führer des Heerbanns mit möglichst uneingeschränkter Befehlsgewalt fungierte. Eine derart anachronistische Herrschaftsbeziehung blieb auch im späten 19. und frühen 20. Jahrhundert das Ideal eines jeden preußischen Herrschers als «Obersten Kriegsherrn», dem jetzt auch das Reichsheer unterstand.

Unterhalb dieser kriegsherrlichen Spitze bestand ein antagonistisches Geflecht von drei wichtigen Institutionen. Es waren das Militärkabinett, das Kriegsministerium und der Generalstab.

Das vorn vorgestellte Militärkabinett (A 1b) stand seit der Revolution von 1848/49 in unverhüllter Rivalität zum Kriegsministerium. Unter der Leitung des Generals v. Albedyll (1871–1888) arbeitete es ebenso zäh wie intrigant daran, das Monopol über alle Personalentscheidungen des Heeres zu gewinnen. Um dieses Optimalziel einer vorteilhaften Kompetenzabgrenzung zu erreichen, mußte dem Kriegsministerium seine Personalabteilung entzogen werden. 1883 war es endlich soweit. Der Kriegsminister General v. Kameke geriet in den Geruch, ein Vertrauter des Kronprinzen mit einem Hauch von rechtsliberaler Aufgeschlossenheit in seinem Verhältnis zum Reichstag zu sein. Bissig warf ihm Bismarck daraufhin vor, daß «ein parlamentarischer

General im aktiven Dienst» eine «unpreußische Erscheinung», als Kriegsminister «aber eine gefährliche» sei. In einem gnadenlosen Dschungelkrieg der Ämter, getarnt hinter der Fassade preußischer Korrektheit, gelang es Albedyll mit der Schützenhilfe des Generalstabs, insbesondere des neuen Generalquartiermeisters Alfred v. Waldersee, Kameke in eine Situation zu manövrieren, in der er um seine Entlassung bat. Der als Nachfolger längst ins Auge gefaßte Paul Bronsart v. Schellendorf, einer von Moltkes «Halbgöttern», sah sich unversehens zwei ultimativen Bedingungen gegenüber: Die Personalabteilung des Kriegsministeriums sollte aufgelöst, sein Aufgabenbereich dem Militärkabinett zugeschlagen werden; zum Dank für seine Unterminierarbeit sollte der Chef des Generalstabs – wie bisher nur 1866 und 1870/71 – das Recht des Immediatvortrags beim Kaiser ohne die Anwesenheit des Kriegsministers für immer erhalten.

Der innerbürokratische Machtkampf bis aufs Messer endete damit, daß Bronsart zustimmte, ohne daß damit in der Folgezeit die Ämterrivalität völlig entschärft worden wäre. Das Militärkabinett wurde erwartungsgemäß enorm aufgewertet, während sich der Generalstab weiter verselbständigte. Das Kriegsministerium erlitt einen irreparablen Bedeutungsverlust. Die fatalen Folgen dieser Entscheidung traten alsbald mit aller nur denkbaren Klarheit im Schlieffenplan mit seinen politikfernen Entscheidungen zutage (vgl. B 5b). Außerdem gewann das Militärkabinett als königliche Immediatbehörde mit der Verfügung über die Personalpolitik die Kontrolle über eine entscheidende Materie der Kommandogewalt. Dabei folgte es unbeirrbar der Devise seines langjährigen Leiters, des Generals v. Hahncke (1888–1901), daß die Armee «ein abgesonderter Körper bleiben müsse, in den niemand mit kritischen Augen hineinsehen» dürfe.

Unstreitig hat Bismarck nach Kräften dazu beigetragen, die privilegierte Sonderstellung des Heeres zu verteidigen. Im Zeichen dieser Defensive war er 1862 angetreten, auf ihr beharrte er bis zuletzt. Aber eine selbständige Rolle zu spielen verwehrte er, wo immer geboten, dem Militär durchaus. Das war 1866 und 1870/71 unübersehbar seine Position gewesen, sie lag auch bekanntlich seiner Entscheidung zugrunde, daß es keinen Reichskriegsminister als Nebenbuhler geben dürfe. Trotz der argwöhnischen Wachsamkeit des Reichskanzlers versuchte aber der Generalstab, auf indirektem Weg politischen Einfluß auszuüben. Das läßt sich zum Beispiel an seinen risikoreichen Präventivkriegsplänen ablesen.

Schon vor dem Kriegsende, seit dem April 1871, hatte sich Moltke mit der Gefahr eines künftigen Zweifrontenkriegs zu beschäftigen begonnen. Über kurz oder lang sah er, ähnlich wie Bismarck, das neue Reich einer drohenden Zangenbewegung ausgesetzt, die von einem revanchelüsternen Frankreich und einem panslawistisch-expansionistischen Rußland ausgehen werde. Im ersten neuen Aufmarschplan von 1872 wollte er, gegebenenfalls mit einem Präventivschlag, «endlich den Vulkan ... schließen, welcher seit einem Jahrhundert Europa durch seine Kriege wie durch seine Revolutionen erschüttert». 1875, während der sogenannten «Krieg-in-Sicht-Krise» (unten A 5a), hing das Damoklesschwert eines deutschen Präventivkriegs, der die schnelle französische Wiederaufrüstung durch «rechtzeitiges Losschlagen» zunichte machen sollte, erneut über der europäischen Politik.

Nachdem aber die Großmächte des Staatensystems der Berliner Politik ihre Grenzen drastisch vor Augen geführt hatten, trat die vorbeugende Aktion gegen Frankreich in der Generalstabsplanung zurück. Dagegen korrespondierte fortab der Angst vor einer Bedrohung aus dem Osten eine Reihe von Präventivkriegsüberlegungen. Während der Krise von 1887 etwa (vgl. A 5a) hatte Moltke, unterstützt von Albedyll, dem von Waldersee erarbeiteten Plan eines deutschen Erstschlags bereits zugestimmt. Da angesichts der vermeintlichen russischen Schwäche «der Augenblick zum Losschlagen ein günstiger für uns sei», forderte der «große Schweiger» Ende November ziemlich laut, «gegen Rußland angriffsweise vorzugehen». Trotz der unwägbaren Risiken eines deutschen Winterfeldzugs in Rußland teilte er in schroffer Mißachtung von Clausewitz' Lehre diesmal Waldersees Arroganz, daß zwar die «Staatskunst ... die möglichst günstige militärische und strategische Anfangssituation schaffen» müsse, «das letzte Wort» aber «dem Schwerte» verbleibe.

Mit dem ganzen Gewicht seines politischen Einflusses verfocht Bismarck die diametral entgegengesetzte Position, daß in der Frage von Krieg und Frieden allein der Politik die Entscheidung zustehe. Wer einen Präventivkrieg gegen das riesige Zarenreich vom Zaun breche, begehe, mokierte er sich, nur zu leicht «Selbstmord aus Furcht vor dem Tod». «Solange ich Minister bin», versicherte er den wichtigsten deutschen Diplomaten im Ausland, «werde ich meine Zustimmung zu einem prophylaktischen Angriff auf Rußland nicht geben.» Dabei blieb es in der Tat, gegen seinen Widerstand konnte sich der Generalstab nicht durchsetzen. Freilich entstammte die Opposition des Kanzlers keineswegs – wie das die Bismarckhagiographie lange glauben machen wollte – unerschütterlichen moralisch-ethischen Überzeugungen, die eine prinzipielle Ablehnung des vorbeugenden Erstschlags geboten. Vielmehr ging sie aus einer kühlen, von christlichen Einflüssen durchaus freien Interessenabwägung hervor, die wegen der Unkalkulierbarkeit schwerwiegender Risiken die Nachteile einer solchen Kriegspolitik spätestens seit 1875 für viel zu gefährlich hielt. Diese Bändigung rivalisierender Grundüberzeugungen durch ein verantwortungsbewußtes gesamtpolitisches Urteil, das aufgrund der langjährigen Sonderstellung Bismarcks und seiner Meisterschaft auf dem Feld der internationalen Beziehungen den Ausschlag gab, entfiel seit 1890, während sich im Generalstab die schon seit Moltke ausgebildete Tendenz zu einem rein militärisch-technokratischen Effizienzdenken verstärkte.

Die Kategorie des militärischen Präventivschlags besaß auch noch in einer anderen Hinsicht jahrzehntelang eine umstrittene Bedeutung. Zweifellos wurde das Heer in erster Linie als Streitkraft für den Angriff oder die Verteidigung im Falle eines kriegerischen Konflikts verstanden. 1848 war jedoch auch die innenpolitische Dimension des Militärwesens in der Bürgerkriegssituation grell zutage getreten. Seither ist sie aus dem Rollenverständnis des Offizierkorps, insbesondere der führenden Militärs, nicht mehr verschwunden. Die Armee sollte auch immer «die bewaffnete Stütze», ja «der Hauptstützpfeiler einer quasi-absolutistischen Regierung» sein. «Zu diesem Zweck mußte die Waffenschule für die Bürger», wie Friedrich Engels erkannte, «zu einer Schule blinden Gehorsams gegenüber den Vorgesetzten und der königstreuen Gesinnung werden.» Eben deshalb sollte auch die dreijährige Dienstzeit die Gewähr dafür bieten, daß Regierung und Militärspitze nach einer derart langen Sozialisationsphase «im Falle von inneren Revolutionen über eine zuverlässige Armee» verfügten.

Durch den Aufstieg der Sozialdemokratie sahen sich die politischen Generäle in ihrer Absicht bestätigt, die Streitkräfte auch als «prätorianerartiges Machtinstrument» (Kehr) zu erhalten. Bereits 1875 riet Roon dem Kaiser unverbrämt dazu, gegen die «Hydra der unsere ganze Zivilisation bedrohenden Partei der Verwilderung» militärisch vorzugehen. Solche finsteren Ratschläge hätten angesichts der hysterischen Angst, die vielfach im Bürgertum herrschte, sogar mit breiter Zustimmung rechnen können. Selbst ein besonnener Liberaler wie Kapp befürwortete «aus reiner Notwehr» die gewaltsame «Unterdrückung der sozialdemokratischen Wühlereien» mit dem bezeichnenden Vergleich: «Wenn mich ein Lump mit der Pistole in der Hand angreift, so halte ich dem irrenden Bruder keinen Gesetzparagraphen, sondern einen Sixshooter vor. Wenn schon, denn schon!» Ähnlich sah Moritz v. Mohl, der Bruder des berühmten Staatswissenschaftlers, auf dem Forum des Reichstags in der Bedrohung durch die «kommunistische» Partei die Ursache dafür, daß «die große Masse der Denkenden und Gebildeten froh» sei, «wenn eine äußere Macht da ist, welche das Leben, das Eigentum, die Bildung und Zivilisation schützt».

Bereit zu sein für die Intervention mit der Armee im innenpolitischen Krisenfall – dieser Leitgedanke hat seit den siebziger Jahren einen nachhaltigen Einfluß ausgeübt. Nach 1890 wurde er in den Überlegungen Waldersees zum Präventivschlag gegen die SPD und in Studien des Generalstabs über den bevorstehenden «Kampf in insurgierten Städten» konkretisiert.[7]

Der Strukturwandel des deutschen Militarismus. Die allgemeine Wehrpflicht, Erbe der Reformära, hatte das altpreußische Militärsystem, in dem der als Soldat dienende Adelsbauer seinem Gutsherrn als Arbeitgeber und Offizier zugleich untergeben war, ganz so aufgelöst wie diese ältere Form der Militarisierung der ländlichen Gesellschaft Ostelbiens. Trotz der Erfolge von 1813/14 bewegte sich das Ansehen der Armee zwischen 1815 und 1848 auf einem Tiefpunkt. Durch ihre konterrevolutionäre Aktivität wurde sie in den Augen der Konservativen wieder aufgewertet, ohne daß sie in den fünfzehn Jahren bis 1864 auch nur von ferne den Status während der friderizianischen Zeit wieder erreicht hätte.

Die drei «Einigungskriege» veränderten die Lage von Grund auf. In strahlendem Glanz stand das Militär nach seiner ununterbrochenen Serie von Siegen da. Seine Leistungen hatten, das wurde seither Generation auf Generation eingehämmert, erst die Basis geschaffen, auf der Bismarcks Politik den Nationalstaat errichten konnte. Die politische Mentalität und das Selbstbewußtsein des Heeres veränderten sich, und in der politischen Mentalität der Bevölkerung rangierte das Sozialprestige des Militärs in einer vorher ungeahnten Höhe. Das Offizierkorps galt vielen uneingeschränkt als «Erster Stand im Staat», der sich bis hin zur Kastenbildung von der Gesellschaft elitär absonderte. Die «Halbgötter» und «Intelligenzbestien» des Moltkeschen Generalstabs umgab eine wahre Gloriole perfekter Kriegsplanung. Selbst auf den gemeinen Grenadier fiel noch der Abglanz welthistorisch bedeutsamer Waffentaten.

Dadurch wurde ein Strukturwandel des deutschen Militarismus herbeigeführt. Selbstverständlich war die ältere Hochschätzung der Streitkräfte nie völlig verschwunden; weiterhin dienten Bauern und Knechte unter Offizieren aus dem Landadel. Aber die neue Militarisierung des Alltagslebens unterschied sich von ihrem altpreußischen Vorläufer doch durch eine neue Qualität. Dieser «merkwürdig penetrante» Sozialmilitarismus wirkte – wie Friedrich Meinecke, der als Junge die Siegesparaden von 1871 miterlebt und den Militärkult geteilt hatte, noch in seinem neunten Lebensjahrzehnt 1946 einräumte – «auf das ganze bürgerliche Leben» ein und fand «in keinem Nachbarland seinesgleichen». In der Tat unterschied sich die Geltung der französischen, russischen, englischen, amerikanischen Landmacht – auch der britischen Flotte – von Grund auf von diesem militärischen Bestandteil des deutschen «Sonderwegs».

Militärische Gewohnheiten drangen im Deutschen Kaiserreich immer tiefer in das tägliche Leben ein: der Kommandoton und das Strammstehen, die herablassende Behandlung des Bürgers durch den Offizier, des «Publikums» durch den Subalternbeamten mit der «Zwölfender»-Vergangenheit eines Berufssoldaten. Im Verhaltensstil, in der Sprache und Denkweise wurde die Dominanz des Militärs bereitwillig akzeptiert, imitiert und verinnerlicht. Seine Werte und Normen rückten an die Spitze der Ansehensskala. Der spätfeudale Ehrenkodex des Berufsoffiziers galt dem bürgerlichen Ehrbegriff als haushoch überlegen. Im Verdrängungswettbewerb setzte er sich regelmäßig durch. Auch der bürgerliche Reserveoffizier partizipierte noch am Glanz und Dünkel des professionellen Kriegers. Schon der «preußische Leutnant ging als junger Gott, der bürgerliche Reserveoffizier wenigstens als Halbgott durch die Welt». Selbst der kurze Einjährig-Freiwilligendienst wirkte «militarisierend nach unten». Normative Lebensideale, Denkmuster und Habituszüge des Soldaten breiteten sich in der Gesellschaft aus. Der übermäßigen Hochschätzung des Militärs entsprach das zur Devotion neigende Unterlegenheitsgefühl des Zivilisten.

Für die herrschenden Klassen übernahm der Sozialmilitarismus eine hochwillkommene Disziplinierungsfunktion. Für die Konservativen hielt die gepanzerte Faust des Staates jenen Schutzschild, der die überkommene Gesellschaftsordnung abschirmte. Sie teilten mit vorbehaltloser Zustimmung das Bekenntnis des Berliner «Militär-Wochenblatts» von 1889, daß das Offizierkorps «wie eine eherne Mauer» dafür einstehe, «die aristokratische Weltanschauung gegen die demokratische» zu verteidigen. Zum Kern seiner Gesinnung gehöre der «dynastische Sinn, unbedingte Treue gegen die Person des Monarchen, erhöhter Patriotismus, Erhaltung des Bestehenden», Verteidigung aller Königsrechte und daher auch die entschlossene «Bekämpfung vaterlandsloser, königsfeindlicher Gesinnung». Nicht zuletzt gehörte zum kruden politischen Weltbild des Offizierkorps seine «Parlamentsfremdheit», ja «Parlamentsfeindschaft».

Für die liberalen Bürger garantierte das Heer einen festen Damm gegen die rote Revolution. Für die Mehrheit der Arbeiterklassen besaß es eine gleich zu schildernde Attraktion, die auch durch die notorischen Fälle von Soldatenmißhandlung nicht aufgehoben wurde. Und im deutschen Reichsnationalismus gewann neben den Langzeitelementen dieser «politischen Religion» die epochenspezifische Glorifizierung des Militärischen, nachdem es einmal den Gipfel der Prestigehierarchie besetzt hatte, einen unverwechselbar hohen Stellenwert.

Den deutschen Militarismus so zu bestimmen, daß er nur dort am Werke gewesen sei, wo «der Primat der politischen Führung über die militärische, des politischen Denkens über das soldatische in Frage gestellt» wurde, heißt einer zu engen, zu allgemeinen, zu verharmlosenden Definition das Wort reden. Zeitweilig kann eine solche Fehlentwicklung bekanntlich in allen möglichen Gesellschaften unter jedem denkbaren politischen Regime eintreten. So fatal dann die Auswirkungen auch sein mögen, ist doch die soziale Militarisierung der reichsdeutschen Gesellschaft ein ungleich folgenreicherer und komplizierterer Prozeß gewesen, da er bis in die letzten Winkel der Mentalität und die verinnerlichten Verhaltensmaximen eindrang. Dadurch wurden auch weitaus günstigere Voraussetzungen für einen allgemeinen Primat des Militärs geschaffen, der im Grenzfall eines Krieges überall auftauchen mag.

Dieser Sozialmilitarismus konnte auf Dauer nicht allein von der Erinnerung an gewonnene Kriege, von der unleugbaren Aufwertung des Militärs zehren. Vielmehr mußte er durch lebensgeschichtliche Erfahrungen fortlaufend wachgehalten, in jeder Generation neu genährt werden. Nur solche Erfahrungen vermochten die Kontinuität der übertrieben positiven Grundeinstellung gegenüber dem Militär zu gewährleisten. Diese politische Sozialisation konnte aber nicht allein, geschweige denn ausschließlich «von oben» initiiert und gesteuert werden, obwohl die beeinflußbaren Wirkungen, die vom Heeresdienst selber und vom Reserveoffizierswesen, von der militärnahen Publizistik und den – von der Armee protegierten – Kriegervereinen ausgingen, weit reichten. Vielmehr bildete sich in den langen Friedensjahrzehnten des Kaiserreichs auch «von unten» her eine Rezeptionsbereitschaft heraus, die dazu führte, daß junge und alte Männer auf das Militär, auf die Dienstzeit bei der Truppe überwiegend positiv reagierten.

1. Die Mehrheit aller Rekruten, die bis zuletzt zu mindestens zwei Dritteln aus der ländlichen Gesellschaft stammten, wurde aus der Monotonie des Dorflebens gewöhnlich zum ersten Mal drei Jahre lang in die fremde Welt des städtischen Garnisonslebens versetzt. In der nostalgischen Erinnerung trat die Eintönigkeit des Drills zurück. Weithin wurde diese Ausbildungszeit als ein attraktiver «rite de passage» für junge Männer bejaht.

2. Die meisten Soldaten erfüllte das Bewußtsein, in einer populären Institution dem «Vaterland» einen Dienst zu leisten, auf den es einen Anspruch hatte. Diese Überzeugung hob sie aus dem Egoismus der ordinären Alltagsgeschäfte heraus. Die Bereitschaft zur Hingabe an überindividuelle Ziele erhöhte das Selbstwertgefühl.

3. Die Armee integrierte in ihren Einheiten Individuen aus allen Regionen des Reiches und aus allen Klassen der Bevölkerung. Sie machte die Nationsbildung konkret erfahrbar, da sie die Rekruten an diesem Zusammenwachsen in einer Lebensphase, in der das Gemüt plastisch reagierte, die Eindrücke tief hafteten, aktiv teilnehmen ließ. Außer dem Nationalismus und der Sozialisation in Familie und Schule gab es keine vergleichbar effektive Integrationsleistung. Der Liberalismus konnte seit den siebziger Jahren nicht mehr mithalten, die Sozialdemokratie war außerstande, aus ihrer eigenen Subkultur heraus eine klassenübergreifende Konkurrenz zu entfesseln. Insofern steckte eine Teilwahrheit in dem Anspruch, daß das Heer die «Schule der Nation» verkörpere.

4. Einerseits milderte der überwiegend regionale Einzugsbereich der Garnisonen den kulturellen Schock der dreijährigen Dienstzeit ab. Andrerseits sorgten Versetzung, Manöver und soziale Durchmischung für zahlreiche ungewohnte Bewährungsproben. Als männerbündische Gemeinschaft waren die Militäreinheiten offenbar imstande, den Anprall des Neuen abzufedern oder eine Kompensation für Belastungen zu verschaffen.

5. Die Garnison war eine Quelle materiellen Wohlstands für die Stadt, die auf ihre Kaserne stolz war. Regionen waren nicht minder stolz auf ihre traditionsreichen Regimenter. Die Uniform genoß ein so hohes Ansehen, daß sie auf zahllosen Fotos verewigt, selbstverständlich auch im Urlaub mit pfauenhaftem Stolz getragen wurde. Auch nach dem aktiven Dienst boten Aufmärsche und nationale Feste, Kaisergeburtstagsfeiern und private Ver-

gnügungen immer wieder einen Anlaß, die Uniform zur Schau zu tragen. Überall hielt überdies die Symbolik der Kriegerdenkmäler die Erinnerung an die «große Zeit» wach, als aus verlustreichen Kämpfen das Reich hervorgegangen war.

6. Im Heer gab es öffentlich anerkannte Funktionseliten, in die ein begrenzter und daher begehrter Aufstieg möglich war. Auf der unteren Stufe der Prestigeleiter stand der Unteroffizier; darüber befand sich der Reserveoffizier; oben thronten die adligen und bürgerlichen Berufsoffiziere. Da die Aufrüstung, die allein von 1880 bis 1913 zu einer Verdoppelung der Präsenzstärke führte, kontinuierlich soziale Aufstiegsmobilität gewährleistete, verbanden Abertausende von – gleich wo – arrivierten Soldaten mit ihrer Vorgesetztenstellung die Befriedigung ihres beruflichen Erfolgsstrebens.

7. Die erstaunlich rasch anwachsende Anzahl von Kriegervereinen hielt sowohl den Gesinnungsmilitarismus als auch den Vulgärnationalismus lebendig. Auf der lokalen Ebene bemühten sich die Vereine darum, im Prinzip alle «Gedienten» nach der Rückkehr ins Zivilleben an sich zu binden, indem sie an die sozialpsychische Konstante anknüpften, sich immer wieder gemeinsam durchlebter Gefahren oder Ausbildungsjahre zu vergewissern. Der «Deutsche Kriegerbund», der im Gründungsjahr 1873 erst 214 Vereine und 27500 Mitglieder umfaßt hatte, überschritt bis 1898 bereits die Millionengrenze. Später kam der neue Dachverband des «Kyffhäuser-Bundes» sogar auf knapp 2.9 Millionen Mitglieder. Schon solche Organisationserfolge machten ihn zu einem beachtenswerten Meinungsfaktor. Hinzu kam auch noch die Binnenwirkung, denn so gut wie alle Kriegervereine teilten die sorgsam gepflegte militant antisozialdemokratische, oft auch antisemitische, immer aber militaristisch-nationalistische Grundeinstellung. Bismarck hat die Chance, diese Veteranenverbände als innenpolitisches Agitationsinstrument auszunutzen, frühzeitig erkannt. Folgerichtig stellte er ihre «kräftige Abwehr gegen staatsgefährliche Bestrebungen» in den Dienst seiner Attacke gegen die «Reichsfeinde». Abgesehen von dem Umstand, daß sich dieses große politische Potential ausbeuten ließ, verlängerten die Kriegervereine außerhalb der Kaserne den Einfluß des Heeres auf die Kollektivmentalität von Millionen ehemaliger Soldaten.

8. Schließlich kann der Anteil, den die Erziehung in der Familie, im Geschichtsunterricht in der Schule und für eine Minderheit auch noch auf der Universität an der Verherrlichung des Militärs, damit aber auch an der individualpsychischen Fundamentierung des Sozialmilitarismus gehabt hat, kaum überschätzt werden. Von dieser kontinuierlichen Beeinflussung ging eine Wirkung aus, die der sozialkulturellen Persönlichkeit ihren Stempel tief einprägte.

Mental und institutionell, im öffentlichen Meinungsklima und im privaten Verhalten war daher der deutsche Militarismus so tief verankert, wie das zu dieser Zeit nirgendwo sonst der Fall war. Gewiß gibt es eine – später noch zu diskutierende – Vielzahl von Kausalfaktoren, die bei der Analyse des nationalsozialistischen Aufstiegs gewichtet werden müssen. Aber es sollte doch zu denken geben, daß ein langjähriger, erst sehr spät skeptisch gewordener Preußenverehrer wie Friedrich Meinecke schließlich geurteilt hat, daß man den Militarismus «als diejenige geschichtliche Macht bezeichnen» müsse, die «den Aufbau des Dritten Reiches wohl am stärksten gefördert hat».[8]

f) Staatsfinanzen und Steuerpolitik

Im Prozeß der neuzeitlichen Staatsbildung hat sich der offenbar unaufhaltsame Aufstieg des «Steuerstaats» nach 1871 weiter fortgesetzt – auch wenn seine damaligen Ansprüche an den veranlagungspflichtigen Bürger hundertzwanzig Jahre später wie eine wahre Labsal wirken. Aber: Die Einzelstaaten des Reiches verkörperten die Frühform des «Steuerstaats», nur in sehr eingeschränktem Umfang tat das schon der Zentralstaat, der sich in diese Domäne seiner Mitglieder mühsam hineinbewegen mußte. Wie wurde sein politisches System finanziert?

Die Einkünfte des Kaiserreichs waren im wesentlichen durch seine Verfassung geregelt worden (RV Art. 70; ergänzt durch die Lex Stengel von 1904). Für alle praktischen Zwecke gab es insgesamt sechs Quellen: 1. die Zölle; 2. die Verbrauchs- und Verkehrssteuern; 3. die Einnahmen aus den Reichsbetrieben wie etwa der Post; 4. die Matrikularbeiträge der Gliedstaaten, die mechanisch je nach der Bevölkerungszahl, nicht nach der Wirtschaftsstärke geleistet wurden; durch sie wurde das Reich zum «Kostgänger der Einzelstaaten»; 5. das Reichsfinanzvermögen aus der französischen Reparationsleistung; 6. die Anleihen auf dem Kapitalmarkt, vermittelt durch Konsortien der Großbanken.

Da mit der Expansion der zentralstaatlichen Funktionen der Finanzbedarf des Reiches ständig anstieg, gab es von Anfang an einen harten Kampf der Reichsleitung um eine bessere Mittelausstattung. Die Gliedstaaten ihrerseits wachten eifersüchtig über den eng begrenzten Zugang des Reiches zu finanziellen Ressourcen. Wie in anderen föderalistischen Staaten, etwa in den USA und der Schweiz, hielten auch sie sich an die Maxime: die direkten Steuern den Bundesstaaten, die indirekten dem Oberstaat. Daher betrachteten sie die lukrative und ausbaufähige Einkommens-, Vermögens-, Erbschafts- und Ertragssteuer als ihr unantastbares Reservat. Aufgrund der zu ihren Gunsten verfassungsrechtlich sanktionierten Grundsatzentscheidung blieb das Reich der Möglichkeiten beraubt, «die erfolgreichste Abgabe», die Einkommenssteuer, zum Teil oder konkurrierend an sich zu ziehen.

Blickt man genauer auf die Herkunft der Reichsfinanzen, betrug anfangs das Einkommen aus Zöllen und Steuern rund sechzig Prozent der ordentlichen Einkünfte (um 1900 schon 80%). Die Zölle brachten bis 1879 nur ein Drittel von ihnen ein, seit dem Übergang zum «Solidarschutzsystem» aber die Hälfte. Dabei stiegen die Agrarzölle, die vor 1879 höchstens zwölf

Prozent ausgemacht hatten, dank der drei Bismarcktarife bis 1890 auf fünfundvierzig Prozent des gesamten Zollaufkommens. Sein Schwerpunkt wurde mithin unzweideutig durch die konsumentenfeindlichen Agrarzölle bestimmt: «Das Bild», urteilte einer der kompetentesten Finanzwissenschaftler des Kaiserreichs, «ist sozialpolitisch erschreckend.»

Die Verbrauchssteuern wurden, wie das in ihrer Natur liegt, indirekt erhoben. Da diese Belastung schwer erkennbar war, wurden sie nicht nur von Bismarck aus leicht einsichtigen politischen Gründen bevorzugt, sondern auch von den oberen Klassen unterstützt, die sich auf diese Weise vor einer gerechteren Verteilung der Steuerlasten nach dem Leistungsgrundsatz schützen wollten. Insbesondere die direkte, gestaffelte Einkommensbesteuerung war Bismarck und den vermögenden Klassen förmlich Anathema. Denn «eine rationelle Begrenzung des Prinzips der progressiven Besteuerung ist nicht möglich», argumentierte Bismarck treffsicher, «dasselbe entwickelt sich, einmal rechtlich anerkannt, weiter in der Richtung, in welcher die Ideale des Sozialismus liegen». Deshalb stockte in Preußen die längst anstehende Steuerreform bis zu dem Zeitpunkt, als Bismarck entlassen worden war.

Die vom Reichsfiskus besteuerten Konsumgüter waren vor allem alkoholische Getränke, Zucker, Tabak und Salz, das 1880 viermal soviel einbrachte wie die Tabaksteuer. Scharf umstritten blieb die Handhabung der Branntweinsteuer. Die relativ kleinen Brennereien des sogenannten landwirtschaftlichen Nebengewerbes der ostelbischen Güter wurden durch anrüchige Mittel einer unwahren Interessenargumenten folgenden Steuerpolitik kraß subventioniert. Faktisch wurden ihnen Exportprämien in Gestalt von «überhöhten Rückvergütungen und steuerbegünstigten Kontingenten» gezahlt. Von 1871 bis zur Reichsfinanzreform von 1909 wanderte aus diesem Grunde eine halbe Milliarde Mark auf die Konten der Großagrarier. In manchen Jahren lagen diese «Liebesgaben» sogar über den Reichseinkünften aus der Branntweinsteuer. Bismarck setzte sich auch auf diesem Wege für die Stützung des «Grundbesitzerstandes» ein, da er als ein «den Bau des Staates vorzugsweise zu tragen berufenes Gesellschaftselement» jede Förderung verdiene. Diese Privilegierung eines «relativ engen Kreises von Kartoffelbrennereibesitzern» sei, urteilte der Agrarexperte Friedrich Aereboe mit schneidender Schärfe, «ein öffentlicher Skandal».

Von den Einnahmen aus den wenigen Reichsbetrieben erreichte damals nur der abgeführte Gewinn der Post eine nennenswerte Größe. Das ertragversprechende Projekt eines Reichseisenbahnsystems ist bekanntlich gescheitert; es kam erst nach dem Ersten Weltkrieg unter dem Druck der Alliierten zustande.

Die Matrikularbeiträge der Gliedstaaten waren als fester Zuschuß zum Reichseinkommen konzipiert worden. Die während der Schutzzollverhandlungen von 1879 durchgesetzte Franckensteinsche Klausel (vgl. 6. Teil, II. 3 c) gab dann jedoch den Mitgliedern des Reiches Brief und Siegel darauf, daß sie selber Überweisungen aus den neu erschlossenen Reichseinnahmen erhielten, wenn eine vergleichsweise geringe Summe überschritten wurde. Die Matrikularbeiträge hatten vor 1879 immerhin fünfzehn bis zwanzig Prozent der Reichseinkünfte betragen. Zwei Jahre nach der Zäsur dieses Wendejahres waren sie aber schon auf 4.5 Prozent abgesackt; sie pendelten sich bei etwa drei Prozent der Gesamteinnahmen ein.

Die nach der Meinung der Zeitgenossen exorbitant hohen französischen Reparationszahlungen hatten dem Reich einen schuldenfreien Beginn ermöglicht. Ein kleiner Anteil von vierzig Millionen Mark wanderte in den Spandauer Juliusturm, der dadurch zu sprichwörtlichem Ruhm kommen sollte; eine weitere Summe in die neue Kriegsinvalidenkasse, deren Aufgabenbereich rasch zusammenschrumpfte, so daß der Hohenzollernhof nicht zögerte, sie für sachfremde Zwecke auszubeuten.

Schließlich erwies sich auch für das Reich die Aufnahme von Anleihen als unvermeidbar, da die parlamentarische Prozedur bei der Bewilligung neuer Einkünfte nach Möglichkeit vermieden werden sollte, um den Reichstag nicht weiter aufzuwerten. Bis 1890 erreichten die Anleihen immerhin die Höhe von einer Milliarde Mark, die den finanziellen Handlungsspielraum der Reichsleitung beträchtlich erweiterten.

Der Kaiser und damit der Reichskanzler konnten übrigens die Genehmigung zur Haushaltsüberschreitung erteilen. Das war angeblich ein reiner Verwaltungsakt, faktisch aber eine ausreichende Bedingung für die später formal erforderliche Indemnität durch den Bundesrat und Reichstag. Auch dieses Vorrecht demonstriert noch einmal die Beschneidung des uneingeschränkten Budgetrechts.

Die Verteilung der öffentlichen Ausgaben enthüllt die «aller täuschenden Ideologien entkleidete» Durchsetzungsfähigkeit der Herrschaftszentren und Interessengruppen. Zunächst einmal ergibt der Überblick, daß sich alle öffentlichen Ausgaben (in konstanten Preisen) einschließlich der Sozialversicherung von 1872 = 22 Mark bis 1913 = 103 Mark pro Kopf verfünffachten. Das war der realhistorische Kern von Adolph Wagners «Gesetz der wachsenden Staatsausgaben». Der Anteil des Zentralstaates daran stieg jedoch nur von dreißig auf vierzig Prozent, da die Hauptbelastung auf die Gemeinden, zum geringeren Teil auf die Einzelstaaten entfiel.

In derselben Zeit verdoppelte sich der Anteil der Staatsausgaben am deutschen Sozialprodukt von 7.5 auf 15.3 Prozent in einem alles andere als stetig verlaufenden Prozeß. In diesem Anstieg steckte eine Steigerung der zentralstaatlichen Ausgaben auf das Siebenfache des ursprünglichen Anteils.

Den Löwenanteil vom Nettobedarf des Reiches machten die Rüstungsausgaben aus. Von der Mitte der siebziger Jahre, als das erste «Septennat» verabschiedet war und zwischen fünfhundert und sechshundert Millionen Mark (in laufenden Preisen) erreicht wurden, vermehrten sie sich bis 1913 um 360 Prozent. Beanspruchten sie anfangs neunzig Prozent aller Reichsausgaben, waren es 1914 noch immer fünfundsiebzig bis achtzig Prozent; 1875 entfielen davon 9.86 Mark, bis 1890 11.06 Mark pro Kopf (1913 aber 32.97 M.p.c.). Genauer gesagt: Vom Nettobedarf des Reiches beanspruchten die Militärausgaben bis 1880 96.8 Prozent, 1890 88.5 Prozent (1913 etwa 75%). In absoluten Zahlen stiegen die Unkosten von 1880 = 463 auf 1890 = 736 Millionen Mark (1913 = 1.63 Mrd. M.). Deshalb gilt unverändert das Urteil, daß «der Reichsfinanzbedarf» von 1871 bis 1914 «ganz überwiegend durch den Rüstungsbedarf bestimmt war».

Im Vergleich damit blieben, wie diese Zahlen bereits vermuten lassen, die Zukunftsinvestitionen im Bildungssystem und in der wissenschaftlichen Forschung sehr gering; immerhin hat sich von einer winzigen Ausgangsbasis aus ihr Anteil am Sozialprodukt verdoppelt.

Beschränkte man sich hier nur auf die Reichsausgaben, gewänne man ein verzerrtes Bild, da zahlreiche wichtige Aufgaben in der Obhut der Einzelstaaten blieben. Unter ihnen besaß Preußen ein «gewaltiges Übergewicht». «Kein Land hat seine speziellen Interessen so stark, ohne Rücksicht auf die des Reiches oder gar der kleinen Bundesstaaten, ausgenutzt wie Preußen.» Dort konnte sich auch das sammlungspolitische Machtkartell von Großagrariertum und Großindustrie immer wieder durchsetzen, wenn es um die Präferenzentscheidungen der Finanz- und Steuerpolitik ging. Wie auch in den anderen größeren Einzelstaaten stammten rund fünfundsechzig Prozent der Einnahmen aus der Einkommenssteuer, rund elf Prozent aus den Vermögens- und Ertragssteuern. Freilich muß man sich dabei noch einmal die Relationen vergegenwärtigen, die vorn (III. 1) als Charakteristika der reichsdeutschen Klassengesellschaft erörtert worden sind: Nur zwischen fünfundzwanzig und schließlich vierunddreißig Prozent der Reichsbevölkerung wurden überhaupt von einer Einkommenssteuer erfaßt! Die übergroße Mehrheit überschritt nicht einmal die Freigrenze, jenseits derer die Versteuerung einsetzte.

In Preußen wurde die alte Klassensteuer 1883 in eine klassifizierte Einkommenssteuer verwandelt, derzufolge für das selbstgeschätzte Einkommen über neunhundert Mark Abgaben veranschlagt wurden. Die «Steuerlast für die Minderbemittelten» blieb «drückend» und die «Ungleichmäßigkeit der Einschätzung finanz- und sozialpolitisch doppelt empfindlich».

Daran änderte auch die Miquelsche Steuerreform von 1891/93, die endlich eine progressive Einkommenssteuer im Hegemonialstaat einführte, nicht allzuviel. Die Freigrenze blieb bei neunhundert Mark, danach setzte eine von 0.6 bis – sage und schreibe – vier Prozent reichende Besteuerung ein. War das Steuersystem bis dahin eklatant ungerecht gewesen, wurde jetzt wenigstens das Tor zu einer tendenziell ausgewogeneren Steuerlastenverteilung geöffnet, die aber im Kaiserreich, da der politische Druck zur Steigerung der Sätze für Besserverdienende von den Oberklassen und ihren politischen

Repräsentanten abgewehrt werden konnte, noch nicht zu einer gerechteren Distributionspolitik führte. Der Preis, den die Konservativen aller Rechtsparteien für die Reform durchsetzen konnten, lag in der Übertragung der Ertragssteuern an die Kommunen. Dadurch wurde der größere Grundbesitz enorm begünstigt. Für die Rittergüter etwa wurde die dreißig Jahre zuvor aufgehobene Grundsteuerfreiheit faktisch wieder eingeführt. Der behutsame Anlauf zu einer gewissen «Demokratisierung der Steuerlasten» wurde durch den «Lastenausgleich», den das preußische Machtkartell insbesondere für die Großagrarier und die anderen Großgrundbesitzer durchpauken konnte, wieder konterkariert.

Trotz der unübersehbaren Interessentenbegünstigung verbesserte die Miquelsche Einkommenssteuerreform auf lange Sicht die institutionellen Vorbedingungen für die Transferleistungen des Sozial- und Interventionsstaates. Nachdem die progressive Einkommenssteuer einmal gesetzlich anerkannt war, bot sie ganz unterschiedlichen politischen Regimes die Möglichkeit, die Steuerschraube weiter anzuziehen.[9]

2. Innenpolitische Krisenherde

Als die Euphorie der hochkonjunkturellen «Gründerjahre» 1873 im schwarzen Abgrund der Depression verschwand, brach auch der Enthusiasmus der Reichsgründungsjahre zusammen. Diese beiden Stützpfeiler der euphorischen sozialpsychischen Verfassung hatten aufs engste zusammengehangen, und mit ihrem Kollaps wurde die gesellschaftliche Konsensbasis einem hartnäckig anhaltenden Erosionsprozeß ausgesetzt. Ihn bekam auch Bismarcks charismatische Herrschaft zu spüren, da trotz der neuartigen Krisenbedingungen erfolgreiches Handeln auch künftig von ihm erwartet wurde. Unter dem Druck der innenpolitischen Konstellation erlebten einige Konflikte, die teils internationaler, teils binnengesellschaftlicher Natur waren, eine dramatische Zuspitzung, die in einen jahrelang währenden offenen Schlagabtausch überging. Auch nach seinem Ende schwelten sie als innenpolitische Krisenherde weiter fort. Auf die «zwischenstaatlichen Einigungskriege» von 1864 bis 1871 folgten daher, hat man über diese bitteren Auseinandersetzungen pointiert geurteilt, «innerstaatliche Einigungskriege, gemeinsam geführt von der Staatsgewalt und von gesellschaftlichen Gruppen». Im Mittelpunkt stand erstens der «Kulturkampf» zwischen dem säkularisierten Staat im Verein mit dem protestantischen Liberalismus einerseits, dem ultramontanen Katholizismus andrerseits; zweitens der Kampf aller «staatserhaltenden» Kräfte gegen die Sozialdemokratie.

In diesen Fundamentalkonflikten wurde die Konsensgrundlage des jungen Reiches deshalb auf eine so harte Probe gestellt, weil die kleindeutsche Nationsbildung erst seit 1867/71 in Gang gekommen, also – noch einmal – 1871 keineswegs mit der Nationalstaatsgründung vollendet worden war.

Der Prinzipienstreit fuhr nicht in eine konsolidierte politische Gesellschaft, sondern mitten in ihren Formierungsprozeß hinein. Darüber hinaus involvierte er religiöse Grundüberzeugungen und höchste Wertideen, verpflichtende «Weltbilder» und zahlreiche ideelle Prämissen der menschlichen Existenz, unablässig auch den Streit um konträre Rechtsprinzipien. Und er beschränkte sich nicht auf einen herkömmlichen Elitenkonflikt, sondern erschütterte als Massenphänomen das Leben von Millionen.

Der «Kulturkampf» und die Sozialistenverfolgung setzten gleichzeitig ein, aber wegen seiner Intensität und Reichweite gewann der «Kulturkampf» zunächst die Priorität. Der machtbewußte Ultramontanismus, getragen von der unlängst errichteten Papstdiktatur, traf nach seiner integralistischen Kampfansage gegen schlechthin alle modernen Entwicklungstrends des 19. Jahrhunderts auf den Widerstand einer ebenso selbstbewußten informellen Koalition von Staatsmacht und Liberalismus.

Die sozialdemokratische Fundamentalkritik und die von der marxistischen Arbeiterbewegung beschworene Zielvision eines freien sozialistischen «Volksstaats» lösten die geradezu panische Defensivreaktion aller anderen Gesellschaftsklassen aus. Mit ihnen befand sich die aggressive Staatspolitik durchaus in Übereinstimmung. Da aber die Schäden des Industriekapitalismus, die von ihm erzeugten sozialen Disparitäten nicht zu leugnen waren, wurde die Unterdrückung der «roten Gefahr» durch einen neuartigen Anlauf zur Gegensteuerung ergänzt, aus der die Sozialpolitik des Interventionsstaats hervorging. Eine vergleichbare Kompensation für die Katholiken blieb aus.

Alle diese einschneidenden Antagonismen besaßen ihrer Herkunft nach eine durchaus überindividuelle, strukturelle Natur. Sie stauten sich in der reichsdeutschen Gesellschaft auf, wurden dann aber auch zu unterschiedlichen politischen Zwecken von den beteiligten Konfliktparteien ausgenutzt. So wollten etwa die Liberalen die moderne «Kultur» gegen den ultramontanen Fundamentalismus selbst mit illiberalen Mitteln verteidigen, das neue Reich als säkularisierten Staat ausbauen, eine konservativ-klerikale Gegenallianz der Gescheiterten von 1866/71 von vornherein im Parlament unmöglich machen. Die Reichsleitung ihrerseits wollte in den anachronistischen Streit um den untergegangenen Kirchenstaat des Papstes nicht verwickelt werden, den innerstaatlichen katholischen Machtanspruch abweisen, eine parlamentarische Kooperation mit dem Zentrum blockieren – das alles sofort und in jenem rücksichtslosen Obrigkeitsstil, den der preußische Staat für schwierige Auseinandersetzungen mit sprichwörtlicher Härte entwickelt hatte. Ähnlich ließen sich unterschiedliche Intentionen des Kampfes gegen die Sozialdemokratie hervorheben.

Überall wurden beim Zusammenprall von diametral entgegengesetzten Ideen und Interessen die Gegenpositionen und Kampfmethoden auf beiden Seiten überzogen. Jeder beharrte jahrelang auf unerschütterlicher Prinzipientreue, auf selbstgerechter Unnachgiebigkeit, so daß Kompromisse erst spät anvisiert werden konnten. Man muß sich aber klarmachen, daß es um den Aufeinanderprall von zunächst unversöhnlichen Glaubensüberzeugungen, Werten, Verheißungen ging, die von großen Mächten des öffentlichen und geistigen Lebens verfochten wurden. Da jede Seite unverzichtbare Grundsätze auf dem Spiel stehen sah, lag das Konfliktniveau von vornherein extrem hoch, während die Kompromißbereitschaft lange Zeit denkbar gering ausgeprägt war. Durch die persönliche Schärfe Bismarcks und Pius' IX., der liberalen, klerikalen und sozialdemokratischen Anführer wurde sie zudem noch einmal zusätzlich geschwächt.

Erst wenn man die Wirklichkeitswahrnehmung der streitenden Parteien, für die es wegen der obersten Werte der Lebensführung und Daseinsgestaltung um einen unlösbar scheinenden, daher nur durch Machtanwendung entscheidbaren Grundsatzkonflikt ging, zu verstehen versucht und ihre Perzeption mit dem historischen Urteil aus der Retrospektive verbindet, kann man dem Charakter des Streites gerecht werden. Das wird – einmal ganz abgesehen von anderen politischen oder konfessionellen Interessen – durch die gegenwärtige Gewöhnung an die Konsensdemokratie erschwert, weil ihre erfolgreiche Praxis dazu verführt, auch bei komplizierten historischen Problemen bereits sehr frühzeitig einen Kompromiß für möglich zu halten, obwohl die handelnden Akteure wegen der existentiellen Dimension ihrer Nöte noch längst nicht dazu bereit waren. Erst spät wurden sie durch den Zwang erdrückender Erfahrungen zu pragmatischen Lösungen vorangestoßen.

Wenn etwa nach der Entschärfung der konfessionellen Gegensätze in der Bundesrepublik einem schnellen Kompromiß im «Kulturkampf» von Historikern nachträglich häufig das Wort geredet worden ist, wird damit die Frage doch nicht zum Schweigen gebracht, ob der Liberalismus mit dem säkularisierten Staat sich nicht zu Recht dem kurialen Absolutismus entgegenstemmte, als dieser, getragen vom Traditionsbewußtsein einer nahezu zweitausendjährigen Hierokratie, die Gegenreformation vollenden oder sogar übertreffen wollte. Ebenso hat sich nach der Gewöhnung an die Sozialdemokratie als Normalfall einer systemimmanenten Reformbewegung die Frage nicht erübrigt, ob sich der Staat zusammen mit dem Bürgertum und der ländlichen Gesellschaft, mit den liberalen und konservativen Parteien nicht zu Recht gegen den postulierten sozialrevolutionären Umbau von Staat und Gesellschaft stemmte, da die Überlegenheit der linken Utopie argumentativ keineswegs nachgewiesen und der Charakter der Sozialdemokratie als Reformpartei hinter der Revolutionsrhetorik noch keineswegs unzweideutig zu erkennen war. Von einem bestimmten Zeitpunkt ab ist die einigermaßen realitätsgerechte Diagnose bereits im Kaiserreich fraglos möglich gewesen, aber – das ist hier die These – in einer relativ frühen Konfliktphase war sie es für die allermeisten eben nicht. Deshalb muß man die Härte der Antagonismen ernst nehmen und nach den Gründen für sie fragen, ehe man die politische Ausbeutung des Streits verfolgt.

a) Säkularisierter Staat, protestantischer Liberalismus und militante Kirche im Grundsatzkonflikt: Der Kulturkampf

Jeder westliche Staat hat im Verlauf des neuzeitlichen Modernisierungsprozesses das Verhältnis von politischem Herrschaftssystem und christlichen Amtskirchen neu ausbalancieren müssen, da die Machtansprüche des säkularisierten Staates und der heilverheißenden Konfessionen aufeinanderprallten. Der Grundsatzkonflikt, der zwischen dem Staat im Bündnis mit einem siegessicheren Liberalismus auf der einen Seite und der machtbewußten katholischen Kirche auf der andern Seite ausgetragen wurde, ist daher ein gemeineuropäisches Phänomen. (Und wo nicht, wie in den USA, von Anbeginn an die Trennung von Staat und Kirche vollzogen wurde, erwies er sich als globales Phänomen.) Er setzte mit der Kirchenpolitik der Französischen Revolution ein, erfaßte nach der Jahrhundertmitte auch das deutschsprachige Mitteleuropa – zuerst Baden und Bayern, dann Preußen und das Reich –, das fast zwei Jahrzehnte lang von ihm schwer erschüttert wurde, und kehrte um die Wende vom 19. zum 20. Jahrhundert als neuer Zusammenstoß zwischen laizistischer Republik und Kirche in «sein Ursprungsland» zurück.

Der Ultramontanismus als eine neue Spielart des religiösen Fundamentalismus in der katholischen Kirche war – wie das vorn ausführlich erörtert worden ist (5. Teil, V. 1b) – von Papst Gregor XVI., insbesondere aber von Pius IX. während seines zweiunddreißigjährigen Pontifikats als globaler Lenkungsanspruch der römischen Kurie mit einer neuartigen Dogmatisierung der Lehre und des päpstlichen Herrschaftsanspruchs durchgesetzt worden. Seine Entwicklungsetappen wurden durch das Mariendogma (1854), den Syllabus Errorum (1864) und die Unfehlbarkeitsideologie des Ersten Vatikanums (1870) markiert. Damit hatte er nahezu alle zukunftsträchtigen Entwicklungen der Moderne in radikalkonservativer Verblendung stigmatisiert, dem säkularisierten Staat und dem Liberalismus den Fehdehandschuh hingeworfen.

Die Empörung der Liberalen, die ihren «antirömischen Affekt» längst kultiviert hatten, war grenzenlos. Der Kriegserfolg von 1866 und die Gründung des überwiegend protestantischen Kaiserreichs wurde von ihnen auch als Sieg «über das ultramontane Verdummungssystem jesuitischer Herrschaft» gefeiert. Umgekehrt wurde die Reichsgründung von einem römischen Würdenträger mit dem entsetzten Schreckensruf «casca il mondo» kommentiert.

Der neue deutsche Staat galt den Liberalen von vornherein als Bollwerk gegen den autoritären Machtwillen der römischen Theokratie, gegen die vatikanische Irrationalität, gegen die Zwangsjacke traditionalistischer Rückschrittlichkeit. Offensichtlich prallten zwei offensive Bewegungen voller Siegeszuversicht aufeinander. Da war die modernitätsfeindliche Dynamik des Ultramontanismus auf der einen Seite, die innere Formierung des weltlichen Staates im Verbund mit einem zukunftsgewissen, ebenfalls expandierenden, dazu ganz überwiegend protestantischen Liberalismus auf der anderen Seite. Typisch für den Enthusiasmus und das Machtbewußtsein, aber auch für die Illusionen der Nationalliberalen ist Droysens Trompetenstoß, mit dem er den «Kulturkampf» begrüßte: «Es ist ein Feldzug von größerer Bedeutung und Schwierigkeit als der von 1870. Man muß das Glück des neuen Reiches preisen», triumphierte der preußische Staatshistoriograph, «daß es sofort nach dieser eine so neue schwere Aufgabe fand ... Jetzt steht Bismarck und das Reich an der Spitze der fortschreitenden Ideen», wenn sie nur fortführen, «den Mist von Jahrhunderten, der die deutsche Nation zudeckte, abzutragen». Denn darum gehe es beim «Kampf gegen den römischen Stuhl, wie er sich seit Pius IX. als die unfehlbare, weltbeherrschende Macht zu begründen versucht hat. Es ist ein Vergnügen, sich diese große Entwicklung vor Augen zu stellen.» Und typisch für den Machtdünkel der Kurie ist Pius' IX. Spruch vom August 1873, den er in einem offiziellen diplomatischen Schriftstück dem evangelischen Hohenzollernkaiser entgegenschleuderte: «Jeder, welcher die Taufe empfangen hat, gehört ... dem Papste an.»

Wie konnte es zu diesem Konflikt kommen, an dem frühzeitig der von Rudolf Virchows liberaler Polemik geprägte Begriff des «Kulturkampfes» haften blieb?

Nach dem Vorlauf jahrzehntelanger Friktionen, die in Baden und Bayern schon zum offenen Zusammenstoß geführt hatten, bildeten die Entscheidungen des Vatikanums den unmittelbaren Ausgangspunkt für den Streit in Preußen und im Reich. Da Theologen im Staatsdienst oder an staatlichen Einrichtungen – Professoren, Lehrer, Militärgeistliche – die Anerkennung der römischen Beschlüsse verweigerten, tauchte das Problem auf, ob die kirchliche Dienstuntersagung oder sogar die Exkommunikation auch für das staatliche Beschäftigungsverhältnis rechtsverbindlich seien. Wegen der Abspaltung der Altkatholiken spitzte sich dieses Problem schnell zu. Da in Deutschland Staat und Kirche seit langem eng verbunden waren, nahte eine unvermeidbare Kollision heran, zumal jede Opposition gegen die päpstliche Infallibilität vorsorglich mit dem Anathem, dem Großen Kirchenbann, bedroht wurde.

Vorbeugend wurde in Preußen die Katholische Abteilung des Kultusministeriums aufgelöst. Faktisch war das die erste der offensiven Staatsaktionen, die seit Anfang 1872 insbesondere von dem neuen liberalen Kultusminister Adalbert Falk beeinflußt wurden. Die Deutsche Gesandtschaft beim Vatikan wurde aufgehoben, als die Kurie einem entschiedenen Kritiker des Vatikanums, dem Kardinal Fürst Hohenlohe-Schillingsfürst, die kirchenrechtliche

Genehmigung zur Übernahme des diplomatischen Postens versagte. An den katholischen Theologischen Fakultäten in Bonn und Breslau sowie an der Akademie Braunsberg im Ermland wurde sieben opponierenden Professoren die kirchliche Lehrerlaubnis entzogen, ferner über einen von ihnen exemplarisch der Große Kirchenbann verhängt. Damit verschärfte sich der Streit zwischen den zuständigen Bischöfen und dem Kultusministerium. Wegen der Altkatholiken dehnte er sich auch auf die katholische Militärseelsorge aus, deren Feldpropst im Bischofsrang seine Stellung entzogen wurde.

Die anlaufenden staatlichen Kampfmaßnahmen kann man nach situationsbedingten Repressivgesetzen und dauerhaften Strukturgesetzen unterscheiden, die eine neue Rechtskonzeption im Verhältnis von Staat und Kirche zu verwirklichen suchten. Alsbald stellte sich dabei heraus, daß die liberalen Mehrheiten im Reichstag und im preußischen Abgeordnetenhaus, die keineswegs nur ausführendes Werkzeug der Staatsmacht waren, die Rolle des vorantreibenden Überzeugungstäters kampflustig übernahmen.

Die erste Welle von Kampfgesetzen lief seit 1871/72 an. Ende 1871 bedrohte ein von Bayern angeregtes Reichsgesetz über den sogenannten «Kanzelparagraphen» die unberechtigte Kritik eines Geistlichen am Staat mit bis zu zwei Jahren Gefängnis. Ihm folgte im März 1872 das preußische Schulaufsichtsgesetz, das dem Staat die alleinige Überwachung und Leitung des Unterrichts zusprach. Im Juli 1872 erreichten die Nationalliberalen im Reichstag, angeführt von dem Rechtsstaatstheoretiker Gneist, das Verbot des Jesuitenordens. Offensichtlich standen die Zeichen auf Sturm, und entsprechend schroff fiel der katholische Protest aus. Pius IX. forderte zum Widerstand gegen diese Gesetze auf. Im Juli 1872 wurde der «Deutsche Katholikenverein» in Mainz gegründet, der sich, wie wenig später der ältere «Deutsche Katholikentag», ebenso empört gegen sie aussprach wie im September der gesamte deutsche Episkopat.

Vergebens, Falk initiierte im Mai 1873, der liberalen Zustimmung völlig gewiß, die militanten vier «Maigesetze».

1. Von Priestern wurde seither ein mindestens dreijähriges Theologiestudium an einer Universitätsfakultät oder an einem staatlich anerkannten Seminar in Deutschland erwartet, um eine langjährige Studienzeit in Rom mit all ihren sinistren Einflüssen zu erschweren; sie mußten das sogenannte «Kulturexamen» in Geschichte, Literatur und Philosophie ablegen, um ein breites Bildungswissen nachzuweisen; die Oberpräsidenten konnten ein staatliches Vetorecht gegen ihre Einstellung ausüben.

2. Die kirchliche Disziplinargewalt, deren Umfang genau geregelt wurde, wurde dem Vatikan abgesprochen und allein deutschen Kirchenbehörden zuerkannt. Ein neuer Königlicher Gerichtshof für kirchliche Angelegenheiten konnte strittige Akte nullifizieren.

3. Die Grenzen kirchlicher Strafmittel wurden neu definiert, um alle Kirchenmitglieder gegen Übergriffe auf ihr bürgerliches Leben zu schützen.

Damit wurde der Große Kirchenbann mit seinen fatalen Auswirkungen auf die gesamte soziale Existenz des Exkommunizierten verboten.

4. Das Gesetz über den Kirchenaustritt versuchte ebenfalls, nachteilige Auswirkungen auf das bürgerliche Leben zu verhindern.

Das waren hochmütige, teils etatistisch, teils liberal inspirierte Eingriffe, die in die überkommene Rechtslage zuungunsten der römischen Kirchenzentrale tief einschnitten. Sie demonstrierten, mit welcher kompromißlosen Entschlossenheit der Liberalismus und der Staatsapparat den Kontrahenten in die Schranken weisen wollten.

Nicht nur das Zentrum bäumte sich gegen die «Vergewaltigung» auf, sondern auch die deutschen Bischöfe riefen auf der Fuldaer Konferenz noch im selben Monat zum passiven Widerstand auf. Ihr Appell, jede Mitwirkung an den vier Gesetzen zu verweigern, ging gleitend in den aktiven Widerstand des Klerus über. Da die Anerkennung der Priesterseminare nicht beantragt wurde, die Universitätsfakultäten inzwischen funktionsunfähig waren und außerdem das «Kulturexamen» schlichtweg verweigert wurde, war seither ein geordnetes theologisches Studium in Preußen nicht mehr möglich. Da überdies die Anstellungssperre praktiziert und zahlreiche Strafen verhängt wurden, verwaisten viele Pfarreien. Unter dem Druck der frontalen Attacke breitete sich die kirchenpolitische Mobilisierung der Gemeindemitglieder, die sich mit ihren Priestern solidarisch erklärten, wie ein Flächenbrand aus.

Trotz der brisanten Situation erweiterten die Liberalen und Bürokraten in ihrem gemeinsamen Antiklerikalismus den Konflikt um neue Dimensionen.

1. Seit langem hatten die Liberalen die obligatorische Zivilehe, die übrigens im Rheinland als Erbe der Franzosenzeit weiterbestand, gefordert. Im März 1874 wurde sie gesetzlich eingeführt, das staatliche Standesamt und Heiratsregister eingerichtet. Seither besaß allein die staatliche Eheschließung Gültigkeit, während die kirchliche Trauung für den Staat ihre Rechtsbindung verlor. Gegen die Vorstellung vom Sakrament der Ehe bedeutete die Zivilehe einen immensen individuellen Freiheitszuwachs und Säkularisierungsgewinn.

2. Seit dem Mai 1874 durften Geistliche, welche die «Maigesetze» verletzten, mit der Ortsverweisung bestraft werden. Diesem schwerwiegenden Eingriff in das liberale Freizügigkeitsrecht konnte sogar in gravierenden Fällen die Ausbürgerung und Ausweisung aus dem Reich und die Aberkennung der Staatsbürgerschaft folgen. Das Expatriierungsgesetz stellte während der gesamten Epoche des Kaiserreichs eine einmalige Sanktionsandrohung dar, die selbst unter den giftigen Verfolgungsmaßnahmen des Sozialistengesetzes nicht auftauchte.

3. Zeitweilig unbesetzte Bistümer mußten so lange nach gesetzlichen Vorschriften verwaltet werden, bis ein staatlich anerkannter Bischof das Hirtenamt wieder übernahm.

4. Bei Verstößen gegen die «Mai-Gesetze» drehte das Deklarationsgesetz einen bisher sakrosankten bürgerlichen Rechtsgrundsatz um, indem es dem Angeklagten den Beweis seiner Unschuld aufbürdete, anstatt der Staatsanwaltschaft den Schuldbeweis zu überlassen.

5. Die Strafverfolgung renitenter, mithin aller Bischöfe wurde durch hohe Geld- und Haftstrafen verschärft. Jeder einzelne Verstoß gegen eine Vorschrift der «Mai-Gesetze» wurde eigens geahndet. Bischof Eberhardt von Trier zum Beispiel wurde zu einer Summe von 130000 Mark verurteilt, andere Bischöfe sollten nicht viel weniger zahlen. Gewöhnlich wurde die Zahlungsunfähigkeit erklärt, so daß es trotz leidenschaftlicher öffentlicher Opposition zur Zwangspfändung und zur Versteigerung des Mobiliars kam. Da der Erlös nicht ausreichte, wurden die ersatzweise vorgesehenen Freiheitsstrafen verhängt. 1874/75 befand sich daher die Hälfte der preußischen Bischöfe in Strafhaft.

6. Als äußerstes Mittel wurde die Absetzung der Bischöfe legitimiert. Bischof Ledóchowski aus Posen erlebte als erster die Amtsenthebung, fünf weitere Bischöfe folgten. Bischof Martin aus Paderborn wurde sogar expatriiert. Trotzdem konnte ein gewöhnlich urbaner, nach zwei Amerikajahrzehnten welterfahrener Liberaler wie Friedrich Kapp jubilieren, daß es eine wahre «Lust» sei, «das Pfaffengesindel unter diesen wuchtigen Hieben sich krümmen zu sehen»; er fühlte sich als Reichstagsabgeordneter sogar «mitberufen, den Pfaffen ... den Hals brechen zu helfen».

7. Das katholische Vereins- und Pressewesen wurde einer scharfen Überwachung unterworfen, die allenthalben in schikanöse Verfolgung überging.

Auf diese Weise durch äußerste Feindseligkeit in die Enge gedrängt, schlug Pius IX. im Februar 1875 mit aller Gewalt gegen die preußischen Kirchengesetze zurück: Er erklärte sie für ungültig. Wie im mittelalterlichen Streit zwischen Kaiser- und Papsttum maßte sich der römische Monokrat die letztinstanzliche Entscheidung über die Gesetzgebung eines verfeindeten Staates an. Bismarcks trotziger Widerspruch, «nach Canossa» gehe er nicht, wurde von den Liberalen enthusiastisch bejubelt. Dieser «schwerste Gegenangriff» der Kurie implizierte für alle deutschen Katholiken den bindenden Befehl des römischen Kirchendiktators zum Widerstand. Die Liberalen und ihre Verbündeten in den Ministerien fanden ihre argwöhnischsten Ahnungen bestätigt – und zogen die Schrauben innerhalb weniger Wochen weiter an.

Die Zivilehe wurde auf das ganze Reich ausgedehnt. Alle finanziellen Staatsleistungen für kirchliche Institutionen wurden gesperrt. Orden und Kongregationen konnten verboten, vom preußischen Staatsgebiet auf unabsehbare Zeit ausgeschlossen werden. Die Religionsartikel der preußischen Verfassung, damit aber die bisher konstitutionell gewährleisteten Freiheitsrechte für die kirchliche Selbstverwaltung und das kirchliche Amtswesen wurden aufgehoben. Die gesamte Vermögensverwaltung, bislang die Domäne der jetzt ein weiteres Stück entmachteten Gesamtkirche, wurde nach evangelischem Vorbild den katholischen Kirchengemeinden übertragen. Die Vermögensrechte, der Mitgebrauch von Kirchen und Friedhöfen wurde dagegen den Altkatholiken bestätigt. Durch ein Reichsgesetz wurde der «Kanzelparagraph» übernommen, durch weitere preußische Gesetze die staatliche Aufsicht über den katholischen Religionsunterricht und die Vermögensverwaltung der Diözesen bekräftigt. In dieser Zeitspanne zwischen dem Februar 1875 und dem Juli 1876, als eine Kampfmaßnahme die andere jagte, erreichte der «Kulturkampf» seinen Höhepunkt.

Parallel dazu verlief dieser Konflikt auch in großen süddeutschen Staaten wie Bayern und Baden, wo er als Folge des liberalen Anspruchs auf die staatliche Leitung des Schulwesens bereits seit Anfang der sechziger Jahre angelaufen und unter den liberalen Ministern Jolly und Mathy zwischen 1866 und 1876 durch Gesetze über die fakultative Simultanschule, die Zivilehe, die Ordenseinschränkung, die Anerkennung der Altkatholiken zeitweilig bis zur Siedehitze verschärft worden war. – In Bayern hatte Ministerpräsident Chlodwig zu Hohenlohe-Schillingsfürst 1867 mit der Vorlage für ein neues Volksschulgesetz, das auf der Linie der etatistischen Bürokratie seit Montgelas auf Entklerikalisierung und Entkonfessionalisierung abhob, den Zusammenstoß ausgelöst, der nach der Opposition gegen die vatikanischen Beschlüsse an Härte zunahm. Als das Ministerium das Jesuitengesetz, ein Verbot des Theologiestudiums in Rom und sogar die öffentliche Simultanschule auf dem Erlaßwege durchsetzte, erklärte der bayerische Episkopat den Kampfkurs für ein «großes Übel» und versteifte die Konfrontation.

Es dauerte bis Anfang 1878, ehe eine Konstellation auftauchte, welche die Beendigung des «Kulturkampfes» durch begrenztes wechselseitiges Entgegenkommen ermöglichte. Als Nachfolger des ultramontanen Scharfmachers auf dem Heiligen Stuhl wurde im Februar Leo XIII., der für seine kompromißgeneigte Einstellung bekannt war, zum neuen Papst gewählt. Im Reich hatte der Konflikt inzwischen ein solches Ausmaß erreicht, daß eine Überbrückung der tiefen Kluft zwischen dem katholischen Volksteil und seinem Kontrahenten dringend geboten schien, zumal die katholische Opposition fortlaufend gestärkt statt geschwächt wurde. Zwar wollte die liberale Mehrheit den Kampf auf Biegen und Brechen fortsetzen, zwar wollte der deutsche Episkopat zusammen mit dem Zentrum den Widerstand bis zum Sieg fortsetzen – trotzdem wurden seit dem Frühjahr von Rom und Berlin Friedensfühler ausgestreckt.

Da Bismarck im Zentrum des charismatischen Herrschaftssystems stand, sind in den Gründen, die ihn mit seinem engsten Beraterkreis zum Einlenken bewegten, die entscheidenden Ursachen für den Kurswechsel zu finden.

1. Dem Reichskanzler war bis dahin längst klar geworden, daß die katholische Weltkirche auf deutschem Boden ohne die physischen Zwangs-

mittel einer bürgerkriegsartigen Kraftprobe nicht zu schlagen, der Widerstand des Klerus und der Gemeinden, des Vereinswesens und des Zentrums auch durch weitere Strafmaßnahmen nicht zu brechen war. Der Obrigkeitsstaat blieb trotz der Verletzung rechtsstaatlicher Grundsätze vor einer hohen Barriere stecken.

2. Das Gesetz des Handelns war ziemlich schnell auf die Liberalen übergegangen. Aus einer Hilfstruppe waren sie zu den eigentlich vorantreibenden Trägern des mit aller Leidenschaft geführten «Kulturkampfes» geworden. Je erbitterter aber der Streit wurde, desto häufiger verletzte Bismarck selber eine seiner politischen Grundmaximen, daß nämlich «schroffes Verfahren... immer politisch fehlerhaft» sei.

3. Der politische Katholizismus in Gestalt des Zentrums hatte sich als nicht zerstörbar erwiesen. Im Gegenteil, ihm gelang eine fast vollständige Mobilisierung der katholischen Wählerschaft zu seinen Gunsten. Bismarck mochte noch so bissig gegen die «rabulistischen Klopffechtereien» eines «welfischen Zungendreschers wie Windthorst» schäumen – das Zentrum stand hinter seinem Anführer, ohne zu wanken.

4. Die sich seit längerem abzeichnende innenpolitische Wende von 1878 benötigte eine konservative Mehrheit im Reichstag, die ohne das Zentrum nicht zu gewinnen war. Mit der Verstoßung der Liberalen aus ihrer Rolle als Quasi-Regierungspartei konnte dem Zentrum ein fast unwiderstehliches politisches Angebot gemacht, damit aber auch seine «Bargaining Power» in Grenzen gehalten werden.

5. Da gleichzeitig die Verfolgung der Sozialdemokratie auf einer neuen Stufe forciert werden sollte, brauchte Bismarck auch aus diesem Grunde das Zentrum, auf dessen Unterstützung gegen die Vertreter einer rivalisierenden säkularreligiösen Gegenutopie letztlich zu rechnen war.

Im Lichte dieser Lagebeurteilung wirkte die Entlassung von Kultusminister Falk nur konsequent, zumal ihm jetzt ohnehin seine liberale Majorität im Reichstag und Landtag fehlte. Seit 1880 wurde dann von Bismarck mit seinen neuen politischen Kohorten eine Serie von «Milderungsgesetzen» durch die beiden Parlamente geschleust. In den süddeutschen Staaten verlief die Entschärfung parallel dazu. Immerhin dauerte diese langgestreckte Phase der Friedenssuche bis zum Frühjahr 1887. Die Einzelheiten tun hier nichts zur Sache. Die Bilanz ist klar.

Von den insgesamt zweiundzwanzig «Kulturkampf»-Gesetzen des Reiches und Preußens wurden die eigentlichen Repressivgesetze fast alle aufgehoben (7 ganz, 2 z.T.), nur das Jesuitengesetz blieb bis 1917 in Kraft. So konnten etwa die Bischofsstühle der Reihe nach wieder besetzt werden, das «Kulturexamen» wurde aufgehoben, die direkte kirchliche Jurisdiktionsgewalt wieder anerkannt. Im Grunde verzichtete der Staat, meist gegen die erbitterte Opposition der Liberalen, auf die Kontrolle von Rechtsgebieten, die er während des «Kulturkampfes» in der Hoffnung auf Terrorisierung und Schwächung des Gegners vorübergehend okkupiert hatte. Zwar kam es nicht zum Pendant eines förmlichen Friedensvertrages, aber zu «konkordatsmäßigen Abmachungen», so daß Leo XIII. im April 1887 auch formalrechtlich einen Schlußstrich zog.

Im Vergleich mit diesen unumgänglichen Konzessionen bestätigen die fortbestehenden dreizehn Gesetze, durch die ein oft bis heute gültiges Dauerrecht geschaffen wurde, daß es schon deshalb völlig verfehlt ist, pauschal von einem Mißerfolg der Staatsmacht und des Liberalismus zu sprechen. Die Zivilehe, die Staatsschule, der Kanzelparagraph und die Altkatholische Kirche blieben ganz so bestehen wie die Ordensaufsicht und die Anzeigepflicht. Natürlich drängt sich spätestens an dieser Stelle die Frage auf, ob der Zugewinn an individuellen Freiheitsrechten und an Einfluß des säkularisierten Staates nicht ohne ein so erbittertes Ringen zu erreichen gewesen wäre. Im Augenblick der inneren Staats- und Nationsbildung trafen jedoch das Kaiserreich und der Liberalismus auf eine soeben dogmatisch befestigte Kirche. Die Papstdiktatur leitete ja gerade aus der siegreichen ultramontanen Ideologie, die sie als Erneuerung der Kirche, als ihre Panzerung für die herandräuenden Großkonflikte ausgab, den Auftrag zu einer offensiven Durchdringung der Welt her – nicht etwa nur der katholischen, das verstand sich von selber, sondern mit neuem Missionsfanatismus der gesamten Welt, besonders der abtrünnigen protestantischen. Dieser Auftrag sollte keineswegs nur vom Klerus und den Gläubigen in allen Gemeinden ausgeführt werden. Vielmehr nahmen sich Orden und Kongregationen, Vereine und Parteien, kurz: eine Vielzahl von militanten, effektiv indoktrinierten Organisationen seiner an. Dadurch wurde die Kirche aufs neue eine gewaltige säkulare Macht.

Es bedarf keiner außergewöhnlich lebhaften Phantasie, um sich das Erschrecken der deutschen Liberalen zu vergegenwärtigen, welche die ultramontane Erfolgsserie unter Gregor XVI. und Pius IX. mit wachsender Irritation beobachtet hatten. Sobald wie möglich mußte, das bildete sich als ihre Grundüberzeugung heraus, die moderne «Kultur» im weitesten Sinne gegen den Ansturm dieser Kräfte der Finsternis verteidigt werden. Für die militanten Protestanten unter ihnen stand auch noch einmal die Überlegenheit aller Leistungen, welche – jedenfalls nach ihrer Meinung – die Reformation hervorgebracht hatte, auf dem Spiel: Freiheits- und Grundrechte, Liberalismus und Toleranz, undogmatische Wissenschaft und freies Geistesleben. Deshalb suchten sie geradezu nach einem günstigen Anlaß, um zur Gegenoffensive übergehen zu können – gleich ob ihn die Simultanschule, das Vatikanum oder der Altkatholizismus bot.

Da der säkularisierte Staat sich zur selben Zeit angegriffen fühlte und da zudem der liberale Einfluß weit in den Staatsapparat hineinreichte, entstand in allen deutschen Ländern mit dem «Kulturkampf» eine mächtige Koalition von Staatsmacht und Liberalen. Sie nahm einen Weltanschauungskampf auf, der – wie es schien – wegen seiner existentiellen Dimensionen jeden Kompromiß, der für eine irreparable Kapitulation gehalten wurde, lange Zeit ausschloß. Auf diese Weise prallten, wie gesagt, zwei offensive Bewegungen aufeinander, von denen sich jede zuvor in die Defensive gedrängt wähnte.

Unter diesen strukturellen Bedingungen ist Bismarck keineswegs, wie die klerikale Geschichtsschreibung das bis heute glauben machen will, der «Hauptträger des Kulturkampfes» gewesen; er hat ihn auch nicht willkürlich «vom Zaun gebrochen» oder das «Gewitter» selber «entfacht». Außerdem divergieren die ihm von dieser Seite unterstellten Motive. Bischof Ketteler etwa argwöhnte frühzeitig, daß «das letzte Ziel» Bismarcks, mithin die «wahre Bedeutung des Kulturkampfes», darin liege, «die preußische Staatsverfassung... wieder von allen freiheitlichen Elementen... vollständig zu säubern und das alte monarchistisch-absolutistisch-militärische Preußen... in seiner ganzen Integrität wiederherzustellen». Ja, darüber hinaus solle dieses «System» auf «ganz Deutschland ausgedehnt werden. Das ist der Schlüssel zum Verständnis der Politik des Reichskanzlers». Diese häufig wiederholte Interpretation des «Kulturkampfes» als versuchte Generalrevision der preußisch-deutschen Verfassungspolitik führt vollständig in die Irre, denn eine solche Chance, das Ruder ganz herumzuwerfen, gab es für Bismarck damals nicht. Auch folgte er nicht der protestantischen Animosität gegen den römischen Erzfeind oder seinem Intimhaß gegen Windthorst.

Wohl aber nutzte er die Möglichkeit aus, das Zentrum als «Reichsfeind» zu diskreditieren, nachdem es die abstruse Forderung erhoben hatte, daß das Reich gegen die Eingliederung des Kirchenstaates in den italienischen Nationalstaat intervenieren solle. Damit konnte er zugleich eine starke Partei im Reichstag schwächen, um sie als eventuellen Koalitionspartner unattraktiv zu machen. Und als die erste Depression anhielt, sah er in den Kampfgesetzen der folgenden Jahre auch ein Mittel zur «negativen Integration» der Mehrheit durch die Ausgrenzung eines angeblich unentwegt «reichsfeindlichen» schwarzen Störenfrieds.

Wichtiger aber ist, daß er – auf der Linie seiner etatistischen Grundeinstellung – die Verteidigung des Staates gegen ultramontane Übergriffe für geboten hielt; damit ließ sich die erwünschte Erweiterung der Einflußsphäre der säkularisierten Staatsmacht verbinden. Diese Lageanalyse und Zielvorgabe teilte er mit den Liberalen, denen er wegen der Interessenkoinzidenz bereitwillig die Initiative überließ. Binnen kurzem etablierten sie sich dann als die eigentlich treibende Kraft. Sie folgten nicht nur ihrer genuinen Überzeugung, daß alle Errungenschaften der Moderne gegen einen mächtigen, völlig skrupellosen Gegner, sei es auch auf der Walstatt eines bis zum bitteren Ende durchgefochtenen innenpolitischen Armageddons, verteidigt werden müßten. Vielmehr führten die Nationalliberalen auch einen politisch kalkulierten «Präventivkrieg» gegen die von ihnen stets befürchtete potentielle konservativ-klerikale Koalition. Anstatt mit dieser reaktionären «Rückversicherungsgemeinschaft» gegen den Liberalismus sollte Bismarck weiterhin mit ihnen den inneren Reichsausbau fortsetzen. So gesehen bot der «Kulturkampf» auch eine «ideologische Plattform», um die Reichsleitung dauerhaft von den Konservativen und Klerikalen zu trennen, so daß die Liberalen weiterhin die einzige Alternative als zuverlässige Regierungsstütze blieben. Zugleich wollten sie durch die Neuregelung des Verhältnisses von Staat und Kirche den Reichstag und Landtag aufwerten, um der Parlamentarisierung – der Sicherung ihres wichtigsten Herrschaftsbereichs – näher zu kommen.

In der Hitze des Gefechts, als auch die Emotionen immer weniger kontrolliert wurden, setzten sich die Liberalen über ihre eigenen rechtsstaatlichen Ideale, die mit den repressiven Ausnahmegesetzen unvereinbar waren, ständig hinweg. An dieser illiberalen Verletzung eigener Standards gibt es nichts zu deuteln. Aber mit den Strukturgesetzen hatten sie das Recht der modernen Entwicklung auf ihrer Seite. Wer wollte schon – das war alsbald nur mehr eine rhetorische Frage – auf den durch diese Gesetze erst ermöglichten Zugewinn an individueller Autonomie, an liberalen Freiheitsrechten, an staatlichem statt kirchlich-orthodoxem Einfluß verzichten? In den katholischen Ländern Südeuropas etwa haben viele die Vorzüge der Zivilehe und Scheidung, des staatlichen Schulwesens und eines straffer gezähmten ultramontanen Katholizismus nach dem deutschen «Kulturkampf» noch über fast hundert Jahre hinweg neiderfüllt als fernes Vorbild betrachtet.[10]

Die Wirkungen aber, die der «Kulturkampf» auf die deutschen Katholiken gehabt hat, sind unstreitig fatal gewesen. Nach dem rüden Scheitern aller großdeutschen Hoffnungen, die sie bis 1866, ja 1870/71 gehegt hatten, war vielen von ihnen die innere Umstellung auf die künftige Existenz im protestantisch-preußisch dominierten Kaiserreich schon schwer genug gefallen. Kaum hatte dieses Leben begonnen, als der «Kulturkampf» ihre schlimmsten Vorahnungen erfüllte. Hunderttausende von gläubigen Gemeindemitgliedern, die von der unlängst stimulierten Massenfrömmigkeit erfaßt worden waren, sahen ihre Bischöfe und Ortspriester, bald auch sich selber endlosen Schikanen ausgesetzt. Als ringsum angefeindete Minderheit traten sie in der Diaspora den Weg in eine ghettoartige Isolierung, in den überwiegend katholischen Regionen in eine kompakte, ganz auf Selbstbehauptung in einer feindlichen Umwelt eingestimmte Subkultur an. Diese konnte an manche traditionalistische Abschottung des modernitätsskeptischen Katholizismus anschließen. Unzweifelhaft hat der «Kulturkampf» diese überkommene Verkrustung verhärtet und auf seine Weise zum Modernitätsrückstand des deutschen Katholizismus beigetragen. In mehreren politischen Generationen hinterließ er traumatische Verletzungen, da sie die Jahr für Jahr anhaltende Degradierung zu Staatsbürgern zweiter Klasse nur mühsam überwinden konnten.

Drei langlebige Auswirkungen des «Kulturkampfes» hängen mit der Wucht der Diskriminierungserfahrungen zusammen. Da ist an erster Stelle die Zielstrebigkeit des Zentrums zu nennen, das seit 1879 von der Wunschvorstellung geradezu besessen war, möglichst immer zur Regierungskoalition zu gehören, nie mehr dauerhaft in die Opposition abgedrängt zu werden. Zweitens ist der Kampf um «Parität», um die Gleichstellung der Katholiken mit den Protestanten im öffentlichen Leben, insbesondere in der Verwaltung der Staaten und Städte, mit seinen manchmal neurotischen Zügen nur als Reaktion auf die langjährige Exklusion zu verstehen. Und schließlich ist der Hypernationalismus, den mancher kritische Beobachter schon seit den 1890er Jahren im Verhalten des Zentrums, aber auch katholischer Reichsbürger im Alltag vordringen sah, eine forcierte Demonstration der nationalen «Zuverlässigkeit» gewesen, die den früheren «Reichsfeinden» so oft und so hämisch abgesprochen worden war. In historischer Perspektive sind die vielfältigen negativen Folgen des «Kulturkampfes» im deutschen Katholizismus erst durch die Politik der bundesdeutschen CDU seit den 1950er Jahren endgültig überwunden worden.

Auch wenn man dezidiert die Auffassung vertritt, daß die rechtliche Modernisierung, welche die strukturellen Kulturkampfgesetze gebracht haben, von der machtbewußten, aggressiven ultramontanen Kirche niemals freiwillig konzediert worden wären, sondern in einer epochenspezifischen Auseinandersetzung zwischen Staat, Liberalismus und Kirche hart erstritten werden mußte, tritt hier doch auch die typische schwarze Kehrseite vieler Modernisierungsprozesse hervor. Die illiberale Kampfeswut der Liberalen und die autoritäre Staatspolitik Bismarcks haben dem katholischen Bevölkerungsteil tiefe Wunden zugefügt, die erst nach siebzig Jahren ausheilen sollten. Das war der außerordentlich hohe Preis für die bahnbrechenden Modernisierungserfolge, die durch den «Kulturkampf» erreicht wurden.

b) Das Sozialistengesetz gegen die «roten Reichsfeinde»

Während der «Kulturkampf» seinem legislatorischen Höhepunkt zustrebte, eröffnete Bismarck einen zweiten inneren Kriegsschauplatz, auf dem diesmal die Sozialdemokratie geschlagen werden sollte. Wie alle Hochkonservativen hatte er seit dem Vormärz einen tiefen Pessimismus gegenüber sozialrevolutionären Bewegungen entwickelt, in denen er die Erben der Revolutionen von 1789 und 1830, später dann auch von 1848/49 erblickte. Kommunisten und Sozialisten, Anarchisten und «Social-Demokraten» wurden dabei in einen Topf geworfen – sie alle stellten durch ihre konkreten politischen Ziele, aber auch durch ihre ideologische Gegenutopie die herrschende Ordnung von Staat und Gesellschaft prinzipiell in Frage. In seinen dunklen Stunden sei daher auch Bismarck, lautet eine geläufige Interpretation, geradezu von einer «Art von cauchemar des révolutions» heimgesucht worden. In der Vorstellungswelt eines überzeugten Aristokraten, mochte er auch, wie Bismarck selber, noch so flexibel sein, gab es eine zeitlos gültige Hierarchie:

«Man kann ein Land nicht von unten regieren», lautete sein Credo gegen Volkssouveränität und Demokratie, «es ist gegen die natürliche Ordnung der Dinge.» Seitdem aber die Unterschichten stetig anwuchsen und sich politisch organisierten, könne es schon passieren, verlor er sich manchmal in seiner Skepsis, daß «die Hungrigen... uns auffressen».

An eine sozialdemokratische Massenbewegung, geschweige denn an ihre politische Mehrheitsfähigkeit hat Bismarck nicht geglaubt. Aber die Ausdehnung des radikaldemokratischen Gefahrenherdes wollte er mit scharfen Präventivmaßnahmen verhindern. Als Bebel und Liebknecht wegen ihres Protestes gegen die Annexion von Elsaß und Lothringen zur Festungshaft in das masurische Lötzen abgeschoben wurden, fand das durchaus die Zustimmung der Berliner Regierung. Bebels rhetorische Unterstützung für die Pariser Kommune im Mai 1871 hat den tiefen Argwohn noch einmal aktualisiert. Der Leipziger Hochverratsprozeß von 1872 bildete die Antwort darauf. Deshalb fanden sich die sozialdemokratischen Parteiführer in der Phase des Jubels über die Reichsgründung längere Zeit im Gefängnis als in Freiheit.

Durch die Auswirkungen der Depression seit 1873, «deren Symptome» nach Bismarcks Urteil «die sozialistischen Bedrohungen der Gesellschaft» waren, wurde die Furcht vor der «roten Gefahr» vertieft. Obwohl die Anzahl der Streiks steil abfiel, erschien angesichts der Notlage die Radikalisierung der «kommunistischen Arbeiterverbindungen in den größeren Städten und den Zentren der Industrie» als akute Gefahr, zumal Bebel, wie Bismarck weiter argumentierte, im Reichstag «den verbrecherischen Bestrebungen seiner Gesinnungsgenossen... offen Ausdruck gegeben» habe.

Außerdem wurde der Reichskanzler nicht müde, den «sozialdemokratischen Umtrieben» anzulasten, daß sie «wesentlich mit dazu beigetragen» hätten, «den geschäftlichen Druck» des konjunkturellen Abschwungs zu erzeugen. «So lange die sozialistischen Bestrebungen» ihre «bedrohliche Höhe» behielten, machte er sie aus durchschaubaren politischen Motiven für die anhaltende Depression unentwegt verantwortlich, «wird aus Furcht vor der weiteren Entwicklung das Vertrauen... im Inneren nicht wiederkehren, und deshalb wird die Arbeitslosigkeit auch so lange, wie die Sozialdemokratie uns bedroht», weiter anhalten.

Ein erster Anlauf, dieser Opposition 1874 durch den Entwurf eines Pressegesetzes einen festen Maulkorb umzubinden, scheiterte an den rechtsstaatlichen Bedenken der Liberalen. Einen zweiten Anlauf im nächsten Jahr, durch einen neuen Paragraphen im Strafgesetzbuch die «Aufreizung zum Klassenhaß» mit Strafe zu bedrohen, wehrten die Liberalen ebenfalls noch ab, da sie durch die Kautschukformulierung die Meinungsfreiheit gefährdet sahen. Nicht verhindern konnten sie, daß der als «Sozialistenfresser» berüchtigte Berliner Staatsanwalt Tessendorf im selben Jahr erreichte, den ADAV in ganz Preußen auflösen zu lassen.

Bismarck wurmten seine Niederlagen. «Wie soll in Europa Vertrauen und Unternehmungslust erwachen», empörte er sich 1877, «wenn der Kommunismus ameisenartig um sich greift, wenn man das Erarbeitete durch Brand und Plünderung zu verlieren fürchten muß und noch dazu die Aussicht hat, dafür, daß man etwas hat, massakriert zu werden?» In diesem Jahr wurden Regierung und bürgerliche Welt ohnehin durch die Reichstagswahlen aufgestört, da die SAP mit zwölf Abgeordneten und immerhin neun Prozent der Stimmen auf den vierten Platz hinter den Nationalliberalen, dem Zentrum und den Deutschkonservativen vorstieß.

Einen günstigen Anlaß, mit einem längst geplanten Sonderstrafrecht gegen die Sozialdemokratie vorzugehen, schufen aber erst zwei Attentate auf Wilhelm I. Bei dem ersten im Mai 1878 kam der Kaiser unverletzt davon; dem Täter konnte keine Verbindung zur Sozialdemokratie nachgewiesen werden. Trotzdem wurde dem Reichstag bereits acht Tage später ein Gesetzesentwurf für das Verbot der SAP vorgelegt, der jedoch mit der riesigen Mehrheit von 251 zu 57 Stimmen abgeschmettert wurde. Daran, daß die Liberalen die neue Linke als Bedrohung empfanden, gab es keinen Zweifel. Aber die Rechtsgleichheit aller Bürger zu gefährden, durch eine illiberale Ausnahmejustiz den Rechtsstaat zu unterhöhlen, dazu fanden sie sich noch nicht bereit.

Eine Woche später wurde der Kaiser durch ein zweites Attentat schwer verletzt. Wiederum mißlang es den Behörden, die behauptete Herkunft des Täters aus dem sozialdemokratischen Milieu zu beweisen. Während die Wellen der öffentlichen Empörung hochschlugen, sah Bismarck in dem Mordversuch an erster Stelle die lang erwartete vorteilhafte Gelegenheit, den Reichstag aufzulösen und Neuwahlen durchzuführen, welche die Anzahl der nationalliberalen Abgeordneten von hundertachtundzwanzig auf neunundneunzig reduzierten, die beiden konservativen Parteien aber von achtundsiebzig auf hundertsechzehn Sitze ansteigen ließen. Im Wahlkampf hatten die Liberalen, von der SAP-feindlichen Erregung in die Enge gedrängt, schon ihre Grundsatzopposition gegen ein Ausnahmegesetz zur Bekämpfung der «vaterlandslosen Gesellen» erkennbar verwässert.

Seither erhöhte Bismarck den ultimativen Druck mit bedenkenlos radikalen Angriffen. Zur «Rettung der Gesellschaft vor Mördern und Mordbrennern, vor den Erlebnissen der Pariser Commune» wollte er sich endlich «über die Barrieren hinwegsetzen, die die Verfassung in übergroßer doktrinärer Fürsorge zum Schutze des einzelnen und der Parteien in den sogenannten Grundrechten errichtet» habe. Um die Sozialdemokratie «ins Herz» zu treffen, dürfe der Staat «nicht zimperlich sein in der Anwendung der Mittel. A corsaire corsaire et demi!» Gegen die Sozialdemokratie sei endlich «ein Vernichtungskrieg zu führen», forderte er, da sie in jeder Hinsicht das «Evangelium der Negation» predige. «Die jährliche Vermehrung der bedrohlichen Räuberbande, mit der wir gemeinsam unsere größeren Städte bewohnen», erregte er sich, erzwinge die «Solidarität der Notwehr». Wegen ihrer «verbrecherischen Umsturztheorien» befinde sich die Sozialdemokratie «mit dem Staat im Kriegszustand», und deshalb sei der Staat auch befugt, «sie nach Kriegsrecht zu behandeln». Und schließlich voll abgrundtiefer Menschenverachtung: «Sie sind die Ratten im Lande und sollten vertilgt werden.»

Da jetzt der liberale Widerstand dahinschmolz, wurde das «Gesetz gegen die gemeingefährlichen Bestrebungen der Sozialdemokratie» bereits im Oktober 1878 mit zweihunderteinundzwanzig Stimmen der Nationalliberalen und Konservativen gegen einhundertneunundvierzig Stimmen der DFP, der SAP und des Zentrums angenommen. Von dem eben noch vollmundigen Bekenntnis der Liberalen gegen ein Ausnahmegesetz blieb nur übrig, daß sie die Einschränkung der Geltungsdauer auf zweieinhalb Jahre durchsetzen konnten. Tatsächlich wurde das Gesetz aber immer wieder, zuletzt bis Anfang 1890, verlängert.

Das «Sozialistengesetz» erlaubte das Verbot aller «sozialdemokratischen, sozialistischen oder kommunistischen» Vereine, Versammlungen und Druckschriften. Agitatoren konnten – nach dem bösen Vorbild des «Kulturkampf»-Gesetzes – expatriiert werden. In «gefährdeten Bezirken» durften die Bundesstaaten sogar den «kleinen Belagerungszustand» für die Zeitspanne eines Jahres verhängen. Außer der verschärften polizeilichen Kontrolle ergab sich daraus auch das Recht zum Militäreinsatz.

Immerhin: Sozialdemokratische Abgeordnete konnten weiter im Wahlkampf agitieren, gewählt werden und ihre Sache im Reichstag vertreten, wo die Fraktion die Kontinuität und Koordination aufrechterhielt. Als sozialdemokratische und gewerkschaftliche Ortsvereine aufgelöst wurden, tauchten die Mitglieder häufig in anderen Vereinen, ob Hilfskassen- oder Gesangvereinen, unter. Die sozialdemokratische Publizistik wurde nach dem Vorbild der vormärzlichen Geheimliteratur in der Schweiz gedruckt, bevor sie durch die «rote Feldpost» im ganzen Reich heimlich verteilt wurde. Die politische Polizei vermochte den wohlorganisierten Schmuggel, der dafür sorgte, daß sogar die abonnierte Parteizeitung pünktlich zugestellt wurde, nicht zu unterbinden.

Unzweifelhaft trug das «Sozialistengesetz», wie Gustav Schmoller ungeschminkt urteilte, «den Stempel einer brutalen Klassenherrschaft». Rund dreihundertdreißig sozialdemokratische Vereine wurden verboten, tausend Druckschriften beschlagnahmt, tausendfünfhundert Jahre Strafhaft verhängt, neunhundert Sozialdemokraten außer Landes verwiesen. Ein totalitärer Zugriff war das trotzdem noch nicht, aber über die Grenzen des liberalen Rechtsstaates setzte sich das «Sozialistengesetz» ein Dutzend Jahre lang zahlreiche Male hinweg. Für Tausende von verfolgten Sozialdemokraten wurde «Klassenjustiz» eine erfahrene Realität, wenn man darunter versteht, «daß die Rechtsprechung ... einseitig von den Interessen und Ideologien der herrschenden Klassen beeinflußt wird», so daß «die unterdrückte Klasse durch die Handhabung der Justiz beeinträchtigt wird».

Dennoch: Nach einem kurzlebigen Einbruch bei den Reichstagswahlen von 1881 schob sich die verfemte Partei bereits 1884 mit vierundzwanzig Abgeordneten auf den fünften Platz, und 1890 stieß sie mit fünfunddreißig Abgeordneten, aber einem vollen Fünftel aller abgegebenen Stimmen, an die Spitze vor. Statt Furcht und Auflösung erzeugte die Repression eine gesteigerte Solidarität, statt Desintegration und Resignation eine vertiefte Loyalität gegenüber der Sozialdemokratie, ihrer Kampf- und Emanzipationsideologie, auch gegenüber den Freien Gewerkschaften. Wie beim «Kulturkampf» erreichte die Regierung Bismarck mit ihren parlamentarischen Alliierten durch ihren obrigkeitsstaatlichen Verfolgungskurs das genaue Gegenteil dessen, was sie intendiert hatte. Aus dem Fegefeuer der Diskriminierung ging die Sozialdemokratie gestärkt hervor. Aber die traumatischen Verletzungen, die daraus resultierten, daß sie Jahr für Jahr als Bürger zweiter Klasse behandelt wurden, haben mehrere politische Generationen bis 1933 geprägt.

Verständliche Motive für einen entschiedenen Widerstand des Staates und der angegriffenen bürgerlichen Gesellschaft gab es, das muß man sich vergegenwärtigen, in hinreichender Zahl. Schließlich wurde von der Sozialdemokratie nicht nur die monarchisch-autoritäre Staatsverfassung angegriffen – diese «Versicherungsanstalt gegen die Demokratie», wie Wilhelm Liebknecht höhnte –, sondern auch die Sozialhierarchie und das Wirtschaftssystem der bürgerlich-kapitalistischen Welt prinzipiell in Frage gestellt. Verstehen kann man daher schon, daß die Drohung mit einer neuen Revolution von vielen für eine ernsthafte Gefahr gehalten wurde. Und daß die Sozialdemokratie auf längere Sicht ihre Revolutionsrhetorik vor allem deshalb pflegte, um die Mitglieder in einem schwierigen Kampf durch die Beschwörung einer hellen Zukunft bei der Stange zu halten, war auch nicht im Nu zu durchschauen. Darüber hinaus ist in allen westlichen Ländern, die sich mit einer marxistisch inspirierten Arbeiterbewegung auseinandersetzen mußten, eine harte Gegenwehr gang und gäbe gewesen.

Was die Situation im Deutschen Reich über die gewissermaßen übliche Defensive hinaus so verhärtete, war die Fusion von offener Klassenfeindschaft mit ausnahmerechtlich legalisierter Verfolgung. Sie indiziert sowohl einen tiefen Einbruch in die liberale Rechtskultur als auch eine gefährliche Schwächung des politischen Liberalismus. Deshalb konnte die obrigkeitsstaatliche Härte mit solcher Wucht praktiziert werden, ohne auf öffentlichkeitswirksameren Widerstand zu stoßen. Deshalb auch erhielt der deutsche Reichsnationalismus eine so fatale Stoßrichtung gegen die «roten Reichsfeinde» im Inneren, die seit den siebziger Jahren aus dem Nationsverband ausgegrenzt wurden. Und deshalb machte sich, da ungeachtet dieser Praxis die positive Integration der Sozialdemokratie in den Nationalstaat anhielt, im Sommer 1914 das Bedürfnis, endlich vorbehaltlos zur Nation zu gehören und von ihr akzeptiert zu werden, so leidenschaftlich geltend. Es war ein vergleichbares Kompensationsbedürfnis, wie es sich auch im politischen Katholizismus angestaut hat.

So pessimistisch und haßerfüllt sich auch Bismarck über die Sozialdemokratie äußern mochte, unter dem Alptraum einer Revolution von links hat er keineswegs ständig gelitten. Vielmehr nutzte er die «rote Gefahr» nach Kräften für seine politischen Zwecke, an deren Spitze das Ziel stand, die Reichsregierung mit ihrer Parteienkoalition als einzigen zuverlässigen Garanten von Ruhe und Ordnung erscheinen zu lassen. Der eigentliche, der tendenziell mehrheits- und zustimmungsfähige Gegner blieb für ihn der Liberalismus. Im Vergleich sei die SAP, argumentierte er 1884 im engen Kreis des Staatsministeriums ganz offenherzig, gerade wegen ihrer utopischen Ziele weniger gefährlich. Deshalb «halte er das Anwachsen der Sozialdemokratie nicht für besonders bedenklich!» «Papa sagt», gab Herbert v. Bismarck eine Wahlinstruktion an seinen Schwager im Auswärtigen Amt weiter, «mit den Sozialisten können wir entweder taktieren oder sie niederschlagen, der jetzigen Regierung können sie niemals gefährlich werden»; daß im allgemeinen «Sozialdemokraten besser als Fortschritt» seien, dürfe man zwar so nicht aussprechen, «Privatansichten aber sind frei». Im Grenzfall hielt der Kanzler die Staatsmacht und das Militär dieser aufsässigen Opposition allemal für gewachsen.

In einer solchen Schwebelage verharrte seither das Problem der Sozialdemokratie: Auf der einen Seite gab es eine genuine Furcht und Sorge vor ihren radikalen Fernzielen, auf der anderen Seite wurde diese Angst machiavellistisch ausgenutzt. «Man heuchelte Revolutionsfurcht», prangerte Friedrich Naumann diese politische Taktik unerschrocken an, «um Vorteile zu gewinnen». Auch als die Verwandlung der Sozialdemokratie in eine systemimmanente Reformpartei deutlich zu erkennen war, hielt diese vorteilversprechende Stigmatisierung als Umsturzbewegung an. Sie hat das innenpolitische Klima des Kaiserreichs vergiftet und auch der Folgezeit eine schwere Bürde aufgelastet.[11]

c) Die staatliche Sozialpolitik: Intentionen und Leistungen – Grenzen und Zukunftschancen

Als das konservative Establishment und die bürgerliche Gesellschaft durch die organisierte Arbeiterbewegung herausgefordert wurden, antwortete das autoritäre Kanzlerregime zuerst nur mit Repression. Das «Sozialistengesetz» entsprach dem seit 1871 wiederholt geäußerten Wunsch Bismarcks, die «staatsgefährlichen Agitationen durch Verbots- und Strafgesetze zu hemmen». Gleichzeitig sollte aber nach seiner Auffassung der Staat auch den «berechtigten Wünschen der arbeitenden Klassen... durch die Gesetzgebung und Verwaltung entgegenkommen». Dieses Ziel wurde in den achtzi-

'ger Jahren zum Teil durch die staatliche Sozialversicherung gegen Krankheit und Unfall, Invalidität und Alter erreicht. Diese Gesetze haben dazu geführt, daß im Kaiserreich allmählich «das erste moderne System sozialer Sicherheit in der Welt aufgebaut» wurde. Das war nicht Bismarcks ursprüngliche Intention, wohl aber, dank der Heterogonie der Zwecke, das Ergebnis. Bismarck wollte seine Zähmungspolitik gegenüber der Sozialdemokratie nicht nur auf das «Sozialistengesetz» gründen, sondern auch durch die «prophylaktische Einrichtung» der Versicherungsgesetze vorantreiben. Und da er eine Schlüsselstellung im Entscheidungsprozeß besaß, da gegen seinen Widerstand «dieser Staatssozialismus» – wie er ihn selber nannte – vermutlich nicht durchzusetzen gewesen wäre, muß man seine Motive zusammen mit den allgemeinen Antriebskräften analysieren.

Bismarck stand seinen Herkunftstraditionen nach der älteren «Wohlfahrtspolitik» des absolutistischen Staates, der in Notlagen mit öffentlichen Mitteln helfend eingegriffen hatte, positiv gegenüber. So konnte er etwa 1865 staatlichen Beistand für die verarmten Waldenburger Weber fordern, mit Lassalle über staatliche Wirtschaftssubventionen diskutieren und 1871 sogar erstaunlich unbefangen fordern, «daß man realisiert, was in den sozialistischen Forderungen als berechtigt erscheint und in dem Rahmen der gegenwärtigen Staats- und Gesellschaftsordnung verwirklicht werden kann». Die «sozialistischen Theorien und Postulate» seien, meinte er schon damals, «bereits so tief und breit in die Massen eingedrungen», daß es vergeblich sei, «sie ignorieren oder die Gefahren... durch Stillschweigen beschwören zu wollen». Diese konservative Interventionsbereitschaft traf aber nicht nur auf den unnachgiebigen Widerstand der wirtschaftsliberalen Bürokratie, sondern prallte außerdem an der weit verbreiteten allgemeinen Laissez-faire-Mentalität ab.

Als das «Sozialistengesetz» die militante Pazifizierung der Sozialdemokratie in Angriff nahm, herrschte jedoch eine Konstellation, die neue Überlegungen geradezu aufdrängte. Während der sechsjährigen Depression nach 1873 hatten Notstand und Arbeitslosigkeit, Lohnverfall und Absinken des Lebensstandards die prekäre Existenz des Industrieproletariats demonstriert. Die neuen Agrarzölle verteuerten, daran herrschte kein Zweifel, die Lebenshaltungskosten der marktabhängigen breiten Konsumentenmassen. Der Anstieg der sozialdemokratischen Wählerstimmen hielt, wie die Reichstagswahlen 1877 bewiesen hatten, offenbar an. In einer tieferen Schicht warf die expandierende Fundamentalopposition brisante Legitimationsprobleme für die Staatsleitung auf, die ihnen nicht ausschließlich mit Unterdrückung begegnen konnte, vielmehr auch einer produktiven Stabilisierungspolitik dringend bedurfte. Versuchte der Staat, gegen die Wechselfälle des proletarischen Lebens: gegen Krankheit und Unfall, Invalidität und Alter, Sicherheitsgarantien zu schaffen, eröffnete sich die Aussicht, das Verhältnis von Unternehmer und Arbeiter im Betrieb zu verbessern, der Sozialdemokratie und den Gewerkschaften das Wasser abzugraben und letzten Endes die Kritik durch Staatsloyalität zu ersetzen. Insofern traf Vizekanzler Graf Stolberg einen neuralgischen Punkt, als er schon 1878 mit einer staatlichen Sozialpolitik «das notwendige Korrelat» zum «Sozialistengesetz» anmahnte.

Reale sozialökonomische und politische Probleme lenkten mithin auf eine effektive Staatsintervention hin. Die Reaktion auf diesen Druck hing natürlich auch wesentlich davon ab, wie die Perzeption der Realität durch die entscheidungsfähigen Akteure ausfiel. Und bei der Verarbeitung ihrer Eindrücke spielten wiederum die aufgrund langer Gewöhnung vorhandenen «Unspoken Assumptions» vertrauter Denkmuster eine wichtige Rolle. Zu einer wirklichkeitsnahen Wahrnehmung der Fragen war man im Berliner Herrschaftszentrum – ungeachtet aller durch Sorge und Furcht hervorgerufenen Verzerrung der Lagebeurteilung – durchaus imstande. Als es um geeignete Maßnahmen zur Eindämmung der Gefahren ging, die von den sozialen und politischen Folgen des Industriekapitalismus, seinen Konjunkturschwankungen und den Disparitäten der Einkommensverteilung ausgingen, zudem auch noch auf völlig ungewisse Zeit als strukturelle Probleme wahrscheinlich bestehen bleiben würden, erwies sich die Tradition der Reform von oben, mit anderen Worten: der obrigkeitsstaatlich gelenkten Intervention, als stark genug, um gegen den heftigen Widerstand der Liberalen zu einem Ergebnis zu führen, das sich dann als innovative Lösung erweisen sollte.

Geht man von einer prinzipiell möglichen breiten Palette sozialreformerischer Maßnahmen aus, ließ die Kräftekonstellation im frühen Kaiserreich nur die Mängelminderung durch eine kompensatorische Sozialpolitik zu. Grundlegende Reformen im Sinne der dauerhaften Humanisierung der Arbeitswelt und des kontinuierlich verbesserten Arbeiterschutzes kamen damals nicht zum Zuge: Die Verkürzung der Arbeitszeit, das Verbot der Sonntagsarbeit, die Einschränkung der Frauen- und Kinderarbeit, die Garantie von Mindestlöhnen, die Verbesserung des Arbeitsvertragsrechts, die Einführung einer täglichen Maximalarbeitszeit, der Ausbau der Fabrikinspektion, mithin der Gewerbeaufsicht – all solche Veränderungen wurden noch nicht in Angriff genommen. Und das nicht zuletzt deshalb, weil Bismarck im Verein mit der Unternehmerschaft kompromißlos opponierte. Die Herrschaft der Kapitaleigentümer im Betrieb sollte nicht angetastet, jede finanzielle Bürde als Gefährdung der internationalen Konkurrenzfähigkeit vermieden werden. Selbst der staatstreue Schmoller ging mit seinem bitteren Vorwurf so weit, in der «Förderung der augenblicklichen Unternehmerinteressen» die «Quintessenz der Sozialpolitik» Bismarcks zu erblicken. Das war schief und verkürzt geurteilt, da Bismarck letztlich anderen politischen Prioritäten folgte, aber eine Teilwahrheit über Bismarcks Widerstand gegen betriebsinterne Eingriffe wurde damit doch erfaßt.

Andere maßgebliche Einflüsse haben sich auf den Charakter der Sozialversicherung konkret ausgewirkt. Bismarck selber machte kein Hehl daraus, daß ihm auch dabei die bonapartistische Herrschaftstechnik Napoleons III. als Vorbild gedient habe. Er habe «lange genug in Frankreich gelebt, um zu wissen», eröffnete er unverblümt dem Reichstag, «daß die Anhänglichkeit der meisten Franzosen an die Regierung wesentlich damit in Verbindung steht, daß die meisten Franzosen Rentenempfänger vom Staat sind». Wenn der französische Kaiser durch staatliche Versicherungsmaßnahmen, Krankenkassen, Rentenverschreibungen für Kleinsparer, Zuschüsse für Handwerker- und Arbeitergenossenschaften insbesondere das Kleinbürgertum und die Arbeiterschaft seinem Regime verpflichten wollte, verstand Bismarck «derartige Absichten... auf das Vollkommenste». Zugleich teilte er ebenso unverhohlen die Aversion Napoleons III. gegen den Arbeiterschutz und das Recht auf Arbeiterorganisation.

Unverbrämt sprach er seine politische Hoffnung aus, daß «die sozialpolitische Bedeutung einer allgemeinen Versicherung der Besitzlosen... unermeßlich» wäre, denn sie könnte «in der großen Masse der Besitzlosen die konservative Gesinnung» erzeugen, «welche das Gefühl der Pensionsberechtigung mit sich bringt». Durch «kollektive Massenbestechung» (H. Rosenberg) ließ sich seiner Ansicht nach ein «Anfang» machen «mit der Versöhnung der Arbeiter mit dem Staate». In vertraulicher Runde beschrieb er sein Kalkül noch genauer: «Wer eine Pension hat für sein Alter, der ist viel zufriedener und viel leichter zu behandeln, als wer darauf keine Aussicht hat. Sehen Sie den Unterschied zwischen einem Privatdiener und einem Kanzleidiener», erläuterte er zynisch-direkt seinem «Preßlakai» Moritz Busch, «der letztere wird sich weit mehr bieten lassen, denn er hat Pension zu erwarten.» Eine Revolution, der auf diese Weise vorgebeugt werde, verschlinge «ganz andere Summen» als eine staatliche Sozialpolitik, die dem «Industriearbeiter» als «Ersatz» für Landbesitz oder Geldvermögen «ein Quittungsbuch in die Hand» gebe, «welches ihm eine gesetzliche Fürsorge für Krankheit und Alter sichert».

Bismarcks Ziel war es, durch staatliche Leistungen «die staatsfreundliche Gesinnung» von «kleinen Staatsrentnern» zu gewinnen, die durch ihre materielle Sicherstellung auch auf lange Sicht gegen die Sozialdemokratie immunisiert werden sollten. Für die Attraktion der Emanzipationsideen der organisierten Arbeiterschaft, für ihren Kampf um ungeschmälerte Staatsbürgerrechte besaß er kein Sensorium. Bismarck habe, urteilte Theodor Lohmann, anfänglich der engste Mitarbeiter in diesen Fragen, aus langjähriger Erfahrung mit Treffsicherheit, «für die Macht geistiger Strömungen im Guten und Schlechten kein Verständnis. Er operiert mit mechanischen Machtmitteln und setzt auch bei anderen nur die Berechnung auf Gewinn und Verlust voraus.» Auf dieser Einsicht beruhte später auch Benedetto Croces Kritik, daß Bismarck mit der Sozialpolitik «physische Bedürfnisse» befriedigen wollte, um «die Geister einzuschläfern und den Willen zu brechen».

Gegenüber kritischen Einwänden, daß durch diese Pazifizierungspolitik der Staatseinfluß immens aufgewertet werde, gestand er «ganz offen» ein, daß man seine Sozialpolitik auch als «Staatssozialismus» charakterisieren könne. Aber: «Diese Sache... hat ihre Zukunft», dieser «Staatssozialismus paukt sich durch!» Deshalb glaubte er, daß «der Staat bzw. das Reich» sich künftig «etwas mehr Sozialismus... angewöhnen müsse». Und wer da meine, «mit dem Worte ‹Sozialismus› jemand Schrecken einflößen zu können», stehe auf einem Standpunkt, «den ich längst überwunden habe». Indem er eine weite Brücke schlug, stellte Bismarck seinen «Staatssozialismus», also die Aktivität des anvisierten Sozialstaates, als direkte Fortsetzung der preußischen Reformpolitik hin, denn die «Revolution von oben» müsse heutzutage zeitgemäß weiterbetrieben werden. Wer daher «den Staatssozialismus als solchen vollständig» ablehne, müßte «auch die Stein-Hardenbergsche Gesetzgebung verwerfen».

An diesem Punkt traf sich Bismarcks Auffassung mit der Meinung seiner beiden engsten sozialpolitischen Berater: Hermann Wageners und Theodor Lohmanns. Beide waren durch Lorenz v. Steins Lehre vom «sozialen Königtum», die im Grunde einen weitschauend vorweggenommenen Entwurf des modernen Sozialstaats bildete, tief beeinflußt worden. Wagener, einer der produktivsten Köpfe des deutschen Sozialkonservativismus, hatte schon seit den frühen sechziger Jahren eine staatliche Sozialpolitik gefordert, deren Fluchtpunkt die «Gleichberechtigung» der Arbeiter als Staatsbürger sein müsse. Durch seine Gesinnungsfreunde Karl Rodbertus und Rudolph Meyer wurde er in dieser Zielvorstellung bestätigt. Mit geistvollen Denkschriften bemühte er sich, Bismarck auf einen solchen sozialpolitischen Kurs hinzulenken, bis er während der «Gründerkrise» in eine Spekulationsaffäre verwickelt wurde, die dazu führte, daß er seinen Abschied nehmen mußte.

Lohmann, ebenso ein glühender Stein-Verehrer, damals Rat im preußischen Handelsministerium, trat bald an seine Stelle, zeichnete bereits für die Fabrikinspektionsnovelle von 1878 verantwortlich und schrieb die ersten Entwürfe für die Kranken- und Unfallversicherung. In seinen Augen stand die «innere Reichsgründung» noch aus, vor allem die Arbeiterschaft müsse durch die beherzte Verwirklichung staatsbürgerlicher Gleichberechtigung für den neuen Staat endlich gewonnen werden. «Man glaubt immer noch, den sozialdemokratischen Theorien gegenüber das Prinzip der Autorität vertreten zu müssen», kritisierte Lohmann den Berliner Repressionskurs, «wer sich nicht in national-miserabler Konnivenz beugen will, wird einfach mit Gewalt auf den Kopf geschlagen.» Statt dessen forderte er großzügigen staatlichen Beistand für Selbsthilfeorganisationen der Arbeiter. Den gesetzlichen Versicherungszwang sowie staatlich vorgeschriebene Berufsgenossenschaften lehnte er dagegen ab, da er diese allzu straffe Gängelung mit seiner Überzeugung, daß «unserer Zeit ein... auf Gleichberechtigung gegründetes Verhalten» gegenüber den sozial Schwächeren geboten sei, nicht vereinbaren konnte. Wegen solcher grundsätzlicher Differenzen kam es Ende 1883 zum Bruch mit Bismarck. Bis dahin haben jedoch Wagener und Lohmann, jeder auf seine Weise, Bismarcks Neigung zur staatlichen Sozialintervention nach Kräften unterstützt.

Als der Reichskanzler durch eine kaiserliche Botschaft im November 1881 die folgenreiche Weichenstellung zugunsten einer künftigen staatlichen Sozialpolitik ankündigte, war eine tragfähige politische und gesellschaftliche Koalition für die geplanten Versicherungsgesetze freilich noch nicht zu erkennen; sie mußte erst mühsam zusammengebracht werden.

Die verfolgten Sozialdemokraten trauten dem «Klassenstaat» keine positive Arbeiterpolitik zu. Vor allem vermuteten sie die sinistre Absicht, die Gewerkschaften, auch ihre Hilfskassen, zu schwächen. Überhaupt hielten sie die ganz ungewohnten Vorstellungen für ein typisch Bismarcksches Täuschungsmanöver. – Die Unternehmer favorisierten überwiegend die private Versicherung. An erster Stelle aber wollten sie die Ausdehnung des Arbeiterschutzes und der Haftpflicht verhindern. Gegen Konzessionen auf diesem Gebiet fanden sie sich zu guter Letzt zu Kompromissen bereit. Voller Bitterkeit kommentierte daraufhin Wagener ihren Erfolg, «den Kapitalismus, dessen Übermacht» doch der Staatssozialismus «angeblich brechen will, noch zu stärken und noch zu festigen». – Die Liberalen stemmten sich zunächst einmütig gegen eine Politik, die sie als Rückkehr zu einer mühsam abgebauten Staatsomnipotenz attackierten. Erst nach ihrem Zerfall setzte sich unter den neuen Nationalliberalen die Zustimmungsbereitschaft allmählich durch. – Im Zentrum fürchtete man, daß eine staatliche Sozialpolitik die christliche Pflicht zur Nächstenliebe unterhöhlen, dem ohnehin zu mächtigen säkularisierten Staat noch mehr Eingriffsrechte verleihen werde. Andrerseits stand die katholische Soziallehre einer aktiven sozialen Hilfe, über die herkömmliche Caritas hinaus, aufgeschlossen gegenüber. Und der einflußreiche Mainzer Bischof Ketteler bezog mit seinen Anhängern durchaus auch den Staat in die dort geforderten Hilfsorganisationen mit ein. – Die Konservativen wiederum hielten wegen ihrer Aversion gegen das organisierte Proletariat das «Sozialistengesetz» zunächst für völlig hinreichend, staatliche Fürsorge dagegen für eine unangebrachte Verhätschelung. Befürworter einer staatlichen Sozialpolitik wie die Sozialkonservativen um Wagener und Rodbertus oder um den Hofprediger Stoecker bildeten die seltene Ausnahme. Auf der andern Seite hielten durchaus monarchistische, aber progressive Sozialreformen befürwortende Wissenschaftler wie die Mitglieder des «Vereins für Sozialpolitik» die Diskussion über dieses Thema in einer breiteren Öffentlichkeit wach.

In Bismarcks Plänen besaßen politische Motive die absolute Vorherrschaft. Er teilte die sozialstaatliche Einstellung seiner Berater, daß der Staat sich in der preußischen Tradition der «Revolution von oben» der neuen «sozialen Frage» annehmen solle. Aber das Gleichberechtigungspostulat von

Wagener und Lohmann lehnte er mit derselben Entschiedenheit völlig ab. Dominieren sollten vielmehr die staatliche Präsenz und die staatliche Finanzleistung, um durch die unmittelbare Erfahrung des staatlichen Engagements die politische Loyalität der sozialdemokratischen Arbeiterschaft zurückzugewinnen und die Legitimationsbasis des Herrschaftssystems zu stabilisieren. Deshalb wollte Bismarck ursprünglich die Versicherung ganz ohne eigene Beiträge der Arbeiter organisieren, da diese Lohnkürzung ihre ablehnende Grundeinstellung verstärken werde. Im Vordergrund sollte unzweideutig das Reich als Hauptkostenträger und als Wohlfahrtsgarant stehen, da auf die direkte Demonstration staatlicher Fürsorge in seinem Kalkül alles ankam.

Die Bismarcksche Sozialpolitik ist dann in den achtziger Jahren in drei Schüben, jeweils mit einer unterschiedlichen institutionellen Lösung der praktischen Probleme, verwirklicht worden. Bei dem Krankenversicherungsgesetz von 1883 scheiterte der Kanzler mit seinem Vorhaben, dem Reich neue Einnahmequellen, zum Beispiel aus einem Tabakmonopol, zu erschließen, um diese Einkünfte im Sinne seiner politischen Ziele für die finanzielle Fundierung der Krankenversicherung verwenden zu können. Faktisch mußten zunächst zwei Drittel des Beitrags vom Arbeiter selber übernommen werden. Indem das Gesetz an die jahrhundertealte Tradition der lokalen korporativen Hilfskassen anknüpfte – freie Hilfskassen blieben übrigens weiterhin legal –, wurden jetzt Ortskrankenkassen eingerichtet, die als Selbstverwaltungsorgane die eingehenden Mittel – je nach der Prosperität des Bezirks in denkbar unterschiedlicher Höhe! – verwalteten. Immerhin wurde die Mehrheit der gewerblichen Arbeiter für krankenkassenpflichtig erklärt, und es ist vorn schon darauf hingewiesen worden (III. 2b), wie dieses System relativ zügig ausgebaut wurde. Die Landarbeiterschaft dagegen blieb ausgeschlossen und dem vermeintlich fürsorglichen Paternalismus der agrarkapitalistischen Unternehmer weiter ausgeliefert.

Das Unfallversicherungsgesetz von 1884 übertrug Berufsgenossenschaften die Abwicklung des Hilfsverfahrens. Sie kamen Bismarcks Wunschvorstellung entgegen, das Parlament durch einen «berufsständischen» Korporativismus zu schwächen und eventuell sogar zu überwinden (vgl. II. 4). Aber diese Hoffnung erwies sich als trügerisch, und erneut trat der Staat als Initiator auf, ohne im Alltag seine Macht als Helfer ständig zu beweisen.

Demgegenüber entsprach die Alters- und Invalidenversicherung von 1889 Bismarcks politischen Absichten am meisten, da hier das Reich einen erheblichen Zuschuß leistete. Dadurch konnte nach einer schweren gesundheitlichen Schädigung und in den Nöten des Alters Beistand geleistet werden. Anstelle patriarchalischer und das heißt: willkürlich gewährter Hilfe erkannte das Gesetz endlich die negativen Auswirkungen unpersönlicher, struktureller Arbeitsbedingungen an, ohne den einzelnen, wie das bisher oft geschehen war, in moralischen Kategorien für seine Notlage persönlich verantwortlich zu machen. Es begründete einen Rechtsanspruch der Versicherten auf Leistungen, die reichsgesetzlich fixiert wurden. Allerdings besaßen diesen Anspruch nur männliche gewerbliche Arbeiter vom siebzigsten Lebensjahr ab, noch 1900/1910 überschritten nur siebenundzwanzig Prozent aller Männer diese Altersschwelle.

Aus der Vogelperspektive ist die zwischen 1883 und 1898 initiierte Sozialversicherung unstrittig «die bedeutendste soziale Erfindung des Sozialstaats». In der Bismarckzeit aber hielten sich die quantitativen Leistungen noch in überaus «bescheidenen Grenzen». 1885 erfaßte die Krankenversicherung – und zwar zusammen mit der Knappschafts- und Beamtenversicherung – 4.3 Millionen Arbeitskräfte: Das waren nicht einmal zehn Prozent der Reichsbevölkerung. Dennoch: Im Vergleich mit der Zeit vor 1883 hatte sich der Versichertenanteil immerhin bereits verdoppelt. Die jährliche Durchschnittsleistung für jeden Versicherten erreichte indessen nur 11.20 Mark!

Die Unfallversicherung kam zu dieser Zeit überhaupt erst mühsam in Gang. Trotzdem gab es eine unentwegt anhaltende, lautstarke Kritik an der angeblich übertriebenen staatlichen Fürsorge für einen Teil der Arbeiterklassen. Sie erregte den Zorn des Herausgebers der «Preußischen Jahrbücher», des freikonservativen Historikers Hans Delbrück. «Man kann es zuweilen der Sozialdemokratie kaum verdenken, wenn sie höhnt über dieses System der Gesetzgebung», protestierte er 1886, «welches in fünf Jahren es glücklich dahin gebracht hat, einen Teil der Arbeiter, man bedenke wohl: erst einen Teil, gegen Krankheit und Unfall zu versichern, und sich dafür von der öffentlichen Meinung in ihrer ewig-weisen Philistrosität sagen lassen muß, daß man heute zu viele Gesetze mache und mal etwas pausieren möge.»

Zu dieser Pause kam es glücklicherweise nicht, aber die neue Alters- und Invalidenversicherung erfaßte im ersten Jahrzehnt, nachdem das Gesetz in Kraft getreten war, auch nur 598000 Rentner mit einer durchschnittlichen Jahresleistung von hundertfünfundfünfzig Mark. Das reichte ohne weitere familiäre Hilfe selbst für einen alleinstehenden Invaliden oder alten Mann «zur nackten Lebensführung» kaum aus. Umgangssprachlich hieß es, man könne von diesen Renten weder leben noch sterben. Auch Schmoller insistierte gegenüber der nörgelnden Kritik darauf, daß dieses Versicherungsgesetz «keineswegs eine sorgenfreie Existenz im Falle der Invalidität und des Alters geschaffen» habe.

Zu einem Ausbau der Sozialversicherung ist es erst gekommen, als Bismarcks Widerstand nach 1890 entfiel, die Integration der sozialdemokratischen Arbeiterschaft aber zunehmend pressierende Probleme aufwarf. Bismarck war 1890 mit der Auffassung enttäuscht aus dem Amt geschieden, «daß es ihm nicht gelungen sei», wie er dem bayerischen Gesandten v. Lerchenfeld anvertraute, «die Arbeiter zu einer staatsloyalen Haltung» zu bringen. Das war ohnehin eine voreilig genährte Hoffnung gewesen, denn die Repressionspolitik des «eisernen Kanzlers» hatte die Anerkennung seiner Sozialpolitik, deren Leistungen nicht in Windeseile alle Opposition aus dem Weg räumen konnten, enorm erschwert. Außerdem verband sich mit ihr zunächst der dezidierte Verzicht auf den Ausbau des Arbeiterschutzes. Daß er möglich war, zeigt ein Blick auf die englische und schweizerische, aber auch auf die österreichische Sozialpolitik. In Wien hatte zum Beispiel die autoritäre Regierung Taaffe aus ganz ähnlichen Motiven wie Bismarck sozialpolitische Sicherungsmaßnahmen mit einem relativ weitreichenden Arbeiterschutz und sogar einem Maximalarbeitstag von elf Stunden verknüpft. Überhaupt nimmt der internationale Vergleich der Bismarckschen Sozialpolitik etwas von dem in Deutschland geförderten Nimbus eines schlechthin unvergleichlichen Unikats. Anderswo in Europa geriet die Sozialpolitik seit den achtziger Jahren auch in Bewegung.[12]

Trotzdem: Die Bismarcksche Sozialversicherung hat den Grundstein für eine ausbaufähige, immens differenzierbare und weltweit nachgeahmte Daseinsvorsorge gelegt. Daß sie anfänglich dem politischen Stil von «Zuckerbrot und Peitsche» verpflichtet war, ändert nichts an ihren zukunftsweisenden Wirkungen. Man wird sogar anerkennen müssen, daß Bismarcks politisches Kalkül, auf lange Sicht betrachtet, aufgegangen ist. Zusammen mit dem Reallohnanstieg und den Arbeiterschutzgesetzen seit 1890 hat die Sozialversicherung einen ganz entscheidenden Anteil daran gehabt, die systemkritische Distanz der organisierten Arbeiterschaft aufzuweichen und ihre Staatsloyalität zu gewinnen. Sie konnte trotz aller Mängel das Kaiserreich allmählich als einen begrenzt reformfähigen Staat anerkennen, in dem sie nicht dauerhaft in der Inferioritätsstellung der siebziger und achtziger Jahre gewissermaßen eingefroren wurde. Insofern haben die Versicherungsgesetze zur «positiven Integration» des Proletariats wesentlich beigetragen, wie das die Entwicklung seit dem August 1914 nachdrücklich unterstrichen hat.

d) Der Zerfall und die Renaissance des politischen Konservativismus

Dramatische Großkonflikte wie der «Kulturkampf» und die Sozialistenverfolgung haben in den 1870er und 80er Jahren auf der politischen Bühne eine spektakuläre Rolle gespielt, und den Alltag der Diskriminierten haben sie auf eine außerordentlich schmerzhafte Weise mitgeprägt. Daneben gab es ganz andersartige, eher schwelende Krisenherde, wie sie zum Beispiel durch den Zerfall des politischen Konservativismus und das Auftauchen des politischen Antisemitismus geschaffen wurden.

Daß der politische Konservativismus zunächst einem Erosionsprozeß erlag, seine Orientierungsprobleme jahrelang nicht bewältigen konnte, dann aber seit 1876/1878 eine unübersehbare Renaissance erlebte, ist deshalb folgenreich gewesen, weil das Kaiserreich, ungeachtet der liberalen Gesetzgebung zwischen 1867 und 1877, einen konservativen Herrschaftskomplex bildete. Wegen der Rahmenbedingungen der Reichsverfassung und wegen der sozialen Machtkonstellation im Hegemonialstaat bedurfte es auch funktionsfähiger konservativer Parteien – oder der Charakter des politischen Systems mußte sich auch aus diesem Grunde auf längere Sicht verändern.

Durch eine Kombination von ungewöhnlich einflußreichen, kurz- und langlebigen Veränderungen wurden die Konservativen zwischen 1866 und 1871 in eine tiefe Krise gestürzt, obwohl sie an den glanzvollen Erfolgen jener Jahre in reichem Maße teilhatten. Aber: Die Reichsgründungsepoche erlebte einen ungeahnten Aufschwung der Nationalbewegung, die von der erdrückenden Mehrheit der Konservativen seit jeher bekämpft worden war. Damit war seit 1867 die parlamentarische Vorherrschaft der Nationalliberalen verbunden, die zusammen mit den Freikonservativen eine legislative Reformallianz bildeten, mit der Bismarck in einem informellen Bündnis stand. Überhaupt mußten sich die Konservativen auf ein neuartiges zentralstaatliches politisches System mit einem aufgewerteten Parlament und einem zutiefst verhaßten Wahlrecht umstellen. Die Gefahr einer Mediatisierung Preußens durch das Reich schien trotz aller Vorbeugungsmaßnahmen des Kanzlers nicht gebannt. Kurzum: Die Konservativen fanden sich mit einer erbitternden Einflußschmälerung konfrontiert, dazu evidenten künftigen Risiken ausgesetzt. Außerdem demonstrierten die «Gründerjahre» einen fabulösen Aufschwung des Industriekapitalismus, und nicht wenigen Konservativen dämmerte die pessimistische Einsicht, daß die Veränderung auch der ökonomischen Verfassung der reichsdeutschen Gesellschaft auf längere Sicht nicht aufzuhalten sei.

Die neuen politischen und sozialökonomischen Bedingungen spitzten sich mit unvergleichlich größerer Schärfe, als das in den beiden vergangenen Jahrzehnten der Fall gewesen war, auf das prinzipielle Problem zu, ob die Konservativen in der innenpolitischen Arena als lockerer exklusiver Honoratiorenverband weiteragieren konnten, oder ob sie sich nicht vielmehr als zeitgemäß organisierte Partei auf das heraufziehende Zeitalter der Massenpolitik einstellen mußten. Die Traditionen ihrer Lebenswelt hatten sie seit langem von einer straffen politischen Organisation abgehalten. Ihre paternalistische Arroganz gab ihnen das illusionäre Vertrauen, daß die Mehrheit der Wähler den geborenen Führern des Landes letztlich folgen werde. Ihre Aversion gegen die «misera plebs» hielt sie von einer zielstrebigen Werbung ab, obwohl Wageners «Volksvereine» die Erfolgschancen aufgezeigt hatten. Ihr Horror vor der Demokratie und dem allgemeinen Wahlrecht verzögerte eine realistische Einstellung. Ihre Abneigung gegen die offene, marktförmige Konkurrenz mit verachteten Kontrahenten wie dem Liberalismus, aber auch dem politischen Katholizismus und erst recht der Sozialdemokratie bremste ihre Aktivität. Diese Einflüsse addierten sich zu der diffusen Grundeinstellung, vorerst weiter den elitären Charakter konservativer Politik beizubehalten.

Das sollte sich für geraume Zeit als fatale Fehlentscheidung erweisen. Denn da sich die deutsche Gesellschaft mitten in einem tiefreichenden Transformationsprozeß befand, überwogen noch an zahlreichen Stellen die traditionalen Verhältnisse. Nicht nur in der ländlichen Gesellschaft, sondern auch im städtischen Milieu, insbesondere dem der kleinen und mittelgroßen Städte, gab es eine Interessenlage mit direkten Zugangschancen zum politischen Konservativismus, eine tiefverwurzelte Affinität zum konservativen Denken und Verhalten. Da die Konservativen mithin keineswegs allein als die Partei der Adligen, Beamten und Pfarrer fungierten, sondern im Grunde eine große potentielle Klientel im höheren Wirtschafts- und Bildungsbürgertum, in den bürgerlichen Mittelklassen, im Kleinbürgertum der Handwerker und Händler, in den bäuerlichen Besitzklassen – weit über ihre daraus stammende Wählerschaft hinaus – hätten erschließen können, bedeutete das fehlende Verständnis für den Wandel der zeitgenössischen Politik einen bornierten Verzicht auf Machtgewinn.

Zugegeben, der rapide Wandel vieler vertrauter Rahmenbedingungen für eine durchsetzungsfähige konservative Politik war irritierend. Auch für Männer mit langjähriger Erfahrung im politischen Geschäft war er nicht leicht zu durchschauen, so daß sie eine realitätsgerechte Umorientierung hätten anstreben können. Selbst ein alter «Profi» wie Roon klagte im Frühjahr 1871, er «vermisse den Boden, auf dem eine konservative Partei der Zukunft fußen könnte». Tatsächlich zerfiel die bestehende Konservative Partei im Reichstag und Landtag. Erst 1876 bahnte sich eine Erholung in Gestalt der «Deutschkonservativen Partei» (DKP) an. Überdies blieb es stets bei mehreren konservativen Parteien: Die Freikonservativen verteidigten eifersüchtig ihre Selbständigkeit. Am rechten Rand tauchten neue konservative Parteien wie die «Christlichsozialen» und die ersten Antisemitenparteien auf. Während des «Kulturkampfes» wanderten auch immer mehr katholische Konservative ins Zentrum ab, das durchaus zum konservativen Spektrum gehörte und als Konfessionspartei ganz unzulänglich charakterisiert ist. Einen folgenschweren Umschwung gab es erst seit der Wende von 1878/79. Die neue konservative Regierungskoalition verkörperte auch die Rückkehr der konservativen Mehrheit in eine strategische Machtstellung.

Die «Deutschkonservative Partei». Das einflußreichste konservative Lager, das preußische, hatte natürlich die Siegesserie der Bismarckschen Politik und des Militärs bejubelt. Aber es fand sich seit 1871 doch auch einer fremdartigen, bedrohlichen Situation gegenüber. Während die liberale Gesetzgebung jahrelang auf Hochtouren lief, erhöhte der «Kulturkampf» die Spannungen unter den Konservativen, da viele von ihnen etwa durchaus für die kirchliche Schulaufsicht und gegen die Ausdehnung der Staatsgewalt eintraten. Der Kampf um die Kreisordnung ging 1872 verloren, der Pairsschub im Herrenhaus schwächte die ultrakonservative Bastion (vgl. III.4). Beides wurde

Bismarck von vielen nicht verziehen. Während dieses Konfliktes spaltete sich die Konservative Partei aufgrund des Verhaltens der Hochkonservativen. Eine regierungsnahe Minderheit von fünfundvierzig Landtagsabgeordneten bildete daraufhin unter der Führung von Bismarcks Bruder Bernhard und Wilhelm v. Rauchhaupt die «Neue Konservative Fraktion», vermochte aber zunächst nicht mehrheitsfähig zu werden.

Die 1873 folgenden Wahlen zum Abgeordnetenhaus führten zu einem Debakel. Statt hundertsechzehn kehrten nur dreißig Mandatsträger in den Landtag zurück, nur drei von den siebzig altkonservativen Abgeordneten wurden noch einmal gewählt. Angesichts der Schwächung auch im Reichstag, wo die Konservativen 1874 von siebenundfünfzig auf zweiundzwanzig Abgeordnete und von vierzehn auf sieben Prozent der Stimmen zurückfielen, so daß sie sogar von den dreiunddreißig Freikonservativen übertroffen wurden (selbst zusammen kamen beide nur auf vierzehn Prozent der Stimmen), leuchtete das Menetekel der drohenden völligen Bedeutungslosigkeit auf.

Seit der Mitte des Jahres 1875 erschienen in der «Kreuzzeitung» die sogenannten «Ära»-Artikel des Journalisten Franz Perrot, der die Exzesse der «Gründerjahre» als Teufelswerk des liberalen Kapitalismus anprangerte. Bismarck, angeblich von «jüdischen Drahtziehern» und dubiosen «Gründern» umgeben, wurde selber als Börsenspekulant attackiert. Empört bestand der Kanzler darauf, daß die Konservativen sich von ihrer eigenen Hauspostille, möglichst durch Kündigung des Abonnements, distanzierten. Statt dessen stellten sich zahlreiche prominente Persönlichkeiten in einer öffentlichen Erklärung hinter die «Kreuzzeitung». Dadurch besiegelte diese Fronde der sogenannten «Deklaranten» den Bruch mit Bismarck, der im Gegenzug selbst langjährige persönliche Verbindungen kappte.

Angesichts dieses Trümmerfelds wurden in einigen konservativen Kreisen Überlegungen angestellt, eine neue konservative Partei zu gründen, die im herkömmlichen Stil die enge Kooperation mit der Regierung im Reich und in Preußen wiedergewinnen sollte. Symptomatisch für ihre Bereitschaft zur Zusammenarbeit war die Mitwirkung bekannter Konservativer in der «Vereinigung der Steuer- und Wirtschaftsreformer», die seit dem Februar 1876 den wirtschaftspolitischen Kurswechsel vorzubereiten half.

Nach einer längeren Vorausplanung kam Anfang Juni 1876 in Frankfurt eine Versammlung zur Gründung einer «deutschen konservativen Partei» zustande. Dort wurde ein Aufruf aus der Feder von Otto v. Helldorf-Bedra als Programm akzeptiert. Im Juli entstand in Berlin der «Wahlverein der deutschen Konservativen», der sich auf lokale konservative Vereine und Komitees stützen konnte. Als «Deutschkonservative Partei» trat die Neugründung unter Helldorfs Vorsitz – er sollte ihn bis 1892 behalten – an die Öffentlichkeit. Ihre erklärte Absicht war es, ein Sammelbecken für alle deutschen Konservativen zu bilden, um das Image einer egoistischen Interessenvertretung der alten preußischen Führungseliten zu vermeiden. Tatsächlich blieb die Partei aber ganz überwiegend auf Ostelbien als ihren politischen Aktionsraum beschränkt.

Ihr vorrangiges Ziel war die Rückkehr als Regierungspartei in das Berliner Machtzentrum, um die liberale Ära zu beenden. Konkret ging es alsbald um staatlichen Beistand bei der Bekämpfung der Agrarkrise, um Schutzzölle, um Steuerprivilegien, Subventionen, auch um die Forcierung des Sozialistengesetzes. Weithin wurden die Gründung und Programmatik der DKP als ein überfälliger Akt konservativer Anpassung an die neuen politischen Verhältnisse im Reich, zugleich als modernisierte Verteidigung der konservativen Position in Preußen verstanden. Das traf auch den Kern dieser konservativen Neuformierung, als deren Orientierungsmaxime seither galt: «Was sagt der Fürst dazu? Was will der Fürst?»

Die «Deklaranten» mußten reihenweise zu Kreuze kriechen und Bismarck – wie etwa Wilhelm v. Hammerstein im Mai 1880, ehe er die Chefredaktion der «Kreuzzeitung» übernehmen konnte – formell um Vergebung bitten. Zu diesem Zeitpunkt war die Vorherrschaft der Liberalen bereits zerbrochen worden. Auch die orthodoxen Protestanten in der DKP überwanden ihre antiklerikalen Vorurteile, als zu diesem Zweck die Allianz mit dem Zentrum notwendig wurde. Andrerseits zogen die Freikonservativen wegen ihrer langjährigen Zusammenarbeit mit den Nationalliberalen bittere Kritik auf sich, bis nach dem Heidelberger Programm von 1884 der neue Rechtsliberalismus ein akzeptabler politischer Partner wurde.

Trotz mancher Flügelkämpfe ließ das breite Zentrum der DKP unter Helldorfs Leitung keinen Zweifel an der Regierungstreue der neuen konservativen Partei aufkommen. Bereits 1877 wurde dieser neue Kurs von ihrer Wählerklientel honoriert. Die Zahl der Mandate stieg von zweiundzwanzig auf vierzig, 1879 auf neunundfünfzig, bis 1884 sogar auf achtundsiebzig hoch, hinter denen fünfzehn Prozent der abgegebenen Stimmen standen. Trotz der internen Reibungen führte im Zeichen der Bismarckschen «Sammlungspolitik» seit 1878 kein Weg mehr an der DKP vorbei, sie hat den neuen innenpolitischen Kurs vielmehr mit ermöglicht und mit getragen. Seit dem Herbst 1886 gehörte sie mit den Freikonservativen und den Nationalliberalen zum «Kartell», das in den Wahlen von 1887, die der DKP mit achtzig Abgeordneten den größten Erfolg ihrer Geschichte bescherten, Bismarck noch einmal eine prekäre Mehrheit verschaffte. Als in der Krise vor Bismarcks Sturz seine Machtbasis zerbröckelte, hatte das schrittweise erfolgende Ausscheren der DKP aus dem neuen «Kartell» einen erheblichen Anteil daran (vgl. hinten IV. 6b).

Zu einer Mitgliederpartei ist die DKP bis 1890 aber nicht geworden. Kandidaten und Wahlvereine, Landräte und Gutsinspektoren, Pfarrer und Journalisten versuchten, die Wähler vor dem Urnengang zu mobilisieren. 1877 waren das 526000 – das entsprach einem Zehntel der 5.4 Millionen aktiven Wähler. 1884 brachte sie es immerhin auf 861000 (16% von 5.7

Mill.), 1887 sogar auf 1.15 Millionen, erneut auf knapp sechzehn Prozent von 7.5 Millionen Stimmen. Nach diesen Höhepunkten fiel jedoch ihr relativer Stimmenanteil bis 1912 (9.2%) kontinuierlich ab. Die Stärke der katholischen konservativen Partei vermochte die DKP nicht von ferne zu erreichen, denn das Zentrum kam in den drei genannten Wahljahren auf 24.8, 22.6 und 22.1 Prozent der abgegebenen Stimmen. Diesen Anteil konnten die Konservativen nur übertreffen, wenn man zur Wählerschaft der DKP die der Freikonservativen noch hinzurechnet.

Die «Freikonservative Partei». Die Freikonservativen (vgl. 5. Teil, IV. 5) konnten 1871 auf eine erfolgreiche Aktivität im Norddeutschen Reichstag zurückblicken, wo sie als Juniorpartner der Nationalliberalen den ersten Schub von imponierenden Reformgesetzen durchgesetzt hatten. Nach der Eröffnung des neuen Reichstags im März 1871 tauften die siebenunddreißig Abgeordneten ihre Partei demonstrativ auf den neuen Namen «Deutsche Reichspartei» um, deren Vorsitz Graf v. Bethusy-Huc bis 1880 behielt, ehe Wilhelm v. Kardorffs langlebiges, bis 1907 andauerndes Regiment begann. In der politischen Umgangssprache freilich blieben die «Reichsparteiler» weiter die Freikonservativen. Und nicht nur das: Sie blieben auch derselbe elitäre, kleine Verband wie bisher, ohne Mitgliederbasis im Lande, allein auf die Fraktionen im Reichstag und Landtag beschränkt, obwohl doch – wie der Liberale Parisius spottete – «jedes arbeitsfähige und strebsame Fraktionsmitglied eine Anwartschaft, wenn nicht auf einen Botschafter- oder Ministerposten, so doch auf den Geheimrat oder Hilfsarbeiter im Ministerium zu bekommen schien».

Auf ein Programm und eine Satzung verzichteten die Freikonservativen allemal, jeder Kandidat betrieb seine individuelle Wahlpropaganda im Alleingang. Diese Mißachtung nützlicher politischer Routine wurde mehr als kompensiert durch den engen Kontakt zu Bismarck, der an der Freikonservativen Fraktion rühmte, daß sie «von allen der Regierung am nächsten steht». In diesen Konservativen sah er eine «Partei der Erhaltung» nach seinem Geschmack, im Gegensatz zur altkonservativen Partei nicht «in Opposition gegen die neue Zeit», daher eine realistische «Partei der Gegenwart». Freikonservative wie Graf Stolberg-Wernigerode, Falk und Lucius v. Ballhausen wirkten im Staatsministerium und in den Reichsämtern mit, andere wie Kardorff und Stumm oder die schlesischen Magnaten fanden jederzeit das Ohr des Kanzlers. Seine Söhne Wilhelm und Herbert traten, als sie 1878 bzw. 1884 in den Reichstag gewählt wurden, den Freikonservativen bei. Kein Wunder also, daß Eugen Richter an ihnen das «besondere Geschick» ironisch hervorhob, «die noch im Verborgenen befindlichen Pläne des Reichskanzlers vorauszuahnen».

Auf ihrer regierungsfrommen Linie unterstützten die Freikonservativen den «Kulturkampf» – worauf prominente katholische Mitglieder wie Graf

Hompesch, Graf Schaffgotsch und Karl Friedrich v. Savigny prompt zum Zentrum überwechselten. Sie verfochten die Kreisordnung, die Schutzzollpolitik, das Sozialistengesetz. 1878 wurde ihr Engagement mit siebenundfünfzig (statt 38) Reichstagsmandaten und einem Stimmenanstieg von 7.9 auf 13.6 Prozent (427000 auf 786000) belohnt. Das war der Höhepunkt ihrer parlamentarischen Geltung im Kaiserreich.

Nachdem Freikonservative Politiker an exponierter Stelle in der «Vereinigung der Steuer- und Wirtschaftsreformer» und in der «Freien Wirtschaftlichen Vereinigung» den Übergang zum «Solidarprotektionismus» vorangetrieben hatten, arrangierten sie sich auch mit dem Zentrum, um eine tragfähige konservative Koalition für die Wende von 1878/1879 zu schmieden. Gegenüber dem anderen Verbündeten, der DKP, betonten die Freikonservativen weiterhin ihren eigenständigen Charakter. Durch innere Konflikte wurden sie freilich so geschwächt, daß sie 1881 die Hälfte ihrer Reichstagsabgeordneten verloren, aber im «Kartell» von 1887 wirkten sie als unentbehrliche «Partei Bismarck sans phrase» wieder mit.

Die numerische Stärke im Reichstag oder Landtag war als Indiz ihres Einflusses ohnehin nicht entscheidend. Was vielmehr zählte, war ihre Präsenz in der Reichsregierung, im preußischen Staatsministerium, in der hohen Verwaltung, ihre Zugehörigkeit zum Netzwerk der strategischen Cliquen, ihr informeller Zugang zu den Machthabern, um gemeinsame Interessen durchzusetzen.

Die «Christlichsoziale Partei». Dem deutschen Sozialkonservativismus ist es im Kaiserreich nicht gelungen, sich selbständig zu organisieren – das hat er, dann um so erfolgreicher, erst nach 1945 geschafft. Aus dem sozialkonservativen Milieu stammten jedoch nicht selten Politiker, die aus Unzufriedenheit mit den konservativen Parteien neue Vereinigungen gründeten. Dabei verfochten manche entweder aus Überzeugung den aufkommenden Antisemitismus, in dem sich ja auch ein diffuser Wunsch nach einer – wenngleich sozialreaktionären – «Reform» der Gesellschaft äußerte, oder aber sie machten sich diese Strömung, die neue Wählerschichten zu mobilisieren versprach, aus politischem Machtkalkül zunutze.

Das früheste Beispiel für ein solches – modern gesprochen – rechtsradikales Ausfransen des konservativen Spektrums ist die «Christlichsoziale Partei», deren Schlüsselfigur der protestantische Hofprediger Adolf Stoecker war. Nicht zufällig betrieb der rhetorisch begabte, leidenschaftlich nationalistische und monarchistische Geistliche, der bereits seit 1874 für die DKP im Landtag saß, seit Ende 1877 die Gründung einer eigenen Partei. Nach vier Depressionsjahren, der Verschärfung der «sozialen Frage» und dem Aufstieg der Sozialdemokratie hielt er das für unabdingbar, um die christliche Monarchie zu erhalten. Konkret hieß das für die Verwirklichung seiner sozialkonservativen Ideen zuerst einmal, den «Bann» zu durchbrechen, den die

Sozialdemokratie «auf die Arbeiterkreise gelegt» habe, um sie durch Reformgesetze sowohl für den Hohenzollernstaat als auch für das Christentum zurückzugewinnen.

Im Januar 1878 fand sich unter Ausschluß der Öffentlichkeit ein kleines Häuflein, darunter immerhin der Finanzwissenschaftler Adolph Wagner, zusammen, um die «Christlichsoziale Arbeiterpartei» ins Leben zu rufen. Ihr Programm wandte sich schroff gegen die Sozialdemokratie, befürwortete aber die «friedliche Organisation» von Arbeitern, forderte die staatliche und kirchliche Unterstützung, um ihr Los verbessern zu können. Bei den Reichstagswahlen im Juli konnte der exotische Neuling sage und schreibe 2310 Stimmen auf sich ziehen, die Illusion eines elektrisierenden Anfangserfolgs zerstob. Außerdem setzte der Evangelische Oberkirchenrat durch eine scharfe Mißbilligung dieser parteipolitischen Aktivität Stoeckers einen weiteren Dämpfer auf.

Nach einer deprimierenden Flaute tauchte Stoecker Ende 1879, noch ehe Treitschke den berüchtigten Berliner Antisemitismusstreit vom Zaune brach, mit antisemitischen Parolen auf Veranstaltungen auf, die ihm in den beiden folgenden Jahren manchmal bis zu dreitausend Teilnehmer einbrachten. Stoecker griff bedenkenlos jene bösartigen Klischees auf, welche die antisemitische Publizistik jüngst in Umlauf gesetzt hatte. Mit dem Prestige seiner beruflichen Stellung trug er dazu bei, die verhängnisvolle Entwicklung voranzutreiben, durch die der moderne Antisemitismus gesellschaftsfähig gemacht wurde. Nicht ohne Koketterie, aber mit einem gewissen Recht, konnte sich daher Stoecker selber als den «Begründer der antisemitischen Bewegung» charakterisieren, denn er habe «die Judenfrage aus dem literarischen Gebiet in die Volksversammlungen und damit in die politische Praxis eingeführt».

Wie skrupellos er das tat, enthüllen seine giftigen Tiraden gegen namentlich genannte exponierte Männer jüdischer Herkunft, etwa gegen den Bankier Bleichröder, und seine perfiden Sympathien für ein energisches Vorgehen gegen jüdische Deutsche. Als der Hofprediger sich derart zum Sprachrohr des Radauantisemitismus machte, veranlaßte das Bleichröder im Juni 1880 zu einer scharfen schriftlichen Beschwerde beim Kaiser mit der ahnungsvollen Vorhersage, daß solch ein zynisches Spiel mit der «Gewalt» nur zu leicht «der Anfang des Unglückes einer furchtbaren sozialen Revolution» werden könne! Vergebens, weder wurde der umstrittene Geistliche von seiner Politik der Gosse ferngehalten, noch seines Amtes enthoben. Vielmehr nahm ihn die DKP mit seiner inzwischen als «Christlichsoziale Partei» firmierenden Anhängerschaft als selbständigen Verband auf; seit 1881 vertrat Stoecker die DKP auch im Reichstag. Unverändert bezeichnete er es als sein Ziel, auf lange Sicht eine «christlich soziale Volkspartei auf sozialer Grundlage» zu gründen. Vorerst aber warf ihm ein urbaner Konservativer wie Hermann Wagener bissig vor, mit seinen «Christlichsozialen» nur als «Verschönerungsverein» für die Unterdrückungsmaßnahmen gegen die Sozialdemokratie zu fungieren.

Offenbar dank Stoeckers antisemitischer Agitation erlebte die «Christlichsoziale Partei» bis 1884/1885 einen gewissen Aufschwung. Zusammen mit einer DKP-Gruppe um v. Hammerstein bildeten sie den Kern der sogenannten «Berliner Bewegung», welche der Sozialdemokratie und dem Fortschritt die hauptstädtischen Wähler abjagen wollte. Zu ihren Gönnern gehörte außer Innenminister v. Puttkamer und Generalquartiermeister v. Waldersee auch der junge Prinz Wilhelm, der damals ein Faible für den wortgewandten Hofprediger besaß; vermutlich wurde die «Bewegung» auch mit Mitteln aus Bismarcks «Reptilienfonds» subventioniert. Die Einstellung des Kanzlers blieb ambivalent: Teils hielt er Stoecker für einen «außerordentlichen, streitbaren, nützlichen Kampfgenossen» im Streit mit den «Roten», teils verachtete er den Vulgärantisemitismus – der «doch en bloc von mir nicht kontrasigniert werden kann» – und den Zug hin zu einem «protestantischen Zentrum».

Im Winter 1886 auf 1887 zerbrach die «Berliner Bewegung» an ihren inneren Gegensätzen. Die «Christlichsoziale Partei» wirkte auch nicht im «Kartell» mit. Wegen des ständigen Wirbels um den umstrittenen Hofprediger erzwang der Kronrat im April 1883 ultimativ eine öffentliche Erklärung Stoeckers, mit der er zusicherte, den parteipolitischen Kampf einzustellen. Im November 1890 wurde er sogar gezwungen, sein Hofpredigeramt aufzugeben. Seither vegetierte die «Christlichsoziale Partei» als unbedeutende Splittergruppe dahin.

Quantitativ war sie für die beiden konservativen Parteien, die bei den Reichstagswahlen der achtziger Jahre zusammen zwischen siebenundzwanzig und fünfundzwanzig Prozent der Stimmen wendegerecht gewinnen konnten, ohne Bedeutung. Wohl aber stießen der Einfluß Stoeckers und die Agitation der «Christlichsozialen» jene Einfalltore weiter auf, durch die der Antisemitismus in den politischen Konservativismus weiter vordrang, wo er die ohnehin latent vorhandenen traditionellen Vorurteile aktivierte.[13]

Die Anfänge der «Opposition von rechts». In der Zerfallsphase des preußischen Konservativismus hatte sich gezeigt: Die Enttäuschung über den Kurs der Regierung Bismarck und die neue Lage im Reich und in Preußen konnte so weit gehen, daß größere Teile der Konservativen – bis 1866 ein schlechthin undenkbarer Akt – auf eine antigouvernementale Linie einschwenkten und in dieser Opposition zäh verharrten. Ein typisches Beispiel ist der «Deklaranten»-Kreis, dem die gesamte politische Entwicklung zuwider war. Auch als die Deutschkonservativen und Freikonservativen, das Zentrum und die Antisemitenparteien die konservativen Sympathisanten möglichst umfassend an sich zu binden versuchten, verharrte ein Teil von ihnen in dumpfer Ablehnung. In der DKP gab es stets einen Flügel, der mit der Regierungspolitik unzufrieden war, hinter allem und jedem den Verrat überkommener Traditionen, die Mißachtung geheiligter Interessen witterte. Kleine Gruppen innerhalb der DKP und Freikonservativen Partei widerstrebten der Kooperation mit den Klerikalen und der Inaugurierung der Sozialpolitik, befürworteten aber eine Verschärfung des Sozialistengesetzes und eine Forcierung der Rüstungs- und Kolonialpolitik. Auf all diesen Politikfeldern bewegte sich Bismarck nach ihrer Auffassung erschreckend prinzipienlos, auf neumodische Effekthascherei bedacht oder aber zu behutsam und vorsichtig. In jedem Fall kam die Regierung den oppositionellen Vorstellungen von einer noch militanteren Bekämpfung der Linken, einer selbstbewußteren Großmacht- und imperialistischen Weltpolitik nicht entgegen. Unter diesen kritischen Konservativen bildete sich der soziale Kern und die mentale Disposition für jenen antigouvernementalen Konservativismus heraus, der sich seit den 1890er Jahren, insbesondere in den neuen nationalistischen Agitationsverbänden, ausbreiten sollte.

e) Der Aufstieg des modernen politischen Antisemitismus

Symptomatisch für die konservative Wende von 1878/79 und die bedrohliche Entliberalisierung von Politik und Gesellschaft war ein unheilverheißendes Krisensignal, das seit den späten siebziger Jahren aufleuchtete: Der moderne politische Antisemitismus tauchte auch im Deutschen Kaiserreich auf. Diese Bewegung verkörperte eine qualitative Veränderung und fatale Steigerung des traditionellen Antijudaismus. Dieser hatte sich in der christlichen Welt seit mehr als anderthalb Jahrtausenden gegen das «Volk der Gottesmörder» gerichtet – ein ewiger Stachel, welchen die Amtskirche nicht entfernen wollte. Immer wieder wendete er sich auch gegen den ökonomischen Erfolg, den Juden, auch in tabuisierten Wirtschaftsbereichen wie dem Geldgeschäft, erzielten. Und schließlich nutzte er jenen sozialpsychischen Mechanismus aus, die Suche nach der Schuld an Krisensituationen in die Jagd auf Juden als Sündenböcke zu verwandeln, zumal die traditionelle Diskriminierung dieser Minderheit die Hemmschwelle frühzeitig gesenkt hatte.

Jetzt aber tauchten in den 1870er Jahren drei neuartige oder doch radikal zugespitzte Elemente der Judenfeindschaft in Deutschland auf.

1. Sie wurde mit Pseudoargumenten aus dem Arsenal der vordringenden modischen Rassentheorien aufgeladen. Auf diese Weise konnte sie zu einem unausweichbaren Existenzkampf der überlegenen arischen Rasse gegen die sie «zersetzende» semitische Rasse stilisiert werden. Frühzeitig verschwisterte sich dieser rassistische Antisemitismus mit dem radikalisierten Nationalismus, der sich auch gegen diese «Fremden» im Inneren richtete.

2. Der neue Antisemitismus ging über dumpfe Vorurteile und kurzlebige Pogromstimmungen insofern hinaus, als er sich in Verbänden und Parteien dauerhaft politisch organisierte, um für die Durchsetzung seiner Ziele in aller Öffentlichkeit zu kämpfen.

3. Die vertraute Jagd auf Sündenböcke wurde generalisiert. «Der» Jude wurde zum Verantwortlichen für schlechthin alle schmerzhaften Belastungen erklärt, die mit dem sozialökonomischen und kulturellen Modernisierungsprozeß verbunden waren. Deshalb sollte die liberale Errungenschaft der Judenemanzipation rückgängig gemacht werden, damit an ihre Stelle ein diskriminierendes Sonderrecht, die Vertreibung, ja – wie es bald hieß – «die Vernichtung» treten konnte.

Obwohl auch der neue Antisemitismus in den überkommenen Traditionen der Judenfeindschaft tief verwurzelt war, war er mit der krisenhaften Entwicklung des Industriekapitalismus, seinen konjunkturellen Fluktuationen und sozialen Erschütterungen, aufs engste verknüpft. Mit seiner Stoßrichtung gegen «das Judentum» als Verkörperung aller widerwärtigen, tödlich gefährlichen Züge der Moderne reichte er jedoch über ein sozialökonomisches Krisenphänomen weit hinaus.

Zuerst gaben nur einige Publizisten der neuen Strömung Ausdruck. Die antisemitische Literatur schwoll dann freilich verblüffend schnell an, so daß allein zwischen 1873 und 1890 rund fünfhundert Schriften zur «Judenfrage» im Reich erschienen sind. 1873 veröffentlichte Wilhelm Marr, der als einer der Urväter dieses Antisemitismus gilt, sein Pamphlet «Der Sieg des Judentums über das Germanentum ... Vae Victis!» Darin knüpfte er an die Rassenlehre des Grafen Gobineau an und verfocht einen neuartigen rassistisch fundierten Antisemitismus. Marr dämonisierte effektvoll das «Judentum», das «zur ersten Großmacht des Abendlandes in der Gesellschaft aufgestiegen» sei. Heutzutage stelle es auch «den sozialpolitischen Diktator Deutschlands». Da sich das germanische Reich ihm nicht beugen werde, stehe ein Kampf auf Leben und Tod, eine wahre «Explosion» bevor. Bis 1879 erreichte diese Schrift bereits die zehnte Auflage. Ihre Leitvorstellung vom Juden als der Symbolfigur der verhaßten Modernisierung und dem eigentlich Schuldigen, dem die Pathologie der zeitgenössischen Gesellschaft aufgelastet wurde, konnte alsbald – weit über das geläufige Klischee vom «jüdischen Parasiten» hinausgehend – zu einer Ätiologie von Krankheitserregern fortgebildet werden. «Mit Trichinen und Bazillen wird nicht verhandelt», giftete Paul de Lagarde gegen die Juden, sie «werden so rasch wie nur möglich vernichtet».

Heinrich v. Treitschke, der längst vor dem Berliner Antisemitismusstreit von 1879 seine Judenfeindschaft unverhüllt ausdrückte, machte 1874 in seiner Polemik gegen den «Kathedersozialismus» die «feile Habgier» und den «Shylockcharakter» der Juden verächtlich. Schon 1871 hatte er die – wie sich herausstellte – präzise Prognose gestellt, daß der «Groll über die kolossale Macht der Juden ... in allen Ständen so furchtbar» zunehme, daß es «in zehn, zwanzig Jahren einmal zu einem Rückschlag, zu einer Pöbelbewegung gegen die Juden kommen» müsse. Seit 1878 häuften sich seine Beschwerden über die «Judenpresse» und nach einigen kritischen Rezensionen des ersten Bandes seiner «Deutschen Geschichte im 19. Jahrhundert» (1879) über den «Einbruch des Judentums in das deutsche Leben». In Treitschkes «Geschichte» finden sich überhaupt so viele schroffe Ausfälle gegen die Juden, daß er mit diesem vielgelesenen Werk vielleicht mehr zur Verbreitung des Antisemitismus im Bürgertum beigetragen hat als die vielzitierte radikale Literatur des Radauantisemitismus.

Massenwirksam wurde der neue Antisemitismus 1874/75 in der «Gartenlaube» vertreten, wo Otto Glagau eine Serie über den «Gründungsschwindel», hinter dem er das jüdische, das «raffende Kapital» überall am Werk sah, veröffentlichte. Dabei prägte er das Schlagwort: «Die soziale Frage ist heute wesentlich Juden-Frage.» Seither verfocht die anschwellende antijüdische Agitation ihre Ziele häufig im Gewand der Forderung nach einer unumgänglichen «Sozialreform», sprich: nach der Diskriminierung und letztlich der Ausschaltung der Menschen jüdischer Herkunft aus der reichsdeutschen Gesellschaft.

In dieselbe Kerbe hieb 1875 die konservative «Kreuzzeitung» mit einer Artikelserie über die «Ära Bleichröder-Camphausen-Delbrück». Das Elaborat strotzte nur so von antisemitischen Invektiven. Politisch ging es um eine Kampagne gegen das «jüdische Regierungssystem» Bismarcks (die zu dem vorn erwähnten Zusammenprall mit den «Deklaranten» führte), indirekt verlieh es der neuen Ideologie den Anschein konservativer Honorigkeit. Bereitwillig klinkte sich aber auch das Zentrumsorgan «Germania» in die Debatte ein. Ihm erschien selbst der «Kulturkampf» als «eine Folge der Judenwirtschaft». Profilierte katholische Parteipolitiker wie Julius Bachem und August Reichensperger stimmten bereitwillig zu; der angesehene katholische Publizist Constantin Frantz goß mit seiner Diatribe gegen die liberale «Judenherrschaft» Öl ins Feuer. Seither stand der rasch anwachsende katholische Antisemitismus an Heftigkeit dem protestantischen nicht nach, indem er mit den Klischees der neubegründeten Judenfeindschaft den alten Judenhaß im Katholizismus aktivierte, gegenüber der rassistischen Begründung aber meist auf Abstand blieb.

Die Forderung lag in der Luft, 1876 wurde sie zum ersten Mal ausgesprochen: Der Stadtgerichtsrat Karl Wilmanns rief in seiner Schrift über die «Goldene Internationale» des jüdischen Kapitals zur Gründung einer antisemitischen Partei auf. Seit Ende 1878 gab es mit Stoeckers «Christlichsozialen» eine solche Partei, welche im preußischen Konservativismus und im Kleinbürgertum mit antisemitischen Parolen das Ressentiment mobilisierte. Da zahlreiche prominente jüdische Unternehmer und Bankiers als Liberale galten, der Liberalismus aber durch die vorangegangenen Depressionsjahre diskreditiert war und ihm überdies die Judenemanzipation vorgeworfen wurde, hing – nicht allein in Friedrich Naumanns Augen – auch mit diesem postemanzipatorischen Antiliberalismus das «Anwachsen einer antisemitischen Gesellschaftsstimmung» zusammen.

Wie ein Brennspiegel faßte dann der Berliner Antisemitismusstreit seit dem Winter 1879 die herandrängenden Probleme zusammen. Treitschke, längst gewöhnt an antijüdische Polemik, löste eine Eruption aus, als er als Herausgeber der «Preußischen Jahrbücher» im «Tagespolitischen Überblick» des November-Heftes gegen die Juden vom Leder zog. Am Ende der Depressionsjahre mit ihren ökonomischen und sozialen Verwerfungen zählte er zu den «Symptomen tiefster Umstimmung» auch die neue «leidenschaftliche Bewegung gegen das Judentum». Dabei gehe es keineswegs nur um «Pöbelrohheit und Geschäftsneid», vielmehr habe «der Instinkt der Massen», erklärte der elitäre Neukonservative auf einmal, «eine schwere Gefahr, einen hochbedenklichen Schaden des neuen deutschen Lebens richtig erkannt». Nicht nur verweigerten zahllose Juden nach der Emanzipation die Assimilierung, sondern es halte auch ein ständiger Zustrom von Ostjuden an: «Jahr für Jahr» dringe, höhnte Treitschke, «aus der unerschöpflichen polnischen Wiege eine Schar strebsamer hosenverkaufender Jünglinge herein, deren Kinder und Kindeskinder dereinst Deutschlands Börsen und Zeitungen beherrschen sollen». Nach diesem perfiden Vorwurf forderte er von «unseren israelitischen Mitbürgern»: «sie sollen Deutsche werden», «sich rückhaltlos entschließen, Deutsche zu sein». Zwar könne das «niemals ganz» gelingen, denn die «Kluft zwischen abendländischem und semitischem Wesen hat von jeher bestanden». Daher werde es «immer Juden geben, die nichts sind als deutschredende Orientalen». Aber auf die vorbehaltlose Assimilation komme jetzt alles an, damit nicht «auf die Jahrtausende germanischer Gesittung ein Zeitalter deutsch-jüdischer Mischkultur folge!»

Nach diesem Appell zur Integration folgte die ressentimentgeladene Attacke, daß «das Semitentum an dem Lug und Trug, an der frechen Gier des Gründer-Unwesens einen großen Anteil, eine schwere Mitschuld an jenem schnöden Materialismus unserer Tage» besitze. In «tausend Dörfern sitzt der Jude, der seine Nachbarn wuchernd auskauft», obwohl «am gefährlichsten ... das billige Übergewicht des Judentums in der Tagespresse» wirke. Aus all diesen Gründen «erscheint die laute Agitation des Augenblicks» zwar «als eine brutale und gehässige, aber natürliche Reaktion des germanischen Volksgefühls gegen ein fremdes Element». Und dann das Crescendo: «Täuschen wir uns nicht: die Bewegung ist tief und stark», überall «ertönt es heute wie aus einem Munde: die Juden sind unser Unglück!»

Zugegeben, Treitschke forderte keine «Zurücknahme oder auch nur Schmälerung der vollzogenen Emanzipation», das «wäre ein offenbares Unrecht». Aber er zögerte andrerseits auch keinen Augenblick, mit dem hohen Ansehen eines der bekanntesten deutschen Historiker, Professoren und Publizisten eine bösartige Häufung vulgärer antisemitischer Vorurteile diskussionsfähig zu machen.

Die Reaktion folgte spontan, sie war beispiellos heftig und hielt im Winter 1879/80 eine große Öffentlichkeit in der Reichshauptstadt und in ganz

Deutschland in Atem. Berühmte Professoren wie Theodor Mommsen, Moritz Lazarus, Heinrich Graetz, Hermann Cohen, liberale Politiker wie Ludwig Bamberger, Eugen Richter, Heinrich Oppenheim und namhafte Rabbiner reihten sich in die Abwehrfront ein. Kompromißlos wandte sich die öffentliche «Erklärung» von fünfundsiebzig Prominenten – darunter Leuchten der Berliner Universität wie Virchow, Gneist, Mommsen, Droysen, Wattenbach, Scherer, also auch die engsten Kollegen Treitschkes – gegen «Rassenhaß und Fanatismus». «Wie eine ansteckende Seuche droht die Wiederbelebung eines alten Wahns die Verhältnisse zu vergiften», prangerten sie Treitschke an, und «die Masse» werde «nicht säumen, aus jenem Gerede» der «Führer der Bewegung» die «praktischen Konsequenzen zu ziehen». Man höre jetzt schon «den Ruf nach Ausnahmegesetzen und Ausschließung der Juden». Man dürfe «zu solchen frechen Provokationen und unserer Kultur unwürdigen Anfeindungen nicht stillschweigen», rechtfertigte Friedrich Kapp seine Unterschrift. Da «mutete man uns noch zu, hundert Jahre nach Lessing geistig zu verrohen, unser Bestes, unsere höchsten Errungenschaften zu verleugnen. Wir sind es unsern Kindern schuldig, uns gegen diese Niedertracht zu wehren.»

Keine Frage: Die Berliner Universität verhielt sich «besser und entschlossener als je wieder eine deutsche Universität», wenn es um die Abwehr des Antisemitismus ging. Treitschke wurde moralisch isoliert, insistierte aber, vielleicht auch deshalb, unbelehrbar auf der sachlichen Berechtigung seines Angriffs. Der Erfolg seiner Kritiker war der entschlossenen Intervention Theodor Mommsens am meisten zu verdanken. Kompromißlos zog er gegen den «Wahn» zu Felde, «der jetzt die Massen erfaßt hat», ehe er es ganz unverschnörkelt aussprach: «Sein rechter Prophet ist Heinrich v. Treitschke.» Durch sein Prestige werde das, «was er sagte, ... anständig gemacht. Daher die Bombenwirkung ..., die wir alle mit Augen gesehen haben. Der Kappzaum der Scham war dieser ‹tiefen und starken Bewegung› abgenommen.» Als Treitschke sich pikiert dagegen verwahrte, daß Mommsen gerade ihn, der doch als Kollege und Professor schreibe, so scharf angreife, schleuderte ihm Mommsen entgegen: «Wenn ein Teil meiner Mitbürger von einem Berliner Universitätslehrer, der zugleich noch manches andere tut als dozieren, gemißhandelt wird, dann stecke ich den Professor in die Tasche, und ich rate Herrn v. Treitschke das Gleiche zu tun.» Trotz des momentanen Siegs in der Öffentlichkeit blieb Mommsen seither zutiefst skeptisch und fragte sich immer wieder, «wohin unsere» nur im Vergleich mit Rußland «verschämte Barbarei steuert».

Auch Ludwig Bamberger, der sich neben ihm sofort in die Bresche geworfen hatte, vermochte ebenfalls seither seinen Pessimismus nicht abzustreifen. Ihn «verekelte» am «sogenannten Antisemitismus» die «maß- und schrankenlose Entfesselung der Gemeinheit, deren Wonne in Haß und in der Unterdrückung ihresgleichen oder ihres besseren liegt», vertraute er Karl

Hillebrand an. «Die eigentlichen Lebensorgane der Nation: Armee, Schule, Gelehrtenwelt sind bis zum Rand damit gesättigt..., es ist eine Obsession geworden, die einen nicht losläßt.»

Scharfsichtig hat Bamberger auch den Zusammenhang erkannt, in dem der Antisemitismus mit der veränderten Natur des deutschen Nationalismus stand. Für diesen sei der «Haß gegen andere Nationen zum Kennzeichen echter Gesinnung» beim «Kultus der Nationalität» geworden. «Von diesem Haß gegen das fremdartige jenseits der Grenze bis zum Haß gegen das, was sich... als fremdartig in der eigenen Heimat ausfindig machen läßt», sei es aber «nur ein Schritt... Wo der Nationalhaß nach außen seine Schranken findet, wird der Feldzug nach innen eröffnet.» Damit werde jedem Juden im Reich «eingetränkt»: «Ihr seid nur Deutsche zweiter Klasse.»

Wie berechtigt der Pessimismus der Opposition war, die Treitschke in die Schranken verwiesen hatte, demonstrierte die Entwicklung des Antisemitismus, dessen politische Formierung seit dem Wendejahr 1879 in Gang gekommen war. Dabei ging es um eine verwirrende Vielzahl von antisemitischen Organisationen. Sie verkörperten zunächst wenig Einfluß, gewannen vorerst wenige Stimmen bei den Wahlen, hingen von einer Handvoll unter sich zerstrittener Agitatoren ab. Entscheidend aber war, daß sich die neue Ideologie, gefördert durch die Konvulsionen einer besonders schmerzhaften Modernisierungsphase, ständig zur Gründung neuer Verbände imstande zeigte, während gleichzeitig das Vokabular und die Argumentation des Antisemitismus durch wohlbekannte Figuren, wie etwa Treitschke und Stoecker, gesellschaftsfähig gemacht wurden.

Die Etappen dieser Entwicklung bis in die frühen 1890er Jahre lassen sich klar übersehen. Am Anfang steht die «Christlichsoziale Partei», die seit Stoeckers «Judenreden», seit dem September 1879, auf den antisemitischen Kurs einschwenkte. Dabei erhob der Hofprediger Forderungen, die seither zu den Stereotypen der antisemitischen Programmatik im Kaiserreich gehören sollten: «Wiedereinführung der konfessionellen Statistik, damit das Mißverhältnis zwischen jüdischem Vermögen und christlicher Arbeit festgestellt werden» könne; der Prozentsatz jüdischer Richter dürfe nur der Größe des jüdischen Bevölkerungsanteils entsprechen; jüdische Lehrer müßten von allen Volksschulen entfernt werden. Empört verwahrte sich Eugen Richter im November 1880 in einer Landtagsdebatte über den Antisemitismus gegen «das besonders Perfide an der ganzen Bewegung», daß nämlich «von ihr, zumal von Stoecker, der Rassenhaß genährt wird, also etwas, was der einzelne nicht ändern... und was nur damit beendigt werden kann, daß er entweder totgeschlagen oder über die Grenze geschafft wird». Diese prophetische Kritik des Linksliberalen kontrastierte denkbar scharf mit der Verharmlosung des Problems durch den Kaiser, der das «Spektakel für nützlich» hielt, «um die Juden etwas bescheidener zu machen».

Im Oktober 1879 wurde in Berlin die «Antisemitenliga» gegründet, die es angeblich auf sechstausend Mitglieder brachte. 1880 folgte der «Soziale Reichsverein» Ernst Henricis. Ein zweites Zentrum bildete sich in Sachsen, wo in Dresden der «Deutsche Reformverein» entstand, der seit 1881 als «Deutsche Reformpartei» firmierte. Das alles war nichts im Vergleich mit dem Berliner Streit, von dem trotz der imponierenden Kritik auch eine mobilisierende Wirkung zugunsten des antisemitischen «Lunatic Fringe» ausging. Beflügelt durch diesen Konflikt brachten seit dem August 1880 Max Liebermann v. Sonnenberg und Nietzsches Schwager Friedrich Foerster eine Kampagne in Gang, um eine «Antisemiten-Petition» in Umlauf zu bringen. Darin wurde ein Verbot der jüdischen Einwanderung, der Ausschluß der Juden von allen öffentlichen Ämtern und aus dem Volksschulwesen, eine strikte Begrenzung ihrer Zahl im höheren Bildungswesen und in der Justiz mit markigen Worten verlangt. Bis zum April 1881 konnten die Initiatoren immerhin 267000 Unterschriften sammeln, aber die Regierung lehnte jede Reaktion auf diese Eingabe ab, und noch fiel der Protest der liberalen Öffentlichkeit einhellig aus.

Trotzdem kam es in der Silvesternacht von 1880 im Anschluß an eine große Antisemitenversammlung zu ersten pogromähnlichen Krawallen in Berlin. «Organisierte Banden zogen in der Friedrichstadt vor die besuchten Cafés, brüllten ... taktmäßig immer wieder ‹Juden raus›, verwehrten Juden oder jüdisch aussehenden Leuten den Eintritt und provozierten auf diese Weise Prügelszenen, Zertrümmerung von Fensterscheiben ... Alles natürlich unter der Phrase der Verteidigung des deutschen Idealismus gegen jüdischen Materialismus.» Von den Exzessen völlig überrascht, kam die Polizei zu spät. Einige Wochen später mußten gegen eine im Hepp-Hepp-Stil losbrechende Judenverfolgung in Pommern reguläre Truppen zum Schutz aufgeboten werden. Ahnungsvoll notierte sich Gottfried Keller über diesen Radauantisemitismus, daß er einem die «dünne Kulturdecke» bewußt mache, «welche uns von den wühlenden und heulenden Tieren des Abgrunds noch notdürftig zu trennen scheint und die bei jeder gelegentlichen Erschütterung einbrechen kann.»

Im März 1881 rief Henrici die «Soziale Reichspartei» ins Leben; zwei andere Patriarchen des Antisemitismus, Liebermann v. Sonnenberg und Foerster, gründeten den «Deutschen Volksverein». Einig waren sie sich in Henricis Parole: «Die Judenfrage ist eine Rassenfrage». Als solche drang sie seit demselben Jahr auch im «Kyffhäuserverband der Vereine Deutscher Studenten» in den Reihen der Jungakademiker vor. Angesichts dieses Aufschwungs leisteten der Einladung zu einem ersten «Internationalen Antijüdischen Kongreß», der im September 1882 in Dresden veranstaltet wurde, fast vierhundert Besucher Folge. Stoecker, Liebermann v. Sonnenberg, Henrici, Foerster – sie alle nahmen teil, führten ihre Fehden fort und einigten sich schließlich nur auf eine wortreiche Resolution gegen den «jüdischen

Einfluß auf unser gesamtes Volks- und Staatsleben». Neue Unterstützung erhielten sie von dem Berliner Privatdozenten Eugen Dühring, der eine krause Variante des Staatssozialismus, aber einen geradlinigen rassistischen Antisemitismus verfocht, zum Beispiel 1883 in seiner «Judenfrage als Rassen-, Sitten- und Kulturfrage».

Wieweit vor den Reichstagswahlen der Antisemitismus in die etablierten Rechtsparteien eingedrungen war, enthüllte ein Wahlaufruf der DKP, die an ihre Wähler appellierte, sie sollten «der Heerfolge des Judentums ... entsagen». Die Tatsache, daß «das Judentum zu den internationalen und undeutschen Mächten» gehöre, «muß doch endlich jeden deutschen Mann zu der Einsicht bringen», daß es «nimmermehr das Interesse des deutschen Vaterlandes voranstellen» wolle. In dieselbe Kerbe hieb auch der 1884 entstandene «Deutsche Antisemitenbund».

Nach dem enttäuschenden Wahlausgang unternahm Theodor Fritsch, eine der Schlüsselfiguren des Antisemitismus und der Ahnen des Nationalsozialismus, einen neuen Anlauf, um das abstruse Ideengebräu effektiver zu propagieren. Seit dem Oktober 1885 gab er im Leipziger «Hammer»-Verlag seine «Antisemitische Korrespondenz» mit dem erklärten Ziel heraus, die «Ausscheidung der jüdischen Rasse aus dem Völkerleben» zu erreichen. Sein 1887 erstmals gedruckter «Antisemiten-Katechismus» erreichte bis 1893 immerhin fünfundzwanzig Auflagen. 1886 ging auch Fritsch mit der «Deutschen Antisemiten-Vereinigung» unter die Parteigründer. An ihr war außerdem Otto Böckel beteiligt, der seit einigen Jahren – unter dem Einfluß Marrs und Dührings – die hessische Landbevölkerung mit antisemitischen Hetzschriften aufzuwiegeln versuchte (vgl. vorn III. 5). Dank seiner Resonanz gelang es dem «hessischen Bauernkönig» 1887 im Wahlkreis Marburg, als erster deutscher Antisemit in den Reichstag gewählt zu werden.

Inzwischen war die fehlende Bündelung der antisemitischen Kräfte nur zu offensichtlich zutage getreten. Jeder Agitator verteidigte ganz so eifersüchtig wie dogmatisch seine Variante. Auf einer Bochumer Tagung im Juni 1889 wurde darum der Versuch unternommen, eine einheitliche deutsche Antisemitenpartei zu gründen. Von Stoecker über Liebermann v. Sonnenberg, Henrici und Fritsch bis Böckel war die gesamte dubiose Prominenz vertreten, scheiterte aber erneut am Starrsinn der Splittergruppen und ihrer Repräsentanten. Daraufhin schritten Liebermann v. Sonnenberg, Fritsch und Foerster zur Gründung der «Deutschen Sozialen Partei», deren Organ die «Antisemitische Korrespondenz» wurde. Ihrer Redaktion gelang es angeblich, jährlich bis zu einer Million Flugschriften unter die Menge zu bringen. Zentren bildeten sich in Sachsen und Westfalen, in einigen ost- und norddeutschen Regionen heraus; so brachte es etwa der «Antisemitische Wahlverein» in Hamburg auf rund zweitausend Mitglieder.

Böckel und seine Anhänger in Hessen und Mitteldeutschland gingen 1890 mit der radikaleren «Antisemitenpartei» (1891 «Antisemitische Volkspartei»,

1892 «Deutsche Reformpartei») eigene Wege. Immerhin gelang es diesen beiden fester strukturierten Antisemitenparteien bei den Reichstagswahlen von 1890, mit fast 48000 Stimmen fünf Abgeordnete ins Parlament zu entsenden, wo sie die gemeinsame «Fraktion der Antisemiten» bildeten. Ein neuer, rabiater Antisemit, der ehemalige Schulrektor Hermann Ahlwardt, der keiner der beiden Parteien angehörte, stieß nach einer Kampagne auf eigene Faust dank einer Nachwahl 1892 hinzu.

Nach diesem Warnzeichen setzte der eigentliche parteipolitische Aufschwung der Antisemiten erst mit der Reichstagswahl von 1893 ein, als es ihnen, wesentlich aufgrund der dritten industriellen Depression und der Agrarkrise der frühen neunziger Jahre, gelang, mit einem Sprung auf die mehr als verfünffachte Stimmenzahl von 264000 Wählern zu kommen und damit zehn Abgeordnete durchzusetzen.

Zu dieser Zeit, ein Dutzend Jahre nach seinem Berliner Erfolg, erreichte Theodor Mommsen ein Appell des Schriftstellers Hermann Bahr, erneut den Widerstand anzuführen. «Sie täuschen sich, wenn Sie glauben, daß ich da was richten kann», entgegnete ihm indes der linksliberale Gelehrte voll abgrundtiefer Skepsis. «Sie täuschen sich, wenn Sie glauben, daß man da überhaupt mit Vernunft etwas machen kann ... Es ist alles umsonst. Was ich ihnen sagen könnte ..., das sind doch immer nur Gründe, logische und sittliche Argumente. Darauf hört doch kein Antisemit. Die hören nur auf den eigenen Haß und den eigenen Neid, auf die schändlichsten Instinkte.» Diesmal resignierte Mommsen: «Gegen den Pöbel gibt es keinen Schutz – ob es nun der Pöbel auf der Straße oder der Pöbel im Salon ist, das macht keinen Unterschied. Kanaille bleibt Kanaille, und der Antisemitismus ist die Gesinnung der Kanaille. Er ist wie eine schauerliche Epidemie, wie die Cholera – man kann ihn weder erklären noch heilen. Man muß geduldig warten, bis sich das Gift von selber austobt und seine Kraft verliert.»

Vorerst staute sich das Gift weiter auf. Im Hamburger Programm der frisch fusionierten «Deutschsozialen Reformpartei» hieß es 1899 lapidar: «Da die Judenfrage im Laufe des 20. Jahrhunderts zur Weltfrage» werde, müsse diese «endgültig durch völlige Absonderung und ... schließliche Vernichtung des Judenvolkes gelöst werden».

Da sich der Aufstieg des rassistischen, politisch organisierten Antisemitismus in der Bismarckzeit anbahnte, stellt sich unausweichlich die Frage, in welchem Zusammenhang er mit der dominierenden Persönlichkeit der Reichspolitik stand. Bismarcks persönliche Beziehungen zu seinem jüdischen Bankier, seinem jüdischen Hausarzt, seinem jüdischen Rechtsanwalt sind durch den Antisemitismus offensichtlich nicht beeinträchtigt worden. Immerhin fand er sich nach Bleichröders Beschwerde über Stoeckers Angriff keineswegs bereit, die antisemitischen Tiraden des Hofpredigers intern rügen zu lassen, geschweige denn öffentlich zu verurteilen. Nicht sie seien «das Gefährliche», insistierte er, sondern der den «Neid der Besitzlosen gegen die Besitzenden» anstachelnde Ruf nach sozialer Reform zugunsten des Proletariats, mithin «die kommunistisch-sozialistische Tendenz der Stoeckerschen Aufreizung». Daß er den liberalen Reichstagsabgeordneten Lasker haßerfüllt einen «dummen Judenjungen» schimpfte, den Minister v. Friedenthal unflätig als «semitischen Hosenscheißer» abkanzelte, mag man allenfalls noch auf das Konto überkommener aristokratischer Vorurteile schreiben, wie sie Bismarck seit dem Vormärz geäußert hatte.

Gefährlich aber wurde das Verhalten des Reichskanzlers, als er versuchte, sogar das kleine Rinnsal der antisemitischen Bewegung auf seine politischen Mühlen zu leiten. Einige Tage vor der Reichstagswahl von 1881 gestattete er es einer Tageszeitung, als seine private Äußerung zu zitieren, daß «die Juden tun, was sie können, um mich zum Antisemiten zu machen». Eindringlich warnte daraufhin Eugen Richter im Parlament: «Die Bewegung fängt an, sich an die Rockschöße des Fürsten Bismarck zu hängen ... und sich auf ihn zu berufen.» Öffentlich mochte Bismarck sich nicht weiter exponieren, aber in der geheimen Instruktion für die «Artikel» der Regierungspresse «über das Wahlresultat» wollte er doch hervorgehoben wissen, «daß die Juden mit den Polen überall gemeinschaftliche Sache gemacht hätten», auch sei «jüdisches Geld ... das Zahlungsmittel für die fortschrittlichen Republikaner gewesen». Überhaupt, monierte er, mache sich «das politische Reformjudentum ... in der Presse und in den parlamentarischen Körperschaften» zu stark geltend. Sein Sohn Herbert, ein offener Antisemit, der dem «Frechling» Bleichröder «gern ... einiges hinter die Judenlöffel schlagen» und als Staatssekretär des Auswärtigen Amtes keinen «Judenbengel» aufnehmen lassen wollte, fungierte nur zu bereitwillig als Übermittler.

Gewiß wäre es verfehlt, Bismarck eine Manipulation des politischen Antisemitismus zu unterstellen, wie man einen Wasserhahn nach Bedarf auf- und zudreht. Aber jede antiliberale Hilfstruppe hieß er offenbar willkommen. Die Stigmatisierung jeweils neuer «Reichsfeinde», um eine Integrationswirkung zugunsten des Regierungslagers zu erzielen, bereitete ihm keine Skrupel. Dieses politische Kalkül erfaßte auch eine scharfsinnige Analyse der liberalen «Frankfurter Zeitung» Leopold Sonnemanns, als sie warnte: «Etwas muß gestürmt werden; nach dem äußeren Düppel wurde das innere Düppel gestürmt, nach dem Franzosenkriege der Vatikan, nach diesem der Sozialismus und jetzt, wo kein anderer Krieg in Sicht ist und man doch nicht die Brutalität im Leibe behalten kann, muß der Jude herhalten.»

Vor den Wahlen von 1884 spielte Bismarck erneut mit dem Feuer. Man «stoße ... die großen Volksmassen vor den Kopf», lautete seine Presseanweisung, wenn die Regierung gegen den Antisemitismus direkt Stellung beziehe. Billige sie ihn aber zu offen, «treibt man wieder Judengeld in die fortschrittlichen Wahlkassen». Die Juden seien «von lächerlicher Empfindlichkeit», deutete Bismarck den Tenor künftiger Artikel an, «warum will man Leuten, die das Herz dazu treibt, verwehren, auf die Juden zu schimpfen?» Verborgen blieb Bismarcks machiavellistische Taktik, auch den Antisemitismus für seine Zwecke auszubeuten, keineswegs. Zu einem öffentlichen Dementi seiner Sympathie mit dessen antiliberaler Stoßrichtung ist es nie gekommen. Und zu einer eindringlichen Warnung vor dieser politischen Pest sah Bismarck offenbar erst recht keinen Anlaß.

Die versteckte Billigung und das ambivalente Schweigen des Reichskanzlers lassen Bambergers Ausbruch als nur zu verständlich erscheinen: «Es ist das Eigentümliche unserer dermaligen Zustände», klagte er, «daß der wirklich große Mann, der uns jetzt beherrscht, alles was er nicht mit eigener Hand beherrscht, an die Herrschaft wüsten Gesindels abgibt. Das ist die einzige Kollaboration, die er erträgt. Das ist aber vielleicht auch immer so gewesen. Es ist aber doppelt schlimm, wenn einem Volk mit barbarischen Neigungen die Brutalitätstheorie als eine Spezies des Idealismus der Kraft, Männlichkeit und Sittlichkeit angepriesen wird. Das aber ist die Signatur, und daraus erwächst der infame Geist, der jetzt ... die Zügel an sich reißt.»[14]

3. Die konservative Wende von 1878/79

Die erste Systemkrise des Kaiserreichs kulminierte 1878/79. Sie wurde sowohl durch einen fundamentalen Kurswechsel in der Innen- und Wirtschaftspolitik als auch durch die Einleitung einer aussichtsreichen, trotz aller Mängel in die Zukunft weisenden Interventionspolitik gelöst. Diese Zäsur kann als entscheidende Wegmarke der «konservativen und schutzzöllnerischen Wendung» (E. Troeltsch) wegen ihrer zeitgenössischen und ihrer prinzipiellen Bedeutung gerade auch auf längere Sicht kaum überschätzt werden. Sie ist manchmal sogar als «zweite Reichsgründung» bezeichnet worden. Das ist ein überpointiertes Urteil, aber das Ende der «liberalen Ära» wurde in der Tat durch eine außerordentlich langlebige, folgenschwere innenpolitische Weichenstellung, eine «Umgründung» zugunsten einer konservativen Regierungsallianz der Parteien und Interessenverbände besiegelt. Wichtige Ursachen, Etappen und Ergebnisse dieser Krise und ihrer Bewältigung sind vorne bereits ausgiebig erörtert worden (6. Teil, II. 3c u. 4, IV. 1d). Einige allgemeine Gesichtspunkte müssen hier aber noch einmal zusammengefaßt werden.

a) Die «Sammlungspolitik» des «Solidarprotektionismus»

Die sechsjährige industrielle Depression seit 1873 und die sich seit 1876 mit ihr überschneidende Agrarkrise ließen es in einem neugegründeten Staat wie dem Kaiserreich mit seiner noch ungefestigten Konsensbasis nicht zu, im Sinne der liberalen Orthodoxie die «Selbstreinigung» der Wirtschaft passiv abzuwarten. Da die ökonomischen, sozialen und politischen Probleme sich auf ungeahnte Weise zuspitzten, geriet die Regierung Bismarck unter einen kontinuierlich ansteigenden, schließlich kaum mehr abzuweisenden Handlungsdruck. Er wurde dadurch immens erhöht, daß die Vorherrschaft der Nationalliberalen dem jahrelangen Erosionsprozeß, der von der Diskreditierung der liberalen Marktwirtschaft, der liberalen Wirtschaftspolitik: insgesamt der liberalen «Weltanschauung» ausging, nicht standhielt und – auch dank Bismarcks tatkräftiger Nachhilfe – nach zehn Jahren endgültig zerbrach.

Mit dem Zerfall der liberalen Regierungspartei entstand ein parlamentarisches Vakuum, das durch eine neue Koalition konservativer Parteien aufgefüllt wurde. Diese Koalition war 1876 durch die informelle Allianz der Interessenvertreter, zum Teil auch der ersten «Pressure Groups» von Großindustrie und Großlandwirtschaft vorbereitet worden. «Unter Bismarcks Gönnerschaft kam das Bündnis des großen Kapitals und des großen Grundbesitzes zustande», diagnostizierte der staatskonservative Schmoller vor 1914, «das Deutschland seit Ende der 70er Jahre beherrscht.» In ihm schlossen sich eminent einflußreiche Machtaggregate zusammen, die nicht nur ein gewaltiges ökonomisches Potential, sondern auch weitreichende gesellschaftliche und politische Herrschaftsansprüche vertraten. Auf den Pfeilern dieses Bündnisses ruhte seither die Plattform der Regierungsparteien. Zu ihnen gehörten die Deutsch- und Freikonservativen, das Zentrum und schließlich die Nationalliberalen des Heidelberger Programms, wie das – nach Bambergers bitterem Urteil – ihrem «Geist pomphafter Unterwürfigkeit» als «Ausdruck der deutschen Mittelklassen» entsprach. Die effektiven Verbände, über die schließlich alle ökonomischen und gesellschaftlichen Interessenlager verfügten, fungierten oft als Zubringer- und Schlepperorganisationen für diejenigen Parteien, mit denen in der Erwartung unüberhörbarer Interessenartikulation und erfolgreicher Interessendurchsetzung die engste politische und ideologisch zementierte Liaison bestand.

Manchmal war es allerdings eher ein lebhaft schwankendes Sicherheitsnetz, über dem diese Parteien und Verbände operierten. Denn zahlreiche konfligierende Interessen: der Großindustrie und der mittleren Betriebe, der binnenmarkt- und der exportorientierten Unternehmen, der Großagrarier und der unterschiedlichen bäuerlichen Besitzklassen, ließen sich keineswegs immer reibungslos harmonisieren. Daher besaß die «Sammlungspolitik», die mit dem «Solidarprotektionismus» von 1878/79 öffentlich vom Stapel gelassen wurde, wegen ihrer unüberwindbaren internen Konflikte keine monolithische Basis. Vielmehr blieb sie ein spannungsreiches, zeitweilig auch von schweren Antagonismen erschüttertes Bündnis, das aber alle Divergenzen überlebte, so daß es bis zum Herbst 1918 seine Zählebigkeit beweisen konnte.

Die Gegensätze und Zusammenstöße innerhalb dieser informellen Allianz enthüllen daher mitnichten, daß es sich bei der «Sammlungspolitik» um ein artifizielles Konstrukt irregeleiteter Historikerphantasie handelt. Die Heterogenität der immer wieder mühsam austarierten Interessen läßt den häufigen Streit, die offene Feindseligkeit, die gelegentliche Aufkündigung der

Kooperation als banale politische Selbstverständlichkeiten erscheinen. Aber ohne die realistische Anerkennung der konfliktreichen Kooperation der großen Interessenaggregate im Rahmen der «Sammlungspolitik» kann man die politischen Entscheidungen, die seit 1878 auf der Ebene der Reichspolitik – wo nach Otto Hintzes befriedigtem Urteil vor 1911 die «monarchische Staatsleitung» anstelle des «parlamentarischen Einflusses» entscheidend begünstigt wurde –, aber auch auf der Ebene des preußischen Hegemonialstaates gefallen sind, nicht verstehen.

Dabei ging es keineswegs allein um den Primat ökonomischer Interessen, die auf diese Weise durch ein umfassendes Machtsyndikat durchgesetzt werden sollten, obwohl massive Interessenverfolgung selbstverständlich eine unübersehbar wichtige Rolle spielte, manchmal auch den Vorrang besaß. Vielmehr ging es dem «agrarisch-industriellen Kondominium mit der Spitze gegen das Proletariat» (E. Kehr) angesichts der «roten Gefahr» und der schroffen Klassenkämpfe auch immer um die gesellschaftliche Stabilisierung unter sozialkonservativer Vorherrschaft, darüber hinaus um die Befestigung der Legitimationsbasis eines autoritären politischen Systems, das nur dann, wenn es Parlamentarisierung und Demokratisierung weiterhin abzuwehren vermochte, auch die soziale und ökonomische Ordnung zugunsten der privilegierten Klassen erhalten konnte.

b) Die Anfänge des autoritären Interventionsstaats

Die Regierung Bismarck wurde durch den Problemstau der 1870er Jahre dahin gedrängt, die «Sammlungspolitik» zu fordern und zu fördern. Außer der materiellen Begünstigung der Großinteressenten tastete sie sich, um inmitten der Fluktuation der kapitalistischen Wirtschaft ihren Wachstumspfad zu ebnen, an eine antizyklische Konjunkturpolitik heran. Zugleich folgte sie dem Imperativ der gesellschaftlichen und politischen Systemerhaltung, die zwar mit einer erfolgreichen Wirtschaftspolitik bereits unauflöslich zusammenhing, in ihren Zielen aber über eine rein ökonomische Bestandsgarantie weit hinausging. Bismarck hat den lastenden Handlungszwang, dem er durch die industrielle und agrarische Doppelkrise unterworfen war, seit 1875/76 zunehmend gespürt. Daraus zog er die Konsequenz, nicht mehr auf die Wunderwirkung der Selbstheilungskräfte ungestörter Marktmechanismen, sondern auf die Ergebnisse der aktiven staatlichen Intervention zu setzen. Die allenthalben spürbare Entliberalisierung von Politik und Gesellschaft hat diesen Kurswechsel erleichtert, in gewisser Hinsicht erst ermöglicht. Da Bismarck ohnehin kein dogmatischer Anhänger des Wirtschaftsliberalismus gewesen war, beugte er sich – wie er es mit seinem Beraterkreis wahrnahm – dem Gebot der Stunde, die aktives Handeln verlangte.

In dieser Hinsicht stimmte er übrigens durchaus mit einem fernen Kontrahenten, mit Friedrich Engels – dem anderen dieser «beiden stärksten politischen Köpfe Deutschlands seit 1870» –, weithin überein. «Alle Regierungen, seien sie noch so selbstherrlich», brachte Engels seine Position auf den Punkt, «sind en dernier lieu nur die Vollstrecker der ökonomischen Notwendigkeiten der nationalen Situation. Sie mögen diese Aufgabe in verschiedener Weise ... lösen; sie mögen die ökonomische Entwicklung und ihre politischen und juridischen Konsequenzen beschleunigen oder aufhalten, à la longue müssen sie ihr folgen.» Gewiß war Engels' Urteil geschichtsphilosophisch präjudiziert, da er «in letzter Instanz» von der Vorrangigkeit der wirtschaftlichen Bedingungen ausging. Aus seinen pragmatischen Gründen sah Bismarck jedoch den Handlungszwang ganz ähnlich. Freilich hat er angesichts der gefährlichen Turbulenzen die «Notwendigkeiten», das gesellschaftliche und politische System zu stabilisieren, für noch wichtiger gehalten. Insofern gab es für ihn eine eindeutige Hierarchie der Motive unter dem Primat der Politik.

Als Bismarck in diesem Sinne die zahlreichen wirtschafts-, finanz- und sozialpolitischen Maßnahmen unterstützte, mit denen seit dem Ende der siebziger Jahre den ökonomischen Erschütterungen, den sozialen Disparitäten und den politischen Gefahren begegnet werden sollte, um die Funktionsfähigkeit von Wirtschaft und Politik zu erhalten, unterstützte er damit auch die Herausbildung des modernen Interventionsstaates, der sich in dem folgenden halben Jahrhundert in den meisten westlichen Ländern als «Antwort» auf die strukturimmanenten Krisen des ausreifenden Industrie- und Agrarkapitalismus entwickeln sollte. Überall wurde dabei durch die unterschiedlichen politischen Bedingungen auch die politische Natur des Interventionsstaats unterschiedlich geprägt, so daß er im autoritären System des Kaiserreichs seine unverwechselbar konservativ-antiliberalen Züge gewann. Deshalb stellte er keineswegs einen politischen «Zwitter» (L. Gall) dar, sondern verkörperte einen Anlauf zur etatistisch-korporativistischen Steuerung sozialökonomischer Entwicklungsprozesse mit ihren krisenhaften Fluktuationen, um den vitalen Interessen großer Wirtschaftsblöcke Rechnung zu tragen, durch die Wohlstandseffekte eines regulierten Wachstums die Massenloyalität zu erhalten und die Legitimationsbasis des konservativen Machtkartells, erst in einem charismatischen, dann in einem polykratischen Herrschaftssystem, zu befestigen.

Daß diese politische Reaktion auf neue und komplizierte Problemlagen, aus welcher der Interventionsstaat hervorging, zu einer institutionellen Modernisierung mit außerordentlich zukunftsträchtigen Entwicklungschancen führte, ist ganz unleugbar. Man braucht sich nur an die Außenwirtschafts- und Sozialpolitik, den Finanzausgleich und die Minderung des regionalen Wohlstandsgefälles, vor allem aber an die korporativistische Kooperation von Interessenverbänden, Parteien und Staatsapparat zu erinnern. Mit Demokratisierung hatte dieser aussichtsreiche Strukturwandel jedoch noch nichts zu tun, wohl aber war er mit einem antidemokratischen Pluralismus vereinbar.

Vielmehr bedurfte es einer demokratischen Staatsleitung und einer demokratisch mobilisierten Gesellschaft, um den Interventionsstaat in den Dienst der modernen, republikanischen Massendemokratie mit ihren demokratischen Gleichheits- und liberalen Freiheitsrechten zu stellen. Vorerst kamen die Erfolge des Interventionismus im kaiserlichen Deutschland an erster Stelle den Mächten des Status quo und der Reformverweigerung zustatten. Erst seit 1918 sollte sich erweisen, daß auch ganz andersartige politische Regime auf die institutionellen Arrangements und die gesetzlichen Eingriffe des Interventionsstaats zurückgreifen konnten, um nach Maßgabe ihrer Zielwerte die sozialökonomische und politische Labilität zu bekämpfen.[15]

4. Die «politische Religion» des reichsdeutschen Nationalismus

Wie aus dem Intellektuellennationalismus einer kleinen Gemeinde gläubiger Anhänger ein Massennationalismus wurde, zu dessen Träger sich die liberale Nationalbewegung entwickelte, ist im Rahmen dieser Gesellschaftsgeschichte bereits geschildert und analysiert worden (Bd. I, 2. Teil, V; Bd. II, 3. Teil, IV. 5; vorn 5. Teil, IV. 2b). Bei ihrem ersten Anlauf, als sie 1848/49 einen gesamtdeutschen, konstitutionellen, liberalen Nationalstaat erreichen wollte, war die Nationalbewegung gescheitert. Seit den späten 1850er Jahren expandierte sie aber erneut: stimuliert von der italienischen Nationalstaatsgründung, getragen von einem breit gefächerten Vereinswesen nicht nur in Gestalt der Filialen des «Nationalvereins», sondern auch der Turner-, Sänger- und Schützenvereine, der Burschenschaften und frühen Interessenverbände. Durch den neuen Intellektuellennationalismus der borussischen Schule mit ihrem Mythos von der «deutschen Mission» Preußens wurde die leidenschaftliche Diskussion auf den kleindeutschen Zuschnitt des künftigen Nationalstaats eingestimmt. Mit der Verkündigung dieser ad hoc «erfundenen Tradition» stiegen die Verfechter der nationalen Aufgabe des Hohenzollernstaats in den überwiegend protestantischen deutschen Staaten zu einflußreichen «Opinion Makers» auf. Auf der Gegenseite verlor die großdeutsche Lösung unaufhaltsam ihre Anziehungskraft, da sie die Selbstaufgabe des multinationalen Habsburgerreichs involvierte; die Wiener Deutschlandpolitik fiel darum zusehends als Motor einer glaubwürdigen deutschen Nationalbewegung aus.

Aufgrund dieser Konstellation geriet eine neue Bewegungsdynamik in die nationalpolitische Diskussion hinein. Unverändert hielt die liberale Nationalbewegung, einschließlich der frühen Arbeiterbewegung, an ihrem Fixpunkt eines konstitutionellen Nationalstaats fest. Mit dieser Vision stieg sie zu einer Macht des öffentlichen Lebens auf. Bismarck faßte – ein Beweis seiner Sonderstellung unter den Hochkonservativen – seit 1858/59 eine Kooperation mit dieser Macht für seine großpreußischen Zwecke, kühl die Kräfte kalkulierend, ins Auge. Dank der Agitation der Nationalbewegung und dank der Überzeugungsarbeit der borussischen Schule setzte sich der Nationalisierungsprozeß in den Vereinen und Studentenverbindungen, in der Tagespresse und Literatur, auf Festen und Kongressen, auf nahezu unsichtbare Weise auch durch die ökonomische Verflechtung innerhalb des Zollvereins weiter fort.

Trotzdem: Von sich aus, allein auf sich gestellt, wäre der deutsche Nationalismus der 1860er Jahre noch keine durchsetzungsfähige Macht gewesen. Es gab auch keineswegs eine Automatik, die von der Nationalbewegung zur Nationalstaatsgründung unaufhaltsam hinführte. Die teleologische Legende von der Unwiderstehlichkeit des deutschen Nationalismus, bis 1871 sein Ziel erreicht wurde, ist im Rückblick von den Nationalhistorikern konstruiert worden.

Sein Erfolg hing vielmehr ganz und gar von der Expansionspolitik eines unvorhersehbaren charismatischen Politikers ab, der es mit dem preußischen Militär in drei Kriegen, freilich auch dank seiner informellen Allianz mit der Nationalbewegung erreichte, daß der zum Teil vehemente Widerstand in den meisten deutschen Einzelstaaten und die Opposition zweier europäischer Großmächte überwunden wurden. Erst in der zweiten Hälfte der sechziger Jahre schossen mithin jene Kräfte zusammen, deren vereinigter Macht die Nationalstaatsgründung gelingen sollte.

Selbst am Ende der sechziger Jahre war der Erwartungshorizont der Nationalbewegung, bekanntlich aber auch Bismarcks selber, durchaus offen. Noch war der Nationalstaat keineswegs in unmittelbar greifbare Nähe gerückt. Zwar bildete jetzt der Norddeutsche Bund eine vielversprechende Ausgangsbasis, doch traf jede Nationalpolitik in Süddeutschland auf scharfe Ablehnung. Daß ein deutscher Nationalstaat alles andere als zwangsläufig in der nahen Zukunft entstehen mußte, haben damals wenige so illusionslos gesehen wie Ludwig August v. Rochau, der umstrittene, aber einflußreiche Autor der «Realpolitik». Als Chefredakteur des Wochenblatts des «Nationalvereins» selber ein leidenschaftlicher Wortführer der liberalen Nationalbewegung, erfaßte Rochau 1869 mit unbestechlichem «realpolitischem» Blick die zahlreichen Hemmungen, die einem solchen Triumph noch entgegenstanden.

«Die deutsche Einheit ist keineswegs eine Sache des Herzensdranges der Nation», fuhr er den Gesinnungsenthusiasten in die Parade, in «Stunden schwunghafter Stimmung» möge man «von Sehnsucht nach unzertrennlicher Vereinigung der vielfach gespaltenen Nation überfließen». Das sei aber «eine dichterische Selbsttäuschung, die vor einer nüchternen Betrachtung der Wirklichkeit keinen Augenblick» standhalte. Denn «in den tatsächlichen Verhältnissen der durch Dialekt oder Landesgrenzen voneinander geschiedenen Deutschen ist nicht die mindeste Sentimentalität wahrzunehmen. Statt der gemütlichen Anziehungskraft zeigt sich vielmehr allenthalben Mißgunst, Eifersucht, Selbstüberhebung. Fast eine jede der geschichtlich gewordenen oder gemachten Gruppen innerhalb des deutschen Volkes glaubt, vor anderen an Naturgaben und öffentlichen Besitztümern so viel vorauszuhaben, daß sie bei einer politischen Gütergemeinschaft beträchtlich zusetzen müßte. Jede dieser Gruppen will im Herzensgrund bleiben, was und wie sie ist, und jede macht bei ihren Einheitswünschen den stillen Vorbehalt, daß dadurch der Sonderexistenz nichts vergeben werde.»

«Die deutsche Vaterlandsliebe», schloß Rochau daraus, «ist aus viel Dichtung und wenig Wahrheit zusammengesetzt», denn «es gibt keinen deutschen Nationalgeist im politischen Sinne des Wortes... Wir tragen die deutsche Einheit auf den Lippen, aber nicht im Herzen.» Deshalb: «Von irgendeinem Opfer darf dabei am allerwenigsten die Rede sein.» Soeben hätten die Wahlen zum Zollparlament, rügte Rochau, erneut den «Protest gegen die Einheit des Vaterlandes» unmißverständlich ausgedrückt, «das ist wohl das stärkste Zeugnis, welches der heutige deutsche Volksgeist gegen sich selbst abgeben konnte, die bitterste Widerlegung der Sage von deutscher Nationalgesinnung und deutschem Nationalwillen».

Selbstverständlich enthielt Rochaus bissige Kritik einen beschwörenden Appell, alle diese egoistischen Barrieren endgültig zu überwinden. Aber seine zugespitzte Bestandsaufnahme führte ihn 1869 auch zu einem bemerkenswerten Schluß: «Angesichts dieser Tatsachen gehört ein starker Glaube oder eine große Dreistigkeit dazu, das deutsche Einheitsbewußtsein auf das Wollen und Tun des deutschen Volks selbst anzuweisen. Obwohl die ganze Nation dieses Bedürfnis ohne Zweifel mehr oder weniger lebhaft empfindet, so ist doch, bei ihrem Naturell und allen ihren Erfahrungen, nicht daran zu denken, daß sie jemals auf dem Wege der freien Vereinbarung zum Ziel gelangen werde. Wenn auch nicht gerade unmittelbare Anwendung von Waffengewalt, so doch jedenfalls ein unwiderstehlicher Zwang der Umstände ist aller Voraussicht nach das einzige Mittel, um den Partikularismus zu brechen.»

Nur ein Jahr später sollte die Einigung Deutschlands «durch das Schwert» den Extremfall von Rochaus Prognose bestätigen. So aufschlußreich die Skepsis eines derart versierten Kenners der politischen Lage in den deutschen Staaten auch ist, so sehr auch sein Urteil noch einmal die Offenheit der historischen Situation unterstreicht, bleibt andrerseits doch festzuhalten: Wichtige Weichen waren 1864, 1866, 1867 gestellt worden. Ein gerichteter Prozeß wurde von Berlin aus in Gang gehalten, er schloß, um das Mindeste zu sagen, den Verzicht auf den Nationalstaat aus. Ein genauer Zeitplan, vor dem sich auch Bismarck hütete, war indes nicht zu erkennen; er existierte auch nirgendwo im geheimen. Insofern bedeutete das Reich von 1871 eine aus situationsabhängigen Entscheidungen über Krieg und Einigungspolitik hervorgehende, sowohl von kontingenten Bedingungen begünstigte als auch durch zielbewußte Aktionen gewaltsam und diplomatisch herbeigeführte Gründung eines deutschen Nationalstaats.

Damit wurde die staatliche Hülle geschaffen, in der sich die neue reichsdeutsche Nation seither erst bilden mußte. Das geschah unter dem prägenden Einfluß eines sich grundlegend verändernden Nationalismus, des Reichsnationalismus. Ehe er charakterisiert wird, ist es methodisch hilfreich, sich die Doppelnatur des Nationalismus noch einmal zu vergegenwärtigen. Trotz seiner immensen historischen Plastizität, die bis zu einer chamäleonartigen Verwandlungsfähigkeit reicht, kann man relativ konstante Langzeitelemente von stärker variierenden epochentypischen Elementen unterscheiden. Die Langzeitelemente bilden einen strukturell festen Kern über viele Jahrzehnte oder gar Jahrhunderte hinweg. Da der Nationalismus aber immer seine Flexibilität behält, öffnet er sich auch den epochenspezifischen Einflüssen, die aus veränderten realhistorischen Umständen hervorgehen. Sie können als zeitbedingte Eigenarten den Kernbereich gewissermaßen nur ornamental umgeben oder aber auch, sofern sie durchsetzungsfähig genug sind, in den zentralen Bestand aufgenommen werden. In diesem zweiten Fall, der 1871 in Deutschland eintrat, vermag sich der Inhalt des Nationalismus von Grund auf zu verändern.

Daher müssen die langlebigen Elemente des deutschen Nationalismus vor 1871 auf der Linie der Interpretation, wie sie hier bereits mehrfach vertreten worden ist, noch einmal knapp präsentiert werden, damit der tiefgreifende Inhaltswandel seit 1871 genauer erfaßt werden kann.

1. Endlich möglichst viele Deutsche in einem Nationalstaat zu vereinen – das bildete, wie für fast alle Nationalismen und Nationalbewegungen, auch für den deutschen Nationalismus und die deutsche Nationalbewegung vor 1871 das Ziel, das die Einheit und Handlungsfähigkeit der Nation verbürgte. Dieses Ziel wurde durch das europäische Staatensystem mit seinen angeblich vollendeten Nationalstaaten ringsum als gemeineuropäische und zeitgemäß-moderne Organisationsform bestätigt. Seit den 1850er Jahren hatte sich die kleindeutsche Strömung, die auf einen vom protestantischen Preußen dominierten Nationalstaat setzte, als stärkste Kraft erwiesen, die sich dank der borussischen Ideologie als ausführendes Organ einer gesetzmäßigen historischen Entwicklung verstand.

2. Der Nationalismus versprach in einer Zeit tiefreichender Umwälzungen eine neue Legitimationsbasis staatlicher Herrschaft: den Willen der Nation. Das war natürlich eine Legitimitätsfiktion, die jedoch der brüchigen Lehre vom fürstlichen Gottesgnadentum und dem traditionalen Paternalismus des ständisch-spätfeudalen Privilegiensystems weit überlegen war. Die konsequente Zuspitzung hin zur Volkssouveränität – wie sie in Amerika seit 1776, in Frankreich in den frühen 1790er Jahren Verfassungen zugrunde gelegt worden war – fand sich in der deutschen Nationalbewegung nur auf ihrem kleinen demokratischen Flügel. Im allgemeinen war sie eher zum Kompromiß mit den bestehenden Machtverhältnissen im vertrauten Stil des «Vereinbarungsliberalismus» bereit.

3. Die straffe Integration der Nationsgenossen in einen modernen Gesellschaftsverband sollte die partikularstaatliche Fragmentierung überwinden, zugleich auch die staatliche Penetration – jetzt als Bündelung aller nationalen Kräfte legitimiert – vom Zentrum bis hin zur Peripherie unterstützen, damit die intermediären Gewalten endlich aufgehoben wurden und jeder mit direktem Zugriff ständig erreicht werden konnte: als Schüler, als Rekrut, als Steuerzahler.

4. Der Nationalismus verhieß eine neue Identität anstelle der anachronistischen Prägung durch die historischen Staaten und Dynastien, Städte und Regionen. Diese Identitätsbildung wurde verbunden mit den realen und erfundenen Traditionen der deutschen «Volksnation» als einer angeblich homogenen Abstammungsgemeinschaft und der deutschen «Kulturnation» als eines Verbandes, der durch gemeinsame Traditionen, insbesondere der Sprache, der Literatur und der kollektiven Erinnerung zusammengehalten wurde. Obwohl es realhistorische Gemeinsamkeiten der geschichtlichen Erfahrung, der Sprache, der Kultur in den deutschen Staaten unleugbar gab, waren sie doch keine nationalhistorischen Gemeinsamkeiten im strengen Sinn, sondern wurden erst durch die Anhänger des Nationalismus artifiziell in solche verwandelt. Beide Nationsbegriffe stimmten darin überein, daß sie auf die Vollendung der nationalen Geschichte in einem Nationalstaat mit einer Staatsnation abzielten.

5. Der deutsche Nationalismus zehrte, wie die meisten Nationalismen, von einem gläubigen Sendungsbewußtsein, wonach auch die Deutschen ein «auserwähltes Volk» mit einer welthistorischen Mission seien. Zu dieser säkularisierten Variante der alttestamentarischen Verheißung, die seit jeher auch im englischen, amerikanischen, französischen Nationalismus eine prominente Rolle spielte, gehörte der Mythos einer gloriosen nationalen Vergangenheit, deren realhistorische Heterogenität jetzt durch die Nationalisierung anationaler, jedenfalls ganz andersartiger Erscheinungen ideologisch überwunden werden sollte. Als Zwillingsphänomen war damit der Mythos der nationalen Regeneration und des dadurch eröffneten Aufbruchs in eine noch glänzendere Zukunft verknüpft. Durch diese Mythologie des Nationalismus wurde ein Überschuß an utopischem Glauben und an Mobilisierungskraft freigesetzt, wie das den Hoffnungen all jener entsprach, die sich an dieser Erfindung nationaler Traditionen beteiligten.

6. Zu den Leitideen auch des deutschen Nationalismus gehörte von Anfang an zum einen sein Anspruch auf die Höherrangigkeit der Nation im Vergleich mit allen anderen menschlichen Solidarverbänden, zum andern der Anspruch auf den Vorrang des Nationalismus vor allen anderen Wertsystemen. Dieser Anspruch tauchte zuerst als unmäßig wirkendes Postulat auf, wurde dann aber immer entschiedener verfochten und schließlich weithin durchgesetzt. Die emphatische Überhöhung verlieh, im Verein mit der ohnehin aus religiösem Wurzelboden stammenden Mythologie, dem Natio-

nalismus die Qualität einer Religion. Er wurde nicht nur, wie Norbert Elias gemeint hat, eines der «mächtigsten, wenn nicht das mächtigste soziale Glaubenssystem des 19. Jahrhunderts». Vielmehr stieg er zu der einflußreichsten «politischen Religion» der beiden vergangenen Jahrhunderte auf – ein Urteil, das heutzutage durch den Vergleich mit den gescheiterten «politischen Religionen» des Kommunismus und Faschismus bestätigt wird. Es ist daher keineswegs ein Zufall, wenn Nationalismuskenner aus unterschiedlichen Ländern, Wissenschaften und politischen Lagern darin übereinstimmen, daß sie im Charakter des Nationalismus als «politischer Religion», als «Säkularreligion», als «Zivilreligion» die eigentlichen Ursachen seiner Wirkung als Lebensmacht erkennen. Man muß, um zu dieser Charakterisierung zu gelangen, den Begriff der Religion von der historischen Gestalt der vertrauten Heils- und Erlösungslehren, der magischen und animistischen Kulte ablösen und ganz formal als ein kulturelles Deutungssystem mit einigen unabdingbaren Eigenschaften bestimmen. Zu ihnen gehören mindestens die folgenden zehn Elemente:

- die Verheißung der Kontingenzbewältigung und der Sinndeutung der menschlichen Existenz im Diesseits;
- das Versprechen der Sinnstiftung im Rang einer unfehlbaren Weltdeutung, bis hin zur Forderung des Märtyrertodes für die höchsten Werte;
- das kompromißlose Beharren auf dem Deutungsmonopol über die Auslegung der Lehre im Verhältnis zur Konkurrenz;
- der Entwurf eines umfassenden Weltbildes mit Normen und Verhaltensimperativen für möglichst alle Situationen;
- ein hohes Maß an Elastizität, um trotz des dogmatischen Kerns neuen Umständen gerecht werden zu können;
- die Vergemeinschaftung zu einem Solidaritätsverband mit hochgradiger Stabilisierung der «In-Group» und schroffer Abgrenzung von «Out-Groups», analog zur Scheidung der Christen von den Heiden, der Griechen von den Barbaren, der Juden von den «Unbeschnittenen»;
- die Stärkung durch Rituale, welche die Macht des Glaubens, die Sinndeutung, das Zusammengehörigkeitsgefühl erfahrbar machen und die Modellierung der Denkmuster und Verhaltensweisen kontinuierlich fortsetzen;
- die Versicherung tröstender Kompensationen für irdische Nachteile entweder durch individuelle und kollektive Erfolgserlebnisse oder durch die Utopie eines Endzustands, zum Beispiel durch das säkularisierte Paradies der «vollendeten Nation»;
- die Überbrückung der Generationen durch die gemeinsame Glaubenslehre, sozusagen im Sinne eines verbindlichen Generationenvertrags, der weit über das individuelle Leben hinausgreift;
- der Bezug auf eine Transzendenz, die einen verpflichtenden Sinn jenseits des Irdischen glaubwürdig macht, zum Beispiel durch den Opfertod für die Nation.

Natürlich bestehen diese Elemente nicht isoliert nebeneinander, sondern greifen, wie beim Ritual, ineinander. Natürlich kann man sich auch streiten, ob die großen Erlösungsreligionen darüber hinaus noch zusätzliche Eigenschaften, wie etwa ihre Heiligen Texte und ein Korps von Heilsverwaltern, besitzen. Zum einen haben jedoch manche Nationalismen «heilige» Texte, wie etwa der amerikanische Nationalismus die Verfassung, und auch das funktionale Äquivalent von Heilsfunktionären, etwa in der Gestalt des nationalistischen Oberlehrers im Alldeutschen Verband, im Flotten- und Ostmarkenverein oder des nationalistischen Pfarrers. Zum andern braucht ein formalisierter Begriff von Religion nicht schlechterdings alle Eigenschaften historischer Religionen zu berücksichtigen. Man kann sich weiterhin streiten, ob es eine bessere Entscheidung ist, den Ideologiebegriff so zu definieren – wie das häufig versucht worden ist –, daß er dem eigentümlichen Charakter des Nationalismus gerecht wird. Unumgänglich wird man dabei aber auf den Idealtypus einer hochspezifischen Ideologie hingelenkt, der man wegen ihrer Analogie zu historisch vertrauten Religionen das Prädikat einer Säkularreligion zuerkennen kann.

Hier wird jedenfalls der Nationalismus von seinen Anfängen an als eine mit anderen Religionen konkurrierende «politische Religion» verstanden, welche die vorn genannten Eigenschaften besitzt. Im Verlauf der Zeit machte sie ihr Loyalitäts- und Glaubensmonopol immer nachdrücklicher geltend. Wie es ein resignierter Aristokrat in Josef Roths nostalgischem k.u.k.-Roman «Radetzkymarsch» pointiert ausdrückt: «Die Völker gehen nicht mehr in die Kirche... Die neue Religion ist der Nationalismus.» Diese Verdrängung des christlichen durch den nationalen Glauben darf jedoch nicht darüber hinwegtäuschen, daß der Nationalismus überall auch zur Koexistenz mit herkömmlichen Religionen und anderen rivalisierenden Loyalitätsbindungen imstande bleibt. Das Individuum kann erfahrungsgemäß mit mehreren Göttern in seiner Brust leben, die alle auf Loyalität bestehen; je nach der Situation kann es für unterschiedliche Werte optieren. Wegen seines umfassenden Anspruchs auf Ordnung der menschlichen Existenz, auf Weltdeutung und Sinnstiftung, wegen seiner Fähigkeit, Hingabe und Gläubigkeit, Mobilisierung und Integration zu bewirken, gilt der Nationalismus zu Recht als «politische Religion», die wegen eben dieser Eigenschaften die Klassen- und Milieugrenzen, ja beim Export aus Europa die Grenzen zwischen den großen Kulturkreisen zu überspringen vermochte – und vermag.

Erleichtert wurde die Steigerung des deutschen Nationalismus zur «politischen Religion» durch den Einbruch des Theologischen Rationalismus, der Spätaufklärung und Säkularisierung in den Protestantismus, der dadurch viel tiefer aufgeweicht wurde als der Katholizismus mit seiner ungleich höheren Resistenzkraft. Die Fusion zu einem Nationalprotestantismus – von Schleiermacher angebahnt, danach von zahlreichen Theologieprofessoren und

Pfarrern vorangetrieben – kulminierte in der Bejahung der nationalen Führungsrolle des protestantischen Preußen mit seinem Anspruch auf Hegemonie im protestantisch geprägten Reich. Diese nationalprotestantische Einfärbung der neuen Säkularreligion erschwerte den Anschluß des traditionell großdeutschen politischen Katholizismus an die Nationalbewegung, nach 1871 seine vorbehaltlose Hingabe an den Reichsnationalismus.

7. Der deutsche Nationalismus blieb rund achtzig Jahre lang primär eine liberale Oppositions- und Emanzipationsideologie. Sie richtete sich gegen den Status quo der Staaten im Deutschen Bund, denn sie sollten ja in einen gesamtdeutschen konstitutionellen Nationalstaat eingeschmolzen werden. Sie wendete sich auch gegen die antiquierte Sozialhierarchie im Inneren der Staaten, denn die Reformidee der liberalen «bürgerlichen Gesellschaft» war aufs engste mit dem nationalen Ziel verschwistert. Insofern verkörperten der Nationalismus und die liberale Nationalbewegung für die Mächte der Beharrung in der Tat eine «doppelte Untergangsdrohung» (Langewiesche). Insofern auch fungierte der Nationalismus als eine Modernisierungsideologie, da seine Ziele – Nationalstaat, Nationalparlament, bürgerliche Gesellschaft, einheitlicher Wirtschaftsraum – über den Zustand der deutschen Staatenwelt weit hinauswiesen.

8. So wie zahlreiche Modernisierungsphänomene ihre schwarze Kehrseite besitzen, besaß auch der deutsche Nationalismus von Anfang an, unauflöslich in seine Textur eingewoben, seine Schattenseite: Das waren die Feindbilder, der Haß auf die äußeren und inneren Gegner der Nation. Seit den napoleonischen Kriegen gehörte dazu die Frankophobie, die 1840, erst recht 1870/71 vertieft wurde. In den 1840er Jahren kam die Dänenfeindschaft der Schleswig-Holstein-Bewegung, spätestens seit 1848 die Slawenfeindschaft hinzu – oft notdürftig übertüncht als Aversion gegen die zaristische Autokratie, das Gemeingut aller Liberalen bis hin zur äußersten Linken um Marx. In den langen Friedensjahrzehnten wurde dieser Haß durch den Kosmopolitismus des frühen Liberalnationalismus noch gebändigt. Aber unter anderen Bedingungen konnte er jederzeit freigesetzt werden, da die aggressive Wendung gegen die äußeren und inneren Feinde der Nation zu den existentiellen Bestandteilen des Nationalismus gehörte, zumal seine Anhänger frühzeitig den sozialpsychischen Mechanismus erkannt hatten, daß die «In-group» durch die Bekämpfung von «Out-groups» zusammengeschweißt wurde.

Mit diesem Kernbestand an strukturprägenden Elementen hielt sich – aufs Ganze gesehen und ungeachtet der Exzesse von 1848/49 – der Liberalnationalismus der deutschen Nationalbewegung bis zur Reichsgründung. Seit 1864/66 stand sie in einer Allianz mit Bismarck und Preußen. Auf die beiden Hegemonialkriege, welche zugleich die innere Funktion nationaler Einigungskriege besaßen, antwortete der deutsche Nationalismus mit furioser Leidenschaft. Die Siege wurden als Fingerzeig Gottes verklärt. Die Reichsgründung selber wirkte auf den kleindeutschen Nationalismus als grandiose

Bestätigung seiner Hoffnungen und Wunschträume, erst recht der «deutschen Mission» Preußens. Zeitweilig herrschte ein rauschhaftes Triumphgefühl, das weit über das protestantische Bürgertum hinaus in die Gesellschaft ausstrahlte.

a) Der Inhaltswandel des Nationalismus seit den 1870er Jahren: Der Untergang des Liberalnationalismus und der Aufstieg des Reichsnationalismus

Mit der neuen Staatsbildung war jedoch die Nationsbildung keineswegs an ihr Ziel gekommen. Das hing auch mit dem bisherigen plastischen Charakter der «Nation» als «gedachter Ordnung» zusammen, die selber wechselnden Einflüssen unterlag. Vielmehr begann die Formierung der kleindeutschen Reichsnation erst 1871, und zwar jetzt unter so radikal veränderten, neuartigen Bedingungen, daß auch der Kern des deutschen Nationalismus als Ganzes überhaupt nicht unverändert fortbestehen konnte. Das muß zunächst all jenen zählebigen Legenden entgegengehalten werden, wonach im Reich von 1871 das Telos der deutschen Nationalgeschichte erreicht, die Nationsbildung endlich vollendet worden sei. Tatsächlich ging es um einen neuen Gründungsprozeß.

Den Blick auf diesen Tatbestand darf man sich auch nicht dadurch vernebeln lassen, daß der Liberalnationalismus nicht abrupt verschwand, sondern etwa unter jenen zahlreichen Nationalliberalen lebendig blieb, die den Ausbau des Reiches durch nationale Institutionen mit Hilfe der großen Reformgesetze betrieben, bis sie 1878/79 scheiterten. Auch danach hielt er sich weiter in Teilen des Linksliberalismus und der Sozialdemokratie. Zum andern: Selbstverständlich stieg der neue Reichsnationalismus nicht linear zu seinem dominierenden Einfluß auf. Als mit der Depression seit 1873 die großen Ereignisse zwischen 1866 und 1871 plötzlich verblaßten, wich auch sogleich, wie Bismarck bemerkte, die «nationale Glühhitze» einer «trägen und interesselosen» Bewältigung pressierender Alltagsprobleme. Außerdem blieb der Widerstand konkurrierender Loyalitätsbindungen weiterbestehen: Bayerische «Patrioten», hannoveranische «Welfen», starrsinnige Altpreußen zum Beipiel, erst recht nationale Minderheiten wie die Polen, Dänen und Elsaß-Lothringer beharrten auf ihren regionalen oder nationalen Traditionen. Im allgemeinen bedurfte es der Zeitspanne einer Generation, bis die deutsche Opposition gegen das neue Reich in den 1890er Jahren nachließ. Obwohl sich seither die politische Primäridentifikation durchweg mit der Reichsnation verband, hielt die Koexistenz rivalisierender Loyalitätsbindungen häufig noch viel länger an.

Trotzdem geht es seit 1871 um die Geburt eines neuen Nationalismus, des Reichsnationalismus. Die einflußreiche Interpretation, daß es in den Zäsurjahren 1878/79 einen «Funktionswandel» vom liberalen zum konservativen, vom linken zum rechten Nationalismus gegeben habe, erfaßt nicht den grundlegenden Inhaltswandel. Richtig ist: Da ein anderes politisches System entstand, waren auch andere Funktionen zu erfüllen als vorher. Die Fähigkeit, eben das zu tun, beweist erneut die Plastizität des Nationalismus. Wichtiger aber ist, daß mit der von Grund auf neuen Konstellation von 1871 eine substantielle Inhaltsveränderung des deutschen Nationalismus einsetzte, die seine Flexibilität noch eindringlicher unterstreicht.

Diese fundamentale Neuformierung des deutschen Nationalismus, aus dessen Kernbestand seither manche Elemente verschwanden oder radikal umgedeutet wurden, während neue hinzukamen, ging weit über einen Funktionswandel hinaus! Die funktionalistische Deutung geht im Grunde auf die zeitgenössische liberale und daher einseitige Kritik zurück, wie sie am einflußreichsten Ludwig Bamberger verfochten hat. 1878/79, an jenem «Wendepunkt der Reichspolitik», hatte ihm zufolge die Regierung Bismarck mit der gesamten «Kulturwelt» des Liberalismus, aus welcher auch der Nationalstaat selber hervorgegangen sei, gebrochen. Seither verstanden es die Konservativen, den Nationalismus für ihre Zwecke auszubeuten: «Das nationale Banner in der Hand der preußischen Ultras und der sächsischen Zünftler ist», klagte Bamberger, «die Karikatur dessen, was es einst bedeutet hat, und diese Karikatur ist ganz einfach so zustande gekommen, daß die überwundenen Gegner sich das abgelegte Kleid des Siegers angeeignet und dasselbe nach ihrer Fasson gewendet, aufgefärbt und zurechtgestutzt haben, um als die lachenden Erben der nationalen Bewegung einherstolzieren zu können.» Die These vom Funktionswandel hat die Bambergersche Kritik an dieser Folge der konservativen Wende im Grunde hundert Jahre später noch einmal, diesmal im Wissenschaftsdeutsch, eingehender ausgeführt. Die unbeabsichtigte Konsequenz war jedoch, daß damit die Flexibilität auch in der Substanz: der ungleich wichtigere Inhaltswandel des Nationalismus, nicht in den Brennpunkt der Aufmerksamkeit gerückt wurde. Dort gehört er aber hin, da sich der deutsche Nationalismus seit 1871 in seinem Kern verändern mußte.

Die Hauptursachen sind schnell genannt, ehe sie genauer erörtert werden. a) Das Ziel eines deutschen Nationalstaats wurde 1871 erreicht. Damit hatte sich der Einigungsnationalismus der vergangenen Jahrzehnte erfüllt. Einigung im herkömmlichen Sinne konnte nicht mehr länger im Mittelpunkt stehen. b) Das Reich war eine durchaus revolutionäre Schöpfung: einmal im Hinblick auf das Staatensystem, in dessen Zentrum eine neue Großmacht entstand; zum zweiten im Hinblick auf die Fusion der Mitglieder zu einem großpreußisch-kleindeutschen Neustaat. Damit entstanden radikal veränderte Rahmenbedingungen für den deutschen Nationalstaat, zum Beispiel ein Zwang zur Reaktion auf die neuen Legitimationsgrundlagen des Reiches. c) Der Nationalstaat hatte die Volkssouveränität aus der nationaldemokratischen Tradition des westlichen Nationalismus in seiner Verfassung nicht als Legitimationsspender verankert. Vielmehr blieb die Fixierung sowohl auf die «Volksnation» als auch auf die «Kulturnation» erhalten, während gleichzeitig der Weg zur kleindeutschen «Staatsnation» eingeschlagen wurde.

Daraus ergab sich ein eigentümliches Spannungsverhältnis, das bis auf die Matrix des deutschen Nationalismus durchschlug. d) Der deutsche Nationalismus war seit jeher auch im deutschsprachigen Mitteleuropa ein Teil des Modernisierungsprozesses gewesen. Mit der in allen ihren Dimensionen beschleunigten Modernisierung veränderte sich auch die Natur des deutschen Nationalismus.

Kurzum: Seit 1871 entstanden epochenspezifische Bedingungen, welche dazu nötigten, neue Elemente von langer Dauer in den Reichsnationalismus aufzunehmen. Dieses Mischungsverhältnis von neuartigen und überkommenen Komponenten ist bisher noch nicht präzise erkundet worden, so daß das exakte Ausmaß von Diskontinuität und Kontinuität noch immer der wissenschaftlichen Klärung bedarf. Dennoch muß die veränderte Struktur des reichsdeutschen Nationalismus in einem ersten Anlauf etwas genauer erörtert werden.

1. Von kaum zu überschätzender Bedeutung ist die Tatsache, daß der neue Zentralstaat auch eine neue Legitimationsbasis besaß, die ganz und gar nicht den Vorstellungen des älteren Liberalnationalismus entsprach.

Er beruhte auf erfolgreich stabilisierter Fürstenherrschaft, die der Kaiser als «Reichsmonarch» repräsentierte. «Für Kaiser und Reich» – das wurde eine populäre Parole des neuen Nationalismus. Die Reichsverfassung dagegen als nüchternes Vereinsstatut des «Ewigen Bundes» vermochte, da jeder inspirierende, zukunftsweisende Grundrechtekatalog, dazu die Weichenstellung hin zur Parlamentarisierung fehlte, keinen «Verfassungspatriotismus» zu erzeugen.

Das Reich beruhte auch auf den blendenden militärischen Erfolgen. Militärwesen und Militärpolitik gewannen deshalb eine extrem hohe Geltung – auch für den neuen Nationalismus. Im internationalen Vergleich besaß dieser Nimbus alles Militärischen unstreitig eine exklusive Bedeutung, die zu den integralen Elementen des deutschen «Sonderwegs» gehört.

Nicht zuletzt gehörten die Erfolge von Bismarcks charismatischer Herrschaft zur Legitimationsgrundlage des Kaiserreichs. Der Mythos des «Reichsgründers» erhob den Kanzler zu einer einzigartigen, geradezu übermenschlichen Führungsfigur, die das gesamte politische System dominierte. Auch daraus nährte sich der Glaube an eine überlegene neue Ordnung. Was anderswo der Funktionstüchtigkeit der klugen institutionellen Regelungen einer Verfassung zu verdanken war, galt im Reich lange Jahre als «das Werk» Bismarcks.

Der Nationalbewegung war es nicht gelungen, den Nationalstaat durch «Selbstkonstitution» auf revolutionärem Wege zu schaffen. Genausowenig gelang ihr die evolutionäre Nationalisierung eines «bereits dynastisch homogenisierten einheitlichen Territorialstaats». Die Gründung des nationalen Reiches war vielmehr ein Resultat der Bismarckschen Politik und der Erfolge des preußisch-deutschen Militärs. Seit 1871 vermochte sich der Wille der Nation nur im Reichstag auszudrücken. Das Parlament wurde aber mit den Parteien im Vorhof der Macht gehalten, überdies erst ziemlich spät im öffentlichen Bewußtsein aufgewertet. Es kann daher schwerlich überraschen, daß nicht Verfassung und Parlament, sondern der Reichsmonarch, das Militär und die Herrschaft des «großen Individuums» im kleindeutschen Nationalismus einen neuartigen Stellenwert gewannen.

2. Abgesehen von der politischen Modernisierung, die das Reich in den Augen der Nationalbewegung durchaus verkörperte, förderte die ökonomische, soziale und kulturelle Modernisierung die Veränderung des Nationalismus.

Im Hinblick auf die ökonomische Entwicklung gab es, noch einmal, keine wirtschaftliche Automatik, die aus dem Zollverein mit Notwendigkeit zum Kaiserreich geführt hätte. Aber sein großer vereinheitlichter Wirtschaftsraum mit unbehinderten Kapital- und Warenströmen, vernetzten Märkten, hochmobilem «Humankapital» und immensen Wachstumsimpulsen verschaffte durch diese neuartige realhistorische Verflechtung dem Reichsnationalismus auch neue Stützpfeiler. Die suggestive – und erfolgreiche – Parole vom «Schutz der nationalen Arbeit» zum Beispiel bestätigte seit 1878 die Zugkraft des Appells an gemeinsame «national-ökonomische» Interessen.

Dank der Freizügigkeit und rechtlichen Vereinheitlichung gesellschaftlicher Entwicklungsbedingungen bot das Kaiserreich zum ersten Mal die Möglichkeit für die Entfaltung einer «deutschen» Gesellschaft anstelle der einzelstaatlichen oder gar regionalen Gesellschaften. Jetzt erst konnten, sensu stricto, ein deutsches Bildungsbürgertum, eine deutsche Unternehmerschaft, deutsche Arbeiterklassen anstelle der badischen, sächsischen, preußischen Vorläufer enstehen. Der tiefe Wandel der Sozialstruktur aufgrund des Vordringens der marktbedingten Erwerbs-, Besitz- und Berufsklassen in ganz Deutschland trieb zwar auf der einen Seite Konflikte hervor, die Trennung und Spaltung auslösten. Andrerseits wirkten aber die Gemeinsamkeiten der Sozialstruktur auch homogenisierend und untermauerten die Zielvorstellung von einer einheitlichen reichsdeutschen Gesellschaft. Die Erfahrungen mit der alle Klassen und Sozialmilieus übergreifenden Natur des Nationalismus haben diese Vorstellung von einer einzigen Nationalgesellschaft nachhaltig unterstützt. Die marxistische Kritik am vermeintlich «bürgerlichen» Nationalismus hat seine Integrationsfähigkeit über die Klassengrenzen hinweg völlig verkannt.

In der soziokulturellen Dimension ging ein zunehmender Einfluß vom Denken in dem weiten Horizont eines Großstaates aus, der die Enge der Einzelstaaten endlich überwand. Neue Ordnungsideen und -ansprüche des Reiches überwölbten die überkommene staatliche und soziokulturelle Fragmentierung. Die Kommunikationssysteme des Eisenbahn- und Telegraphenverkehrs, der überall gegenwärtigen Medien der Tagespresse, der Zeitschriften und Bücher unterstützten auf sehr konkrete Weise diese Integrationsprozesse, welche die Kollektivmentalität umprägten.

Daß das lang erstrebte Ziel des Nationalstaates erreicht worden war, hat dennoch nicht zu einer Sättigung oder Erschlaffung des Nationalismus geführt. Vielmehr wurde eine neue Psychomotorik entfesselt. Sie richtete die Energien sowohl auf die innere Vereinheitlichung bis hin zur Ausgrenzung oder gewaltsamen Einbindung der «Reichsfeinde» als auch auf die Identifizierung mit dem frisch gewonnenen Großmachtstatus. In ihrem Anspruch und in ihrer Vehemenz ähnelte sie durchaus wieder der Missionsdynamik religiöser Heilslehren.

Andrerseits: Der Reichsnationalismus entwickelte keine neue kulturelle Sendungsidee mit universellem Anspruch, wie ihn etwa der französische Nationalismus der «grande nation», aber auch der frühe deutsche Liberalnationalismus mit seinem emphatischen neuhumanistischen Kulturbegriff erhoben hatten. Der Reichsnationalismus brachte auch keine attraktive politische Sendungsidee hervor, wie sie dem «Neuen Zion» in Nordamerika mit seiner Überzeugung eigen war, für die ganze weite Welt das nachzuahmende Vorbild einer demokratischen Republik zu repräsentieren. Der weitverbreitete Glaube an die Überlegenheit der autoritär-militärstaatlichen Verfassung des Reiches war nicht exportfähig. Insofern blieb der Reichsnationalismus eigentümlich egozentrisch, bis mit dem Erstarken seiner antisemitischen und pangermanistischen Komponenten Postulate vordrangen, die mit ihrem internationalen Anspruch über seine ursprünglichen Grenzen weit hinaustrieben.

3. Im deutschen Nationalstaat wurde durch die anlaufende Nationsbildung die politische Sozialisation inhaltlich und institutionell von Grund auf verändert. Man stößt hier auf jene Bereiche, in denen nationales Bewußtsein vermittelt und geschaffen, nationale Zusammengehörigkeit, ja «die Nation» erfahrbar wurden. Diese Sozialisationsaufgaben wurden von der Familie, der Schule und der Universität, vom Militär, vom Vereinswesen und von bestimmten Segmenten der öffentlichen Medien übernommen. Selbst in Wissenschaftsbereichen, die sich dem zeitgenössischen Objektivitätsideal verpflichtet fühlten, drang die Nationalisierung der leitenden Interessen und Interpretationen unaufhaltsam vor, wie sich das an der Geschichtswissenschaft und Nationalökonomie, an der Germanistik und protestantischen Theologie besonders einprägsam beobachten läßt.

Hinzu kam die Dauerwirkung einer spezifisch nationalstaatlichen Symbolik (vgl. 8). Die stereotypierten Elemente des neuen Nationalismus, seine Werte und Normen, seine Handlungsimperative und Mythen wurden auf diese Weise verinnerlicht. Solch eine Internalisierung bildete die entscheidende Voraussetzung dafür, daß sich der Nationalismus als ideologisches Steuerungssystem verselbständigen konnte. Indem er Psyche, Phantasie und Gemüt, Denkmuster, Emotionen und Verhaltensweisen prägte, wurde diese im Grunde hochspezifische Formierung schließlich ganz unreflektiert als allgemeine Ausstattung eines jeden Nationsmitglieds, als «natürlicher» Bestandteil der psychosozialen Persönlichkeit empfunden.

Mit derartigen Sozialisationsprozessen war aufs engste eine Ummodellierung des historischen Kollektivgedächtnisses verbunden, das mit den neuen Elementen des Reichsnationalismus aufgeladen wurde. Dazu gehörte auch die Aktualisierung der nationalen Mythologie. Aus der fiktiven Frühzeit der Nation: von Hermann dem Deutschen über Karl den Großen, Luther und Friedrich den Großen wurde der Fortschritt ihrer Entwicklung bis hin zur Erfüllung im Reich von 1871, im neuen Kaisertum und in Bismarcks Leistungen als prädestinierter Aufstieg stilisiert. Warum aber sollte er auf dem 1871 erreichten Niveau innehalten? Diese Frage trieb die Epigonen der Reichsgründungsgeneration über die Grenzen der anfänglichen Saturiertheit weit hinaus.

4. Auf den Prozeß der reichsdeutschen Nationsbildung wirkten weiterhin die vertrauten konkurrierenden Nationsbegriffe ein.

a) Die «Volksnation» beanspruchte, eine uralte Abstammungsgemeinschaft zu verkörpern. Sie rückte leicht, bald auch immer häufiger, in die Nähe eines einheitlichen ethnischen Verbandes, dessen Herkunft bis auf die «reinrassigen» arischen Germanenstämme zurückgeführt wurde. Mit dem Begriff und Inhalt der «Volksnation» waren indes insbesondere drei gravierende Dilemmata verbunden.

Aus dem Reich blieben rund vierundzwanzig Millionen Deutschsprechende ausgeschlossen: in Österreich und Ungarn, im Baltikum, in entfernteren Gebieten Rußlands, in ganz Ost- und Südosteuropa. Es gehörte zu Bismarcks politischer Klugheit, den Maximalanspruch des «Nationalitätsprinzips»: nämlich alle irgendwie erreichbaren Deutschen in einem Nationalstaat zu vereinigen, nie zur Richtschnur seiner praktischen Politik zu machen. Eben deshalb blieb aber auch die großdeutsche Versuchung, sei es latent oder manifest, bis 1938 weiter bestehen. Obwohl die Einschränkung der «deutschen Nation» auf die kleindeutsche Reichsnation erstaunlich schnell weithin akzeptiert wurde, hielt sich in wichtigen Trägerschichten des Nationalismus – bei den Studenten und Turnern etwa, auch bei den nationalen Agitationsverbanden und im Universitätswesen – eine enge Sonderbeziehung zu den Deutschösterreichern. Der 1881 gegründete «Allgemeine Deutsche Schulverein» zum Beispiel, aus dem der einflußreiche «Verein für das Deutschtum im Ausland» (VDA) hervorging, sah seine erste Aufgabe darin, deutsche Österreicher als Angehörige «des deutschen Volkes» gegen den Magyarisierungsdruck in Ungarn zu unterstützen.

Die «Volksnation», alsbald auch auf «Volksgemeinschaft» umgetauft, verhieß die Überwindung der Klassengegensätze, da sich uralte Gemeinsamkeit gegen modernen Zwiespalt durchsetzen müsse. Je härter die Konflikte wurden, desto nachhaltiger wurde die fiktive Volkseinheit beschworen. Dadurch wurde aber auch die antagonistische Natur moderner Gesellschaften geleugnet, die politische und rechtliche Zähmung der Gegensätze verzögert, die Neigung zur gewaltsamen Erzwingung der volksnationalen Einheit gefördert.

Politisch besaß der Begriff der «Volksnation» das fatale Manko, daß er verfassungsindifferent war (und ist). Er war mit den politischen Systemen im Deutschen Bund und im Kaiserreich, später in der Weimarer Republik und im «Dritten Reich» mühelos vereinbar. Von sich aus bot er keinerlei Gewähr für die Verbindung mit liberalen Freiheits- und demokratischen Gleichheitsrechten. Insofern war er politisch ein reaktionärer Begriff, was allerspätestens zu dem Zeitpunkt zutage trat, als seit den 1870er Jahren auch mit seiner Hilfe Deutsche jüdischer Herkunft aus der «Volksnation» ausgegrenzt wurden.

b) Der Begriff der «Kulturnation» war seit dem 18. Jahrhundert von den Vertretern des ersten Intellektuellennationalismus zur Charakterisierung der deutschen Verhältnisse, der «Nation ohne Staat», verwendet worden. Er fingierte eine trotz der staatlichen Zersplitterung bestehende kulturelle Einheit, die vor allem auf der Sprache und anderen kulturellen Traditionen beruhte. Auch die «Kulturnation» bedurfte, da sie nur eine Art von Zwischenetappe der nationalen Entwicklung verkörperte, der Vervollständigung durch die staatliche Hülle.

Mit der «Kulturnation» waren ebenfalls gravierende Probleme verknüpft. Ähnlich wie bei der «Volksnation» konnte man auch im Namen der «Kulturnation» Deutsche außerhalb der Reichsgrenzen für den neuen Nationalstaat, das endlich erbaute feste Gehäuse der deutschen Kultur, in Anspruch nehmen. Zugleich ließen sich «Fremde», die angeblich von der deutschen Kultur – wie ihre nationalistischen Gralshüter sie jeweils definierten – nicht zuinnerst geformt worden waren, umstandslos ausgrenzen – ganz gleich, ob es sich um deutsche Juden, preußische Polen oder sozialistische Proletarier handelte. Und auch die «Kulturnation» besaß den entscheidenden Mangel, verfassungsneutral zu sein. Sie hat sich daher mit allen politischen Systemen vertragen, die seit dem späten 18. Jahrhundert im deutschsprachigen Mitteleuropa aufgetreten sind.

c) Der Begriff der «Staatsnation» drang erst vor, seitdem der deutsche Nationalstaat errichtet worden war. Staatliche Herrschaft und staatliche Macht – sie gewannen seither auch für den Nationalismus des Kaiserreichs als Werte an sich noch einmal kraftvoll an Einfluß, obwohl dieser schon vorher nicht gering gewesen war. In den 1870er Jahren konnten Reichstagsabgeordnete noch spontan von «Waldeck – meine Nation», «Bayern – meine Nation» sprechen. Bis zur Mitte der neunziger Jahre wurde dann der Nationsbegriff in der politischen Semantik mit der deutschen Reichsnation besetzt, und zu ihr gehörte notwendig der nationale Machtstaat des kaiserlichen Deutschland. Politisch ist bis in die unmittelbare Vorkriegszeit hinein für die Mehrheit der Deutschen die autoritäre Natur des Nationalstaats offenbar akzeptabel gewesen. An der Sprachenpolitik und Germanisierungsoffensive gegen die preußischen Polen, am Geschichtsunterricht und an den nationalen Agitationsverbänden läßt sich ablesen, wie in den Jahrzehnten vor 1914 die Macht «eines ideologischen Staatsnationalismus» (Schieder) vordrang.

Dagegen den Weg zur «Staatsbürgernation» einzuschlagen, die auf der normativen Legitimationsbasis naturrechtlich begründeter Individualrechte, mithin auf verfassungsmäßig garantierten Grundrechten politisch konstituiert wird und dann auf einem liberal-demokratischen politischen System mit uneingeschränkten Partizipationschancen und auf einer davon geprägten politischen Kultur beruht – das ist nur von einer erfolglosen Minderheit gefordert worden. Vor 1914 meinte Staatsnation die staatlich garantierte und geförderte, gegebenenfalls herrisch erzwungene Einheit der deutschen Reichsnation in einer Großmacht.

5. Unverkennbar haben die Feindstereotypen des deutschen Nationalismus seit 1871 in kraß verschärfter Form ihren Einfluß geltend gemacht. Die Mächtekonkurrenz im europäischen Staatensystem neigte im Zeitalter der Nationalstaaten stets dazu, die Gegensätze auch nationalistisch aufzuladen. Rivalen erschienen daher als Nationalfeinde. Seit dem emotionalen Ausbruch, der den Krieg von 1870/71 begleitet hatte, wurde Frankreich als revanchelüsterner Erzfeind, als Inkarnation der existentiellen Bedrohung des deutschen Nationalstaats wahrgenommen. Die Haßgefühle des Einigungskriegs gingen bruchlos in die Frankophobie der Folgezeit über. Seit den achtziger Jahren lebte auch die Slawenfeindschaft wieder auf, und die Englandfeindschaft trat seit den Kolonialkonflikten hinzu. Alle diese Phobien erwiesen sich als fatal steigerungsfähig, während der kosmopolitische Traum von der friedlichen Koexistenz aller Nationen, den auch der deutsche Liberalnationalismus jahrzehntelang gehegt hatte, ins Nichts zerstob.

Als mindestens ebenso folgenschwer erwies sich die feindselige Wendung gegen vermeintliche Gegner im Inneren der Nation. Nachdem die äußere, die staatliche Einheit erreicht war, wurden die «Einigungskriege» in der Gestalt von «Feldzügen nach innen» mit dem Ziel, die innere Homogenität zu erzwingen, fortgesetzt. Im «Kulturkampf» richtete sich die erste Attacke auch gegen die mit dem Nationalismus konkurrierende Loyalitätsbindung der Katholiken an ihre übernationale Religion und an die «römische» Kirche. Bei der Sozialistenverfolgung wendete sich der zweite Angriff auch gegen die konkurrierende Loyalität gegenüber dem Internationalismus des Proletariats. Selbst ein gemäßigter liberaler Kritiker wie Friedrich Naumann sah noch um die Jahrhundertwende im entschiedensten Widerstand gegen die «Entnationalisierung des deutschen Volkes» den «Punkt, wo wir uns aufs allerschärfste von der Sozialdemokratie trennen», denn sie hänge einem «Begriff von ‹international›» an, «der zur Entkräftung des Deutschtums führt. Das machen wir nicht mit!»

Und der politische Antisemitismus stigmatisierte auch die Juden als «Reichsfeinde», indem er sie nicht nur aus der fiktiven rassischen Einheit der deutschen «Volksnation» herausdrängte – wie das paradigmatisch auch sofort die «Vereine Deutscher Studenten» mit ihren jüdischen Kommilitonen taten –, sondern gleichzeitig auch die konkurrierende Loyalität gegenüber dem «auserwählten Volk» oder dem internationalen jüdischen Kapital als eklatante nationale Illoyalität brandmarkte. Die Antisemitenparteien seit den siebziger Jahren sind daher, längst vor den Alldeutschen, die ersten Kampfverbände des organisierten Reichsnationalismus gewesen. Seither besaß er auch eine antisemitische Stoßrichtung. Als die «Deutsche Antisemitische Vereinigung» sich 1886 als «Grundstein zu einer künftigen großen deutsch-nationalen Partei» verstand, sprach sie die Überzeugung aller Antisemiten aus, daß die deutsche Nation fortab ihre ethnische Einheit durch die Ausscheidung aller Juden verteidigen müsse.

Der von den wirtschaftlichen und sozialen Turbulenzen seit 1879 angefachte paranoide Kampf gegen die inneren «Reichsfeinde» verriet, welcher verhängnisvolle Konformitätsdruck vom Reichsnationalismus ausging, der möglichst schnell eine pluralistische durch eine national vereinheitlichte Gesellschaft ersetzen wollte. «Es ist ein Geschlecht herangewachsen», resignierte Bamberger 1889, «dem der Patriotismus unter dem Zeichen des Hasses erscheint, Haß gegen alles, was sich nicht blind unterwirft, daheim oder draußen.» Dieser Drang der Trägerschichten des Reichsnationalismus, die Gegner auszugrenzen, zu stigmatisieren, zur Kapitulation vor dem Götzen ihrer Nation zu zwingen, um die fetischisierte innere Einheit der Nation zu erzwingen, bot der Reichsregierung die Chance, die in der Tat auch manipulatorisch genutzt wurde, durch den Kampf gegen immer neue «Reichsfeinde» regierungstreue Mehrheiten zu gewinnen und in ein Lager der «Reichsfreunde» zu integrieren. Der Gesamteffekt dieser Herrschaftstechnik war jedoch eine irreparable Vertiefung jener Bruchlinien, welche die Nation durchzogen, so daß gerade ihre lauthals beschworene Einheit rigoroser denn je zuvor in Frage gestellt wurde.

6. Bestimmte Veränderungen des Nationalismus – etwa durch den neuartigen Inhalt der politischen Sozialisation, durch die ethnisch-rassistisch umdefinierte «Volksnation», durch die Intensivierung der Feindbilder – hängen auch mit der Entliberalisierung der deutschen Politik und Gesellschaft seit den späten siebziger Jahren zusammen. Als die Krisenjahre seit 1873 die liberale Marktwirtschaft, die liberale Marktgesellschaft, die liberale Politik, überhaupt den Liberalismus als «Weltanschauung» in den Augen der meisten Reichsbürger um jede Glaubwürdigkeit und Überzeugungskraft brachten, wurde dadurch auch der Liberalnationalismus als antiquierte, inzwischen überwundene Frühform des deutschen Nationalismus Zug um Zug weiter verdrängt. Das Scheitern der liberalen Parlamentarisierungspolitik hat diesen Erosionsprozeß noch verschärft, da ein derart durchschlagender innenpolitischer Erfolg, der als Gegengewicht gegen die Abwertung des Liberalismus gewirkt hätte, ausblieb.

Was unter dem Stichwort des Funktionswandels als Indienstnahme des Nationalismus durch den konservativen soziopolitischen Machtblock beschrieben worden ist, trifft in der Sache vielfach zu. In der Tat wurde der junge Reichsnationalismus schon in den siebziger Jahren, erst recht seit der Epochenzäsur von 1878/79 konservativ: Der erreichte Status eines nationalen Großreichs wurde sein Heiligtum, die bestehende Staats- und Gesellschaftsordnung mit «der» Nation schlechthin gleichgesetzt. Kritiker oder Reformer handelten sich im Nu das Epitheton «antinational» ein. Mit den ausnahmerechtlich fundierten Kampagnen gegen die inneren «Reichsfeinde» gewann der Reichsnationalismus extrem illiberale Züge. Indem er kontinuierlich auf die Großmachtstellung des Reiches pochte, wurde er arrogant, prestigesüchtig, reizbarer als je zuvor. Für den deutschen Imperialismus seit der Bismarckzeit gab es mehrere dominante Motive, aber die Bejahung des Imperialismus wurde vom Reichsnationalismus ohne Umschweife vollzogen. Der frühe extreme Nationalismus forderte ihn sogar als klassischen Kraftbeweis einer Großmacht im Ringen mit anderen Nationen, und Kolonien galten ihm als symbolkräftige Attribute der angestrebten Weltmacht.

Die Aggressivität der Feindbilder nahm dadurch noch einmal zu, gleich ob es sich um äußere oder innere Feinde handelte. Das drückte sich auch in der wachsenden sprachlichen Militanz aus. Der «rachsüchtige Welsche», das «barbarische Slawentum», das «perfide Albion» außerhalb der Grenzen, dazu im Inneren der «umstürzlerische Sozi», der klerikale «Ultramontane», der jüdische «Fremdrassige» – diese Klischees schliffen sich im Sprachhaushalt immer tiefer ein. Seit den achtziger Jahren gewann überhaupt eine Radikalisierung des Reichsnationalismus an Boden, wenn man darunter die hypertrophe, durch keine Gegenargumente mehr zu bändigende Übersteigerung aller dieser Züge versteht. Der extreme Nationalismus trat im Vordringen der pangermanistischen Expansionsideen, des giftigen rassistischen Antisemitismus, der forcierten Germanisierungspolitik gegenüber den nationalen Minderheiten unübersehbar zutage. Alle diese Radikalisierungsprozesse hingen an erster Stelle mit den innenpolitischen und innergesellschaftlichen Veränderungen zusammen.

7. Wie läßt sich diese anhaltende Radikalisierung des Reichsnationalismus, in der sich die Zukunft des deutschen Nationalismus bis 1945 ankündigte, trotz der komplizierten Mischung der Antriebskräfte zumindest im Ansatz erklären? Man kann die Steigerung zum radikalen Nationalismus als Reaktion auf außerordentlich schmerzhafte Modernisierungserfahrungen verstehen. Auf die «Herausforderung» durch die deprimierenden Konjunkturfluktuationen des Industrie- und Agrarkapitalismus, auf die bitteren Klassenkonflikte, auf den Verlust vertrauter «Weltbilder» und den Aufstieg irritierender neuer Deutungssysteme, wie etwa des fundamentalistischen Marxismus und Ultramontanismus, gab der ins Extreme gesteigerte Nationalismus seine «Antwort».

Den Belastungen und Anpassungsproblemen der Individuen und Klassen setzte er seine Therapie: die Spannungsbewältigung durch die innere Vollendung der nationalen Einheit, entgegen. Alle Feinde und Fremden sollten ausgeschaltet oder eingeschmolzen werden, damit die purifizierte Nation den Herausforderungen des Tages als monolithischer Block begegnen konnte. Die westliche «Zivilisation» und das slawische «Asiatentum» konfrontierte er mit der Überlegenheit der deutschen «Kultur». Im Ringen der Nationalstaaten insistierte er auf der Mission des Reiches, als europäische Hegemonialmacht die Führung zu übernehmen und folgerichtig dann auch durch «Weltpolitik» den Status einer Weltmacht zu erringen. Typisch für die Wendung zum integralen Nationalismus ist etwa die Mutation von Treitschkes liberalem Einigungsnationalismus zu einem antiliberalen, antidemokratischen, antikatholischen, antisozialistischen, antisemitischen Reichsnationalismus mit einer exzessiven Glorifizierung des nationalen Machtstaats und seines globalen Imperialismus.

Der Radikalnationalismus bot durch seine Superioritätsdoktrin, durch die Aussicht auf einen Sieg über alle antinationalen Feinde, durch das Abstecken großartiger Ziele eine Kompensation für die individuellen und kollektiven «Kosten» der Modernisierung. Während die Modernisierung das Selbstwertgefühl und die Selbstsicherheit durch ökonomische Schwankungen und soziale Statusängste, durch kulturelle Orientierungsnöte und die Beeinträchtigung des Identitätsgefühls in Frage stellte, ja zerstörte, stieg die Attraktion des extremen Nationalismus, der die Probleme des Individuums, aber auch großer Sozialformationen durch die von allen Störenfrieden befreite nationale «Volksgemeinschaft» und eine prestigeträchtige Weltgeltung zu überwinden verhieß. Je mühseliger der Weg in die Modernität, je schmerzhafter die Modernisierungskrisen, das ist die Erklärungshypothese, desto leidenschaftlicher und radikaler die kompensatorischen Versprechungen des Nationalismus.

Der extreme Nationalismus stellte kein isoliertes deutsches Phänomen dar. Der englische Jingoismus, der französische Chauvinismus, der «neue» amerikanische Nationalismus weisen durchaus strukturell verwandte Züge auf. Aber in Deutschland erfuhr der Radikalnationalismus eine konstellationsspezifische Zuspitzung: Das Kaiserreich trat als Spätkömmling mit nachholendem Geltungsbedürfnis in die Reihe der Nationalstaaten und Kolonialmächte ein. Ohne eine gefestigte liberale politische Kultur betrieb es die Verfolgung von «Reichsfeinden» in exzessiven Formen. Dem rassistischen Antisemitismus – ob seinen politischen Organisationen oder seiner politischen Metaphorik – setzte es zu wenig Widerstand entgegen. Die erfolgreiche, aber auch sich überstürzende ökonomische, soziale, kulturelle Modernisierung provozierte die hektische Suche nach festem Halt, der in der Gestalt des Radikalnationalismus letztlich nur eine suggestive Pseudolösung gravierender Probleme in Aussicht stellte.

8. Der deutsche Nationalismus wurde auch durch Einflüsse verändert, deren Analyse merkwürdigerweise oft vernachlässigt worden ist. Sie gingen vom Ausbau des Reiches zu einem Nationalstaat aus, der unstreitig einen modernen Staatstypus sui generis verkörperte. Dieser Ausbau war zum Teil wiederum selber ein Resultat der Ansprüche, die der Reichsnationalismus erhob. An der Art, wie das Deutsche als reichsweit verbindliche Amts-, Geschäfts- und Schulsprache forciert durchgesetzt wurde, läßt sich etwa der Drang nach nationaler Homogenisierung verfolgen, die mit steigender Unduldsamkeit gegenüber fremdsprachigen Staatsbürgern mit jahrhundertealten eigenständigen Kulturtraditionen verbunden war (vgl. unten 4b).

Der föderative Charakter der Reichsverfassung schien klassische Attribute des Nationalstaats wie den nationalen Monarchen, das nationale Heer, die nationale Flotte auszuschließen. Aber in relativ kurzer Zeit setzten sie sich im öffentlichen Bewußtsein als Reichsmonarch, als Reichsheer, als Reichskriegsflotte durch. Sie wurden weithin – sieht man von der regionalistischen Opposition der Welfen, Wittelsbacher und Altpreußen ab – als vereinheitlichende Institutionen und Symbole des Nationalstaats aufgefaßt. Eben diese Eigenschaften wurden während der politischen Sozialisation auch verinnerlicht.

Zum andern gehört zum Nationalstaat gemeinhin eine spezifische Symbolik. Die übliche Nationalflagge gab es jedoch nicht; die Trikolore «Schwarz-Weiß-Rot» wurde zuerst nur in der internationalen Handelsschiffahrt verwendet, ehe sie mit der Schlachtflotte seit dem Ende der neunziger Jahre Popularität gewann. Eine Nationalhymne fehlte ebenfalls; als Ersatz wurde meist «Heil Dir im Siegerkranz» gespielt, das «Deutschland»-Lied erhob erst die Weimarer Republik zur Nationalhymne. Die Einigung auf ein großes Nationalfest zur Feier der nationalen Einheit kam nicht zustande. Die festliche Erinnerung an den formellen Akt der Versailler Reichsgründung am 18. Januar 1871 wurde von Preußen monopolisiert. Die Kaisergeburtstagsfeste demonstrierten in erster Linie dynastische Anhänglichkeit. Allein das Sedanfest zur Erinnerung an die entscheidende Schlacht gegen Napoleon III. stieg in den Rang eines Reichsfeiertags auf, der gleichwohl heftig umstritten blieb. Von Pastor v. Bodelschwingh, dem Leiter der Betheler Krankenanstalten, ursprünglich als religiös fundiertes Dankfest konzipiert, verwandelte es sich in eine pompöse Veranstaltung mit Siegesparaden und vulgärnationalistischer Rhetorik, die lange die katholischen und sozialdemokratischen «Reichsfeinde» diskriminierte. Die Folge auf ihrer Seite war ein Boykott des Festes.

Nationale Denkmäler als Ausdruck symbolischer Politik entstanden in den siebziger Jahren mit der Germania des Niederwalddenkmals und dem endlich abgeschlossenen Hermannsdenkmal im Teutoburger Wald. An zahlreichen Kriegerdenkmälern verband sich ungleich massenwirksamer der Totenkult mit Siegesfeiern, die dadurch, daß sie die soziale Militarisierung der Gesellschaft beförderten, eine spezifische Komponente des deutschen Reichsnationalismus stärkten. Erst später wurde auch durch die Denkmäler für Wilhelm I., vor allem aber für Bismarck an das nationale Identitätsgefühl appelliert.

Als verbindlicher Fluchtpunkt auch der symbolischen Politik und der mit ihr verbundenen Sozialisationsprozesse setzte sich ein Totalitätsbegriff von der vollendeten, politisch, mental und ethnisch homogenisierten, einsprachigen Reichsnation durch. Diese integralnationalistische Zielvorstellung verstärkte mit anschwellender Wucht all jene Kräfte, die auf die Ausgrenzung innerer Gegner, die Stigmatisierung jeder Abweichung, notfalls auf die gewaltsame Einschmelzung durch die Germanisierungspolitik hintrieben.

9. Im Rückblick ist deutlich erkennbar, daß auch kontingente Erfolgserfahrungen, welche die reichsdeutsche Gesellschaft gemacht hat, der Verbindlichkeit des Nationalismus als Säkularreligion und damit zugleich dem jungen Nationalstaat zugute gekommen sind.

a) Mit dem Nationalstaat verband sich in Deutschland der Durchbruch der Industriellen Revolution, dann eine rasche, erfolgreiche Industrialisierung, der Beginn des modernen wirtschaftlichen Wachstums mit seiner Wohlstandssteigerung, die sich spürbar zwar erst auf längere Sicht auswirkte, trotzdem aber im Gedächtnis einiger Generationen den positiven Vergleich mit der Zeit vorher ermöglichte. Dieser Aufschwung wurde auch und gerade dem Nationalstaat mit seinem Großmarkt, seinen Konjunkturimpulsen, überhaupt mit seinen neuen ökonomischen Dimensionen zugeschrieben.

b) Der deutsche Nationalstaat war zugleich ein Verfassungs- und Rechtsstaat. Seinen Bürgern wurde ein bisher unbekanntes Maß an politischer Teilhabe durch das allgemeine, gleiche Reichstagswahlrecht für Männer, auch ein neues Maß an Rechtssicherheit gewährleistet. Die rechtliche Basis der bürgerlichen Gesellschaft wurde durch eine weithin bewunderte Gesetzgebung ausgebaut. Auch dieser Gewinn wurde im kollektiven Gedächtnis dem Nationalstaat zugute gehalten.

c) Binnen kurzem entwickelte sich als Reaktion auf die ökonomischen Krisen und sozialen Belastungen der industriellen Welt der Interventions- und Sozialstaat, wie sich das seit den siebziger Jahren verfolgen läßt. Diese ausdehnungsfähige moderne Form der Daseinsvorsorge mit ihrem seither entstehenden «Netz der sozialen Sicherheit» galt ebenfalls als Leistung des reformfähigen Nationalstaats.

d) Schließlich gelang es, um nur noch ein weiteres Beispiel zu nennen, nach schweren Auseinandersetzungen, große Sozialkonflikte allmählich zu institutionalisieren. An die Stelle etwa des offenen Klassenkampfes zwischen Unternehmer- und Arbeiterschaft trat der rechtlich gezähmte Konflikt, auch schon in der Gestalt der Tarifpolitik mit ihrem Ritual von Drohung und Gegendrohung vor dem Kompromiß. Das empfand mancher als eine Zumutung oder als eine zu kostspielige Neuerung – sie war aber allemal besser als Streiks am Rande des Bürgerkriegs.

Alle diese Erfolge waren keineswegs mit innerer Notwendigkeit an die Existenz eines Nationalstaats gebunden. Wirtschaftswachstum erzielte auch ein autoritäres Kaiserreich wie Japan. Verfassungs- und Rechtsstaat par excellence war die Bundesrepublik vor 1990, ohne je Nationalstaat gewesen zu sein. Zum Sozialstaat sind die Vereinigten Staaten noch immer nicht geworden. Soziale Konflikte werden auch in multinationalen Staaten gezähmt. Kurz, außerordentlich folgenreiche positive Entwicklungen in der westlichen Welt: Wirtschaftswachstum und Wohlstandssteigerung, Verfassungs- und Rechtssicherheit, Daseinsvorsorge und Konfliktbändigung fallen, historisch gesehen, zufällig in die Epoche des deutschen Nationalstaats. In der kollektiven Erinnerung aber wurden sie als genuine Leistungen des Nationalstaats aufbewahrt. Als schlagender Beweis seiner ökonomischen und politischen Modernität haben solche Erfolgserfahrungen eindringlich, wenn auch auf schwer meßbare Weise, die Attraktivität des Nationalismus gesteigert. Sich ihm vorbehaltlos hinzugeben hieß offensichtlich, sich auf der Höhe der Zeit zu bewegen, wahrhaft modern zu sein, im Einklang mit der mächtigsten Ideologie der Gegenwart zu leben.

10. Auch wenn man die Durchsetzungskapazität des Reichsnationalismus nachdrücklich betont, muß man sich doch vergegenwärtigen, daß es zählebige Probleme gab, die er nicht schnell eliminieren, ebenso wie starke Gegenkräfte, die er erst nach geraumer Zeit überwinden konnte.

a) So gehörte es zu den Eigenarten auch des modernen deutschen Nationalismus, daß er über die Klassen- und Milieugrenzen hinweg Menschen aus den unterschiedlichsten Formationen in seinen Bann ziehen und ihre sozialkulturelle Persönlichkeit prägen konnte. Andrerseits blieb eine engere Affinität zu den bürgerlichen Klassen erhalten als zum Proletariat, da in der Sozialdemokratie nicht nur die liberalnationale Tradition als Erbe der Achtundvierziger Revolution und der Nationalbewegung länger fortlebte, sondern auch der Internationalismus als rivalisierende Loyalitätsbindung weiterbestand.

b) Im klassischen Land der Konfessionsspaltung, die der «Kulturkampf» noch einmal drastisch vertiefte, ging von der unterschiedlichen Rezeptionsbereitschaft der Konfessionen sowie von den Gegensätzen zwischen ihnen ein gewaltiger Einfluß aus. Aufgrund der bereits erörterten spezifischen Voraussetzungen stand der deutsche Protestantismus von Anfang an in einem bejahenden, schließlich symbiotischen Verhältnis zum Nationalismus, und dem Nationalprotestantismus, wie er sich seit den sechziger Jahren konsolidierte, blieben aufgrund seiner unversöhnlichen antikatholischen Stoßrichtung die Katholiken immer Nationsgenossen zweiter Klasse. Im politisch mobilisierten Katholizismus mit seinen traditionell großdeutschen Leitbildern stieg dagegen nach der Demütigung im «Kulturkampf» die

Aversion gegen den «borussischen» Nationalismus noch einmal an. Erst seit den neunziger Jahren folgte darauf das angestrengte Bemühen, durch einen demonstrativen, hypertrophen Nationalismus die Zuverlässigkeit der «nationalen Gesinnung» zu beweisen.

c) Der Weg zur ethnisch homogenen «Volksnation» und zur Einheit der «Staatsnation» löste erbitterten Widerstand aus. Dadurch wurde auf der einen Seite der deutsche Nationalismus radikalisiert, auf der andern Seite aber das Eigenbewußtsein zum Beispiel der preußischen Polen revitalisiert. Die verschärfte Germanisierungspolitik mobilisierte im sogenannten «polnischen Gemeinwesen» innerhalb des deutschen Staates vordem unbekannte nationaloppositionelle Resistenzkräfte, welche die Überwältigungsabsichten des deutschen Radikalnationalismus zunichte machten. Auf eine strukturell vergleichbare Weise stärkte die Diskriminierung der «vaterlandslosen Gesellen» die Vorbehalte, die in der Sozialdemokratie gegenüber dem konservativen, erst recht gegenüber dem Radikalnationalismus bestanden. Ganz ähnlich führten auch seine antisemitischen Ingredienzien Juden mit ehemals unreflektierter Assimilationsbereitschaft in Verteidigungsorganisationen zusammen, ja wider Willen verschafften sie dem Zionismus als jüdischem Nationalismus Zulauf.

d) Schließlich war mit der inhaltlichen Verwandlung des deutschen Liberalnationalismus zum Reichsnationalismus das Problem verbunden, daß er über Grenzen hinaustrieb, die bislang als Errungenschaften der modernen Kultur oder als Erfolge der politischen Klugheit Respekt genossen hatten. Der integrale Nationalismus setzte sich im Kampf gegen die «Reichsfeinde» über die Prinzipien der Rechtsstaatlichkeit, der Toleranz, des humanen Umgangs blindwütig hinweg. Der unheilschwangere Wunschtraum von der ethnischen Einheit der «Volksnation» führte dazu, daß der postemanzipatorische Gegenschlag gegen die liberalen Integrationsgesetze die jüdischen Deutschen als Parias erneut auszugrenzen verlangte. Den preußischen Polen begegnete er mit einer Germanisierungsoffensive, deren Fluchtpunkt – wie Fanatiker es bald konsequent formulierten – die erzwungene «Umvolkung» bildete.

Über die weise Selbstbeschränkung, das kleindeutsche Reich als den deutschen Nationalstaat schlechthin zu bejahen, setzte sich der Ruf des alldeutschen und völkischen Radikalnationalismus nach «Großdeutschland» hinweg. Damit wurde der allein Stabilität im Staatensystem verbürgende feste Rahmen des kleindeutschen Staates im Prinzip in Frage gestellt. Und durch den populären Imperialismus der «deutschen Weltpolitik», die auch der extreme Nationalismus vorantrieb, wurde er geradezu gesprengt. Aufgrund dieser von ihm selber entfesselten Dynamik stellte der expansive Reichsnationalismus die Existenz des Nationalstaates, dessen «natürliche» Entfaltung er zu verfechten vorgab, auf lange Sicht selber in Frage. Letzten Endes unterstützte er jenen selbstzerstörerischen Prozeß, der noch vor der

Mitte des 20. Jahrhunderts zur Zertrümmerung dieses Nationalstaats führen sollte.[16]

b) Die Nationalitätenpolitik: Polen – Elsaß-Lothringer – Dänen

Während die kleindeutsche Reichsnation entstand, stellte das «Deutsche Volk» – wie es in der Reichsverfassung hieß – keineswegs die gesamte Reichsbevölkerung, weil mehrere nationale Minderheiten durch die Entscheidung von 1871 gegen ihren Willen in diesen Staat eingeschlossen worden waren. Sie besaßen keinen Nationalitätenschutz, wie ihn die Frankfurter Reichsverfassung von 1849 vorgesehen hatte, vielmehr wurde nach kurzer Zeit damit begonnen, das Ideal der nationalen Homogenität gegen sie durchzusetzen. Jeder zehnte Preuße vor 1914 war Pole (1910: 35.4:3.7 Mill.) – eine quantité négligeable waren dreieinhalb Millionen Polen mitnichten. Im Westen verstanden sich die französisch sprechenden Elsässer und Lothringer, im Norden die schleswigschen Dänen als zwangsintegrierte Minorität. Die Litauer und Masuren dagegen waren aufgrund ihrer Prussifizierung, die überdies zu einem staatskonservativen Royalismus geführt hatte, zu einer autonomen Opposition weder willens noch fähig.

Der militante junge Reichsnationalismus erstrebte seit den siebziger Jahren zuerst einmal den absoluten Vorrang der deutschen Staatssprache im Bildungs-, Versammlungs- und Gerichtswesen, im Handels- und Militärrecht – im Prinzip in allen Bereichen des rechtlich regulierbaren öffentlichen Lebens. Diese sprachliche Suprematie galt je länger, desto mehr als unverzichtbares Charakteristikum des Nationalstaats. Verhältnismäßig großzügig wurden die Elsaß-Lothringer behandelt. Abgesehen von der relativ geringen Zahl Französischsprechender – nach der Abwanderung von etwa sechzigtausend sogenannten «Optanten» nach Frankreich – erschwerte wahrscheinlich zum einen der Respekt vor der französischen Kultur einen rigorosen Kampfkurs. Zum andern behielt die deutsche Politik die Hoffnung, die angeblich gewaltsam französisierten Bewohner des «Reichslands» von ihrer unverjährbaren Zugehörigkeit zur deutschen «Kulturnation» zu überzeugen und zu einer Bejahung «ihres» Nationalstaats zu bewegen. Anders als im Osten vertraute sie auch auf das zunehmende numerische Gewicht der Reichsdeutschen und die einsichtigen Vorteile der wirtschaftlichen Verflechtung.

Härter schon wurden die Dänen reglementiert, wobei die leidenschaftliche Opposition der Schleswig-Holstein-Bewegung gegen die Dänisierungspolitik seit den 1840er Jahren die deutsche Politik spürbar beeinflußte. Mit unverhüllter Feindschaft wurde aber in erster Linie die antipolnische Nationalisierungspolitik betrieben. Die arrogante Vorstellung von einem west-östlichen Kulturgefälle und die Überzeugung, daß die Überlegenheit der Deutschen nicht nur das historische Recht zur Germanisierung verleihe, sondern daß diese auch geradezu die wohltätige Anhebung auf ein höheres

Kulturniveau bewirke, haben den militanten deutschen Nationalismus noch verschärft.

Die Germanisierungspolitik gegen die nationalkulturelle Eigenart der preußisch-deutschen Polen wurde zum einen auf dem Feld des Sprachenrechts gegen die kulturelle Identität, zum andern im Bereich des Agrarrechts gegen den materiellen Besitzstand dieser Minderheit geführt. Auf beiden Kampfplätzen löste die deutsche Politik einen unnachgiebigen Widerstand aus, der – aufs ganze gesehen – mit einer überaus erfolgreichen Selbstbehauptung der Polen erst 1918 endete. Freilich darf man hier nicht mit einem simplen Aktion-Reaktion-Schema operieren. Im Osten prallten vielmehr zwei überaus selbstbewußte Nationalismen aufeinander. Unter den historischen Bedingungen jener Zeit ist es darum kaum vorstellbar, daß das wechselseitige Hochtreiben der Gegensätze völlig zu vermeiden gewesen wäre. Abstrakt gesehen hätte auch dieser Konflikt in erträglicheren, liberalen Formen ausgetragen werden können. Aber es gehörte zu den Eigenschaften des reizbaren Reichsnationalismus und des obrigkeitlichen preußischen Politik- und Verwaltungsstils, daß sie sich bei der Erzwingung der inneren Homogenität über die meisten hemmenden Barrieren bereits rücksichtslos und siegessicher hinwegsetzten.

Auch in der Nationalitätenpolitik fiel die Mehrzahl der grundlegenden Entscheidungen in der Bismarckzeit. Unstrittig war der Reichskanzler bereit, sich mit der etatistischen Loyalität gegenüber dem multinationalen preußischen Staat zu begnügen, solange sich die Polen als gehorsame Untertanen der Obrigkeit fügten. Aber unter der Decke dieser Art von Staatsräson gegenüber einer nationalen Minderheit lebte zugleich auch ein immer wieder durchbrechender genuiner Haß. «Haut doch die Polen, daß sie am Leben verzagen», forderte er schon 1861. «Ich habe alles Mitgefühl für ihre Lage, aber wir können, wenn wir bestehen wollen, nichts anderes tun, als sie auszurotten; der Wolf kann auch nichts dafür, daß er von Gott geschaffen ist, wie er ist, und man schießt ihn doch dafür tot, wenn man kann.» In Wahrheit ist daher der Abstand zwischen der Polenfeindschaft des Reichsnationalismus und der in einer emotionalen Tiefenschicht verankerten Aversion Bismarcks keineswegs so gewaltig gewesen, wie die seinen kühlen Etatismus verklärende Hagiographie glauben machen wollte.

In allen Gebieten mit nationalen Minderheiten – nur die Litauer und Masuren, Kaschuben und Sorben blieben aufgrund ihrer Assimilierung ausgenommen – wurde in den siebziger Jahren der Vorrang der deutschen Sprache rechtlich und administrativ untermauert. Schon 1871 und 1876 wurde in Nordschleswig die Mindestzahl der deutschen Unterrichtsstunden angehoben. Bis 1888 blieb das Deutsche als einzige Unterrichtssprache übrig. 1872 wurde das Deutsche zur amtlichen Geschäftssprache in Elsaß-Lothringen, 1873 zur allgemeinen Unterrichtssprache, 1881 zur verbindlichen Verhandlungssprache im «Landesausschuß» erhoben, der als Notabelnparlament die Angelegenheiten des «Reichslands» mitberiet. Trotzdem blieben bis 1914 noch zahlreiche flexible, ziemlich großzügige Ausnahmeregelungen zugunsten der Französischsprechenden erhalten.

Ganz anders spitzte sich dagegen die Lage im preußisch-deutschen Beuteanteil aus den polnischen Teilungen zu. 1872 sprengte das Schulaufsichtsgesetz die Schlüsselstellung des polnischen Klerus, in dem Berlin zu Recht ein Rückgrat der nationalpolnisch-nationalkatholischen Opposition sah. 1873 wurde das Deutsche zur allein zulässigen Volksschulsprache gemacht. Unverzüglich wurde auch die Prävalenz der deutschen Sprache aufgrund des Geschäftssprachengesetzes von 1876 und des Gerichtsverfassungsgesetzes von 1877 durchgesetzt. Hunderttausende von Polen erlebten, daß nicht nur im Bildungswesen ihre Muttersprache verschwand, sondern ihnen auch im Behördenverkehr und bei der gerichtlichen Konfliktaustragung eine Fremdsprache vorgeschrieben wurde.

In der Mitte der achtziger Jahre erreichte die Polenpolitik eine neue Stufe. Während einer rücksichtslos durchgeführten Nacht-und-Nebel-Aktion wurden im März und Juli 1885 rund achtundvierzigtausend Polen mit ungeklärter Staatsangehörigkeit von der preußischen Staatsregierung ausgewiesen. Viele von ihnen gehörten zu Familien, die seit mehreren Generationen in den preußischen Ostprovinzen gelebt hatten, ohne in einer Zeit großzügigeren Umgangs mit Formalitäten die Staatsangehörigkeit ordnungsgemäß zu erwerben. Nicht wenige hatten sogar im Krieg von 1870/71 unter der preußischen Fahne gedient. Außerdem besaß der Vertreibungsvorgang, der selbst obrigkeitsgläubigen preußischen Konservativen als «unglaubliche Härte» und «nutzlos grausame Entscheidung» galt, antisemitische Züge, da sich auch neuntausend Juden unter den Ausgewiesenen befanden. Es wirft ein bezeichnendes Schlaglicht auf dieses harsche Vorgehen, aber auch auf die Genese der künftigen Polenpolitik, daß der spätere Reichskanzler v. Bülow bei diesem Anlaß die Hoffnung ausdrückte, ein Krieg werde die erwünschte Gelegenheit bieten, «um in unseren polnischen Landesteilen die Polen en masse zu exmittieren».

Gegen die polnischen Saisonarbeiter jedoch, die seit etwa 1890 in wachsender Zahl – schließlich handelte es sich um Hunderttausende – aus dem russischen und galizischen Polen herüberkamen und durch ihre Hungerlöhne die Rentabilität zahlreicher Rittergüter erst ermöglichten, haben die Verfechter der Germanisierungspolitik eine Grenzsperre nie ernsthaft erwogen.

Daß die Vertreibung von Polen nur der Auftakt der neuen «Ostmarkenpolitik» war, bewies das preußische Ansiedlungsgesetz von 1886, mit dem der Kampf um die «Germanisierung des Bodens» voll einsetzte. Eine «Königliche Immediatbehörde», die sogenannte «Ansiedlungskommission», erhielt vom Landtag einen Fonds von hundert Millionen Mark zugebilligt – der insgesamt auf das Zehnfache aufgestockt wurde –, um polnischen

Großgrundbesitz zu kaufen, der zugunsten deutscher Neusiedler aufgeteilt wurde. Sie sollten, in der Sprache der Zeit, einen «lebendigen Wall gegen die slawische Flut» bilden. Durch diese Kampfmaßnahme hoffte die Staatsregierung, dem polnischen Landadel, dem traditionellen Träger des nationalpolnischen Widerstandswillens, das ökonomische Fundament zu entziehen. «Bei dem ganzen Kolonisationsgesetz» habe ihm «vor allem der Gedanke vorgeschwebt», gestand Bismarck im vertrauten Kreis, «die Trichine des polnischen Adels aus dem Lande zu schaffen». Diese fatale Metapher enthüllte nicht nur «seine unbegrenzte Menschenverachtung» (Holstein), sondern auch eine erschreckende Affinität zum biologistischen Vokabular des Antisemitismus, der ebenfalls «Parasiten» und «Trichinen» beseitigen wollte.

Zum einen erwies sich die Stoßrichtung des Ansiedlungsgesetzes als verfehlt, da der polnische Adel nicht mehr im Zentrum der Opposition stand, das inzwischen von bürgerlichen Politikern, Vereinen und Kreditgenossenschaften im Verein mit der beharrlich weiterkämpfenden Kirche besetzt wurde. Zum andern verband sich die aggressive Germanisierung mit einer unverhüllten Interessenverfolgung durch die deutschen Großagrarier. Binnen kurzem stellte sich nämlich heraus, daß weit mehr deutscher als polnischer Landbesitz in die Verfügungsgewalt der «Ansiedlungskommission» überging: Von 1886 bis 1906 wurden zweihundertzwanzig Millionen Mark auf deutsche, aber nur dreißig Millionen Mark auf polnische Konten eingezahlt, und die Gegenoffensive brachte bald sogar mehr Besitz in polnische als in deutsche Hand! Indem die Kommission bis 1914 fast eine Milliarde Goldmark ausgab, fungierte sie im großen Stil als ein Sanierungsunternehmen für zahlreiche, oft hochverschuldete Junker, die ihre Güter mit Hilfe der Drohung, sonst an die finanzstarken polnischen Genossenschaften zu verkaufen, ungewöhnlich teuer veräußern konnten. Dem «lukrativen Patriotismus» der Agrarier diente der Kommissionsfonds auf diese Weise als «Rettungsbank», die ihnen mit hohen Summen half, wie der sozialdemokratische Publizist Franz Mehring sarkastisch spottete, «auch germanisiert zu werden». Als angeblich nationalpolitisch gebotene Offensive erwies sich die «Germanisierung des Bodens» als so erfolglos, daß in der wilhelminischen Zeit schließlich der Schritt zu einem Enteignungsgesetz getan wurde (vgl. B.4).

Auch das Sprachenrecht, das die Polen im Kern ihrer nationalkulturellen Identität treffen sollte, wurde seit der Weichenstellung in den siebziger Jahren durch immer neue Verwaltungsdirektiven mit Bismarcks Billigung weiter verschärft. Bis in die abgelegensten Rechtsbezirke hinein pflanzte sich diese Welle der nationalsprachlichen Vereinheitlichung fort. Unter dem Druck des Reichsnationalismus wurde die polnische Sprache schließlich aus der Schule und dem Religionsunterricht, aus den Versammlungen und Gerichtssälen verdrängt, wobei die Bürokratie in den Ostprovinzen ständig auf die Erweiterung ihrer Kompetenzen drängte, um verfassungsmäßig garantierte Rechte administrativ umgehen zu können. Kein Wunder, daß die

Polen in dieser «Germanisierung der Sprache» das Ziel erkannten, ein objektives Merkmal ihrer Nationalität im öffentlichen Leben auszulöschen. Auch im Sprachenkampf wurde der Höhepunkt der Auseinandersetzung erst in der wilhelminischen Ära erreicht (vgl. B.4).

Aber die «Ostmarkenpolitik» der Bismarckzeit, in der die preußischen Polen als besonders gefährliche, da fremdnationale «Reichsfeinde» behandelt wurden, enthüllt doch schon mit aller Klarheit das doppelbödige Recht, das gegen diese diskriminierten Staatsbürger planmäßig entwickelt wurde. Die legalisierte, staatlich sanktionierte Aushöhlung des Rechtsstaates und die Mißachtung von Verfassungsrechten – wie sie der Grundrechtekatalog der preußischen Verfassung und die Reichsverfassung verbindlich fixiert hatten – machten fatale Fortschritte, obwohl das Preußische Oberverwaltungsgericht mit honoriger Entschiedenheit rechtsstaatliche Prinzipien in einigen Grundsatzprozessen vorerst weiter verteidigte. Willkürliche Ausweisung, sozialer Ostrazismus, germanisierende Unterdrückung und gewiß nicht zuletzt die Gewöhnung an öffentliches Unrecht haben bereits zum Bismarckregime und zur ersten Aufstiegsphase des Reichsnationalismus gehört, wenn auch ein gut Teil der schroffen Verschärfung der Nationalitätenpolitik erst in die folgenden Jahrzehnte hineinfällt.[17]

5. Die Interdependenz von Innenpolitik und Außenpolitik

Anderthalb Jahrhunderte lang ist die Vorstellung vom «Primat der Außenpolitik» eine Leitkonzeption der deutschen Geschichtswissenschaft gewesen, mit deren Hilfe sie die neuzeitliche Politikgeschichte schlüssig zu interpretieren glaubte. Darin schlug sich die grundlegende Erfahrung mit der modernen Staatsbildung in einem einzigartigen System antagonistischer Herrschaftseinheiten nieder – eine Erfahrung, die durch die Reichsgründung bestätigt wurde. Allmählich erstarrte diese Deutung aber mehr und mehr zu einer orthodoxen Denkschablone, die einem einzigen Realitätsbereich ein Wirkungsmonopol zugestand, andere ebenso wichtige Realitätsbereiche jedoch sträflich vernachlässigte.

Im Grunde genommen erstaunlich spät wurde diese Interpretation seit den 1960er Jahren mit dem diametral entgegengesetzten Begriff des «Primats der Innenpolitik» konfrontiert, demzufolge auch die außenpolitischen Entscheidungen durch die inneren Kräftekonstellationen in ausschlaggebendem Maße präformiert wurden. Das Ergebnis der Kontroverse war die Einsicht, daß die Kategorie des «Primats», gleich welcher Natur, der Komplexität der Wechselwirkungen zwischen Innenpolitik und Außenpolitik nicht gerecht wird, vielmehr ihre Interdependenz prinzipiell vorausgesetzt und am konkreten Problem empirisch überprüft werden muß.

Aus welcher Sphäre dann – über die Verflechtung der Einflußfaktoren hinaus – eventuell doch dominierende Impulse ausgehen, ist eine jeweils offene Frage, deren Beantwortung von der Überzeugungskraft der Argumentation abhängt. In einer Gesellschaftsgeschichte bleibt die «innere Front» (E. Kehr) jeder auswärtigen Politik ein Gegenstand anhaltenden Interesses. Umgekehrt muß sie im Hinblick auf ein Zeitalter, in dem die Deutschen Staatsbildung und Staatszertrümmerung, insbesondere aber zwei totale Kriege mit ihrer beispiellosen Tiefenwirkung erlebt haben, auch die Folgen, welche Krieg und Außenpolitik in zahlreichen Dimensionen des sozialen Lebens nach sich gezogen haben, zu erfassen versuchen.

a) Das Reich im Staatensystem

Daß zwischen 1866 und 1871 mit dem Deutschen Kaiserreich eine neue Großmacht im Zentrum Europas entstehen konnte, ist sowohl von Rußland als auch von Großbritannien wohlwollend geduldet, ja geradezu erst mit ermöglicht worden. Von vornherein nahm das Reich im Staatensystem eine herausragende Stellung ein, auf die sich die Nachbarn, wie das der Dauerkonkurrenz in diesem System entsprach, mit Zug und Gegenzug einzustellen bemühten. Auf der andern Seite mußte es aus der Perspektive einer weitsichtigen Berliner Politik nach drei Kriegen darum gehen, die anderen Staaten an die Existenz des Reiches zu gewöhnen, sie gewissermaßen mit ihr zu versöhnen. Die einer Hegemonie nahekommende Position, die das kaiserliche Deutschland als Machtstaat, auch dank seines Wirtschaftspotentials, von vornherein besaß, versuchte Bismarck dadurch abzumildern, daß er unermüdlich versicherte, das Deutsche Reich gehöre seit 1871 «zu den saturierten Staaten», «zur Partei der ‹satisfaits›». Die Schwerpunktverlagerung wurde freilich schon dadurch sichtbar unterstrichen, daß Berlin nach einigen Jahren zum Ort der wichtigsten internationalen Konferenzen aufstieg.

Tatsächlich entsprach es der Logik einer vernünftig kalkulierten deutschen Interessenpolitik, den 1871 gewonnenen Status als Erreichung des Endziels der Berliner Kriegs- und Nationalpolitik zu betrachten. Die konservative Maxime der Systemerhaltung gebot nach einer derart unglaublichen Erfolgsserie, den Bestand des Reiches nicht durch die Fortsetzung der militanten Risikopolitik zwischen 1864 und 1871 in Frage zu stellen. Um Vertrauen auf die Glaubwürdigkeit der Berliner «Saturiertheit» zu erzeugen, sich gleichzeitig aber auch in einem flüssigen System rivalisierender Mächte zu behaupten, stand die deutsche Außenpolitik grundsätzlich vor der Option zwischen drei Verhaltensstrategien, solange sie einer Trias von drei Imperativen verpflichtet blieb: Erstens ging es darum, die künftigen «bedrohlichen Folgen» der Reichsgründung «im internationalen Bereich» von Deutschland abzuwenden, zweitens die vorerst «labile Stellung im Mächtesystem auszubalancieren» und drittens die politische Ordnung, die soziale Hierarchie und Machtstruktur im Inneren zu bewahren.

Berlin konnte zum ersten im Sinne des herkömmlichen Konvenienzprinzips auf die Abgrenzung von Interessensphären hinarbeiten, um Reibungen mit konkurrierenden Großmächten zu vermeiden oder abzuschwächen. Zum andern gab es die Chance, die Interessen dieser Mächte gegeneinander auszuspielen, sie möglichst an die Peripherie des deutschen Einflußraumes oder sogar des europäischen Staatensystems, mithin in die imperialistische Expansion abzulenken. Und schließlich ließen sich durch schnelle Präventivschläge, sofern sie denn erfolgreich waren, potentielle Gegner zurückwerfen und existenzgefährdende Koalitionen im Keim ersticken. Allerdings konnte, wenn die Furcht vor einer derartig bedrohlichen Zukunft deutsche militärische Züge wahrscheinlich machte, das Risiko solcher Gegenallianzen geradezu heraufbeschworen werden. Auf diese dritte Möglichkeit hat daher die politische Reichsführung wegen der unüberschaubaren Risiken dreiundvierzig Jahre lang verzichtet, obwohl die Militärspitze seit den siebziger Jahren den Präventivkrieg mehrfach befürwortet hat.

Die beiden anderen Optionen dagegen haben jeweils ihre Rolle gespielt. Bismarck hat zwei Jahrzehnte lang immer wieder versucht, seine Zielvorstellung von der Ableitung der rivalisierenden Interessen anderer Staaten an die Peripherie zu verwirklichen. Dieser Grundgedanke durchzog wie ein roter Faden seine Unterstützung der französischen Kolonialpolitik in Nordafrika und Hinterindien, aber auch seine Einstellung zum englisch-französischen Streit um Ägypten und zu den russisch-britischen Auseinandersetzungen in Mittelasien. Eine solche Entlastungsstrategie wurde indes von dem Zeitpunkt ab riskant, als die Eigeninteressen des deutschen Imperialismus in Übersee selber ins Spiel kamen, erst recht, als der Charakter der wilhelminischen «Weltpolitik» die ständige Einmischung geradezu gebot. Da die deutsche Außenpolitik die illusionäre Statik, die von der Saturiertheitsdoktrin vorausgesetzt wurde, aufgrund der innerdeutschen Dynamik ziemlich schnell verlor, konnte es sich nur um temporäre Aushilfen handeln.

Auch die dauerhafte Abgrenzung von Interessenzonen ist im wesentlichen gescheitert. In beiden Fällen erwiesen sich die binnengesellschaftlichen Bewegungskräfte und weltwirtschaftlichen Verpflichtungen als übermächtig. Kaum war nach der Reichsgründung ein halbes Dutzend Jahre verstrichen, wurde immer deutlicher, daß der expandierende Industriekapitalismus alle Beschwörungen eines Sättigungszustandes der deutschen Politik gleichsam von innen her unterlief. Neue territoriale Ziele in Europa wurden zwar noch nicht angestrebt, aber die industrielle Dynamik, die Wucht der Waren- und Kapitalströme setzte sich souverän über die nationalen Grenzen hinweg. Diese qualitative Veränderung der deutschen Außenwirtschaft führte einen Unruhefaktor in die deutsche Außenpolitik ein, den die traditionelle staatenpolitische Denkschule in der Wilhelmstraße lange unterschätzt hat, zumal Bismarck selber in der Vorstellung befangen blieb, die «eigentlichen», die politischen Interessen von den wirtschaftlichen Interessen getrennt halten zu können.

Bekanntlich kreisten aber die deutsch-österreichischen Verhandlungen von 1878/79, die schließlich im Oktober 1879 zu dem Minimalergebnis des

«Zweibundes» führten, zuerst um das weit umfassendere Projekt einer Zollunion, die einen riesigen mitteleuropäischen Block als Domäne der reichsdeutschen Industriewirtschaft, aber auch ein neuartiges machtpolitisches Potential gegenüber allen Anrainern geschaffen hätte. Die deutschrussischen Beziehungen weisen diese ökonomische Problematik bis zur Zäsur von 1887 ebenso auf wie das wachsende deutsche Engagement auf dem Balkan und im Osmanischen Reich. Der frühe deutsche Imperialismus der Bismarckzeit, die Schutzzölle, die Vielzahl der Handelsverträge – sie demonstrieren auf ihre Weise sowohl die Folgen der deutschen industriellen Expansion als auch die unaufhaltsame Einbeziehung des deutschen Industriestaats in das Kraftfeld des Weltmarktes. Gegenüber dieser Realität einer wahrhaft internationalen Wirtschaft erwies sich die statische Vorstellung von der deutschen «Saturiertheit» als realitätsferne Formel.

Die defensive Grundkonzeption einer möglichst konfliktarmen Außenpolitik war daher schon seit den siebziger Jahren einer stetig vorandringenden Erosion ausgesetzt. Sie kann keineswegs auf andere Akteure im Staatensystem, geschweige denn auf individuelles Versagen, zurückgeführt werden. Vielmehr resultierte sie folgerichtig, wie insbesondere die letzten sechs Jahre der Bismarckära zeigen, aus der sozialökonomischen Transformation im Inneren, der damit verbundenen Neudefinition vitaler Interessen durch die Machteliten, nicht zuletzt aus dem Sog der internationalen Marktbeziehungen. Dabei spielte in der Vorstellungswelt der Berliner Zentrale eine innenpolitisch gebotene Verteidigungsstrategie vorerst eine maßgebliche Rolle, wie sich das an der imperialistischen Expansion und am Verhältnis zum Zarenreich deutlich beobachten läßt. Aber mit der defensiven Intention wurde zugleich eine aggressive Komponente in die Außenpolitik aufgenommen, die neuartige Probleme aufwarf; sie werden an einigen Beispielen noch näher verfolgt. Wenn man dieser Schubkraft der inneren Dynamik gewahr wird, erscheint eine Überlegung Rankes, dem eine voreingenommene Kritik am Rang der Außenpolitik schwerlich unterstellt werden kann, erst recht als bedenkenswert: «Man würde die Welt nicht kennen», notierte sich der Kenner des europäischen Staatensystems, «wenn man bloß die inneren Verhältnisse berücksichtigen wollte. Wir fassen die äußeren auch, jedoch nur als sekundäre, sie sind vorübergehend, jene bleibend.»

Die «Krieg-in-Sicht»-Krise von 1875. Die labile Mechanik der Außenpolitik, die blutleere Bewegungsphysik von Aktion und Reaktion, die diplomatische Prozedur der Konfliktbereinigung oder -verschärfung – sie werden an dieser Stelle bewußt nicht verfolgt. Eine Flut von Literatur erwartet jeden, der die Bismarcksche Außenpolitik näher kennenlernen möchte. Hier geht es unter den erkenntnisleitenden gesellschaftsgeschichtlichen Interessen zunächst um einen kurzen Blick auf die Zäsur von 1875, dann etwas genauer um das Verhältnis zu den drei anderen europäischen Großmächten: zu Frankreich, Großbritannien und Rußland.

Wenige Jahre nach der Niederlage von 1870/71 hatte die zügige Aufrüstung der französischen Streitkräfte ein Ausmaß erreicht, das die deutsche militärische Führung, vor allem den seit jeher mit einem Revanchekrieg rechnenden Moltke, seit dem Kadergesetz vom März 1875 so tief beunruhigte, daß sie eine ultimative Warnung, notfalls gefolgt von einem Präventivschlag, für dringend geboten hielt. Bismarck kam solchen Überlegungen diesmal entgegen, da er seit 1874 eine russisch-österreichische, dazu eine russisch-französische Annäherung fürchtete. Indem er eine Pressekampagne entfesselte, ging er zu einer Offensive modernen Stils über, die Frankreich durch politischen Druck zur Aufgabe des letzten Heeresgesetzes zwingen sollte. Ein offiziöser Artikel in der «Post» suggerierte am 8. April mit der drohenden Überschrift: «Krieg in Sicht?» die Eventualität eines nahen deutschen Präventivkriegs. Als Paris die Rüstungsgesetzgebung nicht anhielt – da es nach seinem Bestreben, wieder als vollgültige Großmacht anerkannt zu werden, als Folge einer erzwungenen Nachgiebigkeit den Absturz in die Zweitrangigkeit, ja in die Abhängigkeit eines Juniorpartners fürchtete –, ließ Bismarck dem französischen Botschafter in Berlin den deutschen Präventivschlag in einer solchen Situation als «politisch, philosophisch, ja selbst christlich» gerechtfertigt vor Augen stellen.

Die Kriegsfurcht, die daraufhin in weiten Teilen der europäischen Öffentlichkeit aufkam, lenkte Großbritannien und Rußland im Nu auf das Kardinalproblem hin, ob sie einen neuen, aus dem französischen Zurückweichen resultierenden Machtzuwachs des Reiches hinnehmen oder sich dieser erneuten Aufwertung seiner Stellung entgegenstemmen sollten. Angesichts der bedrohlichen Lage funktionierten die Mechanismen der Balancepolitik im Staatensystem erstaunlich schnell. Bismarck sah sich einer kaum verschleierten Vetoposition der beiden Großmächte gegenüber, die ihm die Grenzen der deutschen Drohpolitik schmerzhaft demonstrierten. Am 10. Mai trat Berlin in der regierungsnahen «Norddeutschen Allgemeinen Zeitung» den Rückzug an, indem es auf die Rückgängigmachung des Kadergesetzes verzichtete. Die Präventivkriegsmetapher wurde seither geradezu peinlich vermieden.

Die «Krieg-in-Sicht»-Krise gehört zu den wenigen eklatanten außenpolitischen Fehlern Bismarcks. Er hatte die informelle Kooperation der drei Mächte in einer derartig entschiedenen Form für unwahrscheinlich gehalten. Was ihm aus der Berliner Perspektive noch als zugespitzte Defensive erscheinen mochte, wirkte auf die anderen Akteure als Bereitschaft zu einem neuen Frankreichkrieg, um die volle Hegemonie in Kontinentaleuropa zu erringen. Die Lektion, der sich Bismarck nicht verschloß, bestand unmißverständlich darin, daß zwar das Reich akzeptiert, eine weitere Veränderung der Machtverhältnisse zu seinen Gunsten aber abgelehnt wurde, jedenfalls ohne einen großen Krieg nicht zu haben war. Mit anderen Worten: Der Ausgang der «Krieg-in-Sicht»-Krise bewies die Funktionsfähigkeit des Staatensystems gegenüber der hegemonieverdächtigen Politik seines neuen Mitglieds. Indirekt wurde der Zustand von 1871 von den großen Flügelmächten sanktioniert, die Grenze des deutschen Handlungsspielraums aber scharf markiert. Eine entscheidende Rahmenbedingung der deutschen Außenpolitik war erst seither, nicht schon seit 1871 unmißverständlich fixiert.

Das Verhältnis zu den Großmächten: Frankreich – Großbritannien – Rußland. Frankreich. Die deutschen Beziehungen zu Frankreich standen seit 1871 im Schatten der Annexion von Elsaß-Lothringen. Diese folgenschwere Entscheidung hatte auf einem Bündel von Motiven beruht, unter denen die national- und integrationspolitischen Überlegungen zusammen mit den militärischen Forderungen, die äußere Sicherheit gegenüber dem traditionell überlegenen Frankreich zu verbessern, die Bedenken überwogen (vgl. vorn 5. Teil, IV. 3c. 2). Nachdem die Abtrennung dieser ostfranzösischen Gebiete gegen den Willen der überwältigenden Mehrheit der Bevölkerung aber einmal vollzogen war, blieb das deutsch-französische Verhältnis dauerhaft gestört. Noch im Ersten Weltkrieg wurde auch um die «Désannexion» des «Reichslandes» gekämpft.

Die schnell erkennbaren verhängnisvollen Folgen der Entscheidung von 1870/71 hätten eigentlich ihre Revision geboten. Innenpolitisch galt das aber in Deutschland als ein selbstmörderisches Unternehmen, da es vom Reichsnationalismus einen Verzicht an einer besonders empfindlichen Stelle von hoher symbolischer Bedeutung verlangen mußte. Die nachteiligen Folgen sind jedoch, wie vorn erörtert, nicht dank der Weisheit dessen, der vom Rathaus kommt, sondern sogleich erkannt worden.

Als törichten Vorwand für «schwachsinnige Leute» tat Karl Marx im Londoner Exil in seiner luziden Kritik jede Begründung der Annexion mit der Notwendigkeit einer «materiellen Garantie» gegen eine künftige französische Offensive ab. Militärisch habe gerade der Feldzug von 1870 gezeigt, wie leicht Frankreich aus Deutschland heraus anzugreifen sei. Außerdem zeige die preußische Geschichte seit dem Tilsiter Frieden, wie ein geschlagenes Volk auf territoriale Verstümmelung reagiere. Stelle es nicht überhaupt einen «Anachronismus» dar, fragte er, «wenn man militärische Rücksichten zu dem Prinzip erhebt, wonach die nationalen Grenzen bestimmt werden sollen?» Frankreich könne dann mit derselben Begründung seine Ansprüche auf die Rheinlinie geltend machen. «Wenn die Grenzen durch militärische Interessen bestimmt werden sollen, werden die Ansprüche nie ein Ende nehmen, weil jede militärische Linie fehlerhaft ist und durch Annexion von weiterem Gebiet verbessert werden kann, und überdies kann sie nie endgültig und gerecht bestimmt werden, weil sie immer dem Besiegten vom Sieger aufgezwungen wird und folglich schon den Keim eines neuen Krieges in sich führt.»

Durch den Raub Elsaß-Lothringens wurde der Krieg, fürchtete Marx, geradezu in eine «europäische Institution» verwandelt, da Frankreich auch nach dem Friedensschluß die verlorenen Ostprovinzen wieder zurückbegehren werde. Das aber bedeute die Verewigung des Krieges zwischen zwei großen europäischen Nationen, ihren Ruin durch «wechselseitige Selbstzerfleischung». Ausschlaggebend war für Marx' Kritik aber die Ausweitung des Konflikts nach Osten, da «der Krieg von 1870 ganz so notwendig einen Krieg zwischen Deutschland und Rußland im Schoße trägt wie der Krieg von 1866 den von 1870». Frankreich werde jede Hilfe recht sein, auch die des Zarenreichs. Und dann müsse sich Deutschland zur Verteidigung seiner Beute «nicht für einen jener neugebackenen ‹lokalisierten› Kriege» rüsten, sondern zu «einem Rassenkrieg gegen die verbündeten Rassen der Slawen und Romanen». In diesem Zweifrontenkrieg gegen die Übermacht der französisch-russischen Allianz werde das Deutsche Reich untergehen.

Wenige Prognosen des weitsichtigen Kritikers sind vollständiger in Erfüllung gegangen. Außer ihm hat sonst nur noch der baltendeutsche Publizist Julius v. Eckardt ähnlich frühzeitig und skeptisch die Dauerfeindschaft hochgerüsteter Nachbarstaaten und das Menetekel eines französisch-russischen Kriegsbündnisses erkannt. Ihre Warnungen verhallten im Lärm des deutschen Siegestaumels.

Nachdem Bismarck seine anfänglichen Einwände gegen die Annexion, welche – wie er illusionslos sah – den französischen Anlauf zur Rückeroberung vorprogrammierte, wegen der Macht der Annexionsstimmung und des militärischen Drucks zurückgestellt hatte, berief er sich trotzig auf seine ebenso brutale wie kurzsichtige Devise des «oderint dum metuant» – mögen sie uns nur hassen, solange sie uns fürchten. In der praktischen Politik aber ging er wegen der Einsicht, daß Frankreich 1871 zu «einem niemals zu versöhnenden Feind» gemacht worden war, von der Direktive aus: «Gegen Frankreich wünsche ich in allem, was nicht Elsaß ist, versöhnliches Auftreten.» Wiedergutmachen ließ sich der Riß dadurch aber nicht, und wegen der ständigen latenten Drohung, die von der Revancheabsicht ausging, haben schon in den achtziger Jahren hohe deutsche Militärs die Annexionskritik der Außenseiter, ja auch ihre Prognose des Zweifrontenkriegs geteilt. Sie beklagten «die europäische Zwickmühle», in die das Reich «durch die Eroberung von Elsaß-Lothringen» geraten sei, denn diese habe letztlich «den permanenten Kriegszustand zwischen Deutschland und Frankreich» festgelegt.

Moltke machte sich bereits seit 1871 Sorgen wegen eines künftigen Zweifrontenkriegs: Die Versuchung für die französische Republik, sich selbst mit der zaristischen Autokratie zu einigen, sei unwiderstehlich groß. Auf der russischen Seite kam, gab er später zu bedenken, wegen der «wirtschaftlichen Krisis» seit 1873 ein Motiv hinzu: «Je trostloser» die Lage, «desto geneigter sind erfahrungsgemäß die leitenden Glieder, einen gewaltsamen Ausweg aus der Kalamität zu suchen»; dieser könne entweder zum Krieg auf dem Balkan führen oder sich wegen der antideutschen Stimmung, zudem im Verein mit Frankreich, gegen das Reich richten. Während der Krise von 1887 plädierte er deshalb für den Präventivkrieg gegen Rußland, um die Entscheidung an der Ostfront zu erzwingen, so daß nur mehr ein Gegner im Westen übrig bliebe. In eben dieser gespannten Situation stellte sich Bismarck zwar erfolgreich solchen Forderungen entgegen, räumte aber gegenüber dem preußischen Kriegsminister Bronsart v. Schellendorf voll abgrundtiefer Skepsis ein, «daß wir in nicht zu ferner Zeit» – «soweit menschliche Voraussicht» reiche, präzisierte er, «nach Ablauf von zwei bis drei Jahren» – «den Krieg gegen Frankreich und Rußland gleichzeitig zu bestehen haben werden». Dann aber handle es sich ohne Zweifel um den «Ausbruch des Existenzkrieges». Siebzehn Jahre nach der Annexion, siebenundzwanzig Jahre vor dem Ausbruch des Weltkrieges beschrieb Bismarck damit exakt die fatalen Fernwirkungen des Annexionsentschlusses von 1870/71.

Mehrfach ist übrigens von völlig verschiedenen Seiten der Vorschlag gemacht worden, Elsaß-Lothringen, das wie ein erratischer Block den Weg zu besseren Beziehungen zwischen Deutschland und Frankreich versperre und deshalb den europäischen Frieden gefährde, wenigstens zu neutralisieren. In der Publizistik, auch im Reichstag, wo Wilhelm Liebknecht in einer seiner bravourösen Reden zur deutschen Außenpolitik den Gedanken unterstützte, sogar in einer formellen diplomatischen Anregung des österreichischen Bundesgenossen war davon die Rede. Aber in demselben Maß, wie der französische Nationalismus Kompromisse verwarf und auf der «Heimkehr» der geraubten Provinzen bestand, wurde in Deutschland jede Auflockerung des Status quo durch den Reichsnationalismus tabuisiert. Immerhin entwikkelte der Generalstabschef Alfred v. Schlieffen 1905, nach dem Höhepunkt der ersten Marokkokrise, sehr nüchtern die Alternative, entweder einen Präventivkrieg gegen Frankreich zu führen oder aber endlich eine Neuregelung hinsichtlich Elsaß-Lothringens zu finden – andere Optionen blieben der Reichspolitik nicht mehr übrig!

Da Berlin einen Modus vivendi mit Frankreich, der den Status Elsaß-Lothringens verändert hätte, nicht ernsthaft anstrebte, wegen der wachsenden Intransigenz des Reichsnationalismus auch in der Bismarckzeit und nachher gar nicht anstreben konnte, gab es statt abstrakter Wahlmöglichkeiten als Folge der Annexion nur eine Einbahnstraße, an deren Ende der Zweifrontenkrieg stand.

Großbritannien. Die zählebige Legende vom «perfiden Albion», das die Gründung eines deutschen Nationalstaats bereits während der 48er Revolution verhindert, seit 1871 die Entwicklung des Reiches mit Argwohn und Quertreiberei verfolgt und schließlich seine «Einkreisung» vollendet habe, hat lange die schlichte Tatsache vernebelt, daß von der Berliner Politik eine ernsthafte Kooperation erst abgelehnt, dann unmöglich gemacht wurde. Zugegeben, im 19. Jahrhundert galt der tief eingefressene Antagonismus zwischen dem englischen und dem russischen Weltreich, zwischen «Walfisch und Bär», als konstante Größe, die jede deutsche Außenpolitik zunächst in Rechnung zu stellen hatte. Der Spielraum dehnte sich trotzdem beträchtlich aus, wie sich an der Konfliktbewältigung zwischen 1884 und 1889 verfolgen läßt.

Wichtiger als dieser vermeintlich unaufhebbare Gegensatz oder als geostrategische Erwägungen blieb bis 1890 die von Bismarck selber und der «strategischen Clique» um ihn herum empfundene Furcht vor der Begünstigung des deutschen Liberalismus, die von einer deutsch-englischen Zusammenarbeit ausgehen konnte. Nicht die erst allmählich aufkommende Wirtschaftskonkurrenz war es, die hier die wichtigste Rolle spielte, sondern der Gegensatz der politischen Werte, der politischen Institutionen, des politischen Stils – mithin die Andersartigkeit der Geschichte Englands, seiner politischen Kultur und der mit ihr verbundenen gesellschaftlichen Konstellationen.

Die historische Alternative zum deutschen Kanzlerregime und dem autoritären Kaiserstaat ohne Parlamentarisierung bildete zunächst eine von «fortschrittlichen» oder «nationalen» Liberalen bestimmte parlamentarische Monarchie. Der Verfassungskonflikt und die Stärke des Nationalliberalismus bis in die späten 1870er Jahre, nicht zuletzt der Vergleich mit anderen europäischen Staaten, ließ die Möglichkeit einer solchen liberalen Reichsregierung noch nicht als ausgeschlossen erscheinen, und zwar weder für Bismarck noch für die Liberalen, die – wie das die Wahlergebnisse von 1881 und 1884 unterstrichen – selbst nach 1878 noch auf breite Zustimmung rechnen konnten. Man braucht sich nur die Folge einer Amtsübernahme durch den Kronprinzen Friedrich nach einem frühen Tod seines Vaters oder etwa nach den Attentaten auf Wilhelm I. vorzustellen, wie das die späteren liberalen «Sezessionisten» recht konkret getan haben, um der relativ labilen Machtverhältnisse in Berlin gewahr zu werden. Wie immer man solche hypothetischen Erwägungen auch beurteilt – Bismarck nahm den politischen Liberalismus als seinen Hauptgegner unentwegt ernst, daher aber auch all jene Imponderabilien, die sich zu dessen Gunsten auswirken konnten: die anglophilen Sympathien des Kronprinzen zum Beispiel und seiner keineswegs an Minderwertigkeitsgefühlen leidenden englischen Frau, die Verbindung des Paares mit ministrablen Persönlichkeiten des Liberalismus, ihre allseits bekannte Sympathie für ein «liberales Kabinett», den anhaltenden Demonstrationseffekt des englischen parlamentarischen Lebens, aber auch die andersartige Symbiose von englischem Landadel und Wirtschaftsbürgertum.

Das waren lauter Faktoren, die bei einem engeren Zusammengehen mit der britischen Politik einen vorhersehbaren, vermutlich ungemein schwer zu kontrollierenden Einfluß zugunsten des deutschen Liberalismus entfalten konnten. Anfang der achtziger Jahre «war der Kronprinz noch nicht krank», lüftete Herbert v. Bismarck das Visier, «und wir mußten auf eine lange Regierungszeit gefaßt sein, während welcher der englische Einfluß» – die «englische Intimität» dank der Kronprinzessin und ein in Berlin drohendes «Kabinett Gladstone» – «dominieren würde». Das aber habe der Reichskanzler gerade «im Hinblick auf unsere inneren Verhältnisse für bedenklich» gehalten. Bismarck selber erklärte sogar gelegentliche außenpolitische Reibungen mit London für notwendig, «um den deutschen Ärger gegen England zu nähren», damit der «Einfluß britischer Ideen in Deutschland ..., die den Konstitutionalismus und Liberalismus betreffen», blockiert werde.

An Premierminister William Gladstone haßte Bismarck nicht nur das vollmundige Bekenntnis zur Beachtung moralischer Grundsätze in der Politik. Vielmehr sah er in ihm den großen paradigmatischen Gegenspieler eines volksnahen, erfolgreichen, bürgerlichen Liberalismus, der sich im Einklang mit mächtigen Tendenzen der Zeit bewegte.

Über eine kühle Koexistenz hinaus, mit der begrenzte Konflikte vereinbar erschienen, ließ Bismarck aus solchen Gründen das deutsch-englische Verhältnis nicht hinausgelangen. Wenn das auch Rücksichtnahme auf die Nachbarschaft zu der mit England bitter verfeindeten russischen Großmacht zu rechtfertigen schien, haben mehr noch als dessen Machtpotential die innenpolitisch motivierte antiliberale Grundposition, die konservative Affinität zur zaristischen Autokratie, der gemeinsame Staatskonservativismus der Ostmonarchien Bismarcks Haltung bestimmt. Mit dem Nimbus der Bismarckschen Außenpolitik verband sich daher die bewußt durchgehaltene Distanz zu London, ja die mit den Kolonialkonflikten von 1884/89 aufbrechende, durch ihn legitimierte Anglophobie. Das alles waren Belastungen auch auf längere Sicht. Anders als im Verhältnis zu Frankreich erfolgte die tödliche Weichenstellung jedoch erst nach 1890: mit dem direkt gegen England gerichteten Bau der deutschen Schlachtflotte.

Rußland. Politische, militärische, ökonomische Interessen geboten einen vorsichtigen deutschen Kurs gegenüber dem riesigen östlichen Nachbarn, selbst wenn man von den ideologischen Gemeinsamkeiten des «monarchischen Prinzips» und der Komplizenschaft seit der Aufteilung Polens absieht. Die großpreußische Expansion war sowohl 1866 als auch 1870/71 dank der russischen Rückendeckung möglich gewesen. «Daß die Russen uns Elsaß-Lothringen nehmen ließen», gestand Bismarck ein, sei sogar direkt die «persönliche Politik Alexanders II.» gewesen. In den siebziger Jahren verlangten Exportinteresse und Generalstabsplanung eine reibungslose Kooperation.

Die bittere Enttäuschung, die der Ausgang des Berliner Kongresses von 1878 für die Petersburger Politik bedeutete, da sie sich durch Bismarck als «ehrlichen Makler» um die Früchte ihres letzten Balkankriegs betrogen fühlte, richtete sich zu einseitig gegen den Reichskanzler, der im Konsens mit den anderen Mächten operierte.

Aber die im Januar 1880 in Kraft tretenden deutschen Agrarzölle trafen Rußland an einer hochempfindlichen Stelle: Sie erschwerten seine Getreideausfuhr, die seit dem Vordringen des amerikanischen Weizens ihren Löwenanteil am deutschen Import mühsam verteidigen mußte – immerhin ging es um mehr als zwanzig Prozent des russischen Exports. 1885 wurden die Sätze des deutschen Zolltarifs verdreifacht, im März 1887 sogar noch einmal um fast das Doppelte angehoben. Dieser deutsche Agrarprotektionismus mit seiner dezidiert antirussischen Tendenz entsprach dem sozialen Kräfteparallelogramm seit dem Ende der siebziger Jahre. Der Regierung galt er als unabweisbare Notwendigkeit.

Rußland aber sah aus einem besonders schwerwiegenden Grund vitale Interessen gefährdet: Die Modernisierung des Zarenreichs nach dem Debakel des Krimkriegs war mit einer erfolgreichen Industrialisierung verknüpft worden. Sie konnte nur aus drei Quellen finanziert werden: aus staatlichen Mitteln, aus Kapitalimporten wegen des Mangels an russischem Eigenkapital, vor allem aus dem Erlös des Agrarexports. Da offenbar ständig weiter hochwachsende Zollmauern den Zugang zum aufnahmefähigen, dazu leicht erreichbaren deutschen Markt innerhalb weniger Jahre enorm erschwerten, geriet einer der Stützpfeiler der russischen Modernisierung ins Wanken. Auf ihren Erfolg richteten sich jedoch die Hoffnungen der russischen Oligarchie sowohl im Hinblick auf die innere Entwicklung als auch und gerade auf die Behauptung des Großmachtstatus. Die vordringende Germanophobie, die deutschen Diplomaten allenthalben auffiel, wurde von ihnen zutreffend auf die «Kornzollfrage» zurückgeführt. Die innerdeutsche Machtkonstellation schloß jedoch trotz der erkennbaren außenpolitischen Sprengwirkung eine dauerhafte Remedur aus.

Über ihre zollpolitische Offensive hinaus führte die Regierung Bismarck ein halbes Jahr nach der dritten Zollerhöhung einen folgenschweren Schlag gegen den zweiten Pfeiler der russischen Industrialisierung: gegen den Import deutschen Kapitals. Bis dahin hatte der deutsche Kapitalmarkt für Rußland eine Schlüsselstellung gewonnen. Zu einer Zeit, als die Sparkasseneinlagen in Preußen schon 2.2 Milliarden Mark erreicht hatten, befanden sich sogenannte «Russenwerte» in Höhe von immerhin 2.5 Milliarden Mark in der Hand deutscher Investoren. Im November 1887 jedoch verordnete auf Bismarcks Drängen hin die Reichsregierung, dem praktischen Effekt nach, eine Sperrung des deutschen Kapitalmarktes für russische Wertpapiere. Das Lombardverbot vom November 1887, das die Beleihung dieser Papiere untersagte, führte zusammen mit dem Verbot, sie fortab noch als mündelsichere Anlagen zu behandeln, zu einer panikartigen Deroute an der Berliner Börse, der die Berliner Privatbanken, die Hauptvermittler insbesondere der russischen Staatsanleihen, ohnmächtig gegenüberstanden. Daraufhin folgte ein Massenabfluß nach Paris, wo einige Banken den Großteil der russischen Staatspapiere übernahmen.

Auf diese Weise wurde das ökonomische Fundament der russisch-französischen Allianz von 1894 von Berlin selber mitgebaut. Als zu den Agrarzöllen noch der «kalte» Finanzkrieg hinzukam, blieb Rußland unmittelbar vor dem Durchbruch seiner Industriellen Revolution – und das hieß: in einer Phase schier unbegrenzter Kapitalnachfrage – als Reaktion auf die deutsche Sperre nur der Weg nach Paris übrig, da ihm die Londoner City, das Zentrum des Erzrivalen, verschlossen war, schlichte Resignation aber nicht im Bereich des politisch Möglichen lag. «Fürst Bismarck hat uns in die Arme Frankreichs getrieben», konstatierte der russische Außenminister Giers kühl und treffend, «besonders ... durch seine Finanzmaßregeln.»

Wie konnte es zu diesem fatalen Schachzug der deutschen Rußlandpolitik kommen? Unter den Motiven lassen sich einige erkennen, die man im konventionellen Sinn «außenpolitische» nennen mag. Der maßlos überschätzte, angeblich kriegslustige Panslawismus sollte durch diese Roßkur gedämpft, die frankophile Sympathisantenszene in St. Petersburg getroffen, die germanophile Konkurrenz durch den drastischen Beweis des Nutzens der deutschen «Freundschaft» aufgewertet, die expansive antiösterreichische Balkanpolitik entmutig werden. Berlin wolle «konsequent» den «Kredit Rußlands niedrig» halten, verteidigte Herbert v. Bismarck als Staatssekretär des Auswärtigen Amtes den harten Kurs, «um kalmierend auf die Kriegslust und wenn möglich retardierend zu wirken».

Ungleich mehr aber wurde die Bereitschaft der beiden Bismarcks, die unleugbaren, schlechthin unübersehbaren Risiken ihrer außenwirtschaftlichen «Brinkmanship» in Kauf zu nehmen, durch innenpolitische Faktoren bestimmt. Die ökonomischen Interessen der ostelbischen Getreidewirtschaft und die mit ihr verbundenen sozialen und politischen Herrschaftsinteressen der Großagrarier forderten den Protektionismus. Sie verlangten auch den Ausschluß der östlichen Konkurrenz vom deutschen Kapitalmarkt, der die – von den Militärs ebenso befürchteten – russischen Westbahnen als Exportarterien finanzieren half. Die exportorientierte deutsche Industrie hatte ihrerseits eine Retorsion gegen die seit 1877 hochkletternden russischen Importzölle längst für überfällig erklärt, war doch zwischen 1880 und 1887 die deutsche Ausfuhr nach Rußland mehr als halbiert und von einem Anteil von 1875 = 24 Prozent auf 1885 = 5 Prozent des deutschen Außenhandels herabgeschraubt worden. Zwei vital wichtige Interessenblöcke der «Sammlungspolitik» konnten mit einem antirussischen Coup befriedigt und noch einmal fest an die Regierung Bismarck gebunden werden.

Gleichzeitig diente der wirtschaftliche Konflikt zusammen mit der von Bismarck fabrizierten französischen Kriegsgefahr parlamentspolitisch dazu, im Kartellreichstag die Heeresvermehrung vom November 1887 sicher durchzusteuern. Und den Protagonisten eines präventiven deutschen Winterfeldzugs im Osten setzte Bismarck nicht nur seine kategorische Ablehnung einer «prophylaktischen Angriffsführung» entgegen: «wir können ... nur verlieren, nichts gewinnen.» Vielmehr schwächte der «kalte Krieg» mit Hilfe von Zollerhöhung und Lombardverbot diese Forderungen auch durch ein begrenztes Entgegenkommen ab.

Die nach innen und außen defensive Gesamtkonzeption ist klar zu erkennen, ebenso aber die aggressiv wirkende Konsequenz der Verteidigungsintentionen. Eben darin tritt die Dialektik dieser Politik zutage, daß «selbst die Mittel, die Bismarck um des Friedens willen anwandte ..., zugunsten der Friedensbedrohung» umschlugen (H. Oncken). Unabhängig davon, ob der Kanzler sich zutraute, die Kollisionstaktik nach bewährtem Vorbild bald wieder zu ändern, oder ob er es tatsächlich für möglich hielt, Außenpolitik und Außenwirtschaft fein säuberlich zu trennen – die Wirkungen seines Wirtschaftskrieges seit 1887 waren fatal. Anstatt dem Verlegenheitsmoratorium des Rückversicherungsvertrags die wegen der zollpolitischen Intransigenz allein verbleibende ökonomische Basis zu verschaffen, nämlich die Verankerung des russischen Kapitalimports auf dem deutschen Anleihenmarkt, besiegelte Bismarck den erfolgreichen Ausgang der französisch-russischen Allianzverhandlungen.

Das blieb Bismarcks Erbe: Die Gefahr des Zweifrontenkrieges wurde durch die deutsche Politik nicht nur verschärft, er wurde durch Bismarcks Entscheidungen geradezu garantiert. 1887 wurden die Weichen für 1894 und 1914 gestellt – weil der Primat der gesellschaftlichen und politischen Systemerhaltung, wie er in Berlin im Zeichen der «Sammlungspolitik» definiert wurde, keine im wesentlichen andere Richtung zugelassen hätte. Die Annexion von Elsaß-Lothringen und die wirtschaftliche Konfrontation mit Rußland haben den selbstverschuldeten Zweifrontenkrieg zur Gewißheit gemacht.

Überdies wurde durch die Entscheidungen von 1887 und ihre Folgen auch die Chance zerstört, daß der russische Riesenmarkt die große kontinentale Alternative zum überseeischen Imperialismus hätte werden können. Dieser Weg war seither verbaut.[18]

b) Der deutsche Imperialismus

Bis in die 1960er Jahre hinein ist die deutsche überseeische Expansion seit dem letzten Drittel des 19. Jahrhunderts im Hinblick auf die Bismarckära als «deutsche Kolonialpolitik», im Hinblick auf die wilhelminische Epoche als «deutsche Weltpolitik» bezeichnet worden. Sie wurde also entweder mit einem eigentümlich verengten oder einem auf eine angeblich deutsche Spezialität abhebenden Begriff charakterisiert. Tatsächlich geht es aber in beiden Fällen darum, daß auch die deutsche Expansion ein integraler Bestandteil des westlichen Imperialismus in jenen Jahrzehnten gewesen ist. Daher muß sie auch in diesem allgemeinen Kontext diskutiert werden.

Unter dem okzidentalen Imperialismus des 19. und 20. Jahrhunderts wird hier sowohl die direkte, formelle Kolonialherrschaft als auch die indirekte, informelle Herrschaft kraft dominierenden Einflusses verstanden, die in beiden Fällen von den Industrieländern aufgrund ihrer sozialökonomisch-technologisch-militärischen Überlegenheit in den unentwickelten Regionen des Globus ausgeübt wurde. Er setzt die universalgeschichtliche Zäsur der Industrialisierung voraus, die ihn trotz aller unleugbaren Kontinuität von der alteuropäischen Kolonial- und Handelsexpansion unterscheidet. Als Komplexphänomen muß der Imperialismus theoretisch und methodisch von vier analytisch zu unterscheidenden Dimensionen her angegangen werden: erstens von der Problematik des ungleichmäßigen kapitalistischen Wirtschaftswachstums; zweitens von den binnengesellschaftlichen Auswirkungen der sich verändernden Sozialstruktur; drittens von der politischen Sphäre der Herrschaftslegitimierung durch erfolgreiche Expansion zum einen sowie von dem Konkurrenzkampf im Staatensystem zum andern, in dem Kolonien oder Einflußsphären als Bestätigung einer wahren Großmachtstellung galten, und schließlich viertens von den ideologischen Antriebskräften des Imperialismus selber, des Nationalismus, des Sozialdarwinismus, des Rassismus, der Zivilisationsmission der «Weißen» usw. Auf diese Weise läßt sich sowohl die strukturelle Gleichartigkeit als auch die erstaunliche Gleichzeitigkeit der Imperialismen am ehesten erfassen.

Die historisch beispiellose Dynamik des Industriekapitalismus hat sich folgerichtig in eine vehemente Bewegung zur Erweiterung des inneren und äußeren Marktes umgesetzt, die von den handelnden Akteuren, ob Unternehmern oder Politikern, als unentrinnbarer Zwang des neuen Wirtschaftssystems und seiner Marktgesellschaft empfunden wurde. An ihn paßte sich ein pragmatischer Expansionismus an, der – ganz auf dieser Linie – die Erweiterung der Marktwirtschaft für eine systemimmanente Notwendigkeit hielt. Im Ergebnis führte er in der Arena der Außenwirtschaft zu informell dominierten Märkten oder aber – wenn es denn gar nicht zu vermeiden war – auch zu formeller Gebietseroberung. Die Konjunkturfluktuationen, die mit dem ungleichmäßigen Wachstumsprozeß unumgänglich verbunden waren, haben auf diesen Expansionismus als Stachel beschleunigend eingewirkt. Ob in den ihn besonders stimulierenden Depressionsphasen oder während der Boomperioden – die unregelmäßige ökonomische Entwicklung erschwerte die rationale Vorauskalkulierbarkeit von Gewinnchancen und steigerte deshalb ganz gewaltig die Erwartungen, die sich an die Außenmärkte hefteten, bis hin zu einer hochgetriebenen Ideologisierung der lebensnotwendigen Bedeutung des Exports; ihr korrespondierte eine verblüffende Unterschätzung der Aufnahmefähigkeit des Binnenmarkts.

In seiner frühen Phase beschränkte sich dieser pragmatische Expansionismus – gewissermaßen naiv der Wachstumslogik folgend – darauf, den Markt nach Übersee auszuweiten. Seitdem sich aber die Konjunkturschwankungen des höherentwickelten Industriekapitalismus schmerzhafter auswirkten, wurde er zu einem Bestandteil derjenigen Aktionen, mit denen der frühe Interventionsstaat – auf der Suche nach Steuerung des ungleichmäßigen Wachstums, möglichst nach Dauerkonjunktur oder zumindest doch nach Stabilisierung des einheimischen Wirtschaftsverlaufs – auch die Gewinnung von Absatz- und Investitionschancen in den unentwickelten Regionen unterstützte, um diese Möglichkeiten für die Frühformen seiner antizyklischen Konjunkturpolitik effektiver zu nutzen. Die staatlich protegierte Exportoffensive zur Gewinnung oder Verteidigung von Außenmärkten, gleich ob sie zu einem «Informal Empire» oder zur Kolonialherrschaft führte, maß gerade deshalb, weil die Absorptionskapazität des Binnenmarkts noch verkannt wurde, der Wiedergewinnung von Prosperität durch außenwirtschaftliche Erfolge eine oft maßlos übersteigerte Bedeutung zu. Die materielle Wohlfahrt des Landes wurde von den Erfolgen, die nur durch auswärtige Marktmacht in ihren informellen und formellen Formen zu erzielen seien, unmittelbar abhängig gemacht.

Da es sich um eine Zeit mit äußerst begrenzten Informationen über die unentwickelten Außenmärkte handelte, wird ihre Überbewertung im Zeichen der hochschießenden Hoffnungen, die gerade wegen der fehlenden Transparenz ein ungeheures Potential vermuteten, verständlicher. Tatsächlich ist jedoch für die meisten Industrieländer der Handelsverkehr mit gleichentwickelten Staaten ungleich lukrativer und risikoärmer gewesen. Tatsächlich wurde auch der expandierende einheimische Markt wegen der relativen Bedeutungsschmälerung des Außenhandels auf lange Sicht und wegen der dynamisierten Lohnpolitik, die eine anhaltende Steigerung der Massenkaufkraft im Gefolge hatte, immer wichtiger. Andrerseits konnte freilich für strategisch wichtige Industrien der Grenznutzenwert ihres exportierten Produktionsanteils für die Ertragslage die entscheidende Größe bleiben.

Immer aber hat das Bündel der wirtschaftlichen Motive, wie dogmatisch es auch von den ökonomischen Imperialismustheorien verabsolutiert worden ist, nur einen Teil der wesentlichen Antriebskräfte des modernen Imperialismus gebildet. Vielmehr hat sich mit dieser Expansion durchweg auch die hochgespannte Erwartung und dezidierte Absicht verbunden, das politische Machtgefüge und die Sozialhierarchie durch die positiven Resultate des Imperialismus zu legitimieren. «Jede erfolgreiche imperialistische» Politik «stärkt normalerweise», hat Max Weber diesen Legitimationsaspekt, der in seiner Politischen Soziologie bekanntlich eine zentrale Rolle spielt, konsequent betont, «auch ‹im Inneren› das Prestige und den Einfluß derjenigen Klassen . . ., unter deren Führung der Erfolg errungen» worden ist. Ein solcher Sozialimperialismus, für den eben dieses Ziel die höchste Priorität genoß, durch die Erfolge formeller und informeller Expansionspolitik das Herrschaftssystem zu stärken und die Gesellschaftsordnung zu stabilisieren, hat auch schon in der Bismarckära einen maßgeblichen Einfluß ausgeübt. Darauf wird unten genauer eingegangen; zunächst geht es um einen knappen Überblick über die Geschichte und die wirtschaftsimperialistischen Antriebskräfte der deutschen Expansionen im Rahmen des internationalen Wettlaufs um die Aufteilung der Erde. Dabei rückt Bismarck öfters in den Mittelpunkt, da er die überseeische Politik zu Recht für einen Bestandteil der deutschen Außenpolitik hielt, die er mit seiner unbestrittenen Statur im Berliner Entscheidungszentrum dominierte.

Deutscher Wirtschaftsimperialismus: Protegierter Außenhandel – Überseeische «Schutzgebiete» – Das Kolonialreich. Bismarck ist dem Imperativ des pragmatischen, mithin des kommerziellen, freihändlerischen Expansionismus so lange wie möglich gefolgt, da er die finanziellen Belastungen, die militärischen Risiken und die politische Verantwortung, die eine staatliche Kolonialherrschaft unausweichlich mit sich brachte, illusionslos erkannte. «Die Kosten» staatlicher Kolonialpolitik überstiegen meist «den Nutzen», argumentierte er wie ein gestandener englischer Freihändler, ihre vermeintlichen «Vorteile» beruhten «zum größten Teil auf Illusionen». «Gebietserwerbungen außerhalb Europas» seien «eine Quelle nicht der Stärke, sondern der Schwäche für Deutschland» und daher strikt abzulehnen. Offensichtlich stand auch Bismarck unter dem Einfluß des ungeheuren Erfolgs des britischen mittelviktorianischen «Informal Empire»; er orientierte sich an diesem imponierenden Vorbild weltweiter Handelsherrschaft, als er jene Interessen förderte, die durch eine «Laissez-faire»-Überseepolitik befriedigt werden konnten. An der Kontinuität dieser Leitvorstellungen hat er von 1862 bis 1898 festgehalten, daran ist kein Zweifel möglich. Es gab auch in den achtziger Jahren keinen abrupten Bruch, keinen tiefen Gesinnungswandel, geschweige denn eine plötzliche Begeisterung für Kolonien. Wohl aber gab es neue, zwingende Motive, die ihn zeitweilig, entgegen seiner bisherigen Konzeption, dazu bestimmten, den riskanten Schritt zu einem staatlichen Engagement in afrikanischen und pazifischen «Schutzgebieten», schließlich in Staatskolonien zu tun.

Auch danach hielt Bismarck aber an der Überzeugung fest, daß ein deutsches informelles Handelsimperium den belastenden staatlichen Verwaltungskolonien vorzuziehen gewesen wäre. Er beharrte darauf, daß privatwirtschaftliche Interessen – im Gegensatz zu der Maxime des «Trade Follows the Flag» – in Übersee voranzugehen hätten, der Staat ihnen allenfalls als Schutzmacht folgen solle, ohne sein Ziel von vornherein in kolonialem Gebietserwerb zu sehen. Von seiner Position aus durchaus glaubwürdig konnte er daher dem französischen Botschafter noch im Herbst 1884 versichern, daß nur die Ausdehnung des unbehinderten Handels, nicht jedoch «die räumliche Ausdehnung» von «kolonialen Besitzungen ... das Ziel der deutschen Politik» bleibe. «Er schwärme für überseeische Kolonialpolitik so wenig» wie früher, wiederholte er 1886. Und zehn Jahre später bekräftigte er noch einmal seine ursprüngliche Zielvorstellung, daß sich in den «Schutzgebieten» eine «kaufmännische Regierung bilden» sollte, mithin ein «System ..., wie dasjenige, das England in Ostindien so großgemacht hat.» «Unser kolonialpolitisches Programm» laute, insistierte er noch 1888, «Schutz der deutschen ‹pioneere›, nicht staatlicher Kolonialbesitz» – das allein sei «praktisch und richtig.» Das «kolonialpolitische Programm» der Reichsregierung stehe im Grunde, konstatierte daher 1889 der Kolonialpublizist Friedrich Fabri mit bedauerndem Unterton, aber zu Recht, noch immer «auf dem Boden des Laisser-aller». So gesehen ist es geradezu ein Paradoxon, daß Bismarck selber zuerst überseeische «Schutzgebiete» etablierte und sie dann binnen kurzem in formelle Staatskolonien umwandeln mußte. Denn damit wurde er zum Gründer eines zweiten Reiches, des deutschen Kolonialimperiums, das als neues, den Bismarckmythos weiter steigerndes «Werk des Reichsgründers» zum deutschen Nationalstaat hinzukam.

Welche Bedingungen und Motive haben Bismarck schließlich doch auf diesen Weg, den zu gehen er zwei Jahrzehnte lang partout vermeiden wollte, geführt? Wegen der Konstanz und Kontinuität seiner Grundanschauung, daß der informelle «Freihandelsimperialismus» britischen Stils der direkten Kolonialherrschaft weit überlegen sei, ist der Kurswechsel um so erklärungsbedürftiger, schließlich auch um so aufschlußreicher.

Am Ende der ersten Depression (1879) geriet das große Hamburger Handelshaus Godeffroy, das auf den Samoa-Inseln im Südpazifik die Spitzenposition unter den westlichen Firmen gewonnen hatte, wegen der heimischen Tiefkonjunktur in eine finanzielle Kalamität, die zu dem Ruf nach staatlicher Subvention führte. Begleitet von der empört ablehnenden Kritik der freihändlerischen Liberalen, hat die Regierung Bismarck wegen der Schlüsselstellung der Godeffroys, aber auch wegen der symbolischen Bedeutung einer staatlichen Unterstützungsmaßnahme im Zusammenhang der Wende von 1879 ein Rettungsunternehmen gestartet. Dabei ging es noch keineswegs um eine pazifische Kolonie, sondern darum, jedermann zu demonstrieren, daß für die Förderung außenwirtschaftlicher Interessen von einer lohnenden Größenordnung ab aufwärts, ungeachtet des liberalen Dogmas, der staatliche Beistand nicht mehr von vornherein ausgeschlossen wurde. Insofern stellte die frühe Samoa-Politik einen ersten Versuch dar, im Bereich der Außenwirtschaft die Erfolgschancen staatlicher Intervention zu erproben. Das Experiment, Vorausblick auf Kommendes, scheiterte indes 1880 am Widerstand des Reichstags.

Als sich nach einer kurzlebigen Erholungsphase während der zweiten Depression seit 1882 die schlimmen Erfahrungen der siebziger Jahre, wie es schien, wiederholten, ging davon eine geradezu traumatisierende Wirkung aus – nicht nur in Deutschland, sondern auch in anderen erneut krisengeschüttelten Ländern wie etwa in den Vereinigten Staaten, in Frankreich und

Belgien. Im Reich versagte der Schutz des Binnenmarkts durch den Protektionismus, der soeben noch als wichtigste antizyklische Remedur durchgesetzt worden war, gegenüber dem neuen weltwirtschaftlichen Abschwung. Da sich inzwischen die Agrarkrise mit der industriellen Depression überschnitt, wurden die großindustriellen und die großagrarischen Führungseliten gleichzeitig hart getroffen. Die sozialen Spannungen vertieften sich, das allgemeine Krisenbewußtsein dehnte sich aus, das Bismarckregime und seine Sammlungspolitik fanden sich einer schweren Belastungsprobe ausgesetzt. In dieser bedrohlichen Situation konnte sich das Berliner Machtzentrum nicht passiv-abwartend verhalten. Die jetzt erst nachhaltig unterstützte überseeische Expansion gehörte zu jenem Bündel von Gegenaktionen, welche die Krise entschärfen sollten.

«Die industrielle Entwicklung, die zu einer Überproduktion geführt hat», berichtete der französische Botschafter, «treibt Deutschland zu seinen Kolonialunternehmen.» Mit zahlreichen anderen Beobachtern schloß sich der englische Außenminister diesem Urteil an: «Die wachsende soziale Unruhe in Deutschland, die Tendenz ... zur Überproduktion» und der «laute Ruf» nach «neuen Absatzkanälen» zwängen Bismarck, konträr zu seiner bisherigen Überzeugung, zu dem «neuen Aufbruch» nach Übersee. Diese Diagnose wurde in Deutschland von einem breit gefächerten ideologischen Konsens geteilt, der sich in der Wirtschafts- und Geschäftswelt, in einem wachsenden Segment der öffentlichen Meinung, in der neu aufkommenden Expansionspublizistik und erst recht unter den auf Export und Kolonialbesitz gerichteten Interessengruppen herausbildete.

Die gewaltige Produktion der deutschen Industriewirtschaft brauche, hieß es da immer wieder, ein «Sicherheitsventil», das nur im Export, möglichst auch in eigenen Kolonien zu finden sei. Das «heilige Gebot», endlich «die Erweiterung unseres Wirtschaftsgebiets durch überseeischen kolonialen Besitz» oder kommerziell beherrschte Absatzmärkte zu fördern, dürfe nicht länger mißachtet werden. Monoton zog sich diese Forderung durch schier zahllose Äußerungen all jener hindurch, die am Entstehen des ideologischen Konsenses mitwirkten. Ohne außenwirtschaftliche Erfolge könne weder die Depression überwunden noch für den überdimensionierten Produktionsapparat, dessen Leistungen über die Bedürfnisse des Binnenmarktes längst weit hinausreichten, ein zuverlässiger «Abfluß» gefunden werden.

Gelinge das aber nicht sobald wie nur möglich – und damit wurde das zweite Hauptmotiv dieser leidenschaftlichen Debatte umschrieben –, drohe «die alles verschlingende soziale Revolution». Wegen der anhaltenden Krise erhebe «die sozialistische Revolution ... immer drohender ihr Schlangenhaupt». Kolonialerwerb bedeute daher einen «Akt der Selbstrettung», denn sonst bleibe für das «Proletariat die Hoffnung auf eine soziale Revolution der einzige Trost». «Pauperismus und Sozialdemokratie» – sie drohten in der unmittelbaren Zukunft, wenn die wirtschaftliche Lage nicht endlich entschärft werde. Die «gedrückten Wirtschaftsverhältnisse» und die «fortwährend mit Verbitterung wühlende sozialdemokratische Bewegung» drängten, lautete die allgemeine Konsequenz, das Reich «unabweislich auf die Bahn einer überseeischen Politik», wenn der Bestand von Staat und Gesellschaft nicht in tödliche Gefahr geraten solle.

Die Regierung Bismarck hat auf die Wachstumsschwankungen, die immer nachdrücklicher auf die staatliche Intervention hinlenkten, auch auf die dramatischen Warnungen, die sie von allen Seiten her erreichten, vor allem mit einer vielfältigen Unterstützung der Exportwirtschaft reagiert. Der Hebel wurde an verschiedenen Stellen gleichzeitig angesetzt: Ausfuhrsondertarife im Eisenbahn- und Kanalwesen, Begünstigung der weiterverarbeitenden Exportgewerbe durch den Zolltarif von 1879, Direktsubventionen für den Bau von Hochseedampfern, Förderung von überseeischen Bankfilialen und «Exportmuseen», dazu natürlich konsularische Unterstützung und vorteilhafte Handelsverträge – alle diese Maßnahmen muß man zusammen sehen, um zu erkennen, wie sich der junge Interventionsstaat in der Außenwirtschaft pragmatisch vorantastete. Die Politik, die dann in Afrika und im Pazifik letztlich auch zu Kolonien führte, stellt nur einen Ausschnitt aus diesem Repertoire der staatlich protegierten Außenhandelspolitik dar. Erst in diesem Kontext früher interventionsstaatlicher Experimente gewinnt der deutsche Wirtschaftsimperialismus seinen bestimmten und begrenzten Stellenwert.

Bismarck hat sich darüber mit aller wünschenswerten Klarheit ausgesprochen. «Unsere Kolonialbestrebungen sind Hilfsmittel für die Entwicklung ... des deutschen Exports», beschrieb er in nuce die funktionale Bedeutung der «Schutzgebiete», die «nichts weiter» darstellten «als ein weiteres Hilfsmittel zur Entwicklung ... des deutschen wirtschaftlichen Lebens». «Wenn der deutschen Gesamtheit das Kleid zu Haus zu eng wird, sind wir genötigt», folgerte er, «dem deutschen Unternehmungsgeist Protektion zuteil werden zu lassen.» Sein pragmatischer Expansionismus schmiegte sich einer schwierigen Lage an, die er mit vielen anderen als Sachzwang des industriellen Wachstums empfand.

Darüber hinaus bewegte sich die deutsche Wirtschaftsentwicklung nicht in nationaler Isolierung. Vielmehr war sie in einen erbitterten weltwirtschaftlichen Konkurrenzkampf aller mit strukturell gleichartigen Wachstumsproblemen ringenden Industriestaaten verflochten. Die vertraute Rivalität im europäischen Staatensystem wurde im globalen Maßstab fortgesetzt. Dieser Wettbewerb aller okzidentalen Industrieländer bildete eine der wichtigsten Bedingungen für ihr wirtschaftspolitisches Verhalten seit den 1880er Jahren und eine Grundvoraussetzung auch des «neuen Imperialismus». Ohne energische Staatshilfe erschien es als illusorisch, in diesem Ringen, dessen Ausgang nach einer früh verbreiteten Auffassung über die endgültige Machtverteilung auf dem Erdball entschied, erfolgreich bestehen zu können.

Die Einsicht in die neuartige Zuspitzung der weltwirtschaftlichen Konkurrenz brachte auch Bismarck dazu, einen «prophylaktischen Imperialismus» zu praktizieren, der vor dem angeblich oder tatsächlich drohenden Zugriff einer rivalisierenden Macht die eigenen Ansprüche vorsorglich absteckte – und sei es auch nur, noch ehe der wahre Wert eines überseeischen Marktes zu erkennen war, um künftige Chancen rechtzeitig zu wahren. Wenn Berlin mit der Proklamierung der «Schutzgebiete» noch länger gewartet hätte, verteidigte er sich, «würden wir überhaupt nicht in die Lage gekommen sein, uns die Frage vorzulegen, ob wir dort eine deutsche Kolonie für möglich halten wollen. Längst würden andere zugegriffen haben.» Auch Deutschland brauche aber solche «Versuchsstationen», um «ein Tor für deutsche Arbeit ... und deutsche Kapitalanlage offen zu halten.» Schließlich gehe es bei der Kolonialpolitik auch um die «Unterlage einer Zukunftspolitik», um die «Fürsorge für die Erben». «Ich muß auf Jahrzehnte an die Zukunft denken», versicherte Bismarck, wenn er «jenen Besitz zu sichern» bestrebt sei, der «ein guter» werden könne. Die «ganzen kolonialen Unternehmungen» seien ja nicht auf einen Nutzen «in drei, vier Jahren berechnet», sondern weit eher mit «der Mutung eines Bergwerks» zu vergleichen, «für welches man den Erben sichere Grenzen, die von anderen Mächten nicht mehr übertreten werden, übermacht.» Den tatsächlichen, aktuellen Wert der Kolonien hat Bismarck sehr nüchtern, eher skeptisch beurteilt. Aber konjunkturpolitisch wollte er auch diese Chance nicht versäumen, und im internationalen Wettbewerb akzeptierte er die englische Maxime des «Pegging Out Claims for the Future». Nicht zuletzt versprach er sich von der symbolischen Wirkung auch dieser staatlichen Aktivität belebende Impulse für die Wirtschaft und die Unternehmer, die er durch staatliche Protektion und Subvention ermutigen wollte.

Bismarck gab mithin einer Zangenbewegung von innen und außen allmählich nach: zum einen dem Druck der Wirtschaftskrise und der Interessenten, der Expansionsagitation und des konjunkturpolitischen Handlungszwangs; zum andern dem Druck der verschärften internationalen Konkurrenz, die ihn sogar zu Präventivmaßnahmen antrieb, wie er sie in Europa stets vermieden hatte. Innerhalb von sehr kurzer Zeit wurden 1884/85 ganz unterschiedliche Projekte von Berlin unterstützt. An der südwestafrikanischen Küste war es der Bremer Kaufmann Adolf Lüderitz, dem die Reichspolitik ein «Schutzgebiet» verschaffte, das in zum Teil heftigen Auseinandersetzungen mit London und Kapstadt schließlich die Ausdehnung des gegenwärtigen Namibia erreichte. Fast gleichzeitig wurde die westafrikanische Interessensphäre hanseatischer Handelshäuser, voran der Hamburger Firma Adolph Woermanns, vor dem englischen und französischen Zugriff unter Reichsschutz gestellt, woraus Kamerun und Togo hervorgingen. In Ostafrika wurden die dubiosen Verträge eines abenteuerlustigen Psychopathen namens Carl Peters von Berlin anerkannt; nach einem neuen Konflikt mit

England entstand dort das «Schutzgebiet Deutsch-Ostafrika». Auf Neuguinea gelang einem einflußreichen Konsortium mit Hansemann und Bleichröder die Einrichtung eines weiteren deutschen Protektorats.

Überall wollte Bismarck privaten Syndikaten der beteiligten Unternehmer, welche die Bedeutung ihrer Handelsinteressen und ihrer eigenen finanziellen Ressourcen wortreich beschworen hatten, die «Schutzgebiete» als halbprivate Handelskolonien unter einem locker formalisierten, bewußt vage gehaltenen «Reichsschutz» überlassen, den Konsuln und gegebenenfalls Kanonenboote wahrnehmen sollten. Dieser Plan, das verlockende Vorbild der britischen ostindischen Chartergesellschaft und ihrer Nachfolger nachzuahmen, ist innerhalb weniger Jahre gescheitert. Aufstände der Eingeborenenstämme, der daraufhin für unumgänglich gehaltene Einsatz von Truppenverbänden – ein Vorgeschmack künftiger Kolonialkriege –, das blamable Versagen der deutschen Investoren, die Konkurrenz der etablierten Kolonialmächte, deren Interesse oder offener «Preclusive Imperialism» jetzt mit der deutschen Expansion zusammenstießen und eine staatlich sanktionierte Grenzziehung zwischen den Einflußsphären erforderten – unter dem pausenlosen Anprall dieser Krisen zerrann Bismarcks Wunschtraum von deutschen «Schutzgebieten» ohne die Last der Verantwortung für staatliche Territorialherrschaft. Schon nach vier Jahren mußten alle Protektorate in Reichskolonien umgewandelt werden, wie das die Interessenten seit jeher gefordert hatten. Auch Bismarcks Wirtschaftsimperialismus endete in kolonialem Gebietsbesitz – mit all jenen befürchteten Verpflichtungen, die der Berliner Politik daraus erwuchsen.

Nur für Mittelafrika gelang es Bismarck auf der Berliner Konferenz von 1884/85, seine Lieblingsvorstellung vom Freihandelsimperialismus zeitweilig zu verwirklichen. Indem er entscheidend dazu beitrug, die in China bewährte Politik der «Offenen Tür» – gemäß seiner Verhandlungsmaxime: «das in Ostasien geltende System auf die unabhängigen Länder in Afrika anzuwenden» – tatsächlich auf das belgische Kongogebiet zu übertragen, wurde von den Signatarmächten eine riesige Freihandelszone geschaffen. Deutschen Exportinteressen stand damit nach Bismarcks Auffassung ein weites Betätigungsfeld offen. Auch hier erwies sich jedoch sein Erfolg als kurzlebig. Seit 1890 begann der belgische König, der den Kongo bis 1908 als Privatbesitz verwaltete, seine Kolonie durch Schutzzölle abzuschirmen.

Bismarcks Sozialimperialismus. Die außenwirtschaftlichen und konjunkturpolitischen Argumente reichen allerdings nicht aus, um Bismarcks Überseepolitik befriedigend zu erklären. Dazu ist der Rückgriff auf ein zweites Bündel von Motiven erforderlich, auf welche die – vorn bereits eingeführte – Kurzformel des Sozialimperialismus abzielt. Im Mittelpunkt des Sozialimperialismus standen die politischen Legitimationsprobleme und gesellschaftlichen Stabilisierungsbedürfnisse des Bismarckregimes, das die überseeische Politik wegen der erhofften Binnenwirkung auch als Instrument der Herrschaftstechnik einsetzte. Ob die Wirtschaftsförderung als Motor der neuen imperialen Politik genügt hätte, läßt sich als hypothetische Frage füglich bezweifeln, aber die Aussicht auf innenpolitische Legitimationseffekte mußte sich als höchst attraktiv erweisen.

Nach einer sechsjährigen Depression seit 1873, dem Aufstieg der Sozialdemokratie, dem Scheitern erst der Konservativen, dann der Nationalliberalen, der Ausbreitung von Krisenfurcht und Lebensangst, dem Einbruch dann vor allem der zweiten Depression seit 1882 war Bismarcks Charisma einem bedrohlichen Verschleiß ausgesetzt. Das erzwang die glaubwürdige Bewährung in neuen Krisen, zuerst zum Beispiel während der Wende von 1878/79, das erzwang dann weitere Erfolge als notwendige Legitimationszufuhr. Daß Bismarck sich trotz seiner tiefsitzenden Aversion gegen Kolonien auf das unübersehbare Wagnis der neuen Überseepolitik einließ, beweist auch und gerade eins: Die Erosion seines Charismas hielt an und wurde von ihm selber für so gefährlich gehalten, daß er sogar die hohen Risiken der imperialistischen Expansion nicht scheute, um mit den begehrten Erfolgsbeweisen das brüchige Fundament seiner Sonderstellung erneut befestigen zu können.

Im Sinne des Sozialimperialismus bestand daher frühzeitig die erklärte Intention, erst recht die Funktion der deutschen überseeischen Expansion darin, durch die Meisterung außerordentlich schwieriger Aufgaben dem charismatischen Herrschaftssystem Bismarcks neuen Glanz zu verleihen, den angeschlagenen Nimbus seiner Überlegenheit wiederherzustellen, kurz: die Belastbarkeit seiner Legitimationsbasis zu verbessern. Das ist der Sinn von Bismarcks vertraulichem Bekenntnis, daß «die Kolonialfrage ... aus Gründen der inneren Politik eine Lebensfrage» für ihn geworden sei, daß er «die Stellung der Regierung im Inneren von dem Gelingen» abhängig machte. Diese Rücksicht auf die innere Politik sei, so erklärte auch Herbert v. Bismarck die innerste Absicht seines Vaters, derart «zwingend», daß selbst formelle Kolonialherrschaft in Kauf genommen werden müsse, «da alle reichstreuen Elemente sich für das Gedeihen unserer kolonialen Bestrebungen aufs lebhafteste interessieren».

Mit den Erfolgserwartungen verband sich nicht nur die Hoffnung auf eine Revitalisierung des Charismas und eine verstärkte Integration der «Reichsfreunde», sondern auch eine Ablenkungs- und Zähmungsstrategie, welche von den inneren Problemen auf neue Ziele nach außen hinlenken und den Einfluß systemgefährdender Reformbestrebungen – wie sie etwa von den Bewegungskräften des Liberalismus und der Sozialdemokratie verkörpert wurden – neutralisieren sollte. Bismarck hat dieses Ziel mit der aufschlußreichen Formulierung umschrieben, daß er den «opportunistischen Gesichtspunkt» seiner Expansionspolitik in erster Linie darin sehe, «den Deutschen ein neues Ziel zu setzen, für das sie sich begeistern könnten, nachdem ... die Popularität der Regierung zu verblassen angefangen hatte.» Damit hoffte er, «die Deutschen auf neue Bahnen», weg von den inneren Problemen «nach außen» lenken zu können.

Dasselbe Ziel hatte auch den Exponenten der Expansionsagitation vorgeschwebt, als sie mit dem deutschen Imperialismus ein neues «Hoffnungsbild» (Fabri), ein «ferneres, größeres Ziel» (Hübbe-Schleiden), einen «neuen, weiteren Inhalt des Lebens» (v.d. Brüggen) auftauchen sahen: «Nur durch solche äußere Entfaltung» könne «auch die Einheit unseres Volkes konsolidiert werden.» Dabei ging es um ein mobilisierendes Fernziel für eine neue aktive Politik, auch um eine «Gegenutopie» gegen die sozialdemokratische Programmatik. An diese Ablenkungsfunktion dachte ebenfalls der Bismarck-Intimus Henckel v. Donnersmarck, als er in einer imperialen «Auslandspolitik» den «folgenreichsten Schritt zur Lösung der sozialen Frage» sah. Und Johannes Miquel, einer der Väter der nachbismarckschen Sammlungspolitik, wollte zwar angesichts der Brisanz der «sozialen Frage» künftige «revolutionäre Ausbrüche» mit «unerbittlicher Strenge ... niederhalten», teilte aber mit dem Vorsitzenden des «Deutschen Kolonialvereins» Hermann v. Hohenlohe-Langenburg die Erwartung, daß vor allem ein erfolgreicher Imperialismus eine nachhaltige innere Entspannung nach sich ziehen und zur «Anlehnung» an die konservative Ordnung führen werde.

Die sozialdefensive Innenpolitik und die sozialimperialistische Expansionspolitik Bismarcks lassen sich darum nicht nur als Bemühen um den Charismabeweis, sondern auch als Facetten ein und derselben konservativen Gesellschaftspolitik verstehen. Ihr ging es inmitten des unablässig anhaltenden Wandels der binnengesellschaftlichen Kräftekonstellationen darum, den Vorrang des traditionellen Machtkartells und der privilegierten sozialen Klassen zu erhalten.

Der Sozialimperialismus, der infolgedessen verschiedenen Zwecken zugleich diente, versprach entweder einen innenpolitisch ausmünzbaren ökonomischen oder machtpolitischen Gewinn in Übersee oder doch Aktionsergebnisse – vielleicht nur symbolische Erfolge eines auftrumpfenden Aktionismus –, die eine sozialpsychisch wirksame Befriedigung des nationalideologischen Geltungsbedürfnisses herbeiführen konnten. Eben dieses herrschaftstechnische Kalkül machte ihn zu einer attraktiven Integrationsideologie, die gegen die Antagonismen der reichsdeutschen Klassengesellschaft, gegen den Drang nach einer Systemreform eingesetzt werden konnte. Sie lenkte ein gut Teil der politischen Aktivität namentlich des Wirtschafts- und Bildungsbürgertums in eine Art von «Ersatzraum» ab, in dem sich «die Anpassung ... an den bestehenden Staat, seine Struktur und seine Bedürfnisse» vollzog, während die weitsichtigen Großagrarier in einer sozialreaktionären Sammlungspolitik mit einem überseeischen Aktionsprogramm eine neue Gewähr für die Erhaltung ihrer soziopolitischen Herrenstellung sahen.

Als Legitimationsstrategie gewann mithin der deutsche Sozialimperialismus für das charismatische Herrschaftssystem Bismarcks zeitweilig eine prinzipielle Bedeutung. Mit ihm blieb – um darauf noch einmal zurückzukommen – der konjunkturpolitisch inspirierte Wirtschaftsimperialismus aufs engste verschränkt. Denn seit den 1870er Jahren war, wie vorn mehrfach geschildert, auch die deutsche Staatsleitung zunehmend unter den Erwartungsdruck geraten, ein möglichst stetiges wirtschaftliches Wachstum zu gewährleisten und angesichts des Versagens autonomer Marktmechanismen unabdingbare Stabilitätsbedingungen für die Gesamtgesellschaft und das politische Herrschaftssystem zu erhalten. Frühzeitig hat die Regierung Bismarck erkannt, welchen Legitimationsgewinn sie aus Erfolgen auf diesem Politikfeld ziehen konnte, ja in welch hohem Maße durch sie die Legitimationsbasis des charismatischen Kanzlerregimes gegen weitere Erosionsschäden geschützt werden konnte.

Wirtschaftsförderung, aber letztlich mehr noch das sozialimperialistische Kalkül haben daher in dieser Zeit kontinuierlich das Bewegungszentrum der deutschen Expansionspolitik gebildet. Sie sollte die Rahmenbedingungen für die großen wirtschaftlichen Interessenaggregate und die sozialen Alliierten des «Solidarprotektionismus» von 1879 verbessern, die seit 1873 scharf zugespitzten Klassenkonflikte um die Verteilung des Volkseinkommens entschärfen, politische und psychische Energien auf ferne, neue Ziele als Integrationspole hinlenken, folglich den Begriffen der «nationalen Aufgabe» und des «nationalen Interesses» – gedeckt durch den Mythos des «Reichsgründers» – nicht allein neuen Glanz, sondern sogar neuen Inhalt verleihen. Im erhofften Gesamteffekt sollte sie das charismatische Herrschaftssystem, die politische Machtverteilung im autoritären Nationalstaat und die Stellung der privilegierten Gesellschaftsklassen zementieren.

Diese Politik mag man insoweit ideologisch nennen, als sie im Banne der konservativen Utopie stand, den Bewegungskräften der sozialökonomischen und politischen Modernisierung dadurch zu begegnen, daß der Status quo mit allen, auch modernen Mitteln solange wie nur irgend möglich verteidigt wurde. Ohne die Liberalisierung und Demokratisierung von Staat und Gesellschaft konnte aber, wie die Erfahrung der westlichen Gesellschaften lehrt, jene politische Problembewältigungskapazität nicht aufgebaut werden, die in Krisenlagen eine entscheidende Bedeutung gewinnt.

Im engeren Sinne ideologisch motiviert waren dagegen die Entscheidungen, die im Berliner Machtzentrum gefällt wurden, noch nicht. Der Reichsnationalismus oder der Sozialdarwinismus zum Beispiel haben damals noch keinen nachweisbaren, direkten Einfluß auf sie gewonnen. Nur sporadisch hefteten sich schon in der Bismarckära pangermanistische Ideen an die Kolonialexpansion. Der Elberfelder Bankier Karl v. d. Heydt etwa, einer der Promotoren von Peters und der «Deutsch-Ostafrikanischen Gesellschaft», hielt den «Kolonialismus» nur für «ein Mittel der wirtschaftlichen und politischen Weltherrschaft Deutschlands», «lediglich» für «ein Moment des Pangermanismus». «Hübsche Politiker», handelte er sich den Spott seines Briefpartners, des Ruhrindustriellen Hammacher, ein, «während wir es für eine Riesenaufgabe halten, das Deutsche Reich gegen die Stürme der nächsten Zukunft zu schützen, schreiben die Männer der Tat die deutsche Weltherrschaft auf ihre Fahne.» Im «Allgemeinen Deutschen Kongreß» von 1886 schufen sich die Anhänger solcher krausen Ideen eine winzige, kurzlebige Organisation – den Vorgänger des «Alldeutschen Verbandes». Aber auf die Willensbildung im Reichskanzleramt vermochten solche frühen pangermanistischen Wunschträume nicht einmal von ferne einzuwirken.

Bismarcks nüchternes Kalkül der Erfolgschancen, deretwegen sich der Imperialismus für seine Herrschaftsposition und antizyklische Konjunkturpolitik ausnutzen ließ, hat ihn auch davor bewahrt, der frühzeitig auftauchenden Forderung der Kolonialideologen, Deutsch-Ostafrika zu einem großen mittelafrikanischen Kolonialreich auszuweiten, Gehör zu schenken. Daß es wegen der deutschen «Schutzgebiete» in West-, Südwest- und Ostafrika zu Zusammenstößen mit der englischen Politik kam, hat Bismarck wegen des lohnenden Einsatzes in Kauf genommen. Er hat auch das deutsche «Kolonialfieber» für den Wahlkampf von 1884 weidlich ausgebeutet, um eine «reichstreue» Mehrheit zustande zu bringen, und in dieser Zeit den ersten Ausbruch reichsdeutscher Anglophobie mit seiner politischen Autorität geschürt und gedeckt. Ehe jedoch der Konflikt mit London zu einer ernsthaften Krise eskalieren konnte, gelang ihm ein Abbau der Spannungen durch einen beiderseits akzeptablen Interessenausgleich.

Als Bismarck am Ende der achtziger Jahre die Desillusionierung im Hinblick auf den materiellen Wert der Kolonien teilte und die außenpolitischen Risiken weiterer Expansion die innenpolitischen Legitimationsgewinne übertrafen, trat er Verfechtern des Projekts einer gigantischen Kolonie von der West- bis zur Ostkuste Afrikas kompromißlos entgegen. «In diesem Fall» einer «neuen kolonialen Rivalität» mit England, dessen afrikanische Interessen dann notwendig schwer verletzt würden, könne «der Gegenstand des Streits niemals, so hoch man ihn auch anschlagen will, auch nur einigermaßen den gewissen Schaden aufwiegen, der aus einem ernsthaften kriegerischen Zusammenstoß zwischen England und Deutschland entstehen würde, und das alles über die Teilung von Landstrichen, deren Wert noch sehr zweifelhaft ist.» Die Prioritäten des Reiches als europäischer Kontinentalmacht besaßen nach seiner Auffassung jetzt wieder den klaren Vorrang vor einem überaus riskanten Ausbau des Kolonialreichs. «Ihre Karte von Afrika ist ja sehr schön», belehrte er einen der enthusiastischen Protagonisten eines deutschen Großafrika, «aber meine Karte von Afrika liegt in Europa. Hier liegt Rußland, und hier ... liegt Frankreich, und wir sind in der Mitte, das ist meine Karte von Afrika.»[19]

Der in seinen Zielen begrenzte Imperialismus der achtziger Jahre hatte Bismarcks Zwecke erfüllt, ein neuer Vorstoß stellte nur ungewisse, gefahrenbeladene Resultate in Aussicht. Daher wollte der Reichskanzler, dessen Domäne das europäische Staatensystem blieb, die neue Risikoschwelle in Übersee nicht mehr überschreiten. Eben diese Zurückhaltung trug dann aber binnen kurzem mit dazu bei, seine Machtbasis in den auf Expansion setzenden Parteien des «Kartells» zu untergraben.

6. *Das sammlungspolitische Machtkartell von 1878 bis 1890*

Seit dem Wendejahr 1878/79 stand die reichsdeutsche Innenpolitik im Zeichen der neuen konservativen Sammlungsallianz. Im Reichstag, aber auch im Landtag des preußischen Hegemonialstaats bildeten die Deutschkonservativen und die Freikonservativen, das Zentrum und bald auch wieder die angepaßten Nationalliberalen die Achse der Regierungsmehrheit. Im Reichsparlament konnte Bismarcks Kanzlerregime nach den drei Wahlen von 1881, 1884 und 1887 im Optimalfall unter den 397 Abgeordneten auf 225, 256, sogar auf 319 «Reichsfreunde» zählen, die einen Wählerstimmenanteil von 61.6, 62.3, ja 67.3 Prozent repräsentierten.

Die DKP erlebte nach ihrer Rückkehr auf den «Korridor der Macht» einen Höhenflug, da ihre Abgeordnetenzahl von fünfzig (1881) um sechzig Prozent auf siebenundachtzig (1887) anstieg. Die Freikonservativen wuchsen relativ noch mehr an: von zwanzig um hundert Prozent auf einundvierzig Mandatsträger. Und die Nationalliberalen vermochten im Zeichen des linkskonservativ-rechtsliberalen Heidelberger Programms ihre Präsenz sogar von siebenundvierzig um hundertzehn Prozent auf neunundneunzig MdR zu steigern. Das Zentrum behielt, zusammengeschweißt durch den «Kulturkampf», kontinuierlich seine hundert bzw. achtundneunzig Vertreter, zu denen noch zuverlässige Hilfstruppen – die dreiundvierzig bzw. zweiunddreißig Abgeordneten der Polen, Elsaß-Lothringer und Welfen – gewöhnlich hinzustießen.

Offenkundig lohnte sich die informelle Sammlungsallianz für alle beteiligten Parteien, zumal gleichzeitig die Fortschrittspartei bzw. die «Liberale Vereinigung» von hundertsechs (1881) über siebenundsechzig (1884) auf zweiunddreißig (1887), mithin nach einem einschneidenden Verlust von vierundsechzig Prozent ihrer Abgeordnetensitze in ein ungeahntes Tief abstürzte, während die Sozialdemokratie, wie ihre zwölf bzw. elf Sitze auswiesen, stagnierte.

In den achtziger Jahren stieg außerdem, und das läßt die konservative Mehrheit noch eindrucksvoller erscheinen, die Wahlbeteiligung kontinuierlich an, und zwar von 56.1 Prozent (1881) über 60.3 Prozent (1884) bis auf 77.2 Prozent (1887) aller Stimmberechtigten. (Dieser Prozentsatz wurde erst 1907 = 84.3 und erneut 1912 = 84.5 % übertroffen!) Das bedeutete innerhalb von sechs Jahren einen Zuwachs um fast vierzig Prozent. Unstreitig gewann der «politische Massenmarkt» schärfere Konturen, da die politische Mobilisierung zusehends weitere Wählerkreise erfaßte. Unter den Bedingungen der konservativen Sammlungspolitik und der stabilisierten charismatischen Herrschaft Bismarcks kam diese Expansion unzweideutig dem Lager der «Reichsfreunde», die ihren Anteil auf zwei Drittel aller Wählerstimmen hochschrauben konnten, keineswegs aber den Fortschrittsliberalen, geschweige denn der Sozialdemokratie zugute. Auch die Parteien der nationalen Minderheiten und des regionalen Landespatriotismus, die Polen, Elsaß-Lothringer und Welfen, verloren in ihrem Rückzugsgefecht gegen den Reichsnationalismus rund fünfundzwanzig Prozent ihrer Mandate.

Von den großen Interessenverbänden des Kaiserreichs operierte in dieser Zeit nur der «Zentralverband deutscher Industrieller» auf der politischen Bühne, wo er den Freikonservativen und Nationalliberalen, gegebenenfalls auch den Deutschkonservativen fleißig zuarbeitete. Das Zentrum als politischer Lenkungsausschuß des katholischen Vereinswesens konnte sich auf zahllose konfessionelle Assoziationen und das kostenlose Funktionärskorps des Klerus stützen. Dagegen stand den Fortschrittsliberalen kein einziger leistungsfähiger Verband zur Seite. Und der Nexus zwischen Sozialdemokratie und Freien Gewerkschaften wirkte sich in der Verfolgungszeit des Sozialistengesetzes, als beide diskriminiert wurden, noch keineswegs auf eine meßbare Weise vorteilhaft aus. Die zunehmende politische Partizipation zeigt, daß vom demokratischen Reichstagswahlrecht durchaus stimulierende Anreize ausgingen, ohne daß dadurch aber die Fundamentaldemokratisierung der Gesellschaft im präzisen Sinn bereits vorangetrieben worden wäre.

Nach der Schocktherapie von 1878/79 dehnte sich daher das Bismarck-Lager der «reichstreuen Elemente» im Reichstag dreimal hintereinander aus, zumal Bismarck konsequent seiner Maxime folgte, «die meisten Fragen nach Wahlrücksichten» zu behandeln. Es wuchs als Ergebnis der Wendepolitik im Wahlkampf von 1881, des geschickt hochgetriebenen «Kolonialfiebers» und der ersten Welle der Anglophobie im Wahlkampf von 1884, schließlich der außenpolitischen Panikmache und der furiosen Polarisierungspolitik des «Kartells» im Wahlkampf von 1887. Unter dem Strich ergab das einen Zugewinn an Mandaten um neunzig Prozent. Den Erfolg der Nationalliberalen bei den «Kartell»-Wahlen, als sie die Zahl ihrer MdR-Sitze auf einen Schlag auf neunundneunzig verdoppeln konnten, empfand Bismarck bereits als unangenehme Überraschung, da er trotz der Zähmung des nationalen Liberalismus die Forderung nach «konstitutionellen Garantien» voraussah, deren Erfüllung auf die abschüssige Bahn zum Parlamentarismus hinlenken werde.

Trotz aller internen Konflikte hielt das sammlungspolitische Machtbündnis auch auf lange Sicht zusammen. Und jeder Erfolg, ob bei den Wahlen oder in der Gesetzgebung errungen, stärkte Bismarcks charismatischen Nimbus. Die Kehrseite dieser Einflußbehauptung war freilich schon für die kritischen Zeitgenossen erkennbar: Die Mittel, die Bismarck zur Mehrheitsgewinnung einsetzen mußte, wurden immer bedenklicher. 1881 war es eine infame Diskreditierung des Liberalismus, 1884 folgte das Auftrumpfen mit einem «zweiten Reich» in Übersee, die Ausbeutung des Konflikts mit London und das Hochpeitschen des Englandhasses. 1887 mußten Kriegsgefahr und Rüstungspsychose fabriziert werden, um dem «Kartell» zum Sieg zu verhelfen.

Dieser bedenkenlosen Strategie, außenpolitische Auseinandersetzungen für den Wahlkampf auszunutzen oder sie sogar zu erfinden, sie jedenfalls zielstrebig zu instrumentalisieren, entsprach die genauso skrupellose Stigmatisierung des Liberalismus als eines politisch versagenden, englandhörigen Konkurrenten und der Sozialdemokratie als Inkarnation der «Reichsfeindschaft», um durch diese «negative Integration» das Bismarck-Lager zur einzig zuverlässigen rechten Wagenburg zu machen, die vor allen Gefahren Schutz bot. Ungeachtet der hohen Folgekosten im Inneren und in der Außenpolitik folgte Bismarck dem Imperativ des Charismatikers, durch die fortwährende Dramatisierung von Krisen immer neue Entscheidungssituationen zu schaffen, deren Bewältigung ganz und gar von dem absolut unentbehrlichen Meister der Politik abhing.

Die Sammlungspolitik wurde von Anfang an auch in den Landtag des preußischen Dreiklassenwahlrechts hineinverlängert. In den drei Wahlgängen der achtziger Jahre (1882, 1885, 1888) eroberte die konservative Allianz von Deutschkonservativen, Freikonservativen, Zentrum und Nationalliberalen von 433 zuerst 344, dann 365, endlich sogar 377 Sitze. Unangefochten konnte sie den Landtag, der unlängst noch die Domäne der Liberalen gewesen war, in eine politische Bastion des Ultrakonservativismus verwandeln, in der die Deutschkonservativen die Suprematie behaupteten (122, 133, 129), gefolgt vom Zentrum (99, 98, 98), das hier noch konservativer als im Reichsparlament auftrat. Der unerschütterliche Mehrheitsblock zog zwischen achtzig und fünfundachtzig Prozent aller Sitze an sich, während die DFP, nur mehr ein schwacher Abglanz ehemaliger Größe, noch einmal fast halbiert wurde (53–29); die Sozialdemokraten boykottierten damals die Landtagswahlen, erst seit 1907 nahmen sie an ihnen teil.

Vor der Wende in der Reichspolitik hatte Bismarck «nur» eine Majorität von 258 Abgeordneten zur Verfügung gestanden. Die Position der Nationalliberalen war aber bereits im Wahlkampf von 1879 zertrümmert worden, als statt 169 nur mehr 104 MdL in den Landtag einzogen, 1882 waren es dann noch einmal weniger: genau 66. Als Folge des Heidelberger Programms und des folgerichtigen Anschlusses an den konservativen Block konnten sie ihre Position bis 1888 (86) wieder etwas verbessern, ohne auch nur ein Viertel der Sitzzahl ihrer überlegenen Alliierten erringen zu können.

Da die strukturpolitischen Vorentscheidungen der Reichsverfassung das Verhältnis zwischen dem Reich und Preußen zu einem System kommunizierender Röhren gemacht hatten, funktionierte die Sammlungspolitik der achtziger Jahre als systemgerechter Mehrheitsbeschaffer in beiden Berliner Parlamenten.

a) Der Zerfall von Bismarcks Machtbasis und sein Sturz

Kaum hatte sich die Triumphstimmung nach den Wahlen von 1887 und 1888 gelegt, als das «Dreikaiserjahr» begann: Wilhelm I. starb hochbetagt, der «ewige» Kronprinz folgte ihm als Kaiser Friedrich für nur drei Monate, im Juni begann Wilhelm II., soeben neunundzwanzig Jahre alt, seine dreißigjährige Regierungszeit. Damit wurde auch das bereits latent vorhandene Spannungsverhältnis zwischen dem jungen Monarchen und Bismarck manifest. Der Kanzler war nicht nur fast ein halbes Jahrhundert älter, vielmehr schuf seine Statur als «Reichsgründer» eine noch größere Distanz, als sie durch den Generationenabstand ohnehin hervorgerufen wurde, zumal es in diesem Fall nicht um den gewissermaßen selbstverständlichen Abstand zwischen zwei aufeinanderfolgenden politischen Generationen, sondern um den fundamental andersartigen Erfahrungs- und Denkhorizont von Männern ging, die im Grunde durch die Spanne mehrerer Generationen voneinander getrennt blieben. Aus dem Zusammenprall der generationsspezifischen Eigenarten, vor allem aus dem dadurch verschärften persönlichen Machtkampf hat man daher unzählige Male Bismarcks Entlassung hergeleitet.

Natürlich läßt sich nicht leugnen, daß Bismarck – Machtmensch, der er war – das Kanzlerregiment weiterhin ungeschmälert ausüben wollte, daß er zudem durch seine untrügliche Witterung für zahlreiche Schwachstellen des jungen Hohenzollern in seiner Überzeugung bekräftigt wurde, damit auch das sachlich Richtige zu tun, während Wilhelm II. mit grenzenlosem Geltungsbedürfnis, in dem sich der «Cäsarenwahnsinn» des politischen Psychopathen ankündigte, unverzüglich in das volle Rampenlicht treten wollte. So sehr er darum den überlangen Schatten scheute, den der Kanzler warf, war ihm nicht weniger als seinem Beraterkreis völlig klar, daß die Zeit unaufhaltsam für sie arbeitete und daß jeder offene Zusammenstoß mit der bisher die Berliner Politik dominierenden Persönlichkeit unabsehbar nachteilige Folgen nach sich ziehen mußte. Nein, Bismarcks Sturz hing nicht primär von den Velleitäten eines persönlichen Spannungsverhältnisses ab. Vielmehr gab, wie es dem Charakter seiner charismatischen Herrschaftsstellung entsprach, der Verschleiß seines Charismas, der ausbleibende Beweis neuer Krisenmeisterung, der Zerfall seiner Machtbasis den Ausschlag.

Bismarck trug am Ende der achtziger Jahre hochbewerteten Interessen seiner politischen Verbündeten, wie sie mit wachsender Verbitterung registrierten, nicht angemessen oder überhaupt nicht mehr Rechnung. In der Rußland-Politik trat er trotz des Wirtschaftskriegs seit 1887 vielen noch immer nicht energisch genug auf. Seine Zurückhaltung in der Kolonialpolitik löste im Lager der «Reichsfreunde» weithin Enttäuschung aus, insbesondere die Nationalliberalen und Freikonservativen unkten über seine übertriebene Vorsicht und seinen evidenten Altersstarrsinn, obwohl es doch um Lebensinteressen der deutschen Großmacht gehe. Das Sozialistengesetz galt einer wachsenden Zahl von ihnen als Symbol der Erfolglosigkeit bei der Bekämpfung der «roten Gefahr», anderen wiederum als zu lasch und Ausdruck mangelnder Entschlossenheit. Die Sozialpolitik war auf die drei Versicherungsgesetze reduziert worden, während die Sozialpolitik im Betrieb: die Einschränkung der Arbeitszeit etwa, der Gesundheitsschutz, die Gewerbeaufsicht, stagnierte, obwohl die Überzeugung an Boden gewann, dort könne man der Sozialdemokratie am ehesten das Wasser abgraben.

Kurzum: Allmählich breitete sich der Eindruck aus, daß der Kanzler zu oft für eine zukunftslose Beharrungspolitik stand, die sich wie Meltau auf die Erwartungen, vornehmlich einer jüngeren, aktivistischen Generation, legte. Deshalb traten in Bismarcks Verhältnis zum «Kartell» Bruchlinien auf, die sich seit 1889 – kaschieren ließen sie sich ohnehin nicht mehr – weiter vertieften. Keineswegs stand die «Kartell»-Mehrheit weiterhin als Synonym für bedingungslose «Unterstützung par excellence». Wilhelm II. machte aus seiner Sympathie für das «Kartell» seit längerem kein Hehl, auch im Vorfeld der Anfang 1890 anstehenden Neuwahlen drückte er sie erneut aus. Bismarck dagegen vermied bis zum Frühsommer 1889 eine offene Festlegung auf das «Kartell» oder aber auf die einzige parteipolitische Alternative: eine neue konservativ-klerikale Mehrheit.

Daß die Einstellung der Nationalliberalen zunehmend frostiger wurde, jedenfalls keine bereitwillige Unterstützung in einer eventuellen Auseinandersetzung mit dem Kaiser zuließ, demonstrierte ihre Enttäuschung über Bismarcks kategorische Ablehnung der Pläne eines mittelafrikanischen Imperiums. Die «Deutsche Kolonialzeitung» kritisierte ihn deshalb im Juli 1889 mit ungewohnter Heftigkeit. Im August entbrannte ein offener Streit zwischen dem «Deutschen Kolonialverein» und der Reichsregierung, die sich von der Expedition des deutschen Forschungsreisenden und Kolonialenthusiasten Emin Pascha in der Region am Oberen Nil unverbrämt distanzierte, da die britische Einflußsphäre direkt tangiert wurde. Dagegen hatten die Protagonisten einer forcierten Kolonialpolitik auf eine aus «Deutsch-Ostafrika» nach Norden, in eben dieses Nilgebiet vorstoßende Expansion gehofft, um ihre realitätsferne Vision von einem «deutschen Indien in Afrika» Schritt für Schritt zu verwirklichen. Bismarcks Veto schob allen diesen bizarren Plänen einen Riegel vor, der prominente Nationalliberale zutiefst irritierte.

Der Reichskanzler wiederum reagierte auf Bennigsens Vorstoß, einen dem Reichstag verantwortlichen Reichsfinanzminister zu schaffen, mit der zu erwartenden schroffen Ablehnung. Mit Miquel spitzte sich der Streit wegen Bismarcks starrsinniger Weigerung, die Sozialpolitik auszudehnen und endlich die überfällige preußische Steuerreform in Angriff zu nehmen, weiter zu. Immer klarer opponierten die Nationalliberalen auch gegen die geforderte automatische Verlängerung des Sozialistengesetzes. So schürzte sich der Knoten des Konflikts mit der stärksten «Kartell»-Partei, deren Kooperation ohne folgenreiche Konzessionen in der Kolonial- und Rußlandpolitik, in der Sozial- und Steuerpolitik offenbar nicht mehr zu gewinnen war.

Als einzige Alternative zum «Kartell» blieb deshalb erst recht nur die künftige Koalition der beiden konservativen Parteien mit dem Zentrum übrig, wenn der Reichskanzler möglichst viel von seiner relativen Autonomie bewahren wollte. Wegen der tief eingefressenen Vorurteile und Bedenken, die sich im protestantischen politischen Establishment, auch und gerade bei Hof, gegen eine solche Aufwertung des politischen Katholizismus richteten, erzwang dieses Ziel von Bismarck die Inszenierung einer großen offenen Krise, damit durch ihre Bewältigung noch einmal seine Unersetzbarkeit bewiesen werden konnte. Darin drückte sich das typische Charismatikerverhalten in der Phase der «Veralltäglichung» und Erosion des Charismas aus. Eine überlegene, weniger riskante Option vermochte aber selbst der Großmanager der deutschen Innenpolitik nicht mehr zu entdecken.

Seit dem Juli/August 1889 gab es die ersten Anzeichen, daß Bismarck das «Kartell» ruinieren wollte und die neue Mehrheit anvisierte. Das ließ sich aus seiner Reaktion auf die umstrittene Forderung des bayerischen Zentrums nach der Rückkehr des kleinen Redemptoristenordens ablesen, der zusammen mit den Jesuiten während des «Kulturkampfes» vertrieben worden war. In der Regierung und am Hof herrschte kompromißlose Opposition gegen dieses Ansinnen vor. Aber ungerührt sagte Bismarck dem Zentrum seine Unterstützung zu. Im Gegenzug ordnete Wilhelm II. Meldungen an sowohl über seine kartellfreundliche Haltung als auch über seinen prinzipiellen Widerstand gegen die «Amnestie» der Redemptoristen.

Kaltblütig hob Bismarck daraufhin den Konflikt auf ein neues Niveau, indem er seine Vorlage für die Verlängerung des Sozialistengesetzes im Reichstag publik machte. Das Ausnahmegesetz sollte fortab zum einen auf unbestimmte Dauer gelten, zum andern die Ausweisung «sozialistischer Agitatoren» ermöglichen. Diese Verschärfung glich einem Sprengsatz gegen das «Kartell», da der Widerstand der Nationalliberalen bekannt war und die Deutschkonservativen sich ihnen anschlossen, nur noch nicht offen gegen den Kanzler und seine Regierungsvorlage stimmen wollten. Ihr Vorsitzender v. Helldorf-Bedra plädierte im November bei Bismarck dafür, auf den Ausweisungsparagraphen zu verzichten. Als Bismarck unnachgiebig auf ihm beharrte, stellte Helldorf ein geschlossenes Votum des «Kartells» in Zweifel. Anschließend verständigte er sich sofort mit Bennigsen und Kardorff als Chef der Freikonservativen über einen Kompromiß, der Bismarcks Vorschlägen ihren Biß nahm; Wilhelm II. ließ im Gespräch mit Helldorf seine Zustimmung durchblicken.

Einen Monat vor den Reichstagswahlen, am 25. Januar 1890, scheiterte dieses ausgeklügelte Manöver jedoch, da die Deutschkonservativen Helldorf die Gefolgschaft verweigerten. Ihre Mehrheit wollte jetzt die zahnlose Vorlage nur dann unterstützen, wenn Bismarck selber sich dafür aussprach. Das war eine klare Verlagerung der Entscheidung allein auf den Kanzler. Nachdem sich auf diese Weise die Chancen für eine ultrarechte Regierungskoalition verbessert hatten, legte Bismarck, die Schrauben erneut anziehend, im Kronrat sein Veto gegen den einhelligen Wunsch aller Minister und des Kaisers ein, das Sozialistengesetz abzuschwächen. Da die Ablehnung der neuen Vorlage feststand, hatte Bismarck das «Kartell» drei Wochen vor der Wahl gesprengt. Mit guten Gründen vermutete Holstein, daß Bismarck nach der bevorstehenden Niederlage seiner bisherigen Koalition die neue Rechtsallianz bilden und Wilhelm II. erstmals einen Zentrumspolitiker als Minister vorschlagen werde.

Tatsächlich erlitt das «Kartell» in den Reichstagswahlen am 20. Februar 1890 – ohne die Rückendeckung Bismarcks und seines Apparats – eine vernichtende Niederlage. Sein Mandateblock schmolz von 223 auf 140 Sitze zusammen, die Abgeordnetenzahl der Nationalliberalen (42 statt 92) und Freikonservativen (20 statt 41) wurde fast halbiert. Das Debakel verschärfte sich dadurch, daß die linksliberale «Vereinigung» die Anzahl ihrer Sitze verdoppelte (32–66), die Sozialdemokratie sie sogar verdreifachen konnte (11–35). Demgegenüber verlor die DKP nur sieben Sitze (73 statt 80), das Zentrum gewann mit 106 eigenen MdR und 37 seiner Hilfstruppen die eigentliche Schlüsselstellung – an Windthorst führte kein Weg mehr vorbei. Die von Bismarck anvisierte Rechtsallianz hätte mit zweihundert Abgeordneten die absolute Mehrheit besessen.

Während sich diese Chance abzuzeichnen schien, übte Bismarck weiterhin Druck mit der verschärften Version des Sozialistengesetzes aus. Darüber hinaus sorgte er für eine neue Eskalation der Krise, indem er am 2. März im Staatsministerium nicht nur darauf insistierte, das Ausnahmegesetz unter allen Bedingungen dem Reichstag vorzulegen, sondern angesichts der schwierigen innenpolitischen Situation auch noch die nackte Drohung aussprach, daß die Fürsten an der Spitze der Mitgliedsstaaten des Reiches sich bald gezwungen sehen könnten, eine andere Verfassung zu oktroyieren. Dahinter stand die Bereitschaft zum Staatsstreich, um – wie Philipp zu Eulenburg, einer der engsten Berater Wilhelms II., gleichzeitig vorhersah – unter der «Führung des Kanzlers» vor allem die «Revision des Wahlmodus» durchzusetzen. Anstelle des demokratischen Reichstagswahlrechts sollte ein Klassenwahlrecht gefügige Mehrheiten verschaffen. Freilich handle es sich dann «um einen Staatsstreich, und Schießen» könne dann «kaum vermieden werden».

Daß Bismarck nicht etwa nur eine verbale Drohkulisse aufbaute, sondern diesen extremen Grenzfall der Krise ins Auge faßte, beweist auch der auf sein Geheiß von Kriegsminister v. Verdy entworfene Geheimerlaß vom 12. März für alle Kommandierenden Generäle im Reich, der dem Kanzler sofort zur Billigung vorgelegt wurde. Darin wurde ein Aufstand der Sozialdemokraten, die angeblich nach der Verlängerung des zugespitzten Sozialistengesetzes losschlagen wollten, nicht etwa als «theoretische Möglichkeit», sondern als «unmittelbar bevorstehend» vorausgesetzt. Kanzler und Armee stellten sich auf schwere innere Unruhen ein, denen nur mit der geballten Militärmacht begegnet werden konnte. In diesem Augenblick der Bürgerkriegssituation war an der Unentbehrlichkeit des einzigen Nothelfers, des charismatischen Kanzlers, nicht mehr zu rütteln. Die existentielle Krise bot ihm die ersehnte Bewährungsprobe, deren Meisterung unter hochdramatischen Umständen er sich gewachsen fühlte. Danach wäre trotz der Opfer sein Charisma im hellem Glanz erstrahlt, während der Monarch auf unabsehbare Zeit aus dem Schatten des Krisendompteurs nicht hätte heraustreten können. Bismarck beschränkte sich mithin keineswegs auf düstere, aber vage Andeutungen über einen solchen Coup d'etat. Vielmehr faßte er diese Grenzsituation als Bestandteil des Krisenszenarios fest ins Auge – es ging ihm nicht um ein einschüchterndes Gedankenspiel, sondern er besaß die Absicht, auf den Staatsstreich, sozusagen als die Machtressource letzter Instanz, zurückzugreifen.

In diesem Augenblick erlitt Bismarck, gerade weil seine Entschlossenheit – die neue Allianz zu suchen, die Sozialistenverfolgung zu steigern, den Staatsstreich zu riskieren – so überzeugend wirkte, im inneren Machtzirkel eine Serie von fatalen Niederlagen. Nichts konnte die Erosion seines Charismas schlagender demonstrieren. Helldorf hatte Wilhelm II. am 4. März vor der Neufassung des Sozialistengesetzes dringend gewarnt. Am 5. März nötigte der Kaiser seinem Kanzler die Zusage ab, das Projekt vorerst aufzugeben. Am 12. März, an dem Tage, als Verdys Erlaß in der Wilhelmstraße eintraf, verlief ein Sondierungsgespräch mit Windthorst, der Oberwasser verspürte, ohne das erhoffte positive Ergebnis für den Kanzler. Helldorf wiederum gelang es, die Deutschkonservativen darauf einzuschwören, eine von Bismarcks Konzessionen an das Zentrum, die Militärdienstzeit auf zwei Jahre zu senken, abzulehnen. Ab 14. März warnte er Wilhelm II., daß die DKP das Regierungslager verlassen werde, falls der Kanzler weiter mit dem Zentrum verhandle. Der prominente Deutschkonservative v. Limburg-Stirum ging sogar noch einen Schritt weiter, als er die Bereitschaft zur Unterstützung der Regierung betonte, aber weitere Gespräche mit Bismarck ablehnte.

Der Streit erst um das «Kartell», dann um die künftige parlamentspolitische Machtgrundlage der Regierung, schließlich um die von Bismarck Zug um Zug gesteigerte Eskalation der inneren Krise mit dem nur zu klar erkennbaren Ziel, am Ende – koste es, was es wolle – als einziger, blendender Retter aus der Not dazustehen, da es für einen Charismatiker, dessen Stern sank, keine überlegene Alternative gab – dieser grundsätzliche Interessengegensatz hat Kanzler und Kaiser ungleich tiefer getrennt als der Zusammenprall der Persönlichkeiten oder Generationen. In dieser Auseinandersetzung, während der für Bismarck alles: die entscheidende Spitzenposition im Herrschaftssystem, auf dem Spiel stand, liegt die eigentliche Struktur und die Kontinuität der Krise begründet.

Da in einem solchen Machtkampf die Katharsis, die große Reinigung, sich nicht selbsttätig einstellt, lag die Entscheidung, nachdem Bismarck mit der krisenverschärfenden Allianzplanung und Sozialistenjagd, daher auch mit der Staatsstreichabsicht zunächst gescheitert war, beim Kaiser. Es war kein leichtherziger Entschluß, den er mit seinem Beraterkreis bis zum Abend des 14. März traf, daß Bismarck am folgenden Tag zum Rücktritt gezwungen werden sollte. Im Grunde fand sich Wilhelm II. gegen seine ursprüngliche Absicht zur Entlassung gezwungen, wenn er Bismarck nicht auf dessen Weg in die innere Staatskrise folgen wollte. Man erkannte am Hof auch durchaus die Gefahren, die von einem rachsüchtigen Bismarck im Abseits der Opposition auszugehen drohten. Und seine vorerst mißlungenen Pläne unterstrichen auch noch einmal, daß die Zeit gegen ihn arbeitete. Trotzdem wollte man Bismarck auch nicht die Chance für künftige Schachzüge zur Auslösung einer neuen Krise überlassen, und vor seinem skrupellosen Einfallsreichtum hatten gerade die langjährigen Kenner der Berliner Politik die größten Sorgen.

Der Sturz Bismarcks am 15. März 1890 rettete das Kaiserreich aller Wahrscheinlichkeit nach vor einer schweren Krise, da der Kanzler wegen des Charismaverschleißes keine andere Option mehr hatte als das erfolgreiche Management von ihm selber provozierter Krisen. Sie hätten sogar mit Blutvergießen verbunden sein können, da an seiner Staatsstreichbereitschaft nicht zu zweifeln ist. Trotz der wichtigen Rolle von Windthorst und Helldorf, von Zentrum, Deutschkonservativen und Nationalliberalen signalisierte die Entlassung dennoch keine Aufwertung des Reichstags. Mit den erforderlichen Konzessionen hätte sich auch nach den Märzwahlen eine Mehrheit für Bismarck zusammenbringen lassen. Aber die ausschlaggebenden Parteien des «Kartells» hatten sich wegen seiner Bedingungen gegen ihn gestellt. Da sie die parlamentarischen Exponenten der Sammlungspolitik waren, zeigte sich auf dem Höhepunkt der Krise, daß Bismarck gegen das sammlungspolitische Machtkartell im Bündnis mit dem Kaiser nicht mehr ankam. Vielmehr zerfiel, da der charismabestätigende Erfolg ausblieb, seine Machtbasis innerhalb weniger Wochen.

Außerhalb des Familienkreises scheinen nur wenige seinen Sturz bedauert zu haben. Daß Sozialdemokraten, Zentrumsleute und Liberale ihm keine Träne nachweinten, war nur zu verständlich. Aber auch allgemein galt sein Rücktritt als Ende der inneren Erstarrung, als Befreiung von einem überholten System. Nur ausländische Beobachter sorgten sich um die Kontinuität der deutschen Außenpolitik, ohne zu ahnen, in welch ein System voll innerer Widersprüche Bismarck das Reich verstrickt hatte. «In der inneren Politik hat der große Mann», urteilte der deutsche Militärattaché in Wien, Adolf v. Deines, «doch wohl zweifellos Fiasco gemacht und hinterläßt kein angenehmes Erbe», zumal er «überhaupt weniger erzieherisch als herrschend, weniger anregend als einschüchternd gewirkt» habe. Pointierter fiel die Kritik von Bismarcks Nachfolger Caprivi aus: «Indem er die in der äußeren Politik zulässigen Mittel skrupellos auch auf die inneren übertrug», klagte der neue Kanzler, «indem er unseren ... Beamtenstand zum Servilismus erzog, indem er jeden Widerspruch persönlich nahm und die Charaktere beugte oder entfernte, hat er Schaden getan ..., der lange nachwirken wird.» «Was haben wir unter diesem Regime gelitten», zog eine Intimgegnerin wie die Witwe Kaiser Friedrichs ihre Bilanz. «Wie hat sein Einfluß ... korrumpiert – seine Angestellten, das politische Leben Deutschlands. Er hat das Leben in Berlin beinah unerträglich gemacht, wenn man nicht sein verworfener Sklave» sein wollte. «All den getanen Schaden zu reparieren wird Jahre kosten. Wer nur die Außenseite der Sache sieht, der findet Deutschland stark, groß und geeint, mit einer riesigen Armee» und einem «Minister, der der Welt befehlen» konnte. «Wenn nur auch der Preis bekannt wäre, den das alles gekostet hat.»

Bismarck habe, klagte auch Theodor Mommsen, «der deutschen Nation das Rückgrat gebrochen». «Der Schaden der Bismarckschen Periode ist unendlich viel größer als ihr Nutzen, denn die Gewinne an Macht waren Werke, die bei dem nächsten Sturm der Weltgeschichte wieder verlorengehen. Aber die Knechtung der deutschen Persönlichkeit, des deutschen Geistes, war ein Verhängnis, das nicht mehr gutgemacht werden kann.» Für die zeitweilig blendenden Erfolge des ersten Charismatikers in der modernen deutschen Politik wurde dem Land ein hoher Preis auferlegt, der seine politische Kultur bis weit in das 20. Jahrhundert hinein schwer belastet hat.

Grollend ging der Exkanzler in den folgenden acht Jahren auf den befürchteten Oppositionskurs gegen die Reichsspitze, machte seinen ersten beiden Nachfolgern das Leben schwer, wo immer er nur konnte, giftete gegen Wilhelms II. Wunschtraum, einen «populären Absolutismus» durchzusetzen, brach in seinem Haß jedes Vertraulichkeitsgebot und scheute mit der Veröffentlichung geheimer Dokumente (sogar des Rückversicherungsvertrages mit Rußland!) nicht einmal vor der offenen Rechtsverletzung zurück.

Und dennoch: Kaum war er als der «Alte im Sachsenwald» auf Schloß Friedrichsruh in eine zutiefst gehaßte Isolierung von allen politischen Entscheidungen geraten, als das Meinungsklima schon wieder umschlug. Bismarck erlebte eine ungeahnte Aufwertung. Jetzt erst setzte sich der Bismarckmythos vollends durch. Nach dem tiefen Einbruch von 1890 gewann er die Statur des charismatischen «Reichsgründers» zurück. Verzeihen konnte er aber die Schmach des Sturzes nie. «Er werde vielleicht noch seine Rache erleben», vertraute er 1897 dem Chefredakteur einer Münchener Zeitung voll ungemilderter Bitterkeit an, «die in dem Untergang des von ihm begründeten Werkes läge».[20]

B. Die wilhelminische Polykratie von 1890 bis 1914

Seit Bismarcks Sturz fehlte der Machtpyramide des politischen Systems im Reich und in Preußen ihre Spitze. Anders gesagt: Die auf Bismarcks Fähigkeiten zugeschnittene Verfassung, die durch seine Persönlichkeit, letztlich durch die Geltungsmacht seines Charismas gewährleistete Austarierung der Kräfte entbehrte seither – «ohne diese phänomenale Erscheinung», wie Bernhard v. Bülow 1890 konstatierte – ihres Koordinationszentrums. Daher entstand im Institutionengefüge, aber auch atmosphärisch in der politischen Öffentlichkeit ein Machtvakuum, das unterschiedliche Personen und Interessenaggregate auszufüllen versuchten. Hohenlohe-Schillingsfürst beobachtete im Juni 1890 während eines Berlinaufenthaltes scharfsichtig, «daß die Individuen geschwollen sind. Jeder einzelne fühlt sich. Während früher unter dem vorwiegenden Einfluß des Fürsten Bismarck die Individuen eingeschrumpft und gedrückt waren, sind sie jetzt alle aufgegangen wie Schwämme, die man ins Wasser gelegt hat. Das hat ... seine Gefahren.»

Diese Gefahren traten in der Tat sofort zutage. Da es weder einer Führungsfigur noch dem Reichsparlament gelang, dieses Machtvakuum zu füllen, schwelte hinter der glänzenden Fassade der autoritären Monarchie eine permanente Staatskrise. Denn anstelle der konstitutionell festgelegten Hierarchie von Entscheidungsgremien, die zu einer verbindlichen politischen Willensbildung führen sollte und unter dem charismatischen Regime Bismarcks auch meistens dazu geführt hatte, setzte sich jetzt eine Polykratie miteinander rivalisierender Machtzentren durch. Die ständig fluktuierenden Kräftekonstellationen, die einem solchen System eigentümlich sind, verursachten den Zickzackkurs, dem die deutsche Innen- und Außenpolitik in den folgenden drei Jahrzehnten so oft gefolgt ist.

1. Die Dauerlabilität des politischen Systems von 1890 bis 1914

Zuerst bemühte sich der junge Monarch darum, das elliptische System, das auf den Spitzenrängen der Exekutive und Repräsentation mit seinen beiden Polen um Reichsmonarch und Reichskanzler bestand, durch einen «populären Absolutismus» zu ersetzen, in dem Wilhelm II. die ausschlaggebenden Funktionen des Kaisers und des Kanzlers auf Dauer zu verkoppeln beanspruchte. Dieses systemwidrige Experiment stellte den Anlauf zur Durchsetzung seines autokratischen «persönlichen Regiments» dar. Dazu ist es aber weder im Verfassungsrecht gekommen, dem diese Monopolisierung nur durch einen Staatsstreich hätte aufgepfropft werden können; noch gelang es Wilhelm II., die Verfassungsrealität dauerhaft zu verändern – wie devot auch immer die Byzantinismen seiner Beraterclique komplizierte Entscheidungsprozesse in die trügerische Illusion einer letztinstanzlichen kaiserlichen Entscheidungsgewalt einhüllen mochten.

Sowohl von der kargen persönlichen Begabung als auch und erst recht von den institutionellen Anforderungen her, welche die Steuerung der Reichspolitik mit der Wahrnehmung der militärischen Kommandogewalt und der monarchischen Repräsentationsaufgaben zu verbinden geboten, war der letzte Hohenzollernherrscher außerstande, das Kaiserreich monokratisch zu regieren. Längst ehe das neue Jahrhundert begann, hatte er mit diesen anachronistischen Absichten Schiffbruch erlitten. Trotzdem blieb sein krankhaft überspannter Herrschaftsanspruch weiter bestehen. Immer wieder überschritt Wilhelm II., wenn er ihn verwirklichen wollte, die konstitutionell fixierten Grenzen seines Amtes. Während die Entscheidungen andernorts fielen, verteidigte er mit pathetischer Rhetorik seine exotische Auffassung von der politischen Präponderanz des «Reichsmonarchen», bis der Weltkrieg vollends enthüllte, daß ihm tatsächlich nur mehr die Rolle eines «Schattenkaisers» (Hans Delbrück) verblieb.

Die Reichskanzler zum andern sind seit 1890 ausnahmslos auf dem Wege der «Ochsentour» in der bürokratisch-militärischen Hierarchie hochgekommen – ein Ausleseverfahren, das Bismarck für den schädlichsten Selektionsmechanismus von allen gehalten hatte. Max Weber sah in dieser Karriere, zumal in Deutschland der Führer der parlamentarischen Mehrheit nicht zum Zuge kommen konnte, die geradezu verhängnisvolle Aussperrung außergewöhnlicher politischer Talente vom politischen Spitzenamt. Keiner der sieben Reichskanzler nach Bismarck vermochte, das seit 1890 bestehende Machtvakuum auszufüllen.

Der honorige, lange Zeit unterschätzte General Leo v. Caprivi zerstörte sogar, als er auf den Posten des preußischen Ministerpräsidenten freiwillig verzichtete, mangels Machtinstinkt ein gut Teil der institutionellen Plattform, auf der sich jeder Reichskanzler im Gehäuse der Bismarckschen Verfassung bewegen mußte. Die kurzlebige «Ära Caprivi», während der die neue Reichsregierung durch eine industriefreundliche Außenhandelspolitik die Anpassung an die Bedürfnisse eines expandierenden Industrielandes anstrebte, löste bei den großagrarischen Konservativen, als sie die Macht der zeitweilig mit Erfolg operierenden Gegenkoalition spürten, einen solchen panischen Schrecken aus, daß sie den Kanzler haßerfüllt stürzten. Ihr Verhalten in den beiden folgenden Jahrzehnten ist durch diese gefahrverheißenden Erfahrungen zwischen 1890 und 1894 tief geprägt worden.

Nach dem gescheiterten General verkörperte der greise Fürst Chlodwig zu Hohenlohe-Schillingsfürst, dessen mutige liberale Phase in der bayerischen Innenpolitik, von den meisten längst vergessen, bereits eine volle Generationsspanne zurücklag, nur die Galionsfigur einer Übergangszeit. Immerhin gelang ihm der eine oder andere Vermeidungserfolg, wenn er Schlimmeres, das unverantwortliche Projekte der Konservativen im Verein mit dem Kaiser heraufbeschworen hätten, verhüten half.

«Bülow soll mein Bismarck werden» – hatte Wilhelm II. bereits 1895 geprahlt. Der geschmeidige Höfling erwies sich indes allenfalls als geschickter Taktierer, dem außer seiner grandiosen Selbstüberschätzung jeder große Zug abging. Indem er unverhohlen auf den Sozialimperialismus setzte, die widerstreitenden Interessenlager der Sammlungspolitik zusammenhielt und den aufschäumenden Reichsnationalismus bedenkenlos ausnutzte, hielt er sich im Sattel, bis auch ihn, der inzwischen mit dem Kaiser zerfallen war, die Konservativen zum Rücktritt nötigten.

Bethmann Hollweg schließlich, geradezu der Prototyp des gebildeten und tüchtigen, aber konfliktscheuen und handlungsschwachen Spitzenbürokraten, scheiterte mit seiner «Politik der Diagonalen»: der Verwaltung von politischen Problemen durch die kaiserliche Beamtenregierung in einem System, das auch auf diese Weise nicht mehr effektiv regiert, geschweige denn in eine zukunftverheißende Reformphase geführt werden konnte. Und die blassen Figuren nach ihm: Michaelis, Hertling, Baden – sie agierten auf einer Bühne, auf der sich die Dritte Oberste Heeresleitung meist als ungleich durchsetzungsfähiger erwies als die zivile Politikspitze. Allenfalls punktuell konnten die Reichskanzler die politische Willensbildung koordinieren, nur einen Bruchteil von dem erreichen, was die klassische Lehre von der Politik seit Aristoteles unter der regulativen Idee des «Gemeinwohls» verstanden hatte.

Neben oder hinter, jedenfalls außer dem Kanzler gab es geheime Schlüsselfiguren, die in der Verfassung nicht vorgesehen waren, obwohl es zu einem Schattenkabinett, einer Nebenregierung, einem «Brain Trust» nie gekommen ist. Da war etwa der Admiral Alfred v. Tirpitz, unter dessen Ägide der deutsche Schlachtflottenbau rastlos vorangetrieben wurde – ein fatales Mammutprojekt, das die Innen- und Außenpolitik, die Militär- und Finanzpolitik grundlegend beeinflußte. Zeitweilig drang der Staatssekretär des Reichsmarineamtes in das Vakuum der Berliner Politik weit vor, ja wahrscheinlich stellte er von 1898 bis zur grellen Desillusionierung spätestens im Sommer 1914, als seine politisch aberwitzige Konzeption scheiterte, eine größere Entscheidungspotenz dar als alle drei Kanzler in dieser Zeitspanne.

Schlüsselfiguren der wilhelminischen Machtelite wurden auch – und jetzt ungleich durchsetzungsfähiger als vor 1890 – die Planer des Generalstabs, die Leiter der neuen nationalistischen Agitationsvereine, die Geschäftsführer und Vorsitzenden der großen wirtschaftlichen Interessenverbände. Vor allem diese Verbände stiegen neben den Reichsbehörden und der Länderbürokratie, neben Heer und Flotte zu Machtzentren auf, die wichtige Entscheidungen beeinflußten. Hinter der festgefügt wirkenden, schillernden Vorderseite der reichsdeutschen Monarchie, die mit so viel prallem Selbstbewußtsein und Geltungsbedürfnis als überlegene Staatsform mit dem parlamentarischen England, dem republikanischen Frankreich und dem zaristischen Rußland verglichen wurde, verbarg sich ein hohes Maß an Entscheidungsschwäche und Koordinationsunfähigkeit der Zentralorgane.

Fast allen vordringlichen Problemen der Reichspolitik lag das strukturelle Modernisierungsdilemma zugrunde, daß die Spannung zwischen der rasant voraneilenden ökonomischen und sozialen Entwicklung zur industriekapitalistischen Marktgesellschaft auf der einen Seite und der Verteidigung der überkommenen politischen Machthierarchie auf der andern Seite nicht überwunden werden konnte – und nach der Auffassung der privilegierten Gesellschaftsklassen auch gar nicht überwunden werden sollte. Die zumindest annäherungsweise glückende Synchronisierung von sozialökonomischer und von politischer Modernisierung ist jedoch, wie der vergleichende Blick auf die westlichen Gesellschaften lehrt, eine unabdingbare Voraussetzung jener Problembewältigung, die der permanente Wandel diesen Gesellschaften abverlangt. Zu Recht klagte der Linksliberale Naumann 1909 über «das Industrievolk im politischen Kleide des Agrarstaates. Unser politischer Zustand ist etwa so, wie wenn in alte Landwirtschaftsgebäude eine täglich sich ausdehnende Fabrik hineingebaut wird. Da steht die modernste Maschine unter einem alten Dachbalken, und eiserne Träger werden durch Lehmwände hindurchgezogen.»

Dieses Urteil wurde nicht nur auf der linken Seite des politischen Spektrums weithin geteilt, wo der Nationalökonom Emil Lederer 1913 das «eigentümliche Gemisch» von «Streben nach Aristokratisierung, Verwerfung der Demokratie, Festigung der herrschenden Schichten in ihrer Macht und ihrem Einfluß auf das Staatsleben» bei gleichzeitiger «Verherrlichung der Technik» und «der immer weitergehenden Rationalisierung des wirtschaftlichen und gesellschaftlichen Lebens» diagnostizierte. Vielmehr schloß sich ihnen auch ein etatistischer Konservativer wie Gustav Schmoller an, als er 1913 politische Reformen anmahnte. «Die oberen Klassen können nicht mehr regieren ohne Einrichtungen, die ihre Tätigkeit offenlegen, diese zu beaufsichtigen gestatten. Denn jeder Staat muß das Vertrauen der großen Majorität des Volkes haben und es sich immer wieder neu erwerben... Auf diesen großen Veränderungen der letzten zweihundert Jahre beruht», beschwor er das politische Establishment, «die Notwendigkeit einer Demokratisierung unserer öffentlichen Institutionen.» Schmoller wußte natürlich, daß der preußische «Empire State» den eigentlichen politischen Hemmblock bildete. Deshalb stellte er, ganz ungeschminkt und mit erstaunlicher Zivilcourage, 1910 die Prognose, daß Preußen, wenn es nicht endlich das Dreiklassenwahlrecht durch das allgemeine, geheime und direkte Wahlrecht ersetze, einer Revolution wie der französischen von 1848 unausweichlich entgegengehe!

Die Herrschaftsinteressen – und die mit ihnen unauflöslich verzahnten wirtschaftlichen und sozialen Interessen – der traditionellen Führungseliten, aber auch der bürgerlichen Alliierten im sammlungspolitischen Machtkartell bildeten jedoch die entscheidende Barriere, die einem solchen politischen Umbau entgegenstand. Aufgrund dieser Blockade ließ sich das Kaiserreich an eine zeitgemäße, die Parlamentarisierung, Liberalisierung und Demokratisierung schrittweise wagende politische Anpassung an die neuen gesamtgesellschaftlichen Verhältnisse nicht heranführen. Statt dessen wurde es durch die kurzlebigen Kompromisse der konkurrierenden Machtzentren in eine bedrohliche Erstarrung hineinmanövriert. Dadurch blieb das unbewegliche autoritäre Lenkungssystem erhalten, das sich angesichts des wachsenden Gegengewichts der demokratischen und liberalen Kräfte, auch angesichts der schleichenden Parlamentsaufwertung im Widerstand verhärtete. Zugleich vermochte es aber ebenfalls, «die Bewegungspartei ... gegen Erhaltung und Konsolidierung», wie sich Bismarck im Stil der Metternichschen Defensivpolitik ausgedrückt hatte, in einem Bannkreis der Ohnmacht festzuhalten. «Freiwillig wollen wir ... unsere Position nicht opfern», schleuderte der Führer der Deutschkonservativen, Ernst v. Heydebrand und der Lasa, den man den «ungekrönten König von Preußen» hieß, einem Liberalen entgegen, ehe er mit der zynischen Arroganz des Überlegenen fortfuhr: «Zwingen Sie uns doch, dann haben Sie, was Sie wollen.»

Der «Wilhelminismus», der ebenso oft wie irreführend für die Signatur dieser Epoche gehalten wird, fungierte im Grunde als Verschleierung, als Ablenkung von diesem Zusammenspiel machtbewußter herrschender Klassen und einflußgewohnter Bürokratien, quasi autonomer Institutionen und formell unverantwortlicher Politiker. Er ist in mancher Hinsicht der «teils bewußt, teils unbewußt unternommene Versuch, die Widersprüche zwischen politischer Struktur und gesellschaftlicher Entwicklung durch eine personale, symbolische Zuspitzung» zu lösen. «Der nationale Imperator als Integrationsfaktor» ist jedoch früh gescheitert, als sich herausstellte, daß dieser Traum «vom deutschen Cäsar, der die Klassengegensätze mit eiserner Faust niederhielt und der verspäteten Nation den ‹Platz an der Sonne› versprach», um eine bramarbasierende, aber politisch schwache Figur kreiste. Nicht Wilhelm II. legte die Grundlinien der Reichspolitik fest. Das tat auch nicht eine «politische Klasse», die das Kaiserreich noch gar nicht besaß. Das taten vielmehr die Repräsentanten der traditionsbewußten Oligarchien und der modernen Funktionseliten im Verein mit den Machtaggregaten der autoritären Polykratie. Es war ein anonymes Geflecht von Kräften ohne ein personales Bewegungszentrum – insofern resultierte daraus ein Entscheidungsprozeß mit durchaus modernen Zügen. Ihre Kooperation reichte auch ohne einen charismatischen Kanzler zur Verteidigung der Herrschaftsordnung aus – um den Preis eines fatalen Problemstaus, der das Kaiserreich schließlich in eine ausweglose Sackgasse hineingedrängt hat.

a) Konservative Lernbereitschaft: Der Caprivi-Kurs und sein Mißerfolg, 1890 bis 1894

Nachdem Bismarck fast dreißig Jahre lang im Mittelpunkt der preußisch-deutschen Politik gestanden hatte, mußte es jeder Nachfolger außergewöhnlich schwer haben. Caprivi war zwar kein engstirniger Militärspezialist, sondern ein durchaus «politischer Offizier». Ursprünglich aber hatte er als zuverlässiger Haudegen für den Fall gegolten, daß sich die «verdorbene» Innenpolitik weiter zuspitzte, und der Kaiser hatte ihn für ein gefügiges Werkzeug seiner Ambitionen gehalten. Zur allgemeinen Verblüffung schlug Caprivi einen «neuen Kurs» ein, wobei ihn der preußische Finanzminister Johannes Miquel, der preußische Handelsminister Hans v. Berlepsch und der Staatssekretär des Reichsamts des Inneren Heinrich v. Boetticher zuerst unterstützten. Anstatt auf fortgesetzte Repression zu bauen, sollte die sozialdemokratische Arbeiterschaft durch die Ausgestaltung der staatlichen Sozialpolitik gewonnen werden; Katholiken, Welfen, Polen sollten großzügiger behandelt, das Zentrum und die Linksliberalen möglichst für eine Regierungsmehrheit gewonnen, der Industrie durch neue Handelsverträge verbesserte Exportchancen eröffnet werden. Dieses Maximalprogramm verkörperte eine scharfe Abwendung von Bismarcks Politik, aber ohne Hausmacht und Erfolgspolster stand Caprivi lauter unlösbaren Aufgaben gegenüber.

Zunächst ließ sich allerdings manches gut an, da dem neuen Kanzler, nicht zuletzt aus Angst vor der jahrelang befürchteten Rückkehr eines rachsüchtigen Bismarck, ein beträchtlicher Vertrauensvorschuß, auch vom Zentrum, eingeräumt wurde. Überdies galt das Ende des Sozialistengesetzes, dessen Verlängerung der Reichstag noch unter Bismarck am 25. Januar 1890 abgelehnt hatte, ebenso als Symbol eines innenpolitischen Neubeginns wie die Hinwendung zur Sozialpolitik. Berlepsch konnte nämlich die Sozialpolitik endlich einen weiteren Schritt vorantreiben, Miquel seine Steuerreform in Preußen initiieren; sie mußte freilich mit gravierenden Konzessionen an den Egoismus der konservativen Agrarier erkauft werden (hinten B.3.1a). Auch die Herrfurthsche Landgemeindereform von 1892, welche Rittergutsbezirke und Kommunen zu leistungsfähigen Landgemeinden verschmelzen wollte, wurde durch die konservative Opposition so verwässert, daß nur 146 von 16000 Rittergütern in den neuen Gemeinden aufgingen. Aus Rache für den Reformversuch betrieb diese Opposition unverzüglich den Sturz des verhaßten Innenministers – erfolgreich, wie sich alsbald herausstellte.

Vollends zum Bruch mit den Großagrariern kam es wegen der neuen Handelsverträge, bei deren Abschluß zwischen 1891 und 1893 Caprivi sich für eine moderate Senkung der deutschen Agrarzölle einsetzte, um geringe Einfuhrzölle auf deutsche Industrieprodukte bei den Partnerstaaten zu erreichen. Das gelang ihm mit einer anerkennenswerten außenhandelspolitischen Leistung (vgl. vorn II.3c). Aber seine Lernbereitschaft, die ihn als Vertreter eines exportabhängigen Industrielandes agieren ließ, wurde von den Agrariern mit tödlicher Feindschaft beantwortet. Gepeinigt vom Stachel der erneut verschärften Agrarkrise, gingen sie zu einer Fundamentalopposition gegen den «Kanzler ohne Ar und Halm» über. Die Gründung des «Bundes der Landwirte» war ein Ausdruck dieses kompromißlosen Widerstandes. Als Caprivi gegen Rußland als Hauptkonkurrenten der getreideproduzierenden Großagrarier sogar einen Zollkrieg riskierte, dann aber 1894 doch einen Handelsvertrag schloß, verprellte er wiederum die Konservativen. Und nach all den bitteren Erfahrungen, die St. Petersburg seit 1887 mit der deutschen Außenwirtschafts- und Kapitalmarktpolitik gemacht hatte, förderte er mit seinem Verhalten, das an Bismarcks Lombardverbot direkt anzuknüpfen schien, wider Willen den Abschluß der russisch-französischen Militärkonvention von 1894 – sie war Vorbote der Allianz, die den Zweifrontenkrieg besiegelte.

Bereits in die Enge getrieben, stand Caprivi im Frühjahr 1893 einem Reichstag gegenüber, der eine neue Heeresvermehrung ablehnte (vgl. hinten B.5a). Als er daraufhin das Parlament auflöste, siegten die alten «Kartell»-Parteien im Zeichen einer hochgeputschten nationalistischen Aufrüstungsagitation, setzten die Truppenvergrößerung durch und ließen den Kanzler seither ihr neues Selbstbewußtsein, erst recht ihre parlamentarische Schlüsselstellung spüren.

Inzwischen hatte Caprivi wegen einer Niederlage in der preußischen Schulpolitik einem Erzkonservativen wie Botho v. Eulenburg das Amt des Ministerpräsidenten überlassen. Zusammen mit dem Kaiser forderte Eulenburg, der sich als Scharfmacher bereits bei der Formulierung des ersten Sozialistengesetzes unrühmlich hervorgetan hatte, ein neues Ausnahmegesetz gegen die «Umsturzpartei». Caprivis gesinnungsfeste Weigerung beantworteten sie mit der Drohung, zur Erreichung ihres Ziels selbst vor einem Staatsstreich nicht zurückzuscheuen. Von der «Kartell»-Mehrheit, an erster Stelle von den konservativen Großagrariern ohnehin in die Isolierung getrieben, sah Caprivi keine andere Wahl mehr als seinen Rücktritt. Mit ihm scheiterte der Anlauf eines aufgeklärten Konservativismus, wenigstens einige der überfälligen Reformen gegen den rechten Vetoblock durchzusetzen.

b) Polarisierung und Reformmoratorium: Hohenlohes Kanzlerschaft, 1894 bis 1900

Die verfahrene innenpolitische Situation suchte Miquel als der strategische Kopf, der auf diesem Feld die Fäden zog und dem fünfundsiebzigjährigen Grandseigneur aus Bayern keineswegs das Geschäft überlassen wollte, durch eine Reaktivierung der «Sammlungspolitik» zu verbessern. Dieser erfolgreiche Anlauf, bei dem er von den preußischen Innenministern Ernst v. Koeller (1894/95) und Horst v. dem Recke (1895/99) sowie vom Landwirtschaftsminister Ernst v. Hammerstein-Loxten als dem Vertrauensmann der ostelbischen Junker unterstützt wurde, basierte auf einer Lagebeurteilung, wonach der – vorerst noch bescheidene – Ausbau der Sozialpolitik nicht die erhoffte Wirkung auf die Sozialdemokratie zeigte. Hatte Miquel anfangs der neunziger Jahre noch geglaubt, man müsse die «berechtigten Forderungen der arbeitenden Klasse bereitwillig erfüllen, diese so teilen und das Chaos auf die Reform verweisen», setzte sich bei dem früheren Mitglied des «Bundes der Kommunisten» bald darauf tiefe Skepsis durch, die ihn an Bismarcks innenpolitisches Vermächtnis: unter allen Bedingungen am «Kartell der produktiven Stände» festzuhalten, anknüpfen ließ. Jetzt wurde die «Sammlungspolitik» nicht wie seit 1876 vom Kanzler selber betrieben, sondern aus der Nebenposition des preußischen Finanzministers. Miquels Geschick gelang es, die vielfach bewährte Rechtsallianz erneut zusammenzuschmieden. Ohne personalpolitische Opfer ging es dabei auch diesmal nicht ab. Berlepsch als Exponent der sozialpolitischen Aufgeschlossenheit mußte gehen und wurde durch den industriehörigen Ludwig Brefeld ersetzt. Die konservative Koalition bewährte sich im Reichstagswahlkampf von 1898. Sie stand auch hinter den neuen Vorstößen zur Diskriminierung der SPD. Bereits die sogenannte «Umsturzvorlage» vom Dezember 1894 hatte zum Ziel, verschärfte Strafen für politische Delikte in das Reichsrecht einzuführen. Die Kriterien waren freilich so dehnbar formuliert, daß das Gesetz auch gegen kritische Äußerungen in der Wissenschaft und Kunst hätte angewandt werden können. Der Proteststurm, der jetzt in der liberalen und sozialdemokratischen Öffentlichkeit ausbrach, führte dazu, daß die beiden konservativen Parteien als einzige Stütze der Regierungsvorlage übrig blieben. Das Zentrum goß frisches Öl ins Feuer, als es auch Angriffe auf das Christentum und die Amtskirche durch das Gesetz geahndet sehen wollte. Da die Regierung den katholischen Konservativen entgegenkam, schwenkten Nationalliberale und Linksliberale zeitweilig ins Oppositionslager, so daß die «Umsturzvorlage» zu einer demütigenden Niederlage der Reichsleitung führte.

Die Sozialistenverfolgung wurde daraufhin prompt in den Einzelstaaten verschärft, wobei sich Preußen als Hort der «Sammlungspolitik», aber auch Sachsen erneut hervortaten. 1898 gelang es der Koalition von Deutschkonservativen, Freikonservativen und katholischen Konservativen, das neue illiberale Ausnahmerecht der «Lex Arons» durchzusetzen. Sozialdemokraten konnten seither auf keine preußische Hochschulprofessur berufen werden – ein beglückendes Beispiel jener Liberalität, deretwegen die Verteidiger des Kaiserreiches so leicht ins Schwärmen geraten.

Ein dritter Anlauf mit der Absicht, drakonische Strafen gegen den Koalitionszwang einzuführen, wurde im Mai 1899 im Reichstag unternommen. Da sogar Zuchthausstrafen vorgesehen waren, geriet diese sogenannte «Zuchthausvorlage» in das Kreuzfeuer der Kritik. Ohne politischen und moralischen Druck gegen Streikbrecher konnten die Gewerkschaften nicht hoffen, die individuelle Schwäche durch kollektive Marktmacht wettzumachen. Das wurde auch von Liberalen, wie etwa Lujo Brentano und Max Weber, polemisch gegen das neue Sonderstrafrecht für sozialdemokratische Arbeiter geltend gemacht. Schließlich blieben allein die Konservativen als Befürworter der Vorlage, die sich als schwerer innenpolitischer Mißgriff erwies, übrig, und ihre Stimmen reichten für die Billigung durch den Reichstag bei weitem nicht aus.

Die Gunst der Stunde nutzend, agierte der Kanzler, der in ohnmächtigem Zorn Junkertum und Bürokratie für mächtiger als Kaiser und Kanzler hielt, sogar noch einmal als Altliberaler, indem er mit der «Lex Hohenlohe» das Verbindungsverbot für Vereine aufhob. Damit wurde endlich die zentrale Organisation von reichsweit operierenden Parteien legalisiert.

Blieb die «Sammlungspolitik» an der inneren Front gegen die Sozialdemokratie, aufs Ganze gesehen, öfters stecken, gelang es ihr nach außen mit dem Zolltarif von 1902, für die Interessen ihrer Hauptalliierten einen vorteilhaften Kompromiß auszuhandeln, der insbesondere den Agrariern noch einmal zugute kam; diese Problematik ist vorn bereits erörtert worden (II.3c). Noch erfolgreicher waren die Architekten der «Sammlung» aber mit der Schlachtflottenpolitik, die 1897/98 anlief, ohne die Schlüsselfigur des Admirals v. Tirpitz aber nicht verstanden werden kann (vgl. hinten B.5e). Das erste Flottengesetz von 1898 und auch die geschwind folgende erste Novelle von 1900 wurden von breiter Zustimmung im Parlament und in der Öffentlichkeit getragen. Dieser außenpolitisch fatale Erfolg, der im Konfliktfall den Krieg mit der englischen Seemacht zur Gewißheit machte, erwies sich innenpolitisch als – wenn auch kurzlebiger – Triumph der «Sammlungspolitik».

c) Das Schaukelsystem Bülows: Scheinerfolge und Krisen, 1900 bis 1909

Inzwischen hatte Bernhard v. Bülow im Oktober 1900 die oberste Sprosse seiner Karriereleiter erklommen. Der ehemalige AA-Diplomat versuchte, mit einer Mischung von moderater Veränderungsbereitschaft und eilfertiger Befriedigung konservativer Wünsche, von sozialimperialistischen Ablenkungsmanövern und nationalistischer Machtpolitik ein Land zu regieren, wo die industrielle Modernisierung auf den großagrarischen Behauptungswillen prallte, wo der Einfluß gewinnende Reichstag und die Öffentlichkeit mit dem politisch verantwortungslos agierenden Kaiser ständig zusammenstießen.

Wie Berlepsch hielt der neue Staatssekretär des Reichsinnenamtes, Arthur v. Posadowsky-Wehner, das kurzsichtige Beharren auf der Repression der Arbeiterbewegung für chancenlos. Deshalb baute auch er auf die versöhnende Wirkung, die von einer reaktivierten Sozialpolitik ausgehen sollte. Mit der Rückendeckung der Regierung Bülow setzte er zwischen 1900 und 1903 eine Reihe von wichtigen Reformmaßnahmen durch (vgl. hinten B.4a). Als sich jedoch bei den Reichstagswahlen von 1903 herausstellte, daß trotzdem der Stimmenanteil der Sozialdemokratie um nahezu eine Million, ihre Abgeordnetenzahl von sechsundfünfzig auf einundachtzig anstieg – womit sie hinter dem Zentrum (100), aber weit vor den Konservativen (54) und den Nationalliberalen (51) lag –, wurde der Reformeifer sofort abgebremst.

Die Konservativen verfolgten währenddessen eine unnachgiebige Grundsatzopposition gegen den Bau des geplanten Mittellandkanals, der den Rhein mit der Elbe (und damit auch mit dem verzweigten ostdeutschen Kanalsystem) verbinden sollte, da sie wegen der billigen Wasserfrachtsätze die Konkurrenz des preiswerten ausländischen Getreides fürchteten, zumal der Bülow-Tarif ihrem Maximalprotektionismus nicht entsprach. Nachdem sie die Regierungsvorlage 1899 und 1901 abgelehnt, sogar Disziplinarmaßnahmen gegen Beamte, die dieser Landtagsfronde angehörten, in Kauf genommen hatten, mußte Bülow 1905 einen faulen Kompromiß akzeptieren, der den Bau des Herzstücks zwischen Hannover und Elbe, den eigentlichen Zweck des West-Ost-Kanals, explizit ausschloß. Die Schlappe für die Regierung einerseits, die Durchsetzungsmacht der Konservativen andrerseits waren schlechterdings nicht zu übersehen.

Gleichzeitig verschärften sich die finanzpolitischen Probleme der Reichsleitung, weil der immens kostspielige Schlachtflottenbau zusammen mit der aufwendigen Heeresvergrößerung – bis 1905 auf 633000 Mann – den größten Teil ihres Haushalts verschlang (vgl. hinten B.1g). Da die Deckung aus normalen Einkünften bei weitem nicht ausreichte, stieg die Verschuldung durch die unumgänglichen Anleihen bereits bis 1904 auf die damals atemberaubende Summe von drei Milliarden Goldmark. Diese Lage erzwang eine umfassende Reform der Finanz- und Steuerverfassung, zu der es aber trotz einiger Anläufe wegen des starren Widerstands der Konservativen nicht kam, so daß das Defizit weiter anstieg.

Insofern ergriffen Bülow und seine sammlungspolitischen Kohorten nur zu bereitwillig die Gelegenheit beim Schopfe, die ihnen der Kolonialkrieg in «Deutsch-Südwestafrika» bot. Dort hatten sich 1904 die Stämme der Hereros und Hottentotten gegen den Landraub zugunsten deutscher Siedler erhoben. Der drei Jahre währende Aufstand führte zum Einsatz einer kostspieligen «Schutztruppe» (vgl. hinten B.5f2). Als ein Nachtragshaushalt für diese 17000 Soldaten in der irritierenden Höhe von 27 Millionen Mark im Reichstag abgelehnt, dazu mancher andere Kolonialskandal enthüllt wurde, löste Bülow den Reichstag auf. Der erbitterte Wahlkampf vor den sogenannten «Hottentottenwahlen» wurde im Zeichen eines radikalisierten Reichsnationalismus und aktionistischen Imperialismus in erster Linie gegen die «antinationalen» Sozialdemokraten, in zweiter Linie auch gegen das Zentrum geführt, dessen seit 1899 bestehende parlamentarische Schlüsselstellung endlich aufgebrochen werden sollte.

Das gelang: In Gestalt des «Bülow-Blocks» von Konservativen und Nationalliberalen, die auf 187, zusammen mit den Christlichsozialen und

Antisemiten sogar auf die absolute Mehrheit von 213 Mandaten kamen, konnte die «Sammlungspolitik» fortgesetzt werden. Seinen Erfolg hatte der «Block» nicht nur dem rabiaten Nationalismus der Wahlagitation, sondern auch der Wahlkreiseinteilung mit ihrer evidenten Begünstigung der ländlichen und der krassen Benachteiligung der großstädtischen Bezirke zu verdanken. Nach Wählerstimmen lag nämlich die Opposition mit 5.4 gegenüber 4.96 Millionen Stimmen vorn, und selbst die SPD, deren Abgeordnetenzahl wegen der Wahlkreise, des Mehrheitswahlrechts und der Stichwahlen fast um die Hälfte von einundachtzig auf dreiundvierzig reduziert wurde, gewann dennoch eine Viertelmillion Stimmen hinzu. Eine überlegene Massenbasis hatte der «Block» mithin nicht erobern können. Typischerweise wurde ihm aber Posadowsky-Wehner als Exponent einer angeblich zu agilen Sozialpolitik spornstreichs geopfert. Als sein Nachfolger rückte bezeichnenderweise Bethmann Hollweg an die Spitze des Reichsamts des Inneren auf.

An zwei politischen Entscheidungen nach den Wahlen läßt sich Bülows Schaukelsystem ablesen. Nach siebenunddreißig Jahren wurde der Verfassungsauftrag, ein Reichsvereinsgesetz zu schaffen, am Ende eines bitteren Streits 1908 endlich erfüllt. Im allgemeinen fiel es liberaler aus als etwa das preußische Vereinsrecht. Erstmals erlaubte es zum Beispiel Frauen die Teilnahme am öffentlich-politischen Leben. Aber den Millionen fremdsprachiger Bürger wurde der Gebrauch ihrer Muttersprache nur dann für eine Übergangszeit von zwei Jahrzehnten gestattet, wenn die letzte Volkszählung mindestens sechzig Prozent von ihnen als Alteingesessene eines Kreises zweifelsfrei erfaßt hatte. Der «Sprachenparagraph» (§ 12) beschwor eine mit dem Gleichheitsprinzip der Verfassung unvereinbare Situation herauf. Ein konstitutionell garantiertes Grundrecht wurde von der Nationalitätenstatistik abhängig gemacht, die nach Lage der Dinge bereits ganz und gar politisiert war und durch das Erhebungspersonal noch mehr manipuliert werden konnte (vgl. hinten B.4a).

Im selben Jahr gab ein Enteignungsgesetz der preußischen Staatsregierung die rechtliche Möglichkeit, bis zu siebzigtausend Hektar polnischen Grundbesitzes gegen Entschädigung zu enteignen, um der «Germanisierung des Bodens» sperrige Hindernisse mit einem rabiaten Zugriff aus dem Weg räumen zu können. Dem rechtsstaatlichen Bewußtsein der Zeit entsprechend war die allgemeine Formulierung in der Verfassung, daß im Rahmen des staatlichen Hoheitsrechts eine Enteignung nur aus «Gründen des öffentlichen Wohls» vorgenommen werden dürfe, bisher auf wirtschaftliche und militärische Projekte, insbesondere auf Gelände für den Eisenbahnbau und für Truppenübungsplätze, eingeschränkt worden. Die Novelle zum Ansiedlungsgesetz dehnte jetzt den Wohlfahrtsbegriff aus, indem sie ihn auch mit dem Ideal der nationalen Homogenität identifizierte.

Dieser nationalideologischen Erweiterung des Enteignungsrechts fiel der Gleichheitsgrundsatz in Artikel 4 der preußischen Verfassung zum Opfer.

Obwohl das antipolnische Sonderrecht erst 1912 in relativ bescheidenem Umfang praktiziert wurde, wirkte es doch von Anfang an als Auftakt künftiger rechtsverletzender Eingriffe in einer Gesellschafts- und Rechtsordnung, die auf die Unverletzbarkeit des Privateigentums ohne Ansehen der Person den allerhöchsten Wert legte (vgl. hinten B.3a).

Trotz des Kanzlers Lavieren geriet der «Block» unter Druck, als Bülow in seiner Funktion als preußischer Ministerpräsident eine behutsame Veränderung des preußischen Dreiklassenwahlrechts voreilig in Aussicht stellte, diese dann aber intern doch nicht durchsetzen konnte. Der «Block» zerbrach, als sich die Lage der Reichsfinanzen weiterhin drastisch verschlechterte, ihre Reform jedoch erneut am konservativ-klerikalen Widerstand zunächst einmal scheiterte. Die Konservativen setzten jeder «Verschiebung der Herrschaftsverhältnisse» (F. Naumann), wie sie die intendierte Wahlrechtsänderung, aber auch die angekündigte Einführung einer Erbschaftssteuer signalisierte, ihre Fundamentalopposition entgegen. Das Zentrum drängte nach der diskriminierenden Demütigung von 1907 wiederum mit solcher Macht in die Regierungsmehrheit zurück, daß es schon deshalb zum Kanzlersturz bereit war.

Als die Regierung mit ihrer Vorlage, welche die Erhöhung einiger Steuern ins Auge faßte, rundum scheiterte, reichte Bülow – seit der Affäre um das prahlerische Interview Wilhelms II. im «Daily Telegraph» mit dem Kaiser völlig zerfallen – seinen Abschied ein. Jetzt wirkten Konservative und Zentrum wieder zusammen, indem sie die Steuerlast zuungunsten des mobilen Kapitals und der Konsumenten umschichteten. Und jetzt erst bewilligte der Kaiser Bülows Abgang, so daß ihn mancher als Folge der parlamentarischen Niederlage, mithin als Erfolg einer schleichenden Parlamentarisierung mißverstanden hat. Tatsächlich hatte der Kanzler die Unterstützung der stärksten Kräfte der «Sammlungspolitik» verloren und konnte, gefangen im eisernen Netz der konservativen Gegenmacht, keine andere Koalition mehr zustande bringen. Aber erst als der Kaiser das personalistische Vertrauensverhältnis zu «seinem Bismarck» aufkündigte, um sich für die kränkende Interview-Affäre zu rächen, stand Bülow vor dem politischen Nichts.

d) Die Ausweglosigkeit von Bethmann Hollwegs «Politik der Diagonalen», 1909 bis 1914

Der letzte Kanzler in Friedenszeiten, Theobald v. Bethmann Hollweg, stand zunächst vor einem innenpolitischen Trümmerfeld. Der «Bülow-Block» war zerfallen. Zentrum, Nationalliberale und Konservative – starrsinnig auf die Verteidigung des preußischen Wahlrechts und die Verhinderung jeder Reichssteuer auf immobilen Besitz eingeschworen – marschierten getrennte Wege. Die drei linksliberalen Parteien dagegen fusionierten zur «Fortschrittlichen Volkspartei», die der Parlamentarisierung offen das Wort redete, und der Aufstieg der SPD als systemimmanenter Reformpartei ließ sich allenthalben beobachten. Aufgebracht erklärte 1910 Henry Axel Bueck, seit 1876 konflikterprobter Generalsekretär des ZDI und Veteran der «Sammlungspolitik», daß die «Niederwerfung und Zertrümmerung» der Sozialdemokratie die Hauptaufgabe der «deutschen Industrie» bleibe. Und Matthias Erzberger, Anführer des linken Zentrumflügels, bezeichnete etwas später die «Zertrümmerung der gewaltigen Macht der Sozialdemokratie» als die «Kernfrage des innenpolitischen Lebens», hinter der alle anderen Probleme zurückzustehen hätten.

Anstatt solchen militanten Parolen zu folgen, riskierte Bethmann Hollweg einen vorsichtigen Vorstoß gegen das preußische Wahlrecht, das sich längst zu einem innenpolitischen Krisenherd auf hoher Gefahrenstufe entwickelt hatte. Der Regierungsentwurf visierte ein direktes, aber noch immer öffentliches Wahlverfahren an. Bei der Einteilung der Wählerklassen sollte eine jährliche Steuerleistung von mehr als 5000 Mark fortab nicht mehr berücksichtigt werden, um den extrem plutokratischen Charakter der ersten Klasse abzuschwächen. Andere potente Steuerzahler sollten zusammen mit sogenannten «Kulturträgern» eine Klasse höher als bisher eingestuft werden. Hinter diesem wunderlichen Begriff mit seiner Mischung aus bildungsbürgerlicher Arroganz und Bürokratendeutsch verbargen sich Akademiker, die ein mindestens dreijähriges Hochschulstudium mit einem Examen abgeschlossen hatten, aber auch verdiente Staatsdiener: an erster Stelle die Unteroffiziere! Die exzentrische Gleichbehandlung von Universitätsabsolventen und Berufssoldaten als «Kulturträgern» entsprang dem durchsichtigen, auch weidlich Spott auslösenden politischen Kalkül, liberalen Akademikern genügend konservative Soldaten entgegenstellen zu können. Wie das im Grunde zu erwarten war, konnten die Konservativen, vom Zentrum wiederum unterstützt, nicht umgestimmt werden, sich auch nur einen Millimeter weit aus ihrer Bastion herauszubewegen. Bethmann Hollweg scheiterte. Danach blieb das Dreiklassenwahlrecht acht lange Jahre bis zum Herbst 1918 weiter unangetastet.

Einen begrenzten Erfolg konnte Bethmann Hollweg dagegen in Elsaß-Lothringen verbuchen, das freilich die vitalen Interessen der preußischen Herrenschicht nicht direkt tangierte. Das «Reichsland» war das einzige Territorium, wo das Reich einen unitarischen Charakter besaß, da es dort direkte Gebietsherrschaft ausübte. Vierzig Jahre nach der Annexion hatte Elsaß-Lothringen noch immer keine zeitgemäße Verfassung, insbesondere kein gewähltes Parlament erhalten. Ein «Statthalter» des Kaisers übte nach Berliner Instruktionen seine Quasi-Regierungsgewalt aus, beraten von den Notabeln des obrigkeitlich ernannten «Landesausschusses». Dieser Zustand kränkender Inferiorität, in dem das «Reichsland», wie der Vergleich mit allen anderen Bundesstaaten tagtäglich lehrte, festgehalten wurde, erschwerte ohne jede Frage die politische Integration der einstmals angeblich vom französischen Joch «befreiten» deutschen «Brüder und Schwestern» in das Reich.

Nachdem die Gleichstellung mit den Mitgliedsstaaten jahrzehntelang angemahnt worden und mehrfach beim ersten Anlauf steckengeblieben war, legte die Regierung Bethmann Hollweg 1910 endlich einen Verfassungsentwurf vor, der an den kaiserlichen Vorrechten hinsichtlich des Statthalters nicht zu rütteln wagte, aber ein Zweikammersystem vorsah. Die eine Hälfte der Mitglieder des Oberhauses sollte vom Kaiser ernannt werden, für die andere Hälfte wurde den Amtskirchen, den großen Städten und einigen öffentlichen Körperschaften ein Delegationsrecht eingeräumt. Das Unterhaus dagegen sollte aus direkten und geheimen Wahlen hervorgehen, das Stimmrecht aber nach Alterspluralstimmen, Berufs- und Wohnsitzqualifikationen abgestuft werden. Das war eine antidemokratische Konzession an die Konservativen, vor allem an ihre mächtigen Repräsentanten im preußischen Staatsministerium, denen sehr wohl bewußt war, daß die Sozialdemokratie bei den Reichstagswahlen in Elsaß-Lothringen regelmäßig bereits ein Viertel der Stimmen gewonnen hatte, ähnlich den vierundzwanzig Prozent in Preußen, die der SPD wegen des Klassenwahlrechts nur ganze sieben von vierhundertdreiundvierzig Abgeordneten (1908) eingebracht hatten.

Reichstag und «Landesausschuß» bestanden indes auf dem allgemeinen, gleichen, direkten und geheimen Verhältniswahlrecht, und es war eine beachtliche politische Leistung, daß Bethmann Hollweg, der «die Stimmung im Reichslande» beschwor, schließlich doch die Zustimmung der lange widerstrebenden Mitglieder des Staatsministeriums zu dem gefürchteten Wahlrecht gewann. Strittig blieben die drei Bundesratsstimmen, die Elsaß-Lothringen erhalten sollte. Sie kamen, da der Kaiser weiterhin den Statthalter instruierte, nur Preußen zugute. Daher zerstörten sie das sorgsam austarierte Stimmenverhältnis im Oberhaus des Reiches. Bethmann Hollwegs Berater fanden den ingeniösen Ausweg, diese drei Stimmen jeweils dann nicht mitzuzählen, wenn Preußen allein mit ihrer Hilfe imstande war, eine Abstimmung zu gewinnen.

Der Verfassungskompromiß vom September 1911 machte Elsaß-Lothringen noch immer nicht zu einem gleichberechtigten Gliedstaat. Es «galt» aber im Sinn einer Rechtsfiktion des Gesetzgebers in seiner «äußeren Gestalt» als neuer Bundesstaat. Der Statthalter behielt als ein dem Kaiser verantwortlicher Minister und widerruflicher Träger landesherrlicher Rechte seinen Platz an der Spitze des Verfassungsbaus. Die legislative Gewalt aber ging – mit einer fatalen Einschränkung – auf den neuen Landtag über. An die Stelle des Bundesrats trat die Erste Kammer, deren Mitglieder zur einen Hälfte von den Amtskirchen und dem Oberlandesgericht delegiert, zur andern Hälfte von den Straßburger Professoren, von Stadträten, sogar von israelitischen Konsistorien gewählt wurden. Zu diesen dreiundzwanzig «Senatoren» durfte der Kaiser jederzeit dieselbe Anzahl hinzuernennen, so daß er mit diesem Recht des Pairsschubs ein potentielles Veto und damit die Kontrolle über die Entscheidungen des «berufsständischen» Oberhauses behielt. Überdies besaß der Kaiser, da er jedem Landesgesetz zustimmen mußte, ein zweites Vetorecht, während er in der Reichsgesetzgebung durch den Bundesrat im Grenzfall zur Ausfertigung eines Gesetzes gezwungen werden konnte.

Insgesamt eröffnete das Reformgesetz dem neuen Landtag einen lang vermißten Handlungsspielraum. Aber als Inkarnation des Mißtrauens bestätigte es mit dem Doppelveto den «bloßen Schein» der elsaß-lothringischen Gleichberechtigung. Noch immer wurde die Abhängigkeit von der Reichsgewalt nicht aufgehoben, und für die erhoffte Entspannung des politischen Klimas kam es ohnehin zwanzig Jahre zu spät. Da die Reform auf einem Reichsgesetz basierte, entstand auch, genau genommen, keine genuine Verfassung, da Gesetze «niemals eine Verfassung begründen», sondern «selbst in einer Verfassung begründet» sind. Elsaß-Lothringen blieb daher weiter «Reichsland» – seit 1911 aber mit einem gleichsam bundesstaatsähnlichen Charakter auf reichsrechtlichen Widerruf.

Zu welchen Kapriolen die politischen Machtverhältnisse und das Konstruktionsprinzip der Reichsverfassung führten, wird an dem Dilemma sichtbar – ein wahrer Leckerbissen für die Juristen –, daß das «Reichsland» drei Bundesratsstimmen erhielt, obwohl einem Nichtmitglied des «Ewigen Bundes» von 1871 dieses Privileg von Vollmitgliedern eigentlich nicht eingeräumt werden durfte. Da das Reich, vertreten durch den Bundesrat als Träger der Souveränität, der direkte Gebietsherr von Elsaß-Lothringen blieb und jetzt sein Geschöpf an den Funktionen des Bundesrats teilhaben ließ, wurde es – wider alle Logik der ursprünglichen Verfassung – «sein eigenes Mitglied», wie der in Straßburg lehrende Altmeister des Reichsstaatsrechts, Paul Laband, den Kern der paradoxen Situation pointiert erfaßte. In der konkreten Politik nötigte dieser Zustand dazu, den Stimmenzuwachs für die Präsidialmacht durch die Erfindung minderwertiger Bundesratsstimmen zu kastrieren. Nichts demonstriert schlagender, entgegen dem äußeren Anschein der elsaß-lothringischen «Verfassungsreform», die Unfähigkeit zu einer strukturellen Reform des Reiches als die Tatsache, daß selbst nach vierzigjähriger Zugehörigkeit Elsaß-Lothringen nicht nur die Autonomie einer eigenen Landesstaatsgewalt weiter verweigert, sondern daß es auch im Zustand einer aufreizenden Abhängigkeit von den fernen Berliner Zentralinstanzen erhalten wurde. Wie tief sich das Ressentiment dagegen, Reichsbürger zweiter Klasse bleiben zu müssen, eingefressen hatte, sollte alsbald die Zabern-Affäre von 1913, ein neuer Höhepunkt des reichsdeutschen Militarismus, enthüllen (vgl. hinten B.5d).

Wie weit die tektonischen Verschiebungen der Grundlagen des «politischen Massenmarktes» inzwischen fortgeschritten waren, demonstrierten die Reichstagswahlen von 1912. Vergeblich hatte Bethmann Hollweg auf die

Wiederbelebung der «Sammlungspolitik» gesetzt und – wie die liberale «Frankfurter Zeitung» spottete – die «alte Schalmei von der gefährdeten nationalen Arbeit» geblasen, um die «positiv schaffenden Stände» hinter sich zu versammeln. Bei einer beispiellosen Wahlbeteiligung von fünfundachtzig Prozent aller Stimmberechtigten wurde die Sozialdemokratie, ungeachtet der anhaltenden Benachteiligung durch die Wahlkreiseinteilung und das Mehrheitswahlrecht, mit ihren 4.25 (von 12.2) Millionen Stimmen und ihren hundertzehn Abgeordneten die mit Abstand stärkste Partei. Klar abgeschlagen landete das Zentrum mit einundneunzig MdR auf dem zweiten Platz. Die «Fortschrittspartei» erreichte, nahezu aus dem Stand, mit zweiundvierzig Mandaten ungefähr dieselbe Fraktionsgröße wie die fünfundvierzig Nationalliberalen und die dreiundvierzig Deutschkonservativen. Zwar behaupteten die vereinigten Linksliberalen nur in etwa die Stellung, welche ihre drei getrennten Parteien bereits 1907 (49) gewonnen hatten, aber jetzt konnten sie mit geballter Kraft auftreten, und die Sozialdemokraten erhöhten nach der Schlappe von 1907 (43) ihre Abgeordnetenzahl um mehr als hundertfünfzig Prozent.

Ein sozialdemokratisch-liberales Bündnis wäre mit der Unterstützung der Repräsentanten der nationalen Minderheiten dank seinen hundertachtzig Stimmen an die absolute Mehrheit von hundertneunundneunzig Mandatsträgern bereits dicht herangekommen. Enger noch kamen aber Zentrum, Nationalliberale und Konservative mit ihren hundertdreiundneunzig Sitzen heran, aber letztlich blieben sie eine Minderheit, die nur mit Hilfe der Antisemiten (10) oder der katholischen Polen (18) die absolute Majorität hätte gewinnen können.

Hoffnungsfroh sahen deshalb die Linksparteien in der Überzeugung, daß ihnen der Trend treu bleiben werde, nach der nächsten Reichstagswahl von 1917 eine sozial-liberale Mehrheit voraus. Furchterfüllt verbanden dagegen konservative Prognosen den Ausgang dieses künftigen Kräftemessens mit der Degradierung zur «ewigen Minderheit». Zunächst aber führte an der Tatsache kein Weg vorbei, daß das parlamentspolitische Geschäft für die Regierung Bethmann Hollweg noch schwieriger als zuvor geworden war, zumal die Verlierer auf der rechten Seite des politischen Spektrums dem Kanzler wegen seines schwankenden Kurses die Niederlage persönlich anlasteten. «Bethmann Soll Weg» kursierte als ihr neuer politischer Witz in der Hauptstadt. «Die gewohnheitsmäßig kanzlerstürzende ultrakonservative Clique», beobachtete Paul v. Schwabach, liberaler Geschäftsinhaber des Bankhauses Bleichröder, «ist fleißig an der Arbeit.» Auf der andern Seite warf man Bethmann Hollweg in der liberalen Öffentlichkeit vor, daß er «sich selbst dort hingestellt» habe, «wohin er schon seit langem gehört: an die Spitze des feudal-klerikalen Blocks». Mit seiner Niederlage sinke auch der Stern des Kanzlers. Da Bethmann Hollweg jedoch eine vom Vertrauen des Parlaments unabhängige Position besaß, blieb er unverändert im Amt.

In der Rüstungspolitik überstand der Kanzler mit Not die spannungsreiche Situation des nächsten Jahres. Teils lang gehegte Pläne verfolgend, teils auf eine russische Armeevermehrung reagierend, die bis 1917 eine Friedenspräsenz von 1.8 Millionen Soldaten ergeben sollte, bestanden Generalstab und Kriegsministerium auf einer Heeresvorlage, die eine kostspielige Aufstockung um 136000 Mann bis zum Sommer 1915 forderte (vgl. hinten B.5a). Angesichts des desolaten Zustandes der Reichsfinanzen konnte die Deckung der neuen Unkosten nur durch eine einmalige Sonderabgabe der Vermögenden und höheren Einkommensbezieher gesichert werden. Nach einem zunächst aussichtslos wirkenden Streit wurde die «Wehrvorlage» trotz des zähen Widerstands der Konservativen gegen den Finanzierungsmodus im Juli 1913 schließlich doch bewilligt.

Ihr starrsinniger Interessenegoismus paßte auch fugenlos in ihre allgemeine Opposition gegen jede Anwandlung von Flexibilität und Reformbereitschaft, welche die Reichsregierung verspüren mochte. Deshalb kam auch die gesamte Sozialpolitik ins Stocken. Die Reichsversicherungsordnung war zwar 1911 soeben noch durch den Gesetzgebungsprozeß geschleust worden, aber seit 1912 praktizierte die Rechte ihre totale Reformblockade. Und mochte sie auch im Reichstag geschwächt sein, konnte sie doch der Unterstützung des preußischen Landtags und Staatsministeriums gewiß sein. Einen Ausweg hätte allein die Kooperation der Regierung mit den Linksliberalen und Sozialdemokraten geboten. Doch das hieß, zum einen den frontalen Zusammenstoß mit den Konservativen und dem Kaiser zu riskieren, zum andern die Zusammenarbeit mit neuen Alliierten zu eröffnen, die je länger, desto entschiedener auf das Ziel der parlamentarischen Monarchie nicht verzichten wollten. In dieser lähmenden Pattsituation befand sich der zaudernde «Philosoph» im Kanzleramt, als die ersten Monate des Schicksalsjahres 1914 verrannen. «Wie erstarrt» lag «das wilhelminische Staatswesen» vor dem Beginn der tödlichen Krise da, «seiner Struktur nach abgeschnitten von dem Zustrom regenerierender Kräfte und daher unfähig zu jener produktiven Wandlungsfähigkeit», wie sie «die Anpassung» an die gesellschaftlichen und politischen Kräftekonstellationen erforderte.

e) Der Kaiser und seine Institutionen: Einfluß und Grenzen eines wilhelminischen Herrschaftszentrums

Unstreitig waren mit dem Amt des preußischen Königs und deutschen Kaisers zahlreiche Einflußchancen verbunden, die sich aus der Verkoppelung dieser beiden Herrschaftspositionen ergaben. Formell hing der Reichskanzler allein vom Vertrauen seines Monarchen ab. Informell konnte dieser die Staatssekretäre und Minister begünstigen oder fallenlassen, das Gewicht seiner Stellung in der Öffentlichkeit für oder gegen eine politische Entscheidung geltend machen. Formell instruierte der König die Vertreter des Hegemonialstaates im Bundesrat. Als Inhaber der «Kommandogewalt» war er mit Hilfe des mächtigen Militärkabinetts, später auch des Marinekabinetts imstande, das Offizierkorps, überhaupt die Streitkräfte insgesamt, tiefgreifend zu beeinflussen. Über sein Zivilkabinett und das Hausministerium, durch die Zulassung zur Hofgesellschaft oder den Ausschluß aus diesem Zirkel konnte er weitere Durchsetzungschancen gegenüber wichtigen Mitgliedern anderer Machteliten und Oberklassen mittelbar oder unmittelbar wahrnehmen.

Daraus hat man den Schluß gezogen, daß der vermeintlich unwiderstehliche Zwang, der die rivalisierenden Gruppen und Individuen zum Werben um die Unterstützung ihrer Ziele durch den mächtigen Herrscher nötigte, eine strukturanaloge Wiederholung jenes «Königsmechanismus» darstellte, den Norbert Elias als kunstvoll entwickelte Herrschaftskonfiguration zugunsten des absolutistischen Monarchen zu Recht operieren sah: Hatte dieser im politischen System einmal eine so abgehobene Position erkämpft, daß er den Ausschlag des Züngleins an der Waage selber bestimmen konnte, führte an seiner Zustimmung kein Weg mehr vorbei; eben dadurch konnte er widerstreitende Kräfte ausbalancieren, um letztlich seinen eigenen Willen durchzusetzen. Da nach dieser «monarchozentrischen» Interpretation der Königsmechanismus auch zugunsten Wilhelms II. wirkte, habe der Kaiser bis 1897 ein «improvisiertes», von 1897 bis zur Bülow-Krise von 1908 sogar ein «tatsächlich» funktionierendes «persönliches Regiment» aufbauen können, indem er «sein eigener Reichskanzler» war, wogegen der amtierende Kanzler und die Minister nur als «seine Handlanger» fungierten. Während sich der Kaiser bis 1897 mit wechselndem, aber zunehmendem Erfolg in die Regierungsgeschäfte ausschlaggebend eingemischt habe, seien seither alle Schlüsselpositionen mit seinen Vertrauensleuten besetzt gewesen, so daß seine Intentionen umstandslos, ohne jeweils persönliches Eingreifen zu erfordern, verwirklicht worden seien.

Selbst die «Nicht-Entscheidungen» seien aus der Sorge vor dem Verlust des allerhöchsten Vertrauens als Folge eines einzigen falschen Schrittes hervorgegangen. Und die Polykratie erscheint in dieser Perspektive geradezu als die notwendige Konsequenz oder gar Schöpfung der Monokratie, die angesichts konkurrierender und sich wechselseitig blockierender Ansprüche ihre Schiedsrichterrolle am besten hätte wahrnehmen können. Für ihre Ausübung standen dem Kaiser mächtige Institutionen wie etwa seine Spezialkabinette zur Verfügung. Freundes- und Beraterkreise «von entscheidender Bedeutung» versorgten ihn mit Informationen und leiteten zugleich seine Impulse weiter. Kurzum: Buchstäblich jedes Mitglied der Regierung, des Offizierkorps, der Hofgesellschaft, der meisten Eliten mußte – dieser Deutung zufolge – die Gunst Wilhelms II. besitzen, um sich behaupten, erst recht, um sich gegen die Wahlen oder Vorgesetzte durchsetzen zu können.

Diesem strukturblinden Personalismus erscheint Wilhelm II. offenbar allen Ernstes als das eigentliche, ja das einzige Bewegungszentrum der deutschen Politik. Nicht nur die Sozialpolitik, die Sozialistendiskriminierung einschließlich der «Umsturz»- und «Zuchthausvorlage», der Schlachtflottenbau, nein, auch die ominöse «Lex Heinze» gegen die Prostitution, die preußische Schulpolitik, die kontinuierliche Heeresvergrößerung, sogar die komplizierten Handelsverträge und Zolltarife – sie alle sollen das Werk des letzten Hohenzollernherrschers gewesen sein, da er «den ganzen zivilen und militärischen Machtapparat in der Hand» gehabt habe. Offenbar war der charismatische Gründungskanzler im Vergleich mit ihm wirklich nur, wie Wilhelm II. höhnte, eine «Pygmäe».

Da auch die immens folgenreiche Ausübung der gesellschaftlichen Funktionen Wilhelm II. nachdrücklich betont wird, muß man zuerst einmal festhalten, daß der Hohe Herr überindividuelle Prozesse wie die Entwicklung des Industriekapitalismus und der agrarkapitalistischen Landwirtschaft, der Klassengesellschaft und des Reichsnationalismus, des Interventions- und Sozialstaats, des politischen Massenmarktes und Korporativismus keineswegs dirigieren konnte. Aus diesen durchsetzungsfähigen Prozessen resultierten aber außerordentlich wichtige, unentwegt auch politisch regulierungsbedürftige Probleme, die sich der Steuerung durch ein einzelnes Individuum entzogen.

Blickt man aber primär auf jene Arena, in der die Politikgeschichte ihre Entscheidungsprozesse gewöhnlich verfolgt, werden die Zweifel nicht geringer. War für Bismarcks Sturz die Erosion seines Charismas und seiner politischen Machtbasis, die Bereitschaft zur Krisenverschärfung bis hin zum Staatsstreich das entscheidende Bedingungsgeflecht? Oder zählt nur der Akt der Notwehr durch die Entlassung, zu welcher der Kaiser verfassungsrechtlich in der Tat imstande war? Ist die Konjunkturpolitik, ist insbesondere die Außenwirtschaftspolitik einschließlich des Bülow-Tarifes von 1902 aus Direktiven des Kaisers hervorgegangen? Oder ergab sie sich aus einem zähen Ringen der Interessenverbände, der «strategischen Cliquen» in der Bürokratie, der Reichsleitung, der Parteien – aus einem Kampf mithin, auf den zwar auch der Monarch einwirken konnte, ohne doch diese starken Protagonisten dirigieren zu können? Ist die Sozialpolitik des Reiches, die Wissenschafts- und Kirchenpolitik Preußens nicht ebenfalls das Resultat widerstreitender Kräfte gewesen, das der Kaiser keineswegs allein durch sein «Fiat» bestimmen konnte? Trafen in der Reichsfinanzpolitik und in der preußischen Steuerpolitik nicht genauso mächtige, klar identifizierbare Interessen aufeinander, die sich in dem üblichen Kompromiß, eben mehr oder weniger erfolgreich, durchsetzen konnten, ohne daß der Kaiser imstande gewesen wäre, ihn dank seiner Machtfülle vorzugeben? Oder kontrafaktisch gefragt: Warum hat dieser «Mastermind» durch sein Machtwort nicht eine Reichsfinanzreform und eine Steuerreform in seinem Stammland vorgeschrieben, die seinen Zielvorstellungen von einem starken Reich und einem starken Preußen, insbesondere seinen bekannten militärpolitischen Zielen mit ihrem immensen Finanzbedarf, weit eher entsprachen als die Stückwerk-Reformen von 1891/93 und 1909?

Hat der Kaiser die China-, die Pazifik-, die Afrikapolitik des deutschen Imperialismus, die mißglückte informelle Expansion im Vorderen Orient mit Hilfe der Bagdad-Bahn selber festgelegt? Oder war er nicht vielmehr ein Akteur neben vielen anderen, die durchaus unterschiedliche Antriebskräfte verkörperten, unterschiedliche Ziele verfolgten und einen unterschiedlichen Anteil an den Entscheidungen verbuchen konnten? Und selbst in der Rüstungspolitik: Ist das Heer wirklich nicht durch das Zusammenwirken von Kriegsministerium und Generalstab, von Reichstag und öffentlicher Meinung vergrößert, sondern statt dessen seine Expansion nach den Direktiven des Kaisers ausgeführt worden? Den Schlachtflottenbau hat Wilhelm II. offenkundig leidenschaftlich unterstützt. Aber hat nicht die erste internationale Rüstungsspirale, der seit den frühen neunziger Jahren erkennbare internationale Trend hin zum Bau von Großkampfschiffen in einem antagonistischen Staatensystem einen schwer entrinnbaren Zugzwang geschaffen? Und sind nicht der Planungsfanatismus und die politische Durchsetzungsfähigkeit des Admirals v. Tirpitz mit seinen tüchtigen Experten im konkreten Entscheidungsprozeß wichtiger gewesen als das fraglos antreibende Plazet des Kaisers oder das Drängen des Marinekabinetts unter seinem Chef v. Senden-Bibram?

Selbst wenn man von der extrem begrenzten Sachkompetenz des Monarchen in allen diesen Fragen, von seiner hektischen Sprunghaftigkeit, von seiner notorischen Arbeitsscheu, von seinem akuten Desinteresse an Aktenbeherrschung absehen könnte, wird doch von der «monarchozentrischen» Interpretation die Natur moderner politischer Entscheidungsprozesse gründlich mißverstanden. Von einem eindeutig identifizierbaren, maßgeblich handelnden individuellen «Subjekt» kann dabei nur äußerst selten die Rede sein. Aus dem Geschiebe und Gezerre der Interessenaggregate gehen Resultate mit oft anonymer Herkunft hervor. Erst die genaue Analyse ergibt, wer oder welches Interesse sich am stärksten durchgesetzt hat. Überhaupt ist Politik ja weit weniger das Ergebnis von rational formulierten Entscheidungen über die Grundlinien des Handelns mit dem Ziel, ein Projekt in Zukunft durchzusetzen, als vielmehr der von der üblichen Kosten-Nutzen-Abwägung geprägte Versuch, mit den Folgelasten vorangegangener «Politiken» im Rahmen begrenzter Optionen irgendwie fertig zu werden. Dabei ist es ergiebiger, die wechselnden involvierten materiellen und ideellen Interessen und die sich wandelnden Interessenformationen samt den sie steuernden «Weltbildern» zu erfassen, als an der konventionellen Vorstellung festzuhalten, Entscheidungen ließen sich «letztlich» immer wieder auf einen individuellen Politiker als Bewegungszentrum zurückführen.

Devote Formulierungen von Diplomaten, die als unterwürfige Speichellecker à la Eulenburg vor «Allerhöchstderoselben Majestät» erstarben, aber auch von anderen zeitgenössischen Beobachtern über die angeblich erstaunliche Reichweite des Einflusses Wilhelm II. bilden die Entscheidungsprozesse keineswegs spiegelbildlich getreu ab. Im Gegenteil: Der ZdI etwa verfolgte seine genuinen Eigeninteressen, und weder er noch sein Generalsekretär Bueck als prominentes Mitglied einer mächtigen Funktionselite hingen primär von der Gunst des Kaisers ab. Miquel betrieb mit der Finanzbürokratie, die dabei ihr institutionelles Eigeninteresse verfolgte, die Steuerreformen und mußte sie durch üble Konzessionen den Konservativen schmackhaft machen, ohne daß der Kaiser beides vorgeschrieben hätte – oder auch nur hätte vorschreiben können. Berlepsch und Posadowsky haben als Reformkonservative ihre Sozialpolitik aus Überzeugung vorangetrieben, ohne daß Wilhelm II. die Maßnahmen angeordnet hätte. Sein Anfangsinteresse erlosch zudem im Nu, als die erhoffte Wirkung dieses «Neuen Kurses» auf die Sozialdemokratie ausblieb, und dennoch konnte der sozialstaatlich orientierte Flügel der Reichsbürokratie bis 1907 einen Teil seiner Projekte durchsetzen. Die vielbeschworene «wilhelminische Weltpolitik» ist in erster Linie wegen der inneren Legitimationsbedürfnisse betrieben worden. Wilhelm II. dagegen hat in seinem arrogant-beschränkten Selbstbewußtsein keinen Legitimationsmangel der Monarchie verspürt, den er auf diesem riskanten Weg zu beheben versuchte. Seine Motive dagegen lagen anderswo, und der deutsche Imperialismus dieser Periode entsprang auch nicht seinen Weisungen.

Man könnte mit diesen Korrekturen lange fortfahren. Die Grundkonstellation aber ist klar: Unbestreitbar war Wilhelm II. aus den vorn genannten Gründen zeitweilig ein einflußreicher Mann, der insbesondere mit Hilfe der Personalpolitik diesen Einfluß ausübte. Auf die wichtigen Entscheidungsprozesse wirkte er aber als ein Akteur neben anderen ein. Dieses Geflecht von Machtfaktoren mit variierender Durchsetzungsfähigkeit, diese häufig gar nicht personalisierbaren Positionskämpfe von Interessenaggregaten, diese aus dem Kräftemessen erst allmählich hervorgehenden Resultate – sie werden mit der «monarchozentrischen» Grundidee von einem einzigen handlungsbestimmenden Individuum in aller Regel gründlich verfehlt.[21]

f) Die Kontinuität der bürokratischen Herrschaft

Auch die wilhelministische Deutung der zweiten Epoche des Kaiserreichs konzediert zuerst eine mühselige neunjährige Anlaufphase des neuen Reichsmonarchen und später seine Machtdeflation aufgrund der «Daily-Telegraph-Affäre», des Homosexualitätsprozesses gegen Eulenburg als Haupt der kaiserlichen Freundesrunde, der Bülow-Krise mit all ihren Folgen. Kontinuität im Herrschaftssystem verbürgte dagegen in allererster Linie die Bürokratie sowohl in den Reichsämtern als auch – wegen der «hegemonialen großpreußischen Struktur des Reiches» (M. Weber) – in der meist kooperierenden Verwaltung des «Empire State» und der anderen Bundesmitglieder.

Im Reich blieb das bis 1879 eingerichtete Institutionengefüge bestehen. Nach 1890 gab es nur zwei nennenswerte Veränderungen. Zum einen: Nachdem die Reichsmarine zuerst der 1872 gegründeten Kaiserlichen Admiralität unterstanden hatte, erfolgte 1889 eine Trennung. Die Admiralität wurde in das Oberkommando der Kriegsmarine verwandelt, dessen Oberbefehl Wilhelm II. 1899 selber übernahm. Die Verwaltung wurde dem Reichsmarineamt unter der Leitung eines Staatssekretärs übertragen. Zum andern: Seitdem die «Schutzgebiete» alle zu Staatskolonien geworden waren, unterstanden sie seit 1890 der Kolonialpolitischen Abteilung des Auswärtigen Amtes. 1894 wurde sie zu einer nebengeordneten, quasi selbständigen Behörde, die sogar das Recht des Immediatvortrags erhielt. Aber erst nach der erwähnten Krise von 1906/07 wurde noch 1907 ein eigenes Reichskolonialamt unter einem Staatssekretär, dem früheren Direktor der «Darmstädter Bank» Bernhard v. Dernburg, geschaffen.

Unverändert bestanden, aufs Ganze gesehen, weiter fort: das Auswärtige Amt, die Reichskanzlei, das Reichsjustiz- und das Reichsschatzamt, auch das Reichsamt des Inneren, das trotz der wachsenden Bedeutung der Wirtschaftspolitik das zuständige Ressort blieb, da an seinem Widerstand alle Pläne, endlich ein eigenes Reichsamt für Wirtschaft zu gründen, scheiterten. Für den Monarchen arbeiteten drei mächtige, unverantwortliche Geheimorganisationen weiter: das Militär-, das Zivil- und seit 1889 das Marinekabinett.

Unter Caprivi und Hohenlohe löste sich die straffe Entscheidungshierarchie der Bismarck-Zeit auf. An ihre Stelle trat häufig geradezu eine «Anarchie der Ressorts». Die Rolle einflußreicher Staatssekretäre – seit 1897 etwa Tirpitz' im Reichsmarineamt, Posadowskys im Reichsamt des Inneren, Bülows im Auswärtigen Amt – beschleunigte die Verselbständigung der Reichsämter, die von keiner Zentrale mehr koordiniert wurden. Die sage und schreibe erste Konferenz des Reichskanzlers mit den Chefs aller Reichsämter kam auf das Drängen von Clemens v. Delbrück, des Staatssekretärs im Reichsamt des Inneren (1909–1916), im Juni 1914 zustande! Delbrück selber sprach dabei von «der Regierung» – ein Begriff, der seit Bismarck aus Rücksicht auf den föderativen Verband der «Verbündeten Regierungen» tabuisiert war. Aber wenn das der Beginn eines Anlaufs zur Anerkennung der «Reichsregierung» gewesen sein sollte, brach er sofort mit dem Weltkrieg wieder ab.

Mit der zunehmenden Differenzierung der Staatsfunktionen wuchs die Bedeutung der Bürokratie sowohl im politischen Alltag als auch in der Gesellschaft.

1. Das vor 1871 existierende Beamtenrecht blieb weiterhin in Kraft, wurde aber zum Vorteil der «Staatsdiener» ausgebaut. Preußen, wo der

teilweise erdrückende Einfluß der Beamtenschaft auf zwei Drittel der Reichsbevölkerung fortbestand, holte die weiter vorangeschrittene süddeutsche Entwicklung nach. Dadurch wurde es zum Modell für die Reichsbehörden, andere Bundesstaaten und viele Städte. 1872 wurde die seit 1825 als Gnadenakt gewährte Pension, die seit 1867 wie in Süddeutschland und Österreich als staatliche Pension ohne eigene Beitragsleistung gezahlt wurde, endlich auf eine gesetzliche Basis gestellt; 1873 wurde diese preußische Regelung, wonach einem Beamten fünfundzwanzig bis achtzig Prozent des Dienstgehaltes nach zehn bis fünfzig Amtsjahren zustanden, für die Reichsbehörden übernommen.

Ein Reichsgesetz führte 1881 die staatliche Witwenpension auf einer Beitragsbasis ein, Preußen schloß sich 1882 diesem Vorbild an. Bereits 1888 folgte im Reich und in Preußen der Übergang zur staatlichen Witwen- und Hinterbliebenenpension ohne jede vorhergehende Eigenleistung. Sie galt als «Ergänzungsteil» der regulären Besoldung, sogleich auch als Teil der «wohlerworbenen Rechte», mithin als sakrosankter Anspruch des Beamten. Nach diesem Modell novellierten die Einzelstaaten ihr Zivilbedienstetenrecht. Diese Hinterbliebenenversorgung war eine der beiden einzigen beamtenrechtlichen Innovationen in der Zeit des Kaiserreichs. Hinzu kam später noch – ein radikaler Bruch mit der bisherigen Politik – die Ausdehnung des Beamtenstatus auf ungelernte Arbeiter.

Die verstärkte Privilegierung der preußischen Bürokratie und der Reichsbeamtenschaft war ganz wesentlich eine Folge der konservativen Wende von 1878/79. Die Stellung des Beamten und sein Dienstrecht sollten sich vom Arbeitsrecht, auch von der auf Beiträgen und Staatszuschüssen beruhenden Arbeiterversicherung klar unterscheiden. Die vertraute Herrschaftstechnik der Privilegierung der Beamtenschaft, damit verknüpft aber auch – wie noch gezeigt wird – ihre verschärfte Disziplinierung wurden erfolgreich fortgesetzt.

2. Nicht nur nahmen die Einflußchancen und Vorzüge des materiellen Sonderstatus zu, vielmehr dehnte sich auch der quantitative Umfang der Beamtenschaft gewaltig aus. Zwischen 1875 und 1907 verdreifachte sich die Zahl der staatlichen Zivilbediensteten in Deutschland von rund 524000 auf 1475300. Damit übertraf ihr weit überproportionales Wachstum den Anstieg der Reichsbevölkerung beträchtlich.

Übersicht 108: Staatliche und kommunale Zivilbedienstete im Kaiserreich 1875–1907

	Gesamtzahl	Verwalt.	Verkehr	Post	Bildung	Bevölk.
1875	524300 (100%)	41.8%	23.8%	15.4%	18.6%	42.7 Mill.
1881	647855 (24%)	34.8%	32.7%	14.7%	17.8%	45.2 Mill.
1895	987862 (89%)	32.3%	34.4%	18.3%	18.8%	52.3 Mill.
1907	1475312 (182%)	28.2%	38.6%	19.7%	13.5%	60.6 Mill.

Da die Reichsstatistik mit unbefriedigenden Kategorien gearbeitet hat, müssen einige Gruppen, die zu den Angestellten und den Freien Berufen gehörten, ausgeschieden werden, um die Beamtenschaft im strengen Sinne zumindest annähernd genau ermitteln zu können. Otto Hintze hielt nach sorgfältiger Abwägung die folgende Größenordnung für realistisch: Von insgesamt 1.2 Millionen Beamten entfielen rund

- 390000 auf die Verwaltungs- und Justizbeamten; davon waren 55000 höhere, 257000 mittlere und 77000 untere Beamte;
- 390000 auf die Lehrer, die Geistlichen und die Offiziere;
- 420000 auf die Post- und Eisenbahnbeamten sowie auf die Beamten in den Staats- und Kommunalbetrieben.

Als besonders folgenreich erwies sich die Ausdehnung des Beamtenstatus auf die Volksschullehrer, die Post-, Eisenbahn- und Kommunalbediensteten, dazu auf ungelernte und ungeprüfte Arbeiter, die dennoch zu Unterbeamten gemacht werden konnten. In diesen Bereichen vollzog sich der eigentliche quantitative Sprung. So schnellte etwa im Post- und Verkehrswesen die Beamtenzahl von etwa 250000 auf 860000 hoch; allein die Zahl der Reichspostbeamten kletterte von 1871 = 34000 auf 1913 = 263000. Da das Kommunikations-, Bildungs- und Gesundheitswesen, auch die Sozial- und Armenfürsorge zum Teil verstaatlicht oder – wie vor allem die städtischen Dienstleistungsbetriebe – zum Teil kommunalisiert wurden, ergaben sich dort die größten Steigerungsraten. Dadurch wurde die Subalternbeamtenschaft immens aufgebläht. Das war nur möglich, weil entgegen dem herkömmlichen Staatsdienerverständnis allmählich auch für Arbeiter der Weg zum Beamtenstatus freigemacht wurde. Die Entwicklung nahm ihren Ausgang von staatlichen Dienstleistungsbereichen wie dem Verkehrswesen und von den Kommunalbetrieben. Schritt für Schritt wurden ein mehrstufiges Prüfungssystem und die Laufbahnregeln auf Arbeiter übertragen, bis sie nach gewöhnlich zwanzigjähriger Dienstzeit mit einem Gehalt nach Anciennität, einem Wohnungszuschuß, dem Kündigungsschutz und Alters- und Hinterbliebenenpension Unterbeamte wurden. Auf diese Weise wurde die Einheitlichkeit der riesigen staatlichen und städtischen Beamtenschaft gewahrt. 1913 beschäftigte die Reichspost außer 260000 Beamten auch 60000 Arbeiter, die preußische Staatseisenbahn außer 206000 Beamten sogar 354000 Arbeiter. Eine erhebliche Anzahl von diesen Arbeitern, jährlich rund 6000, wurde in den anderthalb Jahrzehnten vor 1914 in die Beamtenstellung angehoben.

Die politische Intention lag auf der Hand, sie wurde auch gar nicht verheimlicht. Um die Staatsarbeiterschaft durch Privilegierung und Disziplinierung gegen die Verlockungen der SPD zu immunisieren, wurden «Verbeamtung» und Gehaltsaufbesserung zielstrebig eingesetzt. Ein Sachkenner wie Otto Hintze glaubte 1911, daß der Staat «nur die Wahl» habe «zwischen einer Verstärkung der Sozialdemokratie» – «staatsfeindlich», «antimonarchisch», «utopisch», wie er sie bissig charakterisierte – «oder einer Ausdehnung des Beamtenverhältnisses». Daß die Entscheidung weiterhin zugunsten einer solchen Ausdehnung fiel, erschien ihm «nicht zweifelhaft». Diese Politik der Zähmung durch den Staatsbeamtenstatus wirkte damals für das konservative Establishment aussichtsreicher als andere Methoden, die ebenfalls eine «zuverlässige Gesinnung» verbürgen sollten. Zuverlässig in diesem Sinn waren die sogenannten «Militäranwärter», ausgediente Unteroffiziere, die den Anspruch auf eine Subalternbeamtenstelle besaßen und sie mit dem Ton und Verhalten, das sie auf dem Kasernenhof gelernt hatten, ausfüllten. Dem «Assessorismus» in der höheren Bürokratie entsprach dieser ultrakonservative «Militarismus» in der niederen Beamtenschaft. Aber die Zahl der ehemaligen Berufssoldaten blieb verhältnismäßig begrenzt, so daß die Beamtenstellung der Staatsarbeiterschaft einen ungleich größeren Stabilisierungsgewinn versprach.

Das hervorstechende Charakteristikum der numerischen Entwicklung bleibt die explosionsartige Expansion einer anfänglich kleinen Minderheit zu einer großen Beschäftigtengruppe: 1907 machte sie bereits 10.6 Prozent aller Erwerbstätigen aus. Dank der materiellen Sicherheit im Amt und Alter, für Witwe und Kinder, auch dank dem Einfluß und Prestige der höheren Ränge blieb der Beruf des Beamten eine von der Gesellschaft überwiegend bewundert-beneidete Existenz.

3. Im Hinblick auf die soziale Herkunft interessiert hier vor allem die Komposition der höheren Bürokratie, da in der mittleren Beamtenschaft überall die Herkunft aus den städtischen Mittelklassen absolut vorherrschte; einem Drittel, das aus dem unteren Kleinbürgertum stammte, wurde seine Aufstiegsmobilität durch das moderne Bildungssystem ermöglicht.

Bei der Zusammensetzung der höheren Verwaltungs- und Justizbürokratie gab es einen auffälligen Unterschied zwischen Preußen und dem Reich einerseits, den süd- und mitteldeutschen Staaten sowie den Stadtstaaten andrerseits. Aus dem Reservoir der Oberklassen stammten in Preußen und tendenziell ganz ähnlich im Reich kontinuierlich etwa achtzig bis neunzig Prozent der höheren Beamten. Nur zehn bis zwanzig Prozent von ihnen gelang der Aufstieg aus den bürgerlichen Mittelklassen der Handwerker, Kaufleute, kleinen Beamten und Gastwirte. Zur Zeit der Reichsgründung stammten etwa in der höheren preußischen Provinzialverwaltung aus den Familien von Beamten und Offizieren 47.6 Prozent, von Gutsbesitzern 22.6 Prozent, von Akademikern mit nichtbeamteten Berufen 12.2 Prozent. Diesen gut vier Fünfteln (82.4%) standen 17.8 Prozent Handwerker- und Kaufmannssöhne gegenüber. Der Adel besaß einen Anteil von 37 Prozent, während er in der Berliner Zentralverwaltung bereits auf nur mehr 14.5 Prozent abgefallen war.

An den Grundzügen dieser sozialen Zusammensetzung: vier Fünftel aus den Oberklassen, ein Fünftel Aufsteiger aus den Mittelklassen, hat sich bis

1914 nichts Wesentliches geändert. Auf den Spitzenrängen der Bürokratie in Preußen und im Reich hielt sich daher eine aus dem beamteten Bildungsbürgertum, dem Wirtschaftsbürgertum und dem Adel stammende, durchweg konservativ geprägte, mit wenigen Ausnahmen protestantische Funktionselite. Da es gerade für sie eine hohe Quote der Selbstrekrutierung gab, sprachen Kenner unverblümt von «einer Art von Inzucht». Nicht zuletzt dadurch wurde dem Wunsch Rechnung getragen, den Bethmann Hollweg stellvertretend für die Lenker des Herrschaftssystems aussprach, «den staatlich-konservativen Organismus» des Reiches und Preußens in seiner gegenwärtigen Gestalt zu erhalten. Faktisch führte das zu einem extrem selektiven, zugleich aber «umfassenden System der Ämterpatronage», die «fast das Gepräge der Korruption trug» (H. Fenske).

In den Mittelstaaten dagegen besetzten Männer aus den Oberklassen einen erheblich geringeren Anteil der höheren Beamtenpositionen. In Bayern etwa pendelte er zwischen sechzig und siebzig Prozent; mehr als einem Drittel gelang dort der Aufstieg aus den Mittelklassen, da in Süddeutschland dank dem Beharren auf dem Leistungsprinzip der Zugang zur oberen Ämterhierarchie sozial offener gehalten wurde.

Ein gemeinsames Kennzeichen des höheren Dienstes blieb überall das Juristenmonopol. «Verwaltung» wurde an den Universitäten nicht prüfungsrelevant gelehrt; der Erwerb von Sachkunde blieb der Praxis, zuerst dem Referendariat, dann dem «Training on the Job» überlassen. Wegen des Juristenmonopols über die begehrten Staatsstellen gab es einen Andrang in den Rechtsfakultäten, der immer wieder eine «Juristenschwemme» auslöste. Auf diese unregelmäßigen akademischen Überproduktionskrisen reagierten die Regierungen auch in der Zeit des Kaiserreichs mit vorher erprobten Gegenmaßnahmen. Die Examensbedingungen wurden verschärft, um die Durchfallquote zu erhöhen. Der Vermögensnachweis der Eltern im Sustentationszeugnis mußte seit 1863 für zehn Jahre die Gewähr einer standesgemäßen Lebensführung bieten. Volljuristen wurde ebenso lange eine unbezahlte Arbeit im vollen Umfang eines regulären Beamten zugemutet. Die Konduitenlisten hielten die Beurteilung des dienstlichen und privaten Verhaltens akribisch genau fest; sie bildeten gewissermaßen ein Nadelöhr, durch das der Assessor wegen der Politisierung der Beförderung vor seiner Ernennung zum Berufsbeamten und vor jeder weiteren Karrierestation hindurch mußte. In den neunziger Jahren war bereits ein Viertel aller Justizstellen mit unbesoldeten Assessoren besetzt. 1907 gab es in Preußen 5330 Richter und Staatsanwälte, aber 2300 Gerichtsassessoren mit einer acht- bis zehnjährigen Wartezeit; außerdem befanden sich 7200 Referendare in der Ausbildung. 1912 hatte sich das Mißverhältnis zwischen 6410 Richtern und Staatsanwälten einerseits, 3480 Assessoren andrerseits, die ohne Alimentierung auf Planstellen warteten, weiter zugespitzt.

Durch ein Gesetz von 1906 wurde der Ausbildungsgang noch einmal bekräftigt: Ein mindestens dreijähriges Jurastudium, eine vierjährige Referendarzeit und zwei erfolgreich absolvierte Staatsexamina sorgten dafür, daß der deutsche Volljurist beim Eintritt in die Verwaltungs- und Justizbürokratie mindestens dreißig Jahre alt, mithin ein halbes Dutzend Jahre älter als sein Pendant im englischen «Civil Service» war. Ein weiteres Gesetz von 1907 regulierte die Einstellung je nach den Prüfungsnoten anstatt nach Anciennität. Assessoren mit Prädikatsexamen rückten in die erste Klasse auf, in der man nach zwei bis drei Jahren Wartezeit fest besoldet wurde; in der zweiten Klasse dauerte es dagegen zehn bis zwölf Jahre. Gerichtsassessoren mit guter Note wurden auf diese Weise wie Regierungsreferendare behandelt, welche die Regierungspräsidenten nach persönlichem Gutdünken und Bewertung in der Personalakte nach zwei bis drei Jahren für die Anstellung auswählen durften.

Diese Ausbeutung des Nachwuchses für den höheren Dienst, diese unverhohlene Externalisierung von Gehaltskosten im Sinn einer Abwälzung auf Privathaushalte, dieses im Prinzip plutokratiefreundliche Aussiebverfahren mit seiner Exklusionswirkung gegenüber hochbegabten, aber finanziell Minderbemittelten – all das gehörte auch zu der so viel gepriesenen «Modernität» der preußisch-deutschen Bürokratie.

Was die Reichweite der administrativen Entscheidungen und die Anzahl der erfaßten Menschen angeht, blieb die höhere Beamtenschaft des Reiches und der preußischen Zentralverwaltung weitaus wichtiger als diejenige der anderen Länderbehörden. Die Sonderstellung der Spitzenbürokraten, welche die strategischen Positionen für die Entscheidungsfindung oder Entscheidungsverhinderung besetzten, verdient daher eine genauere Betrachtung.

Von den Vortragenden Räten bis hinauf zu den Staatssekretären handelte es sich bei ihnen um einen elitären Zirkel von rund vierhundert Männern, die um 1900 in den Reichsämtern und preußischen Ministerien auf dem «Korridor der Macht» verkehrten. Auch und gerade unter ihnen herrschte das Juristenmonopol; ein Viertel von ihnen hatte promoviert. Bürgerliche stellten auf dieser Ebene zwischen achtundachtzig und neunzig Prozent. Das Finanz- und Justizministerium des Reiches und des Hegemonialstaates waren fast vollständig mit bürgerlichen Experten besetzt. Die adlige Minderheit konzentrierte sich in wenigen Ministerien, saß aber in den hervorgehobenen Stellungen mit Entscheidungskompetenz. Am aristokratischsten blieb das Auswärtige Amt, das bis auf vier exotische Gesandtschaften alle Botschafter- und Gesandtenstellen mit Adligen besetzt hatte. 1914 standen im Diplomatischen Dienst neun Fürsten, neunundzwanzig Grafen, zwanzig Barone und vierundfünfzig Niederadlige ganzen elf Bürgerlichen gegenüber, während in der Verwaltungszentrale in der Wilhelmstraße längst bürgerliche Räte die Mehrheit bildeten. Dem AA folgte das preußische Innenministerium, das die Provinzialverwaltung in zwei Dritteln des Reichsterritoriums kontrollierte, denn hier behielt der Adel rund dreiunddreißig Prozent der höheren Stellen; sonst kam er im Durchschnitt auf den oberen Rängen der Berliner Ministerien nur mehr auf zwölf Prozent. (In der Provinzialverwaltung verteidigte er dagegen seine Domäne: zehn von elf Oberpräsidenten, dreiundzwanzig von siebenunddreißig Regierungspräsidenten und zweihundertachtundsechzig von vierhunderteinundachtzig Landräten waren Adlige!) Kein Wunder, daß Ernst Ludwig Herrfurth, der einzige bürgerliche Justizminister in der Zeit des Kaiserreichs, als lästiger Außenseiter, der durch seine Landgemeindereform das unverhohlene Mißtrauen der Blaublütigen bestätigt hatte, sogleich wieder gestürzt wurde, während Robert Graf v. Zedlitz-Trützschler ohne Abitur preußischer Kultusminister werden konnte.

Während des Studiums hatten die Korps ein gut Teil der politischen Sozialisation dieser Beamten übernommen. Wer etwa zu den Borussen in Bonn, den Saxo-Borussen in Heidelberg, den Saxonen in Göttingen gehörte, gewann dadurch ein begehrtes Eintrittsbillett in die höhere Laufbahn. Den Militärdienst in einem Garderegiment zu leisten erleichterte den Einstieg nicht minder; den Titel des Reserveoffiziers vorweisen zu können galt als pure Selbstverständlichkeit.

Darüber hinaus besaß die innerministerielle Personalpolitik einen weiteren, außerordentlich engmaschigen Auslesefilter. Das war die strikte Kontrolle der Konfessionszugehörigkeit. Die Katholiken stellten zwar ein Drittel der Reichsbevölkerung, aber unter den höheren Berliner Beamten fanden sich im AA zwei, in den anderen Reichsämtern allenfalls zwei bis drei, im preußischen Kultusministerium auch zwei Katholiken, im preußischen Finanzministerium nur einer, im preußischen Justizministerium sogar nur ein katholischer Botenjunge. Allein im preußischen Landwirtschaftsministerium gab es einen katholischen Unterstaatssekretär und vier katholische Räte, 1911 wurde sogar der katholische Oberpräsident Schorlemer-Lieser zum Minister ernannt.

Unter neunzig politischen Spitzenfiguren in der Zeit zwischen 1888 und 1914: den Reichskanzlern, Reichsstaatssekretären und preußischen Ministern, fanden sich nicht mehr als sieben Katholiken. Diese Minimalgruppe von Katholiken auf den Spitzenrängen stellte, so sehr sie auch als Konfessionsschulzen immer wieder bemüht wurden, einen durch und durch unglaubwürdigen Beweis für die vielgerühmte preußische Toleranz in Religionsfragen dar.

Noch diskriminierender als der unleugbar heftige Antikatholizismus wirkte sich der Antisemitismus aus. Für einen Deutschen jüdischer Herkunft war es ebenso schwierig, in die höhere Beamtenschaft vorzustoßen, wie ins Offizierkorps zu gelangen. Die wenigen Aufsteiger trafen auf unverhohlene Animosität. Paul Kayser, der Hauslehrer und Jurarepetitor der Bismarcksöhne und dank dieser Konnexion der erste Direktor der

Kolonialpolitischen Abteilung, wurde genauso haßerfüllt attackiert wie v. Dernburg als Chef des Reichskolonialamtes oder der letzte deutsche Baron v. Rothschild, den Bülow ins Auswärtige Amt lancierte. «Semiten» hätten, geiferte Holstein, die graue Eminenz der Wilhelmstraße, «in hohen Ämtern» nichts zu suchen. Der erzkonservative Justizminister Schelling wurde als «Semitenmischling» abgelehnt. Selbst der altliberale Grandseigneur Hohenlohe-Schillingsfürst entblödete sich nicht, Karl Julius v. Bitter, als dieser 1896 Handelsminister werden sollte, mit dem enthüllenden Vorurteil abzulehnen, daß er «ein jüdischer Streber» mit «semitischen Allüren» sei. Daß der rüde Antisemitismus Wilhelms II. sich auch auf die Beamtenpolitik auswirkte, fürchtete nicht nur Justizminister Friedberg.

Formelle und informelle Selektionsmechanismen waren mithin bei der Rekrutierung und Beförderung der höheren Beamten überall am Werk, und sie beschränkten sich keineswegs auf die Auswahl aus den «richtigen Kreisen», auf den Beweis konservativer Gesinnungsloyalität, auf das positive Ergebnis der geheimen Dauerbegutachtung in den Personalakten. Deshalb besaß die Berliner Spitzenbürokratie einen hohen Grad an korporativer und ideologischer Homogenität, die sich bei der Mehrheit mit unbestreitbarer Sachkompetenz und routinierter Effizienz verband. Ihre früher «monopolähnliche strategische Stellung im politischen Entscheidungsprozeß» erlitt aber wegen des Aufstiegs der Parteien und Verbände, nicht zuletzt auch wegen der Aufwertung des Parlaments allmählich manche Einbuße. In der Langzeitperspektive wurde die hohe Bürokratie selber zu einem in Konkurrenz mit anderen stehenden Interessenverband, der indes aufgrund der «institutionellen Nähe zur Regierung» seine privilegierte Rolle weiterspielen konnte.

4. Materielle Sicherheit für sich selber und nach dem Tode weiterhin für seine Familie – das hob den Beamten aus dem Heer der Erwerbstätigen in der Marktwirtschaft heraus. Deshalb besaßen für ihn die Besoldung, Pension und Hinterbliebenenversorgung eine fundamentale Bedeutung. Nach jahrzehntelanger Stagnation und einer ersten Anhebung der Gehälter zwischen 1858 und 1868 brachte eine neue Besoldungserhöhung bis 1872 einen Einkommensanstieg um fünfzehn Prozent. 1873 wurde der Ortszuschlag eingeführt, und darüber hinaus entfielen seit 1872/1888 die eigenen Beiträge zur Alters- und Witwenpension. Während einer dritten Runde der Gehaltsverbesserung zwischen 1890 und 1897 wurde das System der Dienstaltersstufen mit einer erhöhten Besoldung verknüpft, schließlich seit 1909 das Gehaltsniveau noch einmal angehoben. Dem Trend nach schnitten die mittleren und unteren Beamten relativ besser ab als die höheren Beamten, obwohl deren absolutes Einkommen unter den damaligen Bedingungen bestechend hoch blieb.

Übersicht 109: Beamtengehälter in Preußen 1870–1910 (1850 = 100)

	1870	1875	1890	1910
Politische Beamte	110	124	127	132
Höhere Beamte	–	153	190	210
Subalternbeamte	–	169	185	217
Unterbeamte	129	167	193	254

Die absoluten Zahlen sind für das fortbestehende hierarchische Gefälle ungleich aufschlußreicher. Von 1850 bis 1910 stieg in der Provinzialverwaltung das jährliche Einkommen eines Oberpräsidenten von 18000 auf 21000 Mark, hinzu kam die dienstfreie Wohnung. Regierungsräte kletterten in derselben Zeitspanne von 3600 auf 6690, Kanzlisten von 1425 auf 2950, Boten von 720 auf 1800 Mark. Immerhin: Der relative Abstand zwischen der obersten und untersten Kategorie wurde zu ihren Gunsten erheblich reduziert. Während die Bruttolöhne von 1870 bis 1913 (1890 = 100) von siebzig auf hundertdreiundsechzig, die Realeinkommen von sechsundsechzig auf hundertfünfundzwanzig Indexpunkte anstiegen, hielt die Besoldung der Subaltern- und Unterbeamten mit der allgemeinen Einkommensentwicklung trendgerecht Schritt. Dagegen fielen die Gehälter der Spitzenbeamten, verglichen mit der Einkommensverdoppelung ihrer Untergebenen, unbestreitbar zurück.

In der kleinen Berliner Zentralverwaltung des Reiches und Preußens standen sich die höheren Beamten freilich erheblich besser. Am Ende der Friedensjahre verdienten dort die Regierungsräte jährlich 7200, Vortragende Räte 10000, Ministerialdirektoren 15000, Staatssekretäre 25000 Mark. Der Reichskanzler erreichte nicht mehr als 54000 Mark, das war die Hälfte eines Botschaftergehaltes, wie überhaupt im AA das Einkommensniveau der oberen Ränge doppelt so hoch wie in der Verwaltung lag. Bismarck machte glaubwürdig geltend, daß er jährlich 120000 Mark privat zuschießen müsse, um den finanziellen Anforderungen an einen «standesgemäßen» Lebensstil gerecht zu werden. Als sein Sohn Herbert als Staatssekretär fungierte, mußte er weitere 30000 Mark beisteuern. Hohenlohe-Schillingsfürst übernahm das Kanzleramt unter der Bedingung, daß er insgeheim 120000 Mark Extrasalär erhalte, auch Bülow erbat eine ähnliche Gehaltsaufbesserung.

In der Justizbürokratie stieg das Gehalt von der Ausgangsposition eines Amts- oder Landrichters und eines Rats am Oberlandesgericht (maximal 7200 M.) weiter nach oben steil an. Landgerichtspräsidenten und Senatspräsidenten eines OLG kamen auf 11000, OLG-Präsidenten auf 14000, Reichsgerichtsräte schon auf 12000 und Reichssenatspräsidenten auf 15000, und der Präsident des Reichsgerichts erreichte 25000 Mark. Reichsstaatsanwälte (12000 M.) und der Oberreichsanwalt (15000 M.) erhielten fast die doppelten Bezüge der Staatsanwälte an den beiden anderen Instanzen.

Es war der Vergleich, der für die höheren Verwaltungs- und Justizbeamten die schmerzhaftesten Probleme aufwarf, so unzweideutig auch ihr «standesgemäßes» Leben gesichert blieb. Denn die hohen Einkünfte, die sie in den Oberklassen des Wirtschaftsbürgertums und der Freien Berufe konstatieren mußten, erhöhten die sozialökonomische Distanz zur Beamtenschaft. 1855 gab es in Preußen nur fünfhundertsiebenunddreißig Personen mit einem höheren steuerpflichtigen Einkommen als ein Minister, 1910 aber waren es siebenundzwanzigmal so viel: 14237. Für einen Regierungsrat stieg die Zahl von 25000 auf 200000 Höherveranschlagte. Dieser unaufhaltsame Anstieg der Spitzeneinkommen außerhalb der Welt der hohen Bürokratie bildete einen demütigenden Stachel für ihr Selbstbewußtsein, während sie die Besoldungsverbesserung der niederen Beamtenschaft ohne dauerhafte Opposition hinnahm. Nicht zu unterschätzende innerbürokratische Spannungen gab es aufgrund des Vorsprungs der Kommunalbeamten, die bereits seit 1879 ein Viertel mehr verdienen konnten als ihre Kollegen im Staatsdienst.

Die Besoldung der Beamten wurde übrigens bis 1909 nicht durch ein Gesetz, sondern im Staatshaushalt geregelt. Die Expansion der Beamtenschaft und die Diskussion, die ihre ersten Interessenverbände auslösten, führte nach der Jahrhundertwende nicht nur zu einer Besserstellung der unteren Beamtenkategorien, sondern auch zu einer Vereinheitlichung der Besoldung – bis 1901 waren etwa in Preußen nur mehr einundfünfzig von ursprünglich hundertfünfzig Gehaltsklassen übriggeblieben. Das undurchdringliche Labyrinth der Zulagen wurde durch einen gestaffelten Wohnungsgeldzuschuß zugunsten aller Beamten ersetzt. In einem dreijährigen Rhythmus wurden seit 1897 auch die Dienstalterzulagen erhöht. Die Pensionen, die 1882 nach vierzig Dienstjahren bis zu fünfundsiebzig Prozent des Grundgehalts erreichten, konnten seit 1886 unabhängig vom Gesundheitszustand vom 65. Lebensjahr ab in Anspruch genommen werden. Auch die Hinterbliebenenversorgung wurde verbessert. Hatte die Witwenpension bis 1882 nur zwanzig Prozent der Alterspension betragen, wurde sie seit 1897 ohne Eigenansparung auf vierzig Prozent erhöht. Vollwaise erhielten zusätzlich dreiunddreißig Prozent, Halbwaise zwanzig Prozent der väterlichen Pension. Die Ausbildung eines Sohnes auf dem Niveau des Vaters wurde abgesichert. Das war eine materielle Grundlage, die zu der hohen Selbstrekrutierung beitrug.

Die Alters- und Hinterbliebenenversorgung konnte seit den 1890er Jahren als vorbildliche sozialpolitische Leistung gelten. Zusammen mit der Dienstbesoldung sicherte diese Privilegierung den Lebensstandard der Beamtenfamilie unabhängig von der Leistung und der Lebensdauer des Staatsdieners.

5. Seit der Formierung des modernen Beamtenstaats zu Beginn des 19. Jahrhunderts bildete die Kehrseite der auffälligen Privilegierung der Bürokratie ihre Disziplinierung, die von der Staatsleitung ausgeübt wurde. Ihre Grundlage war das beamtenrechtliche Treueverhältnis, das im Verfassungs-

staat durch den Eid auf den Monarchen und die Konstitution besiegelt wurde. Tatsächlich besaß die Gehorsamspflicht gegenüber dem fürstlichen Dienstherrn immer den Vorrang vor dem Verfassungseid.

Das dienstliche und außerdienstliche Verhalten unterlag einer ständigen Kontrolle, ob es den Kriterien standes- und amtsgemäßer Lebensführung entsprach. Zu diesen Kriterien gehörte seit 1848/49, strenger als je zuvor erwartet, die unbeirrbar konservative Gesinnungstreue (vgl. vorn IV.A 1c). Die Beamtenpolitik führte seit den sechziger, noch einmal verfeinert seit den siebziger Jahren ein Filtriersystem ein, das Liberale und Katholiken, erst recht Linksliberale, von Demokraten und Sozialdemokraten ganz zu schweigen, vom höheren Dienst effektiv fernhielt. Die geheime Begutachtung und die Beförderungsmaßstäbe förderten die konservative Homogenisierung. Die disziplinarische Ahndung setzte sofort ein, wenn so gravierende Vergehen wie die Stimmabgabe für freisinnige, katholische, sozialdemokratische Kandidaten oder Politiker der nationalen Minderheiten, der Besuch ihrer Wahlveranstaltungen, das Abonnement ihrer Parteizeitungen ruchbar wurden. 1899 bekräftigte das preußische Oberverwaltungsgericht, lange Zeit ein Hort liberaler Rechtsprinzipien, die Entlassung eines Beamten, der es gewagt hatte, als Hausbesitzer eine Wohnung an eine sozialdemokratische «Agitatorin» zu vermieten.

An der Spitze der Exekutive wurde darüber entschieden, was als verfassungskonform oder verfassungswidrig, als reichsfreundlich oder reichsfeindlich galt. Wie Puttkamer es mit seiner unübertrefflich brutalen Direktheit ausdrückte: Inner- und außerhalb des Dienstes gelte jederzeit, insistierte er 1883, die «absolute, willenlose Unterordnung des Beamtenstandes unter den Willen des abhängigen Ministers», der im Namen des Monarchen handle.

Wegen der Disziplinierungsdrohung gab es auch ständig Konflikte mit den Beamten, die in die Parlamente gewählt wurden. Formell behielten sie das staatsbürgerliche Recht der Wählbarkeit, sofern sie nicht dem Bundesrat angehörten. Aber der Druck der Regierung, die jede parlamentarische Aktivität außerhalb der «reichsfreundlichen» Parteien mißbilligte, führte in der Regel zu einem gefügigen Anpassungsverhalten. 1871 stellten Beamte siebenundzwanzig Prozent der MdR, 1912 nur noch 11.6 Prozent; 1874 gehörten einundfünfzig Beamte dem Reichstag an, 1890 siebzehn, 1903 war einer übriggeblieben; fast alle kamen aus der Provinzialverwaltung, nach 1890 nie mehr als zwei aus den Zentralbehörden.

Aufschlußreich ist das Verhalten der preußischen Regierung gegenüber den «Kanalrebellen», die 1899 die Mittellandkanal-Vorlage ablehnten. Sechsundzwanzig von insgesamt siebenunddreißig beamteten Abgeordneten hatten als Konservative dennoch gegen den Regierungsentwurf gestimmt. Alle wurden ihres Amtes enthoben, alle verloren binnen kurzem auch ihr Mandat. Nachdem die ministeriell-monarchische Mißbilligung den gewünschten

Demonstrationseffekt erzielt hatte, wurden die Missetäter nach einem Jahr wieder eingestellt, dazu später mit Titel, Orden, Pension versöhnt.

Im Effekt konnte von jener Neutralität, welche die Lebenslüge des Obrigkeitsstaates für die «unpolitischen Sachwalter der Rechtsordnung» beanspruchte, bei den Beamten, insbesondere bei der höheren Bürokratie, nie ernsthaft die Rede sein. Im besten Fall verhielt sie sich korrekt, aber konservativ, voll subtiler oder massiver Vorurteile, die zu einem klassenbegünstigenden oder klassenbenachteiligenden Verwaltungshandeln, in der Justizbürokratie zu den spezifischen Formen der Klassenjustiz führten.

Die Rekrutierungsbedingungen wurden von den Verfassungen – die preußische etwa verfügte, daß die «öffentlichen Ämter ... für alle dazu Befähigten gleich zugänglich» seien (Art. IV) – und vom Beamtenrecht nur äußerst unvollständig erfaßt. Neben der überprüften Qualifikation besaßen informelle Auswahlkriterien wie die soziale Herkunft und Korporationsmitgliedschaft, das Reserveoffizierspatent und die Konfessionszugehörigkeit, die politische Gefügigkeit und die Gesinnungsloyalität eine meist ausschlaggebende Bedeutung. Erst recht galt das für die Maßstäbe, die über das Hochklettern auf der Karriereleiter entschieden. In einer breiten, letztlich willkürlich festgelegten Grauzone wurden die gesellschaftliche Stellung und Homogenität der Bürokratie repressiv aufrechterhalten.

6. Eine aktive, öffentliche Interessenpolitik erwies sich für die Beamten deshalb als extrem schwierig, weil ihr Dienstrecht keinen Kontrakt zwischen formell gleichberechtigten Partnern, sondern nur die einseitige Festlegung der Pflichten und Rechte kannte. Deshalb galt die Einflußnahme auf die Arbeitssituation und Besoldung als unzulässig, ja als widerrechtliche Nötigung der Staatsorgane.

Die höhere Beamtenschaft verließ sich, zumal diese Oligarchie jeden Gegendruck der Regierung unmittelbar zu spüren bekam, auf ihren informellen Einfluß. Seit 1890 bemühte sich dagegen die große Masse der Subaltern- und Unterbeamten darum, zuerst durch Petitionen, dann durch Selbstorganisation, auf das Parlament und die Parteien, auf das Budget und das Gehaltsgesetz Einfluß zu gewinnen. Die Verbandsbildung unter den Post- und Eisenbahnbeamten gewann eine Art von Vorreiterfunktion für die Interessenartikulation und das Koalitionsrecht der niederen Beamten. Seit 1866 hatten sich Lokomotivführer (1907: 24430), dann Zugführer, Schaffner, Postbedienstete in Berufsvereinen zusammengeschlossen, ohne die Aufgaben von Gewerkschaften wahrzunehmen. 1890 entstand jedoch der «Verband mittlerer Reichspost- und Telegraphenbeamter», 1891 der «Deutsche Eisenbahnbeamtenverein», die beide strikt an der Trennung von geprüften Subalternbeamten und Arbeitern festhielten. Die Regierung reagierte unverzüglich mit der Androhung scharfer Sanktionen, etwa der fristlosen Entlassung beim Bezug der Vereinszeitschrift. Staatssekretär Victor v. Podbielski, der Chef des Reichspostamtes, zwang 1898 den Postverband sogar dazu, nicht nur die Interessenvertretung durch das Ziel der «Geselligkeit» zu ersetzen, sondern die «Treue zu Kaiser und Reich und Liebe zum angestammten Herrscherhaus» als Hauptzweck in der Satzung zu verankern. Ihm sollten die Postler als «wahre Stützen und Förderer der staatlichen Ordnung durch Wort und Tat» dienen, wozu explizit auch die Bekämpfung der Sozialdemokratie gehörte.

Trotzdem gelang es bis 1907, rund 33000 von knapp 50000 mittleren Postbeamten zu organisieren. Dagegen mißlangen zunächst vergleichbare Anstrengungen bei den Unterbeamten und Arbeitern der Post, und die Eisenbahner prallten auf noch härteren Widerstand, da das Argument, daß das Schienennetz auch eine vitale militärische Bedeutung besitze, als Keule benutzt wurde. Der 1898 endlich gegründete «Verband der deutschen Post- und Telegraphenunterbeamten» wurde, da er Absprachen mit den Freien und Christlichen Gewerkschaften nicht scheute und einen offiziell festgelegten Kampfkurs gegen die SPD vermied, bereits 1899 aufgelöst, aber 1904/1908 von dem Linksliberalen Remmert als Reichsverband neu ins Leben gerufen. Die Rechtslage war bis dahin durch die «Lex Hohenlohe» von 1899 grundlegend verbessert worden. Remmert versuchte sogar seit 1909, einen «Bund der Festbesoldeten», mithin einen allgemeinen Beamtenbund, aufzubauen, scheiterte jedoch am schroffen Widerstand des preußischen Staatsministeriums. Immerhin gelang es ihm 1911, die «Soziale Arbeitsgemeinschaft der unteren Beamten» zu gründen, die reichsweit alle organisierten unteren Beamten im Staats- und Kommunaldienst zusammenfassen wollte.

Auf die Dauer ließen sich also Kompromisse zwischen Staat und Beamtenschaft nicht umgehen. Dem Beamten wurde schließlich ein abgestuftes Recht auf die eigene politische Meinung und Interessenvertretung widerwillig zugestanden. Der Spitzenbürokratie wurde beides unentwegt verweigert, für sie galt allein die Verpflichtung auf die Regierungspolitik und die ominöse Staatsräson. Die selbständige Interessenverfechtung, die vor allem die Masse der niederen Beamten forderte, blieb strittig, Disziplinierungsmaßnahmen, Koalitions- und Streikverbot blieben vor 1914 in Kraft. Trotzdem wurde über das Dienstrecht und das Gehalt von den Parlamenten und ersten Interessenverbänden zunehmend mitentschieden.

An Kritik an der mächtigen, aber politisch unverantwortlichen Bürokratie hat es im Kaiserreich nicht gefehlt. Max Weber, Hans Delbrück, Lothar Schücking und viele andere haben sie mit geharnischten Worten, ja mit schneidender Schärfe immer wieder vorgebracht. «Die regierungsunfähige Bürokratie, unter der wir zu leben verdammt sind», empörte sich der Philosoph und Historiker Wilhelm Dilthey, der alles andere als ein staatsfeindlicher Gelehrter war, «hat eine solche Stagnation» herbeigeführt, «daß die Jugend das nicht mehr aushält.» Die Jugend hielt es aber aus, das Kaiserreich auch, denn trotz aller eklatanten Mängel und Schwachstellen der Bürokratie, trotz der arroganten Gängelung und Entmündigung des Staatsbürgers sorgten die Verwaltung und die Justiz auch für Überschaubarkeit, Ordnung und Konfliktlösung im täglichen Leben.

Darüber hinaus besaß die höhere Bürokratie eine ausgeprägte Leistungsfähigkeit und Innovationsbereitschaft, die im Auf- und Ausbau des Interventions- und Sozialstaates zutage trat. Das eigentümliche Spannungsverhältnis, das sich etwa an politisch konservativen, aber methodisch progressiven Sozialwissenschaftlern wie Otto Hintze, Adolph Wagner, Gustav Schmoller beobachten läßt, charakterisierte auch die profilierten Köpfe der höheren Bürokratie. Staatskonservative Beamte – Theodor Lohmann etwa, Hans v. Berlepsch, Arthur v. Posadowsky-Wehner bis hinunter zu ihren Räten – konnten ein hohes Maß an wohlfahrtsstaatlichem Engagement und den entsprechenden administrativen Aktionswillen entwickeln. Von dieser zukunftsgerichteten Problemlösungskapazität zehrte die Bürokratie, wenn ihr Nimbus ins Kreuzfeuer der Kritik geriet.[22]

g) *Reichsfinanzen und Steuerpolitik*

Mit dem Wachstum der Staatsfunktionen, das die Expansion der Bürokratie in Gang hielt, stieg auch die Nachfrage nach öffentlichen Finanzressourcen, um den Ansprüchen an die Funktionstüchtigkeit des Reiches und seiner Unterstaaten gerecht zu werden. Aufgrund der verfassungsrechtlichen, mithin der strukturpolitischen Vorentscheidungen von 1867/71 öffnete sich in einem seit der späten Bismarckzeit rasch zunehmenden Maße die Schere zwischen Ausgaben und Einkünften, da das Reich von den aussichtsreichsten, da ausdehnungsfähigen Einkommens- und Vermögenssteuern, den Erbschafts- und Ertragssteuern, der eifersüchtig verteidigten Domäne der Bundesstaaten, abgeschnitten war. Die Natur des eng begrenzten Reichseinkommens und einige wichtige Langzeittrends sind vorn bereits erörtert worden (A. 1f). Hier geht es um den politischen und gesellschaftlichen Kontext der neuen Anforderungen und der Suche nach neuen Einkommensquellen, um sie zu befriedigen.

Den größten Ausgabenposten des Reichshaushaltes bildete von Anfang an der Militäretat. Zuerst lag er bei mehr als neunzig Prozent aller Reichsausgaben, 1913 noch immer bei fünfundsiebzig bis achtzig Prozent. (Selbstverständlich müssen diverse Rüstungsausgaben der Einzelstaaten zu den Leistungen des Oberstaates noch hinzugerechnet werden, um den gesamten Militäretat zu ermitteln.)

Während sich die Heeresstärke von 1880 = 423 000 bis 1913 auf 791 000 Mann um gut fünfundsiebzig Prozent erhöhte, wuchsen die Militärausgaben um mehr als zweihundertfünfzig Prozent, von jährlich 9.9 auf 33 Mark p. c., an. Dieser steile Anstieg war vor allem ein Ergebnis des kostspieligen Schlachtflottenbaus seit 1898, der die Öffnung der Schere zwischen den Reichsausgaben und -einnahmen maßgeblich verursachte. Da das ordentliche Einkommen seit den achtziger Jahren nicht ausreichte, mußten – wie

Übersicht 110: Rüstungsaufwand des Reiches 1880–1913 (Mill. M.; % des Nettobedarfs)

1880/1885	462.2 Mill. M.	96.8 %
1886/1890	656.1 Mill. M.	93.8 %
1891/1895	736.7 Mill. M.	88.5 %
1896/1900	836.7 Mill. M.	85.9 %
1901/1905	1009.9 Mill. M.	84.1 %
1906/1910	1320.3 Mill. M.	73.7 %
1911/1913	1625.8 Mill. M.	74.7 %

das Art. 73 RV vorsah – außerordentliche Deckungsmittel auf dem Anleiheweg beschafft werden. Seit dem Rüstungsschub von 1887 führte das zu einem jährlichen Anleihevolumen von mehr als zweihundert Millionen Mark, so daß die bis dahin bescheidene Reichsschuld von 486 Millionen Mark innerhalb von nur sechs Jahren auf nahezu zwei Milliarden Mark (1893) anwuchs. Vor dem Krieg waren es fünf Milliarden Mark.

Trotz der bereits existierenden Schuldenlast hatte der Reichsstaatssekretär Thielmann 1897/98 bei der Inaugurierung der Flottenpolitik mit exquisiter Tölpelhaftigkeit, aber zum Vergnügen der kurzsichtigen ausgabewilligen Marinekoalition im Reichstag die Finanzlage für so rosig erklärt, daß neue Deckungsmittel nicht erforderlich seien. Aufgrund der hochschnellenden Baukosten, die durch die beiden ersten Flottennovellen weiter emporgetrieben wurden, waren aber die ordentlichen Einnahmen immer weniger imstande, das Ausgabenloch zu stopfen. Zwar hatte das Protektionssystem seit 1879 zu einem Anstieg des Reichseinkommens geführt, das um 1900 zu achtzig Prozent aus Zöllen – die Hälfte davon aus den unsozialen Agrarzöllen – und Verbrauchssteuern stammte. Aber wegen des Kompromisses, der damals zur Franckensteinschen Klausel geführt hatte, waren die Matrikularbeiträge der Bundesstaaten, die bis 1879/80 noch fünfzehn bis zwanzig Prozent der Reichseinkünfte ausgemacht hatten, bis dahin auf drei Prozent abgesunken. Vergeblich plädierte August Bebel, der «rote Kaiser» der Sozialdemokratie, für den politischen Kraftakt einer progressiven Reichseinkommenssteuer auf Einkünfte, die jährlich 6000 Mark überstiegen.

Da die Reichsleitung an der politischen Grundentscheidung, den Schlachtflottenbau zu forcieren, festhielt und damit die gewaltigen außerordentlichen Ausgaben weiter hochtrieb, unternahm der neue Staatssekretär des Reichsschatzamtes, Hermann v. Stengel, einen Reformanlauf, der 1904 zu der nach ihm benannten «Lex Stengel» führte. Dieses Gesetz brachte nur eine geringe Erleichterung. Das Reich erhielt die gesamten Zölle und Tabaksteuern. Dadurch wurde die Franckensteinsche Klausel im Grunde aufgehoben, die Matrikularbeiträge wurden aber auch erneut verringert. Das verwirrende Geflecht der Reichs- und Länderfinanzen wurde ein wenig entzerrt, der Reichsetat etwas vereinfacht, das Deckungsdefizit wuchs indes weiter an. Das neue Heeresquinquennat und die dritte Flottennovelle von 1906 haben dieses Problem drastisch verschärft, denn das Anziehen der Steuerschraube, das seither durch erhöhte Verbrauchs- und Verkehrssteuern etwa hundertzehn Millionen Mark mehr einbrachte, reichte für die Bedürfnisse bei weitem nicht aus.

Seit 1906/07 drängten die Rüstungskosten ebenso unabweisbar auf eine Reichsfinanzreform hin wie auf den Kampf um eine direkte Reichssteuer, um das Ausgabendilemma abzumildern. Deswegen trat der bayerische Föderalist v. Stengel zurück. Sein Nachfolger Reinhold v. Sydow legte im Oktober 1908 einen Reformentwurf vor, dessen Hauptziel das imaginäre Gleichgewicht von Ausgaben und Einkommen bildete. Um zum einen den jährlichen Zusatzbedarf von einer halben Milliarde Mark zu decken und zum andern die Schuld von inzwischen vier Milliarden samt ihrer Zins- und Tilgungsbelastung zu vermindern, sah der Plan die Anhebung von vier großen Verbrauchssteuern vor (auf Branntwein, Bier, Wein und Tabak); außerdem wollte er eine Erbschafts- bzw. Nachlaßsteuer zugunsten des Reiches einführen, da die Länder an ihrem Alleinrecht auf die Einkommens- und Vermögensbesteuerung nicht rütteln lassen wollten. Gesellschaftspolitisch war diese Belastung der Besitzenden ein Gegengewicht zu der Steigerung der Verbrauchssteuern, mit der die Abermillionen wehrloser Konsumenten wieder zur Kasse gebeten wurden.

Die intendierte Besitzbesteuerung in Gestalt einer Erbschaftssteuer rückte als Hauptstreitpunkt in den Mittelpunkt einer leidenschaftlichen politischen Kontroverse. Unterschiedliche Motive verbanden sich darin miteinander. Die Vertreter des föderalistischen Prinzips der Bundesstaaten wollten dem Reich jeden Weg zu direkten Steuern versperren. Die Oberklassen weigerten sich, zu der Ausgabenfinanzierung verstärkt herangezogen zu werden, obwohl zum Beispiel die Steuer auf einen Nachlaß erst von 20000 Mark ab aufwärts einsetzen und selbst dann nur zwischen einem halben und drei Prozent liegen sollte. Die Großagrarier fürchteten den Verlust von Steuerprivilegien. Das Zentrum, dessen parlamentarische Schlüsselstellung Bülow gesprengt hatte, wollte Rache am Kanzler nehmen.

Unstreitig kam der «Hauptansturm im Reichstag von rechts», und die agrarische Demagogie zog alle Register. Der Gesetzesentwurf bedeute «den ersten Schritt zum Kommunismus», gifteten ihre Repräsentanten, er sei «undeutsch» und zerstöre die «schönen Bande» des «ländlichen Familienlebens». Das ausschlaggebende Motiv der unbeugsamen konservativen Opposition gegen die Erbschaftssteuer drückte Heydebrand und der Lasa ganz ungeschminkt aus: «Das, was uns im letzten Grunde ... bestimmt hat, unsere Zustimmung ... zu verweigern, war das Moment», erläuterte der Chef der Deutschkonservativen, «daß wir in einer solchen Steuer nichts anderes sahen und sehen konnten als eine allgemeine Besitzsteuer», die «wir nicht in die Hände einer auf dem gleichen Wahlrecht beruhenden parlamentarischen Körperschaft legen wollten..., weil es kein Mittel gibt, mit dem auf die Dauer» eine Verschärfung «verhindert werden» könne, «die im letzten Ende zur Expropriation des Besitzes führt».

Voller Empörung gelang es der Rechten, die Erbschaftssteuer zu kippen. Wohl aber hielt sie es gleichzeitig mit ihrer Vorstellung vom Gemeinwohl mühelos für vereinbar, ein staatliches Branntweinmonopol mit Garantiepreisen zu fordern, das als einseitige «Liebesgabe» zur Entlastung der Interessenten gedient hätte. Dieser durchsichtige Schachzug wurde zwar im Parlament blockiert, aber die Regierung Bülow setzte statt dessen «in vollem Maße» die Begünstigung des «Spiritusrings» durch, der wie ein «Privatmonopol» den größten Teil der Branntweinproduktion kontrollierte.

Über dem achtmonatigen Streit der Parteien zerbrach der «Block», der erste Gesetzesentwurf scheiterte, Bülow reichte im Juni 1909 insgeheim seinen Abschied ein. Jetzt schloß sich die unheilige Allianz von protestantisch-großagrarischen und katholischen Konservativen geschwind wieder zusammen, um die Schlüsselrolle, die sie seit 1879 in der Reichsfinanzpolitik gewonnen hatte, weiterzuspielen. Anstelle von Erbschaften wurden mobiles Kapital und Konsumgüter besteuert. Die «Reform» bescherte daher eine Entscheidung, die finanz- und sozialpolitisch «viel schlechter» war als die vorgeschlagene moderate Erbschaftssteuer. Auch und erst recht nach 1909 entsprachen die Abgaben zugunsten des Reichssteueraufkommens bei weitem nicht den veränderten Einkommens- und Vermögensverhältnissen der oberen Klassen, deren Lage sich während der Hochkonjunkturperiode seit 1896 sprungartig verbessert hatte. Darüber hinaus erreichte «die Steuerhinterziehung bei den höheren Einkommensgruppen ein größeres Ausmaß als bei den niedrigeren», obwohl selbst bei einem fabulösen Spitzeneinkommen von 100000 Goldmark und vollendeter Steuerehrlichkeit maximal dreizehn Prozent an den Fiskus fallen konnten.

Immerhin: Eine halbe Milliarde Mark hatte v. Sydows Plan anvisiert, ungefähr diese Summe wurde vom Reichstag um den Preis einer extremen Ungleichbelastung auch verabschiedet. Trotzdem machte die Aufrüstung von Heer und Flotte das Gleichgewicht zwischen Ausgaben und Einkünften zu einer Fata Morgana. 1913 verriet der «Wehrbeitrag», wie weit die «Militarisierung der Reichsfinanzen» inzwischen gediehen war. Bei ihm handelte es sich um eine einmalige Sonderabgabe, deren Ergebnis – auf eine Milliarde Mark geschätzt – allein dem Ausbau der Streitkräfte zugute kommen sollte. Der Druck, der vom internationalen Wettrüsten ausging, ermöglichte es, den Reichstag für eine kombinierte Vermögens- und partielle Einkommenssteuer zu gewinnen, die in drei Raten erhoben wurde. Um den Präzedenzfall einer Reichseinkommenssteuer zu schaffen, stimmte selbst die SPD für die Vorlage. Fünfundachtzig Prozent des «Wehrbeitrages» stammten aus der Vermögensabgabe natürlicher Personen, die mit 0.7 bis 1.5

Prozent belastet wurden. Freilich waren selbst die 0.7 Prozent erst bei einem Vermögen von einer Million Mark fällig, und der Höchstsatz kam überhaupt nur bei wenigen Reichen zur Geltung. 1.27 Prozent der Abgabepflichtigen, allesamt natürlich Millionäre, brachten die Hälfte des «Wehrbeitrages» auf. Weitere fünf Prozent stammten aus der Abgabe juristischer Personen, nur zehn Prozent aus der Einkommenssteuer.

Zu mehr als diesem einmaligen Kraftakt war jedoch die Reichsfinanzpolitik selbst jetzt nicht imstande. Die Blockade des konservativen Machtkartells verhinderte weiterhin, daß das Reich aus direkten Steuern seine Einkünfte angemessen steigern konnte. Sogar unter den Bedingungen des Krieges reichte sein Einfluß so weit, daß Anleihen, nicht aber erhöhte Steuern die horrenden Kosten decken sollten.[23]

2. Parteien – Verbände – Reichstag
Autoritärer Korporativismus oder schleichende Parlamentarisierung?

Die seit den 1880er Jahren vorandringende Fundamentalpolitisierung der reichsdeutschen Gesellschaft hatte mannigfaltige Ursachen. Der «Kulturkampf» und die Diskriminierung des politischen Katholizismus, ja der katholischen Bevölkerung überhaupt; die Stigmatisierung des Proletariats und die ausnahmerechtliche Verfolgung der Sozialdemokratie; der Streit um die Daseinsvorsorge durch die Sozialpolitik des Staates und der Kommunen; die Auswirkungen der Konjunkturschwankungen und die härtere Verfechtung von gefährdeten Interessen durch politische Massenorganisationen und effizientere Interessenverbände; die Verdichtung der Verkehrs- und Kommunikationssysteme und die Diversifizierung einer marktabhängigen Öffentlichkeit; der Aufbruch in die imperialistische Expansion und eine leidenschaftlich befürwortete oder abgelehnte «Weltpolitik» – diese Phänomene haben eine politische Mobilisierung von zunehmender Tiefen- und Breitenwirkung in Gang gesetzt.

Im politischen Herrschaftssystem des Kaiserreichs ist dieser Vorgang zum einen ablesbar an der steigenden Bedeutung der politischen Parteien, die dadurch zwar organisatorisch und programmatisch mit einer gewaltigen Herausforderung konfrontiert wurden, aber als Vertreter materieller und ideeller Interessen im Reichstag auch zusehends an Gewicht gewannen. Zum andern spiegelt er sich im Vordringen der Interessenverbände wider, die von den wirtschaftlichen Fluktuationen in hohem Maße angespornt wurden, als sie sowohl ihren Einfluß auf die Parteien ausdehnten, um ihre Ziele im Parlament durchzusetzen, als auch die Kooperation mit dem Staatsapparat vertieften, um Gesetzesvorlagen und Verordnungen die gewünschte Ausrichtung zu geben. Zugleich wurde durch diese politische Mobilisierung und die Expansion der Staatsfunktionen der Reichstag aufgewertet, da unablässig neue, quantitativ rasch anwachsende Problemkomplexe gesetzlich reguliert werden mußten. Seltener denn je zuvor führte bei zahlreichen wichtigen Entscheidungen der Weg am Parlament vorbei.

Die Beurteilung dieses politischen Evolutionsprozesses ist strittig. Auf der einen Seite gibt es die wenigen Verfechter eines erstaunlich realitätsfernen, allenthalben beschönigenden Hyperoptimismus, für den seit den neunziger Jahren erst eine «stille», dann in gleitendem Übergang sogar eine «manifeste Parlamentarisierung» obsiegte. Dafür werden spärliche Gründe angeführt: etwa der Machtzuwachs der parlamentarischen Mehrheit, überhaupt des Reichstags gegenüber dem Bundesrat, die vermeintlich vollzogene Umwandlung der «Reichsleitung» in eine «Reichsregierung», ihre engere Kooperation mit dem Parlament, die Verminderung des preußischen Einflusses auf die Reichspolitik.

Die Argumente, welche gegen diese Deutung geltend gemacht werden, sind jedoch weit überlegen. Eine ungebrochene Entwicklung hin zu einem tatsächlich funktionierenden parlamentarischen System ist schlechterdings nicht ausfindig zu machen, denn die Reichsleitung behielt ihre relative Autonomie gegenüber dem Parlament; der Reichskanzler blieb vom Vertrauen des Monarchen abhängig. Auch das in der 1912 eingeführten neuen Geschäftsordnung des Reichstags vorgesehene Mißtrauensvotum ermöglichte nur einen symbolischen Protestakt ohne unmittelbare, geschweige denn automatische Folge für den Regierungschef. Es ist dem Reichstag nicht gelungen, die Mehrheitsbildung aus eigener Kraft zu erreichen und die Übernahme der politischen Spitzenstellung durch den Mehrheitskandidaten zu erzwingen. Zugegeben, der Reichstag lernte allmählich mit seinem wachsenden Einfluß erfolgreicher umzugehen. Aber das Ergebnis war kein zäher Machtkampf um seine Vorherrschaft, sondern die Anpassung an den Status quo. Als sich die Reichsleitung von 1887 bis 1890, dann noch einmal von 1907 bis 1909 auf eine «Regierungsmehrheit» stützte, hat sie diese selber gebildet und eine Zeitlang zusammengehalten. Und nicht zuletzt blieb der Einfluß des preußischen Hegemonialstaats bis zum Herbst 1918 ein unüberwindbarer erratischer Block.

Unstreitig hat die Fundamentalpolitisierung in dem Vierteljahrhundert vor 1914 zugenommen. Sie führte aber noch nicht und alles andere als vorrangig zur Parlamentarisierung, erst recht nicht zur Demokratisierung des politischen Systems. Denn für den qualitativen Sprung von der autoritären zur parlamentarischen Monarchie fehlten allenthalben wesentliche Voraussetzungen, vor allem die wichtigste: der Kampfeswille und die Risikobereitschaft eines selbstbewußten, machthungrigen Parlaments im Verlauf eines großen Konflikts um die Spitze der Herrschaftshierarchie.

Sowohl die Regierung und ihre Bürokratie als auch die traditionalen und neuen Machteliten sahen in der Parlamentarisierung die Verdrängung, ja die Degradierung durch einen verhaßten Konkurrenten. Warum sollten sie sich aus ihrer Position arrogant behaupteter Stärke auf eine derartige Machtdeflation freiwillig einlassen? Die politischen Parteien lehnten das parlamentarische System entweder aus prinzipieller Feindschaft ab, oder sie scheuten wegen der unübersehbar großen Risiken vor dem Machtkampf mit der Regierung, mit dem Kaiser, mit dem Kartell der herrschenden Klassen und Eliten zurück.

Den Konservativen war der Parlamentarismus seit jeher Anathema. Das Zentrum konnte sich zu seiner Bejahung nicht durchringen, da die unvermeidliche Konfrontation mit der Reichsleitung auf absehbare Zeit mit der evidenten Gefahr, dauerhaft in die Oppositionsrolle abgedrängt zu werden, verbunden war. Nach den traumatischen Erfahrungen des «Kulturkampfs» und des «Bülow-Blocks» entschied es sich bis 1917 für wechselnde Regierungsmehrheiten, um die Vorzüge der Nähe zum Herrschaftszentrum zu genießen.

Die Nationalliberalen waren seit 1879/84 intern gespalten. Die große Mehrheit wünschte sich an erster Stelle eine kraftvolle Allianz aller bürgerlichen und konservativen Parteien gegen die Sozialdemokratie. Dafür wurde das Projekt der Parlamentarisierung ad calendas graecas vertagt. Nur eine kleine Minderheit hielt die Verfassungsreform, notfalls sogar im Bund mit der SPD, für geboten. Die Linksliberalen blieben jahrzehntelang zersplittert. Seit der Fusion zur «Fortschrittlichen Volkspartei» (FVP, 1910) traten sie zwar gelegentlich beherzter für die Parlamentarisierung ein, waren sich aber ihrer schmalen Basis im Reichstag bewußt. Die Sozialdemokratie schließlich wurde trotz ihrer Mitwirkung bei wichtigen Reichsgesetzen und in den süddeutschen Landtagen, in der Kommunalpolitik und der Sozialversicherung unverändert als Partei der «vaterlandslosen Gesellen» gebrandmarkt, mithin in das parlamentspolitische System nicht voll integriert. Außerdem schwankte sie selber lange Zeit zwischen dem Postulat der Bekämpfung aller Klassengegner, bis das Ziel des «freien Volksstaats» endlich erreicht war, und dem pragmatischen Ruf nach Parlamentarisierung, der wegen ihrer Isolierung folgenlos blieb.

Allgemein fehlten auch die Voraussetzungen für parteienübergreifende Allianzen als parlamentarische Mehrheitsbeschaffer. Um solche Koalitionen führte jedoch kein Weg herum, da eine Partei mit der Fähigkeit, die absolute Majorität der Abgeordneten zu gewinnen, vor 1914 in der deutschen politischen Landschaft mit ihren zahlreichen «Cleavages» weit und breit nicht zu erkennen ist. Jede der großen Parteien hätte zudem den Schritt hin zu einer «Volkspartei» mit einer breiteren sozialen Basis, als sie sie bisher besessen hatte, tun müssen. Von dieser Ausdehnung, die auch ein Entgegenkommen gegenüber den neu anvisierten Wählerschichten impliziert hätte, hielt sie zum einen die Furcht ab, dadurch die Anhänglichkeit ihrer treuen Stammwählerschaft zu verlieren. Zum andern waren Egoismus und «Selbsterhaltungstrieb» der etablierten Parteiorganisationen, die sich gegen Flexibilität, gegen Konzessionen, gegen Neulinge sträubten, nur schwer zu überwinden.

An die Stelle der einseitigen Fixierung auf die dominierenden Interessen und Erwartungen ihrer Klientel hätte ein mühseliges Austarieren der wirtschaftlichen und sozialen, der konfessionellen und regionalen, auch noch der einzelstaatlichen Interessen des erweiterten und daher heterogeneren Wählerpotentials treten müssen. Nicht zuletzt hätte die Kooperation in einem parlamentarischen System den Verzicht auf die starr polarisierende Abgrenzung von all jenen, andere Interessen verfolgenden Parteien erfordert, die im Prinzip als koalitionsfähig gelten konnten. Einer solchen pragmatischen Bereitschaft zum Bündnis standen aber die tief eingeschliffenen, zählebigen Interessendivergenzen, die konfessionellen und regionalen Traditionen des deutschen politischen Lebens ebenso widerspenstig entgegen wie die überkommene Neigung zum politischen Theologisieren und zur fundamentalistischen Programmatik.

Die Verbände wiederum als Repräsentanten mächtiger sozialökonomischer Interessenaggregate besaßen keineswegs ein genuines Interesse an der Parlamentarisierung. Vielmehr verstanden sie es vorzüglich, sich mit dem autoritären Status quo zu arrangieren, indem sie sowohl die allgegenwärtige Bürokratie als auch die Parteien für ihre Zwecke einspannten. Das parlamentarische System, vollends die Demokratisierung der Politik waren für ihre Art von Interessenverfechtung überhaupt nicht zwingend geboten. Die meisten Verbandsfunktionäre hielten es sogar im Hinblick auf ihre Absichten weit eher für dysfunktional, da auf dem direkten Weg zu den Experten in der Verwaltung oder in den Parteien, zum Kanzler oder Minister ein Vorhaben meist reibungsloser durchzusetzen war als in dem mühseligen, zeitraubenden Kompromißverfahren mit einer Mehrheitskoalition.

Eine Volksbewegung für eine Verfassungsreform im Reich und in Preußen – etwa analog der Wucht des englischen Chartismus – ließ sich auch nicht mobilisieren. Der Sozialdemokratie gelang es zwar, den Protest gegen das preußische Dreiklassenwahlrecht wachzuhalten, da sich der Widerstand gegen seine unmittelbar einsichtige, eklatante Diskriminierung verhältnismäßig leicht organisieren ließ. Das politische System des Reichs bot jedoch trotz aller Mängel so viele Leistungen, daß es der Mehrheit der Wähler entweder ohnehin als akzeptabel oder doch wenigstens als reformierbar und reformfähig galt. Jedenfalls bedurfte es nach ihrer Auffassung keiner Generalüberholung, die im riskanten Grenzfall von machtbewußten Parteien im Verein mit einer Volksbewegung hätte durchgesetzt werden müssen. Selbst die forcierte Steigerung der Rüstungspolitik, die Blockierung der Sozialpolitik, das Dilemma der Reichsfinanzen, die starrsinnige Verteidigung der preußischen Anachronismen haben keine derart kritische Situation geschaffen, daß sie einen Massenprotest ausgelöst und den parlamentarisierungswilligen Parteipolitikern die Kanalisierung dieses Aufbegehrens gestattet hätte.

Im Gegenteil, an der Entwicklung des Wählerverhaltens bei den Reichstagswahlen läßt sich – das hat die neuere Wahlforschung überzeugend gezeigt – insbesondere während der beiden letzten Friedensjahrzehnte des Kaiserreichs nachweisen, wie massenwirksam die Akzeptanz des gesamtstaatlichen Parlaments und seines demokratischen Wahlrechts zunahm – bis hin zu einer Wahlbeteiligung von fünfundachtzig Prozent im Jahre 1912, die auch und gerade im internationalen Vergleich eine Spitzenmarke der politischen Partizipation bedeutete. Offensichtlich empfand diese eindrucksvolle Mehrheit den Reichstag als eine Gesetzgebungsinstitution, die als Arena für den Kampf der Interessen bejaht wurde, und offensichtlich wurde es als lohnend empfunden, mit dem Stimmzettel für eine angemessene Repräsentation der eigenen Interessen zu sorgen, ohne auf einer grundlegenden Verfassungsänderung zu insistieren.

Während auch deshalb jede Verfassungsreform im Reich und in Preußen stagnierte, hielt sich das System des autoritären Korporativismus, das sich als ein von den unterschiedlichsten Interessen geleitetes Zusammenspiel von Regierung, Bürokratie, Parlament, Parteien und Verbänden herausgebildet hatte, ohne auch nur von ferne einem unzweideutigen Trend zur Parlamentarisierung und Demokratisierung zu folgen. Denn längst waren die Mechanismen seines Arrangements zur wechselseitigen Interessenbefriedigung in Kraft (vgl. vorn II.4). Dabei konnte der Schwerpunkt der Kooperation je nach der Kräftekonstellation wandern: Einmal erfolgte die Zusammenarbeit im wesentlichen zwischen der Bürokratie und den Verbänden, ein anderes Mal zwischen den Parteien und den Verbänden oder zwischen der Regierung und den Parteien oder zwischen der Verwaltung und dem Parlament. Offenbar hinreichend flexibel trug dieser autoritäre Korporativismus den verschiedenartigen Interessen und Bedürfnissen in einem so befriedigenden Maße Rechnung, daß das Reichsparlament und seine Mehrheitsparteien auch deshalb die eindeutige Schlüsselstellung nicht kampflos gewinnen konnten.

Sowohl die evidenten Schwachstellen als auch die Problembewältigungskapazität des reichsdeutschen Korporativismus treten um so schärfer hervor, wenn man sich die tiefgreifenden Veränderungen des «politischen Massenmarkts» noch einmal vergegenwärtigt. Er war um 1874/1878 unübersehbar aufgetaucht und seither in Bewegung geblieben. Der Kampf gegen den politischen Katholizismus und die Sozialdemokratie einerseits, für die neukonservative Wende in der Innen- und Wirtschaftspolitik andrerseits markierten einen ersten Vorlauf künftiger Entwicklungen. Die achtziger Jahre bestätigten den Mobilisierungstrend, und in den neunziger Jahren setzte ein kraftvoller neuer Schub ein, der ganz wesentlich durch die dritte industrielle Depression, die Verschärfung der strukturellen Agrarkrise und die polykratische Natur des Herrschaftssystems vorangetrieben wurde.

Die Interessenartikulation wurde zum einen durch das allgemeine Wahlrecht, zum andern durch den Aufstieg neuer, schlagkräftiger Interessenverbände begünstigt; zu ihnen gehörten auch die Freien Gewerkschaften, die seither rasch den Weg zu einer Massenbewegung einschlugen (vgl. vorn

III.3). Diese Verbände erwiesen sich als fähig, die Interessen ihrer Klientel mit großem, ja brutalem Nachdruck zu verfechten, da sie eine straffe Organisation mit einem Korps von Berufsfunktionären aufbauten, ihre Propaganda und das Lobbysystem mit professioneller Effizienz betrieben, willfährige Abgeordnete auf ihre taktischen und strategischen Ziele verpflichteten und ihnen Unterstützung bei der parlamentarischen Arbeit verschafften – und das in einer Zeit, als die Parteien ohne Mitarbeiterstäbe für ihre MdR einer übermächtigen und kompetenten Verwaltung gegenüberstanden, aus der nahezu alle Gesetzesentwürfe hervorgingen. Da die Parteien und Verbände reichsweit vorhandene Interessen vertraten und im Parlament auf Gesetze mit gesamtstaatlicher Geltungskraft hinwirkten, förderten sie auch die Überwindung der einzelstaatlich-regionalen Fragmentierung, mit anderen Worten: den Nationsbildungsprozeß im Sinne einer «Nationalisierung» der Politik, von der das Kaiserreich als ein einziges Aktionsfeld verstanden und behandelt wurde.

Es war die Sozialdemokratie, die sich nach der Aufhebung des Sozialistengesetzes zur ersten Massenpartei entfaltete. Damit übte sie einen nachhaltigen Konkurrenzdruck auf die meisten anderen Parteien aus. Indem diese ebenfalls ihre Organisation ausbauten, vollzogen sie allmählich den Übergang von Honoratiorenparteien, die nur im Wahlkampf und während der Parlamentssessionen hervortraten, zu vergleichsweise moderneren Massenparteien, in denen freilich die Honoratioren mit ihrem Klientel- und Patronagesystem bis zuletzt einen bedeutenden Einfluß behielten.

Zwar nahm der Einfluß der sich Schritt für Schritt verwandelnden Parteien zu, da die Reichsregierung immer häufiger Mehrheiten im Parlament brauchte. Aber in erster Linie gewannen sie eine Blockadefähigkeit «rein negativer Art» ohne eine echte Chance, die Regierung zu stürzen und selber zu stellen. Dieser Schwäche entsprach es, daß es dem Reichstag weder gelang, die Bürokratie und das Militär der parlamentarischen Kontrolle endgültig zu unterwerfen, noch die Verschränkung von Reichspolitik und preußischer Politik aufzulockern – dazu hätte es bekanntlich einer Reform von verfassungsstürzendem Ausmaß bedurft. Darum blieb der Reichskanzler auch immer fatal abhängig von der erzkonservativen Mehrheit des preußischen Landtags und des Staatsministeriums.

Die Grundtatsache der Reichspolitik, daß die Parteien unentwegt von der Regierungsmacht ferngehalten wurden, zog gravierende Folgen nach sich. Keine Regierungstätigkeit zwang sie, sich in ihrer Gesamtpolitik, ob zustimmend oder ablehnend, ständig daran zu orientieren. Das verstärkte den Zug zur Prinzipienreiterei, zumal ihr weltanschaulich-theologisches Erbe ohnehin in diese Richtung wirkte. Von ihrer Existenz im Vorhof der Macht ging ebenfalls kein Zwang aus, die unterschiedlichen sozialen und ökonomischen, regionalen und einzelstaatlichen Interessen intern auszugleichen. Deshalb hielt die Härte der Flügelkämpfe in den Parteien ungemildert an, und nicht zuletzt deshalb wurde die Konkurrenz einer Vielzahl von Parteien weiterhin begünstigt, wie das etwa die Rivalität von drei, vier liberalen Parteien demonstriert.

Trotz der revolutionären Umwälzung, welche die Urbanisierung, die Binnenwanderung und die Industrialisierung im gesellschaftlichen Leben vorantrieben, wurde die Wahlkreiseinteilung aus machtpolitischen Gründen beibehalten, denn weder die Regierung noch die Bürokratie, weder die protestantischen und katholischen Konservativen noch die Rechtsliberalen besaßen ein Interesse an der Veränderung der ursprünglichen Regelung. Da sie auf der Bevölkerungsverteilung vom Dezember 1864 beruhte, standen aufgrund der ungeheuren Migrationsbewegungen die ländlichen Gebiete binnen kurzem ebenso hoch privilegiert da, wie die Städte und Industrieregionen, je länger desto krasser, extrem benachteiligt wurden. Die Vorschrift des Wahlgesetzes von 1869, daß bei einem Bevölkerungsanstieg auch eine Erhöhung der Abgeordnetenzahl, vorher also auch eine adäquate Neueinteilung der Wahlkreise vorzunehmen sei, wurde schlichtweg ignoriert. Im Effekt wurden an erster Stelle die beiden konservativen Parteien, das Zentrum und die Nationalliberalen begünstigt, während die Sozialdemokratie, wie das der politischen Intention ihrer Gegner entsprach, der Hauptverlierer blieb.

Zuerst sollte ein Reichstagswahlkreis rund hunderttausend Einwohner und rund zwanzigtausend Stimmberechtigte umfassen, und tatsächlich lagen 1871 von dreihundertzweiundachtzig Wahlkreisen nur neunundachtzig um bis zu zwanzig Prozent über oder unter diesem Durchschnitt. 1912 aber gab es von dreihundertsiebenundneunzig Wahlkreisen nur mehr siebzig, nicht einmal zwanzig Prozent, die den Mittelwert von zweiunddreißig- bis vierzigtausend Stimmberechtigten besaßen. Im kleinsten Wahlkreis etwa, Schaumburg-Lippe, lebten ganze 10700, im größten dagegen, Berlin-Teltow, 338000 Wähler.

Darüber hinaus war die korrekte Ermittlung der Wahlergebnisse jahrzehntelang nicht gewährleistet. Trotz der vorgeschriebenen geheimen Wahl fand diese durchweg öffentlich statt, bis endlich 1903 Wahlkabinen eingeführt wurden. Amtliche Stimmzettel gab es nicht, sie wurden von den Parteien gedruckt. Daher bestanden ausreichend Chancen, Wähler unter indirekten oder direkten Druck zu setzen, subtile oder plumpe Formen ihrer Korrumpierung zu praktizieren, um dem gewünschten Wahlresultat nahezukommen. Andrerseits war die private Entscheidung bei einer Geheimwahl eine Gesetzesnorm, die unter dem Schutz des «Rechtsstaats» stand. Und wie auch immer die politische Neigung der Bürokraten, deren Kontrolle der Wahlvorgang unterlag, aussehen mochte, waren sie doch ganz überwiegend um die Beachtung der gesetzlichen Vorschriften bemüht. Außerdem gab es seit 1871 nach jeder Wahl eine Vielzahl von Beschwerden, die unkorrekte Wahlbeeinflussung monierten, und ein Kontrollausschuß des Reichstags trug den begründeten Vorwürfen erstaunlich häufig Rechnung, indem er zum Beispiel Wahlergebnisse für nichtig erklärte und eine Neuwahl erzwang.

Die Ambivalenz des bürokratischen Einflusses, der Zustände wie in der Domäne amerikanischer «Parteimaschinen» ausschloß, trat freilich darin zutage, daß letztlich Beamte den häufig massiven Regierungsdruck auf die Auswahl «zuverlässiger» Kandidaten und die Formulierung regierungsfreundlicher Wahlparolen ausübten – Beamte, die selber als regierungsabhängige Wähler «reichsfreundlicher» Parteien an der Kandare geführt wurden. Ohne den unverhohlenen Einsatz des lokalen und regionalen Verwaltungsapparats konnten die Absichten der Berliner Zentrale in den Wahlkreisen nicht zur Geltung gebracht werden.

Außerdem besaß die Regierung das Druckmittel der vorzeitigen Reichstagsauflösung (1878, 1887, 1893, 1907), um oppositionelle Parteien in einen unerwartet frühen Wahlkampf zu treiben, den sie dann mit Hilfe einer skrupellos polarisierenden Agitation gegen die «Reichsfeinde» zu entscheiden versuchte. Nicht zuletzt verweigerte sie bis 1906 Diäten für die Abgeordneten, um keine Berufspolitiker aufkommen zu lassen. Tatsächlich wurde dadurch aber deren Vordringen eher gefördert, da die Bindung an die Partei, die ihre Repräsentanten auch finanziell abstützen mußte, verstärkt wurde. Angesichts dieser außerordentlich widersprüchlichen Bedingungen, unter denen sich der «politische Massenmarkt» im Kaiserreich entwickelte, bedarf es schon eines irritierenden sacrificium intellectus, um anstelle der bis 1918 blockierten Parlamentarisierung die «schöne neue Welt» einer «manifesten» Parlamentarisierung zu entdecken.[24]

a) Der Aufstieg der Sozialdemokratie zur Massenbewegung

1890 begann der «Durchbruch» der Sozialdemokratie und der Freien Gewerkschaften zur Massenbewegung. Bis 1914 zählte die Partei knapp 1.1 Millionen Mitglieder, darunter 175 000 Frauen; die Gewerkschaften hatten es auf 2.6 Millionen Mitglieder gebracht, von denen neun Prozent Frauen waren. Die durchweg sozialdemokratisch orientierten Konsumgenossenschaften besaßen bis dahin 1.6 Millionen Mitglieder. Die Angehörigen dieser verschiedenen Organisationen waren nur zum Teil identisch. Tatsächlich erfaßte die sozialdemokratische Arbeiterbewegung insgesamt ein ungleich weiteres Umfeld als dasjenige, welches allein von der SPD besetzt wurde (vgl. vorn III.3 u. IV.A 2b).

Von den ungefähr 12.6 Millionen Arbeitern in den Sektoren, welche die Reichsstatistik als Industrie, Handwerk und Verkehr bezeichnete, gehörte jeder vierte einer Gewerkschaft an – einschließlich der 340 000 Mitglieder der Christlichen und der 100 000 Mitglieder der liberalen Hirsch-Dunckerschen Gewerkschaften. Nur jeder zehnte war SPD-Mitglied, so daß es sich in beiden Fällen eindeutig um Minderheiten handelte. Aber bei den Reichstagswahlen von 1912 vermochte die SPD 4.25 Millionen Wähler an sich zu binden: Das waren 3.1 Millionen mehr, als ihr eigener Mitgliederbestand und fünfundsechzig Prozent mehr als derjenige der Freien Gewerkschaften ausmachte. Zu dieser Zeit erhielt sie bereits eine gewisse Unterstützung von Subalternbeamten, kleinen Selbständigen und Landarbeitern, aber offenbar wurde sie primär von der großen Mehrheit der stimmberechtigten Arbeiter, die über fünfundzwanzig Jahre alt waren (insgesamt rund 5.5 Millionen), gewählt.

Seit der Jahrhundertwende war die SPD eine «relativ reine Klassenpartei», die jedoch weit weniger das Ergebnis eines leidenschaftlichen Klassenbewußtseins war als vielmehr das ihrer Anerkennung als beste Verfechterin von sozialökonomischen und politischen Arbeiterinteressen anerkannte, funktionstüchtige Organisation. Unzweideutig lag der Schwerpunkt ihrer Wählerschaft in den protestantischen Arbeitervierteln der Großstädte und Industrieregionen. 1912 etwa stammten hundertundsechs ihrer hundertundzehn Reichstagsmandate aus den hundertfünfundneunzig Wahlkreisen, wo mehr als fünfzig Prozent der Berufstätigen in Industrie, Handwerk und Verkehr beschäftigt waren; in den Großstädten war ihr Stimmenanteil dreimal so hoch wie in den Gemeinden mit bis zu zweitausend Ansässigen. Und 1903 gewann sie mehr als vierzig Prozent der abgegebenen Stimmen in siebenundneunzig (39 %) von den zweihundertfünfzig Wahlkreisen mit einer protestantischen Mehrheit, nur in sieben dagegen von den hundertsechsundvierzig mit einem Übergewicht an Katholiken.

Schwer zu überwindende Hindernisse standen demgegenüber der Expansion der SPD in die ländliche Gesellschaft entgegen, wo die Landarbeiter einer straffen sozialen Kontrolle durch adlige, bäuerliche und bürgerliche Arbeitgeber im Schulterschluß mit der Verwaltung unterlagen. Von den drei Millionen Landarbeitern und viereinhalb Millionen Landarbeiterinnen gehörte auch kaum jemand den Freien Gewerkschaften an. Die polnischen Arbeiter stimmten als fast ausnahmslos gläubige Katholiken zuerst für das Zentrum, seit der Jahrhundertwende überwiegend für nationalpolnische Kandidaten; der winzige preußisch-deutsche Ableger der «Polnischen Sozialistischen Partei» (PPS) gewann nie mehr als höchstens zweitausendzweihundert Anhänger. Dagegen kletterte die Zahl der sozialdemokratischen Wähler in Elsaß-Lothringen ziemlich schnell auf ein Viertel der abgegebenen Stimmen.

Unleugbar war die SPD vor 1914 noch weit von den Eigenarten einer «Volkspartei» entfernt. Ihr Charakter als proletarische «Klassenpartei» entsprach durchaus dem Selbstverständnis der Mehrheit ihrer Mitglieder und Wähler. Das erwies auch ein langjähriger innerparteilicher Streit. Auf der einen Seite standen die Anhänger des «Reformismus» (einer systemimmanenten pragmatischen Reformpolitik) und des «Revisionismus» (einer entschiedenen Anpassung der Marxschen Theorie an die sozialökonomische und politische Realität des heraufziehenden 20. Jahrhunderts). Der bayerische Vollblutpolitiker Georg v. Vollmar und der Theoretiker Eduard Bernstein verkörperten, praktisch und symbolisch, diese beiden Strömungen. Auf der anderen Seite verteidigte das marxistische Parteizentrum um August Bebel im Verein mit der orthodoxen Linken um Rosa Luxemburg, Franz Mehring, Karl Liebknecht und andere den Alleingültigkeitsanspruch eines popularisierten Marxismus, wie er von ihnen in der geläufigen emotionalisierten Revolutionsrhetorik verfochten wurde. Zwar drangen reformistische Praxis und revisionistische Ideen im Alltag der Sozialdemokratie vor, aber der parteioffiziöse marxistische Kurs wurde im Konfliktfall doch gewöhnlich durchgesetzt. Das zeigte zum Beispiel auch die Ablehnung des politischen Massenstreiks, über den im Gefolge der russischen Revolution von 1905 eine leidenschaftliche Debatte aufgeflammt war.

Wahrscheinlich trifft das Urteil zu, daß die marxistische Rhetorik mit ihrer Beschwörung einer glorreichen sozialistischen Zukunft das Selbstbewußtsein der Proletarier stärkte, sie allen Widrigkeiten zum Trotz politisch mobilisierte und ihre Loyalität wachhielt. Insofern besaß die Partei nicht die schlichte Option, kurzerhand auf die politische Religion des Marxschen Chiliasmus zu verzichten, um sich ausschließlich zu einer linken Reformbewegung, zur konstitutionellen Oppositionspartei par excellence zu mausern. Aber der Preis für die Beharrungskraft des Parteimarxismus war hoch. Da die SPD theoriegerecht auf das Industrieproletariat fixiert blieb, vermochte sie keine realistische Agrar- und Bauernpolitik zu entwickeln. Das führte zu einer fatalen Selbstblockade in der ländlichen Gesellschaft, die auch im späten Kaiserreich alles andere als eine politisch zu vernachlässigende Sphäre blieb.

In den Bereich des «alten» Mittelstands konnte die Partei nur punktuell eindringen, da die Handwerker und Kleinhändler durch die bitteren Proletarisierungserfahrungen während der Krisen seit 1873, durch die pessimistische Abstiegsprognose der marxistischen Theorie und durch die eigene dezidiert konservative Interessenvertretung gegen die Sozialdemokratie – im Gegensatz zu deren Frühphase bis etwa 1875 zunehmend immunisiert wurden. Der «neue» Mittelstand der Angestellten und unteren Staats- und Kommunalbeamten blieb der Partei ebenfalls überwiegend verschlossen. Auch hier verhinderte das apodiktische Theorem von der unaufhaltsamen Proletarisierung eine realitätsnahe politische Position. Unternehmerschaft und Regierungspolitik taten zudem das ihre, um durch zahlreiche Privilegien, wie zum Beispiel die Angestelltenversicherung von 1911, eine hohe Abschreckungsbarriere zwischen den «Privatbeamten» und der Sozialdemokratie hochzuziehen. Die mittlere und untere Beamtenschaft wiederum, in der es durchaus Sympathien für sozialdemokratische Reformen gab, wurde in der Regel durch das bürokratische Dienstrecht effektiv blockiert, solchen Neigungen politisch nachzugeben.

Zu diesen Folgen einer nachteilsreichen, theorieinduzierten Selbsteinschränkung kam hinzu, daß sich die Sozialdemokratie in den Jahren vor 1914 ohnehin in einer außerordentlich schwierigen Lage befand. Der enorme Außendruck auf sie hielt an, der Klassenkampf von oben ließ nicht nach, immer wieder gab es auch Anläufe zu einer ausnahmerechtlichen Stigmatisierung. «Die heutige innere Politik», klagte selbst ein so konservativer Nationalliberaler wie Friedrich Meinecke im Jahre 1910, laufe «auf einen mit den Waffen des Polizeistaats geführten latenten Bürgerkrieg gegen die Sozialdemokratie» hinaus – sie «zerreißt uns».

Das Klassenwahlrecht in den Ländern und Kommunen blieb nicht nur bestehen, sondern mancherorts wurde es sogar noch verschärft. Die Diskriminierung der «vaterlandslosen Gesellen» hielt unentwegt an. Vergeblich mahnte Theodor Mommsen nach der Jahrhundertwende: «Jedermann in Deutschland weiß, daß mit einem Kopf wie Bebel ein Dutzend ostelbische Junker so ausgestattet werden könnten, daß sie unter ihresgleichen glänzen würden.» Als eben dieser «rote Kaiser» der Sozialdemokratie 1912, soeben von einer schweren Krankheit genesen, mit dem ersten Historiker der deutschen Arbeiterbewegung, Gustav Mayer, im Reichstagsfoyer stand, drückte Reichskanzler Bethmann Hollweg im Vorübergehen mit einem formelhaft höflichen Satz die Hoffnung aus, daß Bebel wieder gesund sei. «Ich gehöre», erklärte Bebel, betroffen und errötend, seinem Begleiter, «diesem Haus seit seiner Schaffung, also seit 1867 an. Dies war das erste Mal, daß ein Mitglied der Regierung außerhalb der Verhandlungen ein Wort an mich richtete.» Ungeachtet seiner einsamen Sonderstellung als dienstältester Parlamentarier mit immensen Erfahrungen und als Vorsitzender der inzwischen stärksten Partei über nahezu ein halbes Jahrhundert hinweg fiel Bebel wenig später bei der Wahl des neuen Reichstagspräsidenten durch.

Tief eingefressene Feindklischees, von den politischen Gegnern der Sozialdemokratie immer wieder zielstrebig ausgenutzt, hielten sich zählebig in der öffentlichen Meinung und nicht minder in der politischen Mentalität der Individuen. Das führte im Grenzfall zu geradezu bizarren Auswüchsen, die das Ausmaß der aufgestauten Animosität vielleicht noch aufschlußreicher enthüllen, als das die Analyse des hinlänglich bekannten konservativen Kampfvokabulars zu tun vermag. Dafür nur ein Beispiel: 1895 mußte nach Heinrich v. Sybels Tod die von ihm innegehaltene Position des Direktors der Preußischen Staatsarchive neu besetzt werden; der unerschütterlich staatskonservative, für seine jahrzehntelange Archivarbeit und unbestreitbare Sachkunde bekannte Gustav Schmoller, das ungekrönte Haupt der «Kathedersozialisten» im «Verein für Sozialpolitik» und der Herausgeber der vielbändigen «Acta Borussica», wurde dafür ins Gespräch gebracht; Hohenlohe-Schillingsfürst schnitt die Personalfrage bei Wilhelm II. an. «Bei der Erwähnung Schmollers für die Nachfolge Sybels», notierte sich der Reichskanzler danach, «machte der Kaiser eine Grimasse und stimmte mir bei, als ich die Vermutung aussprach, daß es bedenklich sei, einem sozialistischen Gelehrten» diese Stelle anzuvertrauen.

Unverändert hielten auch die Kampfmaßnahmen der Unternehmer an: Mit ihren «gelben» Gewerkschaften, ihrer betrieblichen Sozialpolitik, ihrer Verbandsaktivität versuchten sie, der Arbeiterbewegung das Wasser ringsum abzugraben. Unverändert blieb auch die Konfessionsschranke bestehen. Die erdrückende Mehrheit ihrer Anhänger konnten die Sozialdemokratie und die Freien Gewerkschaften nur unter protestantischen und atheistischen Arbeitern rekrutieren. Wider Willen mußten sie sich mit einer Art von Arbeitsteilung mit den katholischen Gewerkvereinen abfinden. Unverändert bot auch die erfolgreich ausgestaltete Subkultur der Sozialdemokratie zwar eine proletarische «Heimat» vom Kinderhort bis zum Feuerbestattungsverein, band aber die Energien und Zielvorstellungen, die sich auf einen energischen Umbau der Gesamtgesellschaft hätten richten können.

Trotz dieser Negativbilanz läßt sich nicht übersehen, daß die SPD bei manchen Reformvorhaben allmählich kooperationsbereit agierte und für einige Verbündete kooperationsfähig wurde. Das zeigte sich insbesondere in den süddeutschen Staaten, vornehmlich in Baden, auch bei freilich wenigen Gesetzeswerken des Reichstags; in Preußen dagegen, mithin in zwei Dritteln des Reiches, blieb sie vom politischen Geschäft des Landtags ausgeschlossen. Erhebliche Fortschritte gab es zudem in der Kommunalpolitik und in den Organen der Sozialversicherung. Insgesamt war das wilhelminische Kaiserreich nicht durch einen tödlichen Konflikt zwischen der Linken und dem Block der Status-quo-Verteidiger gespalten.

In gewisser Hinsicht trug die Sozialdemokratie sogar mehr als andere politische Kräfte zu einer optimistischen Zukunftsorientierung bei, denn ihre Aktivität setzte, trotz aller beißenden Kritik, den Glauben an einen doch noch reformfähigen Staat und an eine letztlich reformwürdige Gesellschaft voraus. Sie empfand die politische Mitarbeit zunehmend als lohnend in der Erwartung, daß der Widerstand gegen sie auf längere Sicht nachlassen werde, zumal sie bei den Reichstagswahlen den «Genossen Trend», wie ihr das schon der alte Friedrich Engels eingeschärft hatte, auf ihrer Seite marschieren sah. Gewiß bestanden die schmerzhafte Ausgrenzung und die kränkende Diskriminierung fort. Aber aufgrund der politischen Sozialisation in Familie und Schule, im Militär und in einer preußisch disziplinierten Partei, aufgrund der Erfahrungen von Kooperation und begrenztem Konflikt, nicht zuletzt auch aufgrund der vermehrten politischen Erfolge, stellte sich eine positive Integration ein. Sie war von der Sozialdemokratie ursprünglich so nicht gewollt, dennoch ist sie im Effekt schlechthin nicht zu übersehen. Deshalb gab es in Deutschland vor 1914 keine vorrevolutionäre Situation.

Vielmehr wurde die innenpolitische Lage durch das Patt bestimmt, das zwischen rechtem Blockadewillen und linkem Reformverlangen entstanden war. Trotz aller sozialökonomischen Veränderungen und trotz des politischen Bodengewinns gab es mithin keine Automatik, die sich zugunsten der

Sozialdemokratie auswirkte, denn ihr stand die geballte Macht einer feindseligen Regierung und Verwaltung im Verein mit dem Block fast aller anderen Parteien und Interessenverbände gegenüber. Um aus ihrem Ghetto herauszukommen, hätte die Partei als erstes ihre politische Strategie flexibler fortentwickeln, dazu ihre soziale Basis beträchtlich erweitern müssen.

Beide Aufgaben warfen jedoch, wie bereits erwähnt, schwierige ideologische und praktische Probleme auf. Die SPD hätte sich im Grunde von ihrer politischen Monokultur verabschieden müssen. Dieser Verzicht bahnte sich in der Kommunalpolitik an, exemplarisch, wie es schien, auch in Baden mit dem Experiment des liberal-sozialdemokratischen «Großblocks», war aber zwischen seinen reformistischen und revisionistischen Befürwortern einerseits, seinen zentristischen und linken Gegnern andrerseits heftig umstritten. Statt eines innerparteilichen Konsenses gab es die durchaus reale Gefahr der offenen Spaltung in Flügel, die zur organisatorischen Verselbständigung tendierten. Außerdem wäre die Vertretung heterogener statt vorrangig proletarischer Interessen notwendig gewesen. Eben das aber war in der Theorie nicht vorgesehen und verlangte ein völlig ungewohntes politisches Verhalten. Bei einem solchen Kurswechsel wäre auch eine mühselige Abstimmung des Vorgehens im Reich und in den Einzelstaaten unumgänglich geworden. Und schließlich hätte eine verschärfte Rivalität im Verhältnis zu jenen Parteien, die sich um dasselbe Wählerpotential bemühten, in Kauf genommen werden müssen. Eben das aber hätte die tief verwurzelten Animositäten und Aversionen auf der Gegenseite aller Wahrscheinlichkeit nach noch einmal verschärft.

Das alles sind hypothetische Überlegungen. Sie münden nicht in das Fazit der Aussichtslosigkeit aller Anstrengungen, die SPD zu einer akzeptierten Reformkraft zu machen. Aber sie lenken erneut auf die enormen Schwierigkeiten hin, denen sich diese Partei vor 1914 gegenübersah. Selbst wenn sie selber mehr Flexibilität gewonnen hätte, stimmte doch die informelle Allianz all ihrer Kontrahenten aufgrund ihrer eigensüchtigen Interessen in dem Ziel überein, die Sozialdemokratie solange wie nur irgend möglich weiter unter Quarantäne zu halten.[25]

b) Der Liberalismus zwischen Zersplitterung und Behauptung

Die Spaltung des deutschen Liberalismus in Nationalliberale, Sezessionisten, Fortschrittliche, Freisinnige, Nationalsoziale, Volksparteiler hing unauflöslich mit den Auswirkungen der ersten Depression seit 1873, dem Übergang zum Protektionismus und Bismarcks innenpolitischer Schwenkung zu der neukonservativen Wendekoalition zusammen. Sie war aber auch ein Ausdruck langlebiger zentrifugaler Kräfte, die den politischen Liberalismus anhaltend geschwächt haben. Friedrich Naumann beklagte 1906 eine allgemeine Entliberalisierung, denn das «liberale Grundwasser, das innerhalb aller politischen Strömungen ruhen sollte», sei «in Deutschland nicht vorhanden».

Die nationale und verfassungspolitische Programmatik verlor nach 1871 unaufhaltsam an Attraktivität. Große neue Ziele fehlten. Die erhoffte innenpolitische Modernisierung und Parlamentarisierung mißlang. Die «Zukunftsgewißheit» ging seit 1879 verloren, sie wanderte zu den Sozialdemokraten ab. Der «Weltanschauungspanzer» der Liberalen wurde zusehends löchrig (vgl. vorn IV.A 1d). Eine stabile, dauerhaft belastbare soziale Basis ließ sich ebenfalls nicht gewinnen. Der politische Liberalismus war weder mit dem Bildungsbürgertum noch mit dem höheren Wirtschaftsbürgertum oder dem Kleinbürgertum identisch. Vielmehr besaß er ein durchaus heterogenes Rekrutierungspotential nicht nur in der städtischen, sondern auch in der ländlichen Gesellschaft. Aus einer Vielfalt von Gründen konnte sich ein sozialkulturelles Milieu, das mit der Subkultur des Zentrums und der Sozialdemokratie vergleichbar gewesen wäre, nicht herausbilden – die Liberalen blieben «subkulturell unbehaust». Damit entfielen zwar die hemmenden Einschränkungen, die mit einem solchen Sozialmilieu unvermeidbar verbunden sind. Es fehlte aber auch die feste Verankerung, die eine zuverlässige Stammwählerschaft garantiert hätte.

Seit 1867/71 hatten die großdeutsch gesinnten Katholiken die liberalen Parteien verlassen. Spätestens seit dem «Kulturkampf» verloren sie ihre katholischen Anhänger überhaupt. Der Liberalismus wurde eine durch und durch protestantische Bewegung, aber das Konfessionsmonopol des Protestantismus verbürgte wegen dessen Affinität zum Konservativismus keineswegs eine Expansion des Liberalismus. Seit dem Ende der sechziger Jahre gab es zudem selbständige Arbeiterparteien, seit 1875 einen Konkurrenten mit einem Monopolanspruch auf das Proletariat. In diesem Wettbewerb verloren die Liberalen ungewöhnlich frühzeitig ein potentielles Massenreservoir an Wählern, das etwa der englische Liberalismus noch gut dreißig Jahre lang ausschöpfen konnte. Mochte auch in Deutschland diese organisatorische Verselbständigung der «proletarischen Demokratie» unüberwindbaren Interessengegensätzen entspringen, bedeutete sie doch für die Liberalen eine fatale Begrenzung ihrer Wachstumschancen.

Aufgrund der Urbanisierung, der Industrialisierung und des «politischen Massenmarkts» löste sich die Anbindung der Liberalen an die lokalen und regionalen Honoratiorenzirkel langsam auf. Dauerhaft hielt sich dieser Nexus nur noch in der Sphäre der Kommunalpolitik. Mit der gebotenen Umstellung auf die Organisation einer funktionstüchtigen Mitgliederpartei taten sich alle liberalen Vereinigungen außerordentlich schwer. Zunehmend wirkten auch die ökonomischen und regionalen Differenzen auf die Nationalliberalen wie auf die Linksliberalen desintegrierend ein, zumal die Wahlkreiseinteilung ihre ländlichen Hochburgen privilegierte, jedoch die städtischen Liberalen mit ihrer allgemeineren Programmatik diskriminierte. Zugleich trennten solche Differenzen die liberalen Parteien tiefer voneinander. Gemeinsame liberale Ziele haben diese Spaltungsprozesse noch eine geraume

Zeit lang überdeckt; insbesondere in den Städten wurden sie bis zur Jahrhundertwende häufig überbrückt, aber seither ließen sie sich nicht mehr aufhalten.

Die Schwerpunkte der Nationalliberalen wanderten nach Hannover, Sachsen, Hessen, Baden und Württemberg; die der Linksliberalen in die Städte des östlichen Preußen, wo schon die Zentren der DFP gelegen hatten, nach Thüringen, in die Küstenstädte, sogar in ländliche Wahlkreise in Schleswig-Holstein, Mecklenburg und Pommern. Infolgedessen machte sich das bleierne Gewicht der unterschiedlichen regionalen Interessen immer stärker geltend, es erschwerte den innerparteilichen Interessenausgleich und die Durchsetzungskraft auf der Ebene der Reichspolitik.

Nachdem der politische Abschwung einmal eingesetzt hatte, hielt auch die Erosion der sozialen Basis an, da sie durch die Agrar- und Mittelstandsbewegungen seit den neunziger Jahren weiter in Gang gehalten wurde. Alle Versuche der Liberalen, diese desintegrierenden Tendenzen, die aus den divergierenden sozialökonomischen und regionalen Interessen resultierten, durch den «Kulturkampf», den Nationalismus, den Imperialismus zu überwinden, sind letztlich gescheitert. Nie mehr konnten sie einen solchen Alleinvertretungsanspruch, wie sie ihn in der nationalen Frage bis 1871 okkupiert hatten, glaubwürdig verfechten. Der Weg zur Regierungspartei, die sich im Besitz magnetischer politischer Macht und eines verzweigten Patronagesystems befindet, blieb den Liberalen durch die reale Verfassung des Reiches versperrt. Überhaupt trafen sie allenthalben auf die starke Bastion der traditionalen Machteliten, die seit der Wende von 1879 neuen Auftrieb erhalten hatten.

Und nicht nur das: Einflußreiche «Pressure Groups» wie der «Zentralverband deutscher Industrieller» und der «Bund der Industriellen» traten bei der Interessenverfechtung als gefährliche Konkurrenten auf. Als ihr Druck auf das Parlament anwuchs, stellte sich heraus, daß sie keineswegs auf die liberalen Parteien als Transmissionsriemen angewiesen waren. Während die Liberalen in manchen ländlichen Regionen die Bauernbünde gegen den «Bund der Landwirte» unterstützten und im «Hansa-Bund» gegen die Großagrarier antraten, besaßen sie in Hessen und Niedersachsen engste Kontakte zum BdL, der zeitweilig sogar als Organisationsersatz für sie fungierte. 1907 nahmen sogar zweiunddreißig von vierundfünfzig nationalliberalen MdR die Unterstützung des BdL im Wahlkampf an. Auch im Verhältnis zu solchen Verbänden war die Situation diffus – für die politische Öffentlichkeit und für die Liberalen selber. Auf jeden Fall fehlten ihnen unter den Verbänden solche mächtigen Alliierten, wie sie die SPD mit den Freien Gewerkschaften, die DKP mit dem BdL, das Zentrum mit dem «Verbandskatholizismus» besaßen.

Und schließlich stellte der machtvolle Trend zum Interventions- und Sozialstaat manche fundamentale Überzeugung des herkömmlichen liberalen Credos in Frage. Während sich viele Liberale diesem Trend unter Berufung auf die Selbständigkeit und Selbstverantwortung des freien Individuums, auf das ungehemmte Spiel der Marktmechanismen und die Autonomie der bürgerlichen Gesellschaft entgegenstemmten, besetzten die interventionsbereite Bürokratie und korporativistische Allianzen wichtige Politikfelder. Andere Liberale dagegen erkannten den Zwang zur sozialen Absicherung und Daseinsvorsorge an, besonders bereitwillig in den liberal regierten Städten, so daß auch in dieser Hinsicht tiefe Bruchlinien das liberale Lager durchzogen.

Die Rückschläge und Niederlagen der Liberalen in der Reichspolitik, aber auch in wichtigen Bundesstaaten, haben den Eindruck ausgelöst, daß sie seit 1879 einem allgemeinen Niedergang ausgesetzt gewesen seien. Im Reichstag etwa stellten sie 1871 und 1874 die absolute Mehrheit, seit 1890 aber nur mehr fünfundzwanzig Prozent der Abgeordneten, in Preußen 1874 siebenundfünfzig Prozent, 1913 nur noch fünfundzwanzig Prozent, auch in Bayern fiel ihr Anteil von fünfzig auf zwanzig Prozent. Trotzdem: Auch die Fundamentalpolitisierung und der «politische Massenmarkt» führten nicht dazu, daß die absolute Stimmenzahl der Liberalen sank. Sie lag vielmehr 1912 um dreiundfünfzig Prozent über derjenigen von 1874. Damit entsprach sie in etwa dem Bevölkerungswachstum (58 %), blieb freilich hinter dem Anstieg der Wahlberechtigten (69 %) klar zurück. Immerhin: Das Zentrum erreichte trotz des mobilisierenden «Kulturkampfes» und des gefestigten katholischen Sozialmilieus nur einen Zuwachs der absoluten Stimmenzahl um achtunddreißig Prozent; im Vergleich mit der Bevölkerungsvermehrung und der hochkletternden Wahlbeteiligung (von 51 auf 85 %) bedeutete das faktisch einen Rückgang. Dagegen wuchs bei der Sozialdemokratie die Wählerschaft sogar prozentual höher an als die Wahlbeteiligung.

Auch die parteipolitische Zersplitterung der Liberalen besaß nicht nur evidente Nachteile, wie etwa die Schwächung ihrer Kraft im Parlament, sondern sie begrenzte auch das weitere Zerbröseln des liberalen Lagers, da stets mehrere Optionen dem liberalen Wechselwähler unterschiedliche Entscheidungen noch innerhalb des liberalen Spektrums ermöglichten. Heftige innerliberale Schwankungen, etwa 1884 zugunsten der Freisinnigen, wurden dadurch wieder ausgeglichen, so daß 1912 ein ausgeglicheneres Kräfteverhältnis zwischen FVP und Nationalliberalen (42:45 MdR) vorherrschte.

Erstaunlich zählebig behaupteten sich, wie bereits mehrfach betont, die Liberalen in den Städten. Das verdankten sie in allererster Linie dem kommunalen Mehrklassenwahlrecht, das bis zum Ende des Kaiserreichs die traditionelle Kluft zwischen politischer Demokratie und liberaler Honoratiorenwirtschaft weiter offenhielt. Diese wahlrechtlich abgesicherte Hegemonie der Liberalen wurde erst spät durch das Zentrum in den katholischen Städten, dann allgemein durch die Sozialdemokratie in Frage gestellt. In den

Ländern fochten die Liberalen ebenfalls überwiegend für das Klassenwahlrecht, um mit diesem antidemokratischen Mittel ihre Existenz gegen konkurrierende Massenparteien zu behaupten. Am krassesten trat die reaktionäre Allianz der Nationalliberalen mit den Konservativen bei der unnachgiebigen Verteidigung des preußischen Dreiklassenwahlrechts bis zum Herbst 1918 zutage.

Dem Erfolg dieser Beharrungspolitik und dem Fortleben der Honoratiorenherrschaft entsprach es, daß sich die Liberalen vergleichsweise spät formell organisierten. Erst seit 1905 besaßen Nationalliberale das Recht auf Mitgliedschaft in Ortsvereinen, von denen es 1914 rund 2200 mit 248000 Mitgliedern gab – das waren elf Prozent der Wähler. Der jungliberale «Nationalverein für das liberale Deutschland» scheiterte nach 1907 mit seinem Anlauf, die Parteiorganisation zielstrebig zu erweitern. Der Widerstand dagegen war noch immer zu stark: sowohl an der Basis als auch im Zentralvorstand, der erst 1892 aus dem Zentralwahlkomitee, einem Organ der Reichstagsfraktion, als Parteiführung hervorgegangen war.

Der Linksliberalismus mit seinen Spaltungsdilemmata und Organisationsproblemen verdient einen eigenen Kommentar. Nach dem Umbruch von 1879/80 hatten die «Sezession» bzw. die «Liberale Vereinigung» ehemaliger Nationalliberaler mit der DFP zur «Deutschen Freisinnigen Partei» unter der Leitung Eugen Richters fusioniert. Nach nicht einmal zehn Jahren brach dieser heterogene Verband 1893 in die «Freisinnige Volkspartei», wo sich die Mehrheit unter Richter zusammenfand, und in die «Freisinnige Vereinigung» auseinander. Links von ihnen entstand 1896 Friedrich Naumanns «Nationalsozialer Verein», der sich jedoch nach seinem Wahldebakel der «Vereinigung» anschloß. Die 1908 von Kritikern des «Bülow-Blocks» gegründete linksliberale «Demokratische Vereinigung» Theodor Barths behauptete dagegen ihre intellektuelle Regsamkeit und organisatorische Selbständigkeit bis 1918.

In der preußischen DFP, in der «Deutschen Freisinnigen Partei» und in der «Freisinnigen Volkspartei» vermochte sich Eugen Richter – ein erprobter Berufsparlamentarier und gesinnungsethischer Dogmatiker zugleich – seit 1875 dreißig Jahre lang als die «Zentralfigur», deren Autorität zu einer «faktischen Diktatur» erstarrte, an der Spitze zu behaupten. Erst nach seinem Tod (1906) begann sich die Verhärtung der innerliberalen Gegensätze aufzulockern. Aber es dauerte bis 1912, bis sich – mit der Ausnahme von Barths Minipartei – alle linksliberalen Organisationen: die «Freisinnige Volkspartei», die «Freisinnige Vereinigung», die württembergische «Deutsche Volkspartei» endlich zur «Fortschrittlichen Volkspartei» vereinigten. Sie besaß offenbar, wie das bereits die Reichstagswahlen von 1912 bewiesen, ein entwicklungsfähiges Potential, um an die große Zeit der «Deutsch-Freisinnigen Partei» in der Mitte der achtziger Jahre anknüpfen zu können.

Bisher hatten die Linksliberalen im klassischen Honoratiorenstil gewirkt: Eine kleine parlamentarische Oligarchie bestimmte ohne Rückhalt an einer außerparlamentarischen Organisation den Kurs der verschiedenen Parteien. Die FVP dagegen verstand die Zeichen der Zeit zu lesen. Schon 1912 versammelte sie in eintausendsiebenhundert Vereinen rund 120000 Mitglieder, acht Prozent ihrer Reichstagswähler. Zögernd entschloß sie sich sogar zu Stichwahlbündnissen mit der SPD, trat freilich auch – da sie alle zweiundvierzig Mandate in den Stichwahlen holen mußte – in neunundzwanzig Wahlkreisen gegen die SPD an. Und sie öffnete sich, als der bürgerliche «Bund Deutscher Frauenvereine» auf sie zuging, der Kooperation mit politisch engagierten Frauen.

Dem «Hansa-Bund», der seit 1909 eine bürgerlich-liberale Front gegen die großagrarischen und großindustriellen Konservativen und den BdL aufzubauen versuchte und alsbald mit 250000 individuellen sowie 280000 korporativen Mitgliedern zu den größten Verbänden des Kaiserreichs gehörte, schlossen sich neunzig Prozent aller FVP-Abgeordneten an. Sie gehörten zu denjenigen Kräften, die für eine tolerantere Offenheit gegenüber der Sozialdemokratie eintraten, während die Nationalliberalen wieder nach rechts abschwenkten, als ein großer Teil des ZdI, der Industrievertreter überhaupt, der Landwirtschafts- und Mittelstandsverbände sich gegen den «Hansa-Bund» im «Kartell der schaffenden Stände» zusammenfanden. Treffsicher wurde dieser späte Abkömmling der «Sammlungspolitik» von zeitgenössischen Kritikern als «Kartell der raffenden Hände» verspottet, tatsächlich aber ist der «Hansa-Bund» an der Überlegenheit seiner Opponenten gescheitert.[26]

c) Das Zentrum als Konfessionspartei und Allianz sozialer Bewegungen

Die politische Mobilisierung des deutschen Katholizismus hatte im Vormärz mit den «Kölner Wirren», der Trierer Wallfahrt und dem «Deutschkatholizismus» eingesetzt, sich während der Revolution von 1848/49 kraftvoll ausgedehnt, ihren Höhepunkt aber erst im «Kulturkampf» der siebziger Jahre erreicht. Das «katholische Deutschland» im Kaiserreich bildete indes keineswegs, wie die orthodoxe Konfessionshistoriographie glauben machen wollte und will, einen monolithischen Block. Vielmehr war es ein differenziertes Gebilde, dessen Hauptelemente mit zunehmend klareren Konturen hervortraten. Den Ausgangspunkt einer genaueren Analyse müssen erstens das katholische Selbstbewußtsein, das aus dem Kampf gegen die Aufklärung und den Obrigkeitsstaat erwachsen war, und zweitens der Ultramontanismus bilden, der eine einflußreiche Spielart des römisch-katholischen Fundamentalismus verkörperte. Zusammen mit dem Widerwillen gegen das kleindeutsch-protestantische Reich prägten sie das katholische Sozialmilieu, das sich vor allem in den homogenen katholischen Kleinstädten und ländlichen Regionen längst herausgebildet hatte und jetzt weiter befestigt wurde.

Dieses Sozialmilieu war – strukturell ganz analog der sozialdemokratischen Subkultur – «durch eine relativ gleichartige Form der materiellen Subsistenzbegründung und zugleich durch ein Bündel gemeinsamer Werthaltungen, kultureller Deutungsangebote, politischer Regeln, historischer Traditionen und lebenspraktischer Erfahrungen» geprägt. Seine Bereitschaft zur politischen Militanz wurde seit 1871 durch den Widerstand gegen das drückende Übergewicht der Protestanten im neuen Nationalstaat, gegen die evidente Dominanz der protestantischen Machteliten, gegen die modernisierende Wirtschaftspolitik der protestantischen Liberalen weiter genährt. Der politische Katholizismus konnte innerhalb dieses Milieus auf Koalitionen aufbauen, die sich aufgrund gemeinsamer Werte und Interessen gegen die im Staat rasch vordringenden Säkularisierungsprozesse aktivieren ließen.

Es ist keine Frage, daß die konfessionelle und affektive, die kulturelle und politische Vernetzung innerhalb dieses Milieus durch die Siedehitze des «Kulturkampfes» entscheidend verstärkt worden ist. Trotzdem darf man dem – seither hingebungsvoll kultivierten – Mythos von der totalen Homogenität nicht erliegen. Vielmehr muß man sich die von Anfang an vorhandene Heterogenität sehr unterschiedlicher sozialer und politischer Bestrebungen im Zentrum vergegenwärtigen. So fochten etwa die katholischen Adligen gegen den Bismarckschen Leviathan, die Bürger für eine schutzverbürgende Konstitution, die Unterklassen gegen den liberalen Führungsanspruch, die Arbeiter gegen den Industriekapitalismus, die Partikularisten gegen die preußische Hegemonie, die Angehörigen zwangsintegrierter Nationalitäten gegen den deutschen Nationalstaat. Erst die Fusion derartig vieler verschiedenartiger Interessen gab dem Ultramontanismus seine politisch-ideologische «Schubkraft».

Dieser heterogene politische Katholizismus erlebte die Zeit nach 1871 als einen bedrohlichen Umbruchprozeß ohne absehbares Ende. Seine Perzeption der Zeitgeschichte ließ diese um so gefährlicher erscheinen, als zum einen zentrale ultramontane Ziele – wie die christliche Basis der politischen Ordnung und die Rückkehr zum agrarisch-kleingewerblich fundierten Ständestaat – nicht realisierbar waren und zum andern die Vehemenz des ultramontanen Anspruchs auf Weltumgestaltung unter Papst Leo XIII. (1878–1903) und Pius X. (1903–1914) spürbar nachzulassen begann. Darüber hinaus sank mit dem Abklingen des «Kulturkampfes» auch der Außendruck auf das katholische Lager, so daß seine Binnendifferenzierungen an Bedeutung gewannen.

Dadurch wurde das Problem verschärft, die katholische Klientel zusammenzuhalten. Ein mühsamer interner Interessenausgleich und der Kitt der gemeinsamen Konfession und Volksreligiosität fingen die desintegrierenden Wirkungen zunächst auf. Diese Bändigung wurde durch die relative Autonomie der Leitung erleichtert. Denn das Zentrum war keine Mitgliederpartei, sondern der politische Ausschuß des katholischen Vereinswesens, wie das die Labour Party rund neunzig Jahre lang für die englischen Gewerkschaften war. Die Kaplanokratie federte manche Spannung ab. Führungsfiguren wie Windthorst betonten von Anfang an den politischen Charakter des Zentrums, um das Image einer klerikalen Partei abzustreifen. In der Tat konnte nur dadurch die Koalitionsfähigkeit gegenüber anderen Parteien, die Handlungsfreiheit und Attraktivität des Zentrums als Partner einer regierungsfreundlichen Koalition gewonnen und verteidigt werden. Bereits seit 1879 begann dieser Kurs eine erquickliche politische Rendite und ein begehrtes «psychisches Einkommen» für die verfemte Minderheit einzubringen.

Als sich nach der Zäsur von 1890 die beschleunigte sozialökonomische Transformation im Verein mit der Umwälzung auf dem «politischen Massenmarkt» der wilhelminischen Polykratie auswirkte, enthüllte die neue Konstellation, daß jetzt ein weiterer Raum als zuvor für soziale und politische Bewegungen im deutschen Katholizismus entstanden war. Sie verstanden sich durchaus als christlich, besaßen aber ihr eigenes markantes Profil. Binnen kurzem formierten sich drei dieser sozialen Bewegungen.

1. Ein ländlicher Populismus entstand in den agrarischen Gebieten und ihren Kleinstädten als «eigenständige politische Kraft». Mittel- und Kleinbauern, Handwerker und Kleinhändler bäumten sich gegen die ökonomische Belastung und die soziale Deklassierung auf, die von der Agrarkrise und dem Agrarkapitalismus überhaupt, von dem Übergewicht des Industriekapitalismus und dem Vordringen des «bürgerlichen» Politikstils in die Lebenssphäre dieser Besitz- und Berufsklassen zu einer Zeit ausgingen, als «das Land» in die gesamtstaatliche politische Arena endgültig einbezogen wurde. Während sie den Honoratioren ihre Gefolgschaft aufkündigten, folgten sie häufig einem neuen Typus von «Volkstribun», der ihre Interessen und ihr Weltbild mit demagogischem Geschick verfocht. Ob in Bayern, Baden oder Württemberg, in Schlesien, Westfalen oder im Rheinland – überall kristallisierte sich die strukturell ähnliche, gleichwohl regional differenzierte Mischung von rückwärtsgewandter und moderner, antiliberaler und antisemitischer, demokratischer und populistischer Protestpolitik heraus. Obwohl ein gemeinsames Programm nicht entwickelt und auch der reichsweit operierende «Dachverband der Christlichen Bauernvereine» erst 1900 geschaffen wurde, waren dieser Bewegung überall gemeinsame Hauptforderungen, Aktionsformen und Werthaltungen eigen.

2. Nur wenig später kam ein bürgerlicher Aufbruch in Gang. Auch er stellte die Vorherrschaft der Honoratioren in Frage, als er zu einer dynamischen Bewegung von Bürgern aus der Industrie und Verwaltung, aus dem Bildungssystem und der technischen Intelligenz anwuchs. Damit war sowohl eine neuartige Bejahung der modernen, der bürgerlichen und industriekapitalistischen Welt als auch konsequenterweise die energische Anstrengung verbunden, die damals viel diskutierte Rückständigkeit wettzu-

machen, insbesondere das lähmende katholische Bildungsdefizit zu beseitigen. «Wir deutschen Katholiken haben uns», beschwor Georg v. Hertling, Münchener Philosophieprofessor und Reichstagsabgeordneter, 1896 die Jahresversammlung der von ihm gegründeten «Görres-Gesellschaft», «ganz allgemein in höherer Bildung von den Protestanten überflügeln lassen.» Wenn diese Zurückgebliebenheit nicht endlich überwunden werde, steige die Gefahr, daß die Reichsbevölkerung «in die herrschende Klasse der gebildeten Protestanten und die beherrschte Klasse der katholischen Bauern und Handwerker» auseinanderfalle. Diese Aufholjagd nährte freilich auch eine übertriebene Anpassungsbereitschaft, um endlich die Reputation «national» zuverlässiger «Reichsfreunde» zu gewinnen. Mit ihrem die langjährige Diskriminierung kompensierenden «überschwenglichen» Nationalismus unterstützte gerade diese Bewegung die Flotten- und Weltpolitik, teilte sie den Geltungsdrang und Englandhaß.

3. Parallel zur Bürgerbewegung formierte sich die neue katholische Arbeiterbewegung. Ohne Bevormundung durch das Zentrum und ohne Gängelung durch den kirchlichen Apparat expandierten die katholischen Gewerkvereine, die sich im «Gesamtverband der Christlichen Gewerkschaften Deutschlands» zusammenschlossen. Ende 1906 zählte er immerhin 350000 Mitglieder. Diese organisierten Arbeiter entdeckten, daß der bis dahin stagnierende «Volksverein für das katholische Deutschland» gerade von ihnen zu einem effizienten Interessenverband umgebaut werden konnte.

Das gelang ihnen mit einem so durchschlagenden Erfolg, daß sich der «Volksverein», der nach seiner Gründung (1890) über gut 100000 Mitglieder zunächst nicht hinausgelangt war, bis 1914 zu einer Massenorganisation mit 805000 Mitgliedern, einer Vielzahl von Schulungsinstitutionen, Publikationen, Fortbildungstagungen, kurz: zu einer außerordentlich lebendigen, gerade auch von Arbeitern getragenen Reformbewegung entwickelte, die den Ausbruch aus der katholischen Wagenburg vorantrieb. In ihrem Streben nach politischer Emanzipation und Minderung der wirtschaftlichen Not, in ihrem Streit gegen kulturelle Rückständigkeit und politische Entmündigung folgten sie einem «fundamentalen Empirismus und Pragmatismus» anstelle der häufig gepredigten ständestaatlich-antikapitalistischen Harmonisierungsirrlehre. Diese Arbeiter kritisierten unverblümt die «Herrenmoral der deutschen Großindustriemagnaten», sie wandten sich ebenso gegen die Verteufelung der Sozialdemokratie. Einer ihrer Repräsentanten, der Zentrumsabgeordnete Giesberts, handelte sich bezeichnenderweise von der «Deutschen Arbeitgeberzeitung» im Wahlkampf von 1907 den bissigen Vorwurf ein, er sei «für die bestehende Staatsordnung ebenso gefährlich wie Bebel».

Wodurch ist es dem Zentrum trotz dieser divergierenden Bewegungen, die heftige Spannungen auslösten und mehrfach Befürchtungen über das Zerbrechen des politischen Katholizismus aufkommen ließen, immer wieder gelungen, die seit den neunziger Jahren ungleich schwieriger gewordene innerparteiliche Integration zu erreichen? Offensichtlich wirkte die konfessionelle Gemeinsamkeit den auseinanderstrebenden Interessen entgegen. Diese Vereinheitlichungskraft zu unterschätzen wäre ganz und gar falsch; sie verdeckte freilich auch interne Machtverschiebungen. Im konkreten politischen Krisenmanagement spielten vor allem das taktische Geschick, die Manövrierfähigkeit, auch der Opportunismus der Zentrumsleitung eine wichtige Rolle. Die programmatische Zielvorstellung des «sozialen Ausgleichs» ermöglichte Kompromisse. Daß die Benachteiligung der Katholiken weiter anhielt, wirkte Zerfallstendenzen entgegen. Durch das neue Verbandswesen – die «Volksvereine» und die «Christlichen Gewerkschaften», den «Caritas»-Verband und die «Windthorst-Bünde» – wurde die katholische Subkultur allmählich umgeprägt, bis sie sich von dem ultramontanen Sozialmilieu dreißig Jahre zuvor auffällig unterschied.

Dennoch traf das Bemühen um den inneren Ausgleich auf Grenzen. Das zeigt etwa die Fluktuation in der Führung des Zentrums. Nach der Ablösung der Adligen durch eine bürgerliche Spitze wurde ihre Vorherrschaft seit 1900 durch eine Allianz der populistischen und proletarischen Bewegungen angezweifelt und nach dem Einschnitt des «Bülow-Blocks» durch eine Koalition konservativer und populistischer Kräfte abgelöst, die den Wiederaufstieg von Bürgerlichen vor 1914 nicht verhindern, wohl aber den Ausbau zu einer demokratischen Massenpartei vereiteln konnten. Ein tragfähiges Programm, das den essentiellen Interessen aller drei Bewegungen zufriedenstellend Rechnung getragen hätte, war auch 1914 noch nicht in Aussicht. Und während der neue Verbandskatholizismus die Autonomie der Laien förderte, stellten nicht nur die selbstbewußten Verbände, sondern auch die Erfolge der bürgerlichen und proletarischen Bewegungen die Kohäsion des Sozialmilieus in Frage. Daher gewann der Nationalismus, der seine Integrationskraft seit Jahrzehnten zu demonstrieren vermochte, auch für das Zentrum die offenbar unverzichtbare Funktion eines ideologischen Bindemittels.

Beim Kampf um die Präsenz des Katholizismus im Reichsparlament wirkte sich seine spezifische Sozialstruktur nachhaltig aus. Der katholische Bevölkerungsanteil (36%) war in den meisten Industriebranchen (außer im Bergbau und Hüttenwesen) eindeutig unterrepräsentiert. Dagegen stellte er weit überproportionale dreiundvierzig Prozent der Erwerbstätigen in der Landwirtschaft; in den Großstädten lagen die katholischen Einwohner mit knapp sechsundzwanzig Prozent tief unter dem Prozentsatz des Anteils an der Reichsbevölkerung. Diese Verteilung spiegelt sich auch in der Komposition der Wählerschaft wider. 1912 zum Beispiel gewann das Zentrum ein Drittel jener hundertundvier Wahlkreise, die ein Übergewicht an ländlichen Erwerbstätigen besaßen, nur sechsundzwanzig dagegen in den hundertfünfundneunzig Kreisen, wo mehr als fünfzig Prozent der Beschäftigten in

Industrie und Handel tätig waren. In Gemeinden mit bis zu zweitausend Einwohnern holte es 23.4 Prozent der Stimmen, in Großstädten aber nur 6.5 Prozent. Dieses Übergewicht der großen agrarischen und kleinbürgerlichen Klientel erleichterte das Entgegenkommen gegenüber dem ländlichen Populismus, erschwerte aber die Verfechtung proletarischer und genuin bürgerlicher Interessen.

Auch die Konstanz der Wahlkreiseinteilung begünstigte die agrarischen Hochburgen des Zentrums. Deshalb und wegen der dichten Siedlung der Katholiken besaß es von allen Parteien die größte Anzahl von sicheren Wahlkreisen. Dreiundsiebzig (70%) der hundertundvier Wahlkreise (von 397), die zwischen 1874 und 1912 von ein und derselben Partei verteidigt wurden, blieben in seiner Hand. Der Rückhalt im lokalen ländlichen und kleinstädtischen Milieu konnte aber zum einen nicht verbergen, daß dessen Bedeutung in der zunehmend urbanisierten und industrialisierten Gesamtgesellschaft abnahm. Zum andern hatte das Zentrum dank dem «Kulturkampf» und der von ihm ausgelösten überdurchschnittlichen Wahlbeteiligung zeitweilig dreiundachtzig Prozent aller wahlberechtigten katholischen Männer an sich binden können. Als die Erregung nachließ, die absolute Bindung an die Konfession und Kirche abgeschwächt wurde und sich das Schwergewicht der sozialökonomischen Interessen der verschiedenen Klassen direkter geltend machen konnte, fiel dieser Anteil bis 1912 auf 54.6 Prozent; sein Stimmenanteil insgesamt von 1874 = 18.6 auf 1912 = 16.4 Prozent aller Wahlteilnehmer. Dieser Abfall wurde auch durch die unterdurchschnittliche Wahlbeteiligung der Katholiken beschleunigt. Seit 1890 übertraf, ausschließlich aufgrund der sicheren Wahlbezirke, der Mandateanteil den Stimmenanteil. Seine Behauptungs- und Koalitionsfähigkeit blieben die Stärken des Zentrums. Aber daß der für eine begrenzte Zeit homogenisierbare politische Katholizismus wegen der Gegensätze und Spannungen zwischen seinen Teilbewegungen nur ein «Übergangsphänomen» verkörperte, das zeigten die Zunahme der Bruchlinien und schließlich sein Zerfall zwischen 1914 und 1933.[27]

d) Die Konservativen und der «Bund der Landwirte»

Wie das der Kräftekonstellation entsprach, welche die Deutschkonservativen hervorgebracht hatte, behielten sie ihren Schwerpunkt im preußisch-mecklenburgischen Ostelbien. Dort gewannen sie auf dem Land zwei Drittel ihrer Stimmen. Sie blieben die Partei der protestantischen Großagrarier und Bauern, der Beamten und Pfarrer, auch von kleinstädtischen bürgerlichen Wählern, unterlagen aber heftigen Fluktuationen. Wegen ihrer skeptischen Haltung gegenüber dem neuen Reich und Bismarck, der für viele von ihnen den mit tiefgespaltenen Gefühlen erlebten Wandel verkörperte, waren die Konservativen 1874 von siebenundfünfzig auf kärgliche zweiundzwanzig Reichstagsmandate reduziert worden. Mit der Wende von 1879 setzte jedoch der Aufschwung der neuen DKP ein, die 1884 15.2 Prozent der Stimmen und achtundsiebzig Abgeordnetensitze gewann. Bei den «Kartell»-Wahlen von 1887 konnten sie diesen Erfolg noch einmal verteidigen (15.2%, 80 MdR), aber es sollte ihr letzter Höhepunkt sein. Seither setzte der Rückgang des Wählervertrauens und der Reichstagsmandate ein – ein Abfall, der kontinuierlich anhielt, bis sie trotz aller Begünstigung durch die Wahlkreiseinteilung und die Verwaltung 1912 bei 9.2 Prozent der Stimmen und dreiundvierzig Mandaten angelangt waren. Im preußischen Landtag dagegen erhielt ihnen das Dreiklassenwahlrecht eine unverdiente Vorrangstellung im Hegemonialstaat.

Urbanisierung und Binnenwanderung, Industrialisierung und Massenpolitik wirkten sich, je länger, desto einschneidender, gegen die Konservativen aus. Diesen Kräften der gesamtgesellschaftlichen Transformation vermochten sie keinen Widerstand entgegenzusetzen, der parteipolitisch kräftig zu Buche geschlagen hätte. In dieser Situation erwies sich der Umstand von immenser Bedeutung, daß ihnen der «Bund der Landwirte» seit 1893 beisprang. Er konnte zwar auch kein ausgleichendes Gegengewicht schaffen. Aber ohne ihn wäre die Verteidigungspolitik der Konservativen zu noch weniger Widerstandserfolgen fähig gewesen.

Der BdL gehörte zu den Interessenverbänden neuen Typs, die sich von den in den siebziger Jahren gegründeten «Pressure Groups» durch charakteristische Merkmale unterschieden. Damals waren der «Langnam-Verein», der ZdI, die regionalen Arbeitgeber- und branchenspezifischen Industrievereine entstanden, die alle gegen den Liberalismus und für den Protektionismus mit dem Ziel antraten, durch Druck auf die Bürokratie und Regierung und erst danach auf das Parlament die Entscheidungsprozesse zu ihren Gunsten zu beeinflussen. Auf der nächsten Entwicklungsstufe seit den neunziger Jahren traten unter den Bedingungen des «politischen Massenmarktes» und der Polykratie, der organisationsfördernden Konjunkturschwankungen und der polarisierenden Grundsatzkontroversen noch modernere, schlagkräftigere Verbände auf, die mit dem Dauerappell ihres Propagandaapparats die Öffentlichkeit erreichten, die direkte Intervention bei den Wahlen zur Regel erhoben, durch die Verfilzung mit Parteien und anderen Verbänden eine effektivere Einwirkung auf die Legislative erzielten. Zu ihnen gehörten außer dem BdL – und dem effizienter umgestalteten ZdI und BdI – der «Deutsch-Nationale Handlungsgehilfenverband», der «Hansa-Bund», die Bauernbünde, insbesondere aber auch die nationalistischen Agitationsverbände (vgl. B 3a). Außer an die Regierung und Verwaltung adressierten sie ihre Wünsche jetzt vor allem an den Reichstag, die Parteien und die Öffentlichkeit, um auf die Gesetzgebung einzuwirken – im Optimalfall sie durch ihre politischen Repräsentanten oder abhängigen Abgeordneten selber in die Hand zu nehmen – und dafür plebiszitäre Energien als Schubkraft zu mobilisieren. Diese Verbandsaktivität besaß eine gewisse demokratisierende Tendenz, politisch aber im Kern eine antiparlamentarische Stoßrichtung zugunsten des autoritären Korporativismus, denn die konkurrierenden Verbände verkörperten überhaupt nicht einen freiheitlichen Pluralismus.

Der BdL bündelte reagierend die Impulse, die aus der Mobilisierung der ländlichen Gesellschaft hervorgingen – die Gründe dafür sind vorn im Hinblick auf die Verwandlung des politischen Katholizismus skizziert worden –, aber zugleich hielt er diese Mobilisierung, sie nach Kräften aktivierend und steuernd, weiter in Gang, um ihren Druck für die Verfechtung großagrarischer und bäuerlicher Interessen zu steigern. Da er angeblich fatal gefährdete Interessen in der allgemeinen politischen Arena und auf dem Forum des Parlaments zur Geltung bringen wollte, betonte er seine «Unabhängigkeit». Gegebenenfalls scheute er auch weder vor bissiger Kritik noch vor scharfer Opposition gegen mißbilligte Tendenzen der Regierungspolitik zurück. Da er sich in den innenpolitischen Auseinandersetzungen der wilhelminischen Zeit sogleich zum engsten Alliierten und zu einer Zubringerorganisation der DKP entwickelte, veränderte er ihren strikt gouvernementalen Charakter in dem Sinn, daß die Konservativen im Konfliktfall zur neuen Opposition von rechts gehören konnten.

Und nicht nur das: Der BdL verließ sich nicht allein auf erfolgreiche Lobbyaktivität, er setzte vielmehr auch auf die Karte eines völkischen Nationalismus und rassistischen Antisemitismus, um mit Hilfe dieser neuen Integrationsideologien seine Anhängerschaft zu erhalten und auszudehnen. Auf diese Weise drangen beide Ideenkonglomerate in den politischen Konservativismus ein, sie stärkten ihn auf dem Land, wenn auch weit weniger in den Städten. Am wichtigsten aber war, daß der neue Antisemitismus, an die Traditionen des religiösen und ökonomischen Antijudaismus mühelos anknüpfend, auf diese Weise gesellschaftsfähig gemacht wurde. Als Bestandteil einer angeblich honorigen konservativen Überzeugung trug er zudem auf längere Sicht zu einer ideologischen Radikalisierung des Konservativismus maßgeblich bei. Wenn sich bei den Konservativen, wie ein liberaler Historiker 1914 kritisierte, bereits «Kastenhochmut und sozialer Herrendünkel mit Chauvinismus» verband, stieß seit den späten neunziger Jahren zusehends noch der rassistische Antisemitismus hinzu.

Noch einmal: Die ländliche Mobilisierung kam nicht nur dem BdL, sondern auch dem Zentrum, den Bauernbünden, den Antisemitenparteien zugute. Aber der BdL lenkte doch ein gut Teil des Proteststroms, ganz vorrangig in Ostelbien, auf seine und der Konservativen Mühlen. Ähnliches gilt übrigens auch für die aufbegehrende Mittelstandsbewegung, von der nicht nur die Nationalliberalen, Antisemiten und das Zentrum, sondern auch die Deutschkonservativen profitierten.

Wie unzweideutig der Schwerpunkt der DKP im ostelbischen Preußen-Deutschland blieb, zeigt ein Blick auf die Herkunft ihrer Reichstagsmandate. 1871 kamen fünfzig von siebenundfünfzig ihrer MdR aus den sieben Ostprovinzen, 1887 vierundfünfzig von achtzig und auch 1912 noch siebenunddreißig von dreiundvierzig. Die Abgeordneten vertraten Bezirke, die fast ausschließlich agrarisch geprägt waren; in gewerblich-industriell bestimmten Wahlkreisen, erst recht in den Großstädten, konnten die Deutschkonservativen nur minimal Stimmen gewinnen.

Nach der Niederlage von 1912 suchten sie die Anlehnung an das «Kartell der schaffenden Stände». Die wichtigste Folge aber war ihre ideologische Verhärtung. Ihr unnachgiebiger Kampf für den Fortbestand der konservativen Suprematie in Preußen gewann Züge eines Glaubenskriegs, wie sie der 1913 gegründete stockreaktionäre «Preußenbund» enthüllte; das Dreiklassenwahlrecht wurde mit Zähnen und Klauen gegen jedes Reformansinnen weiterverteidigt, jeder Anlauf zu einer Reichsfinanzreform im Keim erstickt, der dringend notwendige Ausbau der Sozialpolitik durch eine Totalblockade verhindert. Kurzum: Die Konservativen verhielten sich in vorauseilender Niedergeschlagenheit und Verbissenheit so, als ob sie bereits die Wahlen von 1917 gegen die antizipierte sozial-liberale Mehrheit verloren hätten.

Die Freikonservativen, der zeitweilig innovationswillige und aufgeklärte Seitentrieb des deutschen politischen Konservativismus, hatten sich nach ihrer großen Zeit in der zweiten Reformära zwischen 1867 und 1877 als Honoratiorenpartei gehalten, die wegen ihrer engen Verflechtungen mit Großlandwirtschaft und Großindustrie den «Solidarprotektionismus» und die «Sammlungspolitik» mittrug. In der Regierung und im Verwaltungsapparat behielten die Freikonservativen ihre Vorzugsstellung. Im Lande besaßen sie eine nur schmale, rein protestantische Anhängerschaft, nachdem die schlesischen Magnaten im «Kulturkampf» zum Zentrum übergeschwenkt waren. Achtundneunzig Prozent ihrer Stimmen stammten aus den sieben preußischen Stammprovinzen. Zu einer Mitgliederpartei vermochten sie sich nicht fortzuentwickeln. Ihre Kandidaten verließen sich, wie seit jeher, auf ihr individuelles Ansehen oder ihr Amtsprestige. Folgerichtig gehörten die Freikonservativen zu den großen Verlierern auf dem «politischen Massenmarkt». Hatten sie 1878 noch auf stolze siebenundfünfzig Reichstagsabgeordnete und 13.6 Prozent der Stimmen blicken können, endeten sie 1912 bei vierzehn MdR und drei Prozent. Das bedeutete in jedem Bereich eine radikale Reduzierung um rund drei Viertel ihrer Ausgangsstärke. Für die Freikonservativen war die politische Zukunft genau so dunkel verhangen wie für die Deutschkonservativen.[28]

e) Der politische Antisemitismus – Aufstieg oder Niedergang?

Am rechtsradikalen Rand des deutschen Parteienspektrums waren in den achtziger Jahren mehrere Antisemitenparteien aufgetaucht, die vor allem aufgrund der Überlappung von industrieller und agrarwirtschaftlicher Krise

1893 sechzehn Reichstagsmandate und 264000 (3.4%) Stimmen gewinnen konnten (vgl. vorn IV. A 2e). Diese Leistung konnten sie 1898 noch einmal wiederholen, als ihre 284000 Stimmen (3.7%) ihnen dreizehn Abgeordnetensitze einbrachten. Das sah nach Konsolidierung, ja in den Augen ihrer Anhänger nach einer festen Grundlage für die künftige Expansion aus.

Tatsächlich setzte aber zwischen 1896 und 1903 der Niedergang dieser Parteien ein, der auf der Suche nach den Ursachen des «Holocaust» auch in den politischen Niederungen des Kaiserreichs häufig übersehen worden ist. Selbstverständlich bleibt die Existenz einer Kontinuitätslinie, die vom modernen, rassistischen Antisemitismus, wie er seit den 1870er Jahren entstanden ist, bis hin zum nationalsozialistischen Antisemitismus führt, ganz unbestreitbar. Aber das Augenmerk primär auf die Antisemitenparteien zu richten, da sie als Institutionen mit überlieferten Quellenbeständen, als Verbände mit aggressiven Bekennern, schrillen Publikationen und lärmenden Agitatoren besonders leicht greifbar sind, führt zu einer verengten, irreführenden Perspektive, die von weit bedrohlicheren Entwicklungen des Antisemitismus allzuleicht ablenkt.

Zwar rangen verschiedene Parteien dieser Couleur weiterhin um Einfluß: Die «Christlich-Soziale Partei», die «Deutsche Reformpartei», die «Deutsch-Soziale Reformpartei», die «Deutsch-Soziale Partei», die «Wirtschaftliche Vereinigung», die «Deutsch-Völkische Partei» – die Neugründungen und Spaltungen nahmen kein Ende. Aber seit etwa 1896 verloren die organisierten Antisemiten selbst auf dem rechten Flügel an Attraktivität. 1903 wurde ihr prozentualer Stimmenanteil halbiert (2.6%, 245000; 11 MdR), und 1907 hielt die Stagnation an (2.2%, 245000), obwohl das Wahlsystem ein Strohfeuer zu ihren Gunsten in Gestalt von zweiundzwanzig MdR aufflackern ließ. Die Reichstagswahlen von 1912 besiegelten dann den Niedergang der Antisemitenparteien. Trotz der extrem hohen Wahlbeteiligung konnten sie nur ihren Stimmenanteil verteidigen (2.5%, 300000), ihre Abgeordnetenzahl wurde auf zehn halbiert. Prüft man die Wählerschaft genau, finden sich unter ihr rund 130000 Männer, die für radikale antijüdische Gesetze eintraten.

In den zwanzig Jahren zwischen 1893 und 1912 hat die antisemitische «Lunatic Fringe» trotz der hochschnellenden Anzahl der Stimmberechtigten und der steil ansteigenden Wahlbeteiligungen nicht mehr als 250000 bis 300000 Anhänger für die Stimmabgabe mobilisieren können. Auf diese Zahl war auch bereits die erste Antisemiten-Petition von 1881 (267000 Unterschriften) gekommen. Im Vergleich mit der Zunahme der Anzahl stimmberechtigter Männer und der Wahlbeteiligung gelang ihnen nach dem Aufschwung zu Beginn der neunziger Jahre nicht einmal eine minimale Expansion. Vielmehr beweist der Ausgang der Wahlen ihren Niedergang. Daher war es damals kein illusionäres Wunschdenken, wenn August Bebel den Eindruck für tröstlich hielt, daß der politische Antisemitismus keine Aussicht habe, einen entscheidenden Einfluß auf das politische und gesellschaftliche Leben in Deutschland ausüben zu können: «Bei uns hat er nicht nur den Höhepunkt überschritten, er ist fertig.»

Auch die politisch aktiven jüdischen Deutschen, die den Widerstand gegen den Antisemitismus in Schutzverbänden organisiert hatten, hielten ihn deshalb für einen vorübergehenden «Atavismus, über den eine große Zivilisation wie die deutsche» offenbar hinauswachse. Wenn sie sich über einen «wahrhaft bösen Antisemitismus Sorgen machten», dachten sie «eher an den Fall Dreyfus in Frankreich und an Pogrome in Osteuropa», eher auch an den giftigen Wiener Antisemitismus unter der Ägide Luegers und v. Schönerers.

Unablässig anhaltende innere Konflikte über ihre Ideologie und Strategie hatten die Antisemitenparteien zerrissen; die unzähmbare Rivalität ihrer Anführer, schließlich das Ausscheiden oder der Tod der Prominenz à la Stoecker, Böckel, Liebermann, Ahlwardt hatten sie ebenso geschwächt wie Skandalaffären und Wahlniederlagen. Und nicht zuletzt: Sie hatten kein einziges antijüdisches Gesetz im Reichstag durchzubringen vermocht, gerade dort blieb ihnen jedes Erfolgserlebnis, auf das sie sich fortab hätten berufen können, verwehrt.

Trotz des Scheiterns der Antisemitenparteien wäre es aber völlig verfehlt, ihre Niederlage mit einem Rückgang des modernen Antisemitismus überhaupt gleichzusetzen. Vielmehr hatte er sich inzwischen in manchen Sozialmilieus und Klassen der reichsdeutschen Gesellschaft verhängnisvoll tief eingenistet. Der BdL und die DKP hatten intensiv daran mitgewirkt, ihn sowohl in den «besseren Kreisen» als auch in der politischen Diskussion akzeptabel zu machen. Nach der Entscheidung von 1912 erregte sich die «Kreuzzeitung» über die «jüdischen Wahlen», über «das jüdische Kapital in der Politik», über «Judas Geldmacht» in der Sozialdemokratie und im «Hansa-Bund». Auch im Katholizismus war der Antisemitismus, der auf dem festen Fundament des traditionsgeheiligten christlichen Antijudaismus ruhte, nicht eingedämmt worden. Der katholische Historiker Martin Spahn, der Sohn eines profilierten Zentrumspolitikers und selber ein aktiver Reichstagsabgeordneter, geiferte über den sozialdemokratischen Erfolg als Ergebnis der jüdischen Neigung zum Sozialismus und Radikalismus. In der Mittelstandsbewegung, im DNHV, bei den Alldeutschen und überhaupt in den nationalen Verbänden blieb der Antisemitismus in der Mentalität der Anhänger ungebrochen und im Vokabular präsent – auch wenn sie sich zur Wahl der anrüchigen «Radikalinskis» nicht entscheiden mochten.

Und im politisch-administrativen System grassierten die antisemitischen Vorurteile unentwegt weiter. Dafür außer der Beamtenpolitik (vgl. B 1 f) nur noch zwei weitere Beispiele: 1866 war in Preußen das Gesetz gegen die Einstellung jüdischer Richter endlich aufgehoben worden. Bis 1914 aber gab es gerade einmal zweihundert jüdische Amtsrichter, die ohne jede Chance beruflichen Aufstiegs blieben. Von fünfundzwanzigtausend Einjährig-Freiwilligen jüdischer Herkunft, die zwischen 1871 und 1914 als potentielle Offiziersanwärter in die Armee eintraten, konnten einundzwanzig zum Leutnant der Reserve avancieren. Einen jüdischen Berufsoffizier gab es nicht. Offener oder latenter, jedenfalls wirksamer Antisemitismus blieb ein Kennzeichen auch des kaiserlichen Offizierkorps. Nein, der Mißerfolg der Antisemitenparteien bedeutete keineswegs das Ende des gesellschaftlich breit diffundierten modernen Antisemitismus. Als der Erste Weltkrieg ihn gefährlich steigerte und die Niederlage die Jagd nach Sündenböcken auslöste, dehnte er sich weiter aus, und die neuen völkisch-antisemitischen Verbände und Parteien konnten bis 1932 ein bisher unvorstellbares Wählerpotential mobilisieren.[29]

3. Der Triumph der politischen Ideologien

Die Transformation der deutschen Gesellschaft hielt im letzten Drittel des langen 19. Jahrhunderts nicht nur an, vielmehr beschleunigte sich die Geschwindigkeit und steigerte sich die Tiefenwirkung der Veränderungsprozesse. Das Industrialisierungstempo nahm zu, die marktbedingten Klassen prägten sich schärfer aus, Urbanisierung und Binnenwanderung schufen neue Lebensbedingungen für Abermillionen von Menschen. Die Fundamentalpolitisierung veränderte ebenso wie der «politische Massenmarkt» den Charakter der politischen Partizipation, bis sie ein im internationalen Vergleich erstaunlich hohes Mobilisierungsniveau erreichte. Klassenkonflikte und politische Kontroversen hielten die innenpolitischen Auseinandersetzungen unablässig in Gang.

Überall regierte ein überstürzter Wandel – dieser Eindruck beherrschte weithin das Lebensgefühl. Der Einbruch des Neuen ließ sich nicht aufhalten, der Aufbruch zu fernen Ufern in eine ungewisse Zukunft hielt an. Ein unwiderstehlicher Modernisierungsprozeß ohne erkennbares, absehbares Ende riß die Menschen mit sich – den einen ein Mahlstrom der Bedrohung mit dem Verlust aller haltgebenden Traditionen, den anderen die Verheißung eines besseren Lebens und eines lang erwarteten Fortschritts. Aus dem Widerstand gegen den Sicherheitsverlust, gegen den Weg ins Ungewisse bezog die «Beharrungspartei» ihren Behauptungswillen und ihren Zulauf, während die Gegenseite den Wandel bejahte und auf einen durch Reformen geglätteten Übergang in die Moderne drängte.

Diese Epoche tief einschneidender und deshalb millionenfach empfundener schmerzhafter Veränderungen schuf optimale Bedingungen für das Vordringen von Ideologien, die ein stabilisierendes «Weltbild» versprachen, eine zufriedenstellende Erklärung der immer komplexeren Umwelt anboten, eine einleuchtende Sinndeutung verhießen, die begehrte Verhaltenssicherheit und zuverlässige Handlungsanleitung in Aussicht stellten. Der Aufstieg des Marxismus in der deutschen Arbeiterbewegung ist ein klassisches Beispiel für die vielfältigen Orientierungsfunktionen einer solchen holistischen Ideologie. Mit ganz unterschiedlichen Ansprüchen traten auch der Antisemitismus und der Sozialdarwinismus, der Pangermanismus und der Militarismus auf dem Markt der konkurrierenden und koalierenden Weltanschauungsangebote auf. Vor allem aber der Nationalismus, der vorn bereits mehrfach erörtert worden ist (5. Teil, IV. 2b; 6. Teil, IV. A 4), gewann als politische Säkularreligion an offenbar unwiderstehlicher Faszinationskraft noch hinzu.

a) Die Radikalisierung des Reichsnationalismus

Die Plastizität auch des deutschen Nationalismus hatte sich an seinem tiefreichenden Inhaltswandel seit 1871 erwiesen, der weit über seinen Funktionswandel hinausging. Unverkennbar unterlag er seit den achtziger Jahren einer zunehmenden Radikalisierung, die vorn als «Antwort» auf den belastungsreichen Modernisierungsprozeß in den unterschiedlichsten Dimensionen des gesellschaftlichen und individuellen Lebens interpretiert worden ist. Diese Radikalisierung verstärkte die charakteristischen Züge einer «politischen Religion», sie steigerte die Psychomotorik dieser säkularen Heilslehre, sie erreichte auch zusehends mehr Menschen. Denn die politischen Sozialisationsprozesse zugunsten des Nationalismus, sei es in der Familie und Schule, sei es im Militär und Vereinswesen, hielten inzwischen seit Jahrzehnten an. Die sozialkulturelle Persönlichkeit des einzelnen wurde durch diese machtvollen Einflüsse geprägt, das kollektive Gedächtnis mit nationalisierten Erinnerungen besetzt.

Nachdem der Nationalstaat gewonnen war, drängte der radikalisierte Nationalismus darauf, endlich auch die im Inneren «vollendete» Nation durch die Homogenisierung des Nationsverbandes zu erreichen, notfalls gegen jeden Widerstand zu erzwingen. Der Bekämpfung der inneren «Feinde», die für den Nationalismus seit jeher eine maßgebliche Rolle gespielt hatte, wurde jetzt das Ziel eines totalen Sieges gesetzt. An der forcierten Germanisierungspolitik, an der unveränderten Stigmatisierung der Sozialdemokratie, am politischen Antisemitismus mit seiner Vision eines «rassereinen» Reiches läßt sich diese extreme Zuspitzung des integralen Nationalismus ablesen. Zugleich gewann die Identifikation mit der deutschen Großmachtstellung neue aggressivere Züge; der Imperialismus trieb über die einstmals proklamierte «Saturiertheit» des Reiches hinaus; großdeutsche und pangermanistische Ideen stellten die Lösung der deutschen Frage von 1871 prinzipiell in Frage, im europäischen Staatensystem verkörperten sie geradezu einen nationalrevolutionären Anspruch. In einem ungeahnten Maße wurden die Klischeevorstellungen von den inneren und äußeren «Feinden der Nation» dämonisiert.

Einige Antriebskräfte und Auswirkungen des deutschen Radikalnationalismus sollen hier zuerst an der verschärften Nationalitätenpolitik, die sich zunehmend auch an dem Ideal einer ethnisch homogenen Reichsnation ausrichtete, dann an der Aktivität der nationalistischen Agitationsverbände verdeutlicht werden.

Das klassische Exerzierfeld der Germanisierungspolitik lag bekanntlich im preußischen Osten, wo sich mehr als drei Millionen Polen gegen die nationale Überwältigung zur Wehr setzten (vgl. vorn IV. A 4b). Im Vergleich mit diesem Großkonflikt wirkten die antidänische Politik in Nordschleswig und die antifranzösische Politik in Elsaß-Lothringen trotz aller zutiefst illiberalen Züge als gebremste Kampfmaßnahmen auf zwei Nebenschauplätzen.

In den Ostprovinzen dagegen war der Kampf um die «Germanisierung des Bodens» seit der Ansiedlungsgesetzgebung von 1886 in eine neue Phase getreten. In einer zähen Auseinandersetzung erwiesen sich die flexiblen, nationaldisziplinierten polnischen Genossenschaften dem schwerfälligen bürokratischen Apparat der deutschen Ansiedlungskommission als überlegen. Seit der Mitte der neunziger Jahre wechselte kontinuierlich mehr deutscher Grundbesitz in polnische Hand als umgekehrt polnisches Adelsland in deutschen Besitz. Daraufhin wurde zuerst der Verfügungsfonds der Kommission aufgestockt, dann machte ein Gesetz seit dem Sommer 1904 «neue Ansiedlungen» im Geltungsbereich des Gesetzes von 1886 von der Genehmigung der Regierungspräsidenten abhängig. Damit wurde die polnische Minderheit einen weiteren Schritt aus der Rechtsgemeinschaft der preußisch-deutschen Staatsbürger hinausgedrängt, denn das Gesetz war weder mit der verfassungsrechtlich verbrieften Freizügigkeit im Reich vereinbar noch mit den Grundsätzen der preußischen Verfassung und des Bürgerlichen Gesetzbuchs in Einklang zu bringen. Es lieferte die kaufwilligen polnischen Landwirte dem von nationalpolitischen Erwägungen diktierten Ermessensentscheid der Verwaltungsbehörden aus, denen Hohenlohe-Schillingsfürst im April 1898 die «Förderung des Deutschtums» im Amt und selbst außerhalb des Dienstes zur Pflicht gemacht hatte.

Die Warnung von Kritikern der Germanisierungspolitik, daß ein gespaltenes Recht für Bürger desselben Staates die Gefahr der moralischen Korruption und die eklatante Verletzung von Verfassungsnormen heraufbeschwöre, verhallte unbeachtet. Vielmehr ließ die Erfolglosigkeit des Kampfes um den Boden die Staatsregierung und ihre Verbündeten im Landtag die schärfste Waffe ins Auge fassen, die ihnen überhaupt noch zu Gebote stand: die Enteignung polnischen Grundbesitzes. Frühzeitig hatte der «Deutsche Ostmarkenverein» unter seinem Ziel, die preußischen Polen zu verdrängen oder «einzudeutschen», bereits die «Enteignung» jener polnischen Ländereien verstanden, deren «Bestand die Ausbreitung der angrenzenden deutschen Siedlungen» verhinderte. Seine Agitation blieb nicht wirkungslos, aber erst die Erfolglosigkeit der deutschen Siedlungspolitik, die allein im Jahre 1906 rund dreizehntausend Hektar deutschen Besitzes an die Polen verlor, bestimmte die Regierung im November 1907 dazu, dem Landtag eine Gesetzesvorlage zuzuleiten, die dem Staat eine Blankovollmacht zur Enteignung einräumte. Nachdem die Bedenken einiger Konservativer, daß damit künftigen staatssozialistischen Eingriffen ein Modell geliefert werde, ausgeräumt waren, trat das Gesetz im März 1908 in Kraft. Der Staatsregierung wurde darin gestattet, «zur Stärkung des Deutschtums» in Posen und Westpreußen jederzeit Besitz bis zum Umfang von siebzigtausend Hektar gegen Entschädigung zu enteignen.

Das Gesetz, das mit dem Gleichheitsgrundsatz der preußischen Verfassung brach und mit der Proklamation Friedrich Wilhelms III. vom Mai 1815 an die Polen des preußischen Teilungsgebiets unvereinbar war, kann geradezu als «das Musterbeispiel einer diskriminierenden, die Gleichheit vor dem Gesetz verletzenden und daher auch nach damaligem Recht verfassungswidrigen Enteignungsermächtigung» gelten. Es erweiterte die Grundlage für eine prinzipiell «diskriminierende Ungleichbehandlung der Angehörigen einer bestimmten Nationalität». Unstreitig haben sich Regierung und Landtag «durch diesen verfassungswidrigen Gesetzgebungsakt schwer und nachhaltig kompromittiert», denn es war «durch nichts zu rechtfertigen, daß der Staat seine Behörden gesetzlich ermächtigte», die Polen trotz der durch «Verfassungssatz» und «Königswort» verbrieften Gleichberechtigung «aus dem rechtmäßig erworbenen Grundeigentum durch Zwangsakt zu entsetzen». Eine ideologische Rechtfertigung gab es gleichwohl, und sie besaß für die Legislative und einen Großteil der politischen Öffentlichkeit eine zwingende Überzeugungskraft: Das war das radikalnationalistische Ideal der ethnisch homogenen Reichsnation, deren Germanisierungspolitik vor altmodischen Rechtsbarrieren nicht mehr haltmachen wollte.

Nachdem der Staat nahezu eine Milliarde Goldmark für die «Germanisierung des Bodens» zur Verfügung gestellt hatte, die Ansiedlungskommission aber vom «Społeczeństwo» der Polen, ihrem «Gemeinwesen» innerhalb des deutschen Staates, ständig ausgestochen wurde, entschloß sich die Regierung Bethmann Hollweg, ein Exempel zu statuieren. Im Oktober 1912 ließ der Landwirtschaftsminister eintausendneunhundert Hektar aus dem Besitz von vier polnischen Gutsbesitzern gegen Entschädigung enteignen. Da dieser Schritt als Auftakt künftiger Eingriffe aufgefaßt wurde, löste er harsche Kritik aus – nicht nur von seiten der Polen, sondern auch in der liberalen und sozialdemokratischen deutschen Presse, schließlich auch im Reichstag, wo sich sogar aus den unterschiedlichsten Motiven eine kurzlebige Mehrheit für ein Tadelsvotum gegen Bethmann Hollweg zusammenfand. Da Bethmann in seiner Doppelfunktion als Reichskanzler und preußischer Ministerpräsident dem Parlament jede Kontrollkompetenz gegenüber der preußischen Gesetzgebung und Verwaltungspolitik verfassungsrechtlich korrekt absprechen konnte, prallten die Vorwürfe folgenlos ab. Fatal war, daß wenig später die Kriegszielplanung im Osten in dem Enteignungsgesetz von 1908 und in der Expropriation von 1912 ein Vorbild und eine Rechtsgrundlage vorfand, von der sie bei ihrem Projekt eines «polnischen Grenzstreifens» mit der Umsiedlung und Ausweisung von Polen ausgehen konnte. Auf diese Vorläufer in Theorie und Praxis hat sich dann auch die nationalsozialistische «Ostlandpolitik», die diese Ansätze zum barbarischen Extrem übersteigerte, traditionsbewußt berufen.

Unvergleichlich härter wurden die Polen jedoch durch die Germanisierungspolitik im Bereich des Sprachenrechts getroffen, das den Kern ihrer nationalkulturellen Identität zerbrechen sollte (vgl. vorn IV. A 4b). Unter dem Druck des radikalisierten Reichsnationalismus wurde die polnische Sprache aus der Schule und dem Amtsverkehr, aus dem Gerichtssaal und dem Versammlungslokal vertrieben. Dabei drängte die Bürokratie nicht nur ständig auf die Erweiterung ihrer Kompetenzen, um Verfassungsrechte umgehen zu können, sondern mit Hilfe der sogenannten «Ostmarkenzulage» wurde sie sogar materiell dazu animiert, sich durch Beweise schneidiger «Germanisierung» hervorzutun.

Unvermeidbar löste der Sprachenkampf scharfe Konflikte aus, insbesondere als die Verwaltung dem polnischen Nationalkatholizismus eine seiner Domänen, den Religionsunterricht, versperrte, indem sie dort die deutsche Sprache vorschrieb. 1906/07 steigerte sich der Widerstand bis zu den sogenannten «Schulstreiks», mit denen rund fünfzigtausend polnische Kinder gegen den administrativen Zwang, die deutsche Sprache im Religionsunterricht zu gebrauchen, durch ihr Fernbleiben von der Schule protestierten. Dieses neuartige Phänomen des Nationalitätenkampfes imitierte die gleichartige Bewegung im russischen Kongreß-Polen, wo Geistliche, Eltern und Schülerklubs diese Opposition gegen die Russifizierung organisiert hatten. Die deutschen Schulbehörden antworteten im vertrauten Obrigkeitsstil mit Schulverweisungen und Disziplinarstrafen, Gefängnis für die Eltern und sogar Entzug des Erziehungsrechts – mit zwangsläufig unrühmlichen Maßnahmen gegen die Kinder und ihre Eltern. In ihrer Mischung von nationalistischem Eifer und bürokratischer Ratlosigkeit gingen die «drakonischen Strafen» gegen die Demonstranten «über das Maß einer gerechtfertigten Sühne weit hinaus».

Auch das antipolnische Sprachenrecht erreichte 1908 seinen Höhepunkt (vgl. vorn IV. B 1c), als der Sprachenparagraph des Reichsvereinsgesetzes für den öffentlichen Gebrauch des Polnischen nur mehr eine zeitlich begrenzte Ausnahmeregelung in denjenigen Kreisen vorsah, wo die Volkszählung mindestens sechzig Prozent der alteingesessenen Bevölkerung als Polen erfaßte. Erneut wurde das Gleichheitsprinzip der Verfassung durch das nationalistische Maximalziel der einheitlichen deutschen Staatssprache verletzt. Der Genuß von verbrieften Grundrechten geriet in die Abhängigkeit von der Nationalitätenstatistik, die bereits durch und durch politisiert war. Außerdem konnte sie vom Erhebungspersonal – Lehrern und Polizisten im Genuß der «Ostmarkenzulage» – fast beliebig manipuliert werden. Wenn es etwa in der «Anweisung für Zähler» bei der Volkszählung von 1910, von deren Ergebnis die Anwendbarkeit des Sprachenparagraphen abhing, unverbrämt hieß, daß «offenbar unrichtige Angaben» – etwa zur Sprachkenntnis – «ohne weiteres» vom Zähler zu berichtigen seien und er «bei zweifelhaften Angaben» «besondere Ermittlungen, nötigenfalls unter Zuziehung der Ortspolizei anzustellen» habe, gewinnt man einen Einblick in die dubiosen Resultate der Sprachenstatistik. Wie sehr der Reichsnationalismus den deutsch-polnischen Gegensatz gerade auf dem Gebiet der «Germanisierung der Sprache» vertieft hat, erhellt daraus, daß der strittige Paragraph des Reichsvereinsgesetzes erst im April 1917, ein halbes Jahr nach der Gründung eines polnischen Staates durch die «Mittelmächte», aufgehoben wurde. Auch im Sprachenkampf mit seinen frühen Entartungserscheinungen kann man die Vorstufe der späteren Unterdrückungspolitik nur zu deutlich erkennen.

Es ist wahr: Die Germanisierungspolitik ist im Kampf um die Sprache und den Boden bereits extrem weit gegangen, ohne aber die äußersten Konsequenzen zu ziehen, da der politische Widerstand und rechtsstaatliche Hemmungen noch Kompromisse erzwangen. Dennoch rückt die Polenpolitik im späten Kaiserreich nur dann in eine angemessene historische Perspektive, wenn man nicht allein jene restlichen rechtsstaatlichen Sicherungen hervorhebt, wie das auf deutscher Seite immer wieder geschehen ist. Vielmehr muß man sich das ganze Ausmaß der antipolnischen Germanisierungspolitik vergegenwärtigen, dessen der radikalisierte Reichsnationalismus im Sprachen-, Schul- und Agrarrecht, im Gerichtswesen und Verkehr mit der Verwaltung schon fähig war. Nur dann erfaßt man die zahllosen Schikanen und zunehmenden Härten, die unverhüllte Erbitterung und ungemilderte Animosität, die den Nationalitätenkampf vor 1914 kennzeichneten und der Folgezeit ihr böses Erbe mitgaben.

b) Die nationalistischen Agitationsverbände

Der deutsche Radikalnationalismus äußerte sich in einer veränderten politischen Mentalität; er trat in kompromißlosen nationalpolitischen Forderungen zutage; er strebte die Realisierung seiner fixen Idee von der «vollendeten» und das hieß zunehmend: der ethnisch homogenen Nation durch die Germanisierungspolitik an. Seinen institutionellen Ausdruck fand er aber auch und gerade in den nationalistischen Agitationsverbänden, die den Erfolg des extremen Nationalismus auf den unterschiedlichsten Kampfplätzen zu ihrer ureigensten Sache erklärten. Der direkte politische Einfluß dieser Verbände ist ebensooft überschätzt worden, wie ihn die Apologeten des Kaiserreichs heruntergespielt haben. Indem hier sechs solcher Kampfverbände aus der Vielzahl nationalistischer Vereine herausgegriffen werden, geht es in erster Linie um ihre symptomatische Bedeutung für die Veränderung des Nationalismus, erst an zweiter Stelle um ihre politische Funktion und ihr Gewicht im politischen Entscheidungsprozeß.

Es war durchaus folgerichtig, daß sich mit dem Aufbruch des deutschen Imperialismus seit dem Ende der siebziger Jahre auch die Gründung von Fördervereinen verband, in denen ein Nationalismus neuer Qualität über die Grenzen des «saturierten» Reiches von 1871 hinaustrieb. In den ersten Vereinigungen, die für die überseeische Expansion eintraten – dem «Centralverein für Handelsgeographie und Förderung deutscher Interessen im Ausland» von 1878, dem «Westdeutschen Verein für Kolonisation und Export» von 1881, dann dem «Deutschen Kolonialverein» von 1882 – standen Exportinteressen und Kolonialpläne, sozialimperialistische Motive und Auswanderungsregulierung im Vordergrund. Zugleich aber meldeten dort die Repräsentanten eines hochfahrend selbstbewußten Nationalismus ihren Anspruch auf deutsche «Weltmacht» als unentbehrliches Attribut des neuen Nationalstaats an, und in ethnisch-rassistischen Begriffen verlangten sie die Konzentration «deutscher Volkskraft» in eigenen Kolonien, anstatt sie, wie das seit langem beklagt wurde, weiterhin in «fremdem Volkstum» spurlos versickern zu lassen.

Im «Kolonialverein», der binnen kurzem durch den Bismarckschen Kolonialimperialismus Auftrieb erhielt, ballte sich bereits ein beachtliches politisches Potential zusammen. Nationalliberale Führungskräfte wie Miquel, Bennigsen und Hammacher, Industrievertreter wie Baare, Stumm und Bueck vom ZdI, Hamburger und Bremer Großreeder, Intellektuelle wie Schmoller und Freytag setzten sich aus unterschiedlichen Gründen für die gemeinsamen Ziele ein, für die sie 12400 Mitglieder gewinnen konnten.

Von der konkurrierenden «Gesellschaft für deutsche Kolonisation» von 1884 ging demgegenüber eine schwächere Ausstrahlungskraft aus, wie das auch die geringe Anzahl von Mitgliedern (4500) verrät. Sie blieb im Grunde eine Unterstützungslobby für Carl Peters' ostafrikanische Kolonialerwerbungen. Als beide Vereine Ende 1887 zur «Deutschen Kolonialgesellschaft» fusionierten, wurden zwar die Kräfte in einem neuen Interessenverband koordiniert, doch alle Agitation führte nicht zu einer Fortsetzung der deutschen Kolonialpolitik.

Von den siebenunddreißigtausend Mitgliedern, die der «Kolonialgesellschaft» angehörten, stellten Wirtschaftsbürger (Kaufleute, Fabrikanten und Gewerbetreibende mit 41%) und Bildungsbürger (Lehrer, Richter, Anwälte, Ärzte, Pfarrer, Beamte und Wissenschaftler mit 39%) ungefähr gleich große Anteile. In der Öffentlichkeit gaben jedoch die akademischen Kolonialenthusiasten den Ton an, wenn sie die Ausdehnung des deutschen Kolonialreichs gegen den Widerstand aller neidischen Rivalen als unabdingbare nationale Aufgabe propagierten. Auf diese Weise wurden dem Reichsnationalismus in fernen Kontinenten neue Ziele gesetzt, die an den Willen appellierten, die angeblich überholte Selbstgenügsamkeit der nationalen Existenz in den Grenzen von 1871 zu überwinden.

Von solchen Imperialismusanhängern wurde im September 1886 der «Allgemeine Deutsche Verband zur Förderung überseeischer deutsch-nationaler Interessen» gegründet, der sich nicht nur für neue koloniale Eroberungen, sondern auch für eine aggressive Außenpolitik zur Demonstration «deutscher Weltgeltung» einsetzte. Hier meldete sich die Vorhut einer jener Panbewegungen, die im 20. Jahrhundert eine solche Rolle spielen sollten, zu Wort. Das Banner des Pangermanismus, der auch im Ideenkonglomerat eines Lagarde, Langbehn, Chamberlain herumschwebte, wurde von pathologischen Wirrköpfen wie Carl Peters hochgezogen. Als dann 1890 eine Protestbewegung gegen den Tausch deutscher Kolonialansprüche auf die Insel Sansibar gegen die damals noch unter englischer Souveränität stehende Insel Helgoland entstand, vereinigte sie sich im April 1891 mit dem «Allgemeinen Deutschen Verband»: Daraus ging der berühmt-berüchtigte «Alldeutsche Verband» hervor, der diesen Namen freilich erst seit dem Frühjahr 1894 führte.

Zu seiner Führungsgruppe gehörten von Anfang an Alfred Hugenberg – damals noch Regierungsassessor, aber auf dem Sprung nach oben –, Carl Peters, der Bankier Karl v. Heydt, der freikonservative Partei- und Verbandspolitiker Wilhelm v. Kardorff, Theodor Reismann-Grone, zuerst Generalsekretär eines schwerindustriellen Interessenverbandes und später einflußreicher Publizist; vierzehn Jahre lang, von 1893 bis 1908, fungierte der Leipziger Geographieprofessor Ernst Hasse als erster Vorsitzender, ihm folgte von 1908 bis 1939, als der Verband wegen «der Erreichung all seiner Ziele» durch den Nationalsozialismus aufgelöst wurde, der Justizrat Heinrich Claß. Seit 1895 erhöhte Bismarcks Ehrenmitgliedschaft das Prestige der Alldeutschen. Dennoch fluktuierte in den rund hundert Ortsvereinen ihre Anhängerschaft heftig: 1891 zählte der Verband zehntausend Mitglieder, 1892 schnellte ihre Zahl auf einundzwanzigtausend empor, fiel aufgrund innerer Krisen 1894 auf viertausendsechshundert, erreichte 1900 wieder einundzwanzigtausend und pendelte sich bis 1914 bei achtzehntausend ein.

Eine Massenorganisation wurde der «Alldeutsche Verband» mitnichten, wohl aber ein unüberhörbares Sprachrohr des Radikalnationalismus, dessen extreme Ausprägung er mit aller militanten Konsequenz verfocht. Seine programmatischen Forderungen enthüllten, wie er die unvollendete Nationsentwicklung zu ihrem Abschluß bringen wollte – sie enthüllten auch, wie meilenweit er sich nach der Zeitspanne einer Generation von den Zielen der liberalen Nationalbewegung und den selbstgesetzten Grenzen der Bismarckschen Nationalstaatspolitik entfernt hatte. Als Grundlage aller künftigen Reichspolitik postulierte er eine dynamische «Belebung» des Nationalismus und «Kräftigung» der Nation, die er als ethnische Einheit in dem durch Sprache und Kultur geprägten expansionsbereiten Reich verstand. Darüber hinaus ging es ihm um den Kampf für «das Deutschtum im Ausland», ja um die «Zusammenfassung aller deutschen Elemente auf der Erde», wozu auch die «Pflege des Bewußtseins der rassenmäßigen ... Zusammengehörigkeit aller deutschen Volksteile» gehörte. Von der aktiven Unterstützung deutscher Minderheiten (z. B. in Ungarn) und deutscher Siedlungsgebiete (z. B. in Südbrasilien) war es nur ein kurzer Schritt bis hin zu der Forderung nach einer neuen großdeutschen Politik in Mittel- und Südosteuropa, begleitet von einer «tatkräftigen» Kolonialexpansion, die insbesondere auf die Zentren der deutschen Auswanderung außerhalb der USA – möglichst als Protektorate eines deutschen Weltreichs – abzielte. Dieser imperialistischen Zielvision entsprach ebenso der Ruf nach dem Ausbau der Kriegsflotte, wie zu den innenpolitischen Aufgaben die rücksichtslose Bekämpfung aller nationalen Minderheiten und «Reichsfeinde» gehörte.

Aus solchen Zielvorstellungen ergab sich eine zeitweilig enge Kooperation der «Alldeutschen» mit der «Kolonialgesellschaft», dem «Flotten»- und dem «Ostmarkenverein», aber auch mit dem «Allgemeinen Deutschen Sprachverein» und dem «Verein für das Deutschtum im Ausland». Da dort häufig eine latente Rezeptionsbereitschaft bereits vorhanden war, infiltrierte die alldeutsche Ideologie mehr oder minder tief das weite Umfeld der nationalistischen Verbände; sie fand auch begeisterte Zustimmung bei Studenten in den Burschenschaften und Korporationen, insbesondere im VDSt. Darüber hinaus drückte der «Alldeutsche Verband» zum einen radikalnationalistische Ideen, etwa zur Germanisierungspolitik, aus und unterstützte imperialistische Pläne der wilhelminischen «Weltpolitik», ohne sich dabei von den etablierten Mächten in der Politik und öffentlichen Meinung grundsätzlich zu unterscheiden; das war abstoßend genug, bedeutete aber noch nicht die Fähigkeit, den Regierungskurs selber zu bestimmen. Zum andern übte der Verband heftige Kritik an der Reichsregierung wegen ihrer unzulänglichen Aktivität in Übersee, ihrer diplomatischen Rücksichtnahme, ihrer Bedenken dagegen, die «Deutschtumspolitik» zu einem rassistischen Germanisierungskampf ohne jede Hemmung zu steigern. Insofern wurde der «Alldeutsche Verband» zur Speerspitze der neuen Opposition von rechts, innerlich allerdings durch sein ambivalentes Verhältnis zum Herrschaftssystem tief gespalten.

Der sozialen Zusammensetzung nach war der Verband «im Prinzip ein Phänomen des Bildungsbürgertums», das in den Führungsstellen, aber häufig auch in der Mitgliedschaft das Übergewicht besaß. Gut die Hälfte aller Leitungspositionen hielten Lehrer und Beamte, Rechtsanwälte und Ärzte inne; nur jeweils zwanzig Prozent fielen an Unternehmer und Manager bzw. an Kaufleute und Angestellte. Die Anhänger gehörten fast ausschließlich den bildungs- und besitzbürgerlichen Mittelklassen an, wobei, wie gesagt, der auffällig hohe Akademikeranteil auffällt. Daher strotzte der Verband von elitärem bildungsbürgerlichen Dünkel, aber er war kein von Professoren beherrschter Verein. Obwohl prominente Professoren ihm zumindest zeitweilig angehörten – Ernst Haeckel etwa, Max Weber, Karl Lamprecht, Theodor Schiemann, Dietrich Schäfer und andere –, gelangten zwischen 1891 und 1914 doch nur siebenunddreißig Hochschullehrer in Aberhunderte von Führungsstellen.

Die Ideologie und Rhetorik des «Alldeutschen Verbandes» spiegelte vorrangig die Geistesverfassung seiner bildungsbürgerlichen «Meinungsmacher» wider: die Steigerung des Nationalismus zu einer integralistischen Säkularreligion, das Verlangen nach «Vollendung» der Nation weit über die kleindeutschen Grenzen hinaus, die Statusängste in einer Welt rapiden Wandels, das Insistieren auf dem öffentlichen Wächteramt der Gebildeten, das traumatische Gefühl der Bedrohung durch die Flut der «Fremdvölkischen» und «Reichsfeinde», die Forderung nach der Ausdehnung deutscher Macht und Kultur durch den Imperialismus und eine pangermanistische Anschlußpolitik, durch die «Rassenpflege» und «Deutschtumspolitik» – alles in allem eine brisante Mischung von tiefsitzender Überwältigungsfurcht und bellikoser Zukunftssicherung.

Unstreitig wurden zahlreiche Alldeutsche durch die Enttäuschung mobilisiert, daß ihre Ängste und Wünsche von den etablierten Parteien und Honoratiorenpolitikern nicht angemessen berücksichtigt und bei politischen Entscheidungen zur Geltung gebracht wurden. Nicht minder eindeutig ist jedoch der Tatbestand, daß das Aufbegehren durch den Verband kanalisiert, von seiner Notabelnelite gesteuert und vom radikalen Führungskern auch oft genug manipuliert wurde. Daß dadurch im «Alldeutschen Verband» ein gefährlicher ideologischer Druck anwuchs, ist richtig, er vermochte aber noch nicht, wesentliche Entscheidungen der Reichspolitik zu bestimmen. Vielmehr war die alldeutsche Ideologie ein Vorbote der Zukunft: Unter dem Pseudonym Daniel Frymann verlangte 1912 der Verbandsvorsitzende Heinrich Claß in seiner Kampfschrift «Wenn ich der Kaiser wäre» eine plebiszitär abgestützte Führerdiktatur, eine hierarchisch aufgebaute Volksgemeinschaft, «Lebensraum» als Ergebnis von Landeroberung, dazu die Bekämpfung der Großstädte, des Finanzkapitals, vor allem aber der Juden, deren Zugehörigkeit zur zivilisierten Menschheit er radikal in Frage stellte. Um mit dem Antisemitismus endlich Ernst zu machen, forderte Claß judenfeindliche Ausnahmegesetze, die in mancher Hinsicht den «Nürnberger Gesetzen» des «Dritten Reiches» ähnelten. Deshalb gingen diese innenpolitischen Ziele und die Expansionspläne der «Alldeutschen» nicht nur in die Kriegszielplanung nach 1914 über, sondern lebten auch im Kontinentalimperialismus des Nationalsozialismus weiter, der an ihre Utopie eines rassereinen Herrenmenschentums in einem germanischen Großreich fugenlos anknüpfte.

Vielfach in dichter ideologischer Affinität zum Radikalnationalismus der Alldeutschen stand der «Deutsche Ostmarkenverein», die Inkarnation des aggressiven Germanisierungswillens. Er wurde 1894 sowohl aus Enttäuschung über die vermeintlich zaudernde Polenpolitik der Regierung als auch aus Animosität gegen die anschwellende «slawische Flut» ins Leben gerufen. Seine Gründungstroika – die posenschen Großgrundbesitzer Ferdinand v.

Hansemann, Hermann Kennemann und Heinrich v. Tiedemann, daher der Spitzname HKT-Verein oder Hakatisten – trommelte nahezu ausschließlich im ostelbischen Deutschland ziemlich erfolgreich Mitglieder zusammen. 1895 waren es immerhin zwanzigtausend, bis 1914 etwa vierundfünfzigtausend in rund vierhundert Ortsvereinen.

Erneut dominierte unter ihnen mit einundvierzig Prozent das Bildungsbürgertum der Verwaltungs- und Justizbeamten, der Lehrer und Professoren; wegen der Reaktion auf die harte polnische Verdrängungskonkurrenz folgten Handwerker (18 %), dann Kaufleute und Gewerbetreibende (15 %). Von den Vereinsfunktionären gehörten sogar fünfundfünfzig Prozent zu den bildungsbürgerlichen Beamten und Pfarrern, Lehrern und Professoren. Bekannte Köpfe der akademischen Welt wie Otto v. Gierke, Adolph Wagner, Ulrich v. Wilamowitz-Moellendorf, Gustav Roethe, Max Lenz, Dietrich Schäfer und andere verhalfen dem Verein zum Image bürgerlicher Honorigkeit und «aufrechter» deutschnationaler Gesinnung. In der relativ kleinen Gruppe der Großagrarier ballte sich jedoch ungleich mehr Vereinsmacht zusammen, da sie die Spitze der Leitungshierarchie besetzten.

Offen verfocht der «Ostmarkenverein» seine Hauptziele: die totale «Germanisierung der Sprache», die forcierte «Germanisierung des Bodens», die zügige «Entpolonisierung» der Städte durch ein Zuzugsverbot für Polen. In jeder Hinsicht verstand der neue Agitationsverband seine Aufgabe nicht als Defensive gegen das «Gemeinwesen» der preußischen Polen, sondern als kompromißlosen Angriff mit dem Ziel, den Osten vollständig «einzudeutschen». Auf zahlreichen Versammlungen, in Flugschriften und Aufrufen, in Eingaben an die Behörden und in seiner Zeitschrift «Die Ostmark» machte er kein Hehl daraus, auch vor einer gewaltsamen Germanisierung nicht zurückzuschrecken.

Mochten seine schrillen Propagandatöne auch manchen abstoßen, gewann er doch einen erheblichen Einfluß auf die öffentliche Diskussion und die antipolnischen Kräfte in der Bürokratie, in vermittelter Form auch auf die Polenpolitik der Regierung und der Parteien. Bis zur Jahrhundertwende hatte sich der «Ostmarkenverein» dank der Resonanz, die sein rabiater Chauvinismus fand, als einer der aktivistischen Träger des Nationalitätenkampfes etabliert. In seiner Rhetorik und Publizistik setzte sich ein völkischer Radikalnationalismus durch, der mit rassistisch aufgeladenen Vorstellungen vom west-östlichen Kulturgefälle, von slawischer Minderwertigkeit und germanischer Kulturmission im Osten eine unheilverheißende Fusion einging.

Frühzeitig tauchte im «Ostmarkenverein» die Forderung auf, polnischen Grundbesitz nach Maßgabe deutscher nationaler Interessen zu enteignen, wie das der Mitbegründer v. Hansemann bereits 1900 anmahnte. Darüber hinaus propagierte der Verein als «Lösung» der Nationalitätenfrage sogar die zielstrebige «Umsiedlung», ja «Ausweisung» jener Polen, die sich der Germanisierung widersetzten. Unverkennbar besitzt daher der «Ostmarkenverein» in der Entwicklung der «Lebensraum»-Ideologie und des «Ostland»-Imperialismus einen hohen Stellenwert, der sich auch personengeschichtlich nachweisen läßt. Deshalb gehört er zu den Vorstufen der nationalsozialistischen Ostexpansion und Volkstumspolitik.

In einer anderen politischen Arena operierten jene Agitationsverbände, welche die Aufrüstung des Reiches durch die Mobilisierung plebiszitärer Akklamation mit Hilfe modernster Propagandamittel unterstützten. Den unbestrittenen Spitzenplatz nahm der im April 1898 gegründete «Deutsche Flottenverein» ein. Er entstand nicht als freie Vereinigung radikaler Nationalisten wie der «Alldeutsche Verband» oder der «Ostmarkenverein», sondern er ging aus einem neuartigen Zusammenspiel von Repräsentanten wirtschaftlicher Interessen mit etablierten Politikern und den Fachleuten für Öffentlichkeitsarbeit hervor, die Tirpitz im «Nachrichtenbüro» des Reichsmarineamts versammelt hatte. Da unmittelbar nach dem ersten Schlachtflottengesetz die Basis für die künftige Unterstützung ihres bereits projektierten Ausbaus erweitert werden sollte, fanden sich Friedrich A. Krupp und Carl Busley von der Schichau-Werft, Heinrich Wiegand und Adolph Woermann aus dem hanseatischen Reedereigeschäft, Ludwig Delbrück und Robert v. Mendelssohn als Bankenvertreter, der Vorsitzende des ZdI Theodor Haßler und sein Generalsekretär Bueck mit führenden Deutsch- und Freikonservativen wie Otto v. Manteuffel und Octavio v. Zedlitz-Neukirch und dem umtriebigen Journalisten Victor Schweinburg, dem Chefredakteur der ZdI-nahen «Berliner Politischen Nachrichten» und Geschäftsführer der von Krupp finanzierten «Berliner Neuesten Nachrichten», sowie mit einigen anderen Interessenten zusammen, um den «Flottenverein» zu gründen. Der Chef des Zivilkabinetts Lucanus sicherte das Wohlwollen Wilhelms II. zu, Prinz Heinrich v. Preußen avancierte zum Protektor, Großherzog Friedrich v. Baden zum Ehrenmitglied, das die Tür zu Fürstenhäusern und zum Adelskartell öffnete. Nach außen strikt auf ein parteineutrales Verhalten und den reibungslosen Kontakt zum Reichtag bedacht, setzte sich der neue Verband das Hauptziel, mit aller Energie und mit Hilfe einer umfassend angelegten Propaganda für den Bau der Schlachtflotte einzutreten, um ihn zu einer populären Aufgabe der gesamten Nation auf ihrem Weg zur Weltmacht zu machen.

Auf die interne Planung der Experten um Tirpitz übte der «Flottenverein» keinen Einfluß aus. Die Entscheidungen im Arkanbereich nahm er vielmehr als vorgegeben hin, und das aberwitzige Tempo der Flottenaufrüstung übertraf ohnehin die höchsten Erwartungen ihrer Befürworter. Abweichend von dem offiziellen Verhalten gegenüber anderen Agitationsverbänden unterstützten die Reichsbehörden den «Flottenverein» mit einmaliger Direktheit. Ministerien forderten ihre Beamten zum Eintritt auf, Tirpitz' «Nachrichtenbüro» stellte eine endlose Flut von Propagandamaterial zur Verfügung, dessen geschickte Aufmachung den Ansprüchen einer modernen «Public-Relations»-Agentur durchaus genügte.

Nachdem der Reichskanzler, prominente Staatssekretäre und Minister, Generale und Admirale, Spitzenbeamte und -politiker eingetreten waren, setzte ein lebhafter Mitgliederzustrom ein, so daß der Verein am Ende seines Gründungsjahres bereits 78650 Angehörige besaß. Diese Zahl untertreibt aber sogar, für sich genommen, seine Attraktivität und sein politisches Gewicht, denn rund 14250 individuellen Mitgliedern standen 64400 korporative gegenüber: Zahlreiche Militär- und Kriegervereine, Interessenverbände und Industrie- und Handelskammern schlossen sich mit einem breiten Segment des bürgerlichen Vereinswesens dem «Flottenverein» an. Eine ganz und gar irrationale Flottenbegeisterung war ja bereits 1848, dann am Ende der 1850er Jahre und erneut während des Streits um die Herzogtümer Schleswig und Holstein aufgetaucht; sie ließ sich offenbar mühelos aktivieren, als mit einer kaum zu überschätzenden Breitenwirkung eine mächtige Flotte von Panzerschiffen zur notwendigen Ausstattung einer Weltmacht, zu der sich der deutsche Nationalstaat unaufhaltsam entwickle, stilisiert wurde.

Der Reichsnationalismus hat sich mit vorbehaltlosem Enthusiasmus mit diesem gigantischen Projekt identifiziert. Je radikaler er sich gebärdete, desto leidenschaftlicher stellte er sich hinter den lebensgefährlichen Schlachtflottenbau. Welche Anziehungskraft er auf das politische Selbstwertgefühl ausübte, erkennt man auch daran, daß unbezweifelbar «national denkende», aber gemeinhin besonnen urteilende Gelehrte dem «Flottenverein» wegen seiner schwerindustriellen Hecklastigkeit zwar nicht beitreten wollten, aber in der «Freien Vereinigung für Deutsche Flottenvorträge» nur zu bereitwillig der großen Sache ihre Unterstützung liehen. So reisten sie denn von Versammlung zu Versammlung – die Schmoller und Wagner, Delbrück und Lamprecht und mit ihnen dreihundert andere passionierte «Flottenprofessoren».

Trotz einiger interner Krisen brachte es der «Flottenverein», auch dank der engen Zusammenarbeit mit den anderen nationalistischen Agitationsverbänden, bis 1913 auf 1125 Millionen Mitglieder, darunter 333500 individuelle und 790000 korporative – ein riesiges, in seinem genauen Umfang gar nicht abschätzbares Unterstützungspotential, das numerisch über die formelle Mitgliederzahl weit hinausging. Der radikalnationalistischen Grundströmung, die den «Flottenverein» trug und über die Einhegung der Kontinentalmacht von 1871 ungestüm hinausdrängte, war es aus der Seele gesprochen, wenn der General a. D. August Keim – ein Vorstandsmitglied und Multifunktionär in den Agitationsverbänden – den «Flottenverein» als denjenigen «nationalen Verein» pries, den Deutschland am nötigsten habe, weil er «mit Macht darauf hinweist», daß die ganze Nation selbstbewußt über ihre «Grenzpfähle hinaussehen» müsse.

Im Vergleich mit dem «Flottenverein» ist der «Deutsche Wehrverein», der sich ausschließlich für die Aufrüstung der Landstreitkräfte einsetzte, lange

Zeit stiefmütterlich behandelt worden. Das hängt mit seiner nur zweieinhalbjährigen Aktivität vor dem Weltkrieg zusammen, denn danach besaß er allenfalls eine marginale Bedeutung. Aber in seiner Hochzeit organisierte er in verblüffend kurzer Zeit eine erfolgreich operierende «Pressure Group», die radikalnationalistische Impulse und militärstaatliche Traditionen zusammenführte. Seit der zweiten Marokko-Krise von 1911 hatten sich die Stimmen «im nationalen Lager» vermehrt, die darauf insistierten, daß in einem künftigen Hegemonialkrieg das Heer die Entscheidung herbeiführen müsse. Nach der eifersüchtig beobachteten langjährigen Privilegierung der Schlachtflotte formierten sich daher jetzt, vom internationalen Rüstungsfieber der letzten Vorkriegsjahre angetrieben, die Kräfte für den beschleunigten Ausbau der Armee.

In diesem Zusammenhang entstand im Januar 1912 der «Wehrverein», um nach dem Vorbild des «Flottenvereins» die geforderte Heeresvermehrung zu unterstützen. Assistiert von den anderen Agitationsverbänden, gefördert vom Kriegsministerium, Innenministerium und Berliner Hof, vorangetrieben durch die Energie General Keims, dessen rastloses Engagement einer Mischung von paranoiden Bedrohungsängsten und Potenzträumen entsprang, gewann der «Wehrverein» bis zum Jahresende bereits vierzigtausend individuelle und hunderttausend korporative Mitglieder für sich; bis zur Julikrise 1914 brachte er es auf dreihundertsechzigtausend Mitglieder, darunter zweihundertsechzigtausend korporative. Das war, auch wenn man die vorteilhaften Ausgangsbedingungen berücksichtigt, ein fulminanter Blitzstart.

Nachdem der «Wehrverein» sein erstes Ziel, die Verabschiedung der Heeresvorlage von 1912, erreicht hatte, trug er mit seiner leidenschaftlichen Agitation auch zur Durchsetzung der neuen Heeresvermehrung und des «Wehrbeitrags» von 1913 bei. Wer sich dem Rüstungswahn entgegenstellte, wurde als «Volksfeind» denunziert. Welche enge Verbindung der Reichsnationalismus mit der Rüstungspropaganda einging, beweist die beschworende Parole, die der «Wehrverein» der Öffentlichkeit einhämmerte: Nur ein starkes Heer könne die «deutsche Art» als höchstes «Kulturgut der Menschheit» schützen – auf dem ganzen Erdball gebe es keine Nation, die «ein wertvolleres ... beisteuern kann».

Setzten der «Flottenverein» und der «Wehrverein» ihre Stoßkraft primär gegen äußere Gegner der Reichsnation und zugunsten ihrer globalen Expansion ein, stemmte sich der «Reichsverband gegen die Sozialdemokratie» dem inneren Hauptfeind, den «vaterlandslosen Gesellen» in der «Umsturzpartei» entgegen. Aufgeschreckt durch den Erfolg der Sozialdemokratie bei den Reichstagswahlen von 1903 und gefördert durch die «Sammlungspolitik» Bülows hob das Gründungsgremium radikalnationalistischer Notabeln im Mai 1904 den neuen Kampfverein aus der Taufe, der es auf Anhieb auf achtunddreißigtausend individuelle und korporative Mitglieder brachte.

Aufsehenerregende Streiks und die Auswirkungen der russischen Revolution von 1905 begünstigten die Kampagnen des «Reichsverbandes», dessen giftige Propaganda den «Sozis» die «Zersetzung» der Nation vorwarf. Seinen größten Triumph feierte er bei den «Hottentotten-Wahlen» von 1907, als das Hochputschen nationalistischer und imperialistischer Emotionen gegen die «roten Reichsfeinde» dazu führte, daß die sozialdemokratische Reichstagsfraktion fast um die Hälfte reduziert wurde. Seither gewann der «Reichsverband» zweihundertsechstausend Mitglieder in siebenhundert Ortsgruppen, sein Propagandaapparat lief auf Hochtouren.

Nach dem Zerfall des «Bülow-Blocks» verlor der «Reichsverband» jedoch an Schwungkraft. Umworbene Alliierte wie die Nationalliberalen, die konservativen Parteien, der BdL und ZdI gingen gegenüber dem Konkurrenten, der mit ihren eigenen Parolen wilderte, ohne sich parteipolitisch eindeutig festzulegen, auf sichere Distanz; Skandale erschütterten den «Reichsverband» von innen. Zwar ließ er nicht nach, die tödliche Gefahr des «sozialdemokratischen Terrorismus», der die Nation zu sprengen drohe, in seiner Agitation zu beschwören. Den sozialdemokratischen Erfolg bei den Wahlen von 1912 vermochte er jedoch schon nicht mehr zu schmälern.

Abschließend muß man sich noch einmal vergegenwärtigen, wie viele enge Berührungspunkte die nationalistischen Agitationsverbände mit dem Gesinnungsmilitarismus und Populärnationalismus der Kriegervereine besaßen (vgl. IV. A 1e). Ihre Ausbreitung hielt auch nach der Jahrhundertwende an. Um 1910 besaßen allein die 16500 preußischen Vereine rund anderthalb Millionen Mitglieder. Der reichsweit operierende «Deutsche Kriegerbund» kam damals auf 1.7 Millionen, der «Kyffhäuserbund» als weiterer Dachverband sogar auf 2.9 Millionen Mitglieder. Überall verband sich eine tief verinnerlichte militaristische Sozialmentalität mit einem grobschlächtigen Nationalismus und Sozialistenhaß. Die Vereine «nationalgesinnter» Männer sollten, mahnte der erste Vorsitzende des «Kriegerbundes», auf immer «Kampfstätten gegen die Sozialdemokratie» bleiben.

Während aber in den Agitationsverbänden die bildungs- und besitzbürgerlichen Mittelklassen dominierten und in den Funktionärsstellen Bildungsbürger gewöhnlich den Ton angaben, die Arbeiterschaft dagegen eine auffällige Resistenz bewies, nahmen in den Kriegervereinen die örtlichen Honoratioren gewöhnlich nur die Leitungsfunktionen wahr. Die soziale Zusammensetzung ihrer Mitgliederschaft dagegen zeigt, daß die Kriegervereine in soziale Klassen eindrangen, wo die extrem nationalistischen Verbände kaum Resonanz fanden. Die etwa im «Deutschen Kriegerbund» zusammengeschlossenen «Veteranen» bestanden 1911 zu neunundzwanzig Prozent aus Landarbeitern und Zwergparzellisten, zu achtundzwanzig Prozent aus gewerblichen Arbeitern, zu fünfundzwanzig Prozent aus Handwerkern und kleinen Gewerbetreibenden, aber nur zu achtzehn Prozent aus Beamten und Angestellten. Zum Gesinnungsmilitarismus des Kaiserreichs gehörte gleichwohl, insbesondere seit den neunziger Jahren, die Affinität zum radikalen Nationalismus hinzu, so daß dessen Einfluß, weit über den Einzugsbereich der Agitationsverbände hinaus, von Abertausenden von Kriegervereinen institutionell abgestützt und in Bevölkerungsschichten eingeschleust wurde, die von den Verbänden organisatorisch gewöhnlich nicht erfaßt wurden.

Nationalistische Agitationsverbände sind, wie das der Vergleich mit anderen westlichen Ländern zeigt, zu dieser Zeit überall entstanden, sie sind kein deutsches Unikat. Das verweist auf strukturelle Gemeinsamkeiten der Nationalismen und Entscheidungsprozesse. Im Deutschen Reich aber haben diese Verbände, die zusammen mit den wirtschaftlichen «Pressure Groups» das sekundäre Machtsystem des Korporativismus bildeten, einen einflußreichen Radikalnationalismus propagiert, dem das Widerlager starker liberaler, demokratischer Gegenkräfte und einer bewährten parlamentarischen Tradition fehlte. Auch deshalb laufen von ihnen fatale Kontinuitätslinien weiter in die deutsche Geschichte bis 1945.[30]

c) Der Sozialdarwinismus

Der Sozialdarwinismus ist seit dem letzten Drittel des 19. Jahrhunderts zu einer machtvollen Ideologie aufgestiegen, die in den großen westlichen Industrieländern einen immensen Einfluß errungen hat. In ihrem Kern bestand sie aus der Übertragung von Charles Darwins Evolutionslehre, welche die Entwicklungsgesetze der organischen Natur entdeckt zu haben beanspruchte, auf die Welt des Menschen, die angeblich aus denselben Gesetzen hervorgegangen sei und ihnen weiterhin gehorche. Darwins Theorie hatte, nachdem seine revolutionäre Abhandlung «On the Origin of Species» 1859 erschienen war, in einem wissenschaftsgläubigen Zeitalter die geistige Welt des Westens innerhalb kurzer Zeit tief aufgewühlt. Mit einer heutzutage kaum mehr vorstellbaren quasi-religiösen Inbrunst wurde sie als das Nonplusultra wissenschaftlich gesicherter Weltdeutung rezipiert.

Diese erstaunliche Wirkung hing auch damit zusammen, daß sich die Schlüsselbegriffe und Entwicklungsregeln, welche das Reich der Pflanzen und Tiere regierten, leicht popularisieren ließen. In dieser vereinfachten Form vermochten sie im Gewand wissenschaftlicher Wahrheiten zum Gemeingut einer riesigen Anhängergemeinde zu werden. Darwins Beweisführung, die auf jahrzehntelanger akribischer Forschung beruhte, konnte, wie sich erwies, mühelos simplifiziert werden: Die Durchsetzung der Arten auf dem Weg der «natürlichen Auslese» hänge, lautete das Argument in nuce, von ihrer Anpassungsfähigkeit ab. Im «Kampf ums Dasein» finde eine Auswahl der Überlebensfähigsten statt. Dieses «Survival of the Fittest» im «Struggle for Existence» bewirkte und erklärte die optimale Adaption: den «Sieg des Stärksten». Auf diese Weise konnte die naturgesetzliche Evolutionsmechanik, die auf ein jeweils höheres Entwicklungsniveau emporführe, mit einem beglückenden Selektionsoptimismus verbunden werden.

Nachdem Darwins Erklärung der Naturentwicklung eine unerhörte Autorität gewonnen hatte, lag der Gedanke in der Luft, sie auf die Welt des menschlichen Lebens zu übertragen. Denn damit ließ sich ein umfassendes Verständnis des gesamten belebten Kosmos gewinnen. Es versprach die abschließende, das heißt die naturwissenschaftlich unwiderlegbar begründete Lösung der großen Rätsel der Menschheitsgeschichte, und es entsprach geradezu optimal unterschiedlichen ideellen und materiellen Interessen der Anhänger seiner Evolutionstheorie. Die Einbeziehung der Menschenwelt drängte sich schon deshalb auf, weil Darwin selber in zweifacher Weise einem solchen Transfer den Weg gewiesen hatte.

1. In seinem wissenschaftlich weniger bedeutenden, aber wegen seiner leichten Faßlichkeit um so begieriger aufgenommenen Buch über «The Descent of Man», dazu auch an anderen Stellen, zeigte sich der sonst bedächtig-zurückhaltend urteilende Gelehrte 1871 bereit, die Expansion der «zivilisierten Nationen» auf Kosten der «barbarischen Völker... hauptsächlich» und «höchstwahrscheinlich» auf die im Westen «kraft natürlicher Auslese allmählich vervollkommneten geistigen Fähigkeiten» zurückzuführen. Darüber hinaus scheute er nicht davor zurück, die Erfolge der «sogenannten arischen Rasse», insbesondere die «Erfolge der englischen Kolonisation» und ihre Überlegenheit «über andere europäische Nationen» als Bestätigung seiner Theorie hinzustellen. Und auch im Hinblick auf die Vereinigten Staaten teilte Darwin die «berechtigte Auffassung», daß in ihrem «wundervollen Fortschritt» und dem «Charakter ihrer Bevölkerung» das Ergebnis der «natürlichen Auslese» zu sehen sei, denn mit den europäischen Einwanderern seien die «energischeren, dynamischeren und mutigeren Elemente» gekommen und hätten sich «gegen weniger begünstigte Völker» durchgesetzt. Amerikas triumphaler Aufstieg sei der lebendige Beweis, daß die «natürliche Auslese» auch unter den Menschen der jüngsten Vergangenheit und Gegenwart «ein Ergebnis des Kampfes ums Dasein» sei. Darwin selber war ein erster Verfechter des Sozialdarwinismus avant la lettre.

2. In einem grundsätzlicheren Sinn lenkte die Genese der Darwinschen Theoriekonstruktion unwiderstehlich darauf hin, seine Version der Naturgesetze auf die Evolution der Menschheit und ihr gesellschaftliches Leben zu übertragen. Denn Darwin hatte die entscheidenden Anregungen, Denkfiguren und Erklärungsansätze aus der englischen Sozialtheorie, insbesondere von Robert Thomas Malthus, gewonnen. Diese direkte Inspiration hat sich Darwin bereits 1838 mit intellektueller Redlichkeit selber freimütig eingestanden, dann auch im «Ursprung der Arten» und öfters seither erwähnt. In der Malthusschen Analyse des Überlebenskampfes in der frühkapitalistischen englischen Konkurrenzgesellschaft mit dem Sieg der Stärksten fand Darwin – bei erneuter Lektüre der «Principles of Populations» «durchzuckte mich der Gedanke», so charakterisierte er den entscheidenden stimulierenden Einfall – «endlich die Theorie, mit der ich arbeiten konnte».

Kluge Zeitgenossen haben – noch ehe dieser Zusammenhang explizit diskutiert wurde – frühzeitig erkannt, daß Darwins Deutung der Naturentwicklung aus der theoretisch komprimierten Erfahrungswelt der englischen Marktgesellschaft stammte. Marx und Engels etwa, beide voller Bewunderung für Darwins Leistung als Zoologe und Evolutionstheoretiker, erfaßten mit ihrer scharfsinnigen Ideologiekritik, «wie Darwin unter Bestien und Pflanzen seine englische Gesellschaft mit ihrer Teilung der Arbeit, Konkurrenz, Aufschluß neuer Märkte, ‹Erfindungen› und Malthusschem ‹Kampf ums Dasein› wiedererkennt. Es ist Hobbes' bellum omnium contra omnes, nur daß bei Darwin», präzisierte Marx, «das Tierreich als bürgerliche Gesellschaft figuriert». Nachdem Darwin Hobbes' Lehre, die «bürgerliche-ökonomische Konkurrenz» und Malthus' «Bevölkerungstheorie aus der Gesellschaft für die belebte Natur» übertragen habe, resümierte Engels, als der Sozialdarwinismus sich bereits zu einem Steppenbrand ausbreitete, sei es, «nachdem man dieses Kunststück fertiggebracht», doch «sehr leicht, diese Lehren aus der Naturgeschichte wieder in die Geschichte der Gesellschaft zurückzuübertragen und eine gar zu starke Naivität, man habe damit diese Behauptung als ewige Naturgesetze der Gesellschaft nachgewiesen». Dieselbe Verschränkung von Gesellschaftserfahrung und Evolutionstheorie haben so unterschiedliche Kritiker wie Friedrich Nietzsche, Oswald Spengler und Helmuth Plessner erkannt, ehe die moderne Wissenschaftsgeschichte den wechselseitigen Einfluß «sozialer und biologischer Ideen» in «ein und demselben Kontext» pointiert herausgearbeitet hat.

Unabhängig von dieser Einsicht skeptischer Intellektueller ging von der Darwinschen Lehre deshalb eine so durchschlagende soziale Wirkung aus, weil sie sich zum einen in konkreten Interessen- und Herrschaftszusammenhängen zum massiven Stützpfeiler eignete, zum andern aber auch das verbreitete Bedürfnis nach Ersatzreligionen durch die Verheißung einer endgültig geltenden naturwissenschaftlichen Kosmologie befriedigte. In den industriellen Wachstumsgesellschaften des Westens schien die realhistorische Erfahrung kontinuierlichen Aufstiegs die Evolutionslehre, die zugleich auch einen ideellen Reflex dieser Expansion darstellte, rundum zu bestätigen. Ihre optimistische Variante übte deshalb einen so nachhaltigen Einfluß aus, weil sie in einem historisch argumentierenden Zeitalter Evolution als historisch offenbar schlüssig nachweisbaren Fortschritt auslegte. Dagegen unterstrich die pessimistische Spielart ihren ambivalenten Charakter bis hin zu der apokalyptischen Prognose einer durch Sozialpolitik geschaffenen Übermacht der Lebensuntüchtigen und eines drohenden Wachstumstodes.

Besonders ein vulgarisierter Sozialdarwinismus, in dem das Überleben der Stärksten in einem erbarmungslosen Kampf ums Dasein als gerechter Sieg der Erfolgreichsten gefeiert wurde, kam mächtigen Bedürfnissen entgegen. Er rechtfertigte den kapitalistischen Konkurrenzkampf und die imperialistische Expansion, er gab dem nationalistischen Selbstbewußtsein und rassistischen Überlegenheitsgefühl die naturgesetzliche Weihe. Er rechtfertigte den unternehmerischen Absolutismus im Betrieb als Herrschaft der «Fittest» und lehnte jede interventionsstaatliche Sozialpolitik als Humanitätsduselei und vergeblichen Widerstand gegen Naturgesetze ab. Er verstand Einkommensgefälle und Vermögensverteilung als ihren sichtbaren Ausdruck – kurzum: Die allgemeine Disparität der Lebenschancen drückte nur die Wirkungsmacht eherner Entwicklungsgesetze aus.

Als Verfallserscheinung des Positivismus setzte der Sozialdarwinismus an die Stelle des liberalen Ideals einer offenen Gesellschaft mit dem freien Wettbewerb tüchtiger Individuen das eiserne Prokrustesbett eines alle liberalen, erst recht alle demokratischen Hoffnungen verbannenden antiegalitären Sozialaristokratismus. Sein «rassistisch-biologistisches Ungleichheitsdogma» verachtete die Aufklärung; es förderte den «moralischen Nihilismus», da der «natürliche» Ausleseprozeß sich über jedes humane Wertsystem souverän hinwegsetzte; seine «brutale Herrenmoral» verschmolz mit einem krassen «Geschichtsfatalismus». Der Sozialdarwinismus konnte daher sowohl den «Fortschritt» der inneren und äußeren Expansion kapitalistischer Industrieländer als auch die Notwendigkeit des gesellschaftlichen Status quo rechtfertigen. Emanzipationsbestrebungen der Arbeiterklassen ließ er dagegen als sinnloses Aufbegehren der im Lebenskampf deklassierten, offenbar minderwertigen Unterlegenen erscheinen.

Da er nicht nur das Recht der stärkeren Individuen ideologisch sanktionierte, sondern auch ganze Erwerbs- und Berufsklassen als die «Fittest» verstand, verlieh er dem «Machtegoismus» der eigenen Klasse, des Volkes oder der Rasse, «der man sich selber zurechnete», eine naturwissenschaftliche Legitimation. Ihm kam der ständige Zirkelschluß seit Malthus und Darwin von der Gesellschaft auf die Natur und von der Natur auf die Gesellschaft als eminenter Verstärkungs- und Rückkopplungseffekt zugunsten seiner Glaubwürdigkeit zugute. Seine pseudowissenschaftliche Ungleichheitsdoktrin negierte nicht nur soziale Chancengleichheit und Mobilität, sondern stützte den «sozialreaktionären Kurs» in der Innenpolitik, denn Demokratie erschien von dieser Position aus als widernatürliche, sozusagen als ungesetzliche Gleichmacherei.

Im Kaiserreich ist das Vordringen des Sozialdarwinismus durch die tiefreichende Diskreditierung des Liberalismus seit 1873/78, das Tempo des Modernisierungsprozesses und die Anfälligkeit für säkularreligiöse Weltbilder begünstigt worden. Hagiographen des wilhelminischen Unternehmertums wie Alexander Tille, ein Sprachrohr des Freiherrn v. Stumm, priesen das «Darwinsche Gesetz des Kampfes ums Dasein» als Grundlage für den Sieg der «Begabteren und Tüchtigeren», während «die Untüchtigsten unfehlbar zugrunde gehen». Der «Rassenanthropologe» Otto Ammon erkannte folgerichtig in den «Arbeitslosen» jene tiefste Schicht, «in welcher das Unterliegen im Kampf ums Daseins bereits besiegelt ist». Und eine wissenschaftliche

Zelebrität wie der Jenenser Zoologieprofessor Ernst Haeckel, Darwin-Verehrer und Gründer des sozialdarwinistisch eingefärbten «Monistenbundes», bekräftigte, daß «der Darwinismus... alles andere als sozial» sei, vielmehr könne man seine «Tendenz nur eine aristokratische... am wenigsten eine sozialistische» nennen.

Daß der Sozialdarwinismus an erster Stelle die Oberklassen ideologisch gestützt hat, wird auch durch den internationalen Vergleich, etwa mit England und den Vereinigten Staaten, bekräftigt. Dennoch fand er auch Eingang in die deutsche Sozialdemokratie. Marx hatte die Darwinsche Naturtheorie als glückliche Bestätigung des eigenen materialistischen Weltbildes bewundert. Engels parallelisierte sogar in seiner Grabrede auf Marx die Wirkung beider Männer: «Darwin entdeckte das Gesetz der Entwicklung der organischen Natur auf unserem Planeten. Marx ist der Entdecker jenes grundlegenden Gesetzes, das... die Entwicklung der menschlichen Geschichte bestimmt.» Beide Freunde faßten den Klassenkampf als soziale Variante des naturgesetzlichen «Kampfes um das Dasein» auf. Nicht nur Karl Kautsky hat die Darwinsche Lehre «wie eine Offenbarung» erlebt, sondern sie ist überhaupt in der frühen sozialdemokratischen Arbeiterbewegung eine eigentümliche Fusion mit der Marxschen Geschichtstheorie eingegangen, da es dem Proletariat als künftigem Heilsbringer offenbar bestimmt war, als Stärkster aus dem «Struggle for Existence» der beiden Hauptklassen hervorzugehen.

Auf die Dauer freilich besaß der Sozialdarwinismus auch in Deutschland zu sehr den Charakter einer Rechtfertigungsideologie der Oberklassen, als daß er sich vom Marxismus hätte fest assimilieren lassen. Seine Massenwirksamkeit und Tiefenwirkung sollte man darum jedoch nicht unterschätzen. Gerade in seiner vulgarisierten Form drang er als überzeugende Deutung innerer Kräfteverhältnisse, noch mehr des internationalen Konkurrenzkampfes der Völker und «Rassen» in die Sozialmentalität breiter Schichten ein. Erst in der Theorie und Politik des Nationalsozialismus hat er jedoch den Höhepunkt seines verhängnisvollen Einflusses in Deutschland erreicht.[31]

4. Reform und Protest

Das wilhelminische Kaiserreich besaß, wie auch andere europäische Staaten, etwa Österreich-Ungarn und England, Italien und Rußland, das Doppelgesicht von Tradition und Moderne. Die traditionsbewußten Kräfte in Gesellschaft und Politik sind vorn ausführlich geschildert worden. Zeitgemäß war dagegen die politische Religion des Radikalnationalismus, der wie der Gesinnungsmilitarismus Abermillionen von Menschen erfaßte. Zeitgemäß war auch ein pseudoreligiöses Glaubenssystem wie der Sozialdarwinismus, das eine riesige Anhängerschaft fand. Mit Hilfe moderner Organisationsformen und Propagandamittel beeinflußten nationalistische Agitationsverbände und Kriegervereine die öffentliche Meinung und soziale Mentalität. Ein Großteil der auf diese Weise mobilisierten Energie und kanalisierten Glaubensbereitschaft kam den Verteidigern des Status quo zugute.

Gleichzeitig gab es ambivalente Reform- und Protestbewegungen. Die Sozialpolitik stabilisierte die autoritäre Monarchie, legte aber auch die institutionellen Fundamente des Sozialstaats. Die Frauenbewegung scheute überwiegend noch vor dem offenen Konflikt zurück, machte sich aber allmählich mit der Emanzipationspolitik künftiger Erfolgsjahre vertraut. Die Jugendbewegung verlor sich in sozialromantischem Protest gegen Industrie und Großstadt, setzte aber neue Akzente im Verhältnis der Geschlechter zueinander, gab Impulse für die liberale Erziehung und unorthodoxe Pädagogik. Die Friedensbewegung vertraute, von einer erdrückenden Mehrheit als närrisch realitätsblind abgetan, auf die Wirkung des aufklärenden Wortes, stemmte sich aber auch immer wieder aktiv der Hochrüstung entgegen. Und Reformströmungen in der Wissenschaft und Politik – wie sie etwa im einflußreichen «Verein für Sozialpolitik» und im liberalen «Munizipalsozialismus» in den Städten am Werke waren – verkörperten einen die Moderne bejahenden Veränderungswillen. Wenn er auch die Herrschaftsstrukturen und Interessenkonstellationen des Kaiserreichs nicht rechtzeitig und nicht hinreichend umzugestalten vermochte, ist doch ein Rückblick auf diese Reform- und Protestbewegungen geboten, um eine differenziertere Vorstellung von den Modernisierungschancen in Deutschland vor 1914 zu gewinnen.

a) Die Sozialpolitik nach 1890

Die Versicherungsgesetze der staatlichen Sozialpolitik in der Bismarckzeit besaßen als «soziale Erfindung» neuer interventionsstaatlicher Institutionen mit unabsehbarer Ausdehnungsfähigkeit einen bahnbrechenden Charakter. Auf ihrem Fundament ist ein großer Teil des modernen deutschen Sozialstaats aufgebaut worden, und darüber hinaus erwiesen sie sich als ein weltweit attraktives Lösungsmodell. Trotz dieses Innovationserfolgs darf man nicht übersehen, daß sie von anhaltender Stagnation in fast allen anderen Bereichen der Sozialpolitik im weiten Sinne begleitet waren. Der innerbetriebliche Arbeiterschutz wurde nicht verbessert, die Fabrikinspektion nicht ausgebaut, die Arbeitszeitverkürzung und die Einschränkung der Kinder- und Frauenarbeit, das Verbot der Sonntags- und Feiertagsarbeit wurden nicht in Angriff genommen, Probleme wie die Verringerung der Normalarbeitszeit, die Festlegung eines Maximalarbeitstages und einer Mindestlohngarantie nicht angerührt, die Ausgestaltung des Arbeitsrechts zugunsten der Arbeitnehmer geradezu tabuisiert. Es war dieses Einfrieren jeder Bewegung auf einem so wichtigen Politikfeld, das insbesondere nach der Entlassung Bismarcks, dessen starrsinnige Blockade von vielen für diesen Problemstau verantwortlich gemacht wurde, der von kompetenten Zeitgenossen erhobenen Forderung nach neuen Initiativen ihre Dringlichkeit verlieh.

Im Kontext der reichsdeutschen Innenpolitik war die Sozialpolitik aber immer auch ein Kampfmittel gegen die Sozialdemokratie, um durch die staatlichen Fürsorgeleistungen sowohl die organisierte Arbeiterbewegung dauerhaft zu schwächen als auch die Loyalität der «reichsfeindlichen» Proletarier zurückzugewinnen. Dieses strategische Ziel führte dazu, den Erfolg der Sozialpolitik unablässig und vorrangig daran zu messen, ob die Sozialdemokratie durch sie gebremst wurde oder unberührt ihren Aufstieg fortzusetzen vermochte. Nun konnten sich aber die Versicherungsgesetze mit ihren vorerst geringen Leistungen nicht im Nu auswirken; die traumatischen Erfahrungen mit dem Ausnahmerecht des Sozialistengesetzes hatten die oppositionelle Grundhaltung der Sozialdemokratie vertieft; ihre Entwicklung zur Massenbewegung hielt aus vielen Gründen an. Deshalb fanden sich die Befürworter der Sozialpolitik immer wieder mit dem Vorwurf einflußreicher Kritiker konfrontiert, daß offenbar jeder Entspannungserfolg ausbleibe; deshalb solle man angesichts der Renitenz der unbelehrbaren «vaterlandslosen Gesellen» alle weiteren kostspieligen, die Wettbewerbsfähigkeit der deutschen Industrie schwächenden Experimente unterlassen.

In diesem Spannungsfeld von vorwärtsdrängenden Kräften einerseits, die fundamentale Probleme der sozialen Ungleichheit in der reichsdeutschen Klassengesellschaft durch die staatliche Sozialpolitik abmildern oder entschärfen wollten, und widerstrebenden Kräften andrerseits, die jedes weitere Entgegenkommen gegenüber den «Staatsfeinden» für politisch und ökonomisch völlig verfehlt hielten, bewegte sich seit 1890 das Ringen um den Ausbau des jungen Sozialstaats. Dabei liefen die Fronten quer durch die Regierung und Verwaltung, durch die Parteien und Verbände, durch die Wissenschaft und öffentliche Meinung. Und da es immer auch um Grundsatzfragen moderner Interventionspolitik ging, ließen sich diese Gegensätze nicht gleich durch konsensfähige Vorhaben überbrücken.

Unstreitig rumorte es aber seit 1890 wegen der ungelösten Probleme in einem solchen Maße in der deutschen Innenpolitik, daß selbst Wilhelm II. seinen «Neuen Kurs» zuerst mit dem Glanz sozialpolitischer Neuerungen verbinden wollte. Tatsächlich war er zu keiner beharrlich verfolgten Initiative fähig; statt dessen verließ er sich auf die enge Liaison mit der Großindustrie, zumal sich die SPD unbeeindruckt weiterentfaltete. In der Reichsbürokratie dagegen wurden neue Gesetzesvorlagen in Angriff genommen. Der «Verein für Sozialpolitik» und andere Reformvereinigungen, wie etwa die «Gesellschaft für soziale Reform», fanden vermehrte Resonanz. Sozialpolitisch aufgeschlossene protestantische Pfarrer und Laien begannen, sich zu organisieren, etwa im «Evangelisch-Sozialen Kongreß». Anhänger der katholischen Soziallehre und Kapitalismuskritik aktivierten die sozialpolitischen Forderungen des Zentrums. Geleitet von dem Wunsch nach gesellschaftlicher Stabilisierung erkannten auch liberale Politiker zunehmend den Reformzwang an. Und in der Sozialdemokratie begann sich die starre Opposition aufzulockern, so daß hier und da die pragmatischen Argumente der Reformisten zum Zuge kamen.

Ein erster Schritt nach vorn gelang dem Handelsminister Hans v. Berlepsch, der in der ersten Hälfte der neunziger Jahre die reformfreundliche Fraktion in der Regierung anführte, als er eine Novelle zur Reichsgewerbeordnung einbrachte und im September 1891 als Gesetz durchsteuern konnte. Es führte neue Unfalls- und Sicherheitsvorschriften ein, untersagte die Sonntags- und Feiertagsarbeit für viele Fabriken und Gewerbe, verbot die Arbeit von Kindern unter dreizehn (ließ aber für die 13- bis 16jährigen weiterhin sechs bis zehn Tagesstunden zu!), insgesamt die Nachtarbeit von Frauen und Jugendlichen. Das war ein großer Schritt nach vorn, mit dem lang aufgeschobene Probleme beherzt gelöst wurden. 1892 gelang es noch, die Arbeitszeit von Frauen und Kindern in Unternehmen mit Schwerarbeit einzuschränken.

Seit 1893 setzte aber nicht nur eine Stockung der legislativen Tätigkeit ein, sondern die antisozialdemokratische Politik stand – etwa in Gestalt der «Umsturz»- und «Zuchthaus»-Vorlage – ein halbes Dutzend Jahre lang im Vordergrund. Während der Einfluß des Saarindustriellen v. Stumm den Erfolg der Reformgegner symbolisierte, wurde Berlepsch seit 1894 kaltgestellt, 1896 trat er enttäuscht zurück. Sein Nachfolger Brefeld teilte völlig den Ablehnungskurs der Industrie. Das Drängen der wissenschaftlichen Experten, die Forderungen in der Öffentlichkeit, die eine oder andere Anmahnung im Parlament reichten nicht aus, um die Flaute zu überwinden.

Erst als sich der Staatssekretär im Reichsamt des Inneren Arthur v. Posadowsky-Wehner der Sozialpolitik nachdrücklich annahm, kam erneut Bewegung in die erstarrten Fronten. Posadowsky führte endlich einige Verbesserungen ein, die Theodor Lohmann schon zwanzig Jahre zuvor geplant hatte. War bisher die Rentenhöhe von der Finanzkraft der einzelnen Versicherungskörperschaften abhängig gewesen, wurden seit 1899 die Renten der Invalidenversicherung nach reichsweit einheitlichen Sätzen gezahlt. Es war das erste Gesetz, das mit den Stimmen der SPD-Abgeordneten vom Reichstag verabschiedet wurde. Im folgenden Jahr gelang es, die Unfallversicherung zu erweitern. 1901 mußten alle Gemeinden mit mehr als zwanzigtausend Einwohnern obligatorische Gewerbegerichte einführen, weil sie sich bis dahin als Schlichtungsinstanzen im Konflikt zwischen Kapital und Arbeit vielfach bewährt hatten. Seither wurden auch Reichsmittel für den Arbeiterwohnungsbau bereitgestellt, zuerst zwei Millionen, dann jährlich vier bis fünf Millionen Mark.

1903 schaffte es die Expertengruppe um Posadowsky zusammen mit ihren parlamentarischen Verbündeten, durch weitere Gesetze die Krankenversicherung zu verbessern und in der Heimindustrie die Arbeit von Kindern unter zwölf Jahren zu verbieten. Nach längerem Stillstand vermochte diese Koalition es auch noch, durch die Gewerbeordnungsnovelle von 1908 den Arbeiterschutz auf alle Betriebe mit mehr als zehn Beschäftigten lückenlos auszudehnen, nachdem diejenigen Unternehmen, die zu solchen Schutzmaßnahmen verpflichtet waren, bisher nur kasuistisch aufgeführt worden waren. Im selben Jahr mußte Posadowsky, wie sein Rücktritt bewies, vor der immer schriller anschwellenden Kritik zurückweichen; sogar der alte Lohmann befürchtete inzwischen, daß der Staatssekretär mit seiner Aktivität die «Umsturzpartei» unterstütze.

Richtig ist vielmehr, daß ohne den Stachel der Sozialdemokratie die deutsche Sozialpolitik weder zu dieser frühen Zeit so in Gang gekommen noch mit solchen typischen Unterbrechungen fortgesetzt worden wäre. Sie wurde nicht im Geiste des Paternalismus aus lebenskluger Einsicht den Schwachen von oben gewährt, geschweige denn von wohlwollenden Beamten aus der Schule von Schmoller oder anderen Mitgliedern des «Vereins für Sozialpolitik» freihändig in Gesetzesform gegossen. Offensichtlich genügte auch nicht die neue «soziale Frage» des Industrieproletariats als solche, die Staatspolitik dazu zu bewegen, seine Existenz durch ein gewisses Maß an sozialer Sicherheit und Daseinsvorsorge erträglicher zu machen. Es bedurfte der Systemkritik und des politischen Gewichts der unaufhaltsam anwachsenden sozialdemokratischen Massenbewegung, um jenen Fundamentalkonflikt in der deutschen Gesellschaftspolitik zu erzeugen, der die lernfähigen politischen Akteure im Regierungsapparat und im Parlament dazu nötigte, sich mit sozialpolitischen Gesetzen um eine Entspannung auf lange Sicht mit dem Ziel der Systemerhaltung zu bemühen.

Obwohl es zahlreiche regelungsbedürftige Probleme gab, deren Lösung sich eine aufgeschlossene, politisch klug operierende Sozialpolitik nicht hätte entziehen dürfen – so blieb etwa die gesamte Landarbeiterschaft bis 1918 aus dem Geltungsbereich der Sozialpolitik ausgeschlossen! –, verhinderte der erbitterte Widerstand, den die Industrie und das Kleingewerbe, ihre Verbände und Kohorten in den Parteien leisteten, daß die Ende 1908 wiederum einsetzende Stagnation überwunden werden konnte. Nach dem Schock des sozialdemokratischen Erfolgs von 1912 wurde zudem jede Bereitschaft zu einer befreienden Initiative abgewürgt. Die konservative Opposition, zu der sich vor allem die Schwerindustrie, das «Kartell der schaffenden Stände» und Teile des Regierungsapparats mit den Großagrariern zusammenfanden, stellte die Sozialpolitik unter das schneidende Verdikt, daß sie nicht nur mit der Pazifizierung der Sozialdemokratie gescheitert sei, sondern durch ihre Verweichlichung auch eine entschlossenere Repression verhindert habe.

Ende Januar 1914 schwenkte die Reichsregierung formell auf diesen Blockadekurs ein. Unmittelbar nachdem die Arbeitgeberverbände mit ihrer

Forderung, Streikposten endlich gesetzlich zu verbieten, Aufsehen und Empörung erregt hatten, hielt es Staatssekretär Clemens v. Delbrück, der starke Mann im Reichsamt des Inneren, für angebracht, öffentlich auf die Unternehmerseite zu treten. In seiner Etatrede erklärte er apodiktisch alle wesentlichen Aufgaben der deutschen Sozialpolitik für abgeschlossen. Um die Konkurrenzfähigkeit der deutschen Industrie auf dem Weltmarkt zu erhalten, bedürfe sie einer ungestörten Entwicklung ohne einschränkende neue Maßnahmen der staatlichen Fürsorge. Damit wurde der Bruch mit der Linie von Berlepsch und Posadowsky endgültig besiegelt. Die Entscheidung, die Sozialpolitik ausnahmslos einzufrieren, verriet, welche Kräftekonstellation die Reichsregierung an erster Stelle respektierte.

Der Protest der Sozialdemokratie verhallte ungehört. Auch der empörte Widerspruch einer großen unverdächtigen öffentlichen Protestversammlung, die im Mai 1914 in Berlin zustande kam, blieb folgenlos. Gemeinsam trat dort die Prominenz der Sozialpolitik auf: Hans v. Berlepsch, Arthur v. Posadowsky-Wehner, Gustav Schmoller, Ernst Francke von der «Gesellschaft für soziale Reform», Adam Stegerwald, der Generalsekretär der Christlichen Gewerkschaften, und viele andere stimmten in dem Tenor ihres beschwörenden Appells überein, daß die Sozialpolitik als eine andauernde Aufgabe zu verstehen sei, die nie endgültig abgeschlossen werden könne, daß vielmehr jede Blockierung mit unwägbar gefährlichen Risiken für Staat und Gesellschaft verbunden sei. Vergebens, die Reichsregierung und die Opposition gegen den Sozialstaat beharrten auf ihrem Schlußstrich, obwohl 1914 die durchschnittliche Invalidenrente ganze 201 Mark, die durchschnittliche Altersrente sogar nur 168 Mark betrug.

Und dennoch: Aus der Vogelperspektive schneidet die deutsche Sozialpolitik vor 1914 im internationalen Vergleich noch immer gut ab, da ihr – aus welchen Motiven auch immer – im Prinzip eine innovatorische Problemlösung gelang, welche die institutionellen Grundlagen für eine ausbau- und steigerungsfähige Daseinsvorsorge und ein dichter gewebtes soziales Sicherheitsnetz legte. Da sich dieser Erfolg aber erst auf längere Sicht, vor allem nach der Epoche des Kaiserreichs, einstellte, kann er die Frage im Hinblick auf die konkrete Situation vor 1914 nicht zum Schweigen bringen, wohin sich die Lernfähigkeit der deutschen «Policy Makers» und Machteliten verflüchtigt hatte, als sie die zukunftslose Erstarrung dem Reformkonservativismus vorzogen.[32]

b) Die Frauenbewegung

Mit der modernen Frauenbewegung meldete sich auch in Deutschland eine Emanzipationsströmung zu Wort, die gegen das erdrückende Übergewicht jahrtausendealter Vorurteile, gegen den allgegenwärtigen Einfluß traditioneller Geschlechterrollen antrat. Beide waren in der Mentalität und im Verhalten, in der Psyche und im Arbeitsprozeß so tief verankert, daß sie als «natürliche» Ordnung aufgefaßt wurden. In der Sprache der Theologen und Konfessionen handelte es sich um eine irreversible Entscheidung der göttlichen Schöpfung, welche die Ungleichheit der Geschlechter sanktionierte. Gegen die Herrschaft dieser unerschütterlich wirkenden Tradition die soziale, rechtliche und politische Gleichberechtigung der Frau zu erkämpfen – das hieß, die universalistischen Prinzipien der Zielutopie der «bürgerlichen Gesellschaft» ernst nehmen und zugleich in einen Machtkampf eintreten, der bis heute noch nicht zu Ende gefochten ist.

Die Entwicklungsgeschichte dieser Reformbewegung ist bis zum Ende des Kaiserreichs durch die Grundtatsache bestimmt, daß frühzeitig zwei Strömungen auseinanderdrifteten und seither eine langlebige Spaltung in drei Lager mit unterschiedlichen Zielen und Interessen erhalten blieb. Nach der bürgerlichen Frauenbewegung, die auf der Linie überaus maßvoller liberaler Ansprüche operierte, trat ihre sozialdemokratische Konkurrentin auf, die auch in der Geschlechterfrage auf dem Primat der Klassenunterschiede insistierte und die Gemeinsamkeiten einer «allgemeinen Schwesternschaft» für nicht existent erklärte. Den größten Verband von allen stellte jedoch eine dritte, ganz andersartige Vereinigung, der «Vaterländische Frauenverein». Weithin unter dem Patronat von Männern stehend, genügte es ihm, ähnliche Funktionen wie das «Rote Kreuz» wahrzunehmen, während ihm der Konflikt um Emanzipation ein Greuel war. Die tiefen Trennungsgräben zwischen diesen drei Lagern konnten bis 1918 nicht überwunden werden.

Nach dem Auftakt der Frauenbewegung während der Revolution von 1848/49 – als sie ein Bestandteil jenes emporschießenden Vereinswesens war, in dem sich die unterschiedlichsten neuartigen Interessen artikulierten – hatte sich die Repressionspolitik mit ihrem rigoros verschärften Vereinsrecht immer auch gegen öffentlich argumentierende «Frauenspersonen» gewandt. In diesem Meinungsklima warf Wilhelm Heinrich Riehl, von Beifall auf allen Seiten begleitet, der «verrufenen» Emanzipation «der Weiber» vor, die Zerstörung des Familienlebens und aller geheiligten Bande der Sitte und göttlichen Ordnung zu betreiben. Wie die frühe Arbeiterbewegung regten sich auch die Frauenvereine erst wieder, als die politische Liberalisierung der sechziger Jahre ihren Handlungsspielraum etwas erweiterte.

Im Oktober 1865 kam in Leipzig, von dem agilen Ortsverein betrieben, die erste gesamtdeutsche Frauenkonferenz zustande, auf der rund hundertfünfzig Teilnehmerinnen unter der Leitung von Louise Otto-Peters, auch in künftigen Jahrzehnten eine Schlüsselfigur, ihre politischen Vorstellungen zu klären versuchten. Das Treffen wurde zur Geburtsstunde der organisierten Frauenbewegung, denn sein Schwung führte zur Gründung des «Allgemeinen Deutschen Frauenvereins» (ADF). Wichtige Ziele glichen denen der liberalen Arbeiterbildungsvereine, nicht zufällig hatte als ihr Vertreter August Bebel an der Tagung teilgenommen. Bildung mache frei und eröffne letztlich auch die öffentliche Teilhabe im Gemeinwesen – dieser Leitgedanke war ebenso konsensfähig wie das Recht aller Frauen auf Erwerbsarbeit. Konkret sollten Stellenvermittlung und Fortbildungskurse weiterhelfen, Kommunikation und Verständigung über gemeinsame Interessen durch die Zeitschrift «Neue Bahnen» erleichtert werden. Ein umfassend angelegtes feministisches Selbsthilfeprojekt, das dreißig Jahre lang unter der Ägide von Otto-Peters und ihrer Mitstreiterin Auguste Schmidt stehen sollte, war damit initiiert worden. Seither richtete sich in diesem Rahmen das Hauptinteresse sowohl auf Bildungschancen und Berufsfragen als auch auf die praktische Aktivität in der städtischen Sozialfürsorge, wo sich ein neues Feld «weiblicher Betätigung» auftat.

Der ADF fand zuerst nur einige tausend Mitglieder. Der Krieg von 1870/71 warf ihn zurück, da seine pazifistische Strömung mit ihrer Kritik nicht zurückhielt. Am Ende der achtziger Jahre besaß der ADF maximal zwölftausend, sogar 1913 nur dreizehntausendzweihundert Anhängerinnen, blieb aber trotz der geringen Zahl von Aktivistinnen jahrzehntelang ein Bewegungszentrum, von dem zahlreiche Impulse ausgingen.

Seit 1866 kam auch ein paternalistischer Reformversuch in Gestalt des «Vereins zur Förderung der Erwerbsfähigkeit des weiblichen Geschlechts» in Gang, mit dem sich der langjährige Leiter des «Zentralvereins für das Wohl der arbeitenden Klassen», Adolf Lette, im Stil seiner harmonistisch-obrigkeitlichen Sozialpolitik bemühte, bürgerlichen Frauen beim Eintritt in die Berufswelt zu helfen. 1869 ging aus seinen siebzehn Ortsvereinen der «Verband Deutscher Frauenbildungs- und Erwerbsvereine» hervor, der für keine soziale und politische Emanzipationsforderung zu gewinnen war, später aber zu einer Kooperation mit dem ADF fand.

Im Grunde stagnierten in den siebziger und achtziger Jahren die Organisationsbemühungen der Frauenbewegung. Während sich eloquente Vertreter des intellektuellen Establishments wie Treitschke und Sybel auch zu wortreichen Verteidigern des Patriarchats aufschwangen, schockierte Hedwig Dohm, eine nicht minder beredte Frauenrechtlerin der frühen Stunde, 1873 die Öffentlichkeit mit ihrem dreifachen Postulat des uneingeschränkten Wahlrechts für Frauen, des Zugangs zum Universitätsstudium und der völligen privatrechtlichen und staatsbürgerlichen Gleichberechtigung. Der einzige Politiker, der eine dieser Forderungen aufgriff, August Bebel, scheiterte mit seinem Vorhaben, das Frauenstimmrecht im Gothaer Programm der SAP zu verankern, erreichte aber immerhin, daß 1875 ein geschlechtsneutral formuliertes Wahlrecht für «alle» Staatsangehörigen aufgenommen wurde.

Das gespannte Verhältnis des ADF zur Sozialdemokratie wurde dadurch nicht verbessert. Im Gegenteil, voller Berührungsangst distanzierte sich die bürgerliche Frauenbewegung von der umstürzlerischen Arbeiterpartei. Daran änderte auch die Tatsache nichts, daß Bebels Bestseller «Die Frau und der Sozialismus», der 1879 erschien und bis 1909 die fünfzigste Auflage erreichte, auch von zahlreichen, politisch aufgeschlossenen bürgerlichen Frauen gelesen wurde. Bebels Hauptargument, daß die Frauen unter dem Diktat der Männerwelt und der ökonomischen Abhängigkeit doppelt litten, konnten sie teilen, seine Schlußfolgerung, daß erst nach der Lösung der «sozialen Frage» durch die Sozialdemokratie die «Geschlechtssklaverei» enden werde, dagegen nicht. Die Skepsis gegenüber diesem Versprechen, das die Härte der Geschlechterdifferenzen weit unterschätzte, war, wie sich herausgestellt hat, so unberechtigt nicht. Gleichwohl nehmen seine Sachkunde und seine pragmatisch klugen Ratschläge mit dem Ziel, zur gemeinsamen Kooperation in allen Frauenfragen als Grundlage einer Reformpolitik der kleinen Schritte zu finden, für den Autor ein.

Ein neuer Auftrieb machte sich erst seit dem Ende der achtziger Jahre geltend. Die beiden Jahrzehnte bis 1908 umspannen die eigentlich große Zeit der bürgerlichen Frauenbewegung im Kaiserreich. 1888 entstand in Weimar der «Frauenverein Reform», der auf der Öffnung aller Fakultäten für Studentinnen insistierte. In vergleichender Perspektive war das längst keine radikale Forderung mehr, denn in den USA konnten Frauen seit 1853 studieren, in Frankreich seit 1863, in den skandinavischen Ländern seit 1870, in England und Holland seit 1878. An der Universität Zürich waren Gasthörerinnen seit den vierziger Jahren zugelassen, 1867 promovierte dort die erste Medizinerin. Die mühsame Prozedur, bei einem wohlwollenden Rektor den Status als Gasthörerin zu erringen, konnten Frauen, als der Reformverein gegründet wurde, seit einiger Zeit auch an deutschen Universitäten auf sich nehmen; eine wachsende Kolonie wich aber an die Schweizer Hochschulen aus. Im Grunde versagte das deutsche Bildungsbürgertum bis zum Beginn des 20. Jahrhunderts vor der Aufgabe, zumindest den eigenen Töchtern den Zugang zum akademischen Studium zu eröffnen. Baden riskierte endlich 1900 den Anfang, Preußen folgte seit 1908 (vgl. hinten V.3).

Der Beruf als Lehrerin hatte sich frühzeitig für Frauen als attraktiv erwiesen (5. Teil, V. 2). Politisch selbstbewußte Lehrerinnen spielten auch in der Frauenbewegung eine prominente Rolle: Von Auguste Schmidt und Hedwig Dohm über Helene Lange und Gertrud Bäumer bis zu Clara Zetkin. Lange, seit 1887 frauenpolitisch aktiv, gründete 1890 den «Allgemeinen deutschen Lehrerinnenverband», der bereits 1900 rund sechzehntausend Mitglieder erreichte. Damit wurde er zum größten weiblichen Berufsverein. Lange leitete auch seit 1889 sogenannte Realschulkurse, die 1898 in Gymnasialkurse umgewandelt wurden, in denen sich Mädchen vom sechzehnten Lebensjahr ab aufwärts angesichts des eklatanten Mangels an höheren Mädchenschulen auf das Abitur als Externe an einem Jungengymnasium vorbereiten konnten.

Obwohl sich das Frauenvereinswesen in dieser Zeit kontinuierlich ausdifferenziert hatte, gelang es im März 1894 dank der Zusammenarbeit von vierunddreißig Vereinen, nach amerikanischem Vorbild den «Bund Deutscher Frauenvereine» (BDF) ins Leben zu rufen. Bis 1913 gehörten ihm rund zweitausendzweihundert Vereine mit etwa 470000 Mitgliedern an, wobei Doppelzählung öfters nicht auszuschließen ist. Die Satzung verzichtete betulich darauf, soziale und politische Fraueninteressen im Sinne einer uneingeschränkten Gleichberechtigung zu formulieren; sozialdemokratische Frauenvereine blieben bezeichnenderweise ausgeschlossen. Dennoch bedeutete diese Bündelung der Kräfte einen Schritt nach vorn.

Die wesentliche Arbeit des BDF wurde in Kommissionen geleistet. Dort ging es um ganz unterschiedliche Gegenstände: etwa das Familienrecht im Rahmen des Bürgerlichen Gesetzbuchs, die Gewerbeinspektion und den Arbeiterinnenschutz, die Aufklärung über Hygiene in den Unterklassen, die Bekämpfung der Prostitution und Alkoholsucht, die Einrichtung von Kindergärten, aber auch um Reformkleidung und heute längst vergessene Tagesfragen, ganz selten um das Stimmrecht und politische Partizipation. In seiner internen Debatte konnte der BDF das Dilemma nicht bewältigen, wie die angestrebten Ideale der Gleichberechtigung, Mütterlichkeit und Weiblichkeit glaubwürdig miteinander versöhnt werden konnten.

Währenddessen hielt die Organisation spezifischer Fraueninteressen an. 1899 wurde der «Deutsche Evangelische Frauenbund» in Kassel gegründet. Er widmete sich vornehmlich der praktischen Fürsorge im Stil der Inneren Mission, stritt gegen Prostitution und Alkoholismus und zog – seit 1908 den rechten Flügel des BDF verstärkend – bis 1913 rund dreizehntausendsechshundert Mitglieder an. Der «Katholische Frauenbund Deutschlands» entstand im Gefolge der fünfzigsten Generalversammlung Deutscher Katholiken erst 1904 in Köln – ein Symptom des neuen selbstbewußteren Verbandskatholizismus. Da der Bund aber «religiöse Indifferenz» ablehnte, schloß er sich dem auf weltanschaulich-konfessionelle Neutralität bedachten BDF nicht an. Ungewöhnlich erfolgreich operierte der im selben Jahr in Berlin gegründete «Jüdische Frauenbund», denn ihm gelang es binnen kurzem, ein Viertel aller jüdischen Frauen über dreißig zu seinen zweiunddreißigtausend Mitgliedern zu zählen. Im BDF unterstützte er den linken Flügel.

Die tiefe Kluft zwischen den organisierten bürgerlichen und proletarischen Frauen konnte dagegen nicht überbrückt werden, da selbst gemeinsame Ziele der Geschlechterpolitik die scharf divergierenden Interessen und Trennungslinien zwischen Sozialmilieus und Klassen nicht zu überwinden vermochten. Die Lebenserfahrungen, vor allem aber die politischen Grundauffassungen blieben extrem unterschiedlich. Trotz der Aufhebung des Sozialistengesetzes wurden politisch interessierte Arbeiterinnen weiter schikaniert. Unter Berufung auf das anachronistische Vereinsrecht war die Polizei unentwegt damit beschäftigt, getarnte, verbotene, neugegründete sozialdemokratische Frauenvereine wieder aufzulösen. Trotzdem gab es

1892 immerhin schon dreiunddreißig mit dreitausend, 1907 vierundneunzig mit rund zehntausend Mitgliedern.

In ihrem Erfurter Programm von 1891 hatte sich die SPD endlich zu der Forderung nach dem Frauenwahlrecht durchgerungen. Aber nicht von den Parteifunktionären ging die Initiative zu einer aktiveren Frauenpolitik aus, sondern von einigen engagierten Frauen, deren prominenteste seit 1889 Clara Zetkin war. Als es auf dem Berliner Internationalen Frauenkongreß im September 1896 vor den siebzehnhundert Teilnehmerinnen zu einem heftigen Zusammenstoß zwischen bürgerlichen und sozialdemokratischen Rednerinnen kam, beharrte vor allem Zetkin, weit entfernt von Bebels Pragmatismus, dogmatisch auf der unverzichtbaren Eigenständigkeit sozialistischer Frauenpolitik. Einen Monat später erklärte sie auf dem SPD-Parteitag in ihrem Grundsatzreferat den ungehinderten, gleichberechtigten Zugang zu allen Berufen, mithin die allgemeine Frauenerwerbsarbeit zur unverzichtbaren Voraussetzung weiblicher Emanzipation.

Abgesehen von der Einseitigkeit dieses Postulats, daß Frauen sich nur auf dem Wege der Erwerbsarbeit «selbstverwirklichen» könnten, erwies es sich als außerordentlich mühsam, gerade für diese Zielvorstellung in den Freien Gewerkschaften und in der SPD, wo die Vorherrschaft traditionaler Rollenstereotypen ungebrochen war, Verständnis zu finden. Zetkins harter Kurs war freilich auch unter den sozialdemokratischen Frauen umstritten. Ihre Hauptopponentin Lily Braun entwickelte ein umfassenderes Emanzipationsverständnis, das ihrer evidenten Sympathie für revisionistische und reformistische Ideen entsprach; es sollte auch endlich die Zusammenarbeit mit dem BDF ermöglichen. An dem unbeirrbaren Widerstand Zetkins, deren Dogmatik sie später folgerichtig der totalitären Versuchung des Kommunismus erliegen ließ, prallte aber jede Kritik ab.

Das Reichsvereinsgesetz von 1908 eröffnete auch den sozialdemokratischen Frauen eine neue politische Arena. Für ihre Organisationsanstrengungen fanden sie ein riesiges Potential vor, denn zu dieser Zeit waren neuneinhalb Millionen Frauen (einschließlich der 1.25 Millionen Dienstboten) erwerbstätig; dazu gehörten zwar nur zehn Prozent aller verheirateten Frauen, aber es waren vierunddreißig Prozent aller Berufstätigen. In den wenigen Jahren bis 1914 tat die proletarische Frauenbewegung unstreitig einen großen Schritt nach vorn. Vor dem Krieg machten in der SPD (175 000) und in den Freien Gewerkschaften (225 000) die weiblichen Mitglieder immerhin jeweils rund zehn Prozent aus. Diese Frauen wurden im allgemeinen auch von der sozialdemokratischen Frauenpolitik erreicht. Aber ihre Zahl lag ganz erheblich unter dem Mitgliederbestand des BDF, mehr sogar noch unter dem des «Vaterländischen Frauenvereins».

Über diesen antiemanzipatorischen, grundkonservativen Verband ist nur wenig bekannt. Es verrät eine ominöse Lücke in der Historiographie, daß es über diese größte, politisch aber «unsympathische» Frauenvereinigung des kaiserlichen Deutschland noch keine einzige Monographie gibt. Sie ist an sich notwendig, und zudem ist die personengeschichtliche Kontinuität über die Rechtsparteien der Weimarer Republik bis zur NS-Wählerschaft keine abwegige Vermutung. Dieser «Frauenverein» ging seit 1866 aus dem Pflegedienst an den Verwundeten der beiden deutschen Hegemonialkriege hervor. Heilen und Pflegen hatten seit jeher zum traditionellen Rollenverständnis der Frauen gehört. Erneut bewies es, zumal weiblicher Nationalismus auf diese Weise sublimiert werden konnte, seine Anziehungskraft. Nach dem Krieg gegen Frankreich zählte der «Vaterländische Frauenverein» dreißigtausend, in den späten achtziger Jahren schon hundertfünfzigtausend, 1913 sogar eine halbe Million beitragzahlende Mitglieder. Sie übten Erste-Hilfe-Leistungen und Krankenschwesternaufgaben, Kochen und Kleidernähen für Soldaten ein, pflegten das gesellige Beisammensein mit Vorträgen männlicher Gäste und ließen es sich widerspruchslos gefallen, daß die Kaiserin die männliche Hälfte des Vorstandes mit Generälen und hohen Beamten besetzte, während die weibliche Hälfte immer nur aus adligen Frauen bestand. Im Kriegsfall sollte ohnehin die Generalität die Leitung übernehmen. Von nichts waren diese konservativen Frauen weiter entfernt als von einem dezidiert politischen Engagement zugunsten weiblicher Emanzipation.

Den Kampf um politische Gleichberechtigung nahmen andere auf: Lily Braun zum Beispiel, die im Dezember 1894 auf einer öffentlichen Frauenversammlung das Stimmrecht für alle volljährigen Staatsbürgerinnen einklagte. Erstmals wurde diese Forderung 1895 auch im Reichstag von Bebel begründet. Als der Appell, ebenfalls noch im BDF, folgenlos blieb, wurde 1899 der «Verband Fortschrittlicher Frauenvereine» außerhalb des Dachverbandes gegründet, um das politische Partizipationsrecht auf die Tagesordnung zu setzen. Nach einer längeren Kontroverse schwenkte der BDF dann doch, wenn auch zögernd, auf diese Linie ein, so daß ihm der «Verband» 1907 beitrat. Im folgenden Jahr eröffnete das Reichsvereinsgesetz neuartige Agitationsmöglichkeiten. Für die SPD-Führung warf die Stimmrechtsforderung keine grundsätzlichen Probleme mehr auf. Das Zentrum dagegen taktierte vorsichtig, zumal der kleine katholische «Frauenbund» keine nennenswerte Lobbytätigkeit entfaltete. Die Konservativen wehrten sich empört gegen die Negierung der «göttlichen Ordnung». Schwankend verhielten sich die Liberalen, zu denen der BDF die engste Affinität besaß. So scheute etwa die FVP, obwohl der BDF-Vorstand ihr angehörte, 1910 vor der programmatischen Forderung nach der politischen Gleichberechtigung der Frauen noch immer zurück. Nur Barths «Demokratische Vereinigung», ein kleines Fähnlein der Aufrechten, riskierte es, in dieser Frage mit der SPD an einem Strang zu ziehen.

Im Vergleich mit England, erst recht mit den Vereinigten Staaten, ist der Kampf um die politischen Gleichheitsrechte von der deutschen Frauenbewegung erst spät aufgenommen worden. Von einer Bereitschaft zur Militanz kann man bei den meisten Vorkämpferinnen nicht sprechen. Diese Zurückhaltung hängt mit dem autoritären politischen System des Kaiserreichs und seinem einschnürenden Vereinsrecht, mit der Schwäche demokratischer Traditionen und den Blindstellen der «bürgerlichen Gesellschaft», mit den Folgen der traditionellen Sozialisation von Mädchen und Frauen und der ubiquitären Privilegierung männlicher Vorherrschaft zusammen. Angesichts dieser Übermacht der Traditionen bewahrheitete sich erneut Marx' skeptische Diagnose: «Die Tradition aller toten Geschlechter lastet wie ein Alp auf dem Gehirne der Lebenden» – «le mort saisit le vif». Vor 1914 war die Zeit für einen intensiveren Lernprozeß vermutlich zu kurz. Die Frauenbewegung mußte erst noch lernen, daß sie einen Überschuß an Forderungen und Energien zu mobilisieren hatte, um kleine pragmatische Fortschritte erstreiten zu können.[33]

c) Die Jugendpolitik und Jugendbewegung

Vor 1914 gab es in Deutschland viele Jugendverbände: die konfessionellen Vereine, die Pfadfinder, die Turn- und Sportvereine, die Jugendabteilungen der Parteien und Agitationsverbände. Sie alle waren auf die Erwachsenenwelt hin orientiert und sollten, jeder auf seine Weise, junge Menschen in diese integrieren helfen. Hier geht es jedoch an erster Stelle um die «bündische Jugend», um den «Wandervogel» als eine eigene Protest- und Reformbewegung, die bis zum Ersten Weltkrieg maximal hunderttausend Jugendliche erfaßt hat. Fraglos handelte es sich um eine Minderheit, aber um eine Minderheit von gewissermaßen prinzipieller Bedeutung im Kosmos der Jugendverbände und um eine Minderheit, von der vier Jahrzehnte lang außergewöhnliche Wirkungen ausgingen. Sie muß zuerst in den allgemeinen Kontext von Jugendpolitik und Jugendbewegung eingebettet werden.

Fast alle Jugendvereine, die insbesondere in den beiden letzten Jahrzehnten vor 1914 entstanden, waren an die Lebenswelt der Erwachsenen, von denen sie auch durchweg geleitet wurden, fest angeschlossen. Nur selten tauchten autonome Ziele und eigene Aktivitätsformen auf. Lange Zeit lagen die konfessionellen Jugendvereine vorn, die im Zusammenhang mit der Expansion des kirchlichen Vereinswesens entstanden waren und die Jugendlichen (unter dem 18. bzw. 21. Lebensjahr) außerhalb der Schule organisieren wollten. So entstanden die Jünglings- und Jungfrauenvereine in den Pfarrgemeinden, die Dienstboten- und Landjugendvereine, die Lehrlings- und Gesellenvereine, die «Christlichen Vereine Junger Männer» (CVJM) und die Schülerbibelkreise. Ihr gemeinsames Ziel lag darin, junge Menschen vor der Verführung durch «die Welt» oder den «Zeitgeist» zu schützen, soziale Not zu lindern, Verwahrlosung zu verhindern, die «Wüste» zwischen Fabrik und Slum zu beleben, den Circulus Vitiosus zwischen Werkstatt und Kneipe zu durchbrechen.

Die «Katholischen Jugendvereinigungen», die aufgrund der konfessionellen Minderheitenlage und des begünstigenden Sozialmilieus ein typisch höherer Organisationsgrad auszeichnete, lagen 1913 mit 298000 männlichen Mitgliedern, weiteren 350000 in den Jungfrauenvereinen und dazu 75000 Kolping-Gesellen an der Spitze. Dagegen brachte es die «Nationalvereinigung der evangelischen Jugendbünde Deutschlands» bis dahin nur auf 147000 männliche Mitglieder – durchweg siebzehn- bis fünfundzwanzigjährige Handwerker und Arbeiter, während die Jugendlichen zwischen vierzehn und siebzehn in eigenen Jugendvereinen ausgegliedert waren – und auf weitere 250000 «Jungfrauen». Obwohl der Aufstieg des modernen Sports in jenen Jahren einsetzte, zählten die Turn- und Sportvereine um die Jahrhundertwende erst 65000 Mitglieder, die jünger als achtzehn Jahre waren. Erstaunlich schnell hatten es dagegen die nach dem Vorbild der englischen «Boy Scouts» Baden-Powells gegründeten «Pfadfinder»-Bünde bis 1911 auf 80000 Mitglieder gebracht.

Bezeichnenderweise entdeckten auch die politischen Parteien im Zuge der voranschreitenden Fundamentalpolitisierung die «Nachwuchsarbeit» unter Jugendlichen. Die «Windthorst-Bünde» des Zentrums etwa versammelten bis 1914 20000 junge Männer, deren Alter freilich zum Teil über fünfundzwanzig lag. Sie standen dem «Volksverein» und dem sozialreformerischen Flügel des Zentrums nahe, unterstützten aber, besonders in Westdeutschland, loyal die Gesamtpartei. Die sogenannten «Jungliberalen» schlossen sich 1900 im «Reichsverband der nationalliberalen Jugend» zusammen, deren Mitgliederzahl vor 1914 zwischen sechzehn- und achtzehntausend schwankte. Unter ihnen herrschte eine antikonservative, antiklerikale, sozialliberalen Experimenten aufgeschlossene Einstellung vor.

Die Sozialdemokratie erreichte in ihren Turn- und Sportvereinen etwa neunzigtausend Jugendliche. Seit 1904 entwickelte sich eine eigene «Arbeiterjugendbewegung», die sich nach lebhaften Schwankungen konsolidierte, so daß 1914 sechshundertfünfundfünfzig «Jugendausschüsse» bestanden, die auf jeden Fall mehr als die neunzigtausend Abonnenten der Zeitschrift «Arbeiterjugend» erfaßten. Diese Jungarbeiter wurden als Nachwuchs der Partei und Gewerkschaften gefördert; vor allem der linke Flügel um Karl Liebknecht, Rosa Luxemburg und Clara Zetkin suchte die jugendliche Bereitschaft zum Engagement für seine antimilitaristischen und radikalen Forderungen zu nutzen.

Welche Attraktion von der «Jugendarbeit» ausging, zeigen ebenfalls die Jugendabteilungen, welche die nationalistischen Agitationsverbände, etwa der «Flottenverein», der «Ostmarkenverein», der «Wehrverein», aufbauten. Der «Alldeutsche Verband» warb für seine «Wartburgjugend»; der DNHV gewann zwanzigtausend Mitglieder für seine Lehrlingsvereine. Überhaupt wurden auf der rechten Seite des politischen Spektrums für die schulentlassenen, wehrpflichtigen Jugendlichen Vereine gegründet, die eine sportlich-paramilitärische Ausbildung mit «vaterländischer Erziehung», also mit nationalkonservativer «Staatsbürgerkunde» und Indoktrination gegen den sozialdemokratischen Einfluß, verbanden. Unterstützt von der Bürokratie und jüngeren Offizieren entstanden zuerst die bayerischen «Wehrkraft»-Vereine, alsbald auch preußische und badische Vereine dieses Typus. 1911 wurden sie, zusammen mit den Jugendpflege-Vereinen der Kommunen, im staatlich geförderten «Jungdeutschlandbund» zusammengefaßt, der binnen kurzem eine Fülle von Aktivitätsmöglichkeiten anbot, mit verbilligten Fahrkarten und kostenloser Gruppenübernachtung in Kasernen warb und einen verblüffenden quantitativen Erfolg erzielte, denn bis 1914 soll dieser Dachverband 750000 Mitglieder erfaßt haben.

Von all diesen Jugendvereinen unterschied sich der viel umstrittene, leidenschaftlich verteidigte oder kritisierte «Wandervogel» insofern grundsätzlich, als er eine eigene jugendliche Subkultur mit eigenen Lebensformen und Zielvorstellungen entwickelte. Seine Geschichte beginnt mit einer kleinen Gruppe Steglitzer Gymnasiasten, die seit 1896 unter der Leitung des Berliner Studenten Hermann Hoffmann, vom Schuldirektor unterstützt, Wanderungen unternahmen. 1899 kulminierten die Ausflüge in einer vierwöchigen Wanderung durch den Böhmerwald – der Urform der künftigen «Fahrt». Als Hoffmann sein Studium beendet hatte, trat der Primaner Karl Fischer an seine Stelle und organisierte auch nach dem Abitur neue Gruppen. Im November 1901 entstand dann als Zentralverband der «Wandervogel», die erste, sich allmählich über das ganze Reich erstreckende Organisation der «bündischen» Jugend. Entgegen mancher Spontanitätslegende wurde der «Wandervogel» mit Hilfe von Eltern und Lehrern gegründet, ein «Eltern- und Freundesrat» fungierte als eine Art von Aufsichts- und Beratungsorgan, das von allen späteren Bünden beibehalten wurde. Von Anfang an gab es sowohl enge Beziehungen zu Verfechtern der Reformpädagogik als auch das fördernde Wohlwollen von Schulbehörden; so stimmte etwa der Berliner Reformpädagoge Ludwig Gurlitt das preußische Kultusministerium frühzeitig positiv ein.

Während sich der «Wandervogel» an den Gymnasien zahlreicher Städte ausbreitete, äußerte sich der Charakter dieser kleinen elitären Gesinnungsgemeinschaften in ständigen Spaltungsprozessen, so daß schließlich «Alt»- und «Jungwandervogel», «Steglitzer Wandervogel» und «Deutscher Bund» miteinander konkurrierten. 1912/13 gelang es jedoch, in einem großen Einigungsbund, dem «Wandervogel – Bund für Deutsches Jugendwandern», fast alle Bünde zusammenzuführen. Zu dieser Zeit existierten rund achthundert Ortsgruppen mit rund fünfundzwanzigtausend Mitgliedern; bis dahin hatten weitere fünfundsiebzigtausend Jugendliche den Bünden angehört. Seit 1907 gab es auch Mädchengruppen. Das ging nicht ohne heftigen Streit ab, da der männerbündische Charakter durch die «Wanderschwestern» gesprengt wurde. Es spricht für die Elastizität des «Wandervogels», daß er trotz des Grundsatzkonflikts und der hohen Schranke konventioneller moralischer Bedenken seine Gruppen öffnete. Bis 1911 vermochten sich selbständige Untereinheiten von Mädchen, für die sich mit ihrer Wandervogelzeit ein gewaltiger Emanzipationsschritt verband, in allen Bünden durchzusetzen. Seit 1906 konnten sich auch Studenten, «Freideutsche» und «Freistudenten», die dem «Wandervogel» angehört hatten, in den «Akademischen Freischaren» wieder zusammenfinden.

Insgesamt blieb die «bündische» Jugend ein Phänomen des deutschen Bildungsbürgertums ohne ein vergleichbares Pendant in den anderen europäischen Ländern; nur an den deutsch-österreichischen Schulen und in der deutschsprachigen Schweiz gab es bezeichnenderweise einige Ableger. Die soziale Zusammensetzung zeigt die frühe bildungsbürgerliche Prägung: Achtzig Prozent der «Wandervögel» vor 1914 absolvierten ein Gymnasium, fast alle weiteren eine andere höhere Schule. Die Hälfte stammte aus den typisch bildungsbürgerlichen Familien akademischer Beamter und Freiberufler. Jeweils zwanzig Prozent kamen aus den assimilierungswilligen Familien von Unternehmern, Kaufleuten und Handwerkern bzw. höheren und mittleren Angestellten; zehn Prozent hatten mittlere und untere Beamte oder kleine Angestellte zum Vater. Programmatisch bekämpfte der «Wandervogel» die Klassengrenzen und forderte statt dessen die «Volksgemeinschaft». Es gab aber weder adlige noch proletarische Mitglieder. Und als ein verbissener Streit darüber aufflammte, ob jüdische Jugendliche aufgenommen werden sollten, zog sich die Bundesleitung auf eine Kompromißformel zurück, in der sich die «aufrechte Gesinnung» der «Bündischen» verflüchtigt hatte: Da keine stichhaltigen Gründe dafür sprächen, die Aufnahme prinzipiell zu verweigern, sollten die Ortsgruppen von Fall zu Fall selber die Entscheidung treffen.

Die Verfassung der Bünde wurde, ihrer tiefen Verachtung formeller Organisation entsprechend, durch ein hochpersonalisiertes Verhältnis von «Führer und Gefolgschaft» bestimmt. Jede Ortsgruppe wählte, gemäß dem Prinzip «Jugend will von Jugend geführt werden», ihren Anführer selber, sofern sich nicht ein älterer Schüler oder Student mit Leitungstalent von vornherein an die Spitze gesetzt hatte. Erwachsene im Berufsleben wurden von Führungspositionen ausgeschlossen. Neue Mitglieder wurden nach strenger Prüfung kooptiert, nicht konsensfähige Bewerber rigoros abgelehnt. Solche Entscheidungen stärkten die elitäre Homogenität und das Gefühl der Auserlesenheit. Kleingruppen blieben das prägende Zentrum des «bündischen» Lebens. In lockerer Verbindung schlossen sich die Ortsgruppen in Kreisen, «Gauen» und schließlich im Reichsbund zusammen. Eine kleine Oligarchie von «Berufsjugendlichen» leitete die überlokalen Verbände, redigierte und schrieb die Zeitschriften. Nach außen präsentierte sich der «Wandervogel» als eine verwirrende Vielfalt von örtlichen «Horden», Freundeskreisen, Bünden, Leser- und Autorenzirkeln, von Eltern und Lehrern unterstützt, in der öffentlichen Meinung von Intellektuellen und Anhängern zeitgenössischer Alternativbewegungen begrüßt.

In seiner Subkultur ging es dem «Wandervogel» darum, die Sozialisationsprozesse in der Adoleszenzphase dadurch umzuprägen, daß er in strenger Distanz zu den etablierten Erziehungsinstitutionen die vorgegebenen Denk-, Verhaltens- und Erlebnismodi von Grund auf zu verändern und in gleichaltrigen Jugendgruppen neu zu organisieren suchte. Erstmals wollte diese «Jugendbewegung» dezidiert jung und nicht möglichst bald wie die Erwachsenen sein. «Bündisches Leben» setzte aber die Entlastung von jeder Sorge um die materielle Existenz voraus. Erst der Beistand der Eltern ermöglichte die Fiktion eines völligen Freiraums in der Gymnasiasten- und Studentenzeit. Für diesen vom «Mythos der Jugend» beherrschten Freiraum entwickelte der «Wandervogel» spezifische Lebensformen. Das begann mit der eigenen Kleidung, der «Kluft» mit kurzer Hose, Sporthemd und Schillerkragen, Barett und Bundesabzeichen. Regelmäßig traf sich die Ortsgruppe im eigenen «Nest», einer ausgebauten Scheune oder Ruine. Gemeinsames Singen, unterstützt von altertümlichen Instrumenten wie «Klampfe» und Laute, nahm viel Zeit ein. Ihr Gesangbuch, der «Zupfgeigenhansl», errang mit einer Auflage von mehr als einer Million Exemplaren den Spitzenrang unter allen deutschen Liedersammlungen vor 1914. Als die Mädchen aufgenommen wurden, kamen Volkstänze hinzu. An jedem Wochenende begann der «Aufbruch» zu einer zweitägigen Wanderung, und den Höhepunkt des Jahres bildete die vierwöchige «Fahrt» in den Sommerferien, gekrönt vom Bundestreffen aller Ortsgruppen. Die «Horde» kampierte im Freien oder in einer Scheune, kochte am offenen Feuer, lebte spartanisch ohne Rauchen und Alkohol. Im Mittelpunkt stand das Erlebnis enger Gemeinschaft als «Überwindung der Fragwürdigkeiten» der bürgerlichen Lebensrealität.

Die Ziele und Einstellungen, das Gesellschafts- und Politikverständnis des «Wandervogels» müssen, weil daran vieles diffus wirkt, genauer bestimmt werden. Aus der Identitäts- und Adoleszenzkrise bildungsbürgerlicher Jugendlicher ging in einer eigentümlichen Zuspitzung zeitweilig eine spezifische Jugendsubkultur hervor. Sie verkörperten nicht die Speerspitze einer allgemeinen Jugendrevolte, vielmehr wollten sie das «Moratorium» einer weit verstandenen Jugendzeit durch ihre eigene «Jugendkultur» selber prägen und möglichst viel davon in jene Lebensphase retten, in welcher der Beruf den Kompromiß mit der abgelehnten bürgerlichen Ordnung erzwang. Denn die Anti-Haltung gegen die bürgerliche Gesellschaft der wilhelminischen Zeit, gegen ihre satte Selbstzufriedenheit, ihren kränkenden Protz, ihren starren Formenzwang – das war die verbindende Grundstimmung dieser Bürgersöhne und -töchter. Ihr Aufbegehren gegen die «erstarrte Bürgerlichkeit» zeigt die innere Verwandtschaft mit anderen Alternativbewegungen: mit der Bewegung für Lebensreform und für Schulreform, mit der Frauenbewegung und den Sozialreformern, mit dem «Werkbund» und dem «Dürerbund» (vgl. vorn III. 2b). Aus dieser Protesthaltung entsprangen ihre Organisationsprinzipien und Lebensformen einschließlich der eigenen Symbolik und der Überhöhung von Naturerlebnis und Gemeinschaftserfahrung.

So entschieden der Widerspruch gegen die Enge der bürgerlichen Welt auch ausfiel, kamen die «Wandervögel» doch häufig aus liberal erziehenden bürgerlichen Elternhäusern und erlebten den Unterricht liberaler Lehrer. Eben das hat – wie das auch in der studentischen Protestbewegung von 1968 oft der Fall war – die Sensibilität und Kritikbereitschaft, das Bekenntnis zum Unkonventionellen und die Absonderung in einer eigenen Sphäre gefördert. Diesen Einflüssen – und nicht so sehr der angeblichen Revolution gegen die patriarchalische Unterdrückung zu Hause und den geisttötenden Paukstil in der Schule – war auch das Vertrauen auf die Erneuerungskraft der Jugend zu verdanken. Im Grunde unterstreicht auch die «bündische» Jugendbewegung noch einmal die eigenartige Fähigkeit des Bildungsbürgertums, Kritiker aus den eigenen Reihen hervorzubringen, zu ermutigen und zu ertragen.

Diese Kritik äußerte sich als sozialromantischer Protest gegen den Siegeslauf des Kapitalismus und der Technik, gegen die Zweckrationalität bürokratischer Großorganisationen, gegen die Urbanisierung des Landes. Der «Wandervogel» entstand «großstadtbedingt», war aber «großstadtfeindlich»; er kultivierte eine Anpassungsverweigerung gegenüber der modernen städtisch-industriellen Welt. Aus dieser Opposition zog er die Konsequenz, auf die heilende Wirkung des überschaubaren Milieus kleiner Freundesbünde zu vertrauen, die sich das «neue Reich der Jugend» selber eröffneten. Die «bewegende Mitte» dieser Jugendbewegung blieb ihr Gemeinschaftserlebnis, ein in vielen Sozialbewegungen und Sekten anzutreffender «irrationaler Vorgang», dessen «menschenverändernde Wirkung» aber viele erfuhren und bis an ihr Lebensende nicht vergessen konnten. Dieser Erweckungserfahrung entsprang eine typische Distanz zur intellektuellen Argumentation, die Scheu oder Unfähigkeit, das «heilige» Gemeinschaftserlebnis und die veränderte Selbsterfahrung in klaren Worten zu präzisieren. Man spürt das noch allenthalben in der umfangreichen historischen Literatur, die mitteilungsfreudige Angehörige der «bündischen» Jugend über die eigene Bewegung hervorgebracht haben.

Der diffuse Protest des «Wandervogels» war mit dem Kulturpessimismus jener Jahrzehnte aufs engste verwandt. Langbehns «Rembrandtdeutscher» gehörte ebenso zu seinen Kultbüchern wie Hermann Burtes «Wiltfeber – der ewige Deutsche» oder Hermann Poperts «Harringa». Von dort aus war es nur ein kleiner Schritt zur romantischen Utopie des «neuen Menschen» mit gesteigerter Persönlichkeitsqualität. Dem Vertrauen auf die Führungsfähigkeit dieser geläuterten, selbsternannten kleinen Elite korrespondierte eine tiefe Demokratieskepsis. Bildungsbürgerliche Arroganz beherrschte die Einstellung gegenüber den nicht erneuerungsfähigen Plebejern.

Freilich erschöpfte sich die elitäre Anti-Haltung in Programmlosigkeit, sobald es um ein verbindliches gesellschaftliches Reformengagement und um konkrete politische Veränderung ging. In beiderlei Hinsicht fehlte dem «Wandervogel» sowohl die nüchterne Diagnose als auch die verantwortungsbewußte Entscheidung für eine Therapie. Die berühmte Formel, die auf dem legendären Treffen der «Freideutschen Jugend» auf dem Hohen Meißner bei Kassel im Oktober 1913 von zwei- bis dreitausend Teilnehmern begeistert gebilligt wurde, enthüllt diese abstrakte Unverbindlichkeit mit schlechthin unübersehbarer Deutlichkeit: «Die Freideutsche Jugend will aus eigener Bestimmung», hieß es dort, «vor eigener Verantwortung, mit innerer Wahrhaftigkeit ihr Leben gestalten. Für diese innere Freiheit tritt sie unter allen Umständen geschlossen ein.» Dieses Pathos der «inneren Freiheit» und Erneuerung setzte sich aber weder in kühne Reformkonzeptionen um noch richtete es sich auf die Aufgaben pragmatischer Politik. Übrig blieb eine frei vagabundierende Animosität gegen die «entseelte» städtisch-kapitalistische Gegenwart. Daher hielt sich auch das Grunddilemma dieser Jugendbewegung: Die Proklamation der Vorbildlichkeit des «neuen Menschen» in den bündischen Eliten trug zur strukturellen Umgestaltung von Staat und Gesellschaft nichts bei. Das wortreiche Unbehagen im hehren Jargon der «Innerlichkeit» und «Gemeinschaft» erwies sich als hohle Rhetorik, welcher der Wille zur zielbewußten politischen Veränderung fehlte.

Unpolitisch aber waren einige dominierende Wunschbilder des «Wandervogels» ganz und gar nicht. Da gab es die Vision von der konfliktlosen, harmonischen «Volksgemeinschaft», welche die Antagonismen der reichsdeutschen Klassengesellschaft und die «Verhetzung» durch die Parteien überwinden sollte. Eine solidarische «Gemeinschaft» habe, forderte man, an die Stelle der von nackten Interessen getriebenen «Gesellschaft» zu treten. «Das Volk» wurde gegen «den Staat» aufgewertet. Die Agrarromantik des «Wandervogels» nährte die Fiktion einer Regeneration der Deutschen aus der Tiefe ihres «Volkstums». «Gereinigt und wiedergeboren im Bade des Volkstums», prophezeite Hans Breuer, einer der anerkannten Wortführer des «Wandervogels», in seiner «Herbstschau» von 1913, «wird die Nation aufwärtssteigen.» Durch ihre Volkstumsverklärung gerieten die «Bündischen» in eine fatale Nähe zum völkischen Nationalismus, durch ihre Utopie vom «natürlichen Führertum» und von der Elite des «neuen Menschen» in die verhängnisvolle Nachbarschaft derjenigen politischen Theorie, wie sie insbesondere unter der «neuen Rechten» der radikalnationalistischen Verbände im Schwange war.

Der Weltkrieg hat den erhofften Aufschwung abrupt unterbrochen. Von den «Bündischen» wurde er durchweg begeistert begrüßt. Aber die Ausnahme ist um so bemerkenswerter: Die Studenten im «Bund Akademischer Freischaren» schickten Anfang August 1914 einen beschwörenden Friedensappell an den Kaiser. Daß sich auch für die «bündische» Jugend zwischen 1919 und 1933 die Problematik von Kontinuität und Diskontinuität neu stellte, liegt auf der Hand. Auf einige Folgen jener Weichenstellungen, die bereits vor 1914 erfolgt sind, muß aber schon an dieser Stelle hingewiesen werden.

Das Führer- und Gefolgschaftsprinzip, der Elitendünkel und die Demokratieverachtung, die Aufwertung des «Deutschtums» und des «deutschen Volkstums», das fehlende Verständnis für pragmatische Politik im Alltag, das vage Verlangen nach umfassender Veränderung, die Hoffnung auf den «neuen Menschen» und die Früchte der Lebensreform – das alles hat viele Mitglieder der «bündischen» Jugend – ob alternde «Wandervögel» oder neugewonnene Adepten der Nachkriegszeit – für den Nationalsozialismus anfällig gemacht. Von dieser Bewegung eines charismatischen «Führers», der Gefolgschaft verlangte, die Partei der «Jungen» repräsentierte, den Sieg des «deutschen Volkstums» prophezeite, das «Großdeutschland» aller Deutschsprachigen anvisierte, den «Aufbruch der Nation» und den «neuen Menschen» verhieß, strahlte auch auf sie eine fatale Anziehungskraft aus. Damit war nicht von vornherein eine Billigung der totalitären Diktatur, des radikalen Antisemitismus, der Kriegspolitik verbunden, sehr wohl aber eine spezifische Wehrlosigkeit gegenüber dieser politischen Bewegung, die so viel von dem aufzugreifen schien, was den «Bündischen» schon so lange als Ideal vorgeschwebt hatte. Diese Anfälligkeit «irregeleiteter Idealisten», wie sie sich später gern nannten, zählt mehr als die Tatsache, daß einige kleine «bündische» Gruppen und wenige honorige einzelne den Weg zum Widerstand gegen das NS-Regime fanden.[34]

d) Die Friedensbewegung

Der moderne Pazifismus, wie er im 19. Jahrhundert in England, Nordamerika und Europa zuerst als Denkströmung, dann mit dem Rückhalt an festen Organisationen entstand, versuchte, das Gefahrenpotential der antagonistischen Anarchie in den internationalen Beziehungen mit Hilfe von zwei Methoden zu entschärfen. Zum einen warb er für die Völkerverbrüderung und auf der Linie älterer utopischer Entwürfe und neuer liberaler Hoffnungen für einen Völkerbund. Zum andern wollte er den Antagonismen des Staatensystems durch die «Verrechtlichung der zwischenstaatlichen Beziehungen» und «justizförmige Prozeduren der Konfliktregelung» begegnen, etwa in Gestalt eines Internationalen Gerichtshofs mit allseits akzeptierten Entscheidungen und der Ausweitung der Schiedsgerichtsbarkeit, die frühzeitig zwischen den Vereinigten Staaten und England im Hinblick auf Kanada praktiziert worden war und sich seither in Spannungszonen öfters bewährt hatte. Beide Verhaltensstrategien basierten auf der realistischen Einsicht, daß die Welt durch ihre «Internationalisierung» zu einem globalen Aktionsfeld mit einer steigenden Anzahl von Konfliktherden zusammenwachse und eben deshalb der gewaltlosen Konfliktbewältigung bedürfe, damit eine friedliche Koexistenz der Staaten gewährleistet sei.

Im neugegründeten Kaiserreich, das aus drei siegreich beendeten Kriegen hervorgegangen war, hat sich eine deutsche Friedensbewegung – gewissermaßen frontal gegen die militärisch-nationalistische Erfolgsstimmung – in einem nennenswerten Maße zunächst nicht entwickeln können, zumal es Bismarcks Außenpolitik gelang, die Verwicklung in kriegsnahe Konfrontationen zu vermeiden. Daß dann seit der Mitte der neunziger Jahre eine vorsichtige Aufwärtsbewegung auch des deutschen Pazifismus einsetzte, spiegelte die zunehmenden internationalen Spannungen und Folgen der Rüstungspolitik, auch die bedrohlichen Konstellationen wider, in die das Reich geriet oder hineingesteuert wurde.

Nachdem es bereits in zahlreichen westlichen Ländern pazifistische Vereinigungen gab, die sich seit 1892 auf «Internationalen Friedenskongressen» trafen und in Bern ein «Internationales Friedensbüro» für Koordinationsaufgaben unterhielten, wurde im selben Jahr auch in Berlin die Gründung einer deutschen Friedensvereinigung betrieben. Vor dem Hintergrund der erregten Debatte über die neue Heeresvorlage vereinten sich hier bekannte Reichstagsabgeordnete der «Deutsch-Freisinnigen Partei» wie Ludwig Bamberger, Theodor Barth, Heinrich Rickert und Rudolf Virchow, der Journalist Alfred Fried, einer der künftigen Aktivisten des deutschen Pazifismus, und indirekt auch Bertha v. Suttner, deren Antikriegsbuch «Die Waffen Nieder!» (1889) von geringem literarischen Wert war, aber als internationaler Bestseller mit hohen Auflagen für Aufsehen gesorgt hatte.

Im Dezember konnte die projektierte «Deutsche Friedensgesellschaft» (DFG) endlich ins Leben gerufen werden. In ihrem Vorstand gaben Freisinnige Abgeordnete wie Barth, Max Hirsch, Hermann Pachnicke und Karl Schrader zusammen mit dem populären Schriftsteller Friedrich Spielhagen und dem Direktor der Berliner Sternwarte, Wilhelm Foerster, den Ton an. Es blieb jedoch vorerst ein Generalstab ohne Truppen. Die Mitgliederwerbung verlief ziemlich erfolglos. Ein interner Dissens lähmte die DFG, da ein Flügel die öffentliche Meinung über Friedenspolitik und Schiedsgerichtsbarkeit aufklären, ein anderer nur von innen her das Reichsparlament beeinflussen wollte. Der Zerfall der «Deutsch-Freisinnigen Partei» strahlte auch auf die DFG aus, in der zusehends Passivität vorherrschte. Der Schwerpunkt wanderte in den Südwesten mit seinen liberalen Traditionen ab, die Zentrale wurde von Berlin nach Stuttgart verlegt. Bis 1900 hatten sich siebzig Ortsgruppen mit rund fünftausend Mitgliedern gebildet, von denen nur außerordentlich wenige in Nord- und Ostdeutschland, in Hamburg, Lübeck, Berlin, Stettin, Danzig, Königsberg und Breslau lagen.

Die Vorbereitung der Ersten Haager Friedenskonferenz von 1899, auf der eine allgemeine Abrüstung und die Schiedsgerichtsbarkeit verhandelt werden sollten – beide Forderungen hatte die DFG 1897 in ihr Programm aufgenommen –, gab den deutschen Pazifisten einen gewissen Auftrieb. Zu dieser Zeit trat Ludwig Quidde als eine ihrer Führungspersönlichkeiten hervor, ein begabter Historiker, der Wilhelm II. als «Caligula» in dem erfolgreichsten literarischen Pamphlet des Kaiserreichs verspottet (1894), beißende Kritik an den Auswüchsen des deutschen Militarismus geübt hatte und sich, in der Zunft verfemt, als vermögender Privatgelehrter im Linksliberalismus engagierte. Das Minimalergebnis von Den Haag löste tiefe Enttäuschung aus. Außerdem war der Vorstoß des deutschen Imperialismus nach Ostasien nicht abzubremsen, und selbst die Freisinnigen unterstützten den Schlachtflottenbau. Da vermochte auch der Vergleich wenig Trost zu spenden, denn erfolglos protestierte der amerikanische Pazifismus gegen den Spanisch-Amerikanischen Krieg, der italienische gegen den Abessinienkrieg, der englische gegen den Burenkrieg.

Tatsächlich steckte der deutsche Pazifismus wegen seiner Konzeptionsschwächen und Akzeptanzprobleme in einer tiefen Krise inmitten einer Gesellschaft, die für das Militär, die Aufrüstung, den Imperialismus ungleich mehr Sympathie als für die zum antiquierten Ideal degradierte Völkerfreundschaft aufbrachte. Die begrenzten Finanzmittel wirkten sich hemmend aus. Nur wenige Mäzene wie der Frankfurter Bankier de Neufville und der Dresdner Bankier Arnhold griffen der DFG unter die Arme. Ihr Beistand ließ sich aber nicht von fern mit den Mitteln vergleichen, über welche die Friedensstiftungen des russischen Eisenbahnmillionärs Iwan Bloch (seit 1902) und des amerikanischen Stahlkönigs Andrew Carnegie (seit 1910) verfügten. Die Agitation pazifistischer Wanderredner und das Propagandamaterial zeugten von einem «rührenden Mangel an Professionalität», der um so mehr ins Auge sticht, wenn man damit das moderne Meinungsmanagement der nationalistischen Agitationsverbände vergleicht. Außerdem besaß der deutsche Pazifismus zu wenig internationale Kontakte. Nur Quidde wirkte seit 1907 im «Friedensbüro» mit und wurde später dessen Vizepräsident; seine Sonderstellung wurde dadurch unterstrichen, daß er 1927 als zweiter Deutscher den Friedensnobelpreis erhielt.

Als Quidde 1914 zum Präsident der DFG gewählt wurde, besaß die Gesellschaft nicht mehr als hundert Ortsvereine mit rund zehntausend Mitgliedern. Sie gehörte fraglos zu den bürgerlichen Reformbewegungen, aber ihr genaues Sozialprofil ist nicht leicht zu bestimmen. Offenbar bestand jedoch die stärkste Gruppe aus kleinen Unternehmern und Kaufleuten mit einem Einsprengsel von Großunternehmern aus dem Bankwesen und Exportgeschäft. An zweiter Stelle lagen die akademischen Freiberufler, vor allem Ärzte und Rechtsanwälte, Schriftsteller und Journalisten sowie relativ zahlreiche Volksschullehrer. Schließlich gab es eine dritte Gruppe aus mittleren Beamten und Angestellten der Kommunalverwaltung. Selten nur waren klassische Bildungsbürger wie Pfarrer, Gymnasiallehrer und Professoren vertreten, die in den Agitationsverbänden eine so prominente Rolle spielten, vereinzelt auch nur Landwirte und größere Industrielle. Auffällig ist dagegen der hohe Frauenanteil, der je nach Ortsgruppe zwischen einem Viertel und einem Drittel der Mitglieder schwankte.

Die große Mehrheit der DFG-Anhänger stand daher in Distanz zu zentralen Staatsinstitutionen: zu der Bürokratie, der Armee, der Universität. Sie war deshalb auch einem geringeren Konformitätsdruck ausgesetzt, was ihr die riskante Entscheidung für eine abweichende politische Grundeinstellung erleichterte. Zugleich verhinderte die oft bescheidene berufliche Stellung die Gefahr des sozialen Ostrazismus und seiner Folgen. Freilich kamen die herausragenden Aktivisten oft aus den auffällig unterrepräsentierten Berufsklassen, führende Figuren wie der Stuttgarter Stadtpfarrer Otto Umfried etwa, großbürgerliche Bankiers wie de Neufville und Arnhold, ein Gelehrter mit Millionenvermögen wie Quidde, der Astronom Foerster aus dem wissenschaftlichen Establishment der Hauptstadt. Ihr Beruf, Status und Vermögen gaben ihnen ein hohes Maß an schützender Sicherheit, wenn die Stigmatisierung einsetzte. Denn im internationalen Vergleich wird deutlich, daß der deutsche Pazifismus vor 1914 kein «akzeptables Element der politischen Kultur» wurde, und auch danach traf er jahrzehntelang auf eine tief verwurzelte Ablehnung. Im Hinblick auf die weltweit anhaltenden Konflikte und das Zeitalter zweier Weltkriege bedürfen die gesellschaftlichen Ursachen dieser Verweigerungshaltung im Kaiserreich einer genaueren Erörterung.

1. Die kosmopolitischen Züge des deutschen Liberalismus sind – etwa im Vergleich mit dem englisch-amerikanischen – durch den reichsdeutschen Nationalismus weithin verdrängt worden. Der meinungsprägende Einfluß liberaler Parteien sank seit 1879. Selbst «friedensfreundliche» Freisinnige traten für den Flottenbau und die Heeresvermehrung ein. Die anderen Parteien standen dem Pazifismus mit tiefer Skepsis, ja mit Haß gegenüber. Erst seit 1909/1912 kamen sich DFG und SPD, von der Rechten mit Hohn überschüttet, bei der Verteidigung des Friedens näher.

2. Die militarstaatlichen Traditionen waren in der Sozialmentalität tief verankert. Jeder prinzipielle Zweifel am Wert der Streitkräfte verletze, lautete die Anklage, die tiefsten Überzeugungen der Nation; der Pazifismus destabilisiere die kostbare «Wehrkraft».

3. Der Imperialismus und Sozialdarwinismus erwiesen sich als weitaus stärkere Mächte in der öffentlichen Meinung. Der suggestiven Kraft ihrer Weltbilder hatte der Pazifismus keine vergleichbare Attraktion entgegenzusetzen.

4. Der Antisemitismus fand in der Friedensbewegung eine bequeme Zielscheibe, da viele führende Pazifisten jüdischer Herkunft waren. Mit dem Judenhaß verband sich der Vorwurf, daß der Pazifismus ohnehin ein aus dem Westen importiertes, dem «deutschen Wesen» fremdes Ideensystem sei.

5. Die deutsche Presse verhielt sich überwiegend ablehnend, und dieselbe Aversion charakterisierte auch die «Meinungsmacher»-Schichten. Pazifisten

unter Professoren und Pfarrern zum Beispiel bildeten eine seltene Ausnahme. Da gab es den unermüdlichen Virchow, Historiker wie Max Lehmann und den schillernden Karl Lamprecht, neukantianische Philosophen wie Hermann Cohen und Paul Natorp, Völkerrechtler wie Walter Schücking und Hans Wehberg, Theologen wie Martin Rade und Umfried. Aufs Ganze aber lehnte die wissenschaftliche Welt den Pazifismus ebenso ab wie der Nationalprotestantismus. Eine Petition gegen die exzessive Wehrvorlage von 1913 unterzeichneten dreihundertfünfzehn Pfarrer von rund achtzehntausend, und davon stammten hundertzehn aus Elsaß-Lothringen.

Auch der 1911 gegründete «Verband für internationale Verständigung» versammelte zwar illustre Alliierte wie Jellinek, v. Liszt und Piloty, Natorp und Cohen, Haeckel und Lamprecht, auch Ernst Troeltsch, Max Weber und Friedrich Naumann. Aber ihr Hauptmotiv lag in einem «realpolitisch» begründeten Protest gegen die wachsende Kriegsbereitschaft und in dem Wunsch nach internationaler Entspannung, keineswegs in dem Engagement für einen aktiven Pazifismus. Schließlich entpuppte sich der «Verband» als Ableger des Linksliberalismus, in dem FVP-Abgeordnete wie Georg Gothein, Conrad Haußmann, Friedrich v. Payer und Rudolf Breitscheid den Kurs bestimmten und ihr Unternehmen mit den Namen bedeutender Gelehrter wie Ernst Cassirer, Paul Laband, Max Lehmann, Hugo Preuß, Alfred Vierkandt und Alfred Weber ornamental schmückten. Von den Zielen der DFG blieb er weit entfernt.

6. Der deutsche Pazifismus selber blieb tief gespalten. Auf der einen Seite gab es die honorige gesinnungsethische Überzeugung, die zum emotionalisierten Appell nach dem Vorbild Suttners neigte. Auf der andern Seite stand Frieds evolutionäre Lehre, wonach aus der internationalen Interdependenz und Kommunikationsverdichtung der Friede mit Notwendigkeit hervorgehen müsse, sofern endlich hemmende Vorurteile und Aggressionstraditionen überwunden wurden. Diese Auffassung tendierte dahin, die aktive, ja militante Intervention des Pazifismus zu schwächen oder abzuwerten.

7. Durch seine Kooperation mit anderen Reformbewegungen verstärkte der Pazifismus die Kritik, der er ohnehin ausgesetzt blieb. Die lockere Verbindung mit der pazifistischen Minderheit der Frauenbewegung trug ihm den Vorwurf ein, den Kern des «männlichen Wesens» durch Verweichlichung zu bedrohen. Die Unterstützung von seiten anderer Außenseiter-Verbände, wie der Freidenker und Monisten, der Lebens- und Bodenreformer, der «Gesellschaft für ethische Kultur», drängte ihn weiter ins Abseits.

8. In der giftigen, hämischen, schrillen Ablehnung des Pazifismus scheint sich aber auch ein Defizit der jungen politischen Kultur des Kaiserreichs ausgedrückt zu haben: die Unfähigkeit zum regulierten Konflikt und zur gezügelten Kritik, der Hang zur Harmonisierung von Gegensätzen und infolgedessen die tiefe Aversion gegen jede Opposition, die diese Harmonie und Anpassung an die etablierten Mächte in Frage stellte. Trotz aller

vernünftigen Argumentation hat der Pazifismus offensichtlich den «psychosozialen Haushalt» der geradezu erdrückenden Mehrheit seiner Verächter überfordert, obwohl er doch vor 1914, genaugenommen, nur ein sehr «maßvolles Reformprogramm im Sinne eines pazifistischen Minimalismus» vertreten hat.[35]

5. Rüstungspolitik und Imperialismus

Die Rüstungspolitik, die das Kaiserreich während der zweieinhalb Friedensjahrzehnte vor 1914 betrieben hat, läßt sich in drei klar unterscheidbare Phasen einteilen.

1. Von 1890 bis 1897 dauerte die erste Periode einer «umfassenden quantitativen Aufrüstung» der Landstreitkräfte. Sie stellte den Versuch dar, die aus den internationalen Bündnissystemen hervorgehende relative Machtverminderung des Reiches durch militärische Stärke auszugleichen. Im antagonistischen Staatensystem entsprang diese Anstrengung eher defensiven Motiven. Das Fernziel, die allgemeine Wehrpflicht durch die Einziehung aller tauglichen jungen Männer endlich zu realisieren, wurde trotz der Heeresexpansion jetzt genausowenig wie später erreicht.

2. Von 1898 bis 1911 herrschten zwei gegenläufige Tendenzen vor. Zum einen verlangsamte sich das Wachstum der Armee drastisch bis hin zur Annäherung an einen Stillstand. Zum andern absorbierte der immens kostspielige Aufbau der Schlachtflotte seit 1898 Geld, Kraft und Aufmerksamkeit. Die Zurückhaltung beim Ausbau der Armee erklärt sich daher einmal aus dem gewaltigen Aufwand für die neue Kriegsmarine. Nicht minder stark wirkte sich jedoch auch ein Doppelargument aus, das die Kriegsminister dieser Zeit – Heinrich v. Goßler, Karl v. Einem, Josias v. Heeringen und Erich v. Falkenhayn, übrigens ganz auf der Linie der personalpolitischen Überzeugung Moltkes und Bismarcks, Waldersees und Schlieffens! – mit ihren Beratern und dem Militarkabinett teilten. Einer kontinuierlichen Vergrößerung der Armee stand demzufolge an erster Stelle entgegen, daß die soziale und politische Homogenität des Offizierkorps gegen das Eindringen von zuviel «bürgerlichen» oder gar «demokratischen» Elementen entschieden verteidigt werden müsse. Zum zweiten ging es darum, die politische Zuverlässigkeit der Mannschaften durch die zielstrebige Begrenzung der Anzahl sozialdemokratisch gesinnter Rekruten aus den Städten zu erhalten. So gesehen besaß die «innenpolitische Funktion der Armee» durchaus den Vorrang vor einem «durchgreifenden quantitativen Ausbau».

Das Einfrieren des Heeresausbaus in dieser zweiten Phase ist um so auffälliger, als die Planung des Generalstabs für den künftigen Krieg, der zwischen 1895 und 1906 entstehende Schlieffenplan, auch auf der numerischen Überlegenheit der deutschen Truppen an der Westfront beruhte. Die vollständige Durchführung der allgemeinen Wehrpflicht bildete daher eine unabdingbare Grundvoraussetzung des erhofften Erfolgs über das militärisch ungefähr gleich hoch gerüstete Frankreich. Auf diesen inneren Widerspruch zwischen Planungsanspruch und Truppenstärke wird sogleich noch eingegangen (5b).

Wegen der Stagnation der Heeresrüstung wuchs sich der ursprünglich latente Gegensatz zwischen dem konservativen Militarismus der Berufsmilitärs, die aus der militärstaatlichen Tradition Preußens kamen, und dem neuen bürgerlichen Militarismus, der insbesondere von den nationalistischen Agitationsverbänden, von einem Teil des Offizierkorps, auch von den Nationalliberalen und einem militärgläubigen Segment der Öffentlichkeit getragen wurde, zu einer offenen Konfrontation aus.

3. In der dritten Phase seit 1912 dominierte eine «hektische Aufrüstung», auf die sich der Druck des rechtsradikalen, extremnationalistischen Militarismus nachhaltig auswirkte. Erneut verhinderte das Kriegsministerium die vom Generalstab geforderte gewaltige Anhebung der Friedenspräsenz aus den beiden vorn genannten sozialkonservativen und politischen Gründen. Deshalb blieb trotz der riesigen Vermehrung von 1913 die Lücke zwischen der Truppenzahl, die für die Realisierung der realitätsblinden strategischen Kriegsplanung als notwendig galt, und der faktischen Armeestärke weiterhin offen.

a) Der Ausbau des Heeres von 1893 bis 1913

Hier geht es zuerst um den Heeresausbau, der sich in sechs, jeweils durch die Rüstungsgesetze unterteilten Etappen vollzog; der Flottenbau wird hinten für sich behandelt (5e).

1. Obwohl der «Kartell»-Reichstag die Friedenspräsenz soeben auf 487000 Mann angehoben hatte, faßte Kriegsminister Justus v. Verdy du Vernois bereits seit dem März 1890 eine beispiellos anspruchsvolle neue Heeresvorlage ins Auge, die eine Aufstockung um 150000 Mann vorsah, um endlich die «deutsche Wehrkraft» voll auszuschöpfen. Wegen der eindeutigen außenpolitischen Risiken opponierte Bismarck in seinen letzten Amtstagen bis zur Entlassung, und es gehörte dann, da ein neues Septennat 1893 wieder fällig war, zu den Aufgaben seines Nachfolgers Caprivi, sich im Vorfeld des neuen Gesetzes mit Verdys Forderungen auseinanderzusetzen. Als ehemaliger Berufssoldat trat der Reichskanzler zuerst immerhin für einen Zuwachs von 88500 Soldaten ein, prallte aber wegen der extremen finanziellen Belastung inmitten eines konjunkturellen Abschwungs auf den unnachgiebigen Widerstand des Reichstags, der aus diesem Grunde die vollständige Verwirklichung der Wehrpflicht vermeiden wollte. Diese Einstellung gegenüber der Armee blieb für die Mehrheit der Abgeordneten bis 1912 eine Art von «rüstungspolitischem Dogma», das mehrfach die angestrebte Ausweitung einzudämmen half.

Caprivi mußte notgedrungen Konzessionen anbieten: Er senkte seine Forderung auf 77500 Mann, stellte ein fünf Jahre lang geltendes Militärgesetz, ein Quinquennat statt des Septennats, und die zweijährige anstelle der dreijährigen Dienstzeit in Aussicht, obwohl er selber soeben noch drei Ausbildungsjahre als die Vorbedingung einer zuverlässigen Indoktrination der Rekruten verteidigt hatte. Intern erklärten sich das Kriegsministerium und der Generalstab mit dem Übergang zum Quinquennat einverstanden. Aber gegen die zweijährige Dienstzeit leisteten Wilhelm II., General v. Plessen – von 1892 bis 1918 der «Kommandant des kaiserlichen Hauptquartiers», zu dem Wilhelm sein militärisches Gefolge 1889 aufgewertet hatte – und General v. Hahncke als Chef des Militärkabinetts scharfen Widerstand bis hin zu erneuten Staatsstreichdrohungen, weil damit eine kostbare militärpolitische Errungenschaft des «Verfassungskonflikts», das Erbe Wilhelms I., verspielt werde.

Da sich auch der Reichstag weiter sträubte, ließ ihn der Reichskanzler auflösen. Der Wahlkampf wurde nicht nur ganz im Zeichen seiner Heeresvorlage, sondern auch eines neuartig intensivierten Propagandaaufwands geführt, als dessen Motor sich der eigens ins Reichskanzleramt abgestellte Oberstleutnant August Keim erwies. Bald einer der Exponenten der Neuen Rechten und der radikalnationalistischen Agitationsverbände, formulierte Keim bereits demagogische Leitideen des neuen bürgerlichen Militarismus. In seinem Propagandamaterial tauchte immer wieder die sozialdarwinistische Zwangsvorstellung von der Unvermeidbarkeit des Krieges auf, von einem Rassenkampf zwischen Slawen und Germanen und von der Unterordnung aller privaten Interessen unter die Machtsteigerung der Nation.

Das Ergebnis der Wahlen verschaffte Caprivi, der von der Angst vor dem Zweifrontenkrieg wie besessen war und unbedingt Vorsorge treffen wollte, rüstungspolitisch die erhoffte Erleichterung. Die opponierende «Deutsch-Freisinnige Partei» wurde zertrümmert und die Sozialdemokratie geschwächt, die Rechte aber insgesamt stabilisiert. Nachdem die Heeresvorlage noch einmal auf 72700 Mann reduziert und die Dienstzeit auf zwei Jahre herabgesetzt worden war, nahm der Reichstag das erste Quinquennat im Juli 1893 an. Das Ausmaß einer so ausgreifenden Erhöhung der Friedenspräsenzstärke wurde bis 1912 nicht mehr übertroffen.

2. Als für 1898 das zweite Quinquennat anstand, wurden von Reichskanzler Hohenlohe-Schillingsfürst zusätzlich zu einem Friedensheer von 557400 Mann weitere 27400 neu beantragt. Der Reichstag strich 7000 Mann, billigte aber drei Viertel der Heeresvorlage; das gekürzte Viertel wurde auch in der Folgezeit nicht nachgefordert. Diese Entscheidung unterstrich, wie bereits zuvor der geringe Umfang der Truppenformierung, daß Alfred v. Schlieffen, der seit 1892 als Chef des Generalstabs fungierte, mit seinem moderaten Drängen nichts erreicht hatte. Auch er vermochte das Dogma von der soziopolitischen Homogenität der Armee, wie es vom Kriegsministerium, dem Chef des Hauptquartiers und vom Militärkabinett unnachgiebig verfochten wurde, nicht aufzulockern.

3. An dieser Konstellation änderte sich nichts Grundlegendes, als für das dritte Quinquennat seit 1905 die Friedenspräsenz von 587800 Mann um 10000 Soldaten angehoben werden sollte. Intern wetterte Kriegsminister v. Einem erneut gegen das befürchtete Eindringen «demokratischer und sonstiger Elemente» und setzte sich mit seinen Verbündeten gegen den erbost zurücksteckenden Schlieffen durch. Problemlos nahm der Reichstag im März 1905 die kleine Vermehrung hin, denn die Flottenrüstung nötigte ihm ganz andere Kosten ab.

Obwohl Schlieffen seinen Feldzugsplan bis dahin schon voll entwickelt und die im Hinblick darauf völlig unbefriedigende Stärke der Armee vor Augen hatte, optierte er während der Ersten Marokkokrise mit v. Einem für einen Präventivkrieg gegen Frankreich, da Rußland durch den Krieg gegen Japan und seine Revolution absorbiert sei. Als die Reichsleitung dieses Vabanquespiel ablehnte und die diplomatische Niederlage in Kauf nehmen mußte, wurde auf der Jagd nach Sündenböcken nicht nur Holstein aus dem Auswärtigen Amt entfernt. Vielmehr erhielt Schlieffen ebenfalls seine Entlassung, für die ein Reitunfall als Ursache vorgetäuscht wurde.

4. Auch vor dem vierten Quinquennat von 1911 erwies sich der Widerstand der konservativen Militärspitze gegen die Verbürgerlichung des Offizierkorps und die sozialistische «Verseuchung» der Truppe als unüberwindbar. Als deshalb zur Friedenspräsenz von 607400 Mann erneut nur 10000 Soldaten hinzugefordert wurden, fand sich im Reichstag die größte Mehrheit zusammen, die je eine Heeresvorlage gebilligt hatte. Die zweifache Zurückhaltung von 1905 und 1911 reizte jedoch die radikalnationalistischen Verbände bis aufs Blut, so daß sie – vor allem der «Alldeutsche Verband» und Keims Anhänger, die sich im «Wehrverein» zusammenfanden – sofort für eine Ergänzungsvorlage agitierten.

5. In dieser Situation beschleunigte die Zweite Marokkokrise von 1911 wegen der gefährlichen Friktion mit Frankreich die Rückwendung der Berliner Militärpolitik zur konventionellen Aufrüstung der Landstreitkräfte. Diese Absicht führte nun in der Tat zur Vorbereitung einer neuen Heeresvorlage, die in offene Rivalität zu Tirpitz' neuer Flottennovelle geriet. Da der Flottenausbau außenpolitisch das Verhältnis zu England und innenpolitisch die Reichsfinanzen erdrückend belastete, favorisierte auch Bethmann Hollweg als Gegengewicht eine neue Heeresvorlage – sofort anstatt 1916. Mit monotoner Regelmäßigkeit wiederholte jedoch Kriegsminister v. Heeringen die bekannten Einwände gegen die Erweiterung, damit die «unter politische und soziale Quarantäne gestellte Armee nicht in Unordnung» gebracht würde. Erst auf energisches Drängen hin ließ er eine Vorlage ausarbeiten, wonach 38900 Mann bis 1917 eingestellt und sechshundertfünfzig Millionen Mark Mehrkosten aufgebracht werden sollten. Ungleich weiterzielende Forderungen des Generalstabs, in dem sich die Energie des Obersten Erich Ludendorff, des Leiters der Aufmarschabteilung, unter

Schlieffens Nachfolger, dem jüngeren Moltke, immer robuster geltend machte, wurden abgewehrt. Von der effektiven Propaganda des «Wehrvereins» unterstützt, fand die Sondervorlage im Reichstag breite Zustimmung; die Sozialdemokratie blieb als einzige Partei bei ihrer Ablehnung.

6. Daß die Drehbewegung der Rüstungsspirale trotzdem nicht zur Ruhe kam, lag wahrscheinlich daran, daß auf dem internationalen Spannungsfeld in Südosteuropa der Erste Balkankrieg im Oktober 1912 ausbrach, worauf in der Reichsleitung sofort Überlegungen über eine neue Heeresverstärkung angestellt wurden. Schon im November schaltete sich intern auch Ludendorff wieder mit dem Postulat ein, endlich die volle «Ausschöpfung der Wehrkraft» in Angriff zu nehmen. In der Öffentlichkeit lärmte der «Wehrverein» für dasselbe Ziel. Moltke schloß sich an, da er das seit 1912 wieder um sich greifende Präventivkriegsdenken teilte. Auch Bethmann Hollweg optierte für eine neue große Vorlage, deren finanzielle Deckung aber aus außerordentlichen Mitteln zu erfolgen habe. Der Reichskanzler glaubte, damit das geringere Übel zu wählen, da er auf diese Weise Tirpitz' neue Forderungen blockieren und den radikalnationalistischen Druck der Neuen Rechten abfangen könne. Deshalb unterstützte er zunächst die Position des Generalstabs, bis Ludendorff sein atemberaubendes «Sofortprogramm» enthüllte: Die Armee sollte um fast die Hälfte, um dreihunderttausend Mann, vergrößert werden; aus diesem Zuwachs müßten auch drei neue Armeekorps, die an der Westfront unabdingbar gebraucht würden, gebildet werden. Mit einem einzigen Kraftakt sollte alles nachgeholt werden, was der Armee für die Ausführung des Schlieffenplans bisher gefehlt hatte.

Der ausschlaggebende Widerstand kam nicht von der politischen Reichsleitung oder vom Reichstag, sondern von Kriegsminister v. Heeringen, der noch immer die soziale und politische Zuverlassigkeit der Armee für wichtiger als ihr zahlenmäßiges Übergewicht hielt. Obwohl Ludendorff und Moltke mit vereinten Kräften ihrem Expansionsprogramm eine «Ausschlag gebende Bedeutung für den siegreichen Ausgang des nächsten Krieges» ultimativ zusprachen, verstanden es das Kriegsministerium und das Militärkabinett, sich in dieser Auseinandersetzung klar zu behaupten. Die drei neuen Armeekorps wurden nicht beantragt, die Anforderung des Generalstabs mußte auf 137 000 Mann reduziert werden – das war jedoch immer noch «die größte Heeresvorlage, die es je im Deutschen Reich» gegeben hat. An einmaligen Aufstellungskosten wurden zu Beginn 884 Millionen, dazu jährlich jeweils 183 Millionen Mark, mithin sofort rund eine Milliarde Mark fällig. Im Reichstag opponierten nur die Konservativen aus nacktem materiellen Egoismus, da die Sonderkosten durch eine Vermögenszuwachssteuer des Reiches gedeckt werden sollten (vgl. B 1g). Alle anderen Parteien, einschließlich erstmals der Sozialdemokratie, stimmten dem «Wehrbeitrag» zu. Von den 793 000 Soldaten der neuen Friedenspräsenzstärke standen bis zum Frühsommer 1914 aber erst 748 000 unter den Waffen.

Internationale Auswirkungen dieses letzten Schubs der deutschen Heeresrüstung stellten sich unverzüglich ein. Frankreich stockte seine Friedenspräsenz auf 750000 Mann, ergänzt durch 50000 Kolonialsoldaten, unverzüglich auf und führte außerdem die dreijährige Dienstzeit ein. Rußland, mit dessen unlängst eingeleiteter Armee-Erweiterung das deutsche Ausdehnungsprogramm von 1913 weitgehend begründet worden war, legte sich darauf fest, bis 1917 seine Friedenspräsenz von 1.4 auf 1.7 Millionen Mann zu steigern. In ihrer Schlußphase trug die deutsche Heeresrüstung wesentlich dazu bei, das Gefahrenpotential des künftigen Zweifrontenkriegs im Sinne einer «self-fulfilling prophecy» zu vermehren.

Innenpolitisch ist an den Konflikten, in welche die Aufrüstung der Armee eingebettet blieb, die Durchsetzungskraft bestechend, mit der die konservative Militärleitung im Kriegsministerium und Militärkabinett die Priorität der sozialen und politischen Homogenität des Offizierkorps und der Mannschaften gegenüber den Verfechtern einer numerisch radikalen Expansion zur Geltung brachte, obwohl sie damit in einen diametralen Gegensatz zu den Erfolgsannahmen der eigenen Generalstabsplanung gerieten. Ihre sozialkonservative Angst vor der «bürgerlichen» und «sozialdemokratischen» Infektion des Königsheeres blieb größer als ihr professionelles Bedürfnis, auch quantitativ die unverzichtbaren Grundlagen für die Ausführung des Schlieffenplans zu legen.

b) Das Hasardspiel des Schlieffenplans

Die deutsche Feldzugsplanung für den künftigen Krieg ist in den beiden Jahrzehnten nach 1892 vom Chef des Generalstabs Alfred v. Schlieffen wortwörtlich festgelegt worden. Von ihm stammte jener berühmt-berüchtigte Operationsplan, der sich nicht nur über den Clausewitzschen Primat der Politik offen hinwegsetzte, sondern trotz seines kühlen technizistischen Perfektionismus sogar zu dem Aberglauben führte, daß in einer einzigen gewaltigen Entscheidungsschlacht im Westen die eiserne Klammer des Zweifrontenkriegs aufgesprengt und in einem kurzen Krieg ohne gravierende innere Belastungen der Endsieg errungen werden könne.

Moltke hatte nach 1871 je nach der internationalen Lage geschwankt, ob die deutsche Hauptmacht zuerst im Osten oder im Westen eingesetzt werden sollte. Allmählich entschied er sich für eine Hinhaltestrategie im Westen, um zuerst gegen Rußland die Entscheidung zu suchen. Der Zweibund von 1879, der immerhin den militärischen Beistand Österreichs an der Ostfront versprach, hat Moltkes Truppenaufteilung, etwa im Sinne einer Verstärkung der Westverbände, nicht beeinflußt. Bismarck blieb über die Grundentscheidungen der Moltkeschen Planung stets informiert; er intervenierte auch unverzüglich, wenn der Generalstabschef, etwa in den Präventivkriegskrisen von 1875 und 1887, die Grenze zwischen der politischen und der militärischen Domäne überschritt.

Schlieffen hielt wie Moltke den Zweifrontenkrieg für absolut unvermeidbar; spätestens die französisch-russische Kooperation seit 1894 hat die letzten Zweifel daran erstickt. Ihn verfolgte der Alptraum eines ständig drohenden «Angriffs gegen die Mitte», wie er in einer Skizze über den «Krieg der Gegenwart» gestand, da dann die «Millionenheere» der feindlichen Nachbarmächte gleichzeitig «verheerend und vernichtend hereinströmen» könnten. Es war das typische «Worst-Case»-Denken des Berufsmilitärs, genährt von dem fatalistischen Glauben an die Unausweichlichkeit des nächsten «großen Krieges».

Im Vergleich mit Moltke vollzog Schlieffen jedoch eine völlige Kehrtwendung, mit der er eine Wunderlösung zu finden glaubte. Der erste Schlag sollte jetzt mit aller Macht nur und ausschließlich gegen Frankreich geführt werden; seit 1892 wurde der deutsche Initiativangriff im Westen immer genauer ausgearbeitet. Dagegen sollte die Ostgrenze so lange nur verteidigt werden, bis die Westverbände nach ihrem Erfolg für eine Offensive gegen Rußland frei wurden. Diese zeitliche Abfolge der Operationen wurde nach Schlieffens Auffassung auch dadurch nahegelegt, daß die neuen russischen Festungen der «Narew-Linie» das Gebiet versperrten, wohin Moltke den Hauptangriff hatte lenken wollen; außerdem hatte der Ausbau der westlichen Eisenbahnstrecken die russische Nachschublogistik beträchtlich verbessert. Im Westen des Reiches waren jedoch die französischen Befestigungsanlagen östlich von Elsaß-Lothringen ebenfalls derartig ausgebaut worden, daß eine deutsche Frontalattacke durch die Vogesen in Gefahr stand, sich sogleich festzulaufen.

Schlieffen war wegen des Zweifrontenkriegs seit jeher dogmatisch auf das Ziel fest fixiert, durch eine gigantische Vernichtungsschlacht im Stile eines «Zweiten Cannae» – also einer modernen Wiederholung von Hannibals erfolgreichem Angriff auf die Flanke und dann in den Rücken des römischen Gegners – die Kriegsentscheidung so schnell wie möglich zu erzwingen. Im Banne dieses künftigen Triumphs sah er nur einen einzigen Weg, der ihm den Erfolg zu garantieren schien. Während der linke Flügel der deutschen Westarmee im «Reichsland» und an der französischen Ostgrenze defensiv operierte, sollte der ungleich stärkere rechte Flügel durch das neutrale Belgien und Luxemburg hindurch von Norden her durch die relativ schwachen Verteidigungslinien nach Frankreich hinein bis an die untere Seine vorstoßen, dann nach Osten schwenken und die feindlichen Verbände zersprengen, in den Festungen einkesseln oder bis an die Grenze der neutralen Schweiz treiben.

Der Schlieffenplan sollte in höchstens sechs Wochen ausgeführt werden. Um diesen Zeitplan einhalten zu können, wurden die Verbände auf dem rechten Flügel ständig weiter aufgestockt, bis er schließlich siebenmal so stark war wie der linke Flügel. Nach dem Erfolg sollte dann die große Truppenverlagerung an die Ostfront erfolgen. Da die Endfassung des Planes im Dezember 1905/Januar 1906 während des Japankriegs und der ersten russischen Revolution entstand, als die Schwäche des Zarenreichs offen zutage trat, wurden die deutschen Heeresverbände nicht mehr wie anfangs im Verhältnis von 2:1, sondern von 8:1 zugunsten der Westfront eingeteilt. Österreichische Truppen bezog übrigens auch Schlieffen in seine Planung nicht ein, obwohl er so die deutsche Truppenstärke für den Ostaufmarsch radikal verminderte.

Ein schneller Sieg erschien Schlieffen auch deshalb als eine zwingende Notwendigkeit, weil als Folge einer langen Kriegsdauer die Zerrüttung der inneren Verhältnisse einer höchst verwundbaren, komplexen industriell-kommerziellen Gesellschaft drohe. Zumal die Sorge «vor dem roten Gespenst, das im Hintergrund auftaucht», empfand der Generalstabschef als nur zu berechtigt. Die Prämisse des gesamten Feldzugs- und Zeitplans blieb allerdings eine riesige numerische Überlegenheit der deutschen Truppen, um den Überraschungsangriff so kraftvoll, schnell und erfolgreich führen zu können. Diese Überlegenheit konnte jedoch nur durch die Ausschöpfung des gesamten Reservoirs aller Wehrtauglichen, mit anderen Worten: durch eine gewaltige Heeresaufrüstung erreicht werden.

Schlieffen übergab im Februar 1906 die Endfassung des Plans seinem Nachfolger, dem jüngeren Moltke. Seither blieb der Schlieffenplan bis zur Marneschlacht im Sommer 1914 ein sakrosanktes Siegesrezept. Aber längst ehe die Niederlage in dieser Schlacht den Schock, daß die für untrüglich gehaltene Patentlösung gescheitert war, auslöste, ließen sich drei Problemkomplexe erkennen, welche die Erfolgsverheißung von vornherein prinzipiell in Frage stellten.

1. Das deutsche Heer war für eine Riesenoperation diesen Stils nicht groß genug. Weder Schlieffen noch sein Nachfolger drängte massiv genug darauf, die Truppenzahl im Sinne der Planung zu vermehren, obwohl es dabei um das Fundament des gesamten Westangriffs ging und der Generalstab nur zu genau wußte, daß die berühmten Siege Moltkes immer auch auf seiner quantitativen Überlegenheit beruht hatten. Der Schlieffenplan besaß deshalb einen «hasardartigen Charakter», weil die tatsächlich aufgestellten deutschen Streitkräfte für die anvisierte «Totalvernichtung» des westlichen Gegners nie ausreichten. Insofern basierte er auf einem utopischen, militärisch verantwortungslosen «Wunderglauben», der sich mit dem vielbeschworenen Realismus der Generalstabsoffiziere schwer in Einklang bringen läßt. Vergeblich warnten in jener Zeit Anhänger des älteren Moltke, wie die Generäle Colmar v. d. Goltz und Friedrich v. Bernhardi, immerhin drei Jahre lang Abteilungschef im Generalstab, vor dem Glauben an «vorgefertigte Siegesrezepte». Da eine erdrückende Übermacht der deutschen Armeekorps im Westen bis zuletzt nicht erreicht wurde, konnte der rechte Flügel seine entscheidende Aufgabe auch nicht wahrnehmen. Daher stellte der Schlieffenplan keineswegs jenes sichere Siegeskonzept dar, als das er von den Militärs mit

unerschütterlicher Beharrlichkeit ausgegeben wurde. Dazu hätte nicht nur die Erfüllung der Planvoraussetzungen, sondern angesichts der Dimension der Aufgabe sogar ein «Überschuß von Erfolgschancen» gehört. Statt dessen verkörperte er ein «überkühnes Wagnis» voll irrationaler Hoffnungen.

2. Zum einen war es von vornherein ein Irrglaube, daß ein grandioser Sieg im Westen eine Großmacht wie Frankreich zertrümmern und den Zweifrontenkrieg definitiv entscheiden werde. Zum andern blieb das riesige Zarenreich ein kaum zu überschätzender Gegner, der wegen einer Niederlage seines französischen Alliierten kaum sogleich um Frieden nachsuchen würde. Außerdem wurde der mit Sicherheit zu erwartende Partisanenkrieg in Frankreich von den deutschen Planern überhaupt nicht berücksichtigt, obwohl die meisten von ihnen den bitteren Guerillakrieg im Winter 1870/71 als junge Offiziere noch miterlebt hatten. Und schließlich wurde weder das Eingreifen eines britischen Expeditionskorps noch die wirtschaftliche Kriegsführung Londons in das Planungskalkül realistisch einbezogen, obwohl mit dem Einmarsch in das neutrale Belgien der Kriegseintritt Englands so gut wie feststand.

3. Der Gedanke an den Bruch der international verbrieften belgischen Neutralität war bei Schlieffen und seinen engsten Mitarbeitern von Anfang an vorhanden. Seit 1897 wurde diese eklatante Völkerrechtsverletzung und Mißachtung der Mächtegarantie in die Planung explizit einbezogen und bis 1914 unverändert beibehalten. Schlieffen streifte dieses politische Riesenproblem, daß England Belgien und Frankreich unverzüglich zu Hilfe kommen werde, 1905 nur in einer Fußnote. Er empfahl sogar die planmäßige Ausführung von Terror gegen ein Widerstand leistendes Belgien, etwa durch «Bombardements der befestigten Städte». Sowohl der Bruch der belgischen Neutralität als auch der Verzicht auf angemessen große Verbände im Osten enthüllten ein ridiküles Fehlurteil des höchste Autorität genießenden deutschen Chefplaners.

Der jüngere Moltke, der den Schlieffenplan dennoch wie ein unantastbares Testament behandelte, hielt zwar 1912 die Kriegseröffnung durch die «Gebietsverletzung eines neutralen Nachbarn» nicht für «angenehm», aber für notwendig. England müsse deshalb in der Tat sofort ins Lager der Gegner treten. Trotzdem ließ Moltke die Planung nicht nur bestehen, vielmehr ging er in seiner Verblendung sogar noch weiter, indem er seit 1913 den Ostaufmarsch als angeblich überflüssiges Unternehmen vom Generalstab nicht mehr bearbeiten ließ. Eben das hatte freilich auch der große Schlieffen selber in einer Neufassung seines Meisterplans vom Ende 1912 vorgesehen, in dem eine nennenswerte Truppenmacht für die Verteidigung der Ostgrenze nicht mehr auftauchte.

Das apologetische Argument, daß ein französischer Durchmarsch durch Belgien ins Rheinland gedroht und die deutsche Gegenaktion legitimiert habe, bricht in sich zusammen, da Belgien seit 1906 zur Selbstverteidigung seiner Neutralität fest entschlossen war und London solchen Überlegungen französischer Militärs seit der Entente von 1904 aus politischen Gründen seine Zustimmung bis 1914 strikt verweigert hat. Schlieffen, Moltke und der Generalstab glaubten daher nicht nur an eine militärische Fata Morgana, sondern gestatteten sich eine unglaubliche politische Naivität. Denn der Schlieffenplan ging mit seiner «ungeheuren Steigerung des rein strategischen Prinzips an der Frage» kontinuierlich vorbei, welche fatalen politischen und damit «schließlich auch militärisch die Lage umgestaltenden Folgen der Durchmarsch durch Belgien» haben mußte.

Warum konnte sich ein solcher Primat des militärisch-strategischen Denkens gegenüber der politischen Reichsleitung durchsetzen, die unter Bismarck ihre Entscheidungskompetenz gegenüber allen Fragen von Krieg und Frieden unnachgiebig verteidigt hatte? Es handelt sich dabei nicht – wie das öfters auftritt – um das zeitweilige Übergewicht der militärischen Planer in einer kritischen Situation, vielmehr um ein genuin gesellschaftsgeschichtliches Problem, das noch einmal auf spezifische Eigenarten des «Sonderwegs» hinlenkt, auf dem sich das Deutsche Kaiserreich gerade in komparativer Perspektive bewegt hat.

1. Das traditionelle Ansehen des preußisch-deutschen Militärs ist seit den drei Einigungskriegen bis hin zu einem phantastischen Nimbus gesteigert worden. Es genoß nicht nur einen grenzenlosen Respekt, sondern auch einen unbegrenzten Vertrauensvorschuß, der dem Sieg des engen militärischen Spezialistendenkens die Bahn geebnet hat. Die Behauptung der Hegemonialstellung und das Überleben im Zweifrontenkrieg, der 1894 zur Gewißheit geworden war, hingen daher – wie ein wachsender Konsens es wahrnahm – mehr noch als von kluger Politik von der militärischen Stärke und Vorausplanung ab. Dadurch ist die Bedeutung der Streitkräfte und des legendenumwobenen Generalstabs noch einmal aufgewertet worden. Von den Militärs, welche die Aura ihrer mystifizierten Sachkenntnis und ihres unerschöpflichen Geheimwissens umgab, ist diese Situation für ihre autonome Erfolgsplanung weidlich ausgenutzt worden.

2. Seit Bismarcks Entlassung trafen sie auf keinen politischen Führungswillen mehr, der ein realitätsangemessenes Korrektiv hätte schaffen können. Vielmehr kapitulierte die Reichsleitung mit ihren Experten im gesamten institutionellen Umfeld der Regierung vor der als «Sachzwang» verkleideten militärischen Argumentation, wie sie im Schlieffenplan eine geradezu absurd übersteigerte Form annahm. Weder Hohenlohe-Schillingsfürst noch Bülow bestanden auch nur von fern auf der Priorität ihrer politischen Entscheidung. Im Mai 1900 zum Beispiel richtete Schlieffen durch einen Mittelsmann eine vertrauliche Anfrage an Holstein im Auswärtigen Amt, daß der Generalstab beabsichtige, «sich durch bestehende internationale Abmachungen im Falle eines Zweifrontenkriegs nicht einengen zu lassen». Holstein, der sich der Tragweite der Ankündigung sogleich bewußt war, brütete über

seiner Antwort, erwiderte darauf aber: «Wenn der Chef des Großen Generalstabs und vollends eine strategische Autorität wie Schlieffen eine solche Maßnahme für erforderlich» halte, sei es «die Pflicht des Diplomaten, sich auf sie einzustellen und sie auf die mögliche Weise vorzubereiten».

Das war ein für die politische Mentalität der Wilhelmstraße durchaus paradigmatischer Rückzug, aber erst unter Bethmann Hollweg erreichte die Abdankung der Politik ihren Tiefpunkt. «An der Aufstellung des Feldzugplans ist die politische Leitung», versicherte der Reichskanzler, «nicht beteiligt gewesen... Überhaupt ist während meiner ganzen Amtstätigkeit keine Art von Kriegsrat abgehalten worden, bei dem sich die Politik in das militärische Für und Wider eingemischt hätte.» Und nicht nur das: «Unmöglich konnte sich der militärische Laie anmaßen», vollendete Bethmann Hollweg seine devote Kapitulation, «militärische Möglichkeiten, geschweige denn militärische Notwendigkeiten zu beurteilen.» «Für jeden auch nur einigermaßen ernsten Beurteiler lagen die ungeheuren Gefahren des Zweifrontenkrieges so nackt zutage, daß es eine untragbare Verantwortung gewesen wäre» – so umschrieb er den Verzicht auf den für Clausewitz wie Bismarck noch selbstverständlichen Führungsanspruch –, «von ziviler Stellung aus einen nach allen Richtungen durchdachten und als zwingend bezeichneten militärischen Plan durchkreuzen zu wollen, dessen Verurteilung danach als alleinige Ursache eines eintretenden Mißerfolgs gegolten hätte.»

Das war der offene Verrat an der politischen Leitungs- und Koordinationsaufgabe, an der Durchsetzung politischer Prioritäten, auf denen zu beharren die ureigenste Pflicht jeder Staatsleitung ist. Nur die eigentümliche Stellung des Militärs in der reichsdeutschen Gesellschaft einschließlich des Sozialmilitarismus und die allmählich daraus folgende innere Machtverteilung zwischen Militär und Politik vermögen diese Vogel-Strauß-Politik von drei Reichskanzlern zu erklären. Erst die respektvolle Hinnahme einer militärischen Planung, welche zugleich die politische Zielsetzung an sich zog, schuf jene Quasi-Automatik, die den Entscheidungsspielraum im Sommer 1914 so folgenschwer eingeengt hat. Längst vor der Julikrise war Berlin auf eine grundfalsche Konfliktstrategie festgelegt. Denn sie verkörperte politisch «die unglücklichste aller Lösungen», da sie England den Kriegseintritt auf seiten der französisch-russischen Allianz aufzwang, damit aber den Dreifrontenkrieg zur Gewißheit machte.

Daß zu den schlimmen Illusionen Schlieffens und seiner Anhänger auch der Irrglaube an einen kurzen erfolgreichen Krieg gehörte, hat den politischen Denkhorizont weiter schrumpfen lassen und den Impuls, klare politische Ziele durchzusetzen, zusätzlich geschwächt. Schon Moltke hatte aber 1890 mit allem Nachdruck auf dem Forum des Reichstags prophezeit, daß es «jetzt nur noch den Volkskrieg» geben werde, «seine Dauer und sein Ende» seien «nicht abzusehen»: «es kann ein Siebenjähriger, es kann ein Dreißigjähriger Krieg werden».

Noch drastischer hatte ein Militärexperte wie Friedrich Engels 1887 seine klarsichtige Prognose gestellt, daß «kein anderer Krieg für Preußen-Deutschland mehr möglich» sei «als ein Weltkrieg, und zwar ein Weltkrieg von einer bisher nie gekannten Ausdehnung und Heftigkeit. Acht bis zehn Millionen Soldaten werden sich untereinander abwürgen.» Die absehbaren Folgen: «Die Verwüstungen des Dreißigjährigen Krieges zusammengedrängt in drei bis vier Jahre und über den ganzen Kontinent verbreitet; Hungersnot, Seuchen, allgemeine, durch akute Not hervorgerufene Verwilderung der Heere wie der Volksmassen; rettungslose Verwirrung unseres künstlichen Getriebes in Handel, Industrie und Kredit, endend im allgemeinen Bankrott; Zusammenbruch der alten Staaten und ihrer traditionellen Staatsweisheit derart, daß die Kronen zu Dutzenden über das Straßenpflaster rollen und niemand sich findet, der sie aufhebt; absolute Unmöglichkeit, vorherzusehen, wie das alles enden und wer als Sieger aus dem Kampf hervorgehen wird.» Die Friedenspolitik und Kriegsplanung des Kaiserreichs ist durch solche Überlegungen nicht bestimmt worden.

Unabhängig von den Vorstellungen, die von der konfliktträchtigen Natur des Staatensystems und den Konsequenzen der modernen Kriegstechnik im Besitz von Massenheeren ausgingen, tauchte die Fratze des künftigen Krieges bereits in einer überaus realen Form außerhalb Europas auf. Im ersten Krieg des kaiserlichen Deutschland wurde eine Frühform des totalen Krieges sichtbar: bei der Niederschlagung des großen Herero-Aufstandes, der von 1904 bis 1907 die Kolonie Deutsch-Südwestafrika erschütterte. Die Militärregierung, die dort anstelle des Verwaltungsgouverneurs das Regiment übernahm, unterdrückte die Erhebung der viehzüchtenden Eingeborenen, die gegen die Okkupation des besten Landes durch deutsche Siedler aufbegehrten, mit dem brutalen Einsatz aller Mittel. Nicht mehr der Sieg, sondern die «Vernichtung», wie es in enthüllender Sprache hieß, wurde ihr Ziel. Sie führte daher bewußt einen «Kampf ohne Friedensmöglichkeit». Rund achtzig Prozent der Hereros wurden getötet, zum guten Teil durch ihre Vertreibung in die wasserlose Omaheke-Wüste oder ihre Deportation in Gefangenenlager, wo sie sich einer durchaus planmäßigen Vernichtungspolitik ausgesetzt fanden. Erst nachdem die direkten Ausgaben auf rund fünfhundertneunzig Millionen Mark angestiegen waren, gelang es der deutschen «Schutztruppe», wieder «Ruhe und Ordnung» zu schaffen – in weiten Gebieten die Ruhe des Friedhofs und eine Ordnung, unter der seither Haß und Furcht das Zusammenleben von Schwarz und Weiß regierten. Nur in anderen Kolonialkriegen des imperialistischen Zeitalters und während der Schlußphase des amerikanischen Sezessionskrieges ist die Kriegsführung eines westlichen Staates in einem solchen Ausmaß brutalisiert worden. Wie die deutschen Kolonialherren diesen Aufstand unterdrückten, das bestätigte die schlimmsten Befürchtungen, die erst von der liberalen, dann von der sozialdemokratischen und der pazifistischen Kritik im Hinblick auf den Krieg der Zukunft geäußert wurden.

c) Die innenpolitischen Aufgaben der Armee und ihre soziale Zusammensetzung

Der älteren Generation von Berufsmilitärs, die wie etwa Albrecht v. Roon den Bürgerkrieg von 1848/49 noch miterlebt hatten, galt die Armee immer auch als innenpolitisches Pazifizierungsinstrument. Mit dem Aufstieg der Sozialdemokratie hatte sich diese Vorstellung in weiten Kreisen des Offizierkorps dogmatisch verhärtet. Vorn ist bereits berichtet worden, wie Kriegsminister Verdy am 20. März 1890 im Zusammenhang der Krisensituation vor Bismarcks Entlassung genaue Anweisungen für den Bürgerkrieg gegen die SPD hatte ausarbeiten lassen (vgl. IV. A 6a). Zehn Tage später schloß sich das preußische Innenministerium mit einem Erlaß an die Oberpräsidenten an, wonach alle ausgehobenen Wehrpflichtigen mit Kontakt zur Sozialdemokratie den Ersatzbehörden zu melden seien. Die Ermittlung der Gesinnung vor der amtlichen Denunziation lag im Ermessen der Behörden. Wegen der dabei auftretenden praktischen Probleme wurde der Auftrag auf die «zielbewußten und führenden Elemente» der «Umsturzpartei» eingeschränkt.

Auf dieser Linie schärfte Kriegsminister Bronsart v. Schellendorf im Januar 1894 allen Generalkommandos ein, daß den Unteroffizieren und Mannschaften die Lektüre «sozialdemokratischer Schriften» ebenso wie die Teilnahme an SPD-Versammlungen untersagt sei. Das führte zum sogenannten «Militärverbot», das den Besuch von Lokalen, die dem Hörensagen nach auch von linken Arbeitern frequentiert wurden, streng untersagte. Vor allem aber blieb Verdys Bürgerkriegsszenario keine einmalige Entgleisung. General Alfred v. Waldersee etwa – nicht irgendein Offizier, sondern von 1889 bis 1891 Moltkes Nachfolger im Generalstab und als ultrakonservativer Kanzlerkandidat für eine Staatskrise gehandelt – hatte schon 1896 als Chef des IX. Armeekorps in Hamburg auf einen Militäreinsatz gegen die streikenden Hamburger Hafenarbeiter gedrängt, ehe er im Januar 1897 für einen mit Waffengewalt geführten Präventivschlag gegen die SPD plädierte: Es liege im «Interesse des Staates», insistierte er in seiner Denkschrift, «nicht den sozialdemokratischen Führern die Bestimmung des Zeitpunktes für den Beginn der großen Abrechnung zu überlassen, sondern diesen nach Möglichkeit zu beschleunigen. Noch ist der Staat mit Sicherheit in der Lage, jeden Aufstand niederzuschlagen.» In einem Begleitmemorandum für den Kaiser forderte Waldersee ein neues Sozialistengesetz, denn die Regierung müsse den «Kampf gegen die Umsturzpartei» mit offenem Visier führen. Auf diesen opportunistischen Versuch hin, sich selber erneut als starken Mann für diesen Kampf zu empfehlen, stellte Wilhelm II. dem Grafen das Kanzleramt für den Fall in Aussicht, daß «festes Zugreifen» nötig sei und es «zum Schießen» komme.

Gegenüber dem Kriegsminister gerierte sich Waldersee noch militanter, da er darauf insistierte, führende Sozialdemokraten auszuweisen, das Vereins- und Versammlungsrecht einzuschränken, mißliebige Zeitungen zu verbieten, ja das Reichstagswahlrecht aufzuheben und das Reich aufzulösen, damit es auf der neuen Grundlage einer konservativ-royalistischen Monokratie wiedererrichtet werden könne. Waldersee sah in einer vertraulichen Äußerung die «inneren Zustände» im Zeichen einer derartigen «Ungesundheit» stehen, daß er sogar die «äußere Politik» bis hin zum offenen Konflikt «verwickeln» wollte, um durch «große Kriegserfolge ... die Lage wieder zu bessern».

Waldersees Forderungen und seine Realitätswahrnehmung zeigen paradigmatisch, welches Feindbild in den Köpfen höchster Militärs herumgeisterte. Der Bürgerkrieg gegen die Linke gehörte weiterhin zu ihren tiefeingeschliffenen Denkgewohnheiten. Waldersee ging deshalb – «wenn es nicht gelingen sollte, die Armee intakt zu halten» – auch soweit, das Ende der allgemeinen Wehrpflicht und den Übergang zu einem kleinen Berufsheer zu verlangen, damit diese Prätorianergarde «bei guter Bezahlung vorwiegend gegen den inneren Feind Anwendung» finden könne.

Waldersees extreme Vorschläge sind nicht aufgegriffen worden, aber Verdys Bürgerkriegserlaß wurde der Armee mehrfach neu eingeschärft. Sein Tenor durchzog auch die neue «Vorschrift über den Waffengebrauch des Militärs und seine Mitwirkung zur Unterdrückung innerer Unruhen» vom März 1899, die Kriegsminister v. Goßler gegen die juristischen Bedenken des preußischen Innenministeriums im Alleingang bei Wilhelm II. durchsetzte. Danach sollte das Militär, sobald die Zivilbehörden nicht mehr Herr der Lage seien, die Bekämpfung der Aufständischen übernehmen. Die Entscheidung darüber, ob das Eingreifen tatsächlich geboten sei, oblag ganz den örtlichen Befehlshabern, die auch die zu verwendenden Waffen bestimmen und den Belagerungszustand verhängen konnten. Die «Blankovollmacht zum gewaltsamen Vorgehen gegen Zivilpersonen», die bis 1914 in Kraft blieb, stand, wie das Justizministerium später feststellte, in offenem Widerspruch zur preußischen Verfassung. In diesem «typischen Produkt des ultrakonservativen preußischen Denkens» fanden aber die von hohen Militärs gehegten Angstphantasien ihren administrativen Niederschlag.

Wie lebhaft solche Befürchtungen rumorten, demonstrierten auch die Studien, welche die Zweite Kriegsgeschichtliche Abteilung des Generalstabs bis zum Beginn des Jahres 1907 über den «Kampf in insurgierten Städten» mit dem Ziel einer möglichst effektiven militärischen Bekämpfung der Sozialdemokratie fertigstellte. Sie bildeten zusammen mit den Erlassen des Kriegsministers – Verdys Anweisung von 1890 wurde 1908 erneut bestätigt! – die Grundlage der militärischen Planung der Folgejahre für den Fall innerer Unruhen. Die Einzelstudien analysierten neun revolutionäre Erhebungen zwischen 1830 und 1905, ehe sie daraus das Resümee aktueller «kriegsgeschichtlicher Lehren» zogen.

Vor allem zwei Vorbedingungen entschieden ihnen zufolge über den Erfolg: Erstens konnte der Belagerungszustand gar nicht frühzeitig genug verhängt werden; der glückliche Zeitpunkt hänge freilich ganz von der

Vertrautheit des örtlichen Kommandeurs mit der politischen Situation ab. Zweitens gelte für die kompromißlose Niederschlagung des Aufstands allein die Maxime: «Kampf auf Leben und Tod oder Unterwerfung auf Gnade und Ungnade.»

Diese menschenfreundliche Quintessenz aus den Studien des Generalstabs sollte in praxisnahe Ausführungsbestimmungen übersetzt werden. Das übernahmen als erste General v. Bissing als Chef des VII. Armeekorps in Münster bereits im April 1907 und Paul v. Hindenburg, der Kommandierende General des IV. Armeekorps in Magdeburg, etwas später im Februar 1908. Beide richteten sich eng an den «Lehren» des Generalstabs aus, nicht ohne die Sozialdemokratie als Gegner im nächsten Bürgerkrieg noch weiter zu dämonisieren. Hindenburgs Anweisung, die trotz des Immunitätsgebots auch die sofortige Verhaftung der sozialdemokratischen Reichstagsabgeordneten vorsah, genoß im Kriegsministerium eine derartige Hochschätzung als Vorbild, daß sie den übrigen Militärkommandos noch im Februar 1912 zur Nachahmung dringend empfohlen wurde.

Faktisch vermieden die örtlichen Befehlshaber jedoch, sich von der eigenen ultrakonservativen Spitze zu Provokation und Waffeneinsatz antreiben zu lassen. Trotz des Auftrags, im Mai 1899 in den Ruhrstreik, im Dezember 1896 in den Hamburger Hafenarbeiterstreik und im März 1912 in den Bergarbeiterstreik im Ruhrgebiet einzugreifen, warteten die Kommandierenden Generäle lange genug ab, bis der Arbeitskonflikt einen friedlichen Ausgang genommen hatte. Im Prinzip aber kam, ungeachtet der pragmatischen Zurückhaltung, im Offizierkorps kein Zweifel daran auf, daß die Sozialdemokratie der «innere Feind des Vaterlandes» blieb, dem im Ernstfall nur die Gewalt der Armee gewachsen war.

Der Orientierung an den künftigen innenpolitischen Aufgaben des Heeres und dem Vorrang der traditionellen Funktionseliten entsprach auch seine soziale Zusammensetzung. 1911, als nur mehr vierzig Prozent der Reichsbevölkerung in Landgemeinden mit weniger als zweitausend Einwohnern lebten, stammten trotz der allgemeinen Wehrpflicht noch immer zwei Drittel (64 %) der Rekruten aus der ländlichen Gesellschaft; weitere zweiundzwanzig Prozent – sie entsprachen ungefähr dem prozentualen Bevölkerungsanteil von fünfundzwanzig Prozent – kamen aus Kleinstädten, deren ländlicher Charakter häufig unbestreitbar war. Dagegen rückten aus den mittelgroßen Städten mit einem Anteil von 13.4 Prozent der Bevölkerung nur sieben Prozent und aus den Großstädten mit einem Anteil von inzwischen 21.3 Prozent sogar ganze sechs Prozent der jungen Soldaten ein (vgl. vorn Übersicht 71).

Auch bei ihrer Rekrutierungspolitik bemühte sich die Militärleitung, auf die jahrhundertelang verinnerlichte Untertanenmentalität zahlreicher Landbewohner bauend, angestrengt darum, die Quote der tendenziell «roten» Städter gering zu halten, so daß fünfunddreißig Prozent der Reichsbevölkerung nicht mehr als dreizehn Prozent der Rekruten stellten. Nicht nur galten Städter als unzuverlässiges «Menschenmaterial», sondern ihnen gegenüber konnten auch die traditionellen Methoden der Soldatenschinderei nur auf die Gefahr hin praktiziert werden, daß ein sozialdemokratischer Abgeordneter oder Journalist sie der Öffentlichkeit doch einmal bekannt machte. Der preußische Inste dagegen, der seit jeher an Fügsamkeit gegenüber einer adligen Herrenklasse gewöhnt worden war, ließ sich als Rekrut ungleich bereitwilliger «dressieren». Außerdem wurde er auch am ehesten von den Militärgeistlichen erreicht, die mit ihrer Kriegstheologie im Gewand royalistischer Predigten die Autoritätshierarchie der militärischen Weltordnung vom Obersten Kriegsherrn und Summepiscopus abwärts bis hin zum letzten Unteroffizier rechtfertigten.

Daß in das Unteroffizierkorps Männer ländlicher Herkunft bevorzugt aufgenommen wurden, lag auf derselben Linie. So stammte etwa die erdrükkende Mehrheit der preußischen Unteroffiziere aus pommerschen, ostpreußischen, brandenburgischen und sächsischen Landgemeinden. Und daß im Offizierkorps die Dominanz des Adels vor allem auf den höheren Rängen möglichst lange verbissen verteidigt wurde, ist vorn schon erörtert worden (III.4). Wegen der Expansion der Armee ließ sich das Vordringen bürgerlicher Offiziere nicht dauerhaft aufhalten, wurde jedoch mit aller Kraft in engen Grenzen gehalten.

So findet man etwa zwischen 1871 und 1914 unter den hundertachtundzwanzig Kommandierenden Generälen sechsundzwanzig (20%), den hundertsechs Festungskommandanten zweiundzwanzig (21%) und den fünfhundertfünfzig Divisionsgenerälen hundertzweiundachtzig (33%) Bürgerliche. Von diesen zweihundertdreißig höheren bürgerlichen Offizieren wurden indes hunderteinunddreißig nobilitiert, so daß von den siebenhundertvierundachtzig Offizieren dieses Samples nur hundert bürgerliche übrigbleiben. Im Generalstab dagegen, wo der durch Promotion nachgewiesene Intelligenzquotient und die technische Kompetenz gewöhnlich mehr zählten als die adlige Familienkonnexion, gab es in der Zweiten Abteilung, die wegen ihrer Zuständigkeit für die Mobilmachung, die Operationen und das Ersatzwesen die wichtigste war, nur Bürgerliche, und von den vierundvierzig Generalquartiermeistern zwischen 1889 und 1914 kamen immerhin zwanzig (45%) aus dem Bürgertum. Selbst in den Gardeeinheiten tauchten in den vier Friedensjahrzehnten vierzig bürgerliche Regimentskommandeure auf, aber neunundzwanzig wurden durch die Nobilitierung von der alten Herrenschicht aufgesogen. Schließlich darf man auch nicht übersehen, daß mehr als ein Drittel aller bürgerlichen Offiziere im Heer bereits wieder aus Offiziersfamilien stammte.

Die bürgerlichen Offiziere lassen sich als Beweis für die letztlich unaufhaltsame soziale Mobilität auch im kaiserlichen Heer bewerten. Bei einer Verdoppelung der Friedenspräsenz auf nahezu achthunderttausend Mann ist freilich angesichts der konstanten numerischen Größe des Adels die Steigerung des Anteils bürgerlicher Offiziere nicht so verwunderlich. Aufschlußreicher ist da doch die Tatsache, daß oberhalb des Majorsrangs die Luft für bürgerliche Offiziere im allgemeinen sehr dünn blieb.

Außer dieser zielbewußten Personalpolitik auf allen Ebenen sollten verschiedene Institutionen die Verhaltenskontrolle im Sinne jenes spätfeudalistischen Ehrenkodexes, der in der Armee regierte, gewährleisten. Das Duell blieb bis 1918 eine informell vorgeschriebene Form der Konfliktaustragung unter den Offizieren. Die Ablehnung dieses archaischen Rituals zog den Ausschluß aus der Armee nach sich. Sogenannte Ehrengerichte des Offizierkorps schalteten sich in interne Streitfragen ein und forderten häufig sogar zum Zweikampf auf. Noch 1913 entschied das Preußische Kriegsministerium, daß diese Ehrengerichte allein der königlichen Kommandogewalt unterstünden. Damit wurde jeder Kontrollanspruch des Reichstags rigoros abgewehrt. Die eigentliche Militärgerichtsbarkeit ließ zwar nach einer gesetzlichen Novellierung im Oktober 1900 eine beschränkte Öffentlichkeit endlich zu. Die Ausführungsbestimmungen zu dem einschlägigen § 283 machten sie jedoch zu einer Farce und erhielten das Geheimverfahren, bei dem Korpsgeist und Solidarität gegenüber den «Standesgenossen» mit Verfehlungen großgeschrieben wurden.

Während die Verletzung von Dienstvorschriften durch Angehörige der Mannschaften harte Arreststrafen nach sich zog – in mehreren umstrittenen Fällen wurden selbst Landwehrleute ins Zuchthaus geschickt –, blieben Offiziere weiterhin, wie es die traditionelle Ungleichheit vor dem Gesetz in der Armee gebot, von Arrest freigestellt. Als die sozialdemokratische Kritik, bei der sich vor allem Karl Liebknecht hervortat, zahlreiche Mißstände aufdeckte, wurden solche «Angriffe auf des Königs Rock» erbittert abgewehrt, wurde ihr Inhalt wider besseres Wissen bestritten, die Trennwand, die den militärischen «Staat im Staate» von der Zivilgesellschaft schied, wieder abgedichtet.

d) Der Militarismus: Die Zabern-Affäre von 1913

Die neuartige Qualität des deutschen Militarismus, seitdem die Armee in den drei Einigungskriegen triumphiert hatte, ist vorn bereits geschildert worden (IV. A 1e). Der Einflußbereich des Militärs dehnte sich auch nach 1890 weiter aus. Das hing mit der Verdoppelung der Friedenspräsenzstärke, mit dem Wachstum der Kriegervereine, Agitationsverbände und Jugendorganisationen, auch mit der aktiven Militärpublizistik und öffentlichen Verklärung der Streitkräfte zusammen. Ständig standen im Heer und den verwandten Institutionen mehr als fünf Millionen junge und alternde Männer unter dem direkten Einfluß des militärischen Milieus, die anderen vier Fünftel unter seinem mittelbaren Einfluß. Die verschiedenen Einwirkungen auf die sozialkulturelle Persönlichkeit des einzelnen, wie sie vom Normen-

und Wertesystem, vom Verhaltenshabitus und Ehrenkodex des Militärs ausgingen, haben in den Jahrzehnten vor 1914 unablässig angehalten und zur Expansion des Sozialmilitarismus beigetragen.

Die Spannweite dieser Prägung reichte von Bethmann Hollwegs unterwürfigem Respekt vor den Generalstabsexperten bis zur Wohnküche des «gedienten» Arbeiters, der sein Foto aus der Rekrutenzeit zwischen Lithographien von Bebel und Lassalle hängte, vom Imitationsgehabe des frisch gebackenen Reserveoffiziers – «je mehr wir ... verreserveleutnant werden», klagte Fontane, «je toller wird es» – bis hin zum schnarrenden Kasernenhofton des beamteten «Militäranwärters». Auch in Frankreich zehrte die Armee im Zeichen des «napoleonischen Mythos» weithin von einer traditionellen Reputation, auch die englische Flotte besaß ein ungeschmälertes Ansehen. Aber in keiner westlichen Gesellschaft besetzte das Militär eine so hohe Position in der Prestigehierarchie wie in Deutschland, nirgendwo sonst übte der Sozialmilitarismus einen so tiefgreifenden, dauerhaften Einfluß aus.

Wie in einem Brennspiegel wurde diese Sonderstellung des deutschen Militärs kurz vor Kriegsausbruch in der Zabern-Affäre vom Spätherbst 1913 eingefangen. Ein noch nicht volljähriger zwanzigjähriger Leutnant v. Forstner hatte in der kleinen elsässischen Garnisonsstadt die einheimische Bevölkerung beschimpft und Rekruten bei Händeln während des Ausgangs unverbrämt zum Waffengebrauch aufgefordert. Für jeden mit dem Bajonett niedergestochenen Zivilisten setzte er sogar eine Prämie von zehn Goldmark aus. Als der Vorfall in die Öffentlichkeit gelangte, löste er im ganzen Reich Aufsehen aus. Als Folge der wachsenden Erregung auch in Zabern wurden vom örtlichen Regimentskommandeur, dem Oberst v. Reuter, ohne die Zivilverwaltung vorher zum Handeln aufzufordern, drei mit scharfer Munition bewaffnete Züge eingesetzt, die sogleich auf den Straßen dreißig Bürger willkürlich-wahllos festnahmen und einkerkerten.

Die furiose Empörung in der Presse über solche Herrenmenschenallüren erreichte jetzt einen Höhepunkt wie vorher nur bei der «Daily-Telegraph»-Affäre. Die dümmlich-forsche Schnodderigkeit des offenbar einer «Simplicissimus»-Karikatur entsprungenen Leutnants und der «flagrante Rechtsbruch» seines Vorgesetzten stiegen zum Symbol militärischer Willkür und ziviler Machtlosigkeit auf. Der Kasernenskandal begann sich zur politischen Krise auszuweiten, bei der es um die Fundamente der Wehrverfassung und des Rechtsstaats ging.

Im Reichstag kam es zu einem tumultartigen Zusammenstoß zwischen kritischen Abgeordneten einerseits, welche die «Donquichotterie», die «Militärdiktatur», den «Dünkel der Prätorianeroffiziere» attackierten, und dem Reichskanzler und Kriegsminister andrerseits, die sich hinter der Barriere der Kommandogewalt verschanzten: «Der Rock des Königs muß unter allen Umständen respektiert werden.»

Zum zweiten Mal sprach daraufhin die Mehrheit Bethmann Hollweg ein Mißtrauensvotum aus, das verfassungsrechtlich wiederum ein Schlag ins Leere blieb. Der Reichstag ließ es bei diesem Schreckschuß bewenden und verzichtete auf jede effektive Boykottmaßnahme. Zu einer Machtprobe um die Parlamentarisierung wollte er, der soeben noch den großen Wehretat von 1913 gebilligt hatte, den Konflikt nicht steigern, zumal der Sozialmilitarismus die bürgerliche Protestbereitschaft längst fatal geschwächt hatte. Die auf Empörung beruhende kurzlebige Parteienkoalition zerfiel im Nu, obwohl es genug Anlaß zur Fortsetzung harter Opposition gegeben hätte.

Der politisch chronisch unreife Kronprinz hielt es für opportun, das Überschreiten der rechtlichen Kompetenz durch v. Reuter mit Telegrammen zu unterstützen: «Bravo», «Immer feste druff!» Zu allem Überfluß empörte er sich darin auch noch in der «üblichen Kronprinzenstilistik» – wie der Linksliberale Theodor Heuss spottete – über die «Unverschämtheit des Zaberner Plebs», an dem «ein Exempel statuiert» werden müßte, «um den Herren Eingeborenen die Lust an derartigen Vorfällen zu versalzen». Der Wortlaut gelangte an die Öffentlichkeit, wo die Wirkung einem Ölguß ins Feuer glich. Auf bloße Vermutung hin wurden daraufhin alle Straßburger und Zaberner Postbeamten strafversetzt, denen – so erregte sich Bethmann – eine «Indiskretion in dieser Sache zuzutrauen wäre».

In der Tonart und im Nachhall vergleichbar war die öffentliche Äußerung des hochkonservativen Berliner Polizeipräsidenten v. Jagow, der v. Reuter und v. Forstner als Offiziere, «die fast in Feindesland stehen», vor einem Gerichtsverfahren bewahren wollte, da sie doch nur «für die Ausübung des königlichen Dienstes freie Bahn schaffen wollten»; durch eine Strafverfolgung «erwächst dem vornehmsten Beruf Schande». Leidenschaftlich widersetzten sich kritische Journalisten dieser plumpen Apologetik. Am rücksichtslosesten rechnete Maximilian Harden mit der Intervention v. Jagows ab. «Der hochfahrende Ton», polemisierte er in der «Zukunft» mit ätzender Schärfe, «ziemt am wenigsten einem Rüger, dessen Gesetzeskenntnisse nicht für eine ernsthafte erste Staatsprüfung ausreichen würden.» «Nie ist aus dem Hirn eines höheren deutschen Beamten solches Zeugnis wüster Unsicherheit gekommen.» Die öffentliche Erregung blieb, wie sich sogleich zeigte, ergebnislos: Die Ohnmacht des Bürgers, auch einer durchaus funktionsfähigen Verwaltung gegenüber dem Militär wurde durch den provozierenden Freispruch der beiden Offiziere nach skurrilen Militärgerichtsverfahren in zwei Instanzen noch einmal unterstrichen. Das «Menetekel von Zabern» enthüllte immer deutlicher eine strukturelle Verfassungskrise des Kaiserreichs, in dem das Heer ohne Rücksicht auf Rechtsstaatlichkeit, geschweige denn auf die politische Vernunft des gesunden Menschenverstandes seine Sonderstellung hochmütig verteidigen konnte.

Wohin der deutsche Militarismus in der Praxis führte, zeigte nicht nur die Affäre selber, sondern auch der Verlauf der internen Auseinandersetzungen in den Berliner Spitzenbehörden. Bei dem Freispruch v. Reuters hatte das Gericht anerkannt, daß der Oberst sich dank der Hilfe der Verteidigung auf die Gültigkeit einer – ihm damals gar nicht bekannten – preußischen Kabinettsordre von 1820 berufen durfte, die das Eingreifen des Militärs unter bestimmten, in Zabern angeblich erfüllten Bedingungen gestattete. Von diesem zwischen 1820 und 1913 niemals angewendeten obskuren Erlaß vernahmen selbst bekannte Professoren des Staats- und Militärrechts jetzt zum ersten Mal, und auch das Reichsjustizamt mußte erst durch Gutachten die vernebelte Rechtslage klären.

Das bestürzende Ergebnis in nuce: Das Militär hatte illegal gehandelt. Die Ordre von 1820 hatte mangels Veröffentlichung gar «keine Gesetzeskraft», sondern nur den Charakter eines Dienstbefehls gewonnen. Der Artikel 36 der Preußischen Verfassung schrieb dann für den Truppeneinsatz im Inneren ein Spezialgesetz vor, das aber nach 1850 nie erlassen worden war. Der Dienstbefehl konnte keineswegs als ein Gesetz gemäß Artikel 36 gelten, vielmehr war er durch ihn verfassungsrechtlich null und nichtig geworden, jedenfalls kein rechtmäßiger Dienstbefehl mehr. Ohne «Requisition der Zivilbehörden» sogleich à la Zabern militärisch einzugreifen war deshalb schon seit 1849 ungesetzlich, wie das Reichsjustizamt im Januar 1914 korrekt argumentierte.

Kriegsminister Erich v. Falkenhayn lehnte diese vom preußischen Justizminister v. Beseler mit Nachdruck vorgetragene Rechtsauffassung glattweg ab. Im Staatsministerium erwiderte er auf die Vorwürfe, daß die Ordre von 1820 offenbar «gesetzwidrig» und die Armee durch Zabern in das Zwielicht der Illegalität geraten sei, mit kühler Arroganz, die Rechtslage erscheine ihm weiter als ungeklärt, im Elsaß aber habe sich die Ordre als exzellente Begründung für das Vorgehen des Militärs erwiesen. Unmittelbar nach dieser internen Kontroverse gab sich der Reichskanzler, der wider besseres Wissen dem Kriegsminister nachgab, dazu her, im Reichstag die Ordre von 1820 als rechtmäßigen Dienstbefehl hinzustellen, der überdies in die (vorn erörterte) Vorschrift vom März 1899 über den Truppeneinsatz im Inneren eingegangen sei. Auch diese Vorschrift, die keineswegs ein im Sinne von Artikel 36 notwendiges Gesetz, sondern nur einen Armeebefehl als Ausfluß der Kommandogewalt darstellte, war nach der Auffassung der Staatsrechtler «verfassungswidrig und somit rechtswidrig».

Der Streit über die Rechtslage mündete in einen neuen Konflikt. Einerseits bemühte sich der Reichstag um eine reichsgesetzliche Normierung, scheiterte jedoch bereits damit in seinen Kommissionsverhandlungen. Andrerseits insistierte die Militärleitung auf einer neuen Instruktion allein aufgrund der Kommandogewalt des Obersten Kriegsherren – und sie setzte sich, unterstützt vom Militärkabinett, dem «Hauptquartier» und Wilhelm II., rundum durch. Denn die neue Dienstvorschrift vom März 1914 über den «Waffengebrauch des Militärs und seine Mitwirkung zur Unterdrückung innerer Unruhen» entstand als völlig «einseitiger Akt der kaiserlichen Kommandogewalt» und wurde – um jeden Hauch von politischer Konzessionsbereitschaft zu vermeiden – nie amtlich veröffentlicht, blieb aber bis 1936 in Kraft. Sie schränkte die Kabinettsordre aus dem frühen 19. Jahrhundert etwas ein, ohne Requisition der Zivilbehörden war seither ein autonomes Einschreiten des Militärs nicht mehr vorgesehen. Latent bedeutete das eine Stärkung der Zivilbehörden und eine gewisse Eindämmung der militärischen Rechte. Manifest aber war, zumal wegen der ausbleibenden Veröffentlichung, die Verteidigung jenes exklusiven Entscheidungsrechts, das zum Herrschaftsbereich der Kommandogewalt gehörte.

Die Militärspitze hatte den grundsätzlichen Charakter der Machtprobe schnell erfaßt, setzte sich über alle durchschlagenden Rechtsargumente hinweg und erzielte einen Sieg für die in einer Grenzsituation zäh verteidigte traditionelle Wehrverfassung. Über die neue politische Niederlage der Verfechter eines Parlamentsheeres konnte sich – da ein Geheimerlaß keinen Trost bot – niemand hinwegtäuschen. Die militärische Führungskamarilla behauptete ihre Schlüsselposition, die Durchsetzungsfähigkeit des Militarismus duldete keinen Zweifel. «Die sinnfällige Zurückdrängung ... des Verfassungsrechts durch die ... unverantwortliche militärische Kommandogewalt des Obersten Kriegsherren», das war, zog der fortschrittliche Reichstagsabgeordnete Ernst Müller-Meiningen ein bitteres Resümee, der Kern der Kontroverse samt ihren Folgen – die Armee blieb weiterhin «ein Staat im Staate». Wie ein Blitzlicht erhellte die Zabern-Affäre den strukturellen Antagonismus zwischen Militärstaat und Verfassungsstaat, aus dem die traditionelle militärische Funktionselite und der Oberste Kriegsherr mit seiner Kommandogewalt siegreich hervorgingen. In dieser Demaskierung des militärischen Semiabsolutismus, der noch einmal sein wahres Gesicht zeigte, liegt die eigentliche Bedeutung von «Zabern». Mit einem solch fundamentalen Widerstreit in seinem Inneren trat das Reich wenige Monate später in die Julikrise, dann in die Belastungsprobe des Weltkrieges ein.[36]

e) Der Schlachtflottenbau: Außen- und innenpolitische Dimensionen deutscher Vabanquepolitik

Während der letzten anderthalb Friedensjahrzehnte vor 1914 gewann die deutsche Kriegsmarine mit einem geradezu dramatischen Aufrüstungsprogramm eine vorher ungeahnte Bedeutung. Seither war deutsche Militärpolitik immer auch Flottenpolitik. Zwar sind schon seit den 1870er Jahren deutsche Kriegsschiffe in Ostasien, im Pazifik und in den afrikanischen Gewässern eingesetzt worden, um die imperialistische Expansion abzuschirmen. Aber es handelte sich dabei durchweg um Kanonenboote und kleine Kreuzer, die noch unter Bismarck in der sogenannten «Ostasiatischen» und «Westafrikanischen Station» zu zwei koordinierten Verbänden zusammengefaßt wurden. 1889 entstand auch das Reichsmarineamt, das im Berliner Entscheidungszentrum vorerst kein politisches Gewicht gewann.

Als dann seit 1898 der Aufbau einer großen deutschen Schlachtflotte initiiert wurde, bedeutete das in vielfacher Hinsicht eine tiefe Zäsur. Sie war zum einen das Ergebnis unterschiedlicher rüstungspolitischer und technologischer Prozesse, die eine ungemein folgenschwere Entwicklung vorantrieben, da durch sie der Kurs der inneren und äußeren Reichspolitik bis 1914 in einem fundamentalen Ausmaß mitbestimmt wurde. Sie war zum andern aber auch ein Muster für den großen Einfluß einer starken Persönlichkeit, hier des Admirals Alfred v. Tirpitz, der sich als eine wahre Schlüsselfigur der wilhelminischen Ära entpuppte. Bereits mit neunundzwanzig Jahren für den Ausbau der modernen Torpedobootflottille verantwortlich, wurde er von 1892 bis 1895 Stabschef im unlängst geschaffenen Oberkommando der Kriegsmarine, ehe er als Leiter der ostasiatischen Kreuzerdivision den Vorstoß des westlichen Imperialismus aus nächster Nähe beobachten und das deutsche Engagement in Kiautschou vorbereiten konnte.

Im Juni 1897 wurde Tirpitz zum Staatssekretär des Reichsmarineamts ernannt, das er zu einer effizienten Organisation umbaute. Es ist eine völlig irreführende Behauptung, Tirpitz habe seither aus übertriebenem Ressortpatriotismus den Flottenbau eingeleitet, damit die Marine endlich zu den traditionsreichen Landstreitkräften aufschließen könne. Seine eigenen Überlegungen, aber auch diejenigen der nunmehr entstehenden informellen «Flottenpartei» kreisten um ganz andere Ziele, und die Praxis der Schlachtflottenpolitik enthüllte ohnehin, daß zwei dominierende Funktionen frühzeitig in den Vordergrund traten.

An erster Stelle stand keineswegs wie bisher die defensive Aufgabe des Küstenschutzes, vielmehr der Kampfauftrag gegen rivalisierende Staaten, wobei Großbritannien als stärkste Seemacht von Anfang an als der Hauptgegner ins Auge gefaßt wurde. «Für Deutschland ist der zur Zeit gefährlichste Gegner zur See England», formulierte Tirpitz sein Credo bereits in einer vertraulichen Denkschrift vom Juli 1897. «Es ist auch der Gegner, gegen den wir am dringendsten... Flottenmacht als politischen Machtfaktor haben müssen... Die militärische Situation gegen England erfordert Linienschiffe in so hoher Zahl wie möglich.» Der erst später entwickelte «Risikogedanke» sollte diese aggressive Stoßrichtung öffentlichkeitswirksam abschwächen. Gemäß dieser Abschreckungsstrategie sollte die deutsche Kriegsmarine selbst für den größten Gegner zu stark sein, um von ihm allein überwunden werden zu können. Dem Primat der offensiven Zielsetzung folgend, sollte die Schlachtflotte jedoch tatsächlich alsbald dazu dienen, als Machtmittel «in being» oder im kriegerischen Einsatz jeden Widerstand, vornehmlich den des englischen Kontrahenten, zu brechen.

Damit war von Anbeginn an aufs engste die Funktion auch eines innenpolitischen Kampfinstruments im Sinne des Sozialimperialismus verbunden (vgl.

vorn IV. A 5b). Den Intentionen ihrer Promotoren nach sollte die Schlachtflotte sowohl die politischen Machtansprüche des Bürgertums und Proletariats abblocken und das traditionelle Machtgefüge stabilisieren helfen als auch durch die Befriedigung einflußreicher materieller Interessen der Schwer- und Werftindustrie einschließlich ihrer Arbeiterschaft dauerhafte Zustimmung mobilisieren. Die soziale Basis der Tirpitzschen Schlachtflottenpolitik: eine Fusion des weitläufigen bürgerlichen Flottenenthusiasmus mit konkreten industriellen Interessen, war in der Tat ungleich weiter als die des Bismarckschen Imperialismus. Konjunkturpolitisch wirkte sich der kontinuierliche Strom von Aufträgen für den Bau von Großkampfschiffen auch auf lange Sicht vorteilhaft auf die Ertragslage aller beteiligten Unternehmen aus. Wichtiger noch aber war die Bedeutung der Flotte als sichtbares Symbol des deutschen Weltmachtstrebens. Sie band nationalistische Energien und Leidenschaften an sich, ermöglichte die Identifikation mit der «nationalen Mission» der Weltpolitik und wirkte zugleich als kompensatorische Ablenkung von inneren Problemen. «Ein plebiszitär untermauertes Flottenkaisertum als Gegengewicht gegen die gefürchtete Parlamentarisierung» sollte hinter der glänzenden Fassade modernster Waffentechnik der sozialdefensiven Verhinderung politischer Modernisierung dienen und insbesondere den Reichstag als tendenziell aufsteigendes Machtzentrum schwächen. Die deutsche Schlachtflottenpolitik war daher immer auch Innen- und Gesellschaftspolitik.

Nachdem das Prestige von 1870/71 aufgezehrt gewesen sei, hat Tirpitz in einer aufschlußreichen Formulierung schon 1895 argumentiert, habe sich «ein gewisses Bedürfnis der Nation nach einem Ziel, nach einer vaterländischen Sammlungsparole» gezeigt. Dem suchte – wie das vorn geschildert worden ist – schon der Bismarcksche Sozialimperialismus der achtziger Jahre Rechnung zu tragen. Aber mit den Wachstumsfluktuationen der voranschreitenden Industrialisierung und dem Aufstieg der systemkritischen Sozialdemokratie seit 1890 gewann das Problem noch größere Dringlichkeit. Zuerst durch die Flottenagitation, dann durch den Bau der Panzerschiffe selber sollte – so Tirpitz' Hoffnung – wieder «Schwung in die Erörterung nationalpolitischer Fragen» kommen, «der ein gesundes Gegengewicht gegen unfruchtbare sozialpolitische Utopien» bilden werde. Tirpitz schwebte eine umfassende innenpolitische Krisenstrategie vor, in deren Rahmen die Schlachtflotte zentrale Funktionen übernehmen sollte. Nur mit ihrer Hilfe konnte eine erfolgreiche und darum nach innen entspannend wirkende «Weltpolitik» betrieben werden, und von dieser «neuen, großen nationalen Aufgabe und dem damit verbundenen Wirtschaftsgewinn» versprach sich Tirpitz, wie seine klassische Zielbestimmung lautete, «ein starkes Palliativ gegen gebildete und ungebildete Sozialdemokraten».

Dabei galt die nationalideologisch integrierende Wirkung dieser Schlachtflottenpolitik als ebenso wichtig wie der erhoffte konkrete Gewinn in Übersee, da sie als Ablenkungshilfe im Zusammenhang der inneren Machtkämpfe und Probleme der reichsdeutschen Klassengesellschaft fungierte. Für die maßgebenden Exponenten des Flottenbaus bildete die Erhaltung der Ungleichheits- und Privilegienstruktur ein vorrangiges Ziel, und die wichtigsten der von ihnen mobilisierbaren Zielgruppen bestanden aus den Sozialformationen des Bürgertums, insbesondere des Wirtschafts- und Bildungsbürgertums. Die traditionellen Machteliten, vor allem der ostelbische Adel, zogen nicht direkt, sondern eher mittelbar durch die kompensatorischen Vorteile der «Sammlungspolitik» Gewinn aus der «gräßlichen Flotte», gegen die empörte Deutschkonservative zunächst aufbegehrt hatten. Die ausgedehnteste Resonanz fand die Flottenpolitik ganz fraglos im Bürgertum, dem das Reichsmarineamt mit allen Mitteln moderner Rüstungsagitation behilflich war, in der Flotte «seine» Waffengattung zu entdecken und damit zugleich einen ebenbürtigen Ersatz für die verbaute Gleichberechtigung im Heer zu finden. Diese Rechnung ging auf: 1910 kam das Seeoffizierkorps zu achtundvierzig Prozent aus dem Bildungsbürgertum und zu zwanzig Prozent aus dem höheren Wirtschaftsbürgertum, dagegen stammten nur vierzehn Prozent aus Offiziersfamilien. Neunzig Prozent dieser Seeoffiziere besaßen das Abitur, in der Armee waren fünfunddreißig Prozent ohne es akzeptiert worden. Innerhalb kurzer Zeit übernahm aber das angeblich so moderne und weltoffene Seeoffizierkorps wegen seines unersättlichen Anerkennungs- und Nachahmungsbedürfnisses alle traditionellen Regeln, Werte und Normen der Armeeoffiziere und übertraf sie womöglich noch mit seinem arroganten Korpsgeist.

Die Voraussetzung für die Lösung der beiden Hauptaufgaben: der äußeren und der inneren Verteidigung, war nach Auffassung der Planer um Tirpitz der Übergang von einer Kreuzerflotte zu den neuartigen Operationsverbänden von Großkampfschiffen. Dabei handelte es sich unstreitig um eine internationale Entwicklung, die sich seit den 1890er Jahren am Aufbau der amerikanischen und japanischen, der englischen und russischen Schlachtflotte, dann eben auch der deutschen beobachten läßt. Mit dieser durch den Wettbewerb rivalisierender Staaten erzwungenen Gleichzeitigkeit des Baus großer Panzerschiffe wurde die erste moderne Rüstungsspirale in Bewegung gesetzt, deren Ausmaß, Kostenintensität und Gefahrenpotential die parallel verlaufende Aufrüstung der Landstreitkräfte noch übertraf. Diese internationale Seerüstung wurde von dem amerikanischen Marineoffizier und Militärhistoriker Kapitän Alfred T. Mahan, dem einflußreichsten Propheten des neuen «Navalismus» und wichtigen Vordenker des amerikanischen Imperialismus, mit langatmigen historischen, faktisch aber hochideologisierten Argumenten als unumgänglich gerechtfertigt. Mahans Bücher gehörten, auch auf den ausdrücklichen Wunsch von Tirpitz hin, zur Pflichtlektüre der deutschen Marineoffiziere und all der «Flottenprofessoren», die den Schlachtflottenbau in der Öffentlichkeit unterstützten. Mahans

Längsschnittstudie «The Influence of Sea Power Upon History» galt geradezu als Tirpitz' «Marinebibel».

All diesen programmatisch verfochtenen Umrüstungsforderungen lag die Annahme zugrunde, die 1894/95 im japanisch-chinesischen Krieg durch den Sieg der modernen japanischen Kreuzer am Yalu erhärtet worden war, daß den schwergepanzerten, mit einer hochkalibrigen Artillerie ausgestatteten und zu alledem noch ungewöhnlich schnellen Schlachtschiffen im Gefecht auf offener See, beim Schutz von überseeischen Kolonien und bei der Bombardierung von Küstenstädten die Zukunft gehöre. Ungefähr gleichzeitig begannen daher alle Seemächte, große Panzerkreuzer zu bauen. Als Tirpitz mit seinen Plänen dieser Strömung folgte, konnte er zu Recht argumentieren, daß sich das Reich endlich im «Mainstream» der modernen Flottenpolitik bewege.

Da sich einerseits der überaus kostspielige Aufbau einer neuen Schlachtflotte in Konkurrenz mit den anspruchsvollen Finanzbedürfnissen des Heeres vollziehen mußte, andrerseits aber die Unterstützung durch die Tradition einer erfolgreichen Kriegsmarine der preußisch-deutschen Landmacht fehlte, entwickelte das Reichsmarineamt einen ganz modernen Stil der politisch-parlamentarischen Beeinflussung, einer massenwirksamen Propaganda und gezielten Öffentlichkeitsarbeit, um mit der Unterstützung der effektiv mobilisierten öffentlichen Meinung die Bewilligung seines gewaltig anwachsenden Etats im Reichstag zu erreichen. In einem rein technischen Sinn ist diese neuartige Kooperation des «Nachrichtenbüros», der «Public-Relations»-Abteilung des Reichsmarineamts, mit dem «Flottenverein» (vgl. IV. B 3b) und den agitationswilligen Journalisten und «Flottenprofessoren» fraglos erfolgreich gewesen. Die fatalen politischen Kosten traten freilich bereits nach zehn Jahren unübersehbar zutage.

Zunächst gelang es Tirpitz mit dem ersten Flottengesetz von 1898, einen Bauplan für sechs Jahre durchzusetzen, demzufolge zwei Geschwader mit je acht Schlachtschiffen entstehen sollten. Praktisch handelte es sich um den Beginn einer stillschweigend, aber zielstrebig vom Reichsmarineamt verfolgten Äternisierung des Marineetats – wie sie der Armee nie gelungen war –, da diese Geschwaderstärke fortab aufgrund der gesetzlich fixierten Fristen für die notwendigen Ersatzbauten auf dem modernsten Stand gehalten werden sollte und das Reichsmarineamt über den Zeitpunkt der erforderlichen Nachrüstung entschied. Beim Anwerben der Parlamentsmehrheit erwies sich die politische und psychologische Geschicklichkeit von Tirpitz und der auf ihn eingeschworenen «Crew», so daß ihre angeblich strikt begrenzten Ziele binnen kurzem bereitwillig akzeptiert wurden.

Indes: Nur zwei Jahre später forderte die Erste Flottennovelle von 1900 unverhüllt den Vorstoß zur maritimen Weltmachtstellung. Das Reichsmarineamt bestand jetzt auf dem Bau von vier Geschwadern mit jeweils acht Schlachtschiffen, auf zwei Flaggschiffen, acht großen und vierundzwanzig kleinen Kreuzern und außerdem noch auf einer Auslandskreuzerflotte von drei großen und zehn kleinen Kreuzern. Das bedeutete schon rein quantitativ und finanziell eine enorme Belastung, zumal der Reichstag auf ein Bauprogramm über siebzehn Jahre hinweg mit extrem hohen Bewilligungssummen festgelegt wurde. Aber auch qualitativ bedeutete die Konzeption der Jahrhundertwende einen Aufbruch zu neuen Ufern. Denn im Zusammenhang mit der scharf forcierten Flottenpolitik wurde der «Risikogedanke» explizit entwickelt, obwohl vorerst nur als Strategie der Abschrekkung selbst für den stärksten, den englischen Gegner. Damit trat jedoch die nur mehr notdürftig verschleierte aggressive Stoßrichtung des Schlachtflottenbaus hervor. England wurde sozusagen förmlich ins Visier genommen. Den Krieg gegen die einzige Weltmacht der Zeit in Rechnung stellen aber hieß ein weltgeschichtliches Hasardspiel riskieren. Zugleich wurde die sozialimperialistische Komponente der Planung – bald sollte sie bis 1940 reichen – sowohl in dem mehrere Jahrzehnte überspannenden «Tirpitz-Plan» als auch in der militanten Agitation deutlich.

Die Resonanz der Parteien fiel, sieht man von der opponierenden Sozialdemokratie ab, trotz der gefährlichen Dimensionen des Ausbaus wiederum erstaunlich positiv aus. Bis hinüber zum Zentrum und Linksliberalismus wurde der Schlachtflottenbau von einer Welle begeisterter Zustimmung getragen. Friedrich Naumann, die Galionsfigur eines erneuerungsbereiten Liberalismus, damals seinem Amt als protestantischer Pfarrer noch nahestehend, steuerte eine unübertrefflich pittoreske Rechtfertigung bei. «Jesus steht im Geist vor mir und fragt», schrieb er in seiner «fröhlichen Tirpitzgläubigkeit» (Th. Heuss), «wie dient Ihr dem Frieden am besten, mit oder ohne Rüstung? Wir antworten: Ach Herr, die Rüstung ist ein schweres Kleid..., aber heute abrüsten heißt den Tod ins Land rufen! Herr, willst Du das? Mir ist», versicherte Naumann, «als hörte ich Jesus sprechen: Das will ich nicht, gehet hin, baut die Schiffe und bittet Gott, daß Ihr sie nicht braucht.»

Die Rüstungsbigotterie eines Mannes, den viele für die größte Hoffnung des Linksliberalismus hielten, gab jedoch bei der Flottennovelle nicht den Ausschlag. Weitaus wichtiger war die auf Hochtouren laufende Flottenpropaganda. Selbst während des Weltkriegs bejahte Bethmann Hollweg in der Retrospektive noch immer, daß diese «Politik der Ermutigung chauvinistischer Tendenzen» notwendig gewesen sei, um «das Volk» für den «Bau einer... Flotte zu gewinnen». Die Ermutigungsagitation für sich allein genügte freilich nicht. Vielmehr wurde die Flottennovelle mit dem neuen Schutzzolltarif verkoppelt. Zu dieser Zeit lief in den Ministerien und Interessenverbänden schon jahrelang die Vorbereitungsarbeit für eine Verschärfung des deutschen Protektionismus, die dann im vorn bereits diskutierten (vgl. II. 3c) Bülow-Tarif von 1902 verwirklicht wurde. Flottenrüstung und Außenzölle wurden zu einem Paket zusammengeschnürt, das für die Reichstagsmehrheit akzeptabel war. Dem Bürgertum und der Schwerindustrie wurde die erweiterte Schlachtflotte, den Großagrariern ein verschärftes Schutzzollsystem gewährt. Gemeinsam besiegelten sie den Erfolg der neuen, von Miquel initiierten «Sammlungspolitik», die von der Flottenpolitik zeitweilig geradezu getragen wurde. Mit dem Riesenschritt zu der neuen Seerüstung wurden aber auch die Weichen bis 1914 gestellt.

Als Reaktion auf die extrem bedrohliche Gefährdung der englischen Seesuprematie durch den deutschen Schlachtflottenbau seit 1900 entwickelte nämlich die Londoner Marineleitung zusammen mit den Werftunternehmen den neuartigen Typus eines vorbildlosen gewaltigen Großkampfschiffes: Der «Dreadnought» besaß zuerst achtzehn-, dann fünfundzwanzigtausend Bruttoregistertonnen, 30- bis schließlich 38-cm-Geschütze und eine hohe Fahrtgeschwindigkeit von vierzig Stundenkilometern. Dadurch wurden alle bisherigen Panzerschiffe, auch und gerade die frisch gebauten deutschen, deklassiert. Der Rüstungswettlauf gewann eine neue Qualität, da England nur mit den «Dreadnoughts» seinen Vorsprung behalten, Deutschland ihn nur mit Schlachtschiffen derselben Gattung verringern konnte.

Die Zweite Flottennovelle von 1906 zog mit bestürzender Folgerichtigkeit, die ganz offen den aggressiven deutschen Willen zur maritimen Weltmacht unterstrich, die Konsequenz. Das Reich ging unverzüglich zum Bau deutscher «Dreadnoughts» über. Diese Entscheidung markierte erneut einen tiefen Einschnitt in der deutschen Seerüstungspolitik, da die Aufholjagd auf der damals höchsten Stufe des technologischen Entwicklungsstandes von Anbeginn an neu organisiert werden mußte.

Drei der Prämissen, auf denen die Tirpitzsche Planung beruhte, hatten sich jedoch bis zu dieser Zeit im Grunde schon als falsch erwiesen.

1. England zeigte sich entgegen den illusionären Hoffnungen des Reichsmarineamts durchaus imstande, das deutsche Bautempo mit noch moderneren Schiffen, die einen neuen Standard setzten, zu übertreffen.

2. London war auch fähig, wie die Entente von 1904 mit Frankreich und der Interessenausgleich mit Rußland, Japan und Amerika demonstrierten, seine politische Isolierung zu überwinden.

3. Dagegen verschlechterte sich die deutsche Finanzlage gerade zu dem Zeitpunkt, als die «Dreadnoughts» gewaltige neue Anforderungen stellten; jede umfassende Reform der Reichsfinanzen scheiterte, und darüber hinaus wurde der außenpolitische Handlungsspielraum von Jahr zu Jahr enger.

Trotz dieser verhängnisvollen Konstellation, die sich in ihren Umrissen seit 1906 bedrohlich abzeichnete, fand sich im Reichstag eine von der konservativen Rechten bis hin zum Linksliberalismus reichende Majorität, die außer dem Übergang zum Bau deutscher «Dreadnoughts» – sie wurden notdürftig als Ersatz für die bisherigen «Linienschiffe» kaschiert – auch noch beschloß, drei neue Schlachtschiffe und sechs große Kreuzer auf Kiel zu legen.

Nachdem Tirpitz der Coup mit diesem Qualitätssprung gelungen war, zog er bereits 1908 mit einer Dritten Novelle nach, die zunächst einmal das

Lebensalter aller Linienschiffe auf zwanzig Jahre verkürzte, so daß die neuen Großkampfschiffe schneller in Dienst gestellt werden konnten. Entscheidend aber war, daß England der Fehdehandschuh offen hingeworfen wurde, da von 1908 bis 1912 jährlich vier «Dreadnoughts» in der Hoffnung gebaut werden sollten, auf diese Weise mit dem englischen Flottenausbau Schritt zu halten oder ihn sogar zu übertreffen. Dieses «Vierertempo» konnte dann zwar nicht exakt eingehalten werden, aber bis 1912 liefen immerhin vierzehn der neuen Schlachtschiffe und sechs große Kreuzer vom Stapel.

Als London sich 1912 bemühte, durch die Sondermission von Lord Haldane eine beiderseits akzeptable Begrenzung des Flottenbaus und eine pragmatische Verminderung des aberwitzigen Rüstungstempos zu erreichen, scheiterten diese Verhandlungen allein am Widerstand des Marineressorts. Tirpitz verschanzte sich hinter der Eigendynamik des Bauprogramms und vermeintlichen rüstungspolitischen Zwängen, denen sich das Reich gerade jetzt nicht entziehen dürfe. Damit setzte er sich im entscheidenden Augenblick gegen die Entspannungsinteressen der politischen Reichsleitung klar durch. Berlin lehnte das englische Konzessionsangebot als unzureichend ab, nachdem der Reichskanzler zuerst sogar mit einer freilich unglaubwürdigen Rücktrittsdrohung auf einen Ausgleich mit London hingewirkt hatte.

Wie weit die politische Niederlage der Regierung Bethmann Hollweg reichte, läßt sich daran ablesen, daß das Scheitern dieser letzten Verhandlungen zur Seerüstungsbegrenzung mit einer neuen, der vierten und letzten Flottennovelle beantwortet wurde. Drei neue «Dreadnoughts» und zwei kleine Kreuzer wurden ebenso vom Parlament gebilligt wie die Umorganisierung der Schlachtflotte mit dem Ziel, noch ein fünftes Geschwader aufstellen zu können. Wie bei der Heeresvorlage, mit welcher der Marineetat heftig konkurrierte, fand sich trotz des Scheiterns der Reichsfinanzreform wiederum eine große Mehrheit zusammen, die dieses Auftrumpfen mitmachte. In den letzten Friedensjahren floß mehr als ein Viertel des gesamten Rüstungshaushalts in den Flottenbau. 1914 standen sich daher die deutsche und die englische Flotte im Verhältnis von 10:16, fast in der von Berlin angestrebten Relation von 2:3 gegenüber.

Innenpolitisch vermochte jedoch die Schlachtflotte jene euphorischen Hoffnungen nicht zu erfüllen, die um die Jahrhundertwende auf sie gesetzt worden waren. Sie stützte die «Sammlungspolitik» nur eine Zeitlang ab, ohne jedoch die Klassenantagonismen durchgreifend abmildern, geschweige denn überwinden zu können. Dieses Versagen, das um 1908 mit den erdrückenden Belastungen des «Dreadnought»-Baus zutage trat, bedeutete «den Bankrott des wilhelminischen Sozialimperialismus mit friedlichen Mitteln». Auch durch seine «Inflexibilität» trug der «Tirpitz-Plan» zum Fehlschlag des anfänglichen Hyperoptimismus und zu neuen Erschütterungen des inneren Macht- und Sozialgefüges bei.

Außenpolitisch kann die Wirkung des Schlachtflottenbaus nur als fatal charakterisiert werden. Die Beziehungen zu Großbritannien, der einzigen Weltmacht, mit der diejenige Verständigung im Prinzip noch möglich gewesen wäre, die mit den europäischen Großmächten Frankreich und Rußland angesichts der Interessenantagonismen nicht mehr zu erzielen war, wurden heillos belastet. Der «Tirpitz-Plan» mußte mit der evident antienglischen Spitze seiner aggressiv vertretenen Flottenpolitik die Londoner Entscheidungszentren aufs höchste alarmieren, da vitale Interessen der englischen Seeherrschaft in Frage gestellt wurden. So gesehen bedeutete der Schlieffenplan mit der Vernichtung der belgischen Neutralität nur das Tüpfelchen auf das i.

Militärisch erwies sich – last but not least – die Schlachtflotte als ein grandioser Fehlschlag. Sie konnte den Kriegsverlauf seit dem Sommer 1914 zu keiner Zeit maßgeblich beeinflussen, erst recht ihn nicht zugunsten der «Mittelmächte» wenden. Während sich in der Flotte nach dem äußerlich unentschieden endenden, faktisch aber verlorenen Duell der Skagerrakschlacht eine Stimmung aufstaute, die sich im November 1918 nach dem Harakiri-Befehl der Obersten Marineleitung in der Revolution entlud, tat der Großadmiral v. Tirpitz, als rundum gescheiterter Stratege im März 1916 zum Rücktritt gezwungen, auf der Linie seiner gesellschaftspolitischen Ideen einen konsequenten Schritt, indem er 1917 die protofaschistische Massenbewegung der «Deutschen Vaterlandspartei» gründete.[37]

f) Der Imperialismus als «Weltpolitik»

Die überseeische Expansion, die das Deutsche Reich seit den späten siebziger, vor allem dann seit den achtziger Jahren betrieben hat, war ein Bestandteil jener globalen Exportoffensive, zu der damals alle Industrieländer durch den kapitalistischen Wachstumsprozeß mit seinen Fluktuationen, auch mit seinen Überkapazitäten auf einem begrenzten Binnenmarkt vorangetrieben wurden. Die Erwerbung deutscher «Schutzgebiete», die binnen kurzem in Staatskolonien verwandelt werden mußten, bildete, so gesehen, nur einen Ausschnitt aus jener Ausweitung der internationalen Marktmacht, die auch das Kaiserreich gewinnen wollte. Entgegen seiner Überzeugung, daß der informelle Freihandelsimperialismus die sichersten Vorzüge biete, wurde Bismarck im Verlauf seiner «Kolonialpolitik» zum Gründer eines zweiten deutschen Reiches in Übersee (vgl. IV. A 5b).

Als ungleich folgenreicher und dominanter als die Kolonialexpansion erwies sich die Herrschaftstechnik des Sozialimperialismus, der durch äußere Erfolge oder aufsehenerregenden Aktionismus die Legitimationsbasis des «autoritären Nationalstaats» befestigen und von drängenden inneren Reformaufgaben ablenken sollte. Bismarck hatte, zeitweilig mit Erfolg, seine charismatische Herrschaft auf diese Weise stabilisiert. Seither behielt der Sozialimperialismus seine Anziehungskraft für das Berliner Machtkartell –

ein Indiz auch seiner Unfähigkeit, sich dem inneren Umbau des Reiches endlich zu stellen.

Der Sozialimperialismus als Strategie der innenpolitischen Krisenbewältigung. In der kurzen Ära Caprivi und zu Beginn von Hohenlohes Kanzlerschaft herrschte wegen der Konzentration auf andere Probleme in der überseeischen Politik eine gewisse Zurückhaltung, ehe mit der Schlachtflotte ein Machtinstrument imperialistischer Politik gebaut und die Expansion in Ostasien, im Pazifik und im Nahen Osten fortgesetzt wurde. Darin trat die Stoßrichtung der neuen «Sammlungspolitik» zutage, deren Hauptziel ihr spiritus rector, Johannes v. Miquel, als Ablenkung des «revolutionären Elements» in den Imperialismus charakterisierte, der die Nation «nach außen» wenden und ihre «Gefühle ... auf einem gemeinsamen Boden» vereinigen solle. Dieser funktionelle Nutzen stand auch Holstein im Auswärtigen Amt vor Augen, als er angesichts der verfahrenen inneren Lage zur selben Zeit konstatierte: «Die Regierung Kaiser Wilhelms II. braucht einen greifbaren Erfolg nach außen, der dann wieder nach innen zurückwirken würde. Dieser Erfolg ist nur zu erwarten entweder als Ergebnis eines europäischen Krieges, eines weltgeschichtlichen Hasardspiels, oder aber einer außereuropäischen Erwerbung.» Und auch der Kaiser selber drängte, man müsse für «die stark wachsende ‹Gasspannung› bei uns ... einen Ableiter finden auf einem Wege, auf welchem der Patriotismus sich am nützlichsten für unser Land betätigen könne».

Verwandte Überlegungen wurden auch im Kreis der sogenannten liberalen Imperialisten angestellt, von Männern wie Friedrich Naumann, Max Weber, Karl Lamprecht, Ernst Francke, Paul Rohrbach, Ernst Jaeckh, auch von Tirpitz' Chefideologen Ernst v. Halle und anderen. Entweder sollten die Parlamentarisierung und eine großzügige Sozialpolitik zur Befriedigung der Arbeiterschaft das solide Fundament einer ausgreifenden «Weltpolitik» bilden. Damit wurde die innere Reform im Dienste des Imperialismus funktionalisiert, wurde Klassenintegration zur unumgänglichen Voraussetzung der vorrangigen äußeren Machtstellung. Oder aber eine erfolgreiche Expansionspolitik sollte eine umfassende Sozialpolitik materiell erst ermöglichen, zumindest durch ihren ökonomischen Gewinn eine Art von Stillhalteabkommen gewährleisten. Zugleich war man sich in diesem Lager der nationalideologischen Integrationswirkung des Imperialismus bewußt, denn «nur die Idee deutscher Weltmacht ist imstande», vertrat der Freiburger Staatsrechtler Hermann Rehm die Auffassung zahlreicher «Flottenprofessoren», «die wirtschaftlichen Interessenkämpfe im Inneren zu bannen». Diese Liberalen waren jedoch am politischen Entscheidungsprozeß nicht direkt beteiligt, obwohl sie nicht unerheblich auf die bildungsbürgerliche öffentliche Meinung einwirkten. Vielmehr unterstützten sie in der Regel eine in Berlin vorweg festgelegte imperialistische Politik, die nach ihrer Vorstellung selbstbewußter und konsequenter betrieben werden sollte.

Die wilhelminische «Weltpolitik» enthüllt erst unter dieser Perspektive des Sozialimperialismus ihren eigentlichen Sinn, ihre tieferen Antriebskräfte. Der unstetig-sprunghafte Charakter der «Weltpolitik» darf nicht darüber hinwegtäuschen, daß ihr vorwiegend eine kühl kalkulierte Instrumentalisierung der Expansionspolitik zu innenpolitischen Zwecken zugrunde lag. Durchweg regierte «das Bedürfnis, die Machtstellung des Deutschen Reiches in allen überseeischen Fragen in einer innenpolitisch optimal verwertbaren Weise zur Geltung zu bringen». Insbesondere für die Regierung Bülow, aber nicht nur für sie, war die «Weltpolitik» in erster Linie eine Sache legitimationsspendenden «Prestiges, nicht ... territorialer Erwerbungen».

Angesichts der inneren Zerrissenheit der «Reichsnation» als Klassengesellschaft mit ihren gefährlichen Spannungen zwischen halbkonstitutionellem Obrigkeitsstaat, traditionellen Machteliten und staatsnahem Bürgertum einerseits, den allmählich vorandringenden Kräften der Demokratisierung und Parlamentarisierung andrerseits, gegen die – wie man spätestens seit 1884 wußte – ein «reichsfreundlicher» Imperialismus wirkungsvoll mobilisiert werden konnte, scheint es im Erfahrungshorizont der Berliner «Policy-Makers» zur sozialimperialistischen Zähmungspolitik keine ähnlich erfolgversprechende oder überlegene Alternative gegeben zu haben. Nur diese Herrschaftstechnik schien es zu ermöglichen, die Modernisierung der politischen und sozialen Verfassung durch Reformen im notwendigen Ausmaß weiter zu blockieren.

In diesem Sinne hatte Bülow schon frühzeitig seine politische Maxime formuliert: «Nur eine erfolgreiche äußere Politik kann helfen, versöhnen, beruhigen, sammeln, einigen.» Und später noch deutlicher: «Nur eine lebendige nationale Politik» mit Erfolgen in Übersee stelle «das wahre Mittel gegen die Sozialdemokratie» dar. Von der Position des zeitgenössischen Beobachters aus visierte der Leipziger Historiker Karl Lamprecht denselben Zusammenhang an, als er den Aufstieg «des modernen Expansionsstaats» – des deutschen «état tentaculaire», wie er ihn mit einem bildhaften Vergleich umschrieb – «in Wahrheit» als «tiefstes Produkt innerer Entwicklung» charakterisierte. Daraus leitete er eine Prognose ab, die man im Licht der späteren deutschen Geschichte beklemmend nennen darf: «Ausdehnung also zum Größtstaat, Zusammenfassung aller Kräfte ... zu einheitlichen Wirkungen nach außen und darum Führung durch einen Helden und Herrn: das sind die nächsten Forderungen des Expansionsstaats!»

Daß die Reichsregierung angesichts der fundamentalen Alternative von Reform oder Sozialimperialismus in den entscheidenden Jahrzehnten primär auf ihre Ablenkungsstrategie setzte, ist das ausschlaggebende, aber auch das fatale Signum ihrer Politik. Denn es war keineswegs in ihre freie Entscheidung gestellt, wie mancher Kritiker seither geurteilt hat, eine Politik der maßvollen Zurückhaltung im Sinne eines klugen überseeischen Disengagements zu betreiben. Vielmehr geriet sie durch die Reformverweigerung immer wieder unter den Zugzwang, auf das vermeintlich bewährte Instrumentarium des Sozialimperialismus zurückzugreifen. Aus diesen inneren Impulsen erklärt sich auch das irrlichternde, hektische Auftrumpfen, überall auf der Jagd nach verwertbaren Erfolgen dabeisein zu wollen. In mancher Hinsicht entspricht dieser deutsche Sozialimperialismus Joseph Schumpeters Typus des «objektlosen Imperialismus». Da er primär innenpolitisch motiviert war, besaß er keine «angebbare Grenze», sondern suchte allenthalben eine Bewährungsprobe nach der anderen in der Hoffnung, dadurch im Inneren verwertbare Legitimationseffekte zu erzielen.

Nachdem der Sozialimperialismus dem charismatischen Dompteur in den achtziger Jahren seine Dienste geleistet hatte, blieb er als notwendiges Korrelat zur Reformblockade auch und gerade nach dem Übergang zur wilhelminischen Polykratie ein tief eingeschliffenes Verhaltensmuster der Berliner Politik. Je entschiedener die Verfassungs- und Sozialhierarchie der autoritären Monarchie in Frage gestellt wurde, desto nachhaltiger «wuchs die Neigung» – zu diesem Urteil ist auch Karl Dietrich Bracher gelangt –, die «tiefe Diskrepanz zwischen gesellschaftlicher Struktur und politischer Ordnung» durch «eine Ablenkung des Interessendrucks nach außen im Sinne eines Sozialimperialismus» zu neutralisieren, der «die längst fällige Reform der inneren Struktur Deutschlands» verdeckte. Insofern war gerade die sogenannte «Weltpolitik» eine Fortsetzung der Innenpolitik, stellte sie den Versuch dar, den inneren Status quo in der globalen Arena zu verteidigen.

Frühzeitig hatte sich herausgestellt, daß die sozialimperialistische Politik zum einen den ideologischen Druck auffing, der aus der Forderung hervorging, das bisher «unvollendete» Werk der Nationalstaatsgründung, dem die «großdeutsche» Vollendung durch den Anschluß der Deutschösterreicher verwehrt blieb, durch die Erringung einer Weltmachtposition abzurunden; sie eröffnete insbesondere der politischen Aktivität des Bildungs- und Wirtschaftsbürgertums einen Ersatzraum für die in der Innenpolitik verweigerte politische Verantwortung. Zum andern gab die Reichspolitik gerade in der wilhelminischen Ära, als eine neue politische Generation einen solchen ehrgeizigen Aktivismus predigte, diesem Druck auch nach, um den Radikalnationalismus zufriedenzustellen und an der innenpolitischen Front eine temporäre Entlastung zu gewinnen. Max Webers Fanfarenstoß, als er in seiner Freiburger Antrittsvorlesung von 1895 diese Konsequenz eines zielbewußten Imperialismus zu ziehen verlangte, ist wegen seines leidenschaftlichen Pathos bekanntgeworden. «Wir müssen begreifen», rief er, «daß die Einigung Deutschlands ein Jugendstreich war, den die Nation auf ihre alten Tage beging und seiner Kostspieligkeit halber besser gelassen hätte, wenn sie der Abschluß und nicht der Ausgangspunkt einer deutschen Weltmachtpolitik sein sollte.»

Dem folgte eine lange Kettenreaktion zustimmender Äußerungen, mit denen sich vor allem politische Exponenten des Bildungsbürgertums von

Friedrich Naumann bis Hans Delbrück hervortaten. «Wir können nicht verkennen», schloß sich ihnen auch Karl Lamprecht um die Jahrhundertwende an, «daß die politische Formation des Deutschen Reiches ... nur eine Etappe für die volle Ausgestaltung der Nation» bedeutete, da jetzt «der Horizont einer ganz neuen Weltpolitik für Deutschland auftaucht». «Wir müssen uns jetzt alle eingestehen», verlangte er: «mit der Gründung des Reiches haben wir wohl die Vorberge, nicht aber den Gipfel einer großen nationalen Zukunft erklommen.» Noch 1912 bejahte Friedrich Meinecke mit der «Weltpolitik» emphatisch «das Bewußtsein dieser Weltaufgabe, die imperialistische Idee, die unsere Partei (die Nationalliberalen) im Innersten... zusammenhält und nicht nur unseren rechten und linken Flügel, sondern alle unsere Volksgenossen noch zusammenschließen muß in Not und Tod!»

So unausweichlich der Sozialimperialismus im Berliner Machtzentrum auch wirken mochte und so eloquent die Vision einer «Vollendung» des Nationalstaats durch die «Weltpolitik» auch vertreten wurde – im historischen Rückblick ist das Scheitern des reichsdeutschen Sozialimperialismus überhaupt nicht zu leugnen. Er scheiterte, als Hohenlohes, Bülows und Bethmanns «Weltpolitik» mißlang, so daß die erhoffte Ersatzbefriedigung, damit auch die Ablenkung von den inneren Problemen ausblieb. Er scheiterte, als die Zäsur des «Dreadnought»-Baus die Zweitklassigkeit der deutschen Machtbasis enthüllte. Er scheiterte schließlich mit dem Wahlsieg der SPD von 1912. Spätestens seither war klargestellt, daß die innere Reform durch den Sozialimperialismus nicht länger zu verdrängen war – es sei denn, die Reichsleitung nahm, von der Illusion eines kurzen, erfolgreichen Krieges fasziniert, das ungeheure Risiko eines «Sprungs ins Dunkle» auf sich.

Die Mißerfolge des «formellen» und «informellen» Imperialismus. Wie die Promotoren der deutschen «Weltpolitik» zur Kenntnis nehmen mußten, war nach dem hektischen «Scramble for Africa» die Aufteilung des «schwarzen Kontinents» in Kolonien beendet. Nur noch kleine Arrondierungsgewinne vermochte die Berliner Politik einzustreichen: in den Grenzgebieten von Südwestafrika, Kamerun und Togo. Das gierige Feilschen um die Zerlegung der Kolonialgebiete anderer europäischer Mächte blieb ergebnislos. Alle vorgegaukelten Wunschträume von einem mittelafrikanischen Großreich unter deutscher Ägide zerschellten an der harten Wirklichkeit der Besitzverteidigung durch die imperialistischen Mächte.

Lateinamerika blieb entweder unter dem Einfluß des informellen englischen Handelsimperialismus oder aber es geriet allmählich unter die Hegemonie der Vereinigten Staaten. Nur alldeutsche Phantasten konnten sich noch deutsche Kolonien in der Westlichen Hemisphäre ausmalen.

Im Pazifik endete das jahrzehntelange Tauziehen um Samoa mit dem Teilungskompromiß von 1899, der dem Deutschen Reich nur den Norden der Hauptinsel zusprach. Die wirtschaftliche Vorherrschaft der «Deutschen Handels- und Plantagen-Gesellschaft» ließ sich keineswegs in politische Exklusivrechte übersetzen, vielmehr mußten die zeitweilig besetzten Salomon-Inseln auch noch abgetreten werden. Als dann Spanien nach dem Verlust seines Krieges gegen die USA vor dem Bankrott der Reste seines Weltreiches stand, konnte Berlin 1899 von ihm die Karolinen-Inseln erwerben – ein kümmerlicher Zugewinn, der allenfalls einige Ballen Kopra mehr einbrachte.

Um einen ungleich höheren Einsatz wurde dagegen in Ostasien und im Nahen Osten gespielt. Seit Jahrzehnten hatte in den westlichen Ländern die Debatte über den Niedergang Chinas angehalten, die sich zugleich mit der hoffnungsvollen Erwartung des künftigen Zugriffs auf einen Riesenmarkt verband, dessen Aufnahmefähigkeit grandios überschätzt wurde. Der anhaltende Verfall des «Reichs der Mitte» trat 1894/95 im Krieg gegen Japan grell zutage. Die Niederlage stachelte die Begehrlichkeit der imperialistischen Mächte erneut an. Während die Konsortien des internationalen Finanzkapitals um die Übernahme der Staatsanleihen rangen, mit deren Hilfe China die im Frieden von Schimonoseki stipulierte Kriegskontribution an Japan zahlen mußte, wurde in den Staatskanzleien die Erwerbung von Häfen, die Pacht von Küstengebieten, die Abgrenzung von Einflußsphären mit erhöhter Dringlichkeit erörtert. Die meisten orientierten sich am Vorbild des viktorianischen Freihandelsimperiums, das England mit Kriegsgewalt und Flottenpräsenz, schließlich mit Hilfe der vertraglich abgesicherten «Offenen Tür» zum chinesischen Markt aufgebaut hatte; für Rußland als benachbarte Kontinentalmacht wirkte die «friedliche Durchdringung» der Mandschurei mit einer anschließenden Expansion nach Süden verlockender.

Die preußische Politik hatte in den sechziger Jahren bereits einmal mit dem Erwerb eines «deutschen Hongkong» geliebäugelt, um den britischen Außenhandelserfolg zu imitieren. Dreißig Jahre später lebten solche Pläne wieder auf, und tatsächlich war es der deutsche Vorstoß, der jetzt, wie es aussah, das «Wettrennen um die Aufteilung Chinas» auslöste. Auf das Drängen des Reichsmarineamtes hin, wo Tirpitz vorzügliche Ostasienkenntnisse besaß, okkupierte das Deutsche Reich im November 1897 unter dem dürftigen Vorwand einer Sühne für die Ermordung zweier deutscher Missionare die Hafenstadt Tsingtau, da sie gleichermaßen als Flottenstation, Handelsplatz und Prestigeobjekt dienen konnte. Anschließend wurde Peking zu einem neunundneunzigjährigen Pachtvertrag über die benachbarte Bucht von Kiautschou und zu einer weiteren Abmachung über die Vorzugsbehandlung deutscher Unternehmen in der reichen Provinz Schantung genötigt. Abgesehen von sanguinischen wirtschaftsimperialistischen Erwartungen entsprach der riskante Expansionsakt auch dem sozialimperialistischen Kalkül Berlins. «Unser Ansehen nach außen hat sich gehoben», triumphierte Bülow nach der «Kiautschou-Aktion», «die Stimmung im Inneren ist eine ganz andere geworden».

Die Reichsleitung glaubte, ihr «Hongkong» als Ausgangsbasis für die informelle ökonomische Durchdringung Chinas gewonnen zu haben und sich von dort aus an einer eventuellen kolonialen Aufteilung des Mandschureiches beteiligen zu können. Aufgeschreckt durch den deutschen Startschuß sicherte sich Rußland Port Arthur, England Weihaiwei und Vorrechte am Jangtse, Frankreich, Japan, selbst Italien rangen um Exklusivrechte; die Vereinigten Staaten führten nicht zuletzt deshalb ihren Krieg gegen Spanien, um auf den Philippinen ein Sprungbrett zum chinesischen Zukunftsmarkt zu gewinnen. Tatsächlich scheiterte die Zerlegung Chinas in Kolonien sowohl an der wechselseitigen Blockade der eifersüchtig konkurrierenden Mächte als auch an der schieren Größe des Subkontinents. Überall aber galt der deutsche Überraschungscoup als gefährliches Indiz einer unberechenbaren Politik.

Die Irritation, die sie auslöste, wurde durch keinen konkreten Gewinn kompensiert. Zuerst scheiterte die «Deutsch-Asiatische Bank», seit 1889 eine Tochtergesellschaft der «Deutschen Bank» und der «Disconto-Gesellschaft», mit all ihren Anstrengungen, an den chinesischen Staatsanleihen beteiligt zu werden. Denselben Mißerfolg erlebten die unter der Beteiligung des Reiches gegründete Schantung-Eisenbahngesellschaft und das sogenannte Schantung-Syndikat. Da trotz seiner Schwäche die territoriale Integrität Chinas und damit auch der Freihandel der «Offenen Tür» erhalten blieb, verteidigte England seine Wirtschaftssuprematie, die nur hier und da vom amerikanischen Export, im Norden von Rußland in Frage gestellt wurde. Kiautschou und die Schantung-Verträge dagegen – sie stellten sich als Seifenblase heraus, die bereits vor der japanischen Okkupation im Ersten Weltkrieg geplatzt war.

Im Nahen Osten nutzte das Reich ebenfalls die Schwäche eines längst unterhöhlten Riesenreichs, des Osmanischen Imperiums, aus, um wirtschaftsimperialistische Absichten großen Stils mit dem sozialimperialistischen Kalkül spektakulärer außenpolitischer Erfolge zu verbinden. Erneut übernahm es damit das unwägbare Risiko, in eine «höchst instabile» Region einzudringen, wo sich die Interessen der Großmächte und des Finanzimperialismus überschnitten. Der «kranke Mann am Bosporus» stand bereits unter dem Kuratel der «Ottomanischen Schuldenverwaltung», mit der insbesondere die beiden westlichen Großmächte zwei Fünftel des türkischen Steueraufkommens in eigener Regie verwalteten. Außer dieser faktischen Kontrolle der Staatsfinanzen wurde auch der private Kapitalmarkt von ausländischen Instituten, vor allem von französischen Großbanken, kontrolliert.

Als ein deutsches Konsortium unter der Leitung der «Deutschen Bank» 1888 die erste Konzession zum Bau der «Anatolischen Eisenbahn» erhielt, verhielt sich Bismarck, darauf bedacht, jede neue Reibung mit London und Paris zu vermeiden, außerordentlich zurückhaltend, während Sultan Abdul Hamid das deutsche Engagement als Gegengewicht zu der bisher dominierenden Finanzoligarchie willkommen hieß. Caprivi setzte die Bismarcksche Abstinenz fort, wie das zunächst auch Hohenlohe tat. Seit 1896 veränderte sich jedoch die Konstellation. Die erste Strecke der «Anatolischen Eisenbahn» bis Konia warf Gewinn ab, der deutsche Export in die Türkei entdeckte einen neuen vielversprechenden Absatzmarkt, und in Konstantinopel verstand sich der neue Botschafter Marschall v. Bieberstein als «aktiver Promotor deutscher Wirtschaftsinteressen». Inzwischen hatte der Plan, die «Anatolische Bahn» über 2500 Kilometer hinweg bis Bagdad und Basra am Persischen Golf zu verlängern, konkrete Formen angenommen. Während Georg v. Siemens als Führungsfigur der «Deutschen Bank» und Alfred Kaulla von der «Württembergischen Vereinsbank», der «geistige Vater» des Bagdadbahn-Projekts, für eine enge Zusammenarbeit sowohl mit dem internationalen Finanzkapital als auch mit der türkischen «Schuldenverwaltung» und der «Ottomanischen Bank» eintraten, um sich in dem politisch verminten Gelände abzusichern, wuchs in der Reichspolitik der Kreis der Befürworter eines exklusiv «deutsch-nationalen Unternehmens», das dem Deutschen Reich auf längere Sicht die informelle Herrschaft über den ganzen Nahen Osten verschaffen sollte.

Dieser Anspruch wurde im Herbst 1898 durch eine spektakuläre Reise Wilhelms II. nach Damaskus unterstrichen, wo er sich nicht nur zum Schutzherrn aller Muslims aufwarf, sondern auch mit dem repressiven Sultanismus – kurze Zeit nach den internationales Aufsehen erregenden Armeniermorden – öffentlich solidarisierte. Abdul Hamid erwies sich als «bereitwilliger Kollaborateur», als das deutsche Konsortium im November 1899 endlich den Vertrag über die Strecke bis Bagdad und Basra erhielt, obwohl der Finanzierungsmodus weiterhin ungeklärt war. Siemens drängte unvermindert auf eine internationale Gesellschaft hin, da die «Deutsche Bank» angesichts der hohen Investitionen keine Illusionen über die Abhängigkeit vom europäischen Kapitalmarkt und die Vorzüge einer Mitwirkung der «Schuldenverwaltung» und der «Ottomanischen Bank» hegte. Die Regierung Bülow insistierte jedoch auf dem «deutschen Charakter» des Großunternehmens. Damit handelte sie sich prompt den schroffen Einspruch Londons ein, das in einem direkten Landweg nach Indien und an den Persischen Golf einen künftigen Gefahrenherd sah; zugleich löste sie Rußlands Protest aus, das ein deutsches Protektorat über die gesamte Türkei fürchtete.

Schließlich trug die 1903 gegründete «Kaiserliche Ottomanische Bagdadbahn» zwar der Sachkunde und den Skrupeln der deutschen Banker Rechnung, da sie formell eine internationale, keine rein deutsche Gesellschaft war. Aber London und Paris blockierten ihre Kapitalmärkte, so daß der

Bahnbau wegen chronischen Finanzmangels häufig stagnierte, und außerdem erhöhten sie mit Rußland den Gegendruck auf die Hohe Pforte. Insbesondere die deutsch-englischen Beziehungen wurden durch die Berliner Strategie, welche die Bagdadbahn als Instrument der informellen Expansion nur zu ersichtlich einsetzte, schwer belastet.

Als 1908 die erfolgreiche jungtürkische Revolution zur Abdankung des Sultans führte, geriet die Grundlage der deutschen Politik wegen ihrer Bindung an das gestürzte Sultansystem in Gefahr. Es gelang zwar, sie mit dem Argument des nützlichen Gegengewichts gegen die französisch-englische Vorherrschaft, auch mit der Unterstützung von Reformen (wie etwa des Heeres), mit denen ein türkischer Nationalstaat nach westlichem Vorbild geschaffen werden sollte, allmählich zu stabilisieren. Für die marode Bagdadbahn in ihren ewigen Geldnöten bedeutete das jedoch keinen befreienden Durchbruch. Bis zum Sommer 1914 wurde sie nur streckenweise gebaut; große Zwischenstücke, zum Beispiel die 825 Kilometer lange Linie zwischen Haidar Pascha und Bagdad, konnten noch gar nicht in Angriff genommen werden. Die deutschen Eisenbahninvestitionen erreichten zu diesem Zeitpunkt immerhin die Höhe der französischen Anlagen. Aber das riskante Projekt der friedlichen Durchdringung der Türkei mit dem Fernziel, durch die Bagdadbahn erst die wirtschaftliche, dann auch die politische Suprematie im Nahen Osten zu gewinnen, war nicht nur gescheitert, sondern hatte auch noch einen hohen Berg neuer außenpolitischer Probleme aufgetürmt. Und das sozialimperialistische Kalkül, in der Innenpolitik mit eindrucksvollen Erfolgen aufwarten zu können, war ebenfall nicht aufgegangen.

Die Bilanz des deutschen Wirtschaftsimperialismus vor 1914 bleibt daher, ob er nun formelle oder informelle Herrschaft anstrebte, durchweg negativ. Und die Ablenkungspolitik des Sozialimperialismus erwies sich als Sackgasse, an deren Ende die inneren Reformen nicht länger mehr aufgeschoben werden konnten. Auf ihnen hatte die Oppositionspartei par excellence seit jeher bestanden. Eine kluge Analytikerin der internationalen Beziehungen wie Rosa Luxemburg fügte 1913 die Warnung hinzu, daß die Aufteilung der Welt in Kolonien und Einflußsphären offenbar an einem gewissen Sättigungspunkt angelangt sei. Jetzt drohe die Gefahr, daß die bisher an die Peripherie abgelenkte Energie der Mächte auf das klassische Konfliktfeld des europäischen Staatensystems mit neuer Wucht zurückkehre. Das sollte sich als hellsichtige Prognose erweisen.[38]

g) Das Verhältnis zu den Großmächten: Feindbilder und Kriegsmentalität

Die außenpolitische Grundkonstellation, die sich bis zum Beginn der neunziger Jahre für das Deutsche Reich herausgebildet hatte, barg ein bedrohliches Gefahrenpotential, aber es verkörperte noch nicht völlig die lebensgefährliche Aussichtslosigkeit späterer Jahre. Frankreich war durch die Annexion Elsaß-Lothringens zu einem Dauerfeind gemacht worden, der sich nach dem deutsch-russischen «Wirtschaftskrieg» bis hin zu der formellen Allianz von 1894 mit dem Zarenreich zu verbinden verstand. Das machte – Spätfolge der Bismarck von den inneren Kräfteverhältnissen vorgeschriebenen Politik – den Zweifrontenkrieg für Deutschland zur Gewißheit (vgl. vorn IV. A 5a). Ihm hatte das Reich außer seiner Schritt für Schritt gesteigerten Aufrüstung nur die prekäre Allianz mit Österreich-Ungarn entgegenzusetzen. Dadurch wurde es an den von innenpolitischen Konflikten zerfressenen Vielvölkerstaat gefesselt, der durch seinen Ersatzimperialismus auf dem Balkan, dabei unvermeidbar auch stets auf Rußland stoßend, jederzeit eine verhängnisvolle Krise heraufbeschwören konnte. Immerhin mochte durch einen klugen Interessenausgleich noch manche Zuspitzung entschärft werden. Aber einen fatalen Abschluß erreichte diese deutsche Politik, sich die schwierigsten Gegner selber zu schaffen, durch den Schlachtflottenbau, der seit 1904/06, zusammen mit den politischen Folgen des Schlieffenplans, England unentrinnbar auf die künftige Gegenseite trieb.

Die anfängliche Berliner Taktik, die Interessen rivalisierender Mächte nach Möglichkeit an die Peripherie zu lenken, versagte zusehends, als der deutsche Imperialismus seine eigenen Interessen in Übersee verfolgte, zumal der Sozialimperialismus zu einem unersättlichen Einmischungszwang anhielt, der riskante Konfrontationen unvermeidlich machte. Die vielbeschworene «Saturiertheit» der neuen Großmacht wurde auch im Verhältnis zu den entwickelten Industriestaaten durch die anonymen Bewegungskräfte der ökonomischen Expansion unterlaufen, die nationale Grenzen mühelos übersprang, ehe sie nach staatlichem Beistand verlangte. Das «wirtschaftliche Gedeihen», das «die hauptsächliche Grundlage aller modernen Kulturstaaten bildet,... unter allen Umständen zu sichern und zu fördern», formulierte Generalsekretär Bueck vom ZdI diese Konsequenz ganz ungeniert, «ist heute Aufgabe der großen Politik».

Den schrumpfenden Handlungsspielraum durch Präventivschläge auszuweiten, verbot im allgemeinen jenes Quantum an politischer Vernunft und klarer Kräfteabwägung, das sich in den Berliner Entscheidungszentren noch erhalten konnte. Immerhin bewegte sich allein Bülow seit 1904 in vier kritischen Situationen bis an den Rand des Abgrunds, und unter den führenden Militärs nahm die Neigung zur «Brinkmanship», ja die Bereitschaft zum Präventivkrieg stetig zu.

Nach jahrhundertelanger Gewöhnung an ein antagonistisches Staatensystem, in dem nicht nur eine unerbittliche Konkurrenz herrschte, sondern auch der Krieg noch immer als notwendiges, allgemein akzeptiertes Mittel der Konfliktaustragung galt, war an erster Stelle nicht die reale Gefahr, die von einem Gegner nachweislich ausging, das Entscheidende, sondern die Perzeption der Bedrohung – wie verzerrt auch immer diese Wahrnehmung ausfallen mochte. Und in der Perzeption der Berliner Politiker galt nun einmal Frankreich seit 1871 als rachsüchtiger «Erzfeind», der mit der Allianz von 1894 geradezu erwartungsgemäß seinen östlichen Verbündeten gefunden hatte. Ebenso galt das Zarenreich seit den achtziger Jahren als potentieller Gegner, der selbst das Bündnis mit der anfangs verhaßten französischen Republik nicht scheute, um dem – in Berlin dämonisierten – Panslawismus die entscheidende Unterstützung für den Fall eines Deutschland involvierenden Balkankriegs zu verschaffen oder um sich für den – in Deutschland prophezeiten – Endkrieg zwischen Slawen und Germanen zu rüsten. Das «perfide Albion» mochte noch so sehr darauf drängen, durch ein pragmatisches Flottenarrangement das Konfliktniveau zu senken, es blieb die sinistre Weltmacht, welche die «Einkreisung» des Reiches vollendete. Gerade die deutsche Anglophobie ist ein Musterbeispiel für jene Fehlwahrnehmung, der es völlig entging, wie durchschlagend sich Deutschland selber durch seine eigene Politik ausgrenzte.

So nachhaltig sich auch im europäischen Staatensystem die Folgen von verfehlten Weichenstellungen im Verhältnis Deutschlands zu den anderen Großmächten gerade auf längere Sicht auswirkten, darf man doch weder die systemischen Zwänge überschätzen, noch der Fiktion einer autonomen und gewissermaßen alternativlosen Staatsräson erliegen, mit der sich auch die deutschen Machteliten zu rechtfertigen pflegten. Bei allen folgenschweren Entscheidungen ging es auch um «das Ergebnis von Interessenabwägungen der Entscheidungsträger auf der Basis ihrer Informationen und ihrer Kompetenz im Rahmen der durch das Herrschaftssystem geregelten Entscheidungsmöglichkeiten». In diesem Sinne ist der konkrete Charakter der Berliner Entscheidungsprozesse einschließlich ihrer innenpolitischen Präformierung an der Annexionspolitik gegenüber Frankreich, an der Wirtschafts- und Finanzpolitik gegenüber Rußland, am deutschen Schlachtflottenbau gegen England vorn nachgewiesen worden. Insofern waltete über der deutschen Außenpolitik vor 1914 nicht das blinde Fatum unentrinnbarer restriktiver Systembedingungen, sondern es ging immer auch um die Verfolgung von mächtigen Interessen im Inneren, welche die Vielfalt der Handlungsoptionen durch ihren Einfluß radikal reduzierten. Aus diesem strukturellen Grunddilemma: sich selber im Staatensystem eine überlegene Gegenkoalition geschaffen zu haben und im Inneren keinen Entscheidungsspielraum für eine grundlegende Kurskorrektur gegenüber den durchsetzungsfähigen Interessenaggregaten an der «inneren Front» zu besitzen – aus diesem Grunddilemma vermochte sich das Kaiserreich vor 1914 aus eigener Kraft nicht zu befreien.[39]

Die unheilschwangere Konstellation wurde dadurch weiter verschärft, daß im letzten Vorkriegsjahrzehnt die Feindbilder auswucherten, bis eine wahre Kriegsmentalität entstand, für die der Topos von der Unvermeidbarkeit des großen, des endgültigen Kräftemessens eine konstitutive Bedeutung gewann. Auch dadurch wurden der Denkhorizont und der Handlungsspielraum in Deutschland weiter eingeengt.

In der öffentlichen Meinung, insbesondere in spezifischen Einflußzentren, bildete sich eine eigentümliche Mischung von Vorstellungen heraus. Das defensive Motiv, einer allseitigen Bedrohung demnächst entgegentreten zu müssen, verschlang sich mit dem aggressiven Motiv, der deutschen Weltgeltung und Expansion freie Bahn erkämpfen, die «Einkreisung» aufbrechen zu müssen. Darüber hinaus wurde der Krieg als «Allheilmittel» für das Innenleben der reichsdeutschen Gesellschaft verklärt, zum «Gesundbrunnen» für ihre satte, materialistische bürgerliche Kultur stilisiert, so daß er geradezu die «Bedeutung eines erlösenden Aktes für den weiteren Verlauf der Geschichte» gewann. Zugleich breitete sich die fatalistische Grundstimmung weiter aus, daß der «große Krieg» letztlich unvermeidbar sei. Dieses diffuse Gemisch schloß in der allgemeinen Öffentlichkeit weder den abrupten Wechsel zwischen kriegerischem Enthusiasmus und panischer Kriegsfurcht aus, noch brachte es die unüberhörbare linke Kritik an diesem Spiel mit dem Feuer je zum Schweigen.

Auffällig brisant war die Kriegsmentalität der nationalistischen Agitationsverbände, in denen geradezu die Kriegsverherrlichung regierte. Häufig wurde sie von bekannten Schreibtischgelehrten gepredigt, denen kein Bajonettangriff oder Trommelfeuer bevorstand. Frühzeitig hatte auch hier Treitschke eine griffige Parole ausgegeben, als er den Krieg als «eine von Gott gesetzte Ordnung» der Kritik entzog. Durch den Sozialdarwinismus ist auch diese Form des «Kampfes um das Dasein» noch einmal als Naturgesetz ideologisch überhöht worden.

Aufgrund des massenwirksamen Sozialmilitarismus geisterten die Feindstereotypen in den Kriegervereinen herum, und die Kriegsmentalität fand unter den Millionen von Mitgliedern ein nur zu bereitwillig geöffnetes Einfalltor. Im deutschen Protestantismus, der in den Einigungskriegen bereits den Finger Gottes erkannt hatte, schob sich ein «aggressiver Nationalismus immer stärker in den Vordergrund». Gottes Werk konnte weiterhin mit deutschen Waffen getan werden. Offenbar gewann der christliche Glaube für den Nationalprotestantismus auch eine «legitimierende Funktion für Macht und Gewalt». Ob liberal oder konservativ – die Mehrheit der Protestanten stand vor 1914 «religiös hoch gerüstet» da. Dem Katholizismus dagegen ging diese naive Affinität zum Nationalkrieg ab. Dennoch gab es in ihm wenige Vorbehalte gegen den Staatenkrieg als solchen. Und der politische Katholizismus lebte zudem ständig in der Furcht, durch Zurückhaltung erneut in den Geruch des «Reichsfeindes» zu geraten.

Was die anderen Parteien angeht, war der Nationalliberalismus unter Ernst Bassermanns Führung zu einer Speerspitze des Radikalnationalismus und der mit ihm fusionierenden Kriegsmentalität geworden. Zu einer kraftvollen «Weltpolitik» gehörte in seinen Augen auch der Krieg als Mittel. Der Linksliberalismus wurde durch Zustimmung zur aggressiven Politik einerseits, durch nüchterne Kritik an derselben andrerseits tief gespalten. Unter den Konservativen herrschte trotz allen Bramarbasierens weniger die offene Kriegslust als viel häufiger die ebenso schnöde wie kurzsichtige Berechnung, daß ein Krieg, wie Parteichef v. Heydebrand mit bestrickendem Zynismus gestand, «zu einer Stärkung der patriarchalischen Ordnung und Gesinnung», damit endlich zu einer «Gesundung der inneren Verhältnisse ... im konservativen Sinn» führen werde. Die einzige standhafte Opposition leisteten die Sozialdemokraten, die freilich – ganz auf der vom europäischen Liberalismus, auch von Marx vorgezeichneten Linie der bedingungslosen Ablehnung der zaristischen Autokratie – an ihrer Bereitschaft zum Verteidigungskrieg gegen die «russische Knute» und die «Kosakenhorden» keinen Zweifel ließen.

Berufliche Ausbildung, mentale Disposition und der von Kriegserfolgen geprägte Habitus machte den professionellen Militär für den bereitwilligen Umgang mit Kriegsgedanken besonders empfänglich. In der Erwartung des heraufziehenden «Endkampfes» der «Weltreiche» fixierte 1896 der Korvettenkapitän Georg Alexander v. Müller, bald Chef des Kaiserlichen Marinekabinetts, eine durchaus typische Maxime für die aktuelle Politik in durchaus typischer Sprache: «Auch hier heißt es ganz oder gar nicht. Mit der ganzen Kraft der Nation einsetzen, rücksichtslos, auch den großen Krieg nicht scheuend.» In den folgenden Jahren wuchs die Neigung hoher Offiziere, auf den Krieg hinzudrängen, mit den Turbulenzen der deutschen Außenpolitik weiter an, wie nicht nur Schlieffens Plädoyer für den Präventivkrieg enthüllt. Die Zweite Marokkokrise von 1911 hat, als der deutsche Mißerfolg schmerzhaft verspürt wurde, diese Tendenz noch einmal fatal verstärkt. «Alle bereiten sich», mahnte Generalstabschef v. Moltke in einer Denkschrift am Ende des Jahres, «auf den großen Krieg vor, den alle kurz oder lang erwarten.»

Die «wirksamste Prophezeiung» stammte jedoch von General a. D. Friedrich v. Bernhardi, der drei Jahre lang eine leitende Position im Generalstab innegehalten hatte und seit seiner Verabschiedung aus der Armee als Militärschriftsteller tätig war. Aus seinem zweibändigen Werk «Vom heutigen Krieg» (1911) erschien im Frühjahr 1912 ein Stück unter dem marktschreierischen Titel «Deutschland und der nächste Krieg». Im Nu zum mehrfach aufgelegten Bestseller avancierend, hinterließ das Buch nicht nur in der allgemeinen Öffentlichkeit, sondern wegen der nachdrücklich betonten Weltbedeutung der deutschen Kultur namentlich im Bildungsbürgertum einen tiefen Eindruck. Die erstaunliche Resonanz wurde durch den «Multiplikatoreffekt» zahlreicher Rezensionen, Berichte und Teildrucke in rechten Zeitungen und Zeitschriften noch vermehrt. Im Ausland war die Wirkung schlechterdings verheerend.

Denn Bernhardis Hauptthese lautete, daß der «Krieg um unsere Weltgeltung unter keinen Umständen» mehr vermeidbar sei. Deshalb sei es völlig verfehlt, ihn «möglichst lange hinauszuschieben», vielmehr gehe es für Berlin darum, ihn unverzüglich «unter möglichst günstigen Bedingungen herbeizuführen». Der Appell Bernhardis – im In- und Ausland vom «Unfehlbarkeitsmythos» des Generalstabs umgeben, als dessen Sprachrohr er aufgrund seiner Vergangenheit galt – glich einem Ölguß ins Feuer all jener, die ohnehin von der Unvermeidbarkeit des Krieges überzeugt waren. Vergebens empörten sich sozialdemokratische und linksliberale Zeitungen über die fahrlässige Kriegstreiberei, vergebens mühte sich auch die Regierungspresse mit dem Dementi ab, daß Bernhardi keine «amtliche Meinung» wiedergebe.

Die Wirkung von Bernhardis unverhüllter Befürwortung des Präventivkrieges war aber auch deshalb schlimm, weil sie dem im Offizierkorps und ebenfalls unter Politikern weit verbreiteten «Kult der Offensive» ihren Tribut zollte. Er stellte ein gemeineuropäisches Phänomen dar, das – wie auch der Schlieffenplan – auf dem Irrglauben basierte, daß im Zeitalter der mit allen Raffinessen modernster Waffentechnologie hochgerüsteten Massenheere der Angreifer einen unschätzbaren, nie wieder gutzumachenden, höchstwahrscheinlich kriegsentscheidenden Vorteil gewinne. Aus eben diesem Grund litt zum Beispiel die deutsche Kriegsmarine an einem unheilbaren «Kopenhagen-Komplex», also an der Furcht vor einem plötzlichen, vor langer Zeit gegen die Dänen gelungenen Vernichtungsangriff der «Home Fleet» auf die deutschen Panzerschiffgeschwader.

Dieser Trend zum Offensivdenken ist seit dem Dezember 1912 noch verstärkt worden, als Österreich-Ungarn im Ersten Balkankrieg die deutsche Unterstützung erhielt, indem Bethmann, mit Kriegsbereitschaft drohend, Rußland vor einer Intervention warnte. Als daraufhin die britische Regierung mit der kühlen Erklärung reagierte, sie werde einen deutschen Krieg gegen Frankreich nicht hinnehmen, sondern selber eingreifen, brach in Berlin zeitweilig eine hektische Aufregung aus. Auf einer eilends einberufenen Krisensitzung am 8. Dezember besprach sich der Kaiser mit hohen Militärs, ohne den Reichskanzler und Staatssekretär v. Jagow vom Auswärtigen Amt auch nur zu informieren, geschweige denn einzuladen. In dieser Runde brach es aus Moltke heraus, daß er «einen Krieg für unvermeidlich» halte «und: je eher, desto besser». Tirpitz' Widerstand gegen ein sofortiges Losschlagen genügte indes, um diese «Besprechung der militärisch-politischen Lage», wie sie Admiral v. Müller als Teilnehmer nüchtern charakterisierte, ganz undramatisch enden zu lassen. Freilich bekräftigte Wilhelm II. seither, wie fest auch er an den welthistorischen Endkampf der Germanen gegen die Slawen glaube. In diesem Fall traf Friedrich Meinecke mit seiner Ironie ins Schwarze, daß es sich dabei um die «Nachwirkung jener trivialen Geschichtsphilosophie» handle, «mit der der deutsche Spießbürger die Weltereignisse glossiert».

Immerhin: Moltke hielt fortab an der Unumgänglichkeit des Präventivkrieges fest. Als es im März 1914 aus Sorge vor der Aufrüstung des Zarenreiches, die ihm nach dem Urteil der Militärs von 1916/17 ab einen Angriffskrieg ermöglichte, zu einer Art von «Krieg-in-Sicht»-Krise in Deutschland kam, die sich in einer schrillen Pressefehde und «antirussischen Massenhysterie» äußerte, begrüßte Moltke Anfang Mai, ehe die Aufregung wieder abgeklungen war, zum ersten Mal mit unverschnörkelter Offenheit die österreichischen Präventivkriegspläne gegenüber Serbien, Rußlands Alliiertem, nachdem er bisher auf den Wiener Generalstabschef Conrad v. Hötzendorf bremsend eingewirkt hatte. Einen Monat später wiederholte Moltke gegenüber Jagow sein düsteres Zukunftsszenario, daß Deutschland wegen der russischen Rüstung nur noch wenige Jahre den Gegnern gewachsen sei und deshalb «seiner Ansicht nach nichts übrig» bleibe, «als einen Präventivkrieg zu führen»; die Regierung könne sich nicht länger der Aufgabe entziehen, «unsere Politik auf die baldige Herbeiführung eines Krieges einzustellen».

Die Reichsleitung hat zum einen durch die Billigung des Schlieffenplans die Fixierung auf einen entscheidenden Eröffnungsangriff übernommen, zum andern mit dem Schlachtflottenbau und der Heeresvermehrung von 1912/13 den Primat der Rüstung anerkannt. Bethmann stemmte sich zwar wegen der zahllosen unkalkulierbaren Risiken einem in Berlin vom Zaun gebrochenen Präventivkrieg entgegen. Aber innerlich schwankte er zwischen pessimistischer Resignation und skeptischer Weitsicht hin und her. Einerseits vertraute er im Juli 1911 seinem Mitarbeiter Kurt Riezler an, «daß das (deutsche) Volk einen Krieg nötig» habe. Andrerseits zeigte er sich noch im Juni 1914 «empört über Heydebrands Unsinn»: Anstelle «einer Stärkung der patriarchalischen Ordnung» werde ein künftiger «Weltkrieg ... die Macht der Sozialdemokratie, weil sie den Frieden predigt, gewaltig steigern und manche Throne stürzen». Glücklicherweise habe der Kaiser bisher «keinen Präventivkrieg geführt und werde keinen führen».

In eben diesen Tagen aber bedrängte Wilhelm II. den befreundeten Hamburger Bankier Warburg mit der Frage, ob es angesichts des 1916 bevorstehenden russischen Angriffs nicht «besser wäre loszuschlagen, anstatt zu warten». Offenbar ist im Frühsommer 1914 ein Präventivkrieg unter den deutschen «Entscheidungsträgern» nicht nur ernsthaft, sondern mit dem Gefühl wachsender Dringlichkeit erörtert worden. Als der Nationalliberale Bassermann Anfang Juni mit dem Reichskanzler über den «russischen und französischen Druck» sprach, schloß Bethmann «fatalistisch-resigniert»: «Wir treiben dem Weltkrieg zu.» Der Topos von der «Unvermeidbarkeit» des Krieges hatte eine Eigendynamik gewonnen, die sich auf das aktive politische Gegensteuern in Berlin lähmend auswirkte, bis die fixe Idee endgültig in eine «Self-Fulfilling Prophecy» umschlug – durch jenen «Sprung ins Dunkle», den Bethmann seit Mitte Juli auf sich zukommen sah.

Die Folgen der Rüstung und Kriegsbereitschaft hatte August Bebel während der Marokkodebatte vom November 1911 hellsichtig vorhergesagt: Offenbar wolle man «von allen Seiten rüsten und wieder rüsten, ... bis zu dem Punkt, daß der eine oder andere Teil eines Tages sagt: lieber ein Ende mit Schrecken als ein Schrecken ohne Ende». Oder aber man werde den Schluß ziehen: «Wenn wir länger warten, dann sind wir die Schwächeren statt der Stärkere. Dann kommt die Katastrophe. Alsdann wird in Europa der große Generalmarsch geschlagen, auf den hin sechzehn bis achtzehn Millionen Männer, die Männerblüte der verschiedenen Nationen, ausgerüstet mit den besten Mordwerkzeugen, gegeneinander als Feinde ins Feld rücken... Die Götterdämmerung der bürgerlichen Welt ist im Anzug.»[40]

6. Die Julikrise 1914: Die Flucht nach vorn

Zum vierten Mal innerhalb eines knappen halben Jahrhunderts hat die preußisch-deutsche Staatsleitung 1914 die politische Verantwortung für den Ausbruch eines Krieges übernommen: im Januar 1864 gegen Dänemark, im Juni 1866 gegen Österreich, im Juli 1870 gegen Frankreich und schließlich in der Julikrise von 1914 gegen Rußland, Frankreich und England; auch das verbündete Österreich-Ungarn wurde am deutschen Leitseil geführt. Darin tritt eine tief irritierende Kontinuität des Kriegskalküls zutage, das sich 1939 zum fünften Mal wiederholt hat. Wenn die historische Faustregel zutrifft, daß Staaten diejenigen Arrangements institutionalisieren oder zumindest kultivieren, denen sie ihren Aufstieg zu historischer Größe verdanken, hat das in Kriegen geborene großpreußische Reich von 1871 im Frühsommer 1914 von einer Position aus operiert, die Berlin bereits dreimal hintereinander den ersehnten Erfolg gebracht hatte und jetzt erneut bringen sollte. «Wenn der gleiche Zweck», einen gesellschaftlichen und politischen Machtverlust abzuwehren, «wiederum einen Krieg verlangt», hatte Jacob Burckhardt im Rückblick auf die Bismarckschen Hegemonialkriege 1872 scharfsichtig prognostiziert, «so wird man wieder einen haben».

Weshalb aber war, zum einen, das Deutsche Reich bis dahin in eine solche Krise hineingeraten, daß sie im Denk- und Erwartungshorizont seiner «Policy-Makers» die Lösung durch einen Krieg suggerierte, von dem die «strategische Clique» wußte oder ahnte, daß er sich aus einem vermutlich nicht mehr lokalisierbaren Konflikt sogleich zu einem «großen», zu einem «Weltkrieg» steigern werde? Und weshalb dauerte es, zum andern, so lange, bis die ausschlaggebende Rolle Berlins, die im Geflecht der Kriegsursachen so klar zu erkennen ist, mit der angemessenen Eindeutigkeit herausgearbeitet werden konnte?

Anderthalb Jahrzehnte lang hat nach dem verlorenen Weltkrieg eine leidenschaftliche Debatte über den Kriegsausbruch und Kriegsverlauf angehalten, während der fast alle deutschen Historiker von Rang und Namen den moralisch-juristischen Schuldvorwurf in Artikel 231 des Versailler Vertrags, wo «culpa» und «causa» miteinander verquickt wurden, mit aller Macht zu widerlegen suchten. In der Julikrise habe das Reich, lautete der Tenor, aus Notwehr gehandelt, um in einem aufgezwungenen Defensivkampf die heranrollende russische «Dampfwalze» aufzuhalten. Später sei es, ohne durch seine Kriegszielpolitik die Verlängerung der Kampfhandlungen zu verschulden, allmählich einer «Welt voller Feinde», vollends aber erst dem von innen geführten «Dolchstoß» gegen die im Felde unbesiegte Armee erlegen.

In den dreißiger Jahren setzte sich dann, an erster Stelle in der amerikanischen und englischen Forschung, die Auffassung von einem Parallelversagen der Regierungen durch, die letztlich alle in den Krieg «hineingeschlittert» seien. In voluminösen Darstellungen, deren Tendenz sich die deutsche Historiographie anschloß, wurde diese beruhigende, rundum entlastende Interpretation wirksam verbreitet. Da unter dem NS-Regime eine kritische Überprüfung unmöglich war und in den ersten Nachkriegsjahren die Exzesse der deutschen Diktatur und ihres totalen Krieges weit dringendere Probleme aufwarfen, dauerte der Beginn der Revision bis 1961, als das Buch des Hamburger Historikers Fritz Fischer über den «Griff nach der Weltmacht» erschien. Mit seiner schneidenden Kritik sowohl an der Politik der Reichsleitung im Sommer 1914 als auch an der «Kriegszielpolitik des kaiserlichen Deutschland» bis zum Herbst 1918 löste es eine leidenschaftliche Diskussion, die sogenannte «Fischer-Kontroverse», aus, zumal Fischer – ein wahrer Provokationsschock für die Apologeten des Kaiserreichs – auf einer Kontinuitätslinie der deutschen Politik von 1914 über 1933 und 1939 hinweg bis 1945 beharrte. Die schrille, haßerfüllte, noch immer zutiefst nationalistische Tonart auf seiten der Mehrheit seiner Kontrahenten verriet, daß es allerhöchste Zeit war, sich über den tabuisierten Scheinkonsens der Zwischenkriegszeit hinwegzusetzen.

Nachdem sich die Erregung gelegt hat und die Korrektur an den theoretischen und empirischen Schwachstellen von Fischers Interpretation zur Geltung gebracht worden ist, stehen sich im wesentlichen zwei Denkschulen gegenüber, da man die zusammengeschmolzene apologetische Richtung ignorieren kann. Die eine Seite beharrt nicht nur auf der Globalkritik im «Griff nach der Weltmacht», sondern behauptet sogar eine zielstrebige Kriegsplanung des Kaiserreichs seit Ende 1912, mithin die Kontinuität der längst vor 1914 vorbereiteten und dann bis 1918 praktizierten Aggression – das sind freilich Suggestivthesen ohne empirische Überzeugungskraft. Dagegen besteht die andere Seite, welche die Hauptverantwortung Berlins in der Julikrise durchaus anerkennt, auf dem Unterschied zwischen der politisch unverbindlichen Meinungsäußerung – etwa der alldeutschen Expansionisten vor 1914 – und der verantwortlichen politischen Entscheidung, zwischen den exaltierten Wunschbildern im Frieden und den konkret verfolgten Plänen im Krieg, zwischen den verbreiteten imperialistischen Zielvorstellungen und einer fiktiven monolithischen Geschlossenheit – letztlich insistiert sie auf der defensiv motivierten, aber deshalb nicht minder fatalen Aggressivität der deutschen Entscheidungsträger.[41]

Zurück zur Ausgangsfrage nach der Natur der Krisenkonstellation in Deutschland vor dem August 1914. Das Bündel der entscheidenden Bedingungen wurde in außergewöhnlich hohem Maße innenpolitisch präformiert.

1. Die Reichstagswahlen vom Januar 1912 hatten nicht nur mit einem verblüffenden Sieg der Linksparteien geendet, sondern 1917 winkte ihnen offenbar die absolute Mehrheit. Die große Streikbewegung dieses Jahres hatte den Willen zur Veränderung zusätzlich unterstrichen. Weder konnte jedoch das demokratische Reichstagswahlrecht abgeschafft noch die anachronistische politische Struktur Preußens durch eine neue «Revolution von oben» reformiert werden. Beides hätte an den Rand des Bürgerkriegs geführt. Die systemimmanente Blockade herrschte daher weiter, da im Reich eine ausreichende Problembewältigungskapazität nicht vorhanden war.

2. Die deutsche Hochrüstung zu Wasser und zu Lande konnte wegen der partei- und innenpolitischen Kräfteverhältnisse im zeitgenössischen Entscheidungshorizont nach 1912/13 nicht fortgesetzt werden. Warum nicht? Die Heeresleitung opponierte gegen eine weitere Expansion, welche die «Verbürgerlichung» des Offizierkorps und die «Sozialdemokratisierung» der aus den Städten stammenden Mannschaften vorangetrieben hätte. Die Verwirklichung der extremen Ausbauforderungen à la Ludendorff hätte zu einer Art von «innenpolitischer Revolution» geführt. Denn die Armee wäre von Grund auf verändert, damit über kurz oder lang auch in ihrer verfassungsrechtlichen Sonderstellung im Staat in Frage gestellt und als inneres Pazifizierungsinstrument entwertet worden. Die Flottenrüstung hingegen hatte sich als so exorbitant kostspielig, England im Gegenzug als so überraschend leistungsfähig erwiesen, daß das Bautempo der deutschen «Dreadnoughts» nicht mehr gesteigert werden konnte.

Der Streit bis zum Oktober 1913 hatte die finanziellen Grenzen der deutschen Aufrüstung gezeigt: Jeder zusätzliche Rüstungsetat ließ sich nur mehr mit einer Mitte-Links-Koalition durchsetzen, die im politischen System Preußen-Deutschlands für die Regierung eine bare Unmöglichkeit darstellte. Anleihen mußten am Widerstand des Reichstags scheitern, noch ehe sie auf eine schwierige Lage des Kapitalmarktes mit hohem Zinsniveau getroffen wären. Ausreichende direkte Reichssteuern wurden von der Parlamentsmehrheit blockiert. Die Erhöhung der indirekten Steuern dagegen hätte zwangsläufig zu einer politischen Aufwertung der SPD geführt, deren nächster Wahlkampf dadurch immens erleichtert worden wäre. Die Auflösung des Reichstags wegen strittiger Steuerfragen mußte die Regierung wegen der danach drohenden sozial-liberalen Majorität ungleich mehr fürchten als die Opposition. Abrüstungsvereinbarungen waren gegen das Militär, den Hof und die militärfreundliche Mentalität der Zivilpolitiker nicht durchzusetzen.

3. Überhaupt gab es kein hinreichendes Vertrauen auf die Vorzüge einer klugen Friedenspolitik und, damit verbunden, auf die Auswirkungen der ja keineswegs nachlassenden, sondern wachsenden ökonomischen Präponderanz des Reiches, die ungleich effektiver als jede Gewaltpolitik zu seiner inneren und äußeren Stabilisierung beitragen konnte. Vergebens bemühte sich der Ruhrunternehmer Hugo Stinnes darum, den Chef des «Alldeutschen Verbandes», Heinrich Claß, im September 1911 darüber zu belehren, «wie falsch es sei, die äußerlich sichtbaren Machtmittel als entscheidend anzusehen... Lassen Sie noch drei – vier Jahre ruhiger Entwicklung und Deutschland ist der unbestrittene wirtschaftliche Herr in Europa.» Und dann noch einmal: «Also drei oder vier Jahre Frieden, und ich sichere die deutsche Vorherrschaft in Europa im Stillen» zu. In dieser Prophezeiung mochte ein Schuß jener optimistischen Überschätzung, zu der Erfolgsmenschen neigen, zutage treten. Aber im deutschen ökonomischen Potential und einem «mitteleuropäischen Zollverein» unter der Dominanz des Reiches sah auch Walther Rathenau 1913 eine «wirtschaftliche Entwicklung» gewährleistet, «die der amerikanischen ebenbürtig, vielleicht überlegen wäre».

Dieser Lagebeurteilung stand jedoch der ungleich durchsetzungsfähigere Krisenpessimismus der Repräsentanten einer konservativen Grundstimmung gegenüber, die auf verschiedenen Einflußkanälen an die entscheidungsfähigen Zentren der Polykratie herangetragen oder von ihnen ohnedies geteilt wurde. Wenn etwa Ernst v. Heydebrand als der ungekrönte «König» der Deutschkonservativen in Preußen im Juli 1914 den Krieg zur «Stärkung der patriarchalischen Ordnung» herbeiwünschte, drückte er eine weit verbreitete Meinung aus. Zur selben Zeit umschrieb der Herzog von Ratibor, der zu den anderthalb Dutzend reichsten preußischen Adligen gehörte und nach Belieben auf den «Korridoren der Macht» in Berlin verkehrte, dieses krude Geschichtsbild noch offenherziger. «Die Kriege von 64, 66 und 70 hätten das Militär und die agrarischen Parteien konsolidiert und den Bestrebungen der kommerziellen Klassen ein Ende geboten», eröffnete er dem französischen Botschafter Jules Cambon in einem vertraulichen Gespräch. Inzwischen seien aber die «bourgeoisen Klassen im Begriff, die Oberhand zu gewinnen, zum Schaden des Militärs und agrarischen Klassen. Krieg sei darum geboten, um die Dinge wieder in Ordnung zu bringen». Und auf eine Rückfrage betonte er noch einmal: «ein Krieg werde notwendig sein, um die Dinge ins alte Gleis zurückzubringen, wie in der Zeit, als die agrarische Partei oben auf war».

Zugegeben, von solchen Erwartungen war es noch ein gutes Stück Wegs bis zum Ausgang von Entscheidungsprozessen. Aber sie gehörten zu jenen «Unspoken Assumptions», auf die Entscheidungsgremien im Augenblick der Krise zurückzufallen pflegen, wenn rationales Abwägen keine Gewißheit über die Folgen eines Entschlusses schaffen kann. Sie waren, mit anderen Worten, der Ausdruck einer Kriegsmentalität in den traditionellen

Machteliten und darum unter diesen zum einen weit einflußreicher als die Zukunftssicht weltoffener, weitsichtiger Großunternehmer; zum andern berührte sich diese Meinungsströmung eng mit dem Pessimismus der führenden Militärs.

4. Die beiden Balkankriege von 1912 und 1913 hatten unter anderem ergeben, daß die Niederlage der Türkei, die bisher – wie Kriegsminister v. Heeringen einräumte – im «deutschen militärisch-politischen Kalkül als aktiver Posten» gegolten hatte, ihren Wert als künftiger Alliierter radikal reduziert hatte, während die Bindung des Reiches an seinen einzigen Bündnispartner Österreich-Ungarn noch enger geworden war. Die zunehmende Neigung Wiens, Serbien als ein Zentrum des Widerstands gegen die österreichische Balkanexpansion gegebenenfalls mit Gewalt auszuschalten, traf in Berlin sowohl in der Reichsleitung als auch beim Militär und Kaiser auf wohlwollendes Verständnis. «Ich gehe mit Euch», erklärte Wilhelm II. im Oktober 1913 dem österreichischen Generalstabschef Conrad v. Hötzendorf. «Die anderen Mächte ... werden nichts dagegen unternehmen. In ein paar Tagen müßt Ihr in Belgrad stehen. Ich war stets ein Anhänger des Friedens, aber das hat seine Grenze», denn «endlich kommt die Lage, in der eine Großmacht nicht länger zusehen kann, sondern zum Schwert greifen muß». Sein Schluß: «Jetzt oder nie. Es muß da unten Ordnung geschaffen werden.» Und da der Kaiser vom Endkampf der Germanen mit den Slawen überzeugt war – eine Überzeugung, die Moltke, wie er Conrad soeben gestanden hatte, ebenfalls teilte –, fügte er auch noch mit unübertrefflicher Arroganz hinzu, daß «die Slawen» ohnehin «nicht zum Herrschen geboren» seien, «sondern zum Dienen».

Im Zusammenhang von Marokkokrise und Balkankrieg gewann auch das vorn bereits erörterte Präventivkriegsdenken in der Berliner Militärführung weiter an Boden (vgl. 5g). Wie auf der Krisensitzung vom Dezember 1912 drückte Moltke 1914 mehrfach seine Hoffnung direkt aus: «Jedes Zuwarten» bedeute, vertraute er im Mai Conrad an, «eine Verminderung unserer Chancen». Und einem Berliner Diplomaten versicherte er im Juni: «Wir sind bereit, je eher, desto besser für uns.»

Das Gefühl, daß die Bedrohung durch den künftigen Zweifrontenkrieg immer gefährlicher werde, wurde durch die Zeitpläne der gegnerischen Rüstung vertieft. Die französische Aufrüstung, 1913 erneut beschleunigt, sollte von 1915/16 ab das deutsche Niveau erreichen; die russische Heeresvermehrung sollte bis Ende 1916 zu einer erdrückenden numerischen Überlegenheit führen. Nun stand zwar einerseits der deutsche Generalstab der Qualität der russischen Landstreitkräfte mit Skepsis gegenüber. Andrerseits setzte sich in den Köpfen aber die fixe Idee fest, daß Deutschland vor der kritischen Phase von Ende 1916, spätestens Anfang 1917 ab, wenn seine Unterlegenheit besiegelt sei, den befreienden Präventivschlag riskieren müsse. Die Militärspitze dränge darauf, notierte sich Anfang Juli 1914 der sächsische Gesandte in Berlin, «es zum Krieg jetzt, wo Rußland noch nicht fertig» sei, «kommen» zu lassen. Auch sein Militärattaché hatte bis dahin den «Eindruck gewonnen, daß man es» im Generalstab «als günstig ansieht, wenn es jetzt zu einem Krieg käme. Besser würden die Verhältnisse und Aussichten für uns nicht werden.» Denn nur wegen der zwei-, maximal dreijährigen Atempause, die das russische Rüstungstempo Berlin noch gewähre, hielt Moltke es für unwahrscheinlich, daß das Zarenreich schon «in nächster Zeit eine Gelegenheit zum Krieg ... gegen uns» suchen werde. Etwas später aber verstieg er sich, ohne die geringste konkrete geheimdienstliche Information zu besitzen, in Berlin zu der Angstparole, «definitiv zu wissen, daß zwischen Rußland, Frankreich und England für 1917 ein Angriffskrieg gegen Deutschland abgemacht ... und vorbereitet» sei.

Diese Perzeption, wegen der absehbaren gegnerischen Überlegenheit innerhalb eines schrumpfenden Zeithorizonts prophylaktisch handeln zu müssen, wurde, wie gesagt, auch dadurch verstärkt, daß eine neue deutsche Rüstungsanstrengung als adäquates Gegengewicht wegen der inneren Kräftekonstellation unmöglich war. Und diese Wahrnehmung des Rüstungswettlaufs verlieh zugleich dem Schlieffenplan noch einmal eine zusätzliche, aber zeitlich scharf eingeschränkte Bedeutung. Die erhoffte rasche Entscheidung gegen Frankreich erschien aus dieser Perspektive nur mehr bis 1916 möglich zu sein, ehe die russische Hochrüstung einen überlegenen Doppeldruck geschaffen hatte. Das Siegesrezept des Schlieffenplans blieb, hieß das, nur bis 1916 brauchbar.

Rußland rückte bei solchen Überlegungen immer auffälliger in den Vordergrund. 1905/07 durch Kriegsniederlage und Revolution geschwächt, hatte es seine Neurüstung mit Hilfe französischer Kredite alsbald realisiert, 1913 noch einmal forciert und den Westbahnausbau beschleunigt. Daß seine Agrarexport- und Industrieinteressen durch die deutsche Außenwirtschaftspolitik verletzt, sein Drang nach Vorherrschaft auf dem Balkan bis hin zum Bosporus auch durch die deutsche Außenpolitik blockiert wurden, war gerade in Berlin kein Geheimnis. Der Ausgang der beiden Balkankriege, die Zuspitzung der Gegensätze im Verhältnis zur österreichischen Konkurrenzmacht, die Expansionsagitation des Panslawismus, die Erwartung des großen germanisch-slawischen «Rassenkriegs» verschärften die Spannung. Vor allem aber erinnerten der Terminplan und die verbesserte Logistik der russischen Militärmaschinerie immer wieder daran, daß eine wesentliche Prämisse des Schlieffenplans beharrlich unterminiert wurde: die Annahme nämlich, daß das letztlich noch schlagbare russische Massenheer dank der bekanntermaßen langsamen Mobilmachung erst über viele Wochen hinweg in Bewegung gesetzt werden konnte. Das eröffnete den Spielraum für die deutschen Blitzkriegoperationen im Westen mit einem siegreichen Abschluß ohne die Bindung großer Kraftreserven durch die Ostfront, für die deshalb bekanntlich die Aufmarschplanung seit dem April 1913 eingestellt worden war.

Die zaristische Autokratie besaß aber auch noch aus einem anderen Grunde für die deutschen Kriegsüberlegungen eine zentrale Bedeutung. Nur bei einem russischen Angriffskrieg schien, das war in Berlin die communis opinio, die innere Einheit und vorbehaltlose Kampfbereitschaft der Nation gewährleistet. Wie es Ludendorff in seiner Denkschrift vom Dezember 1912 direkt formuliert hatte, gelte es im Hinblick auf Rußland, «den casus belli so zu formulieren, daß die Nation einmütig und begeistert zu den Waffen greift». Die Krisensitzung am 8. Dezember hatte dann auch zu dem Beschluß einer Pressekampagne geführt, um die «Volkstümlichkeit eines Krieges gegen Rußland besser vorzubereiten». Insbesondere die Sozialdemokratie mußte von einer russischen Attacke überzeugt sein, dessen war sich auch Bethmann Hollweg vollauf bewußt. Sie konnte aber auch, das stellte eine erstrangige innenpolitische Aufgabe der Reichsleitung dar, aufgrund ihrer antizaristischen Tradition mit dem erforderlichen Geschick davon überzeugt werden. Deshalb traf Bethmann schon am 2. Juli Vorsorge, daß die seit langem geplanten Maßnahmen gegen die SPD-Führung im Kriegsfall nicht ergriffen wurden. Vielmehr kam ihm alles darauf an, durch die russische Aggression die freiwillige Unterstützung der Sozialdemokratie zu mobilisieren. Hatte Rußland als vermeintlicher Angreifer seine Pflicht für die deutsche Innenpolitik getan, konnte wegen seiner Allianz mit Frankreich der Krieg im Westen anstatt gegen den östlichen Angreifer eröffnet werden.

Die Militärführung, die einen 1916/17 drohenden Angriffskrieg gegen Deutschland bereits wie ein feststehendes Faktum behandelte und im Abwarten nur mehr eine Verminderung der Siegeschancen sah, teilte selbstverständlich die Erwartung, daß Frankreich seinem russischen Alliierten ganz so unverzüglich beispringen wie auch England seine Verpflichtungen aus der Entente Cordiale gegenüber Frankreich erfüllen werde, zumal den Militärs die Folgen der von ihnen geplanten Verletzung der belgischen Neutralität bekannt waren. Sie verspotteten daher Bethmanns evidente Geneigtheit, trotz der Entente, trotz des Schlieffenplans und trotz der Bedrohung durch die deutsche Schlachtflotte auf die englische Neutralität im Kriegsfall zu hoffen. Als Anfang 1914 zuverlässige Geheiminformationen über eine britisch-russische Marinekonvention in Berlin eintrafen, welche in eben diesem Ernstfall die «Einkreisung» zu vollenden schien, wurden Bethmann und Jagow, beide völlig perplex, aus ihrem Wunschdenken herausgerissen. Ihr Gegendruck führte zwar dazu, daß die Abmachung in London zeitweilig auf Eis gelegt wurde. In Berlin aber triumphierten die «Falken», die ihre schlimmsten Erwartungen bestätigt fanden.

5. Die seit Jahren schwelende Krise in den Mächtebeziehungen wurde dadurch verschärft, daß der österreichische Thronfolger Franz Ferdinand mit seiner Frau am 28. Juni 1914 in Sarajevo ermordet wurde. Aber da der Anschlag von dem Mitglied eines serbischen Geheimbundes ausgeführt worden war, gab es auch genügend Ansatzpunkte für ein erfolgreiches

Krisenmanagement der Staaten. Sofort tauchte jedoch die Frage auf, wie Österreich-Ungarn die Gelegenheit zu einem Vergeltungsschlag gegen das serbische Königreich nutzen könne. Damit war unauflöslich die Frage nach der Haltung verknüpft, die Berlin dazu einnehmen werde. Bethmann sah das Grundproblem ganz klar: «Eine Aktion gegen Serbien kann zum Weltkrieg führen.» Was das bedeutete, erkannte er nicht minder realistisch: Dann «steht nicht nur die Hohenzollernkrone, sondern auch die Zukunft Deutschlands auf dem Spiel», überhaupt sei «eine Umwälzung alles Bestehenden» zu erwarten. Aber die illusionslose Prognose vermochte doch nicht sein Handeln entscheidend zu verändern. Anders gesagt: Der Bürokrat an der Spitze der kaiserlichen Regierung besaß in der Polykratie der formellen und informellen Entscheidungszentren weder das institutionelle Gewicht noch die persönliche Qualität, um seine Befürchtungen in eine sozialkonservierende Friedenspolitik umsetzen zu können. Erneut zeigte sich in der Julikrise, daß auch dieser Kanzler die Reichspolitik nicht mit einem klaren Koordinierungsstil führen konnte.

Von Anfang an ging daher der Reichskanzler sehenden Auges in die neue Krise hinein, was nicht ausschloß, daß er einem daraus entstehenden allgemeinen Krieg mit seinen Folgen voller Skepsis entgegensah. Deshalb mußte in seinem Auftrag der deutsche Botschafter in Wien, Hermann v. Tschirschky, am 30. Juni «sehr nachdrücklich und ernst vor übereilten Schritten» warnen. Denn wie naheliegend für Wien solche Schritte waren, wußte man seit dem Ende des zweiten Balkankriegs in Berlin nur zu genau. Als jedoch der Kaiser, bestärkt von der Militärkamarilla in seiner Umgebung, an dieser Warnung heftige Kritik übte, hatte Tschirschky am 2. Juli Kaiser Franz Joseph zu versichern, daß die Habsburger Monarchie bei der «Verteidigung eines ihrer Lebensinteressen» Deutschland immer an ihrer Seite finden werde. Und Außenminister Graf Berchtold erhielt tags darauf von Tschirschky sogar den Ratschlag, daß «nur ein tatkräftiges Vorgehen gegen Serbien zum Ziele führen könne». Damit war eine fundamentale, nur schwer zu revidierende Entscheidung gefallen: Wien erhielt von seinem mächtigen Verbündeten zum ersten Mal grünes Licht für einen als Rachefeldzug verkleideten dritten Balkankrieg, dessen Ausweitung zunächst ungewiß, aber wahrscheinlich war.

Was waren die Gründe für diese folgenschwere frühe Festlegung? Die Chancen für Österreich, seine Forderung nach Genugtuung bis hin zu einem Krieg gegen Serbien zu eskalieren, wirkten so vorteilhaft wie nie zuvor. Das Vielvölkerreich war morsch, aber es war auch die einzige mit Deutschland verbündete Großmacht, und jeder Prestigegewinn, erst recht jeder Kriegserfolg, trug sowohl zu seiner eigenen Stabilisierung als auch zur Aufwertung der beiden Mittelmächte bei.

Innenpolitisch stand die Reichstagsmehrheit – wie 1908 – hinter der Politik der Unterstützung Österreichs. Der Erfolgsdruck, der seit Jahren auf

Bethmann Hollweg lastete, konnte durch einen günstigen Ausgang der Krise drastisch vermindert werden.

Vor allem aber galt die anvisierte «Serbien-Aktion» als eine Art von «Prüfstein» für den russischen Kriegswillen. Moltke sprach sich in Übereinstimmung mit der Militärführung und dem Generalstab wie «schon vor Monaten» dahin aus, «daß der Zeitpunkt militärisch so günstig sei, wie er in absehbarer Zeit nicht wiederkehren kann», und spätestens 1916/17 drohe ohnehin der russische Angriffskrieg. Bethmann versicherte er, «wir würden es schaffen». Der Reichskanzler lenkte ein. Falls Rußland jetzt trotz seiner unvollendeten Aufrüstung und daher trotz seiner relativ ungünstigen Lage das Kriegsrisiko übernehmen wolle, dann hielt es auch Bethmann Hollweg für richtig, wegen der «wachsenden Ansprüche und ungeheuren Sprengkraft Rußlands», die «in wenigen Jahren nicht mehr abzuwehren» sei, selber den Krieg rechtzeitig zu führen. Später erinnerte er sich freimütig daran, «daß unsere Militärs von der Überzeugung durchdrungen gewesen seien, jetzt den Krieg noch siegreich bestehen zu können, aber in einigen Jahren, etwa 1916,... nicht mehr. Das habe natürlich auch auf die Behandlung der serbischen Frage eingewirkt.» Der aus dieser «Behandlung» hervorgehende Weltbrand habe ursprünglich, konzedierte er dem Liberalen Conrad Haußmann, «in gewissem Sinne» als Präventivkrieg begonnen.

Daß die ausschlaggebende Entscheidung in Berlin fiel, war dem kleinen inneren Kreis der «Decision-Makers» bewußt. Noch am 25. Juli räumte Staatssekretär v. Jagow dem Chefredakteur des «Berliner Tageblatts», Theodor Wolff, ein, es sei völlig klar, daß derzeit weder London noch Paris noch St. Petersburg den Krieg wollten. Die vage Hoffnung der verantwortlichen deutschen Zivilpolitiker richtete sich zu diesem Zeitpunkt noch immer darauf, daß Rußland mitten in der ungünstigen Zwischenphase seiner Aufrüstung vor dem Kriegsrisiko zurückschrecken und trotz der bisherigen Unterstützung Serbiens den diplomatischen Rückzug antreten werde, zumal der deutsch-serbische Konflikt als solcher für die anderen Mächte nicht attraktiv sei. Diese Demütigung der Petersburger Politik werde folgerichtig zu einer Aufwertung Wiens führen, und in Deutschland könne man eine hohe innenpolitische Dividende des riskanten Muskelspiels einstreichen.

Die nackte Alternative zu diesem Gespinst aus illusionären Hoffnungen war der Krieg. Die wesentliche Voraussetzung für einen Erfolg im Kriegsfall war die Fähigkeit Österreichs, schnell zu handeln, ehe die internationale Empörung über den Meuchelmord abgeklungen war. «Ein schnelles fait accompli und dann freundlich gegen die Entente», so sah der Reichskanzler es noch am 11. Juli, «dann kann der Choc ausgehalten werden.» In solchen Überlegungen trat auch der Einfluß seines persönlichen Referenten und Beraters Kurt Riezler zutage, der soeben mit seiner Theorie des «kalkulierten Risikos» erhebliche Resonanz gefunden hatte. Da derzeit keine Macht den großen Krieg wolle, lautete Riezlers Lehre in nuce, könne der am entschlossensten und kühnsten handelnde Staat, sofern er ein wohlkalkuliertes Risiko übernehme, seine Ziele am ehesten erreichen. Diese «Theorie», Machtpolitik am Rande des Krieges zu betreiben, erneuerte in zeitgemäßer Form einen uralten Machiavellismus, verringerte aber in der konkreten Situation des Sommers 1914 die Bedenken gegen die Auslösung des großen Kriegs durch die suggerierte «Kalkulierbarkeit» des Risikos.

Auf einer ersten Stufe richtete sich nunmehr die Hoffnung darauf, daß ein kurzer österreichisch-serbischer Schlagabtausch als dritter Balkankrieg isoliert werden könne – mit der im Erfolgsfall zu erwartenden politischen Rendite. Gelang aber die Einhegung des Konfliktes nicht, bestand die Hauptaufgabe Berlins darin, Rußland die Entscheidung über Krieg und Frieden zuzuschieben. Dem stimmten auch die deutschen Militärs zu, die ohnehin, wie allmählich auch immer deutlicher Bethmann Hollweg, den erlösenden Präventivkrieg gegen das Zarenreich vorzogen.

Rußland auf der anderen Seite hatte bereits 1908 und 1912 die deutsche Bereitschaft, am Abgrund zu lavieren, erlebt und sich 1913 zu einem harten Kurs entschlossen: zum einen, um seine gefährdete Großmachtstellung und sein angeschlagenes Prestige zu verteidigen, zum andern, um den erhofften Erfolg innenpolitisch zugunsten des angeschlagenen Zarismus ausmünzen zu können. Sein Handlungsspielraum war darum nach Revolution, Kriegsverlust und Balkanniederlage angesichts der erstrebten Zielwerte und aufgrund seiner Perzeption der Lage außerordentlich schmal.

Als der deutsche Botschafter in London, Fürst Lichnowsky, vor seiner Rückreise nach England sich am 5. Juli mit Staatssekretär Zimmermann im Auswärtigen Amt besprach, wurde er über die deutsche Krisenstrategie ziemlich unverblümt ins Bild gesetzt. Wien wolle und solle gegen Serbien energisch vorgehen, erläuterte ihm Zimmermann, und Berlin gehe davon aus, daß bei einer Ausweitung des Konflikts, «wenn der Krieg für uns nun doch unabwendbar sei, infolge der unfreundlichen Haltung Rußlands es vielleicht besser sei, ihn jetzt zu führen als später». Lichnowsky hatte auch vom Kaiser und Reichskanzler die Meinung gehört, «daß es nicht schade sei, wenn daraus», aus dem österreichischen Serbienfeldzug, «ein Krieg mit Rußland entstünde». Er zog aus alledem den korrekten Schluß, daß man in Berlin «ein kriegerisches Vorgehen gegen Serbien», das «zweifellos den Weltkrieg nach sich ziehen würde», förderte, zumal die deutsche Unterstützungsbereitschaft die Allianzmechanismen einschnappen ließ. Von seinem Eindruck ließ Lichnowsky gegenüber Außenminister Grey am 6. Juli in einem «Privatgespräch» immerhin so viel durchblicken, daß der Konflikt herannahe, da Berlin Österreich nicht bremsen und dem Übel lieber jetzt als später begegnen wolle.

Währenddessen war am 5. Juli der Wiener Sonderbotschafter Graf Hoyos in Berlin eingetroffen, um sich für seine Regierung die Verbindlichkeit der deutschen Beistandszusage vom 2./3. Juli endgültig bestätigen zu lassen, da

Österreich Serbien «als politischen Machtfaktor am Balkan auszuschalten» entschlossen sei. Als Botschafter Szögyényi dem Kaiser das Hoyos-Memorandum überreichte, wiederholte Wilhelm II. ohne Zögern die deutsche Bereitschaft zur Unterstützung einer militärischen Aktion gegen Serbien, obwohl das zu «einer ernsten europäischen Komplikation» führen könne. Nachmittags stimmte Bethmann Hollweg «uneingeschränkt» zu; Berlin wolle Wien zwar nicht die Form vorschreiben, wie es Genugtuung erlangen könne, aber unverzüglich mit der Armee gegen Serbien vorzugehen stelle die beste Lösung dar. Privat notierte sich Hoyos, daß Bethmann zur «Opportunität des Zeitpunktes» bestätigt habe: «wenn der Krieg unvermeidlich wäre, sei der jetzige Zeitpunkt günstiger als ein späterer»; die Konsultation der deutschen Heeres- und Marineleitung sei «nur noch eine Formsache».

Nicht Sarajewo, sondern die wiederholte formelle Bestätigung der deutschen Rückendeckung zwischen dem 2. und 6. Juli war die eigentliche Initialzündung der folgenden Explosion. Hoyos konnte in der Tat einen «Blankoscheck mitnehmen». Österreich erhielt für jede Aktion freie Hand – selbst wenn daraus der ominöse große Krieg hervorgehen sollte. Berlin verzichtete bewußt, keineswegs in einem Anfall von Geistesabwesenheit, auf klar spezifizierte Bedingungen für die «Einlösung» seines Schecks. Es wollte gegenüber dritten Parteien völlig unbeteiligt dastehen und sich einen gewissen Spielraum noch reservieren. Eine klare Absage an Wien, eine offene Nachricht darüber an London, Paris und St. Petersburg mit der Betonung der deutschen Friedenswilligkeit hätte zu diesem Zeitpunkt noch genügt, die Weichen für die Konfliktlösung ganz anders zu stellen.

Statt dessen nahm die Berliner Politik das immer näher rückende Risiko des allgemeinen Krieges auf ihre Kappe. Nach außen wurde freilich die Fassade eines friedlichen Sommerbetriebs aufrechterhalten. Der Kaiser ging auf die gewohnte Nordlandreise, Moltke und Jagow waren bereits in Urlaub gegangen, Moltkes Stellvertreter Alfred v. Waldersee wurde ebenfalls demonstrativ in die Ferien geschickt.

Plötzlich tauchte jedoch ein unerwartetes Problem auf. In Wien kam keine definitive Entscheidung zustande, vor allem deshalb nicht, weil sich der ungarische Ministerpräsident Stephan Graf Tisza zeitweilig hartnäckig dagegen stemmte, den Anteil der slawischen Reichsbevölkerung durch die Eroberung neuer Balkanterritorien zu vermehren. Berlin mußte drängen, aber erst am 14. Juli fiel die Entscheidung, Belgrad eine ultimative Note mit lauter unannehmbaren Bedingungen zu schicken, auf ihrer vollständigen Annahme zu bestehen und sonst den Abbruch der diplomatischen Beziehungen anzudrohen. Das war damals gleichbedeutend mit der Eröffnung von Kriegshandlungen. Die Übergabe dieser Note wurde für den 15. Juli geplant. Da sich jedoch der französische Ministerpräsident Poincaré noch in St. Petersburg aufhielt, wo er sich mühelos mit seinem Verbündeten hätte absprechen können, wurde die Aushändigung auf den 23. Juli verschoben.

Für Berlin kam es noch schlimmer: Österreich brauche, hieß es unvermittelt, mindestens siebzehn Tage für die Mobilmachung, so daß der Angriff frühestens Anfang August möglich sei. Das erschwerte einerseits den Berliner Kurs, da überall bereits Gerüchte über den bevorstehenden österreichischen Waffengang kursierten. Andrerseits hätte die Verzögerung auch genügend Zeit für die Revision der Entscheidung geboten. Aber aus den erörterten Gründen hielt Berlin konsequent an der ursprünglichen Marschroute fest. Das Auswärtige Amt ließ London, Paris und St. Petersburg wissen, daß das Reich das österreichische Ultimatum billige und vorbehaltlose Unterstützung gewähre, aber das Ziel einer «Lokalisierung des Konflikts» weiterverfolgen werde.

Wider Erwarten gab Serbien in seiner Antwortnote auf das österreichische Ultimatum mit großem diplomatischen Geschick nach. Wilhelm II. hielt das Ergebnis für einen vollen österreichischen Erfolg, «aber damit fällt jeder Kriegsgrund fort». Der deutschen Pauschalzusage gewiß, brach Wien aber trotzdem die Beziehungen ab. Die formelle Kriegserklärung sollte am 28. Juli folgen, die Operation des Heeres freilich erst am 12. August beginnen. Plötzlich stand Wien und nicht mehr der Heimatstaat des Fürstenmörders «am Pranger». Die Großmächte drängten, daß Österreich sich mit der serbischen Antwort zufriedengeben solle. Die Nachgiebigkeit Serbiens galt zudem als Beweis, daß Rußland nicht kriegslüstern sei. Zum dritten Mal hätte eine aktive deutsche Friedenspolitik in Wien und St. Petersburg, in London und Paris das Ruder herumreißen können. Berlin aber wollte seit drei Wochen die Chancen der Sarajewo-Krise voll ausnutzen und nahm dafür selbst das Risiko des Krieges gegen Rußland, Frankreich und England in Kauf.

Ohne den österreichisch-serbischen Krieg war jedoch diese Krisenzuspitzung nicht zu haben. Deshalb lehnte Berlin jede Vermittlung strikt ab, erst recht die Anregung, Wien vom Krieg direkt abzuraten. Auch als London am 24. Juli auf einen gemeinsamen Ausgleichsversuch der deutschen, französischen, englischen und italienischen Regierung dringend hinwirkte, wehrte Berlin unter einem fadenscheinigen Vorwand ab: Österreich könne als Großmacht eine Beschneidung seiner Handlungsautonomie nicht zugemutet werden. Wohl aber engagierte sich Bethmann Hollweg mit aller Kraft, Rußland die Entscheidung darüber zuzuschieben, daß aus einem begrenzbaren Balkankonflikt, den eigentlich alle Mächte verstünden, kein «europäischer Krieg» entstehe. Nur zu offensichtlich ging es ihm um die «Verschleierung der aktiven deutschen Rolle des Drängens». Als London unverdrossen einen neuen Vermittlungsvorschlag unterbreitete, riet Bethmann Wien sogar ohne Umschweife dazu, ihn nicht zu beachten.

Die letzten Brücken wurden abgebrochen, als der Reichskanzler diese diplomatische Intervention der Mächte ablehnte. Statt dessen schlug er Wien vor, unmittelbar mit Rußland selber über den Umfang der antiserbischen

«Strafaktion» zu verhandeln. Aber in Wien herrschte keine Eile, auf diesen Appell einzugehen, da der Rachefeldzug und mehr noch: die Ausschaltung Serbiens längst beschlossene Sache war. Und St. Petersburg war inzwischen zur Unterstützung Serbiens und zur Verteidigung seines Einflusses auf den Balkan bereit.

Seit dem 28. Juli bemühte sich Bethmann wegen der Unvermeidbarkeit des großen Kriegs noch intensiver als zuvor darum, möglichst günstige innen- und außenpolitische Bedingungen für Deutschland zu schaffen, damit nicht das «Odium, einen Weltkrieg verschuldet zu haben», am Kaiserreich haften blieb. Es sei eine «gebieterische Notwendigkeit», formulierte er an diesem Tag erneut die geheime Berliner Leitlinie, «daß die Verantwortung ... unter allen Umständen Rußland trifft». Der Pressepolitik wurde das Ziel gesetzt, daß Rußland als Angreifer dazustehen habe. Schon wegen der Haltung der Sozialdemokratie mußte dieser Eindruck vorherrschen.

Die deutsche Politik wurde dadurch unterstützt, daß keine der anderen Mächte Rußlands Bereitschaft zum Handeln ernsthaft die Zügel anlegen wollte. Im Zarenreich wiederum wuchs der Druck, die Schlappe von 1905/07 wettzumachen und nicht wieder wie 1908 und 1912 zurückzustecken. Überall lehnten es zudem die Entscheidungsträger ab, gerade jetzt die Allianzen in Frage zu stellen – nicht zuletzt waren sie ja im Hinblick auf ein solches Kriegsrisiko konzipiert worden. Überall auch huldigte die militärische Planung dem «Kult der Offensive» mit dem erklärten Ziel, so früh wie nur eben möglich als erster angreifen zu können. Der Schlieffenplan war ein typisches Beispiel für dieses «Diktat» der Mobilmachung, der Eisenbahnfahrpläne, des Überraschungsangriffs.

Bereits zwei Tage bevor die österreichische Kriegserklärung an Serbien am 28. Juli publik gemacht wurde, arbeitete der deutsche Generalstab das Ultimatum an Belgien für das Auswärtige Amt aus. Am 29. Juli lag Bethmann eine ungeduldige Anfrage Moltkes vor, daß er «möglichst bald Klarheit» gewinnen müsse, ob Rußland und Frankreich den Krieg mit Deutschland tatsächlich wollten. Deshalb sollten, forderte er, die diplomatischen Gespräche schroff abgekürzt werden, um die russische Kriegsbereitschaft zu testen. Kriegsminister v. Falkenhayn unterstützte den Generalstabschef mit dem Argument, die deutschen militärischen Vorbereitungen müßten endlich eingeleitet werden, damit der entscheidende Vorsprung der frühen Mobilmachung nicht verlorengehe. Am Mittag dieses Tages wuchs der Entscheidungsdruck weiter an: Rußland ordnete in vier Gouvernements die Teilmobilmachung als Warnsignal für Österreich an – immerhin erst nach dessen Ablehnung der serbischen Note und der Kriegserklärung vom Vortag. Für die deutsche Militärführung stand seither fest, daß der große Krieg nicht mehr aufzuhalten sei und nicht mehr aufgehalten werden solle – eine sofortige Entscheidung stehe unumgänglich an.

Am Abend verblüffte der Reichskanzler den englischen Botschafter Goschen, dem er den Entwurf eines deutsch-englischen Neutralitätsabkommens vorlegte. Darin wollte Bethmann die Neutralität Hollands, dazu seine territoriale Integrität und diejenige Frankreichs garantieren; die französischen Kolonien schloß das Angebot aus. Vor allem aber fand sich über das eigentlich strittige Problem: die Neutralität Belgiens und Luxemburgs, kein einziges Wort. Dieses überhastete Unternehmen mit der Absicht, in letzter Minute die Entente mit völlig unzulänglichen Mitteln zu sprengen, erwies sich als absoluter Fehlschlag und diskreditierte Bethmann in London «vollends». Letztlich hatte Bethmann aber sowohl die Verständigung zwischen Wien und St. Petersburg als auch die englische Neutralität – eine Erfolgserwartung zu diesem Zeitpunkt wurde durch ein Minimum an politischem Verstand ausgeschlossen – nur mehr mit der Absicht erstrebt, vor der deutschen Öffentlichkeit und vor aller Welt Rußland die Schuld zuschieben zu können. Während Bethmann am 30. Juli noch einen letzten Tag lang vergeblich auf Bewegung in den erstarrten Fronten wartete, ermunterte Moltke eigenmächtig Conrad v. Hötzendorf, er solle ungeachtet des russischen Drucks am vereinbarten Kriegskurs festhalten!

Am Morgen des 31. Juli traf in Berlin die Nachricht über die russische Generalmobilmachung ein. Die russische Militärspitze hatte beim Zaren erwirkt, daß der allgemeine Aufmarsch eigentlich am 29. Juli beginnen sollte, als die österreichische Artillerie bereits Belgrad bombardierte. Nach einer kurzen Verzögerung trat der Ukas am 30. Juli in Kraft, aber St. Petersburg erklärte dazu, daß die Mobilmachung vorerst zu keiner Kriegshandlung führen werde, vielmehr sollten die Verhandlungen weiterlaufen.

Der höhnische Widerspruch in Berlin hätte nicht schärfer ausfallen können. Für die Militärs bedeutete die Mobilmachung zweifelsfrei, daß Rußland die erhoffte Entscheidung für den Krieg gefällt hatte. Fortab gehe es nur noch darum, ihm keinen zeitlichen Vorsprung zu überlassen. Deshalb wurde sofort die Vorstufe der deutschen Mobilmachung verkündet, der «Zustand drohender Kriegsgefahr», und die deutsche Generalmobilmachung auf den nächsten Tag, den 1. August, festgesetzt. Damit waren die «Würfel gefallen»: Das Deutsche Reich konnte auf die herbeigesehnte russische Kriegsdrohung mit einem «Verteidigungskrieg» reagieren. Der bayerische Militärattaché v. Wenninger eilte ins Berliner Kriegsministerium. «Überall strahlende Gesichter, Händeschütteln auf den Gängen; man gratuliert sich, daß man über den Graben ist.»

Um das Gesicht wenigstens notdürftig zu wahren, richtete Bethmann am selben Tag Ultimativnoten an Rußland und Frankreich. Innerhalb von zwölf bis achtzehn Stunden sollte Rußland seine Mobilmachung rückgängig machen, Frankreich seine Neutralität erklären. In Berlin rechnete man realistischerweise von vornherein mit der Ablehnung, nur hätte der Reichskanzler den negativen Bescheid allzugern vor der deutschen Mobilmachung in der Hand gehabt, um vor der Öffentlichkeit in noch günstigerem Lichte dazustehen. Jetzt aber verweigerten die Militärs als Gefangene ihrer eigenen Planungsautomatik jeden weiteren Aufschub: Die Mobilmachung müsse, ganz gleich wie die russische Antwort ausfalle, endlich initiiert, die Kriegserklärung abgesandt werden. Als wegen einer telegraphischen Störung keine zügige Antwort aus St. Petersburg eintraf, schlug Falkenhayn vor, aufgrund fingierter Nachrichten über einen russischen Überfall auf deutsches Gebiet Rußland zum Angreifer zu erklären. Am 1. August wurde dem Zarenreich von Berlin der Krieg erklärt.

Das geschah bereits zwei Stunden nach der Mobilmachung, als die deutschen Truppen überhaupt noch nicht angriffsbereit waren. Woher stammte diese Hektik? Frankreich mußte so schnell wie irgend möglich zum Beistand für seinen Alliierten gezwungen werden, damit der Schlieffenplan in Kraft treten konnte. Folgerichtig ging eine Note nach Brüssel, in der wegen des drohenden Zweifrontenkriegs der «freie Durchmarsch für deutsche Truppen» gefordert wurde. Die Kriegserklärung an Frankreich wurde freilich noch einmal für kurze Zeit aufgeschoben.

Ein diplomatisches Intermezzo verursachte diesen Aufschub. Lichnowsky kündigte in einem Eiltelegramm einen englischen Vorschlag an, um die «große Katastrophe» noch zu verhindern – selbst für den Fall, daß Deutschland sich schon im Kriegszustand mit Rußland und Frankreich befinde. Obwohl Riezler inzwischen urteilte: «Bethmann hat sich festgeblufft», flackerte im Reichskanzler eine letzte utopische Hoffnung auf, daß seine Politik des fehlkalkulierten Risikos doch noch zum Ziel führen könne. Es gelang ihm, den Kaiser zu der Anweisung an Moltke zu bewegen, daß der Westaufmarsch bis zum Eintreffen der englischen Note angehalten werden solle. Moltke reagierte mit blanker Opposition. Die Truppenbewegungen einzufrieren sei «völlig undurchführbar», allenfalls lasse sich die Besetzung Luxemburgs ein wenig aufschieben. Aus dem Hochgefühl, endlich den Präventivkrieg unter vorteilhaften Bedingungen eröffnen zu können, überraschend herausgerissen, geriet er wegen seiner melancholischen Veranlagung an den Rand des psychischen Zusammenbruchs. Tief enttäuscht entfuhr ihm der Kommentar: «Jetzt fehlt nur noch, daß auch Rußland abschnappt.» Das britische Dementi befreite ihn von seinen Sorgen. Lichnowsky und König Georg V., dem der Kaiser telegraphiert hatte, bestätigten, daß für England die Bündnisse mit Frankreich und Rußland ihren absoluten Vorrang behielten.

Am 2. August lehnte Brüssel erwartungsgemäß die deutsche Zumutung ab. Außerdem erbat es den Beistand der Garantiemächte von 1831, ihm bei der Verteidigung seiner Neutralität behilflich zu sein. Wegen angeblicher französischer Grenzverletzungen – Falkenhayns Vorschlag machte Schule – erklärte das Reich am 3. August Frankreich den Krieg, den die Note an Belgien im Grunde bereits vorausgesetzt hatte. Damit wurde unzweideutig klargestellt, «wo wirklich die zum Krieg treibenden Kräfte zu finden waren».

Der Generalstab zeigte sich voller Zuversicht, innerhalb von vier Wochen die Westoperation siegreich beenden zu können. Wie der Schlieffenplan es vorsah, begann noch am 3. August der Einmarsch in Belgien. Das war der letzte Anlaß für London, Berlin ein auf vierundzwanzig Stunden befristetes Ultimatum zu stellen, nach dessen Ablauf am 4. August die englische Kriegserklärung folgte. Bornierter Jubel begrüßte den Angriff des «perfiden Albions», da er den Charakter des aufgezwungenen Verteidigungskriegs unterstrich.

Österreich geriet zeitweilig etwas in den Hintergrund. Erst am 6. August ging seine Kriegserklärung an Rußland ab, da es eigentlich vor der Eröffnung der galizischen Front Serbien niedergeworfen haben wollte. Wiens Zaudern verursachte helle Empörung in Berlin. Wenn Österreich zurückgescheut wäre, unkte der seelisch labile Generalstabschef gegenüber Tirpitz, «hätten wir um Frieden um jeden Preis» nachsuchen müssen. All das unterstreicht noch einmal, «daß die eigentliche Verantwortung ... während der Julikrise in Berlin und nicht in Wien gelegen» hat.

Tatsächlich hatte die deutsche Politik einige ihrer geheimen Ziele erreicht: Der frühzeitige Präventivkrieg war eröffnet worden; Rußland und England standen als Aggressoren da, die dem Reich einen Existenzkampf aufnötigten; das Heer schickte sich an, das Siegesrezept des Schlieffenplans zu verwirklichen. Im preußischen Staatsministerium verschanzte sich Bethmann Hollweg hinter der Schutzbehauptung, daß die Völker im Grunde friedfertig seien, sie hätten aber die «Direktion verloren», und «der Stein sei ins Rollen geraten». Diese resignative Äußerung, die über führungslosen Völkern ein übermächtiges Fatum walten sah, vertuschte die ausschlaggebende Tatsache: Berlin hatte bereits mit dem mehrfach bestätigten «Blankoscheck an Österreich-Ungarn» die autonome Entscheidung für das Vabanquespiel gefällt, es hatte grünes Licht für einen dritten Balkankrieg gegeben und, indem es das «kalkulierte Risiko» seiner Ausweitung zum Weltkrieg übernahm, die Büchse der Pandora geöffnet.

Innenpolitisch führte jedoch die Krisenstrategie der Reichsleitung für geraume Zeit zu einem «vollen Erfolg». Allgemein herrschte die Überzeugung, selbst bis hin zur marxistischen Linken, daß Rußland der Hauptschuldige sei, seine Generalmobilmachung habe die Lawine losgetreten. Daher glaubte die erdrückende Mehrheit der Deutschen, einen aufgenötigten Verteidigungskrieg führen zu müssen. Bethmann Hollweg höchstpersönlich hatte den SPD-Vorstand in seinem Sinne aufgeklärt, daß die herannahende russische «Dampfwalze» zum Stehen gebracht werden müsse.

Daß der auf Rache für 1870/71 sinnende französische «Erbfeind» seinem russischen Verbündeten beisprang, daß das «perfide Albion» seinen gefährlichen Handelsrivalen niederwerfen und Tirpitz' «schimmernde Wehr» ausschalten wollte, ordnete sich fugenlos in diese verzerrte Wirklichkeitswahrnehmung ein. Um Reich und Nation, um «deutsche Kultur» und Weltmachtanspruch gegen einen tückischen Überfall zu verteidigen – dafür glaubten die Deutschen im August 1914 ins Feld zu ziehen. «In Wahrheit war der Krieg das Resultat des machiavellistischen Kalküls einer kleinen, innerlich bereits überlebten Führungsschicht, welche in einer kritischen weltpolitischen Situation leichtfertig und mit zu hohem Einsatz gespielt hatte, weil sie hoffte, auf diese Weise ihre eigene Machtstellung stabilisieren zu können.» (W. J. Mommsen)

In den letzten Vorkriegsjahren hatten sich gefährliche Entwicklungen angehäuft, die in der Perzeption der traditionellen Eliten den Gesamteindruck erzeugten, unaufhaltsam in die Ecke gedrängt zu werden. They felt cornered – so würde man diese mentale Verfassung auf englisch beschreiben, und damit wuchs ihre Disposition zu einem kompromißlosen Abwehrgefecht, versteifte sich ihr Behauptungswille, nicht freiwillig auf anachronistische Privilegien zu verzichten. Eliten, die sich derart mit dem Rücken zur Wand verteidigen, ist in erhöhtem Maße die Einstellung eigen, hohe Risiken einzugehen, um ihre Spitzenposition in der soziopolitischen Hierarchie zu behaupten. Subjektiv schlägt sich diese Mentalität als Defensivhaltung nieder, die in Korrespondenzen, Tagebüchern, Akten ihren Ausdruck findet, aber nicht für bare Münze genommen werden darf. Denn strukturell geht es um die Einsicht, daß diese Verteidigung mit aggressiven Mitteln bis hin zum «heißen Krieg» durchgefochten werden kann. Mit einer zielstrebigen Kriegsplanung, die seit 1912 auf einer Einbahnstraße den Mächtekonflikt in der Julikrise angesteuert hätte, hat dies Verhalten nichts zu tun. Vielmehr ging es um einen ebenso rücksichtslosen wie desperaten Abwehrkampf, der unter vorteilhaften Bedingungen, wie es schien, selbst vor dem extremen, weil nie völlig «kalkulierbaren Risiko» des Krieges nicht zurückscheute. Deshalb trat an die Stelle des mühseligen Krisenmanagements im Stile des «muddling through» die dramatische Flucht nach vorn, die der Chimäre spektakulärer äußerer Erfolge mit ihrer heilsamen Rückwirkung nach innen bis zum Ende des Debakels hinterherjagte.

Im Kern entsprang diese Kriegsbereitschaft der von Grund auf verfehlten Strategie eines exzessiv übersteigerten Sozialimperialismus, der durch die erwarteten Kriegserfolge die Legitimationsbasis der politischen Ordnung und des gesellschaftlichen Systems so überwältigend stärken wollte, daß das großpreußische Reich dem Zwang zu modernisierenden Reformen weiter ausweichen konnte. In der maßlosen Kriegszielpolitik der folgenden vier Jahre und in der innenpolitischen Blockadehaltung der Machteliten und ihrer Kohorten lebte diese Grundintention weiter fort.

An der Bedeutung der welthistorischen Zäsur ist nicht zu rütteln: Als im August 1914 wegen der deutschen Kriegspolitik für Europa die «Urkatastrophe» (Kennan) des Ersten Weltkriegs ausbrach, endete das lange 19. Jahrhundert, und das kurze 20. Jahrhundert bis 1990 begann mit einem neuen «Dreißigjährigen Krieg».[42]

V.
Strukturbedingungen und Entwicklungsprozesse der Kultur

Das Modernisierungstempo hat sich seit den fünfziger, erst recht seit den siebziger Jahren auch im kulturellen Leben Deutschlands beschleunigt, bis es vor 1914 für viele eine atemberaubende – ob stimulierende oder irritierende – Geschwindigkeit erreicht hatte. Es blieb durch die typische Verbindung zukunftsträchtiger und vergangenheitsorientierter Elemente gekennzeichnet.

Diese Mischung trat auch in den beiden großen christlichen Kirchen zutage. In der evangelischen Staatskirche gewann ein auf kurze und lange Sicht verhängnisvoller Nationalprotestantismus Oberwasser. Das hing mit den desintegrierenden Säkularisierungs- und Rationalisierungsschüben zusammen, die im deutschen Protestantismus seit dem 18. Jahrhundert anhielten. Dieser Fusion mit einer «Politischen Religion» stand die liberale Weltoffenheit des Kulturprotestantismus mit seinem politischen und sozialpolitischen Engagement gegenüber. Beide Strömungen verhielten sich gegenüber der vordringenden Entkirchlichung und Dechristianisierung ziemlich hilflos. Über diese Schwäche täuschte allerdings die Kraft der Tradition noch hinweg, welche die sozialmoralische Autorität der evangelischen Kirche weiter aufrechterhielt.

In der katholischen Kirche ließ der Elan des ultramontanen Fundamentalismus, der von der römischen Papstdiktatur verbissen verfochten wurde, nur allmählich nach, wie das etwa der deutsche «Modernismusstreit» zeigt. Die Öffnung gegenüber der modernen Welt ging daher nicht vom Klerus, sondern von den drei sozialen Bewegungen katholischer Bürger, Arbeiter und Bauern aus, die im «Volksverein» und im Zentrum einen organisatorischen Rückhalt fanden. Von diesen Bewegungen wurde im Zeichen eines engagierten Kampfes gegen die «Inferiorität» und für die «Parität» der Katholiken die Auseinandersetzung mit dem Modernisierungsdefizit, das der Ultramontanismus soeben noch einmal drastisch vergrößert hatte, energisch aufgenommen.

Das Bildungssystem erlebte im Kaiserreich in mannigfacher Hinsicht eine Erfolgsgeschichte, von deren Ergebnissen es bis in die 1960er Jahre gezehrt hat. Der Analphabetismus verschwand endgültig. Das kommunale Elementarschulwesen wurde kräftig ausgebaut, die Anzahl der Lehrer verdoppelt. Die Konfessionsschule blieb freilich ebenso erhalten wie die im Vergleich mit der städtischen Volksschule zählebige relative Rückständigkeit der Landschule. Aber die neunzig Prozent der reichsdeutschen Kinder, die nur die Grundschule durchliefen, wurden mit elementaren, ausbaufähigen Kulturtechniken vertraut gemacht. Und viele ihrer Lehrer, inzwischen alle Seminarabsolventen, setzten den Indoktrinationszielen der staatlichen Schulpolitik liberale Staatsbürgerideale im Geiste Diesterwegs und die Anleitung zu einer gewissen Eigenreflexion entgegen.

Das Gymnasium konnte seine Führungsstellung weiter verteidigen, geriet aber durch seine Konkurrenten, das Realgymnasium und die Oberrealschule, seit dem Beginn der achtziger Jahre, erst recht seit der Jahrhundertwende mit der Gleichberechtigung des Abiturs an allen drei Schultypen unter einen rasch ansteigenden Bewährungsdruck. Die ältere Tendenz zur sozialen Öffnung hielt währenddessen am Gymnasium an, und an den beiden anderen höheren Schulen dominierte sie seit jeher. Zwar blieb der bildungsbürgerliche Anteil an den Gymnasialabiturienten außerordentlich hoch. Wichtiger aber war der breite Zustrom von Schülern aus den mittel- und kleinbürgerlichen Erwerbs- und Berufsklassen. Im internationalen Vergleich setzte sich daher im autoritären Kaiserreich die Demokratisierung der Lebenschancen durch die höheren Schulen ungleich stärker durch als etwa im parlamentarisch regierten England mit seiner liberalen politischen Kultur.

Unbestrittener denn je zuvor galten die deutschen Universitäten als die Spitzenreiter unter den westlichen Hochschulen. Die Kombination von Forschung und Lehre übte weiterhin ihre Anziehungskraft aus wie ebenfalls die – wenn auch abgeschwächte – neuhumanistische Bildungsidee. Aus dem sozialen Reservoir des Bildungsbürgertums strömte unentwegt ein wissenschaftsgläubiger Nachwuchs in die Hochschullehrerstellen. Studenten dieser Herkunft stellten auch, obwohl ihr relativer Anteil weiter schrumpfte, noch immer eine auffällig hohe absolute Anzahl der Studierenden überhaupt, die bis zum Weltkrieg eine für damalige Verhältnisse explosive Vermehrung auf sechzigtausend, zusammen mit den Technischen Hochschulen sogar auf fast zweiundsiebzigtausend erlebten. Hinsichtlich der sozialen Zusammensetzung ist aber auch hier anstelle der häufig behaupteten bildungsaristokratischen Exklusion eine zügige Öffnung für Studenten aus den mittel- und kleinbürgerlichen Klassen, aus denen vor 1914 wahrscheinlich mehr als die Hälfte stammte, auch in komparativer Perspektive das eigentlich bestechende Phänomen.

Ähnlich wie die Universitäten gewannen auch die Technischen Hochschulen, die bis auf zwei Neugründungen alle aus den bewährten Polytechnischen Fachschulen hervorgingen, ein hohes Prestige, da ihnen eine innovative Verbindung von intensiver wissenschaftlicher und praktischer Ausbildung der künftigen ingenieur- und technikwissenschaftlichen Experten in einem erstaunlichen Ausmaß gelang. Trotz der Leistungen in den naturwissenschaftlichen Labors der Universitäten und in den Technischen Hochschulen wurde auch in Deutschland bereits vor 1914 der Weg zur «Big

Science», zur verselbständigten Großforschung in eigenen Instituten eingeschlagen, wie sie in der «Kaiser-Wilhelm-Gesellschaft» paradigmatisch organisiert wurden.

In der heraufziehenden publizistisch-literarischen Kommunikationsgesellschaft setzte sich der Markt als regulierende Macht endgültig durch. Das läßt sich am Aufstieg der industriell produzierten Massenkultur, etwa im Bereich der Unterhaltungsliteratur, aber auch des Pressewesens verfolgen. Im Hinblick auf die öffentliche Meinung ist die führende Rolle der großen liberalen Tagesblätter in einem autoritären Staatswesen ebenso ein paradox anmutender Beweis für die ungeachtet aller Schikanen und Majestätsbeleidigungsprozesse vorhandene Liberalität und Rechtssicherheit im Alltag wie die erstaunlich funktionstüchtige Gegenöffentlichkeit der diskriminierten sozialdemokratischen und der katholischen Minderheit. Auch diese Tatsache, daß in der für die «Bürgerliche Gesellschaft» zentral wichtigen Arena der öffentlichen Meinung kritisch und letztlich erstaunlich frei diskutiert werden konnte, weist auf das Janusgesicht des Kaiserreichs hin.

1. Die Christlichen Kirchen

Für die beiden großen Konfessionsgemeinschaften bedeutete die Reichsgründung eine tiefe Zäsur, die aber für jede von ihnen eine grundverschiedene Bedeutung gewann. Vom Protestantismus wurden die Entscheidungen zwischen 1866 und 1871 als späte Vollendung der Reformation überschwenglich gefeiert. Viele sahen in dem autoritären großpreußischen Kaiserstaat, als ob es eine rätselhafte Metamorphose des «Heiligen Römischen Reiches» gegeben hätte, geradezu ein neues «Evangelisches Reich Deutscher Nation» verwirklicht. Daß Preußen als protestantische Führungsmacht die Staatsbildung geglückt war, daß zwei Drittel der Reichsbürger dem evangelischen Bekenntnis anhingen, daß angeblich auch eine protestantisch geprägte Nationalkultur mitgesiegt hatte – diese Vorstellungen haben die Illusion von einer divinatorischen Fügung hervorgerufen.

Deshalb auch ist der Protestantismus, der seit der Reformation durch das fürstliche Summepiskopat zu einer staatlichen Veranstaltung geworden war und in jeder Hinsicht durch seine extreme Staatsnähe auffiel, eine seit längerem angelegte, jetzt aber rasch aktualisierte symbiotische Verbindung mit dem Nationalismus eingegangen. Der reichsdeutsche Nationalprotestantismus stieg binnen kurzem zur stärksten geistigen Macht in der Amtskirche und in den Gemeinden auf, er hat die Sozialmentalität mehrerer politischer Generationen von Protestanten nachhaltig beeinflußt – mit verhängnisvollen Auswirkungen bis weit in das 20. Jahrhundert hinein.

So vorbehaltlos sich die Kirche in dieser Hinsicht der neuen Zeit geöffnet hat, so wenig Verständnis brachte sie für die neuartigen Dimensionen der «sozialen Frage» des Industrie- und Landproletariats auf. Als quietistisches

Mitglied des staatlichen Establishments hat sie Außenseitern die mühselige Auseinandersetzung mit den gesellschaftlichen Schäden des erfolgreichen Kapitalismus überlassen – und selbst diese kleine Aktivistenschar oft noch als Reformsozialisten im Schafspelz geächtet. Ohne solche wachen Zeitgenossen fiele indessen die Bilanz der evangelischen Kirche unstreitig noch düsterer aus.

Da der Protestantismus selber auch aus einer Bejahung der frühneuzeitlichen Moderne hervorgegangen und seither weltnäher und weltabhängiger als die Mutterkirche geblieben ist, hat er die Entkirchlichungs- und Entchristianisierungstendenzen seit der zweiten Hälfte des 19. Jahrhunderts einschneidender als sie zu spüren bekommen. Konkurrierenden Ersatzreligionen, ob dem Marxismus oder Darwinismus, dem Nietzscheanismus oder der Anthroposophie, stand der rationalistisch aufgelockerte Protestantismus ungleich wehrloser gegenüber als der dogmatisch gehärtete Katholizismus.

Freilich bleibt ihm auch der Ruhm, mit dem Kulturprotestantismus eine Öffnung zur modernen Welt, zur liberalen Politik riskiert und in Gang gesetzt zu haben. Darin trat ein Modernisierungspotential zutage, das lange Zeit unterschätzt worden ist, dem Protestantismus des 20. Jahrhunderts aber vielfältige Erneuerungsanstrengungen ermöglicht hat.

Der protestantischen Erfahrung diametral entgegengesetzt, verkörperte das Deutsche Kaiserreich für die römische Kirche an erster Stelle eine bedrohlich ungewisse Zukunft. Hatte ihr die italienische Nationalstaatsbildung soeben den Verlust des Papststaates beschert, verlor sie jetzt im deutschsprachigen Mitteleuropa den Rückhalt der traditionellen katholischen Vormacht, des Habsburgerreiches. Statt dessen sah sie sich einer protestantischen Hegemonialmacht gegenüber. Unmittelbar darauf folgte dort der «Kulturkampf», der die katholische Kirche mehr als ein Dutzend Jahre lang mit einer mächtigen Grundsatzopposition konfrontierte. Dieser säkulare Konflikt, der wegen der neuen Austarierung der Machtbalance zwischen autoritärer Kirche und säkularisiertem Staat im Verlauf des beschleunigten Modernisierungsprozesses unvermeidbar geworden war, hat die römische Weltkirche darin bestärkt, mit Hilfe des Ultramontanismus und Integralismus den Herausforderungen der Moderne durch eine verschärfte Dogmatik und einen diktatorialen Leitungsstil zu begegnen. Damit bewegte sie sich in eine ideologische Verhärtung hinein, die sie als unumgängliche Überlebensstrategie empfand, sie zugleich aber auch in eine folgenschwere Selbstblockade führte. Die kompromißlose Härte, mit der etwa auch der deutsche Reformkatholizismus niedergewalzt wurde, unterstreicht diesen Doppeleffekt sehr eindringlich.

Die Abschottungstendenz des katholischen Sozialmilieus in Deutschland ist durch den ideologiepolitischen Kurs der kurialen Diktatur auf verhängnisvolle Weise unterstützt worden. Um so eindrucksvoller wirkt die Erneuerung durch die drei sozialen Bewegungen der katholischen Bauern, Bürger und Arbeiter, die aus eigener Kraft, unterstützt von ihren Interessenverbänden und vom «Volksverein», ihre Subkultur von innen her öffneten. Nach langwierigen Konflikten um den Charakter des Zentrums, der katholischen Arbeiterbewegung und der ländlichen Proteströmungen zeichnete sich schließlich ein Erfolg der Modernisierungskräfte ab. Sie traten für eine Öffnung gegenüber der neuzeitlichen Politik, Kultur und Wissenschaft, für mehr Selbstbestimmung, Autonomie und geistige «Durchlüftung» ein. Dabei zeichnete sie eine imponierende Risikobereitschaft aus, denn Indizierung und Exkommunikation drohten, wie sie erlebten, ringsum. Es ist dieses Spannungsverhältnis zwischen anachronistischem Dogmatismus auf der einen Seite und den Freiräume erkämpfenden Laienbewegungen auf der andern Seite, das dem deutschen Katholizismus vor 1914 sein Janusgesicht verlieh.

a) Die Evangelische Staatskirche: Nationalprotestantismus und Kulturprotestantismus

Nach der Revolution von 1848/49 hatte der Triumph der neuabsolutistischen Richtung in den meisten evangelischen Landeskirchen unter fürstlichem Summepiskopat dazu geführt, daß ihr orthodoxer und etatistischer Grundzug verstärkt wurde. Die alle strenggläubigen Lutheraner zutiefst irritierende Gemengelage von konservativen Staatskirchengemeinden, pietistischen Zirkeln, liberalen Strömungen und Freikirchen konnte freilich auch dieser Siegeszug nicht beseitigen. Vielmehr mußten sie mit ansehen, wie sich im Zusammenhang jenes Aufschwungs, den der politische Liberalismus seit der «Neuen Ära» erlebte, auch der kirchenpolitische Liberalismus, der seine Basis in manchen Theologischen Fakultäten behalten hatte, im «Protestantenverein» von 1863 neu formierte. Dieser kryptopolitische Verband strebte eine presbyterial-synodale Ordnung der Amtskirche, die Laienmitwirkung in Selbstverwaltungskörperschaften und eine evangelische Nationalkirche an (vgl. 5. Teil, V.1a).

In Preußen als größtem evangelischen Staat war seit der Jahrhundertmitte der Oberkirchenrat (EOK) als kirchliche Spitzenbehörde, die das Kirchenregiment ausübte, eingerichtet worden, während die Kirchenhoheit beim Kultusminister lag. Beide Autoritätsstränge liefen in der Person des Königs und Summepiskopus zusammen, auf den die Pfarrer und Universitätstheologen auch ihren Amtseid leisten mußten. Darunter breitete sich die Kirchenbürokratie der Konsistorien aus, die in der Hand einer vom Monarchen und vom Kultusminister berufenen Beamtenoligarchie aus Geistlichen und Juristen lag. Als Statthalter der hierarchischen Spitze leiteten die Generalsuperintendenten die Provinzialkonsistorien, die Superintendenten die Kreiskonsistorien. Gegen diese starre Verwaltungsordnung der akademischen Amtsträger richtete sich seit längerem ein innerkirchlicher Liberalisierungsdruck, der auf die Beteiligung der Gemeindepfarrer und Laien an der Kirchenpolitik hinwirkte.

Erst nach der Reichsgründung reagierte der altliberale Kultusminister Falk auf diesen Wunsch, indem er vom EOK eine neue Kirchenverfassung ausarbeiten ließ, die 1873/75 in Kraft trat. Sie verkörperte ein Mischsystem von Kirchenbürokratie und eingeschränkter Selbstverwaltung, die den liberalen Vorstellungen der Zeit ein Stück weit entgegenkam. Im Prinzip wurde das landesherrliche Kirchenregiment nicht eingeschränkt, auch der «staatskirchliche Anstaltscharakter» des Protestantismus blieb weiter erhalten. Aber es entstanden jetzt Gegengewichte zum EOK und zur Konsistorialverwaltung. Die Gemeinde wählte ihren Kirchenrat, manchmal auch ihren Pfarrer; trotzdem blieb auf dem Land die starke Stellung des adligen Kirchenpatronats erhalten. Die Kreise erhielten Synoden, ihnen gehörten alle Geistliche und dieselbe Anzahl von Laien an, die mit Hilfe des indirekten Wahlverfahrens aus den Gemeinderäten ermittelt wurden. Die Provinzialsynode, die einem Präses unterstand, war auf dieselbe Weise paritätisch zusammengesetzt; hinzu kam als konservative Schützenhilfe jenes Sechstel der Mitglieder, das vom Summepiskopus ernannt wurde. Die gesamtstaatliche Generalsynode bestand aus je fünfzig Pfarrern und Laien, Vertretern der Universitäten und fünfzig vom König als Oberstem Landesbischof ausgewählten Angehörigen, die das Gewicht auf der Waage hinreichend beeinflussen konnten.

Diese neuen kirchlichen Organe übernahmen zum Teil Aufgaben, die bisher die staatliche Verwaltung wahrgenommen hatte, und sie öffneten einer wenngleich eingeschränkten politischen Teilhabe von Laien einen gewissen Freiraum. Das indirekte Wahlsystem kam jedoch der Majorität zugute, so daß sich der Einfluß der bestehenden Kirchenparteien auch in der Zusammensetzung der Synoden widerspiegelte. Dem reaktionären Lager der konfessionalistischen Lutheraner und konservativen Unierten unter der informellen Leitung des Berliner Hofpredigers Rudolf Kögel stand die «kulturprotestantische Mittelpartei» unter Willibald Beyschlag gegenüber; zu ihr stießen gelegentlich auch Gruppen des «Protestantenvereins». Beide Kirchenparteien erwiesen sich stets dann als kooperationsfähig, wenn es darum ging, wirkliche Liberale aus den Räten und Synoden herauszudrängen.

Aufs Ganze gesehen ist die Übertragung des Modells der konstitutionellen Monarchie auf die Amtskirche nicht gelungen. Die durchweg von ihrer konservativen Majorität beherrschten Synoden vermochten sich nicht zu Kontrollparlamenten gegenüber den Kirchenbehörden zu entwickeln. Ihre eng begrenzten Entscheidungskompetenzen schnürten die Mitwirkung ein, und gerade die Konservativen wollten die Befugnisse nicht in einem unvermeidlichen Grundsatzkonflikt erweitern. Die Gremien tagten überdies viel zu selten – die Generalsynode traf sich sogar nur alle sechs Jahre. Deshalb konnten sie auf aktuelle Probleme kaum reagieren.

Trotz ihrer Mängel ließ die neue Kirchenverfassung einen manchmal überraschenden Handlungsspielraum bestehen. Die überwiegend liberale wissenschaftliche Theologie konnte sich an den meisten Fakultäten weiter halten und entfalten. Und da die evangelische Kirche «Theologenkirche» blieb, Kirche der akademisch geschulten Interpreten der Heiligen Schrift und Experten der Weltdeutung, bedeutete dieser Spielraum viel, um ein waches geistiges Leben zu erhalten. Gegen den ausdrücklichen Willen des EOK konnte zum Beispiel ein liberaler theologischer Virtuose wie Adolf Harnack 1888 an die Berliner Universität berufen werden. Die jüngere Generation der sozialreformerischen Pfarrer stammte aus bestimmten Theologischen Fakultäten, wobei die Ritschl- und Harnack-Schüler überwogen. Und ein umstrittener Machtfaktor wie der liberal getönte Kulturprotestantismus konnte keineswegs in Acht und Bann getan werden.

Mit drei großen Problemen ist die evangelische Staatskirche ebenfalls nicht fertig geworden: mit dem Nationalprotestantismus, mit der «sozialen Frage» des Industrie- und Landproletariats und mit der Entkirchlichung, ja Entchristianisierung der Gesellschaft.

Die Entscheidung von 1870/71 ist von ihr weithin als «Gottesurteil» (Treitschke) zugunsten des neuen «Evangelischen Reiches Deutscher Nation» empfunden worden. Der Anlauf, auch eine evangelische Reichskirche zu gründen, ist jedoch bereits im Oktober 1871 gescheitert und danach nie wieder unternommen worden. Genausowenig kam es zu einer großpreußischen Kirche, vielmehr blieben die Landeskirchen weiter bestehen. Der Enthusiasmus von 1871 setzte sich auch keineswegs in die erhoffte religiöse Erneuerung um. Schon 1872 räumte ein preußischer Generalsuperintendent ein, daß die Religion, die doch zu den «heiligsten Gütern der deutschen Nation» gehöre, durch «die gewaltigen Siege verhältnismäßig am wenigsten gefördert worden» sei.

Offenbar unaufhaltsam wurde dagegen die Fusion von Protestantismus und Nationalismus zu einem leidenschaftlichen Nationalprotestantismus durch die Weichenstellungen von 1866 und 1870/71 vorangetrieben. Während des «Kulturkampfes» schäumte er hoch auf, denn der «Rausch der antirömischen Kampagne» und das «unerträgliche Lutherpathos» gingen mit den nationalistischen Impulsen eine untrennbare Legierung ein. Aus der Gleichsetzung von protestantischem Glauben und deutschnationaler Grundeinstellung, von deutscher Kultur und Auswirkung der Reformation entstand nicht nur eine «nationalprotestantische Geschichtstheologie», sondern auch die politisch-konfessionelle Sozialmentalität des Nationalprotestantismus, welcher der Nation einen «Heiligkeitscharakter» verlieh.

Dem kritischen Basler Theologen Franz Overbeck ist frühzeitig die Affinität zwischen Treitschkes «patriotischer Staatsreligion» und seinem national getönten Protestantismus aufgefallen. Das war eine Symbiose mit Zukunft. In atemberaubender Geschwindigkeit ist seit den siebziger Jahren die soeben entstandene Reichsnation im deutschen Protestantismus sakralisiert worden. Das hat in der historischen Wirklichkeit zum einen den

Nationalismus als «politische Religion» weiter aufgewertet (IV. A 4), zum andern die engste Koexistenz von Nationalismus und evangelischem Glauben ermöglicht, aber eben auch die Verschmelzung beider im Nationalprotestantismus herbeigeführt.

Im Vergleich mit allen anderen Strömungen erwies sich dieser Nationalprotestantismus als die «stärkste Macht in der Kirche» des Kaiserreichs. Im Ersten Weltkrieg hat er die Kriegsziel- und Siegfriedenspolitik mitgetragen, und nach ihrem Scheitern starb er keineswegs ab. In der Weimarer Republik hat er das politische Leben, wo irgend möglich, vergiftet und schließlich die Hemmschwelle vor dem Nationalsozialismus im evangelischen Deutschland gesenkt.

Eine militante Institution des Nationalprotestantismus entstand 1886 mit dem «Evangelischen Bund zur Wahrung deutsch-protestantischer Interessen». Er wollte den nationalliberalen Bodengewinn des «Kulturkampfes» für den Protestantismus erhalten, er wetterte gegen einen irreführenden Toleranz- und Paritätsbegriff – insofern verkörperte er den organisierten Antikatholizismus. Im Kern aber war er nationalprotestantisch gemäß der Parole «Ein Volk, ein Reich, ein Gott». Im Nu kam er bis 1890 auf sechzigtausend Mitglieder, bis 1911 sogar auf vierhundertsiebzigtausend. Damit gehörte er zu den großen Interessenverbänden des kaiserlichen Deutschland.

Fanden sich im «Evangelischen Bund» eher liberale Protestanten unterschiedlichster Schattierung, besonders die militanten kulturkämpferischen Nationalliberalen zusammen, wurde doch auch der konservative Protestantismus vom Nationalismus umgeformt. Seine dualistische Allianz von Thron und Altar wurde durch die Nation zur Trias erweitert. Aus seinem Staatsprotestantismus ging ein nationalistischer Reichsprotestantismus hervor. Seine antirevolutionäre Grundhaltung verwandelte sich bruchlos in die kompromißlose Verketzerung der linken «Reichsfeinde». Wie im «Kulturkampf» der Feldzug angeblich gegen die römische Priesterherrschaft geführt werden mußte, wurde die Verfolgung der Sozialdemokratie als nationaler Behauptungskampf legitimiert, den jeder evangelische Christenmensch mit auszufechten habe.

Eine «Neue Rechte» der Theologiepolitik hat sich dagegen erst relativ spät um den Berliner Professor Reinhold Seeberg herausgebildet, der eine völkisch verfälschte Theologie mit germanisierenden und rassistischen Elementen anreicherte. Von dort aus konnte man, wie sich sofort herausstellte, den Weg zum Rechtsradikalismus nach 1914 mühelos einschlagen. Hier entstand auch jene Brücke, welche die «Deutschen Christen» von 1933 nur zu bereitwillig betreten haben.

Mit der neuaufkommenden Problematik des Industrie-, aber auch des Landproletariats hat sich die protestantische Kirche in ihrem selbstgerechten Quietismus außerordentlich schwergetan, da sie aufs engste mit den Mächten des Establishments verflochten war. Insofern war der Hofprediger

Stoecker, da die Innere Mission an dieser Aufgabe gescheitert war, beinahe ein Einzelgänger bei seiner Bemühung, die städtischen Unterklassen für die Kirche zurückzugewinnen. Daß er dabei sogleich auf eine fatale Weise den Irrweg des Antisemitismus und der hochkonservativen Parteibildung einschlug, ist vorn erörtert worden (IV.A 2d 3). Aber daß sein unorthodoxer sozialreformerischer Impuls zunächst auf eine erhebliche Anzahl von aufgeschlossenen und deshalb mit der Unbeweglichkeit der Kirche unzufriedenen jüngeren Pfarrern und Intellektuellen geradezu als befreiende Ermutigung gewirkt hat, läßt sich ebenfalls nicht bestreiten. Auf eine Initiative des umstrittenen Theologen ging auch die Gründung des «Evangelisch-Sozialen Kongresses» im Frühjahr 1890 zurück, der zeitweilig ein Zentrum sozial engagierter protestantischer Bildungsbürger der jüngeren Generation bildete.

Parallel zum «Verein für Sozialpolitik» verstand sich der «Kongreß» durchaus als ein Gremium, das auf der Grundlage wissenschaftlich erarbeiteter Ergebnisse die Politikberatung in sozialprotestantischem Geist anstrebte. Seit 1891 fungierte Pastor Paul Göhre, der im selben Jahr mit einem Buch über seine persönlichen Erfahrungen als Fabrikarbeiter Furore gemacht hatte, als Generalsekretär. Er war es auch, der auf seine Anfrage von rund tausend Pastoren die ausgefüllten Fragebögen über die Zustände in der ländlichen Gesellschaft erhielt, die er dann zusammen mit Max Weber, der aufgrund seiner Auswertung der Landarbeiterenquete für den «Verein für Sozialpolitik» mit der Materie bereits aufs engste vertraut war, für den «Kongreß» bearbeitete. Das Ergebnis bestätigte Webers Bestandsaufnahme für die «Kathedersozialisten». Es wurde von den «Kongreß»-Linken mit der kecken Ankündigung aufgenommen, daß sie jetzt «aus Schleppenträgern der Herren von Besitz und Bildung zu ihren Gegnern» würden – «wir werden bald schlimmere Gegner sein als die Sozialdemokraten!» Das waren ungewohnte Töne, und daß evangelische Geistliche und Wissenschaftler zu einer so pointierten Systemkritik imstande waren, führte unverzüglich zum Eklat. Durch einen EOK-Erlaß wurde im Dezember 1895 den Theologen und Pfarrern jede sozialpolitische Aktivität geradewegs verboten, während die Kirchenleitung die offene Stellungnahme für die Konservativen, für die Agrarier, ja für den Antisemitismus mit deprimierender Selbstverständlichkeit akzeptierte. Seither wurde der «Kongreß» zu einer blassen akademischen Veranstaltung. Die Aktivisten wanderten zu Friedrich Naumanns «National-Sozialen» ab.

Naumanns kurzlebiges Experiment mit einer eigenen nationalliberalen Partei, die Sozialreform und «Weltpolitik» zugleich forderte, ist vorn bereits geschildert worden (IV.B 2b). Seine Wirkung reichte jedoch weit über diesen ersten Ausflug in die Parteipolitik hinaus, den er mit einigen Getreuen erst in der «Freisinnigen Vereinigung», dann in der «Fortschrittlichen Volkspartei» fortsetzte. Als Mittelpunkt eines weitgespannten informellen Netzes von

Gesprächs- und Korrespondenzpartnern, das bis zu sozialdemokratischen Intellektuellen, avantgardistischen Künstlern und unorthodoxen Konservativen reichte, als Initiator zahlreicher liberaler Projekte, zu denen unter anderem ein neues «Deutsches Staatslexikon» und die später tatsächlich gegründete «Deutsche Hochschule für Politik» in Berlin gehörten, verkörperte Naumann mit den «Naumannianern» die aktivste politische Variante des Kulturprotestantismus. Von der Amtskirche entfernte sich dieser sozialreformerische Flügel freilich immer weiter.

Auch dem Kreis um Naumann gelang es indes nicht, eine größere evangelische Arbeiterbewegung zu organisieren. Einige protestantische Arbeitervereine kümmerten seit den sechziger Jahren dahin; Stoeckers Anlauf führte in eine Sackgasse; neue Anstrengungen resultierten bis 1900 in der Gründung von fünfundneunzig Vereinen mit gut sechzigtausend Mitgliedern, deren Anzahl dank der Unterstützung durch paternalistische evangelische Unternehmer und die «gelben» Werkvereine bis 1914 auf hundertachtundsechzigtausend anstieg. Das war nur ein Drittel der Zahl jener katholischen Arbeiter, die in den Berufsvereinen und Christlichen Gewerkschaften organisiert waren, obwohl zwei Drittel der Reichsbevölkerung und die große Mehrheit des «Industrievolks» evangelisch waren. Daneben gab es allerhand evangelische Vereine, etwa für die Bekämpfung von Alkoholgenuß und «Unsittlichkeit», für Jünglinge, Gesellen und (seit 1899) sogar für Frauen. Aber dem aus der spezifischen Minderheitssituation und dem «Kulturkampf» hervorgehenden Verbandskatholizismus stand nicht einmal von Ferne das Pendant eines ebenso effizienten Verbandsprotestantismus gegenüber.

In den Arbeiterquartieren der größeren Städte schritt auch die Entkirchlichung bis hin zur Dechristianisierung am auffälligsten fort. Dort erfuhr das «Heer der Taufscheinchristen» oft nur durch das Geläut von der Existenz der Kirche. In den Industriezentren nahmen am Kirchgang bis 1914 nur mehr zwei bis acht Prozent der Erwachsenen teil, in den proletarischen Wohnquartieren war es ein Prozent. Die Mehrheit derjenigen, die aus der Kirche austraten, stammte ebenfalls aus diesem Sozialmilieu: Jährlich waren es rund siebzehntausend, manchmal aber auch schon, wie von 1908 bis 1913, fast dreißigtausend.

In der Gesamtgesellschaft wuchs die Distanz zur Kirchlichkeit zwar an, aber das hing im einzelnen von der Vermeidung oder Befolgung spezifischer Riten, von den regionalen Bedingungen und den Stadt-Land-Unterschieden ab. Nach der Einführung der Zivilehe im März 1874 fiel in den Großstädten die Anzahl der kirchlichen Trauungen scharf ab, in Berlin etwa von 1874 bis 1879 von jährlich 11 000 auf 2640; parallel dazu sank auch die der Taufen in derselben Zeit von 32 070 auf 19 290. Danach aber nahm die Entscheidung für das vertraute kirchliche Ritual in den achtziger Jahren wieder zu. In den zweieinhalb Jahrzehnten vor 1914 entschlossen sich, sofern beide Ehepartner evangelisch waren, konstant fast neunzig Prozent zur Trauung sowie zur Taufe und Konfirmation der Kinder. Ganz ähnlich setzte sich auch der Wunsch nach einer christlichen Beerdigung wieder überwiegend durch. Zwischen 1880 und 1914 stieg in Preußen das kirchliche Begräbnis von vierundsechzig auf sechsundachtzig Prozent, in Württemberg von neunundsiebzig auf vierundneunzig Prozent.

Da das Festhalten an diesen kirchlichen Riten einer tief verwurzelten Tradition gehorchte, trotzdem aber eine häufig nur oberflächliche Anpassung bedeuten konnte und daher über die Religiosität möglicherweise wenig aussagt, ist die Frequenz des Kirchgangs und Abendmahls aufschlußreicher, um den Trend der Entkirchlichung zu erfassen. In beiden Fällen senkte sich die Partizipationskurve. Zwischen 1866 und 1910 ging die Teilnahme aller nominellen Kirchenmitglieder am Abendmahl ziemlich drastisch zurück: im Rheinland von einundvierzig auf einundzwanzig Prozent, in Westfalen von achtunddreißig auf neunundzwanzig Prozent, in Bayern von siebenundsiebzig auf dreiundvierzig Prozent, in Württemberg von siebzig auf einundvierzig Prozent, in Sachsen von zweiundsiebzig auf fünfunddreißig Prozent. Überall lag der Durchschnitt in den ländlichen Gebieten höher, wurde aber durch den meist weitaus niedrigeren Durchschnitt der größeren Städte ausgeglichen, wo ihn auch keine noch so intensive Stadtmission anheben konnte.

Im Reich fiel der Kirchgang der Protestanten bis 1914 auf fünfzehn bis zwanzig Prozent der Kirchenmitglieder ab. Nur an Festtagen erreichte er noch bis zu dreißig Prozent. Grob gerechnet nahmen in den größeren Städten allenfalls noch rund zwanzig Prozent der Protestanten am kirchlichen Leben teil. Auf dem flachen Land schwankte die Zahl dagegen zwischen zwanzig und vierzig Prozent.

Diese Abnahme der aktiven Kirchlichkeit kann nur partiell damit erklärt werden, daß die Amtskirche mit dem Urbanisierungstempo in ihrer Gemeindegründung und -betreuung nicht Schritt halten konnte, ja trotz ihres guten Willens gewissermaßen überrollt wurde. Wenn auf 1.2 Millionen Berliner in den siebziger Jahren ganze hundertzwanzig Pfarrer entfielen, blieben in der Tat für die explosiv wachsenden Arbeiterviertel nur wenige Geistliche übrig. Weiter führt schon der Hinweis auf den bürgerlich-bäuerlichen Charakter der Kirche, der das Schicksal der städtischen und ländlichen Unterklassen aus ihrem Gesichtsfeld so fern hielt, daß sie nicht einmal an Arbeiterpfarrer dachte. Überkommene Mentalitätssperren trugen ebenso dazu bei wie das ungeahnte Tempo des Proletarisierungsprozesses.

Noch folgenreicher war das Vordringen von Ersatzreligionen, die in erster Linie dem von der Säkularisierung der Lebenswelt und dem theologischen Rationalismus ohnehin angeschlagenen Protestantismus seine Anhänger abwarben. Die politische Religion des Marxismus bietet für diesen Vorgang das bekannteste Beispiel. Dabei führten die chiliastisch-eschatologischen Elemente jener Glaubenslehre, das Vertrauen auf die geradezu naturwissenschaftliche Zuverlässigkeit ihrer Entwicklungsgesetze in der Regel zu einer Abwendung von der Amtskirche ohne aggressive Bekämpfung, vielmehr im Vertrauen darauf, daß das Blendwerk der «Ideen der Herrschenden» unausweichlich dem Untergang entgegengehe. Der Anteil der militanten Atheisten in der sozialdemokratischen Arbeiterbewegung blieb im Grunde genommen klein. Furchterregend war der «Zentralverein proletarischer Freidenker» allenfalls für die Orthodoxie, die ihn als Zeichen einer heraufziehenden Zukunft verstand.

Auch andere atheistische Organisationen oder pseudoreligiöse Konkurrenten gewannen ihren Zulauf fast ausschließlich aus dem protestantischen Lager. Das trifft auf den «Freidenkerverband» Ludwig Büchners, den «Monistenbund» von Ernst Haeckel und Wilhelm Ostwald, die «Gesellschaft für ethische Kultur» ebenso zu wie auf Rudolf Steiners synkretistische Anthroposophie und die kulturpessimistischen Zirkel im Anschluß an Lagarde und Langbehn, die auf die Krisensituation mit einer quasi-religiösen Überhöhung deutscher Kultur und Bildung reagierten. Und die säkularen Gegner des christlichen Glaubens, Heroen der zeitgenössischen Wissenschaft und Geistesgeschichte wie Friedrich Nietzsche und Charles Darwin, erzielten ihren tiefsten Einbruch so gut wie ausschließlich im protestantischen Bürgertum.

Im Vergleich mit dem Katholizismus wurde der Protestantismus auch noch schneller und härter von einigen Modernisierungsprozessen in Frage gestellt. Säkularisierung und Rationalisierung sind schon genannt worden, durch ihren Siegeszug wurde der langewährende Zerfall der tradierten Einheit von gesellschaftlicher und religiöser Lebenswelt beschleunigt. Die evangelische Kirche als «Religionsgesellschaft» erlitt einen schmerzhaften Funktionsverlust nach dem anderen. Die Reichweite ihrer sozialen Kontrollmacht, von der ehemals verbindlichen Kirchenzucht ganz zu schweigen, schrumpfte offenbar unaufhaltsam. Religion verwandelte sich zusehends in eine Privatsache. Schleichend wurde die Verbindlichkeit des evangelischen Weltbildes durch das vielfältige Angebot der neuen Medien aufgelöst. Nicht minder effektiv unterhöhlte die in der industriellen Welt neu gewonnene «Freizeit» mit ihren Vergnügungs- und Ablenkungschancen, mit ihren zum Dauerzustand erhobenen Feiern die Attraktion der kirchlichen Feste und ihres festgefügten, ehemals respektierten Rhythmus.

Obwohl der kirchliche Protestantismus von den verschiedensten Seiten in die Defensive gedrängt wurde, behielt er – ungeachtet der drastischen Ablösung der Arbeiterschaft und der Gleichgültigkeit im Bildungsbürgertum – doch noch einen beträchtlichen sozialmoralischen Einfluß in der Öffentlichkeit. Da in der reichsdeutschen Gesellschaft zahlreiche Probleme bürokratisch-etatistisch geregelt wurden und die praktische Teilnahme an der Politik in der autoritären Monarchie eine geringe Rolle spielte, blieb nur der Bereich der Kultur relativ offen. Im klassischen Land der Reformation und des Bildungsbürgertums hielt sich eine hochgespannte Erwartung der Sinnstiftung durch kulturelle Deutungsinstanzen. Da die Erinnerung an die Vorherrschaft der christlichen Religion im Kollektivgedächtnis noch lebendig war, richtete er sich weiterhin auf die Kirchen und ihre Surrogate. Der nachlassenden Geltungsmacht des traditionellen protestantischen Christentums korrespondierte die Aufwertung der Nation im Nationalprotestantismus, des Darwinismus und anderer Ersatzreligionen.

Von der Position eines nichtgläubigen Sympathisanten der evangelischen Lebenswelt aus erweist sich der vielgeschmähte, vielgerühmte Kulturprotestantismus als attraktivstes Phänomen. Denn von ihm wurde der Brückenschlag zwischen einem weltoffenen, unorthodoxen Christentum und der modernen Kultur und Politik unternommen. Er hat die Öffnung gegenüber der Wissenschaft und dem Liberalismus, der «sozialen Frage» und der politischen Reformbedürftigkeit des Kaiserreichs mit unleugbarer Intensität vorangetrieben. Ob man auf den frühen «Evangelisch-Sozialen Kongreß» oder die «Naumannianer», auf den Kreis um Martin Rades «Christliche Welt» oder den Heidelberger Zirkel um Max Weber, auf die Wirkung von einzelnen Gelehrten wie Adolf v. Harnack und Ernst Troeltsch oder auf die großen Kontroversen um das Verhältnis von Protestantismus und Kapitalismus, von Parlamentarisierung des Reiches und Erneuerung des Liberalismus blickt – überall sind die belebenden Impulse des Kulturprotestantismus zu erkennen. Wie zeitgebunden, ja illusionär auch manche seiner Ziele und Hoffnungen heute wirken mögen, von seinem Erbe, nicht von der erstarrten Tradition der Orthodoxie hat der deutsche Protestantismus im 20. Jahrhundert gezehrt.[1]

b) Der Katholizismus: Aggressive Defensive und weltoffene Erneuerung

Soeben hatte der deutsche Katholizismus begonnen, sich auf die neue politische Großwetterlage seit 1866/71 im Deutschen Reich einzustellen, als der «Kulturkampf» wie ein Taifun dazwischenfuhr. Die wichtigsten Kontroversen und Auswirkungen dieses frontalen Zusammenpralls von traditionsbewußter Kirchenmacht und katholischen Gläubigen auf der einen Seite, säkularisiertem Staat und aggressiven Liberalen auf der andern Seite sind vorn bereits eingehend erörtert worden (IV. A2a). Bis 1877 wurde ein diplomatischer und formeller Ausgleich zwischen Berlin und der Kurie gefunden. Aber das Mißtrauen und häufig auch noch die abwehrende Einigelung des katholischen Sozialmilieus hielten ebenso an wie das Bemühen der antiultramontanen Liberalen und Protestanten, die konfessionelle Minderheit in ihren Sperrbezirk zu verbannen.

Als Folge der auf dem Ersten Vatikanum gipfelnden Entwicklung hat die dogmatische Verhärtung des Ultramontanismus weiter zugenommen. Voller «Verlustangst» stemmte er sich den vielfältigen Herausforderungen der modernen Welt so hartnäckig entgegen, daß er auch die Verlängerung der Ghettoexistenz der katholischen Subkultur in Deutschland unterstützte. Er besaß alle wesentlichen Kennzeichen eines religiösen Fundamentalismus, der auf bedrohliche Modernisierungsprozesse mit panisch-reaktionärer Ablehnung reagiert. Sein traditionalistischer Konservativismus und sein Glaubensfanatismus verbanden sich mit einer offen autoritären, antiliberalen und antidemokratischen Grundhaltung in allen politischen Fragen; sein sozialökonomischer Romantizismus lebte von der Verklärung der mittelalterlichen Lebenswelt; seine Ablehnung der freien Wissenschaft verriet eine abgrundtiefe Skepsis gegenüber der aufgeklärten und aufklärbaren Vernunft; sein Antisexualismus und sein Antifeminismus froren das traditionelle Muster der Geschlechterrollen und jenen Normenkatalog gewissermaßen ein, der das Zusammenleben von Männern und Frauen regulierte; sein Ritualismus und Mystizismus gingen mit den anderen Elementen eine unauflösbare Verbindung ein. Das ideelle Monopol, das spätestens seit Pius IX. dem Neothomismus zuerkannt worden war, nährte zwar die Illusion, mit Hilfe seines umfassenden Gedankengebäudes das christliche Weltbild lückenlos abstützen zu können. Tatsächlich aber erstickte in ihm jede freie geistige Bewegung. Zusammen mit den dogmengeschichtlichen Grundentscheidungen zwischen 1854 und 1870 führte der Siegeszug der Neuscholastik wegen der Abwendung von zahlreichen Intellektuellen, Wissenschaftlern und Bildungsbürgern zu einem schmerzhaften Aderlaß.

Der allgemeine Kurs der römischen Kirchenzentrale wirkte auf den deutschen Katholizismus nachhaltig ein. Nach dem Tode Pius' IX. übernahm Leo XIII. als Achtundsechzigjähriger das Pontifikat, übte es dann aber noch ein volles Vierteljahrhundert aus (1878–1903). Bei der Entschärfung des deutschen «Kulturkampfes» trat er als geschmeidiger Diplomat auf; auch deshalb wurde 1890 das Ausweisungsrecht gegenüber Priestern aufgehoben, ihre Befreiung vom Militärdienst erneuert; 1891 folgte die Rückgabe der gesperrten Diözesangelder, 1894 die Wiederzulassung der Redemptoristen. Aber im Binnenraum seiner Kirche nahm Leo XIII. als «erster Enzyklikenpapst» mit seinen sechsundvierzig Rundschreiben das «ordentliche» Lehramt des römischen Universalbischofs als überzeugter Ultramontaner wahr, der einer unverhohlen «imperialistischen Auffassung der Tätigkeit der Kirche» verhaftet blieb. In den Grundzügen wurde die Kurienpolitik unter ihm immer konservativer, zumal der Neothomismus als doktrinäre Antwort auf die Zeitfragen unablässig ins Feld geführt wurde.

Anfangs suchte Leo XIII. nach einem entspannteren Verhältnis zwischen Kirche, Kultur und Staat. Doch die «potestas directiva» des Papstes und das seinem Deutungsanspruch unterworfene Naturrecht blieben dem Staat und der Wissenschaft vorgeordnet. Neurotische Feindbilder, etwa von den Freimaurern als «Satansdienern», wurden weiter kultiviert. Im Kampf gegen den Reformkatholizismus und die «rebellio Lutherana» wurde der

Index verfeinert und erweitert. Typisch für die Vorstellung Leos XIII. von der universalen Aufgabe des Papsttums war etwa sein – schließlich gescheiterter – Versuch, dem Zentrum gegenüber eine Weisungsbefugnis in Anspruch zu nehmen, derzufolge es 1887 das Septennat und andere Reichsgesetze zu unterstützen habe, um den Abbau des «Kulturkampfes» zu erleichtern. Die Demokratie sollte als zeitbedingte Strömung nur dann hingenommen werden, wenn es die kirchliche Hierarchie für opportun hielt. Mit dem autoritären Staat dagegen konnte sie sich mühelos verständigen.

Immerhin wurde unter Leo XIII. in der Enzyklika «Rerum novarum» von 1891 die «soziale Frage» erstmals ernsthaft aufgegriffen. Das päpstliche Rundschreiben kam indessen zu spät, es diente primär der «Abwehr des atheistischen Sozialismus», reagierte vor allem auf die Angst vor dem Überlaufen katholischer Arbeiter. Eine realistische Wahrnehmung und Analyse des Industriekapitalismus lagen ihm nicht zugrunde. Der Wirtschaftsliberalismus wurde wegen seiner Hinnahme des ungerechten Wildwuchses scharf verurteilt. In einer verwirrten Welt blieb die Kirche die entscheidende Stabilitätsgarantie, die der Staatsinterventionismus unterstützen sollte. Trotzdem: Die Enzyklika trat doch auch entschieden für die Verbesserung der Lage der Arbeiter im bestehenden System ein, sie erkannte das Koalitionsrecht an, sie unterstützte die Bestrebungen zur Selbsthilfe, die von katholischen Arbeitervereinen, wie Leo XIII. sie bereits seit 1884 gefordert hatte, am reinsten verkörpert würden. Als ihr Vorbild wurden die mittelalterlichen Zünfte hingestellt. Der Streik galt als Übel. Noch vor jedem Reformwerk sollte als oberstes Ziel die «Pflege der Frömmigkeit» stehen. Trotz aller Mängel konnte diese Verlautbarung, zu der es in der deutschen protestantischen Amtskirche kein Pendant gab, als Grundlage einer künftig lebensnäheren Präzisierung von Reformzielen dienen.

Mit Pius X. (1903–1914) übernahm ein konservativer, autoritärer, integralistischer Papst die Leitung der römischen Weltkirche – «unversöhnlich» in seiner Ablehnung der Moderne, von seinem «unfehlbaren Lehr- und Regierungsamt» zutiefst überzeugt. Sein Hauptaktionsfeld wurde der unerbittliche Kampf gegen den Reformkatholizismus, ein internationales Phänomen, das die Zeitgenossen als «Modernismus» leidenschaftlich bewegte. Er verkörperte eine Theologen und Laien erfassende liberale, rationalistische Strömung, welche die Kirche mit der modernen Welt versöhnen, sie der modernen Kultur, Wissenschaft und Bildung öffnen wollte. In vielen Zügen ähnelte sie dem liberalen Protestantismus und theologischen Rationalismus vergangener Jahrzehnte, auch dem Kulturprotestantismus der Gegenwart. Unter der Leitung der Kurie wandte sich der sogenannte Integralismus, der den Liberalismus und Laizismus, die ungebundene Wissenschaft, ja überhaupt die Öffnung gegenüber der Moderne kompromißlos ablehnte, empört dagegen.

Dieser «Modernismusstreit» lief noch unter Leo XIII. an, erreichte seinen Höhepunkt aber erst unter Pius X. Im Kaiserreich, wo der Papst sich vor allem auf Kardinal Kopp, den Fürstbischof von Breslau und Anführer der deutschen Integralistenpartei, sowie auf die Bischöfe Hartmann in Köln und Faulhaber in München stützen konnte, verband sich mit dieser Kontroverse auch noch ein Streit um den Charakter der katholischen Gewerkschaften und der Zentrumspartei.

Nach harten Auseinandersetzungen über den Reformkatholizismus in anderen Ländern wurde die deutsche Variante des «Modernismus» seit dem Ende der neunziger Jahre insbesondere von dem Würzburger Theologieprofessor Hermann Schell verfochten. In seinem Buch über den «Katholizismus als Prinzip des Fortschritts», das 1897 veröffentlicht wurde und in zwei Jahren sieben Auflagen erreichte, forderte er eine enge Verbindung der Kirche mit dem Fortschritt in Kultur und Wissenschaft; sie solle sich nicht länger wie eine Schar «geistiger Eunuchen» verhalten, vielmehr das Bildungsdefizit der Katholiken offensiv bekämpfen, ihre Inferiorität im politischen wie wirtschaftlichen Leben beseitigen helfen. Wie auch sein Mitstreiter, der Freiburger Kirchenhistoriker und Theologieprofessor Franz Xaver Kraus, kritisierte Schell den «Romanismus», ein damals geläufiges Synonym für den Ultramontanismus, stellte aber den christlichen Offenbarungsglauben oder die wesentlichen Institutionen der Amtskirche nie in Frage. Trotzdem kam Schells Plädoyer bereits im Dezember 1898 ebenso auf den Index wie seine Verteidigungsschrift «Die neue Zeit und der alte Glaube» von 1899. Schell unterwarf sich, durfte weiterlehren, starb aber, durch den existentiellen Konflikt gesundheitlich schwer angeschlagen, bereits 1906, worauf seine Kritiker von Pius X. mit abstoßender Häme noch einmal öffentlich gelobt wurden.

Kraus entkam der Indizierung nur mit knapper Not. Derselben Drangsalierung wurde der Kirchenhistoriker Albert Ehrhard, dessen Buch über den «Katholizismus und das 20. Jahrhundert» (1902) im ersten Jahr zehn Auflagen erzielte, ausgesetzt. Auf diese Weise wurden die Repräsentanten des deutschen «Modernismus» diszipliniert oder mundtot gemacht, während die Resonanz, welche die reformkatholischen Schriften fanden, verriet, wie weit die vom forcierten Ultramontanismus ausgelöste Frustration im katholischen Bildungsbürgertum und zugleich auch seine Reformaufgeschlossenheit reichten.

Seit 1903 hat Pius X. den Widerstand gegen den «religiösen Neoreformismus» noch einmal intensiviert. Bis 1914 kamen weitere hundertfünfzig verdächtige Bücher auf den Index. Im Juli 1907 wurden in den fünfundsechzig Thesen eines neuen Syllabus alle Irrtümer der «Modernisten» verworfen, im September desselben Jahres neue Kampfmaßnahmen gegen sie eingeleitet. Dem Reformkatholizismus, der sich als eine protoprotestantische Ketzerlehre stilisiert fand, wurde die unentrinnbare Verbindlichkeit der neuthomistischen Scholastik entgegengehalten; alle Theologieprofessoren mußten auf ihre scholastische Zuverlässigkeit überprüft und bei Bedenken entfernt werden; die Bischöfe sollten ein eigenes Zensurinstitut nach römischem Vorbild einrichten und «modernistische» Schriften unverzüglich verbieten. Die Verfolgung der neuen Häretiker gipfelte 1910 in der Forderung, daß jeder Kleriker und Theologieprofessor jährlich einen «Antimodernisteneid» ablegen müsse. Nach lebhaftem Protest, den sogar Bethmann Hollweg formell unterstützte, wurden die deutschen Universitätstheologen von dieser Pflicht schließlich befreit. Für die anderen Geistlichen gab es seither kein Entrinnen – diese Gesinnungskontrolle wurde erst 1967 im Gefolge des Zweiten Vatikanums aufgehoben.

Die Breitenwirkung des reformkatholischen Protestes darf man freilich nicht überschätzen, er blieb an erster Stelle eine Intellektuellen- und Bildungsbürgerbewegung. Aber die Reaktion der Kurie zeigte nur zu deutlich, mit welchen Mitteln die ultramontane Papstdiktatur im Zusammenspiel mit dem Integralismus gegen jede Auflockerungstendenz vorging. Das unterstrich 1910 auch noch einmal die Borromäus-Enzyklika, die – zur Dreihundertjahrfeier der Heiligsprechung dieses Bischofs verkündet – erneut Öl ins Feuer goß, indem sie über den Protestantismus «so unökumenisch als nur irgend möglich» urteilte. Die evangelischen Reformatoren wurden umstandslos als «Feinde des Kreuzes Christi», deren «Gott der Bauch» sei, stigmatisiert; ihre Reformbewegung habe sich «nach dem Belieben der verkommensten Fürsten und Völker» ausbreiten können. Hinzu kam eine Breitseite gegen die «lügnerische neue Wissenschaft»: Heutzutage enthalte der «Modernismus» das «Gift aller Häresien».

Der innerkatholische Protest in Deutschland führte prompt zur Exkommunikation seines Wortführers. Der liberale Protestantismus, ganz zu schweigen vom «Evangelischen Bund», fand seine schlimmsten Befürchtungen bestätigt. Aufgebracht intervenierte sogar die Reichsregierung und erreichte zu guter Letzt, daß die Enzyklika nicht von den Kanzeln verkündet wurde. Im Umlauf war sie längst überall. Inzwischen hatte Pius X. auch eine integralistische Geheimgesellschaft in Rom zugelassen, die als eine Art von kirchlicher Gesinnungspolizei auf ihrem «Denunziantenfeldzug» Jagd auf die «Modernisten» machte. Erst 1913 wurde der Höhepunkt dieses gnadenloses Kampfes gegen den Reformkatholizismus überschritten. Seine Härte kontrastierte aufs schärfste mit der wohlwollenden Förderung, die der Vatikan der rechtsradikalen, frühfaschistischen «Action Française» angedeihen ließ.

In Deutschland hing mit der Ächtung des «Modernismus» auch der sogenannte Zentrumsstreit zusammen. Julius Bachem, der aus der einflußreichen Kölner Verlegerfamilie stammte, die auch die «Kölnische Volkszeitung» herausgab, löste ihn 1906 mit seinem Aufsatz aus, der in den «Historisch-Politischen Blättern» erschien: «Wir müssen aus dem Turm heraus», forderte er und meinte damit, daß sich das Zentrum für gläubige Protestanten öffnen, also zielstrebig als interkonfessionelle Partei umorganisieren solle. Es war der Entwurf einer «Christlichen Union», die erst vierzig Jahre später verwirklicht werden sollte. Die daraufhin entbrennende Kontroverse steigerte sich zu einer heftigen Konfrontation, ehe sie mit einer vorläufigen Niederlage Bachems und seiner Alliierten endete. Ihr Scheitern hing auch damit zusammen, daß sich Pius X. absolut ablehnend gegen Bachems Postulat aussprach, dazu erneut dem Zentrum eine autonome politische Sphäre verwehrte. Schon auf dem Essener Katholikentag von 1906 ließ er durch einen eigens entsandten Kurienkardinal seinen Maximalanspruch verfechten: Wer dem Papst gehorche, müsse ihm in allen Dingen gehorchen. Diesen absolutistischen Führungsanspruch mußte er danach zwar abschwächen, aber jene Mehrheit, die in Bachem ein trojanisches Pferd des «Modernismus», nach Fürstbischof Kopp die kirchenfeindliche «Verseuchung», ausmachte, gewann dadurch noch schneller Oberwasser.

Im «Gewerkschaftsstreit» hatte der Grundsatzkonflikt schon früher eingesetzt. Denn das Verhältnis der katholischen Kirchenleitung zur modernen Gesellschaft spitzte sich in der Auseinandersetzung um die katholische Arbeiterbewegung exemplarisch zu. Arbeitervereine waren seit den sechziger Jahren entstanden (vgl. 5. Teil, III.3), trafen aber auf zahlreiche überlegene sozialdemokratische und liberale Konkurrenten und wurden erst seit 1884/91 von der Amtskirche unterstützt. Zwanzig Jahre später gab es erst etwa fünfundsechzig Ortsvereine – drei Viertel davon im Rheinland und in Westfalen –, deren Mitgliederzahl enttäuschend gering blieb. Geistliche dominierten im Vorstand; verantwortliche Mitarbeit der Laien war eine seltene Ausnahme. Das Ziel war, durch eine Wiederbelebung des Standesbewußtseins auf der Grundlage unerschütterlicher Frömmigkeit das Klassenkampfdenken zu überwinden.

Daneben entstanden seit 1894 die «Gewerkvereine christlicher Arbeiter», zuerst häufig überkonfessionell, zum Kampf für proletarische Interessen bis hin zum Streik bereit. 1899 trafen sie sich zu einem ersten Kongreß in Mainz. Seither wurde sogar die Zusammenarbeit mit den Freien Gewerkschaften und der Sozialdemokratie diskutiert, und seither setzte daher auch mit voller Schärfe der «Gewerkschaftsstreit» ein. Denn die Integralisten wollten zum einen anstelle der interkonfessionellen nur rein katholische Vereine, zum andern den Einfluß des «Volksvereins» eindämmen und die von ihm propagierte geistig-politische Öffnung verhindern. Deshalb traten sie für zunftähnliche Berufsvereine, möglichst unter der Leitung der Kaplanokratie ein. In den Bischöfen Kopp und Korum (Trier) besaßen sie mächtige Fürsprecher. Erzbischof Nöber in Freiburg verbot seinen Klerikern sogar jede Mitwirkung in Gewerkvereinen, und die Kurie favorisierte ohnehin exklusiv katholische Berufsvereine, die eine Enzyklika von 1912 noch einmal anmahnte.

Demgegenüber entwickelten sich die «Christlichen Gewerkschaften» zu solidaritätsbewußten Interessenverbänden mit demokratischer Binnenstruktur, zusehends bereit zu freimütiger Kritik an der Unternehmerpolitik und zum Arbeitskampf in einer Koalition mit Gewerkschaften anderer Couleur. Der Konflikt zwischen diesen beiden Strömungen und Organisationsmodellen hielt bis 1914 an. Er hat nach dem Urteil des katholischen Sozialtheoretikers Oskar v. Nell-Breuning der «Kirche einen Verlust an Anhängerschaft und Vertrauen eingetragen, der nie wieder gutzumachen ist». Trotz der integralistischen Opposition brachte es der «Gesamtverband der Christlichen Gewerkschaften» unter der energischen Führung von Adam Stegerwald vor dem Krieg auf 464000 Mitglieder (14 % Frauen) in 3450 Vereinen, die ein Drittel der katholischen Industriearbeiter erfaßten. Der Schwerpunkt lag eindeutig in Westdeutschland (1219 Vereine/220000 Mitglieder), wo auch die katholische «Westdeutsche Arbeiterzeitung» der «Volksvereins»-Aktivisten Johann Giesberts und Joseph Joos zweihunderttausend Exemplare absetzte; dann folgte Norddeutschland (1200/130000) vor Süddeutschland (1041/114000).

Der Sieg der katholischen Gewerkschaften über den integralistischen Korporativismus ist ein aufschlußreiches Indiz für die seit den neunziger Jahren vordringende Veränderung des deutschen Verbandskatholizismus. Gegen die ultramontane Erstarrung und den amtskirchlichen Leitungsanspruch erkämpften sich die drei sozialen Bewegungen der katholischen Bauern, Bürger und Arbeiter ein höheres Maß an Selbständigkeit, an geistiger und politischer Elastizität, kurzum: an Autonomie, um legitime Eigeninteressen ohne fortwährende Gängelung vertreten zu können. Ihre Erfolge und Grenzen sind vorn bereits diskutiert worden (IV. B 2c). Die damit verbundene Öffnung gegenüber der modernen industriellen Welt, die Distanzierung von der klerikal-konfessionalistischen Enge, die Flexibilisierung der Mentalität und die Aufwertung des Pragmatismus – diese Fortschritte muß man sich mit allem Nachdruck vor Augen führen, um der positiv veränderten Natur des politischen, des verbandsstrukturierten Katholizismus in den beiden Vorkriegsjahrzehnten gerecht zu werden. Er hat Schritt für Schritt die Dominanz des ultramontanen Fundamentalismus und des dogmatischen Integralismus aufgeweicht. Damit gewann er Freiräume, in denen sich aufgeschlossener und realitätsnäher, zukunftsoffener und toleranter leben ließ.

Es gehört zu seinen Ruhmesblättern, daß er das nicht nur gegen vielfältigen kirchlichen Widerstand, sondern auch trotz der Minderheitsposition in einer überwiegend protestantischen, mißtrauisch ablehnenden Gesellschaft aus eigener Kraft geschafft hat. Der Beitrag, den etwa der «Volksverein» mit seiner Aktivität dazu geleistet hat, kann kaum überschätzt werden, erfaßte er doch mit seinem riesigen Bildungs- und Schulungsprogramm schließlich rund vierzehn Prozent aller katholischen Männer. In bescheidenerem Ausmaß, aber mit langlebigen Wirkungen hat Karl Muth mit seiner Zeitschrift

«Hochland» seit 1903 den Anschluß an die geistige Entwicklung und die Überwindung des Ghettobewußtseins gefördert. Folgerichtig erhob für den deutschen Integralismus Fürstbischof Kopp im Inquisitionsstil den bösartigen Vorwurf gegen das «Hochland», daß es «die gebildeten Kreise dekatholisiere», während der «Volksverein» «diese Arbeit bei den niederen Kreisen» besorge.

Dank der neuen sozialen Bewegungen hat sich das anfangs ultramontan geprägte katholische Sozialmilieu insgesamt aufgelockert und in seinem Charakter verwandelt. Diese Subkultur wurde frühzeitig auch von zahlreichen Vereinen getragen, zwischen denen bis zur Jahrhundertwende im Hinblick auf ihre politischen Ziele und ihr Selbstverständnis eine konfliktreiche Spannung, ja manchmal eine tiefe Kluft entstand. Da kümmerten sich die Vinzenz-Vereine um die Caritas im herkömmlichen Sinn, die Bonifatius-Vereine um die Diaspora, die Augustinus-Vereine um die Presse, die Borromäus-Vereine um die Kontrolle des katholischen Literaturmarktes und Volksbüchereiwesens, die Michaelsbruderschaften um die Unterstützung der Päpste und ihrer anachronistischen Forderungen nach der Wiederherstellung des Kirchenstaates, die Görres-Gesellschaft um die katholischen Wissenschaftler. Daneben existierten Berufsvereine für Handwerksgesellen, Arbeiter, Kaufleute, Lehrer, Bauern, Studenten, Akademiker. Jährlich gab es einen Katholikentag, der seit 1876 «Generalversammlung des katholischen Deutschland» hieß. Vereine und Tagungen sollten die Religion, Tradition und Moral gegen das Vordringen des säkularisierten Staates, des Liberalismus, der Sozialdemokratie schützen. Durch rund vierhundertfünfzig katholische Zeitungen wurde dieser Milieuprotektionismus vor 1914 unterstützt. Die Erfahrung der Ausgrenzung im «Kulturkampf» und die fortdauernde Diskriminierung als Minderheit haben jahrzehntelang die Abschottung der katholischen Subkultur nach außen vertieft und umgekehrt die Binnenhomogenität erhalten. Der Preis: Auch dadurch ist die Segmentierung der reichsdeutschen Gesellschaft verstärkt worden.

Bewegung geriet in dieses Milieu und sein imponierendes Verbandsimperium erst durch den «Volksverein», dessen Erfolg als Massenorganisation nur mit den Leistungen der Sozialdemokratie verglichen werden kann, dann durch die drei neuen sozialen Bewegungen. Sie wirkten sich als eine wahre Erneuerungs- und Modernisierungskraft aus. Auch der Reformkatholizismus hat trotz seiner Niederlage diesen Aufbruch unterstützt. Eben deshalb hielt der integralistische Widerstand gegen den Anprall des Neuen auch so starrsinnig am Überkommenen fest.

Von diesen beiden konkurrierenden Leitvorstellungen im Katholizismus fand sich dank der neuen sozialen Bewegungen die traditionelle hart in die Defensive gedrängt. Sie bestand aus jenem Bündel von Ordnungsideen, die auf der überlieferten Distanz gegenüber Kapitalismus und Marktwirtschaft, erst recht gegenüber der marxistischen Linken insistierten und der modernen Welt eine ständische, sozialromantische, antikapitalistische Verklärung der vorindustriellen Vergangenheit entgegensetzten, Kapital und Arbeit in einem berufsständischen Korporativismus versöhnen, Solidarität gegen Klassenkonflikt durchsetzen wollten. Auch die politische Partizipation sollte durch einen neuständischen Korporativismus kanalisiert werden. Von diesen einflußreichen Ideen hat noch manches im politischen Katholizismus des 20. Jahrhunderts herumgegeistert und in kritischen Situationen Realitätsblindheit hervorgerufen.

Demgegenüber bestanden die Kräfte der inneren Erneuerung auf demokratischer Eigenverantwortung und Selbsthilfe, unterstützt durch einen reformwilligen Staat. Die offensichtlich gebotene Mängelkorrektur sollte durch «Stückwerk»-Reformen vorgenommen, in der Arbeitswelt das Fernziel einer Sozialpartnerschaft der Gleichberechtigten angestrebt werden. Die aktivsten Träger dieses Veränderungswillens fanden sich im «Volksverein» und in der katholischen Arbeiterbewegung zusammen. Ihnen gelang es, die kontinuierliche Sozialreform zu einer Aufgabe des politischen Katholizismus zu machen. Die Laieninitiative wirkte nicht nur demokratisierend und förderte eine von der Hierarchie bekämpfte Emanzipation. Vielmehr stärkte sie auch das Bewußtsein der gesamtgesellschaftlichen Verantwortung, trug also zur Überwindung der Milieugrenzen bei. Auf der andern Seite wurde sie durch politisches Machtkalkül gezwungen, ihre eigene demokratiebewußte Kritik zu zähmen. Aus Rücksicht auf das Zentrum nahm sie zum Beispiel das preußische Dreiklassenwahlrecht und die Privilegierung durch die Reichstagswahlkreise viel zu lange hin.

Zwei Phänomene besaßen, je nachdem, welcher der beiden Leitvorstellungen man anhing, eine ambivalente Natur.

1. Die Volksfrömmigkeit wirkte, durch die Verfolgungszeit während des «Kulturkampfes» verstärkt, ganz unbestreitbar als mächtiger Energie- und Loyalitätsspender zugunsten des traditionellen, gerade auch des ultramontanen Katholizismus. Uralte Formen des Aberglaubens wurden revitalisiert. Halluzinatorische Marienerscheinungen, die sich vor allem während des «Kulturkampfes» auffällig häuften, und die Wundertaten der Beglückten zogen Heerscharen von neugierigen Heilssuchenden an. Die Wallfahrten nahmen kein Ende. Im bayerischen Altöttingen etwa trafen vor 1914 jährlich dreihunderttausend Prozessionsteilnehmer ein. Der Marienkult, aber auch der Herz-Jesu-Kult entfalteten eine ungeahnte Anziehungskraft, oft vermengt mit einem wahren Papstkult, der nach dem Verlust des Kirchenstaats den Heiligen Vater aus seinem vatikanischen «Verlies» in die Region eines Halbgottes entrückte. Die erneuerungswilligen Kräfte mochten frohen Herzens an der Fronleichnamsprozession und an einer Wallfahrt teilnehmen. Aber sie spürten auch den Widerstand, der ihren Reformprojekten daraus entgegenwuchs, daß es der Amtskirche gelang, die Mobilisierung der traditionalistischen Volksfrömmigkeit so erfolgreich in Gang zu halten.

2. Zwiespältig blieb auch die Einstellung zur heftig umstrittenen «Inferiorität», zum Bildungsdefizit der Katholiken (vgl. 5. Teil, V. 1b). Ultramontanismus und Integralismus konnten mit dieser relativen Rückständigkeit vor allem des agrarisch-kleinstädtischen Milieus mühelos leben, da auch deshalb ihre Repräsentanten leicht die Meinungsmacher und Anführer der Gemeinden und Vereine blieben. Die «Modernisierer» dagegen litten unter dem sozialen und ökonomischen, dem kulturellen und politischen Gefälle, das im Verhältnis zu den Protestanten bestand, wegen der traditionellen Verkrustungen auch schwer abzubauen war. Aber seit den neunziger Jahren wurde es als schmerzhaftes Problem intensiver denn zuvor angegangen. Obwohl der katholische Anteil ein gutes Drittel der preußischen Bevölkerung ausmachte, zahlte er doch um 1900 nur ein Sechstel aller Steuern; in Baden erreichte er sechzig Prozent, aber knapp die Hälfte der Steuerleistung der Evangelischen. Auch im Reich stellten die Katholiken rund ein Drittel der Bevölkerung, aber bis 1897 gehörten nur dreizehn Prozent aller deutschen Professoren der katholischen Konfession an. An allen höheren Schulen gab es nur neunzehn Prozent Katholiken; freilich erreichten sie auf den Gymnasien, einer vertrauten Schulform, bis 1914 rund fünfunddreißig Prozent. Auch der Studentenanteil stieg von einem Fünftel auf ein Viertel an.

Das politische Nahziel blieb die «Parität» – ein dem Bevölkerungsanteil zumindest entsprechender Anteil an Katholiken in den staatlichen Institutionen, und eben sie zu erreichen wurde nicht nur durch die antikatholische Blockadepolitik, sondern auch durch das «Bildungsdefizit» erschwert. Noch nach 1900 waren nur sechsundzwanzig Prozent aller Reichsbeamten Katholiken, nur gut sechzehn Prozent aller Offiziere und nicht einmal vier Prozent der Generäle. Unter den leitenden preußischen Justizbeamten gab es vierundzwanzig Prozent Katholiken, im Oberlandesgerichtsbezirk Berlin unter achthundertzweiundfünfzig Richtern nur zweiundsechzig katholische.

Für einen kühnen Gegenzug, die 1879 erneut geforderte Errichtung einer katholischen Universität, fand sich keine hinreichende Unterstützung. Man versteht unschwer, warum die Erneuerer die Beseitigung der «Inferiorität» und die Gewinnung der «Parität» mit Inbrunst auf ihr Banner schrieben, sich vielleicht auch manchmal zu sehr in die ominösen Prozentzahlen verbissen. Auf dem richtigen Weg waren sie allemal. Und die traditionalistische Kritik, daß damit von den vorrangigen Glaubensproblemen abgelenkt werde, führte in eine Sackgasse.

Auch die positive Wirkung der innerkatholischen Modernisierungskräfte zum einen, des Kulturprotestantismus zum andern kann freilich die andauernde Härte der konfessionellen Gegensätze im Kaiserreich, die schroff antagonistische Rhetorik und Symbolik, die Demütigung durch Diskriminierung und Personalpolitik nicht aus der Welt schaffen. Das war ein Gegensatz, dessen einzige Parallele im Verhältnis von bürgerlicher Gesellschaft und Sozialdemokratie zu finden ist. Er hat bis zum Ende der

Friedenszeit als ein Fundamentalphänomen mit tief verankerter historischer Beharrungskraft dazu beigetragen, daß die Fragmentierungsgrenzen in der reichsdeutschen Gesellschaft tief eingeschliffen blieben.[2]

2. Das Schulsystem

In einer Langzeitperspektive ist die Entwicklung des Bildungssystems im Kaiserreich eine Aufstiegsgeschichte, die zu Erfolgen geführt hat, von denen dieses System zum guten Teil bis in die 1960er Jahre zehren konnte. Es entfaltete sich weiterhin, wie das bereits für die Jahrzehnte zuvor ausgeführt worden ist, im Spannungsgefüge von staatlichem Steuerungsanspruch, gesellschaftlichen Interessen, Eigendynamik des Bildungssystems und regionalen und lokalen Sonderbedingungen (vgl. Bd. II, 478–91; 5. Teil, V. 2a).

Dieses Kräfteparallelogramm wurde erstens durch die Ambivalenz der unleugbaren Fortschritte einer über lange Zeit hinweg durchgesetzten partiellen Modernisierung einerseits und der Beharrungspolitik andrerseits bestimmt, die beide vom Staatsapparat betrieben wurden. Sein Machterhaltungsinteresse richtete sich darauf, den gesellschaftlichen Evolutionsprozeß in einem so grundlegend wichtigen Sozialisationsbereich wie dem des Bildungssystems mit Hilfe der obrigkeitlichen Steuerungsmittel, aber auch progressiver Beeinflussung möglichst umfassend zu kontrollieren. Dabei kam jedoch, zweitens, die innere Fraktionierung der involvierten Behörden, Kontrollinstanzen und Politikercliquen stets mit ins Spiel. Die seit langem wirksame polyvalente Funktionalisierung blieb bestehen: Staatliche Behörden und politische Parteien, städtisches Bürgertum und ländliche Grundbesitzerschaft, christliche Kirchen und öffentliche Meinung, Eltern und Lehrer rangen weiterhin mit wechselndem Durchsetzungsvermögen um Einfluß. Obwohl, drittens, auf lange Sicht das Gewicht des Staates zunahm, blieb doch die Eigendynamik, die das Bildungssystem seit jeher auszeichnete, weiter bestehen. Lehrer und Direktoren, Schulinspektoren und Regierungspräsidenten, Schuldeputationen und Seminarleiter verfolgten ihre Interessen in stillem Kräftemessen oder im offenen Konflikt. Viertens wurde der Einfluß aller Interessenten wiederum durch spezifische lokale und regionale Bedingungen in einem öfters erstaunlichen Ausmaß relativiert, das bis zu fast autonomen Entscheidungen führen konnte.

In einem allgemeinen Sinn lag gerade das Bildungssystem, wo das kulturelle Erbe und unverzichtbare Kulturtechniken weitergegeben, aber auch neue Situationen – wie etwa die Reichsgründung mit ihren Folgen – verarbeitet und Innovationen hervorgebracht wurden, besonders exponiert im Strom des neuzeitlichen Modernisierungsprozesses mit seinen charakteristischen Krisen. Seit dem Ende des Revolutionszeitalters im ausgehenden 18. Jahrhundert warf die Legitimationskrise auch das Problem der «bildungspolitischen Loyalitätsbeschaffung» bei den Untertanen bzw. Staatsbürgern auf.

Damit verband sich unausweichlich der Streit zwischen Konservativen und Liberalen um die politische Natur dieses Treueverhältnisses. Die Identitätskrise trat 1871 mit der Bildung der neuen Reichsnation in eine neue Phase ein, in der die «politische Identitätsbildung durch schulische Sozialisation» einen hohen Rang gewann. Bei der Bewältigung der Integrationskrise eines jungen, tief zerklüfteten Staates spielte die «schulorganisatorische, verwaltungstechnische und curriculare Normierung» mit dem Ziel der «Überwindung lokaler und provinzieller Besonderheiten» eine wichtige Rolle. Damit die Penetrationskrise gelöst werden konnte, gewann die «Monopolisierung staatlicher Bildungszuständigkeit» überall dort, wo sie noch nicht erstritten war, an Bedeutung. Angesichts der verschärften Partizipationskrise erwiesen sich die vom Bildungssystem vermittelten kulturellen und politischen Teilhabechancen als folgenreich. Und auf die Distributionskrise wirkte die Vorenthaltung, Zuweisung oder Umverteilung von «Bildungsgütern» unter «formell gleichen Staatsbürgern» in einem Land, wo Bildung, Ausbildung und Erziehung eine traditionelle Hochschätzung genossen, nachhaltig ein.

Wirft man im Lichte dieser Probleme vor der Einzelanalyse einen Blick auf das Schulsystem, ergibt sich vorerst: Die Elementarschulen wurden konsolidiert und ausgebaut. Das Gymnasium blieb die bevorzugte Eliteschule – namentlich im Hinblick auf die Abiturientenherkunft –, dehnte aber seinen sozialen Einzugsbereich weiter aus. Neue, konkurrierende höhere Schulen, wie das Realgymnasium und die Oberrealschule, sorgten für eine Diversifizierung des Angebots. In allen Sektoren hielt eine auffällige Expansion des Bildungswesens und seines Ausbildungspersonals an. Beide erreichten einen Stand, der bis 1945, ja bis in die 1960er Jahre nicht übertroffen wurde.

a) Die Volksschulen

Bis 1914 lernten neunzig Prozent der Reichsbevölkerung nur die Elementarschule kennen. Bei genauerem Hinsehen lassen sich drei Typen unterscheiden: die niedere Elementarschule, die zunächst als kostenfreie Armenschule fungierte; die mittlere, kostenpflichtige Elementarschule mit solider Grundausbildung; die höhere Elementarschule mit der Doppelfunktion einer qualitativ verbesserten Volksschule und der Vorbereitung auf die weiterführenden Schulen. Öfters ging aus ihr selber eine Höhere Stadt- bzw. Mittelschule hervor. Alle diese Grundschulen blieben in allen Bundesstaaten Gemeindeschulen, sie wurden entgegen einer verbreiteten Auffassung nicht zu Staatsanstalten gemacht. Gewöhnlich deckte sich der Schulbezirk mit der Kirchengemeinde oder dem Rittergutsgebiet. Finanziert wurden diese Schulen aus dem Gemeindeetat und durch das Schulgeld der zahlungspflichtigen Eltern, währen die Einzelstaaten sie nur subsidiär unterstützten. Der Föderalismus des Kaiserreichs schloß Reichszuschüsse aus. Ein allgemeines

Reichsschulgesetz scheiterte aus demselben Grund bis in die Zeit der Weimarer Republik.

Der Realbesuch der schulpflichtigen Kinder lag 1871 zwischen sechsundachtzig und neunzig Prozent, erreichte aber seit den achtziger Jahren – trotz Kinderarbeit, Dispens und vorzeitiger Entlassung – faktisch hundert Prozent. Die Alphabetisierungsquote machte 1871 im Durchschnitt siebenundachtzig Prozent aus (Rheinland 91 %, aber Posen 60 %), um 1890 blieb die Zahl der Analphabeten unter einem Prozent. Im Grunde war bis dahin die völlige Alphabetisierung der Bevölkerung erzielt worden. Auch im internationalen Vergleich lag Deutschland damit vorn in der Spitzengruppe jener Länder, welche diese Entwicklung im Westen anführten.

1864 gab es in den Volksschulen vier Altersklassen, 1911 bereits zehn. Die Anzahl der Schüler pro Klasse sank im selben Zeitraum von zweiundsiebzig auf einundfünfzig, umgerechnet auf den Lehrer von neunzig auf dreiundfünfzig. Während sich die Anzahl der Lehrer von 1871 bis 1914 verdoppelte – sie stieg auf rund 187 500 an und blieb dann bis 1949 fast konstant –, vermehrte sich die Menge der Schüler um achtundsechzig Prozent und erreichte 10.6 Millionen.

Einige Veränderungsprozesse haben in der Zeit des Kaiserreichs das Grundschulwesen tiefgreifend umgestaltet.

1. Das Niveau der Armenschulen wurde allmählich angehoben. Auf den Druck der Liberalen und der Lehrer hin führte Preußen 1888 die schulgeldfreie Volksschule als Gemeindeinstitution gesetzlich ein und fixierte dabei auch die Höhe der staatlichen Zuschüsse; die meisten anderen Bundesstaaten beharrten aber weiter auf dem Schulgeld. Seither hielt ein eindrucksvoller Ausbau dieser Volksschulen an. 1906 besuchten nur mehr elf Prozent der Schulkinder einklassige, dreißig Prozent aber siebenklassige Grundschulen. Freilich wurde die Volksschule in Industriestädten zu einer nahezu homogenen Klassenschule des Proletariats. In so unterschiedlichen Städten wie Berlin und Minden dagegen stammten rund vierzig Prozent der Schulkinder aus dem «alten» und «neuen Mittelstand» sowie aus der unteren Beamten- und Angestelltenschaft.

2. Durch die von Kultusminister Falk initiierten «Allgemeinen Bestimmungen» von 1872 wurde das niedere Schulwesen differenziert, die Stundenzahl vermehrt, der Lernzielkatalog erweitert, der Religionsunterricht reduziert, das «geistlose Einlernen» abgewertet. Einklassige Schulen blieben zwar bestehen, mehrklassige sollten aber zur Regel werden. Die mittlere Volksschule stieg zur anerkannten Mittelschule mit einem bemerkenswerten Leistungsniveau auf, das sie für die unteren und mittleren Bürgerklassen attraktiv machte. Die wichtigsten Neuerungen in ihrem Bereich waren die Aufwertung zur weiterführenden, selbst auf das Gymnasium vorbereitenden Schule, die Reduzierung der Klassengröße, die Einführung einer Fremdsprache und endlich auch die Aufnahme von Mädchen. Diese Reform wurde seit

1878 sogar von den hochkonservativen Ministern nicht mehr grundsätzlich in Frage gestellt. Zwei Drittel aller Sextaner wechselten schließlich von solchen Mittelschulen auf die Gymnasien über. Nur noch ein Drittel kam von den privilegierten Kindern vorbehaltenen und daher umstrittenen, teils privaten, teils kommunalen Vorschulen, die als «chinesische Mauer» um «das Reich der Bildung» (W. Liebknecht) seit langem heftig angegriffen wurden.

3. Die neuen Mittelschulbestimmungen von 1910, die dem Erfolg dieser Art von Volksschule Rechnung trugen, führten fünf Untertypen mit eigenen Lehrplänen ein – bis hin zu sechs Wochenstunden Latein und drei Stunden Griechisch, wenn der Wechsel zum Gymnasium stattfinden sollte. Diese anspruchsvolle Mittelschule fand sich meist in Städten ohne eigenes Gymnasium. Alle Mittelschulen blieben jedoch bis 1918 schulgeldpflichtige «niedere» Gemeindeschulen.

4. Wesentliche Unterschiede im Volksschulwesen bildeten sich aufgrund von «Schullandschaften» mit scharf divergierenden Ausbildungschancen heraus, die sich etwa an den Pro-Kopf-Ausgaben, der Klassenfrequenz, der Altersstufenzahl, dem Schüler-Lehrer-Verhältnis ablesen lassen. Aus einer genauen Untersuchung von hundertzehn der fünfhundertzweiundfünfzig preußischen Kreise wird deutlich, daß die fast ausschließlich liberal regierten Großstädte eine «Leitfunktion» beim Ausbau eines differenzierten, leistungstüchtigen Grundschulwesens übernahmen. Dichtauf folgten mittelgroße und kleine Städte mit einem vergleichsweise großen tertiären Sektor. Durchschnittliche Kleinstädte aber – das hieß gewöhnlich eine Benachteiligung der Kinderausbildung. Besonders problematisch waren junge Industriestädte mit überfüllten Volksschulen und schlechten Mittelschulen. Und am untersten Ende der Skala rangierten Landschulen mit überfüllten Klassen, unzureichender Finanzierung und mächtigen, zahlungsunwilligen Patronatsherren.

5. Im sogenannten «Schulkompromiß» von 1904 wurde endlich die Grundlage für ein – freilich erst 1908 in Kraft tretendes – «Schulunterhaltungsgesetz» gelegt. Es hob zum einen die anachronistische Exemtion der Gutsbesitzer auf, die sich kontinuierlich gegen jede über das «Allgemeine Landrecht» hinausgehende Mehraufwendung zugunsten ihrer Landschulen gesträubt hatten. Zum andern sollte erneut der Einfluß der kirchlichen Schulinspektoren zurückgedrängt werden. Einen Anlauf, diese Schlüsselstellung der katholischen Geistlichkeit aufzubrechen, hatte bereits das Schulaufsichtsgesetz von 1872 im Zusammenhang des «Kulturkampfes» unternommen. Die Durchsetzung staatlicher Inspektoren scheiterte jedoch am Finanzierungsaufwand. Das tat sie auch nach 1908, so daß Geistliche bis 1918 in der Schulaufsicht dominierten.

Simultanschulen blieben wegen des amtskirchlichen Einflusses bis dahin ebenfalls chancenlos. Auch das Gesetz von 1908 bestätigte den Primat der

Konfessionsschule. Vor 1914 besuchten fünfundneunzig Prozent aller evangelischen und neunzig Prozent aller katholischen Kinder eigene Konfessionsschulen, wo entweder der glorreiche, bis in die Gegenwart anhaltende deutsche Aufstieg als Folge der Reformation verherrlicht oder aber Luther und die Folgen als das Werk einer «Teufelsbrut» dämonisiert wurden. Zu einem zivilisierten Ausgleich in einem Staat mit hohen konfessionellen Spannungen haben die deutschen Konfessionsschulen gewiß nicht beigetragen.

Der seit jeher bestehende fundamentale Unterschied zwischen den Land- und den Stadtschulen blieb auch im Kaiserreich bestehen. 1886 lagen neunundachtzig Prozent der rund vierunddreißigtausend preußischen Volksschulen in Landgemeinden, 1911 waren es noch immer sechsundachtzig Prozent. Der Anteil der Schülerzahl war freilich von neunundsechzig auf einundsechzig Prozent gesunken. 1886 waren noch immer fünfzig Prozent der Landschulen einklassig, 1911 immerhin noch dreißig Prozent. Am Anfang der achtziger Jahre lernten vierundsechzig Schulkinder in einer Klasse, vor 1914 einundfünfzig. Das Verhältnis von Lehrer und Schülern sank währenddessen von eins zu neunundsiebzig auf eins zu einundsechzig. Aber an siebzig Prozent aller Landschulen mußte ein Lehrer hundertzwanzig bis zweihundert Schulkinder unterrichten.

Dieser Zustand war in einer sogenannten «Kulturnation» ein öffentlicher Skandal und heiß diskutierter Notstand, der sich auf eine schlichte finanzpolitische Präferenzentscheidung zurückführen ließ. Die adligen Großagrarier, aber auch die Großbauern weigerten sich in ihrem bornierten Egoismus, erhöhten Schulausgaben zuzustimmen. Wenn die Berliner Politik am grünen Tisch achtzig Schüler als Maximalzahl einer Klasse fixiere, würden – klagte der westfälische Freiherr v. d. Recke in einer typischen Formulierung dem erzkonservativen Minister v. Puttkamer – die «wichtigsten Interessen ... den liberalen Idealen des Kultusministeriums» geopfert; ernsthafte Probleme begännen doch erst, wenn ein Lehrer mehr als zweihundert Kinder unterrichten müsse! Dieser Verweigerungshaltung gab Berlin, dem soziopolitischen Kräfteverhältnis Rechnung tragend, geraume Zeit dadurch nach, daß die staatlichen Zuschüsse vermehrt an Landgemeinden und ländliche Kleinstädte überwiesen wurden. Allein in den letzten fünf Jahren der Ära Bismarck stiegen sie dort von siebzehn auf siebenunddreißig Prozent der Schulkosten an.

Auf dem Lande wurde auch die kirchliche Schulaufsicht am wenigsten eingeschränkt. Geistliche nahmen ungeniert Einfluß auf den Lehrplan, wirkten auf die soziale Stellung des Lehrers ein, betrieben die Entlassung von Kindern, die vor allem während des achten Schuljahres schon in der Landwirtschaft mitarbeiten sollten. Ein «heftiger Kleinkrieg» zwischen Lehrerschaft und Klerus war geradezu die Regel.

Überhaupt blieb die Landschule am längsten eine «Bastion» der traditionellen Ordnung. Ein Indiz dafür ist die Arbeit schulpflichtiger Kinder. Nach der Jahrhundertwende mußten 1.77 Millionen Kinder, darunter 1.052 Millionen weniger als zwölf Jahre alt, bereits in landwirtschaftlichen Betrieben arbeiten. Das war immerhin ein Fünftel aller schulpflichtigen Kinder, und es enthüllt die Durchsetzungskraft der ländlichen Oligarchien, daß diese Ausbeutung bis 1918 nicht gesetzlich verhindert werden konnte. Ein anderes Indiz ist die Konstanz der royalistisch-konservativen Indoktrination mit dem Ziel, auch auf diesem Weg die Sozialdisziplinierung der Landbewohner, an denen ja noch manches vom alten Untertanenstatus haften blieb, zu gewährleisten. Kurz, im Vergleich mit den gut geführten städtischen Volksschulen blieben die Landschulen in jeder Hinsicht «defizitär».

Bei den städtischen Volksschulen handelte es sich 1886 um elf Prozent und auch vor 1914 nur um vierzehn Prozent aller Grundschulen. Freilich stieg an ihnen die Schülerzahl von einunddreißig Prozent um ein Drittel auf neununddreißig Prozent an. Dennoch sank wegen der Vermehrung der Lehrerstellen die Anzahl der Schüler, die auf jede Lehrkraft entfielen, von siebenundsechzig auf neunundvierzig. Ein aufschlußreicher Nachweis der stadtschulischen Modernisierung tritt darin zutage, daß 1886 noch sechsundachtzig Prozent der Schulkinder in vierklassigen, 1911 aber sechsundneunzig Prozent in vier- bis achtklassigen Anstalten unterrichtet wurden. 1886 gehörten nur dreizehn Prozent eigenen Jahrgangsklassen an, 1911 aber bereits fünfundsiebzig Prozent, obwohl der staatliche Zuschuß nur von 4.8 auf 11.3 Prozent der Gemeindeschulkosten kletterte.

In den städtischen Volksschulen warf die Loyalitätsbeschaffung weit dringendere Probleme als auf dem Lande auf, da die Vielzahl liberal und sozialdemokratisch gesinnter Eltern mancher ideologischen Zumutung entschiedenen Widerstand entgegensetzte. Die allgemeinen bildungspolitischen Lernziele der Volksschule wurden daher insbesondere auch mit dem Blick auf die Stadtbevölkerung formuliert. Die Erziehung zu Gehorsam, Demut, Opferbereitschaft, Bescheidenheit, Respekt vor dem Militär, Liebe zum angestammten Herrscherhaus, Bereitschaft zum Dienst für den monarchischen Staat – sie charakterisierten den «Tugendspiegel», dessen Elemente die Schulkinder verinnerlichen sollten. Deshalb standen glorreiche Siege und Schlachten, «ruhmwürdige Vaterlandshelden und Staatsmänner», Monarchen mit ihren Leistungen im Mittelpunkt.

Nach 1871 nahm die nationalistische Einfärbung des Unterrichts rasch zu, wie das im Charakter der «vaterländischen Erziehung» in den Religions-, Sprach- und Geschichtsstunden zutage trat. Die historischen Verdienste der Hohenzollerndynastie wurden ganz auf der Linie der borussischen Legende ebenso glorifiziert wie das Militär als «Wehrmacht» der Nation. Seit der berüchtigten kaiserlichen Ordre von 1889, die Volksschule noch konsequenter als bisher im Kampf gegen die «Ausbreitung sozialistischer und kommunistischer Ideen», gegen die «den göttlichen Geboten» widersprechenden «Lehren der Sozialdemokratie» einzusetzen, wurde die

Instrumentalisierung des Unterrichts zugunsten des autoritären Staats noch einmal verschärft.

Aber auch dieser Druck konnte nicht verhindern, daß die Ziele der staatlichen Schulpolitik mit dem von vielen Lehrern verfochtenen Ideal einer liberalen Staatsbürgererziehung konkurrieren mußten. Überhaupt wurde die angestrebte Untertanenerziehung vielfach relativiert, ja unterlaufen. Der zentralstaatliche Einfluß konnte in den Gemeindeschulen nur vermittelt zur Geltung gebracht werden. Die Gegenwehr zahlreicher liberaler und sozialdemokratischer, auch katholischer Elternhäuser blieb bestehen. In den größeren Städten hielt sich der liberale Einfluß auf das Schulsystem. Die Volksschullehrer standen häufig den Linksliberalen, später der Sozialdemokratie nahe. Oft folgte keine Lehrplanänderung dem seit den neunziger Jahren wiederholten Appell, die Schule zum «Kampfinstrument» gegen die «Umsturzpartei» umzubauen. Zwar wirkte sich auch in den Stadtschulen eine mehr oder minder subtile Disziplinierung aus, aber es wurde doch auch durch die Anleitung zum Verstehen und Begreifen von Problemen die Eigenreflexion gefördert. Die städtische Volksschule war daher keine erfolgreiche Dressurfabrik für widerspruchslos gehorchende Untertanen, vielmehr eine Mischung von strenger Erziehungsanstalt und – auf längere Sicht – auch emanzipierender Institution. Nichts beweist das schlagender als die Ergebnisse der Reichstagswahlen. Daß Sozialdemokraten und Linksliberale 1912 nach vierzigjährigem Volksschulunterricht im Kaiserreich fast mehrheitsfähig wurden, demonstriert die Grenzen des schulischen Einflusses.

Mit dem Ausbau des Elementarschulwesens ist auch der Aufstieg der Volksschullehrer verbunden. Freilich ist es völlig irreführend, ihn als «Professionalisierung» zu charakterisieren, da darunter, kurz gesagt, die möglichst autonome Kontrolle begehrter Machtressourcen durch akademisch geschulte Experten zu verstehen ist (vgl. Bd. II, 220–36; vorn 6. Teil, III. 2b). Trotzdem ist der Begriff von einem ideologisch voreingenommenen Zweig der Bildungsforschung, dem an Begriffsschärfe offenbar wenig gelegen ist, auch im Hinblick auf die Volksschullehrer in Umlauf gebracht worden. Tatsächlich handelte es sich aber um einen schleppenden Prozeß der «Verberuflichung» eines geraume Zeit lang heterogenen Lehrpersonals, dessen Qualifikation schließlich nur dann anerkannt wurde, wenn es nichtakademische staatliche Ausbildungsanstalten durchlaufen hatte. Von einer freien «Profession» kann bei der Berufsklasse der Gemeindeschullehrer mit ihrem extrem hohen Maß an Abhängigkeit als «mittelbare Staatsbeamte» ohne einen genauen Katalog von Rechten und Pflichten überhaupt keine Rede sein.

Dem Lehrerberuf wurde zum einen außer der Vermittlung elementarer Kulturtechniken unstreitig das Ziel gesetzt, in jungen Menschen die Grundlage für die Integration in Staat und Gesellschaft, für ihre Identitätsbildung und für eine zuverlässige Loyalitätsbindung zu legen. Zum andern wirkte aber auf die Lehrer und durch sie auf ihre Schüler auch ein emanzipatorischer Mobilisierungsprozeß ein; er wurde durch die liberale Programmatik Diesterwegs und anderer bedeutender Pädagogen in Gang gehalten und hielt dazu an, den Schülern durch geduldige Anleitung zu einem gewissen Maß an Reflexion und zu einem eigenständigen Urteil zu verhelfen, das tendenziell die Sozialdisziplinierung auflockerte oder sogar in Frage stellen konnte.

Bereits 1871 hatten achtzig Prozent der Volksschullehrer ein Seminar besucht, vor 1914 waren sie faktisch alle Absolventen dieser pädagogischen Anstalt. Die starre Normierung der Ausbildung durch das Stiehlsche Regulativ von 1854 (vgl. 5. Teil, V. 2a) wurde seit 1872 durch eine Ausweitung und Differenzierung des Bildungsinhalts abgelöst. Als Vorstufe des Lehrerseminars wurden die sogenannten Präparandenanstalten mit einer dreijährigen Einführung für begabte Volksschüler ausgebaut – bis 1914 gab es zweiundachtzig von ihnen. Mit sechzehn, siebzehn Jahren wechselten die Ausgewählten auf das Lehrerseminar über. Auch die Zahl der Seminare wurde in zwei großen Bauschüben vermehrt: allein in Preußen von 1871 = 64 auf 1914 = 204, darunter sechzehn für Lehrerinnen. Dort folgte ebenfalls eine dreijährige Ausbildung, nach der die erste Lehrerprüfung abgelegt wurde. Daran schloß sich zunächst der drei- bzw. zweijährige Militärdienst an, bis 1896 – Triumph der zäh erstrebten sozialen Aufwertung – der «Einjährigfreiwilligendienst» auch für Seminarabsolventen konzediert wurde. Bis 1913 hatte fast die Hälfte aller Volksschullehrer im Reich von dieser Möglichkeit Gebrauch gemacht. Mit neunzehn bis zwanzig Jahren konnte daher der Junglehrer in seine erste Stelle einrücken.

Ganz überwiegend rekrutierten sich die Lehrer aus den unteren Mittelklassen der ländlichen und kleinstädtischen Gesellschaft. Dort lag auch die Mehrheit der Präparandenanstalten und Lehrerseminare, so daß sich die meisten Volksschullehrer auf den Stationen ihres Kreislaufs von der Volksschule über die Ausbildungsinstitutionen zurück zur Volksschule in einer relativ geschlossenen engen Lebenswelt bewegten – und aus leicht durchschaubaren politischen Gründen bewegen sollten.

Wegen der anhaltenden Nachfrage – im Reich stieg, wie gesagt, die Lehrerzahl von 1871 bis 1914 um hundert, in Preußen sogar um hundertfünfundzwanzig Prozent – arbeitete der Volksschullehrer in einem «Mangelberuf». Zeitweilig standen acht Prozent der Stellen offen. Die Entscheidung für eine pädagogisch längst gebotene geringere Klassenfrequenz hätte fünfzehntausend neue Stellen nötig gemacht, und es wirft ein Schlaglicht auf die Prioritäten der einzelstaatlichen Landtage und Bürokratien, daß ihnen die Schule des Volkes diesen keineswegs unmäßigen Kostenaufwand nicht wert war.

Der Lehrerberuf war seit den sechziger Jahren für Frauen attraktiv geworden, und der Nachfragesog erleichterte ihr Vordringen. Bis 1914 waren zwanzig Prozent aller Lehrkräfte an den deutschen Volksschulen Frauen (rund 40000). An der Mittelschule stellten die rund 5800 Lehrerinnen sogar bereits fünfzig Prozent. (Dieser prozentuale Anteil hielt sich bis in die 1960er Jahre.) Im Gehalt lagen sie jedoch um zwanzig bis fünfundzwanzig Prozent unter demjenigen ihrer Berufsgenossen, und die inhumane Zölibatsvorschrift, die bei einer Heirat zur sofortigen Entlassung führte, wurde erst in der Weimarer Republik aufgehoben.

Gemessen an dem kräftezehrenden Arbeitsaufwand war das Einkommen vieler Volksschullehrer jahrzehntelang unbefriedigend, zumal die gebremste Gehaltspolitik öfters zu einem Realeinkommensverlust führte. An den niederen Volksschulen und Mittelschulen gab es daher zahlreiche «pauperisierte» Klassen- und Hilfslehrer. Andrerseits bezog die Oberschicht der Mittelschul-Hauptlehrer, der Rektorats- und Höheren Volksschullehrer ein auskömmliches Gehalt. Wegen der erkennbaren materiellen Misere der Mehrheit und wegen der Nachwuchssorgen kam es dann mehrfach zu einer Gehaltsanhebung: 1872 um rund fünfunddreißig bis vierzig Prozent, um erheblich weniger 1885 und 1890. Das neue Diensteinkommensgesetz von 1897 führte erstmals einheitliche Grundgehälter von jährlich neunhundert Mark ein; hinzu kam die Wohngeldzulage und eine Altersstufenzahlung von jeweils hundertdreißig bis zweihundertvierzig Mark. Das bedeutete eine sichtbare Angleichung an den Status von Subalternbeamten, und das zweite Diensteinkommensgesetz von 1909 hob das Einkommen so an, daß etwa zwei Drittel der Volksschullehrer im Durchschnitt das Zwei- bis Dreifache eines Industriearbeiters verdienten; auch die Lehrerinnen lagen jetzt weit über deren Jahreslohn. Nur noch ein Drittel, die jungen Lehrer an Landschulen, verharrte auf dem Nominallohnniveau von Facharbeitern. Zu den Landschullehrern gehörten auch jene zwanzig Prozent der Volksschullehrer, die selbst nach der Jahrhundertwende noch aus Not kirchliche Nebenämter als Küster oder Meßner ausüben und sich mit einer Teilentlohnung in Naturalien zufriedengeben mußten.

Parallel zur Verbesserung der materiellen Lage bildete sich auch eine breitere Aufstiegsmobilität heraus, denn dank der Differenzierung des Schulsystems war es den Erfolgreichen möglich, nicht nur von der niederen Volksschule an die Mittelschule, sondern auch an die Real- und Höhere Bürgerschule, ja sogar an das Gymnasium überzuwechseln, wo der ehemalige Volksschullehrer als sogenannter Elementarlehrer Zeichnen, Turnen und Gesang unterrichten durfte. Dennoch litt die soziale Stellung der Volksschullehrer unter Einschränkungen, die zunehmend als Diskriminierung empfunden wurden. Die Schulaufsicht durch Ortspfarrer und Priester führte oft zu kränkender Gängelei, und vor 1914 unterrichteten immerhin noch vierundvierzig Prozent aller Lehrkräfte an Volksschulen in Gemeinden mit weniger als zweitausend Einwohnern, für die der Geistliche gewöhnlich noch eine sozialmoralische Autorität verkörperte. Lehrern wurde das passive Wahlrecht vorenthalten; sie durften keine bürgerlichen Ehrenämter ausüben; die soziale Distanz zu den akademischen Oberlehrern, die das Doppelte der gutgestellten Volksschullehrer verdienten, blieb unverändert erhalten.

Andrerseits: Unübersehbar konnten die Lehrer, die sich allmählich an die kollektive Verfechtung ihrer Eigeninteressen gewöhnten, wichtige Forderungen, wie die Gehalts- und Aufstiegsverbesserung, durchsetzen. Zwischen 1885 und 1900 wurde ihr Beamtenstatus verbessert: Vom fünfundsechzigsten Lebensjahr ab erhielten sie eine Alterspension, die Witwen- und Waisenversorgung wurde ebenso geregelt wie die Besoldung nach Dienstalter. Das war wesentlich ein Ergebnis ihrer Organisierung in Verbänden. Aufgrund der Liberalisierung im Zeichen der «Neuen Ära» hatten seit 1862 die gut besuchten «Allgemeinen Deutschen Lehrerversammlungen» wieder stattfinden können, 1869 zum Beispiel in Berlin mit viertausend Teilnehmern. Von Bismarck wurden die Volksschullehrer, denen der Volksmund eine Mitwirkung an den preußischen Kriegserfolgen zuerkannte, als «treue Kampfgenossen» umworben. Ende 1871 entstand der überkonfessionelle «Deutsche Lehrerverein», der bis zum Beginn der wilhelminischen Epoche ein großer Interessenverband wurde, dem schließlich alle einzelstaatlichen Vereinigungen beitraten, so daß er mit seinen hundertachtzehntausend Mitgliedern seit 1908 gut fünfundsiebzig Prozent aller Lehrer repräsentierte.

Abseits hielt sich die Mehrheit der katholischen Lehrer, die sich seit dem «Kulturkampf» in eigenen Vereinen, seit 1889 im «Katholischen Lehrerverband des Deutschen Reiches» zusammengeschlossen hatten, der vor 1914 achtzehntausend Mitglieder, gut fünfzig Prozent aller katholischen Lehrer, erfaßte. In konfessionellen Konfliktgebieten und mehrheitlich katholischen Regionen stellte er die härtesten Verfechter der Konfessionsschule. Ein kleiner Verband evangelischer Lehrer kam dagegen nie über viertausend Angehörige hinaus. Insgesamt lag der Organisationsgrad der Volksschullehrer vor 1914 mit neunzig Prozent erstaunlich hoch, weit höher als bei den Arbeitern und Angestellten.

Auch diese Tatsache hob das Selbstbewußtsein und führte dazu, daß die aus der städtischen Lehrerschaft stammenden, meist linksliberalen Exponenten des «Lehrervereins» vor 1914 ihre Forderungen höher schraubten. Zu den umstrittensten gehörten die Ausbildung an Hochschulen, das Jahresgehalt mittlerer Beamter, ja das Einkommen der akademischen Oberlehrer. Nicht nur die Verbandspolitik, sondern vor allem auch die drastische Verbesserung der materiellen Lage und des sozialen Status, etwa durch das «Einjährige» und die Mobilitätschancen, verrieten, welch weiter Abstand die Mehrheit der Volksschullehrer vor 1914 von der kärglichen Existenz des Dorfschulmeisters zwei Generationen zuvor trennte.

Von einer homogenen Struktur war das deutsche Elementarschulwesen bis zum Ende des Kaiserreichs dennoch weit entfernt. Teilweise extreme Unterschiede zwischen den verschiedenen Schultypen, in der Schulrealität der Stadt- und Landschulen, in der Lage der Lehrer blieben bis dahin erhalten und wurden als konfliktreiche Probleme an die Nachfolgestaaten weitergegeben.[3]

b) Die Gymnasien und das Vordringen anderer höherer Schulen

Im höheren Schulwesen des Kaiserreichs behielt das Gymnasium weiterhin seine traditionelle «Leitfunktion». Wenn es auch seit den frühen achtziger Jahren unter den Konkurrenzdruck des Realgymnasiums und der Oberrealschule geriet, erst recht seit 1900 nach der Gleichberechtigung aller drei Schultypen, blieb sein Vorrang doch an dem hohen Prozentsatz seiner Abiturienten und an der Zusammensetzung der Bildungseliten ablesbar.

Rund zwei Drittel aller höheren Schulen vor 1914 waren Gemeindeschulen, nur ein Drittel gehörte den Staaten. Die Lehrer waren freilich durchweg Staatsbeamte. Faktisch lehrten sie an staatlich privilegierten Schulen, die sich meistens in Gemeindehand befanden und ganz überwiegend aus dem Kommunaletat finanziert werden mußten. 1875 gab es im Reich dreihundertsechsunddreißig gymnasiale Vollanstalten mit dem Recht zur Entlassung zum Universitätsstudium, die von 93514 Schülern besucht wurden (in Preußen 228 mit 65018 Schülern). Alle höheren Schulen jenseits der Volksschule kamen in diesem Jahr aber schon auf 921 mit 183248 Schülern (Preußen: 447/112186), wie das die Übersicht 111 nachweist.

Übersicht 111: Höhere Schulen und ihre Schüler im Reich und in Preußen 1875 und 1911

		1. Alle höheren Schulen/ Schüler	2. Alle Vollanstalten/ Schüler	3. Alle gymnasialen Anstalten/Schüler	4. Alle gymnasialen Vollanstalten/Schüler
Reich	1875	921/183248	442/127940	505/105140	336/ 93514
	1911	1476/397835	694/295939	623/165165	507/154950
Preußen	1875	447/112186	307/ 91334	261/ 68520	228/ 65018
	1911	845/232692	472/192526	372/107717	341/103702

1) Alle höheren Schulen: Gymnasien, Realgymnasien, Oberrealschulen, Progymnasien, Lyzeen
2) Vollanstalten: alle höheren Schulen bis zum Abitur
3) Alle Gymnasien: Vollanstalten und Progymnasien
4) Alle Gymnasien mit Abitur

Von hundert Schülern gingen auch noch nach der Jahrhundertwende durchschnittlich neunzig Prozent nur zur Volksschule, sechs bis sieben Prozent zu einer höheren Schule; zwei bis drei Prozent besuchten sie bis zur Obersekundareife, nur ein bis zwei Prozent bis zur Oberprima und zum Abitur; in großen Städten konnte der Anteil der höheren Schüler bis auf sechzehn bis siebzehn Prozent mit einer Steigerung der «Einjährigen»- und der Abiturientenzahl hochklettern. Duisburg kam zum Beispiel auf sieben Prozent, München auf elf Prozent, Berlin auf zwölf Prozent höherer Schüler unter ihrer gesamten Schulpopulation.

Trotz der Vielzahl unterschiedlicher höherer Bürger-, Stadt- und Lateinschulen zog das Gymnasium bis in die Mitte der achtziger Jahre noch immer mehr als sechsundsechzig Prozent aller höheren Schüler an sich. Sein Nimbus als Aufstiegsschleuse im Verein mit seiner Leistungsfähigkeit wirkte sich fast ungebrochen weiter aus, obwohl seine Monopolstellung 1870 erstmals in Frage gestellt worden war, als die Realschule 1. Ordnung das Reifezeugnis für das Universitätsstudium der Mathematik, der Naturwissenschaften und der modernen Sprachen ausstellen durfte. Auf der ersten der drei großen «Schulkonferenzen» nach 1871, auf denen die Bürokratie zusammen mit der Schulen- und Lehrerlobby die Weichen für unumgängliche Reformen zu stellen versuchte (1873, 1890, 1900), kam das Gymnasium jedoch noch ungeschoren davon. Kultusminister Falk wollte auf der Konferenz von 1873 – ganz auf Süverns Linie von 1819 – ein vereinheitlichendes Gesetz für alle Bildungsinstitutionen durchsetzen, scheiterte aber mit dieser Sisyphusarbeit, längst ehe er entlassen wurde.

Die Rivalen des Gymnasiums konnten jedoch nicht mehr länger aufgehalten werden. 1882 wurde die Realschule 1. Ordnung zum Realgymnasium aufgewertet, das binnen kurzem einen kräftigen Sog entwickelte; höhere Bürgerschulen konnten in Realprogymnasien (mit jeweils Englisch, Französisch und Latein) ohne Oberstufe verwandelt werden. Bereits im folgenden Jahr wurden die Realschulen 2. Ordnung und die Gewerbeschulen, die beide wegen ihrer lateinlosen Ausbildung ebenso lebhaft befehdet wie begrüßt wurden, zu Oberrealschulen gemacht. Zwar gab es seither drei nominell gleichgestellte höhere Schulen, aber die beiden neuen Anstalten besaßen nur ein eingeschränktes Abitursrecht, so daß ihr Kampf um volle Gleichberechtigung seither nicht mehr nachließ. Erst die Zulassung ihrer Absolventen zur Universität gewährleistete den begehrten Zugang zu exklusiven Arbeitsmärkten und das damit verkoppelte Sozialprestige.

Auf der Zweiten Schulkonferenz von 1890 bemühte sich Kultusminister v. Goßler darum, den Zugang zum Gymnasium und zur Universität wegen der Überfüllungskrise in den achtziger Jahren mit vertrauten Methoden zu drosseln und damit gleichzeitig die Statusjagd der beiden Rivalen des Gymnasiums abzubremsen. Goßlers Vorhaben mißlang. Es wäre auch kontraproduktiv gewesen, da etwa die Anzahl der preußischen Lehramtsprüfungen, die 1884/85 noch sechshundertachtundzwanzig betragen hatte, bis 1893/94 auf hundertdreiundachtzig abgefallen war. Der neue Gymnasiallehrplan von 1892 wertete den Deutsch- und Geschichtsunterricht auf, verringerte die Griechisch- und Lateinstunden, gab dem Sport- und Turnunterricht sein Recht. Die Realgymnasien und Oberrealschulen konnten jedoch nicht mehr zurückgedrängt werden, vielmehr setzten sie ihr verbissenes Ringen um volle Gleichrangigkeit ungemindert fort.

Die Dritte Schulkonferenz von 1900, der von Ministerialdirektor Friedrich Althoff, der Schlüsselfigur im Kultusministerium für alle Universitätsfragen, der Weg geebnet worden war, hat dann das Abitur aller neunjährigen höheren Schulen als Aufnahmeprüfung für die Universität anerkannt. Oberrealschulen mußten Lateinkurse anbieten, damit Fächer, die wie Medizin und Jura die Kenntnis dieser Sprache voraussetzten, studiert werden konnten. Erst 1907 erkannten aber die Mediziner jedes Abitur an, während die Theologen – hinter dem Schutzpanzer der verlangten Hebräischkenntnisse – unvermindert auf dem Gymnasialmonopol beharrten.

Erst vierzig Jahre nach der Gründung des Realgymnasiums, zwanzig Jahre nach der der Oberrealschule war ihnen damit zu Beginn des neuen Jahrhunderts der Durchbruch zur formellen Gleichberechtigung mit dem Gymnasium im Sinne des Zugangs zur Universität gelungen. Die Aufhebung der überlebten Ungleichbehandlung bedeutete eine säkulare Zäsur, da jetzt eine radikale Verschiebung des Schülerzustroms einsetzte. Der prozentuale Anteil der Schüler an den Gymnasien fiel von 1900 = sechzig Prozent auf 1911 = fünfundfünfzig Prozent, aber 1918 = neununddreißig Prozent, an den Realgymnasien stieg er dagegen in diesen Stichjahren von vierzehn über achtzehn auf siebenundzwanzig Prozent, an den Oberrealschulen von siebenundzwanzig über achtundzwanzig auf immerhin vierunddreißig Prozent. Die unzweideutige Bilanz: Das Gymnasium verlor mit dem prozentualen Verlust von nahezu einem Drittel seiner Schülerschaft, die es noch vor vierzig Jahren besessen hatte, beträchtlich an Boden. Auf seine Kosten erwies sich das Realgymnasium als der eigentliche Gewinner, während die Oberrealschule ein langsameres Wachstum verzeichnete. Von den rund dreihunderttausend Schülern, die 1911 die sechshundertvierundneunzig höheren Lehranstalten im Reich besuchten (Preußen 472/192526), entfielen aber immer noch rund hundertfünfundsechzigtausend auf das neuhumanistische Gymnasium, rund achtundsiebzigtausend auf die Oberrealschule und rund zweiundfünfzigtausend auf das Realgymnasium. Bis zum Ende des Kaiserreichs ist dann jedoch der Vorsprung des Gymnasiums – mit anfangs zwei Dritteln aller höheren Schüler - vor allen anderen höheren Bildungsanstalten auf nur mehr fünf Prozentpunkte vor der Oberrealschule zusammengeschrumpft. Nach gut dreißig Jahren hatten sich alle drei höheren Schulen zu in etwa vergleichbaren Typen derselben Ausbildungsinstitution mit gleichgestelltem Abitur entwickelt.

Mit der Diversifizierung des Bildungsangebots hing es auch zusammen, daß die Anzahl der höheren Schüler von 1871 bis 1918 dreimal so schnell wie die reichsdeutsche Bevölkerung anwuchs. Um Mißverständnissen vorzubeugen, muß man sich aber noch einmal klarmachen, daß die große Mehrheit der höheren Schüler nach der Ableistung der Schulpflicht, spätestens nach dem Erwerb des Rechts auf den «Einjährigfreiwilligendienst» (schließlich also mit der Obersekundareife) ihre Schule verließ. Nur eine kleine Minderheit von fünf bis höchstens acht Prozent legte das Abitur ab, das waren etwas mehr als ein Prozent der achtzehnjährigen Bevölkerung; davon entschieden sich im allgemeinen fünfundsechzig bis fünfundsiebzig Prozent für das Studium, fünfzehn bis zwanzig Prozent für den Öffentlichen Dienst, nur zehn Prozent für Industrie und Handel.

Erst seit 1908 durften Mädchen in Preußen das Abitur ablegen, freilich nur als Externe an Jungengymnasien, und seit 1900 gab es in Deutschland sogar erste Diskussionen und Experimente mit der Koedukation, einem leibhaftigen Schreckgespenst zahlreicher wilhelminischer Bürgerfamilien.

Die soziale Zusammensetzung der Gesamtheit der höheren Schülerschaft dementiert die Behauptung von der unverändert perpetuierten Elitenrekrutierung. Je nach dem Charakter der Schule schwankte der Anteil der Söhne aus dem Bildungs- und Besitzbürgertum zwischen dreißig und sechzig Prozent der Schüler. Allerdings stellte das Bildungsbürgertum noch immer dreißig bis fünfzig Prozent der Gymnasiasten, vor allem aber siebzig bis achtzig Prozent der Abiturienten. Die Mehrheit der Bildungseliten kam daher bis in die 1920er Jahre hinein, weit über die formelle Gleichberechtigung von 1900 hinaus, vom Gymnasium. Insofern lief in der Tat die traditionelle Scheidelinie weiter durch das System der neuhumanistischen Gymnasien und der anderen höheren Schulen, sie verkörperte die auffälligste Kontinuität in der gesamten Population der höheren Schüler. Denn dreißig bis sechzig Prozent von ihnen stammten schließlich aus den bürgerlichen Mittelklassen der Kleingewerbetreibenden, der mittleren Beamtenschaft und der Mittelbauern, die Volksschullehrerfamilien nicht zu vergessen. Da dieser Herkunftsanteil in der ersten Jahrhunderthälfte manchmal, aber noch nicht regelmäßig bis zu vierzig Prozent erreicht hatte, ist die soziale Offenheit des Gymnasiums unstrittig gestiegen.

An den Realgymnasien und Oberrealschulen gab es demgegenüber von vornherein eine große Mehrheit von Schülern aus den bürgerlichen Mittelklassen, vor allem aus dem «alten Mittelstand» und dem jungen Wirtschaftsbürgertum. Dort wirkte sich die Attraktion der neuen technischen Berufe, damit anschließend auch der Technischen Hochschulen, am stärksten aus. Der Vergleich mit den Volksschülern zeigt, daß die Ober- und Unterklassen auch «nahezu homogene Bildungsklassen» formierten, «die sich dichotomisch gegenüberstanden», während die städtischen und ländlichen Mittelklassen an allen Schultypen vertreten waren und daher zu «heterogenen Bildungsklassen» tendierten.

Die soziale Durchmischung im höheren Schulsystem läßt die Interpretation nicht zu, daß dort eine klassenegoistische Versäulung und zielstrebige hierarchische Exklusionspolitik zugunsten der Oberklassen durchgesetzt werden konnte (vgl. schon 5. Teil, V. 2b). Vielmehr läßt sich eine parallele, horizontale Segmentierung mit ungleich mehr Überzeugungskraft konstatieren. Den Söhnen der alten bildungs- und wirtschaftsbürgerlichen Oberklassen wurde von ihren Familien – selbstverständlich, möchte man sagen – der Zugang zu diesem «kulturellen Kapital», das erfahrungsgemäß ohne große Umstände in «soziales» und «materielles Kapital» verwandelt werden konnte, nach Kräften erleichtert, zumal dadurch die Chancen der Berufsvererbung immens verbessert wurden. Die höheren Schulen, auch die Gymnasien, bildeten keinen sorgsam abgeschotteten bildungsaristokratischen Exklusivraum. Vielmehr haben sie sich sozial stetig weiter geöffnet, bis sich schließlich auch die Zusammensetzung der Abiturientenschaft, nimmt man alle höheren Schulen zusammen, drastisch veränderte. Am längsten hielt sich noch die Trennungslinie zwischen Bildungsbürgertum und jüngerem Wirtschaftsbürgertum an den traditionellen Gymnasien. Dieser Befund reicht jedoch für die generalisierende These einer elitären Isolierung nicht aus.

Die eindrucksvolle Expansion des höheren Schulwesens setzte Optionen zur Wahrnehmung der unterschiedlichen Bildungschancen voraus. Längst nicht jede Stadt hatte aber eine Mittelschule oder gar eine höhere Schule anzubieten, obwohl die Stadtbevölkerung, das klassische Rekrutierungsfeld der höheren Schülerschaft, von 1871 bis 1914 rechtlich von zweiunddreißig auf siebenundvierzig Prozent, sozialstatistisch sogar von siebenunddreißig auf zweiundsechzig Prozent anwuchs. Vor 1914 gab es maximal fünfzehnhundert Mittelschulen und achthundertfünfzig höhere Schulen. Um 1900 ergibt ein Sample von vierhundert preußischen Städten mit mindestens einer höheren Schule, daß dort insgesamt rund sechshundert höhere Schulen existierten. Nicht mehr als hundertzwanzig dieser Städte boten eine alternative Wahlmöglichkeit an, fünfzig das Abitur an verschiedenen höheren Schulen, nur ganze zwanzig die Wahl zwischen allen drei Typen der höheren Vollanstalt. Ein anderer Befund ergibt, daß zweihundertfünfzig Städte mit fünf- bis zwanzigtausend Einwohnern eine höhere Schule besaßen; von neunundsechzig Städten mit mehr als vierzigtausend Einwohnern konnten aber nur neunundzwanzig alle drei höheren Schulen mit dem Abitursrecht zur Wahl stellen.

Solche Ergebnisse vermitteln eine realistische Vorstellung davon, wie limitiert zum einen die Optionen für den Zugang zu höheren Schulen waren – und weshalb die Zahl der auswärtigen Schüler in Internaten so konstant hoch blieb! – und wie privilegiert zum andern die Orte mit traditionsreichen Gymnasien und Bürgerschulen dastanden. Zweifellos blieben die Berufschancen in hohem Maße weiterhin abhängig von der Herkunft und Schulbildung – aber eben auch vom Wohnort. Im übrigen waren die Chancen relativ breit gestreut: Die Oberklassen besaßen – wen überrascht es? – am ehesten die Möglichkeit, dafür zu sorgen, daß ihre Söhne, schließlich auch ihre Töchter an den Lyzeen, «oben» blieben. Die Kinder der Mittelklassen blieben gewöhnlich Angehörige ihres Sozialmilieus, gewannen jedoch in rasch wachsendem Ausmaß neue Aufstiegschancen. In den Unterklassen dagegen hielt sich die Erfahrung, auf der tiefsten Position in der Sozialhierarchie gewissermaßen festgefroren zu werden, als ihr «Massenschicksal».

Gegen den Charakter des Gymnasialunterrichts hatte sich jahrzehntelang, und wahrlich mit guten Gründen, der Vorwurf gerichtet, daß Mathematik und Naturwissenschaften viel zu wenig berücksichtigt würden. Am neuhumanistischen Gymnasium dominierte nun einmal von Anfang an die Einführung in die klassischen Sprachen. Anfangs nahm sie die dreifache Zeit des Mathematik- und Naturwissenschaftenunterrichts in Anspruch, seit 1882 immer noch die doppelte. Das hieß in der sechstägigen Schulwoche: sieben bis neun Stunden Latein und sechs Stunden Griechisch; Englisch galt erst seit 1898 dem Französischen als ebenbürtig, beide «modernen» Sprachen wurden aber nur in wenigen Stunden unterrichtet. Sie dienten nicht der Beherrschung der Umgangssprache, sondern dem Grammatikdrill, wie er beim Latein auf der Mittel- und Unterstufe üblich war. An den Realgymnasien dagegen nahm der Sprachunterricht von Anfang an nur zwanzig bis vierzig Prozent, an den Oberrealschulen sogar nur zwanzig Prozent des Unterrichts in Anspruch, wobei die modernen Sprachen sich zusehends nach vorn schoben. Dafür gewannen Mathematik, Physik, Chemie und Biologie ein ganz anderes Gewicht als an den Gymnasien.

Erst seit den sechziger Jahren kam die «Nationalliteratur» im Deutschunterricht nachhaltiger zur Geltung, führte aber alsbald zu einer öden Kanonisierung der Geistesheroen der «deutschen Klassik». Im Geschichtsunterricht herrschte die Unterweisung in Alter Geschichte vor, nach 1871 rückten die deutsche Neuzeitgeschichte und der borussische Aufstiegsmythos weiter nach vorn. Bis zum Untergang des Kaiserreichs konnte sich jedoch die Verklärung der antiken griechischen Polis und der römischen Republik im Mittelpunkt behaupten.

Ein definitives Urteil über die Leistungsfähigkeit der verschiedenen höheren Schulen ist nicht leicht zu fällen. Es sieht aber ganz so aus, als ob die Gymnasien weiterhin den «Generalisten» ausgebildet hätten, der sich im Berufsleben als flexibel, anpassungsbereit und lernfähig erwies, während die Realgymnasien und Oberrealschulen direkter den künftigen Spezialisten für die naturwissenschaftlichen Fächer an der Universität, vor allem aber für die Technischen Hochschulen förderten.

Die Zahl der rund viertausend Lehrer an den höheren Schulen des Jahres 1871 hat sich bis 1914 auf rund siebzehntausend mehr als vervierfacht. Aber nicht nur die numerische Expansion hat die Geschichte dieser Lehrerschaft geprägt, sondern eine Reihe von wichtigen Veränderungsprozessen. An erster Stelle steht die Normierung des Zugangs zu dieser beamteten Berufsklasse, die ihre Privilegien eifersüchtig hütete und zielstrebig ausdehnte.

Die fachwissenschaftliche Spezialisierung führte zu stetig differenzierteren Anforderungen an die Lehrer, damit sie einer zeitgemäß vielseitigen Ausbildung der Schüler gerecht wurden. Noch die Prüfungsordnung von 1866 hatte den alten Kanon von vier Fachgebieten wiederholt (Philologie, Religion und Hebräisch, Mathematik und Naturwissenschaften, Neue Fremdsprachen), während etwa die neue Prüfungsordnung von 1898 schon fünfzehn Fachgebiete mit selbständiger wissenschaftlicher Lehrberechtigung anerkannte. Diese Spezialisierung führte folgerichtig zur Auflösung des neuhumanistischen Ideals der Allgemeinbildung. Die seit 1887 vorherrschende reine Fachprüfung trieb die Entwicklung des Lehrers zum «fachlich geprägten Unterrichtsbeamten» zügig voran.

1898 wurde, im Vorfeld der Entscheidung von 1900, erstmals ein einheitlicher, gleichwertiger Befähigungsnachweis für alle Lehrer an den höheren Schulen verlangt. Bis dahin hatte die Lehrberechtigung für die Oberstufe das sorgsam gehütete Privileg des eigentlichen Oberlehrers ausgemacht, das ihn bei der Anstellung, Besoldung und Beförderung begünstigte. Jetzt erst entstand der einheitliche Typus des Oberlehrers, der ein Fach für sämtliche Klassen einschließlich der Oberstufe und zwei weitere Fächer für die Mittelstufe beherrschen mußte. Diese Generalisierung der Ansprüche förderte trotz der empörten Opposition der bisherigen schulinternen Oberschicht die innere Homogenität der höheren Lehrerschaft. Schließlich setzte sich auch eine zweiphasige Berufsvorbereitung durch. Fast durch das ganze 19. Jahrhundert hindurch hatte es nach der Universitätsprüfung nur hier und da eine praktische Ausbildung an einem sogenannten Seminar gegeben. Bis 1890 gab es nur elf davon in Großstädten – eine völlig «unzureichende Kapazität» für die Junglehrer im ganzen Land. Übrig blieb nur eine provisorische Einführung in die Realität des Schulalltags während des Probejahrs. Erst 1890 wurde eine zweijährige Vorbereitungsphase mit einem Seminar- und einem Probejahr vorgeschrieben, und die pädagogische Eignungsprüfung einschließlich zweier Lehrproben folgte sogar erst 1917.

Aufgrund der Vereinbarungen über die wechselseitige Anerkennung der Zeugnisse (1889, 1904) setzte sich die Vereinheitlichung der Lehrerausbildung im ganzen Reich durch, wobei die preußischen Normen von 1890 und 1898 für die «überwiegende Mehrheit» der Lehrer an höheren Schulen verbindlich wurden. Sogar die bayerischen und württembergischen Sonderregelungen wurden bis 1912/1913 angepaßt. Auf diese Weise entstand im letzten Friedensjahrzehnt eine homogene, beamtete Berufsklasse von Oberlehrern mit gehobenem Lebensstandard, hohem Prestige und organisierter Durchsetzungsmacht.

Im Kaiserreich haben diese Lehrer eine auffällige «Verbesserung ihrer sozialen Lage» und eine beträchtliche Anhebung ihres gesellschaftlichen Status erfahren. Der «stürmische Ausbau» der höheren Schulen in den sechziger und siebziger Jahren war von einer unerwarteten Stellenvermehrung begleitet worden. Noch aber charakterisierte die Lehrerschaft an den höheren Schulen eine verwirrende Heterogenität der Einkommen und der sozialen Ehre. Insbesondere drei Trennungsgräben liefen durch diese Berufsklasse hindurch: Ihre Stellung hing ab von der Position im Stellenkegel der eigenen Schule – die Kluft zwischen dem Oberlehrer in der Prima und dem Elementarlehrer für Zeichnen konnte tiefer nicht sein. Der Stellenwert der Schule in der Hierarchie der Schultypen spielte eine maßgebliche Rolle. Das tat auch der Rang des Schulträgers, da sich stolze, vorzüglich ausgestattete Staatsgymnasien einer aufstrebenden jungen Stadtschule haushoch überlegen dünkten.

Bis zu den Entscheidungen über die Prüfung (1898) und die Gleichberechtigung der Schulen (1900) war das interne Gefälle aber bereits weithin vermindert worden, und die Konsolidierung als homogene Berufsklasse machte schnelle Fortschritte. Vor 1914 gehörten die Oberlehrer zu den vier Prozent an der Spitze der Einkommenspyramide, und wer von ihnen eines der Höchstgehälter erhielt, wurde nur von einem Prozent aller Einkommensempfänger übertroffen.

Das Gehaltsniveau wurde in mehreren Schüben demjenigen der «privilegierten Beamtenklassen» angeglichen. 1872 gab es eine kräftige Erhöhung, die den Lehrern ein Jahresgehalt von 1600 bis 4500 Mark (in Berlin von 2100 bis 5100 Mark) garantierte. Damit rückten sie an die beneidete Referenzgruppe der Richter dichter heran, zumal 1886 alle Gymnasiallehrer zu Räten fünfter Klasse ernannt wurden. Das Diensteinkommensgesetz von 1892 führte die Besoldung nach Dienstaltersstufen, also das bequeme Senioritätsanstelle des Leistungsprinzips ein, wonach Oberlehrer ein jährliches Mindestgehalt von 2100, nach siebenundzwanzig Dienstjahren aber von 4500 Mark erhielten. Dadurch wurde ein einheitliches Laufbahn- und Einkommenssystem geschaffen, das übrigens auch die Gemeinden dazu zwang, die bessere Besoldung des Normaletats der Staatsschulen zu übernehmen. Infolgedessen stieg zum Beispiel der Anteil der Kommunalbeihilfe für die Gymnasien von vierundzwanzig auf vierunddreißig Prozent, die Höhe der staatlichen Zuschüsse von siebzehn auf dreißig Prozent; der Rest mußte durch das elterliche Schulgeld aufgebracht werden.

1907 folgte endlich die jahrzehntelang begehrte Gleichstellung mit den Richtern und höheren Verwaltungsbeamten. Das bedeutete für die Mehrheit der mittleren und oberen Gehaltsempfänger unter den Oberlehrern einen erquicklichen Anstieg des Gehalts von 3000 bis 4500 auf 4800 bis 7200 Mark; nur die unterste Gehaltsstufe wurde zehn Jahre lang auf dem Stand von 2700 Mark eingefroren. Obwohl der Status der Lehrer an den verschiedenartigen Stadtschulen noch immer strittig war, gab es doch ein Abschleifen der gravierenden Unterschiede als Folge der vereinheitlichten Beamtenstellung, die durch die Besoldungsregeln, die Pensionierung und die Hinterbliebenenfürsorge abgerundet wurde. Dabei hat die staatliche Normenfixierung eindeutig eine Vorreiterrolle übernommen, deren Ergebnisse bei der Normierung des Karrierewegs von unten nach oben verallgemeinert wurden.

Die Einkommens- und Statusanhebung kann man ziemlich klar nach drei Lehrergenerationen differenzieren. Die zwischen ca. 1840 und ca. 1855 geborenen Lehrer waren die Gewinner eines glänzenden Aufstiegs, der ihnen freilich als mühsam erkämpfte Errungenschaft präsent blieb. Im allgemeinen schieden sie mit dem Ende des Kaiserreichs aus dem Schuldienst aus. Die jungen Lehrer dagegen, die seit 1900 auf Planstellen übernommen wurden, setzten die attraktive Laufbahn schon als Selbstverständlichkeit voraus. Für sie hatte auch auf der mittleren oder unteren Gehaltsstufe eine helle Zukunft begonnen. 1910 waren immerhin zweiundvierzig Prozent aller preußischen Oberlehrer weniger als vierzig Jahre alt. Diese Generation bestimmte das öffentliche Erscheinungsbild des «Philologen»: Typisch für sie war die selbstbewußt-arrogante Abgrenzung von der Volksschullehrerschaft und der bittere, nostalgisch vergleichende Rückblick auf das Kaiserreich während der Weimarer Republik.

Ihren gesellschaftlichen Aufstieg und Prestigegewinn hatten die Lehrer der höheren Schulen auch der Organisierung in Interessenverbänden zu verdanken. Seit der Jahrhundertmitte stellte der wirtschaftsbürgerliche Aufstieg, die Industrielle Revolution, das Verblassen der neuhumanistischen Bildungsidee, die Konkurrenz der Realschulen, die Heterogenität der Lehrerschaft ihren Status zusehends in Frage. Als Reaktion darauf kam vor allem in den siebziger und achtziger Jahren eine energisch betriebene Vereins- und Versammlungsbewegung in Gang, die dazu führte, daß bis 1885 überall Provinzialverbände entstanden waren. Die inneren Frontlinien, die sich wegen der verschiedenen Schultypen und harten Berechtigungskämpfe herausgebildet hatten, wurden allmählich in einheitlichen Verbänden für die Lehrer an allen höheren Schulen überwunden. Seit 1900 bestand in den Einzelstaaten des Reiches jeweils ein «schultypenübergreifender Einheitsverband», der die Berufsklasseninteressen artikulierte und mit Petitionen und Flugschriften auf die öffentliche Meinung und die politischen Entscheidungsgremien einwirkte. Gegen sozioökonomisches Entgegenkommen boten die Lehrerverbände die bereitwillige Kooperation unentbehrlicher, staatstragender Fachkräfte an, die als Beamte noch nicht von fern an den Aufbau einer «Gegenmacht» dachten.

Schließlich entstand 1903 aus dem Zusammenschluß von vierunddreißig Vereinen eine «einheitliche Reichsorganisation» im «Vereinsverband der akademisch gebildeten Lehrer Deutschlands» (seit 1921 «Deutscher Philologenverband»). Bis 1908 hatten sich ihm alle Lehrervereine angeschlossen, so daß seine 16580 Mitglieder nahezu alle höheren Lehrer erfaßten – ihr Organisationsgrad lag bei erstaunlichen fünfundneunzig Prozent. Vor 1914 standen daher die Lehrer an den höheren Schulen als eine konsolidierte, in den Staat fest integrierte, vorzüglich bezahlte, mit den Richtern und höheren Verwaltungsbeamten gleichgestellte, den Ratstitel genießende Berufsklasse von Unterrichtsbeamten da, die in den nationalen Verbänden und Parteien der «Sammlungspolitik» besonders aktiv für den Imperialismus, den Schlachtflottenbau und die Germanisierungspolitik eintraten.[4]

3. Die Universitäten als Vorbild der wissenschaftlichen Welt

Wie kritisch man auch immer der autoritären politischen Struktur des Kaiserreichs oder den schroffen Unterschieden in seiner Sozialhierarchie gegenübersteht, im Bildungswesen gab es nicht nur im Bereich der Elementarschulen und aller höheren Schulen einen eindrucksvollen Ausbau. Vielmehr zeichnete sich auch das System der Universitäten und anderen Hochschulen durch eine außerordentlich kraftvolle, bis dahin beispiellose Expansion aus, deren Ausmaß erst durch die «Bildungsrevolution» seit den späten 1960er Jahren von der Bundesrepublik übertroffen worden ist. Auch das eigentümliche Spannungsverhältnis zwischen dem semikonstitutionellen Machtstaat mit seiner marktbedingten Klassengesellschaft einerseits, der Leistungsfähigkeit des «Kulturstaats» mit seiner Förderung des Schulwesens und der Wissenschaften andrerseits verleiht dem Januskopf des Deutschen Reiches scharfgezeichnete Konturen.

An den zweiundzwanzig deutschen Universitäten vollzog sich, überblickt man die vier Friedensjahrzehnte, in vielfacher Hinsicht ein fundamentaler Wandel, der sich zuerst einmal an der Frequenz der Studenten, an ihrer Verteilung auf die Fakultäten und an der Veränderung ihrer Sozialstruktur augenfällig ablesen läßt. Zwischen 1830/31, als die deutsche Studentenpopulation ihren ersten Gipfel (15870) erreichte, und 1870 hatte volle vierzig Jahre lang entweder Rückgang oder doch Stagnation vorgeherrscht, bis 1874 (16347) erstmals die Immatrikulationsziffer von 1830/31 wieder erreicht und etwas übertroffen wurde (vgl. 5. Teil, V.4). An den folgenden vierzig Jahren von 1870 bis 1914 sticht dagegen ins Auge, daß sich die Studentenschaft an den deutschen Universitäten von rund vierzehntausend um nicht weniger als dreihundertfünfundzwanzig Prozent auf rund sechzigtausend vermehrte, während die Reichsbevölkerung «nur» um achtundfünfzig Prozent anstieg. Wenn man die Studenten der Technischen Hochschulen und anderer Hochschulen aus guten Gründen in den statistischen Überblick mit einbezieht, kommt man sogar auf eine Vermehrung von rund achtzehntausend auf insgesamt fast achtzigtausend Studenten und auf erstaunliche dreihundertsechsundvierzig Prozent (vgl. Übersicht 112, S. 1211).

Zu den neunzehn Universitäten, die 1870 bereits bestanden, kamen 1872 die «Reichsuniversität» Straßburg, 1902/14 die zur Universität ausgebaute Akademie Münster und im Herbst 1914 die aus der 1901 gegründeten «Akademie für Handels- und Sozialwissenschaften» hervorgehende, auf einem privaten Stiftungsvermögen basierende Universität Frankfurt hinzu – nicht nur als private Schöpfung ein Unikat unter den deutschen Staatsuniversitäten, sondern auch die erste deutsche Universität mit einer eigenen Naturwissenschaftlichen und Wirtschaftswissenschaftlichen Fakultät. Neugründungen nach 1871 waren auch die Technischen Hochschulen in Berlin, Danzig und Breslau sowie die sieben Handelshochschulen in Leipzig (1898), Köln (1901), Frankfurt (1901), Berlin (1906), Mannheim (1907), München (1910) und Königsberg (1915). Da aus der Frankfurter Handelshochschule die Stiftungsuniversität hervorging, wurden in der Zeit des Kaiserreichs zwölf beziehungsweise dreizehn, allein zwischen 1898 und 1914 zehn neue Hochschulen gegründet. Das ist eine Erfolgsbilanz, die erst ein halbes Jahrhundert später übertroffen werden sollte.

Übersicht 112: Die Studentenexpansion an den deutschen Universitäten und Hochschulen 1870–1914

I. Die Universitäten 1871–1914

	1871	1881	1891	1901	1914
1. Berlin	2208	3709	4278	6673	8024
2. Bonn	671	1070	1367	1917	4524
3. Breslau	913	1380	1297	1638	2771
4. Erlangen	294	462	1078	967	1302
5. Frankfurt	(1914)	–	–	–	618
6. Freiburg	204	683	1138	1218	3178
7. Gießen	233	402	562	847	1432
8. Göttingen	669	1002	838	1317	2733
9. Greifswald	439	644	824	726	1456
10. Halle	833	1293	1407	1731	2624
11. Heidelberg	539	825	1171	1280	2668
12. Jena	336	508	645	681	2007
13. Kiel	112	344	620	780	2642
14. Königsberg	512	841	689	874	1551
15. Leipzig	1803	3183	3242	3586	5359
16. Marburg	338	701	913	1053	2464
17. München	1107	1824	3551	4184	6626
18. Münster	(1902/12)	–	–	733	2082
19. Rostock	108	198	368	512	1009
20. Straßburg	(1872)	770	917	1132	1959
21. Tübingen	671	1214	1373	1350	2219
22. Würzburg	673	969	1422	1164	1605
Gesamtzahl	13068	22322	28077	34363	60853

II: Alle Hochschulen 1870–1914

Jahr	Universitäten	Technische Hochschulen	Gesamtzahl	Mit anderen Hochschulen*
1870	14157	2242	16399	17800
1880	20985	4394	25379	27270
1890	28883	3661	32544	35000
1900	33790	10253	44043	48880
1910	53378	10591	63969	70275
SS 1914	60225	11451	71676	79305

* Dazu gehören sieben Handelshochschulen, je vier Landwirtschaftliche und Forstwirtschaftliche Hochschulen, sechs Veterinärmedizinische und drei Bergbauliche Akademien und fünf Katholische Seminare bzw. Hochschulen; zu den elf Technischen Hochschulen vgl. V.4.

An der Frequenzrangordnung der Universitäten hat sich wenig geändert. 1871 waren die drei größten Universitäten: 1. Berlin (2208), 2. Leipzig (1803) und 3. München (1107). Vierzig Jahre später hatte sich in der Reihenfolge nur München vorgeschoben: 1. Berlin (8024), 2. München (6626) und 3. Leipzig (5359). Bei den drei kleinsten Universitäten von 1871, den Zwerganstalten in Rostock (108), Kiel (112) und Gießen (223), ist bis 1914 nur Erlangen an die Stelle von Kiel getreten: 1. Rostock (1009), 2. Erlangen (1302) und 3. Gießen (1432). In Berlin studierten bis 1890 rund siebzehn, danach bis 1914 nur noch rund fünfzehn Prozent aller Universitätsstudenten. Der Rückgang hing vor allem damit zusammen, daß sich die Attraktion der mittelgroßen Universitätsstädte immer nachhaltiger geltend machte – das zeigt sich am Mittelfeld der elf Universitäten mit mehr als zweitausend Studenten in solchen Städten. An den drei größten Universitäten studierten rund fünfunddreißig Prozent, an den fünf größten (bis 1914 kamen zu den ersten drei noch Bonn (4524) und Freiburg (3178) hinzu), also an einem Viertel der Universitäten, durchweg die Hälfte aller Studenten. Im Hinblick auf extreme Größe und Kleinheit hielt sich mithin eine relativ stabile Ungleichverteilung.

Wie sich die steil emporschnellende Studentenzahl für die verschiedenen Fakultäten entschied und damit dramatische Veränderungen auslöste – das eröffnet einen aufschlußreichen Einblick in die Binnenstruktur der Universitäten.

Übersicht 113: Die Verteilung der Universitätsstudenten auf fünf Fakultäten 1870–1914 (Fünfjahresdurchschnitte; prozentuale Anteile)

Jahre	Evangel. Theologie	Kathol. Theologie	Jura	Medizin	Phil. Fakultät
1870/74	11.3	5.1	24.0	24.4	35.7
1880/84	13.3	3.3	21.6	23.0	38.9
1890/94	13.3	4.8	24.9	29.1	27.8
1900/04	6.1	4.5	29.5	17.9	41.9
1910/14	5.7	3.3	18.4	20.4	49.6

Die Theologen, die bereits bis 1850 auf nur mehr ein Drittel ihrer Höchstzahl von 1830 abgefallen waren und diese Immatrikulationsziffer erst 1914 wieder erreichen sollten, gingen von 1870 (16.4%) ab weiter auf neun Prozent aller Studenten zurück. Die Juristen hatten ihren Spitzenplatz bereits 1860 verloren. Ihre Anzahl pendelte um ein Viertel der Studentenschaft herum, fiel aber wegen der abschreckenden Überfüllung ihrer Arbeitsmärkte bis 1914 auf sechzehneinhalb Prozent. Die Mediziner dagegen, die 1850 erst fünfzehn Prozent ausgemacht hatten, kletterten seither in die Höhe, bis sie Anfang der neunziger Jahre rund dreißig Prozent stellten, ehe sie sich nach der Jahrhundertwende bei rund einem Fünftel einpendelten, 1914 aber offenbar mit ihren dreißig Prozent wieder im Begriffe waren, in eine neue Aufschwungphase einzutreten. Die Philosophische Fakultät, dieses große Sammelbecken aller Geistes- und Naturwissenschaften, hatte bereits zu Beginn des Kaiserreichs den Spitzenrang gewonnen, kletterte in den folgenden zehn Jahren auf rund neununddreißig Prozent, erlitt wegen der Folgen der akademischen Überfüllungskrise in den späten achtziger Jahren einen Rückschlag, lag aber bis 1900 bei zweiundvierzig Prozent und umfaßte 1914 rund die Hälfte aller Universitätsstudenten.[5]

Mit der gewaltigen Frequenzzunahme verband sich eine tiefreichende Veränderung der sozialen Rekrutierungsfelder der Studentenschaft. Die Söhne des Bildungsbürgertums hatten bis zur Jahrhundertmitte noch immer die Hälfte aller Studenten gestellt, aber im Verlauf der Industriellen Revolution war ihr Anteil bis 1870 bereits auf fünfunddreißig Prozent zurückgegangen. Von 1871 bis 1914 blieb er zwar in absoluten Zahlen weiterhin bemerkenswert hoch, der prozentuale Rückgang hielt jedoch wegen des enormen Zustroms von Studenten aus bisher universitätsfernen Klassen und Familien weiter an. Allerdings ergibt sich dabei ein ambivalentes Bild.

An denjenigen Universitäten, die vom Bildungsbürgertum traditionell bevorzugt wurden, wie etwa Berlin und Leipzig, Bonn und Tübingen, behauptete es mit gewissen Schwankungen im Grunde in einem erstaunlichen Maße bis 1914 einen Anteil von fast einem Drittel aller Studenten. Das läßt sich an einigen Beispielen klar nachweisen, wobei die vorn (5. Teil, V.4) bereits genau erörterten, von den Universitätshistorikern vorgegebenen Kategorien des Bildungsbürgertums (1), des Wirtschaftsbürgertums (2) und der kleinbürgerlichen Klassen (3) einer zugegebenermaßen ziemlich groben Unterscheidung dienen. So veränderte sich etwa an der «Zentraluniversität» Berlin bei einer völlig hinreichenden Größe des Jahressamples von stets mehr als sechzig Prozent die soziale Herkunft der Studenten folgendermaßen:

1870	1. 38.0%	2. 32.8%	3. 29.2%
1880	1. 30.1%	2. 41.6%	3. 27.8%
1890	1. 33.2%	2. 41.6%	3. 25.6%
1900	1. 33.8%	2. 40.5%	3. 25.7%
1909/10	1. 31.7%	2. 39.8%	3. 29.6%

Für die Universität Leipzig gelten bei ungefähr vergleichbaren Kategorien die tendenziell ähnlichen prozentualen Anteile, die jeweils in Fünfjahresdurchschnitten erfaßt sind:

1874/79	1. 37.5 %	2. 32.6 %	3. 29.9 %
1884/89	1. 36.0 %	2. 35.8 %	3. 28.2 %
1894/99	1. 33.6 %	2. 38.9 %	3. 27.5 %
1904/09	1. 35.5 %	2. 38.4 %	3. 21.5 %
1909	1. 29.7 %	2. 38.4 %	3. 31.9 %

Ziemlich ähnliche Werte ergibt ebenfalls das Sample in Übersicht 114, das im ersten Teil mit seinem grobmaschigen Schema die durchschnittliche Sozialstruktur an fünf Universitäten wiedergibt. Ein insbesondere im Hinblick auf den bildungsbürgerlichen Anteil andersartiges und sehr wahrscheinlich realitätsnäheres Bild ergibt sich jedoch aus dem zweiten Teil dieser Übersicht. Ihm liegt die Analyse der sozialen Herkunft der preußischen Studenten in der Zeitspanne von 1875 bis 1900 und im Wintersemester 1902/03 zugrunde. Da die Hälfte aller Universitäten mit der Hälfte aller deutschen Studenten (31 500) allein in Preußen lag, dessen Studenten überdies auch alle anderen deutschen Universitäten besuchten, und da seine Bevölkerung, rund zwei Drittel der Reichsbevölkerung, neben der sächsischen am stärksten von sozialer Aufstiegsmobilität erfaßt wurde und dafür auch ein differenziertes Angebot an Bildungsinstitutionen vorfand, spricht viel dafür, daß diese preußischen Zahlen – nicht die der bildungsbürgerlichen Hochburgen! – am ehesten dem Reichsdurchschnitt nahekommen.

Da ein Gesamtprofil der gesamten deutschen Universitätsstudentenschaft empirisch nicht erarbeitet werden kann, müssen die vom Preußischen Statistischen Büro auf ihre soziale Herkunft hin analysierten preußischen Studenten vorerst als Sample dienen. Es wird zwar den raffinierten repräsentativen Auswahlkriterien der modernen empirischen Sozialforschung nicht gerecht, besitzt aber trotzdem ein hohes Maß an Plausibilität. Das Ergebnis ist klar und verblüffend zugleich.

1. Das Bildungsbürgertum stellte auch zu Beginn des 20. Jahrhunderts noch immer ein gutes Fünftel aller Studenten. Da diese eigentümliche Sozialformation keineswegs rasant gewachsen war, sollte man weder nostalgisch noch hämisch konstatieren, daß «nur» mehr rund zweiundzwanzig Prozent (13 % weniger als zur Zeit der Reichsgründung) aus ihm kamen. Vielmehr bedeutete dieser Anteil angesichts der explosiven Verdoppelung der Studentenschaft allein in dem Vierteljahrhundert vor 1914 auf mehr als sechzigtausend eine erstaunlich effektive Verteidigung des Zu-

gangs zu den traditionellen akademischen Karrierewegen und damit zu hochgeschätztem «kulturellen» und «sozialen» Kapital.

2. Da auf der Grundlage der preußischen Statistik der vage Sammelbegriff des Wirtschaftsbürgertums genauer differenziert werden kann, ergibt sich zuerst einmal, daß dem höheren Wirtschaftsbürgertum mit gut zehn Prozent eine auffällig geringe Studentenquote zugeordnet werden muß. Die Oberklassen der Unternehmerschaft in der Großindustrie und in den Großbanken, im Großhandel und Verkehrswesen – alle zusammen stellten die freilich auch nur kleine Wirtschaftselite der deutschen Großbourgeoisie – zogen offenbar häufig noch immer die praktische Ausbildung ihrer Söhne in Betrieben des In- und Auslandes, zunehmend dann auch ihren Besuch einer Technischen Hochschule dem Universitätsstudium vor.

Übersicht 114: Die Sozialstruktur der Studentenschaft 1860–1910

I. Das Beispiel von Berlin, Bonn, Göttingen, Leipzig, Tübingen 1860–1910 (Zehnjahresdurchschnitte; prozentualer Anteil)

Jahr	1. Bildungsbürgertum	2. Besitzbürgertum	3. Mittelklassen
1860/69	44.5	21.4	33.8
1870/79	35.1	30.0	34.7
1880/89	33.1	34.0	32.8
1890/99	32.7	36.6	30.7
1900/09	32.5	35.8	32.3
1910/14	31.0	33.7	35.5

II. Die preußischen Studenten 1875–1900 und 1902/03
a) Väterstatus, Durchschnitt der 25 Jahre; b) Durchschnitt WS 1902/03

	Bildungsbürgertum	großes Wirtschaftsbürgertum	Alter Mittelstand
a) 1875–1900	19.0%	10.0%	25.0
b) 1902/03	22.2%	10.3%	26.3

	Neuer Mittelstand	Landwirtschaft	Ingenieure/ Techniker
a) 1875–1900	22.0	12.0	5
b) 1902/03	25.3	11.9	–

3. Der eigentlich überraschende Befund ergibt sich aber aus dem außerordentlich hohen prozentualen Anteil, den die bürgerlichen Mittelklassen zu Beginn des 20. Jahrhunderts erreicht hatten. Aus dem «alten» Mittelstand der Handwerker und Geschäftsleute stammten inzwischen rund sechsundzwanzig Prozent, aus dem «neuen» Mittelstand der Angestellten, Lehrer und mittleren Beamten auch schon fünfundzwanzig, einschließlich der Inge-

nieure und Techniker sogar siebenundzwanzig Prozent – er war, gemessen am Bevölkerungsanteil, bereits überrepräsentiert. Mehr als die Hälfte der reichsdeutschen Universitätsstudenten hatte sich daher aus dem Herkunftsmilieu dieser heterogenen bürgerlichen Mittelklassen auf den Weg «nach oben» gemacht. Das ist ein schlagender Beweis sowohl für ihre soziale Mobilitätsbereitschaft als auch für die soziale Offenheit des höheren Bildungswesens. Mit den Gymnasien, Oberrealschulen, Realgymnasien und Universitäten besaß es offenbar ein funktionstüchtiges Schleusenwerk, das den «Aufstiegswilligen» hinreichend Bewegungschancen bot. Fraglos spielte dabei auch eine Rolle, daß rund fünfunddreißig Prozent aller Studenten aus den Familien von Staats- und Kommunalbeamten kamen, denen sehr häufig die Vererbung oder die Erreichung des Akademikerstatus als Berufsziel ihrer Söhne vor Augen stand. Diese mittelbürgerliche Karrieremobilität ist unter den Bedingungen der deutschen Bildungsgeschichte an sich schon bemerkenswert genug, zumal sie einen ersten sozialen Demokratisierungsschub bedeutete. Erst recht aber ist sie das im internationalen Vergleich, da ein solcher Mittelklassenanteil an den berühmten englischen und amerikanischen Colleges bei weitem nicht und auch an den französischen Staatshochschulen noch nicht erreicht wurde.

4. Schließlich ist die Anziehungskraft der deutschen Universität auch daran ersichtlich, daß rund zwölf Prozent der Studenten aus den ländlichen Besitzklassen stammten: wenig überraschende fünf Prozent aus den Familien der Großgrundbesitzer, doch auch schon sechs Prozent aus der Bauernschaft. Aus den proletarischen Unterklassen kam dagegen nicht einmal ein einziges Prozent. Trotz der sozialdemokratischen Bildungspolitik gemäß Liebknechts Maxime «Wissen ist Macht» und trotz der Stipendien schreckten die erdrückend wirkenden Kosten eines Universitätsstudiums, der Zeitverlust bis zum Erreichen eines gehobenen Einkommens, vor allem aber eine nur schwer zu überwindende Mentalitätsbarriere vom Eintritt in diese rundum fremde Welt ab.

In einem anderen Bereich setzte sich dagegen die Auflockerung älterer Kompositionsmuster der Studentenschaft durch. Denn die konfessionelle Zusammensetzung glich sich dem prozentualen Verhältnis, das zwischen den großen Konfessionen in der Reichsbevölkerung bestand, endlich dichter an. Der Prozentsatz der protestantischen Studenten – 1870 noch um dreiundsiebzig Prozent bei einem Bevölkerungsanteil von fünfundsechzig Prozent liegend – sank auf etwa siebenundsechzig Prozent; derjenige der katholischen Studenten stieg von zwanzig auf fünfundzwanzig Prozent, womit er zwar noch nicht dem Bevölkerungsanteil von rund vierunddreißig Prozent entsprach, ihm aber sichtlich näher kam. Unverändert hoch hielt sich der Anteil der Studenten jüdischer Herkunft mit sieben bis acht Prozent, da sie ja aus einem Bevölkerungsanteil von nur 1.2 Prozent hervorgingen.

Nicht minder prägend als die formale wissenschaftliche Ausbildung war für zahlreiche Studenten das jahrelange Zusammenleben in den Verbindungen und Burschenschaften, den Turnerschaften und Vereinen der unterschiedlichsten Art. Den schlagenden Verbindungen gelang es weithin, mit Comment, Kneipe und Mensur das Bild des deutschen Studenten in der Öffentlichkeit zu prägen, obwohl sie in Berlin nicht einmal ein Viertel, in Marburg etwa die Hälfte der Studenten erfaßten. Die renommiertesten Verbindungen waren die oft demonstrativ feudalaristokratischen Korps. Ihre Rivalen, die nationalistischen Burschenschaften, Landsmannschaften und Turnerschaften, bestanden aber auch auf der Mensur, um mit den Schmucknarben ihres zerhackten Gesichts jedem zu demonstrieren, daß sie den Initiationsritus vor dem Eintritt in die Welt des wahren Jungakademikers erfolgreich bestanden hatten und sich im Berufsleben davon Vorteile erhoffen durften. 1913 schlossen sich alle Duellverehrer im «Kartell der schlagenden Verbände» zusammen, das wie auch der «Kösener Seniorenconvent» einen erheblichen personalpolitischen Einfluß auf die Stellenbesetzung in der Bürokratie ausübte. Daneben gab es die farbentragenden protestantischen und katholischen Verbindungen, die Wichs und Schläger übernahmen, die Mensur jedoch ablehnten. Ein früher Reformanlauf endete 1881 in der Gründung der «Vereine Deutscher Studenten», der VDSt, die «monarchistischen Nationalismus, politischen Antisemitismus und positives Christentum» unverhohlen propagierten. Übrigens schlossen die Korps generell seit den achtziger Jahren, die Burschenschaften seit 1896 jüdische Mitglieder aus.

Gegen das Korporationsunwesen vermochten sich die wissenschaftlichen und politischen, die religiösen und sportlichen Studentenvereine nicht durchzusetzen. Die sogenannte «Freistudentenschaft» wollte die Vorherrschaft der schlagenden Verbindungen brechen, zum neuhumanistischen Ideal der Selbstbildung zurückkehren und die studentische Selbstverwaltung durchsetzen. Sie gewann aber nur eine Minderheit für sich und konnte wegen der selbstauferlegten politischen Neutralität die Liberalisierung der Studentenschaft nur wenig vorantreiben. So viele unabhängige, freie Köpfe oder passive «Brotstudenten» es unter den Studenten auch geben mochte – es sollte sich als fatal erweisen, in welchem Ausmaß viele Studenten dem Radikalnationalismus und Antisemitismus, dem Imperialismus und Antisozialismus anhingen.

Ein dunkles Kapitel der deutschen Universitätsgeschichte blieb jahrzehntelang auch das Verbot des Frauenstudiums, eine bornierte Entscheidung, die der internationale Vergleich noch irritierender macht. Denn in Frankreich konnten Frauen seit 1861 studieren, in der Schweiz seit 1868, in Italien seit 1876, in England seit 1878, in den skandinavischen Ländern seit den achtziger Jahren. Wie patriarchalisch, konservativ, orthodox katholisch oder lutherisch diese Staaten auch sein mochten – alle gewannen einen

Vorsprung von rund dreißig Jahren vor dem klassischen Land des Bildungsbürgertums, das die akademische Berufswelt ausschließlich für seine männlichen Angehörigen definiert und reserviert hatte. Typischerweise waren es gerade die höheren Beamten und Oberlehrer, die Ärzte und Rechtsanwälte, die gegen eine Öffnung der Alma Mater für ihre eigenen Töchter opponierten.

Der Druck mit der Absicht, einen Kurswechsel herbeizuführen, kam aus vier Richtungen. Die Lebensgestaltung bildungsbürgerlicher Töchter wurde im letzten Drittel des 19. Jahrhunderts immer schwieriger, wenn sie sich nicht mit der Hausarbeit in ihrer Familie oder mit der konventionellen Ehefrauenrolle zufriedengeben wollten. Der Zustrom in den Beruf der Lehrerin enthüllte ihre Bereitschaft zur vollberuflichen Tätigkeit. Die bürgerliche Frauenbewegung nahm sich, obschon mit erheblicher Verzögerung, der Problematik an, so daß sie endlich zum Gegenstand einer öffentlichen Debatte wurde. Die Eigendynamik des höheren Mädchenschulwesens, zu dem um 1900 rund dreihundert Schulen zählten, wirkte sich auch aus, da zahlreiche Absolventinnen der Lyzeen ihre anachronistische Isolierung von der Welt der Universität erst recht nicht mehr einsehen konnten. Im Zuge der Medikalisierung stieg die Nachfrage nach Ärztinnen, da die Schamschwelle gegenüber Ärzten in der weiblichen Klientel meist hoch lag. Daß Frauen ebensogut unterrichten konnten wie Männer, hatte sich längst herausgestellt. Und warum sollten sie nicht ebenso effektiv verwalten oder Rechtstechniken anwenden können wie Beamte und Anwälte?

Zaghaft wurde an manchen Universitäten seit den neunziger Jahren mit der Einzelgenehmigung für Hospitantinnen experimentiert, seit 1896 der Status als Gasthörerin gewährt (Berlin 1897/98: 187). 1897 sprach sich immerhin erstmals eine Professorenmehrheit für die geschlechtsneutrale Öffnung der Universität aus, und bereits 1899 taten ausgerechnet die hohen Bürokraten im Bundesrat den tollkühnen Schritt, Frauen den Zugang zum medizinischen Staatsexamen im Prinzip zu eröffnen. Baden übernahm daraufhin sofort im nächsten Jahr die Vorreiterrolle, nachdem bis dahin schon Hunderte von jungen Frauen aus diesem Land den kurzen Weg an die Schweizer Universitäten gefunden hatten. Bayern (1903), Württemberg (1904) und Sachsen (1906) schlossen sich an, ehe sich Preußen und die Reichsgesetzgebung 1908 zu derselben Gleichstellung genötigt fanden.

Der Erfolg war unmittelbar darauf sichtbar. 1908/09 studierten 1132 Frauen an den deutschen Universitäten, sechs Jahre später aber war ihre Zahl bereits auf 4156, auf rund sieben Prozent aller Studierenden, angestiegen. Sechsundachtzig Prozent waren in der Philosophischen Fakultät immatrikuliert, nur ein Viertel davon aber für die Naturwissenschaften; die meisten anderen hatten Medizin gewählt. Rund vierzig Prozent stammten aus dem Bildungsbürgertum, schon siebzehn Prozent aus dem «neuen» Mittelstand, gut elf Prozent waren jüdischer Herkunft, fünfundsiebzig Prozent Protestantinnen, nur vierzehn Prozent Katholikinnen. Immerhin: Während des unrühmlichen, verbissenen Kampfes mit dem Ziel, entgegen den universalistischen Prinzipien der «Bürgerlichen Gesellschaft» die Universität weiterhin als Männerreservat zu verteidigen, konnten die Frauen zwischen 1900 und 1908 endlich einen wichtigen Anfangserfolg erringen.[6]

Mit der Verspätung von mehr als einer Generation änderte sich nach der Sozialstruktur der Studentenschaft auch diejenige der Professoren, ungefähr parallel dazu und mindestens so folgenreich auch die Größe der verschiedenen Statusgruppen innerhalb der Hochschullehrerschaft. In dem halben Jahrhundert von 1864 bis 1914 wuchs die Anzahl der Universitätsprofessoren von 1364 um hundertdreißig Prozent auf 3129. Damit blieb sie weit hinter dem Anstieg der Studenten um dreihundertfünfundzwanzig Prozent zurück. Bezieht man die Lehrer an allen – vorn in Übersicht 112.II genannten – Hochschulen mit ein, deren Qualifikationsansprüche freilich erst seit 1900 mit denjenigen der Universitäten zu vergleichen sind, kommt man auf eine Vermehrung von 1474 um zweihundert Prozent auf 4463 Hochschullehrer.

Übersicht 115: Professoren und Hochschullehrer 1859–1919

I. Die quantitative Entwicklung und Zusammensetzung 1864–1910

Universitäten	1864	1873	1880	1890	1900	1910
Ordinarien	723	853	941	1035	1119	1236
Extraordinarien	277	328	383	494	625	762
Privatdozenten	364	346	457	617	816	1111
Gesamt	1364	1527	1781	2146	2579	3129
Alle Hochschullehrer	1474	–	–	2331	–	4463

II. Die soziale Herkunft 1859–1919 (absolute Zahlen und prozentuale Anteile)

	Bis 1859	1860/89	1890/1919
I.	470/62.3	805/63.2	1488/49.4
II.	190/25.2	358/28.1	1201/39.9
III.	94/12.5	110/ 8.2	323/10.7

(I: Bildungsbürgertum; II: Wirtschaftsbürgertum und Großgrundbesitzer; III: Bürgerliche Mittelklassen)

Die gesamte Zuwachsrate der Universitätsordinarien in dieser Zeitspanne fiel mit siebzig Prozent verblüffend gering, außerdem in den verschiedenen Fächern extrem unterschiedlich aus. Bei den Juristen kamen nicht mehr als dreißig Prozent, bei den Theologen fünfzig Prozent, bei den Medizinern und Naturwissenschaftlern immerhin jeweils fünfundsiebzig Prozent, nur bei den Geisteswissenschaftlern volle hundert Prozent hinzu. Die Zahl der Extraordinarien dagegen kletterte im selben Zeitraum um hundertachtzig Prozent in die Höhe, diejenige der Privatdozenten sogar um gut zweihundertfünf Prozent. Die Anzahl der Habilitationen stieg in den Jahrzehnten von 1860/69 = 481 auf 1870/79 = 663, 1880/89 = 762, 1890/99 = 1013 und 1900/09 = 1353 so steil an, daß sie sich in vier Dekaden mehr als verdoppelte. Vor 1914 war zum Beispiel in Heidelberg schon die Hälfte aller Assistenten habilitiert. Insbesondere in den Naturwissenschaften und in der Medizin gab es weit mehr außerordentliche Professoren und Privatdozenten als Ordinarien.

Der Ausbau des Lehrkörpers in diesem halben Säkulum vollzog sich daher nicht im Eldorado der ordentlichen Lehrstuhlinhaber, sondern ganz unzweideutig im Bereich der materiell schlecht gestellten Extraordinarien und der finanziell «freischwebenden Intelligenz» der Privatdozenten, die auf Privatvermögen – insofern auf eine plutokratische Basis – oder auf die außeruniversitäre Beschaffung ihres Einkommens angewiesen waren. Auf diese außerordentlich kostensparende Weise konnte die staatliche Kultusverwaltung sowohl der schnell ansteigenden Nachfrage nach akademischen Lehrern als auch dem wissenschaftsimmanenten Trend zur immer ausgeprägteren Spezialisierung mit einer ingeniösen institutionellen Regelung Rechnung tragen – allerdings mit rücksichtsloser Härte auf Kosten der Mehrheit der Nachwuchswissenschaftler.

An der sozialen Zusammensetzung der Universitätslehrer ist für geraume Zeit noch einmal die langlebige Konstanz der bildungsbürgerlichen Vorherrschaft das hervorstechende Merkmal. Bis etwa 1890 kamen rund zwei Drittel aller Dozenten aus dem Bildungsbürgertum. Höchstens sechzehn Prozent stammten aus dem oberen Wirtschaftsbürgertum, gut zwanzig Prozent aus den bürgerlichen Mittelklassen. Faßt man die Herkunft aus den bildungsbürgerlichen Berufsklassen und den oberen wirtschaftsbürgerlichen Erwerbsklassen zusammen, stammten bis dahin rund vier Fünftel aller Universitätslehrer aus dem Umfeld von vier bis maximal sieben Prozent der Erwerbstätigen. Insofern verkörperte die Universitätslehrerschaft selber eine elitäre bürgerliche Berufsklasse, die «berechtigtste Form der Aristokratie», wie Schmoller sie damals enthusiastisch pries.

Erst seit den frühen neunziger Jahren begann sich ihre soziale Herkunft auffallend zu verändern, so daß der bildungsbürgerliche Anteil bis 1910 auf fünfundfünfzig Prozent, bis zum Beginn der Weimarer Republik sogar auf rund neunundvierzig Prozent abgesunken war. Selbst das bedeutete aber über fünfzig, sechzig ereignisreiche Jahre hinweg nur einen Rückgang von acht bzw. vierzehn Prozent. Den auffälligsten Zuwachs verzeichneten die akademischen Lehrer aus dem oberen wirtschaftsbürgerlichen Sozialmilieu, die sich von 1860 (= 25 %) bis 1919 (= 40 %) um sechzig Prozent vermehrten, während der Mittelklassenanteil kontinuierlich stagnierte. Allmählich hatte jener Veränderungsprozeß begonnen, der freilich erst in der zweiten Hälfte des 20. Jahrhunderts zu einer tiefen sozialen Umstrukturierung der Hochschullehrerschaft führen sollte.

Ihre Ausdifferenzierung in ordentliche und außerordentliche Professoren, in Privatdozenten und andere akademische Lehrkräfte wie Honorarprofessoren und Lektoren spiegelte auch die interne Schwerpunktverlagerung auf Institute und Laboratorien, Kliniken und Seminare wider. Sie hatte bereits im zweiten Drittel des 19. Jahrhunderts eingesetzt, wirkte sich aber erst im Kaiserreich voll aus. Damit kam der «Forschungsimperativ», unter dem das Leben des Universitätswissenschaftlers stand, noch nachhaltiger zur Geltung als zuvor. Sowohl institutionell als auch finanziell wurde ihm von den Kultusministerien aller Bundesstaaten eindrucksvoll Rechnung getragen. So wuchs etwa der Berliner Universitätsetat sprungartig von 1870 = 745 000 Mark, 1880 = 1.341, 1890 = 2.006, 1900 = 2.615 auf 1910 = 3.808 Millionen Mark; der Leipziger von 1872 = 729 000 Mark, 1880 = 1.107, 1893 = 1.774, 1903 = 2.519 auf 1907 = 3.05 Millionen Mark; der Breslauer von 1871 = 367 000, 1880 = 746 500, 1891 = 961 000 Mark, 1901 = 1.492 auf 1910 = 2.135 Millionen Mark. Die Universitätsausgaben aller Bundesstaaten stiegen zwischen 1873 und 1914 um 466 Prozent. Nur ein geringer Bruchteil wurde von den Gehältern und Personalkosten aufgezehrt. Der Löwenanteil kam den neuen Instituten und Kliniken zugute, wie sich an jedem Universitätsbudget lückenlos zeigen läßt.

Mit dem Rückzug auf die reine Forschung verschwand freilich auch der Typus des «politischen Professors», der seit den 1830er Jahren bis in die siebziger Jahre hinein eine so prominente öffentliche Rolle gespielt hatte. Bis 1884 gab es noch sechzehn Professoren im Reichsparlament, 1903 nur mehr drei, 1912 gerade einmal sieben, wie sie auch im Preußischen Abgeordnetenhaus saßen. Das Engagement verlagerte sich von der liberalen Systemkritik zur sozialkonservativen Anpassung, allenfalls hin zur Mitarbeit in kryptopolitischen Expertengremien wie dem «Verein für Sozialpolitik». Oder aber es trat nur mehr in den politischen Eruptionen eines Mannes wie Max Weber, in den eher maßvollen Kommentaren eines Hans Delbrück oder Ernst Troeltsch zutage.

Auf das politische Klima, das an den Universitäten des wilhelminischen Deutschland herrschte, werfen drei Konflikte ein erhellendes Schlaglicht. Als der Berliner Privatdozent für Physik Leo Arons durch seine politische Aktivität als Sozialdemokrat auffiel, unterwarf der preußische Gesetzgeber mit der 1898 eigens geschaffenen «Lex Arons» auch die Privatdozenten dem eigentlich nur für beamtete Professoren geltenden Disziplinargesetz von 1852, um Arons wegen der angeblichen Verletzung seiner Pflichten als Universitätslehrer durch ein Dienststrafverfahren seine Lehrbefugnis entziehen zu können. Die Berliner Philosophische Fakultät wehrte sich bravourös, alle ihre berühmten Häupter stellten sich hinter den Anspruch des jungen Mitglieds auf Meinungsfreiheit. Dennoch entzog das Staatsministerium als oberste Disziplinarbehörde in letzter Instanz Arons seine Rechte als Privatdozent. Die «Botschaft» dieser Entscheidung ließ keinen jungen Wissenschaftler darüber im unklaren, wie ein nicht gewünschtes politisches Engagement seine Berufschancen zerstören konnte.

Dieser Vorgang wies ebenso auf die scharf markierten Grenzen der vielgepriesenen akademischen Freiheit hin wie die Ablehnung, auf die einer der besten Schüler Max Webers, der Sozialwissenschaftler Robert Michels, traf, als er – Sohn einer reichen Kölner Unternehmerfamilie und daher imstande, die Existenz eines Privatgelehrten in Marburg zu führen – an preußischen Universitäten und in Jena die Habilitation anstrebte. Da er Mitglied der SPD war, wurde ihm – nicht zuletzt zu Webers jähzorniger, öffentlich geäußerter Empörung – ungeachtet seines imponierenden Œuvres dieser akademische Initiationsritus verweigert, so daß er sich schließlich 1907 in Turin habilitierte und in Italien lehrte. Die deutsche Sozial- und Politikwissenschaft verlor damit einen bedeutenden und überaus produktiven Gelehrten.

Einen ganz anderen Trennungsgraben enthüllte der «Fall Spahn». An der Universität Straßburg sollte, da achtzig Prozent der «Reichsland»-Bevölkerung katholisch waren, um die Jahrhundertwende eine Katholische Fakultät eingerichtet werden. Als die Verhandlungen ins Stocken gerieten, berief Althoff, um die staatliche Bereitschaft zum Entgegenkommen zu signalisieren, in seinem diktatorischen Stil ohne jeden Listenvorschlag den soeben habilitierten sechsundzwanzigjährigen Privatdozenten Martin Spahn, den politisch sehr aktiven Sohn des bekannten Zentrumsführers, auf ein für die «Reichsuniversität» neu geschaffenes Ordinariat für neuere Geschichte – offensichtlich aus konfessionell-paritätischen Gründen und zudem als Gegengewicht zu dem soeben berufenen Protestanten Meinecke. Mit Theodor Mommsen an der Spitze steigerte sich die evangelische Gelehrtenwelt in eine maßlose Empörung über diese «Weltanschauungsprofessur» für einen Katholiken. Gewiß war das Verfahren durchweg anfechtbar, aber die bornierte Intoleranz bewies während dieses heftigsten Hochschulkonflikts im späten Kaiserreich doch auch, wie tief die konfessionellen Gegensätze die Professorenschaft noch immer aufwühlen konnten.

Durch die institutionelle Ausdifferenzierung der Universitäten veränderten sich auch die Umstände des Lernens, da die aufgeweckten Studenten durch die unmittelbare Ankoppelung der Lehre an den Forschungsprozeß in die Gemeinschaft der Lehrenden und Lernenden intensiver als früher einbezogen wurden. «Forschendes Lernen» konnte von den fortgeschrittenen Studierenden in einem Maße praktiziert werden, wie es an den Universitäten aller anderen Länder damals noch nicht üblich war. Auch darauf beruhte die Faszination der deutschen Universität, und auch deshalb erreichten 1912 4580 ausländische Kommilitonen immerhin einen Anteil von 8.3 Prozent der Studentenschaft.[7]

Unleugbar tauchte in den Jahren des explosiven Wachstums der Studentenpopulation aber auch der «Massenbetrieb» auf, in dem viele Studenten allein ihrem prüfungsorientierten «Brotstudium» nachgingen und die Einheit von Lehre und Forschung grundsätzlich in Frage gestellt wurde. Aufs Ganze gesehen behaupteten jedoch die deutschen Universitäten den spätestens in den 1860er Jahren errungenen Spitzenrang unter den Hochschulen der internationalen «Community of Scholars». Sie galten als das Vorbild der wissenschaftlichen Welt, sie dienten dem Aufbau der amerikanischen und russischen, dem Umbau der französischen und der Gründung japanischer Universitäten als Modell. In den Geistes- und Naturwissenschaften, in der Mathematik und Medizin wurde ihre Führungsposition nicht angezweifelt. Von den zwischen 1901 und 1914 verliehenen Nobelpreisen entfiel ein außergewöhnlich hoher Anteil auf deutsche Gelehrte, zum Beispiel waren es allein vierzehn von den zweiundvierzig naturwissenschaftlichen und medizinischen Preisen.

Diese Erfolgsgeschichte war an gesellschaftsgeschichtliche Voraussetzungen und Bedingungen gebunden, die sich seit dem 18. Jahrhundert geltend gemacht hatten und im 19. Jahrhundert weiter begünstigend auswirkten. Ohne die Leistung des Bildungsbürgertums ist die deutsche Universität des 19. Jahrhunderts schlechthin nicht vorstellbar. Auf ihr beruhte auch im internationalen Vergleich ganz wesentlich ihr jahrzehntelang unbestrittener Vorsprung. Im Bildungsbürgertum genoß Wissenschaft als Beruf – in jenem emphatischen lutherisch-protestantischen Sinne der «Berufung» – eine ungeheure Hochschätzung. In ihm hatte auch die neuhumanistische Bildungsreligion die tiefsten Wurzeln geschlagen. Häufig herrschte das Bewußtsein vor, einer «säkularen Priesterschaft» anzugehören. Das verstärkte die sozialaristokratischen Züge der kleinen Korporationen der Universitätslehrer. Das Leistungsprinzip wurde in dieser bürgerlichen Welt vorbehaltlos anerkannt. Von der Gymnasiumszeit über die Universitätsjahre mit ihren Seminararbeiten, ihrer Promotion und Habilitation bis zur Berufung und selbstredend der wissenschaftlichen Produktion danach galt es als einziges intersubjektiv überprüfbares und akzeptables Urteilskriterium.

Die Entscheidung für die hochspezialisierte Forschung als unumgängliche Bedingung für den wissenschaftlichen Fortschritt ließ sich von diesen mentalen Prämissen her mühelos vollziehen. Irgendwo konnte jeder leistungsgläubige Wissenschaftler eine noch unbekannte Nische finden, deren genaue Erkundung ihm die Chance bot, durch das Nadelöhr der Prüfungsrituale von Promotion und Habilitation hindurchzugelangen, bis er als Privatdozent vor dem Tor des Klubs der wenigen Auserwählten stand. Sozialhistorisch ist das unerschöpfliche Reservoir des protestantischen Bildungsbürgertums, das vor 1914 mehr als fünfundachtzig Prozent aller Hochschullehrer stellte, für die innere Motorik der deutschen Universität bis 1914 von ausschlaggebender Bedeutung gewesen. Mochten auch Aberhunderte scheitern, an nachdrängendem Nachwuchs herrschte doch nie Mangel.

Außerdem hat die Konkurrenz von zwanzig reformierten Universitäten untereinander nicht nur den wissenschaftlichen Wettbewerb stimuliert, da alle – wenn schon nicht als Gesamtinstitution, dann doch mit einigen ihrer Kliniken, Institute und Seminare – im Kampf um das Gütesiegel der internationalen Kritik und um den Platz auf den höchsten Sprossen der Leistungsrangleiter lagen. Vielmehr sorgte diese Rivalität auch dafür, daß sich für die allermeisten innovativen Köpfe eine Stelle fand, von der aus der nächste Schritt in Forschungsneuland getan werden konnte, bis man auf das Berufungskarussell für den vielversprechenden Nachwuchs oder für etablierte Koryphäen geriet.

Kurzum, es ist im wesentlichen diese eigentümliche Kombination von Ursachen und Bedingungen gewesen, die jenen Aufschwung der deutschen Universität ermöglicht und getragen hat: Das «Humankapital» in Gestalt der wissenschaftsgläubigen Söhne des protestantischen Bildungsbürgertums, die Dynamik der neuhumanistischen Bildungsreligion, der fanatische Glaube an das Leistungsprinzip, der bereitwillig ertragene und produktiv umgesetzte Spezialisierungsdruck, der institutionelle Vorsprung der heilsam konkurrierenden Reformuniversitäten und die Förderungswilligkeit des «Kulturstaats» – sie mußten offenbar zusammenkommen, um die Universität in ihrer großen Zeit weltweit zum Vorbild zu machen.

4. *Die Technischen Hochschulen und der Beginn der Großforschung*

Die deutschen Technischen Hochschulen, die meistens bis zum Ende der 1870er Jahre aus den früheren Polytechnika oder höheren technischen Fachschulen, den Gewerbe- oder Bauakademien hervorgegangen sind, verkörperten eine weitere institutionelle Pionierleistung, welche die deutschen Staaten zeitweilig an die Spitze der wissenschaftlich-technischen Ausbildung von Experten für die moderne industrielle, urbanisierte Welt trug. Während in anderen Ländern, wie etwa in England, eine empirisch-pragmatische Schulung von Technikern und Ingenieuren lange Zeit vorherrschte oder diese Ausbildung von Militärfachschulen für Pioniere und Baufachleute beziehungsweise von einigen Fachhochschulen wie den berühmten französischen Ecoles wahrgenommen wurde, entwickelten sich die deutschen Polytechnischen Anstalten hin auf den neuen Typus der Technischen Universität, die eine strenge technik- und naturwissenschaftliche Schulung mit einer praktischen Einführung in die künftigen Berufsaufgaben verband (vgl. 5. Teil, V.3).

Die vier wichtigsten strukturellen Charakteristika dieser neuen Hochschulen sind klar zu erkennen.

1. Alle bauten mehrere Abteilungen auf, welche wie eigene Fachschulen die selbständigen Universitätsfakultäten imitierten. Durchweg gab es solche Departments für Bauwesen, Architektur, Mechanik oder Maschinenbau, Chemie, Hüttenkunde, Mathematik und Naturwissenschaften, insbesondere die Chemie, manchmal auch noch für Landwirtschaftskunde, ehe diese vollständig an die Landwirtschaftlichen Hochschulen oder die Agrarökonomischen Fakultäten abwanderte.

2. Die Aufnahmebedingungen wurden zusehends verschärft, bis nach der Gewährung der Hochschulverfassung gewöhnlich das Abitur verlangt wurde, so daß sich auch in dieser Hinsicht der frühzeitig erkennbare Akademisierungstrend durchsetzte.

3. Bereits 1856 hatte der Leiter des Polytechnikums in Hannover, Karl Karmarsch, die Umwandlung in eine «technische Universität» postuliert; 1864 hatte sich der Leiter des Karlsruher Technikums, Franz Grashof, vom «Verein deutscher Ingenieure», dem VdI, lebhaft unterstützt, mit der Forderung nach dem Promotions-, Habilitations- und Berufungsrecht einer Hochschule mit autonomer Selbstverwaltung angeschlossen. Es gehört zu den hochschulpolitischen Errungenschaften der liberalen Reformära, daß bis 1879 tatsächlich sechs von den neun bestehenden Polytechnika eine Hochschulverfassung und dann bald auch den Status einer Technischen Hochschule erhielten: Darmstadt, Braunschweig, München und Aachen 1877, Hannover und Berlin 1879. Trotz ihrer gleichwertigen Leistungsfähigkeit kamen Karlsruhe (1885), Stuttgart und Dresden (1890) erst später in den Genuß dieser begehrten Rechte. Die beiden neugegründeten Technischen Hochschulen, die wegen der Überfüllung der etablierten Hochschulen 1904 in Danzig und 1910 in Breslau entstanden, wurden natürlich von Anfang an als Technische Hochschulen konzipiert und aufgebaut.

Nachdem die angesehenen Technischen Hochschulen in Wien, Prag und Graz 1866 ausgeschieden waren, setzte sich unter den neun bzw. elf reichsdeutschen Technischen Hochschulen aufgrund des intensiven Wettbewerbs ziemlich schnell eine Angleichung der Ausbildungsqualität durch, obwohl die Studentenfrequenz variierte. Die 1879 aus der Fusion von Bau- und Gewerbeakademie hervorgegangene Technische Hochschule in Berlin-Charlottenburg stieg zügig zur größten Institution dieser Art auf, die gewöhnlich ein Viertel aller Technikstudenten an sich zog. Auf dem Höhepunkt im Wintersemester 1902/03 waren 4811 Studenten, die von hundertsechsunddreißig Hochschullehrern (1914 waren es bereits 196) ausgebildet wurden, an ihr immatrikuliert. Das kam damals fast der Hälfte aller reichsdeutschen TH-Studenten ziemlich nahe.

4. Beim Übergang in die akademische Welt besaßen die Polytechnischen Lehranstalten drei hypothetische Entwicklungsmöglichkeiten. Sie hätten, erstens, als Technische Fakultäten in die Universitäten integriert werden können, wie das an vielen amerikanischen Universitäten geschehen ist. Das scheiterte jedoch sowohl an dem empört-arroganten Widerstand der Universitäten als auch an dem selbstbewußten Autonomiebedürfnis der technischen Fachschulen. Sie hätten, zweitens, einen eigenen Hochschultypus entwickeln können, der sich ganz an ihren Ausbildungszielen und ihrer Studiumspraxis orientiert hätte. Das wiederum scheiterte daran, daß in den deutschen Staaten das Vorbild der Universitäten zu attraktiv, der von ihnen ausgehende Prestigedruck viel zu stark war. Daher blieb, drittens, unter den obwaltenden Bedingungen nur die Anpassung an die Universität als die nächstliegende Option übrig. Sie erzwang aber die Assimilierung der Organisationsstruktur und eines Wissenschaftsverständnisses, die beide ursprünglich für einen ganz anderen Forschungs- und Lehrkontext entwickelt worden waren.

Danach ergab freilich auch diese Adaption eine neue Art von Hochschule mit einem eigenen, vollständig auf die Berufspraxis zugeschnittenen Ausbildungsprogramm, das auf eindrucksvolle Weise und mit ganz unleugbarem Erfolg eine streng wissenschaftliche Schulung mit praktischer Anleitung und Bewährung verband.

Auch mit ihren Examina paßten sich die Technischen Hochschulen dem Berechtigungswesen der Universitäten an. Als sie deren Qualifikationsprüfungen für den eigenen Nachwuchs und die Selbstverwaltung übernehmen durften, erreichten sie endlich die volle formelle Gleichberechtigung.

Bis aber dieser Status erreicht war, gab es noch einmal eine zwanzigjährige, bittere Grundsatzkontroverse mit den Universitäten, die vehement dagegen opponierten, daß den Technischen Hochschulen das 1880 erstmals von ihrer geschlossenen Phalanx geforderte Promotions- und Habilitationsrecht gewährt wurde, da die unwissenschaftliche Fixierung auf die Praxis das schlechterdings ausschließe. Es dauerte bis 1899, ehe aus Anlaß der Hundertjahrfeier jener Vorläuferakademien, die in der Berliner TH aufgegangen waren, den Technischen Hochschulen das Recht auf die Verleihung des Titels eines fakultätsspezifischen «Diplomingenieurs» und des allgemeinen «Doktors der Ingenieurwissenschaften», des Dr. Ing., verliehen wurde.

Im selben Jahr noch haben alle Technischen Hochschulen die entsprechenden Prüfungsordnungen eingeführt. Der Dr. Ing. galt von Anfang an – auch als Demonstration hochangesetzter Beurteilungsmaßstäbe gegenüber den mäkelnden Universitäten – als besonders anspruchsvoll. Bis 1910 haben die deutschen Technischen Hochschulen nur 1274 Promotionen vorgenommen. Das brachten die Medizinischen Fakultäten mühelos in einem Jahr zustande. Ihr Habilitationsrecht hatte die Berliner Technische Hochschule bereits 1884 erhalten. Seit den neunziger Jahren wurde es auch allen anderen Technischen

Hochschulen zuerkannt. Trotzdem hielt sich in ihrem Lehrkörper noch lange Zeit ein Übergewicht von Dozenten – bis 1945 von rund zwei Fünfteln! – mit einem Dr. phil., den sie in den naturwissenschaftlichen Fächern an einer Universitätsfakultät erworben hatten. Es war doch mühsamer, als Karl Karmarsch, Franz Grashof und Franz Reuleaux gedacht hatten, die Gleichwertigkeit der Technischen Universität unter ihren eigenen Professoren durchzusetzen. Dennoch gelang es den Technischen Hochschulen, die naturwissenschaftliche Forschung weit erfolgreicher als die Universitäten an sich zu ziehen, bis sie schließlich mit einem Verhältnis von zwei zu eins den unbezweifelbaren Vorrang gewonnen hatten.

Die Studenten der Technikwissenschaften hatten dagegen keine Schwierigkeiten damit, die Technischen Hochschulen als vielseitige Ausbildungsstätten mit einem grundsoliden Studium zu akzeptieren. 1870 gab es erst rund 2250 Studenten an allen Polytechnika; diese Zahl entsprach rund fünfzehn Prozent der Universitätsstudenten. 1914 aber machten 11450 TH-Studenten trotz der explosiven Frequenzzunahme an den Universitäten rund neunzehn Prozent ihrer Studentenzahl aus. Freilich gab es nicht überall einen ungehinderten Siegeslauf: Zweimal, 1872 und 1882, erwog etwa der Hessische Landtag, die TH Darmstadt mangels einer hinreichenden Zahl von Studenten zu schließen; aber 1906 gehörte sie mit mehr als zweitausend Studenten zur Spitzengruppe.

Die Studentenströme schwankten nämlich je nach den konjunkturellen Auf- und Abschwüngen, auch je nach der Verschärfung der Zulassungskriterien und der Steigerung der Studiumsanforderungen. Insgesamt aber hat sich bis 1914 die Zahl der Bergbaustudenten verneunfacht, der Bauingenieurstudenten versechsfacht, der Maschinenbaustudenten verfünffacht, der Architekturstudenten verdreifacht. An mancher Technischen Hochschule wurde selbst diese Vermehrung durch die Zunahme der Elektrotechnikstudenten noch übertroffen.

Hinter diesen dürren Mengenangaben verbirgt sich ein sozialökonomischer Tatbestand von grundlegender Bedeutung. Als der moderne deutsche Produktionskapitalismus nach der Industriellen Revolution die langgestreckte Phase der Hochindustrialisierung bis 1914 durchlief, stellten ihm die Technischen Hochschulen Jahr für Jahr in wachsender Zahl exzellent qualifizierte technische Experten zur Verfügung. Sie führten nicht nur mit hoher Kompetenz ihre Berufsarbeit aus, vielmehr erfanden sie auch häufig – da der Impetus der wissenschaftlichen Ausbildung in ihnen weiterwirkte – jene großen und kleinen Innovationen, die den Produktions- und Wachstumsprozeß vorantrieben und diversifizierten, ihn rationalisierten und intensivierten. Der staunenerregende Aufstieg des Kaiserreichs zu einer der drei großen Industriemächte hing wesentlich – und zumal im internationalen Vergleich – auch mit diesem regelmäßigen Zufluß eines neuartigen, akademisch-empirisch geprägten «Humankapitals» zusammen. Im Vergleich mit dieser Leistung der Technischen Hochschulen machte die kränkende Diskriminierung wenig aus, daß ihre Professoren in manchen Staaten selbst nach den neunziger Jahren – ein Überhang anachronistischer Privilegien und das Resultat mißgünstiger Ranküne – in der «Hofrangordnung» noch immer weit hinter den Universitätsprofessoren rangierten.

Waren nach den Universitäten die Technischen Hochschulen ebenfalls weltweit zum Vorbild wissenschaftlicher Hochleistungsinstitutionen geworden, gelang es in Deutschland noch einmal früher als anderswo, aus der Kooperation von Wissenschaft, Wirtschaft und Staat heraus seit dem ausgehenden 19. Jahrhundert jene ersten «außeruniversitären Forschungseinrichtungen» mit unterschiedlicher «Struktur und Organisation» zu entwickeln, aus denen die moderne Großforschung wesentlich hervorgegangen ist. Im Vergleich damit haben sich die Anfänge von «Big Science» in anderen westlichen Ländern meist erst Jahrzehnte später entfaltet. Der Aufstieg des «Großbetriebs» auch in der Wissenschaft – wie ihn Theodor Mommsen bereits 1890 und Adolf v. Harnack 1905 konstatiert haben – bildet eine Strukturanalogie zum kapitalistischen Großunternehmen und zur Umwandlung des modernen Interventionsstaats in einen Großbetrieb. Daß dieses Phänomen auch in der Wissenschaft in Deutschland früh auftauchte, hing von einigen spezifischen Voraussetzungen ab.

Die deutschen Staaten hatten seit dem 18. Jahrhundert, ungleich umfassender noch seit dem frühen 19. Jahrhundert bei der Organisierung des höheren Bildungswesens eine maßgebliche Rolle gespielt. Das führte zu einer «Durchstaatlichung des Wissenschaftsbetriebs», vorerst an den Universitäten, aber mit der Tendenz, auch über sie hinauszuwirken.

Das Interesse der deutschen Staaten daran, die relative wirtschaftliche Rückständigkeit im Verhältnis zu den westlichen Pionierländern zu überwinden, führte auch zu gezielten Anstrengungen im Bereich der technischen Ausbildung. Dafür stand zuerst der Aufbau von Gewerbeschulen und Polytechnika, auf höherem Niveau dann die Förderung der naturwissenschaftlichen Forschung an den Universitäten und Technischen Hochschulen. Ihre Ergebnisse konnten vor allem in den neuen Führungssektoren der Elektrotechnischen, Chemischen und Optischen Industrie, aber auch im verfeinerten Maschinenbau für die industrielle Massenfertigung ausgenutzt werden. Der Zusammenhang von wissenschaftlicher Innovation und ökonomischer Leistungskapazität wurde daher frühzeitig erkannt.

Der heranwachsende Interventionsstaat erhöhte die Neigung, mit staatlicher Unterstützung das ökonomische Potential für den internationalen Wettbewerb zu steigern und durch qualitative Diversifizierung die Krisen des Konjunkturrhythmus besser abzufangen. Der Sozialstaat wiederum verstärkte die öffentliche Wirkung und das Prestige mancher Wissenschaften, z. B. der medizinischen Forschung im Verlauf der beschleunigten Medikalisierung infolge der Versicherungsgesetze.

Nach 1871 hatte das Reich – aufgrund seiner verfassungsrechtlichen Kompetenz für die Außenpolitik – einige bereits bestehende wissenschaftliche Institute im Ausland übernommen: etwa das «Archäologische Institut» in Rom, die «Zoologische Station» in Neapel, das «Kunsthistorische Institut» in Florenz; seit 1875 finanzierte es auch die riesige Quellenedition der «Monumenta Germaniae Historica», das Grimmsche Wörterbuch und wichtige Museen. Freilich blieb der Schwerpunkt der Forschungsförderung in den Einzelstaaten, insbesondere in Preußen.

Einen Durchbruch in Neuland bedeutete dann 1887 die Gründung der «Physikalisch-Technischen Reichsanstalt», die aus der Initiative des Großunternehmers Werner v. Siemens, des Physikers Hermann v. Helmholtz und des Astronomen Wilhelm Foerster hervorging, der als Leiter der Normal-Eichungskommission des Reichs mit der Neuorganisierung des gesamten Maß- und Gewichtswesens betraut war. Über die beiden Hauptziele der «Reichsanstalt» herrschte Einigkeit: Sie sollte zum einen für genuin wissenschaftliche Zwecke zu einem großdimensionierten Forschungszentrum für Experimentalphysik ausgebaut werden, zum andern die deutsche Industrie durch naturwissenschaftliche Grundlagenforschung im globalen Konkurrenzkampf stärken.

Beide Ziele sind nur teilweise erreicht worden. Vielmehr wurde die «Reichsanstalt» an erster Stelle ein staatliches Dienstleistungsunternehmen, das sowohl für die Normierung, Prüfung und Zulassung von physikalischen Meßwerkzeugen als auch als technische Oberbehörde für das gesamte Eichwesen im Bereich der Elektrizität zuständig wurde. Ihre großzügig angelegten Forschungseinrichtungen boten aber immerhin Max Planck die Möglichkeit, seine Quantentheorie experimentell zu überprüfen.

Die Reichskompetenz für die Medizinal- und Veterinärpolizei hatte bereits 1876 zur Einrichtung des «Kaiserlichen Deutschen Gesundheitsamts» geführt, das sich allmählich eine wachsende Forschungsabteilung angliederte, in der zum Beispiel Robert Koch den Tuberkulose- und den Choleraerreger entdeckte.

Aus einer Unterbehörde dieses «Gesundheitsamts» ging 1905 die «Biologische Reichsanstalt für Land- und Forstwirtschaft» hervor, die der Agrarwirtschaft – von der im Gegensatz zur Industrie keine eigene Forschungsarbeit initiiert wurde – wissenschaftlichen Beistand leisten sollte.

Alle drei Reichsanstalten wiesen erstmals einen Weg auf, wie die «naturwissenschaftliche Grundlagenforschung bewußt für die Entwicklung von Technik und Wirtschaft mobilisiert» werden konnte, indem sich der Staat selber mit solchen Förderungsunternehmen engagierte. Diese Forschung im Staatsauftrag – damals meist an Dienstleistungen zur Vorsorge und Gefahrenkontrolle ausgerichtet, heute zu einer gewaltigen «Ressort-Forschung» herangewachsen – trat neben die «selbstregulierte», auf wissenschaftliche Erkenntnisziele fixierte Hochschulforschung und die «marktregulierte», produktorientierte Industrieforschung, die ebenfalls seit den 1880er/90er Jahren in den Großunternehmen der zweiten Industrialisierungswelle aufkam (vgl. 6. Teil, II.2a u. 4).

Vor dem Hintergrund solcher Erfahrungen wurde eine neuartige Kombination von Wissenschaft, Wirtschaftsbeteiligung und Staatshilfe in den Forschungsinstituten der 1911 gegründeten «Kaiser-Wilhelm-Gesellschaft» verwirklicht, die von Anfang an den «außerordentlich erfolgreichen neuen Typ einer außeruniversitären, aber akademisch geprägten Forschungsorganisation» verkörperte. Für ihre Entstehung erwies sich ein überschaubares Geflecht von Voraussetzungen als ausschlaggebend.

Einflußreiche wirtschaftliche und staatliche Funktionseliten hatten erfaßt, daß die «Wissenschaft als Produktivfaktor» ein «wesentliches Element im ökonomischen Wettbewerb der Nationen» bildete. Sie wollten es nicht allein der Wissenschaft selber und der Industrie überlassen, für den Zufluß an ökonomisch verwertbaren wissenschaftlichen Innovationen zu sorgen.

Zukunftsträchtige Forschungsgebiete lagen häufig zwischen den etablierten Fächern mit ihren akademischen Sperrzäunen. Die Verselbständigung der Forschung außerhalb des Abhängigkeitsgefüges der Hochschulen bot die Chance für eine zügigere Entwicklung und Spezialisierung, zumal die Belastung durch den akademischen Lehrbetrieb entfiel.

Die dafür unumgängliche Ressourcenkonzentration auf die neuen Forschungsfelder erschwerte ebenfalls die Anbindung an die Universitäten und Technischen Hochschulen, deren eifersüchtig-neidisches Kollegialsystem endlose Verteilungskämpfe zur Gewißheit machte; die Akademien waren für die naturwissenschaftliche Großforschung völlig ungeeignet.

Im preußischen Kultusministerium hatte Ministerialdirektor Friedrich Althoff schon seit längerem die staatliche Großforschung anvisiert, einige Weichen zu stellen und interessierte Wissenschaftler anzuregen versucht.

Zum nationalen Prestigedenken gehörte auch der Wunsch, sich auf den anhaltenden Vorsprung der deutschen Wissenschaft und ihre neuen Forschungserfolge berufen zu können. Nachdem einige außeruniversitäre Forschungsinstitute seit dem Ende des 19. Jahrhunderts, öfters von Privatstiftungen großzügig finanziert, vor allem in den Vereinigten Staaten, aber auch in Frankreich, England und Schweden entstanden waren, wurde ihre Existenz als bedrohliche Gefahr einer Degradierung der deutschen Forschung wahrgenommen.

Unter diesen Bedingungen wirkten einige Persönlichkeiten und Einflußfaktoren zusammen. Adolf v. Harnack – damals der einflußreichste und bekannteste liberale Theologe, zugleich aber auch ein Wissenschaftler mit einem ungewöhnlichen Organisationstalent, das er als Generaldirektor der Preußischen Staatsbibliothek und energischer «Macher» in der Berliner Akademie eindrucksvoll bewiesen hatte – kombinierte im November 1909 einige Entwürfe zu einer Gründungsdenkschrift; im Januar 1911 konnte die

«Kaiser-Wilhelm-Gesellschaft» bereits mit Harnack als ihrem ersten Präsidenten ins Leben gerufen werden. Althoffs Nachfolger, Friedrich Schmitt-Ott, gewährte vorher die notwendige Rückendeckung durch die mächtige Kultusbürokratie. Emil Fischer, Nobelpreisträger der Chemie, hatte längst eine «Chemische Reichsanstalt» angestrebt und erwies sich jetzt als erfahrener «Brückenbauer» zwischen Wissenschaft und Industrie. Wilhelm II., der bereits Harnacks Berufung nach Berlin beeinflußt hatte und dessen großen Plänen zugänglich war, da er ohnehin gern als Förderer der modernen Technik und Wissenschaft posierte, wurde als Schirmherr gewonnen; das war nicht unwichtig, weil die politische Durchsetzungsfähigkeit des Gründungsgremiums dadurch verbessert wurde.

Als materiell entscheidend erwies sich jedoch der Umstand, daß zahlreiche spendenfreudige Angehörige des reichen Großbürgertums, insbesondere renommierte Figuren aus der Schwerindustrie und Berliner Großbankenwelt, das Projekt finanzieren halfen. Offensichtlich übten die Nützlichkeitsgesichtspunkte der Mäzenaten aus den besonders «forschungsintensiven Industriezweigen» einen nachhaltigen Einfluß aus. Immerhin gelang es, bis 1914 13.7 Millionen Mark an Spenden einzuwerben; zwei Drittel der Stifter gaben mehr als hunderttausend Goldmark; zu den hundertfünfundsiebzig preußischen Spendern gehörten hundertvierzig Millionäre; namentlich jüdische Geldgeber waren prominent vertreten. Kurz, die wichtigste Trägerschicht blieb das potente Unternehmertum, das auch im Präsidium repräsentiert war.

Trotz des Übergangs zur «kapitalintensiven Großforschung» brauchte der Staat wegen der Privatfinanzierung keine nennenswerten Ressourcen beizusteuern. Der preußische Zuschuß blieb gering, nur die Grundstücke und Direktorenstellen wurden der Gesellschaft zur Verfügung gestellt. Darüber hinaus verzichtete der Staat auf seine «traditionelle wissenschaftsorganisatorische Allmacht», denn für die neuen Institute wurde eine privatrechtliche Organisationsform gewählt, die sowohl Schutz gegen den übermächtigen Einfluß von Wirtschaftsinteressen als auch gegen eine engherzige Gängelung durch die Bürokratie bot. Die Institute beruhten auf der akademischen Selbstverwaltung unter lockerer staatlicher Aufsicht. Sie wurden um einzelne herausragende Forscherpersönlichkeiten herum aufgebaut, die als Halbgötter ihr kleines Königreich fast autonom regierten.

Unter solchen Auspizien wurden bis 1914 vier Institute für die Grundlagenforschung, die zumindest auf mittlere Sicht aber auch der Industrie zugute kommen sollte, eingerichtet: das Institut für Physikalische Chemie und Elektrochemie, das Institut für Chemie, das Institut für Experimentelle Therapie und Arbeitsphysiologie und schließlich das Institut für Biologie. Die fünfte Gründung, das Institut für Kohleforschung, diente von vornherein ganz unmittelbar ökonomischen Interessen. Es wurde auf die Initiative Emil Fischers und des Montanunternehmers Hugo Stinnes, der mit einer

Stiftung von siebenhunderttausend Mark auch die Errichtung und die Erstausstattung übernahm, an seinem Firmensitz in Mülheim an der Ruhr aufgebaut. Mit der Hilfe von Stinnes gelang es zudem, für die laufende Finanzierung hinreichende Industriespenden anzuwerben.

Die «Kaiser-Wilhelm-Gesellschaft» war, auf eine Formel gebracht, eine «Schöpfung von Wissenschaft und Großbourgeoisie» unter staatlicher Obhut. Sie bedeutete, über den eigentümlichen Charakter der Anfangskonstellation hinaus, insofern einen «Markstein in der Geschichte der deutschen Wissenschaftspolitik», als auf den damals geschaffenen institutionellen Grundlagen im Laufe der kommenden Jahrzehnte ein vielseitiges, differenziertes System von Großforschungsanstalten errichtet werden konnte, die heutzutage in der «Max-Planck-Gesellschaft» zusammengefaßt sind.[8]

5. Der literarisch-publizistische Markt und der Übergang zur modernen Kommunikationsgesellschaft

Als die industriekapitalistische Marktgesellschaft auf die Wissenschaft übergriff, wie sich das an den naturwissenschaftlichen Fächern der Universitäten und an den Technischen Hochschulen beobachten läßt, hatte sich der Markt als regulierende Basisinstitution auch im Bereich der literarisch-publizistischen Kommunikation in den Jahrzehnten seit der Jahrhundertmitte bereits weithin durchgesetzt. Mit dem Wachstum der Bevölkerung und der Urbanisierung dehnte sich die Masse der wichtigsten Adressaten: das städtische Lesepublikum, in einem ungeahnten Umfang aus. Die Nachfrage nach Unterhaltung und Information schnellte hoch, und sie wurde marktkonform befriedigt. Das Angebot paßte sich mit seiner Diversifizierung den Käuferwünschen an. Die Auflage der Romane, Kolportagelieferungen und Zweigroschenhefte stieg ebenso an wie die Stückzahl der Zeitschriften und Zeitungen. Der Anzeigenteil – bald die Hälfte, bei den «Generalanzeigern» sogar zwei Drittel des Umfangs umfassend – enthüllte nicht nur eklatant die Marktabhängigkeit, sondern auch einen Weg, auf dem die finanziellen Probleme einer lukrativen Expansion gelöst werden konnten.

Die Marktmechanismen bestimmten auch das Berufsleben der Schriftsteller und Journalisten, ihre Honorar- oder Gehaltshöhe, ihren Bekanntheitsgrad oder ihre Anonymität, den Romaninhalt und den Charakter der Tagespresse. Der Ausbau des Verkehrssystems durch die Vollendung des Eisenbahn- und Telegraphennetzes beschleunigte enorm die Transportgeschwindigkeit aller literarisch-publizistischen Produkte. Um 1900 lieferte die Post bereits 1.2 Milliarden Zeitungen an Abonnenten aus, 1870 waren es erst hundertfünfzig Millionen gewesen. Zugleich trafen die regulären Nachrichten und eiligen Informationen innerhalb von Minuten ein. Kurz, seit den siebziger Jahren trieb die von der modernen Technik unterstützte Marktdynamik in großen Schritten auf die moderne Kommunikationsgesellschaft hin, die bereits vor 1914 einen lange Zeit unterschätzten hohen Entwicklungsgrad erreicht hat.

a) Unterhaltungsliteratur und Schriftsteller

Die deutschsprachige Buchproduktion hatte nach einer langwierigen Stagnationsphase im Gefolge ihres Tiefstandes von 1851 (8346) nicht vor 1868 wieder die zehntausend Titel von 1837 und erst 1879 mit 14179 Stück ihren vormärzlichen Höhepunkt von 1843 erreicht. Seither hielt freilich im Verlauf der «zweiten Leserevolution» eine beispiellose Expansion an, die innerhalb von dreißig Jahren (1910 = 30317) zu einer Verdoppelung der jährlichen Herstellung, bis zum Kriegsausbruch sogar zu einer neuen Rekordmarke führte (1914 = 34871). Der jährliche Umsatz der Buchhandlungen stieg folgerichtig währenddessen, von 1875 bis 1913, von fünfundfünfzig auf fünfhundert Millionen Mark. Die Anzahl der Leihbibliotheken verdoppelte sich nach ihrem lebhaften Aufschwung bis dahin allein von 1865 bis 1900 noch einmal auf rund viertausend. Die größte von ihnen, Borstell & Reimarus in Berlin, vermochte um 1900 ihren Kunden ständig rund sechshunderttausend Bände anzubieten. Der Vorreiter der preiswerten broschierten Reihen, die Reclamsche «Universalbibliothek», erreichte zwischen 1867 und 1914 einen Absatz von achtzehn Millionen Klassiker-Bändchen. Sie kam ihrem politischen Ziel, auf diese Weise zu einer «ideellen Einigung der Nation in der Klassikerverehrung» beizutragen, vermutlich ein Stück näher.

Die literarische Produktion kann man idealtypisch nach drei Gattungen unterscheiden: nach der Bildungs- und Unterhaltungsliteratur, der Massenliteratur und der elitären Kunstliteratur. Für die entstehende Massenkultur, die hier im Vordergrund steht, brauchen die kleinen esoterischen Zirkel um Stefan George, im Bayreuther Kreis und in der Charon-Gemeinde ebensowenig berücksichtigt zu werden wie die wiederholten Aufbruchbewegungen der literarischen Avantgarde. Wohl aber verdienen die beiden ersten Kategorien eine genauere Beachtung.

Am Bildungsroman fällt die Dominanz der historischen Themen auf. Hatte bis zur Reichsgründung mehr als die Hälfte der historischen Romane noch im 18. Jahrhundert und im Zeitalter Napoleons gespielt, kam es jetzt zu einer aufschlußreichen zeitlichen Rückverschiebung der Themen. Nach der Gründung des Nationalstaats wurde im Sinne der «Erfindung von Traditionen» die angeblich nationale Vergangenheit immer weiter zurückverlagert: über die Frühe Neuzeit und das Mittelalter hinweg bis hinein in die germanische Völkerwanderungsepoche. Gustav Freytags neuer Bestseller «Ingo und Ingraban», der 1872 zeitgerecht erschien und bis zum Ende des Kaiserreichs zweiundsechzig Auflagen mit hundertachtzigtausend Exemplaren erreichte, oder auch Felix Dahns vierbändiger «Kampf um Rom» von

1876/78, dessen Verkaufserfolg dem nicht nachstand, können als Muster dieser Tendenz gelten.

In der Unterhaltungsliteratur dominierte der Familienroman. Unbestritten lag bis 1888 Eugenie Marlitt in Führung, die immerhin noch zu einer gewissen Kritik am Adel und großbürgerlichen Protz imstande war. Seit 1905 folgte in ihren Spuren Hedwig Courths-Mahler, bis heute die «erfolgreichste deutsche Schriftstellerin», von deren Büchern bereits vor 1914 vierzehn Millionen, ein halbes Jahrhundert nach ihrem Erstling sogar dreißig Millionen Exemplare verkauft worden sind. In ihren Romanen gründete das bürgerliche «Glücksversprechen» ohne einen Hauch von Kritik allein auf der rechten Gesinnung und der eigenen Leistung, die zum individuellen Aufstieg führte; zugleich übte sie die «Schicksalsergebenheit» und das traditionelle Rollenverhalten ihrer Leserinnen ein. Ihr kam damals selbst der deutsche Klassiker des exotischen Romans, Karl May, mit seinen Wildwest- und Orientbüchern nur in etwa nahe, von denen bis 1914 1.6 Millionen Bände abgesetzt wurden.

Seit der Mitte der neunziger Jahre erlebte auch der Bauernroman im Zusammenhang mit der Heimatkunstbewegung einen neuen Aufschwung. Ideologiepolitisch reagierte er auf den Sieg des Agrarkapitalismus und seine schmerzhaften Krisen mit einer verbissenen Polemik gegen die Großstadt und Technik, gegen die Industrie und das mobile Kapital, gegen den Klassenkampf und Sozialismus. Diesen Feindbildern setzte er in seiner häufig schon antisemitischen Blut- und Boden-Rhetorik die heile Welt des Bauerntums, das unverfälschte Landleben als Gesundbrunnen der Nation entgegen. In Ludwig Ganghofers Pseudorealismus erreichte er seinen Tiefpunkt. Am erfolgreichsten erwies sich aber zeitweilig eine gewissermaßen liberale Variante des Bauernromans: In Gustav Frenssens «Jörn Uhl» (1901), der innerhalb von fünf Jahren bereits zweihunderttausend Käufer fand, wurde die Abwendung vom traditionellen Landleben auch als ein «Prozeß der inneren Emanzipation» gedeutet.

Der einzige ernsthafte Konkurrent für die Unterhaltungsliteratur dieses Genres blieb vorerst der Kolportageroman, der vor 1871 längst ein riesiges Publikum gefunden hatte, das auch seither stetig weiter wuchs. Zwischen 1860 und 1900 wurden rund achthundert neue «Hintertreppenromane» – der pejorative Begriff rührt daher, daß der Kolporteur gewöhnlich den Dienstboteneingang, nicht die Vordertür benutzte – in jeweils hundertfünfzig bis zweihundert Heftchen mit acht bis zwölf Seiten für zehn bis vierzig Pfennig in Umlauf gebracht. Wie heutzutage in der «Regenbogenpresse» standen die Laster und Freuden der Reichen und Vornehmen, denen das redliche, unverdorbene Leben der «einfachen Leute» entgegengesetzt wurde, im Mittelpunkt. Typisch für dieses Kompositionsmuster ist Karl Mays «Waldröschen», das seit Ende 1882 in hundertneun Heftchen erschien, doch den eigentlichen Bestseller, den «Scharfrichter von Berlin», mit einer

Auflage von mehr als einer Million Exemplaren und schließlich dreitausend Seiten bei weitem nicht erreichen konnte.

Im übrigen machten die «Volksromane» im Kolportagehandel nur den relativ geringen Anteil von sechzehn Prozent (1893) aus. An der Spitze hielten sich weiter die großen Familienblätter (54 Prozent), gefolgt von den Lexika, populärwissenschaftlichen Werken und Fachzeitschriften (20 Prozent) sowie von den Kalendern (10 Prozent). Da der gewerbliche Bücherhausierer buchstäblich jedermann erreichte, dehnte sich mit dem Kolportagehandel eine wahre «Unterhaltungsindustrie für die Unterschichten» aus, denn die Mehrheit der Konsumenten wurde von Dienstmädchen und Arbeiterinnen, dazu von männlichen Angehörigen der proletarischen Klassen gestellt.

Seit den neunziger Jahren haben dann die broschierten Romanhefte mit einer abgeschlossenen Liebes- oder Abenteuergeschichte die Kolportagelieferungen geschwind überflügelt. Vor 1914 wurden bereits jährlich rund dreihundert Millionen Hefte (gewöhnlich mit 64 Seiten für 10 bis 20 Pfennig) gekauft. Das Geschäft lief weder über die Buchhandlungen noch über die Kolportagefirmen, vielmehr übernahm es ein dichtes Netz von Straßenverkäufern, Zigaretten- und Trafikläden, Kiosken und Bahnhofshandlungen. Nach der Jahrhundertwende drang die schematische Massenproduktion der amerikanischen Serien auch auf den deutschen Markt vor. Allein von den immens populären «Buffalo-Bill»-Romanen wurden im Jahrzehnt vor 1914 12386 Nummern (32 Seiten für 20 Pfennig) gekauft; dichtauf lag die Detektivserie über «Nick Carter».

Diesem Triumph der kitschig-anspruchslosen Unterhaltungsliteratur für Abermillionen von anhänglichen Leserinnen und Lesern begegnete das Bildungsbürgertum mit heller Empörung über so viel «Schmutz und Schund». Alle Boykottaufrufe und Pressekampagnen blieben indes ergebnislos. Das empfohlene Gegengift des «guten Buches» wirkte überhaupt nicht. Erst nach dem Kriegsausbruch gelang es seinen militanten Vorkämpfern, unter dem Belagerungsrecht das Verbot zahlreicher Titel durch die Militärbehörden zu erreichen.

Dem ungeheuren Kommerzialisierungssog, der von diesem populärliterarischen Markt ausging, konnten sich die wenigsten Schriftsteller entziehen. Das trifft auch auf diejenigen Autoren zu, die – wie etwa Theodor Fontane, Conrad Ferdinand Meyer, Theodor Storm – in den Kanon der Hochliteratur aufgenommen wurden. Wer das Marktübliche schrieb, reüssierte; wer sich sträubte, führte eine Marginalexistenz. Als sich der alte Fontane 1891 über die «gesellschaftliche Stellung des Schriftstellers» äußerte, prangerte er sie als «miserabel» an. «Die, die mit Literatur und Tagespolitik handeln, werden reich», grollte er, «die, die sie machen, hungern entweder oder schlagen sich durch. Aus diesem Geld-Elend resultiert dann das Schlimmere: Der Tintensklave wird geboren.»

Um dieselbe Zeit zog Michael G. Conrad, selber Schriftsteller und Herausgeber einer kurzlebigen Zeitschrift, eine ähnlich bittere Bilanz, denn in jedem Verlag sah er nur eine «Erwerbsgenossenschaft zur Ausbeutung schriftstellerischer Arbeit behufs Erreichung höchstmöglichen Gewinns für die Aktionäre. Der Schriftsteller» sei längst, klagte er, «proletarisiert, das heißt, er ist der Lieferant des Verlages und wird nur in dem Maße beachtet..., als sich aus seiner Arbeit kapitalistischer Nutzen herausschlagen läßt.» Offen oder insgeheim dem Geniekult anhängend, empfanden ausgeprägte Individualisten, wie das die meisten Autoren gewöhnlich waren, ihre Marktabhängigkeit als schweres Joch. Auf Detlev v. Liliencron wirkte die Kritik seines Verlegers als blanke Zumutung. «Wer heute Geld verdienen will», eröffnete ihm der damals angesehene Wilhelm Friedrich, «der muß verkäufliche Ware auf Lager haben», wozu Liliencrons Gedichte und Novellen nicht gehörten. «In der unverkäuflichen Ware liegt auch Ihr pekuniäres Risiko», das nur durch die «verkäufliche Ware» attraktiver Romane behoben werden könne: «In der Prosa liegt die Poesie des Geldes.»

Um von dieser Poesie mehr genießen zu können, verhielten sich viele Schriftsteller marktgerecht, indem sie sich in Interessenverbänden zusammenschlossen, um ihre individuelle Schwäche durch kollektive Marktmacht zu kompensieren. 1900 entstand der «Schutzverband deutscher Schriftsteller», 1902 das «Kartell lyrischer Autoren» und 1908 der «Verein deutscher Bühnenschriftsteller». Eine ernstzunehmende Verhandlungsposition konnten alle diese Assoziationen damals noch nicht gewinnen. Wer dagegen als einzelner einen Namen besaß, war durchaus imstande, außergewöhnlich günstige Konditionen auszuhandeln, wie etwa Heinrich Mann, dessen «Prof. Unrat» 1905 mit einer Erstauflage von zehntausend Stück erschien.[9]

b) Zeitschriften und Zeitungen, Journalisten und Verleger

Daß die großen Familienblätter, keineswegs die Tageszeitungen seit den 1850er Jahren das Zeitalter der Massenpresse eröffnet haben, ist vorn bereits betont worden (5. Teil, V.5b). An ihrer Überlegenheit im Hinblick auf die Höhe der Auflage und die Größe des regelmäßigen Publikums hat sich auch in den ersten beiden Jahrzehnten des Kaiserreichs noch nichts geändert. Im Gegenteil, in dieser dritten Phase einer auffälligen publizistischen Vielfalt – nach den Jahrzehnten von 1750 bis 1770 und von 1820 bis 1850 – gab es mehr Zeitschriften als je zuvor oder nachher. Noch 1903 zum Beispiel erfaßte der «Deutsche Journal-Katalog» rund 2800, 1918 rund 3600 Titel von mehr als viertausend tatsächlich existierenden. Man kann die bunte Mischung von Publikationen, die sich hinter solchen Zahlen verbirgt, mit Hilfe von einigen Typen ordnen.

1. Die Familienblätter verteidigten vorerst weiter ihren Spitzenplatz. Sie sicherten ihre Auflagenhöhe durch die Attraktivität populärer Fortsetzungsromane, durch die «Universalität des Inhalts» und die «Popularisierung der

Wissenschaften», durch eine zunehmend üppigere Aufmachung und einen umfangreichen Anzeigenteil. Über nahezu vier Jahrzehnte hinweg beeinflußten sie als «zentrale Materiallieferanten und Meinungsbildner» den Vorstellungshorizont «breitester Kreise» der mittel- und kleinbürgerlichen Klassen. Die «Gartenlaube» erreichte 1875 mit 382000 ihre Rekordauflage, aber auch andere bekannte Blätter wie «Daheim» und «Über Land und Meer» druckten zweihunderttausend Exemplare. Sie alle kann man jeweils mit einem Leserkoeffizienten von zehn multiplizieren, um das wahrscheinliche Publikum zu ermitteln. Die anfänglich angestrebte politische Neutralität wich seit den späten sechziger Jahren einer offenkundig nationalliberalen Tendenz. Auch ohne die Hilfsmittel der empirischen Meinungsumfrage und Marktanalyse glaubten erfahrene Verleger und Redakteure, sich damit in Übereinstimmung mit dem vorherrschenden Zeitgeist und dem Wertkonsens der Käufermehrheit zu befinden.

2. In der Mitte der siebziger Jahre begann die große Zeit der «Rundschau»-Zeitschriften, die mit einer geschickt komponierten Fusion von allgemeinkulturellen, literarischen und politischen Beiträgen in den bildungs- und wirtschaftsbürgerlichen Oberklassen einen Leserstamm von zehn- bis fünfzigtausend Abonnenten gewannen. Die Pionierleistung vollbrachte Julius Rodenbergs «Deutsche Rundschau», die seit 1874 zeitweilig als ein «konkurrenzloses» Nationaljournal mit ungeschminkt liberaler Ausrichtung fungierte. Mit Hilfe von Autoren wie Auerbach, Keller, Storm und Meyer, von Wissenschaftlern wie Sybel, Haeckel und Scherer erreichte sie bereits 1878 einen Absatz von zehntausend Exemplaren. Neue kulturpolitische Zeitschriften imitierten ungeniert das Vorbild, wie etwa seit 1877 die «Deutsche Revue» und seit 1886 «Velhagen und Klasings Hefte». Bereits bestehende Zeitschriften paßten sich dem Trend des erfolgreichen Rundschaustils an, wie etwa «Die Grenzboten», die bis 1880 auch auf zehntausend Stammleser kamen, «Die Gegenwart» und «Westermanns Monatshefte».

3. Ein weitaus kleineres, homogeneres Publikum erreichten die primär politischen Zeitschriften von den unter Treitschke orthodox nationalliberalen, unter Hans Delbrück ziemlich selbständigen, gelegentlich sogar antigouvernementalen «Preußischen Jahrbüchern» über die gesellschaftskritische «Zukunft» Maximilian Hardens (der in der Zeit des von ihm ausgelösten Homosexualitätsprozesses gegen den Fürsten Eulenburg, 1906, siebzigtausend, später aber auch noch dreiundzwanzigtausend Hefte absetzte) bis hin zu den linksliberalen Blättern für eine kleine gesinnungstreue Gemeinde wie etwa der «Nation» Theodor Barths, der «Hilfe» Friedrich Naumanns und dem «März», mit dem sich Theodor Heuss seine journalistischen Sporen verdiente.

4. In eine Kategorie für sich fielen die künstlerisch-literarischen Zeitschriften, die öfters auch mit spitzer Feder die Polemik pflegten. Das tat seit 1848 der «Kladderadatsch», der mit einer Auflage von fünfzigtausend Hef-

ten im Reich weiter erschien. Seit 1896 übertraf ihn der «Simplicissimus» an kaustischem Witz und riskanter Schärfe, zumal er die bedeutendsten Karikaturisten des Landes – eine glanzvolle Galerie von Olaf Gulbransson, T. T. Heine, Alfred Kubin, Heinrich Zille, Eduard Thöny bis zu Karl Arnold – an sich zu binden wußte.

5. Unentwegt hielten sich die Rezensions- und Informationszeitschriften wie das «Magazin für die Literatur des In- und Auslandes» und die «Blätter für literarische Unterhaltung», daneben reine Theaterzeitschriften wie Franz Mehrings «Volksbühne», Christian Morgensterns «Theater», vor allem aber Siegfried Jacobsons «Schaubühne», aus der Carl v. Ossietzkys «Weltbühne» hervorging. Und schließlich faserte das Zeitschriftenwesen in eine unüberschaubare Zahl von winzigen Blättern aus, wo der Mitarbeiterkreis mit der Leserschaft häufig identisch war.

Ein ungemein reichhaltiges Spektrum also, aus dem der reichsdeutsche Leser seine Wahl treffen konnte. Wer konfessionell oder parteipolitisch streng gebunden war, fand zudem über kurz oder lang auch Blätter seiner Couleur vor. Der politische Katholizismus begegnete seit 1874 der nationalliberalen «Gartenlaube» mit seinem «Deutschen Hausschatz», der sich mit unübertrefflicher Biederkeit das «Zentral-Organ für wahrhaft sittliche Unterhaltung und volkstümliche Belehrung» nannte. Dagegen konnte es seit 1903 die Rundschauzeitschrift «Hochland» mit jedem liberalen Konkurrenten aufnehmen, und die «Historisch-Politischen Blätter» schwenkten streitlustig das Banner des orthodoxen Ultramontanismus. Die Sozialdemokraten wiederum konterten seit 1876 gegen die «kapitalliberale, den Volksgeist verseuchende und korrumpierende ‹Gartenlaube›» mit ihrer «Neuen Welt». «Der wahre Jakob» nahm es, indem er Polemik und Karikatur kultivierte, zumindest mit dem «Kladderadatsch» auf, und die beiden Rundschauzeitschriften, «Die Neue Zeit» (seit 1883) und die «Sozialistischen Monatshefte» (seit 1895), die manchen starren Zug durch Zivilcourage und lebhafte Kontroverse wettmachten, enthüllten eine Bereitschaft zur lebendigen Auseinandersetzung mit Tagesproblemen und Theoriefragen, wie sie später allenfalls in Rudolf Hilferdings «Neuer Gesellschaft» seit 1924 noch einmal zu finden ist.

Daher noch einmal: Auf dem deutschen Meinungsmarkt fand der Leser ein breites Angebot von Zeitschriften vor, das jedem Interesse entgegenkam. Weder Strafprozesse noch kurzlebige Verbote konnten es dauerhaft einschränken. Mutatis mutandis trifft das auch auf die Tagespresse zu. Am Ende der 1860er Jahre gab es nur sechs Zeitungen, deren Auflage bei zehntausend Exemplaren lag. Drei Jahrzehnte später wetteiferten die Massenblätter miteinander, wer mehr als eine Viertelmillion täglich absetzte. Hatte es 1871 rund 1525 Tageszeitungen gegeben, erschienen bis 1914 4200, deren Seitenzahl von jährlich zweitausend auf sechstausend angestiegen, deren Preis aber von wöchentlich 149 auf 89 Pfennige gefallen war. Mehr als siebzig große

Zeitungen lieferten zu dieser Zeit eine Morgen- und Abendausgabe aus, einige schafften sogar täglich ein dreimaliges Erscheinen.

Der neue Aufschwung hing zunächst einmal mit der Deregulierung auch des Zeitungsmarktes zusammen, denn erst hob die reichsrechtliche Durchsetzung der Gewerbefreiheit (1871) hemmende staatliche Kontrollrechte auf, dann beseitigte das Reichspressegesetz von 1874 den Konzessions- und Kautionszwang sowie die Zeitungssteuer. Trotzdem herrschte seither nicht die uneingeschränkte Liberalität. Mißliebige Zeitungen wurden immer wieder wegen «groben Unfugs» angeklagt, der Schutz für Informanten wurde durch den «Zeugniszwang» durchbrochen. Vor allem aber wurde der Paragraph 95 des neuen Strafgesetzbuchs, der die schriftliche oder mündliche «Majestätsbeleidigung» mit mindestens zwei Monaten Haft bestrafte, in einen wahren «Gummiparagraphen» verwandelt, um die politische Kritik im weitesten Sinne mundtot zu machen, denn der Arrest eines Redakteurs und die Beschlagnahmung der Zeitung folgten dem Richterspruch auf dem Fuß.

Unter dem Sozialistengesetz wurden allein 1878 1994 Urteile, überwiegend gegen sozialdemokratische Journalisten, verhängt, von 1882 bis 1888 waren es jährlich immer noch 439, von 1889 bis 1895 sogar 551. Maximilian Harden wanderte 1899 ebenso wegen Majestätsbeleidigung ins Gefängnis wie mancher «Simplicissimus»-Redakteur. Exponierte Zeitungen und Zeitschriften hielten sich geradezu ihren sprichwörtlichen «Sitzredakteur», der die unvermeidliche Haftstrafe absaß. Daher entwickelten der «Kladderadatsch», der «Wahre Jakob» und der «Simplicissimus» eine von ihren Hausjuristen abgesegnete getarnte Kritik, die sie ebenso vor dem Kadi bewahrte wie Ludwig Quidde, der 1894 seine beißende Satire auf Wilhelm II. unter dem Deckmantel einer quasi-wissenschaftlichen Diagnose des «Cäsarenwahnsinns» von «Caligula» erscheinen ließ und mit diesem erfolgreichsten politischen Pamphlet des Kaiserreichs dank der Camouflage binnen kürzester Zeit dreißig Auflagen erlebte. Sogar im Theaterwesen wucherte die Zensur weiter, denn eine ominöse Verordnung des Berliner Polizeipräsidenten Hinckeldey blieb von 1851 bis 1918 in Kraft, so daß etwa die Aufführung von Gerhard Hauptmanns «Webern» untersagt und mutige Theater wie die «Freie Bühne» ständig schikaniert werden konnten.

Außer der Liberalisierung des Marktes erleichterten technologische Innovationen die Expansion des Zeitungswesens. Seit 1872 konnte eine neuartige Setzmaschine verwendet werden, die stündlich siebentausend anstatt zweitausend Lettern ausstieß. Seit 1873 setzte sich die Rotationspresse von MAN in Windeseile durch. 1884 folgte die technisch perfektionierte Mergenthaler-Setzmaschine. In der Zeit der «Großen Deflation» unterstützten kontinuierlich sinkende Papierpreise den Übergang zur Massenauflage.

Um die neuen Möglichkeiten auszunutzen, wurden die Redaktionen und das Korrespondentennetz ausgebaut. Die Aktualisierung trat im neuen Wirtschafts- und Handels-, im Kultur- und Lokalteil, schließlich auch auf der Sportseite zutage. Fast alle größeren Zeitungen versuchten, mit ihren Beilagen, die frühzeitig auch im Farbdruck erschienen, den Familienblättern und frühen Illustrierten ihre Klientel abzuwerben. Dazu trug auch die Ausweitung des Feuilletons bei, das die begehrten Fortsetzungsromane, Theater- und Konzertberichte, Buchrezensionen und Kulturnachrichten enthielt. Ein gut Teil der literarischen Neuerscheinungen wurde auf diese Weise den Familien- und Rundschauzeitschriften durch höhere Honorare und die Aussicht auf ein Riesenpublikum entzogen und geriet unter den Einfluß der Tagespresse. Um die Jahrhundertwende bestanden bereits rund zwanzig hochgradig kommerzialisierte Feuilleton-Agenturen, die mit ihrem Angebot imstande waren, alle Bedürfnisse einer Redaktion zu befriedigen – bis hin zur Lieferung von bereits in sogenannten Matern gesetztem Material, das nur noch nach der individuellen Entscheidung des Redakteurs umbrochen werden mußte. Lokal- und Provinzblättern eröffnete sich die Möglichkeit, dort den größten Teil der Zeitung mit allen gewünschten Beilagen preiswert zu kaufen.

Es kann nach alledem nicht verwundern, daß der Journalistenberuf seit den siebziger Jahren einen neuen Aufschwung erlebte, nachdem es einen «ersten Durchbruch» in den dreißiger/vierziger Jahren, als auch die ersten Redakteure «hauptamtlich» angestellt wurden, gegeben hatte (vgl. Bd. II, 532–40). Zu Beginn des Kaiserreichs waren das aber erst wenige Dutzend Männer, um 1900 dagegen gab es bereits zweieinhalbtausend Redakteure. Dazwischen lag die Herausbildung eines klar definierten, attraktiven Berufs, der nach dem Studium oder der praktischen Einarbeitung von der erdrükkenden Mehrheit als lebenslang währende Tätigkeit ausgeübt wurde. Auch in diesem Fall ist es rundum falsch, vom Aufstieg einer neuen Profession zu sprechen, da es keineswegs um die Monopolisierung von Machtressourcen durch akademische Experten ging. Wohl aber kann man den Typus des Berufsjournalisten insofern in die Nähe der Angehörigen von klassischen Professionen, wie etwa denjenigen der Rechtsanwälte und Ärzte rücken, als er nach einer überwiegend akademischen Ausbildung einer Art von freiberuflichen Tätigkeit nachging, die eine zunehmend strenger definierte Qualifikation voraussetzte und die nachgewiesene Kompetenz in vergleichbarer Weise honorierte.

Der sozialen Herkunft nach stammten nach 1871 rund achtundfünfzig Prozent der Journalisten aus dem Bildungsbürgertum – das war und blieb ein enorm hoher Anteil. Achtzehn Prozent kamen aus Unternehmer- und Kaufmannsfamilien, zehn Prozent aus dem Handwerkermilieu, sechs Prozent aus den bäuerlichen Besitzklassen. Wegen dieser Zusammensetzung überrascht es dann kaum, daß rund neunundsiebzig Prozent von ihnen studiert, rund fünfundfünfzig Prozent auch promoviert hatten. Die Legende vom Hungerlohn für anstrengende Arbeit – einschließlich der häufigen Nachtarbeit für die frühe Morgenausgabe – hat sich ebenso zäh gehalten wie die Klage über ein diskriminiertes Außenseiterdasein. Beides führt in die Irre. In der Zeit (zwischen 1890 und 1900), als ein preußischer Regierungsrat ein Jahresgehalt von 5600 Mark erhielt, verdiente eine Minderheit von meist jüngeren Redakteuren um die 3000 Mark, die meisten aber lagen zwischen 3000 und 6000 Mark, nicht wenige deutlich darüber. Bei der «Augsburger Allgemeinen» etwa erhielten die älteren Journalisten bis zu 8600, bei der Berliner «Post» bis zu 13 000 Mark. Chefredakteure von renommierten Zeitungen übertrafen durchweg das Einkommen eines Regierungspräsidenten (13 500 M.). Bereits 1873 zahlte die «Spenersche Zeitung» ihrem Redaktionsleiter 13 000, 1879 bot die «Schlesische Zeitung» 15 000, die «Hamburger Nachrichten» holten Julius v. Eckardt für 30 000 Mark.

Auch der Vergleich mit den Rechtsanwälten ist hier aufschlußreich. 1912 blieben siebenunddreißig Prozent von ihnen unter einem Jahreseinkommen von 3000 Mark, vierzig Prozent erreichten 3000 bis 6000, nur dreiundzwanzig Prozent übertrafen 6000 Mark. Die meisten Redakteure lebten mithin im Mittelfeld einer auskömmlichen Anwaltsexistenz. Vermutlich konnte der Berliner Handelskorrespondent der «Frankfurter Zeitung» mit seinen 19 000 Mark mit den angesehenen «Geheimen Justizräten» der Reichshauptstadt durchaus mithalten. Solche Spitzenkräfte waren natürlich Paradiesvögel, aber einen gediegenen, gutbürgerlichen Lebensstil – vergleichbar mit dem des Oberlehrers, Richters und höheren Beamten – konnte sich die große Mehrheit der fest angestellten Journalisten offenbar leisten.

Die Aufgaben eines Interessenverbandes, die eine Profession gewöhnlich frühzeitig wahrnimmt, haben die Journalisten vor dem Ende des Kaiserreichs nicht ausüben können. Die Heterogenität der Interessen, der politischen Überzeugungen, der Berufssituationen stand dem entgegen. Von 1868 bis 1883 gab es jährlich einen «Deutschen Journalistentag» zur Beratung von Berufsproblemen, aber aus Mangel an effizientem Durchsetzungsvermögen siechte er danach dahin, bis 1893 die Treffen eingestellt wurden. Örtliche Pressevereine dienten statt dessen als Diskussionsforum, konnten aber weder die Gehaltspolitik der Verlage beeinflussen noch im Streitfall als Ehrengerichte fungieren. Als 1909 endlich ein Dachverband entstand, dem zweiunddreißig solcher Pressevereine angehörten, gewann er zwar dreitausend Mitglieder, aber nur fünfhundert von ihnen waren Berufsjournalisten.

Anders als der selbständige Anwalt oder Arzt standen die Journalisten einem mächtigen Arbeitgeber gegenüber: ihrem Verleger. Drei Verleger haben im Kaiserreich den Markt der neuen Massenblätter beherrscht, sie in mancher Hinsicht sogar geprägt, nahezu alle Berliner Zeitungen gehörten ihnen schließlich. Das waren Leopold Ullstein (1826–1899), Rudolf Mosse (1843–1920) und August Scherl (1849–1921).

Aus der Familie eines Fürther Papiergroßhändlers stammend, hatte der junge Leopold Ullstein dasselbe Geschäft 1849 in Berlin eröffnet und als unternehmungslustiger Geschäftsmann ein Vermögen angesammelt, ehe er, schon älter als fünfzig Jahre, seine Energie auf ein neues Tätigkeitsfeld lenkte. 1877 kaufte er eine Druckerei und das liberale «Neue Berliner Tageblatt», 1878 die «Berliner Zeitung», 1887 die «Berliner Abendpost», die er schnell auf siebzigtausend Exemplare brachte, 1894 die «Berliner Illustrierte Zeitung», 1898 die «Morgenpost», mit der er bis Mitte 1900 die Rekordhöhe von zweihundertfünfzigtausend Stück erreichte. Innerhalb von zwanzig Jahren baute er mit viel Geschick einen Pressekonzern mit einem eigenen Vertriebssystem auf, der nach seinem Tod von den fünf Söhnen weitergeleitet wurde.

Aus einer ganz anderen Richtung stieß Rudolf Mosse auf den Berliner Markt vor. Der gelernte Buchhändler hatte zuerst den Anzeigenteil der «Gartenlaube» organisiert, ehe er 1867 mit bestechender Weitsicht die erste Annoncenexpedition gründete, die bereits 1873 in allen deutschen Großstädten eine Niederlassung, bis 1914 sogar rund zweihundertfünfzig Filialen in ganz Europa besaß. Ihre Akquisiteure warben ein riesiges Anzeigenvolumen an, das Mosse unter fest garantierten Bedingungen für Auftraggeber und Verleger bei mehr als hundert Tageszeitungen und Fachzeitschriften unterbrachte. Schon 1877 hatte er das «Berliner Tageblatt» gegründet, das unter seiner Ägide zur bedeutendsten linksliberalen Zeitung aufstieg. Vor 1914 setzte sie mit jeder der wöchentlich zwölf Ausgaben zweihundertfünfundvierzigtausend Exemplare ab. Ihre fünfzig Redakteure standen seit 1906 unter der Leitung von Theodor Wolff, einem der bedeutendsten deutschen Publizisten im ersten Drittel des 20. Jahrhunderts, der das «Tageblatt» zum gleichrangigen Rivalen der «Frankfurter Zeitung» und der «Vossischen Zeitung» machte. 1899 gründete Mosse die «Berliner Morgen-Zeitung», kaufte 1904 die «Berliner Volks-Zeitung» und einige Fachzeitschriften hinzu, so daß seine eigene Großdruckerei stets voll ausgelastet war. Dank seiner «marktbeherrschenden Stellung im Anzeigenwesen» konnte auch Mosse sowohl sein diversifiziertes Unternehmen als auch seine herausragende Stellung im Pressewesen bis 1914 konsolidieren.

August Scherl kann als der eigentliche Promotor einer folgenreichen Innovation im Pressewesen gelten. Er machte den Zeitungstypus des «Generalanzeigers», die deutsche Variante der rein kommerziellen «Geschäftspresse», zum erfolgreichsten Massenblatt. Als Buchhändler war er zunächst zum lukrativen Kolportagehandel übergeschwenkt, gründete dann aber, finanziell gut abgepolstert, als Mittdreißiger 1883 den «Berliner Lokalanzeiger», den er zielstrebig zum entpolitisierten ersten Generalanzeiger ausbaute, mit dem er in erstaunlich kurzer Zeit die Zweihunderttausender-Auflage überschritt. Scherl war «der Mann», kommentierte Maximilian Harden ebenso treffend wie bissig diesen Verkaufsschlager, «der den guten Einfall hatte, die Politik aus der Zeitung zu vertreiben und die Kundschaft mit Nachrichten und Bildchen zu stopfen, bis sie... in seliger Sattheit entschlief».

Das Vorbild reizte zur Nachahmung an. In den meisten großen Städten entstanden Generalanzeiger, in Hamburg kam er bereits 1888 täglich auf neunzigtausend Exemplare. August Huck, der an zwölf Zeitungen dieser Art beteiligte reichsdeutsche «Generalanzeiger-König», konnte seinem Dachunternehmen 1911 täglich siebenhunderttausend Exemplare zurechnen. Auf parteipolitische «Neutralität» bedacht, damit de facto den Status quo der autoritären Monarchie unterstützend, auf jeden kritischen Kommentar verzichtend, dafür aber Sensationsnachrichten und einen gewaltigen Anzeigenteil bietend, erlebte der Generalanzeiger seinen unaufhaltsamen Siegeszug.

Erst 1898 tauchte mit Ullsteins «Morgenpost» eine gleichwertige Konkurrenz in Berlin auf. Scherls Expansionskurs hielt damals noch an. 1898 gründete er «Die Woche», 1900 den «Tag», 1903 kaufte er die «Gartenlaube» und 1905 den volkstümlichen «Wegweiser». In einem harten Preiskrieg um das gewinnträchtige Annoncengeschäft, in dem Mosses Vorherrschaft aber nicht zu brechen war, gründete Scherl eine eigene Anzeigenexpedition. Daraufhin schloß ihn Mosse, den Fehdehandschuh aufgreifend, aus seinem Kundenkreis aus. Damit konnte er Scherl so drastisch schwächen, daß seit 1911 dessen Einfluß auf sein eigenes Unternehmen zurückgedrängt wurde. Die jahrzehntelang vorherrschende Dreieroligarchie der Berliner Großverleger zerbrach. 1916 mußte Scherl dem Verkauf an den Hugenberg-Konzern, in dem die Rechtspresse konzentriert wurde, schließlich zustimmen.

Es gehört zu den faszinierenden Aspekten der deutschen Innenpolitik während der Weimarer Republik, wie der Kampf zwischen den liberalen Blättern von Ullstein und Mosse einerseits, Hugenbergs rechtskonservativem Presseimperium andrerseits bis zur Zäsur von 1933 fortgesetzt wurde. Bis 1914 bedeutete es jedenfalls einen Glücksfall, daß in einer entscheidenden Phase des Ausbaus einer marktorientierten Massenpresse mit Ullstein und Mosse zwei Großunternehmer mit liberaler Grundüberzeugung einen Spielraum für liberale Kritik und Urbanität offenhielten, der dem politischen Pluralismus der meinungsprägenden Tageszeitungen der Reichshauptstadt jahrzehntelang zugute gekommen ist.[10]

6. *Die liberale und konservative Öffentlichkeit – Die sozialdemokratische und katholische Gegenöffentlichkeit*

Es wäre falsch, mit dem autoritären politischen System des Kaiserreichs die Hegemonie einer konservativen öffentlichen Meinung zu verbinden. Im Gegenteil, der Vorrang der liberalen Presse konnte trotz aller verbissenen Anstrengungen der Gegenseite nicht beseitigt werden. Die parteipolitischen konservativen Blätter blieben sogar immer eine Minderheit mit einer relativ geringen Ausstrahlung, einer geringen Auflagenhöhe, einem geringen Publikum. Die unter der Devise der politischen Neutralität daherkommenden Generalanzeiger, die mit ihrem Alltagskonservativismus nackte kommerzielle Interessen möglichst ungestört verfolgen wollten, haben eine ungleich einflußreichere Macht zugunsten des Status quo ausgeübt, als das die Presse der Rechtsparteien je tat.

Vor der Reichsgründung gaben bereits zweihundertzehn liberale Tageszeitungen eindeutig den Ton an. Ihre Zahl wuchs im Zeichen des siegreichen Nationalliberalismus weiter an. Unter ihnen übten einige Blätter die Meinungsführerschaft aus. Zu dieser Spitzengruppe gehörten die «Frankfurter Zeitung» und die «Kölnische Zeitung» in Westdeutschland, das «Berliner Tageblatt» und die «Vossische Zeitung» in der Reichshauptstadt. Ihre urteilsfreudigen Leitartikel und Berichte präjudizierten gewissermaßen die Position der weniger bedeutenden liberalen Organe.

Die Konservativen hatten der liberalen Phalanx nur wenig entgegenzusetzen. Da gab es in vorderster Linie die «Neue Preußische», die «Kreuzzeitung», die indes über den ostelbischen Leserkreis deutschkonservativer Großagrarier, Beamter und Pfarrer kaum hinauswirkte. Vielmehr drängte sie ihre anachronistische Beurteilung zeitgenössischer Probleme in das Reservat des politischen Dinosauriertums.

Die regierungsoffiziöse «Norddeutsche (später: «Deutsche») Allgemeine Zeitung» lag in der Bismarckzeit unter dem agilen Exachtundvierziger August Brass, danach unter ihrem neuen Chefredakteur Emil Pindter stramm auf Regierungskurs, besaß aber einen gewissen journalistischen Pfiff. Sie traf in erster Linie deshalb auf Neugierde, weil man aus ihren Leitartikeln und Meldungen politische Absichten der Reichsleitung und des preußischen Staatsministeriums herauszulesen hoffte. Nach 1890 degenerierte sie zu einem langweiligen, politisch lammfrommen Blatt.

Außerdem traten zum Beispiel die «Post», die «Berliner Neuesten Nachrichten», die «Deutsche Tageszeitung» und die «Rheinisch-Westfälische Zeitung» Reismann-Grones für die Konservativen ein. Alles andere als einflußlos waren natürlich die radikalnationalistischen Revolverblätter wie die «Alldeutschen Blätter», die «Ostmark», die «Deutsche Kolonialzeitung» und manche anderen, oft kurzlebigen Verbandszeitungen. Aber zum einen erreichten sie so gut wie ausschließlich die ohnehin Gläubigen, und zum andern trieb sie, zumal in der Spätphase, ihr schillernder Rechtsradikalismus häufig geradezu in einen schroffen Gegensatz zum parteipolitischen und regierungsamtlichen Konservativismus.

Die konservative Defensivhaltung drückte sich auch in verschiedenen organisatorischen Anstrengungen aus. So sollte etwa der «Verein zur Verbreitung konservativer Zeitungen» und später der «Berliner Zentralverein der rechtsgerichteten Presse Deutschlands» die Position auf dem Meinungsmarkt verbessern. Beide Kartelle scheiterten jedoch an der selbstgesetzten Aufgabe, bis der Hugenberg-Konzern sie mit einer in der Tat im Interesse der Rechtskonservativen «vermachteten» Teilöffentlichkeit auf seine Weise effektiv löste.

Anstelle eines stumpfen, gouvernementalen Konformismus in der Öffentlichkeit gab es mithin eine Vielzahl von Zeitungen mit ausgeprägt nationalliberaler oder freisinniger Tendenz, mit konservativer oder gouvernementaler Ausrichtung. Kurzum, es herrschte ein ausgeprägter Meinungspluralismus, der es verbietet, von einer Vorherrschaft der apolitischen kommerziellen Presse zu sprechen, die von einer kritisch räsonierenden Öffentlichkeit nichts mehr übriggelassen habe. Das verbietet außerdem auch schon ein Blick auf Hardens «Zukunft», den «Simplicissimus» und manchen dezidiert kritischen Beitrag in den Rundschauzeitschriften.

Darüber hinaus ist es den stigmatisierten «Reichsfeinden» frühzeitig gelungen, gegen die zuerst geradezu erdrückende Dominanz der liberalen und regierungsnahen Presse eine Gegenöffentlichkeit aufzubauen.

1. Der schwerste Druck lastete auf den Sozialdemokraten, die andrerseits aber auch von Anfang an auf die aufklärende, befreiende, mobilisierende Wirkung des Wortes am meisten vertrauten. Deshalb drängten sie mit Macht auf eigene Presseorgane und möglichst viele andere Publikationsmöglichkeiten. Im Jahr der Gothaer Parteienverschmelzung (1875) erschienen bereits dreiundzwanzig sozialdemokratische Tageszeitungen. Als «Zentralorgan» der neuen proletarischen Sammelpartei fungierte seither der «Vorwärts», der es trotz der Verfolgung im Nu auf täglich zwölftausend Exemplare brachte. Ein Vierteljahrhundert lang wurde er von einem so glänzenden Journalisten wie Wilhelm Liebknecht bis zu seinem Tod im Jahre 1900 als Chefredakteur geleitet.

Der Parteilinken gelang es, die «Leipziger Volkszeitung» zu ihrem Sprachrohr zu machen, das von Franz Mehring, Georg Ledebour, Rosa Luxemburg, Karl Liebknecht, Clara Zetkin, Julian Marchlewski und anderen regelmäßig dazu benutzt wurde, um ihre orthodoxe Kritik am Parteizentrum zu äußern, erst recht um ihre helle Empörung über den Revisionismus und Reformismus auszudrücken.

Mit der «Neuen Welt» und dem «Wahren Jakob» erreichte die SPD einen riesigen, stabilen Abonnentenkreis von Parteimitgliedern und Gewerkschaftlern. Mit der «Neuen Zeit», der Karl Kautsky mehr als dreißig Jahre lang, von 1883 bis 1917, als Chefredakteur seinen Stempel aufprägte, und den «Sozialistischen Monatsheften», die Joseph Bloch über eine noch längere Zeitspanne hinweg bis zu ihrem Verbot 1933 leitete, besaß sie zwei profilierte Rundschauzeitschriften, die schlechthin jedes Thema, wie umstritten es auch sein mochte, aufzugreifen bereit waren und dabei, vergegenwärtigt man sich den permanenten Außendruck, eine erstaunliche Liberalität praktizierten.

Zu der sozialdemokratischen Subkultur, die den getreuen Sozialdemokraten mit seiner Familie vom Jugendverband und Turnverein über die Partei- und Gewerkschaftstreffen bis zum Freidenkerzirkel und Feuerbestattungskreis eine eigene Lebenswelt im Proletarierviertel bot, gehörte auch eine breite Palette von Tageszeitungen und Zeitschriften, Unterhaltungsblättern und Gewerkschaftskorrespondenzen, die diesem Sozialmilieu sein plebejisches Öffentlichkeitsforum garantierten.

Der «Verein Arbeiterpresse» strebte seit 1900 nicht ohne Erfolg nach einer gewissen Koordinierung der vielseitigen publizistischen Unternehmen. Auch sie unterlagen, mochten sie selber den Kapitalismus auch noch so kritisch beurteilen, den Gesetzen seines Marktes. Sie kamen nicht umhin, mit dem Preis, dem Annoncenteil und dem Inhalt dem Zeitüblichen Rechnung zu tragen. Aber sie konnten sich dabei ihres Käufer- und Lesersegments absolut sicher sein, so daß seine konstante Größe ihnen eigentlich jederzeit eine verläßliche Kalkulation gestattete. Und da die Diskriminierung der Sozialdemokratie bis 1914 nicht nachließ, demonstrierte diese Feindseligkeit unablässig die vitale Notwendigkeit einer eigenen Öffentlichkeitsarena, die aus guten Gründen energisch verteidigt wurde.

2. Schwierige Probleme hatte auch der politische Katholizismus zu überwinden. Während die Gemeindemitglieder mit Diözesanblättern und frommen Traktaten reichlich versorgt wurden, mußte das Zentrum nach 1871 seine publizistische Unterstützung gegen eine feindliche, Exklusion praktizierende Umwelt erst aufbauen. Am eindrucksvollsten fiel sie in Köln aus, wo dem Verleger Julius Bachem, der schon seit Jahren gegen die übermächtige liberale «Kölnische Zeitung» der DuMonts ankämpfte, aus eigener Kraft, obschon alsbald vom «Kulturkampf» kräftig begünstigt, mit seiner «Kölnischen Volkszeitung» der Aufschwung gelang. 1871 erreichte sie siebentausend Exemplare, 1875 lieferte sie bereits täglich eine Auflage von fast zwei Dritteln der fünfzehntausend Stück des örtlichen Konkurrenten aus. Seither wurde sie zum katholischen Hauptorgan in Westdeutschland, ohne daß ein gleichwertiges Pendant in Süddeutschland, geschweige denn in Ostdeutschland entstanden wäre. 1914 versorgte die «Kölnische Volkszeitung» ihre Leser dreimal täglich mit dreißigtausend Exemplaren.

Der Zentrumsfraktion im Reichstag und im Preußischen Abgeordnetenhaus stand die 1871 neugegründete Berliner «Germania» besonders nahe, die aber bis 1871, und das war schon mühsam genug, erst auf eine Auflage von achttausend kam. Als sich die Siedehitze des «Kulturkampfes» verflüchtigte, sank selbst diese Auflage. Um 1900 war mit kläglichen viertausend Exemplaren ihre große Zeit, als sie als das Hausorgan der Parteiführung in den Jahren des großen Konflikts Aufmerksamkeit gefunden hatte, unwiderruflich vorbei. Gerade dort, wo die Pressepräsenz besonders viel zählte, in der Reichshauptstadt, fand sie keine erfolgreiche Nachfolgerin. Alle Anstrengungen des «Augustinus-Vereins zur Pflege der katholischen Presse» haben daran nichts zu ändern vermocht.

Dagegen spricht es für die lebendigen Reformimpulse im «Volksverein für das katholische Deutschland», daß die von zwei seiner aktiven Protagonisten redigierte «Westdeutsche Arbeiterzeitung» zu dieser Zeit bereits zweihunderttausend Exemplare absetzte und die sozialdemokratischen Provinzblätter das Fürchten lehrte. Dank ihres offenen Reformkurses konnte sie sogar mit den Massenblättern der drei Berliner Großverlage und der Generalanzeigerpresse durchaus Schritt halten.

Die reaktionär-skurrile Einseitigkeit der «Historisch-Politischen Blätter» wurde glücklicherweise nach der Jahrhundertwende durch das «Hochland» überwunden, das die besten Köpfe der bürgerlichen Bewegung innerhalb des politischen Katholizismus als Mitarbeiter und Leser anzog. Intellektuelle Spannweite besaß ebenfalls die in einem Eifeler Kloster redigierte Jesuiten-Zeitschrift «Stimmen aus Maria Laach», die 1914 auf den neutraleren Titel «Stimmen der Zeit» umgetauft wurden. Wegen ihres Argumentationsniveaus, welches das Bemühen um elastische Weltoffenheit mit absoluter Papsttreue zu verbinden trachtete, gewann sie freilich nur einen so kleinen Abonnentenstamm, daß er andere ideologiepolitische Rundschauzeitschriften wie Kautskys «Neue Zeit» und Blochs «Sozialistische Monatshefte» in helle Verzweiflung gestürzt hätte.

Auf das katholische «Bildungsdefizit» reagierte die «Görres-Gesellschaft» unter anderem mit einem Gegenorgan zu der formell neutralen, faktisch aber nationalliberal-konservativen «Historischen Zeitschrift», dem «Historischen Jahrbuch», das seit 1880 zwischen der Scylla beflissen apologetischer Identifizierung mit der Dogmatik der Amtskirche und der Charybdis der Kapitulation vor dem wissenschaftlichen Objektivitätsfetischismus einen Schlingerkurs steuerte. Ihn konnte das «Philosophische Jahrbuch» der Gesellschaft seit 1888 genausowenig vermeiden. Ernsthafte Konkurrenten für die etablierten wissenschaftlichen Zeitschriften, die von protestantischen Gelehrten völlig dominiert wurden, konnten diese Jahrbücher damals noch nicht werden. Sie boten aber der katholischen akademischen Intelligenz Publikationschancen, wie das auf ihre Weise für andere diskriminierte Autoren die «Neue Zeit» und die «Sozialistischen Monatshefte» auch taten, wo nicht selten Abhandlungen erschienen, die «Schmollers Jahrbuch» und den «Jahrbüchern für Nationalökonomie und Statistik», der «Historischen Zeitschrift» und der «Zeitschrift für Politik» zur Ehre gereicht hätten.

Aufs Ganze gesehen besaßen das katholische Sozialmilieu und das Zentrum als seine politische Repräsentanz ein eigenes Öffentlichkeitsforum, auf dem all seine Interessen und Ideen artikuliert werden konnten. Das trug zur Homogenisierung dieser Subkultur und zur Durchsetzungsfähigkeit ihrer Partei bei. Aber da zum einen seit den späten achtziger Jahren der Kampf gegen das Bündnis von säkularisiertem Staat und aggressivem Liberalismus abflaute und zum andern seit der Mitte der neunziger Jahre die drei neuen sozialen Bewegungen im politischen Katholizismus mehr Autonomie gegen die klerikale Bevormundung erkämpften, tendierten diese tiefgreifenden Veränderungen auf längere Sicht zu einer zunehmenden Integration des katholischen Bevölkerungsteils in die reichsdeutsche Gesellschaft. Dadurch verlor der Kampf um die Erhaltung einer katholischen Gegenöffentlichkeit erheblich an Schwung.

Wenn die Interpretation zutrifft, daß trotz der autoritären Deformierung des Kaiserreichs das Projekt der «Bürgerlichen Gesellschaft» in wichtigen Dimensionen weiter verwirklicht wurde – und zu dieser aufklärerisch-frühliberalen Zielvision hatte von Anbeginn an auch immer eine funktionsfähige kritische Öffentlichkeit mit einem offenen Marktplatz für den Austausch konkurrierender Ideen und den Ausgleich divergierender Interessen gehört –, dann ist die Sphäre der reichsdeutschen Öffentlichkeit nicht angemessen charakterisiert, wenn man in ihr nur oder primär die Degenerationsphänomene einer voranschreitenden Entpolitisierung und Kommerzialisierung ausfindig macht. Vielmehr war und blieb diese Öffentlichkeit pluralistisch, weil sie mit einem differenzierten Angebot dem breiten Spektrum der unterschiedlichsten Meinungen, materiellen und ideellen Interessen gerecht wurde. Und wo diese auf jene hohen Barrieren trafen, denen sich Sozialdemokraten und Katholiken gegenüberfanden, konnte doch die Flexibilität des politischen Systems bis zu der Grenze, an der eine zeitlich auch immer eingeschränkte Repression einsetzte, ausgenutzt werden, um eine Gegenöffentlichkeit zu etablieren – so wie die frühe liberale Öffentlichkeit ursprünglich einmal insgesamt eine Gegenbewegung gegen den Anspruch auf das Meinungsmonopol des spätabsolutistischen Staates gewesen ist.

Zugegeben, der Kommerzialisierungstriumph der Massenpresse ist eine unleugbare Tatsache, und damit verband sich auch ein unheiliger Einfluß der potenten Annoncenauftraggeber. Ebenso läßt sich weder die Entpolitisierung der auflagenstarken Generalanzeiger noch der Umstand bestreiten, daß ihr latenter Vulgärkonservativismus die passive Untertanengesinnung unterstützte. Trotzdem ist das nur eine Teilwahrheit. Es gab jederzeit eine hinreichende Anzahl von Zeitungen und Zeitschriften, welche die Aufgaben einer kritischen Öffentlichkeit nicht nur wachsam, sondern häufig genug auch erfolgreich wahrnahmen. Ob man an die Probleme der Sozialpolitik oder des Imperialismus, an die Fragen der Parlamentarisierung und Demokratisierung des politischen Lebens, an die Skandalreden Wilhelms II. oder an brisante Affären wie das «Daily-Telegraph»-Interview und den Fall Zabern denkt – stets trifft man auf intensive Kontroversen, die in der Öffentlichkeit hohe Wellen schlugen. Die Lektüre der «Frankfurter Zeitung» und des «Vorwärts», des «Berliner Tageblatts» und der «Kölnischen Volkszeitung», der «Preußischen Jahrbücher» und der «Historisch-Politischen Blätter», der «Neuen Zeit» und des «Hochlands», der «Zukunft» und der «Schaubühne» macht einem das sofort bewußt.

Und weiter: Brauchen Theodor Wolff und Heinrich v. Treitschke, Karl Bachem und Rosa Luxemburg, Hans Delbrück und Edmund Jörg, Franz Mehring und Maximilian Harden, Alfred Kerr und Kurt Eisner sowie eine Vielzahl anderer glänzender Publizisten den Vergleich mit profilierten Journalisten heutzutage zu scheuen? Überhaupt kann es bei einem Vergleich mit der Bandbreite konfligierender Meinungen und dem Stil bekannter Redakteure in der Gegenwart oft so scheinen, als ob im kaiserdeutschen Obrigkeitsstaat, vermutlich provoziert durch seinen autoritären Charakter, ungeachtet aller nur zu bekannten Risiken und mit einer gehörigen Portion Zivilcourage eine offenere, pointiertere, gegebenenfalls aggressivere Sprache, welche die Streitpunkte in ungeschminkter Polemik beim Namen nannte, gepflegt worden sei, als sie in aller Regel derzeit zu finden ist.[11]

Wägt man die publizierte Kritik und den agonalen Pluralismus der unterschiedlichen Presseorgane gegen die voranschreitende Expansion der politisch kastrierten «Geschäftspresse» ab, herrscht letztlich der Eindruck einer tiefen Ambivalenz in der Entwicklung der Öffentlichkeit im kaiserlichen Deutschland vor. Von einer konservativen Uniformität der veröffentlichten Meinung war jedoch die Sphäre der reichsdeutschen Öffentlichkeit weit entfernt. Darüber hinaus lenken die eigentümlichen Spannungsverhältnisse, die auf diesem politisch-kommerziellen Markt vorherrschten, noch einmal auf eine der zahlreichen Paradoxien des Kaiserreichs hin. Während ein radikaler Nationalismus und rabiater Militarismus zunehmend Anhänger gewannen, kam die konservative Presse über den zweiten Rang nicht hinaus. Dagegen blieb im Vergleich mit ihr die liberale Presse kräftiger und lebendiger, konnte aber die verhängnisvollen Tendenzen der Zeit dennoch nicht wirkungsvoll genug eindämmen. Sie nutzte das konstitutionell verbriefte Recht auf Meinungsfreiheit energisch aus, vermochte jedoch machtvolle Ideologien nicht zu zähmen, geschweige denn folgenreiche Entscheidungsprozesse des Machtkartells zu beeinflussen. Vor der Bastion des Herrschaftssystems erfuhr der liberale Protest letztlich seine politische Ohnmacht.

VI.
Deutschland am Ende des langen 19. Jahrhunderts: Das Janusgesicht von Moderne und Tradition vor dem Beginn des neuen «Dreißigjährigen Krieges»

Das lange 19. Jahrhundert von 1789 bis 1914 ist im deutschsprachigen Mitteleuropa durch die Achsenzeit der «Doppelrevolution» zwischen 1845/48 und 1871/73 in zwei qualitativ radikal unterschiedliche Phasen zerteilt worden. Aufgrund der Industriellen Revolution und der Nationalstaatsbildung erlebte es das Einsetzen eines zweifachen, eng verschränkten Modernisierungsschubs, der auch die Folgezeit beispiellos kraftvoll bestimmt hat. Während in den anderen westlichen Ländern die Durchsetzung des Industriekapitalismus und die nationale Staatsbildung als zeitlich getrennte Entwicklungsprozesse hintereinander abliefen, überschnitten sie sich in Deutschland während ein und derselben Zeitspanne. Diese kumulative Überlagerung hatte ungewöhnlich komplizierte Belastungen zur Folge, wie sie während der Revolution von 1848/49 bereits zutage traten. Darüber hinaus wurden sie durch Sonderbedingungen der modernen deutschen Geschichte noch außerordentlich verschärft, so daß sich die Gesellschaft und die Politik des Kaiserreichs mit der Überschneidung schwieriger Modernisierungsprobleme ständig auseinanderzusetzen hatten. Deshalb besitzt die «Deutsche Doppelrevolution», insbesondere auch ihr Ende in der Reichsgründungszeit, den Charakter einer tiefen historischen Zäsur.

Der Industriekapitalismus wurde während dieser Zeitspanne fest verankert. Mit seinen Industrialisierungserfolgen stieß Deutschland seither verblüffend schnell in die Spitzengruppe der führenden westlichen Staaten vor. Dafür mußte es sich aber auch dem unregelmäßigen Rhythmus der Konjunkturfluktuationen mit ihren einschneidenden Auswirkungen in allen Realitätsbereichen unterwerfen. Die kapitalistische Marktwirtschaft bildete die überkommene Stratifikationsordnung weiter in eine moderne Marktgesellschaft um, in der die neuen Sozialformationen der marktbedingten Klassen dominierten. Dieser präzedenzlose Umbau war mit schweren Umstellungskrisen verbunden. Auch die mit beiden Umwälzungen zusammenhängende Urbanisierung kam in dieser Zeit in Gang. Binnen weniger Jahrzehnte veränderte sie die Lebenswelt der Mehrheit aller Reichsdeutschen von Grund auf. Ebenfalls im Inneren des Kaiserreichs begann seit 1871 in mühseligen Sozialisationsprozessen die Bildung der neuen kleindeutschen Reichsnation. Und in dieser formativen Gründungsperiode prägten sich in dem jungen Staat im Zeichen der eigenartigen Fusion von traditionaler

Monarchie, moderner Bürokratie, Bismarcks charismatischer Herrschaft und parlamentarischer Gesetzgebung auch seine langlebig dominierende Machtkonstellation und seine politische Kultur aus. Zugleich mußte er sich als halbhegemoniale Großmacht mit einer glaubwürdigen Friedenspolitik im europäischen Staatensystem arrangieren.

Bei alledem handelte es sich um Prozesse und Ordnungskonfigurationen, bei denen eine neuartige Dynamik auf tief verwurzelte Beharrungskräfte traf, so daß das kaiserliche Deutschland zum Schauplatz des klassischen Modernisierungsdilemmas wurde: Der rasanten sozialökonomischen Evolution stand die Behauptungskraft gesellschaftlicher und politischer Traditionsmächte gegenüber. Dadurch wurde ein allzeit gegenwärtiges, oft explosives, ständig aber latent belastendes Spannungsverhältnis geschaffen, aus dem unablässig gravierende Konflikte hervorgingen, deren Ausgang trotz aller restriktiven Bedingungen häufig ungewiß war.[1]

Der Rückblick auf die untergegangene Welt des Kaiserreichs trifft deshalb überall auf komplexe Phänomene. Wegen dieser Schwierigkeiten ist auch vorn, jeweils am Ende der Teile und einzelner Kapitel, bereits eine sowohl komprimierende als auch differenzierende Zusammenfassung versucht worden. Wenn jetzt abschließend noch einmal wichtige Grundlinien der reichsdeutschen Entwicklung pointiert hervorgehoben werden sollen – ohne in der empirischen Vielfalt aller interessanten Probleme zu versinken und durch Verwirrung das klärende Urteil zu gefährden –, können nur einige Leitfragen nach dem Verhältnis von Modernisierungsfähigkeit und Traditionskraft, nach gemeineuropäischen Charakteristika und spezifischen Sonderbedingungen des deutschen Wegs in die Moderne verfolgt werden. Auf diese Weise wird am ehesten die Vielzahl der strittigen Erscheinungen «gebändigt», das historische Urteil über die Janusköpfigkeit des Kaiserreichs überzeugend strukturiert.

Daher gibt es fortab ein ständiges Wechselspiel dieser Fragen nach Modernisierung und Tradition, nach okzidentalen Gemeinsamkeiten und deutschen Besonderheiten. Selbstverständlich besitzt die Geschichte des Deutschen Kaiserreichs ihren Eigenwert an sich, der im 6. Teil ausführlich zur Geltung gekommen ist. Aber wegen der leitenden Erkenntnisinteressen dieser Gesellschaftsgeschichte ist es auch geboten, jene Geschichte immer wieder im Lichte der Frage nach einem deutschen «Sonderweg» zu prüfen, wie das vorn an geeigneter Stelle schon mehrfach geschehen ist.[2] Denn ein unumgänglicher Fluchtpunkt des bilanzierenden Urteils bleibt die Erklärung jenes Absturzes, der die deutsche Geschichte im 20. Jahrhundert nur sehr wenige Jahre nach dem Untergang des Kaiserreichs in die unverhüllte Barbarei geführt hat. Wer könnte schon die Erklärungsbedürftigkeit dieses Zivilisationsbruchs ernsthaft bestreiten? Und auf wen soll eigentlich die emphatische Behauptung glaubwürdig wirken, daß ausgerechnet die neuere deutsche Geschichte nur mit Hilfe zahlloser Grautöne angemessen erfaßt werden könne?

Im Vorfeld solcher Überlegungen gilt es, noch einmal daran zu erinnern, daß positive und negative Bedingungen des deutschen Modernisierungspfades gleichermaßen zu berücksichtigen sind, daß solche Bedingungen in verschiedenartigen Mischungsverhältnissen aufgetreten sind und überhaupt ihre Valenz im historischen Prozeß mehrfach verändert haben, wie das am Beispiel der Bürokratie, der Universität, des Bildungsbürgertums erörtert worden ist. Wo eben möglich, ist eine komparative Perspektive, vor allem der Vergleich mit eben jenen westlichen Ländern geboten, wo die okzidentalen Gemeinsamkeiten besonders hervortreten, so daß die Übereinstimmung oder Abweichung der deutschen Verhältnisse klarer zu erkennen und – Clio volente – sogar zu erklären ist.

Das Spannungsverhältnis zwischen Modernisierung und Tradition wird in einigen Realitätsbereichen verfolgt, die in dieser Gesellschaftsgeschichte im Vordergrund stehen. Die Bestätigung oder die Korrektur der Interpretation durch die Analyse derselben Bereiche oder zusätzlicher Dimensionen mit Hilfe anderer Urteilskriterien bleibt so lange offen, bis sich die Überzeugungskraft der besseren Argumente durchgesetzt hat.[3]

Blickt man zuerst auf die Geschichte der reichsdeutschen Bevölkerung, befand sie sich in den ersten drei Jahrzehnten nach 1871 in der zweiten Phase des «Demographischen Übergangs», die durch hohe Fertilität und allmählich abfallende Mortalität gekennzeichnet ist. Erst in der dritten Phase nach der Jahrhundertwende begann sich das neue generative Strukturmuster, während dessen Geltungskraft die Geburtlichkeit und die Sterblichkeit parallel sanken, zügig durchzusetzen. Alle westlichen Gesellschaften haben mit einem zeitlichen Vorsprung oder mit einer zeitlichen Verspätung diesen «Übergang» gegen Ende der dritten Welle der europäischen Bevölkerungsexpansion durchlaufen. Nur im Kaiserreich führte aber diese zweite Phase in einem jungen, aufstrebenden Staat noch einmal zu einem so erstaunlichen Wachstumsschub, daß sich seine Bevölkerung in den vierzig Friedensjahren um fast sechzig Prozent vermehrte. Das war die höchste Zuwachsrate in absoluten Zahlen, die während einer so kurzen Zeitspanne in der neueren deutschen Geschichte zu registrieren ist.

Entscheidend dafür war zum einen die Halbierung der Mortalitätsrate bis 1914. Zwar blieben auch in dieser Hinsicht scharfe klassenspezifische und konfessionelle Unterschiede bestehen, aber der Durchschnittstrend zeigt das effektive Absinken. Obwohl sich zum andern das «europäische Heiratsmuster» des relativ hohen Eheschließungsalters der Frauen mit sechsundzwanzig bis neunundzwanzig Jahren im allgemeinen noch kontinuierlich hielt, blieb die Fertilität praktisch doch relativ hoch, so daß der Geburtenüberschuß bis 1900, in abgeflachter Kurve auch bis 1914 anwuchs.

Die beiden Hauptergebnisse: Einerseits besaß das Kaiserreich vor 1914 eine auffällig junge Gesellschaft. Immerhin ein gutes Drittel der Bevölkerung war damals jünger als sechzehn Jahre. Diese Grundtatsache erzeugte eine eigentümliche Dynamik, einen siegessicheren Zukunftsoptimismus. Andrerseits spitzte sie aber auch den Generationenkonflikt und die Nachfrage nach Arbeitsplätzen zu. Das war insbesondere in den Zentren der Binnenwanderung mit ihrer «Großstadtverjüngung» der Fall. Außerdem verschärfte die steigende Lebenserwartung, zumal die lebenszyklischen Schwankungen des proletarischen Berufslebens weiter anhielten, die Problematik der Altersversorgung. Über die Belastung der Familien hinaus wurden die sozialen Sicherheitssysteme der überlieferten Caritas, der städtischen und regionalen Armenfürsorge schlechthin überfordert, so daß der Problemstau erst durch den Ausbau der kommunalen Armenversorgung, schließlich durch die zukunftsweisende gesamtstaatliche Altersversicherung allmählich abgefangen werden konnte.

Diese, wie es schien, weiterhin unaufhaltsam wachsende Gesellschaft erlebte darüber hinaus in dem Vierteljahrhundert vor 1914 die «größte Bevölkerungsbewegung in der deutschen Geschichte»: die Binnenwanderung, die jetzt in erster Linie vom Osten in den Westen führte. Ihr numerisches Ausmaß wurde damals in keiner europäischen Gesellschaft übertroffen. Vor 1914 hat von mehr als sechzig Millionen Deutschen jeder zweite an dieser Massenmigration in Gestalt der Regional-, der Etappen- und der Fernwanderung teilgenommen. Ihre Triebkräfte sind klar zu erkennen. Der «Push» ging von dem anhaltenden generativen Wachstum und von der Arbeitsplatzsuche aus, nachdem die Absorptionskapazität der Landwirtschaft an ihre Grenze gekommen war. Den stärksten «Pull» übten die Industrieregionen und die Städte als Zentren des industriellen Gewerbes aus. Die Urbanisierung lockte und wurde zugleich durch die Migrationswellen ermöglicht.

Neben der Binnenwanderung hielt bis in die frühen neunziger Jahre die Auswanderung an, die seit den Reichsgründungsjahren mehr als drei Millionen Deutsche überwiegend in die Vereinigten Staaten führte. Dadurch wurden die deutschen Arbeitsmärkte, die sozialen Sicherungsvorkehrungen und die politischen Drucksituationen, die mit dem stürmischen Bevölkerungswachstum zusammenhingen, erheblich entlastet. Insofern diente auch die Auswanderung als Sicherheitsventil für den sozialen Überdruck.

Seit den neunziger Jahren zog der riesige deutsche Arbeitsmarkt aus den Nachbarländern sogar eine große Zuwanderung an, die Deutschland nicht nur hinter den USA bereits zum «zweitwichtigsten Arbeitsimportland der Welt» machte, sondern auch die Grundlagen für die multikulturelle Gesellschaft der Gegenwart legte.

Ungleich folgenreicher als die Aus- und Zuwanderung ist aber die deutsche Massenwanderung im Reich selber gewesen. In einer streng symmetrischen Abhängigkeit von den Konjunkturbewegungen wirkten die Industriereviere und Städte wie große Pumpenwerke. Sie saugten einen riesigen

Zustrom an und erlebten, während nur eine kleine Minderheit der Wandernden tatsächlich ansässig wurde, einen fast ebenso gewaltigen Abstrom. Durchweg übertraf das Wanderungsvolumen den Wanderungsgewinn um das Acht- bis Zehnfache. In dem halben Jahrhundert vor 1914, als Duisburg – um nur ein einziges, beliebig gewähltes Beispiel zu nennen – um vierundneunzigtausend Einwohner anwuchs, verzeichnete die Verwaltung gleichzeitig mehr als siebenhundertzehntausend Zu- und Wegziehende. Das Ausmaß dieser horizontalen Mobilität entsprach durchaus den Verhältnissen in den Städten des klassischen Einwanderungslandes, der Vereinigten Staaten.

Das neue Staatsrecht der Mitglieder des Deutschen Bundes hatte im Zusammenwirken mit der kapitalistischen Marktwirtschaft und der Attraktion der überregionalen Arbeitsmärkte die überkommene Stadtkorporation mit dem Kern ihrer privilegierten Vollbürgergemeinde, die überall von einer Mehrheit fast rechtloser Hintersassen umgeben wurde, zerschlagen. Anstelle der «alten Stadt» hatte es die Gebietskörperschaft der modernen städtischen Einwohnergemeinde, die im Zuge der liberalen Freizügigkeit schließlich jedem Staatsbürger das Zuzugsrecht gewähren mußte, in langwierigen Auseinandersetzungen durchgesetzt. Dieser tiefgreifende Wandel war die grundlegende rechtliche Voraussetzung dafür, daß die Binnenwanderung von den Städten überhaupt aufgenommen werden konnte und mußte. Wenn die Industrie und der Eisenbahnbau, wie das häufig geschah, als neue «Städtegründer» wirkten, entstanden sogleich solche Einwohnergemeinden neuen Typs.

In den vier Jahrzehnten vor 1914 wuchs in Deutschland die Anzahl der Städter um gut vierundzwanzig auf neunundzwanzig Millionen. Fast zwei Drittel aller Deutschen lebten 1914 – auch in Preußen mit dem ominösen agrarischen Ostelbien – in Städten. Die dramatische Expansion der Großstädte zog bereits ein Drittel aller Stadtbewohner, das heißt aber jeden fünften Deutschen, an sich. Die nüchterne Feststellung, daß die große Mehrheit der Reichsdeutschen bis 1914 aus Stadtbewohnern bestand, lenkt zugleich auf jenen tiefgreifenden Strukturbruch hin, daß sie sich in einer völlig anderen Lebenswelt bewegen mußten, als sie noch unlängst, fast bis zum Ende der «Deutschen Doppelrevolution», existiert hatte.

Trotz der ungeahnten Belastungen, die auf die Neulinge in der Fremde zukamen, trotz ihrer Anfälligkeit gegenüber Unfällen wegen der unvertrauten Arbeitsprozesse, trotz der brutalen Strapazen und schweren Lebensbedingungen, trotz der erzwungenen Dauermobilität und meist nur temporären Seßhaftigkeit in deprimierenden Unterschichtenquartieren haben das steigende Arbeitsplatzangebot, der Barlohn, die Freizeit- und Vergnügungschancen, die verminderte Sozialkontrolle und die Hoffnung auf ein besseres Leben, zumindest für die Kinder, Millionen von Menschen stets aufs neue in Bewegung gesetzt. Dabei hat die Etappenwanderung den Kulturschock etwas abgemildert. Das städtische Wohnungselend wurde durch den Vergleich mit der ländlichen Wohnmisere relativiert. Freundes- und Verwandtenkreise, Kirchengemeinden und Gewerkschaften, vor allem aber zahllose Vereine haben die Menschen an den Wanderungszielen aufgefangen, ihnen geholfen und Halt gegeben. Von einer allgegenwärtigen Anomie, wie sie die modische Stadt- und Kulturkritik in einer strukturlosen «Massengesellschaft» sogleich diagnostizierte, kann ernsthaft nicht die Rede sein. Im Gegenteil: Die meisten Wandernden entwickelten eine erstaunliche Anpassungs- und Umstellungselastizität. Innerhalb dieses Vierteljahrhunderts wurden die schmerzhaften und tief irritierenden Zumutungen beim Wechsel in die urbanisierte Lebenswelt von den allermeisten bravourös gemeistert.[4]

Das war nicht allein das Verdienst individueller Leistungsfähigkeit und kooperativ erleichterter Lebensbewältigung. Vielmehr war das in hohem Maße auch den politischen Bedingungen, unter denen die deutsche Urbanisierung ablief, zu verdanken. Im internationalen Vergleich ragt diese politische Leistung, mit der auf das beispiellose quantitative Wachstum der Städte und auf den qualitativen Wandel des Lebensstils von Abermillionen Städtern produktiv reagiert wurde, als unübersehbarer Modernisierungserfolg hervor. Humanisierung der zuerst weithin im Wildwuchs entstandenen Stadtwelt, Daseinsvorsorge und Gefahrenabwehr – sie standen als Leitziele im Vordergrund.

Die Stadtleitung und ihre Verwaltungsbürokratie waren dabei, da von vornherein eine Vielzahl von Problemen und darüber hinaus ständig neue Politikfelder auftauchten, einem kolossalen Handlungsdruck ausgesetzt. Als eine der folgenreichen Innovationen entwickelten sie trotz des ringsum stürmisch vordringenden Privatkapitalismus den Typus des modernen kommunalwirtschaftlichen oder des gemischtwirtschaftlichen, privates und städtisches Engagement verbindenden Betriebs. Gas-, Elektrizitäts- und Wasserwerke wurde ebenso in diese neue Wirtschaftsverfassung überführt wie die Abfallentsorgung, der Straßenbau und der Nahverkehr. Das ist – erneut im internationalen Vergleich gesehen – eine hervorstechende Leistung, die durch die bürokratische Steuerungstradition, das attraktive Finanzeinkommen für die Städte, den Willen zur Korruptionsminderung und vor allem durch die auf diese Weise effizienter gewährleistete Befriedigung des kommunalen Bedarfs hervorgebracht wurde.

Auch das Schulwesen blieb überwiegend eine städtische Aufgabe. Schließlich waren alle deutschen Volksschulen kommunalisiert, und neben ihnen bestand ein differenziertes Angebot von städtischen Bürger- und Mittelschulen, Mädchen- und Berufsschulen, Gymnasien und Oberrealschulen. Zunehmend nahmen die Städte auch das Gesundheitswesen in ihre Obhut. Prophylaxe durch Massenimpfung, verbesserte Wohnverhältnisse und sauberes Leitungswasser, Badeanstalten, Sportplätze und Grünanlagen – sie alle wurden zum Gegenstand einer vorausschauenden Kommunalpolitik, die den städtischen Gesundheitsämtern oder anderen Behörden die Koordination übertrug.

Armenfürsorge hatte stets zu den traditionellen Aufgaben der Städte gehört, gewann aber jetzt im Zeichen der quantitativ explodierenden Unterklassen und der Dauerarmut eine neue Qualität. Ihr versuchten die Städte mit intensivierter Armenpflege, Arbeitsbeschaffungsmaßnahmen, Arbeitsvermittlung und Versicherung gegen Arbeitslosigkeit zu begegnen. Mit dem Anwachsen der Menschenzahl, insbesondere mit der bedrohlich wirkenden Ausdehnung des Proletariats hing auch die Ausweitung der Sicherheitsvorsorge zusammen. Polizei und Feuerwehr, städtische Friedhöfe und Schlachthöfe trugen ebenso dazu bei wie die öffentliche Beleuchtung und die unterirdische Schmutzwasserentsorgung. Eine Errungenschaft für sich bedeutete das neugeschaffene kulturelle Angebot. Museen, Orchester, Theater, Stadtbibliotheken, Volkshochschulen, Zoos, alle aus dem Stadtsäckel subventioniert, veränderten die Lebensqualität und keineswegs nur die der bürgerlichen Minderheit.

Vor allem aber wurden Schritt für Schritt die Erweiterung und Planung des Stadtausbaus selber als genuine Aufgaben der Kommunalpolitik verstanden, die diesen Basisprozeß nicht mehr allein dem sozialdarwinistischen Kampf der privaten Bodenspekulanten und Terraingesellschaften überlassen wollte. Zu diesem Zweck wurde eine anspruchsvolle städtische Baupolitik entwickelt, eine zugreifende Bauverwaltung geschaffen, ein umfassendes Baurecht kodifiziert, so daß zum Beispiel mit Hilfe der verbindlichen Bebauungspläne, von Fluchtliniengesetzen und Eingemeindungen der Urbanisierungsprozeß von der Stadtleitung, jedenfalls innerhalb einer bestimmten Bandbreite, gesteuert werden konnte. Das ist mit zunehmender Effektivität gelungen.

Die Ursachen dieses städtischen Interventionismus, der von einer tüchtigen Stadtbeamtenschaft, energischen Oberbürgermeistern und städtischen Parlamenten getragen wurde, der durchweg vor dem Aufstieg des Interventionsstaats einsetzte und diesem sogar nicht selten als Vorbild diente, sind vor allem in drei Antriebskräften zu suchen. Als Folge der liberalen Deregulierung entstand im Verlauf der rapiden Verstädterung ein Problemdruck, der im Stil der reformbürokratischen Tradition entschärft wurde. Die Gefahrenbekämpfung entsprang der allgemeinen Sorge um Gesundheit und Sicherheit, wahrscheinlich mehr noch der Angst vor der anschwellenden städtischen Mehrheit des Proletariats. Und die Gemeinwohlorientierung hat währenddessen als Fernziel ihren verpflichtenden Charakter nie verloren.

Trotz ihrer Leistungen für die gesamte Stadtbewohnerschaft behielten die Städte durchweg den Kern der vielfach, besonders politisch privilegierten Bürgergemeinde. Nur traten jetzt an die Stelle der alten Stadtbürgerkorporation die neuen bürgerlichen Erwerbs- und Berufsklassen, die dank des allenthalben vorherrschenden Mehrklassenwahlrechts die bürgerliche Vorherrschaft in den Städten weithin bis 1918 verteidigen konnten. Auf diese Weise wurde die traditionelle Dichotomie zwischen dem kleinen Verband der Vollbürger und der Mehrheit der rechtlosen Hintersassen durch den modernen Klassengegensatz zwischen bürgerlicher Oberklasse und offen diskriminiertem städtischen Proletariat, das häufig fünfundsiebzig bis neunzig Prozent der Einwohnerschaft stellte, abgelöst. Trotz dieses schroffen Gegensatzes haben sich, um es zu wiederholen, die bereits erörterten Antriebskräfte der städtischen Interventionspolitik für die bürgerlichen Herrschaftsträger als so stark erwiesen, daß ihr robuster Interessenegoismus die regulative Idee des Gemeinwohls doch nicht verdrängt hat.

Damit soll die schroffe Segregation, die bürgerliche und proletarische Wohnviertel unüberbrückbar voneinander trennte, soll die Misere des proletarischen Milieus keineswegs beschönigt werden. Die Städte blieben Treibhäuser einer krassen sozialen Ungleichheit, die durch die räumliche Trennung maßgeblich zur Formierung der Klassen beitrug. Aber auf lange Sicht kamen die positiven Distributionseffekte einer vielseitigen Kommunalpolitik auch der großen Mehrheit der vielfach benachteiligten Einwohner zugute. Wiederum in komparativer Perspektive beurteilt, schneiden daher die deutschen Städte, auch und gerade die Großstädte, immer noch vorzüglich ab. Eben deshalb wurden sie auch von ausländischen, namentlich von amerikanischen und englischen Expertenkommissionen ständig als Vorbilder der Urbanisierungsbewältigung besucht, denn sie genossen eine effiziente Verwaltung, bauten ein eindrucksvolles Bildungs- und Gesundheitswesen auf, gewährten ein hohes Maß an Sicherheit und Korruptionsfreiheit, setzten öffentliche Hygienemaßnahmen und Verkehrsleistungen durch. Mit ihrer aktiven Interventionspolitik lag die deutsche städtische Leistungsverwaltung international in der Spitzengruppe.

Ihren Errungenschaften steht unleugbar die langlebige asymmetrische Verteilung von Lebenschancen zugunsten der bürgerlichen Klassen, insbesondere der mit dem Wahlrecht ausgezeichneten Oberklassen gegenüber. Gleichzeitig blieb die offene Wunde einer erniedrigenden proletarischen Existenz in allen Städten weiter bestehen. Aber die produktive Auseinandersetzung mit den zahllosen Problemen unablässig wachsender Städte hat selbst im Zeichen dieser spannungsreichen sozialen und politischen Herrschaftskonstellation dazu geführt, daß die Verbesserung der Lebensqualität auch von den Unterklassen wahrgenommen und konkret gespürt wurde, zumal wenn ihre Angehörigen zu einem vergleichenden Rückblick auf vergangene Jahrzehnte und auf die ersten Erfolge sozialdemokratischer Kommunalpolitik imstande waren. Auch für sie wurde die Stadt zu einer «Heimat», die zur positiven Integration in die Gesellschaft beitrug. Dadurch nahm ein nicht zu unterschätzendes Gegengewicht zu den fortbestehenden Klassenantagonismen an Einfluß zu.[5]

Die okzidentale Erfolgsgeschichte der Industrialisierung hat in den mitteleuropäischen Entwicklungsregionen nicht auffällig früh eingesetzt, aber im

Vergleich gehörten die Industriereviere des Deutschen Bundes, dann des Kaiserreiches selber doch bemerkenswert schnell hinter England und Amerika, Belgien und Frankreich zu jenen westlichen Spitzengebieten, wo der Industriekapitalismus auf seinem Siegeszug in verblüffend kurzer Zeit das neue Wirtschaftssystem durchgesetzt hat. Gerade der Vergleich mit England und Amerika lenkt jedoch auch auf den folgenschweren Unterschied hin, daß in Deutschland die modernste Variante des Produktionskapitalismus in eine noch ungleich traditioneller verfaßte Gesellschaft, als sie dort existierte, hineinschoß. Dadurch wurden hochgradige soziale, politische und kulturelle Spannungen erzeugt, so daß sich, trotz aller gemeinsamen Grundzüge dieser sozialökonomischen Umwälzung, gerade mit der auffällig erfolgreichen deutschen Industrialisierung besondere Charakteristika verbunden haben.[6]

Während die fortgeschrittenen westlichen Länder schon ihre Konjunkturerfahrungen gesammelt hatten, wurden die deutschen Industriegebiete durch die völlig neuartige Hochkonjunkturspanne der Industriellen Revolution mehr als zwei Jahrzehnte lang geradezu überwältigt. Ein grenzenloser Prosperitätsoptimismus überlagerte und potenzierte den Reichsgründungsenthusiasmus, bis die Zweite Weltwirtschaftskrise und die sich anschließende Depression von 1873 bis 1879, die schwierigste Stockungsphase vor 1929, den Aufschwung jäh unterbrachen.

Das war wegen der internationalen Verflechtung der entstehenden westlichen Weltwirtschaft in mehr oder minder schmerzhafter Form das Los aller ungleichmäßig wachsenden Industrieländer. Auch die beiden folgenden Jahrzehnte mit ihren unerwartet langwierigen Wachstumsstörungen im Zeichen der «Großen Deflation», dann die beiden folgenden globalen Hochkonjunkturjahrzehnte vor 1914 gehorchten, mit einigen länderspezifischen Abweichungen, demselben internationalen Trend, der den Entwicklungsgang der bereits fest miteinander vernetzten Industriestaaten dominierte.

In Deutschland aber mußten die sozialökonomischen und politischen, die sozialpsychischen und kulturellen Auswirkungen der ersten Trendperiode von 1873 bis 1895 von einem relativ jungen Industriekapitalismus und in einem soeben erst gegründeten Staatswesen mit zahlreichen inneren Problemen, zu denen erbitterte Konfessions- und Klassenkonflikte und ein heftiger Streit um die Struktur und Legitimationsprinzipien der politischen Ordnung gehörten, verarbeitet werden. Die extremen Konjunkturfluktuationen dieser beiden Dekaden trafen mithin weder auf eine gefestigte, erprobte Industriewirtschaft noch auf ein traditionsbewußtes, längst etabliertes politisches Herrschaftssystem. Insofern nahmen sich die Wachstumsschwankungen in der Perzeption zahlreicher Zeitgenossen ungleich bedrohlicher als in Manchester oder Boston, in London oder Washington aus. Sie erzeugten binnen kurzem auch einen höheren politischen Handlungsdruck, weil die auf Krisenbewältigung gebaute charismatische Herrschaft Bismarcks sich gefährlichen Komplikationen gegenüberfand. Sie erhöhten, nicht zuletzt wegen der überaus frühzeitigen Erfolge einer marxistischen Arbeiterbewegung, die Klassenspannungen bei dem ohnehin schmerzhaften Übergang zur Marktgesellschaft, und sie schliffen wegen des Kontrastes zwischen der Hochkonjunktur vorher und der ganz unerwarteten Härte der Tiefkonjunktur bis 1895 tiefe Spuren in die Kollektivmentalität aller Sozialformationen ein.

Im nachhinein läßt sich vortrefflich argumentieren, daß gerade die lange Bewährungsprobe seit 1873 demonstrierte, wie tief und sicher die Fundamente des Industriekapitalismus in Deutschland bereits gelegt worden waren. Für viele Zeitgenossen, welche bisher die Industrialisierung mit einem permanent anhaltenden Aufschwung gleichgesetzt hatten, verkörperte jedoch die Serie von drei Depressionen eine Art von Überlebenstest, dessen Ausgang lange Zeit ungewiß blieb, ehe die ungeachtet aller Schwankungen offenbar unerschütterliche Zählebigkeit des Industriekapitalismus zu ihrem Erfahrungsbestand gehörte. Bis dahin hatte der abrupte Wechsel von Hoch- und Tiefkonjunkturen bedrohlich genug auf sie gewirkt.

Die sechsjährige Depression der siebziger Jahre führte in der Tat zu einer drastischen Temporeduzierung des Wachstumsprozesses, die sich rund zwölf Jahre lang in halbierten Zuwachsraten ausdrückte. Die Dynamik der Führungssektoren, die den «Wachstumskern» während der Industriellen Revolution gebildet hatten, voran der Eisenbahnbau mit der Schwerindustrie und dem Maschinenbau, erschlaffte, und der Übergang zu den Konjunkturmotoren neuer Führungssektoren war – und ist noch immer – mit einer schweren Belastung der Gesamtwirtschaft verbunden. Am einschneidendsten wirkte sich das anhaltende Absinken der Preise und Profitraten, der Kurswerte und Dividenden aus, so daß man von einer bis 1895 währenden säkularen Preisdeflation sprechen kann. Sie erzeugte unter den Unternehmern und Investoren ein tiefpessimistisches Wirtschaftsklima.

Tatsächlich zeigte der Sturz des Preisbarometers aber auch an, daß die liberale Konkurrenzwirtschaft beim Übergang zur industriellen Massenproduktion funktionierte, und alle Niedergangsklagen konnten die Grundtatsache nicht aus der Welt schaffen, daß der industrielle Wachstumsmotor weiterlief. Nur in wenigen Produktionsbereichen gab es zeitweilig eine Stagnation oder sogar eine Schrumpfung, während im allgemeinen die Mengenkonjunktur anhielt. Die Reaktion der Unternehmen: Arbeiterentlassung und Lohnkürzung, Rationalisierung und Einführung von Innovationen, minderte nicht nur die Massenkaufkraft und steigerte die sozialen und politischen Spannungen, vielmehr ermöglichte sie auch eine Produktivitätssteigerung und eine Produktionsvermehrung bei niedrigen Marktpreisen. Damit wurde die Grundlage für den nächsten Aufschwung gelegt, zumal im kraftvoll gesteigerten Export ein Ventil für das wachsende, aber krisengeschüttelte Wirtschaftssystem gefunden wurde. Auf die essentielle Funktion der Gewinnung von Außenmärkten hat seither eine aufgeregte Krisendebatte die öffentliche Aufmerksamkeit immer wieder hingelenkt, da nur so die dringend benötigten Absatzkanäle außerhalb des angeblich gesättigten Binnenmarktes gesichert und der zur Revolution treibende soziale Überdruck im Inneren gemindert werden könne.

Die Erholungsphase von 1879 bis 1882 bescherte einen kurzlebigen, verhaltenen Aufschwung, ehe die zweite Depression von 1882 bis 1886 zwar keine so tiefe ökonomische Zäsur wie in den siebziger Jahren hinterließ, aber durch die Wiederholung der Stockungserfahrung traumatisierende politische und soziale Effekte auslöste, die sich zum Beispiel in der imperialistischen Expansion, in der staatlichen Sozialpolitik und im politischen Antisemitismus auswirkten. Unverändert überschnitt sich auch der industrielle Abschwung mit der strukturellen Agrarkrise seit 1876, unter deren Anprall das Preisgefüge der europäischen Getreidewirtschaft zusammenbrach. Dadurch wurde ein Großteil der deutschen ländlichen Gesellschaft, insbesondere die traditionelle Machtelite der adligen Großagrarier Ostelbiens, in Mitleidenschaft gezogen und zu politischem Widerstand angestachelt.

Insgesamt hat sich der Wachstumszyklus auch nach 1882 auf höherem Niveau als nach 1873 bewegt, und der Export sorgte für Entlastung, während die Ausstoßsteigerung anhielt und eine gewisse Gewöhnung an das niedrige Preisniveau erfolgte. Trotzdem wurde erst die Prosperitätsphase von 1886 bis 1890 als Rückkehr der Hochkonjunktur empfunden. Die Investitionstätigkeit belebte sich, Aktienkurse und Reallöhne stiegen. Während neue Führungssektoren auftauchten, kehrte auch die lebhafte Aktivität der klassischen Industriebranchen zurück. Die dritte Depression von 1890 bis 1895 war, wie alle vorhergehenden, ein Bestandteil der internationalen Wachstumsstörungen, erneut auch das Resultat tiefliegender Strukturprobleme, wie sie etwa die Umstellung auf neue Führungssektoren und das Einholen der früheren Kapazitätsausweitung durch die Nachfrage darstellten. Sie verlief in abgeflachter Form, denn die Wachstumsraten schwankten wenig, die Verlangsamung der Investitionen und das erneute Nachgeben der Preise hielten sich in Grenzen.

Unstreitig warfen die Wachstumsstörungen der Trendperiode von 1873 bis 1895 – wie in Amerika und England auch, erst in der zweiten Hälfte in Frankreich und Oberitalien – gravierende Probleme auf. Für die Politiker und die gesellschaftlichen Klassen waren sie, wie das vorn analysiert worden ist und im folgenden noch einmal aufgegriffen wird, vermutlich sogar schwieriger als für die Industriewirtschaft selber. Trotz der vielen Stokkungsjahre mit reduzierten Zuwachsraten und deflationären Preisen hielt doch, aufs Ganze gesehen, der Wachstumstrend an, die Produktion wurde zu immer attraktiveren Preisen geliefert, technologische Innovationen, Rationalisierungsmaßnahmen und verbesserte maschinelle Ausrüstung sorgten für die Senkung der Produktionskosten.

Absatzkämpfe und sinkende Transportkosten, vor allem aber die seit der Mitte der achtziger Jahre erneut steigenden Reallöhne – der Beginn eines revolutionären gesellschaftsgeschichtlichen Trends – erweiterten die Aufnahmefähigkeit des Binnenmarkts. Daß der Siegeszug der deutschen Industrie nur zeitweilig verzögert, nicht aber unterbrochen wurde, wird durch zwei Erfolge unterstrichen. Bereits in den achtziger Jahren gewann sie im Hinblick auf so wichtige Leistungsindikatoren wie die Wertschöpfung, den Kapitalstock, die Nettoinvestitionen und den Anteil am Nettoinlandsprodukt den Primat vor der Landwirtschaft. Und bis 1895 hatte sie auch in der Weltwirtschaft den zweiten oder doch den dritten Platz hinter Großbritannien und den USA erreicht.

Die Basis für den neuen Aufschwung ist zwar in dem Jahrzehnt vor 1895 gelegt worden. Daß aber die explosive Expansion der Industriewirtschaft seither Deutschland sein erstes «Wirtschaftswunder» bescherte, kam dennoch als Überraschung. Die Hochkonjunktur in der Trendperiode von 1895 bis 1913 ist erneut ein globales Phänomen der westlichen Weltwirtschaft gewesen, an deren Wachstumsgewinnen das Kaiserreich in vorderster Linie teilhatte. Die beiden Depressionen von 1900 bis 1902 und von 1907 bis 1908 erwiesen sich als irritierende Unterbrechungen, wuchsen sich aber bei weitem nicht zu einem solchen Einschnitt wie die schwarzen Jahre von 1873 bis 1879 aus. Vielmehr wurden zwischen 1896 und 1913 die Spitzenwerte der deutschen Industrialisierung in der Zeit von 1840 bis 1914 erreicht, und eine erfolgstrunkene Öffentlichkeit genoß den globalen Spitzenrang des Kaiserreichs.

Die industrielle Gesamtproduktion verdoppelte, ihr Anteil an der Weltindustrieerzeugung verdreifachte sich. Die Wertschöpfung der Industrie stieg um fünfundsiebzig Prozent, der Export um hundertachtzig Prozent, das Nettosozialprodukt um vierzig Prozent. Die jährlichen Nettoinvestitionen lagen zwischen fabulösen fünfzehn und achtzehn Prozent. Der industrielle Anteil am Nettoinlandsprodukt und Kapitalstock stieg jetzt auf das Doppelte der Landwirtschaft an. Die deutsche Stahlproduktion machte zwei Drittel, die Kohleproduktion die Hälfte der gesamteuropäischen aus. In einem Bereich nach dem andern wurde England als unlängst noch weit überlegener Pionier der Industrialisierung überholt. Im Treibhausklima der Hochkonjunktur versöhnte der Preisanstieg die Produzenten mit den vergangenen Deflationsjahrzehnten. Aber auch die Reallöhne überstiegen, und zwar um fünfundzwanzig Prozent, die Ausgangslage von 1895.

Die reichsdeutschen Wachstumserfolge ragten aus der weltweit vorherrschenden Hochkonjunktur aufgrund einiger spezifischer Eigenarten hervor. Seit den neunziger Jahren hatten sich neue Führungssektoren etabliert. Die Elektrotechnische Industrie, verkörpert durch Siemens und AEG, gewann mit jährlichen Wachstumsraten von fünfzehn Prozent die unbestrittene Dominanz auf dem deutschen Markt, darüber hinaus sogar eine führende Position auf dem Weltmarkt. Ihr tat es die neue Großchemie gleich, die zu Hause einen Markt nach dem andern erschloß, fast ein Drittel des Weltchemieexports an sich zog und bei den begehrten Farbstoffen fast ein Monopol errang. Ihr Erfolg beruhte auf der Verbindung eigentümlicher Bedingungen: auf der umfassenden Marktanalyse erfahrener Kaufleute, auf der Anwendung der neuesten chemischen Technik und auf der konsequenten wissenschaftsgestützten Innovationszufuhr, welche die strategische Funktionselite akademisch geschulter Chemiker in den unternehmensinternen Forschungslabors gewährleistete. Dieses erfolgreiche Modell wurde später nachgeahmt, verschaffte jedoch der deutschen Chemischen Industrie zunächst einmal zwei Jahrzehnte lang einen gewaltigen Vorsprung, der sich auch in beneideten Zuwachsraten und Dividenden ausdrückte. Gleichzeitig gelang dem Maschinenbau eine Modernisierung, die ihm, noch vor England und Amerika, dreißig Prozent des Weltmaschinenexports einbrachte. Der Nachfragesog, der sich jetzt auch schon auf den Motorenbau richtete, machte ihn zum größten Arbeitgeber aller Leitsektoren.

Unstreitig stand die deutsche Industrie, auch und gerade im Hinblick auf die neu gewonnene Wachstumsdynamik in der Elektrotechnik und Großchemie, in der vordersten Linie des technischen, überhaupt des industriekapitalistischen Fortschritts. In der Auswertung von zukunftsträchtigen Innovationen gehörte sie zu den anerkannten Pionierländern der neuen Industrialisierungswelle. Angesicht der Irreversibilität dieses Entwicklungsschwungs und des längst erreichten Vorsprungs der Industriewirtschaft ist die hochemotionalisierte Debatte in den neunziger Jahren über die Alternative «Industriestaat oder Agrarstaat» ein ideologisches Scheingefecht gewesen, bei dem es gar nicht mehr um die Wahl der überlegenen Antwort, sondern um die Vorherrschaft der traditionellen Herrschaftseliten in einer Epoche steilen bürgerlichen und industriellen Aufstiegs ging.

Die Spitzenposition der deutschen Industriewirtschaft ist in jener Zeit durch drei kraftvolle Entwicklungstendenzen weiter untermauert worden. Das Großunternehmen, das sich alle Vorzüge der «Economies of Scale», dazu einer breiten Diversifikation der Produktionspalette zunutze machte, drang sowohl in der Industriewirtschaft als auch im tertiären Sektor der Großbanken und Versicherungsgesellschaften vor. Dadurch bildete sich ein dualistisches System immer deutlicher heraus: Um den strukturdominanten Kern der Mammutbetriebe legten sich abhängige mittelgroße und kleine Betriebe in konzentrischen Kreisen herum.

Diese Großunternehmen betrieben auch am intensivsten die funktionale Integration durch die Angliederung möglichst aller Rohstoffressourcen und die Übernahme des Transports und Absatzes, der manchmal auch mächtigen Branchensyndikaten übertragen wurde. Diversifikation und Integration dienten primär der Risikominderung im Hinblick auf das stetig wachsende riesige fixe Kapital, der kontinuierlichen Kapazitätsauslastung und der Befestigung von Marktmacht angesichts der fehlenden Transparenz der künftigen Nachfrage und der Rivalität konkurrierender Firmen.

Mutatis mutandis läßt sich derselbe Konzentrationsvorgang an der Oligarchie der deutschen Großbanken verfolgen. Sie konnten aber keineswegs eine «Herrschaft des Finanzkapitals» aufbauen. Vielmehr arbeiteten sie wegen der Interessenkongruenz mit den Großunternehmen, die überwiegend ihre relative Entscheidungsautonomie behielten und durch Selbstfinanzierung das Gros der Sachinvestitionen aufbrachten, in engster Verflechtung zusammen.

Der Konzentrationsprozeß läßt sich auch in der englischen, französischen, belgischen Schwerindustrie, eindringlich auch an den amerikanischen Riesentrusts verfolgen. Aber nur in Deutschland gewannen die Kartelle als Unternehmensvereinigungen auf formeller Vertragsbasis mit dem Ziel der regionalen oder reichsweit gültigen Produktions- und Preiskontrolle eine solche Bedeutung als kollektive Marktmachtbesitzer, die sogar vom Reichsgericht sanktioniert wurden. Die Kartelle verkörperten eine privatwirtschaftliche Kryptoplanung mit dem Ziel, den konjunkturellen Disparitäten durch Gegensteuerung zu begegnen und dem Sicherheitsbedürfnis der Mitglieder entgegenzukommen. Fraglos haben die Kartelle die Marktmechanismen zu ihren Gunsten manipuliert. Ihr Einfluß ist indes auch oft grandios überschätzt worden.

Hält man an den ordnungspolitischen Zielen des Wachstums und der Produktivitätssteigerung, von akzeptablen Preisen und steigenden Reallöhnen fest, erreichte die lückenlos kartellierte Stahlindustrie nach 1900 eine um fünfzehn Prozent höhere Gesamtproduktivität als die englische. In der kartellreichen Eisenindustrie herrschten Konkurrenzpreise, und in beiden Branchen stiegen die Reallöhne. Das erfolgreichste, das Ruhrkohlen-Kartell, konnte billige englische Importkohle nicht fernhalten, und in seinem Geltungsbereich kletterten die Schichtlöhne schneller als in Oberschlesien oder an der Saar. Fraglos gab es egoistische Erfolge der Kartelle, sie behinderten jedoch weder das Wachstum noch den Produktivitätsfortschritt noch die Reallohnverbesserung. Dagegen konnten sie weder die Konjunkturschwankungen beendigen noch ihre Teilmärkte effektiv beherrschen. Vermutlich verkörperten die deutschen Kartelle Lernversuche auf dem Weg in ein korporativistisches System. Denn aller Beschwörung der freien Marktwirtschaft zum Trotz haben sich die Unternehmen der westlichen Industrieländer ohne eine in unterschiedlichen Rechtsformen organisierte Kooperation, die natürlich wegen der Versuchung zum Mißbrauch von Marktmacht wachsam kontrolliert werden muß, nicht als überlebens- und expansionsfähig erwiesen.

Wie die Großunternehmen durch die funktionale Integration und Diversifikation ihrem Grundbedürfnis nach Kapitalschutz und Marktkontrolle Rechnung trugen, wie die Industriebranchen durch Kartelle, Syndikate und Verbände dieselben Interessen verfolgten, so wurde auch die gesamte Volkswirtschaft als schutzwürdiger Produktionsverband angesehen, wie das der deutsche Zollprotektionismus seit 1879 zeigt. Mit Schutzzöllen reagierten fast alle westlichen Industrieländer auf die hektischen Konjunkturschwankungen und den harten globalen Konkurrenzkampf. Aber erneut wirkten auf die deutsche Entscheidung für die Abwendung vom Freihandel spezifische Bedingungen ein.

Die Reichspolitik geriet nämlich seit 1873/76 unter den dreifachen Druck der Industrie- und Agrardepression, des verschärften internationalen Wettbewerbs und der ersten ausländischen Zollgesetze, schließlich der riskanten sozialen Spannungen, wie sie am markantesten durch die Fundamentalopposition der Sozialdemokratie symbolisiert wurden.

Es dauerte dennoch sechs Jahre, bis die Agitation moderner wirtschaftlicher Interessenverbände, eine fraktionsübergreifende, schließlich mehrheitsfähige Lobby im Reichstag und der seit 1875 immer stärker werdende Druck des Reichskanzlers, der die Koppelung von Industrie- und Agrarzöllen kompromißlos zur Vorbedingung eines Kurswechsels in der Außenwirtschaftspolitik erhob, zum «Solidarprotektionismus» seit 1879 führten. Mit seinen Industriezöllen besaß der amerikanische Kongreß seit langem eine Art von Erstgeburtsrecht. Deutschland führte jetzt jedoch als erstes europäisches Land Agrarzölle ein, weil die ostelbischen Großagrarier bei der innenpolitischen Machtprobe wieder den Ausschlag gaben. Der seither raffiniert verfeinerte deutsche Agrarprotektionismus wurde damit ohne jede Rücksicht auf die versorgungsabhängige städtische Konsumentenmehrheit inauguriert. Die beiden weiteren Bismarck-Tarife von 1885 und 1887 haben die Belastung zügig erhöht, und der Bülow-Tarif von 1902 hat sie noch einmal gesetzlich fixiert.

Dieser Übergang zu Schutzzöllen bedeutete weit mehr als eine wirtschaftspolitische Wende. Natürlich sollte die neue Koalition von Industrie und Landwirtschaft gegen überlegene Konkurrenz geschützt, der Anlauf zu einer antizyklischen Konjunkturbeeinflussung unternommen, das Volumen der Reichsfinanzen durch Zolleinnahmen außerhalb der parlamentarischen Budgetgewalt erhöht werden. Aber wichtiger noch war das Bestreben, durch ökonomische Prosperität die gesellschaftliche Stabilität zurückzugewinnen. Durch beide Erfolge sollten die Legitimationsbasis des Bismarckregimes zementiert und die neukonservative Parteienallianz auf der Grundlage der großindustriell-großagrarischen «Sammlung» befestigt werden.

Welche Ziele wurden erreicht? Die Konjunkturschwingungen konnten durch den Protektionismus nicht beseitigt, die Agrar- und Industriepreise nicht kontrolliert, der fortlaufende Import in beiden Sektoren nicht verhindert werden. Vom interessenpolitischen Standpunkt aus war das Zollsystem dennoch erfolgreich. Ein Anteil von jeweils achtzehn bis zweiundfünfzig Prozent der Preise in der begünstigten Industrie und von siebenundzwanzig bis achtundvierzig Prozent der Agrarpreise kann offenbar auf die Schutzzölle zurückgeführt werden. Die jährlichen Subventionen in Milliardenhöhe, die dadurch der Industrie- und Agrarwirtschaft zugute kamen, sind an nacktem klassenpolitischen Egoismus schwer zu übertreffen. Allein deswegen wurden die durchschnittlichen Lebenshaltungskosten von Arbeiterfamilien um achtzehn Prozent erhöht.

Als wichtiger aber erwies sich die innenpolitische Funktion des Solidarprotektionismus für die Stabilisierung des politischen und sozialen Herrschaftssystems. Denn die konservativ-großwirtschaftliche Sammlungspolitik besaß in ihm eins ihrer wesentlichen Konsensfundamente. Die neue Außenwirtschaftspolitik und der den Liberalismus entmachtende Übergang zu einer konservativen Regierungsallianz war trotz aller damit verbundenen Konflikte für die «Reichsfreunde» ein Meisterstück des Charismatikers im Kanzleramt. Nach ihm beruhte auch das Machtkartell der wilhelminischen Polykratie auf diesen Grundentscheidungen, so daß eine mehrheitsfreundliche Revision nie im Bereich des realpolitisch Möglichen lag.

Kartelle und Syndikate, Interessenverbände und Zollgesetze lenken auf ein strukturelles Problem auch des Kaiserreichs hin. Das ist der Aufstieg des Interventionsstaats und Korporativismus seit den späten siebziger, beschleunigt dann seit den neunziger Jahren. Die Selbstregulierung der Marktwirtschaft wurde seither in einer rasch wachsenden Anzahl von Bereichen durch zielgerichtete Organisation und Staatshilfe zunehmend ergänzt oder sogar ersetzt. Dieser Interventionismus galt als unumgänglich, um dem Konjunkturrhythmus und den Disparitäten des wirtschaftlichen Wachstums, dem internationalen Konkurrenzdruck und der soziopolitischen Destabilisierung im Innern wirksamer als zuvor zu begegnen. Dabei wurden typische Kooperationsmechanismen von Unternehmen und Interessenverbänden, von Gewerkschaften und Staatsbehörden entwickelt, die auf längere Sicht zu einer Verstetigung der Zusammenarbeit und des Interessenausgleichs in einem korporativistischen System geführt haben.

Der Säkularprozeß der Ausdehnung der Staatsfunktionen ging dabei Hand in Hand mit der Übernahme von Regulierungsfunktionen durch Institutionen der Wirtschaft und Gesellschaft, die sich trotz aller düsteren Zusammenbruchsprognosen im Sinne einer «selbstadaptiven Verteidigung» gegen Krisenlagen als durchaus lernfähig erwiesen. Durch die pragmatisch erkundete Zusammenarbeit wurde der Modus Operandi des politischen Systems allmählich verändert. Während sich wechselnde Allianzen einspielten, erwies sich die tief verwurzelte deutsche Bürokratietradition als besonders einflußreich, da sie die Umorientierung auf das neue Kräftearrangement nachdrücklich begünstigte. Auch die politische Systemstabilisierung und der Beweis der ökonomischen Funktionstüchtigkeit gewannen in einem neuen Staat wie dem Reich von 1871 erhöhte Dringlichkeit. Wenn dort die traditionale und die charismatische Herrschaft gefährdet waren und auch noch die «unsichtbare Hand» der liberalen Marktwirtschaft versagte, mußte die sichtbare Hand staatlicher und korporativistischer Organisationen das wirtschaftliche Wachstum mit seinen Legitimierungsleistungen unterstützen.

Es sieht ganz danach aus, als ob die Langlebigkeit des korporativistischen Interventionsstaates für seine Problemangemessenheit und Durchsetzungsfähigkeit spricht. Insofern muß die Entwicklung im Kaiserreich, da sie Grundlagen für den neuen Realtypus des interventionsstaatlich regulierten Produktionskapitalismus legte, als durchaus modern und zukunftsträchtig gelten. Indes, die politischen und sozialen «Kosten» sind ebenfalls nicht zu übersehen. Die Macht wanderte in extrakonstitutionelle Koalitionen zwischen Verbänden, Parteien und Bürokratien ab. Dieser Verlagerung korrespondierten ein Einflußverlust des Parlaments und eine Verletzung von Verfassungsnormen durch die neuen Regulierungsgremien, ohne daß wirksame Sanktionen erwogen wurden. Vor allem stand in Deutschland die interventionsstaatlich-korporativistische Steuerung jahrzehntelang unter konservativem Vorzeichen. Das unterstützte die Gewöhnung an eine autoritäre Politisierung von Wirtschaft und Gesellschaft. Der Privilegierung der Produktionsinteressen entsprach die Benachteiligung der Konsumentenmehrheit. Gewiß, der korporativistische Interventionsstaat wurde auch in anderen Staaten als «Antwort» auf schwierige Herausforderungen «entdeckt». Doch bildete dort eine liberale politische Kultur meistens ein ganz anderes Gegengewicht, als es im autoritären Kaiserreich gegenüber den neuen Lenkungszumutungen je vorhanden war.

Es wäre eine unzulässige Verkürzung, ja geradezu irreführend, wenn man diese strukturellen Veränderungen nur auf das ungleichmäßige industrielle Wachstum mit seinen soziopolitischen Folgeproblemen zurückführen wollte. Vielmehr hat dabei auch und gerade in Deutschland die Landwirtschaft eine maßgebliche Rolle gespielt. Ihre Entwicklung hinterläßt auf den ersten Blick einen ambivalenten Eindruck. Die tiefreichenden Erschütterungen der ländlichen Wirtschaft und Gesellschaft im Gefolge der seit 1876 anhaltenden Krise des europäischen Agrarmarkts haben auf lange Sicht die Fortsetzung der agrarökonomischen Modernisierung mit dem Ergebnis einer beachtlichen Leistungssteigerung keineswegs verhindert. Während die Größe des Kulturbodens konstant blieb und auch die Verteilung der Größenklassen der landwirtschaftlichen Betriebe nur wenige Veränderungen erlebte, so daß 1914 weiterhin nur fünf Prozent aller Landwirte, die Großagrarier und großbäuerlichen Eigentümer, mehr als die Hälfte des Bodens besaßen, trug der Agrarkapitalismus zum volkswirtschaftlichen Wachstum noch immer erheblich bei. Bis 1914 sind die Produktion noch einmal um dreiundsiebzig Prozent, die Wertschöpfung um achtzig Prozent, die Hektarerträge – die höchsten in Europa – um vierzig Prozent, auch die Arbeitseinkommen um fünfundfünfzig Prozent gestiegen, und immerhin beschäftigte die deutsche Landwirtschaft zu dieser Zeit noch ein Drittel aller Erwerbstätigen. Die steigende Fleischnachfrage konnte wegen der veterinärpolizeilich getarnten Importsperre aus der intensivierten eigenen Produktion befriedigt werden. Der «technische Fortschritt» läßt sich am Vordringen der wissenschaftlich verfeinerten Agrarchemie, an der Rationalisierung der Agrarökonomie und an der Expansion des Maschineneinsatzes ablesen.

Trotz dieser positiven Bilanz hat die Landwirtschaft bereits in den achtziger Jahren den ökonomischen Primat in der Gesamtwirtschaft unwiderruflich an die Industrie und den Dienstleistungssektor verloren, nachdem der soziale Führungswechsel zugunsten der bürgerlichen Gesellschaft bereits früher erfolgt war. Dieser säkulare Verlust der traditionellen Führungsrolle wurde durch den Entwicklungsbruch vertieft, den die folgenschwere Agrarkrise seit 1876 ausgelöst hat.

Sie besaß deshalb den Charakter einer strukturellen Zäsur, weil seither der entstehende Weltagrarmarkt mit dem qualitativ überlegenen, dank der Verkehrsrevolution spottbillig herantransportierten Angebot der großen Neulandproduzenten auch das deutsche Preisgefüge sprengte. Da Deutschland schon vorher im Hinblick auf die wichtigsten Brotgetreidesorten, Roggen und Weizen, importabhängig geworden war und bis 1914 sogar der größte Agrarimporteur der Welt wurde, entwickelten sich die einflußreichsten Interessengruppen der deutschen Landwirtschaft zu Verfechtern eines rigorosen Protektionismus, den sie dank ihrer innenpolitischen Machtstellung durchsetzen konnten. Sie trugen in ganz wesentlichem Maße das Schutzzollsystem seit 1879, welches den Preisverfall immerhin so weit abfing, daß der Inlandpreis wahrscheinlich bis zu einem Drittel, manchmal fast bis zur Hälfte ein Ergebnis der Zollmauern war. Der ökonomische Bedeutungsrückgang wurde mithin durch einen erfolgreichen politischen Verteidigungskampf aufgehalten, der aus unverhülltem Interessenegoismus jährliche Belastungen in Milliardenhöhe auf die Reichsbevölkerung außerhalb der ländlichen Welt abwälzte.

Da dieser Überlebenskampf hinter der Fassade einer unaufhörlichen Beschwörung des «Gemeinwohls» mit allen Mitteln geführt wurde und namentlich die Großagrarier nie zögerten, ihr Machtpotential im Entscheidungsprozeß in die Waagschale zu werfen, bildete sich eine fatale Gewöhnung an den staatlichen Wirtschafts- und Sozialprotektionismus heraus. Ihn suchten die politischen Repräsentanten der Landwirtschaft durch die aktive Mitarbeit in allen zugänglichen Gremien des korporativistischen Interventionsstaats zu einem unerschütterlichen Bollwerk für den Schutz der «nationalen Arbeit» zu machen. Von ihnen wurde daher überhaupt kein Widerstand gegen den autoritären Charakter des vordringenden Interventionsstaats geleistet. Im Gegenteil, Parlamentarisierung und Demokratisierung hätten ihr Einflußpotential radikal geschwächt. Ihr Wunschtraum, die deutsche Landwirtschaft als ein privilegiertes Schutzgehege, das von allen Schwankungen der Weltagrarkonjunktur unberührt bleiben sollte, aus dem Wettbewerb der Marktwirtschaft vollständig herauszulösen, sollte aber erst nach 1933 erfüllt werden.[7]

Alle westlichen Staaten haben vor 1914 mit dem Sieg der kapitalistischen Marktwirtschaft auch die sozialstrukturelle Metamorphose in eine Marktgesellschaft erlebt. Ihre Signatur waren marktbedingte Klassen, deren Angehörige spezifische Leistungsqualifikationen auf Arbeitsmärkten anbieten und an Nachfragende mit überlegender Marktmacht verkaufen mußten. Durch diese Grundkonstellation, durch gemeinsame strukturelle und schließlich manifeste Interessen, vor allem durch gemeinsame politische Konflikte wurden sie zu neuartigen Sozialformationen mit hoher Binnenhomogenität und scharf markierten Außengrenzen, mit verbindenden Kampfzielen und ideologisch-normativen Orientierungswerten vereinigt. Auf die langwierige Formierung dieser Erwerbs-, Berufs- und Besitzklassen wirkten in aller Regel aber auch die unterschiedlichen historischen Traditionen dieser Länder ein, so daß ihre Klassen jeweils ein unverwechselbares Profil gewannen und behielten.

Ihre Eigenarten in Deutschland sind vorn ausführlich erörtert worden. Die soziale Ungleichheit hat sich in der städtischen Gesellschaft in einer Sozialhierarchie mit schroffen Klassenunterschieden ausgeprägt. Stark vereinfacht standen dort im Durchschnitt die vier bis fünf Prozent der wirtschaftsbürgerlichen Oberklassen, die 0.75 bis ein Prozent des Bildungsbürgertums und die zehn bis fünfzehn Prozent des Mittel- und Kleinbürgertums den fünfundsiebzig bis fünfundachtzig Prozent der arbeitenden Klassen gegenüber.

Nicht minder scharf unterschieden sich die Besitzklassen der ländlichen Gesellschaft, wo auf die 0.4 Prozent der Großagrarier die dreiundzwanzig Prozent der existenzfähigen vollbäuerlichen Minderheit folgten, während drei Viertel der Landbesitzer zu den weithin vom Nebenerwerb abhängigen Kleinbauern und Parzellisten gehörten. Die große Mehrheit der Landbevölkerung und zugleich die größte deutsche Arbeiterklasse, das sechs bis siebeneinhalb Millionen Köpfe zählende Landproletariat, gehörte durchweg zur besitzlosen Lohnarbeiterschaft, ohne sich wie die Industriearbeiterschaft organisieren zu dürfen. Erst spät wurde es von der Sozialdemokratie als Alliierter umworben, da der Marxismus ganz auf das Industrieproletariat setzte.

Obwohl die reichsdeutsche Gesellschaft einen «Fahrstuhleffekt» mit einer absoluten und relativen Verbesserung der materiellen Klassenlage erlebte, blieb nicht nur eine weit aufklaffende Ungleichheit der Lebenschancen erhalten. Vielmehr hat sich gerade während der Hochkonjunkturperioden der Abstand zwischen den Ober- und Unterklassen weiter vergrößert, der plutokratische Grundzug ist markanter geworden, die Verteilungsschiefe hat zugenommen. Vor 1914 war daher das deutsche System der Sozialen Ungleichheit durch eine tiefe Zerklüftung charakterisiert, die zahlreiche, unüberbrückbar wirkende Trennungsgräben zwischen der Unternehmerbourgeoisie, dem Bildungsbürgertum, dem Kleinbürgertum, der Facharbeiterschaft, den Ungelernten, den Bauern und den Landarbeitern erhielt. Wegen der «Versäulung» der Gesellschaftsklassen gab es ebenso zahlreiche Konfliktherde, welche die Problembewältigungkapazität der Einzelstaaten und des Reiches auf ein harte Probe nach der andern stellten, bis sie den Problemstau nicht mehr meistern konnten.

Der Aufstieg «des» Bürgertums hielt im Kaiserreich an. Die voranschreitende Konsolidierung wurde jedoch – wie auch bisher – ständig von neuen Fragmentierungsprozessen begleitet, der Hegemonieanspruch frühzeitig in der politischen Arena gebrochen. Blickt man auf den Doppelkern der bürgerlichen Formationen, das obere Wirtschaftsbürgertum und das Bildungsbürgertum, zusammen höchstens sechs Prozent der fünfundsechzig Millionen Reichsdeutschen vor 1914, und bezieht man die zehn bis maximal fünfzehn Prozent des Mittel- und Kleinbürgertums ein, bleibt es ein verblüffendes Phänomen, daß von diesem Fünftel oder sogar nur Sechstel der Bevölkerung eine so erstaunliche Ausstrahlung auf die Gesamtgesellschaft ausging.

Die Unternehmerbourgeoisie wurde wie in den vergangenen Jahrzehnten von der ökonomischen Wachstumsdynamik getragen. Ihre auffällig hohe Selbstrekrutierung aus dem Reservoir der Familien von Unternehmern und anderen wirtschaftlich Selbständigen, kontinuierlich achtzig Prozent, begünstigte die im Vergleich klar ausgeprägte soziale und mentale Homogenität als ökonomische Oberklasse, zumal bereits die privilegierte Familienherkunft über eine lebenslang begünstigende Grundausstattung mit ökonomischem, sozialem und zunehmend auch kulturellem Kapital entschied.

Zumal in der zweiten Phase des Kaiserreichs trat dann immer häufiger der Manager-Unternehmer an die Stelle des Eigentümer-Unternehmers. Aber dieses Vordringen der angestellten Leitungsexperten insbesondere in Großunternehmen erweiterte nur den Bereich der Herkunft aus höheren Beamtenfamilien, die eine vergleichbar bevorzugte Ausgangsposition vermittelten. Die Machtasymmetrie, welche die Unternehmer im Verhältnis zu ihren Arbeitern und Angestellten auf so vielfache Weise begünstigte, wurde dadurch überhaupt nicht verändert.

Die liberale Polemik gegen die «Feudalisierung» dieses Wirtschaftsbürgertums, soll heißen: seine Kapitulation vor dem siegreichen Adel und seine gefügige Anpassung als ein im Machtkampf deklassierter Juniorpartner, ist inzwischen durch eine realitätsnähere Interpretation ersetzt worden. Die Mentalitäts- und Verhaltenskonstante der bürgerlichen Oberklassen ist an erster Stelle ihr Streben nach Staatsnähe bis hin zu einer devoten Staatsuntertänigkeit gewesen. Darin schlugen sich außer der absolutistischen und reformbürokratischen Tradition die Niederlagen während der achtundvierziger Revolution, des Verfassungskonflikts und des Kampfes um die Machtverteilung im Reich, die damit verbundene Aufwertung von Staatsgewalt und Adel, von Militär und Bürokratie nieder. Von der Orientierung an der starken, bürokratischen, militarisierten Monarchie ging offenbar die stärkste magnetische Kraft aus, welche die enge Kooperation mit der Verwaltung, die staatlichen Titel und Orden, das Reserveoffizierspatent und das Beziehungsgeflecht der Studentenverbindungen so attraktiv machte.

Wem der Feudalisierungsvorwurf als verfehlt erscheint, der muß sich aber die ebenfalls hohen sozialen «Kosten» der Staatsnähe des oberen Wirtschaftsbürgertums vergegenwärtigen. Jemand, der es so gut von innen her kannte wie Walther Rathenau, hielt mit unverhohlener Erbitterung «die Haltung des Großbürgertums» für «schmachvoll», da es «durch Beziehungen und Vergünstigungen preiswert bestochen, seinen Vorteil im Ankriechen an die herrschende Schicht und in der Lobpreisung des Bestehenden suchte. Die geistige Verräterei des Großbürgertums, das seine Abkunft und Verantwortung verleugnete, das um den Preis des Reserveleutnants, des Korpsstudenten, des Regierungsassessors, des Adelsprädikats, des Herrenhaussitzes und des Kommerzienrats die Quellen der Demokratie nicht nur verstopfte, sondern vergiftete, das feil, feig und feist ... das Schicksal Deutschlands zugunsten der Reaktion entscheiden ließ: diese Verräterei hat Deutschland zerstört ... und uns vor allen Völkern verächtlich gemacht.»[8]

Die Staatsnähe unterschied das deutsche obere Wirtschaftsbürgertum von seinem Pendant in England, Belgien, Holland und erst recht in den Vereinigten Staaten. Eine gemeineuropäische Eigenart bildete dagegen die parallel verlaufende weitverbreitete Adelsimitation, die seit langem überall praktizierte Nachahmung dieser Machtelite. Die Teilhabe am Statussymbol des großen Landbesitzes, der aufwendige Lebensstil mit seiner Demonstration des Luxuskonsums, die Heiratspolitik mit ihrem Ziel der Etablierung bürgerlicher Unternehmerdynastien, die Übernahme des Duells, die Anschmiegung an das adlige Offizierkorps – sie beweisen den Sog, der weiterhin von der Adelswelt ausging, ohne daß das intensive bürgerliche Erwerbsleben, das Leistungsprinzip und das unternehmensförderliche Konnubium der «Feudalisierung» geopfert wurden. Das angestrengte Bemühen um Staatsnähe, der damit aufs engste zusammenhängende Verzicht auf einen selbstbewußten bürgerlichen Machtanspruch, dazu die intensive Anstrengung, sich Bestandteile der adligen Lebenswelt zu assimilieren – sie haben die deutsche Bourgeoisie, wie erneut der Vergleich zeigt, auf eine unverwechselbar eigentümliche Weise geprägt.[9]

Das Bildungsbürgertum kann man sogar, wie das bereits mehrfach begründet worden ist, ein Unikat unter den westlichen Modernisierungseliten nennen.[10] Dieses relativ kleine Ensemble von hochprivilegierten Funktionseliten im Staatsdienst und von staatsnahen akademischen Berufsklassen hat sich in der Zeit des Kaiserreichs verdoppelt. Auch danach stellte es jedoch nur 0.75 bis ein Prozent der Bevölkerung. Trotzdem behielt es dank seiner strategischen Position in der höheren Bürokratie, in der Rechtsprechung und im Bildungssystem einen auffällig großen politischen Einfluß. Ungeachtet der Verwässerung der neuhumanistischen Bildungsidee galt es noch weithin als akzeptierte norm- und wertsetzende Elite. Ganz überwiegend diente es bereitwillig der autoritären Monarchie, öffnete sich aber auch den neuen Entwicklungen des Interventions- und Sozialstaats, des kulturellen Lebens und erst recht der Wissenschaften. Während seine numerische Expansion mit einer ungemildert arroganten Distanzierung von den «Ungebildeten» einherging, wurde seine vehement verteidigte elitäre Sonderstellung durch eine schleichende Fragmentierung unterhöhlt.

Der gebildete «Generalist» wurde unaufhaltsam durch den akademisch geschulten Spezialisten verdrängt. Das läßt sich in der Bürokratie, an der Universität und an jeder freien Profession, etwa an den Ärzten und Rechtsanwälten, verfolgen. Der verpflichtende normative Anspruch des Neuhumanismus, Bildung als lebenslang währenden Prozeß einer umfassenden Selbstbildung zu verstehen, fixierte seit jeher ein hochgespanntes Ideal, das angesichts der Heterogenität eines numerisch verdoppelten Bildungsbürgertums weiter an Verbindlichkeit verlor. Die Kräfteverteilung zwischen den bürgerlichen Klassen verschob sich mit dem Ergebnis, daß der soziale Abstand gegenüber den materiell privilegierten wirtschaftsbürgerlichen Oberklassen vergrößert und als demütigende Degradierung empfunden wurde. Parallel dazu verlief ein politischer Bedeutungsschwund, da wichtige Entscheidungen zunehmend zu den Verbänden und Parteien, den Berufspolitikern und Experten abwanderten, die Meinungsführerschaft immer häufiger von anderen Machtzentren und «Pressure Groups» übernommen wurde. Nicht zuletzt aber traf die Bildungsreligion selber auf mächtige Konkurrenten, die wie etwa der Nationalismus, der Sozialdarwinismus und der Nietzscheanismus, der wissenschaftsgläubige Positivismus und der elitäre Kulturpessimismus mit ihrer Verheißung eines überlegenen «Weltbildes» oder sogar dem Anspruch einer Säkularreligion zu einer verwirrenden ideologischen Diversifizierung, damit aber zu einer Auflösung der ideellen Integration des Bildungsbürgertums beitrugen.

Deshalb herrschte im deutschen Bildungsbürgertum vor 1914 ein Zustand tiefer Zerrissenheit. Ein Teil verließ sich weiterhin auf seinen Erfolgsfundus, auf die Überlegenheit mächtiger Traditionen; ein anderer Teil dagegen bejahte die Modernisierung von Gesellschaft und Politik und öffnete sich der modernen Welt; eine wachsende Zahl zog sich in eine erbitterte Modernitätsfeindschaft und auf die Position des modischen Kulturpessimismus zurück. Die seit jeher prekäre Koexistenz der im Bildungsbürgertum vereinigten Funktionseliten und Berufsklassen wurde durch diese zahlreichen Bruchlinien, die insbesondere das integrierende kulturelle Erbe durchzogen, tiefer als zuvor in Frage gestellt. Das daraus entspringende Krisenbewußtsein erfaßte auch und gerade jene Mehrheit, die noch immer von der verstaatlichten Intelligenz in der Beamtenschaft und im Bildungssystem gestellt wurde.

Während sich die Homines novi der Bourgeoisie mit den alten stadtbürgerlichen Unternehmerfamilien zu wohlsituierten wirtschaftsbürgerlichen Oberklassen verschmolzen, fand sich die Mehrheit der mittleren und kleinen bürgerlichen Existenzen im Kleinbürgertum zusammen. Es bestand aus einer verwirrenden Vielfalt von Erwerbs- und Berufsklassen, die sich ständig vermehrten und neuen Zufluß erhielten. Unentwegt hielt sich dort das Spannungsverhältnis zwischen einer tatkräftigen Mitwirkung in der neuen Marktwirtschaft und einer auffällig zielstrebigen Aufstiegs- und Bildungsorientierung auf der einen Seite, einer nostalgischen Selbsteinschätzung als sozialstabilisierender «Mittelstand» mit dem Lebensideal der auskömmlichen «Nahrung» auf der andern Seite. Das führte zu einem politisch gefährlichen Schwebezustand, der zwischen Modernisierungsbejahung und vergangenheitsfixiertem Protest gegen eine deklassierende Fehlentwicklung oszillierte.

Im «alten» Mittelstand der Handwerker zum Beispiel obsiegte keineswegs der von vielen Pessimisten prognostizierte Proletarisierungstrend. Vielmehr stand der ökonomische und soziale Aufstieg in den zahlreichen Handwerkszweigen, deren Aufschwung mit dem gewaltigen Auftragsvolumen der Urbanisierung oder mit der erfolgreichen Ankoppelung an die Industrie zusammenhing, neben dem Scheitern obsoleter Gewerbe oder der Misere von Abertausenden pauperisierter Einzelmeister. Insgesamt ist die ökonomische Bilanz eher positiv. Das war auch der staatlichen Mittelstandspolitik seit den neunziger Jahren zu verdanken, welche die konservative Wählerklientel vergrößern wollte. Dadurch wurde jedoch die Gewöhnung an den obrigkeitsstaatlichen Sozialprotektionismus mit seinen spezifisch deutschen Zügen vorangetrieben und die Begehrlichkeit, ihn auszuweiten, wachgehalten.

Im «neuen» Mittelstand dominierte die vergleichsweise junge Sozialfigur des Angestellten, neben den der Unterbeamte und Lehrer, Techniker und Ingenieur traten. Die Angestelltenzahl in Privatunternehmen und Kommunalbehörden nahm rasch zu. Vor 1914 stellten diese neuen Erwerbsklassen bereits sieben Prozent aller Berufstätigen. Eigene Interessenverbände, wie sie auch der «alte» Mittelstand besaß, kämpften um die privilegierte Arbeitssphäre und die Verbesserung der materiellen Lage. Dank der staatlichen Mittelstandspolitik kulminierten die Anstrengungen 1911 sogar – eine Eigenart der reichsdeutschen Sozialpolitik – in einer eigenen Angestelltenversicherung.

Unstreitig verstand sich der «neue» Mittelstand als fester Bestandteil des Bürgertums. Peinlich genau achtete er auf die soziale Distanz gegenüber dem Proletariat. Seine soziopolitische Mentalität war jedoch dadurch gekennzeichnet, daß unterschiedliche Lebensziele im Widerstreit miteinander lagen. Die einen waren rückwärts auf die Sicherheit und das Prestige des «Privat-Beamten» im Sinne der deutschen Bürokratietradition fixiert und neigten wohl auch zu konservativ-rechtsliberalen Loyalitätsbindungen. Die andern setzten eher auf die Chancen des technisch-industriellen Fortschritts, zeigten Innovationsbereitschaft und bildeten das Identitätsgefühl moderner Berufsklassen aus. Eine graue Masse von staatsgläubigen Angestellten gab es mitnichten. Vielmehr nahmen sie unterschiedliche politische Optionen wahr, und unterschiedliche Entwürfe der beruflichen wie privaten Lebensgestaltung rangen unter ihnen miteinander. 1914 war es noch durchaus offen, ob sich eher die Traditionsbindung oder die Modernitätsorientierung durchsetzen würde.

An der deutschen Industriearbeiterschaft, die aus der Vielzahl der auf Lohnarbeit beruhenden Erwerbsklassen hier als die wichtigste in den Mittelpunkt gestellt worden ist, da sie die Hälfte aller Lohnabhängigen und ein gutes Drittel der Reichsbevölkerung umfaßte und als politische Fundamentalopposition fungierte, scheinen auf den ersten Blick die gemeineuropäischen Züge des produktionskapitalistischen Proletariats zu überwiegen. Wie in anderen Industrieländern bildete auch sie den Kern einer sozialen Klasse mit gemeinsamen Interessen, Konflikterfahrungen und Organisationen, mit einer gemeinsamen Kampfideologie und einer Weltdeutung im Besitz einer verbindenden Zielvision. Dennoch wies sie eine differenzierte innere Hierarchie von der Arbeiteraristokratie über viele Gradierungen bis hinunter zu den ungelernten Tagelöhnern auf. Das Lohngefälle, die lebenszyklischen Schwankungen der Arbeitsfähigkeit, die konfessionellen und regionalen Herkunftsunterschiede vertieften diese Trennungslinien. Demgegenüber gingen die homogenisierenden Einflüsse nicht nur von der gemeinsamen Erfahrungswelt der Fabrikarbeit, sondern auch und gerade von dem gemeinsamen Sozialmilieu des proletarischen Wohnquartiers aus, wo die Konstanz der räumlichen Segregation und Lebensverhältnisse die Klassenformierung und eine eigene Subkultur förderte. Gegen die Härte und Unsicherheit der Arbeiterexistenz, die in der Erfahrung von Arbeitslosigkeit und Invalidität ihren Tiefpunkt erreichte, wirkten sich auf lange Sicht die Senkung der Arbeitszeit, die betriebliche und staatliche Sozialpolitik, vor allem aber der Anstieg der Reallöhne aus, so daß sich bis 1914 der durchschnittliche Lebensstandard im Vergleich mit den schwarzen siebziger Jahren bedeutend verbessert hat, obwohl Millionen, wie die Steuerstatistik zeigt, weiter um die Armutsgrenze herum leben mußten. Mit gewissen Variationen ergibt in dieser Hinsicht der Blick auf andere westliche Industrieländer ein ganz ähnliches, oft sogar ein identisches Resultat.

Die entscheidenden Unterschiede liegen im Bereich des politischen Machtkampfes, im Verhalten des politischen Herrschaftssystems und in der Dauer der Konfliktaustragung. Frühzeitiger als anderswo bildete sich in Deutschland eine marxistisch geprägte selbständige Arbeiterpartei heraus, wurde die «antikapitalistische Massenbewegung» der Gewerkschaften parteipolitisch so mobilisiert, daß sich die erdrückende Mehrheit mit der

Sozialdemokratie identifizierte. Die Diskriminierungspolitik des «Klassenstaats» überlagerte die klassische Auseinandersetzung zwischen «Kapital und Arbeit». Ein Dutzend Jahre lang wurden die «roten Reichsfeinde» mit den rabiaten Methoden eines illiberalen Ausnahmegesetzes verfolgt. Danach wurde die Verweigerung der staatsbürgerlichen Gleichberechtigung, der vorbehaltlosen Aufnahme in den Nationsverband auf vielfältige Weise fortgesetzt. Exklusion und Stigmatisierung gehörten nicht nur zu den Abwehrreaktionen der bürgerlichen Gesellschaft und der «reichsfreundlichen» Parteien. Vielmehr wurden sie vom politischen Herrschaftssystem selber sanktioniert und praktiziert. Das demütigende Mehrklassenwahlrecht der Einzelstaaten und Städte gehörte zu den umstrittensten Konsequenzen.

Die Ergebnisse dieses fundamentalen Antagonismus sind bekannt. Die deutsche Sozialdemokratie stieg, und das machte sie für alle Kontrahenten um so bedrohlicher, mit offenbar unbändiger Wachstumskraft zur weltweit größten Linkspartei der Vorkriegszeit auf, gestützt auf die Massenloyalität von Millionen Anhängern, auf disziplinierende, effiziente Organisationen, auf die lebensweltliche Basis des proletarischen Sozialmilieus. Sie wirkte aber auch an der zwar weithin erzwungenen, zugleich von ihr selber betriebenen Einigelung in einer eigenen Subkultur mit, welche die Impulse zur gesamtgesellschaftlichen Veränderung hemmte. Die sozialökonomische Entwicklung, die Klassenkonflikterfahrung und die staatliche Repression – sie schufen die Bedingungen für die Glaubwürdigkeit und schließlich die Vorherrschaft eines popularisierten Marxismus. Seine Gesellschaftsanalyse, seine inspirierende Kampfideologie und seine chiliastische Utopie eines gerechten Gemeinwesens im «demokratischen Volksstaat» trafen als mentalitätsprägendes und handlungsleitendes «Weltbild», als vermeintlich realitätsgerechte Anleitung zur Wirklichkeitsbewältigung auf keinen überlegenen Rivalen. Der frühzeitig eingeschlagene politische Eigenweg der Arbeiterbewegung mit all seinen Konsequenzen zum einen und die vom politischen System mit seinen sozialen Trägern durchgehaltene rigorose Ausgrenzung zum andern gehören in dieser zugespitzten Form zu den Sonderbedingungen des deutschen Modernisierungswegs.

Dem schwer bestreitbaren Negativbefund steht freilich auch eine «positive Integration» gegenüber, welche die Entwicklungsbilanz komplizierter macht, also auch das kritische Urteil relativiert. Denn unübersehbar gab es die zäh errungenen politischen Erfolge der Sozialdemokratie und der Freien Gewerkschaften, die das Selbstbewußtsein und das Vertrauen auf künftige Fortschritte stärkten. Vom Reichstagswahlrecht ging eine politische Mobilisierung gerade zugunsten der SPD aus, die auf den mächtigen Trend anhaltender Wählergewinnung baute, die Wahlen von 1912 bewiesen ihn, um mit einer Parlamentsmehrheit dem politischen System Veränderungen abzuringen. Die staatliche Sozialpolitik und die seit 1871 fast verdoppelten Reallöhne trugen das Ihre zu einer Verbesserung der Lebenslage bei, und durch zahlreiche politische Sozialisationsprozesse wurde eine fortschreitende Identifizierung mit dem deutschen Nationalstaat befördert. Trotz der verhärteten Fronten galten Gesellschaft und Politik vielen Sozialdemokraten als reformierbar und auch als reformfähig. Dennoch: Je nach dem politischen Standort blieb aus der zeitgenössischen Sicht die Entscheidung darüber, ob die Ausgrenzung oder die Eingliederung sich als stärkste Kraft durchsetzen werde, weiterhin offen. Dieser Riß lief durch die Arbeiterschaft, insbesondere durch die organisierte Arbeiterbewegung selber hindurch.

Die ländliche Stratifikationsordnung wies nicht minder krasse Unterschiede auf als die industriell-städtische Sozialstruktur. Die Konflikte besaßen jedoch einen von Grund auf verschiedenen Charakter, da an die Stelle des dort dominierenden Antagonismus zwischen Bürgertum und Staat auf der einen Seite, Industrieproletariat und marxistisch geprägter Arbeiterschaft auf der andern Seite grundverschiedene Gegensätze und Auseinandersetzungen traten.

Im Reichsdurchschnitt blieben fünfundsiebzig Prozent der landwirtschaftlichen Nutzfläche Bauernland; nur in Ostdeutschland machte der adlig-bürgerliche Großgrundbesitz vierzig Prozent aus. Die bäuerlichen Besitzklassen charakterisierte jedoch eine langlebige Dichotomie, die nach einem jahrhundertelangen Vorlauf auch seit dem Ende der Agrarreformen nahezu unverändert blieb. Der Minderheit von Großbauern (5 %) und Mittelbauern (18 %) mit der Sicherheit einer vollbäuerlichen Existenz und wachsenden Marktquote stand die große Mehrheit der häufig gefährdeten Kleinbauern (18 %) und der von Nebenerwerb abhängigen Parzellisten (58 %) im Verhältnis von 1:4 gegenüber.

Diese Verteilungsstruktur entschied in einem umfassenden Maß über die Lebenschancen dieser Besitz- und Erwerbsklassen. Die Großbauern fungierten als dörfliche Machtoligarchie, achteten auf Klassenendogamie, verteidigten und vermehrten ihren Besitz. Die Mittelbauern bewegten sich zwar in einer eigenen Lebenssphäre, partizipierten jedoch als Vollbauern zumeist an den Vorzügen der Marktexpansion, der Produktionsdiversifikation und des Zollprotektionismus. In beiden Kategorien gehörten Landarbeiter häufig zum Betriebspersonal.

Diese vollbäuerliche Welt, aus der auch der wachsende Anteil der Söhne stammte, die das Gymnasium und die Universität besuchten, trennte ein tiefer Graben von den ländlichen Kleineigentümern. Die Kleinbauern gelangten wegen ihrer prekären Lage selten über eine Subsistenzwirtschaft hinaus, sie blieben auf viele Arten der Nebenbeschäftigung angewiesen und konnten sich aus dieser schwachen Position heraus politisch kaum oder doch nur mühsam artikulieren. Auf den Zwerghofbesitzern lastete durchweg die Mühsal einer agrarisch-gewerblichen Doppelexistenz am Rande des Lebensminimums. Die ländliche Eigentümergesellschaft in Deutschland besaß deshalb eine durchaus andere Struktur als England mit seiner Pächterklasse und Frankreich mit seiner Kleinbauernmehrheit, von den krassen Unterschieden im Vergleich mit Italien ganz zu schweigen.

Der agrarwirtschaftliche Aufschwung bis 1875 ist an allererster Stelle, manchmal sogar ausschließlich den Großagrariern und Vollbauern zugute gekommen. Auf ihren Besitzungen setzte sich auch seither der Agrarkapitalismus mit seiner Marktorientierung, dem Gewinnkalkül und der betriebswirtschaftlichen Rechnungsführung vollends durch. Sie wurden aber auch am härtesten nicht nur von der rund zwanzigjährigen Tiefkonjunktur seit 1876, sondern auch von den Auswirkungen der strukturellen Krise getroffen, die der neue Weltagrarmarkt heraufführte. Zugleich besaßen sie aufgrund der Sonderstellung des ostelbischen Landadels und der Interessenverfechtung durch schlagkräftige Verbände, auch dank mächtiger Alliierter in der politischen Hierarchie die Möglichkeit, die «Klinke der Gesetzgebung» zu bedienen. Die vier Schutzzollgesetze zwischen 1879 und 1902 beweisen es.

Mit dem Agrarprotektionismus, der im Grunde einem Viertel der Landwirte, den Großagrariern und Vollbauern, mit seinen Milliardensubventionen zugute kam, ging die Reichspolitik international voran; er war in England gar nicht, in den Niederlanden und Skandinavien, in Frankreich und Italien nur in maßvoller Form später zu finden. Er beruhte auf der Einzigartigkeit des direkten Zugangs, den die deutsche Agrarlobby zur Reichsleitung, zur Bürokratie und zum Parlament besaß. Diese Machtkonstellation ermöglichte es, jede elastische Form einer Umstellung auf den Weltagrarmarkt zu vermeiden. Anstelle dieser langwierigen Anpassung – einem möglichen, fraglos aber sehr schwierigen Unternehmen mit hohen sozialen Belastungen – setzte das brutale Interessenkalkül die anhaltende Staatsintervention durch, die den Protektionismus im Verein mit Subventionen und Importsperren zum unveräußerlichen Grundrecht der Landwirtschaft erhob. Die Gewöhnung an diese konsumentenfeindliche Erfolgskontinuität sollte bis heute nachwirkende ökonomische und politische Folgen haben.[11]

Der ostdeutsche Landadel, der auf die Verteidigung des Status quo in der Agrargesellschaft einen so nachhaltigen Einfluß ausübte, durchlebte zusammen mit den anderen deutschen Adelsformationen seit dem Revolutionszeitalter die Epoche einer säkularen Machtdeflation. Dem letztlich unaufhaltsamen Niedergang stemmte er sich jedoch mit allen Mitteln entgegen. Als traditioneller Herrschaftsstand hatte er seit Jahrhunderten seine Verfügungsgewalt über Menschen ausgeübt, und unter veränderten rechtlichen Rahmenbedingungen übte er sie in den lokalen Machtzentren seiner Rittergüter, auch auf den oberen Rängen des Militärs und der Bürokratie noch immer aus. Überdies blieb die Adelsdominanz in den meisten Staatsregierungen ungebrochen. Trotz dieser Kontinuitätslinien führte die Transformation des Herrschaftsstandes in eine Pluralität von hochprivilegierten Funktionseliten zu substantiellen Veränderungen. Zwar nahm der ostelbische Niederadel soziale und politische Herrschaftsrechte in der ländlichen Gesellschaft nach Kräften weiter in Anspruch, verwandelte sich aber auch gleichzeitig in eine Erwerbsklasse agrarkapitalistischer Unternehmer. Ihre Zahl wurde vor 1914 bereits um ein Drittel von den adligen Offizieren übertroffen, die ebenso wie die adligen Bürokraten weder den Anforderungen des Leistungsprinzips noch der verschärften Konkurrenz bürgerlicher Berufsgenossen ausweichen konnten.

Die Defensivstrategie zur Behauptung des adligen Vorrangs vereinigte harte Ausschlußpraktiken zur Wahrung der Exklusivität mit flexibler Anpassungsbereitschaft und begrenzter Öffnung im Vertrauen auf die Assimilierungsfähigkeit einer machtgewohnten Herrenschicht. Es ist wahr, an die arrogante Abgeschlossenheit der englischen Aristokratie reichte selbst der deutsche Hochadel kaum heran. Der englische Niederadel, die Gentry, hatte sich jedoch seit mehr als zwei Jahrhunderten als vergleichsweise offener Sozialverband erwiesen, der nicht nur bürgerliche Aufsteiger auf vielfältige Weise absorbierte, sondern sich auch selber auf die bürgerliche Berufswelt einließ. Man könnte hypothetisch argumentieren, daß sich der deutsche, insbesondere der preußische Niederadel unter dem Eindruck der Reformgesetze und Niederlagen zwischen 1800 und 1848 ebenfalls für eine solche Öffnung als aussichtsreichste Überlebensstrategie hätte entscheiden können. Alle Reformstimmen, die es in dieser Richtung in der Tat gab, wurden jedoch durch eine Kette von unerwarteten Ereignissen mundtot gemacht.

Die politische Niederlage der Revolution, dann die Restaurationsphase der fünfziger Jahre ließen viele Adlige an einen neuen Aufschwung glauben. Als sich die innenpolitischen Konflikte neu zuspitzten, folgte jedoch – Muster eines kontingenten Wandels – erst die eigentliche Trendwende. Drei siegreiche Kriege unter der Führung von Monarchen und Fürsten, adligen Militärs und Politikern, die Ausstrahlung von Bismarcks charismatischer Herrschaft und die Nationalstaatsgründung führten zu einer Aufwertung des Adels, die noch 1862 ganz unvorstellbar gewesen wäre. Von den außergewöhnlichen Ergebnissen dieser Erfolgshäufung, von der dadurch erneut befestigten Herrschaftskonstellation zehrte der Adel im Grunde bis 1918. Sein Einfluß wurde enorm revitalisiert, seine historische Geltungsmacht, allen evidenten Anachronismen zum Trotz, noch einmal verlängert. Deshalb gehört diese stürmische Adelsaufwertung, die dann zäh und zielstrebig gegen alle Anfechtungen verteidigt wurde, zu den besonders folgenreichen Bedingungen des deutschen «Sonderwegs», da vor allem sie es 0.3 Prozent der Bevölkerung ermöglicht hat, die strategischen Positionen an der Spitze des Herrschaftssystems im Reich und im preußischen Hegemonialstaat, im Heer, in der Verwaltung und in einem Großteil der ländlichen Gesellschaft bis zum Ende des Reiches zu verteidigen.

Bürgerliche Politiker auf den obersten Rängen der Reichsleitung und des preußischen Staatsministeriums blieben deshalb bis zur letzten Phase des Weltkriegs schlechterdings undenkbar. Dieser Arkanbereich galt siebenundvierzig Jahre lang als unantastbare Domäne des Adels. Derselbe Anspruch, daß Adelsinteressen den Ausschlag zu geben hätten, wurde auch im Herrenhaus unnachgiebig verfochten und meistens durchgesetzt. Gewiß, seit den achtziger Jahren gehörten nichtadligen Eigentümern rund zwei Drittel des ostdeutschen Großgrundbesitzes, nur mehr ein Drittel behielt einen Adelsherrn. Aber von den Rittergütern über tausend Hektar blieben achtundzwanzig Prozent in der Hand von eintausendneunhundert Adligen, von den Latifundien mit mehr als fünftausend Hektar sogar vierundneunzig Prozent; an Adelsfamilien gebundene Fideikommißgüter umfaßten sieben Prozent des Staatsgebiets. Im Grunde verteidigte der Adel trotz schmerzhafter Einbrüche erstaunlich erfolgreich seinen Spitzenrang und die Klassenstruktur der Bodenverteilung in der zunehmend besitzmobilen agrarkapitalistischen Gesellschaft. Überdies bewies er gegenüber den frisch arrivierten bürgerlichen Gutsbesitzern seine traditions- und machtbewußte Assimilationskraft.

Im preußischen Offizierkorps sank der prozentuale Anteil des Adels seit 1860 um gut die Hälfte auf dreißig Prozent (1913). Das ist unbestreitbar ein scharfer relativer Rückgang. Absolut aber hat sich die Anzahl der Adligen mehr als verdoppelt! Vom Rang des Obersten ab aufwärts waren sie meist unter sich. Selbst im Generalstab stellten sie drei Viertel der Experten. Ohne diese Sonderstellung der adligen Offiziere sind die mentalitäts- und habitusprägenden Einflüsse, die auf den deutschen Sozialmilitarismus einwirkten, ist auch die spezifisch militaristische Aufladung des Reichsnationalismus schlechthin nicht vorstellbar.

Trotz der Expansion der Bürokratie ist es dem Adel ebenfalls gelungen, die Bastion der einflußreichen Spitzenpositionen effektiv zu verteidigen. Nicht zuletzt unter seinem Einfluß war die Verwaltung des Reiches und Preußens vor 1914 weniger liberal und dezidierter konservativ geprägt als 1871. Die Behördenhierarchie wurde in der Tat von einer «adlig-bürgerlichen Amtsaristokratie» gesteuert.

In der Innenpolitik lernte es der Adel, sich an den politischen «Massenmarkt» äußerlich anzupassen. Geschickt nutzte er, etwa mit Hilfe des «Bundes der Landwirte», demokratische Methoden, um antidemokratische Zielvorstellungen zu verteidigen. Die patrizische Berücksichtigung des Gemeinwohls, die den englischen Adel in seinen großen Stunden ausgezeichnet hat, blieb dem preußischen Adel fremd. In aller Regel, erst recht im Konfliktfall, rangierte sein Egoismus immer vor den Mehrheitsinteressen. Aus diesem Kollektivverhalten zog selbst ein alter Adelsverehrer wie Theodor Fontane vor der Jahrhundertwende den Schluß, daß «über unseren Adel» endlich «hinweggegangen werden» müsse; «man kann ihn besuchen, wie das Ägyptische Museum, ... aber das Land ihm zuliebe regieren, in dem Wahn: dieser Adel sei das Land – das ist unser Unglück».[12]

An dieser Stelle liegt es nahe, unmittelbar zu den spezifisch politischen Belastungen des Kaiserreichs überzugehen. Da dort aber die Hauptprobleme des deutschen «Sonderwegs» liegen, gebietet es die Verpflichtung zu einem abwägenden Urteil, das widersprüchlichen und komplexen Erscheinungen gerecht werden soll, außer den bereits betonten Industrialisierungs- und Urbanisierungsleistungen zuvor noch die Vorzüge des Bildungssystems und den Pluralismus der heraufziehenden Kommunikationsgesellschaft hervorzuheben, ehe die Dilemmata und Deformationen des Herrschaftssystems, die schwerer wiegen als seine Erfolge, ins Zentrum rücken.

Im Rückblick wird die Entwicklung des deutschen Bildungssystems zu einer eindrucksvollen Erfolgsgeschichte mit einer Aufbaubilanz, von der es – ungeachtet aller Regimewechsel – bis in die 1960er Jahre gezehrt hat; freilich blieben hinter der Gesamtleistung krasse Disparitäten erhalten.

Im Elementarschulwesen konnte das Reich einen Spitzenplatz unter den westlichen Ländern behaupten. Seit den achtziger Jahren lag der Schulbesuch faktisch bei hundert Prozent, der Analphabetismus existierte nur mehr als statistische Restgröße von weniger als einem Prozent. Alle Grundschulen blieben Gemeindeschulen, die aus dem Kommunaletat finanziert wurden und nur subsidiäre Staatszuschüsse erhielten; hinzu kam das elterliche Schulgeld, das in Preußen 1888 endlich aufgehoben, in anderen Staaten aber weiter verlangt wurde. Während die Schülerschaft bis 1914 um gut zwei Drittel anstieg, wurde die Anzahl der Lehrer verdoppelt. Daher sank die durchschnittliche Klassenfrequenz. Erstaunlich viele Neubauten vermehrten die Zahl der Schulen, vor allem aber der Klassenräume, so daß Jahrgangsstufen immer häufiger getrennt unterrichtet werden konnten.

Einer Verklärung der Fortschritte wirkt der Umstand entgegen, daß der tiefe Unterschied zwischen der städtischen und der ländlichen Volksschule in jeder Hinsicht erhalten blieb. Die Stadtschulen wurden 1914 von rund zwei Fünfteln aller schulpflichtigen Kinder besucht. Hier wurden dem politischen Indoktrinationsdruck von aufgeklärten Pädagogen in der Tradition Diesterwegs und Pestalozzis am ehesten die Prinzipien einer liberalen Staatsbürgererziehung entgegengesetzt, die Sozialdisziplinierung durch eine Anleitung zur Eigenreflexion aufgelockert, das Gegengewicht sozialdemokratischer und katholischer Elternhäuser geltend gemacht. Außerdem boten die Großstädte differenzierte Grundschulen, dazu noch Mittel- und Bürgerschulen an, welche die Aufstiegsmobilität förderten.

Die Landschulen für drei Fünftel der Schulpflichtigen wurden dagegen weiter stiefmütterlich behandelt. An siebzig Prozent von ihnen hatte ein Lehrer noch immer hundertzwanzig bis zweihundert Kinder zu unterrichten. Geistliche Schulinspektoren übten ihr Aufsichtsrecht, adlige Patronatsherren ihren Einfluß nach Maßgabe ihres vorrangigen Interesses an niedrigen Schulkosten aus. Die politische Sozialisation mit dem Ziel, den royalistischen, gehorsamen Staatsuntertan zu reproduzieren, wurde unnachgiebiger kontrolliert. Ein Fünftel aller Kinder mußte auch bereits regelmäßig arbeiten. Diesen Nachteilen wirkte aber auf längere Sicht entgegen, daß bis 1914 alle Lehrer Seminarabsolventen waren, die auch an den Landschulen ihre pädagogischen und politisch häufig liberalen Ziele beharrlich verfolgten. Der Staatseinfluß drängte seit 1908 den Adelseinfluß merklich zurück. Überdies beweist die Binnenwanderung, daß Millionen von Menschen, die aus der ländlichen Gesellschaft stammten, durch ihre Volksschule mit den elementaren Kulturtechniken so vertraut gemacht worden waren, daß sie den Ansprüchen der städtisch-industriellen Welt hinreichend flexibel gewachsen waren.

Neunzig Prozent aller Kinder besuchten im Kaiserreich nur die Volksschule, nicht mehr als sechs bis sieben Prozent eine höhere Schule, und ein bis allenfalls zwei Prozent blieben dort bis zum Abitur. Ober- und Unterklassen bildeten darum auch fast «homogene Bildungsklassen». Im höheren Schulwesen verteidigte das Gymnasium – gestützt auf Erfolgstradition und Elitennimbus, gleich ob es Gemeindeschule (⅔) oder Staatsanstalt (⅓) blieb – noch jahrzehntelang seinen Spitzenplatz. Nachdem aber 1882/83 mit dem Realgymnasium und der Oberrealschule zwei Konkurrenten anerkannt worden waren, deren Ausbildung sich enger an praktischen Berufsbedürfnissen orientierte, war es nur eine Frage der Zeit, die der erbitterte Statuskampf in Anspruch nahm, bis alle drei Schultypen zu einem gleichberechtigten Abitur führten. Seit 1900 war das der Fall.

Die soziale Zusammensetzung der Gymnasiastenschaft blieb zum einen durch die Kontinuität bestimmt, daß die Söhne des Bildungsbürgertums dreißig bis fünfzig Prozent der Schüler, aber siebzig bis achtzig Prozent der Abiturienten stellten, so daß eine bildungsbürgerliche Elitenmehrheit weiterhin vom Gymnasium kam. Zum andern war das Gymnasium schon seit dem Vormärz sozial viel offener gewesen, als die Kritik das lange Zeit wahrhaben wollte. Im Kaiserreich zog es schließlich dreißig bis sechzig Prozent seiner Schüler aus den bürgerlichen Mittelklassen, zum Teil auch aus den Vollbauernfamilien an. Schüler aus dem mittel- und kleinbürgerlichen Sozialmilieu besaßen an den Realgymnasien und Oberrealschulen von Anfang an die Mehrheit. Wenn man außerdem berücksichtigt, daß sich seit 1900 der Zustrom zu den drei Typen der höheren Schulen ziemlich drastisch veränderte (1911 entfielen auf das Gymnasium nur mehr 55, auf die Oberrealschule 27, auf das Realgymnasium 18%; bis 1918 lag der prozentuale Anteil sogar bei 39:34:27%), erkennt man nicht nur, daß sich bis zum Ende des Kaiserreichs fast schon eine Gleichbewertung dieser Schulen durchgesetzt hatte. Vielmehr ist mit dieser internen Verschiebung auch noch eine weiterreichende soziale Öffnung der höheren Schulen verbunden gewesen, die, wie der internationale Vergleich zeigt, ungewöhnlich weit fortgeschritten war. Es bleibt ein auffälliger Unterschied, daß das höhere Schulwesen eines autoritären Staates wie Deutschland sich durch relative soziale Offenheit und insofern durch die Demokratisierung von Lebenschancen auszeichnete, während in England mit seiner parlamentarischen politischen Kultur der undemokratische Grundzug voneinander abgeschotteter höherer Schultypen erhalten blieb.

Daß die deutsche Universität im 19. Jahrhundert nicht nur als weltweit bewundertes Vorbild angesehen, sondern vielerorts auch tatsächlich institutionell imitiert wurde, ist ein unbestrittenes Ergebnis der internationalen Bildungsforschung. Die Ursachen liegen in der ursprünglichen Kombination von Faktoren, die nachdrücklich auf Eigentümlichkeiten der deutschen Tradition zurücklenken. Die staatliche Bürokratie – nicht Korporationen, private oder kirchliche Stifter – organisierte ein Reformwerk, durch das Forschung und Lehre an der Universität dauerhaft verkoppelt wurden. Aus dem sozialen Reservoir des Bildungsbürgertums stammte jahrzehntelang die Mehrheit der Studenten, welche die Anerkennung des Leistungsprinzips und die Hingabe an das Studium als Vorbereitung auf den Beruf als «Berufung» von Haus aus mitbrachten. Unter ihnen wirkte sich noch immer die gewaltige Motivationskraft der neuhumanistischen Bildungsreligion aus, die dem akademischen Leben, insbesondere auch der «Wissenschaft als Beruf», eine unverwechselbare Aura gab. Die Konkurrenz von fast zwei Dutzend Universitäten belebte den intellektuellen und institutionellen Wettbewerb, und der «Kulturstaat» nahm ihre Förderung durchaus ernst.

Einige wichtige Entwicklungen verdienen es, noch einmal hervorgehoben zu werden. Die Studentenschaft der Universitäten erlebte zwischen 1870 und 1914 eine explosive Vermehrung um dreihundertfünfundzwanzig Prozent auf rund sechzigtausend Immatrikulierte. Bezieht man alle anderen Hochschulen mit ein, hat man es sogar mit einem Zuwachs von dreihundertsechsundvierzig Prozent auf rund achtzigtausend in einer Zeit zu tun, in der die Reichsbevölkerung um achtundfünfzig Prozent anstieg. Das Bildungsbürgertum, das um die Jahrhundertmitte noch fünfzig Prozent aller Studenten gestellt hatte, mußte eine relative Schrumpfung auf rund ein Viertel der Studenten hinnehmen. Das bedeutete aber angesichts der beispiellosen Expansion, daß sich immer noch ein erstaunlich hoher absoluter Anteil aus ihm rekrutierte.

Auffälliger und auf lange Sicht besonders folgenreich ist jedoch der fortlaufende Prozeß der sozialen Öffnung, der auch an den Universitäten anhielt. Nach der Jahrhundertwende kamen offenbar mehr als fünfzig Prozent der Studenten aus dem Mittel- und Kleinbürgertum, überwiegend aus bisher universitätsfernen Familien des «alten» und «neuen» Mittelstandes; dazu stießen sechs Prozent aus den bäuerlichen Besitzklassen. Diese Mehrheit ging aus der gemeinsamen Schleusenwirkung aller, insbesondere der beiden neuen höheren Schulen und aus der wachsenden Attraktivität der akademischen Berufe hervor, die aufgrund des deutschen Berechtigungswesens zu begehrten Karrierepositionen führten. Gesteigert wurde die Frequenz auch dadurch, daß spätestens seit 1908 Frauen endlich überall zum Studium zugelassen wurden. Vor 1914 machten sie bereits sieben Prozent der Gesamtzahl aus.

Die politische Mentalität der Studenten ist noch immer ein heftig umstrittener Gegenstand. Die Majorität ging, vermutlich ziemlich apolitisch, ihrem «Brotstudium» nach. Wissenschaftliche, bündische, dazu im engeren Sinne politische Vereinigungen mit einer Rückbindung an die Parteien erreichten nur eine winzige Mitgliederzahl. Einen wahrhaft bedrohlichen Einfluß übten aber die illiberalen, nationalistischen, häufig antisemitischen Studenten in den schlagenden Verbindungen der Korporationen und Burschenschaften aus, die namentlich an den mittelgroßen Universitäten häufig zwischen fünfundzwanzig und fünfzig Prozent der Studenten für sich gewinnen konnten. Hier wurde ein Akademikertypus geprägt, der als künftiger Inhaber von Leitungsfunktionen und als Mitwirkender an der «Meinungsführerschaft» nichts Gutes für die deutsche Gesellschaft verhieß.

In der technik- und ingenieurwissenschaftlichen Ausbildung gehörte das Kaiserreich ebenfalls zu den westlichen Pionierländern. Aus den älteren Polytechnischen Fachschulen gingen neun moderne Technische Hochschulen hervor, zu denen vor 1914 noch zwei Neugründungen hinzutraten. Die meisten erhielten während der liberalen Ära der siebziger Jahre eine Universitätsverfassung; der Rest wurde etwas später aufgewertet. Die um Praxisfelder herum aufgebauten Abteilungen wurden wie Fakultäten eingerichtet. Daß das Abitur zur Eintrittsvoraussetzung erhoben wurde, zeigte ebenso unmißverständlich die Anziehungskraft der Akademisierung an, wie das der Kampf um das Promotions- und Habilitationsrecht tat, den die Technischen Hochschulen bis zur Jahrhundertwende für sich entscheiden konnten. Obwohl sie sich an das Modell der Universität in mancherlei Hinsicht anpaßten, zog ihre spezifische Leistung, die gelungene Verbindung von wissenschaftlicher und praktischer Ausbildung, bis 1914 fast ein Fünftel aller deutschen Studenten an. Die Technischen Hochschulen versorgten die deutsche Industriewirtschaft mit einem regelmäßigen Zustrom von vorzüglichen Experten, und wegen ihrer Fähigkeit, akademisch und empirisch geschultes «Humankapital» ebenso effektiv wie die französischen oder die deutschösterreichischen Parallelinstitutionen heranzubilden, dienten sie anderen Ländern öfters als Vorbild.

So wie die Modernisierungsfortschritte im Bildungswesen des Kaiserreichs nicht bestritten werden können, hielt es auch mit der Entwicklung der marktwirtschaftlichen Kommunikationsgesellschaft Schritt. Dazu gehörte auch die Ausweitung einer kritisch argumentierenden Öffentlichkeit mit erstaunlich liberalen Charakterzügen. Im ersten Fall setzte sich der Markt als

Regulator der heraufziehenden industriellen Massenkultur genauso zügig durch wie in anderen westlichen Ländern. Das ist vorn zum Beispiel an der atemberaubenden Ausdehnung einer vielförmigen Unterhaltungsliteratur, aber auch an den Kommerzialisierungsschüben verfolgt worden, die Schriftsteller und Publizisten von den Zwängen ihres Marktes immer abhängiger machten.

Das Zeitalter der Massenpresse haben in Deutschland – im Gegensatz etwa zu England und den Vereinigten Staaten – die großen Familienblätter eröffnet, deren unübertroffenes Vorbild die «Gartenlaube» war, zeitweilig mit einer Weltrekordauflage von mehr als dreihundertachtzigtausend Exemplaren. Ihre Konkurrenten, geschweige denn die intellektuell vielseitigen Rundschauzeitschriften und politischen Journale konnten diese Auflage nicht von ferne erreichen. Erst seit den neunziger Jahren haben die großen Tageszeitungen, insbesondere vom Typus des Generalanzeigers, darum gekämpft, wer regelmäßig über zweihunderttausend, ja zweihundertfünfzigtausend Exemplare hinausgelangte. Seither auch wurde die veröffentlichte Meinung in erster Linie von den oft zwei- bis dreimal täglich erscheinenden Zeitungen, nicht mehr dagegen von den Familienblättern und Zeitschriften bestimmt.

In dieser Frühzeit der deutschen Massenpresse ist das auffälligste Phänomen das anhaltende Übergewicht der liberalen Organe. Weder ließen sie sich durch zahlreiche schikanöse Prozesse wegen «Majestätsbeleidigung» oder «groben Unfugs» unterkriegen, noch bestand hier die Gefahr einer konservativen Meinungshegemonie. Die angeblich politisch neutralen Generalanzeiger trugen vermutlich zur Erhaltung des gesellschaftlichen und politischen Status quo mehr bei als die parteipolitisch konservativen Blätter.

Ein weiteres Indiz für die rechtsstaatliche Sicherheit und die Liberalität, die im Umfeld der öffentlichen Meinung möglich war, ist die Tatsache, daß es der Sozialdemokratie und dem politischen Katholizismus gelang, gegen heftigen Widerstand jeweils ihre funktionstüchtige Gegenöffentlichkeit aufzubauen, die alle Bedürfnisse von der Tageszeitung über anspruchsvolle Rundschauzeitschriften bis hin zu Unterhaltungsblättern zu befriedigen verstand.

Es bleibt ein Paradoxon, daß in einem autoritären Staat, wo Nationalismus, Imperialismus und Militarismus zügig an Einfluß gewannen, der Vorsprung der liberalen Presse von der konservativen nicht aufgeholt, die publizistische Gegenmacht der diskriminierten Minderheiten nicht gebrochen werden konnte. Um bösartige Ideologien zu zähmen und politische Richtungsentscheidungen der Reichsleitung zu beeinflussen – dazu reichte allerdings die Macht der liberalen Presse, erst recht die Kritik der sozialdemokratischen und katholischen Gegenöffentlichkeit nicht aus.[13]

Prüft man abschließend das Verhältnis von Modernisierungsfähigkeit und Traditionsmacht im Bereich der politischen Herrschaft, haben sich dort seit den 1860er Jahren die folgenreichsten Sonderbedingungen des deutschen Modernisierungswegs herausgebildet. Man versteht sie freilich erst dann angemessen, wenn man nicht auf die Staatsgründung und das politische System, auf die Nationsbildung und den Militarismus nur als Phänomene an sich blickt. Vielmehr muß man sich die wirtschaftliche Umwälzung seit der Industriellen Revolution, die Transformation in eine Klassengesellschaft, die Überlappung zahlreicher komplizierter Modernisierungsaufgaben innerhalb einer knappen Zeitspanne stets vergegenwärtigen, um der neuartigen Natur der gesellschaftlichen Umstände der reichsdeutschen Politik gerecht zu werden. Insofern entstanden während der «deutschen Doppelrevolution», insbesondere in ihrer zweiten Phase, die wichtigsten Bedingungen für einen deutschen «Sonderweg» in die Moderne, den es vorher so nicht gegeben hat. Mit anderen Worten: Trotz des Einflusses mächtiger Traditionen, die dann auch auf die Wegführung des deutschen Modernisierungspfads einwirkten, existierte vorher doch eine relative Offenheit der politischen Entwicklungschancen. Auch das Scheitern der achtundvierziger Revolution bedeutete noch keine endgültige Blockade einer künftigen Wende zum Besseren.

Aber in den Entscheidungsjahren zwischen 1862–1866 – 1871–1879 hat sich aus noch einmal knapp zu erörternden Gründen die Härte und Zählebigkeit einer politischen Ordnungskonfiguration mit so fatalen Auswirkungen herausgebildet, daß sie eine durchgreifende politische Modernisierung des Landes bis 1918 zu verhindern imstande war. Diese knapp zwei Jahrzehnte erweisen sich daher als eine formative Gründungsperiode, in der die Weichen für die Folgezeit direkt oder doch in einer Richtung gestellt wurden, daß sie weitere Fehlentwicklungen maßgeblich beeinflußt haben.

In dieser Epoche ging aus drei Kriegen der kleindeutsche Nationalstaat hervor, der von Anfang an das Potential einer hegemonialen Großmacht besaß. Im Vergleich mit dem locker organisierten Deutschen Bund besaß er die Form eines gestrafften Zentralstaats mit traditionellen föderativen Bauelementen und einer monarchischen Spitze. Die Verfassung enthielt zahlreiche dilatorische Formelkompromisse, zementierte aber auch fundamentale strukturpolitische Entscheidungen aus der Phase von 1866 bis 1871 zugunsten der alten Gewalten, die sich durch den in seinen Rechten beschnittenen Reichstag keineswegs tödlich bedroht zu fühlen brauchten. An der Oberfläche ähnelte das Kaiserreich als konstitutionelle Monarchie vielen anderen europäischen Staaten. Bei näherem Hinsehen treten indes, zumal in vergleichender Perspektive, gravierende Eigentümlichkeiten hervor, die hier unter zwölf Sachgesichtspunkten zusammengefaßt werden.

1. Bismarck gelang es durch die Bewältigung existentieller Krisen, seine eminent folgenreiche charismatische Herrschaft aufzubauen. Der Erfolgsmythos, der seine Leistungen umgab, hat ihm ein Vierteljahrhundert lang

eine abgehobene Sonderstellung in der preußisch-deutschen, darüber hinaus auch in der europäischen Politik verschafft. Denn der Triumph zugunsten des alten Regimes im Verfassungskonflikt, die drei siegreichen Kriege, die Reichsgründung, die Meisterung innen- und außenpolitischer Konflikte seither – sie bedeuteten eine außergewöhnliche Häufung von Erfolgserlebnissen, zumal das Kaiserreich als langersehnte Erfüllung des höchsten Ziels von Nationalismus und Nationalbewegung: als der deutsche Nationalstaat, gefeiert wurde.

Seit den großen Jahren Napoleons I. hat während des langen 19. Jahrhunderts in ganz Europa nur das junge deutsche Reich eine derartige Prägung durch charismatische Herrschaft erfahren – und dazu auch noch über eine so außerordentlich lange Zeitspanne hinweg, daß sie die politische Mentalität und Kultur tief prägen konnte. Die Anfälligkeit für eine herausragende Führungspersönlichkeit, die Sehnsucht nach einem neuen Charismatiker hat sich seither bis in die Mitte des 20. Jahrhunderts gehalten.

Mit Bismarcks Vorherrschaft aber verband sich ein folgenschweres Syndrom: Antiliberalismus, Antiparlamentarismus, Demokratiefeindschaft haben sich, gedeckt durch seine charismatische Aura, tief eingeschliffen. Und in der Domäne des Verfassungsgefüges stellte sich heraus, wie sehr es auf ihn als überragenden Koordinator zugeschnitten war. Die Polykratie der rivalisierenden Machtzentren konnte auch deshalb seit den neunziger Jahren so auswuchern, weil ein vergleichbarer Dompteur für dieses übermäßig komplizierte Kräftesystem nicht mehr auftauchte. Hinter der Fassade der starken Monarchie drang – alles andere als das Symptom eines sich ankündigenden liberalen Pluralismus – der labile autoritäre Korporativismus weiter vor.

2. Auch der «Reichsmonarch» aus der Hohenzollerndynastie unterschied sich von allen anderen regierenden Fürsten Europas, da er in der Tradition des preußischen Militärstaates der «Oberste Kriegsherr» und Inhaber der ominösen spätfeudalen «Kommandogewalt» über die Streitkräfte blieb. Diese Exklusivstellung, die sich nicht von ferne mit den Vollmachten der anderen Monarchen vergleichen läßt, wurde verfassungsrechtlich abgeschirmt. Das war einer der großen politischen Erfolge Bismarcks bei der Verteidigung der preußischen Herrschaftsstruktur. Und die militärischen Erfolge erhielten dem Besitzer der «Kommandogewalt» das «Königsheer», während er außerdem noch mit drei Spezialbehörden, an erster Stelle dem Militärkabinett, sowie mit dem Hof als informeller Schaltstelle die Politik beeinflussen konnte.

3. Das Militär, das seit 1815 ein halbes Jahrhundert lang im Windschatten existiert hatte, gewann zwischen 1864 und 1871 nicht nur seine frühere Sonderstellung auf eine neuartige, da konstitutionell befestigte Weise zurück, sondern wurde überhaupt aufgrund der blendenden kriegerischen Siege auf eine unvorhersehbare Weise im öffentlichen Ansehen hochgehoben. Verfassungsrechtlich drückte sich das in seiner von jeder parlamentari-

schen Kontrolle freigehaltenen Autonomiesphäre aus. Sie bildete den eigentlich «harten Kern» der vielgerühmten deutschen Variante des Konstitutionalismus. Wie selbständig es in seinem «Staat im Staate» operierte, wurde durch seine Personalpolitik, seine Präventivkriegspläne nach innen und nach außen, durch den Schlieffenplan mit seinen souverän mißachteten politischen Folgen schlagend demonstriert. Und im Bereich der gesellschaftsprägenden Ideologien basierte auch das Unikat des deutschen Sozialmilitarismus auf der unantastbaren Sonderrolle des Militärs. Nirgendwo sonst in einer westlichen Gesellschaft ist im letzten Drittel des 19. Jahrhunderts der Militarismus in die Kollektivmentalität, in das Identitätsbewußtsein, in den Nationalismus so tief eingedrungen wie im kaiserlichen Deutschland.

4. Mit dem Schlachtenglück und mit der Triumphserie Bismarcks hängt die bereits erörterte verblüffende Aufwertung des Adels zusammen. Nicht allein gesellschaftlich hat sie seinen Niedergang noch einmal aufgehalten, sondern auch in der Reichsleitung und den Staatsregierungen, in der Bürokratie und dem Heer seine Privilegientradition verlängert. Wie etwa die Verhinderung der Parlamentarisierung, die relative Autonomie des Reichskanzlers, die Nebenregierung aus dem preußischen Staatsministerium, das Bollwerk des Berliner Herren- und Abgeordnetenhauses, die Kontrolle der Spitzenränge in den Streitkräften und in der Verwaltung ineinandergriffen, um den Herrschaftsanspruch der «Bürgerlichen Gesellschaft» einzudämmen – das ergab die unverwechselbar reichsdeutsche Machtkonstellation bis 1918. Auch der verhängnisvolle Einfluß des Sozialmilitarismus drang, wie gesagt, deshalb so tief in die Poren der Gesellschaft ein, weil sein Verbindlichkeitsanspruch auf den Werten und Normen, dem Habitus und Verhaltensstil einer traditionell etablierten und mit neuem Prestige ausgestatteten Machtelite wie dem adligen Offizierkorps beruhte.

5. Dem Reich ein Parlament als eigenes Legislativorgan einzurichten war im Zeichen des liberalen Konstitutionalismus, auch der aktiven liberalen Nationalbewegung unumgänglich gewesen. Daß es aus dem allgemeinen, gleichen Männerwahlrecht, damals dem modernsten Wahlrecht eines europäischen Großstaates, hervorging, stammte aus dem Arsenal von Bismarcks politischen Innovationen, um die «Bourgeoisklassen» durch die bisher schweigende konservative Mehrheit zu entmachten. Tatsächlich ging dieses Kalkül nur zeitweilig auf. Statt dessen erlebte der Reichstag zum einen einen systemisch bedingten Machtzuwachs, da er mit der Ausweitung der Staatsfunktionen immer mehr Probleme reichsgesetzlich regulieren mußte. Zum andern unterstützte der Charakter des Wahlrechts eine politische Massenmobilisierung, die sich bis zu dem Beteiligungsmaximum von fünfundachtzig Prozent bei den Wahlen von 1912 steigerte.

Trotzdem blieb das Machtkartell der Sieger von 1862 bis 1879 stark genug, um die Regierungsbildung durch den Anführer der Mehrheitspartei oder einer Koalition zu verhindern. Anstelle dieser Parlamentarisierung schlug der autoritäre Korporativismus tiefere Wurzeln. Das gelang ihm auch deshalb, weil das Reichsparlament den Machtkampf um die Vorherrschaft zu keinem Zeitpunkt ernsthaft anvisiert, geschweige denn riskiert hat. Selbst im Herbst 1918 wurde die Parlamentarisierung von oben angeordnet und nicht von unten erstritten. Daß die Parlamentarisierung teils verweigert, teils nicht entschlossen genug begehrt wurde, hatte zur Folge, daß die reichsdeutsche Gesellschaft ihre politischen Konflikte nicht selbstverantwortlich austragen, die Praxis dieser Konfliktmeisterung in unumgänglich mühsamen Lernprozessen nicht einüben konnte. Der Vergleich lehrt: Kein Staat in Europa und Nordamerika besaß damals eine gewählte Legislative, die mit einer derart zahnlosen Konfliktscheu dem Streit um die Hegemonie im politischen System so konsequent ausgewichen ist wie der deutsche Reichstag.

6. Der Liberalismus, der in den westlichen Ländern – unter welchem Parteinamen auch immer – seit der zweiten Hälfte des 19. Jahrhunderts das Parlamentsleben bestimmte, hat in Deutschland als Quasi-Regierungspartei zwischen 1867 und 1877 mitgeholfen, ein imponierendes gesetzgeberisches Reformwerk zustande zu bringen. Dennoch wurde er, ein fatales Ergebnis der Zäsur zwischen 1866 und 1871, von der inneren Machtausübung in den Arcana Imperii dauerhaft ferngehalten. Als entscheidende politische Gestaltungsmacht ist er im Kaiserreich gescheitert.

Nur in Deutschland war er allerdings auch so frühzeitig einem ganz ungewöhnlichen, einem dreifachen Druck ausgesetzt. Von oben lastete das Gewicht des erfolgsverwöhnten charismatischen Kanzlerregimes auf ihm. Von unten wirkte sich aufgrund des Reichstagswahlrechts und der Selbständigkeit der Arbeiterbewegung die Fundamentalpolitisierung auch und gerade gegen den Liberalismus mit seiner Honoratiorenpolitik aus. Und schließlich hat nirgendwo sonst die Depression von 1873 bis 1879 die liberale Politik, die liberale Wirtschaft, die liberale «Weltanschauung» so radikal und nachhaltig diskreditiert wie in dem jungen deutschen Nationalstaat, wo sich die Liberalen als Sündenbock für diese Misere einer Entgleisung der Marktwirtschaft vorzüglich eigneten.

Allein die erfolgreiche innenpolitische Modernisierung in Gestalt der Parlamentarisierung hätte diesen Einbruch des Liberalismus auf mittlere Sicht kompensieren können. Damit aber war es nach der Zäsur von 1879 wegen seiner formellen Entmachtung definitiv vorbei. Statt dessen ermöglichte es die neue Kräftekonstellation, die sich in der konfliktreichen, aber dauerhaften konservativen Allianz auf der Basis der «Sammlungspolitik» von Großindustrie und Großlandwirtschaft ausdrückte, den antiliberalen Korporativismus mit dem Ziel der ökonomischen und sozialen Stabilität auszubauen. Für Bismarck freilich, aber auch für seine Nachfolger, behielt bei der Zusammenarbeit mit dieser Koalition der Primat der politischen Herrschaftslegitimierung und Systemerhaltung den Vorrang vor allen anderen Zielen.

7. Durch das autoritäre Regime des Kaiserreichs einerseits und die verhinderte Parlamentarisierung andrerseits wurde die Position der Bürokratie noch einmal gestärkt. Ohnehin arbeiteten machtvolle deutsche Traditionen ebenso zu ihren Gunsten wie die Ausweitung der Staatsfunktionen. Formell fungierten die Verwaltungsbehörden als Machtinstrument für die Exekutive. Faktisch aber waren sie auch Machtinhaber, da sie interne Entscheidungsprozesse mitgestalten konnten, ohne einer effektiven Kontrolle durch eine überlegene Drittinstanz, in die sich der Reichstag nie verwandeln konnte, zu unterliegen. Die Organisation der Reichsverwaltung in Reichsämtern sollte von vornherein parlamentarisch verantwortliche Minister ausschließen; sie hat das auch bis zuletzt getan.

Bismarck hat mit liberalen Beamten keine geringe Mühe gehabt, die konservative Auslesepraxis jedoch effizient verschärft. Dabei blieb es auch nach 1890, nur standen deshalb ungleich schwächere Reichskanzler einem bürokratischen Apparat gegenüber, der mit wachsendem Selbstbewußtsein die Kontinuität der «wirklichen Herrschaft... im Alltagsleben» gegenüber Schwankungen im Berliner Politikzentrum gewährleistete.[14] De facto lief das seither auf Beamtenherrschaft in einem Ausmaß hinaus, wie sie bei allem Respekt vor dem traditionsbewußten höheren französischen Verwaltungsdienst und vor dem jungen englischen «Civil Service» in anderen europäischen Ländern nicht zu finden war. Im ungetrübten Selbstgefühl der deutschen Bürokratietradition zu leben schloß keineswegs die Fähigkeit zur innovatorischen Anpassung an neue Aufgaben aus, wie das die Ausgestaltung des Interventions- und Sozialstaats unterstreicht. Als wichtiger aber erwies sich, daß die Beamtenherrschaft jene Gängelung und Gewöhnung an Unmündigkeit verlängerte, die dem Ideal des selbständigen Staatsbürgers von Grund auf widersprach. Sowohl die Prägung durch den traditionellen Einfluß der Bürokratie als auch durch ihre ungebrochene Machtteilhabe im Kaiserreich gehören zu den schwer bestreitbaren politischen Charakteristika des deutschen «Sonderwegs».

8. Die unübersehbaren Grenzen, die durch das Herrschaftssystem abgesteckt wurden, verleihen einer Frage ihre besondere Dringlichkeit: Konnte die politische Zielutopie der «Bürgerlichen Gesellschaft» im Kaiserreich verwirklicht oder aber ihre Realisierung blockiert werden? Die ältere Formel vom «Defizit an Bürgerlichkeit» als wesentlichem Konstituens des «Sonderwegs» läßt sich in dieser allgemeinen Fassung weder sozial- noch mentalitätsgeschichtlich weiter halten. Vielmehr sind zunächst einmal wichtige bürgerliche Erfolge nicht zu übersehen. Der Geltungsbereich der Marktwirtschaft als jener Arena, in der sich das weithin selbstgesteuerte bürgerliche Erwerbsleben vollzog, ist im Zeichen des Industrie-, Agrar- und Handelskapitalismus unablässig ausgedehnt worden. Der Verfassungsstaat und der Rechtsstaat entsprachen in vielfacher Hinsicht ebenso bürgerlichen Zielvorstellungen wie im besonderen das Privatrecht und die Verwaltungsge-

richtsbarkeit. Die Mitwirkung im Parlament des Reiches und in allen Landtagen der Einzelstaaten war gesichert. In den allermeisten Städten konnte sogar die bürgerliche Herrschaft bis 1918 verteidigt werden. Die Diskussion in einer freien Öffentlichkeit, die geschützte Existenz einer öffentlichen Meinung durfte im allgemeinen als gewährleistet gelten. Das Bildungs- und Wissenschaftssystem blieb durch und durch bürgerlich geprägt. Die kulturelle Hegemonie in der Literatur und den schönen Künsten, im Theater- und Musikwesen hielt an. Das Vorbild der bürgerlichen Lebenswelt, ihrer Normen und Verhaltensmodellierung gewann an Ausstrahlungskraft.

Dieser unleugbaren Erfolgsbilanz stehen jedoch markante Mißerfolge und tief eingezeichnete Grenzen gegenüber, über die das Projekt der «Bürgerlichen Gesellschaft» nicht hinausgelangte. Bürgerliche Herrschaft im Sinne der ausschlaggebenden politischen Entscheidungsgewalt lebte nur als Wunschtraum fort. Tatsächlich blieb die Vorherrschaft der etablierten Machteliten erhalten, und zwar auch dann noch, als potente bürgerliche Interessenvertreter im System des autoritären Korporativismus als Partner mitwirkten. In der Blockade der Parlamentarisierung drückte sich das Grundfaktum aus, daß die strukturellen Entscheidungen zwischen 1867 und 1871 bis zum Oktober 1918 auch gegen bürgerliche Machtansprüche verteidigt werden konnten. Die ihrem Anspruch nach universalistischen Prinzipien der «Bürgerlichen Gesellschaft» unterlagen häufig, wenn sie auf bürgerliche Klasseninteressen prallten; erst recht taten sie das, wenn es um die Auflockerung der traditionellen Rollendefinition der beiden Geschlechter ging.

Außerdem stellte sich nicht nur alsbald heraus, daß die Sozialdemokratie – horribile dictu – für Basisprinzipien der «Bürgerlichen Gesellschaft» entschiedener eintrat als viele Bürgerliche selber und die meisten ihrer Parteien. Vielmehr erkannte sie auch früher, daß der politische Entwurf der «Bürgerlichen Gesellschaft» durch Demokratie und Sozialstaat zeitgemäß ergänzt werden mußte. Daß der Interventionsstaat nicht aufzuhalten war, untergrub wiederum den Glauben an die Fähigkeit zur vollendeten Selbststeuerung der «Bürgerlichen Gesellschaft» einschließlich ihrer selbstgeregelten Marktwirtschaft. Indem die Bürokratie vom Wachstum der Staatsfunktionen emporgetragen wurde, sank die Aussicht auf eine umfassende bürgerliche Selbstregierung und Selbstverwaltung.

Sieht man von seiner politischen Zählebigkeit in vielen Städten ab, trat der bürgerliche Liberalismus seit 1879 in der Reichs- und Einzelstaatspolitik ins zweite Glied. Und nicht nur das: Der Aufstieg mächtiger Massenbewegungen der Arbeiterschaft und des politischen Katholizismus engte den Spielraum bürgerlicher Politik weiter ein.

Kurzum: Die Zielvision der «Bürgerlichen Gesellschaft» konnte in manchen Realitätsbereichen durch eine partielle Modernisierung verwirklicht werden. Im Hinblick auf die entscheidende Frage nach dem Ausmaß bürgerlicher Herrschaft blieb diese jedoch durch ein autoritäres Regime und eine machtbewußte Bürokratie, durch kraftvolle Antagonisten und einflußreiche Gegenideologien so eingeschnürt, daß sie nie zur entscheidenden politischen Gestaltungsmacht aufsteigen konnte. Auch das unterscheidet das Kaiserreich von anderen westlichen Ländern, mit denen es sonst gemeinsam zum Okzident gerechnet zu werden pflegt.

9. Es unterschied sich auch durch spezifische Charakterzüge seines Nationalismus. Selbstverständlich handelte es sich damals beim Nationalismus um ein gemeinwestliches Phänomen, das sich überall zur mächtigsten «Politischen Religion» des 19. und 20. Jahrhunderts aufschwang. In Deutschland aber führte die Konstellation seit der Reichsgründungsära dazu, daß der ursprünglich liberal eingefärbte Nationalismus die Verwandlung von zentralen Langzeitelementen seines Inhalts und von kontextabhängigen Funktionen erfuhr. Diese unterschiedlichen Bestandteile sind vorn mehrfach erörtert worden.[15] Hier geht es noch einmal darum, daß der Reichsnationalismus seinen Loyalitätspol in einem jüngst in Kriegen gegründeten Nationalstaat fand, zu dessen Legitimationsgrundlagen die Fürstenherrschaft, die Sonderrolle des Militärs und die charismatische Herrschaft des Kanzlers, nicht aber etwa die Volkssouveränität und der Erfolgsnimbus einer Selbstkonstituierung aus eigener Kraft gehörten.

Zu dem klassischen Stereotyp der bedrohlichen äußeren Feinde, die jeder Nationalismus kennt, trat die Gefährdung der «unvollendeten» Nation durch innere «Reichsfeinde» hinzu. Sozialdemokraten, Katholiken, schließlich auch Deutsche jüdischer Herkunft sollten mit Hilfe ausnahmerechtlicher Zwangsmittel integriert oder – wie es der radikalnationalistische Antisemitismus früh verlangte – vollends ausgegrenzt, die ethnische Homogenisierung der Nation sollte durch die «Germanisierung» der polnischen Staatsbürger erreicht werden. Bereits nach einem Dutzend Jahren tendierte der Reichsnationalismus auch dazu, für Deutschland als Großmacht weltweit ausgreifende Forderungen zu erheben. Der überseeische Imperialismus wurde zum Erfolgsattribut der «verspäteten Nation» erhoben, die mit hochempfindlichem Geltungsbedürfnis ihren «Platz an der Sonne» beanspruchte.

So unstrittig nun die Machtstaats- und Imperialismuskomponenten, angereichert durch einen aggressiven Sozialdarwinismus, auch Bestandteile des Nationalismus anderer westlicher Länder waren, so eindeutig gehörten zu den Merkmalen des neuen deutschen Reichsnationalismus noch einige Spezifika hinzu. Nirgendwo sonst spielte der Militarismus als Element des Nationalismus eine derartig prominente Rolle, und der leidenschaftliche Antisozialismus wurde zumindest nirgendwo an Intensität übertroffen. Massive Schützenhilfe erhielt der Reichsnationalismus auch durch den Nationalprotestantismus, der mit der konkurrierenden Säkularreligion eine so enge Fusion einging, wie sie sonst allenfalls noch im puritanisch gefärbten

Nationalismus Nordamerikas zu finden ist. Und schließlich gehörte zu dem bösen Erbe der Bismarckzeit der antidemokratische Führer- und Erlöserglaube, der die auch im deutschen Nationalismus vorhandene nationaldemokratische Tendenz lange Zeit erfolgreich abgewertet, wenn nicht sogar zeitweilig erdrückt hat.

Die Radikalisierung des deutschen Nationalismus seit den achtziger Jahren wirft wegen ihrer fatalen Fernwirkungen besonders irritierende Probleme auf. Dieser extreme Nationalismus läßt sich vermutlich am ehesten als «Antwort» auf die Herausforderung durch vielfältige rapide Modernisierungsprozesse mit ihren schmerzhaften Erfahrungen erklären, denen er mit dem kompensatorischen Angebot nationaler Erfolge, nationaler Größe, nationaler Einzigartigkeit, deutscher Weltmission und deutscher «Weltpolitik» begegnete. Erneut trifft es zu, daß es ähnliche Formen eines solchen «integralen» Nationalismus, etwa in der Gestalt des französischen Chauvinismus, des englischen Jingoismus, des amerikanischen «neuen Nationalismus», gegeben hat. Im Kaiserreich aber war gerade der sich in kürzester Zeit durchsetzende – und insofern, für sich genommen, überaus erfolgreiche – Übergang zur kapitalistischen Marktwirtschaft und Marktgesellschaft mit harten individuellen und kollektiven Umstellungszwängen verbunden. Sie führten zu traumatischen Schäden, die auch einen zugespitzt radikalisierten Nationalismus hervorbrachten, da er nicht auf die Gegenkräfte einer gefestigten politischen Kultur traf, die manche seiner exzessiven Ansprüche hätte entschärfen oder relativieren können.

10. Um ein allgemein westliches Phänomen handelte es sich ebenfalls beim Imperialismus. Überall führten ökonomische Antriebskräfte dazu, daß ein «Informal Empire» über dominierte Außenmärkte errichtet oder das formell beherrschte Wirtschafts- und Siedlungsterritorium eines prestigeträchtigen Kolonialreichs gewonnen wurde. Auch beim Deutschen Kaiserreich, das als Spätling in den Konkurrenzkampf der älteren Kolonialmächte eintrat, sind die wirtschaftlichen Motive, insbesondere die Hoffnung auf den Gewinn aus künftig aufnahmefähigen Großmärkten, nicht zu übersehen. Von Anfang an ausschlaggebend aber war das nirgendwo sonst so scharf ausgeprägte sozialimperialistische Kalkül im Entscheidungszentrum, die Legitimationszufuhr durch reale oder symbolische Erfolge der überseeischen Expansionspolitik zu verbessern. Bismarck diente sie in der kritischen Übergangsphase nach 1879 zur Stabilisierung seiner charismatischen Herrschaft. Seine Nachfolger betrieben deutsche «Weltpolitik» als Fortsetzung der Innenpolitik in dem Sinn, daß sie die Reformverweigerung an der «inneren Front» durch imperialistischen Aktionismus auszugleichen strebten. Anders als die Verfolgung konkreter Interessen durch die englische Indien- und Afrikapolitik oder durch die amerikanische Karibik- und Ostasienpolitik bestand der reichsdeutsche Imperialismus im wesentlichen aus einer machiavellistischen Instrumentalisierung risikoreicher über-

seeischer Politik zum Zwecke des legitimatorischen Prestigegewinns, mit dem ein labiles politisches Regime abgestützt werden sollte.

11. Eine strukturell gleichartige Entscheidungskonstellation hat auch die letzten Friedenswochen des Kaiserreichs und damit den Beginn seines Endes bestimmt. Die deutsche Politik hatte selber durch die Annexion von Elsaß-Lothringen und den «Wirtschaftskrieg» gegen das Zarenreich Frankreich und Rußland in einer Allianz für den künftigen Zweifrontenkrieg zusammengeführt. Das aberwitzige Vabanquespiel des Schlachtflottenbaus hatte die Gewißheit einer dritten Front zur See gegen England hinzugefügt. Die innenpolitischen und finanziellen Grenzen der deutschen Rüstungspolitik waren jedoch 1912/13 erreicht worden. Wegen der fortlaufenden russischen und französischen Aufrüstung stand nach dem Urteil deutscher Militärexperten und einflußreicher Politiker von 1916/17 ab die gegnerische Überlegenheit, damit aber auch die akute Kriegsgefahr fest. In einem schrumpfenden Zeithorizont breitete sich in den Berliner Machtzentren die Perzeption einer Zwangslage aus, der das Reich angeblich nur mehr durch einen erfolgreichen Präventivkrieg oder durch eine extreme Risikopolitik entkommen könne, die den Gegner in letzter Sekunde vor der tödlichen Gefahr des «großen Krieges» zurückschrecken ließ. Von beiden Strategien versprachen sich die Entscheidungsträger in den Machteliten militärische oder außenpolitische Erfolge, die ihnen angesichts der immer schwierigeren Vermeidung innerer Reformen zur glorreichen Verteidigung des Status quo dienen sollten.

Deshalb hat Berlin dem Wiener Verbündeten dreimal hintereinander einen Blankoscheck für einen dritten Balkankrieg ausgestellt, aus dem jederzeit ein großer Krieg hervorgehen konnte. Statt dessen wäre auch dreimal, die Friedensbemühungen der Großmächte unterstützend, eine Bremsaktion möglich gewesen. Sie hätte aber den Berliner Verzicht auf die «Flucht nach vorn» vorausgesetzt. Dazu fand sich die deutsche Reichsleitung sowohl wegen der inneren Kräfteverhältnisse als auch wegen der dadurch gesteigerten Fehlperzeption der außenpolitischen Chancen und Gefahren nicht bereit. Zum viertenmal innerhalb eines halben Jahrhunderts übernahm Berlin vielmehr das Kriegsrisiko. Gefangener der konservativen Chimäre, selbst durch das extremste aller Mittel den Umbau des politischen Systems und damit auch der Gesellschaftshierarchie noch einmal verhindern zu können, löste es den Weltkrieg sehenden Auges aus.

12. Aus der Vogelperspektive erweist sich als ein Grunddilemma des reichsdeutschen «Sonderwegs», daß sich zum einen komplizierte Modernisierungsaufgaben ständig überlappten und sich zum andern, da der Umbau des Herrschaftssystems mit allen Mitteln verhindert wurde, die politische Verfassung für eine liberale und demokratische Lösung der anstehenden Probleme nicht durchsetzen konnte. Zur Erinnerung: Der Durchbruch der Industriellen Revolution, der Aufstieg der Klassengesellschaft und die Na-

tionalstaatsgründung von oben überschnitten sich in ein und derselben Zeit. Die Neubildung der kleindeutschen Reichsnation aus außerordentlich heterogenen, traditionsbewußten Solidarverbänden mußte sich, nachdem der Charakter der künftigen Nationsbildung – man kann es nicht oft genug wiederholen – bis 1866 offengeblieben war, gewissermaßen unter Hochdruck an den zwischen 1866 und 1871 neugesetzten Bedingungen orientieren. Zwar wurde eine konstitutionelle Monarchie eingerichtet, die Parlamentarisierung aber verweigert und das Heer der parlamentarischen Kontrolle entzogen. Die charismatische Herrschaft Bismarcks überwand durch die innovative Dynamik, die diesen Herrschaftstypus auszeichnet, traditionale Barrieren, die lange Zeit als unüberwindbar gegolten hatten; sie schuf aber auch langlebige Belastungen, die einer freiheitlichen Entwicklung neue Hürden in den Weg stellten. Die Demokratie wurde unterdrückt. Das Reichstagswahlrecht und aufwühlende innere Konflikte trieben jedoch eine tendenziell demokratisierende Fundamentalpolitisierung voran, ohne daß ihr durch ein im Machtkampf durchgesetztes parlamentarisches System Rechnung getragen worden wäre.

Um nur noch einmal drei unterschiedliche Konflikte zu nennen, die sowohl gemeineuropäische als aber auch spezifisch deutsche Züge trugen: Zum Zusammenprall zwischen säkularisiertem Staat und katholischer Amtskirche, die mit neuem ultramontan-fundamentalistischen Diktatorialanspruch allen Gefahren der Moderne entgegentreten wollte, ist es in nicht wenigen europäischen Staaten gekommen. Im Reich aber schlugen die illiberalen Repressivgesetze des «Kulturkampfes» und die Diskriminierung einer konfessionellen Minderheit besonders tiefe Wunden. In allen europäischen Ländern warf die Gewöhnung an eine systemkritische sozialistische Opposition gravierende Probleme auf. Im Reich aber verband sich erneut ein illiberales Ausnahmerecht mit unnachgiebiger Klassenfeindschaft und preußischem Obrigkeitsstil, um die «vaterlandslosen Gesellen» dauerhaft auszugrenzen. Der moderne Antisemitismus trat in vielen Teilen Europas auf. Im Reich aber führte der Haß gegen «die» Juden als Verkörperung aller Übel der Moderne zu einer auf der Rassendoktrin beruhenden rechtsradikalen Agitationsbewegung, die sich sogar in politischen Parteien organisierte; darüber hinaus wurde der Antisemitismus in einem solchen Maße gesellschaftsfähig gemacht, daß dieses latente Sprengpotential – wie sich dann seit 1916/18 erweisen sollte – erschreckend schnell in offene Aggressivität übergehen konnte.

Alle drei Konflikte stießen mitten in die Formierung der neuen reichsdeutschen Gesellschaft, der neuen kleindeutschen Nation und einer neuen politischen Kultur hinein. Insofern gewannen sie eine zerstörerischere Wirkung und einen gefährlicheren Stellenwert als in den meisten älteren westlichen Staaten, wo in der Gesellschaft und Politik stärkere liberale Abwehrkräfte und resistenzfähigere staatsbürgerliche Traditionen vorhanden waren.

Und noch einmal: Alle politischen Probleme mit ihren Ambivalenzen und gegenläufigen Tendenzen überschnitten sich innerhalb einer relativ kurzen Zeitspanne. Sie stellten sich zudem im Kontext tiefreichender sozialökonomischer Veränderungen, von denen ein hoher politischer Handlungsdruck ausging. Denn der Kapitalismus in seinen verschiedenen Formen, an erster Stelle der Industriekapitalismus, hielt einen Transformationsprozeß in Gang, der die moderne Marktwirtschaft mit ihrem zunehmenden Interventionsbedarf ebenso hervorbrachte wie die moderne Marktgesellschaft mit ihren neuen, in Konflikte verstrickten Klassenformationen. Niemand kann vor der Komplexität der anstehenden Fragen, die ständig in verwirrender Bündelung auftauchten, kann vor der Schwierigkeit, sie zu lösen, die Augen verschließen. Das zu konstatieren ist ein Gebot der Fairneß.

In einer solchen Situation sich überschneidender, ja oft überstürzender Modernisierungskrisen hängt nun aber, an dieser Einsicht führt auch kein Weg vorbei, die Problembewältigung in einem entscheidenden Ausmaß vom Charakter des politischen Herrschaftssystems ab. Die historische Erfahrung der westlichen Länder lehrt, daß eine elastische, freiheitliche Verfassung, die, politischen Liberalismus und repräsentative Demokratie verbindend, im Parlament als wichtigstem Machtzentrum die Konflikte in der Selbstverantwortung der Gesellschaft zu regeln gestattet, der autoritären Steuerung und ihrer strukturell limitierten Fähigkeit zur dauerhaften Krisenmeisterung überlegen ist. Die Bejahung dieser Form der politischen Modernisierung beruht selbstverständlich auf normativen Prämissen, die sich in der komparativen Perspektive auf die neuzeitliche westliche Geschichte ungleich besser verteidigen lassen als jene dem Historismus entstammende Interpretation, die dazu anhält, unterschiedliche politische Ordnungen als Ergebnis je eigener Entstehungs- und Behauptungsbedingungen im Rankeschen Sinn als «gleich nahe zu Gott» zu «verstehen» und gewöhnlich implizit zu billigen. Natürlich ist der liberal-demokratische Parlamentarismus gegen zahlreiche Fehlentscheidungen nicht gefeit, aber er verkörpert die bisher elastischste Verfassung, die am ehesten imstande ist, aus eigenen Fehlern zu lernen und sie auf friedlichem Weg aus eigener Kraft zu korrigieren.

Zahlreiche politische, gesellschaftliche, rechtliche Reformen standen im Kaiserreich von Anfang an auf der Tagesordnung, und ihre Anzahl und Bedeutung nahm kontinuierlich zu, da sich das Modernisierungsdilemma des wachsenden Abstands zwischen beschleunigter sozialökonomischer Entwicklung und erstarrtem politischen Ordnungsgefüge verschärfte. Jeder Reformanlauf ist jedoch an jenem Herrschaftssystem, das 1867/71 verfassungsrechtlich sanktioniert worden war, und an jenem Machtkartell gescheitert, das es seither aus eigennützigen Interessen verteidigt hat. Die Aufwertung des Adels, die politische Zweitrangigkeit des Bürgertums, die Isolierung der marxistischen Arbeiterbewegung, die Härte der Klassengegensätze – so beginnt eine lange Reihe von mehrfach diskutierten Faktoren, die für die gesellschaftsgeschichtliche Erklärung der Bedingungen des deutschen Modernisierungswegs von grundlegender Bedeutung sind. Ausschlaggebend für den deutschen «Sonderweg» war aber letztlich das politische Herrschaftssystem und die es tragende soziale Kräftekonstellation. Sie haben zusammen jene verhängnisvollen Belastungen geschaffen, welche die Deformationen der deutschen Geschichte bis 1945 ermöglicht haben. Das Kaiserreich hat zu einem deutschen «Sonderweg» geführt, weil seine politische und soziale Herrschaftsstruktur es ermöglichte, um es in den Worten Max Webers zu sagen, «in einem bürokratischen ‹Obrigkeitsstaat› mit Scheinparlamentarismus die Masse der Staatsbürger unfrei zu lassen und sie wie eine Viehherde zu ‹verwalten›», anstatt «sie als Mitherren des Staates in diesen einzugliedern».[16]

Anhang

Anmerkungen

Fünfter Teil
Die zweite Phase der «Deutschen Doppelrevolution»
1850–1873

[1] Vgl. hierzu den 4. Teil in Bd. II, 587–784 mit einer Erörterung des Begriffs und der ersten Phase der «Deutschen Doppelrevolution». – W. Kiesselbach, Drei Generationen, sozial-histor. Studien, in: ders., Sozialpolit. Studien, Stuttgart 1862, 193 (zuerst: DVS 23.1860, 1–57), s. dazu den folgenden Beitrag, auch wegen des Vordringens der «Klassensprache»: Die modernen Berufsklassen u. die nationalstaatl. Einigung Deutschlands, in: ebd., 250–300; Bismarck, GW 15, 28 (1848); W. P. Monypenny u. G. E. Buckle, The Life of B. Disraeli II: 1860–81, London 1929^{2}, 473 (Febr. 1871). – Die Belege werden wie in Bd. I und II abschnittweise zusammengefaßt. Dort bereits zitierte Titel werden hier nur mehr in der Kurzform angegeben. Bd. IV wird ein Autorenregister enthalten, welches das Auffinden der nötigen bibliographischen Angaben umstandslos ermöglicht.

Vgl. von den allgemeinen Darstellungen zur Zeit nach 1848/49 außer der Literatur in Bd. II, 787, v. a. Nipperdey, Geschichte, 674–803; ders., Deutsche Geschichte 1866–1918, I: Arbeitswelt u. Bürgergeist, München 1990; II: Machtstaat vor der Demokratie, ebd. 1992; D. Blackbourn, Germany in the 19th Century, Oxford 1994; V. R. Berghahn, Imperial Germany 1871–1914, ebd. 1994; Lutz, Zwischen Habsburg, 326–485; Rürup, Geschichte, 197–233; Grimm, Verfassungsgeschichte, 208–40; Hobsbawm, Capital; Taylor, Struggle; Huber, Verfassungsgeschichte III, 1963/1970^{2} (vgl. dazu außer Boldts Kritik: H. Brandt, E. R. Hubers «Deutsche Verfassungsgeschichte», in: VSWG 74.1987, 229–41). – Allg. L. Gall, Europa auf dem Weg in die Moderne 1850–90, München 1989^{2}; G. Palmade Hg., Das bürgerl. Zeitalter 1848–90, Frankfurt 1974; J. A. S. Grenville, Europe Reshaped 1848–78, N. Y. 1980^{2}; N. Rich, The Age of Nationalism and Reform 1850–90, ebd. 1970; G. Mann u. a. Hg., Propyläen Weltgeschichte VIII/2, Berlin 1976^{2}; NCMH X: 1830–70, 1960; M. Beloff u. a., L'Europe du XIX et du XX siecle I u. II, Mailand 1959; R. Schnerb, Histoire Générale des Civilisations VI: 1815–1914, Paris 1968^{5}; C. H. Pouthas, Démocraties et Capitalisme 1848–60, ebd. 1961^{3}; H. Hauser u. a., Du Liberalisme à l'Impérialisme 1860–78, ebd. 1952^{2}; R. C. Binkley, Realism and Nationalism 1852–71, N. Y. 1963^{2}; M. Kolinsky, Continuity and Change in European Society Since 1870, London 1974, 20–35; R. Poidevin u. a., Histoire de l'Allemagne, Paris 1992; C. Fohlen u. F. Bedarida, L'ère des révolutions, Paris 1959; P. Renouvin, Histoire des relations internationales V/1: 1815–71, ebd. 1970^{5}; J. Pirenne, Les grands courants d'histoire universelle V, Neuchâtel 1965; J. v. Salis, Weltgeschichte der neuesten Zeit I, Zürich 1955^{2}; weiterhin anregend: M. Mann, The Social Sources of Power II: 1760–1914, Cambridge 1993; den umstrittenen Globalentwurf von C. Tilly, Coercion, Capital, and European States 990–1990, Oxford 1990. – Speziell die Gesamtdarstellungen im Rahmen der «Oxford History of Modern Europe» von J. J. Sheehan, German History 1770–1866, Oxford 1989, dt. Der Ausklang des Alten Reiches, 1763–1850, Berlin 1994; der Anschlußband: G. A. Craig, Deutsche Geschichte 1866–1945, München 1982^{3}; W. Siemann, Vom Staatenbund zum Nationalstaat. Deutschland 1806–71, München 1994; ders., Gesellschaft im Aufbruch. Deutschland 1850–71, Frankfurt 1990; E. Fehrenbach, Verfassungsstaat u. Nationsbildung 1815–70, München 1992, 56–70, 104–19; H. Böhme, Deutschlands Weg zur Großmacht 1848–81, Köln 1972^{2}; A. Mayer, Adelsmacht u. Bürgertum. Die Krise der europ. Gesellschaft 1848–1914,

München 1984; T. S. Hamerow, The Social Foundations of German Unification 1858–71, 2 Bde, Princeton 1969/72; W. Bussmann, Das Zeitalter Bismarcks, Konstanz 1968[4]; L. L. Farrar, Arrogance and Anxiety. The Ambivalence of German Power 1848–1914, Iowa City 1981; konventionelle Politikgeschichte: M. Salewski, Deutschland. Eine polit. Geschichte II: 1815–1992, München 1993, und E. Engelberg, Deutschland 1849–71, Berlin 1959/1972[3]; auch: H.-J. Hansen, Das pompöse Zeitalter 1850–1900, Hamburg 1970. Quellen: H. Fenske Hg., Der Weg zur Reichsgründung, Darmstadt 1977. – Verfassungsfragen: Grimm I; Huber III; H. Boldt, Deutsche Verfassungsgeschichte II: 1806 bis zur Gegenwart, München 1990; im Vgl. damit fallen ab: K. Kröger, Einführung in die jüngere deutsche Verfassungsgeschichte 1806–1933, ebd. 1988; C. F. Menger, Deutsche Verfassungsgeschichte, Heidelberg 1981[2]; wichtig dagegen: D. Willoweit, Deutsche Verfassungsgeschichte. Vom Frankenreich bis zur Teilung Deutschlands, München 1990; M. Botzenhart, Deutsche Verfassungsgeschichte 1806–1949, Stuttgart 1993; E. Forsthoff, Deutsche Verfassungsgeschichte, Stuttgart 1967[2]; O. Kimminich, dass., Baden-Baden 1987[2], 361–484; H. Fenske, dass., 1867–1980, Berlin 1981; H. Conrad, Der Deutsche Staat 1843–1945, ebd. 1974[2]. – Politische Theorie und Ideengeschichte: I. Fetscher u. H. Münkler Hg., Pipers Handbuch der polit. Ideen IV u. V, München 1986/87; W. Gottschalch u. a., Geschichte der sozialen Ideen in Deutschland, ebd. 1969; H. Fenske u. a., Geschichte der politischen Ideen, Königstein 1981; S. S. Wolin, Politics and Vision. Continuity and Innovation in Western Political Thought, Boston 1960 u. ö., 286–434; G. H. Sabine, A History of Political Theory, N. Y. 1937 u. ö., 620–797. – Vgl. wegen ihrer unterschiedlichen Gesichtspunkte: L. W. Pye u. S. Verba Hg., Political Culture and Political Development, Princeton 1965; G. Almond u. S. Verba Hg., The Civic Culture Revisited, Boston 1980; G. G. Gervinus, Einleitung in die Geschichte des 19. Jh., Leipzig 1853/ND Frankfurt 1967; H.-J. Puhle, Preußen: Entwicklung u. Fehlentwicklung, in: ders. u. Wehler Hg., Preußen im Rückblick, 11–42; M. Schlenke Hg., Preußen-Ploetz, Freiburg 1983; C. Dipper, Nationalstaat u. Klassengesellschaft, in: G. Niemetz u. U. Uffelmann Hg., Epochen der modernen Geschichte, Würzburg 1986, 73–92; D. Blackbourn u. G. Eley, The Pecularities of German History. Bourgeois Society and Politics in the 19th Century, Oxford 1984.

Zur Ergänzung der wissenschaftlichen Analyse durch Anschaulichkeit: Brockhaus, Tagebücher; v. Delbrück, Erinnerungen; Diwald Hg.; Wagener, Erlebtes; R. Hübner Hg., J. G. Droysen, Briefwechsel, 2 Bde, Leipzig 1929/ND Osnabrück 1967; E. Tempeltey Hg., G. Freytag u. Herzog Ernst von Coburg im Briefwechsel 1853–93, Leipzig 1904; T. v. Bernhardi, Aus dem Leben, 9 Bde, Leipzig 1898–1906; H. O. Meisner Hg., Kaiser Friedrich III., Tagebücher 1848–66, ebd. 1929; J. v. Eckardt, Lebenserinnerungen, 2 Bde, ebd. 1910; U. Sautter u. H. E. Onnau Hg., C. Frantz. Briefe, Wiesbaden 1974; H. v. Eckardtstein, Lebenserinnerungen, 3 Bde, Leipzig 1919/20; Ernst II. Herzog von Sachsen-Coburg-Gotha, Aus meinem Leben III, Berlin 1889; W. Frauendienst Hg., Die Geheimen Papiere F. v. Holsteins I, Göttingen 1956; A. E. F. Schäffle, Aus meinem Leben, 2 Bde, Berlin 1905; V. Böhmert, Rückblicke u. Ausblicke eines Siebzigers, Dresden 1900; M. v. Bunsen, Die Welt, in der ich lebte. 1860–1912, Leipzig 1929[2]; K. v. Wilmowski, Erinnerungen, Berlin 1943; J. v. Winterfeldt-Menkin, Jahreszeiten meines Lebens, ebd. 1942; J. Conrad, Lebenserinnerungen, o. O. 1917, sowie N. Conrads u. G. Richter Hg., Denkwürdige Jahre 1848–51, Köln 1978.

I. Bevölkerungsentwicklung

[1] Zum Bevölkerungswachstum bis 1850 vgl. Bd. I, 67–70; Bd. II, 7–24, mit der Lit.: 788–90, Anm. 1. Dort findet sich auch eine Erläuterung der demographischen Begriffe und der Ursachen sinkender Mortalität. Vgl. die Lit. in: H.-U. Wehler, Bibliographie zur neueren deutschen Sozialgeschichte (= BSg), München 1993, Nr. 11, 91–100, sowie v. a. Lee, Germany; Ioannides u. ders.; Kraus Bearb.; Köllmann, in: HWS II; ders., Zur Bevölkerungsentwicklung der Neuzeit, in: ders., Bevölkerung in der Industriellen Revolu-

tion, 25–34; ders., Die deutsche Bevölkerung im Industriezeitalter, in: ebd. 35–46; ders., Demographische «Konsequenzen» der Industrialisierung in Preußen, in: ebd., 47–60; vgl. ders., Bevölkerungsgeschichte, in: Schieder u. Sellin Hg. II, 9–31; Marschalck, Bevölkerungsgeschichte; Harnisch, in: Lärmer Hg.; Haufe, Europ. Bevölkerung; W. Fischer, Bevölkerung als prägendes Element in der Wirtschafts- u. Sozialgeschichte, in: Probleme der Bevölkerungsökonomie, Berlin 1979, 9–28; insbes. der Entwurf von H. Linde, Theorie der säkularen Nachwuchsbeschränkung 1800–2000, Frankfurt 1984.

[2] Zum «Demographischen Übergang» vgl. Imhof, Einführung, 60–63; Köllmann, Bevölkerungsentwicklung, 27f.; Marschalck, Theorie; Mackensen; v. Castell; Hohorst; Linde, Theorie; K. Schwarz, Krit. Bemerkungen zur Beschreibung des Demograph. Übergangs in Deutschland, in: Fs. W. Köllmann, Dortmund 1990, 19–29. Vgl. Bd. II, Teil 3, I, sowie 792f., Anm. 10. – Lee, Germany, 187, 156, 179; F. Prinzing, Hdb. der Medizin. Statistik, Jena 1930, 375; Statist. Bundesamt Hg., Statist. Jb. 1963, Stuttgart 1974; A. E. Imhof, Die Lebenszeit, München 1988; ders. u. a., Lebenserwartungen in Deutschland vom 17. bis 19. Jh., Weinheim 1990; R. Spree, Der Rückzug des Todes. Der Epidemiolog. Übergang in Deutschland während des 19. u. 20. Jh., Konstanz 1992; vgl. ders., Veränderungen des Todesursachen-Panoramas u. sozioökonom. Wandel, in: G. Gäfgen Hg., Ökonomie des Gesundheitswesens, Berlin 1986, 73–100; Marschalck, Bevölkerungsgeschichte, 164; F. Zahn, Die Entwicklung der räuml., berufl. u. sozialen Gliederung des deutschen Volkes seit dem Aufkommen der industriell-kapitalist. Wirtschaftsweise, in: B. Harms Hg,, Volk u. Reich der Deutschen I, Berlin 1929, 222, 265.

[3] Übersicht 47 nach: Kraus Bearb., 226, 154, 160, 166, 172, 178, 184, 196, 208, 214, 190, 64, 52, 34, 40. – Köllmann, in: HWS II, 15; Harnisch, in: Lärmer Hg.

[4] Thümmler, 60, 58, 62, 71f.; Lee, Germany, 144; Köllmann, in: HWS II, 13; allg. Hochstadt; Strenz, Preußen bis 1866. Vgl. zur Entwicklung im preußischen Westen: Köllmann, Bevölkerung Rheinland-Westfalen, 29–49; W. Horst, Studien über die Zusammenhänge zwischen Bevölkerungsbewegungen u. Industrieentwicklung im niederrhein.-westfäl. Industriegebiet, Essen 1937; Uekötter; Knirim; Reekers. Zu den Ostprovinzen: Quante, 481–99; H. Haufe, Die nordostdeutsche Bevölkerungsbewegung 1817–1933, in: Archiv für Bevölkerungswissenschaft 5.1935, 319–37; v. Fircks; Markov; Rogmann. Vgl. allg. J. E. Knodel, Demographic Behavior in the Past. A Study of 14 German Village Populations in the 18th and 19th Centuries, Cambridge 1988.

[5] Marschalck, Überseewanderung, 35f., 49; ders., Bevölkerungsgeschichte, 177; Lee, Germany, 161; Mönckmeier; Burgdörfer, 192; Thümmler, 57; Köllmann, in: HWS II, 29f.; Walker, Germany, 153–80. Vgl. allg. J. D. Gould, European Inter-Continental Emigration 1815–1914, in: JEEH 8.1979, 593–679; C. Tilly, Migration in Modern European History, in: H. McNeill u. R. S. Adams Hg., Human Migration, Bloomington 1978, 48–72; K. J. Bade Hg., Auswanderer – Wanderarbeiter – Gastarbeiter in Deutschland seit 1850, 2 Bde, Ostfildern 1984; ders. Hg., Population, Labour, and Migration in 19th and 20th Century Germany, Leamington Spa 1987. – Vgl. F. Hardegen u. K. Smidt, H. H. Meier, Gründer des Norddt. Lloyd 1809–98, Berlin 1920; G. Bessell, Norddt. Lloyd 1857–1957, Bremen 1957; W. Ehlers, 50 Jahre Norddt. Lloyd, ebd. 1907; P. Neubaur, Der Norddt. Lloyd 1857–1907, 2 Bde, Leipzig 1907. – Mathies, Hamburgs Reederei; W. Böhmert, Die Hamburg-Amerika-Linie u. der Norddt. Lloyd, Berlin 1909.

[6] Hohenberg u. Lees, 11, Tab. I. (größte europ. Städte 1000–1900); C. Tilly, An Urban World, Boston 1974[2], 39, 41; Matzerath, Urbanisierung, 40, 42, 78, Tab. 7; G. Ipsen, Verstädterung, in: P. Vogler u. E. Kühn Hg., Medizin u. Städtebau, München 1957, 303; vgl. Thümmler, 68; Bairoch, Population Urbaine, 309, 322.

Vgl. zum Forschungsstand: BSg, Nr. 36, 265–77; J. Reulecke, Moderne Stadtgeschichtsforschung in der Bundesrepublik Deutschland, in: C. Engeli u. H. Matzerath Hg., Moderne Stadtgeschichtsforschung in Europa, USA u. Japan, Stuttgart 1989, 21–36; ders., Stadtgeschichtsschreibung zwischen Ideologie u. Kommerz, in: Geschichtsdidaktik 7.1982, 1–18; ders. u. G. Huck, Urban History Research in Germany, in: Urban History

Yearbook 1981, 39–54; H. Stoob u. a. Hg., Bibliographie zur deutschen histor. Städteforschung, Köln 1986; L. Niethammer, Stadtgeschichte in einer urbanis. Gesellschaft, in: Schieder u. Sellin Hg. II, 113–36; H.-J. Teuteberg, Histor. Aspekte der Urbanisierung, in: ders. Hg., Urbanisierung im 19. u. 20. Jh., Köln 1983, 2–34; C. Engeli u. a. Hg., Probleme der Stadtgeschichtsschreibung, Berlin 1981; W. Ehbrecht, Thesen zur Stadtgeschichtsschreibung heute, in: WF 34.1984, 29–48; ders. Hg., Voraussetzungen u. Methoden geschichtl. Städteforschung, Köln 1979; H.-G. Reuter, Stadtgeschichtsschreibung im Wandel, in: Archiv für Kommunalwissenschaften 17.1978, 68–83; H. Matzerath, Lokalgeschichte, Stadtgeschichte, Histor. Urbanisierungsforschung, in: GG 15.1989, 62–88; ders., Stand u. Leistung der modernen Stadtgeschichtsforschung, in: J. Hesse Hg., Kommunalwissenschaften in der Bundesrepublik Deutschland, Baden-Baden 1989, 23–49. Von älteren Anregungen: Weber, WG, 735–822; W. Sombart, Stadt, in: Vierkandt Hg., 527–33; ders., Der Begriff der Stadt u. das Wesen der Städtebildung, in: ASS 25.1907, 1–7. – Allg. Darstellungen: Hohenberg u. Lees; A. F. Weber, Growth; Bairoch, Population Urbaine; ders., De Jéricho à Mexico: Villes et économies dans l'histoire, Paris 1985; ders., Urbanisation and Economic Development in the Western World, in: H. Schmal Hg., Patterns of European Urbanisation, London 1981, 61–75; Mumford; L. Benevolo, Die Geschichte der Stadt, Frankfurt 1983; ders., Die Stadt in der europ. Geschichte, München 1993; B. Hofmeister, Die Stadtstruktur, Darmstadt 1980; E. François Hg., Immigration et societé urbaine en Europe occidentale 16.–20. siècles, Paris 1985; P. Hall, Weltstädte, München 1966; A. Sutcliffe, Towards the Planned City, Germany, Britain, the United States and France 1780–1914, Oxford 1981; E. E. Lampard, Historical Contours of Contemporary Urban Society, in: JCH 4.1969/4, 3–26; A. u. L. H. Lees Hg., The Urbanization of European Society in the 19th Century, Lexington 1976; Tilly, Urban World; D. Fraser u. A. Sutcliffe Hg., The Pursuit of Urban History, London 1983. – Speziell zur deutschen Verstädterung: W. R. Krabbe, Die deutsche Stadt im 19. u. 20. Jh., Göttingen 1989; J. Reulecke, Geschichte der Urbanisierung in Deutschland 1850–1980, Frankfurt 1985; ders. Hg., Die deutsche Stadt im Industriezeitalter, Wuppertal 1980[2]; C. Wischermann, Germany, in: R. Rodger Hg., European Urban History, Leicester 1993, 151–69; H. Matzerath Hg., Städtewachstum u. innerstädt. Strukturveränderungen, Stuttgart 1985; ders., Regionale Unterschiede im Verstädterungsprozeß: Der Osten u. Westen Deutschlands im 19. Jh., in: ebd., 65–96; ders., Urbanisierung in Preußen; ders., Grundstruktur; Czok, Stadt; H. Heineberg Hg., Innerstädt. Differenzierung u. Prozesse im 19. u. 20. Jh., Köln 1987; H. J. Teuteberg Hg., Homo Habitans. Zur Sozialgeschichte des ländl. u. städt. Wohnens in der Neuzeit, Münster 1985, darin v. a.: R. Tilly u. T. Wellenreuther, Bevölkerungswanderung u. Wohnbauzyklen in deutschen Großstädten im 19. Jh., 273–300; H.-H. Blotevogel, Untersuchungen zur Entwicklung des deutschen Städtesystems im Industriezeitalter, Köln 1985; W. Rausch Hg., Die Städte Mitteleuropas im 19. u. 20. Jh., 2 Bde, Linz 1983/84; K. Habermann u. a., Histor., polit. u. ökonom. Bedingungen der Stadtentwicklung (bis 1945), Hannover (1981), 185–309; W. H. Schröder Hg., Moderne Stadtgeschichte, Stuttgart 1979; H. Stoob Hg., Die Stadt. Gestalt u. Wandel bis zum industriellen Zeitalter, Köln 1979, 243–74; H. Jäger Hg., Probleme des Städtewesens im Industriezeitalter, ebd. 1978; L. Grote Hg., Die deutsche Stadt im 19. Jh., München 1974; P. Berteaux, La civilisation urbaine en Allemagne, Paris 1971; K. Tenfelde Hg., Probleme der Urbanisierung (= GG 15./H. 1), Göttingen 1989; ders. u. W. Hardtwig Hg., Soziale Räume in der Urbanisierung, München im Vergleich, München 1990; W. H. Hubbard, Auf dem Weg zur Großstadt. Eine Sozialgeschichte der Stadt Graz 1850–1914, ebd. 1984; H.-G. Haupt u. P. Marschalck Hg., Städt. Bevölkerungsentwicklung in Deutschland im 19. Jh., St. Katharinen 1994; G. Fehl u. J. Rodriguez-Lores Hg., Stadterweiterungen 1800–75, Hamburg 1983; R. Hartog, Stadterweiterungen im 19. Jh., Stuttgart 1962; S. Fisch, Stadtplanung im 19. Jh. Das Beispiel München, München 1988; H. Matzerath, Städtewachstum u. Eingemeindungen im 19. Jh., in: Reulecke Hg., 67–89; ders., The Influence of Industrialization on Urban Growth in Prussia 1815–1914, in: Schmal Hg., 145–79; J. Reulecke, Fragestellungen u.

Methoden der Urbanisierungsgeschichtsforschung in Deutschland, in: F. Mayrhofer Hg., Stadtgeschichtsforschung, Linz 1993, 55–68; ders., Sozioökonom. Bedingungen u. Folgen der Verstädterung in Deutschland, in: Zeitschrift für Stadtgeschichte 4.1977, 269–87; Langewiesche, Mobilität; Lee, Urbanisation; R. Heberle u. F. Meyer, Die Großstädte im Strom der Binnenwanderung, Leipzig 1937; N. Brückner, Die Entwicklung der großstädt. Bevölkerung des Deutschen Reiches, in: ASA 1.1890, 135–84, 615–72; noch immer: H. Silbergleit, Preußens Städte, Berlin 1908. – Wichtig war: W. Christaller, Die zentralen Orte in Süddeutschland, Jena 1933/Darmstadt 1968; Lösch, Bevölkerungswellen; P. Schöller Hg., Zentralitätsforschung, Darmstadt 1972; vgl. M. Mitterauer, Das Problem der zentralen Orte als sozial- u. wirtschaftshistor. Forschungsaufgabe, in: VSWG 58.1971, 433–67. – Zu speziellen Fragen: C. Engeli u. W. Haus Hg., Quellen zum modernen Gemeindeverfassungsrecht in Deutschland, Stuttgart 1974; W. Hofmann, Die Entwicklung der kommunalen Selbstverwaltung 1848–1918, in: Hdb. der kommunalen Wissenschaft u. Praxis I, Berlin 1981², 71–85; Heffter, Selbstverwaltung; W. Krabbe, Die Entfaltung der kommunalen Leistungsverwaltung in deutschen Städten des späten 19. Jh., in: Teuteberg Hg., Urbanisierung, 373–91; H. Gröttrup, Die kommunale Leistungsverwaltung, Stuttgart 1973; H. Klein, Daseinsvorsorge/Leistungsverwaltung, in: Evangel. Staatslexikon, ebd. 1966, 269–75; E. Forsthoff, Die Daseinsvorsorge u. die Kommunen, in: ders., Rechtsstaat im Wandel, ebd. 1964, 111–28; auch ders., Die Verwaltung als Leistungsträger, ebd. 1938; F. Steinbach u. E. Becker, Geschichtl. Grundlagen der kommunalen Selbstverwaltung in Deutschland, Bonn 1932. – Niethammer Hg., Wohnen im Wandel; H.-J. Teuteberg u. C. Wischermann, Wohnungsnot u. soziale Frage im 19. Jh. Beiträge zur Sozialgeschichte der Urbanisierung 1850–1914, Münster 1986; dies. Hg., Wohnalltag in Deutschland 1850–1914, ebd. 1985; J. v. Simson, Kanalisation u. Städtehygiene im 19. Jh., Düsseldorf 1983; H.-D. Brunckhorst, Kommunalisierung im 19. Jh. am Beispiel der Gaswirtschaft in Deutschland, München 1978; W. Artelt Hg., Städte-, Wohnungs- u. Kleidungshygiene des 19. Jh. in Deutschland, Stuttgart 1969; W. Treue, Haus u. Wohnung im 19. Jh., in: ebd., 35–41.

[7] Matzerath, Urbanisierung, 107, 61–63, 80, vgl. allg. zu 1840–1871: 108–240; Reulecke, Urbanisierung, 38–41, 45f., allg. 14–47; vgl. Ipsen, Stadt IV, 788; ders., Verstädterung, 304; Hohenberg u. Lees, 59, 101, 184, 198 (Geddes, 1915), allg. 178–330. Vgl. hierzu Bd. II, 176f. (1831), 293–95 (1842/43); H. Matzerath, Von der Stadt zur Gemeinde. Zur Entwicklung des rechtl. Stadtbegriffs im 19. u. 20. Jh., in: Archiv für Kommunalwissenschaften 13. 1974, 21–25, 29–32, allg. 17–44; N. Naunin Hg., Städteordnungen im 19. Jh., Köln 1984 (guter Überblick); Preuss. Städtewesen, 343; Huber III, 127; K. Kitzel, Die Herrfurthsche Landgemeindeordnung, Stuttgart 1957, 13–19 (17: Wagener), 242; allg. aufschlußreich: Heffter, 322–530. – Huber Hg., Dokumente II, 1979², 240–42 (1. 11. 1867), 246f. (21. 6. 1869); Köllmann, Barmen, 81f.; Matzerath, Urbanisierung, 178, 122f.; ders., Von der Stadt, 26f., 32–34.

[8] Matzerath, Urbanisierung, 117f., 122f., 138–41, 157–59; Reulecke, dass., 30–32; Hohenberg u. Lees, 184, 199, 201f., 213f.; J. J. Lee, Urbanisation, 281f. – H. Reif, Städtebildung im Ruhrgebiet. Die Emscherstadt Oberhausen 1850–1914, in: VSWG 69.1982, 457f., 462, 464–67, 469–74; D. Crew, Bochum. Sozialgeschichte einer Industriestadt 1860–1914, Berlin 1980, 17, 70, 19, 21, 118, 28 (Sozialstruktur 1858), 115; J. Reulecke, Das Ruhrgebiet als städt. Lebensraum, in: Köllmann u. a. Hg. II, 67–120; D. Vonde, Revier der großen Dörfer. Industrialisierung u. Stadtentwicklung im Ruhrgebiet, Essen 1989. Vgl. W. Brepohl, Der Aufbau des Ruhrvolkes im Zuge der Ost-West-Wanderung, Recklinghausen 1948; E. Franke, Das Ruhrgebiet u. die Ostpreußen, Essen 1936; C. Schmitz, Bergbau u. Verstädterung im Ruhrgebiet (Gelsenkirchen), Bochum 1987; P. Marschalck, Die Rolle der Stadt für den Industrialisierungsprozeß in Deutschland 1850–1900, in: Reulecke Hg., Stadt, 57–66; W. Köllmann, Von der Bürgerstadt zur Regional-«Stadt», in: ebd., 15–30. – I. Thienel, Verstädterung, städt. Infrastruktur u. Stadtplanung: Berlin 1850–1914, in: Zeitschrift für Stadtgeschichte 4.1977, 55–84; dies., Städtewachstum; Weimann; Liebchen; Wietog; Fassbender; Geist u. Kürvers; B. Ladd, Urban Planning and Civic Order in

Germany 1860–1914, Cambridge/Mass. 1990; H. Thümmler, Berlins Stadtgebiet u. Einwohner im 19. u. Anfang des 20. Jh., in: JbW 1987/I, 9–30; G. Richter, Zwischen Revolution u. Reichsgründung 1848–1870, in: W. Ribbe Hg., Geschichte Berlins II, München 1987, 605–87; W. Fischer, Berlin als Wirtschaftszentrum aus der Sicht der Unternehmer, in: Fs. O. Büsch, Berlin 1988, 483–505; ders., Berlin: Die preuß. Residenz auf dem Wege zur Industriestadt, in: Industrie- u. Handelskammer (= IHK) Berlin Hg., Berlin u. seine Wirtschaft, ebd. 1987, 59–78; L. Baar, Industrialisierung – Urbanisierung – Umwelt u. das Beispiel einer deutschen Großstadt im 19. Jh., in: Fs. H. Mottek, ebd. 1976, 46–54; K. Obermann, Du rôle et du caractère des migrations internes vers Berlin 1815–1875, in: Annales de Demographie Historique 1971, 133–59; G. Berthold, Die Wohnverhältnisse in Berlin, in: SVS 31/II, Leipzig 1886, 199–235; P.-P. Sagave, 1871. Berlin – Paris, Berlin 1971; Schieder u. Brunn Hg. – G. Zang Hg., Provinzialisierung einer Provinz (Konstanz im 19. Jh.), Frankfurt 1978.

[9] Vgl. hierzu Crew, 71; R. Heberle, Zur Typologie der Wanderungen (1956), in: Köllmann u. Marschalck Hg., 72; J. H. Jackson, Wanderungen in Duisburg während der Industrialisierung 1850–1910, in: Schröder Hg., Stadtgeschichte, 217–21, 223–26, 230; ders., Migration and Urbanization in the Ruhr Valley 1850–1900, San Diego/Cal. 1980; vorzüglich hierzu auch H. Reif, Stadtentwicklung u. Viertelbildung im Ruhrgebiet: Oberhausen 1850–1929, in: Hardtwig u. Tenfelde Hg., 115–74; S. Bleek, Mobilität u. Seßhaftigkeit in deutschen Großstädten während der Urbanisierung, in: GG 15.1989, 5–33; W. Kampfhoefner, Soziale u. demograph. Strukturen der Zuwanderung in deutschen Großstädten des 19. Jh., in: Teuteberg Hg., Urbanisierung, 95–116; Matzerath, Urbanisierung, 184f. Vgl. als weitere Beispiele für die seit 1850 anlaufende Vergrößerung (Mauersberg, Zentraleurop. Städte, 55, 78, 64, 72, 78): Frankfurt 1849 = 59.316, 1872/75 = 103000; Hannover 1848 = 28233, 1875 = rd. 106700; München 1851 = 118000, 1872/75 = rd. 210000; Hamburg 1850 = 221000, 1872/75 = 340000. – Reulecke, Urbanisierung, 45, 49–55; Matzerath, Urbanisierung, 143–48, 160, 154–65; ders. Hg., Städtewachstum; Thienel, Verstädterung, 72f.; Sagave, 73–79; S. Fisch, Grundbesitz u. Urbanisierung. Entwicklung u. Krise der deutschen Terraingesellschaften 1870–1914; in: GG 15.1989, 34–61; ders., Administratives Fachwissen u. private Bauinteressen in der deutschen u. französ. Stadtplanung bis 1918, in: E. V. Heyer Hg., Formation u. Transformation des Verwaltungswissens in Frankreich u. Deutschland, Baden-Baden 1989, 221–62; C. Wischermann, Wohnung u. Wohnquartier, in: Heineberg Hg., 57–84; allg. W. T. Kantzow, Sozialgeschichte der alten Städte u. ihres Boden- u. Baurechts bis 1918, Frankfurt 1980; H. Matzerath, Städtewachstum u. Eingemeindungen im 19. Jh., in: Reulecke Hg., 67–89; vgl. Hartog; Fehl u. Rodriguez-Lores. – D. H. Pinkney, Napoleon III and the Rebuilding of Paris, Princeton 1958. – Zur neuen Stadtkritik: A. Lees, Critics of Urban Society in Germany 1854–1914, in: JHI 60.1979, 61–83; ders., Cities Perceived; K. Bergmann, Agrarromantik u. Großstadtfeindschaft, Meisenheim 1970; K. Riha, Die Beschreibung der «Großen Stadt». Zur Entstehung des Großstadtmotivs in der deutschen Literatur 1750–1850, Bad Homburg 1970; C. Meckseper u. E. Schraut Hg., Die Stadt in der Literatur, Göttingen 1983; vgl. allg. C. Schorske, The Idea of the City in European Thought, in: O. Handlin u. J. Burchard Hg., The Historian and the City, Cambridge/Mass. 1967[2], 95–114, sowie Bd. II, 173f.

[10] Reulecke, Urbanisierung, 29, 45f.; Matzerath, dass., 174f.; Thienel, Verstädterung, 78; Segregation am klarsten analysiert bei Reif, Viertelbildung; Statistik: Köllmann, Barmen, 104; Matzerath, Urbanisierung, 175. – Allg. Niethammer; zur Klassenkonstituierung vgl. Bd. II, 241–81. Aus der frühen Diskussion v. a. K. Knies, Über den Wohnungsnotstand der unteren Volksschichten u. die Bedingungen des Mietpreises, in: ZGS 15.1859, 83–107; E. Sax, Die Wohnungszustände der arbeitenden Klassen, Wien 1869; unüberholt: VfS Hg., Die Wohnungsnot der ärmeren Klassen in deutschen Großstädten, 2 Bde. (= SVS 30–31), Leipzig 1886; allg. B. Geremek, Geschichte der Armut, München 1988, 284–306; speziell: W. Weber, Arbeiterwohnungsfrage u. Lösungsangebote in Deutschland 1840–75,

in: W. Kroker Hg., 2. Internat. Kongreß für die Erhaltung techn. Denkmäler, Bochum 1978, 316–31; J. Biecker u. W. Buschmann Hg., Arbeitersiedlungen im 19. Jh., Bochum 1985; D. Stemmrich, Die Siedlung als Programm. Untersuchungen zum Arbeiterwohnungsbau anhand Kruppscher Siedlungen 1861–1907, Hildesheim 1981; E. Führ u. ders., «Nach gethaner Arbeit verbleibt im Kreise der Eurigen». Bürgerl. Wohnkonzepte für Arbeiter im 19. Jh., Wuppertal 1985. Zur städtischen Entwicklung einige Beispiele: Köllmann, Barmen; Ayçoberry, Cologne; K. Jasper, Der Urbanisierungsprozeß in Köln, Köln 1977; G. Schildt, Die Wohnraumverknappung für die Braunschweiger Unterschichten 1855–71, in: Matzerath Hg., Städtewachstum, 148–64; J. Brockstedt, Stadtentwicklung u. innerstädt. Strukturwandel in Kiel 1773–1867, in: ebd., 99–123; K. Blaschke, Entwicklungstendenzen im sächs. Städtewesen 1815–1914, in: ebd., 44–64; D. Saalfeld, Göttinger Miet- u. Sozialverhältnisse im 2. Drittel des 19. Jh., in: ebd., 124–47; W. Sachse, Göttingen im 18. u. 19. Jh., Göttingen 1987; für Hamburg: Wischermanns Studien; Asmus, Magdeburg; Günther u. Wallraf Hg., Weimar; Mauersberg, Fürth; ders., Fulda; Ditt, Bielefeld; Borst, Esslingen; Kühn, Worms; Fischer, Augsburg.

[11] Matzerath, Urbanisierung, 196–200. Vgl. hierzu allg. A. Nitschke, Histor. Verhaltensforschung, Stuttgart 1981; ders. Hg., Verhaltenswandel in der Industriellen Revolution, ebd. 1975. – R. Schulte, Sperrbezirke. Tugendhaftigkeit u. Prostitution in der bürgerl. Welt, Franfurt 1984²; R. J. Evans, Prostitution, State, and Society in Imperial Germany, in: PP 70.1976, 106–29; A. Urban, Staat u. Prostitution in Hamburg 1807–1922, Hamburg 1925. Zum Vergleich: A. Ulrich, Bordelle, Straßendirnen u. bürgerl. Sittlichkeit in der Belle Epoque, Zürich 1985. – J. Knodel, Stadt u. Land im Deutschland des 19. Jh. Eine Überprüfung der Stadt-Land-Unterschiede im demograph. Verhalten, in: Schröder Hg., Stadtgeschichte, 252–56, 240–50, 256–58; Marschalck, Bevölkerungsgeschichte, 164.

[12] Reulecke, Urbanisierung, 56–62; Matzerath, dass., 201–3, 205–7, 217–21; Krabbe, 376–83; Silbergleit, 237f.; W. v. Geldern, W. Oechelhäuser, München 1971; G. Ambrosius, Die wirtschaftl. Entwicklung von Gas-, Wasser- u. Elektrizitätswerken seit dem 19. Jh., in: H. Pohl Hg., Kommunale Unternehmen, Wiesbaden 1987, 125–33. – W. Schivelbusch, Lichtblicke. Zur Geschichte der künstl. Helligkeit im 19. Jh., München 1983; A. Corbin, Pesthauch u. Blütenduft. Eine Geschichte des Geruchs (Paris 1982), Berlin 1984; G. Rath, Die Hygiene der Stadt, in: Artelt u. a. Hg., 76; vgl. ausführlich: R. J. Evans, Death in Hamburg: Society and Politics in the Cholera Years 1830–1910, Oxford 1987, dt. Tod in Hamburg 1830–1910, Reinbek 1990; vgl. ders., Epidemics and Revolutions: Cholera in 19th Century Europe, in: PP 120.1988, 123–46; W.-H. McNeill, Seuchen machen Geschichte, München 1978; M. Vasold, Pest, Not u. schwere Plagen. Seuchen u. Epidemien vom Mittelalter bis heute, ebd. 1991; J. v. Simson, Water Supply and Sewerage in Berlin, London, and Paris, in: Teuteberg Hg., Urbanisierung, 429–39; ders., Kanalisation; Blaschke, Entwicklungstendenzen, 57f.; allg. J.-P. Goubert, La conquête de l'eau, Paris 1986. – A. H. Murken, Vom Armenhospital zum Großklinikum. Die Gesch. d. Krankenhauses vom 18. Jh. bis zur Gegenw., Köln 1988. Noch immer ein vorzüglicher Überblick: A. Emminghaus, Das Armenwesen u. die Armengesetzgebung in europ. Staaten, Berlin 1870, hier: 721f.; Reulecke, Urbanisierung, 37f.; Volkmann, Arbeiterfrage, 69; Tennstedt, Sozialgeschichte, 95; ders. u. Sachße, 214f.; B. Lube, Mythos u. Wirklichkeit des Elberfelder Systems, in: K.-H. Beck Hg., Gründerzeit in Wuppertal, Köln 1984, 158–84.

[13] Reulecke, Urbanisierung, 62–64; Matzerath, dass., 226–40; 228: Wahltabelle 1850–74; 234: Gemeindesteuer p. c. in 15 Städten 1849–76; 235: Haushalt, Kommunalsteuern u. Schulden von 8 Städten 1840–71; Krabbe, 374f.; Gröttrup, 31–38, 58–79; Knemeyer, Polizei, 892; D. Langewiesche, «Staat» u. «Kommune». Zum Wandel der Staatsaufgaben in Deutschland im 19. Jh., in: HZ 248.1989, 621–35; J. Bolenz, Wachstum u. Strukturwandlungen der kommunalen Ausgaben in Deutschland 1848–1913, Diss. Freiburg 1965; Thienel, Verstädterung, 55, 69–71, 82. Vgl. vorn aus Anm. 6: Forsthoff; Klein; Hofmann; ders., Preuss. Stadtverordnetenversammlungen als Repräsentativ-Organe, in: Reulecke Hg., Stadt, 31–56; ders., Die Bielefelder Stadtverordneten 1850–1914, Lübeck

1964; ders., Oberbürgermeister u. Stadterweiterungen, in: H. Croon u. a., Kommunale Selbstverwaltung im Zeitalter der Industrialisierung, Stuttgart 1971, 59–90; K. Schwabe Hg., Oberbürgermeister, Boppard 1981; Croon, Gesellschaftl. Auswirkungen; ders., Krefeld u. Bochum; ders., Bürgertum u. Verwaltung. Zu Gneist hier: Reulecke, Urbanisierung, 62, 64.

[14] Knappe Schilderungen des veränderten Lebensstils und meist impressionistische Hinweise finden sich an vielen Stellen in der bisher zitierten Urbanisierungs-Literatur, vor allem bei Reulecke und Matzerath, deren Sachkunde ich am meisten verdanke. Zusammenfassend bisher nur: U. A. J. Becher, Geschichte des modernen Lebensstils in Deutschland, München 1989. J. Reulecke, Stadtgeschichte als Zivilisationsgeschichte, Essen 1990; ders., Verstädterung u. Binnenwanderung als Faktoren soziokommunikativen Wandels im 19. Jh., in: D. Cherubim u. K. J. Mattheier Hg., Voraussetzungen u. Grundlagen der Gegenwartssprache, Berlin 1989, 43–56; – Zahlen nach: Thümmler, Bevölkerungsentwicklung, 68, Tab. 7 (29 Städte über 50000), vgl. 69f., 72; A. F. Weber, 82f., 85–87. Übersicht 48: Reulecke, Urbanisierung, 202, Tab. 2; vgl. Matzerath, dass., 119, 121f.; ders., Grundstrukturen, 27f.; SgAB II, 43.

II. Strukturbedingungen und Entwicklungsprozesse der Wirtschaft

[1] T. v. d. Goltz, Agrarwesen u. Agrarpolitik, Jena 1904[2], 43; vgl. ders., Geschichte II, 350. Hierzu Bd. I, 13f., 83–90.

[2] Vgl. für die Zeit von 1816 bis 1850: Übersicht 21 in: Bd. II, 28; allg. ebd., 25–53, 642–48. Übersicht 49 nach: anon., Getreidepreise, 290, vgl. 276; preußische Weizenpreise: Perlmann, 23, vgl. 20,70 (Index für Weizenpreise 1851–1900); K. Ritter, Die Einwirkungen des weltwirtschaftl. Verkehrs auf die Entwicklung u. den Betrieb der deutschen Landwirtschaft, in: Landwirtschaftl. Jb. 55.1921, 598f., 624. Vgl. Földes, 472, 483, 398f.; ZKPSB 1887, 211; Getreide im Weltverkehr, 699; Meitzen VIII, 372; Sombart, Volkswirtschaft, 358–60; v. d. Goltz, Geschichte II, 269, 334, 345; Ritter, Agrarwirtschaft I, 234, 394, 420; Sering, Agrarkrisen, 97; Wiedenfeld, Organisation, 647; v. Ciriacy-Wantrup, 22f.; Finck v. Finckenstein, Getreidewirtschaft, 15; Klein, Landwirtschaft, 117; Abel, Agrarkrisen, 287–90; eine andere lange Reihe, im Trend übereinstimmend, in: Hoffmann, Wachstum, 552f. (Weizen, Roggen, Kartoffeln, in: M./To.); F.-W. Henning, Produktionskosten u. Preisbildung für Getreide in den letzten Jahrzehnten des 19. Jh., in: ZAA 25.1977, 216, 218, sowie allg. zur Preisfrage: E. Lohmeyer, Die Entwicklung der Getreidepreise in Deutschland u. im internat. Verkehr, Diss. Jena 1953, MS; H. G. Warstat, Die Preisgestaltung landwirtschaftl. Produkte u. landwirtschaftl. Produktionsmittel, Diss. Bonn/Insterburg 1933, 17; E. J. Gläsel, Die Entwicklung der Preise landwirtschaftl. Produkte, Berlin 1917, 529f.; H. Soetbeer, Kosten der Beförderung von Getreide u. Sinken der Getreidepreise seit 1870, in: JNS 66.1896, 866–81; Kremp, sowie die vorzüglichen Studien von Helling.

Allgemein zur Entwicklung der Landwirtschaft seit 1848/50 außer der bereits zit. Lit. (vgl. Bd. II, 794, Anm. 3) v. a. v. d. Goltz, Geschichte II, 277–414; ders., Hdb.; Abel, Agrarkrisen; Bittermann; Rybark; Krzymowski; Haushofer; Frauendorfer I; Klemm Hg.; Klein, Landwirtschaft; Aereboe; Buchenberger u. Wygodzinski; Finck v. Finckenstein, Landwirtschaft; ders., Getreidewirtschaft; Heese; Bairoch; Sée; Sirol; Noilhan; Ritter, Agrarwirtschaft I; Rach u. a. Hg.; Sombart, Volkswirtschaft; Webers agrarhistorische Studien; Müller, 1800–1870; v. Ciriacy-Wantrup; Teuteberg, Landwirtschaft; Pruns; Häbisch; Perkins, Revolution; Kuczynski, Lage XI, 110–63; XII, 1–50. – M. Rolfes, Landwirtschaft 1850–1914, in: HWS II, 495–526 (Franz' Beitrag über die Zeit vorher, ebd., ist ungleich besser strukturiert); R. Berthold u. a. Hg., Geschichte der Produktivkräfte in Deutschland II: 1870–1917/18, Berlin 1984; M. Tracy, Agriculture in Western Europe, London 1964, 84–105; A. Gerschenkron, Bread and Democracy in Germany (1943), N. Y. 1966[2]/Ithaca 1989; E. Schremmer, Faktoren, die den Fortschritt der deutschen Landwirtschaft im 19. Jh. bestimmten, in: ZAA 36.1988, 33–77; ders., dass., in: JbW Sobd. 1989, 71–91; P. Bairoch, Les trois révolutions agricoles du monde devéloppé: 1800–1945, in:

Annales 44.1989, 317–53; H. H. Müller, Landwirtschaft u. Industrielle Revolution, in: JbW Sobd. 1989, 95–108; s. auch G. Moll, Ökonomie u. Politik im Prozeß der kapitalist. Agrarumwälzung in Deutschland im 19. Jh., in: ebd., 63–70; A. Winson, The «Prussian Road» of Agrarian Development, in: Economy & Society 11.1982, 381–408. – P. Rintelen, Deutschlands Bevölkerungsentwicklung, Nahrungsmittelerzeugung u. Nahrungsmittelverbrauch, Diss. Bonn 1932; F.-W. Henning, Studien zur Wirtschafts- und Sozialgeschichte Mittel-u. Ostdeutschlands, Dortmund 1985, sowie A. Hanau u. W. Pentz, Getreidewirtschaft, in: HSW 4.1965, 467–96; K. Ritter, Getreideproduktion, in: HStW 4.1927^{4}, 909–32; A. Hoffmann Hg., Österreich-Ungarn als Agrarstaat im 19. Jh., Wien 1978; R. Sandgruber, Die Agrarrevolution in Österreich im 18. und 19. Jh., in: ebd., 195–274; ders., Österreich. Agrarstatistik 1750–1918, ebd. 1978; K. Dinklage, Die landwirtschaftl. Entwicklung, in: Wandruszka u. Urbanitsch Hg. I, 1973, 403–61; J. Komlos Hg., Economic Development in the Habsburg Monarchy in the 19th Century, N. Y. 1983. Vgl. außerdem allgemein: M. Gailus u. H. Volkmann Hg., Der Kampf um das tägl. Brot. Versorgungspolitik u. Protest 1770–1990, Opladen 1994; I. Farr, «Tradition» and the Peasantry: On the Modern Historiography of Rural Germany, in: Evans u. Lee Hg., Peasantry, 1–36; F.-W. Henning, Die agrargeschichtl. Forschung in der Bundesrepublik Deutschland 1949–1986, in: Fs. W. Zorn, Wiesbaden 1987, 72–80; J. A. Perkins, Dualism in German Agrarian Historiography, in: CSSH 28.1986, 287–306; W. Achilles, Agrargeschichte, in: HWW 1.1976, 66–87; T. v. d. Goltz und F. Wohltmann, Ackerbau, in: HStW 1.1909^{3}, 26–34; K. Grünberg, Agrarverfassung, in: GdS 2. Abt. VII, 1922, 131–67.

[3] Klein, Landwirtschaft, 91, 118; v. d. Goltz, Geschichte II, 350, 354, 273; Weyermann, 192f.; Buchenberger u. Wygodzinski, 60; Meitzen III, 419; v. d. Goltz, Agrarwesen, 124–40; J. Conrad, Domänen, III: Statistik, in: HStW 3.1900^{2}, 225; Bielefeld, 44; Perkins, Revolution, 95f.; Rodbertus, Erklärung I, Anhang; Abel, Agrarkrisen, 253f. – Hoffmann, Wachstum, 234 (Bodenwert und Kapitalbestand); v. d. Goltz, Geschichte II, 402f. (Umfrage 1883), 413, vgl. 277–414. – Ob die Agrarkonjunktur von 1850 bis 1875/76 durch das Ende der sog. «Kleinen Eiszeit» unterstützt worden ist (um 1850 endete der letzte Gletschervorstoß, und seither hielt wärmeres Wetter an), muß mangels empirischer Vorarbeiten offenbleiben. Eine gewisse Begünstigung erscheint jedoch als nicht unwahrscheinlich. Vgl. E. LeRoy Ladurie, Histoire du climat depuis l'an mil, Paris 1967, engl. Times of Feast, Times of Famine, A History of Climate Since the Year 1000, Garden City 1971, 223, 225; H. v. Rudloff, Die Schwankungen u. Pendelungen des Klimas in Europa seit 1670, Braunschweig 1967, 145.

[4] Übersicht 50 nach: Hoffmann, Wachstum, 143 (zwei Wirtschaftsbereiche werden hier ausgelassen; bei Hoffmann finden sich auch jeweils die Definitionen der Schlüsselbegriffe für den Fachfremden), vgl. 147 (Nettoinvestitionen in laufenden Preisen 1851–1959). – Übersicht 51 nach: ebd., 253 (255: in laufenden Preisen). Übersicht 52 nach: ebd., 33. – Übersicht 53 nach: ebd., 454. – Übersicht 54 nach: ebd., 496f. – Übersicht 55 nach: ebd., 35 u. Helling, Nahrungsmittel-Produktion, 240; vgl. v. Viebahn, Statistik II, 611, 613, 615.

[5] Vgl. Bd. II, 43, Übersicht 25: die Vorläufertabelle. – Übersicht 56 nach: Helling, Indices, 219; vgl. dies., Nahrungsmittel-Produktion (leicht abweichend), sowie die lange Zahlenreihe in: Hoffmann, Wachstum, 310 (in Preisen von 1913 u. Mill. M). – Übersicht 57 nach: Bittermann, 34; vgl. Helling, Entwicklung, 134; dies., Nahrungsmittel-Produktion, 6, 88, 230, 238; Finck v. Finckenstein, Getreidewirtschaft, 55f.; Gläsel, 573f. Vgl. die Vorgängertabelle: Bd. II, 42, Übersicht 24. – Klemm Hg., 25–27, 30, 43; Harnisch, Statist. Untersuchungen, 149–82; Berthold, Wechselbeziehungen, 261–67; vgl. Meitzen II, 213f.; Viebahn II, 820f.; Teuteberg, Landwirtschaft 47; Henning, Innovationen, 163–67; Abel, Geschichte, 325; ders., Agrarkrisen, 289; Dipper, Bauernbefreiung, 50–184; ders., Bauernbefreiung in Deutschland, in: GWU 43.1992, 16–31; Winkel, Ablösungskapitalien. Dazu die Literatur, in: Bd. I, 644–48, Anm. 32–48 (die preußischen Ablösungssummen: ebd., 419). Übersicht 58 nach: Klemm Hg., 30 (nach der amtlichen Erhebung für den Landtag von 1858); v. Viebahn II, 83; E. u. P. Anderson, 86.

[6] V. d. Goltz, Geschichte II, 257 (nach Schmollers sachkundigen Schätzungen); ders. u. Wohltmann, 32; Krzymowski, 269; Bittermann, 136, 21; Finck v. Finckenstein, Landwirtschaft, 173, 223; ders., Getreidewirtschaft 100. – Übersicht 59 nach: Helling, Nahrungsmittel-Produktion, 24, vgl. 26; dies., Entwicklung, 134, 140; Bittermann, 105. Die Vorgängertabelle: Bd. II, 45, Übersicht 26.

[7] V. d. Goltz, Geschichte II, 277–300; Haushofer, 183 (Liebig), 185–88 (Mendel), 190–94; Klemm Hg., 34f., 41; Perkins, Revolution, 81–87; Zander, 89f., 130; K. v. Delhaes-Günther, Kali in Deutschland. Vorindustrien, Produktionstechniken u. Marktprozesse der deutschen Kaliwirtschaft im 19. Jh., Köln 1974, 4, 46, 80; Haber, Chemical Industry, 49f., 121, 125. Zu den Personen: G. Franz u. H. Haushofer Hg., Große Landwirte, Frankfurt 1970, 145–55 (Sprengel), 156–67 (Liebig, vgl. NDB 14, 497–501); Klein, Landwirtschaft, 101; Perkins, Revolution, 81f. Vgl. Bd. II, 44; C. v. Gundlach, Die Einführung neuer Grundnahrungsmittel – die Kartoffel, in: ZAA 35.1987, 55; Henning, Innovationen, 156–60; Meitzen II, 213f.; v. Viebahn II, 820f. – R. Berthold, Die Entstehung der deutschen Landmaschinen- u. Düngemittelindustrie 1850–70, in: Lärmer Hg., 247–52, 255–62; W. Fischer, Herkunft u. Anfänge eines Unternehmers: H. Lanz 1859–70, in: ZfU 24.1979/H. 3, 27–44; Teuteberg, Landwirtschaft, 56–62; Haushofer, 140f.; Klemm Hg., 37–59; W. Achilles, Die Wechselbeziehungen zwischen Industrie u. Landwirtschaft, in: H. Pohl Hg., Sozialgeschichtl. Probleme 1870–1914, Paderborn 1979, 62–64, sowie von den Regionalstudien besonders U. Bentzien, Landbevölkerung u. agrartechn. Fortschritt in Mecklenburg 1800–1900, Berlin 1983; H. Haines, Agriculture and Development in Prussian Upper Silesia 1846–1913, in: JEH 42.1982, 355–84.

[8] Übersicht 60 nach: Bittermann, 42. Vgl. Gläsel, 566; Warstat, 74. Die Vorläufertabelle: Bd. II, 45, Übersicht 27. – J. B. Esslen, Die Entwicklung von Fleischversorgung u. Fleischverbrauch auf dem Gebiete des heutigen Deutschen Reiches seit 1800, in: JNS 3. F. 43.1912, 705–69; ders., Die Fleischversorgung des Deutschen Reiches, Stuttgart 1912, 247; Abel, Agrarkrisen, 247; v. Gundlach, 54. – Übersicht 61 nach: Helling, Nahrungsmittel-Produktion, 235; dies., Index, 140; dies., Entwicklung, 131; vgl. Bittermann, 150, 59, 61; Klein, Landwirtschaft, 115f. Die Vorläufertabelle: Bd. II, 47, Übersicht 28.

[9] V. d. Goltz, Geschichte II, 370–82, 301–27; Krzymowski, 387; Sombart, Volkswirtschaft, 340–50; Haushofer, 189f.; Klemm Hg., 35f.; Klein, Landwirtschaft, 133–41; H. Gottwald, Deutscher Landwirtschaftsrat 1872–1933, in: D. Fricke u. a. Hg., Lexikon zur Parteiengeschichte II, Leipzig 1984[2] (= LP, 4 Bde, 1983/84/85/86; im Urteil meist marxistisch-leninistische Dogmatik, die Informationen sind aber so komprimiert anderswo kaum zu finden), 167–83; ders., Kongreß Deutscher Landwirte 1868–93, in: ebd. III, 1985, 276f.; ders., Vereinigung der Steuer- u. Wirtschaftsreformer 1876–1928, in: ebd. IV, 1986, 358–67. – Franz u. Haushofer Hg., 177–91 (Raiffeisen; Bio. Wb. II, 2246f.), 220–30 (Kühn). – M. Schmiel, Landwirtschaftl. Bildungswesen, in: Hdb. der deutschen Bildungsgeschichte (= HB) III: 1800–1870, München 1987, 306–10; Klein, Landwirtschaft, 144–46.

[10] Vgl. allg. v. Ciriacy-Wantrup, 106, 128, 130–33, 137; Abel, Agrarkrisen, 257–61, 264, 269; ders., Epochen, 109; v. d. Goltz, Geschichte II, 390–414; Klein, Landwirtschaft, 121f.; Haushofer, 179; Sering, Agrarkrisen, 13–18; anon., Getreidepreise, 275, 277, 285. Zur neuen Agrarkrise: G. Brandau, Ernteschwankungen u. wirtschaftl. Wechsellagen 1874–1913, Jena 1936, 36f., 59–62, 70–73; O. Heineke, Die Ursachen u. Folgen der Agrarkrisen nach 1870, Celle 1958; R. Plate, Die Getreidekrisen 1850–1900, Berlin 1933, 6–31, 54–61, 74–84; Conrad, Agrarkrise, 211–15; ders., Grundriß, 272; C. v. Dietze, Agrarkrisen, in: WbV 1.1931[4], 35–40; K. Wiedenfeld, Agrarkrisis, in: ebd. 1.1906[2], 37–43; ders., Organisation, 648f., 654f.; C. Jentsch, Die Agrarkrisis, Leipzig 1899; M. Wirth, Die Krisis in der Landwirtschaft, Berlin 1889, 1–49, 131–55, 165–209; Lagler; Schäffner; M. G. Plachetka, Die Getreide-Autarkiepolitik Bismarcks u. seiner Nachfolger, Diss. Bonn 1969, 492f., 56–79; Henning, Produktionskosten, 219–21; Rolfes, 499–502.

[11] Zum russischen Export vgl. v. a. H. Müller-Link, Industrialisierung u. Außenpolitik. Preußen-Deutschland u. das Zarenreich 1860–90, Göttingen 1977, 58–75; H. Bornemann,

Die deutsch-russ. Handelsbeziehungen 1850–1900, Diss. Berlin 1957, MS; L. Jurowsky, Der russ. Getreideexport, Stuttgart 1910, 10. – Zum amerikanischen Export vgl. W. Trimble, Historical Aspects of the Surplus Food Production of the United States 1862–1902, in: Annual Report of the American Historical Association 1918 I, Washington 1921, 223–39; D. E. Novack u. M. Simon, Commercial Responses to the American Export Invasion 1871–1914, in: EEH 3.1966, 212–43; dies., Some Dimensions of the American Commercial Invasion of Europe 1871–1914, in: JEH 24.1964, 591–605; C. K. Harley, Transportation, the World Wheat Trade, and the Kuznets Cycle 1850–1913, in: EEH 17.1980, 218–50; M. Rothstein, America in the International Rivalry for the British Wheat Market 1860–1914, in: Mississippi Valley Historical Review 47.1960, 401–18; W. Vogel, Die übersee. Getreideversorgung der Welt, Berlin 1915. Zeitgenössische Analysen: M. Sering, Die landwirtschaftl. Konkurrenz Nordamerika, in: Sch. Jb. 121.1888, 685–93; ders., dass., Leipzig 1887; R. Meyer, Die Ursachen der amerikan. Konkurrenz, Berlin 1883; G. Schmoller, Die amerikan. Konkurrenz u. die Lage der mitteleurop., bes. der deutschen Landwirtschaft, in: Sch. Jb. 6.1882, 247–84; R. Blum, Die Entwicklung der Vereinigten Staaten von Nordamerika in Hinsicht ihrer Produktion auf landwirtschaftl. Gebiete, Leipzig 1882; A. Peez, Die amerikan. Konkurrenz, Wien 1881; H. Semler, Die wahre Bedeutung u. die wirtschaftl. Ursachen der nordamerikan. Konkurrenz in der landwirtschaftl. Produktion, Weimar 1881; E. Heitz, Ursachen u. Tragweite der nordamerikan. Konkurrenz mit der westeurop. Landwirtschaft, Berlin 1881; F. Kapp, Die amerikan. Weizenproduktion, ebd. 1880; H. Paasche, Über die wachsende Konkurrenz Nordamerikas für die Produkte der mitteleurop. Landwirtschaft, in: JNS 33.1879, 92–125, 195–231. – Plate, 10, 12, 27, 29, 75f., 80, 25; Ritter, Einwirkungen, 596, 617; ders., Agrarwirtschaft I, 246f.; Soetbeer, 868, 871–73. – Übersicht 62 nach: Helling, Nahrungsmittel-Produktion, 266. Vgl. vorn Übersicht 49, sowie Hoffmanns (Wachstum, 552f.) lange Reihe der Getreidepreise seit 1846. Seine Berechnung in M./To. macht den Abfall von 1875 (-44) noch deutlicher. Vgl. Paasche, 222, 94 (amerikan. Weizenexport 1850–77), 96f., 103, 205, 213, 215f., 218; D. North, Ocean Freight Rates and Economic Development 1750–1913, in: JEH 18.1958, 537f., 544; R. G. Albion, The «Communications Revolution», in: AHR 37.1932, 718–20; v. d. Goltz, Geschichte II, 354, 390–95; Abel, Agrarkrisen, 258f., 264, 269; Conrad, Agrarkrise, 206f.; v. Ciriacy-Wantrup, 128, 137; Klein, Landwirtschaft, 125–27; Theophile, 26f.; Wehler, Bismarck u. der Imperialismus, 87–95. – Schmoller, Konkurrenz, 249, 280, 283; Peez, zit. in: US Department of Agriculture, Report 1883, 342; vgl. ders., Konkurrenz.

[12] Vgl. Bd. II, 54–64, 648–51, 731f., 776; die Lit.: 798f., Anm. 13–17; 873, Anm. 2; 885, Anm. 12. Allg. Lenger, Sozialgeschichte, 88–109 (der beste Überblick); noch immer: Schmoller, Kleingewerbe; K. H. Kaufhold, Die Auswirkungen der Einschränkung der Gewerbefreiheit in Preußen durch die VO vom 9. 2. 1849 auf das Handwerk, in: H. Winkel Hg., Vom Kleingewerbe zur Großindustrie, Berlin 1975, 165–88; ders., Gewerbefreiheit, 73–114; ders., Industrielle Revolution u. Handwerk, in: JbW Sobd. 1989, 164–74; ders., Zur wirtschaftl. Situation des preuß. Gewerbes in der Mitte des 19. Jh., in: Fs. O. Pickl, Graz 1987, 273–83; W. Fischer, Deutschland 1850–1914, in: HEWS V. 1985, 403–8; ders., Bergbau, Industrie u. Handwerk 1850–1914, in: HWS II, 557–62; ders., Die Rolle des Kleingewerbes im wirtschaftl. Wachstumsprozeß in Deutschland 1850–1914, in: ders., Wirtschaft u. Gesellschaft, 338–48. Sehr informativ: H. Steindl, Die Einführung der Gewerbefreiheit, in: H. Coing Hg., Hdb. der Quellen u. Literatur der neueren Privatrechtsgeschichte III/3, München 1986, 3527–628; H.-G. Haupt, Das Handwerk in Deutschland u. Frankreich 1850–1900, in: U. Wengenroth Hg., Prekäre Selbständigkeit, Stuttgart 1989, 21–36. Zu den regionalen Unterschieden: Preußen: Thissen; v. Rohrscheidt; Bergmann, Berliner Handwerk. Süddeutschland: Sedatis, 139–84; Birnbaum (bis 1868); Kaizl (bis 1868); G. Schwarz, «Nahrungsstand» u. «erzwungener Gesellenstand». Mentalité u. Strukturwandel des bayer. Handwerks im Industrialisierungsprozeß um 1860, Berlin 1974. Hannover: Jeschke, 277–85 (bis 1866); W. L. Rapp, The Social Composition

and Political Attitudes of the Mittelstand in Hannover 1840–71, Diss. Vanderbilt Univ. 1980. Braunschweig: Schildt, Tagelöhner. Düsseldorf: Lenger, Kleinbürgertum (bis 1878); ders., Polarisierung (bis 1861). Frankfurt: Sharlin (bis 1864). H. Kaiser, Handwerk u. Kleinstadt. Das Beispiel Rheine, Münster 1978; Herzig, Hamburger Handwerker (bis 1870); MacLachlan, Mainz (bis 1860); v. a. wieder Kaufhold, Preuß. Handwerk, 172–79; ders., Grundzüge, 136–61; ders., Entstehung. Unübertroffen vielseitig und genau: v. Viebahn, Statistik III, 517–1157 (die Bundesstatistik von 1861); vgl. A. Frantz, Tabellen der Gewerbestatistik der Staaten des deutschen Zollvereins, Brieg 1867; Hoffmann u. a., Wachstum, legen für diese Zeit leider Handwerk und Industrie zusammen.

[13] Lenger, Sozialgeschichte, 88f., 17 (Stimmen zur Gewerbefreiheit); V. A. Huber, Arbeitende Klassen, in: Deutsches Staatswb. 1.1857, 279–310; W. A. Lette, Handwerk, in: Staatslexikon 7.1853³, 418–22; A. Schäffle, Gewerbe, Gewerbefreiheit, Gewerbeordnung, in: Staatswb. 4.1859, 318–36; v. Rochau, Realpolitik, 325; Schmoller 1862: nach Sedatis, 148; Thissen, 290; Fischer, Rolle, 342; v. Viebahn III, 737 vgl. 627–36), 742f., 741 (Zit.), 745, sowie Frantz; W. Abel, Zur Ortsbestimmung des Handwerks vor dem Hintergrund seiner Geschichte, in: Das Handwerk in der modernen Gesellschaft, Bad Wörishofen 1966, 72–80; Schmoller, Kleingewerbe, 312f., 369–82, 65, 74, 197, 71, 299–301, 306, 665; Fischer u. a. Hg., SgAb I, 57; Kaufhold, Preuß. Handwerk, 172–79; v. Viebahn, Statistik III, 48; Kraus Bearb., 228, 330, 334; Schmoller, Kleingewerbe, 367, 335, 356, 358, 360–64, 376, 336, 393–652, 666f., 677; Lenger, Sozialgeschichte, 102, 92; Abel, Ortsbestimmung, 76; Schwarz, 131, 144, 184; Sedatis, 139–41, 143 (Schmoller), 144f., 147f., 150–52, 162f., 168f., 171, 180; vgl. Jeschke, 277–85; Schmoller, Kleingewerbe, 678. Zur Lehrlingsausbildung: K. Stratmann, Betriebl. Berufsausbildung, in: HB III, 269–81. Lenger, Sozialgeschichte, 103–9; ders., Die handwerkl. Phase der Arbeiterbewegung in England, Frankreich, Deutschland u. den USA – Plädoyer für einen Vergleich, in: GG 13.1987, 232–43; ders., Beyond Exceptionalism: Notes on the Artisanal Phase of the Labour Movement in France, England, Germany, and the United States, in: IRSH 26.1991, 1–23; ders. u. H. G. Haupt, Liberalismus u. Handwerk in Frankreich u. Deutschland um die Mitte des 19. Jh., in: D. Langewiesche Hg., Liberalismus im 19. Jh., Göttingen 1988, 305–31; K. Tenfelde, Die Entfaltung des Vereinswesens während der industriellen Revolution, in: Dann Hg., Vereinswesen, 55–114; D. Geary, Artisans, Protest, and Labour Organization in Germany 1815–70, in: EHQ 16.1986, 369–77; paradigmatisch: J. Breuilly u. W. Sachse, J. F. Martens (1806–77) u. die deutsche Arbeiterbewegung, Göttingen 1984; M. J. Neufeld, German Artisans and Political Repression: The Fall of the Journeymen's Associations in Nuremberg 1806–68, in: JSH 19.1985/86, 491–501. S. u. IV.2.c. zur neuen Arbeiterbewegung der 1860er Jahre.

[14] Schumpeter, Konjunkturzyklen I, 235, vgl. 346–51; N. C. R. Crafts, Patterns of Development in 19th Century Europe, in: OEP 36.1934, 440 (BSP p. c. 1850–1910); Hobsbawm, Capital, 34, vgl. 40. Klarer Überblick: C. L. Holtfrerich, The Evolution of World Trade 1720 to the Present, in: ders. Hg., Interactions in the World Economy, London 1989, 1–3; T. Kuczynski, Das Wachstum der Industrieproduktion in den kapitalist. Hauptländern (England, USA, Frankreich, Deutschland) u. seine regionale Verteilung 1830–1913, in: JbW Sobd. 1989, 183–200. Vgl. zu Großbritannien: F. Crouzet, The Victorian Economy, London 1982; R. C. Matthews u. a., British Economic Growth 1856–1973, Stanford 1982; D. N. McCloskey, Enterprise and Trade in Victorian Britain, London 1981; R. Floud u. ders., The Economic History of Britain Since 1700, I: 1700–1860, II: 1860–1970, Cambridge 1981; C. H. Feinstein, National Income and Expenditure of the United Kingdom 1855–1965, ebd. 1972; B. R. Mitchell u. P. Deane, Abstract of British Historical Statistics, ebd. 1962, 271f.; H. J. Habakkuk, Free Trade and Commercial Expansion, in: Cambridge History of the British Empire (=CHBE) 21961, 751–805; Deane; Mathias; Pollard, Conquest; W. G. Hoffmann, British Industry 1700–1950, Oxford 1955; W. Schlote, Entwicklungen u. Strukturwandlungen des engl. Außenhandels von 1700 bis zur Gegenwart, Jena 1938. – Zu den Vereinigten Staaten: L. E.

Davis u. a., American Economic Growth, N. Y. 1972; dies., American Economic History, Homewood 1969[3]; ders. u. D. C. North, Institutional Change and American Economic Growth, Cambridge 1971; D. C. North, Growth and Welfare in the American Past. A New Economic History, Englewood Cliffs 1966; ders., Industrialization of the United States, in: CEHE VI/2.1965, 673–705; L. M. Hacker, The Course of American Growth and Development, N. Y. 1970; C. H. Hession u. H. Sardy, Ascent to Affluence. A History of American Economic Development, Boston 1969; E. C. Kirkland, Industry Comes of Age 1860–97, N. Y. 1961; W. Woodruff, America's Impact on the World. A Study of the Role of the United States in the World Economy 1750–1970, London 1974. – T. C. Cochran, Did the Civil War Retard Industrialization? in: Mississippi Valley Historical Review 48.1961/62, 197–210, u. in: R. Andreano Hg., The Economic Impact of the American Civil War, Cambridge/Mass. 1962, 148–60; S. L. Engerman, The Economic Impact of the Civil War, in: EEH 3.1966, 176–99, u. in: R. W. Fogel u. ders. Hg., The Reinterpretation of American Economic History, N. Y. 1971, 369–79. – Zu Frankreich: F. Braudel u. E. Labrousse Hg., Histoire économique et sociale de la France, III/1 u. 2, Paris 1976, gek. dt. Wirtschaft u. Gesellschaft im Zeitalter der Industrialisierung 1789–1880, 2 Bde, Frankfurt 1988; F. Crouzet, Essai de construction d'un indice de la production industrielle française au XIX siècle, in: Annales 25.1970, 56–99; J. Bouvier u. a., Le mouvement du profit en France au XIX siècle, Paris 1965; R. Price, The Economic Modernization of France, London 1975; G. P. Palmade, French Capitalism in the 19th Century, Newton Abbot 1972; T. Kemp, Economic Forces in French History, London 1971; C. P. Kindleberger, Economic Growth in France and Britain 1851–1950, N. Y. 1964; R. Price, A Social History of 19th Century France, N. Y. 1987; H.-G. Haupt, Französ. Sozialgeschichte seit 1789, Frankfurt 1989; H. Kaelble, Industrialisierung in Frankreich u. Deutschland, in: Fs. Büsch, 323–55. – Zu Österreich: J. Komlos, The Habsburg Monarchy as Customs Union, Princeton 1983, dt. Die Habsburgermonarchie als Zollunion. Die Wirtschaftsentwicklung Österreich-Ungarns im 19. Jh., Wien 1986; ders. Hg., Economic Development; T. F. Huertas, Economic Growth and Economic Policy in a Multinational Setting. The Habsburg Monarchy 1841–65, N. Y. 1977; N. T. Gross, Industrielle Revolution im Habsburgerreich 1750–1914, in: Cipolla u. Borchardt Hg., Europ. Wirtschaftsgeschichte (=EW) 4.1977, 203–35; R. L. Rudolph, Banking and Industrialization in Austria-Hungary, Cambridge 1976; ders., The Pattern of Austrian Industrial Growth From the 18th to the Early 20th Century, in: Austrian History Yearbook 11.1975, 3–25; ders., Austrian Industrialization, in: Fs. E. März, Wien 1973, 249–61; ders., Quantitative Aspekte der Industrialisierung in Cisleithanien, in: Wandruszka u. Urbanitsch Hg., I, 233–49; ders., Austria 1800–1913, in: R. Cameron Hg., Banking and Economic Development, N. Y. 1972, 26–57; H. Kernbauer u. E. März, Das Wirtschaftswachstum in Deutschland u. Österreich 1850–1914, in: W. H. Schröder u. R. Spree Hg., Histor. Konjunkturforschung, Stuttgart 1980, 47–59; H. Matis, Österreichs Wirtschaft 1848–1913, Berlin 1972; E. März, Österreich. Industrie- u. Bankenpolitik in der Zeit Franz Josephs I., Wien 1968. Vgl. hierzu: R. Tilly, Entwicklung an der Donau. Neuere Beiträge zur Wirtschaftsgeschichte der Habsburger Monarchie, in: GG 15.1989, 407–22. – Zu «Deutschland» s. u. Anm. 15 ff. Zu den anderen Ländern und allgemeinen Problemen: Landes, Prometheus; Pollard, Conquest; Hobsbawm, Capital, 29–47; Léon Hg. IV; Milward u. Saul II, 17–70; FEHE IV bzw. EW 4; W. Fischer, Wirtschaft u. Gesellschaft Europas 1850–1914, in: HEWS 5.1985, 10–207; R. E. Cameron, A Concise Economic History of the World, N. Y. 1989, 189–321, dt. Geschichte der Weltwirtschaft, 2 Bde, Stuttgart 1991/92; J. A. Lesourd u. C. Gérard, Nouvelle Histoire Economique I: Le XIX Siècle, Paris 1976; C. Ambrosi u. M. Tacel, Histoire Economique des Grandes Puissances 1850–1958, ebd. 1963; H. Heaton, Economic Change and Growth 1830–70, in: NCMH 10.1967, 22–48; C. Wilson, Economic Conditions 1870–90, in: ebd. 11.1970, 49–75; W. N. Parker, Economic Development in Historical Perspective, in: N. Rosenberg Hg., The Economics of Technological Change, Harmondsworth 1971, 137–47; S. Pollard, Typology of Industrialization Processes in the

19th Century, London 1990; P. K. O'Brien, Do We Have a Typology for the Study of European Industrialization in the 19th Century? in: JEEH 15.1986, 291–333; I. Adelman u. C. T. Morris, Patterns of Industrialization in the 19th and 20th Centuries, in: Research in Economic History 5.1980, 1–83; W. Ashworth, Typologies and Ecidence. Has 19th Century Europe a Guide to Economic Growth? in: EHR 30.1977, 140–58; ders., Industrialization and the Economic Integration of 19th Century Europe, in: ESR 4.1974, 291–315. Als Ergänzung zu der in Bd. II bereits genannten Lit. zur Industriellen Revolution: C. Buchheim, Industrielle Revolution, München 1994; K. Tenfelde, Industrialisierung, in: Fischer Lexikon Geschichte, R. van Dülmen Hg., Frankfurt 1990², 207–20; W. N. Parker, Agrarian and Industrial Revolutions, in: R. Porter u. M. Teich Hg., Revolution in History, Cambridge 1987², 167–85; A. H. John u. A. Zaubermann, Industrialisierung, in: SDG 3.1969, 81–113; M. Kranzberg, Industrial Revolution, in: Encyclopaedia Britannica 12.1969, 210–15; H. Heaton, dass., in: ESS 8.1932, 3–13. Kritik: R. Cameron, The Industrial Revolution: A Misnomer, in: Fs. H. Kellenbenz V, Stuttgart 1981, 367–76. – N. Rosenberg u. L. E. Birdzell, How the West Grew Rich. The Economic Transformation of the Industrial World, N. Y. 1986; W. N. Parker, Europe, America, and the Wider World, I: Europe and the World Economy, Cambridge 1984; W. Woodruff, Impact of Western Man. A Study of Europe's Role in the World Economy 1750–1860, N. Y. 1966; D. McNally, Political Economy and the Rise of Capitalism, Berkeley 1989; E. L. Jones, Growth Recurring: Economic Change in World History, N. Y. 1988; noch enttäuschender als die ersten beiden Bände: I. Wallerstein, The Modern World System III: The Second Era of Great Expansion of the Capitalist World Economy 1730–1840, San Diego 1989; J. Mokyr Hg., The Economics of the Industrial Revolution, Totowa/N. J. 1985; zu allg.: M. Beaud, A History of Capitalism 1500–1950, London 1984; K. Tribe, Genealogies of Capitalism, ebd. 1981; H.-J. Helmer, Merkantilismus u. Kapitalismus im modernen Rationalisierungsprozeß, Frankfurt 1986. – A. G. Kenwood u. A. L. Lougheed, Technological Diffusion and Industrialization Before 1914, London 1982; R. Cameron, Technology, Institutions, and Long Term Economic Change, in: C. P. Kindleberger u. a. Hg., Economics in the Long View. Fs. W. W. Rostow I, N. Y. 1982, 27–43; S. Pollard, Die Übernahme der Technik der brit. Industriellen Revolution in den Ländern des europ. Kontinents, in: T. Pirker u. a. Hg., Technik u. Industrielle Revolution, Opladen 1987, 159–67; N. Rosenberg, The Economic Consequences of Technological Change 1830–80, in: Technology in Western Civilization I, N. Y. 1967, 515–32; W. Ashworth, A Short History of the International Economy Since 1850, London 1975³; C. P. Kindleberger, Commercial Expansion and the Industrial Revolution, in: JEEH 4.1975, 613–54; A. Maizels, Growth and Trade, Cambridge 1970; ders., Industrial Growth and World Trade, ebd. 1963; I. Svennilson, Growth and Stagnation in the European Economy, Genf 1954; F. Hilgerdt, Industrialization and Foreign Trade, ebd. 1948²; M. Baumont u. P. Naudin, Le commerce depuis le milieu du XIX siècle, Paris 1952; A. Beer, Geschichte des Welthandels im 19. Jh., 2 Bde, Wien 1884. – C. Snyder, Growth of World Trade vs. Basic Production, in: Revue de l'Institut International de Statistique 2.1934, 26–36; vgl. A. Maddison, Long Run Dynamics of Productivity Growth, in: Banca Nazionale del Lavoro Quarterly Review 32.1979, 3–43; ders., Growth and Fluctuation in the World Economy 1870–1960, in: ebd. 15.1962, 127–95; ders., Economic Growth in Western Europe 1870–1957, in: ebd. 12.1959, 58–102; ders., Economic Growth in the West, London 1964; P. Deane, The Long Term Trends in World Economic Growth, in: Malayan Economic Review 6.1961, 14–26; D. Paige u. a., Economic Growth: The Last 100 Years, in: National Institute Economic Review 16.1961, 24–49; S. J. Patel, Rates of Industrial Growth in the Last Century 1860–1958, in: EDCC 9.1961, 316–30, u. in: B. Supple Hg., The Experience of Economic Growth, N. Y. 1963, 68–80; J. Jewkes, The Growth of World Industry, in: OEP 3.1951, 1–15; M. De Cecco, Weltwirtschaft nach 1870, in: E. Krippendorff Hg., Internationale Beziehungen, Köln 1973, 56–76; W. Fischer, Die Ausbreitung des europ. Rechts als Voraussetzung für die Entstehung einer europazentr. Weltwirtschaft, in: Fs. W. v. Stromer, Trier 1987, 895–908; ders., Die Rohstoffversorgung der europ. Wirtschaft in histor. Perspektive, in: Fs. Kellenbenz IV, 1978, 675–93; ders. u. a. Hg., The Emergence of a World Economy 1500–1914, 2 Bde, Wiesbaden 1986; vgl. P. Mathias, dass., in: VSWG 74.1987, 1–17; ganz diffus: H. Pohl, Aufbruch der Weltwirtschaft 1850–1914, 2 Bde, Wiesbaden 1988.

[15] Rosenberg, Große Depression, 14. Vgl. II, 614–40. Trotz ihrer Skepsis gegenüber der «Industriellen Revolution» sind für einen Wachstumssprung seit den 1850er Jahren: Borchardt, in: HWS II, 203f., 208f., 258; Fischer, in: ebd., 539; O'Brien, Typology, 324; Tilly, Take-off, 53f. Vgl. allg. Borchardt, in: HWS II, 198–275; F.-W. Henning, Deutsche Wirtschafts- u. Sozialgeschichte (=DWS) im 19. Jh., Paderborn 1995; Fischer, in: HWS II, 527–62; ders., in: HEWS V, 391–442; ders., Germany in the World Economy During the 19th Century, London 1984; W. J. Mommsen, Britain and Germany 1800–1914. Two Developmental Paths Toward Industrial Society, ebd. 1986; R. H. Tilly, Vom Zollverein zum Industriestaat. Die wirtschaftl.-soziale Entwicklung Deutschlands 1834–1914, München 1990; verspätete Orthodoxie, aber materialreich: R. Berthold u. a. Hg., Produktivkräfte in Deutschland 1800–70, Berlin 1990; vgl. den Überblick in: R. Berthold, Die ökonom. Revolution in Deutschland 1770/1800–1900, in: JbW Sobd. 1989, 7–52; K. Lärmer, Industrielle Revolution u. Industrialisierung, in: ebd., 153–64; H. Mottek u. a., Wirtschaftsgeschichte Deutschlands III: 1871–1945, Berlin 1974; Benaerts, 495–651 (bis 1866); H. Jaeger, Geschichte der Wirtschaftsordnung in Deutschland 1780–1986, Frankfurt 1988; J. Radkau, Geschichte der Technik in Deutschland 1700–1989, ebd. 1989; ders. u. J. Varchmin, Kraft, Energie u. Arbeit, München 1979; W.-G. Waffenschmidt, Technik in Wirtschaft u. Gegenwart, Berlin 1952; O. Schlier, Der deutsche Industriekörper seit 1860, Tübingen 1922. – D. André, Indikatoren des techn. Fortschritts. Eine Analyse der Wirtschaftsentwicklung in Deutschland 1850–1913, Göttingen 1963; B. Gahlen, Die Überprüfung produktionstheoret. Hypothesen für Deutschland 1850–1913, Tübingen 1968; W. G. Hoffmann u. J. H. Müller, Das deutsche Volkseinkommen 1851–1957, ebd. 1959 (dadurch überholt: A. Hölling, dass. 1852–1914, Diss. Münster 1955, MS; E. Bennathan, German National Income 1850–1960, in: BH 5.1962/63, 45–53; P. Jostock, The Long-Term Growth of National Income in Germany, in: S. Kuznets Hg., Income and Wealth V, London 1955, 79–122); nützlich ist: G. Hardach, Deutschland in der Weltwirtschaft 1870–1970, Frankfurt 1977; T. Pierenkemper, Gewerbe u. Industrie im 19. u. 20. Jh., München 1993 (enttäuschend dagegen: H. Kiesewetter, Die Industrielle Revolution in Deutschland 1815–1914, Frankfurt 1989; antiquiert: W. Treue, Preußens Wirtschaft 1648–1933, in: Hdb. der Preuß. Geschichte II, Hg. O. Büsch, Berlin 1992, 526–82; N. Pietri, Evolution économique de l'Allemagne 1850–1914, Paris 1982; E. Holthaus, Die Entwicklung der Produktivkräfte in Deutschland 1871–1900, Frankfurt 1980; W. Spohn, Weltmarktkonkurrenz u. Industrialisierung Deutschlands 1870–1914, Berlin 1977). Äußerst unscharf: Böhme, Deutschlands Weg; in jeder Hinsicht unbrauchbar und unzuverlässig: ders., Prolegomena zu einer Sozial- u. Wirtschaftsgeschichte Deutschlands im 19. u. 20. Jh., Frankfurt 1968; vgl. zu beiden Büchern meine Kritik in: Sozialökonomie u. Politik in der Geschichte des Kaiserreichs, in: Krisenherde des Kaiserreichs, 1979², 342–70. Antiquiert sind: W. O. Henderson, The Industrial Revolution on the Continent. Germany, France, Russia 1800–1914, London 1963²; W. Steitz, Schwerpunkte der deutschen Sozial- u. Wirtschaftsgeschichte im 19. u. 20. Jh., Heidelberg 1979; N. J. G. Pounds, Economic Growth in Germany, in: H. G. J. Aitken Hg., The State and Economic Growth, N. Y. 1959, 189–200; eine Häufung von eklatanten Fehlurteilen: H. Pohl, Die Entwicklung der deutschen Volkswirtschaft 1830–80, in: H. Coing u. W. Wilhelm Hg., Wissenschaft u. Kodifikation des Privatrechts im 19. Jh. II, Frankfurt 1977, 1–25 (s. z. B. 1f., 4, 7, 14, 19); nicht hilfreich, sondern begriffslos ist: Wirtschafts-Ploetz, Hg. H. Ott u. H. Schäfer, Freiburg 1984.

[16] Schumpeter, Konjunkturzyklen I, 363. Vgl. hierzu allg. die Angaben in: Übersicht 63, nach: Fremdling, Eisenbahnen, 48, 98, 24f., 17, 28, 31, 144, 137, 22, danach auch die Ziffern im Text. Vgl. auch R. Fremdling u. R. Federspiel Hg., Statistik der Eisenbahnen in

Deutschland 1835–1989, St. Katharinen 1993. Zum Vergleich ist heranzuziehen die Vorläufer-Tabelle in: II, 615, Übersicht 43. R. Tilly, Verkehrs- u. Nachrichtenwesen, Handel, Geld-, Kredit- u. Versicherungswesen 1850–1914, in: HWS II, 565–70; ders., Financing Industrial Enterprise in Great Britain and Germany in the 19th Century, in: H.-J. Wagener u. J. W. Drukker Hg., The Economic Law of Motion of Modern Society, Cambridge 1986, 129f.; J. C. Bongaerts, Financing Railways in the German States 1840–60, in: JEEH 14.1985, 331–45; J. Kocka, Eisenbahnverwaltung in der Industriellen Revolution. Deutsch-amerikan. Vergleiche, in: Fs. W. Zorn, Wiesbaden 1987, 259–77; E. Rehbein, Zu Wasser u. zu Lande: Die Geschichte des Verkehrswesens von den Anfängen bis zum Ende des 19. Jh., München 1984, 186–219; dies., Die Verkehrsrevolution als integrier. Bestandteil der Industriellen Revolution, in: JbW Sobd. 1989, 201–10; regional: Klee, Preuß. Eisenbahn; K. Hoppstädter, Die Entstehung der saarländ. Eisenbahnen, Saarbrücken 1961; H. Döhn, Eisenbahnpolitik u. -bau in Rheinhessen 1835–1914, Diss. Mainz 1957. Allg. die Lit. in: II, 869f., Anm. 9–12, v. a. Fremdling, Railroads; Wagenblaß; Hoth; O'Brien, Transport; Sarrazin; Schivelbusch; v. Röll Hg. Vgl. allg. W. Zorn, Verdichtung u. Beschleunigung des Verkehrs als Beitrag zur Entwicklung der «modernen Welt», in: Koselleck Hg., Studien, 115–34. – Vgl. vorn die Übersichten 50, 51, 53: für Nettoinvestitionen, Kapitalstock, Wertschöpfung; s. speziell: D. Klement, Strukturwandlungen des Kapitalstocks nach Anlagearten in Deutschland seit 1850, Tübingen 1967. – Holtfrerich, Wirtschaftsgeschichte, 24; Fremdling, Eisenbahnen, 14, 21, 56f., 34, 136, 139, 76; Borchardt, in: HWS II, 218f., 232, 240; Tilly, in: ebd., 567 (Engel), 568, 565, 569f.; Bongaerts, 333, 335f.; C. Fürstenberg, Lebensgeschichte eines deutschen Bankiers 1870–1914, Hg. H. Fürstenberg, Berlin 1931/ND Wiesbaden 1961, 68; vgl. R. E. Lüke, Die Berliner Handelsgesellschaft 1856–1956, Berlin 1956, 69–72, 129; Mottek III, 173, 181–83; E. Metzeltin, Die ersten deutschen Lokomotivbauer, in: Technikgeschichte 24.1935, 28; vgl. K. Ludwig, Von der Maschinenbauwerkstatt zur Maschinenfabrik, Diss. Freiburg 1980; K. Martin, Die deutsche Lokomotivbauindustrie, Diss. Münster 1913. Ein purer Konfusionsrat ist: C. Hildebrand, Der Einbruch des Wirtschaftsgeistes in das deutsche Nationalbewußtsein 1815–71, Diss. Heidelberg 1936. – Wenn auch der «Eisenbahnkönig» Strousberg aus kontingenten Gründen scheiterte, hatte er doch mit dem Generalentrepreneur-System auf eine richtige Karte gesetzt. Vgl. B. Strousberg, Dr. Strousberg u. sein Wirken, Berlin 1877; J. Borchart, Der europ. Eisenbahnkönig B. H. Strousberg, München 1991; G. Reitböck, Der Eisenbahnkönig Strousberg u. seine Bedeutung für das europ. Wirtschaftsleben, in: BGTI 14.1924, 65–84; K. Grunwald, Europe's Railways and Jewish Enterprise. German Jews as Pioneers of Railways Promotion, in: LBIYB 12.1967, 163–209, sowie den kompromittierenden Aufsatz von H. Michaelis, B. H. Strousberg, in: Forschungen zur Judenfrage 8.1943, 81–133. Zur Verstaatlichung s. u. 6. T.

[17] S. Jersch-Wenzel u. a. Bearb., Die Produktion der deutschen Hüttenindustrie 1850–1914, Berlin 1984, 128 u. 409, danach Übersicht 64. Vgl. II, 623–26; W. Fischer Hg., Statistik der Stahlproduktion im deutschen Zollgebiet 1850–1914, St. Katharinen 1989; Tilly, in: HWS II, 568; Landes, Prometheus, 209; B. Martin, Industrialisierung u. regionale Entwicklung. Die Zentren der Eisen- u. Stahlindustrie im deutschen Zollgebiet 1850–1914, Diss. FU Berlin 1983; Sering, Eisenzölle, 156, 294; Spiethoff I, 72; Marchand, 103, 116f., 120f.; Schumpeter, Konjunkturzyklen I, 366; vorn die Übersichten 50 u. 51 für Nettoinvestitionen (1865/69 = 36.3 %, 1875/79 = 41.8 %) und Kapitalstock des Baugewerbes (1865–75 = 1–2 % über Industrie u. Gewerbe, 1875 das Doppelte des Eisenbahnbaus, die Hälfte der Landwirtschaft); zur Wertschöpfung: Hoffmann, Wachstum, 454. Vgl. allg. hierzu: U. Wengenroth, Unternehmensstrategie u. techn. Fortschritt. Die deutsche u. brit. Stahlindustrie 1865–96, Göttingen 1987; R. Fremdling, The Development of the Iron Industry in Western Europe: A Comparative View on the Adoption of Coke Smelting and Puddling in Belgium, France and Germany, in: L. Jörberg u. N. Rosenberg Hg., Technical Change, Employment, and Investment, Lund 1982, 111–21; P. W. Musgrave, Technical Change, the Labour Force, and Education. A Study of the British and German Iron and

Steel Industries 1860–1964, Oxford 1967; U. Troitzsch, Innovation, Organisation u. Wissenschaft beim Aufbau von Hüttenwerken im Ruhrgebiet 1850–70, Dortmund 1977; R. Cameron, The Diffusion of Technology as a Problem in Economic History, in: Economic Geography 51.1975, 217–30; D. Burn, The Economic History of Steelmaking 1867–1939, Cambridge 1961²; N. J. G. Pounds u. W. N. Parker, Coal and Steel in Western Europe, London 1957; E. Müssig, Eisen- u. Kohlenkonjunkturen seit 1870, Augsburg 1929⁴; E. Hübner, Die deutsche Eisenindustrie, Leipzig 1913; R. Keibel, Aus 100 Jahren deutscher Eisen- u. Stahlindustrie, Essen 1920²; O. Stillich, Nationalökonom. Forschungen auf dem Gebiet der großindustriellen Unternehmung I: Eisen- u. Stahlindustrie, Leipzig 1904; M. R. Weyermann, Die ökonom. Eigenart der modernen gewerbl. Technik, in: GdS VI. 1914, 136–86; Beck, Eisen IV, 689–716, 980–97.

[18] Holtfrerich, Wirtschaftsgeschichte, 24, 29, 79 (1873: 1156 Dampfmaschinen / 87254 PS), 137, 139, 160, 82, 62; danach (16f., 52) Übersicht 65. Vgl. II, 73–78, 626f., und die Vorgänger-Tabelle in: Übersicht 44, 627. Vgl. W. Fischer Hg., Statistik der Bergbauproduktion Deutschlands 1850–1914, St. Katharinen 1989. – J. Grunzel, Der Sieg des Industrialismus, Leipzig 1911, 121; Spiethoff II, T. 20; H. v. Festenberg-Packisch, Der deutsche Bergbau, Berlin 1886, 92; G. Hempel, Die deutsche Montanindustrie, Essen 1969²; M. Meisner, Weltmontanstatistik I: 1860–1926, Stuttgart 1925; Müssig; M. Baumont, La grosse industrie allemande et le charbon, Paris 1928; K. Flegel u. M. Tornow, Die Entwicklung der deutschen Montanindustrie 1860–1912, Berlin 1915, 8–11; K. Flegel, Montanstatistik des Deutschen Reiches, ebd. 1915. – W. Berg, Wirtschaft u. Gesellschaft in Deutschland u. Großbritannien im Übergang zum «Organis. Kapitalismus». Unternehmer, Angestellte, Arbeiter u. Staat im Steinkohlenbergbau des Ruhrgebiets u. Südwales 1850–1914, Berlin 1984; G. Adelmann, Die soziale Betriebsverfassung des Ruhrbergbaus vom Anfang des 19. Jh. bis 1914, Bonn 1962; W. Fischer, Das wirtschaftl. u. sozialpolit. Ordnungsbild der preuß. Bergrechtsreform 1851–65, in: ders., Wirtschaft u. Gesellschaft, 139–47; ders., Die Stellung der preuß. Bergrechtsreform 1851–65 in der Wirtschafts- u. Sozialgeschichte des 19. Jh., in: ebd., 148–60; ders., Die Bedeutung der preuß. Bergrechtsreform für den industriellen Ausbau des Ruhrgebiets, in: ebd., 161–78; F. Zunkel, Beamtenschaft u. Unternehmertum beim Aufbau der Ruhrindustrie 1849–80, in: Tradition 6.1964, 261–76; Tenfelde, Bergarbeiterschaft, 164–91; E. Gothein, Bergbau u. Hüttenwesen, in: GdS 6.1923, 294–382; O. Stillich, Nationalökonom. Forschungen II: Steinkohlenindustrie, Leipzig 1906.

[19] W. Becker, Die Entwicklung der deutschen Maschinenbauindustrie 1850–70, in: Schröter u. ders., 149, 171, 145, 154–58, 160–62, 166, 169f., 172–74, 177, 183, 214, 219, 270, allg. 139–258. Vgl. II, 86–88, 627–29; E. Barth, Entwicklungslinien der deutschen Maschinenbauindustrie 1870–1914, Berlin 1973, 1f., 4, 6, 14, 73f., vgl. 110–19; ders., Die Einwirkung der Reichsgründung von 1871 auf die Entwicklung der deutschen Maschinenbauindustrie bis etwa 1900, in: H. Bartel u. E. Engelberg Hg., Die großpreuß.-militarist. Reichsgründung 1871 II, ebd. 1971, 485–516; L. Baar, Berlin in der Industriellen Revolution, in: JbW Sobd. 1986, 77f.; Wagenblaß, 86–117. 1875: Statist. Jb. für das Deutsche Reich (= SJDR) 1.1880, 39f. Überholt ist: H. Mauersberg, Deutsche Industrie im Zeitgeschehen eines Jh. (bis 1960), Stuttgart 1966.

[20] Thieme, Materialien, 285, 289, 292–300 (alle 1770–1867 gegründeten preußischen AG); Blumberg, Finanzierung, 176–92; Milward u. Saul II, 21; G. Stolper u. a., Deutsche Wirtschaft seit 1870, Tübingen 1966², 24; H. Kellenbenz, Die Finanzierung der deutschen Industrie 1850–1914, in: K. O. v. Aretin u. W. Conze Hg., Deutschland u. Rußland im Zeitalter des Kapitalismus 1861–1914, Wiesbaden 1977, 89; Spree, Wachstumszyklen, 344f.; v. Kruedener, Preuß. Bank, 496f.; Schunder, 21; Sartorius v. Waltershausen, 271–79; Wygodzinski, Wandlungen, 76; M. Pohl, Gründungsboom u. Krise, in: Bankhistor. Archiv 1978/3, 21–24, vgl. 26f., die besten neuen Zahlen (dadurch überholt sind z. B.: Wirth, Handelskrisen, 467; K. Helfferich, G. v. Siemens I, Berlin 1922, 213f.; W. Däbritz, Gründung u. Anfänge der Disconto-Gesellschaft Berlin 1850–75, München 1931, 186;

Metzler, 129, alle mit zu geringen Angaben); vgl. ders., Konzentration im deutschen Bankwesen 1848–1980, Frankfurt 1982; ders., Konzentration u. Krisen im deutschen Bankwesen 1848–1937, in: H. Kellenbenz Hg., Wachstumsschwankungen, Stuttgart 1981, 241, 261f.; Lüke, 44; J. Riesser, Die deutschen Großbanken u. ihre Konzentration, Jena 1912[4]/ND Glashütten 1971, 109; H. Münch, A. v. Hansemann, München 1932, 123; H. Stuebel, Staat u. Banken im preuß. Anleihewesen 1871–1913, Berlin 1935, 22f.; R. Tilly, German Banking 1850–1914, Development Assistance for the Strong, in: JEEH 15.1986, 118–24; Wilson, 51; H. Cunow, Allg. Wirtschaftsgeschichte IV, Berlin 1931, 105f.; C. Ballod, Deutschlands wirtschaftl. Entwicklung seit 1870, in: Sch. Jb. 24.1900, 493–516; R. Eagly, Business Cycle Trends in France and Germany 1869–79, in: WA 95.1967/II, 97–99; N. Horn, Aktienrecht u. Entwicklung der Großunternehmen 1860–1902, in: Ordo 30.1979, 314; O. Donner, Die Kursbildung am Aktienmarkt, in: Vierteljahrshefte zur Konjunkturforschung (= VzK) SoH. 36.1934, 97.

[21] Hoffmann u. a., Sparkassen 1850–1967, 593, 585, 565; ders., Der Beitrag der Finanzierungsinstitutionen mit bes. Berücks. der Kreditbanken zur Nettoinvestition in Deutschland 1850–1913, in: Rivista Internazionale di Scienze Economiche e Commerciali 15.1968, 871–99; F. Thorwart, Die Entwicklung des Banknotenumlaufs in Deutschland 1851–80, in: JNS 7.1883, 193–250; Cameron, Contribution, 312, 316–21; vgl. J. Legge, Kapital- u. Verwaltungsüberfremdung bei den Industrie- u. Verkehrsanstalten Deutschlands 1800–1923/24, Halberstadt 1924; Maréchal; völlig irreführend wieder: H. Pohl, Entwicklung, 19 (Kapital seit den 1850er Jahren «zunehmend aus dem Ausland», da der deutsche Kapitalmarkt überfordert gewesen sei); G. Buss, Die Berliner Börse 1865–1913, Berlin 1913, 138; Gebhard, Berliner Börse, 31–36; Borchardt, in: HWS II, 218, 221, 240, 260f.; Jacobs u. Richter, 43f. – H. Fujise, Deutschlands Entwicklung zum Industrie- u. Welthandelsstaat. Die Struktur des deutschen Außenhandels 1850–78, in: SM 1970/71, 3, 7, 11–19; v. Borries, 251; J. Wulf, Der deutsche Außenhandel seit 1850, Basel 1968; W. G. Hoffmann, Strukturwandlungen im Außenhandel der deutschen Volkswirtschaft seit 1850, in: Kyklos 20.1967, 287–306; S. Richter, Die Struktur des deutschen Außenhandels 1872–92, Diss. Halle 1961; R. Wagenführ, Die industriewirtschaftl. Entwicklungstendenzen der deutschen u. internationalen Industrieproduktion 1860–1932, in: VzK SoH. 31.1933; Tilly, in: HWS II, 584; Schmoller, Grundriß II, 478; irreführend: Kindleberger, Commercial Expansion, 614, 640–47; C.-L. Holtfrerich, The Growth of Net Domestic Product in Germany 1850–1913, in: Fremdling u. O'Brien Hg., 130 (Korrektur Hoffmanns!). Vgl. H. Hesse u. B. Gahlen, Das Wachstum des Nettoinlandprodukts in Deutschland 1850–1913, in: ZGS 121.1965, 452–97. – Hansen, Mevissen I, 773; F. Engels, Einleitung zu: K. Marx, Die Klassenkämpfe in Frankreich 1848–50, in: MEW 22.1963, 515; vgl. ders., in: ebd., 413; Hoesch: P. H. Mertes, Das Werden der Dortmunder Wirtschaftsgeschichte. IHK Dortmund 1863–1914, Dortmund 1942[2], 155; Krupp: Berdrow II, 241; vgl. B. Menne, Krupp, Zürich 1937.

[22] T. Pierenkemper, Struktur u. Entstehung der Schwerindustrie in Oberschlesien u. im westfäl. Ruhrgebiet 1852–1913, in: ZfU 24.1979, 4, 8f., 15. Vgl. allg. II, 64–94, 632–36; Pollard Hg.; ders., Conquest; ders., The Industrialization of Europe, in: J. Kocka u. G. Ranki Hg., Economic Theory and History, Budapest 1985, 47–67; J. Söderberg, Regional Economic Disparity and Dynamics 1840–1914: France, Great Britain, Prussia, and Sweden, in: JEEH 14.1985, 273–96; H. Kiesewetter, Zur Dynamik der regionalen Industrialisierung in Deutschland im 19. Jh., in: JbW 1992/I, 79–109; Fremdling u. a.; ders. u. Tilly Hg.; ders. u. Kiesewetter Hg.; Bairoch u. Lévy-Leboyer Hg.; Hohorst, Entwicklungsunterschiede; ders., Wirtschaftswachstum. – Anstelle der Revier- und zahlreichen Unternehmensgeschichten, die den strukturellen Befund nur breiter untermauern und illustrieren helfen, folgen hier einige Hinweise auf die einschlägige Lit. zum Ruhrgebiet: Wiel; Bergmann; Schneider; Schunder; Lüthgen; Prym; Fischer, Herz; G. Adelmann, Vom Gewerbe zur Industrie im kontinentalen Westeuropa, Wiesbaden 1968; R. Schneider, Entwicklung des niederrhein.-westfäl. Bergbaus u. der Eisenindustrie im 19. Jh., Bochum

1899; H.-W. Hinkers, Die geschichtl. Entwicklung der Dortmunder Schwerindustrie seit 1850, Diss. Köln, Dortmund 1926; L. v. Winterfeld, Geschichte Dortmunds, Dortmund 1960³; Mertes; E. Jüngst, Fs. zum 50jähr. Bestehen des «Vereins für die bergbaul. Interessen im OBAB Dortmund», Essen 1908; E. McCreary, Essen 1860–1914. A Case Study of the Impact of Industrialization on German Community Life, Diss. Yale Univ. 1964; K. van Eyll, Die Geschichte einer HK: Essen 1840–1910, Köln 1964; H. Grewe, Die soziale Entwicklung der Stadt Essen im 19. Jh., Diss. Köln 1949, MS; Reif, Oberhausen; F. Mogs, Die sozialgeschichtl. Entwicklung der Stadt Oberhausen 1850–1933, Diss. Köln 1956; F. Kempken, Die wirtschaftl. Entwicklung der Stadt Oberhausen, Stuttgart 1917; W. Goch, Die Entwicklung Gelsenkirchens zur Industriegroßstadt 1850–1922, Diss. Münster 1925; F. Mariaux, Gedenkworte zum 100jähr. Bestehen der IHK Bochum, Bochum 1956; K. Thron, Die Stadt Recklinghausen. Die bergbaul. Entwicklung 1870–1912, Diss. Frankfurt 1934, Bückeburg 1935; K. Hartl, Die wirtschaftl. u. soziale Entwicklung des Kreises Recklinghausen im 19. Jh., Diss. Münster, München 1909. – Zum bergisch-märkischen und rheinischen Gebiet: L. Beutin, Geschichte der Südwestfäl. IHK zu Hagen, Hagen 1956; Herbig, Lüdenscheid; Voye; Strutz; Hoth, Wuppertal; W. Treue, Düsseldorfs Wirtschaft seit 100 Jahren, in: 125 Jahre IHK Düsseldorf 1831–1956, Düsseldorf 1956, 130–81; Henning, Düsseldorf, 2 Bde; Fränken, Mönchengladbach u. Rheydt; Kellenbenz u. van Eyll Hg., 2000 Jahre Kölner Wirtschaft II; Wiedenfeld; Bruckner; Thun. – Zu Oberschlesien: K. Fuchs, Wirtschaftsgeschichte Oberschlesiens 1871–1945, Dortmund 1981; ders., Beiträge zur Wirtschafts- u. Sozialgeschichte Schlesiens, ebd. 1985; ders., Vom Dirigismus; Dugoborski; Pounds; T. Pierenkemper, Die schwerindustriellen Regionen Deutschlands in der industriellen Expansion: Oberschlesien, die Saar u. das Ruhrgebiet im 19. Jh., in: JbW 1992/I, 37–56; ders., Struktur; Büchsel; J. Bitta, G. Fürst Henckel v. Donnersmarck, in: Schles. Lebensbilder 1.1922, 119–26/ND Schlesier des 19. Jh., Sigmaringen 1985, 119–26. – Saargebiet: H. Horch, Der Wandel der Gesellschafts- u. Herrschaftsstruktur in der Saarregion 1740–1914, St. Ingbert 1985; R. van Dülmen Hg., Industriekultur an der Saar 1840–1914, München 1989; P. Thomes, Zwischen Staatsmonopol u. privatem Unternehmertum. Das Saarrevier im 19. Jh., in: JbW 1992/I, 57–78; F. Hellwig, C. F. v. Stumm-Halberg, in: Saarländ. Lebensbilder 3.1986, 153–98; ders., dass., Heidelberg 1936; ders., Unternehmer, 402–30; R. Nutzinger u. a., K. Röchling 1827–1910, Saarbrücken 1931; W. Born, Die wirtschaftl. Entwicklung der Saar-Großindustrie seit 1850, Diss. Tübingen, Berlin 1919; A. v. Brandt, Zur sozialen Entwicklung im Saargebiet, Leipzig 1904; Hasslacher. – Berlin: Baars Studien; IHK Hg., Berlin u. seine Wirtschaft, Berlin 1987; Doogs; Wiedfeldt; Kaelble, Berliner Unternehmer; Richter, in: Ribbe Hg., 605–87; M. Erbe, Berlin im Kaiserreich 1871–1918, in: ebd., 691–792. – Sachsen: H. Kiesewetter, Industrialisierung u. Landwirtschaft. Sachsens Stellung im regionalen Industrialisierungsprozeß Deutschlands im 19. Jh., Köln 1988; ders., Regionale Industrialisierung in Deutschland z. Zt. der Reichsgründung, in: VSWG 73.1986, 38–60; Forberger, Industrielle Revolution in Sachsen, 2 Bde; H. Pönicke, Zwei entscheidende Jahrzehnte sächs. Wirtschaftsgeschichte 1850–70, in: Hamburger Mittel- u. Ostdeutsche Forschungen 1.1957, 189–206; ders., Sachsens Entwicklung zum Industriestaat 1850–71, Dresden 1934. – Zu anderen Regionen: G. Aubin, Entwicklung u. Bedeutung der mitteldeutschen Industrie, Halberstadt 1924; W. A. Boelcke, Industriesubventionierung am Beispiel der deutschen Zuckerindustrie 1830–1914, in: SM 10.1976, 53–101; Fuchs, Siegerland; Lerner, Nassau; U. Möker, Nordhessen im Zeitalter der Industriellen Revolution, Köln 1977; Fischer, Augsburg; Grassmann, dass.; Gömmel, Nürnberg; Eibert, dass.; Rupieper, MAN; Megerle, Württemberg; F. Kistler, Die wirtschaftl. u. sozialen Verhältnisse in Baden 1849–70, Freiburg 1954; Schremmer, Wirtschaft Bayerns; vgl. allg. G. Narweleit, Die Wandlungen der ökonom. Territorialstruktur im Deutschland des 19. Jh. unter dem Einfluß der ökonom. Revolution, in: JbW Sobd. 1989, 175–82.

[23] Vgl. zur GHH: II, 801, Anm. 24; W. Bacmeister, L. Baare, Essen 1937; Hashagen, Hoesch; 80 Jahre Eisen- u. Stahlwerk Hoesch, Heidelberg 1951; Hoerder Bergwerks- u.

Hüttenverein. 50 Jahre seines Bestehens als AG 1852–1902, Aachen 1902; Fs. zur 100-Jahrfeier der Dortmunder Hoerder Hüttenunion AG 1852–1952, Essen 1952; Fuchs, Vom Dirigismus; Büchsel; Bitta; T. Kellen, F. Grillo, Essen 1913, 30–53, 66–72; NDB 7. 1966, 68f.; Mertes, 121f.; Schunder, 211; Hinkers, 34; Strousberg, Dr. Strousberg, 86–88; Böhme, Weg, 334–36. Allg. N. Horn u. J. Kocka Hg., Recht u. Entwicklung der Großunternehmen im 19. u. frühen 20. Jh., Göttingen 1979; die AG-Lit. in: II, 806–8, v. a. Reich; Landwehr; Hopt; Passow; Hamburger; Kocka, Unternehmer, 110–16; Horn, Aktienrecht, 315, 318–23; G. v. Schulze-Gävernitz, Der Großbetrieb, Leipzig 1892; H. v. Beckerath, Großindustrie u. Gesellschaftsordnung, Tübingen 1954. Unbrauchbar ist: W. Treue, Konzentration u. Expansion als Kennzeichen der polit. u. wirtschaftl. Geschichte Deutschlands im 19. u. 20. Jh., Dortmund 1986. Vgl. H. Wessel, Bibliographie zur Unternehmensgeschichte, in: ZfU 22.1977, 71–216.

[24] Vgl. zur «Disconto-Gesellschaft»: Obermann, Rolle, 65–69; Däbritz, Anfänge; ders., D. u. A. v. Hansemann; Münch; M. I. Wolf, Die Disconto-Gesellschaft, Berlin 1930; Die Disconto-Gesellschaft 1851–1901, Berlin 1930, 62f.; H. Böhme, Gründung u. Anfänge des Schaaffhausenschen Bankvereins, der Bank des Berliner Kassenvereins, der Direction der Disconto-Gesellschaft u. der (Darmstädter) Bank für Handel u. Industrie, in: Tradition 10.1965, 189–212; 11.1966, 34–56; u. als: Preuß. Bankpolitik 1848–53, in: ders. Hg., Probleme der Reichsgründungszeit 1848–79, Köln 1968, 117–58; ders., Weg, 61–76; Pohl, Gründungsboom, 20; vgl. auch A. Kahan, Liberalism and Realpolitik in Prussia 1830–52: D. Hansemann, in: GH 9.1991, 280–307. – Zur «Berliner Handelsqesellschaft»: Fürstenberg; Lüke; E. Achterberg, Berliner Hochfinanz, Frankfurt 1965. – Zur «Darmstädter Bank»: R. Cameron, Die Gründung der Darmstädter Bank, in: Tradition 2.1957, 115–26; F. Seidenzahl, Bismarck u. die Gründung der Darmstädter Bank, in: ebd. 6.1961, 252–59; Obermann, Rolle, 63–69; Hansen, Mevissen I, 650; anon., Die moderne Kreditbank, in: DVS 1856/III, 259; Europ. Zeitenwende. Tagebücher 1835–60: Varnhagen v. Ense u. Friedrich Fürst Schwarzenberg, München 1960, 310. Vgl. G. Förstel, Die Entwicklung der Darmstädter Bank u. der Nationalbank, Diss. München 1924, MS; W. Lotz, Geschichte der deutschen Notenbanken bis 1857, Diss. Straßburg 1888; G. Prost, Wandlungen im deutschen Notenbankwesen, München 1972; R. Cameron, The Crédit Mobilier and the Economic Development of Europe, in: JPE 61.1953, 461–88; A. Weber, Die Crédit-Mobilier-Idee in der Geschichte der rhein. Banken, in: Fs. C. Eckert, Mainz 1949, 295–307; J. Plenge, Gründung u. Geschichte des Crédit Mobilier, Tübingen 1903.

[25] Zur «Deutschen Bank»: F. Seidenzahl, 100 Jahre Deutsche Bank 1870–1970, Frankfurt 1970, 1–35; A. Delbrück: NDB 3.1971, 576f.; ausführlich K. Helfferich über seinen Schwiegervater: G. v. Siemens I. – Zur «Dresdner Bank»: Dresdner Bank, Fs. 1872–97, Berlin 1897. – F. Seidenzahl, Die Gründung der Preuß. Central-Boden-Credit-AG, in: Tradition 9.1964, 176–86. Zur Rolle der Privatbanken: E. E. G. Heyn, Private Banking and Industrialization. The Case of Frankfurt, N. Y. 1981; M. Stürmer u. a., Wägen u. Wagen. Sal. Oppenheim & Cie. 1789–1989, München 1989; R. M. Heilbrunn, Das Bankhaus J. Dreyfus & Co. Frankfurt-Berlin 1868–1939, Montreux 1962; E. Achterberg, L. Bamberger, in: ders., Lebensbilder deutscher Bankiers aus 5 Jh., Frankfurt 1964^2, 192–215; A. Meyer, dass., in: Biograph. Jb. u. deutscher Nekrolog 6.1899, Berlin 1900, 129–40; ADB 46.1902, 193–99; NDB 1.1977, 572–74, sowie die Lit. in: II, 806–8, Anm. 38–46; Tilly, in: HWS II, 591; Böhme, Weg, 328; W. Zorn, Beiträge zur Geschichte der deutschen Banken seit 1950, in: Tradition 1.1956, 69–74; 5.1960, 231–35. – Allg. hierzu noch: E. Eistert u. J. Ringel, Die Finanzierung wirtschaftl. Wachstums durch die Banken, in: W. G. Hoffmann Hg., Untersuchungen zum Wachstum der deutschen Wirtschaft, Tübingen 1971, 93–165; D. F. Good, Backwardness and the Role of Banking in 19th Century European Industrialization, in: JEH 33.1973, 845–50; C. P. Kindleberger, The Formation of Financial Centers, Princeton 1974; G. v. Schulze-Gävernitz, Die deutsche Kreditbank, in: GdS V/2.1915, 9–189; O. Jeidels, Das Verhältnis der Großbanken zur Industrie, Leipzig 1913^2; Riesser; Ströll; Roos, 91–98, 124–36; M. Gehr, Das Verhältnis zwischen Banken u. Industrie in

Deutschland 1850–1931, Diss. Tübingen 1960; H. Jopp, Bedeutung u. Einfluß des Bankkapitals in der industriellen Entwicklung Deutschlands, Diss. Münster 1925; H. Schacht, Einrichtung, betriebs- u. volkswirtschaftl. Bedeutung der Großbanken, Hannover 1912; H. Sattler, Die Effektenbanken, Leipzig 1890; F. Blaich, Zinsfreiheit als Problem der deutschen Wirtschaftspolitik 1857–71, in: Sch. Jb. 91.1971, 269–306; R. S. Sayers, Banking in Western Europe, Oxford 1962; P. B. Whale, Joint Stock-Banking in Germany, London 1930/1968², 9–17.

[26] K. Knies, Die Polit. Ökonomie vom Standpunkt der geschichtl. Methode, Braunschweig 1853, 117; MEW 6.1959, 405; Spiethoff, Wechsellagen I, 195; Hobsbawm, Capital, 30–32; Hansen, Mevissen I, 616 (an Mallinckrodt, 27. 1. 1851).

[27] Zur Periodisierung vgl. Spiethoff, Wechsellagen; Burns, Business Cycles, in: IESS 2, 231; ders. u. Mitchell, 78. Grundlegend die bisher unübertroffene, bahnbrechende Studie von Spree, Wachstumszyklen, z. B. 321–67, hier v. a. 321–44; vgl. ders., Wachstumstrends. Vgl. allg. außer der. zit. konjunkturhistorischen und -theoretischen Literatur in: II, 864–68 (v. a. Borchardt, in: HWS II; Schumpeter, Konjunkturzyklen I; Spiethoff I): Böhme, Weg, 341–416; J. Pedersen u. O. S. Petersen, An Analysis of Price Behavior During the Period 1855–1913, London 1938; G. Philippi, Preise, Löhne u. Produktivität in Deutschland von 1500 bis zur Gegenwart, in: Konjunkturpolitik 12.1966, 305–35; E. H. Phelps Brown u. M. S. Browne, A Century of Pay: The Course of Pay and Production in France, Germany, Sweden, The United Kingdom, and the United States 1860–1960, London 1968; ders., Levels and Movements of Industrial Productivity and Real Wages Internationally Compared 1860–1970, in: EJ 83.1973, 58–71; V. Hentschel, Produktion, Wachstum u. Produktivität in England, Frankreich u. Deutschland 1850–1914, in: VSWG 68.1981, 457–510; W. Fischer, Konjunkturen u. Krisen im Ruhrgebiet seit 1840, in: ders., Wirtschaft u. Gesellschaft, 179–93; K. E. Born, Wirtschaftskrisen, in: HWW 9.1982, 130–41; ders., Wirtschaftskrisen u. Rechtsreformen im 19. u. 20. Jh., in: Bankhistor. Archiv 1.1975/2, 19–30; D. J. Coppock, The Causes of Business Fluctuations, in: D. H. Aldcroft u. P. Fearon Hg., British Economic Fluctuations 1790–1939, London 1972, 188–219; W. G. Hoffmann, Wachstumsschwankungen in der deutschen Wirtschaft, in: ders. Hg., Untersuchungen, 77–92; A. S. Milward, Cyclical Fluctuations and Economic Growth in Developed Europe 1870–1913, in: Petzina u. van Roon Hg., 42–53; T. Kuczynski, Erfolgen Basisinnovationen schubweise? in: JbW 1986/II, 9–24; H. Siegenthaler, Vertrauen, Erwartungen u. Kapitalbildung im Rhythmus von Strukturperioden wirtschaftl. Entwicklung, in: G. Bombach u. a. Hg., Perspektiven der Konjunkturforschung, Tübingen 1984, 121–36; E. Schremmer, Wie groß war der «techn. Fortschritt» während der Industriellen Revolution in Deutschland 1850–1913? in: VSWG 60.1973, 433–58; W. A. Lewis, Growth and Fluctuations 1870–1913, London 1978; ders. u. P. J. O'Leary, Secular Swings in Production and Trade 1870–1913, in: M. Sch. 23.1955, 113–52; ders., World Production, Prices, and Trade 1870–1960, in: ebd. 20.1952, 105–38; von Maddison: Growth in the West; Growth in Western Europe; Productivity Growth; Gross Domestic Product 1700–1980; Capitalist Development 1820–1980; W. Fellner, Trends and Cycles in Economic Activity, N. Y. 1956; ders., Zum Problem der universellen Überproduktion, in: ASS 66.1931, 522–56; H. Neisser, General Overproduction, in: Readings in Business Cycle Theory, London 1944, 385–404; K. Brandt, Disproportionalitäten im Aufbau des Produktionsprozesses, in: SVS 12, Berlin 1956, 9–41; ders., Die Problematik der Stagnation im wirtschaftl. Wachstumsprozeß, in: JNS 165.1953, 361–79; E. Varga Hg., World Economic Crises 1848–1935, 3 Bde, Moskau 1937–39 (I: Comparative Data for the Leading Countries); W. Däbritz, Die typ. Bewegungen im Konjunkturverlauf, Leipzig 1929; Wagemann, Konjunkturlehre; L. Miksch, Gibt es eine allg. Überproduktion? Jena 1929; L. V. Birck, Techn. Fortschritt u. Überproduktion, ebd. 1927; R. E. May, Das Grundgesetz der Wirtschaftskrisen, Berlin 1902; L. Pohle, Bevölkerungsbewegung, Kapitalbildung u. period. Wirtschaftskrisen, Göttingen 1902; ders. u. M. Muss, Das deutsche Wirtschaftsleben seit 1800, Leipzig 1930⁶; H. Herkner, Krisen, in: HStW 4.1892, 891–912; W. Lexis, dass., in: WbV 2.1898, 119–25;

ders., Überproduktion, in: ebd., 712–14; ders., dass., in: HStW 4.1894, 295–301; 7.1900², 244–52. Vgl. auch: W. u. H. Woodruff, Economic Growth: Myth as Reality, in: Technology and Culture 1966, 453–74. – Zu der bereits in Bd. II kritisierten Konzeption der «langen Wellen» Kondratieffs vgl. noch: H. J. Gerster, Lange Wellen wirtschaftl. Entwicklung 1800–1980, Frankfurt 1988; S. Solomou, Phases of Economic Growth 1850–1973. Kondratieff Waves and Kuznets Swings, Cambridge 1987; ders., Non-Balanced Growth and Kondratieff Waves in the World Economy 1850–1913, in: JEH 46.1986, 165–70; A. Kleinknecht, Innovation Patterns in Crisis and Prosperity. Schumpeter's Long Cycles Reconsidered, London 1987; C. Freeman u. a., Unemployment and Technical Innovation. A Study of Long Waves and Economic Development, ebd. 1982; T. Vasko Hg., The Long Wave Debate, Heidelberg 1987; J. J. van Duijn, The Long Wave in Economic Life, London 1983; K. Pomian, The Secular Evolution of the Concept of Cycles, in: Review 2.1979, 563–646; W. T. Easterbrook, Long-Period Comparative Study, in: JEH 17.1957, 571–95; H. Dupriez, Grundsätze einer Theorie der säkularen wirtschaftl. Bewegung, in: Zeitschrift für Nationalökonomie 15.1955/56, 181–90; ders., Einwirkung der langen Wellen auf die Entwicklung der Wirtschaft seit 1800, in: WA 42.1935/II, 1–12; S. P. Labini, Le problème de cycles économiques de longue durée, in: Economie Appliquée 3.1950, 481–95, sowie Becker, Überproduktionstheorien; K. Schelle, Die langen Wellen der Konjunktur, Diss. Tübingen 1951. Alle diese Studien entkräften nicht die genannte Kritik.

[28] MEW 29.1963, 210 (15. 11. 1857). An erster Stelle hierzu noch immer die Pionierstudie von H. Rosenberg, Die Weltwirtschaftskrise 1857–59, Stuttgart 1934/ND Göttingen 1974; ders., Die zoll- u. handelspolit. Auswirkungen der Weltwirtschaftskrise 1857/59, in: WA 38.1933, 368–83. Vgl. Trachtenberg, Crises 1821–1938; Wirth, Handelskrisen, 351–98; J. Kuczynski, Lage XI (= Studien zur Geschichte der zykl. Überproduktionskrisen in Deutschland 1825–66), 1961, 110–41; Mottek u. a. III, 201–4; M. Pohl, Die Entwicklung des deutschen Bankwesens 1848–70, in: Ashauer u. a. Hg. II, 1982, 143–220. – G. Ahrens, Krisenmanagement 1857 (Hamburg), Hamburg 1986; Böhme, Weg, 78–82; ders., Wirtschaftskrise, Merchant Bankers u. Verfassungsreform. Zur Bedeutung der Weltwirtschaftskrise 1857 in Hamburg, in: Zeitschrift des Vereins für Hamburg. Geschichte 54.1968, 77–127; H. Hasloop, Die Wirtschaftskrise 1857 in Lübeck, in: Zeitschrift für Lübeck. Geschichte 60.1980, 60–110; H. Wätjen, Die Weltwirtschaftskrisis 1857, in: WA 38.1933, 356–67; E. Baasch, Zur Geschichte der Handelskrisis 1857, in: Zeitschrift des Vereins für Hamburg. Geschichte 30.1929, 81–105; H. Treutler, Die Wirtschaftskrise 1857, in: Hamburger Überseejb. 1927, 301–20; sowie O. Gildemeister, Die Verkehrskrisis 1857, in: PJ 1.1858, 97–123; A. Schäffle, Die Handelskrisis, in: DVS 21.1857/I, 256–420. Zum internationalen Vergleich: J. R. T. Hughes, The Commercial Crisis of 1857, in: OEP 8.1956, 194–222, u. in: Purdue Faculty Papers in Economic History 1956–1966, Homewood/Ill. 1967, 207–34; S. Rezneck, Business Depressions and Financial Panics, Westport/Conn. 1971², 103–25; W. B. Smith u. A. Cole, Fluctuations in American Business 1790–1860, Cambridge/Mass. 1935, 87–139. Vgl. zum Freihandel und allg. zur Wirtschaftspolitik: P. Ayçoberry, Freihandelsbewegungen in Deutschland u. Frankreich in den 1840er u. 50er Jahren, in: Langewiesche Hg., Liberalismus im 19. Jh., 296–304; W. M. Haller, Regional and National Free Trade Associations in Germany 1859–79, in: ESR 6.1976, 275–96; P. Bairoch, Free Trade and European Economic Development in the 19th Century, in: European Economic Review 3.1972, 211–45; W. O. Henderson, Prince-Smith and Free Trade in Germany, in: EHR 2.1948/50, 295–302; E. v. Philippovich, Die Entwicklung der wirtschaftspolit. Ideen im 19. Jh., Tübingen 1910; J. Becker, Das deutsche Manchestertum, Karlsruhe 1907.

[29] Spree, Wachstumszyklen, 344–52; anon., Aus dem kommerziellen Leben des Jahres 1866, in: Vierteljahrsschrift für Volkswirtschaft u. Kulturgeschichte (= VVK) 4.1866, 177 (180: Kursübersicht 30. 12. 1865–31. 12. 1866); J. Schuchardt, Die Wirtschaftskrise vom Jahre 1866 in Deutschland, in: JbW 1962/II, 91–141, v. a. 100–21; Kuczynski, Lage XI, 142–63; Mottek u. a. III, 204f.; G. Bondi, Zur Vorgeschichte der «kleindeutschen Lösung»

1866–71, in: JbW 1966/II, 11–33; Wirth; F. Pinner, Die großen Weltkrisen im Lichte des Strukturwandels der kapitalist. Wirtschaft, Leipzig 1937; Eagly, 91–104; Hobsbawm, Capital, 55, 67, 74–79; allg. M. Kerwat, Die wechselseitige wirtschaftl. Abhängigkeit der Staaten des nachmal. Deutschen Reiches 1861–1871, Diss. München 1977; R. Hamann u. U. J. Hermand Hg., Die Gründerzeit, Berlin 1977².

[30] Spree, Wachstumszyklen, 352–67; Rosenberg, Große Depression, 16f.; Eagly, 97, 99, 102–04; Milward u. Saul II, 21; Stolper u. a., 24; Spiethoff, Tab. 2, 20, 25; Statist. Hdb. für das Deutsche Reich I, Berlin 1907, 256; II, 1907, 8f.; SJDR 1.1881, 103; 12.1891, 95; VzK SoH. 31, 1933; Statistik der Bundesrepublik Deutschland 199, Stuttgart 1958, 60; Däbritz, Bewegungen, 99f. – Französische Reparationen: F. Busch, Tribute u. ihre Wirkungen am Beispiel der französ. Zahlungen nach 1870/71, Diss. Basel 1936; A. E. Monroe, The French Indemnity of 1871 and Its Effects, in: RES 1.1919, 269–81; H. H. O'Farrell, The Franco-German War Indemnity and Its Economic Results, London 1913; vgl. R. Lenz, Kosten u. Finanzierung des Deutsch-Französ. Krieges 1870/71, Boppard 1970; J. Löwe, Die unmittelbare wirtschaftl. Einwirkung des Krieges 1870/71 in Deutschland, Diss. Würzburg/Breslau 1901; zeitgenöss. Stimmen: A. Soetbeer, Die 5 Milliarden, Berlin 1874; L. Bamberger, dass., in: PJ 31.1873, 441–60; C. Gareis, Die Börse u. die Gründungen, Berlin 1874; A. Berliner, Die wirtschaftl. Krisis, Hannover 1878, 39f.; H. Loehnis, Der Marasmus in Handel u. Industrie, Straßburg 1878, 15; Cameron, France, 69f.; falsch: Böhme, Weg, 325 («wesentlichster Antrieb»). Vgl. M. Pohl, Festigung u. Ausdehnung des deutschen Bankwesens 1870–1914, in: Ashauer u. a. Hg. II, 223–356; J. Croner, Die Entwicklung der deutschen Börsen 1870–1914, in: PJ 192.1923, 343–56.

[31] M. Müller-Jabusch, So waren die Gründerjahre, Düsseldorf 1957, 49; Köln. Zeitung 25., 27.4.; 9., 10., 12.5.; 2. 6. 1873; Der Aktionär 20.393 (4.5.), 433 (11.5.), 648 (27.7.), 658 (3.8.), 731 (14.9.), 761 (28.9.), 778 (5.10.), 790 (12.10.), 820 (26.10.), 850 (9. 11. 1873); Köln. Zeitung 12.10., 10. 11. 1873; MEW 23, 28f. (Kapital I, Nachwort 2. Aufl, 24. 1. 1873); F. Engels: ZKPSB 1875/4, 750; Eagly, 100; Cunow IV, 106; Schmoller II, 482–95; Lüke, 44; Donner, 97; Pohl, Konzentration 1848–1937, 241, 260f.; Roos, 91–98, 124–36; Stuebel, 22f., 37; Helfferich, v. Siemens I, 288; Tilly, in: JEEH 15, 124f.; Disconto-Gesellschaft, 162f.; Gebhard, 36–39, 74–101; Schunder, 212; Keibel, 28f.; Mariaux, 223; Mertes, 166; Matschoss, Ein Jh., 88; W. Oechelhäuser, Die wirtschaftl. Krisis, Berlin 1876, 41, 44, 47, 147f., 151, 153f.; E. Wagon, Die finanzielle Entwicklung deutscher AG 1870–1900, Jena 1903, 175–212; Der Aktionär 21.313 (19.4.), vgl. 632 (16.8.), 819 (10. 11. 1874); F. Kral, Geldwert u. Preisbewegung im Deutschen Reiche 1871–84, Jena 1887, 66, 88; Bacmeister, 123; Kempken, 32; Rabius, 35f., 37–41, 118; Müssig, 44, 21; Hinkers, 32–48; Hoerder Verein, 24f., 27; v. Brandt, 43f.; Wallich, 29; K. Helfferich, Das Geld, Leipzig 1910², 576–78, 581; E. Hübener, Die deutsche Wirtschaftskrisis 1873, Berlin 1905, 14, vgl. 40–103; Landes, in: CEHE VI/1, 461; Imbert, Anhang, Abb. 1; Spiethoff I, 124, 127, 129, 83f., 146f.; Hoffmann, Wachstumsschwankungen, 84; Milward u. Saul II, 22f.; Wagemann, 80f.; Wilson, 70–72; Milward, Fluctuations, 52; Borchardt, in: HWS II, 214, 217; Müller-Jabusch, 32f., 49–51, 58, 62.

Vgl. zur «Gründerzeit», zur Krise von 1873 und zur Depression bis 1879 (außer der Lit. in Anm. 14 u. 27 vorn): in erster Linie Rosenberg, Große Depression; ders., Wirtschaftskonjunktur, Gesellschaft u. Politik in Mitteleuropa 1873–97, in: Wehler Hg., Moderne Deutsche Sozialgeschichte, 255–53; Spree, Wachstumszyklen; Wehler, Bismarck u. der Imperialismus, 43–111; Böhme, Weg, 341–59; K.-E. Born, Wirtschafts- u. Sozialgeschichte des deutschen Kaiserreichs 1867/71–1914, Wiesbaden 1985, 107–18; ders., Internat. Schuldenkrisen des 19. Jh., in: Akademie der Wissenschaften u. der Literatur Mainz, Abhandl. der Geistes- u. Sozialwiss. Klasse 4.1988, 3–26; G. Ogger, Die Gründerjahre, München 1982; G. R. Mork, The Prussian Railway Scandal of 1873, in: ESR 1.1971, 35–48; H. Mottek, Die Gründerkrise, in: JbW 1966/I, 51–128; Kuczynski, Lage XII (= Studien zur Geschichte der zykl. Überproduktionskrisen in Deutschland 1873–1914), 1961, 1–50; E. v. Knorring, Strukturwandlungen des privaten Konsums im Wachstumsprozeß der deutschen Wirtschaft seit 1850, in: Hoffmann Hg., Untersuchungen, 167–291; Eagly, 90–104; Hübener; F. C. Huber, 50 Jahre deutschen Wirtschaftslebens, Stuttgart 1906, 33–87; R. Lewinsohn, Das Geld in der Politik, Berlin 1930, 33–37; Wirth, Handelskrisen, 539–67; Schumpeter, Konjunkturzyklen I, 324–75; Spiethoff I, passim; P. Dieterlen, La dépression des prix après 1873, in: Revue d'Economie Politique 44.1930, 1519–68; H. Blume, Gründungszeit u. Gründungskrach, Danzig 1914; H. Denis, La dépression économique et sociale, Brüssel 1895; W. Neurath, Elemente der Volkswirtschaft, Wien 1892; ders., Die wahren Ursachen der Überproduktionskrise, Leipzig 1892; F. X. v. Neumann-Spallart, Die Krise in Handel u. Wandel, in: Deutsche Rundschau (= DR) 10.1877, 410–28; 11.1877, 98–119. Zeitgenöss. Analyse und Polemik: A. Schäffle, Der große Börsenkrach 1873 (1874), in: ders., Ges. Aufsätze II, Tübingen 1886, 67–131; F. Perrot, Der Bank-, Börsen- u. Aktienschwindel, 3 Bde, Rostock 1873–76; anon. (d. i. F. Perrot), Der große Schwindel u. der große Krach, ebd. 1875; O. Glagau, Der Börsen- u. Gründungsschwindel in Berlin, Leipzig 1876; ders., Der Börsen- u. Gründungsschwindel in Deutschland, ebd. 1877; ders., Der Bankrott des Nationalliberalismus u. die «Reaktion», Berlin 1878[8]; R. Meyer, Polit. Gründer u. die Korruption in Deutschland, Leipzig 1877; ders., Kapitalismus fin de siècle, Wien 1894; R. Ehrenberg, Die Fondsspekulation u. die Gesetzgebung, Berlin 1883. – Branchenstudien der Spiethoff-Schule: H. Röhll, Die wirtschaftl. Wechsellagen in der Peine-Ilseder Eisenindustrie 1860–1913, Jena 1940; H. Müller, Die Übererzeugung im Saarländer Hüttengewerbe 1856–1913, ebd. 1935; W. Bennauer, Die Übererzeugung im Siegerländer Eisenbergbau u. Hochofengewerbe 1870–1913, ebd. 1935; K. Ehrke, Die Übererzeugung in der Zementindustrie 1858–1913, ebd. 1933; G. Clausing, Die Übererzeugung in der Ziegelei 1867–1913, ebd. 1931. Vgl. H. Herkner, Die oberelsäss. Baumwollindustrie, Straßburg 1887. – Zum Niederschlag in den aufschlußreichen Handelskammer-Berichten: W. Fischer, Unternehmerschaft, Selbstverwaltung u. Staat. Die HK in der deutschen Wirtschafts- u. Staatsverfassung des 19. Jh., Berlin 1964; H. Tarnowski, Die deutschen IHK u. die großen geistigen, polit. u. wirtschaftl. Strömungen ihrer Zeit, Diss. Mainz 1952; H. Pohl Hg., Zur Politik u. Wirksamkeit des Deutschen Industrie- u. Handelstages u. der IHK 1861–1949, Wiesbaden 1987; Der Deutsche Industrie- u. Handelskammertag in seinen ersten 100 Jahren, Hg. DIHT, Bonn 1962; Der Deutsche Handelstag 1861–1911, 2 Bde, Berlin 1911/13; J. Gensel, Der Deutsche Handelstag 1861–1901, ebd. 1902; einige Beispiele: W. Köllmann Hg., IHK Wuppertal 1831–1956, Wuppertal 1956; Die IHK Krefeld 1804–1954, Krefeld 1954; 100 Jahre IHK u. Kaufmannschaft zu Lübeck, Lübeck 1953; Die HK Breslau 1849–1924, Breslau 1924; Geschichte der HK Frankfurt, Frankfurt 1908; A. Cohen u. E. Simon, Geschichte der HK München seit 1869, München 1906.

Zum internationalen Vergleich: Dieterlen; Labini; J. T. W. Newbold, The Beginnings of the World Crisis 1873–96, in: EJ 2.1930/32, 425–51; S. B. Saul, The Myth of the Great Depression 1873–96, London 1969; D. J. Coppock, British Industrial Growth During the «Great Depression»: A Pessimist's View, in: EHR 17.1964, 387–96; ders., The Causes of the Great Depression 1873–96, in: M. Sch. 29.1961, 215–32; ders., Mr. Saville on the Great Depression, in: ebd. 31.1963, 171–84; J. Saville, Mr. Coppock on the Great Depression, in: ebd. 31.1963, 47–51; A. E. Musson, British Industrial Growth. A Balanced View 1873–96, in: EHR 17.1964, 397–403; ders., British Industrial Growth During the «Great Depression» 1873–96, in: ebd. 15.1963, 529–33; ders., The Great Depression in Britain 1873–96, in: JEH 19.1959, 199–228; M. v. Tugan-Baranowski, Studien zur Theorie u. Geschichte der Handelskrisen in England, Jena 1901/ND Aalen 1969; Crouzet, Victorian Economy; Floud u. McCloskey Hg. II. – R. Fels, American Business Cycles 1865–97, Chapel Hill 1959; ders., Long Wave Depression 1873–97, in: RES 31.1949, 69–73; Rezneck, 127–49; die gesamte Lit. findet sich in: Wehler, Aufstieg des amerikan. Imperialismus, 1987[2]. – Bouvier, Profit; Crouzet, Essai; Price; Palmade; Braudel u. Labrousse Hg. III/2, dt. II. – Matis, Österreichs Wirtschaft; Gross, Industrielle Revolution; Rudolphs Studien; J. Neuwirth, Bank u. Valuta in Österreich-Ungarn 1862–73 II: Die Spekulationskrise 1873,

Leipzig 1874. – Zur ausgedehnten Kontroverse über die «Große Depression»: Zweifellos hat sich Hans Rosenbergs «Experiment», die Abschwungphase des «2. Kondratieffs» (von den Zeitgenossen als «Große Depression» von 1873 bis 1895/96 bezeichnet) als Periodisierungsschema und Hypothesenspender zur funktionalen und kausalen Verknüpfung heterogen wirkender Phänomene zu nutzen, heuristisch als sehr fruchtbar erwiesen. (Vgl. G. Eley, H. Rosenberg and the Great Depression of 1873–96: Politics and Economics in Recent German Historiography 1960–80, in: ders., From Unification to Nazism, London 1986, 23–41; aus der Kritik z. B. Born, 1867/71–1914, 107–18; Borchardt, in: HWS II). Die empirische Kritik hat jedoch das Konzept dieser «langen Wellen» inzwischen schlüssig widerlegt. (Vgl. II, 867, die Lit. 865–67, Anm. 5, vorn Anm. 27 mit der Lit., sowie die brillante Zusammenfassung mit zu Recht ablehnendem Schlußurteil: R. Spree, Lange Wellen wirtschaftl. Entwicklung in der Neuzeit, Köln 1991). Man hängt aber für die intendierte Verknüpfung sozialökonomischer, politischer, ideologischer und kultureller Prozesse nicht von den «Kondratieffs» ab, sondern kann den wesentlichen Zweck auch mit Hilfe kürzerer Fluktuationen (der Kuznets-, Juglar-, Kitchen-Zyklen) erreichen.

III. Strukturbedingungen und Entwicklungsprozesse Sozialer Ungleichheit

[1] V. d. Goltz, Agrarwesen, 141; ders., Geschichte II, 197; Sombart, Volkswirtschaft, 468 (Adel), 445 (Bourgeoisie). Die Erwerbstätigen nach der ersten Zählung im Reich vom 1. 12. 1871: bequem in Tab. 1 von: Kiesewetter, Regionale Industrialisierung, 46–49 (nach: Statistik des Deutschen Reiches 14/II. 1876, VI. 132–57). – J. Scherr, Michel, Geschichte eines Deutschen in unserer Zeit (1858) I, Leipzig 1917, 241–43; Bassermann, Denkwürdigkeiten, 15 f.; H. v. Treitschke, Politik, Hg. M. Cornicelius, I, Leipzig 1897, 50; vgl. ders., Die Gesellschaftswissenschaft, in: ders., Aufsätze, Reden u. Briefe, Hg. K. M. Schiller, II, Meersburg 1929, 737–809; ähnlich Riehl (Naturgeschichte I, 1854, 52; s. u. in Anm. 2): «Die Lehre von der bürgerlichen Gesellschaft ... ist die Lehre von der natürlichen Ungleichheit der Menschen». – Zur 48er Revolution der ländlichen Gesellschaft: Bd. II, 703–15; v. Lengerke, Ländl. Arbeiterfrage (1848); T. v. d. Goltz, Die Lage der ländl. Arbeiter im Deutschen Reich (1872), Berlin 1875. – Vgl. allg. Conze, Sozialgeschichte 1850–1918, 602–84 (bis heute der einzige Überblick, leider ohne klare Begrifflichkeit, vgl. H.-U. Wehler, Zwischenbilanz der deutschen Wirtschafts- u. Sozialgeschichte, in: ders., Krisenherde, 1979[2], 371–82). Dagegen die präzisen klassenanalytischen Überlegungen und realhistorischen Darstellungen von J. Kocka, Stand-Klasse-Organisation. Strukturen sozialer Ungleichheit in Deutschland vom späten 18. bis frühen 19. Jh. im Aufriß, in: Wehler Hg., Klassen in der europ. Sozialgeschichte, 137–65; ders., Arbeitsverhältnisse u. Arbeiterexistenzen. Grundlagen der Klassenbildung 1800–1875, Berlin 1990 (vgl. dazu am besten: J. Breuilly, Von den Unterschichten zur Arbeiterklasse. Deutschland 1800–75, in: GG 20.1994, 251–73); ders., Lohnarbeit u. Klassenbildung; ders. Hg., Familie u. soziale Placierung; ders., Zur Schichtung der preuß. Bevölkerung während der industriellen Revolution, in: Fs. Büsch, 357–90; K. Tenfelde, Soziale Schichtung, Klassenbildung u. Konfliktlagen im Ruhrgebiet 1800–1986, Göttingen 1995; I. Katznelson u. A. R. Zolberg Hg., Working-Class Formation. 19th Century Patterns in Western Europe and the United States, Princeton 1986; Zwahr, Konstituierung des Proletariats; Mooser, Ländl. Klassengesellschaft; Wehler Hg., Klassen. Vgl. Hardach, Sozialstruktur, 503–14; Henning, Entwicklungen 1815–60; Sagarra, 183–423; Sombart, Volkswirtschaft, 440–45 (Die sozialen Klassen); Fischer, in: HEWS V, 371–90, 45–61; ders. u. P. Czada, Die soziale Verteilung von mobilem Vermögen in Deutschland seit dem Spätmittelalter, in: III. International Conference of Economic History, Paris 1968, 254–304. Blaß sind: D. Geary, «Class» in Germany 1860–1949, in: Bradford Occasional Papers 9.1988, 42–62, u. W. Zorn, Industrialisierung u. soziale Mobilität in Deutschland 1861–1914, in: Conze u. v. Aretin Hg., 123–35. Das Thema wird gar nicht behandelt in: A. v. Gleichen-Russwurm, Das Kulturbild des 19. Jh.: Bd. 24, Die gesellschaftl. Strukturen, Wien o. J. Aufschlußreiche Quellen: Pöls Hg., Sozialgeschichte 1815–70; G. A. Ritter u. J. Kocka Hg., Deutsche Sozialgeschichte II:

1870–1914, München 1982[3]; H. Henning Hg., Quellen zur sozialgeschichtl. Entwicklung in Deutschland 1815–60, Paderborn 1977; W. Kröber u. R. Nitsche, Grundbuch der bürgerl. Gesellschaft I: 1750–1914, Neuwied 1979; H. M. Enzensberger u. a. Hg., Klassenbuch II: Ein Lesebuch zu den Klassenkämpfen in Deutschland 1850–1919, Neuwied 1972.

Als Ergänzung zur Lit. über Soziale Ungleichheit (in: Bd. I, 580–85, Anm. 1–29; Bd. II, 812f., Anm. 2; BSg, Nr. 12, 100–22; Nr. 69, 419–22) folgt eine Auswahl von Titeln, aus denen ich, zustimmend oder ablehnend, viel hinzugelernt habe. Zuerst einige Sammelbände: B. Giesen u. H. Haferkamp Hg., Soziologie sozialer Ungleichheit, Opladen 1987; R. Geissler Hg., Soziale Schichtung u. Lebenschancen, Stuttgart 1987; H. Strasser u. J. Goldthorpe Hg., Die Analyse sozialer Ungleichheit, Opladen 1985; Kreckel Hg., Ungleichheiten; A. Giddens u. D. Held Hg., Classes, Power, and Conflict, London 1983[2]; A. Giddens u. G. Mackenzie Hg., Social Class and the Division of Labor, Cambridge 1982; R. Andorka u. T. Kolosi Hg., Stratification and Inequality, Budapest 1984; K. H. Hörning Hg., Soziale Ungleichheit, Neuwied 1976 (Lit. 331–56); S. Andreski Hg., Reflections on Inequality, London 1975; J. Lopreato u. L. S. Lewis Hg., Social Stratification, N. Y. 1974; F. Parkin Hg., The Social Analysis of Class Structure, London 1974; A. Béteille Hg., Social Inequality, Baltimore 1972[2]; G. Salaman Hg., Stratification and Social Class, London 1972; G. W. Thielbar u. S. D. Feldman Hg., Issues in Social Inequality, Boston 1972; Kaelble Hg., Geschichte der sozialen Mobilität, 1979; ders. Hg., Historische Mobilitätsforschung, 1978; ders. u. R. Federspiel Hg., Soziale Mobilität in Berlin 1825–1957, St. Katharinen 1990; K. Hope Hg., The Analysis of Social Mobility, Oxford 1972; P. M. Blumberg Hg., The Impact of Social Class, N. Y. 1971; E. O. Laumann Hg., Social Stratification, N. Y. 1970; M. M. Tumin Hg., Readings on Social Stratification, Englewood Cliffs 1970; L. Plotnicov u. A. Tuden Hg., Essays in Comparative Social Stratification, Pittsburgh 1970; C. S. Heller Hg., Structured Social Inequality, London 1969; R. Cornu u. J. Lagneau Hg., Hiérarchies et classes sociales, Paris 1969; W. C. Lane Hg., Permanence and Change in Social Class, Cambridge/Mass. 1968; B. Seidel u. S. Jenker Hg., Klassenbildung u. Sozialschichtung, Darmstadt 1968; Jackson Hg., Stratification; R. Mabey Hg., Class, London 1967; B. u. E. Barber Hg., European Social Class, N. Y. 1965; G. Carlsson u. a. Hg., Social Stratification and Mobility, Kopenhagen 1965; D. V. Glass u. R. König Hg., Soziale Schichtung u. soziale Mobilität, Köln 1961/1974[5]. – Aus der jüngeren Diskussion sowie einige wenige ältere Beiträge: H.-P. Müller, Sozialstruktur u. Lebensstil. Der neuere theoret. Diskurs über soziale Ungleichheit, Frankfurt 1992; R. Kreckel, Polit. Soziologie der sozialen Ungleichheit, ebd. 1992; N. Luhmann, Zum Begriff der sozialen Klasse, in: ders. Hg., Soziale Differenzierung, Opladen 1985, 119–62 (z. T. begriffgeschichtlich aufschlußreich, für eine realhistorische Analyse kaum brauchbar); K. Eder, Social Inequality and the Discourse on Equality, in: H. Haferkamp Hg., Culture and Social Structure, Berlin 1989, 83–100, dt. Kultur u. Sozialstruktur, Frankfurt 1990; ders., Klassentheorie als Gesellschaftstheorie, in: ders. Hg., Klassenlage, Lebensstil u. kulturelle Praxis, ebd. 1989, 15–43; H.-J. Krysmanski, Entwicklung u. Stand der klassentheoret. Diskussion, in: KZfS 41.1989, 149–67; M. Teschner, Was ist Klassenanalyse? in: Leviathan 17.1989, 1–14; vgl. ders., Klasse, in: D. Herzog u. a. Hg., Evangel. Staatslexikon, Stuttgart 1987[3], 1787–93 (beides orthodox); R. Bendix, Inequality and Social Structure. A Comparison of Marx and Weber, in: ders., Embattled Reason II, New Brunswick/N. J. 1989, 143–63; P. A. Berger, Die Herstellung sozialer Klassifikationen. Method. Überlegungen der Ungleichheitsforschung, in: Leviathan 16.1988, 501–20; ders., Klassen u. Klassifikationen, in: KZfS 39.1987, 59–85; J. Ritsert, Braucht die Soziologie noch den Begriff der Klasse? in: Leviathan 15.1987, 4–38; L. Elster, Drei Kritiken am Klassenbegriff, in: Luhmann Hg., 96–118; K. O. Hondrich, Der Wert der Gleichheit u. der Bedeutungswandel der Ungleichheit, in: SW 35.1984, 267–93; R. Kreckel, Class, Status, and Power, in: KZfS 34.1982, 617–48; H. Kaelble, Social Stratification in Germany in the 19th and 20th Centuries. A Survey of Research Since 1945, in: JSH 10.1976, 144–65; K. Bolte, Vertikale Mobilität, in: R. König Hg., Handbuch der Empirischen Sozialforschung (= HES) V. 1976[3], 40–103; K.

U. Mayer, Ungleiche Chancen u. Klassenbildung, in: SW 28.1977, 466–93; B. Jones, M. Weber and the Concept of Social Class, in: Sociological Review 23.1975, 729–57; G. Kleining, Die Legitimation der Ungleichheit, in: Fs. R. König, Opladen 1973, 303–26; K. U. Mayer, Soziale Mobilität u. die Wahrnehmung gesellschaftl. Ungleichheit, in: ZfS 1.1972, 156–76; R. Mousnier, Le concept de classe sociale et l'histoire, in: Revue d'histoire économique et sociale 48.1970, 449–59; T. Parsons, Equality and Inequality in Modern Society or Stratification Revisited, in: Sociological Inquiry 40.1970, 13–72; ders., An Analytical Approach to the Theory of Social Stratification, in: ders., Essays in Sociological Theory, Glencoe/Ill. 1958, 69–88, dt. in: ders., Beiträge zur sozialen Theorie, Hg. D. Rüschemeyer, Neuwied 1964, 180–205; R. Dahrendorf, Herrschaft u. Ungleichheit, in: ders., Pfade aus Utopia, München 1968, 314–79; B. Barber, Social Stratification, in: IESS 15.1968, 288–96; A. L. Stinchcombe, The Structure of Stratification Systems, in: ebd., 325–32; S. M. Lipset, Social Class, in: ebd., 296–316; R. W. Hodge u. P. M. Siegel, The Measurement of Social Class, in: ebd., 316–25; H. Rodman, Class Culture, in: ebd., 332–37; G. Gurvitch, Die Grundmerkmale der sozialen Klassen, in: Seidel u. Jenker Hg., 297–316; T. Geiger, Zur Theorie des Klassenbegriffs, in: ders., Arbeiten zur Soziologie, Hg. P. Trappe, Neuwied 1962, 206–59; ders., Theorie der sozialen Schichtung, in: ebd., 186–205; F. Zweig, The Theory of Social Class, in: Kyklos 11.1958, 390–404; E. Lederer, Die Klassenschichtung, in: ASS 65.1931, 539–79; P. Mombert, Class, in: ESS 3.1930, 531–36; ders., Zum Wesen der sozialen Klassen, in: Fs. M. Weber II, München 1923, 237–75, u. in: Seidel u. Jenkner Hg., 181–231; ders., Die Tatsachen der Klassenbildung, in: Sch. Jb. 44.1920, 1041–70, u. in: Seidel u. Jenkner Hg., 113–45. – Problemaufrisse und Lehrbücher: der aufschlußreiche Überblick von F. Rothenbacher, Soziale Ungleichheit im Modernisierungsprozeß des 19. u. 20. Jh., Frankfurt 1989; R. Schüren, Soziale Mobilität. Muster, Veränderungen u. Bedingungen im 19. u. 20. Jh., St. Katharinen 1989; M. Granovetter u. a., Bases of Inequality in Society, in: N. J. Smelser Hg., Handbook of Sociology, Newbury Park/Cal. 1988, 173–323; G. S. Jones, Klassen, Politik u. Sprache, Münster 1988; P. N. Furbank, Unholy Pleasure or the Idea of Social Class, Oxford 1985; E. O. Wright, Classes, London 1985; P. Bourdieu, Sozialer Raum u. Klassen, Frankfurt 1985 (seine einflußreichen Schriften bis 1984: 82–106, u. in: Eder Hg., Klassenlage, 415–21); ders., Klassenstellung; ders. u. a., Titel u. Stelle. Über die Reproduktion sozialer Macht, ebd. 1981; ders. u. J.-C. Passeron, Die Illusion der Chancengleichheit, Stuttgart 1971; ders., What Makes a Social Class? in: Berkeley Journal of Sociology 32.1987, 1–17. – K. M. Bolte u. S. Hradil, Soziale Ungleichheit, Opladen 1984[5]; Giddens, Klassenstruktur, 1984[2]; Turner, Societal Stratification, 1984; Kaelble, Industrialisierung u. soziale Ungleichheit, 1983; ders., Soziale Mobilität, 1983; T. Herz, Klassen, Schichten, Mobilität, Stuttgart 1983; R. W. Connell, Which Way is Up? Sydney 1983, 83–157; J. E. Roemer, A General Theory of Exploitation and Class, Cambridge/Mass. 1982; Calvert, Class, 1982; R. Spree, Soziale Ungleichheit vor Krankheit u. Tod, Göttingen 1981; dogmatisch: B. Kirchhoff-Hund, Theorien sozialer Ungleichheit, Berlin 1981; W. Zingg u. G. Zipp, Basale Soziologie: Soziale Ungleichheit, Opladen 1979; W. Wesolowski, Classes, Strata and Power, London 1979; A. D. M. Coxon u. R. M. Jones, Class and Hierarchy, ebd. 1979; Parkin, Marxism and Class Theory, 1979; ders., Class Inequality, 1975[3]; A. Béteille, Inequality Among Men, Oxford 1977; R. K. u. H. M. Kelsall, Social Stratification, London 1976[2]; K. B. Mayer u. W. Buckley, Soziale Schichtung, Stuttgart 1976; J. Matras, Social Inequality, Stratification, and Mobility, Englewood Cliffs 1975/1984[2]; E. Wiehn u. K. U. Mayer, Soziale Schichtung u. Mobilität, München 1975; K. U. Mayer, Ungleichheit u. Mobilität im sozialen Bewußtsein, Opladen 1975; S. Kirchberger, Kritik der Schichtungs- u. Mobilitätsforschung, Frankfurt 1975; H. Recker, Mobilität in der «offenen» Gesellschaft, Köln 1974; E. Wiehn, Theorien der sozialen Schichtung, München 1974[2]; C. H. Anderson, The Political Economy of Social Class, Englewood Cliffs 1974; N. Poulantzas, Polit. Macht u. gesellschaftl. Klassen, 2 Bde, Frankfurt 1974; R. Mousnier, Les hiérarchies sociales de 1450 à nos jours, Paris 1969, engl. Social Hierarchies, London 1973; ders.,

Problèmes de stratification sociale, Paris 1968; Titmus, Income Distribution, 1974[3]; L. Fallers, Inequality, Chicago 1973; Lenski, Macht, 1973; Ossowski, Klassenstruktur, 1972[2]; J. Littlejohn, Social Stratification, London 1972; J. Lopreato u. L. E. Hazelrigg, Class, Conflict, and Mobility, San Francisco 1972; Dahrendorf, Class, 1971; Eisenstadt, Social Differentiation, 1971; M. M. Tumin, Schichtung u. Mobilität, München 1970[2]; G. Carlsson, Social Mobility and Class Structure, Lund 1969; C. Owen, Social Stratification, London 1968; T. B. Bottomore, Die sozialen Klassen in der modernen Gesellschaft, München 1968; G. Gurvitch, Etudes sur les classes sociales, Paris 1966; T. E. Lasswell, Class and Stratum, Boston 1965; P. Laroque, Les classes sociales, Paris 1968[4]; E. Pin, dass., ebd. 1962; E. E. Bergel, Social Stratification, N. Y. 1962; S. M. Lipset u. R. Bendix, Social Mobility in Industrial Society, Berkeley 1962[2]; K. Svalastoga, Prestige, Class, and Mobility, Kopenhagen 1959; A. Willener, Images de la societé et classes sociales, Bern 1957; B. Barber, Social Stratification, N. Y. 1957; R. Centers, The Psychology of Social Class, Princeton 1949/N. Y. 1961[2]; M. Halbwachs, Les classes sociales, Paris 1942. Weitere Lit.: D. L. Featherman, Social Stratification, in: M. S. Archer Hg., Current Research in Sociology, Paris 1974, 383–97; N. D. Glenn u. a. Hg., Social Stratification: A Research Bibliography, Berkeley 1972[2]. – Zur gesellschaftlichen Dimension von «Macht»: D. Rüschemeyer, Power and the Division of Labor, Stanford 1986; S. Hradil, Die Erforschung der Macht, Stuttgart 1980; N. Luhmann, Macht, ebd. 1975. – Frühe zeitgenössische Versuche: G. Gothein, Gesellschaft u. Gesellschaftswissenschaft, in: HStW 4.1909[3], 680–706; G. Simmel, Über sociale Differenzierung (1890), in: ders., Aufsätze 1887–90, Hg. H.-J. Dahme, Frankfurt 1989. Beiden ist Max Weber haushoch überlegen.

[2] Kiesselbach, Berufsklassen, 250–300; v. Viebahn III, 565; T. Mundt, Die neuen Bestrebungen zu einer wirtschaftl. Reform der unteren Volksklassen, in: DVS 18. 1855/I, 1–52; anon., Die arbeitenden Klassen u. die Arbeits- u. Lohnverhältnisse, in: JbSPS 2.1867, 231–348; W. Roscher, Die große u. kleine Industrie, in: Die Gegenwart 10.1855, 712, 717, 721; vgl. E. Baumstark, Zur Geschichte der arbeitenden Klasse, Greifswald 1853; J. Heyderhoff, Ein Brief M. Dunckers, 6. 5. 1858, in: HZ 113.1914, 327; R. v. Mohl, Staatsrecht, Völkerrecht u. Politik III, Tübingen 1869/ND Graz 1962, 147; E.-A. Kirschstein, Die Familienzeitschrift Charlottenburg 1937, 57 (1853); Bluntschli, Bürgerstand, 177, 178f.; vgl. ders., Kasten, Klassen, Stände, in: ders. Hg. V, 1860, 520–26. – Scherr, 241; ders., Studien I, Leipzig 1865, 250; Faber, Vom Dritten Stande, in: DVS 1865/I, 2, vgl. 4, 27; H. v. Treitschke, Parteien u. Fraktionen, in: ders. Aufsätze III, 648; W. H. Riehl, Bauernstand, in: Bluntschli u. Brater Hg., Staatswb. 1. 1857, 680–87; kritischer Kommentar: ebd., 680; ähnlich traditionell-harmonisierend: ders., Die deutsche Arbeit, Stuttgart 1861/1883[3]. Vgl. ders., Die Naturgeschichte des Volkes als Grundlage einer deutschen Sozialpolitik, I: Land u. Leute, Stuttgart 1854/1899[10]; II: Die bürgerl. Gesellschaft, ebd. 1851/1907[10]/ND Hg. P. Steinbach, Berlin 1976; III: Die Familie, ebd. 1855/1882[9]; gek. Fassung: Hg. G. Ipsen, Leipzig 1935; vgl. W. D. Smith, Politics and the Sciences of Culture in Germany 1840–1920, N. Y. 1991, 40–44; F. Lövenich, Verstaatl. Sittlichkeit. Die Politik der konservativen Konstruktion der Lebenswelt in W. H. Riehls «Naturgeschichte des deutschen Volkes», in: PVS 27.1986, 378–96; die Lit. in: Steinbach Hg., 285–88; umfassend: W. v. Geramb, W. H. Riehl, Salzburg (1954), 627–30; scharfsinnige Kritik: Pankoke, Sociale Bewegung, 49–97. – W. Roscher, Politik. Geschichtl. Naturlehre der Monarchie, Aristokratie u. Demokratie, Stuttgart 1892, 474. Allg. vgl. wieder Conze u. R. Walther, Stand, Klasse, in: GGr 6.1990, 213–84 (durchweg unbefriedigend).

[3] Riehl, Naturgeschichte II, 210; vgl. J. v. Altenbockum, W. H. Riehl 1823–97, Köln 1994. Zu anderen Beobachtern: Pankoke. Vgl. zum folgenden allg. außer der Erörterung in Bd. I und II und der Lit. in: BSg, Nr. 26, 193–200, u. a.: J. Kocka, La bourgeoisie dans l'histoire allemande 18ème – 20ème siècle, in: Mouvement Social (= MS) 136.1986, 5–28; ders. u. U. Frevert, La borghesia tedesca nel XIX secolo, in: Quaderni Storici 19.1984, 549–72; ders. Hg., Bürgertum im 19. Jh., 3 Bde, München 1988; ders., Bürgertum u. bürgerl. Gesellschaft im 19. Jh., in: ebd. I, 11–76; ders. Hg., Bürgerlichkeit; ders.,

Bürgertum u. Bürgerlichkeit als Problem der deutschen Geschichte vom späten 18. zum frühen 20. Jh., in: ebd., 21–63; ders. Hg., Arbeiter u. Bürger im 19. Jh., München 1986; M. R. Lepsius, Zur Soziologie des Bürgertums u. der Bürgerlichkeit, in: Kocka Hg., Bürgerlichkeit, 79–100; u. in: ders., Interessen, Ideen u. Institutionen, Opladen 1990, 153–69; ders., Bürgertum als Gegenstand der Sozialgeschichte, in: Schieder u. Sellin Hg. IV, 61–80; u. in: ders., Demokratie in Deutschland. Soziolog.-histor. Konstellationsanalysen, Göttingen 1993, 289–302; D. Rüschemeyer, Bourgeoisie, Staat u. Bildungsbürgertum, in: Kocka Hg., Bürgerlichkeit, 101–20; H. Bausinger, Bürgerlichkeit u. Kultur, in: ebd., 121–42; D. Blackbourn, The German Bourgeoisie, in: ders. u. R. J. Evans Hg., dass., London 1991, 1–45 (nützlicher Überblick, aber erhebliche Lücken und begriffliche Unschärfe durch Beibehaltung von «Bourgeoisie»!); W. Steinmetz, Die schwierige Selbstbehauptung des deutschen Bürgertums, in: R. Wimmer Hg., Das 19. Jh., Berlin 1991, 12–40; H.-W. Schmuhl, Bürgerl. Eliten in städt. Repräsentativorganen. Nürnberg und Braunschweig im 19. Jh., in: H.-J. Puhle Hg., Bürger in der Gesellschaft der Neuzeit, Göttingen 1991, 178–98; enttäuschend dazu: F. Tenbruck, Bürgerl. Kultur, in: F. Neidhardt u. a. Hg., Kultur u. Gesellschaft, Opladen 1986, 263–85; W. Kaschuba, Deutsche Bürgerlichkeit nach 1800, in: Kocka Hg., Bürgertum im 19. Jh. III, 9–44; L. Niethammer u. a., Bürgerl. Gesellschaft in Deutschland, Frankfurt 1990; L. Gall, Bürgertum in Deutschland, Berlin 1989; ders., «... Ich wünschte, ein Bürger zu sein». Zum Selbstverständnis des deutschen Bürgertums im 19. Jh., in: HZ 245.1987, 601–23; ders. Hg., Stadt u. Bürgertum im Übergang von der traditionalen zur modernen Gesellschaft, München 1993. – Zum Vergleich: vorzüglich ist U. Döcker, Die Welt der Bürger. Verhaltensideale u. soziale Praktiken im langen 19. Jh., Frankfurt 1994; E. Bruckmüller u. H. Stekl, Zur Geschichte des Bürgertums in Österreich, in: Kocka Hg., Bürgertum im 19. Jh. I, 160–92; Bruckmüller, Ein «deutsches» Bürgertum? Zu Fragen nationaler Differenzierung der bürgerl. Schichten in der Habsburgermonarchie vom Vormärz bis um 1860, in: GG 16.1990, 343–54; H. Kaelble, Französ. u. deutsches Bürgertum 1870–1914, in: Kocka Hg., Bürgertum im 19. Jh. I, 107–40; H. van Dijk, Bürger u. Stadt, Bemerkungen zum langfrist. Wandel an westeurop. u. deutschen Beispielen, in: ebd. III, 447–65; H. Zwahr, Konstitution der Bourgeoisie im Verhältnis zur Arbeiterklasse. Ein deutsch-poln. Vergleich, in: ebd. II, 149–86; E. Kaczyńska, Bürgertum u. städtische Eliten. Kongreßpolen, Rußland u. Deutschland im Vergleich, in: ebd. III, 466–88; W. Mosse, Adel u. Bürgertum im Europa des 19. Jh., in: ebd. II, 276–314; G. N. Izenberg, Die «Aristokratisierung der bürgerl. Kultur» im 19. Jh., in: Hohendahl u. Lützeler Hg., 233–44; blasse, unscharfe Generalisierung: H. Pilbeam, The Middle Classes in Europe 1789–1914, London 1990; eine grundlegend wichtige Studie über das gemeinhin sträflich vernachlässigte katholische Bürgertum: T. Mergel, Zwischen Klasse u. Konfession. Kathol. Bürgertum im Rheinland von 1794 bis 1914, Göttingen 1994. – P. Stearns, The Middle Class, in: CSSH 21.1979, 277–96; unscharf: A. J. Mayer. The Lower Middle Class as Historical Problem, in: JMH 47.1975, 409–36; vorzüglich: H.-G. Haupt, Zur gesellschaftl. Bedeutung des Kleinbürgertums in westeurop. Gesellschaften des 19. Jh., in: GG 16.1990, 296–317; unbefriedigend ist: D. Blackbourn, The Discreet Charm of the German Bourgeoisie, in: ders., Populists and Patricians, London 1981, 67–83; überholt: G. Freudenthal, Gestaltwandel der bürgerl. u. proletar. Hauswirtschaft 1790–1930, Diss. Frankfurt, Würzburg 1934/ND Berlin 1986; W. Melchers, Die bürgerl. Familie, Diss. Kiel, Dürsen 1929; bornierte Orthodoxie: L. Machtan u. D. Milles, Die Klassensymbiose von Junkertum u. Bourgeoisie 1850–78/79, Berlin 1980. Unbefriedigende Kritik: H. Feindt u. U. Köster, Überlegungen zum Thema «Bürgerlichkeit», in: IASL 18.1993, 157–67.

[4] Vgl. allg. Bd. II, 174–241, v. a. 185–210, mit der Lit. sowie J. Jaeger, Unternehmer, in: GGr 6.1990, 702–32. – Kocka, Schichtung, 368 (Tab. 1), 370, 380 (Tab. 4), 386f.; vgl. A. Thomaschewski, Die Gewerbezählung im Deutschen Reich am 1. 12. 1875, Berlin 1879; P. Fridenson, Herrschaft im Wirtschaftsunternehmen. Deutschland u. Frankreich 1800–1914, in: Kocka Hg., Bürgertum im 19. Jh. II, 65–91; Kapp, Briefe, 77 (2. 10. 1862); H. Kaelble,

Wandel der Berufsstruktur u. sozialer Aufstieg 1850–1914, in: ders., Mobilität u. Chancengleichheit, 45, 48, 57; ders., Der Wandel der Unternehmerrekrutierung seit der industriellen Revolution, in: ebd., 231, 240, 233; vgl. den klaren Forschungsüberblick in: ders., Industrialisierung u. Soziale Ungleichheit; T. Pierenkemper, Die westfäl. Schwerindustriellen 1851–1913, Göttingen 1979, 44, 46f., 51, 60 (Liste aller 248: 233–38); Beau, 66, 68, 70; Teuteberg, Textilindustrielle, 8, 26, 33; Huschke, 9f.; Kaelble, Berliner Unternehmer, 31, 33, 39, 42, 99, 110, 79; ders., Unternehmerrekrutierung, 232f., 237. Vgl. zu den jüdischen Unternehmen die umfassende Analyse von: W. E. Mosse, Jews in the German Economy. The German-Jewish Economic Elite 1820–1935, Oxford 1987; ders., The German-Jewish Economic Elite 1820–1935. A Socio-Cultural Profile, ebd. 1989; zur Interpretationsgeschichte: ders., Judaism, Jews and Capitalism. Weber, Sombart and Beyond, in: LBIYB 24.1979, 3–15; A. Barkai, Jüd. Minderheit u. Industrialisierung 1850–1914, Tübingen 1988; ders., Sozialgeschichtl. Aspekte der deutschen Judenheit in der Zeit der Industrialisierung, in: JbIDG 11.1982, 237–60; ders., German Jews; Fuchs, Rolle jüd. Unternehmertums; Grunwald; A. Prinz, Juden im deutschen Wirtschaftsleben 1850–1914, Hg. A. Barkai, Tübingen 1984. – Kocka, Unternehmer, 43–54; B. Becker-Jákli u. A. Müller, Die Religionszugehörigkeit Kölner Unternehmer 1810–70, in: Rhein.-Westfäl. Wirtschaftsarchiv Hg., Kölner Unternehmer u. die Frühindustrialisierung, Köln 1984, 217–31, G. Adelmann, Führende Unternehmer im Rheinland u. in Westfalen 1850–1914, in: RVB 35.1971, 339–41, 344; A. Bein, F. Hammacher 1824–1904, Berlin 1932; B. Faulenbach, Die preußischen Bergassessoren im Ruhrbergbau, in: Fs. Vierhaus, 225–27, 236; W. Serlo, Die preußischen Bergassessoren, Essen 1938[5]; Bacmeister, Baare. Stahl kommt bei seiner Analyse von 363 in der NDB (bis Bd. 8) erfaßten Gründern und Mitgründern auf 50% aus Kaufmanns- und Unternehmerfamilien, 25% aus Bildungsbürgerfamilien; 24% der Eigentümer-, sogar 65% der Angestellten-Unternehmer besaßen das Abitur (103–78, 206–27, 229).

[5] Vgl. zu diesen und den folgenden allgemeinen Urteilen: die Lit. in Bd. II, 801–5, 817–22; BSg, Nr. 27, 201–12, v. a. Zwahr, Klassenkonstituierung der deutschen Bourgeoisie; ders., Leipzig im Übergang zur bürgerl. Gesellschaft, in: Neues Leipzigisches Geschichts-Buch, Leipzig 1990, 132–79; Wiedenfeld, Herkunft der Unternehmer; schwach: Schwieland, Soziologie des Unternehmertums; G. Weyh, Der Typ des deutschen Unternehmers im 19. Jh., Diss. Breslau 1930. – J.-M. Flonneau, Etat et bourgeoisie industrielle en Prusse 1840–60, in: MS 136.1986, 53–82; H. Croon, Rhein. Städte u. ihre Bürger, Remscheid 1958; Adelmann, Unternehmer; Köllmann, dass.; W. O. Henderson, W. T. Mulvany 1806–85, Köln 1970; ders., dass., in: EEH 5.1952/53, 107–20; K. Bloemers, dass., Essen 1922; Bacmeister, Baare; Däbritz, Bochumer Verein; Bein, Hammacher; Hansen, Mevissen; W. Eisenhart-Rothe, Die volkswirtschaftl. Anschauungen G. v. Mevissens, Diss. Gießen 1930; Schwann, Camphausen; A. Bergengrün, A. v. d. Heydt, Leipzig 1908; Neubaur, Stinnes; Berdrow, Krupp; Schröder, dass.; Kellen, Grillo; Hashagen, Hoesch; Kelleter, Poensgen; Thimme, Andreae; K. Fuchs, Siegerländer Unternehmer des 19. Jh., Wiesbaden 1979. – Kaelble, Berliner Unternehmer; Kocka, Siemens; Rachel u. Wallich III; B. Beer, L. Schwartzkopff, Leipzig 1943. – Fuchs, Vom Dirigismus; ders., Führungskräfte, 264–87; Perlick; Bitta. – A. Ascher, Baron v. Stumm, in: JCEA 22.1962/63, 271–85; Hellwig, Stumm; K. Keller, K. F. v. Stumm, in: H. v. Arnim u. G. v. Below Hg., Deutscher Aufstieg, Berlin 1925, 277–86; Nutzinger, Röchling. Vgl. noch Brockhaus, Tagebücher; v. Geldern, Oechelhäuser; Eibert, Nürnberger Unternehmer; Huschke; F. Peters, Über die Herkunft der brem. Senatoren 1849–1965, in: Jb. d. brem. Wissenschaft 1.1955, 189–240. Allg. hierzu Zunkel, sowie die nützliche (und weiter erscheinende) Zusammenstellung von Unternehmerbiographien in: RWB 1.1932–14.1992. Zur Familienverflechtung: Scheibler u. Wülfrath, Ahnentafeln; Euler, Bankherren, 85–144.

[6] Roon I, 154; A. v. Wilke, Alt-Berliner Erinnerungen, Berlin 1930, 93f. (1873 wurde Krause selbst geadelt). – Zu Krupp und Stumm vgl. die Lit. in Anm. 5. – Reulecke, Anfänge organis. Sozialreform, 21–59; R. vom Bruch, Bürgerl. Sozialreform im deutschen Kaiser-

reich, in: ders. Hg., Weder Kommunismus, 61–179; s.o. I.2 zu Betriebswohnungen; Kaelble, Unternehmerrekrutierung, 236f. Zum Unternehmer-Bild in der Literatur: Kohn-Bramstedt; Rarisch. Vgl. R. Tilly, Unternehmermoral u. -verhalten im 19. Jh., in: Kocka Hg., Bürgertum im 19. Jh. II, 35–64. – J. M. Keynes, The Economic Consequences of the Peace, London 1919, 17; K. Kaudelka-Hanisch, Preußische Kommerzienräte 1810–1918, Dortmund 1993; dies., The Titled Businessman: Prussian Commercial Councillors in the Rhineland and Westfalia During the 19th Century, in: Blackbourn u. Evans Hg., 87–114; allg. H. K. Stein, Der preußische Geldadel des 19. Jh., 2 Bde, Diss. Hamburg 1976, anon., Vergangenheit u. Zukunft der deutschen Gemeinde, in: DVS 1856/II, 281, 287f.

[7] Vgl. Bd. II, 210–38; I, 210–17; BSg, Nr. 28, 212–18; Wehler, Bildungsbürgertum in vgl. Perspektive, 218–40. – F. T. Vischer, Ästhetik IV, München 1923², 222. Die von mir korrigierten Zahlen für Verwaltungs- und Justizbeamte: Bd. II, 216; vgl. Gillis, Bureaucracy, 122f.; Hattenhauer, Beamtentum, 250–52; v. Gneist, Advokatur, 20–28; Titze, Überfüllungskrisen, 203. Pfarrer: ebd.; vgl. O. Janz, Bürger besonderer Art. Evangel. Pfarrer in Preußen 1850–1914, Berlin 1994; ders., Zwischen Amt u. Profession. Die evangel. Pfarrerschaft im 19. Jh., in: H. Siegrist Hg., Bürgerl. Berufe, Göttingen 1988, 174–99; M. Kökler, Über die soziale Bedeutung des protestant. Pfarrhauses in Deutschland, Diss. Heidelberg 1952. Ärzte: Huerkamp, Aufstieg, 149. Professoren und Gymnasiallehrer: Bd. II, 516f.; Titze, 203; McClelland, State, 258. Die Werte in Kockas Statistik für 1846/49 (Schichtung, 368) scheinen mir daher überhöht zu sein. Die dort z.B. angeführten 39829 Beamten umfassen auch den mittleren und subalternen Dienst, beide gehörten nicht zum Bildungsbürgertum. In den 11015 Geistlichen sind auch 5695 unverheiratete, im allgemeinen keineswegs neuhumanistisch-bildungsbürgerlich geprägte katholische Priester enthalten. Die Zahl von 5126 Professoren und Gymnasiallehrern ist um rd. 2000 zu hoch angesetzt. Das gilt auch für die 10000 Ärzte (realiter 3520, die handwerklich ausgebildeten «Wundärzte» gehörten nicht zum Bildungsbürgertum) und Freiberufler (genaue Zahl unbekannt). – Vgl. allg. außer der Lit. in Bd. I und II: J. Kocka Hg., Bildungsbürgertum im 19. Jh. IV: Polit. Einfluß u. gesellschaftl. Formation, Stuttgart 1989; ders., Bildungsbürgertum: Gesellschaftl. Formation oder Historikerkonstrukt? in: ebd., 9–20; M. R. Lepsius Hg., Bildungsbürgertum im 19. Jh. III, Stuttgart 1992; ders., Das Bildungsbürgertum als ständ. Vergesellschaftung, in: ebd., 9–18, u. in: ders., Demokratie in Deutschland, 303–14; F. Zunkel, Das Verhältnis des Unternehmertums zum Bildungsbürgertum zwischen Vormarz u. 1914, in: ebd., 82–101; G. L. Mosse, Jüd. Intellektuelle in Deutschland zwischen Religion u. Nationalismus, Frankfurt 1992; ders., Das deutsch-jüd. Bildungsbürgertum, in: Koselleck Hg., Bildungsbürgertum II, 168–80; P. Lundgreen, Wissen u. Bürgertum. Skizze eines histor. Vergleichs zwischen Preußen/Deutschland, Frankreich, England u. den USA, 18.–20. Jh., in: Siegrist Hg., 106–24; Siegrist, Bürgerl. Berufe: Die Professionen u. das Bürgertum, in: ebd., 11–48; G. Cocks u. K. H. Jarausch Hg., German Professions 1800–1950, N.Y. 1990. Zu spezifischen Fragen: R. vom Bruch, Vom Bildungsgelehrten zum wissenschaftl. Fachmenschentum. Zum Selbstverständnis deutscher Hochschullehrer im 19. u. 20. Jh., in: Fs. G. A. Ritter, München 1994, 582–600; U. Engelhardt, Das deutsche Bildungsbürgertum im Jh. der Nationalsprachenbildung, in: D. Cherubim u. K. J. Mattheier Hg., Voraussetzungen u. Grundlagen der Gegenwartssprache, Berlin 1989, 57–72; H. Bausinger, Volkskundl. Anmerkungen zum Thema «Bildungsbürger», in: Kocka Hg., Bildungsbürgertum IV, 206–14; G. Hübinger, Polit. Werte u. Gesellschaftsbilder des Bildungsbürgertums, in: NPL 32.1987, 189–210. Klarer Überblick: U. Haltern, Die Gesellschaft der Bürger, in: GG 19.1993, 100–34. – Der Intelligenz-Begriff scheint für vergleichende Studien nützlich zu sein. Die Spezifizierung für die deutschen Verhältnisse vom späten 18. bis ins frühe 20. Jahrhundert lenkt aber m.E. auf das Bildungsbürgertum hin. Vgl. E. Shils, Intellectuals, in: IESS 7.1968, 399–415; R. Michels, dass., in: ESS 8.1932, 118–26; T. Geiger, Intelligenz, in: HSW 5.1956, 302–4; ders., Aufgaben u. Stellung der Intelligenz in der Gesellschaft, Stuttgart 1949; zu flach und

plakativ: J. Kuczynski, Die Intelligenz, Köln 1987. – Eine mit K. Megners (Beamte. Wirtschafts- u. sozialgeschichtl. Aspekte des k. u. k. Beamtentums, Wien 1985) eindrucksvoller Analyse vergleichbare Bürokratiestudie gibt es für andere Staaten des Deutschen Bundes und Reiches noch nicht.

[8] Die preußischen Zahlen für 1870 nach den Quellen in Anm. 7. Schüler: D. K. Müller u. a. Hg., Sozialgeschichte u. Statistik des Schulsystems in den Staaten des Deutschen Reiches 1800–1945. Datenhandbuch zur deutschen Bildungsgeschichte II: Höhere u. mittlere Schulen, 1. Teil, Göttingen 1987, 191f., 197, 200, 207, 268, 275. – Studenten: S. Turner, Universitäten, in: HB III, 230; Jarausch, Neuhumanist. Universität, 16–24; Conrad, Universitätsstudium, 15; Eulenburg, Frequenz, 164f.; Titze, 205; Huerkamp, Aufstieg, 62 (von 1783 auf 3033 Medizinstudenten), 58, 64.

[9] Vgl. Bd. II, 175–85; I, 177–93. Übersicht 76: Ober- u. Mittelschichten bis 1848, in: II, 182. Zur stadtbürgerlichen Oberschicht und zur Bourgeoisie: II, 185–210 und vorn III.2 a. Vgl. als Beispiele: Croon, Rhein. Städte; Gall, Bürgertum (Mannheim); H.-W. Hahn, Altständ. Bürgertum zwischen Beharrung u. Wandel, Wetzlar 1689–1870, München 1991, 432–83 (nur knapper Ausblick auf 1849–1870); ders., Von der «Kultur der Bürger» zur «bürgerl. Kultur». Das Wetzlarer Bürgertum 1700–1900, in: R. van Dülmen Hg., Armut, Liebe, Ehre, Frankfurt 1988, 144–85; F.-M. Wiegand, Die Notabeln in Hamburg 1859–1919, Hamburg 1987; J. Reulecke, Städt. Bürgertum in der deutschen Frühindustrialisierung, in: M. Glettler u. a. Hg., Zentrale Städte u. ihr Umland, St. Katharinen 1985, 296–311; vgl. auch ders., Bildungsbürgertum u. Kommunalpolitik, in: Kocka Hg., Bildungsbürgertum IV, 122–45. – Zu dem bis heute umstrittenen «mittelständischen» Kleinbürgertum vgl. BSg, Nr. 29, 218–21; Nr. 30, 221–27; W. Steinmetz, Gemeineurop. Tradition u. nationale Besonderheiten im Begriff der Mittelklassen. Ein Vergleich zwischen Deutschland, Frankreich u. England, in: R. Koselleck u. K. Schreiner Hg., Bürgerschaft. Alteurop. u. moderne Bürgerschaft, Stuttgart 1994, 161–236; v. a. Haupt, Bedeutung des «Kleinbürgertums»; ders., Kleine u. große Bürger in Deutschland u. Frankreich am Ende des 19. Jh., in: Kocka Hg., Bürgertum im 19. Jh. II, 252–75; ders., La Petite Bourgeoisie en France et en Angleterre 1918–39, in: H. Möller Hg., Gefährdete Mitte? Mittelschichten u. bürgerl. Kultur 1918–39: Italien, Frankreich u. Deutschland, Sigmaringen 1993, 35–55; ders., La Petite Bourgeoisie, in: MS 108.1979, 11–20; ders. Hg., Radikale Mitte; ders. Hg., Bourgeois u. Volk zugleich? Zur Geschichte des Kleinbürgertums im 18. u. 19. Jh., Frankfurt 1978; G. Crossick u. ders. Hg., Shopkeepers and Master Artisans in 19th Century Europe; dies., Shopkeepers, Master Artisans and the Historian. The Petite Bourgeoisie in Comparative Focus, in: ebd., 3–31; Crossick, The Petite Bourgeoisie in 19th Century Europe, in: Tenfelde Hg., Arbeiter im Vergleich, 227–77. Vorzüglich ist: S. Schötz, Städt. Mittelschichten in Leipzig 1830–70, Diss. Leipzig 1985; vgl. dies., Zur Konstituierung «kleiner» Selbständiger während der bürgerl. Umwälzung in Leipzig, in: JbG 38.1989, 39–94; ganz schwach: T. Braatz, Das Kleinbürgertum in München 1830–70, München 1977; D. Blackbourn, Economic Crisis and the Petite Bourgeoisie in Europe During the 18th and 20th Centuries, in: SH 10.1985, 95–104; ders., Between Resignation and Volatility: The German Petite Bourgeoisie in the 19th Century, in: ders., Populists, 84–113, ist ebenso unscharf wie: B. Franke, Die Kleinbürger, Frankfurt 1988; A. Leppert-Fögen, Die deklassierte Klasse, ebd. 1974; F. Bechhofer u. B. Elliott Hg., The Petite Bourgeoisie, N. Y. 1981 (alle mit vagen, hochideologischen, historisch z. T. abwegigen Vorstellungen). Vgl. aber: E. Grünberg, Der Mittelstand in der kapitalist. Gesellschaft, Leipzig 1932; F. Puderbach, Die Entwicklung des selbständ. Mittelstandes seit Beginn der Industrialisierung in Deutschland, Diss. Bonn 1967, 53–87; Stearns. – Außer den bereits in Bd. I und II in den Anmerkungen genannten Stadtstudien vgl. z. B. noch: S. Schraut, Sozialer Wandel im Industrialisierungsprozeß: Esslingen 1800–70, Esslingen 1989; H. Tiessen, Industrielle Entwicklung, gesellschaftl. Wandel u. polit. Bewegung in einer württ. Fabrikstadt des 19. Jh.: Esslingen 1848–1914, ebd. 1982; R. Wiest, Stationen einer Residenzgesellschaft. Darmstadts soziale Entwicklung 1815–1939, Darmstadt 1978; P. R.

Preissler, Die sozialen u. gesellschaftl. (!) Strukturen im 19. Jh. am Beispiel Landshut, in: Fs. v. Stromer, 919–36; H. R. Alberg, Wirtschafts- u. Sozialgeschichte der Stadt Trier 1850–1914, Diss. Bonn 1972, 239–58; Sachse, Göttingen, 145–62. Allg. hierzu: Reulecke, Urbanisierung; Krabbe, Deutsche Stadt; H.-P. Schneider, Der Bürger zwischen Stadt u. Staat im 19. Jh., in: G. Dilcher Hg., Res publica. Bürgerschaft in Stadt u. Staat, Berlin 1988, 143–60; Heffter, 322–72, v. a. Walker, Home Towns, 405–31, der m. W. als einziger auf der richtigen Spur war, die Entstehung des Kleinbürgertums historisch angemessen zu verorten.

[10] Vgl. zu Preußen: Bd. II, 176f., 293–96; H. A. Mascher, Das Staatsbürger-, Niederlassungs- u. Aufenthaltsrecht sowie die Armengesetzgebung Preußens, Potsdam 1868; E. Bruch, Armenwesen u. Armengesetzgebung im Kgr. Preußen vor 1866, in: Emminghaus Hg., 25–67; Heffter, 332, 334, 330; zu den Gemeindeordnungen vorn: I.2. – Allg. Walker, Home Towns, 412–20, 424–31; Sartorius v. Waltershausen, Wirtschaftsgeschichte, 144f.; Rehm, Heimatrecht; ders., Eheschließung, in: HStW 3.1900², 287–89. – A. Herzog zu Sachsen, Die Reform der sächs. Gewerbegesetzgebung 1840–61, Diss. München 1970; P. Horster, Die Entwicklung der sächs. Gewerbeverfassung 1790–1861, Krefeld 1908, 111–22, 162. Bremen führte schon 1860 die Gewerbefreiheit ein, Böhmert, Zunftwesen, 58. – L. Köhler, Das württemberg. Gewerberecht 1805–70, Tübingen 1891, 218–37. – Gall, Liberalismus als regier. Partei, 176–80. – Popp, 128–37; H. Hesse, Die sog. Sozialgesetzgebung Bayerns Ende der 1860er Jahre, München 1971; vgl. Preissler, 319. – L. v. Stein, Das Gemeindewesen der neuern Zeit, in: DVS 1853/1, 73; anon. (i. e. H. Wagener), Bürger, Bürgerstand, Bürgertum, in: Staats- u. Gesellschaftslexikon 4.1860, 675; Huber Hg., Dokumente II, 228 (Verfassung), 240–42 (Freizügigkeit), 246f. (Gewerbefreiheit); W. Hardtwig, Bürgertum, Selbstverwaltung u. Staatsbürokratie im 19. Jh., in: Bürgertum u. Bürokratie im 19. Jh., Hg. Stifterverband für die deutsche Wissenschaft, o. O. 1988, 54f., 63; vgl. Sombart, Volkswirtschaft, 459. – Die bisher präziseste Bestimmung der zwischen städtischer Oberklasse und Kleinbürgertum seit der Jahrhundertmitte aufklaffenden Einkommensdifferenzen (dazu eingehend unten: 6. Teil, III.2!) findet sich in: R. Dumke, Income Inequality and Industrialization in Germany 1850–1913, Habil.-Schrift Münster 1987 (im Mittelpunkt: preußische Städte); ders., dass., in: Y. Brenner u. a. Hg., Income Distribution in Historical Perspective, Cambridge 1991, 117–48; ders., dass., in: Research in Economic History 11.1984, 1–47; vgl. R. A. Hannemann, Income Inequality and Economic Development in Great Britain, Germany, and France 1850–1970, in: Comparative Social Research 3.1980, 175–84. Schon die Zeitgenossen haben die zunehmende Disparität aufmerksam dokumentiert: F. J. Neumann, Zur Lehre von den Lohngesetzen, VII.3: Die Steigerung des Gegensatzes von Arm u. Reich in Preußen bis 1848, in: JNS 3. S. 4.1892, 366–97; A. Soetbeer, Das Gesamt-Einkommen u. dessen Verteilung im preuss. Staat, in: Der Arbeiterfreund 13.1875, 273–302; ders., Umfang u. Verteilung des Volkseinkommens im preuss. Staat, Berlin 1879; R. Michaelis, Die Gliederung der Gesellschaft nach dem Wohlstande aufgrund der neueren amtl. deutschen Einkommens- u. Wohnungsstatistik, Leipzig 1878; G. Schmoller, Die Einkommensverteilung in alter u. neuer Zeit, in: Sch. Jb. 19.1895, 1067–94; K. Nitschke, Einkommen u. Vermögen in Preußen, Jena 1902; K. Perls, Die Einkommensentwicklung in Preußen seit 1896, Berlin 1911; G. Büttner, Die Einkommensverteilung in Preußen aufgrund der Einkommenssteuerstatistik 1895–1910, Diss. Halle 1913; A. Friedmann, Die Wohlstandsentwicklung in Preußen 1891–1911, in: JNS 103.1914, 1–51. – Zur Mentalität des «Mittelstands» v. a. M. R. Lepsius, Extremer Nationalismus, Stuttgart 1966, 13–16 (danach die allg. Überlegungen), auch in: ders., Demokratie in Deutschland, 51–79; vgl. S. Ranulf, Moral Indignation and Middle Class Psychology (1938), N. Y. 1970³; zur Kontinuität: H. Daheim, Die Vorstellungen vom Mittelstand, in: KZfS 12.1960, 237–77.

[11] Vgl. hierzu Bd. II, 238–41. Zur «Bildung»: vorn 2 b; Bd. I, 210–17, Bd. II, 210–38; zum Liberalismus unten: IV. 5; Bd. II, 413–57; zum Nationalismus unten: IV.2b; Bd. I, 506–30; Bd. II, 394–412; Marx: Wehler, Sozialdemokratie, 21f.

[12] Vgl. hierzu Bd. II, 241–81; als besten Überblick über den Bund: v. Viebahn, 3 Bde; zu Preußen: Kocka, Schichtung, 369, 877, 380f. (hiernach Unterschichten im weiteren Sinn einschließlich der verarmten unteren Mittelschichten; im engeren Sinn: 72.4% der Erwerbstätigen, 58% (9.4 Mill.) der Bevölkerung); ausführlich: A. Kraus Bearb., Quellen zur Berufs- u. Gewerbestatistik Deutschlands 1816–75. Preuß. Provinzen, Boppard 1989, 380–94 (1849), 678–83 (1861); Reichsstatistik 1871 nach Tabellen in: Kiesewetter, Regionale Industrialisierung, 46–49. Vgl. allg. Kocka, Arbeitsverhältnisse; ders., Lohnarbeit; K. Tenfelde, Arbeiter, Arbeiterbewegung, in: van Dülmen Hg., Lexikon Geschichte, 120–31; ders., Sozialgeschichte u. vergleich. Geschichte der Arbeiter, in: ders. Hg., Arbeiter im Vergleich, 13–62; G. A. Ritter, Probleme der Erforschung von Arbeiterschaft u. Arbeiterbewegung in Deutschland vom Ende des 18. Jh. bis 1914, In: TAJb 16.1987, 369–97; Fischer, Industrialisierung u. soziale Frage, 223–60; J. Ehmer, Soziale Traditionen in Zeiten des Wandels. Arbeiter u. Handwerker im 19. Jh., Frankfurt 1993; z. T. überholt: W. Köllmann, Polit. u. soziale Entwicklung der deutschen Arbeiterschaft 1850–1914, in: VSWG 50.1963, 480–501, u. in: G. A. Ritter Hg., Die deutschen Parteien vor 1918, Köln 1973, 316–30; C. Sachße u. F. Tennstedt, Geschichte der Armenfürsorge in Deutschland I; II: 1871–1929, Stuttgart 1988; noch immer die klugen Beobachtungen in: Michels, Massenbewegungen, 241–359; Briefs, Proletariat; H. Herkner, Die wirtschaftl.-sozialen Bewegungen von der Mitte des 18. bis in die zweite Hälfte des 19. Jh., in: Propyläen-Weltgeschichte 7.1929, 331–406; ders., Volkswirtschaft u. Arbeiterbewegung 1850–90, in: ebd. 8.1930, 387–454; R. Broda u. J. Deutsch, Das moderne Proletariat, Berlin 1910; Sombart, Proletariat; ders., Sozialismus u. soziale Bewegung, 1896, 2 Bde, 1924[10] (= Der proletar. Sozialismus). – Anregend sind: J. Breuilly, The Making of the European Working Class, in: H. Konrad Hg., Probleme der Herausbildung u. polit. Formierung der Arbeiterklasse, Wien 1989, 1–19; ders., The Labour Aristocracy in Britain and Germany 1850–1914, in: Tenfelde Hg., Arbeiter im Vergleich, 179–226; E. Hobsbawm, Workers: Worlds of Labor, N. Y. 1984; ders., Labouring Men, ebd. 1967[2]; prätentiös und ungenau: R. J. Evans, The «Dangerous Classes» in Germany from the Middle Ages to the 20th Century, in: ders. Hg., The German Underworld, London 1988, 1–29; ders., The Sociological Interpretation of German Labor History (1982), in: ders., Rethinking German History, ebd. 1987, 191–220, und G. Eley, Joining Two Histories: The SPD and the German Working Class 1860–1914, in: ders., From Unification to Nazism, ebd. 1986, 171–99. Als Beispiel für die Perzeption: G. Schildt, Fortschrittsglaube oder Zukunftsangst. Die soziale Frage in der öffentl. Meinung des Herzogtums Braunschweig 1830–65, in: Braunschweig. Jb. 67.1986, 113–39. – Die Lit. in: Bd. II, 824–32, Anm. 32–46; BSg, Nr. 33, 236–54; Nr. 32, 230–35; Nr. 34, 254–58, und in den Bibliographien von Dowe Hg.; Ritter u. Tenfelde Hg. – Löhne: Bester Überblick z. Zt.: E. Wiegand, Zur histor. Entwicklung der Löhne u. Lebenshaltungskosten in Deutschland, in: ders. u. W. Zapf Hg., Wandel der Lebensbedingungen in Deutschland, Frankfurt 1982, 65–153, v. a. 65–119, 128–48; 129: Tab. 1, 130f., 134; vgl. ders., Zur histor. Entwicklung der Löhne u. Lebenshaltungskosten in Deutschland, in: HSR 19.1981, 18–41; dazu T. Pierenkemper, The Standard of Living and Employment in Germany 1850–1980, in: JEEH 16.1987, 51–73; ders., Labour Market, Labour Force, and the Standard of Living, in: Bade Hg., Population, 34–57; ders., Haushalt u. Verbrauch in histor. Perspektive, in: ders. Hg., dass., St. Katharinen 1987, 1–24; W. Abelshauser, Lebensstandard im Industrialisierungsprozeß. Brit. Debatte u. deutsche Verhältnisse, in: SM 16.1982/2, 71–92). Vgl. BSg, Nr. 18, 160–66; Nr. 19, 166–68. Für die Zeit bis 1870 liegen Kuczynskis umstrittene Berechnungen zugrunde (Lage der Arbeiter). Seine Indizes basieren auf Gewerkschaftsveröffentlichungen und Handelskammerberichten; sie sind inkonsistent im Hinblick auf Tariflöhne und tatsächliche Löhne; die Textil- und Nahrungsmittelindustrie ist nicht erfaßt; die landwirtschaftlichen Löhne sind geschätzt; die Heimarbeit bleibt unberücksichtigt; die Städte besitzen das Übergewicht; die Basis der Gewichtung ist unklar. Trotz der Mängel ermöglicht K. eine erste Orientierung. Von 1871 ab wird die statistische Grundlage besser. G. Bry (Wages in Germany 1871–1945, Princeton 1970[2],

325, 329, 335–55, 464f.; ders. u. C. Boschan, Secular Trends and Recent Changes in Real Wages and Wage Differentials in Three Western Countries: The United States, Great Britain and Germany, in: II. International Conference of Economic History II, Paris 1965, 175–208) geht freilich ähnlich wie K. vor. Der allgemeine Lohnindex von A. Desai (Real Wages in Germany 1871–1913, Oxford 1968) beruht dagegen auf der Statistik des Reichsversicherungsamts, d.h. auf den exakten Angaben der Berufsgenossenschaften; einige kritische Einwände und Korrekturen bei: T. Orsagh, Löhne in Deutschland 1871–1913, in: ZGS 125.1969, 467–83. Hoffmann (Wachstum) deckt sich mit Desais Ergebnissen. Alle fünf ergeben für die Zeit bis 1873 sehr ähnliche Verlaufskurven mit einem steilen Anstieg bis 1873. Vgl. Wiegand, 71–74, 76f. (4 Grafiken), 78f.; E. H. Phelps Brown u. S. V. Hopkins, The Course of Wage-Rates in Five Countries 1860–1939, in: OEP 2.1950, 232 (kommt für 1867–1874 auf 36%!), 258–62, 274; allg. P. Schollier Hg., Real Wages in 19th and 20th Century Europe, Oxford 1989; v. Tyszka; Grunzel, 121. – Krupp: R. Ehrenberg, Durchschnittsverdienste u. Verdienstklassen der Arbeiterschaft von A. Krupp in Essen 1845–1906, in: Thünen-Archiv 2.1909, 209, 211f. – Lebenshaltungskosten bis 1871 vorerst weiter nach: Kuczynski (Nahrungsmittel- und Mietpreise, so auch Bry); ab 1871: Desai (erweitert um Kleidung, Heizung, Licht); auch Orsagh; Hoffmann, Wachstum. Um Nominallöhne in Reallöhne umzurechnen, braucht man einen geeigneten Deflator. Das ist der Preisindex für Lebenshaltungskosten; sie wer- den zuerst aus durchschnittlichen Einzelhandelspreisen ermittelt, mit Hilfe eines «Warenkorbs» für einen meist vierköpfigen Arbeitnehmerhaushalt mit mittlerem Einkommen des Haushaltsvorstandes gewichtet und später – ergänzt durch Miete, Kleidungs-, Heizungs- und Beleuchtungskosten – zu dem Preisindex zusammengefaßt. Vgl. Wiegand, 81f., 90–103, 134, 139–45, 113–19 (Volkseinkommen seit 1850 nach Hoffmann, Wachstum; das nominale Wachstum stieg sogar um 140% von 1850 = 19 auf 1873 = 40 Indexeinheiten, ebd. 148). – Arbeitszeit: vgl. Meinert; Herkner, Arbeitszeit; P. Blyton, Changes in Working Time, London 1985; C. Deutschmann, Der Weg zum Normalarbeitstag. Die Entwicklung der Arbeitszeiten in der deutschen Industrie bis 1918, Frankfurt 1985; E. H. Phelps Brown u. M. H. Brown, Labor Hours: Hours of Work, in: IESS 8.1968, 487–91; W. Woytinski, Hours of Labor, in: ESS 7.1933, 478–93; vgl. auch H. Freudenberger, Das Arbeitsjahr, in: Fs. W. Abel II, Frankfurt 1974, 302–20.

[13] Vgl. B. Flohr, Arbeiter nach Maß. Die Disziplinierung der Fabrikarbeiterschaft während der Industrialisierung Deutschlands im Spiegel von Arbeitsordnungen, Frankfurt 1981; G. Beier, Das Problem der Arbeiteraristokratie im 19. u. 20. Jh., in: ders., Geschichte u. Gewerkschaft, Köln 1981, 127–32; v.a. J. Breuilly, Arbeiteraristokratie in Großbritannien u. Deutschland, in: Engelhardt Hg., Handwerker, 497–527; H. Schomerus, Saisonarbeit u. Fluktuation. Überlegungen zur Struktur der mobilen Arbeiterschaft 1850–1914, in: Conze u. Engelhardt Hg., Arbeiter, 113–18; K. Degen, Die Herkunft der Arbeiter in den Industrien Rheinland-Westfalens bis zur Gründerzeit, Diss. Bonn/Essen 1916; Ehrenberg, Durchschnittsverdienste, 209; ders., Die Frühzeit der Kruppschen Arbeiterschaft, in: Thünen-Archiv 3.1911, 36–69; ders. u. H. Racine, Kruppsche Arbeiterfamilien, in: ebd., Erg. H. 6.1912, 442–60; K. Tenfelde, Dienstmädchengeschichte. Strukturelle Aspekte im 19. u. 20. Jh., in: H. Pohl Hg., Die Frau in der deutschen Wirtschaft, Wiesbaden 1985, 105–26. Kinderarbeit: vgl. Bd. II, 254–58; A. Schäffle, Hausindustrie, in: Bluntschli u. Brater Hg., Staatswb. 5.1860, 7–12; M. Flecken, Arbeiterkinder im 19. Jh., Weinheim 1981; S. Quandt, Kinderarbeit u. Kinderschutz in Deutschland 1793–1976, Paderborn 1978. – Rothenbacher, 58f., 114f., 132, 139, 152, 170; H.-J. Teuteberg, Wie ernährten sich Arbeiter im Kaiserreich? in: Conze u. Engelhardt Hg., Arbeiterexistenz, 57–73. – Zum Wohnen vgl. BSg, Nr. 20, 168–70; E. Gransche u. F. Rothenbacher, Wohnbedingungen 1861–1910, in: GG 14.1988, 64–95; Niethammer Hg., Wohnen im Wandel; H. Schomerus, Die Wohnung als unmittelbare Umwelt. Unternehmer, Handwerker u. Arbeiterschaft einer württemberg. Industriestadt 1850–1900, in: ebd., 211–32; VfS Hg., Wohnungsnot; ders. Hg., Neue Untersuchungen über die Wohnungsfrage in Deutschland, 4 Bde, Leipzig 1901; Knies,

Wohnungsnotstand; Sax, Wohnungszustände. – D. Hoffmeister, Arbeiterfamilienschicksale im 19. Jh., Marburg 1984; Emmerich Hg.; B. Balkenhol, Armut u. Arbeitslosigkeit in der Industrialisierung, Düsseldorf 1850–1900, Düsseldorf 1976; P. Ballin, Der Haushalt der arbeitenden Klassen, Berlin 1883; Bruch, Armenwesen; Baumstark; s. auch: A. Heggen, Alkohol u. bürgerl. Gesellschaft im 19. Jh., Berlin 1988. – Imhof, Gewonnene Jahre, 116, 135f. Vgl. allg. Frevert, Krankheit als polit. Problem; dies., Akadem. Medizin u. soziale Unterschichten im 19. Jh., in: Jb. des Instituts für Geschichte der Medizin der R. Bosch-Stiftung 4.1987, 42–59. Allg. zur Arbeiterkultur: Kocka Hg., Arbeiterkultur; Ritter Hg., dass.; K. Tenfelde, Anmerkungen zur Arbeiterkultur, in: W. Ruppert Hg., Erinnerungsarbeit, Opladen 1982, 107–34; W. Kaschuba, Die Kultur der Unterschichten im 19. u. 20. Jh., München 1990; D. Kramer, Theorien zur histor. Arbeiterkultur, Marburg 1987; D. Mühlberg Hg., Proletariat in Kultur u. Lebensweise im 19. Jh., Leipzig 1986; A. Lehmann, Studien zur Arbeiterkultur, München 1984; H. Dehne, Aller Tage Leben. Zu neueren Forschungsansätzen im Beziehungsfeld von Alltag, Lebensweise u. Kultur der Arbeiterklasse, in: Jb. für Volkskunde u. Kulturgeschichte 28.1985, 9–48.

[14] MEW 4.1959, 181; Riehl, Bürgerl. Gesellschaft, 278; P. Lundgreen, Die Eingliederung der Unterschichten in die bürgerl. Gesellschaft durch das Bildungswesen im 19. Jh., in: IASL 3.1978, 89; vgl. R. Michels, Beitrag zur Lehre von der Klassenbildung (1922), in: Seidel u. Jenkner Hg., 157, 176f.; Huber Hg., Dokumente II, 6f.; vgl. I, 136; A. Hueber, Das Vereinsrecht im Deutschland des 19. Jh., in: Dann Hg., Vereinswesen, 115–32; P. Kögler, Arbeiterbewegung u. Vereinsrecht, Berlin 1974; J. Breuilly, Civil Society and the Labour Movement. Class Relations and the Law, in: Kocka Hg., Arbeiter u. Bürger, 287–318; C. Eisenberg, Arbeiter, Bürger u. der «bürgerl. Verein» 1820–70, in: Kocka Hg., Bürgertum im 19. Jh. II, 187–219; Roscher, Industrie, 735. – Vgl. Bd. II, 731–35; Beier, Schwarze Kunst; H. Müller, Die Organisation der Lithographen, Steindrucker u. verwandten Berufe, Berlin 1917/ND ebd. 1978; W. Frisch, Die Organisationsbestrebungen der Arbeiter in der Tabakindustrie, Jena 1905; Balser I, 239–496 (dort auch Berichte der 50er Jahre); II, 550, 597f. – Vgl. Bd. II, 431–40; H. Förder u. a. Hg., Der Bund der Kommunisten II: 1849–52, Berlin 1982; Obermann, dass., 117–30; die Schlußteile von: M. Hundt Hg., dass. 1836–52, ebd. 1988; W. Schmidt Hg., Der Auftakt der deutschen Arbeiterbewegung 1836–52, ebd. 1987, und natürlich K. Marx, Enthüllungen über den Kommunisten-Prozeß zu Köln (1853), in: MEW 8.1960, 409–70. – Vgl. Schraepler, Handwerkerbünde, 350–518; Dowe, Aktion, 235–92; Wachenheim, 54–153; Conze u. Groh, 41–86; Mayer, Engels I, 351–72; II, 1–209; S. Na'aman, Zur Entstehung der deutschen Arbeiterbewegung 1830–68, Hannover 1978; H. Grebing, Geschichte der deutschen Arbeiterbewegung, München 1970²; unhistorisch abwertend: R. W. Reichard, Crippled From Birth. German Social Democracy 1844–70, Ames 1969; mit der typisch orthodox marxistischen Verfälschung, die Parteigeschichte erst mit der Eisenacher Partei von 1869 beginnen zu lassen, aber informativ: D. Fricke Hg., Hdb. zur Geschichte der deutschen Arbeiterbewegung 1869–1917 I, Berlin 1987. – Zur Repression: H.-G. Haupt, Staatl. Bürokratie u. Arbeiterbewegung. Zum Einfluß der Polizei auf die Konstituierung der Arbeiterbewegung u. Arbeiterklasse in Deutschland u. Frankreich 1848–80, in: Kocka Hg., Arbeiter u. Bürger, 219–54; Siemann, Deutschlands Ruhe; ders., Polizeiverein. – Zur Sozialismus-Diskussion: Schieder, Sozialismus; ders., Kommunismus; H. Weber, Sozialismus, Kommunismus, in: van Dülmen Hg., Lexikon Geschichte, 290–300; Roscher, Industrie, 721.

[15] K. Tenfelde, Die Entstehung der deutschen Gewerkschaftsbewegung. Vom Vormärz bis zum Ende des Sozialistengesetzes, in: U. Borsdorf Hg., Geschichte der deutschen Gewerkschaften, Köln 1987, 19, 96, 94–96, 101; ders., Zur Bedeutung der Arbeitskämpfe für die Entstehung der deutschen Gewerkschaften, in: Matthias u. Schönhoven Hg., 26f.; vgl. ders., Konflikt u. Organisation in der Frühgeschichte der deutschen Gewerkschaftsbewegung, in: W. J. Mommsen u. H.-G. Husung Hg., Auf dem Wege zur Massengewerkschaft 1880–1914, Stuttgart 1984, 256–76; ders., Arbeiterschaft, Arbeitsmarkt u. Kommu-

nikationsstrukturen im Ruhrgebiet in den 1850er Jahren, in: AfS 16.1976, 1–60; vgl. BSg, Nr. 38, 283–86; Nr. 37, 277–83. – F. Heintzenberg Hg., Aus einem reichen Leben. W. v. Siemens in Briefen, Stuttgart 1953, 262 (an Borsig, 20. 10. 1873, Klage über Arbeiterwechsel); L. Machtan, «Im Vertrauen auf unsere gerechte Sache...». Streikbewegungen der Industriearbeiter in den 1870er Jahren, in: K. Tenfelde u. H. Volkmann Hg., Streik, München 1981, 64, 53f., 71 (Oberschles. Verein und Concordia 15. 11. 1870), 65–70; vgl. ders., Zur Streikbewegung der deutschen Arbeiter in den Gründerjahren 1871–73, in: IWK 14.1978, 423, 420; ausführlich: U. Engelhardt, Gewerkschaftl. Interessenvertretung als «Menschenrecht» 1862–69, in: Fs. Conze, 538–98, sowie mit detailfreudiger Gelehrsamkeit seine grundlegende Monographie: «Nur vereinigt sind wir stark». Die Anfänge der deutschen Gewerkschaftsbewegung 1862/63, 2 Bde, Stuttgart 1977; D. Dowe, Legale Interessenvertretung u. Streik, Lennep 1850, in: Tenfelde u. Volkmann Hg., 31; Köllmann Hg., Wuppertaler Färbergesellen-Streiks; T. Offermann, Arbeiterbewegung u. liberales Bürgertum in Deutschland 1850–63, Berlin 1979, 146–53; E. Gruner, Der Klassenkampf als formendes Element der neuesten Geschichte, in: Schweizer Beiträge zur Allg. Geschichte 18./19.1960/61, 475–506; A. Bebel, Aus meinem Leben I, Stuttgart 1910/ND Berlin 1986, 64; Offermann, 268f., 515f. – Durch Tenfelde, Entstehung; Engelhardt, Nur vereinigt, und Offermann sind alle älteren Darstellungen über die Frühzeit überholt, auch z. B. W. Kulemann, Die Berufsvereine, 6 Bde, Jena 1908; S. Nestriepke, Die Gewerkschaften, 3 Bde, Stuttgart 1919–21; K. Fugger, Geschichte der deutschen Gewerkschaftsbewegung, Berlin 1971[2]; F. J. Furtwängler, Die Gewerkschaften, Hamburg 1956; dogmatisch völlig verzerrt: W. Ettelt u. H. D. Krause, Der Kampf um eine marxist. Gewerkschaftspolitik in der deutschen Arbeiterbewegung 1868–78, Berlin 1975; W. Schröder, Partei u. Gewerkschaften. Die Gewerkschaftsbewegung in der Konzeption der revolutionären Sozialdemokratie 1868/69–93, ebd. 1975; ders., Klassenkämpfe u. Gewerkschaftsarbeit. Die Herausbildung u. Konstituierung der gesamtnationalen deutschen Gewerkschaftsbewegung, ebd. 1965.

[16] Vgl. F. Lassalle, Ges. Reden u. Schriften, Hg. E. Bernstein, 12 Bde, Berlin 1919–20; ders., Nachgelass. Briefe u. Schriften, 6 Bde, Hg. G. Mayer, Stuttgart 1921–25/ND Osnabrück 1967; H. Mommsen, F. Lassalle, in: SDG 3.1969, 1332–73; S. Na'aman, dass., Hannover 1970; ders. u. H.-P. Hartstick Hg., Die Konstituierung der deutschen Arbeiterbewegung 1862/63, Assen 1975; ders., Demokrat. u. soziale Impulse in der Frühgeschichte der deutschen Arbeiterbewegung 1862/63, Wiesbaden 1969; D. Dowe Hg., Protokolle u. Materialien des ADAV, Berlin 1980; A. Herzig, Der ADAV, ebd. 1979; C. Stephan, «Genossen, wir dürfen uns nicht von der Geduld hinreißen lassen!» Aus der Geschichte der Sozialdemokratie 1862–78, Frankfurt 1977; T. Offermann, Das liberale Vereinsmodell als Organisationsform der frühen deutschen Arbeiterbewegung der 1860er Jahre, in: A. Herzig u. G. Trautmann Hg., «Der kühnen Bahn nur folgen wir...» Ursprünge, Erfolge u. Grenzen der Arbeiterbewegung in Deutschland I, Hamburg 1989, 39–62; R. Boch, Die Entstehungsbedingungen der deutschen Arbeiterbewegung, in: ebd., 103–19; D. Dowe, Einige Bemerkungen zur Berufsstruktur des Lassalleschen ADAV Ende der 1860er Jahre, in: ebd., 135–47; C. Eisenberg, Chartismus u. ADAV, in: ebd., 151–70; verbohrt: H. Hümmler, Opposition gegen Lassalle. Die revolutionäre proletar. Opposition im ADAV 1862/63–66, Berlin 1963. Vgl. außer den allgemeinen Darstellungen in Anm. 12 und 14 nur noch: C. Landauer, European Socialism, 2 Bde, Los Angeles 1959; inzwischen unbrauchbar: W. Abendroth, Sozialgeschichte der europ. Arbeiterbewegung, Frankfurt 1965; s. dagegen: J. Kocka Hg., Europ. Arbeiterbewegungen im 19. Jh., Göttingen 1983; T. Meyer u. a. Hg., Geschichte der deutschen Arbeiterbewegung, 3 Bde, Bonn 1984; F. Osterroth u. D. Schuster, Chronik der deutschen Sozialdemokratie, Berlin 1978[2]; ders. Hg., Biograph. Lexikon des Sozialismus I, Hamburg 1960; Geschichte der deutschen Arbeiterbewegung, Biograph. Lexikon, Berlin 1970; H. Zwahr, Arbeiterbewegung in Deutschland innerhalb der Trias von kapitalabhängigem Handwerk, Manufaktur u. Fabrik, in: Herzig u. Trautmann Hg. I, 120–34; D. G. Lang, The German Labor Movement 1848–1919, in: ESR

6.1976, 297–330. – Tenfelde, Entstehung, 103. – R. Aldenhoff, Schulze-Delitzsch, Baden Baden 1984 (mit der gesamten Lit., vgl. nur W. Conze, Möglichkeiten u. Grenzen der liberalen Arbeiterbewegung. Das Beispiel Schulze-Delitzsch, Heidelberg 1965); G. Fesser, Linksliberalismus u. Arbeiterbewegung. Die Stellung der Deutschen Fortschrittspartei zur Arbeiterbewegung 1861–66, Berlin 1976. – A. M. Birke, Bischof Ketteler u. der deutsche Liberalismus, Mainz 1971; L. Lenhart, Bischof Ketteler, 3 Bde, Mainz 1966–68; O. Pfülf, Bischof v. Ketteler, ebd. 1909; F. Vigener, Ketteler, München 1924. – VDAV: S. Na'aman Hg., Von der Arbeiterbewegung zur Arbeiterpartei. Der 5. Vereinstag des ADAV zu Nürnberg 1868, Berlin 1976; E. Eyck, Der VDAV 1863–68, ebd. 1904; K. Gerteis, L. Sonnemann, Frankfurt 1970. – Zu den «Eisenachern» die allgemeinen Darstellungen in Anm. 12, 14, 16, sowie B. Seebacher-Brandt, Bebel, Berlin 1988; einseitige Kanonisierung bei K. H. Leidigkeit, W. Liebknecht u. A. Bebel in der deutschen Arbeiterbewegung 1862–69, ebd. 1957; G. Benser, Zur Herausbildung der Eisenacher Partei 1855–69, ebd. 1956. – G. Mayer, Die Trennung der proletar. von der bürgerl. Demokratie in Deutschland 1863–70 (1912), in: ders., Radikalismus, 108–78; Die Erste Internationale in Deutschland 1864–72, Berlin 1964; S. Armstrong, The Internationalism of the Early Social Democrats of Germany, in: AHR 47.1942, 245–58. Vgl. v. a. J. Breuilly, Liberalismus oder Sozialdemokratie? Ein Vergleich der brit. u. deutschen polit. Arbeiterbewegung 1850–75, in: Kocka Hg., Arbeiterbewegungen, 129–66; ders., Liberalism or Social Democracy, in: EHQ 15.1985, 3–42, zusammenfassend ders., Labour and Liberalism in 19th Century Europe. Essays in Comparative History, Manchester 1992, und unten IV.5.

[17] Tenfelde, Entstehung, 103, 106–14. Zur Kontroverse die Lit. in Anm. 12, 14, 16, und zuletzt R. Boch, Zunfttradition u. frühe Gewerkschaftsbewegung, in: Wengenroth Hg., 37–69; J. Breuilly, Artisan Economy, Artisan Politics, Artisan Ideology: The Artisan Contribution to the 19th Century European Labour Movement, in: C. Emsley u. J. Walvin Hg., Artisans, Peasants, and Proletarians 1760–1860, London 1985, 187–225. Grundlegend für den Vorrang der Politik: Eisenberg, Gewerkschaften (mit der Lit.); vgl. Engelhardt, Nur vereinigt. – Reulecke, Anfänge, 40–52; V. Hentschel, Die deutschen Freihändler u. der Volkswirtschaftl. Kongreß 1858–85, Stuttgart 1975, 188–92; R. Zeise, Kongreß deutscher Volkswirte 1858–85, in: LP 4, 278–81; Engelhardt, Interessenvertretung. – G. Trautmann, Gewerkschaften ohne Streikrecht. Lohntheorie u. Koalitionstheorie in Deutschland 1861–78, in: Fs. Conze, 472–537; H. Anders, Zur Geschichte des Kampfes um die Koalitionsfreiheit in Deutschland in den 1860er Jahren, in: Beiträge zur Geschichte des Bergbaus, Hüttenwesens u. der Montanwissenschaften II, Leipzig 1965, 75–115; E. Krahl, Die Entstehung der Gewerbeordnung 1869, Diss. Jena 1937; T. P. Berger u.a. Hg., Gewerbeordnung für das Deutsche Reich, Berlin 1902[16], z.B. 498f. – Engelhardt, Nur vereinigt I, 265f.; Beier, Schwarze Kunst, 346f., 376f.; Müller, Lithographen; Frisch, Tabakindustrie; E. Bernstein, Die Schneiderbewegung in Deutschland I, Berlin 1913; vgl. A. Bringmann, Geschichte der deutschen Zimmererbewegung I, Berlin 1905/ND ebd. 1981; allg. informativ: W. Albrecht, Fachverein-Berufsgewerkschaft-Zentralverband. Organisationsprobleme der deutschen Gewerkschaften 1870–90, Bonn 1982. Vgl. die Vielzahl der älteren und neueren Lokal- und Berufsgruppenstudien (ihr Reichtum wird deutlich aus den Bibliographien von Dowe Hg. und Ritter u. Tenfelde Hg.), wie z.B. Tenfelde, Bergarbeiter; G. D. Feldman u. ders. Hg., Arbeiter, Unternehmer u. Staat im Bergbau, München 1989; K. Hartmann, Der Weg zur gewerkschaftl. Organisation. Bergarbeiterbewegung u. kapitalist. Bergbau im Ruhrgebiet 1851–89, ebd. 1977; K. M. Mallmann u. H. Steffens, Lohn der Mühen. Geschichte der Bergarbeiter an der Saar, ebd. 1989; U. Zumdick, Hüttenarbeiter im Ruhrgebiet. Die Belegschaft der Phönix- Hütte in Duisburg-Laar 1853–1914, Stuttgart 1990; H. Bürger, Die Hamburger Gewerkschaften u. deren Kämpfe 1865–89, Hamburg 1889; H. Laufenberg, Die Geschichte der Arbeiterbewegung in Hamburg I, ebd. 1911/ND Bonn 1977; W. Breunig, Soziale Verhältnisse der Arbeiterschaft u. sozialist. Arbeiterbewegung in Ludwigshafen 1869–1919, Ludwigshafen 1976; H. Eckert, Liberal- oder Sozialdemokratie? Frühgeschichte der Nürnberger Arbeiterbewe-

gung, Stuttgart 1968; G. Gartner, Die Nürnberger Arbeiterbewegung 1868–1908, Nürnberg 1908/ND Bonn 1977; T. Müller, Die Geschichte der Breslauer Sozialdemokratie I, Breslau 1925/ND Glashütten 1972. Besonders gelungen zum Handwerker-Arbeiter-Problem: W. Renzsch, Handwerker u. Lohnarbeiter in der frühen Arbeiterbewegung, Göttingen 1980.

[18] Tenfelde, Entstehung, 114–22; Engelhardt, Nur vereinigt I, 492; W. Ettelt u. H. D. Krause, Zur Rolle der Gewerkschaftsbewegung bei der Herausbildung der «Eisenacher» Partei, in: Bartel u. Engelberg Hg., Die großpreuß.-militarist. Reichsgründung 1871 I, 552–97; dies., Kampf, 193f.; W. Schröder, Partei, 50–56; G. Mayer, J. B. v. Schweitzer u. die Sozialdemokratie, Jena 1909/ND Glashütten 1970; Engelhardt, Nur vereinigt II, 1071f.; vgl. K. Goldschmidt, Die deutschen Gewerkvereine (Hirsch-Duncker), Berlin 1907; W. Gleichauf, Geschichte des Verbandes der deutschen Gewerkvereine (Hirsch-Duncker), ebd. 1907; R. Giersch u. a., Verband der Deutschen Gewerkvereine (Hirsch-Duncker) 1869–1933, in: LP 4, 211–47 (eine neue Darstellung fehlt); U. Engelhardt, Zur Verhaltensweise eines sozialen Konflikts: Waldenburger Streik 1869, in: O. Neuloh Hg., Soziale Innovation u. sozialer Konflikt, Göttingen 1977, 69–94; M. Plötz, Zur Geschichte der Lage u. des Kampfes der Bergarbeiter im niederschles. Steinkohlenrevier 1868–1902, Diss. Freiberg 1971; M. Schneider, Christl. Arbeiterbewegung in Europa, in: Tenfelde Hg., Arbeiter im Vergleich, 477–505; vgl. allg. E. Schraepler, Linksliberalismus u. Arbeiterschaft in der preuß. Konfliktzeit, in: Fs. F. Hartung, Berlin 1958, 385–401.

[19] Vgl. Conze u. Groh; Wehler, Sozialdemokratie, 17–48; H.-J. Steinberg, Sozialismus, Internationalismus u. Reichsgründung, in: T. Schieder u. E. Deuerlein Hg., Reichsgründung 1870/71, Stuttgart 1970, 319–44; Tenfelde, Entstehung, 123–31; L. Machtan, Vertrauen, 53; ders., Streiks u. Aussperrungen im Deutschen Kaiserreich 1871–75, Berlin 1984, 487–93; ders., Streiks im frühen Deutschen Kaiserreich, Frankfurt 1983; ders., «Gibt es kein Preservativ, um diese wirtschaftl. Cholera uns vom Halse zu halten?» Unternehmer, bürgerl. Öffentlichkeit u. preuß. Regierung gegenüber der ersten großen Streikwelle in Deutschland 1869–74, in: Jb. Arbeiterbewegung, ebd. 1981, 54–100; Tenfelde, Bergarbeiter, 133–92; im Vergleich damit fallen ab: D. Milles, «aber es kam kein Mensch nach den Gruben, um anzufahren». Arbeitskämpfe der Ruhrbergarbeiter 1867–78, ebd. 1983; R. Ott, Kohle, Stahl u. Klassenkampf. Montanindustrie, Arbeiterschaft u. Arbeiterbewegung im Osnabrücker Land 1857–78, ebd. 1982. Vgl. allg. zu den Streiks: D. Geary, Protest and Strike. Recent Research on «Collective Action» in England, Germany, and France, in: Tenfelde Hg., Arbeiter u. Arbeiterbewegung, 363–87; A. Herzig, Unterschichtenprotest in Deutschland 1790–1870, Göttingen 1988; H. Volkmann, Modernisierung des Arbeitskampfes? Zum Formenwandel von Streiks u. Aussperrung in Deutschland 1864–1975, in: Kaelble u. a. Hg., Modernisierung, 110–70; Tenfelde u. ders. Hg., Streik; G. J. L. Knowles, Strikes, in: IESS 8.1968, 500–06; K. Oldenberg, Arbeitseinstellung, in: HStW 1.1909³, 297–364; Trautmann; Engelhardts und Machtans Studien; überholt ist: W. Steglich, Eine Streiktabelle für Deutschland 1864–89, in: JbW 1960/II, 235–83. – Machtan, Streikbewegung, 422, 426, 436; Rodbertus zit. in: H. Dietzel, Bismarck, in: HStW 3.1909³, 65; K. Rodbertus-Jagetzow, Briefe u. sozialpolit. Aufsätze, Hg. R. Meyer, I, Berlin 1882, 136 (R. an Meyer, 29. 11. 1871), vgl. II, 400 (R. an M., 6. 3. 1875); vgl. R. Muziol, K. Rodbertus, Jena 1927.

[20] Mommsen Hg., Parteiprogramme, 313f., vgl. 314–31; K. Marx, Randglossen zum Programm der deutschen Arbeiterpartei (1875), in: MEW 19.1962, 15–32, dazu Marx an W. Bracke, 5. 5. 1875, ebd., 13f., u. Engels an Bebel, 18./28. 3. 1875, ebd., 3–9. Vgl. allg. Vranicki, Marxismus I, 19–351; L. Kolakowski, Die Hauptströmungen des Marxismus I, München 1977; Lichtheim, Marxism; A. G. Meyer, dass., Ann Arbor 1969³; I. Fetscher Hg., Der Marxismus, Frankfurt 1967²; Avineri, Marx; R. C. Tucker, Philosophy and Myth in K. Marx, Cambridge 1961; ders., The Marxian Revolutionary Idea, N. Y. 1970; R. N. Hunt, The Political Ideas of Marx and Engels II: 1850–95, Pittsburgh 1984; Mayer, Engels II; zum Eindringen des Marxismus in die deutsche Arbeiterbewegung; H. J. Steinberg, Sozialismus u. deutsche Sozialdemokratie, Berlin 1979⁵.

[21] Thadden nach: K. Feigelmann, R. H. Meyer, Diss. Leipzig, Würzburg 1933, 13. Vgl. zum Adel zuerst Bd. II, 145–61, 813–15; BSg, Nr. 23, 177–85; Nr. 22, 172–77; Nr. 54, 331 f. Aus der wichtigsten Literatur v. a.: Reif, Westfäl. Adel; Rosenberg, Pseudodemokratisierung; Carsten, Junker; Schissler, dass.; Gollwitzer, Standesherrn; Schier, dass.; Neth, dass.; Harnisch, Boitzenburg; v. Preradovich; Izenberg; Mosse, Adel u. Bürgertum; Henning Hg., Quellen, 27–55; Siemann, Gesellschaft 136–45; informativer Vergleich: D. Lieven, The Aristocracy in Europe 1815–1914, London 1992; vgl. auch M. L. Bush, European Nobility II: Rich Noble, Poor Noble, Manchester 1988. Weiter zur Zeit nach 1849: H. Reif, Der Adel in der modernen Sozialgeschichte, in: Schieder u. Sellin Hg. IV, 34–60; fünf neuere Sammelbände: Ecole Française en Rome Hg., Les noblesses européennes au XIX siècle, Rom 1988; A. v. Reden-Dohna u. R. Melville Hg., Der Adel an der Schwelle des bürgerl. Zeitalters 1780–1860, Wiesbaden 1988; H.-U. Wehler, Europ. Adel 1750–1950 (= GG SoH. 13), Göttingen 1990; H. Feigl u. W. Rosner Hg., Adel im Wandel, Wien 1991; E. Fehrenbach Hg., Adel u. Bürgertum in Deutschland 1770–1848, München 1994. – V. Press, Adel im 19. Jh. Die Führungsschichten Alteuropas im bürgerl. Zeitalter, in: v. Reden-Dohna u. Melville Hg., 1–19; R. Braun, Konzeptionelle Bemerkungen zum Obenbleiben: Adel im 19. Jh., in: Wehler Hg., Adel, 87–95; C. Dipper, La noblesse, 165–97; ders., Adelsliberalismus in Deutschland, in: Langewiesche Hg., Liberalismus im 19. Jh., 172–92; K. Möckl Hg., Hof u. Hofgesellschaft in den deutschen Staaten des 19. Jh., Boppard 1990; ders., Der deutsche Adel u. die fürstl.-monarch. Höfe 1750–1918, in: Wehler Hg., Adel, 96–111; M. Brunner, Die Hofgesellschaft. Die führende Gesellschaftsschicht Bayerns während der Regierungszeit König Maximilians II., München 1987; E. H. Eltz, Die Modernisierung einer Standesherrschaft. Karl Egon III. u. das Haus Fürstenberg nach 1848/49, Sigmaringen 1980; W. S. Kircher, Adel, Kirche u. Politik in Württemberg 1830–51, Göppingen 1973; W. Demel, Der bayer. Adel 1750–1871, in: Wehler Hg., Adel, 126–43; G. Heisch, Privilegien u. Recht von 1775 bis zur Gegenwart. Geschichte der Schleswig-Holstein. Ritterschaft IV, Neumünster 1966; G. W. Pedlow, The Survival of the Hessian Nobility 1770–1870, Princeton 1988; ders., Der kurhess. Adel im 19. Jh. – eine anpassungsfähige Elite, in: v. Reden-Dohna u. Melville Hg., 271–84; R. H. Berdahl, Prussian Aristocracy and Conservative Ideology, in: Social Science Information 15.1976, 583–99; S. D. Bowman, Masters and Lords. U. S.-Planters and Prussian Junkers, Oxford 1993; H. Reif, «Erhaltung adeligen Stammes u. Namens». Adelsfamilie u. Statussicherung im Münsterland 1770–1914, in: Bulst u. a. Hg., 275–308; ders., Adelserneuerung u. Adelsreform in Deutschland 1815–74, in: Fehrenbach Hg., 20–331; F. Stern, Prussia, in: D. Spring Hg., European Landed Elites in the 19th Century, Baltimore 1977, 45–67; F. L. Carsten, Der preuss. Adel in Staat u. Gesellschaft bis 1945, in: Wehler Hg., Adel, 112–25; S. Baranowski, Continuity and Contingency: Agrarian Elite, Conservative Institutions, and East Elbia in Modern German History, in: SH 12.1987, 285–308; A. Richards, The Political Economy of Gutsherrschaft: A Comparative Analysis of East Elbian Germany, Egypt, and Chile, in: CSSH 21.1979, 483–518; I. Buchsteiner, Großgrundbesitz im Pommern 1871–1914, in: ZfG 37.1989, 327–36; dies., Soziale Struktur, ökonom. Struktur u. polit. Rolle des Großgrundbesitzes 1871–1917 (Pommern), Diss. Rostock 1988; T. Pierenkemper, Unternehmeraristokraten in Schlesien, in: Fehrenbach Hg., 129–57; J. Laubner, Die Stellung der schles. Junker im Deutschen Kaiserreich 1871–1917/18, Diss. Halle 1982; ganz politikgeschichtlich: W. Schröder, Junktertum u. preuss.-deutsches Reich 1871–73, in: Bartel u. Engelberg Hg. II, 170–234; blaß-bieder: S. Wehking, Zum polit. u. sozialen Selbstverständnis preuss. Junker 1871–1914, in: BDL 121.1985, 395–448; vgl. allg. C. Arnke, Untersuchungen zur Demographie des niederen Adels in Deutschland im 19. Jh., Diss. Düsseldorf 1984. Orthodox borniert: Machtan u. Milles; apologetisch gestimmte Anekdotensammlung ohne analytische Kategorien: J. Rogalla v. Bieberstein, Adelsherrschaft u. Adelskultur in Deutschland, Frankfurt 1991[2]; unbrauchbare Politikgeschichte: F. W. v. Oertzen, Junker. Preuss. Adel im Jh. des Liberalismus, Oldenburg 1939, 193–276. Ohne neue Perspektiven: A. M. Birke u. a. Hg., Bürgertum, Adel u. Monarchie,

Göttingen 1989; H. v. Arnim, Märk. Adel, Berlin 1989². Anregend noch immer: Michels, Widerstandsfähigkeit; G. Simmel, Exkurs über den Adel, in: ders., Soziologie, Leipzig 1908, 732–46/ND Frankfurt 1991; R. Girtler, Adel zwischen Tradition u. Anpassung, in: W. Lipp Hg., Kulturtypen, Kulturcharaktere, Berlin 1987, 187–203. Für den hier nicht durchführbaren Vergleich s. für diese Zeitspanne wegen der wichtigsten Referenzgesellschaft den vorzüglichen Aufsatz von H.-C. Schröder, Der engl. Adel, in: v. Reden-Dohna u. Melville Hg., 21–88; G. Lottes; Sozialgeschichte Englands 1688–1988, Frankfurt 1995; A. Briggs, A Social History of England, London 1987; Perkin, Origins; W. L. Guttsman Hg., The English Ruling Class, ebd. 1969; v. a. L. u. J. C. F. Stone, An Open Elite? England 1540–1880, Oxford 1986² (überzeugend gegen den bisher unausrottbaren Mythos der «offenen» englischen Aristokratie!); G. E. Mingay, The Gentry. The Rise and Fall of a Rural Class, London 1976; Thompson, English Landed Society, 1971; ders., dass., in: P. Thane u. a. Hg., The Power of the Past (= Fs. E. Hobsbwam), Cambridge 1984, 195–214; ders., Britain, in: Spring Hg., 22–44. – Vgl. außerdem die neuen Adelsstudien von: H. Stekl (Österreich. Hocharistokratie); W. Mager (Von der Noblesse zur Notabilité); H.-G. Haupt (Der Adel in einer entadelten Gesellschaft, Frankreich seit 1830); J. Petersen (Italien. Adel 1861–1946); M. G. Müller (Poln. Adel 1750–1863); M. Hildermeier (Russ. Adel 1700–1917), in: Wehler Hg., Adel; von H. C. Feigl (Niederösterreich. Adel 1780–1861); M. Myka (Böhm. Adel); J. Jedlicki (Poln. Adel bis 1863); I. Wellmann (Ungar. Adel 1760–1860), in: v. Reden-Dohna u. Melville Hg.; über den französischen, englischen und italienischen Adel, in: Les noblesses, 81–104, 121–35, 199–226, 255–65, 267–96, 297–332, 379–471, 551–58, 577–605.

[22] Weber, Entwicklungstendenzen, 471; vgl. M. Riesebrodt, Vom Patriarchalismus zum Kapitalismus. M. Webers Analyse der Transformation der ostelb. Agrarverhältnisse, in: KZfS 37.1985, 546–67; Stahl, Rechtsphilosophie II/2, 1856³, 112. Stahl, der den Konservativen den Weg zum Verfassungsstaat geebnet hatte, forderte, der Adel solle «jetzt nicht ein herrschender Stand, sondern nur ein in der Landesvertretung ausgezeichneter Stand sein», ebd. 110; vgl. W. Füssl, Professor in der Politik: F. J. Stahl 1802–61, Göttingen 1988; v. Ungern-Sternberg I, 1855, 23f.; Huber Hg., Dokumente I, 386 (Preuss. Verf. 1848, Art. 4), 318 (Frankfurter RV 1849, § 137), 402 (Preuss. Verf. 1850, Art. 4); hierzu waren für die preußischen Standesherrn drei Ausführungsgesetze erforderlich: GS 1854, 363ff.; GS 1855, 688ff.; GS 1869, 490ff.; J. Grimm, Über Adel u. Orden, in: ders., Kleinere Schriften VIII, Gütersloh 1890/ND Hildesheim 1966, 441–43. Grimm argumentierte auch deshalb gegen Adelsrecht und Nobilitierung und für das «Erlöschen» des Adels, weil die Zurücksetzung, die er als mittelloser junger Student gegenüber einem wohlhabenden Adligen bei der Vergabe eines Stipendiums erfahren hatte, lebenslang in seiner Erinnerung wach blieb. Im «Deutschen Wörterbuch» gab es – auch deshalb? – auffälligerweise nur eine Seite zum Stichwort «Adel». – Vgl. Bd. II, 713f.; E. Sternkiker, Die preuß. Rentenbanken u. die Verwendung der Ablösungskapitalien in Preußen nach 1850, in: JbW 1989/IV, 61–75; v. Viebahn II, 584; A. v. Miaskowski, Das Erbrecht u. die Grundeigentumsverhältnisse im Deutschen Reich I, Leipzig 1882, 6f.; Press, Adel, 7; zum Hof: Möckl Hg.

[23] Weber, WG, 23–25; vgl. F. Parkin, Strategies of Social Closure in Class Formation, in: ders. Hg., Social Analysis, 1–18, dt. in: Kreckel Hg., Ungleichheiten, 121–35; R. Murphy, Social Closure: The Theory of Monopolization and Exclusion, Oxford 1988; Riehl, Bürgerl. Gesellschaft, 123; Weber, Entwicklungstendenzen, 474; als Beispiel für Landratserblichkeit: Winterfeld-Menkin, 86; H. v. Petersdorff, Kleist-Retzow, Stuttgart 1907, 73; wie zur Hofnähe die Fixierung des Provinzadels auf das Hofleben gehörte, zeigt H. v. Strachwitz, Eines Priesters Weg durch die Zeitenwende, Dresden 1935; Perthes, Leben III, 1858, 298; M. Duncker, Feudalität u. Aristokratie, Berlin 1858, 48–50; Rosenberg, Pseudodemokratisierung, 90–92. Die «Feudalisierungs»-These am kräftigsten bei Weber, z. B. WG, PS, GASW. Vgl. H. Herz, Kreuzzeitungspartei 1848–67, in: LP 3, 321–24; K. V. Herberger, Die Stellung der preuß. Konservativen zur sozialen Frage 1848–62, Meissen 1914. – Allg. zum Vergleich: Izenberg, 233f., 238; Mosse, Adel u. Bürgertum, 276–314;

Blackbourn u. Eley, passim; K. Barkin, Germany and England: Economic Inequality, in: TAJb 16.1987, 200–11.

[24] Vgl. zu den Dynastien: Möckl Hg.; ders., Adel u. Höfe; Schwabe Hg., Mittelstaaten; L. Diepgen, Statistisches über Fürstenehen 1500–1900, in: Archiv für Hygiene 120.1938, 192–94; Gollwitzer, Standesherrn, 130–62, 216–327; im Detail: Eltz; Schier; Neth; C. Hohenlohe-Schillingsfürst, Denkwürdigkeiten, Hg. F. Curtius, I, Stuttgart 1907, 63f. Vgl. Demel, Bayer. Adel, 135–43; Reif, Westfäl. Adel, 96f.; Pedlow, Survival, 70f., 99f. Güter über 5000 ha besaß in Hessen kein einziger Bürgerlicher. Der adlige Grundbesitz wurde verwaltet, fast alle Ritter standen im Staatsdienst, ebd., 103–144.

[25] Rauer, 451; Dieterici, Hdb., 319; v. Viebahn II, 93f.; Rosenberg, Pseudodemokratisierung, 87f., 308/Anm. 14; Weber, Entwicklungstendenzen, 471; Meitzen IV, 498f.; H.-J. Puhle, Polit. Agrarbewegungen in kapitalist. Industriegesellschaften, Göttingen 1975, 43; J. Conrad, Agrarstatist. Untersuchungen, in: JNS 50.1888, 140, 146, 151, 155, vgl. 121–70 (vgl. die Fülle von Informationen in den Fortsetzungen: 57.1891, 817–44; 58.1892, 481–95; 61.1893, 516–42; 65.1895, 706–39; 70.1898, 705–29); JbSPS 1.1863, 178, 185; 3.1869, 85; Rodbertus-Jagetzow, Kreditnot I, 1876[2], Tab. nach 143, vgl. II, 329f.; s. dazu R. Michels, Rodbertus u. sein Kreis, in: ders. u. E. Ackermann Hg., K. Rodbertus-Jagetzow, Neue Briefe über Grundrente, Rentenprinzip u. soziale Frage, Karlsruhe 1926, 1–82; C. Bürger, Die Agrardemagogie in Deutschland, Berlin 1911, 6 (Conrad); L. Brentano, Alte u. neue Feudalität, Leipzig 1924[2], 306.

[26] F. Gutsmuth, Patriot. Untersuchungen I, Hamburg 1858, 21, 25–29; Andersons, Institutions, 195, 141; M. Messerschmidt, Das preuss.-deutsche Offizierskorps 1850–90, in: H. H. Hofmann Hg., Das deutsche Offizierskorps 1860–1960, Boppard 1980, 28f.; vgl. H. Rumschöttel, Das bayer. Offizierskorps 1866–1918, in: ebd., 75–97; J. Fischer, Das württ. Offizierskorps, in: ebd., 99–138; H. Henning, Zeitgeistforschung u. Sozialgeschichte. Adel u. Geistlichkeit in Deutschland 1850–1930, in: H. Schallenberger Hg., Religion u. Zeitgeist im 20. Jh., Stuttgart 1982, 229–237/Anm. 24; Pedlow, Survival, 44f., vgl. 41. In Hessen heirateten sogar von 1850 bis 1899 49% der Adligen bürgerliche Frauen, aber nur 36% der adligen Frauen bürgerliche Männer.

[27] F. Paulsen, Aus meinem Leben, Jena 1909, 58f. (geb. 1846). Ähnlich G. Frenssen (geb. 1863): Lebensbericht, Berlin 1940, 27: über die «scharfe Scheidung, die damals zwischen den Bauern auf der einen Seite, den Handwerkern und Tagelöhnern auf der anderen Seite im Dorf bestand und bis zur Feindschaft zwischen Nachbar und Nachbar ging». – Vgl. zur Zeit bis 1850: Bd. I, 159–70; Bd. II, 162–74. Allg. BSg, Nr. 24, 185–90. Eine Sozialgeschichte der deutschen Bauern seit 1850 fehlt noch immer. Vgl. C. Dipper, Bauern als Gegenstand der Sozialgeschichte, in: Schieder u. Sellin Hg. IV, 9–33; auch C. Zimmermann, Dorf u. Land in der Sozialgeschichte, in: ebd. II, 90–112. Vgl. die wichtigste Lit. in: Bd. I, 591–94/Anm. 56–66; Bd. II, 815–17/Anm. 8–13; hier v. a.: Henning, Ländl. Gesellschaft II: 1750–1976, 39–111; demn. ders., Hdb. der Wirtschafts- u. Sozialgeschichte Deutschlands II: Das 19. Jh., Paderborn 1995; v. d. Goltz, Agrarwesen, 140–64; ders., Geschichte I, 476–85; II, 165–211, 351–70; Meitzen, 8 Bde, 1868–1908; Blum, End, 429–41; unbrauchbar dagegen: Rolfes, 495–526; Haushofer, Geschichte. Vgl. Jeggle, Kiebingen; A. Ilien u. ders., Leben auf dem Dorf, Opladen 1978; Kaschuba u. Lipp, Überleben; Fried, Bauerntum (Bayern); Rach u. a. Hg., Börde, 2 Bde (v. a. in I: Plaul, Grundzüge; in II: Berthold, Sozialstruktur); ders. u. Weissel Hg. – P. Blickle (Bauer, in: Fischer Lexikon Geschichte, 140–50) und K. Lamprecht (dass., in: HStW 2.1909[3], 536–41) behandeln nicht diese Zeit. Vgl. aber: S. Dillwitz, Die Struktur der Bauernschaft 1871–1914, in: JbG 9.1973, 47–127; dies., Quellen zur sozialökonom. Struktur der Bauernschaft im Deutschen Reich nach 1871, in: JbW 1977/II, 237–69; W. R. Lee, Demograph. Veränderungen im Dorfe während der Agrarreformen des 19. Jh., in: JbW Sobd. 1989, 109–40; I. Weber-Kellermann, Landleben im 19. Jh., München 1987; dies., Lebenszyklus u. soziale Schichtung, in: Ethnologia Europaea 17.1987, 107–26; W. Jacobeit, Dorf u. dörfl. Bevölkerung Deutschlands im bürgerl. 19. Jh., in: Kocka Hg., Bürger-

tum II, 315–38; R. Gehrmann, Leezen 1720–1870. Ein histor.-demograph. Beitrag zur Sozialgeschichte des ländl. Schleswig-Holstein, Neumünster 1984; z.T. H.-J. Rach, Bauernhaus, Landarbeiterkate u. Schnitterkaserne, Berlin 1974; noch immer eine Fundgrube: VfS Hg., Bäuerl. Zustände in Deutschland, 3 Bde, Leipzig 1883.

[28] Riehl, Bürgerl. Gesellschaft, 53f. (ed. Steinbach, 67); W. v. Hippel, Industrieller Wandel im ländl. Raum. Untersuchungen im Gebiet des mittl. Neckar 1850–1914, in: AfS 19.1979, 43–123; Übersicht 66 nach: Dillwitz, Struktur, 98–100; vgl. 53f., 56, 88; Rolfes, 512f.; Weber, Agrarverfassung, 449. – G. Franz, Die Bauern in den deutschen Landtagen des 19. Jh., in: Fs. K. Bosl, Stuttgart 1974, 31–45; L. Lenk, Die Bauern im Bayer. Landtag 1819–1970, in: Franz Hg., Bauernschaft, 354–57; H. Haushofer, Bäuerl. Führungsschichten in Bayern im 19. u. 20. Jh., in: ebd., 230; H. Muth, Die Führungsschichten der Bauernverbände, in: ebd., 290–95; vgl. W. Schlau, Die bäuerl. Führungsschicht in Hessen im 19. u. 20. Jh., in: ebd., 265–72. Schorlemer: Bio. Wb. 3, 2546; zum Bauernroman: Bd. II, 173f., 815f./Anm. 13. Vgl. allg. W. Wehland, Werthaltung u. Ideologien im Entwicklungsprozeß der deutschen Landwirtschaft, in: Sociologia Ruralis 12. 1972, 400–18; I. Ziche, Kritik der deutschen Bauerntumsideologie in: ebd. 8.1968, 105–41; R. G. Moeller, Locating Peasants and Lords in Modern German Historiography, in: ders. Hg., Peasants and Lords in Modern Germany, London 1986, 1–23.

[29] Stand 1882: Statistik des Deutschen Reiches (= SDR) 4.1884, 2–35; W. v. Polenz, Die Grabenhäger I, Berlin 1898, 110; J. Flemming, Die vergessene Klasse. Literatur zur Geschichte der Landarbeiter in Deutschland, in: Tenfelde Hg., Arbeiter u. Arbeiterbewegung, 392. – Vgl. zu den Landarbeitern bis 1850: Bd. I, 170–74; II, 166–74; die Lit. in: I, 594f./Anm. 67f.; II, 816f./Anm. 10–13; BSg, Nr. 25, 190–93; ausführlich und sehr genau: Kocka, Arbeiterverhältnisse, 149–219; Weber, Landarbeiter, zuletzt in: M. Weber, Gesamtausgabe (= MWG) I/2, Tübingen 1984; ders., Entwicklungstendenzen; ders., Agrarverfassung; Plaul, Landarbeiter; Hübner u. Kathe Hg.; Knapp, Bauernbefreiung; ders., Die ländl. Arbeiterfrage, in: SVS 58, Leipzig 1893, 6–23; die Handbuch-Artikel von v. Kahlden; Skalweit, Aereboe; O. Gerlach, Landwirtschaftl. Arbeiter, in: HStW 6.1910³, 354–64; Asmis, Landarbeiterlöhne; Hucho, Naturallöhne; v. d. Goltz, Lage ländl. Arbeiter; ders., Die ländl. Arbeiterfrage u. ihre Lösung, Danzig 1874²; ders., Agrarwesen, 148–64; G. Schmoller, Die ländl. Arbeiterfrage, in: ZGS 22.1866, 171–223; R. Ehrenberg u. W. Gehrke, Landarbeit u. Kleinbesitz I, Rostock 1907; W. Wygodzinski, Die Landarbeiterfrage in Deutschland, Tübingen 1917; Preuss, Ostpreuss. Landarbeiter. Neuerdings: Flemming, Klasse, 389–418; ders., Die Landarbeit in der Zeit der Industrialisierung, in: H. Schneider Hg., Geschichte der Arbeit, Frankfurt 1983², 243–302, 440–43; ders., Obrigkeitsstaat, 247–72; J. Perkins, The German Agricultural Worker 1815–1914, in: JPS 11.1984, 3–27; F. B. Tipton, Farm Labor and Power Politics in Germany 1850–1914, in: JEH 34.1974, 951–79; M. Scharfe, «Gemütl. Knechtschaftsverhältnis?» Landarbeitserfahrungen 1750–1900, in: K. Tenfelde Hg., Arbeit u. Arbeitserfahrung in der Geschichte, Göttingen 1986, 32–50; Rach, Bauernhaus, Landarbeiterkate; ders., Zu den Wohnverhältnissen der kontraktgebundenen Landarbeiter im östl. Brandenburg im 19. Jh., in: W. Jacobeit u. K. Rohrmann Hg., Kultur u. Lebensweise des Proletariats, Berlin 1973, 159–84; reiches Material: VfS Hg., Die Verhältnisse der Landarbeiter, 3 Bde (= SVS 53–55), Leipzig 1893; anschaulich: F. Rehbein, Das Leben eines Landarbeiters, Hg. P. Göhre, Jena 1911/ND. Gesinde u. Gesindel. Aus dem Leben eines Landarbeiters im wilhelmin. Deutschland, Berlin 1955. – Die Lage der Landarbeiter zwischen Vormärz und Jahrhundertwende läßt sich aufgrund von drei Erhebungen erfassen: der Enquête des «Preußischen Landesökonomiekollegiums» von 1848, ausgewertet in: v. Lengerke, Ländl. Arbeiterfrage, 1849; der Umfrage des «Kongresses Deutscher Landwirte» von 1873, ausgewertet in: v. d. Goltz, Lage ländl. Arbeiter, 1875; der Untersuchungen des «Vereins für Sozialpolitik» von 1891/92, in: SVS 53–55, 1893, wozu auch M. Webers berühmter Band über Ostelbien gehört. Nimmt man die detailreichen Regionalstudien hinzu, gewinnt man einen guten Überblick: G. Guttmann, Über die Lage der Landarbeiter in Pommern, Diss. Greifswald 1908; H.

Wittenberg, Die Lage der ländl. Arbeiter in Neuvorpommern u. auf Rügen, Leipzig 1894²; K. Breinlinger, Die Landarbeiter in Pommern u. Mecklenburg, Heidelberg 1903; J. Herzfeld, Landarbeiter in Mecklenburg, Rostock 1905; A. Hoffmeister, Die wirtschaftl. Lage der Landarbeiter in Ostpreußen, Diss. Wittenberg-Halle 1909; E. Pohl, Die Lohn- u. Wirtschaftsverhältnisse der Landarbeiter in Masuren in den letzten Jahrzehnten, Diss. Königsberg/Magdeburg 1908; W. Grumach, Die Lage der Landarbeiter in Westpreußen, in: Die Neue Zeit (= NZ) 27.1909, 887–96; S. Goldschmidt, Die Landarbeiter in der Prov. Sachsen sowie Braunschweig u. Anhalt, Tübingen 1899; P. Schütze, Studien über die Entwicklung der Lohnverhältnisse ländl. Arbeiter in Norddeutschland seit 1870, Diss. Königsberg 1914; A. Grunenberg, Die Landarbeiter in der Prov. Schleswig-Holstein, Hannover, Lübeck, Hamburg, Bremen, Tübingen 1899.

[30] Weber, Landarbeiter, 781; ders., Agrarverfassung, 448f.; ders., Entwicklungstendenzen, 479f.; Rolfes, 506; Flemming, Landarbeit, 256. – Tenfelde, Gesinde, 199, 207; Flemming, Landarbeit, 256–60 (259: Knauer 1873, Schmoller); die Gesindelit. s. o. Anm. 29. – Perkins, Workers, 11–15, 18f.; Rolfes, 508; Haushofer, Landwirtschaft, 148f.; Gläsel, 541 (Löhne nach Asmis und Hucho: Ostprovinzen 1849: 3–4.20 M.; 1873 4.80–7.20 M.; 1861 = 100, Index: von 63/88 auf 100/150; Westprovinzen 1855–1875: 70 auf 126); v. d. Goltz, Geschichte II, 197; K. Kautsky, Die Agrarfrage, Stuttgart 1899, 379; F. Engels, Die preuß. Militärfrage (1865), in: MEW 16.1962, 74; H.-U. Wehler, Die Polen im Ruhrgebiet bis 1918, in: ders., Krisenherde, 1979², 220; vgl. S. Konopatzki, Die innerdeutsche Westwanderung der ostpreuß. Bevölkerung, Diss. Leipzig 1936; A. Raabe, Die Abwanderungsbewegung in den östl. Prov. Preußens, Diss. Berlin 1910; Weber, Entwicklungstendenzen, 503; Flemming, Klasse, 395; ders., Landarbeit, 264, 292, 295, 261–63; zu den Heuerlingen und süddeutschen Tagelöhnern vgl. die Lit. oben in Anm. 29, u. in: Kocka, Arbeitsverhältnisse.

[31] E. Bloch, Erbschaft dieser Zeit (1935), Frankfurt 1977⁷, 104–32. Die berühmte Formel stammt jedoch nicht von Bloch selber, sondern von dem Kunsthistoriker W. Pinder (Das Problem der Generation in der Kunstgeschichte, Berlin 1928²/ND München 1961, 33). Das Problem der Ungleichzeitigkeit wird seit geraumer Zeit von der Theorie der historischen Zeiten thematisiert. Vgl. Braudel, Longue durée; G. Gurvitch, The Spectrum of Social Time, Dordrecht 1964; R. Wendorff, Zeit u. Kultur. Geschichte des Zeitbewußtseins in Europa, Opladen 1980/1985³; v. a. Koselleck, Vergangene Zukunft; ders., Moderne Sozialgeschichte u. histor. Zeiten, in: P. Rossi Hg., Theorie der modernen Geschichtsschreibung, Frankfurt 1987, 173–90. – Vgl. hierzu vorn das Kapitel III, dazu Bd. II, 140–296, 558–66; Sheehan, History, 730–92; Siemann, Gesellschaft, 136–71; Sagarra, 183–427; Gillis, European Society, 257–84; Conze, Sozialgeschichte 1850–1914, 602–84; Nipperdey (Geschichte I, 102–271) ist zu dieser Zeit blaß und ohne analytische Begrifflichkeit. – Kocka, Bürgertum, in: ders. Hg., Bürgertum I, 49; G. Schönbrunn Hg., Das bürgerl. Zeitalter 1815–1914, München 1980; Westfäl. Ztg.: Zunkel, Unternehmer, 52; Mertes, 24; anon., Feudalität u. Aristokratie, in: Die Grenzboten (= Gb) 17.1958/II, 479; v. Treitschke, Geschichte I, 88; ders., Aufsätze III, 648; Kocka, Bürgerlichkeit, 42–48; vgl. R. Sieder, Sozialgeschichte der Familie, Frankfurt 1987, 125–45.

[32] H. v. Treitschke, Politik (1876), Hg. M. Cornicelius I, Leipzig 1918⁴, 388; G. Schmoller, Die Arbeiterfrage, in: PJ 14.1864, 400, 422f., 534; v. d. Goltz, Agrarwesen, 141. Hehn: R. Wittram, Bismarck u. Rußland, in: W. Markert Hg., Deutsch-russ. Beziehungen von Bismarck bis zur Gegenwart, Stuttgart 1964, 29.

IV. Strukturbedingungen und Entwicklungsprozesse Politischer Herrschaft

[1] Rürup, Geschichte, 198, 205, vgl. 210–33. Vgl. zum Folgenden: Sheehan, History, 710–29; Nipperdey, Geschichte I, 674–83; Siemann, Gesellschaft, 25–88; Heffter, 321–48; Grimm, Verfassungsgeschichte I, 208–40; Gall, Europa, 4–64; Schieder, Staatensystem, 58–104; Lutz, Zwischen Habsburg, 326–485; Böhme, Weg, 57–232; bieder bleibt M. Behnen, Bürgerl. Revolution u. Reichsgründung 1848–71, in: P. Rassow u. a. Hg., Deut-

sche Geschichte, Stuttgart 1987, 403–68; gemäßigt orthodox: Deutsche Geschichte IV: 1789–1871; trübseliger Provinzialismus: Engelberg, Deutschland 1849–1871. Vgl. H. Bleiber, Der Deutsche Bund u. die Geschichtsschreibung der DDR, in: HZ 248.1989, 33–50. Detailreiche Zeitgeschichte: A. Bernstein, Revolutions- und Reaktionsgeschichte, 3 Bde, Berlin 1882. Speziell: Lees, Revolution; Kondylis, Reaktion; ders., Konservativismus; H. Seier, Liberalismus u. Staat in Deutschland 1848–71, in: Klötzer Hg., 69–85; E. Kraehe, Austria and the Problem of Reform in the German Confederation 1851–63, in: AHR 56.1951, 276–94; M. Derndarsky, Österreich u. der Deutsche Bund 1815–66, in: Wiener Beiträge zur Geschichte der Neuzeit 9.1982, 92–116; W. Siemann, Ideenschmuggel. Probleme der Meinungskontrolle u. das Los deutscher Zensoren im 19. Jh., in: HZ 245.1987, 71–106; ders., Von der offenen zur mittelbaren Kontrolle. Der Wandel der deutschen Preßgesetzgebung u. Zensurpraxis des 19. Jh., in: H. G. Göpfert u. E. Weyrauch Hg., «Unmoralisch an sich ...». Zensur im 18. u. 19. Jh., Wiesbaden 1988, 293–308; ders., Kampf um Meinungsfreiheit im deutschen Konstitutionalismus, in: J. Schwartländer u. D. Willoweit Hg., Meinungsfreiheit, Kehl 1986, 173–88; fast unbekannt, aber aufschlußreich: E. H. Meyer, Bücherverbote im Kgr. Preußen 1834–82, in: Archiv für die Geschichte des Deutschen Buchhandels 13.1890/ND Nendeln 1977, 317–49.

[2] Vgl. Bd. II, 756f.; W. B. Morris, The Road to Olmütz: The Career of J. M. v. Radowitz, N. Y. 1976; H. R. v. Poschinger Hg., Unter Friedrich Wilhelm IV. Denkwürdigkeiten des Ministerpräsidenten O. v. Manteuffel I, Berlin 1901, 134; L. v. Gerlach, Aufzeichnungen I, 706f.; Grünthal, Parlamentarismus, 48–58, 216; Gillis, Bureaucracy, 131f.; L. Krieger, Ranke, Chicago 1977, 210–12; vgl. H. Berding, L. v. Ranke, in: H.-U. Wehler Hg., Deutsche Historiker I, Göttingen 1971/1973, 7–24, mit der wichtigsten Lit.; Denkschriften vom Okt. 1848 bis Jan. 1851 in: Ranke, SW 49/50, 585–623; L. v. Stein, Zur preuß. Verfassungsfrage (1852), ND Darmstadt 1961, 25f.; vgl. D. Blasius, L. v. Stein, in: Wehler Hg., Historiker I, 25–38, mit der wichtigsten Lit.; Lees, Revolution, 88, 60f.; Huber Hg., Dokumente I, 395–97 (Wahlgesetze 5./6. 12. 1848), 397–401 (Dreiklassenwahlrecht 30. 5. 1849). Ausführlich und exakt: Grünthal, Parlamentarismus, 27–95, 97–125, Zit. 34, 65, 177; Wahlen 1849: 108f.; ders., Konstitutionalismus u. konservative Politik (Ära Manteuffel), in: G. A. Ritter Hg., Gesellschaft, Parlament u. Regierung, Düsseldorf 1974, 145–64; H. Schulze, Preußen 1850–71, in: Hdb. Preuß. Geschichte II, 293–372; F. Lauter, Preußens Volksvertretung in der Zweiten Kammer u. im Haus der Abgeordneten von Febr. 1849 bis Mai 1877, Berlin 1889; H. Wegge, Die Stellung der Öffentlichkeit zur oktroy. Verfassung u. die preuß. Parteibildung 1848/49, Berlin 1932/ND Vaduz 1965; Huber III, 54–128, 159–82; Rürup, Geschichte, 210; Heffter, 327; Boberach, 127–40. Vgl. allg. N.-U. Tödter, Die deutschen parlamentar. Klassenwahlrechte im 19. u. 20. Jh., Diss. Hamburg 1967; W. O. Vollrath, Der parlamentar. Kampf um das preuß. Dreiklassenwahlrecht, Leipzig 1931; L. Landau, Die geschichtl. Entwicklung des Wahlrechts zum preuß. Abgeordnetenhaus, Diss. Greifswald 1913; H. v. Gerlach, Die Geschichte des preuß. Wahlrechts, Berlin 1908; R. v. Gneist, Die nationale Rechtsidee von den Ständen u. das preuß. Dreiklassenwahlsystem (1894), ND Darmstadt 1969, 192–94; Rosenbaum, 59–63; W. Biermann, F. L. B. Waldeck, Paderborn 1928; H. B. Oppenheim, dass., Berlin 1980[2]; L. Dehio, dass., in: HZ 136.1927, 25–57; H. Kaltheuner, Der Frh. G. v. Vincke u. die Liberalen in der preuß. Zweiten Kammer 1849–55, ebd. 1928; Huber Hg., Dokumente I, 401–14 (Verfass. 31. 1. 1850); ders. I, 501–14; Stahl, Rechtsphilosophie II/2, 426f.; E. Lasker, Zur Verfassungsgeschichte Preußens, Leipzig 1874, 16, 40. Beste knappe Interpretation: H. Boldt, Die preuß. Verfassung v. 31. 1. 1850, in: Puhle u. Wehler Hg., 224–46; zur Genese außer Grünthal, Parlamentarismus, noch immer: F. Frahm, Entstehungs- u. Entwicklungsgeschichte der preuß. Verfassung, in: FBPG 41.1929, 248–301; Auslegung in: G. Anschütz, Die Verfassungs-Urkunde für den Preuß. Staat, Berlin 1912; A. Arndt, dass., ebd. 1911; Poschinger Hg. I, 131f.; Gillis, 135–40; Hartung, Studien, 148–59, 248–56; Loening, Gerichte, 258; Wagner, Justiz, 119; Huber Hg., Dokumente I, 418–20 (Herrenhaus-VO. 12. 10. 1854); E. Jordan, Friedrich Wilhelm IV. u. der preuß. Adel bei der

Umwandlung der Ersten Kammer in das Herrenhaus 1850–54, Berlin 1909/ND Vaduz 1965; Grünthal, Parlamentarismus, 295–316; Nipperdey, Geschichte I, 676 (mit eigentümlicher Zurückhaltung gegenüber den Exzessen der Restaurationspolitik); v. Kügelgen, 200 (24. 2. 1854). – Exzellent über die Wahlen 1852: Grünthal, Parlamentarismus, 317–44, v. a. 320, 333, 340; 1855: 415–49, v. a. 429, 436, 445, 448; viele Details bei Lauter; H. Donner, Die Kathol. Fraktion in Preußen 1852–58, Diss. Leipzig 1909. Eine moderne Analyse des Manteuffel-Regimes steht noch immer aus. Vgl. dazu: H. Walter, Die innere Politik des Ministers v. Manteuffel u. der Ursprung der Reaktion in Preußen, Berlin 1910; K. Enax, O. v. Manteuffel u. die Reaktion in Preußen, Diss. Leipzig 1907; vgl. allg. R. Koselleck u. a., Verwaltung, Amt, Beamte, in: GGr. 7.1992, 1–96; F. Hartung, Verantwortl. Regierung, Kabinette u. Nebenregierungen im konstitutionellen Preußen 1848–1918, in: ders., Volk u. Staat in der deutschen Geschichte, Leipzig 1940, 230–338; E. C. J. Hahn, Ministerial Responsibility and Impeachment in Prussia 1848–63, in: CEH 19.1977, 3–27; L. Dehio, Zur November-Krise 1850, in: FBPG 35.1923, 134–45; W. Schmidt, Die Partei Bethmann Hollweg u. die Reaktion in Preußen 1850–58, Berlin 1910; F. Fischer, M. A. v. Bethmann Hollweg u. der deutsche Protestantismus, ebd. 1937/ND Vaduz 1965; W. Bussmann, Zwischen Preußen u. Deutschland: Friedrich Wilhelm IV., ebd. 1990; ungleich aufschlußreicher ist: D. Blasius, Friedrich Wilhelm IV. Psychopathologie u. Geschichte, Göttingen 1992; D. E. Barclay, König, Königtum, Hof u. die preuß. Gesellschaft in der Zeit Friedrich Wilhelms IV., in: JbGMO 36.1987, 1–21, sowie M. Behnen, Das preuß. Wochenblatt 1851–61, Göttingen 1971; A. Hahn, Die Berliner Revue 1855–75, Berlin 1934/ND Vaduz 1963.

[3] Vgl. Wandruszka u. Urbanitsch Hg., Bde I-VI/1; Kann, Nationalitätenproblem; Brandt, Neoabsolutismus; Matis, Wirtschaft; Huber III, 151–59; B. Jelavich, Modern Austria 1815–1986, Cambridge 1987; C. A. Macartney, The Habsburg Empire 1790–1918, London 1968; F. Glatz u. R. Melville, Gesellschaft, Politik u. Verwaltung in der Habsburgermonarchie 1830–1918, Wiesbaden 1988; Kiszling, Schwarzenberg; E. Heller, dass., Wien 1933; R. Charmatz, Minister Frh. v. Bruck, Leipzig 1916, sowie R. Austensen, The Making of Austria's Prussian Policy 1848–52, in: HJ 27.1984, 861–76; A. Doering-Manteuffel, Der Ordnungszwang des Staatensystems: Zu den Mitteleuropa-Konzepten in der österreich.-preuß. Rivalität 1849–51, in: A. M. Birke u. G. Heydemann Hg., Die Herausforderung des europ. Staatensystems, Göttingen 1989, 119–40; allg. K. D. Erdmann, Die Spur Österreichs in der deutschen Geschichte, Zürich 1989. – Siemann, Gesellschaft, 83–88; Huber III, 182–223 (Bayern, Württemberg, Baden, Sachsen, Hannover, Kurhessen, Mecklenburg); II, 126–33 (Kurhessen); H. Gangl, Der deutsche Weg zum Verfassungsstaat im 19. Jh., in: E.-W. Böckenförde Hg., Probleme des Konstitutionalismus im 19. Jh., Berlin 1975, 23–58; W. P. Fuchs, Die deutschen Mittelstaaten u. die Bundesreform 1853–60, ebd. 1934; Gall, Liberalismus als regier. Partei, 58–80; H. G. Holldack, Untersuchungen zur Geschichte der Reaktion in Sachsen 1849–55, Berlin 1931/ND Vaduz 1965; H. Ziegler, Die Jahre der Reaktion in der Pfalz 1849–53, Speyer 1985; R. Wöltje, Die Reaktion im Kgr. Hannover 1850–57, Diss. Tübingen 1933; H. Brandt, Parlamentarismus in Württemberg 1819–70, Düsseldorf 1987, vgl. 629, 646; Langewiesche, Württemberg, 223–81; M. Traub, Beiträge zur württ. Geschichte in der Reaktionszeit 1849–59, Diss. Tübingen 1937.

[4] Siemann, Gesellschaft, 19f., 40–65. Siemanns Forschungsleistung, der ich hier durchgehend verpflichtet bin, hat ein neues vertieftes Verständnis des Restaurationsjahrzehnts ermöglicht. Huber Hg., Dokumente II, 1f. (22. 8. 1851), 3–8 (6./13. 7. 1854). Ausführlich: Siemann, Deutschlands Ruhe, 242–304; zu den sieben Mitgliedstaaten: 305–459; vgl. ders. Hg., Polizeiverein; Biedermann, Leben I, 344; Siemann, Gesellschaft, 65–77; ders., Kontrolle, 294; ders., Ideenschmuggel; ders., Meinungsfreiheit; L. Kuppelmayr, Die Tageszeitungen in Bayern 1849–1917, in: HBG IV/2, 1147; Rürup, Geschichte, 213.

[5] R. Haym, Ausgewählter Briefwechsel, Hg. H. Rosenberg, Berlin 1930/ND Osnabrück 1967, 121 (Gervinus an Haym, 7. 12. 1850); am besten hierzu: Hübinger, Gervinus,

188, 199f., 187–224; M. Ansel, G. G. Gervinus' «Geschichte der poet. Nationalliteratur der Deutschen». Nationsbildung auf literaturgeschichtl. Grundlage, Frankfurt 1990; W. Boehlich Hg., G. G. Gervinus, Einleitung in die Geschichte des 19. Jh. (1853), ebd. 1967, 167f.; ders. Hg., Der Hochverratsprozeß gegen Gervinus, ebd. 1967; J. G. Droysen, Briefwechsel, I, 147. Vgl. H. Rosenberg, Gervinus u. die deutsche Republik (1929), in: ders., Polit. Denkströmungen, 115–27; J. F. Wagner, G. G. Gervinus nach der Revolution, in: C. Probst u. a. Hg., Darstellungen u. Quellen zur Geschichte der deutschen Einheitsbewegung im 19. u. 20. Jh., Bd. 10, Heidelberg 1978, 153–88; ders., G. G. Gervinus, in: CEH 4.1971, 354–70; C. E. McClelland, History in the Service of Politics: A Reassessment of G. G. Gervinus, in: ebd., 371–89; G. A. Craig, G. G. Gervinus, in: Pacific Historical Review 41.1972, 1–14; L. Gall, dass., in: Wehler Hg., Historiker V, 1972, 7–26/1973, 493–512. – Beste Analyse der lebhaften Debatte nach 1849: Lees, Revolution; L. Feuerbach, Notwendigkeit einer Reform der Philosophie (1842), in: ders., SW II, Stuttgart 1894/1959^{2}, 221; Nationalzeitung 1856 nach: O. Stillich, Die polit. Parteien in Deutschland II: Der Liberalismus, Leipzig 1911, 36; Scherr, Michael (1858), 243; Twesten 1859 in: Fenske Hg., 1850–70, 189; K. Twesten, Was uns noch retten kann, Berlin 1861^{6}, 24–26; vgl. V. Renner, K. Twesten, Diss. Freiburg 1954; v. Rochau, 28, 25f.; vgl. H.-U. Wehler, Rochaus «Grundsätze der Realpolitik», in: ders., Krisenherde, 1979^{2}, 270–80; Zehnter, Staatslexikon; R. H. Fassbender-Ilge, Liberalismus, Wissenschaft, Realpolitik. Das «Deutsche Staats-Wörterbuch» von J. C. Bluntschli u. K. Brater, Frankfurt 1981; H.-J. Schoeps, H. Wagener – ein konservativer Sozialist, in: Zeitschrift für Religions- u. Geistesgeschichte 8.1956, 193–217; Hahn, Berliner Revue; Rürup, Geschichte, 197–201.

[6] Gneist, Zustände, 1849, 86; vgl. E. J. C. Hahn, R. v. Gneist 1816–95, Diss. Yale Univ. 1971; F. Rühl Hg., Briefwechsel T. v. Schöns mit G. H. Pertz u. J. G. Droysen, Leipzig 1896, 27 (an Pertz, 15. 11. 1849); E. v. Bunsen u. F. Nippold Hg., C. C. J. v. Bunsen III, Leipzig 1871, 104f. (3. 4. 1851). Vgl. Bd. II, 739f., 752; Gillis, Bureaucracy, 128–36, vgl. 137–70; Poschinger Hg. I, 384 (8. 1. 1851 im Abg.haus); Droysen, Briefwechsel II, 363 (an W. Arendt, 20. 10. 1855). – Kolbeck, 54–73; Conrad, Universitätsstudium, 18; v. Gneist, Advokatur, 24, 20; Hattenhauer, Geschichte, 250–52; Gillis, Bureaucracy, 190, 212; Kapp, Briefe, 77 (2. 10. 1862); Kiesselbach, 261; Huber Hg., Dokumente II, 402; ders. III, 104. Vgl. allg. L. O'Boyle, Some Recent Studies of 19th Century European Bureaucracy, in: CEH 19.1986, 386–408; H. Beck, The Social Policies of Prussian Officials, in: JMH 64.1992, 263–98.

[7] Droysen, Polit. Schriften, 307–42 (Minerva 1854). Zum Krimkrieg am besten: W. E. Mosse, The Rise and Fall of the Crimean System 1855–71, London 1963; W. Baumgart, Der Friede von Paris 1856, München 1972; ders., Zur Außenpolitik Friedrich Wilhelms IV. 1840–58, in: JbGMO 36.1987, 132–56; J. S. Levy, War in the Modern Great Power System 1495–1975, Lexington/Ky. 1983; F. M. Bridge u. R. Bullen, The Great Powers and the European States System 1815–1914, London 1980; J. F. C. Fuller, A Military History of the Western World III, N. Y. 1954/1967^{2}; R. B. Elrod, The Concert of Europe, in: WP 28.1975/76, 159–74; I. Geiss, Der Lange Weg in die Katastrophe. Die Vorgeschichte des Ersten Weltkriegs 1815–1914, München 1990, 90–102 (hier wird mit teutonischer Monomanie eine viel zu lange Anlaufphase für den Ersten Weltkrieg im Vokabular einer öden Machtphysik behauptet: ohne dem Verhältnis von struktureller Präformierung und relativer Offenheit der Geschichte gerecht zu werden; ohne jedes theoretische Interesse an den Ursachen der 500jährigen Überlebenskraft des einzigen derartigen Staatensystems in der Universalgeschichte; ohne wissenschaftsgeschichtliches Interesse am eigenen Fach, so daß jedweder Einfluß von Weber, Hintze u. a. fehlt); S. A. Kaehler, Realpolitik zur Zeit des Krimkrieges (1952), in: ders., Studien zur deutschen Geschichte des 19. u. 20. Jh., Hg. W. Bussmann, Göttingen 1961, 128–70; K. Borries, Die Politik der deutschen Mächte in der Zeit des Krimkriegs u. der italien. Einigung, in: HZ 151.1935, 294–310; ders., Preußen im Krimkrieg 1853–56, Stuttgart 1930; C. Friese, Rußland u. Preußen vom Krimkrieg bis zum poln. Aufstand, Tilsit 1930; H. R. v. Poschinger Hg., Preußens Auswärtige Politik

1850–58, 3 Bde, Berlin 1902; P. Schroeder, Austria, Great Britain, and the Crimean War: The Destruction of the European Concert, Ithaca 1972, dazu A. P. Saab, in: CEH 8.1975, 51–67, sowie die Lit. über Österreich in Anm. 3. – M. Hildermeier, Das Privileg der Rückständigkeit. Anmerkungen zum Wandel einer Interpretationsfigur der Neueren Russ. Geschichte, in: HZ 244.1987, 557–603; dieser brillante Aufsatz zeigt auch, daß aus dem Kontext jener Debatte Alexander Gerschenkrons bekannte Kategorien stammen. – Zum grundsätzlichen realhistorischen und methodischen Problem der Interdependenz von Außen- und Innenpolitik: Anstelle des traditionellen Insistierens deutscher Historiker auf dem «Primat der Außenpolitik» oder im Gegenzug, erst in jüngerer Zeit, auf dem «Primat der Innenpolitik» hat sich im allgemeinen die Anerkennung des Interdependenzverhältnisses durchgesetzt, wird aber nur selten in konkreten Forschungsprojekten (z. B. von Gustav Schmidt) empirisch eingelöst. Die neukonservativen Vertreter einer «modernen Politikgeschichte», wie Hillgruber, Hildebrand u. a., wiederholen rhetorisch die Interdependenzformel, privilegieren aber realiter weiter ein abgehobenes System der Internationalen Beziehungen und bleiben methodisch auf einem Niveau, das vor 1914 erreicht und bereits damals antiquiert war – trotz ihrer anderslautenden Postulate offenbar lernunwillig oder lernunfähig. Die diametral entgegengesetzte Position des «Primats der Innenpolitik», wie sie – vor allem im Anschluß an Eckart Kehr – von einer Gruppe von Historikern, zu denen ich auch gehöre, in den 60er und 70er Jahren verfochten wurde, hat forschungs- und wissenschaftspolitisch ihre Schuldigkeit getan. Das habe ich mehrfach betont (vgl. z. B. Kritik u. Antikritik, 1978), ohne daß Orthodoxe wie Hillgruber oder Hildebrand imstande wären, diesen ganz normalen wissenschaftlichen Vorgang (These, Antithese, Bestätigung, Modifizierung oder Verzicht) zur Kenntnis zu nehmen. Vgl. den hämischen Kommentar von K. Hildebrand in seinem in vielfacher Hinsicht mißlungenen Handbüchlein (Deutsche Außenpolitik 1871–1918, München 1989, 93–106), das etwa ein Historiker wie Hermann Oncken vor dem Ersten Weltkrieg vermutlich als ein Muster neurankeanischer Unbeweglichkeit empfunden hätte. Auch A. Hillgruber (Die Diskussion über den «Primat der Außenpolitik», in: ders., Die Zerstörung Europas 1914–45, Berlin 1988, 32–47; ders., Methodologie u. Theorie der Geschichte der Internationalen Beziehungen, in: GWU 27.1976, 193–210) konnte oder wollte der Kontroverse nicht gerecht werden. Vgl. dagegen zur Problematik die brillante Erörterung von C. Thorne, Societies, Sociology, and the International, in: ders., Border Crossings, Oxford 1988, 29–55 (mit einer intensiven Berücksichtigung des Interdependenzproblems auf einem Reflexionsniveau, von dem diese westdeutschen Politikhistoriker meilenweit entfernt sind); außerdem: E.-O. Czempiel, Die anachronist. Souveränität. Zum Verhältnis von Innen- und Außenpolitik, Köln 1969; ders., Der Primat der Außenpolitik, in: PVS 4.1963, 266–87; E. Krippendorff, Ist Außenpolitik Außen-Politik, in: ebd., 243–66; K. D. Bracher, Krit. Betrachtungen über den Primat der Außenpolitik (1963), in: ders., Deutschland zwischen Demokratie u. Diktatur, Stuttgart 1964, 337–72; H. Heffter, Vom Primat der Außenpolitik, in: HZ 171.1951, 1–20; R. Griepenburg, Zum Verhältnis von Innen- u. Außenpolitik, in: W. Abendroth u. K. Lenk Hg., Einführung in die Polit. Wissenschaft, Bern 1968, 157–71; eher traditionalistisch: H. Rothfels, Sozialstruktur u. Außenpolitik, in: Fs. R. Wittram, Göttingen 1973, 13–27; ders., Sinn u. Grenzen des Primats der Außenpolitik, in: ders., Zeitgeschichtl. Betrachtungen, 167–78; ders., Gesellschaftsform u. auswärtige Politik, Laupheim 1952; A. Novotny, Über den Primat der äußeren Politik, in: Fs. H. Hantsch, Wien 1965, 311–23. Zur Gegenposition: Kehr, Primat der Innenpolitik; die Lit. in: H.-U. Wehler, E. Kehr (1965), in: ders., Histor. Sozialwissenschaft u. Geschichtsschreibung, Göttingen 1980, 227–48; einige Aufsätze dess. in: Krisenherde; J. J. Sheehan, The Primacy of Domestic Politics, in: CEH 1.1968, 166–74; A. Skop, dass., in: HT 13.1974, 119–31. Vermittelnd: G. Schmidt, Wozu noch «polit. Geschichte»? in: APZ 26. 4. 1975, 21–45; H.-U. Thamer, Polit. Geschichte, Geschichte der Internationalen Beziehungen, in: Fischer Lexikon Geschichte, 52–65.

[8] Vgl. hierzu nur: L. Haupts, Die liberale Bewegung in Preußen in der Zeit der «Neuen Ära», in: HZ 227.1978, 45–85; K. H. Börner, Voraussetzungen, Inhalt u. Ergebnis der

Neuen Ära in Preußen, in: JbG 14.1976, 85–123; ders., Bourgeoisie u. Neue Ära in Preußen, in: Fs. Obermann, 395–432; S. Bahne, Vor dem Konflikt: Die Altliberalen in der Regentschaftsperiode der «Neuen Ära», in: Fs. Conze, 154–96; Gall, Regierende Partei, 81–112; vorzüglich ders., Die partei- u. sozialgeschichtl. Problematik des bad. Kulturkampfes, in: ZGO 113.1965, 151–96; J. Dorneich, Die Entstehung der bad. «Kathol. Volkspartei» 1865–69, in: Freiburger Diözesanarchiv 84.1964, 272–399. – Zum Zollverein: Vgl. die Lit. in Bd. II, 810–13/ Anm. 53–57; ausführlich Böhme, Weg, 15, 21–34, 85–90, 94–125; Charmatz, Bruck; Delbrück II, 216f., 238. Allg. G. Kollmer, Folgen u. Krisen des Zollvereins, in: H. Pohl Hg., Die Auswirkungen von Zöllen, Wiesbaden 1987, 197–220; C.-L. Holtfrerich, The Monetary Unification Process in 19th Century Germany, in: M. de Cecco u. A. Giovannini Hg., A European Central Bank? Cambridge 1989, 216–43; E. Wadle, Der Zollverein u. die deutsche Rechtseinheit, in: Zeitschrift der Savigny-Stiftung für Rechtsgeschichte 102.1985, 99–129; W. Fischer, Der Deutsche Zollverein nach 150 Jahren – Modell einer erfolgreichen Integration? in: List Forum 12.1983/84, 349–60; R. Fremdling, Vergleich der Schutzzollpolitik Frankreichs u. des Deutschen Zollvereins in ihren Auswirkungen auf die Modernisierung der Eisenindustrie 1815–70, in: F. Blaich Hg., Die Rolle des Staats für die wirtschaftl. Entwicklung, Berlin 1982, 77–97. Speziell: A. Gaertner, Der Kampf um den Zollverein zwischen Österreich u. Preußen 1849–53, Straßburg 1911; F. Werner, Die Zollvereinspolitik der deutschen Mittelstaaten 1852, Diss. Frankfurt 1934; E. Franz, Der Entscheidungskampf um die wirtschaftspolit. Führung Deutschlands 1856–67, München 1933/ND Aalen 1973. Zur neuen Phase seit 1860: P. Bairoch, European Trade Policy 1815–1914, in: CEHE 8.1989, 1–160; S. Pollard, Die Herausforderung des Wirtschaftsliberalismus, in: Birke u. Heydemann Hg., 76–95; B. J. Wendt, Freihandel u. Friedenssicherung: Zur Bedeutung des Cobden-Vertrages von 1860 zwischen England u. Frankreich, in: VSWG 61.1974, 29–64; A. L. Dunham, The Anglo-French Treaty of Commerce 1860, Detroit 1930; J. Morly, Cobden, London 1903; speziell: E. Franz, Die Entstehungsgeschichte des preuß.-französ. Handelsvertrags vom 29. 3. 1862, in: VSWG 25.1932, 1–37, 105–29; H. W. Hahn, Die deutschen Mittelstaaten u. der preuß.-französ. Handelsvertrag 1862, in: R. Poidevin u. H. O. Sieburg Hg., Deutsch-Französ. Beziehungen 1851–1866, Metz 1982, 105–22; H. Rischbieter, Der Handelsvertrag mit Frankreich u. die Zollvereinskrisis 1862–64 in der öffentl. Meinung Deutschlands, Diss. Göttingen 1952; A. Meyer, Der Zollverein u. die deutsche Politik Bismarcks im Zeitalter der Reichsgründung, Frankfurt 1987²; O. Schneider, Bismarck u. die preuß.-deutsche Freihandelspolitik 1862–76, in: Sch. Jb. 34.1910, 1047–1108; B. Schulze, Wirtschaftspolit. Auffassungen bürgerl. Demokraten im Jahrzehnt der Reichsgründung, in: Bartel u. Engelberg Hg. I, 379–410.

[9] Vgl. W. G. Shreeves, Nationmaking in 19th Century Europe: Italy and Germany 1815–1914, Walton 1987²; T. Schieder, Italien u. die Probleme des europ. Nationalstaates im 19. Jh., in: Fs. H. Rothfels, Göttingen 1963, 339–56, u. in: ders., Nationalismus u. Nationalstaat, Hg. O. Dann u. H.-U. Wehler, Göttingen 1991², 329–46; ders. u. Alter Hg., Staatsgründungen u. Nationalitätsprinzip; R. Lill, Geschichte Italiens in der Neuzeit, Darmstadt 1988, 157–95; R. Michels, Italien von heute 1860–1930, Zürich 1930, 13–19; Alter, Nationalismus, 33–39, 69–94. Zur Reaktion: J. Petersen, Risorgimento u. Italien. Einheitsstaat im Urteil Deutschlands nach 1860, in: HZ 234.1980, 63–99; E. Portner, Die Einigung Italiens im Urteil liberaler deutscher Zeitgenossen, Bonn 1959; T. Schieder, Das Italienbild der deutschen Einheitsbewegung, in: ders., Begegnungen, 210–35; T. Scheffer, Die preuß. Publizistik 1859 unter dem Einfluß des italien. Krieges, Leipzig 1902; A. Mittelstaedt, Der Krieg von 1859, Bismarck u. die öffentl. Meinung in Deutschland, Diss. Heidelberg/Stuttgart 1904; unübertroffen vielseitig und ausführlich zur öffentlichen Debatte: H. Rosenberg, Die nationalpolit. Publizistik Deutschlands 1858–66, 2 Bde, München 1935. – Lassalle: Wehler, Sozialdemokratie, 41f.; Kann, Nationalitätenproblem II, 107–11; K. Borries, Deutschland u. das Problem des Zweifrontendrucks in der europ. Krise des italien. Freiheitskampfes 1859, in: Fs. J. Haller, Stuttgart 1940, 262–303. – Zum

deutschen Nationalismus vgl. Bd. I, 506–30; II, 394–412; BSg, Nr. 64, 391–95; Laube, GW 40, 56; R. Grew, A Sterner Plan for Italian Unity. The Italian National Society in the Risorgimento, Princeton 1963; Huber Hg., Dokumente II, 90–95; R. Koop, Haeckel u. Almers, Bremen 1941, 60 (5. 9. 1860); v. Rochau, 28; vgl. A. Biefang, Polit. Bürgertum in Deutschland 1857–67. Nationale Organisationen u. Eliten, Düsseldorf 1994; S. Na'aman, Der Deutsche Nationalverein 1859–67, ebd. 1987; G. Fesser, Deutscher Nationalverein 1859–67, in: LP 2, 201–15; D. Düding, Die deutsche Nationalbewegung des 19. Jh. als Vereinsbewegung, in: GWU 42.1991, 601–24; H. Schulze, Perspektiven für Deutschland: Nationalverein u. Reformverein, in: Birke u. Heydemann Hg., 141–57; L. O'Boyle, The German Nationalverein, in: JCEA 16.1957, 33–52; W. Grube, Die Neue Ära u. der Nationalverein, Diss. Marburg 1933; P. Herrmann, Die Entstehung des Deutschen Nationalvereins, Diss. Berlin 1932; R. Le Mang, Der Deutsche Nationalverein, ebd. 1909; R. Schwab, dass., Frauenfeld 1902; H. Müller, Deutscher Bund u. deutsche Nationalbewegung, in: HZ 248.1989, 51–78; vgl. auch H.-T. Michaelis, Unter schwarz-rot-goldenem Banner u. dem Signum des Doppeladlers. Gescheiterte Volksbewaffnung u. Vereinigungsbestrebungen in der Deutschen Nationalbewegung u. im Deutschen Schützenbund 1859–69, Frankfurt 1993; W. Mommsen, Zur Beurteilung der deutschen Einheitsbewegung, in: HZ 138.1928, 523–43; G. Ritter, Großdeutsch u. Kleindeutsch im 19. Jh., in: ders., Lebendige Vergangenheit, München 1958, 101–25; H. Schroth, Welt- u. Staatsidee des deutschen Liberalismus 1859–66, Berlin 1931/ND Vaduz 1965. – R. Noltenius, Schiller als Führer u. Heiland. Das Schillerfest 1859, in: D. Düding u. a. Hg., Öffentl. Festkultur, Reinbek 1988, 237–58; ders., Dichterfeiern in Deutschland, München 1984; D. Düding, Nationale Oppositionsfeste der Turner, Sänger u. Schützen im 19. Jh., in: ders. u. a. Hg., 166–90; L. Haupts, Die Kölner Dombaufeste 1842–80, in: ebd., 191–211; ders., Dombaufeste 1863, 1867 u. 1880 in Köln, in: RVB 46.1982, 161–89; allg. D. Düding, Deutsche Nationalfeste im 19. Jh., in: AfK 69.1987, 371–88; H.-U. Wehler, Gedenktage u. Geschichtsbewußtsein, in: ders., Die Gegenwart als Geschichte, München 1995, 215–32; v. Rochau, 191; W. Real, Der Deutsche Reformverein 1859–66, Lübeck 1966; E. Zimmermann, dass., Pforzheim 1929; H. Rosenberg, Honoratiorenpolitik u. großdeutsche Sammlungsbestrebungen im Reichsgründungsjahrzehnt (1970), in: ders., Machteliten, 198–254. – O. Lorenz, Staatsmänner u. Geschichtsschreiber im 19. Jh., Berlin 1896, 77 (Metternich an Prokesch, 1850).

[10] Vgl. Bd. I, 506–30; II, 394–412, mit der allg. Lit. Wichtig hierzu: R. Koselleck u. a., Volk, Nation, Nationalismus, in: GGr. 7.1992, 141–431 (nutzlos dagegen: M. v. Lexer, Nation, in: Grimms Wb. 7.1889/ND 1984, 425); U. Dierse u. H. Rath, Nation, Nationalismus, in: Histor. Wb. der Philosophie 6.1984, 406–14; P. Steinbach, Nation, Nationalismus, Nationalstaat, in: E. Holtmann Hg., Lexikon der Politikwissenschaft, München 1991, 375–78; P. Alter, Nation, Nationalismus, in: H. Reinalter Hg., Lexikon zu Demokratie u. Liberalismus 1750–1848/49, Frankfurt 1993, 216–20; E. Lemberg, Nationalismus, in: Staatslexikon 5.1960, 896–902; B. C. Shafer, Nationalism, in: New Catholic Encyclopedia 10.1967, 240–44; über Deutschland antiquiert-bieder: L. L. Snyder, Encyclopedia of Nationalism, N. Y. 1990; Dipper, Nationalismus, in: M. Löb u. W. Seelisch Hg., Wider die Feindbilder, Darmstadt 1992, 39–57; E. Kamenka u. a., Nationalismus, in: I. Fetscher u. a. Hg., Pipers Hdb. polit. Ideen IV, München 1986, 589–631. Nützlich ist: A. D. Smith, Nationalism. A Trend Report and Bibliography, in: Current Sociology 21.1973/3; S. Rokkan u. a., Nationbuilding. A Review of Recent Comparative Research and a Select Bibliography of Analytical Studies, in: ebd. 19.1971. – Vgl. allg. E. Voegelin, Die polit. Religionen, Stockholm 1939/ND München 1993; B. Anderson, Die Erfindung der Nation, Frankfurt 1993²; E. Gellner, Nationalismus u. Moderne, Berlin 1991; H. Seton-Watson, Nations and States, London 1972; E. J. Hobsbawm, Nations and Nationalism Since 1780, N. Y. 1990; dt. Nationen u. Nationalismus. Mythos u. Realität, Frankfurt 1991; ders., Inventing Traditions in 19th Century Europe, in: ders. u. T. Ranger Hg., The Invention of Tradition, London 1977, 1–24; ders., Mass-Producing Traditions, in: ebd., 263–307; ders.,

Some Reflections on Nationalism, in: T. J. Nossister u. a., Imagination and Precision in the Social Sciences, London 1972, 356–406; M. Hroch, Das Bürgertum in den nationalen Bewegungen des 19. Jh., in: Kocka Hg., Bürgertum III, 337–59. Noch immer lesenswert: R. Michels, Der Patriotismus, München 1929; E. Lemberg, Soziolog. Theorien zum Nationalstaatsproblem, in: Schieder u. Burian Hg., 19–30; R. Grew, The Construction of National Identity, in: P. Börner Hg., Concepts of National Identity, Baden-Baden 1986, 31–43. Im Vergleich damit analytisch glänzend: M. R. Lepsius, Nation u. Nationalismus in Deutschland, in: H. A. Winkler Hg., Nationalismus in der Welt von heute, Göttingen 1982, 12–27, u. in: ders., Interessen, 232–46. Vgl. noch: N. Elias, Ein Exkurs über Nationalismus, in: ders., Studien über die Deutschen, Frankfurt 1989, 161–222; schlecht informiert ist: B. Estel, Grundaspekte der Nation, in: SW 42.1991, 208–27. – Zum deutschen Nationalismus: Neuester, aber mißglückter Versuch eines Überblicks: O. Dann, Nation u. Nationalismus in Deutschland, München 1992. Vgl. dagegen: H. Schulze, Staat u. Nation in der europ. Geschichte, München 1994, sowie die Lit. in: 6. Teil, IV.4, Anm. 16. Vorzüglich ist: D. Langewiesche, Reich, Nation u. Staat in der jüngeren deutschen Geschichte, in: HZ 254.1992, 341–81; ders., Nationalgefühl u. Nationalismus im 19. Jh., in: Deutschland – Porträt einer Nation, Gütersloh 1985, 233–36; ders., Deutschland u. Österreich: Nationwerdung u. Staatsbildung in Mitteleuropa im 19. Jh., in: GWU 42.1991, 754–66; ders., «Nation» u. «Nationalstaat». Zum Funktionswandel polit.-gesellschaftl. Leitideen in Deutschland seit dem 19. Jh., in: F. W. Busch Hg., Perspektiven gesellschaftl. Entwicklung in beiden deutschen Staaten, Oldenburg 1988, 173–82, Zit. 174; ders., «... für Volk u. Vaterland kräftig zu würken». Zur polit. u. gesellschaftl. Rolle der Turner 1811–71, in: O. Grupe Hg., Kulturgut oder Körperkult? Tübingen 1990, 22–61; ders., Die schwäb. Sängerbewegung in der Gesellschaft des 19. Jh. – ein Beitrag zur kulturellen Nationsbildung, in: Zeitschrift für Württ. Landesgeschichte 52.1993, 257–301; D. Klenke, Nationalkrieger. Gemeinschaftsideal als polit. Religion. Zum Vereinsnationalismus der Sänger, Schützen u. Turner am Vorabend der Einigungskriege, in: HZ 259.1994; J. Link u. W. Wülfing Hg., Nationale Mythen u. Symbole 1850–1900, Stuttgart 1991, v. a.: M. Jeismann, Was bedeuten Stereotypen für nationale Identitäten u. polit. Handeln? 84–93; vgl. ders., Das Vaterland der Feinde. Studien zum nationalen Feindbegriff u. Selbstverständnis in Deutschland u. Frankreich 1792–1918, Stuttgart 1992; W. Kaschuba, Nationalismus als Ethnozentrismus, in: H. A. Winkler u. H. Kaelble Hg., Nationalismus, Nationalitäten, Supranationalität, Stuttgart 1993, 56–81; eng: H. C. Seeba, «Einigkeit u. Recht u. Freiheit». The German Quest for National Identity in the 19th Century, in: Börner Hg., 153–66; H. Schulze, The Course of German Nationalism – From Frederick the Great to Bismarck 1763–1867, Cambridge 1990; ders., Gibt es überhaupt eine deutsche Geschichte? Berlin 1989; D. Düding, The 19th Century German Nationalist Movement as a Movement of Societies, in: H. Schulze Hg., Nation-Building in Central Europe, Leamington Spa 1987, 19–49; ders., Die deutsche Nationalbewegung im 19. Jh., in: P. Krüger Hg., Deutschland, deutscher Staat, deutsche Nation, Marburg 1993, 71–83; B. J. Wende Hg., Vom schwierigen Zusammenwachsen der Deutschen Nation. Identität u. Nationalismus im 19. u. 20. Jh., Frankfurt 1992. Unbrauchbar sind: O. W. Johnston, Der deutsche Nationalmythos, Stuttgart 1967; K. Kupisch, Die Wandlungen des Nationalismus im liberalen deutschen Bürgertum, in: Zillesen Hg., 111–34; ein blasser, kenntnisarmer Essay: H. James, A German Identity 170–1990, London 1989, dt. Frankfurt 1991; ders., Germans and Their Nation, in: GH 9.1991, 136–52; enttäuschend: H. Hughes, Nationalism and Society: Germany 1800–1945, London 1988. – M. Hanisch, Nationalisierung der Dynastien oder Monarchisierung der Nation? in: Birke u. a. Hg., Bürgertum, 71–91: zur Stabilisierung der einzelstaatlichen Loyalität; ders., «Für Fürst u. Vaterland». Bayern 1848–71, München 1990; D. K. Buse, Urban and National Identity 1860–1920, in: JSH 26.1993, 521–37; A. Confino, The Nation as Local Metaphor. Heimat, National Memory and the German Empire 1871–1918, in: History and Memory 5.1993, 42–86. – Überblicke: Breuilly, Nationalism and the State, 1993[2]; ders., Approaches to Nationalism, in: E.

Schmidt-Hartmann Hg., Formen des nationalen Bewußtseins im Lichte zeitgenöss. Nationalismustheorien, München 1994, 15–38; ders., Reflections on Nationalism, in: Philosophy of the Social Sciences 15.1985, 65–75; ders., Nation and Nationalism in Modern German History, in: HJ 33.1990, 659–75; ders., The National Idea in Modern German History, in: ders. Hg., The State of Germany, London 1992, 1–28. Blasses Fabulieren: G. Masur, Der nationale Charakter als Problem der deutschen Geschichte, in: HZ 221.1975, 603–22. – E. Zevenhuizen, Polit. u. weltanschaul. Strömungen auf den «Versammlungen deutscher Naturforscher u. Ärzte» 1848–71, Berlin 1937/Vaduz 1977. – Heffter, 358f.; H. v. Sybel, Über den Stand der neueren deutschen Geschichtsschreibung (1856), in: ders., Kleine Histor. Schriften I, Stuttgart 1880[3], 362. Das Elitennetzwerk tritt in dem bisher veröffentlichten, überdies noch breit ergänzbaren Briefwechsel z. B. von Droysen, Haym, Duncker, Freytag, Treitschke (s. u. Anm. 11), auch in: J. Heyderhoff u. P. Wentzke Hg., Deutscher Liberalismus im Zeitalter Bismarcks 1858–70, 2 Bde, Leipzig 1925–26/ND Osnabrück 1970, deutlich hervor. Ein modernes ideologiekritisches Kollektivporträt ist ein Desiderat. – Während dem Intellektuellennationalismus die Analyse wichtiger Textstellen seiner Repräsentanten, dem ersten Massennationalismus die Analyse der nationalisierenden Institutionen angemessen war, geht es bei der borussischen Schule um ein ideologiepolitisches Profil.

[11] Vgl. allg. G. G. Iggers, Deutsche Geschichtswissenschaft, München 1976[3], 120–62 (knapper, bewußt politisch und ideologiekritisch argumentierender Überblick); G. P. Gooch, History and Historians in the 19th Century, London 1914, überarb. dt. Geschichte u. Geschichtsschreibung im 19. Jh., Frankfurt 1964, 122–46 (vor 1914 entstanden); E. Fueter, Geschichte der neueren Historiographie, München 1911/ND 1968 (ebenfalls, aber nüchtern im Urteil); H. R. v. Srbik, Geist u. Geschichte vom deutschen Humanismus zur Gegenwart, München 1950–51/1964[3], I, 355–400; II, 33–73, 137–45 (gelehrt, verquaster Stil, stets in wehleidiger Defensive der österreichischen Entwicklung und des großdeutschen Bekenntnisses, ohne analytisch-theoretische Durchdringung). Eine moderne Geschichte der deutschen Historiographie vom 18. bis 20. Jahrhundert fehlt. Vgl. Heffter, 358–60; Sheehan, History, 836–52; knapp, aber aufschlußreich: F. Jaeger u. J. Rüsen, Geschichte des Historismus, München 1992, 86–92; wichtig sind die Aufsätze von W. Hardtwig, Von Preußens Aufgabe zu Deutschlands Aufgabe in der Welt. Liberalismus u. borussian. Geschichtsbild zwischen Revolution u. Imperialismus, in: HZ 231.1980, 265–324; u. in: ders., Geschichtskultur u. Wissenschaft, München 1990, 103–60; ders., Geschichtsinteresse, Geschichtsbilder u. polit. Symbole in der Reichsgründungsära u. im Kaiserreich, in: E. Mai u. S. Waetzold Hg., Kunstverwaltung, Bau- u. Denkmal-Politik im Kaiserreich, Berlin 1987, 47–74; u. in: ders., Geschichtskultur, 224–63; ders., Nationsbildung u. polit. Mentalität. Denkmal u. Fest im Kaiserreich, in: ebd., 264–301; auch noch ders., Die Verwissenschaftlichung der Historie, in: Koselleck u. a. Hg., Formen, 147–91; u. in: ders., Geschichtskultur, 58–91; G. List, Histor. Theorie u. nationale Geschichte zwischen Frühliberalismus u. Reichsgründung, in: B. Faulenbach Hg., Geschichtswissenschaft in Deutschland, München 1974, 35–53; L. Miller, Between Kulturnation and Nationalstaat: The German Liberal Professoriate 1848–70, in: GSR SoH. German Identity 1992, 33–54; U. Haltern, Geschichte u. Bürgertum: Droysen – Sybel – Treitschke, in: HZ 259.1994, 59–107, und P. U. Hohendahl, Bürgerl. Literaturgeschichte u. nationale Identität, in: Kocka Hg., Bürgertum III, 200–31. – Dahlmann: NDB 3, 478–81; Celotti; Springer; v. Srbik I, 348–53. – Droysen: NDB 4, 135–37; R. Southard, Droysen and the Prussian School of History, Lexington/Ky. 1994; R. H. Handy, J. G. Droysen: The Historian and German Politics in the 19th Century, Washington D. C. 1966; G. Birtsch, Die Nation als sittl. Idee. Der Nationalbegriff in Geschichtsschreibung u. polit. Gedankenwelt J. G. Droysens, Köln 1964; F. Gilbert, J. G. Droysen u. die preuß.-deutsche Frage, München 1931; ders. Hg., Droysen, Polit. Schriften, z. B. 105, 107–10, 338f.; J. Rüsen, Polit. Denken u. Geschichtswissenschaft bei J. G. Droysen, in: 1. Fs. Schieder, 171–87; ders., Begriffene Geschichte. Genesis u. Begründung der Geschichtsphilosophie J. G.

Droysens, Paderborn 1969; ders., J. G. Droysen, in: Wehler Hg., Historiker II, 7–23; v. Srbik I, 367–77. – J. G. Droysen, Geschichte Alexanders d. Großen, Berlin 1833/ND Tübingen 1952; ders., Geschichte des Hellenismus, 2 Bde, Hamburg 1836/43; 3 Bde, Gotha 1877–78/ND Tübingen 1952/53; ders., Vorlesungen, 2 Bde, 1846; ders., York, 3 Bde, 1851/52; ders., Geschichte der Preuß. Politik, 14 Bde, Leipzig 1855–86. Droysen, Briefwechsel II, 11 (an W. Arendt, 1.12. 1851). Droysen ist bekanntlich der klügste theoretische Kopf unter den deutschen Historikern des 19. Jahrhunderts gewesen. Selbst in der abstrakten Sprache seiner «Historik» (1974[7], Krit. Ausg. Hg. P. Leyh, Stuttgart 1977) schimmern jedoch die nationalpolitischen Werturteile hindurch. – Mommsen: Heuss, Zit. 224; T. Wucher, T. Mommsen, Göttingen 1956/1968[2]; ders., dass., in: Wehler Hg. Historiker IV, 7–42; L. Wickert, dass., 4 Bde, Frankfurt 1959–80 (unförmig und M. nicht von ferne angemessen). T. Mommsen, Röm. Geschichte, 3 Bde, 1854–56, 1856–57[2]/ ND München 1976, 8 Bde; Dilthey: ebd., Hg. K. Christ, Bd. VIII, 27. Zu Mommsen als Politiker s. u. IV.3 und 6. Teil, IV. A. – Häusser: NDB 7, 456–59; A. Kaltenbach, L. Häusser, Paris 1965; L. Gall, L. Häusser als Historiker u. Politiker des kleindeutschen Liberalismus, In: Ruperto-Carola. Zeitschrift der Vereinigung der Freunde der Studentenschaft der Univ. Heidelberg 19/4.1967, 82–90; noch immer: E. Marcks, L. Häusser u. die polit. Geschichtsschreibung in Heidelberg, in: F. Schöll Hg., Heidelberger Professoren aus dem 19. Jh. I, Heidelberg 1903, 283–354. L. Häusser, Deutsche Geschichte 1786–1815, 4 Bde, Leipzig 1854–57/ND 1933. – Sybel: V. Dotterweich, H. v. Sybel 1817–61, Göttingen 1978, Zit. 378; H. Seier, Die Staatsidee H. v. Sybels 1862–71, Lübeck 1961; ders., H. v. Sybel, in: Wehler Hg., Historiker II, 24–38; vorschnell dogmatisch abwertend: H. Schleier, Sybel u. Treitschke, Berlin 1965, u. ders., Die kleindeutsche Schule: Droysen, Sybel, Treitschke, in: J. Streisand Hg., Studien über die deutsche Geschichtswissenschaft I, ebd. 1963, 271–310; v. Sybel, Stand, 349–64; die Kontroverse mit Ficker, in: F. Schneider Hg., Universalstaat oder Nationalstaat, Innsbruck 1943[2], hier v. a. Sybel, Über die neueren Darstellungen der deutschen Kaiserzeit (1859), in: ebd., 1–18; ders., Die deutsche Nation u. das Kaiserreich (1862), in: ebd., 159–260. Vgl. hierzu H. Gollwitzer, Zur Auffassung der mittelalterl. Kaiserpolitik im 19. Jh., in: Fs. v. Raumer, 483–512; F.-J. Jakobi, Mittelalterl. Reich u. Nationalstaatsgeschichte, in: K.-E. Jeismann Hg., Einheit – Freiheit – Selbstbestimmung, Frankfurt 1987, 155–76; G. Koch, Der Streit zwischen Sybel u. Ficker um die Einschätzung der mittelalterl. Kaiserpolitik, in: Streisand Hg. I, 311–36. In seiner quasi-offiziösen «Begründung des Deutschen Reiches durch Wilhelm I.» (7 Bde, 1889–94) verfälschte Sybel die Leistungen Bismarcks und der liberalen Nationalbewegung zu einer Tat des mediokren Hohenzollernkönigs. – Duncker: NBD 4, 195f.; R. Haym, M. Duncker, Berlin 1891; J. Schultze Hg., M. Duncker, Polit. Briefwechsel, Stuttgart 1923/ND Osnabrück 1967; O. Westphal, Welt- u Staatsauffassunq des deutschen Liberalismus: Die PJ 1858–63, München 1919/ND Aalen 1964. – Haym: NDB 8, 152f.; H. Rosenberg, R. Haym u. die Anfänge des klass. Liberalismus, München 1933; ders. Hg., Haym, Briefwechsel; Haym, Leben; M. Krohn, R. Haym als Hg. der PJ, in: Jb. der Schles. Fried. Wilh. Univ. Breslau 15.1970, 92–145; Westphal; W. Harich, R. Haym, in: Sinn u. Form 6.1954, 482–527. – Freytag: NDB 5, 425–27; R. Koebner, G. Freytag, in: Schles. Lebensbilder 1.1922/ND 1985, 154–66; W. Bussmann, dass., in: ders., Wandel u. Kontinuität in Politik u. Geschichte, Boppard 1973, 135–61; E. Laaths, Der Nationalliberalismus im Werke Freytags, Diss. Köln 1934; J. Hoffmann, G. Freytag als Politiker, Leipzig 1922; G. Freytag, Briefwechsel mit H. v. Treitschke, Leipzig 1900; ders., Briefwechsel mit Herzog Ernst von Coburg 1853–93, ebd. 1904; ders., Soll u. Haben, 2 Bde. (1855/56), in: ders., GW 4 u. 5, Leipzig 1896 (vgl. T. E. Carter, Freytag's Soll u. Haben. A Liberal National Manifesto as Bestseller, in: German Life and Letters 21 1968, 320–29); ders., Bilder aus der deutschen Vergangenheit, 5 Bde. (1859–67), in: ders., GW 17–21, ebd 1897; ders., Die Ahnen, 6 Bde. (1873–81), in: ders., GW 8–13, ebd. 1897. – Treitschke: am besten bisher A. Dorpalen, H. v. Treitschke, New Haven 1957/ND Port Washington 1973; W. Bussmann, Treitschke, Göttingen 1952/

1967²; ders., Treitschke als Politiker, in: HZ 177.1954, 249–79; G. G. Iggers, H. v. Treitschke, in: Wehler Hg., Historiker II, 66–80; Schleier, Sybel u. Treitschke; ders., H. v. Treitschke, in: G. Seeber Hg., Gestalten der Bismarckzeit II, Berlin 1986, 212–34; G. W. F. Hallgarten, dass., in: History 36.1951, 227–43; H. Katsch, H. v. Treitschke u. die preuß.-deutsche Frage, München 1919; H. W. C. Davis, The Political Thought of H. v. Treitschke, London 1914/ND Westport/Conn. 1973; E. Leipprand (H. v. Treitschke im deutschen Geistesleben des 19. Jh., Stuttgart 1935) strotzt ebenso von Heldenverehrung wie H. v. Petersdorff, H. v. Treitschke, in: ADB 55.1910, 263–326. Gerechtere Würdigung: G. Schmoller, H. v. Sybel u. H. v. Treitschke, in: ders., Charakterbilder, Berlin 1913, 189–221; G. P. Gooch, Treitschke, in: ders., Studies in German History, London 1948, 267–99; v. Srbik I, 385–98. – H. v. Treitschke, Politik; ders., Histor. u. polit. Aufsätze, 4 Bde, Leipzig 1886⁵ (v. a. aus den PJ); ders., Aufsätze, Reden, Briefe, 5 Bde, Meersburg 1929; ders., Briefe, 3 Bde, Hg. M. Cornicelius, Leipzig 1913–20³; W. Andreas Hg., Briefe H. v. Treitschkes an Historiker u. Politiker vom Oberrhein, Stilte 1934; die «Deutsche Geschichte im 19. Jh.» begann erst 1879 (5 Bde bis 1894) zu erscheinen. – Treitschke, Briefe I, 364 (8. 6. 1856, Rochau); Heffter, 360; Treitschke, Freiheit (1861), in: ders., Aufsätze II, 1929, 9–42; ders., Bundesstaat u. Einheitsstaat (1864), in: ebd. III, 9–146; ders., Das deutsche Ordensland Preußen (1862), in: ebd. II, 43–105; fragwürdiger ND Göttingen 1958, Hg. W. Bussmann.

[12] Zu Gervinus s. o. Anm. 5. – Riehl: P. Steinbach, W. H. Riehl, in: Wehler Hg., Historiker VI, 37–54; W. Lepenies, Die drei Kulturen. Soziologie zwischen Wissenschaft u. Kultur, München 1985, 239–43; Lees, Revolution, 147–53; v. Geramb. – Ranke: Krieger, Ranke; Berding, Ranke. Aus der großen Lit. hier nur: T. Schieder, Das histor. Weltbild Rankes (1950), in: ders., Begegnungen, 105–28; T. v. Laue, L. v. Ranke. The Formative Years, Princeton 1950/ND N. Y. 1970; G. Berg, L. v. Ranke als akadem. Lehrer, Göttingen 1968; C. Hinrichs, Ranke u. die Geschichtstheologie der Goethezeit, ebd. 1954. – Leo: NDB 14, 243–45; C. v. Maltzahn, H. Leo 1799–1878, ebd. 1979, 216–40. – Zur Bedeutung des Protestantismus für den Nationalismus: W. Conze, Zum Verhältnis des Luthertums in den mitteleurop. Nationalbewegungen im 19. Jh., in: B. Möller Hg., Luther in der Neuzeit, Gütersloh 1983, 178–93; R. Wittram, Kirche u. Nationalismus in der Geschichte des deutschen Protestantismus im 19. Jh. (1949), in: ders., Das Nationale, 109–48; H. Zimmer, Auf dem Altar des Vaterlandes: Religion u. Patriotismus in der deutschen Kriegslyrik des 19. Jh., Frankfurt 1971; J. Rohlfes, Staat, Nation u. evangel. Kirche im Zeitalter der deutschen Einigung 1848–71, in: GWU 9.1958, 593–616; W. Tilgner, Volk, Nation u. Vaterland im protestant. Denken 1870–1930, in: H. Zillesen Hg., Der deutsche Protestantismus u. der Nationalismus, Gütersloh 1970, 135–71. – Diese Reformationsinterpretation läuft über Troeltsch, überhaupt den «Kulturprotestantismus», bis zu Rosenstock (Europ. Revolutionen) weiter; sie verdiente längst eine sorgfältige Studie, zumal sie im Kern zutrifft. Die Wirkung des alttestamentarisch geprägten Puritanismus, der in den englischen und amerikanischen Nationalimus einströmte, bietet sich als Parallelerscheinung unmittelbar an.

[13] Vgl. A. Lhotsky, Geschichtsforschung u. Geschichtsschreibung in Österreich, in: HZ 189.1959, 400–18; H. Friedjung, Histor. Aufsätze, Stuttgart 1919, 198–238 (Arneth, Springer, Helfert); F. Heer, Der Kampf um die österreich. Identität, Wien 1981, 218; A. O. Meyer, Graf Rechberg über die kleindeutsche Geschichtsschreibung, in: HZ 133.1926, 259–61 (Rechberg an Buol, 11. 8. 1858). – Klopp: NDB 12, 115 f.; L. Matzinger, O. Klopp 1822–1903, Aurich 1993; W. v. Klopp, O. Klopp, Hg. F. Schnabel, München 1950; H. Schmidt, O. Klopp u. die «kleindeutschen Geschichtsbaumeister», in: Fs. H. Raab, Paderborn 1988, 381–95; E. Laslowski, Zur Entwicklungsgeschichte O. Klopps, in: Histor. Jb. 56.1936, 481–98; O. Klopp, Tilly u. der 30jähr. Krieg, 2 Bde, Stuttgart 1861/1867²; ders., Der König Friedrich II. u. die deutsche Nation, Schaffhausen 1860; ders., Kleindeutsche Geschichts-Baumeister, Freiburg 1863. – Frantz: NDB 5, 353–56; M. Ehmer, C. Frantz, Rheinfeldern 1988; E. Stamm, Ein berühmter Unberühmter, Konstanz

1948; ders., K. Frantz' Schriften u. Leben 1817–56, Heidelberg 1907/ND Nendeln 1976; ders., dass. 1857–66, Stuttgart 1930; Sautter u. Onnau Hg., Frantz, Briefe. – C. Frantz, Vorschule zur Physiologie des Staates, Berlin 1857; ders., Naturlehre des Staates, Leipzig 1870; ders., Kritik aller Parteien, Berlin 1862; ders., Untersuchungen über das europ. Gleichgewicht, Berlin 1859/ND Osnabrück 1968; ders., Die Wiederherstellung Deutschlands, Berlin 1865/ND Aalen 1972; ders., Das neue Deutschland, Leipzig 1871. – Jörg: NDB 10, 461f.; B. Zittel, J. E. Jörg, in: Lebensbilder aus dem Bayer. Schwaben 4.1955, 395–429; V. Conzemius, I. v. Döllinger u. E. Jörg, in: Fs. Spindler, 743–65; D. Albrecht Hg., J. E. Jörg, Briefwechsel 1846–1901, Mainz 1988; K.-H. Lucas, J. E. Jörg: Konservative Publizistik 1852–71, Diss. Köln 1969; C. Stache, Bürgerl. Liberalismus u. kathol. Konservativismus in Bayern 1867–71, Frankfurt 1981; F. Wöhler, E. Jörg u. die sozialpolit. Richtung im deutschen Katholizismus, Leipzig 1929; F. J. Stegmann, Von der ständ. Sozialreform zur staatl. Sozialpolitik. Der Beitrag der «Histor.-Polit. Blätter», München 1965. – E. Jörg, Geschichte des Protestantismus in seiner neuesten Entwicklung, 2 Bde, Freiburg 1858; ders., Die neue Ära in Preußen, Regensburg 1860; ders., Geschichte der social-polit. Parteien, Freiburg 1867.

[14] Augsburger Allg. Ztg. 11.8. 1865; Bluntschli, Denkwürdigkeiten III/2, 1884, 160 (23.6. 1866); Treitschke, Briefe III, 103 (1.12. 1866); ebenso: 34 (28.7. 1866); ders., Zehn Jahre Deutscher Kämpfe I, Berlin 1897[3], 108; MEW 21, 438; M. Busch, Tagebuchblätter I, Leipzig 1899, 568; Bismarck, GW 8, 459 (3.12. 1882), GW 5, 514 (27.5. 1866); MEW 36, 238f.; Clausewitz, Polit. Schriften, 171, 216; W. Sauer, Das Problem des deutschen Nationalstaats (1962), in: Wehler Hg., Moderne deutsche Sozialgeschichte, 1981[6], 425, 427; D. Langewiesche, «Revolution von oben»? Krieg u. Nationalstaatsgründung in Deutschland, in: ders. Hg., Revolution u. Krieg, Paderborn 1989, 118–26; E. Engelberg, Bismarck u. die Revolution von oben, Braunschweig 1987. – Vgl. allg. Sheehan, History, 869–92; Craig, Geschichte, 13–44; Siemann, Gesellschaft, 268–306; Nipperdey, Geschichte I, 697–803; Rürup, dass., 197–233; Lutz, Zwischen Habsburg, 326–485; Grimm, Verfassungsgeschichte I, 208–40; Huber III, 269–377, 384–765; Heffter, 428–45; Gall, Bismarck, 159–455; Engelberg, dass. I, 525–762; O. Pflanze, Bismarck and the Development of Germany I: 1815–71, Princeton 1990[2], 164–506; vgl. ders., dass. II u. III, ebd. 1990; Eyck, Bismarck I, Zürich 1941/1963[2], 361–537; Böhme, Weg, 124–308; Hamerow, Foundations, 2 Bde; Ritter, Staatskunst I, 159–206; Schmidt u. a. Hg., Deutsche Geschichte IV, 422–511; Schieder, Staatensystem, 88–151; Gall, Europa, 4–64; Taylor, Struggle, 99–170; J. Joll, Prussia and the German Problem 1830–66, in: NCMH 10, 493–521.

[15] Vgl. Bd. II, 380–94; Bd. I, 463–72, mit den technischen Details; Marcks, Wilhelm, 170f.; Craig, Armee, 158–68; v. Roon I, 346f., 398f., 406; II, 521–72 (Denkschrift Juli 1858); G. A. Craig, Porträt eines polit. Generals: E. v. Manteuffel u. der Verfassungskonflikt, in: ders., Krieg, Politik u. Diplomatie, Hamburg 1978, 121–56; C. Schmitt, Staatsgefüge u. Zusammenbruch des Zweiten Reiches, ebd. 1934, 10; Eyck I, 344 (Ziegler). – Die beste schnelle Einführung vermitteln: R. Wahl, Der preuss. Verfassungskonflikt u. das konstitutionelle System des Kaiserreichs, in: Böckenförde u. ders. Hg., 171–94; H. Boldt, Verfassungskonflikt u. Verfassungstheorie, in: Böckenförde Hg., Konstitutionalismus, 75–102; D. Schefold, Verfassung als Kompromiß? Deutung u. Bedeutung des preuss. Verfassungskonfliktes, in: Zeitschrift für Neuere Rechtsgeschichte 3.1981, 137–57; W. Becker, Die angebl. Lücke der Gesetzgebung im preuss. Verfassungskonflikt, in: Histor. Jb. 100.1980, 257–85. Die wichtigsten allg. Darstellungen: H. A. Winkler, Preuss. Liberalismus u. deutscher Nationalstaat. Studien zur Geschichte der Deutschen Fortschrittspartei 1861–66, Tübingen 1964; E. N. Anderson, The Social and Political Conflict in Prussia 1858–64, Lincoln 1954/ND N. Y. 1976; A. Hess, Das Parlament, das Bismarck widerstrebte. Zur Politik u. sozialen Zusammensetzung des preuss. Abgeordnetenhauses der Konfliktzeit 1862–66, Köln 1964; T. Parent, «Passiver Widerstand» im preuss. Verfassungskonflikt, Diss. ebd. 1982; ders., «Der Geist der Freiheit lebt u. siegt». Zielsetzungen u. Strategie der Opposition im preuss. Verfassungskonflikt aus rhein. Perspektive, in: Düwell

u. Köllmann Hg. I, 251–60; ders., Die Kölner Abgeordnetenfeste im preuss. Verfassungskonflikt, in: Düding u. a. Hg., 259–77; B.-C. Padtberg, Rhein. Liberalismus u. die preuss. Politik nach 1848/49, Köln 1985. Dogmatisch verengt: M. Gugel, Industrieller Aufstieg u. bürgerl. Herrschaft. Sozialökonom. Interessen u. polit. Ziele des liberalen Bürgertums z. Zt. des Verfassungskonflikts 1857–67, Köln 1975, u. K. H. Börner, Die Krise der preuss. Monarchie 1858–62, Berlin 1976. Vgl. noch: K. Kaminski, Verfassung u. Verfassungsstreit 1862–66, Königsberg 1938; W. Bothe, Bismarcks Kampf mit dem preuss. Parlament 1862–66, Breslau 1932; F. Löwenthal, Der preuss. Verfassungsstreit 1862–66, München 1914; H.-J. Collani, Die Finanzgebahrung des preuss. Staates z. Zt. des Verfassungskonfliktes 1862–66, Düsseldorf 1939; C. Brodersen, Rechnungsprüfung für das Parlament in der konstitutionellen Monarchie, Preußen-Deutschland 1848–77, Berlin 1977; E. Fülling, Die preuss. Altliberalen im Heeresreform- u. Verfassungskampf, Diss. Marburg/Bad Essen 1933. – Marcks, Wilhelm; K. H. Börner, Wilhelm I., Berlin 1984; G. Richter, Kaiser Wilhelm I., in: W. Treue Hg., Drei deutsche Kaiser, Freiburg 1987, 14–75; M. Howard; William I and the Reform of the Prussian Army, in: M. Gilbert Hg., A Century of Conflict 1850–1950, London 1977, 91–103; W. Treue, Wollte König Wilhelm I. 1862 zurücktreten? in: FBPG 51.1939, 275–310. – v. Roon, 2 Bde; H. M. Elster, Graf A. v. Roon, Berlin 1938; R. Hübner, A. v. Roon, Hamburg 1933. – H. O. Meisner, Der preuss. Kronprinz im Verfassungskampf 1863, Berlin 1931; A. Dorpalen, Emperor Frederick III and the German Liberal Movement, in: AHR 54.1948, 1–31; Kaiser Friedrich, Tagebücher 1848–66, Hg. H. O. Meisner, Leipzig 1929; F. Ponsonby Hg., Letters of the Empress Frederick, London 1929, dt. Briefe der Kaiserin Friedrich, Berlin 1936. Vgl. allg.: L. Dehio, Die Taktik der Opposition während des Konflikts, in: HZ 140.1929, 279–347; ders., Bismarck u. die Heeresvorlagen der Konfliktzeit, in: HZ 144.1931, 31–47; G. Fesser, Zur Struktur u. polit. Konzeption der Deutschen Fortschrittspartei in der Konfliktzeit, in: Fs. Obermann, 457–74; H. Neumann, F. Ziegler u. die Politik der liberalen Oppositionsparteien 1848–66, in: FBPG 37.1925, 271–88; L. Bergsträsser, Krit. Studien zur Konfliktzeit, in: Histor. Vierteljahrsschrift 19.1919/20, 346–76; K. Canis, Die polit. Taktik führender preuss. Militärs 1858–66, in: Bartel u. Engelberg Hg. I, 118–56; F. L. Carsten, Germany From Scharnhorst to Schleicher: The Prussian Officer Corps in Politics 1806–1933, in: M. Howard Hg., Soldiers and Governments, London 1957, 73–98; typisch apologetisch: W. Hubatsch, Abrüstung u. Heeresreform in Preußen 1807–61, in: H. Bodensieck Hg., Preußen, Deutschland u. der Westen seit 1789, Göttingen 1980, 39–61; F. Meinecke, Boyen u. Roon. Landwehr u. Landsturm seit 1814, in: ders., Preußen u. Deutschland im 19. u. 20. Jh., Berlin 1918, 41–99; V. G. Kiernan, Conscription and Society in Europe Before the War of 1914–18, in: M. R. D. Foot Hg., War and Society, London 1973, 141–58. Allg. H. D. Loock u. H. Schulze Hg., Parlamentarismus u. Demokratie im Europa des 19. Jh., München 1982; R. Schütz, Monarch. Konstitutionalismus u. parlamentar. System, in: Bodensieck Hg., 103–32; M. Geyer, Deutsche Rüstungspolitik 1860–1980, Frankfurt 1984, 24–45; L. Köllner, Militär u. Finanzen, München 1982; ders., Rüstungsfinanzierung, Frankfurt 1979; vgl. allg. K. Roghmann u. R. Ziegler, Militärsoziologie, in: HES IX.1977[3], 142–227; B. Peschken u. C. D. Krohn Hg., Der liberale Roman u. der preuss. Verfassungskonflikt, Stuttgart 1976.

[16] Vgl. Craig, Armee, 168–79; Löwenthal, 34–38; Schmidt-Bückeburg, 68 f.; T. v. Bernhardi, Aus dem Leben III, Leipzig 1898, 279; Hohenlohe-Ingelfingen II, 255 f.; v. Roon II, 38 f., 55 (10. 11. 1861, an Perthes), 24 (18. 6. 1861, an dens.); W. Foerster Hg., Prinz Friedrich Karl, Denkwürdigkeiten I, Stuttgart 1910, 268; Duncker, Briefwechsel, 305. – Vgl. zum parteipolitischen Liberalismus: G. Seeber, Deutsche Fortschrittspartei, in: LP 1, 1983[2], 623–48; G. Fesser, Altliberale 1849–76, in: ebd., 59–65; R. Adam, Der Liberalismus in der Prov. Preußen z. Zt. der Neuen Ära u. sein Anteil an der Entstehung der DFP, in: Altpreuss. Beiträge, Königsberg 1933, 145–81; B.-M. Rosenberg, Die ostpreuss. Vertretung im preuss. Landtag 1842–62, Stuttgart 1979; L. Parisius, Deutschlands polit. Parteien u. das Ministerium Bismarck, Berlin 1878; Mommsen Hg., Parteiprogramme, 132–35; W. Treue

Hg., Deutsche Parteiprogramme 1861–1961, Göttingen 1961[3], 51f.; R. Eisfeld, Die Entstehung der liberalen Parteien in Deutschland 1858–70, Hannover 1969; O. Klein-Hattingen, Geschichte des deutschen Liberalismus I, Berlin 1911; J. H. Knoll, Führungsauslese in Liberalismus u. Demokratie, Stuttgart 1957; R. Koch, Liberalismus u. liberale Idee vom Vormärz bis 1914, in: H. Vorländer Hg., Verfall oder Renaissance des Liberalismus? München 1987, 37–56; allg. noch D. Langewiesche, Liberalismus, in: Theolog. Realenzyklopädie 22.1991, 73–78. Zu den führenden Akteuren: L. Parisius, L. v. Hoverbeck, 2 Bde, Berlin 1897/1900; M. Philippson, M. v. Forckenbeck, Dresden 1898; Waldeck: Dehio; Biermann; M. Vasold, R. Virchow, Stuttgart 1988; E. H. Ackerknecht, dass., ebd. 1957; Mommsen: s. o. Anm. 11; Renner, Twesten; W. Breywisch, H. V. v. Unruh, in: Mitteldeutsche Lebensbilder 4.1929, 274–94; v. Unruh, Erinnerungen; Siemens, Lebenserinnerungen; Aldenhoff, Schulze-Delitzsch; B. Schulze, Zur linksliberalen Ideologie u. Politik, Schulze-Delitzsch, in: Bartel u. Engelberg I, 271–307. – Zu den Wahlen: E. N. Anderson, Statistics on the Prussian Elections of 1862 and 1863, Lincoln 1954; ders., Conflict; Winkler, 3–16; Hess, 23–55; Ritter, Staatskunst I, 180–88; Gugel, Bothe; Kaminski; Löwenthal. Vgl. allg. E. Bendikat, Wahlkämpfe in Europa 1848–89. Parteiensysteme u. Politikstile in Deutschland, Frankreich u. Großbritannien, Wiesbaden 1988; N. Diederich u. a. Hg., Wahlstatistik in Deutschland. Bibliographie 1848–1975, München 1976; O. Büsch Hg., Wählerbewegung in der europ. Geschichte, Berlin 1978; ders., Parteien u. Wahlen in Deutschland bis 1914, in: Abhandlungen aus der Pädagog. Hochschule Berlin 1, ebd. 1974, 178–264; K. Rohe, German Elections and Party Systems in Historical and Regional Perspective, in: ders. Hg., Elections, Parties, and Political Traditions. Social Foundations of German Parties and Party Systems 1867–1987, N. Y. 1990, 1–25; P. Steinbach, Stand u. Methode der histor. Wahlforschung, in: Kaelble u. a. Hg., Probleme, 171–234; ders., Modernisierungstheorie u. polit. Beteiligung, in: Bergmann u. a., Arbeit, 36–65; R. Heberle u. L. Svasand, Zur Soziologie der Wahlen, in: HES XII.1978[3], 1–72; ders., Wahlökologie, in: ebd., 73–191.

[17] L. Dehio, Die Pläne der Militärpartei u. der Konflikt, in: DR 213.1927, 91–100; Duncker: Gugel, 101; anon., Vier Briefe A. v. Roons an Bismarck, in: Bismarck-Jb. 6.1899, 195 (27.6. 1861); Craig, Armee, 179–82; Huber III, 348; v. Bernhardi IV, 238, 255f.; Duncker, Briefwechsel, 311 (v. Roon), 335; Meisner, Kronprinz; Kaiser Friedrich, Tagebücher 1848–66; Anderson, Conflict, 412; genaue Mai-Zahlen: ders., Elections; Hess, 53; Heyderhoff u. Wentzke Hg. I, 88 (v. Sybels Rede, 1862, Anm. 2 zu: Beckerath an Kruse, 19.4. 1862), 103 (Gneist an v. Mohl, 22.6. 1862); Westphal, 297 (PJ 10.1862); Winkler, 16–27; Deutsche Jbb. für Politik u. Literatur 6.1863, 325; vgl. H. Valentin, H. B. Oppenheim. Ein Beitrag zur Geschichte des deutschen Liberalismus 1819–61, Diss. Berlin/Korbach 1936; Twesten, in: PJ 4.1859, 306 (s. o. Anm. 5); vgl. R. J. Lamer, Der engl. Parlamentarismus in der deutschen polit. Theorie 1857–90, Hamburg 1963; Volks-Zeitung 31.7. 1862, in: J. Frölich, Die Berliner «Volks-Zeitung» 1853–67, Frankfurt 1990, 210; Deutsche Jb. 10.1864, 245; Bergengrün, v. d. Heydt, 298–308; Wilhelm I., Militär. Schriften I, 341, 345; Löwenthal, 99–104; Abdankungsentwurf: Huber Hg., Dokumente II, 404f.; Kaiser Friedrich, Tagebücher, 498f.

[18] Zum Begriff des charismatischen Politikers vgl. ausführlicher unten IV, Anm. 42. Friedr. Wilh. IV: R. Lucius v. Ballhausen, Erinnerungen, Stuttgart 1921, 20; angeblich auch: «Roter Reaktionär, riecht nach Blut, später zu gebrauchen», nach: Vitzthum v. Eckstädt, Denkwürdigkeiten I, 247; Bismarck, GW 1, 427 (15.2. 1854); GW 14, 14f. (29.9. 1838). Die psychohistorische Analyse Bismarcks ist bisher katastrophal gescheitert: vgl. z. B. O. Pflanze, Toward a Psychoanalytic Interpretation of Bismarck, in: AHR 77.1972, 419–44; J. M. Hughes, Toward the Psychological Drama of High Politics: The Case of Bismarck, in: CEH 10.1977, 271–85; C. Sempell, Bismarck's Childhood: A Psychohistorical Study, in: History of Childhood Quarterly 2.1974, 107–24. Zu Sprache und Stil vgl. H. Rothfels Hg., Bismarck-Briefe, Göttingen 1970[2]; ders. Hg., Bismarck u. der Staat, Darmstadt 1958[3]; umfassend: Bismarck, GW, 19 Bde, Berlin 1924–25/ND Liechtenstein

1972; L. Gall Hg., Bismarck. Die großen Reden, Berlin 1981; L. Bamberger, Herr v. Bismarck, Breslau 1868, 108, französ. in: ders., G. Sch. III, Berlin 1895, 343–443; (danach Galls und Kissingers Titel); vgl. W. Bussmann, Zwischen Revolution u. Reichsgründung. Die polit. Vorstellungswelt L. Bambergers, in: ders., Wandel, 53–81; überholt ist: G. Rein, Die Revolution in der Politik Bismarcks, Göttingen 1957; H. Kohl Hg., Die Polit. Reden des Fürsten Bismarck I, Stuttgart 1892, 264 (3. 12. 1850); A. O. Meyer, Bismarcks Kampf mit Österreich am Bundestag 1851–59, Berlin 1927, 33 (Wilh.); v. Gerlach, Aufzeichnungen II, 124; F. Stern, Gold and Iron, N. Y. 1977, dt. Gold u. Eisen. Bismarck u. sein Bankier Bleichröder, Berlin 1978; H. Mombauer, Bismarcks Realpolitik als Ausdruck seiner Weltanschauung. Die Auseinandersetzung mit L. v. Gerlach 1851–58, ebd. 1936/ND Vaduz 1965; vgl. H. Holborn, Bismarck's Realpolitik, in: JHI 21.1960, 84–98; O. Pflanze, dass., in: RoP 20.1958, 492–514; Duncker, Briefwechsel, 220 (v. Roggenbach, 25. 8. 1860); v. Unruh, 207f., vgl. Bismarck, GW 14, 565 (1860), GW 3, 266f., 384f.; O. Pflanze, Bismarck and German Nationalism, in: AHR 60.1954/55, 548–66; G. Franz, Bismarcks Nationalgefühl, Leipzig 1926; Vitzthum v. Eckstädt, St. Petersburg u. London 1852–64, Denkwürdigkeiten II, 158f. (Juli 1862); GW 15, 178f.; ausführlich zur Amtsübernahme: E. Zechlin, Bismarck u. die Grundlegung der deutschen Großmacht, Stuttgart 1930/1960². – Die wichtigste Literatur findet sich in: Gall, Bismarck; Engelberg, dass. I; ders., dass. II: Das Reich in der Mitte Europas, Berlin 1990; Pflanze, dass. I; Eyck, dass.; vgl. noch L. Gall, Bismarck in der Geschichtsschreibung nach 1945, in: K. O. v. Aretin Hg., Bismarcks Außenpolitik u. der Berliner Kongreß, Wiesbaden 1978, 131–58; ders. Hg., Das Bismarck-Problem in der Geschichtsschreibung nach 1945, Köln 1971; ders., Die Deutschen u. Bismarck, in: Fs. K. O. v. Aretin, Wiesbaden 1988, 525–36; H. G. Zmarzlik, Das Bismarckbild der Deutschen, Freiburg 1867; T. Heuss, Das Bismarck-Bild im Wandel, in: O. v. Bismarck, Gedanken u. Erinnerungen, Berlin 1951, 7–27; F. Grützner, Die Politik Bismarcks 1862–71 in der deutschen Geschichtsschreibung, Frankfurt 1986; P. Ayçoberry, Bismarck, la Prusse et l'Empire 1871–90: le jugement des historiens allemands (1971–82), in: Recherches Germaniques 13.1983, 35–63, sowie K.-E. Born u. a. Hg., Bismarck-Bibliographie, Köln 1966.

[19] Rochau, 9; Rosenberg, Publizistik II, Nr. 741, vgl. Nr. 940, 1032, 1121, 1129, 1339; Oetker III, 334; Kohl Hg., Reden II, 30; Bismarck, GW 10, 140; Kreuzztg.: G. Ritter, Die preuss. Konservativen u. Bismarcks deutsche Politik 1858–71, Heidelberg 1913/ND Liechtenstein 1976, 74; O. Nirrnheim, Das erste Jahr des Ministeriums Bismarck u. die öffentl. Meinung, Heidelberg 1908/ND Nendeln 1977, 122f. (Rössler); Bismarck, GW 14, 467; GW 15, 114, vgl. 165, 290; Treitschke, Briefe II, 238 (29./30. 9. 1862 an W. Nokk); Bothe, 49 (Baumgarten); Stern, 53 (Bleichröder, 24. 1. 1863); Craig, Armee, 183–91; Kaiser Friedrich, Tagebücher, 505 (13. 10. 1862); Dehio, Bismarck, 31f.; Bismarck, GW 14, 628; M. Messerschmidt, Die Armee in Staat u. Gesellschaft, in: M. Stürmer Hg., Das kaiserl. Deutschland, Düsseldorf 1970/1977², 95; vgl. D. Langewiesche, Liberalismus u. Revolution in Deutschland, in: F. Naumann-Stiftung Hg., dass., St. Augustin 1990, 25–40; Heyderhoff u. Wentzke Hg. I, 171 (v. Sybel); Kohl Hg., Reden II, 80; H. v. Treitschke, Das konstitutionelle Königtum in Deutschland (1869/71), in: ders., Histor. u. Polit. Aufsätze III, 453; Becker, Lücke, 271–73, 278f.; contra Huber III, 290–319, 333–43 (perfide Verteidigung der Lückentheorie im Jahre 1963 zur Rettung des autoritären Obrigkeitsstaats); vgl. H.-C. Kraus, Ursprung u. Genese der «Lückentheorie», in: Der Staat 29.1990, 209–34.

[20] Bismarck, GW 10, 160 (27. 1. 1863); Bothe, 52 (Treitschke), 49 (Baumgarten); G. Lange, Die Bedeutung des preuß. Innenministers F. A. zu Eulenburg, Berlin 1993; R. R. Reininghaus, Graf F. zu Eulenburg, preuss. Minister des Inneren 1862–78, Diss. Tübingen 1932; M. Overesch, Presse zwischen Lenkung u. Freiheit. Preußen u. seine offiziöse Zeitung 1849–71, Pullach 1974; J. Loeber, Bismarcks Pressepolitik im Verfassungskonflikt 1862–66, München 1935; I. Fischer-Frauendienst, Bismarcks Pressepolitik, Münster 1963; R. Haym, Die VO v. 1.6. u. die Presse, in: PJ 11.1863, 636, 631f.; H. v. Treitschke, Das

Schweigen der Presse, in: Die Grenzboten (= Gb) 17.7. 1863, u. in: ders., Aufsätze IV, 126–37; vgl. ders., Briefe II, 273–77 (17., 19.7. 1863, an Haym); Dorpalen, 77f.; Bussmann, 367–70; Duncker, Briefwechsel, 348f.; Ponsonby Hg., 40–118; H.-J. Rejewski, Die Pflicht zur polit. Treue im preuss. Beamtenrecht 1850–1918, Berlin 1973; ausführlich dazu: B. Steinbach, Die polit. Freiheit der Beamten unter der konstitut. Monarchie in Preußen u. im Deutschen Reich, Diss. Bonn 1962; Rochau, 12; Rosenberg, Publizistik II, wie Anm. 19. – G. Mayer, Bismarck u. Lassalle. Ihr Briefwechsel u. ihre Gespräche, Berlin 1928, Einleit., 7–58, auch in: ders., Arbeiterbewegung, 93–118; S. Na'aman, Lassalles Beziehungen zu Bismarck, in: AfS 2.1962, 55–85; A. Richter, Bismarck u. die Arbeiterfrage im preuss. Verfassungskonflikt, Stuttgart 1935; Fesser, Linksliberalismus; ders., Fortschrittspartei u. Arbeiterbewegung in der Zeit des preuss. Heeres- u. Verfassungskonflikts, in: ZfG 23.1975, 783–94; ders., Zur «Arbeiterpolitik» der Fortschrittspartei, 1861–66, in: Jenaer Beiträge zur Parteigeschichte 1974/H. 36, 72–86.

[21] Vgl. allg. den knappen Überblick: A. Hillgruber, Bismarcks Außenpolitik, Freiburg 1972/1981[2]; G. Mühlpfordt, Die poln. Krise von 1863. Die Begründung der russ.-preuss.-deutschen Entente 1863–71, Halle 1952; F. H. Gentzen, Großpolen im Januaraufstand. Das Großherzogtum Posen 1858–64, Berlin 1958 (beide mit typischer DDR-Verzerrung); G. Heinze, Bismarck u. Rußland bis 1871, Würzburg 1939; H. Scheidt, Konvention Alvensleben 1863, Diss. München 1936/Würzburg 1937; R. H. Lord, Bismarck and Russia 1863, Cambridge 1923; Friese, Rußland u. Preußen. – F. Greve, Die Politik der deutschen Mittelstaaten u. die österreich. Bundesreformbestrebungen bis 1863, Diss. Rostock 1938; Huber III, 409–35; Bernhardi V, 124 (Wilh.).

[22] J. Burckhardt, Briefe, Hg. M. Burckhardt V, Basel 1963, 139 (12.10. 1871, an F. v. Preen), vgl. 152 (17.3. 1872, an dens.), 160 (26.4. 1872, an dens.); H. Rothfels, Probleme einer Bismarck-Biographie, in: Deutsche Beiträge 1948/II, 170, u. in: ders., Bismarck, Stuttgart 1970, 13–33 (eine Aufsatzsammlung); v. Roon II, 217 (4.3. 1863, Perthes); W. v. Kügelgen, Bürgerleben. Briefe 1840–67, Hg. W. Killy, München 1990, 900 (31.5. 1864); Haym, Briefwechsel, 247 (12.5. 1866, an Duncker) Histor.-Polit. Blätter 47.1866, 486; 58.1866, 389; Kaiser Friedrich, Tagebücher 539 (Febr. 1866).

[23] L. Wickert, T. Mommsen – O. Jahn, Briefwechsel 1842–68, Frankfurt 1962, 302 (18.1. 1864, natürlich im Anschluß an «Faust», 1. T.; auch noch 1890 auf Bismarck angewendet); Winkler, 23 (v. Unruh, 18.12. 1863); Lassalle, Ges. Reden IV, 1919, 307f.; vgl. Craig, Armee, 191–214; A. Klein-Wuttig, Politik u. Kriegsführung in den deutschen Einigungskriegen 1864, 1866, 1870/71, Berlin 1934, 7–28; Foerster Hg. I, 302f., 328; Stern, 69 (Bleichröder, 25.2. 1864); Hohenlohe-Ingelfingen III, 145 (Wilh.); v. Roon II, 214, 215 (Manteuffel); v. Bernhardi VI, 110f. (Droysen); v. Kügelgen, Bürgerleben, 895 (25.4. 1864). Vgl. allg. hierzu J. Daebel, Die Schleswig-Holstein-Bewegung in Deutschland 1863/64, Diss. Köln 1969; L. Steefel, The Schleswig-Holstein Question, Cambridge/Mass. 1932; Huber III, 449–509; Brandt u. Klüwer; Scharff, Schleswig-Holstein; Fink, Geschichte; A. O. Meyer, Die Zielsetzungen in Bismarcks Schleswig-Holstein-Politik 1855–64, in: Zeitschrift der Gesell. für Schleswig-Holstein. Geschichte 53.1923, 103–34; F. Frahm, Die Bismarcksche Lösung der schleswig-holstein. Frage, in: ebd. 59.1930,335–431; H. Hagenah, 1863. Die nationale Bewegung in Schleswig-Holstein, in: ebd. 56.1926, 271–396; C. W. Clark, Franz Joseph and Bismarck. The Diplomacy of Austria Before the War of 1866, Cambridge/Mass. 1934; v. Srbik, Einheit IV, 81f.; H. Friedjung, Der Kampf um die Vorherrschaft in Deutschland 1859–66, 2 Bde, Stuttgart 1916/17[10]; H. Rumpler Hg., Europ. Ordnung, deutsche Politik u. gesellschaftl. Wandel 1815–66, Wien 1989; E. Engelberg u. a., Diplomatie u. Kriegspolitik vor u. nach der Reichsgründung, Berlin 1971; H. Burckhardt, Deutschland, England, Frankreich 1864–66, München 1970. – Zur Resonanz: O. Bandmann, Die deutsche Presse u. die Entwicklung der deutschen Frage 1864–66, Leipzig 1910; T. Schieder, Die kleindeutsche Partei in Bayern in den Kämpfen um die nationale Einheit 1863–71, München 1936, 41ff.; K. Bechstein, Die öffentl. Meinung in Thüringen u. die deutsche Frage 1864–66, in: Zeitschrift des Vereins für Thüring. Geschichte 25.1922/24, 138–93; 26.1926, 65–139; H. Jordan, Die

öffentl. Meinung in Sachsen 1864–66, Kamenz 1918; A. Rapp, Die Württemberger u. die nationale Frage 1863–71, Stuttgart 1910; L. Konrad, Baden u. die schleswig-holstein. Frage 1863–66, Berlin 1935; W. Gellert, Die öffentl. Meinung in Baden u. die deutsche Frage 1862–66, Diss. Heidelberg 1924; H. Hjelholt, Treitschke u. Schleswig-Holstein, München 1929. – Zum Krieg: Großer Generalstab, Kriegsgeschichtl. Abt. Hg., Der Deutsch-dän. Krieg, 2 Bde, Berlin 1886/87; H. Helmert, Kriegspolitik u. Strategie 1859–69, ebd. 1970; ders. u. H. J. Uszeck, Preuss.-deutsche Kriege 1864–71, ebd. 1967; Craig, Armee, 204–16, sowie die militär. Lit. unten Anm. 26. – Zu den diplomatischen Schachzügen: Die Auswärtige Politik Preußens (= APP) 1858–71, Hg. Histor. Reichskommission, 10 Bde, Oldenburg 1932–45; Quellen zur deutschen Politik Österreichs 1859–66, Hg. H. R. v. Srbik, 6 Bde, ebd. 1934–38/ND Osnabrück 1967.

[24] Vgl. IV.2.a und Anm. 8; Böhme, Weg, 124–222; Huber III, 615–33; W. Lotz, Die Ideen der deutschen Handelspolitik 1860–91, Leipzig 1892; A. Beer, Die österreich. Handelspolitik im 19. Jh., Wien 1891; Deutscher Handelstag I; Gensel, Deutscher Handelstag; R. Zeise, Der «Kongreß deutscher Volkswirte» u. seine Rolle beim Abschluß der bürgerl. Umwälzung 1858–71, in: JbG 21.1980, 147–68; ders., Zur Rolle der kapitalist. Interessenverbände beim Abschluß der bürgerl. Umwälzung in den deutschen Staaten, in: ebd. 14.1976, 125–75; ders., Gemeinsamkeiten u. Unterschiede in der polit. Konzeption der deutschen Handels-, Industrie- u. Bankbourgeoisie in der polit. Krise 1859–66, in: ebd. 10.1974, 175–221; Bismarck, GW 15, 238; APP 3, Nr. 86; v. Delbrück II, 307, 324; v. Srbik, Einheit IV, 213; Franz, Entscheidungskampf, 397; R. Elrod, B. v. Rechberg and the Metternichian Tradition, in: JMH 56.1984, 430–55; H. Böhme Hg., Vor 1866. Aktenstücke zur Wirtschaftspolitik der deutschen Mittelstaaten, Frankfurt 1966; R. Stadelmann, Das Jahr 1865 u. das Problem von Bismarcks deutscher Politik, München 1933; Bismarck, GW 10, 324 (11. 3. 1867).

[25] Craig, Armee, 194–99; v. Bernhardi VI, 171, 211; v. Roon II, 331f. 337f. (10. 5. 1865, an Perthes); Ritter, Konservative, 116; Stadelmann, 1865, 79, 3f. (Blome, 14. 8. 1865); APP VI, 14. Abwägende Beurteilung der Elastizität von Bismarcks Politik: A. Kaernbach, Bismarck u. die deutsche Frage. Konzepte zur Reform des Deutschen Bundes 1849–66, Göttingen 1990; E. Kolb, Großpreußen oder Kleindeutschland? Zu Bismarcks deutscher Politik im Reichsgründungsjahrzehnt, in: J. Kunisch Hg., Bismarck u. seine Zeit, Berlin 1991, 11–36; Gegenpositionen: E. Brandenburg, Die Reichsgründung, 2 Bde., Leipzig 1923[2]; O. Becker, Bismarcks Ringen um Deutschlands Gestaltung, Hg. A. Scharff, Heidelberg 1958. APP VI, 611ff., Nr. 499 u. 500 (Moltkes Protokoll des Kronrats v. 28.2.); Heinze, Bismarck u. Rußland; R. J. Sontag, Germany and England 1848–94, N. Y. 1938/ND 1964; H. Michael, Bismarck, England u. Europa 1866–70, München 1930; E. A. Pottinger, Napoleon III. and the German Crisis 1865–66, Cambridge/Mass. 1966; R. L. Williams, The Mortal Napoleon III., Princeton 1971; H. Geuss, Bismarck u. Napoleon III. 1851–71, Köln 1959; überholt: H. Oncken, Die Rheinpolitik Kaiser Napoleon III. 1863–70 u. der Ursprung des Krieges 1870/71, 3 Bde, Stuttgart 1926/ND Osnabrück 1967. – APP VI, 174ff. (Kronrat v. 29. 5. 1865); Huber Hg., Dokumente II, 191–207 (wichtige Stücke zur Vorgeschichte des Krieges); Jacoby, Briefwechsel II: 1850–77, 1978, 368 (13. 4. 1866); Heyderhoff u. Wentzke Hg. I, 277 (Twesten, 23. 4. 1866); Hubers These (III, 543f., 558), der preußisch-österreichische Krieg sei kein Krieg im Rechtssinn sensu stricto gewesen, führt zu nichts. – Kaiser Friedrich, Tagebuch, 543, 422; T. Fontane, Der deutsche Krieg von 1866, 2 Bde, Berlin 1871/ND Düsseldorf 1979 (F. verfolgte die drei Bismarckschen Kriege als Kriegsberichterstatter. Vgl. J. Remak, The Gentle Critic. T. Fontane and German Politics 1848–98, Syracuse 1964; H. Ritscher, Fontane. Seine polit. Gedankenwelt, Göttingen 1953; G. Friedrich, Fontanes preuß. Welt, Herford 1988; W. Müller-Seidel, T. Fontane, Stuttgart 1980[2]); Delbrück II, 370; Treitschke, 10 Jahre I, 75f.; K. H. Höfele, Königgrätz u. die Deutschen 1866, in: GWU 17.1966, 394 (Freytag), vgl. 315–401; R. v. Ihering in Briefen an seine Freunde, Leipzig 1913/ND Aalen 1971, 196 (1. 5. 1866); Heyderhoff u. Wentzke Hg. I, 286 (Haym); Dotterweich, 342 (v. Sybel an Duncker, 30. 10.

1860); v. Bernhardi VI, 292, vgl. 302f.; ähnlich v. Roon II, 433; Stern, Bismarck, 112 (M. v. Goldschmidt an Bleichröder, 11. 5. 1866); Heyderhoff u. Wentzke Hg. I, 288; vgl. allg. v. Srbik, Einheit IV, 424–28.

[26] Mit Abstand am besten ist: G. A. Craig, Königgrätz, München 1987²; vgl. BSg, Nr. 56, 240–44. – W. v. Groote u. U. v. Gersdorff Hg., Entscheidung 1866, Stuttgart 1966; B. Bond, War and Society in Europe 1870–1970, N. Y. 1984, 13–39; Großer Generalstab, Kriegsgeschichtl. Abt. Hg., Der Feldzug 1866 in Deutschland, 2 Bde, Berlin 1867; H. Michaelis, Königgrätz, in: WaG 12.1952, 177–202; A. Bierling, Die Entscheidung von Königgrätz in der Beurteilung der deutschen Presse, Diss. Leipzig/München 1932; L. Dehio, Die preuß. Demokratie u. der Krieg von 1866, in: FBPG 39.1927, 229–59; N. v. Preradovich, Die Führer der deutschen Heere 1866 in sozialer Sicht, in: VSWG 53.1966, 370–76. – Moltke: Stadelmann, Moltke u. der Staat (bleibt Kessel, Moltke, überlegen); ders., Moltke u. die deutsche Frage, in: Fs. K. A. v. Müller, 249–95; ders., Moltke u. das 19. Jh., in: HZ 166.1942, 287–310; H. Holborn, The Prusso-German School: Moltke and the Rise of the General Staff, in: P. Paret u. a. Hg., Makers of Modern Strategy, Princeton 1986², 281–95; G. E. Rothenberg, Moltke, Schlieffen, and the Doctrine of Strategie Envelopment, in: ebd., 296–325; G. Papke, H. v. Moltke, in: W. Hahlweg Hg., Klassiker der Kriegskunst, Darmstadt 1960, 304–18; Ritter, Staatskunst I, 238–329; Klein-Wuttig; H. v. Moltke, Militär. Werke, 13 Bde, Berlin 1892–1912 (v. a. II/2: Takt.-strateg. Aufsätze 1857–71, 1900); ders., G. Sch., 8 Bde, ebd. 1891–94; vgl. die Auswahl: H. v. Moltke, Vom Kabinettskrieg zum Volkskrieg, Hg. S. Förster, Bonn 1992; ders., Briefe 1825–91, Hg. E. Kessel, ebd. 1959. – D. Showalter, Railroads and Rifles: Soldiers, Technology, and the Unification of Germany, Hamden/Conn. 1976; N. Dupuy, A Genius for War. The German Army and General Staff 1807–1945, Englewood Cliffs 1977; M. van Creveld, Command in War, Cambridge/Mass. 1985; D. Bald, Der deutsche Generalstab 1859–1939, München 1977; V. Regling, Grundzüge der Landkriegsführung zur Zeit des Absolutismus u. im 19. Jh., in: HdM VI. 1980, 11–425; L. H. Addington, The Patterns of War Since the 18th Century, Bloomington 1984, 83–90; H. Strachan, European Armies and the Conduct of War, London 1983; C. Falls, The Art of War From the Age of Napoleon to the Present, N. Y. 1961; allg. R. Aron, Peace and War, London 1966, dt. Frieden u. Krieg, Frankfurt 1986; F. H. Hinsley, Power and the Pursuit of Peace, Cambridge 1963; J. S. Goldstein, Long Cycles. Prosperity and War in the Modern Age, New Haven 1988. Ich finde nicht, daß R. Gilpin (The Theory of Hegemonic War, in: JIH 18.1988, 591–614) oder G. Modelski (The Long Cycle of Global Politics and the Nation- State, in: CSSH 20.1978, 214–35; ders., Long Cycles in World Politics, Seattle 1987) in der Interpretation über Dehio (Gleichgewicht oder Hegemonie) hinausführen.

[27] R. v. Keudell, Fürst u. Fürstin Bismarck. Erinnerungen 1846–72, Berlin 1901, 292 (3. 7. 1866); Huber Hg., Dokumente II, 217–20 (Prager Frieden); Böhme, Weg, 224–29; H. A. Schmitt, Prussia's Last Fling: The Annexation of Hannover, Hesse, Frankfurt, and Nassau 1866, in: CEH 8.1975, 316–47; J. Petrich, Bismarck u. die Annexion 1866, Hamburg 1933; S. A. Stehlin, Bismarck and the Guelph Problem 1866–80, Den Haag 1973. – Moltke, G. Sch. V, 162 (29. 5. 1866); Bamberger, Herr v. Bismarck, 87; Droysen, Briefwechsel, 872f., 876; Ernst II., Leben III, 594, vgl. 588f.; E. Scheeben, Ernst II., Frankfurt 1987; v. Bernhardi VII, 125; vgl. v. Eckardt, Lebenserinnerungen I, 55f.; Curtius, Ein Lebensbild in Briefen, Hg. F. Curtius, Berlin 1903, 578; v. Kügelgen, Bürgerleben, 993 (14. 6. 1866), 1000 (5. 7. 1866); vgl. ders., Lebenserinnerungen, 370; Treitschke, 10 Jahre, 106, 108; Rein, 144 (7. 6. 1866); vgl. v. Roon II, 441f.; v. Ihering, 206f. (18. 8. 1866); Wucher, Mommsen, 68 (18. 7. 1866); F. Nietzsche, Werke u. Briefe-Gesamtausgabe, Briefe II, Hg. W. Hoppe, München 1938, 32, 63 (12. 7. 1866, weiter: «Es ist auch für mich, offen gestanden, ein seltener und ganz neuer Genuß, sich einmal ganz im Einklang mit der jeweiligen Regierung zu fühlen».); vgl. H. Hofmann, J. Burckhardt u. F. Nietzsche als Kritiker des Bismarckreiches, in: Der Staat 10.1971, 433–53; W. A. Kaufmann, Nietzsche, Princeton 1974⁴, dt. Darmstadt 1982; Siemens, Erinnerungen, 191. Vgl.

noch: Bismarck, GW V, 393, 421, 456f.; Delbrück II, 375; Heyderhoff u. Wentzke Hg. I, 265f., 269f., 280f., 292f., 299f.; Becker, Bismarcks Ringen, 159f.; N. Süßmilch, Die Position der Deutschen Fortschrittspartei im preuß.-österreich. Krieg 1866, in: Fs. Obermann, 475–97; Parisius, Hoverbeck II/2, 55f., 64f., 67, 70f.; Dehio, Taktik, 335f.; v. Keudell, 351f. – Moltke, G. Sch. VI, 454; Stadelmann, Moltke u. der Staat, 145, 124; F. v. Frankenberg, Kriegstagebücher 1866 u. 1870/71, Hg. H. R. v. Poschinger, Stuttgart 1897², 59f.; J. Miquel, Reden, Hg. W. Schultze u. F. Thimme I, Berlin 1911, 198; W. Mommsen, J. Miquel, Stuttgart 1928, 371; National-Zeitung 25.7. 1866; Winkler, Preuss. Liberalismus, 89; V. Bibl, Das deutsche Schicksal, Berlin 1930, 123 (Grillparzer); W. E. v. Ketteler, Deutschland nach dem Kriege von 1866, Mainz 1866/1867⁶, 54f., 20f. Vgl. R. Morsey, Bischof Ketteler u. der polit. Katholizismus, in: Fs. W. Bussmann, Stuttgart 1979, 203–23; A. M. Birke, German Catholics and the Quest For National Unity, in: Schulze Hg., Nation-Building, 51–63; R. Lill, Katholizismus u. Nation bis zur Reichsgründung, in: A. Langner Hg., Katholizismus, nationaler Gedanke u. Europa seit 1800, Paderborn 1985, 51–63; ders., Die deutschen Katholiken u. Bismarcks Reichsgründung, in: T. Schieder u. E. Deuerlein Hg., Reichsgründung 1870/71, Stuttgart 1970, 345–65; H. Müller, Der deutsche polit. Katholizismus, in: Blätter für pfälz. Kirchengeschichte 33.1966, 46–75; G. G. Windell, The Catholics and German Unity 1866–71, Minneapolis 1954. Vorzüglich zur öffentlichen Meinung: Höfele, 403–15; J. Heyderhoff Hg., Im Ring der Gegner Bismarcks 1865–96, Leipzig 1943; ausführlich: K. G. Faber, Die national-polit. Publizistik Deutschlands 1866–71, 2 Bde, Düsseldorf 1963; Heffter, 453. Allg. Würdigung der Zäsur: T. Schieder, Das Jahr 1866 in der deutschen u. europ. Geschichte, in: ders., Einsichten, 261–82; F. Kahlenberg, Das Epochenjahr 1866 in der deutschen Geschichte, in: Stürmer Hg., Kaiserl. Deutschland, 51–74; W. Real, Die Ereignisse von 1866–67 im Lichte unserer Zeit, in: Histor. Jb. 95.1975, 342–73; A. Wandruszka, Schicksalsjahr 1866, Graz 1966; K. G. Faber, Realpolitik als Ideologie. Die Bedeutung des Jahres 1866 für das polit. Denken in Deutschland, in: HZ 203.1966, 1–45; A. Doering-Manteuffel, Die deutsche Frage u. das europ. Staatensystem 1815–71, München 1991.

[28] Vgl. W. Treue, Die Finanzierung der Kriege 1864–71 durch die deutschen Länder, in: VSWG 75.1988, 1–14; Böhme, Weg, 206, 213, 220, 222, 229–31; Däbritz, Anfänge, 151; Winkler, Preuß. Liberalismus, 91f.; Parisius, Parteien, 77; ders., Hoverbeck II/2, 93f.; Craig, Armee, 198–201; Pflanze, Bismarck I, 311f.; H. Oncken, R. v. Bennigsen II, Stuttgart 1910, 10; Treitschke, 10 Jahre, 154; Heffter, 454–57; v. Kügelgen, Bürgerleben, 1011 (8. 8. 1866); allg. K. Schwabe, Das Indemnitätsgesetz vom 3. 9. 1866, in: Fs. O. Hauser, Göttingen 1980, 83–102; G. Ritter, Die Entstehung der Indemnitätsvorlage 1866, in: HZ 114.1915, 17–64; ders., Konservative, 179f.; Bismarck, GW VII, 119 (Aufz. Bamberger zu Miquel). – H. Baumgarten, Der deutsche Liberalismus. Eine Selbstkritik, in: PJ 18.1866, 455–515, 575–629, u. in: ders., Histor. u. polit. Aufsätze, Hg. E. Marcks, Straßburg 1894, 96–216; ND Hg. A. Birke, Berlin 1974; vgl. auch seine Auffassung vor dem Krieg von 1866, daß die Liberalen mit Bismarck kooperieren sollten: ders., Partei oder Vaterland, Frankfurt 1866, z. T. in: Rosenberg, Publizistik II, 399f. Kritik z. B. bei Sell; vgl. dagegen Langewiesche, Liberalismus; Seier, Sybel; Bussmann, Liberalismus.

[29] Bismarck, GW VI, 167ff., 181ff.; Huber Hg., Dokumente II, 227f. Vgl. F. Gebauer, L. Bucher 1848–64, in: Bartel u. Engelberg Hg. I, 343–78; W. Saile, H. Wagener u. sein Verhältnis zu Bismarck, Tübingen 1958; Haym, Duncker; W. Bussmann, Bismarck: Seine Helfer u. seine Gegner, in: Schieder u. Deuerlein Hg., 119–47. – E. Busch, Der Oberbefehl. Die rechtl. Struktur in Preußen u. Deutschland 1848–1966, Boppard 1967; O. v. Bismarck, Werke in Auswahl, Hg. G. Rein u. a., III, Darmstadt 1962, 692 (19. 4. 1866); vgl. R. Augst, Bismarcks Stellung zum parlamentar. Wahlrecht, Leipzig 1917. Vgl. BSg, Nr. 57, 344–53. Vom besten Sachkenner: K. E. Pollmann, Parlamentarismus im Norddeutschen Bund 1867–70, Düsseldorf 1985; ders., Parlamentseinfluß während der Nationalstaatsbildung 1867–1871, in: G. A. Ritter Hg., Regierung, Bürokratie u. Parlament in Preußen u. Deutschland von 1848 bis zur Gegenwart, Düsseldorf 1983, 56–75; ders., Der

Norddeutsche Bund – ein Modell für die parlamentar. Entwicklungsfähigkeit des Deutschen Kaiserreichs? in: O. Pflanze Hg., Innenpolit. Probleme des Bismarck-Reiches, München 1983, 217–37; ders., Vom Verfassungskonflikt zum Verfassungskompromiß, in: G. A. Ritter Hg., Gesellschaft, Parlament u. Regierung, Düsseldorf 1974, 189–204. Vgl. H. Boldt, Deutscher Konstitutionalismus u. Bismarckreich, in: Stürmer Hg., Kaiserl. Deutschland, 119–42; ders., Parlamentarismus, in: GGr. 4; E. R. Huber, Bismarck u. der Verfassungsstaat, in: ders., Nationalstaat u. Verfassungsstaat, Stuttgart 1965, 188–223; ders., Die Bismarcksche Reichsverfassung im Zusammenhang der deutschen Verfassungsgeschichte, in: ders., Bewahrung u. Wandlung, Berlin 1975, 62–105; G. G. Windell, The Bismarckian Empire as a Federal State 1866–80, in: CEH 2.1969, 291–311; H. O. Meisner, Bundesrat, Bundeskanzler u. Bundeskanzleramt 1867–71, in: FBPG 54.1943, 342–73. – Gagel, Wahlrecht; F. Rieger, Früher deutscher Liberalismus u. allg. Wahlrecht, Diss. Freiburg 1956, MS; T. Schieder, Die Krise des bürgerl. Liberalismus, in: ders., Staat u. Gesellschaft, 58–88. Vgl. allg. noch: E. Kolb Hg., Europa u. die Reichsgründung 1860–80, München 1980: R. Dietrich Hg., Europa u. der Norddeutsche Bund, Berlin 1968; auch H. Böhme Hg., Probleme der Reichsgründungszeit, Köln 1968/1973²; ders. Hg., Die Reichsgründung, München 1967; H. J. Schoeps, Der Weg ins deutsche Kaiserreich, Berlin 1970. – R. Wilhelm, Das Verhältnis der süddeutschen Staaten zum Norddeutschen Bund 1867–70, Husum 1978; L. Gall, Bismarcks Süddeutschlandpolitik 1866–70, in: Kolb Hg., 23–32; E. Kolb, Die kleindeutsche Reichgründung. Bismarcks Konzeptionen u. Strategien zur Lösung der nationalen Frage, in: O. Dann Hg., Die deutsche Nation, Vierow 1994, 45–59; H. Oncken, Großherzog Friedrich I. von Baden u. die deutsche Politik 1854–71, 2 Bde, Berlin 1927; Gall, Liberalismus als regier. Partei; Schieder, Kleindeutsche Partei; W. D. Gruner, Bayern, Preußen u. die süddeutschen Staaten 1866–70, in: ZBL 37.1974, 799–837; A. Weinmann, Die Reform der württemberg. Innenpolitik 1866–70, Göppingen 1971; Böhme, Weg, 228–92; Franz, Entscheidungskampf; Lotz, Ideen, 83; W. Schübelin, Das Zollparlament u. die Politik von Baden, Bayern u. Württemberg 1866–70, Berlin 1935/ND Vaduz 1965; K. Zuchardt, Die Finanzpolitik Bismarcks u. der Parteien im Norddeutschen Bunde, Leipzig 1910. – F. Hartmannsgruber, Die bayer. Patriotenpartei 1868–87, München 1986; ders., Die christl. Volksparteien 1848–1933, in: G. Rüther Hg., Geschichte der christl.-demokrat. u. christl.-sozialen Bewegungen in Deutschland I, Bonn 1987², 219–324; H. Gottwald, Bayer. Patriotenpartei 1868–87, in: LP 1, 130–34; R. Weber, Ultramontanismus u. Demokratie in Süddeutschland 1866–70, in: Bartel u. Engelberg Hg. I, 411–37; ders., Kleinbürgerl. Demokraten in der deutschen Einheitsbewegung 1863–66, Berlin 1962; O. Runge, Die Volkspartei in Württemberg 1864–71, Stuttgart 1970; L. Elm, Süd-Deutsche Volkspartei 1868–1910, in: LP 4, 171–79; Henderson, Zollverein, 321 (Abgeordnetenzahlen); T. S. Hamerow, The Origins of Mass Politics in Germany 1866–67, in: 1. Fs. F. Fischer, 1973, 105–20; Bismarck, GW VIb, 2 (25. 2. 1869)

30 W. Cahn Hg., Aus E. Laskers Nachlaß I, Berlin 1902, 52f., vgl. 1–137, den unübertroffenen zeitgenössischen Rechenschaftsbericht Laskers von 1880 über die Leistungen der Nationalliberalen; ders., Bericht der national-liberalen Partei über die abgelaufenen Legislaturperioden des Reichstags, des Zollparlaments u. des Preuß. Abgeordnetenhauses, in: Annalen des Deutschen Reiches 3.1870, 563–618; Saile, 108. Vgl. W. Cahn Hg., Aus E. Laskers Nachlaß: Sein Briefwechsel, in: DRev. 17.1892/II, 46–64, 166–86, 296–317; III, 59–82, 157–77, 283–301; IV, 60–76, 190–203, 352–66; A. Laufs, E. Lasker, Göttingen 1984; ders., E. Lasker u. der Rechtsstaat, in: Der Staat 13.1974; 365–82; J. F. Harris, A Study in the Theory and Practice of German Liberalism: E. Lasker 1829–84, Lanham/N. Y. 1984; ders., E. Lasker, in: LBIYB 20.1975, 151–77; ders., Lasker and Compromise Liberalism, in: JMH 42.1970, 342–60; R. W. Dill, Der Parlamentarier E. Lasker, 1867–84, Diss. Erlangen 1956, MS; G. Seeber, E. Lasker, in: ders., Gestalten I, 1978, 153–75; V. Valentin, Bismarck u. Lasker, in: JCEA 3.1944, 400–15, u. in: ders., Von Bismarck bis zur Weimarer Republik, Hg. H.-U. Wehler, Köln 1979, 85–101. Neuester Überblick: Pollmann, Parlamentarismus, 433–501, 513–20, v. a. 497–99, 451, 457–95, 456,

513–15, 506 (Bennigsen), 515f.; Parteienstärke: ebd., 545; J. F. Harris, Parteigruppierung im Konstituierenden Reichstag des Norddeutschen Bundes 1867, in: K. H. Jarausch Hg., Quantifizierung in der Geschichtswissenschaft, Düsseldorf 1976, 168–85; E. Kraehe, Practical Politics in the German Federation: Bismarck and the Commercial Code, in: JMH 25.1953, 13–24. Vgl. Langewiesche, Liberalismus, 104–27; Böhme, Weg, 284–92; sowie allg. D. Grimm, Bürgerlichkeit im Recht, in: Kocka Hg., Bürgerlichkeit, 149–88, u. in: ders., Recht u. Staat in der bürgerl. Gesellschaft, Frankfurt 1987, 11–50. Eine Monographie über diese zweite Reformära fehlt noch. Vgl. zur späteren Rechtsreform v. a. M. John, Politics and the Law in 19th Century Germany. The Origins of the Civil Code, Oxford 1989; ders., The Peculiarities of the German State: Bourgeois Law and Society in the Imperial Era, in: PP 119.1988, 105–31; ders., The Politics of Legal Unity in Germany 1870–96, in: HJ 28.1985, 341–55. – Becker, Bismarcks Ringen, 166.

[31] Huber Hg., Dokumente II, 218; Gall, Süddeutschlandpolitik, 27, vgl. 26, 28–32. Vgl. A. Mitchell, Bismarck and the French Nation 1848–90, N. Y. 1971; Craig, Armee, 202, 244; Bismarck, GW VIb, 324 («erst recht»); H. Abeken, Ein schlichtes Leben in bewegter Zeit, Berlin 1898, 382. Julikrise: Bismarck, GW VIb, 368ff., 15, 305ff.; F. v. Holstein, Die Geheimen Papiere I, W. Frauendienst u. a. Hg., Göttingen 1956, 41 (Moltke, 12. 7. 1870); U. v. Stosch Hg., A. v. Stosch, Denkwürdigkeiten, Stuttgart 1904, 186; Kritik an Bismarcks Legende von der «Emser Depesche»: W. L. Langer, Bismarck as a Dramatist, in: A. O. Sarkissian Hg., Fs. G. P. Gooch, London 1961, 199–216, sowie die folgende Lit. Vgl. allg. E. Naujoks, Bismarcks auswärtige Pressepolitik u. die Reichsgründung 1865–71, Wiesbaden 1968. – Die Lit. bis 1970 findet man in: W. Wedlich, Der deutsch-französ. Krieg 1870/71, in: Jahresbibliographie – Bibliothek für Zeitgeschichte 42.1970, 395–458; vgl. als Überblick: A. Usler, Untersuchungen zur deutschen Historiographie zur Vorgeschichte des Deutsch-Französ. Krieges 1870/71, Diss. Augsburg 1986; die Lit. seither in den unten angegebenen neueren Studien. Zu Frankreich: M. Wüstemeyer, Demokrat. Diktatur. Zum polit. System des Bonapartismus im Zweiten Empire, Köln 1986; J. Dülffer, Vom autoritären zum liberalen Bonapartismus. Der polit. Systemwandel in Frankreich 1858/60, in: HZ 230.1980, 549–75; Williams, Napoleon III.; Pottinger, dass.; Geuß; HEG V. 1981, 296f., W. Radewahn, Europ. Fragen u. Konfliktzonen im Kalkül der französ. Außenpolitik vor dem Krieg von 1870, in: Kolb Hg., Europa vor dem Krieg, 33–63; E. Fehrenbach, Preußen-Deutschland als Faktor der französ. Außenpolitik in der Reichsgründungszeit, in: Kolb Hg., Europa u. Reichsgründung, 109–38; S. W. Halperin, The Origins of the Franco-Prussian War Revisited, in: JMH 45.1973, 83–91; J. Dittrich, Ursachen u. Ausbruch des deutsch-französ. Krieges 1870/71, in: Schieder u. Deuerlein Hg., 64–94; ders., Bismarck, Frankreich u. die span. Thronkandidatur der Hohenzollern, München 1962; ders., Frankreich u. die Hohenzollern-Kandidatur, in: WaG 13.1953, 42–57 (überholte Apologie); R. Poidevin u. J. Bariety, Deutschland u. Frankreich 1815–1975, München 1982; J.-B. Duroselle, Die europ. Staaten u. die Gründung des Deutschen Reiches, in: Schieder u. Deuerlein Hg., 386–421; M. Foot, The Origins of the Franco-Prussian War and the Remaking of Germany, in: NCMH 10.1960, 577–602; L. M. Case, French Opinion on War and Diplomacy During the Second Empire, Philadelphia 1954; E. M. Carroll, Germany and the Great Powers 1866–1914, N. Y. 1958/ND Hamden 1966; ders., French Public Opinion on the War With Prussia 1870, in: AHR 31.1926, 679–700. Quellen: Les Origines Diplomatiques de la Guerre de 1870/71, 29 Bde, Paris 1910–32. Vgl. allg. B. Gödde-Baumanns, Ansichten eines Krieges. Die «Kriegsschuldfrage» von 1870 in zeitgenöss. Bewußtsein, Publizistik u. wissenschaftl. Diskussion 1870–1914, in: Kolb Hg., Europa vor dem Krieg, 175–201. – Zur spanischen Thronkandidatur außer der bereits zit. Lit. zu Frankreich und den Bismarck-Biographien von Gall; Pflanze I, 446–69; Engelberg I, an erster Stelle: J. Becker, Zum Problem der Bismarckschen Politik in der span. Thronfolge 1870, in: HZ 212.1971, 529–607 (der überzeugendste Nachweis der Bismarckschen Kriseninszenierung, seither nicht von ferne widerlegt); ders., Der Krieg mit Frankreich als Problem der kleindeutschen Einigungspolitik Bismarcks 1866–70, in: Stürmer Hg., Kai-

serl. Deutschland, 75–88; ders., Bismarck, Prim, die Sigmaringer Hohenzollern u. die span. Thronfrage, in: Francia 9.1981, 435–72; H.-O. Kleinmann, Die span. Thronfrage in der internationalen Politik vor Ausbruch des deutsch-französ. Krieges, in: Kolb Hg., Europa vor dem Krieg, 125–50; R. Konetzke, Spanien, die Vorgeschichte des Krieges von 1870 u. die deutscbe Reichsgründung, in: HZ 214.1972, 580–613; B. Schot, Die Geschichte der Hohenzoller. Thronkandidatur, in: Böhme Hg., Reichsgründungszeit, 269–95; L. D. Steefel, Bismarck, the Hohenzollern Candidacy, and the Origins of the Franco-German War 1870, Cambridge/Mass. 1962; R. Morsey, Die Hohenzollernsche Thronkandidatur in Spanien, in: HZ 186.1958, 573–88; G. Bonnin, Bismarck and the Hohenzollern Candidature for the Spanish Throne, London 1957; R. H. Lord, The Origins of the War of 1870, London 1924/ND N. Y. 1966.

[32] Wilhelm, 171f.; auch gegen E. Kolb (Der Kriegsausbruch 1870, Göttingen 1970), der die französische Politik zur letztlich verantwortlichen Kriegsursache erhebt, Bismarck unglaubwürdig entlastet und als Reagierenden verharmlost; Becker, Problem, 603, 560, vgl. 538, 548, 598, 599 («Indemnität»); ders., Krieg, 78, 83, 85; Bismarck, GW VIb, 266; Oncken, Bennigsen II, 45; Becker, Problem, 562 (Großherzog; F. X. Kraus, Tagebücher, Hg. H. Schiel, Köln 1957, 688), 563 (v. Freydorf), 566 u. 568 (v. Roggenbach; Hohenlohe-Schillingsfürst, Denkwürdigkeiten II, 5; vgl. H. Einhaus, F. v. Roggenbach, Frankfurt 1991; W. P. Fuchs, dass., Karlsruhe 1953; ders., Zur Bismarck-Kritik F. v. Roggenbachs, in: WaG 10.1959, 39–55; J. Heyderhoff, F. v. Roggenbach u. J. Jolly. Polit. Briefwechsel 1844–82, in: ZGO 86.1934, 77–117); H. Delbrück, Weltgeschichte V, Berlin 1928/1931[2], 282 (das Urteil des Onkels); Becker, Problem, 572 (Bucher; ganz unbefriedigend: C. Studt, L. Bucher, Göttingen 1992, 264–69); F. B. M. Hollyday, Bismarck's Rival. A. v. Stosch, Durham 1960, 69; Friesen III, 106f.; Lerchenfeld, 58; J. M. v. Radowitz, Aufzeichnungen u. Erinnerungen 1839–90 I, Hg. H. Holborn, Stuttgart 1925, 228 (Karl Anton); L. v. Ranke, Aus Werk u. Nachlaß I, Hg. W. P. Fuchs u. T. Schieder, München 1964, 209; Becker, Problem, 605f.; Gall, Süddeutschlandpolitik, 32. Vgl. die scharfsinnigen Beobachtungen eines englischen Zeitgenossen: Scrutator (i. e. M. McColl), Who Is Responsible For the War? London 1870; allg. A. Mayer, Internal Crisis and War Since 1870, in: C. L. Bertrand Hg., Situations Revolutionaires en Europe 1917–22, Quebec 1977, 201–38; ders., Internal Causes and Purposes of War in Europe 1870–1956, in: JMH 41.1969, 291–303. – Vgl. zum Krieg die lesenswerte Bilanz: P. Levillain u. R. Riemenschneider Hg., La guerre de 1870/71 et ses conséquences, Bonn 1990; W. Carr, The Origins of the Wars of German Unification, London 1991; ders., The Unification of Germany, in: Breuilly Hg., State, 80–102; H. Schulze, German Unification in the Context of European History, in: GSR SoH. 1992: Germany, 3–24; M. Howard, The Franco-Prussian War 1870/71, London 1969[5]; Preuss. Generalstab, Kriegsgeschichtl. Abt. Hg., Der deutsch-französ. Krieg 1870/71, 5 Bde, Berlin 1874–81; anschaulich: T. Fontane, Der Krieg gegen Frankreich 1870–71 (1873–76), 4 Bde, ND Zürich 1985; E. Kolb, Kriegführung u. Politik 1870/71, in: Schieder u. Deuerlein Hg., 95–118; H. Helmert u. K. Schmiedel, Zur Kriegspolitik u. Strategie des preuß. Generalstabs 1870/71, in: Engelberg u. Bartel Hg. II, 74–126; M. Kranzberg, The Siege of Paris, Ithaca 1950; A. Horne, The Fall of Paris, N. Y. 1961, dt. Paris ist tot – es lebe Paris, Bern 1967; E. Kolb, Der schwierige Weg zum Frieden. Das Problem der Kriegsbeendigung 1870/71, in: HZ 241.1985, 51–80; ders., Der Weg aus dem Krieg. Bismarcks Politik im Krieg u. die Friedensanbahnung 1870/71 (dazu die vorzügliche kritische Rez. von A. Mitchell, in: Francia 17.1990, 231–33); F. Roth, La guerre de 1870, Paris 1970. – H. Lutz, Österreich-Ungarn u. die Gründung des Deutschen Reiches 1867–71, Berlin 1979; I. Dioszégi, Österreich-Ungarn u. der französ.-preuß. Krieg 1870/71, Budapest 1974; F. R. Bridge, The Habsburg Monarchy Among the Great Powers 1815–1918, Oxford 1990; ders., From Sadowa to Sarajewo: The Foreign Policy of Austria-Hungary 1866–1914, London 1972; H. A. Schmitt, Count Beust and Germany 1866–70; in: CEH 1.1968, 20–34. – R. Lill, Italien. Außenpolitik 1866–71, in: Kolb Hg., Europa vor dem Krieg, 93–101; ders., Geschichte, 183–95; ders., Italien 1815–70, in: HEG 5.1981, 878–85. – D. Beyrau,

Russ. Orientpolitik u. die Entstehung des deutschen Kaiserreichs 1856–71, Wiesbaden 1974; ders., Russ. Interessenzonen u. europ. Gleichgewicht 1860–70, in: Kolb Hg., Europa vor dem Krieg, 65–76; ders. u. M. Hildermeier, Rußland 1856–90, in: G. Schramm Hg., Hdb. der Geschichte Rußlands III/1, Stuttgart 1983, 179f.; C. W. Clark, Bismarck, Russia, and the Origins of the War of 1870, in: JMH 14.1942, 195–208. – P. Alter, Weltmacht auf Distanz. Brit. Außenpolitik 1860–70, in: Kolb Hg., Europa vor dem Krieg, 77–91; K. Hildebrand, Großbritannien u. die deutsche Reichsgründung, in: HZ Beih. 6, München 1980, 9–62; ders., Die deutsche Reichsgründung im Urteil der brit. Politik, in: Francia 5.1977, 399–424; ders., Von der Reichsgründung zur «Krieg-in-Sicht-Krise». Preußen-Deutschland als Faktor der brit. Außenpolitik 1865–75, in: Stürmer Hg., Kaiserl. Deutschland, 205–34; R. Millman, British Foreign Policy and the Coming of the Franco-Prussian War, Oxford 1965; V. Valentin, Bismarcks Reichsgründung im Urteil engl. Diplomaten, Amsterdam 1937. Zu Elsaß-Lothringen der Überblick in: H.-U. Wehler, Das «Reichsland» Elsaß-Lothringen 1870–1918, in: ders., Krisenherde, 1979[2], 23–69, v.a. 26–32 (ausführlicher Nachweis der Lit., der Annexionsverfechter und ihrer Kritiker, Anm. 7–12, 14–18). Vgl. auch Nietzsche am 12. Dezember 1870 (Hofmann, 447) über «den jetzigen deutschen Eroberungskrieg». K. Stählin, Die Briefe L. Schneiders an den russ. Domänenminister Waluew, in: HZ 155.1937, 318 (Wilhelm, 11. 5. 1878, zu seinem Vorleser Schneider); Moltke: Stadelmann, Moltke u. der Staat, 222. Die neuere Diskussion: W. Lipgens, Bismarck, die öffentl. Meinung u. die Annexion von Elsaß u. Lothringen 1870, in: HZ 199.1964, 31–112; ders., Bismarck u. die Frage der Annexion 1870, in: HZ 206.1968, 586–617 (Bismarcks Initiative); schlüssig widerlegt von: L. Gall, Zur Frage der Annexion von Elsaß u. Lothringen 1870, in: HZ 206.1968, 265–326; ders., Das Problem Elsaß-Lothringen, in: Schieder u. Deuerlein Hg., 366–85; J. Becker, Baden, Bismarck u. die Annexion von Elsaß u. Lothringen, in: ZGO 115.1967, 1–38; E. Kolb, Bismarck u. das Aufkommen der Annexionsforderung 1870, in: HZ 209.1969, 318–56; ders., Ökonom. Interessen u. polit. Entscheidungsprozeß. Zur Aktivität deutscher Wirtschaftskreise u. zur Rolle wirtschaftl. Erwägungen in der Frage der Annexion u. Grenzziehung 1870/71, in: VSWG 60.1973, 343–85; ausführlich und präzis ders., Weg aus dem Krieg, 113–93; F. L'Huillier Hg., L'Alsace en 1870–71, Paris 1971; antiquiert-ökonomistisch: H. Wolter, Das lothring. Erzgebiet als Kriegsziel 1870/71, in: ZfG 19.1971, 34–64, vgl. ders., Bismarcks Außenpolitik 1871–81, Berlin 1983. – Craig, Armee, 228–40; Kaiser Friedrich III., Das Kriegstagebuch 1870/71, Hg. H. O. Meisner, Berlin 1926, 325 (über Moltke; auch Stadelmann, Moltke u. der Staat, 245); A. v. Blumenthal Hg., Tagebücher des GFM Graf v. Blumenthal 1866 u. 1870/71, Stuttgart 1902, 161; Stosch, Denkwürdigkeiten, 227; L. Bamberger, Bismarcks Großes Spiel. Die Geheimen Tagebücher, Hg. E. Feder, Frankfurt 1932, 207; P. Bronsart v. Schellendorf, Geheimes Kriegstagebuch 1870/71, Hg. P. Rassow, Bonn 1954, 311; Klein-Wuttig, 154; Stadelmann, Moltke u. der Staat, 434–38, 505; vgl. zum Streit ebd.; Ritter, Staatskunst I; Kessel; A. O. Meyer, Bismarck u. Moltke vor dem Fall von Paris u. beim Friedensschluß, in: Fs. K. A. v. Müller, 329–41. – Die Große Politik der Europ. Kabinette (= GP) I, Berlin 1924, 8ff.; Huber Hg., Dokumente II, 286–88. Zur handelspolitischen Bedeutung der ewigen Meistbegünstigung, die Deutschland in das System der offenen Märkte in West- und Mitteleuropa einfügte, vgl. A. Sartorius v. Waltershausen, Der Paragraph XI des Frankfurter Friedens, Jena 1915. Allg. R. J. Giesberg, The Treaty of Frankfort, Philadelphia 1966.

[33] Busch, Tagebuchblätter I, 427. Als ein Urteil aus vielen ähnlichen anderen über Bismarcks dominierende Rolle in dieser Zeit vgl. den englischen Botschafter Lord Odo Russell, in: Mosse, European Powers, 354. – K. Bosl, Die Verhandlungen über den Eintritt der süddeutschen Staaten in den Norddeutschen Bund u. die Entstehung der Reichsverfassung, in: Schieder u. Deuerlein Hg., 148–63; M. Doeberl, Bayern u. die Bismarcksche Reichsgründung, München 1925; D. Albrecht, Bayern 1871–1918, in: HBG IV/1, 283–386; R. Nöll v. d. Nahmer, Bismarcks Reptilienfonds, Mainz 1968; A. Demandt Hg., Deutschlands Grenzen in der Geschichte, München 1990; L. Gall, Liberalismus u.

Nationalstaat. Der deutsche Liberalismus u. die Reichsgründung, in: 2. Fs. Schieder, 287–300. – E. Fehrenbach, Wandlungen des deutschen Kaisergedankens 1871–1918, München 1969; dies., Die Reichsgründung in der deutschen Geschichtsschreibung, in: Schieder u. Deuerlein Hg., 259–90; hier v. a. dies., Über die Bedeutung der polit. Symbole im Nationalstaat, in: HZ 213.1971, 296–357; T. Schieder, Das Deutsche Reich in seinen nationalen u. universalen Beziehungen 1871–1945, in: ders. u. Deuerlein Hg., 422–54; vgl. auch E. Meynen, Deutschland u. Deutsches Reich, Leipzig 1935, 59–86. – Heyderhoff u. Wentzke Hg. I, 494 (Sybel an Baumgarten, 27. 1. 1871); Stadelmann, Moltke u. der Staat, 309 (Bismarck 1871); E. Du Bois-Reymond, Der deutsche Krieg, in: ders., Reden I, Leipzig 1886, 92 (3. 8. 1870 in der Berliner Aula); F. T. Vischer, Krit. Gänge III, München 1920², 304 (25. 9. 1870). Vorzügliches Meinungsbild: H. Fenske, Die Deutschen u. der Krieg von 1870/71. Zeitgenöss. Urteile, in: Levillain u. Riemenschneider Hg., 167–214; vgl. W. K. Blessing, Gottesdienst als Säkularisierung? Zu Krieg, Nation u. Politik im bayer. Protestantismus des 19. Jh., in: W. Schieder Hg., Religion u. Gesellschaft im 19. Jh., Stuttgart 1993, 216–53; allg. P. Piechowski, Die Kriegspredigt 1870/71, Diss. Königsberg/Leipzig 1916; G. A. Craig, Die Politik der Unpolitischen. Die Schriftsteller u. die Macht 1770–1871, München 1993; G. R. Kaiser, Der Bildungsbürger u. die normative Kraft des Faktischen. 1870/71 im Urteil der deutschen Intelligenz, in: H.-J. Lüsebrink u. J. Riesz Hg., Feindbild u. Faszination, Frankfurt 1984, 55–74; Jeismann (Vaterland, 241–95, vgl. 374–91) hat mit schmittianischer Monomanie Feindschaft als entscheidendes Konstituens von Nation und Nationalismus zuerst im Hinblick auf die Genese (ca. 1792 – ca. 1815) hypostasiert und sieht für 1870/71 primär Kontinuität walten; K. H. Höfele, Sendungsglaube u. Epochenbewußtsein in Deutschland 1870/71, in: Zeitschrift für Religions- u. Geistesgeschichte 15.1963, 265–76; T. Schieder, Die Bismarcksche Reichsgründung von 1870/71 als gesamtdeutsches Ereignis, in: Fs. K. A. v. Müller, 342–401; G. Körner, Die norddeutsche Publizistik u. die Reichsgründung 1870, Hannover 1908; U. Koch, Berliner Presse u. europ. Geschehen 1871, Berlin 1978. – G. Brakelmann, Der Krieg 1870/71 u. die Reichsgründung im Urteil des Protestantismus, in: W. Huber u. J. Schwerdtfeger Hg., Kirche zwischen Krieg u. Frieden, Stuttgart 1976, 293–320; E. Bammel, Die Reichsgründung u. der deutsche Protestantismus, Erlangen 1973; Wehler, Sozialdemokratie u. Nationalstaat, 52–60; Kaiser Friedrich, Kriegstagebuch, 303 (Silvester 1870); H. Kohn, Wege u. Irrwege. Vom Geist des deutschen Bürgertums, Düsseldorf 1962, 178 (Freytag, Sept. 1871); Burckhardt, Briefe V, 112 (6. 3. 1871), 184 (Silvester 1872); Hofmann, Burckhardt u. Nietzsche, 447 (ebenso 12. 12. 1870, ebd.); F. Nietzsche, Unzeitgemäße Betrachtungen (1873), in: ders., Werke I, Hg. K. Schlechta, München 1954, 137–434; T. Schieder, Bismarck u. Nietzsche, Krefeld 1963 u. in: ders., Einsichten, 67–87. – Gervinus, Hinterlass. Schriften, 17, 21–23 (1. Denkschrift zum Frieden: 3–32); vgl. J. F. Wagner, Gervinus über die Einigung Deutschlands. Briefe 1866–70, in: ZGO 121. 1973, 371–92, v. a. 388 (1. 4. 1868); Gervinus, Geschichte der deutschen Dichtung I, 1871⁵, VII; Hübinger, Gervinus, 219 (28. 4. 1867, auch in: Wagner, Einigung, 380), 215, 218, 223 f. Vgl. J. Rüsen, Gervinus' Kritik an der Reichsgründung, in: 2. Fs. Schieder, 313–30; ders., Der Historiker als «Parteimann des Schicksals». G. G. Gervinus, in: ders. u. W. J. Mommsen Hg., Objektivität u. Parteilichkeit in der Geschichtswissenschaft, München 1977, 77–124; s. auch G. G. Gervinus, Leben. Von ihm selbst (1860)., Leipzig 1893. Vgl. allg. hierzu: G. Barraclough, German Unification, an Essay in Revision, in: Historical Studies IV, Hg. G. A. Hayes-McCoy, London 1963, 62–81; G. Eley, State Formation, Nationalism and Political Culture: Some Thoughts on the Unification of Germany, in: ders., Unification, 61-84.

[34] Kapp, Briefe, 84, 86 u. ö. – als Beispiel für zahllose antipartikularistische Stimmen vom Vormärz bis Treitschke und darüber hinaus. A. v. Villers, Briefe eines Unbekannten II, Leipzig 1910⁵, 44 f. (24. 7. 1870, an A v. Warsberg). Vgl. N. M. Hope, The Alternative to German Unification. The Anti-Prussian Party: Frankfurt, Nassau and the Two Hessen 1859–67, Wiesbaden 1973; Rumpler Hg., Deutscher Bund; auch Schnabels unhistorisches, nostalgisches, antipreußisches, antibismarcksches Gegenideal, z. B. in: ders. Hg., Klopp;

ders., O. v. Bismarck (1963), in: ders., Abhandlungen u. Vorträge, Hg. H. Lutz, Freiburg 1970, 344–60; ders., Das Problem Bismarck (1949), in: ebd., 196–216. – H. Kiesewetter, Economic Preconditions for Germany's Nation-Building in the 19th Century, in: Schulze Hg., Nation-Building, 81–105, v. a. 99–105; ders., Region u. Nation in der europ. Industrialisierung 1815–71, in: Rumpler Hg., Deutscher Bund, 162–85. Vgl. W. Zorns sorgfältig recherchierte Studien zur wirtschaftlichen Integration vor 1871: Wirtschafts- u. sozialgeschichtl. Zusammenhänge der deutschen Reichsgründungszeit 1850–79, in: HZ 197.1963, 318–42, u. in: Wehler Hg., Moderne Sozialgeschichte, 1981[6], 254–70; ders., Wirtschaft u. Gesellschaft in Deutschland in der Zeit der Reichsgründung, in: Schieder u. Deuerlein Hg., 197–225; ders., Die wirtschaftl. Integration Kleindeutschlands in den 1860er Jahren u. die Reichsgründung, in: HZ 216.1973, 304–34; ders., Zwischenstaatl. wirtschaftl. Integration im Deutschen Zollverein 1867–70, in: VSWG 65.1978, 38–76; ders., Industrialisierung u. soziale Mobilität, 124. Hätte Benedek 1866 gewonnen und eine großdeutsch-österreichische Lösung ermöglicht, wäre es denkbar, daß die bereits vorhandene und vermutlich fortschreitende ökonomische Integration «Kleindeutschlands» zu einer Sonderstellung, eventuell sogar zu einer Sezession geführt hätte. Aber das alles ist pure Spekulation, die der Parole von der Übermacht der Wirtschaft zu leicht aufsitzt. H. Böhme, Politik u. Ökonomie in der Reichsgründungs- u. späten Bismarckzeit, in: Stürmer Hg., Kaiserl. Deutschland, 26–50, v. a. hier 33–40, ist ebenso wirr wie ders., Weg (vgl. z. B. 212 u. 292), in der Beurteilung der ökonomischen Integrationsfaktoren voll krasser Widersprüche ist: hier unaufhaltsame Automatik, welche die Politik nur nachvollzieht – dort keinerlei wirtschaftliche Zwangsläufigkeit. Entschiedene Kritik: L. Gall, Staat u. Wirtschaft in der Reichsgründungszeit, in: HZ 209.1969, 616–30; Wehler, Sozialökonomie, 342–70. – Die bizarre Erfindung einer Wahl zwischen «Bismarck oder der Volksrevolution» (Engelberg) ist so weit von den historischen Möglichkeiten der 60er Jahre entfernt, daß sich eine Erörterung dieses marxistischen Konstrukts nicht lohnt. Zu prüfen bleibt jedoch die Essenz von Marx' pointiertem Verdikt (Kritik des Gothaer Programms, 1875, in: MEW 19.1962, 29): Das Reich sei «ein mit parlamentarischen Formen verbrämter, mit feudalem Beisatz vermischter und zugleich schon von der Bourgeoisie beeinflußter, bürokratisch gezimmerter, polizeilich gehüteter Militärdespotismus». – Zum Übergang zum Großmachtstatus vgl. nur Dehio, Gleichgewicht oder Hegemonie; P. Kennedy, The Rise and Fall of the Great Powers 1500–2000, London 1988, dt. Aufstieg u. Fall der großen Mächte, Frankfurt 1989.

[35] W. H. Riehl, Die Partei (1864), in: ders., Freie Vorträge I, Stuttgart 1873/1885[2], ND 1973, 371; Jörg, Parteien, 9; Treitschke, Parteien u. Fraktionen, 583, 648. Vgl. BSg, Nr. 58, 353–55; allg. Schieder, Grundlagen; Nipperdey, Grundprobleme; K. v. Beyme, Partei, in: GGr 4.1978, 723–33; ders., Parteien in westl. Demokratien, München 1984[2]; M. Duverger, Die polit. Parteien, Tübingen 1959; R. Michels, Zur Soziologie des Parteiwesens in der modernen Demokratie (1911), Hg. W. Conze, Stuttgart 1957[2]; die Pionierstudie von T. Nipperdey, Die Organisation der deutschen Parteien vor 1918, Düsseldorf 1961; knapp ders., Die Organisation bürgerl. Parteien in Deutschland vor 1918, in: ders., Gesellschaft, 279–318; K. Rohe, Wahlen und Wählertraditionen in Deutschland, Frankfurt 1992 (eine glänzende Einführung vom Vormärz bis zur Gegenwart!); ders. Hg., Elections; G. A. Ritter, The Social Bases of German Political Parties 1867–1920, in: ebd., 27–52; ders. u. M. Niehuss, Wahlgeschichtl. Arbeitsbuch. Materialien zur Statistik des Kaiserreichs 1871–1918, München 1980; Kaack, Geschichte, 9–42; völlig überholt: G. Ritter, Allg. Charakter u. geschichtl. Grundlagen des polit. Parteiwesens in Deutschland, in: ders., Lebendige Vergangenheit, München 1980, 55–83. Wichtig: H. Best, Mandat ohne Macht. Strukturprobleme des deutschen Parlamentarismus 1867–1933, in: ders. Hg., Politik u. Milieu, St. Katharinen 1989, 175–222; ders., Polit. Modernisierung u. parlamentar. Führungsgruppen in Deutschland 1867–1918, in: HSF 13.1988/45, 5–74; ders., Die Genese polit. Konfliktstrukturen. Modelle u. Befunde zur Entstehung von Fraktionen u. Parteien in West- u. Mitteleuropa, in: H.-D. Klingemann u. a. Hg., Polit. Klasse u. polit. Institutio-

nen, Opladen 1991, 107–21; Schwarz, MdR; B. Mann, Biograph. Hdb. für das Preuss. Abgeordnetenhaus 1867–1918, Düsseldorf 1988; A. Borell, Die soziolog. Gliederung des Reichsparlaments als Spiegelung der polit. u. ökonom. Konstellationen, Diss. Gießen 1933; G. Beushausen, Zur Strukturanalyse parlamentar. Repräsentation in Deutschland seit 1867, Diss. Hamburg 1926; W. Kremer, Der soziale Aufbau der Parteien des Deutschen Reichstags 1871–1918, Diss. Köln 1934; Demeter, Schichtung; Maschke, Parlamentszusammensetzung. – Allg. zum Liberalismus: BSg, Nr. 59, 355–66; Langewiesche, Liberalismus in Deutschland, 93–127; ders., The Nature of German Liberalism, in: G. Martel Hg., Modern Germany Reconsidered 1870–1945, London 1992, 96–116; L. Gall u. ders. Hg., Deutscher Liberalismus im 19. Jh. im regionalen Vergleich, München 1994; Sheehan, Liberalismus, 93–186; Eisfeld; Klein-Hattingen. Vergleichend bes. aufschlußreich: G. Schmidt, Polit. Liberalismus, «Landed Interests» u. Organis. Arbeiterschaft 1850–80. Ein deutsch-engl. Vergleich, in: 2. Fs. Rosenberg, 266–88; R. Muhs, Deutscher u. brit. Liberalismus im Vergleich 1830–70, in: Langewiesche Hg., Liberalismus, 223–59; G. Eley, Liberalismus 1860–1914. Deutschland u. Großbritannien im Vergleich, in: ebd., 260–76; vgl. ders., Liberalism, Europe, and the Bourgeoisie 1860–1914, in: Blackbourn u. Evans Hg., 293–317; weite Einordnung: D. Langewiesche, Deutscher Liberalismus im europ. Vergleich, in: ders. Hg., Liberalismus, 11–19; ders., Liberalismus u. Bürgertum in Europa, in: Kocka Hg., Bürgertum im 19. Jh. III, 360–94; J. Breuilly, Liberalism in Mid-19th Century Britain and Germany, in: ders., Labour and Liberalism, 228–72. – DFP: Seeber, DFP, 623–36; Nipperdey, Organisation, 16f., 176f., 22–24; L. Parisius, Die Deutsche Fortschrittspartei 1861–78, Berlin 1879; ders., Hoverbeck I, 208; ders., Parteien, 46; Oncken, Bennigsen I, 524; vgl. Philippson, Forckenbeck; Biermann, Waldeck; Oppenheim, dass.; Vasold, Virchow; Aldenhoff, Schulze-Delitzsch; J. Jacoby, Ges. Schriften u. Reden, 2 Bde, Hamburg 1872; E. Silberner, J. J. Jacoby, Bonn 1976. Die Ausdünnung des DFP-Führungspersonals erleichterte den Aufstieg Eugen Richters. Vgl. J. S. Lorenz, E. Richter 1871–1906, Husum 1981; H. Delbrück, E. Richter, in: ders., Vor u. nach dem Weltkrieg, Berlin 1926, 136–48; M. Harden, Richter, in: ders., Köpfe I, ebd. 1911[39], 213–45; E. Richter, Im alten Reichstag, 2 Bde, ebd. 1894/96. – Langewiesche, Liberalismus in Deutschland, 112, 124f., 305–7; Sheehan, Liberalismus, 174; vgl. ders., Wie bürgerlich war der deutsche Liberalismus? in: Langewiesche Hg., Liberalismus, 28–44; Gagel, 176f.; Hess, 53f., 65–67; Vogel u. a., 287f., 290; Lauter (mit personellen Details). – F. J. Stahl, Die gegenwärt. Parteien in Staat u. Kirche, Berlin 1863, 73; vgl. Fessers Studien (III, 4, A.16). – Zur Nationalliberalen Partei: Sheehan, Liberalismus, 136; Oncken, Bennigsen I, 524 (Schulze); Winkler, Preuss. Liberalismus, 121, 100, 109f., 98, 103, 118; H. Herzfeld, J. v. Miquel I, Detmold 1938, 44f.; Kapp, Briefe, 83f.; Heffter, 458; v. Unruh, Erinnerungen, 262f.; Duncker, Briefwechsel, 128f., 137; Dorpalen, Treitschke, 124f.; H. R. v. Poschinger, Fürst Bismarck u. die Parlamentarier I, Breslau 1894, 338f.; vgl. Parisius, Hoverbeck II/2, 93f.; Phillipson, Forckenbeck, 158f.; Bluntschli, Denkwürdigkeiten III, 143; Haym, Briefwechsel, 245f.; Dorpalen, Treitschke, 137; Gagel, 59; H. v. Treitschke, Der Sozialismus u. seine Gönner, Berlin 1875, 45; Oncken, Bennigsen I, 525f. (v. Unruh); Sheehan, Liberalismus, 141 (Duncker, Bollmann); F. Thorwart, Schulze-Delitzsch, Berlin 1913, 318 (1870); ders. Hg., H. Schulze-Delitzsch, Schriften u. Reden, 5 Bde, ebd. 1909–13, z. B. III, 298; Pollmann, Parlamentarismus, 545. Ausführlich zur Anfangszeit: G. Mork, The National Liberal Party in the German Reichstag and the Prussian Landtag 1866–74, Diss. Univ. of Minnesota 1966. Trotz der Spaltung hatten alle liberalen Fraktionen für die Wahlen zum Konstituierenden Norddeutschen Reichstag noch ein gemeinsames Zentralwahlkomitee, das z. B. dem Nationalliberalen Lasker die Wahl in einem «fortschrittlichen» Berliner Wahlkreis ermöglichte (Parisius, Parteien, 83f.). Vgl. allg. G. Seeber u. C. Hohberg, Nationallib. Partei 1867–1918, in: LP 3, 403–10; H. Schwab, Aufstieg u. Niedergang der Nationallib. Partei 1864–80, Habil.-Schrift Jena 1968; ders., Von Düppel bis Königgrätz. Die polit. Haltung der deutschen Bourgeoisie zur nationalen Frage 1864–66, in: ZfG 14.1966, 588–610; ders., Von Königgrätz bis Versailles. Zur

Entwicklung der Nationallib. Partei bis 1871, in: Bartel u. Engelberg Hg. I, 308–42; G. Schmidt, Die Nationalliberalen – eine regierungsfähige Partei? Zur Problematik der inneren Reichsqründung 1870–78, in: Ritter Hg., Parteien vor 1918, 208–23; M. Spahn, Zur Entstehung der nationallib. Partei, in: ZfP 1.1908, 346–470; W. Schunke, Die preuß. Freihändler u. die Entstehung der nationallib. Partei, Leipzig 1916; Hentschel, Kongreß; Grambow, Freihandelspartei; auf den Einfluß der Freihändler zielte auch K. Lamprecht (Deutsche Geschichte, 2. Erg.bd./II, Berlin 1904/1921[4], 185): «St. Manchester hat als einer der Haupttaufpaten der Taufe des jungen Reiches beigewohnt». E. W. Mayer, Aus der Geschichte der nationallib. Partei 1868–71, in: Fs. F. Meinecke, München 1922, 135–54; E. Brandenburq, 50 Jahre Nationallib. Partei 1867–1917, Berlin 1917; H. Kalkoff, Nationallib. Parlamentarier des Reichstags u. der Einzellandtage 1867–1917, ebd. 1917; M.-L. Weber, L. Bamberger, Stuttgart 1987; E. Eyck, dass., in: ders., Auf Deutschlands polit. Forum, Erlenbach 1963, 25–34; H. Oncken, dass., in: ders., Histor.-polit. Aufsätze II, München 1914, 225–61; E. Pachnicke, dass., in: ders., Führende Männer im alten u. neuen Reich, Berlin 1930, 17–19; W. Kelsch, L. Bamberger als Politiker, Diss. Jena/Berlin 1933; O. Hartwig, L. Bamberger, Marburg 1900; Zucker, dass.; R. Weber, dass., in: Seeber Hg., Gestalten, 243–66; Bamberger, Erinnerungen; Oncken, Bennigsen I; ders., Bennigsen u. die Epochen des parlamentar. Liberalismus in Deutschland u. Preußen, in: HZ 104.1910, 53–79; ders., Aus den Briefen R. v. Bennigsen, in: DRev. 32.1907/I, 23–26; III, 314–16; K. E. Pollmann, R. v. Bennigsen, in: Der Nationalliberalismus in seiner Epoche, Baden-Baden 1981, 21–39; Bein, Hammacher; ders., dass., in: RWB 2.1934, 46–47, sowie: M. John, Liberalism and Society in Germany 1850–80: The Case of Hanover, in: Engl. Hist. Rev. 102.1987, 579–98; ders., Associational Life and the Development of Liberalism in Hannover 1848–66, in: K. H. Jarausch u. L. E. Jones Hg., In Search of a Liberal Germany, N. Y. 1990, 161–85 (beide zur Vorgeschichte des hannoverschen Nationalliberalismus); P. Müller, Liberalismus in Nürnberg 1800–71, Nürnberg 1990; G. R. Mork, Bismarck and the «Capitulation» of German Liberalism, in: JMH 43.1971, 59–75; L. O'Boyle, Liberal Political Leadership in Germany 1867–84, in: JMH 28.1956, 338–52; S. Wolf, Liberalismus in Frankfurt 1866–1914, Frankfurt 1987; W. Seelig, From Nassau to the German Reich: K. Braun 1822–71, Diss. Univ. of Minnesota 1975; T. Offermann, Preuss. Liberalismus 1848–71 im Vergleich, in: Langewiesche Hg., Liberalismus, 109–35; demn. die erste neuere Gesamtdarstellung der Nationalliberalen Partei von K.-H. Pohl.

[36] H. Herz, Preuss. Volks-Verein 1861–72, in: LP 3, 600–2; H. Müller, Der Preuss. Volksverein, Berlin 1914; Nipperdey, Organisation, 18–20. Vgl. allg. die Lit. zum Konservativismus: II, 852–54, Anm. 39–41; BSg, Nr. 60, 363–70, sowie R. Michels, Conservatism, in: ESS 4.1930, 230–33; C. Rossiter, dass., in: IESS 3.1968, 290–95; R. Vierhaus, Conservatism, in: Dictionary of the History of Ideas 1.1973, 477–85; H.-J. Puhle, Konservatismus, in: Evangel. Kirchenlexikon 2.1989, 1403–9; K. Lenk, Deutscher Konservatismus, Frankfurt 1989; D. Allen, From Romanticism to Realpolitik: Studies in 19th Century German Conservatism, Diss. Columbia Univ. 1971; J. Retallack, German Conservative Party, in: D. K. Buse u. J. C. Doerr Hg., Encyclopaedic History of Modern Germany, N. Y. 1994. Freikonservative: J. Retallack, Free Conservative Party, in: Buse u. Doerr Hg.; D. Fricke, Reichs- u. Freikonservative Partei 1867–1918, in: LP 3, 745–49; F. Aandahl, The Rise of German Free Conservatism, Diss. Princeton 1955, MS; K. Viebig, Die Entstehung u. Entwicklung der Freikonservativen u. der Reichspartei, Diss. Greifswald/Weimar 1920; A. Wolfstieg, Die Anfänge der Freikonservativen Partei, in: Fs. H. Delbrück, Berlin 1908, 313–36; K. Keller, Graf E. v. Bethusy-Huc, in: H. v. Arnim u. G. v. Below Hg., Deutscher Aufstieg, ebd. 1925, 209–21; ders., W. v. Kardorff, in: ebd., 261–76; S. v. Kardorff, W. v. Kardorff 1828–1907, ebd. 1936; Hellwig, Stumm. Vgl. Schoeps, Wagener; ders., Ein Beitrag zur Ideengeschichte des Sozialismus. R. Meyer u. der Ausgang der Sozialkonservativen, in: ders., Studien zur unbekannten Religions- u. Geistesgeschichte, Göttingen 1963, 335–44. Wahlen 1867: Pollmann, Parlamentarismus, 536, 545. – Konservative: E. Hartwig, Konservative Partei 1848–1918, in: LP 3, 285–88; Roon II, 482 (Blankenburg an R., 24.9.

1870); Hahn, Berliner Revue, 221 (R. Meyer an Rodbertus, 28.10. 1871); Parisius, Parteien, 153 f.; W. Schröder, H. v. Kleist-Retzow, in: Seeber Hg., Gestalten, 218–42; v. Petersdorff, dass.; ders., M. v. Blanckenburg, in: v. Arnim u. v. Below Hg., 157–62; H. Goldschmidt, dass., in: BDL 91.1954, 158–81. Am besten über die frühe Zeit: R. Berdahl, The Transformation of the Prussian Conservative Party 1866–76, Diss. Univ. of Minnesota 1965. – Politischer Katholizismus: BSg, Nr. 42, 294–97; H. Herz, Kathol. Fraktion 1852–67, in: LP 3, 224–27; Donner, 72–77 (Mitglieder); H. Wendorf, Die Fraktion des Zentrums (Kathol. Fraktion) im preuss. Abgeordnetenhaus 1859–67, Diss. Leipzig/Erfurt 1915, 131–37 (Mitglieder); L. Bergsträsser Hg., Der polit. Katholizismus I: 1815–70, München 1921, 186–88; E. Heinen, Polit. Katholizismus nach 1848 – reaktionär oder liberal? in: Fs. A. Bach, Heidelberg 1970, 110–27; H. Gottwald u. G. Wirth, Zentrum 1870–1933, in: LP 4, 552–58; K. Grosinski, Kathol. Gesellenvereine 1846–1945, in: ebd. 3, 228–32; H. Hürten, Kathol. Verbände, in: Rauscher Hg., Katholizismus 1803–1963 II, 215–77; M. L. Anderson, Windthorst, N.Y. 1981, dt. Düsseldorf 1988, 2–142; H. Gottwald, dass., in: Seeber Hg., Gestalten, 194–217; W. Real, K. F. v. Savigny 1814–75, Berlin 1990; O. Pfülf, H. v. Mallinckrodt, Freiburg 1892; v. Pastor, Reichensperger; R. Morsey u. a. Hg., Zeitgeschichte in Lebensbildern. Aus dem Katholizismus des 19. u. 20. Jh., 4 Bde, Mainz 1973–80; ders. Hg., Katholizismus, Verfassungsstaat u. Demokratie, Paderborn 1988; H. Maier, Katholizismus, nationale Bewegung u. Demokratie in Deutschland, in: Hochland 57.1965, 318–33; E. Iserloh, Der Katholizismus u. das Deutsche Reich, in: Fs. K. Reggen, Berlin 1983, 213–30; Bachem, I-III, Lit. bis 1917: IX, 515–18; Windell, Catholics; Lill, Katholiken; Morsey, Ketteler; Birke, Catholics; H. Gottwald, Polit. Katholizismus, Kapitalismus u. Soziale Frage, Diss. B Jena 1982; E. Naujoks, Die kathol. Arbeiterbewegung u. der Sozialismus in den ersten Jahren des Bismarckschen Reiches, Berlin 1939; vgl. auch W. Ribhegge, Konservative Politik in Deutschland, Darmstadt 1989, generell medioker, aber das Zentrum in sein Thema einbeziehend. Brillant, v. a. zur folgenden Zeit: W. Loth, Soziale Bewegungen im deutschen Katholizismus des Kaiserreichs, in: GG 18.1992, 279–310. Kaplanokratie: Weber, PS, 309, 316, 372; ders., WG, 127, 833, 848.

[37] Vgl. BSg, Nr. 62, 370–84. – E. Bernstein, Rez. von Herkner, Arbeiterfrage, in: Dokumente des Sozialismus 1.1902/ND 1968, 473. Lassalle: vgl. vorn III.4, Anm. 16, v. a. Na'aman; H. Oncken, Lassalle (1904), Stuttgart 1966; S. Na'aman, Vom Nationalverein des Volkes zum Anti-Nationalverein der Arbeiter. Demokratie u. Klassenverständnis bei F. Lassalle, in: Herzig u. Trautmann Hg. I, 63–82; A. Herzig, Die Lassalle-Feiern, in: Düding u. a. Hg., Festkultur, 321–33; ders., Die polit. Kultur der Unterschichten u. ihre Bedeutung für die frühe Arbeiterbewegung, in: ders. u. Trautmann Hg. I, 83–100; G. Korff, Bemerkungen zum polit. Heiligenkult im 19. u. 20. Jh., in: G. Stephenson Hg., Der Religionswandel in unserer Zeit, Darmstadt 1976, 216–30; ders., Polit. Heiligenkult im 19. u. 20. Jh., in: Zeitschrift für Volkskunde 71.1985, 202–20. – F. Mehring, Geschichte der deutschen Sozialdemokratie (= Werke II), Berlin 1960; ders. Hg., J. B. v. Schweitzer, Polit. Aufsätze u. Reden, ebd. 1912; Mayer, Schweitzer; T. Offermann, Die regionale Ausbreitung der frühen deutschen Arbeiterbewegung 1848/49–1860/64, in: GG 13.1987, 419–47; K. Tenfelde, Großstadt u. Industrieregion. Die Ausbreitung der deutschen Arbeiterbewegung in Grundzügen, in: Fs. J. Rainer, Innsbruck 1988, 687–700; ders., Germany, in: M. van der Linden u. J. Rojahr Hg., The Formation of Labour Movements 1870–1914, Leiden 1990, 243–69; K. E. Pollmann, Arbeiterwahlen im Norddeutschen Bund 1867–70, in: GG 15.1989, 164–95; F. L. Carsten, A. Bebel u. die Organisation der Massen, Berlin 1991; W. H. Maehl, A. Bebel: Shadow Emperor of the German Workers, Philadelphia 1980; Seebacher-Brandt, Bebel; W. Liebknecht, Briefwechsel mit K. Marx u. F. Engels, Hg. G. Eckert, Amsterdam 1963; eine adäquate Biographie fehlt noch immer! – L. Herbst, Die Erste Internationale als Problem der deutschen Politik in der Reichsgründungszeit, Göttingen 1975; R. Morgan, The German Social Democrats and the First International 1864–72, Cambridge 1965. – Conze u. Groh; D. Groh u. P. Brandt, «Vaterlandlose Gesellen». Die

deutschen Sozialdemokraten u. die Frage von Krieg u. Nation 1860–1989, München 1992; Steinberg; Wehler, Sozialdemokratie, 52, 59, 233–35; R. Höhn, Sozialismus u. Heer I, Bad Homburg 1961, 194–210, 309–38; R. H. Dominick, W. Liebknecht and the Founding of the German Social Democratic Party, Chapel Hill 1982; G. Ebersold, Die Stellung W. Liebknechts u. A. Bebels zur deutschen Frage, Diss. Heidelberg 1963; M. Sauerbrey, Bebel u. die Grundfragen der deutschen Politik im Zeitalter Bismarcks, Diss. Köln 1951; H. Beike, Die deutsche Arbeiterbewegung u. der Krieg von 1870/71, Berlin 1957 (ebenso orthodox wie Leidigkeit und Benser); S. W. Armstrong, The Social Democrats and the Unification of Germany 1863–71, in: JMH 12.1940, 485–509; G. Mayer, Der ADAV u. die Krisis 1866 (1927), in: ders., Arbeiterbewegung, 159–64; ders., Die Lösung der deutschen Frage 1866 u. die Arbeiterbewegung (1907), in: ebd., 125–58. – H.-G. Haupt u. K. Hausen, Die Pariser Kommune, Frankfurt 1979; G. R. Grützner, dass., Köln 1963; H. Mommsen u. K. Meschkat, dass., in: SDG 4.1971, 1069–89; C. Witzig, Bismarck et la Commune, in: IRSH 17.1982, 191–221; E. Kolb, Kriegsniederlage u. Revolution. Pariser Kommune 1871, in: Langewiesche Hg., Revolution, 135–54; ders., Der Pariser Commune-Aufstand u. die Beendigung des deutsch-französ. Kriegs, in: HZ 215.1972, 265–98. Vgl. allg. die Lit. in III.4, Anm. 16–18, 20, sowie Bd. II, 886f., Anm. 13, sowie jetzt: D. Lehnert, Sozialdemokratie zwischen Protestbewegung u. Regierungspartei 1848–1983, Frankfurt 1983; G. A. Ritter, Staat u. Arbeiterschaft in Deutschland 1848/49–1933, in: HZ 231.1980, 325–68; ders., Die polit. Arbeiterbewegung Deutschlands 1863–1914, in: ders., Arbeiterbewegung, 21–54; H. Zwahr, Die deutsche Arbeiterbewegung im Länder- u. Territorienvergleich 1875, in: GG 13.1987, 448–507; W. Schieder, Das Scheitern des bürgerl. Radikalismus u. die sozialist. Parteibildung in Deutschland, in: H. Mommsen Hg., Sozialdemokratie zwischen Klassenbewegung u. Volkspartei, Frankfurt 1974, 17–34; Langewiesche, Liberalismus in Deutschland, 120f., 114–19; vgl. Breuilly, Liberalismus oder Sozialdemokratie; Aldenhoff; Thorwart Hg.; H. Faust, Geschichte der Genossenschaftsbewegung, Frankfurt 1965; W. Kulemann, Genossenschaftsbewegung, 2 Bde, Berlin 1922/25. – Lassalle, Ges. Reden u. Schriften III, 42.

[38] Zu den Gewerkschaften bis 1870 s. vorn III.4, die Lit. in Anm. 16–18, v. a. Tenfelde, Entwicklung; Schönhoven, Gewerkschaften. – Verbände: BSg, Nr. 63, 385–91; grundlegend wieder Ullmann, Interessenverbände, 28–31, 49–67; DHT I; Zeise, Genesis; W. Salewski, Die Vorgeschichte der Eisenverbände, Düsseldorf 1974; Zunkel, Unternehmer, 229–32; G. Remer, Deutscher Handwerkerbund 1862–64, in: LP 2, 103–6; allg. D. Georges, 1810/11–1993: Handwerk u. Interessenpolitik, Frankfurt 1993; W. v. Altrock, Bauernvereine, in: HStW 2.1924[4], 415–17; F. Jacobs, Von Schorlemer zur Grünen Front, Düsseldorf 1957, sowie die Lit. in III.4, Anm. 28.

[39] Vgl. W. Sauer, Die polit. Geschichte der deutschen Armee u. das Problem des Militarismus, in: PVS 6.1965, 349; ders., Problem des Nationalstaats; Barraclough, Unification, 68f.; P. W. Schroeder, The Lost Intermediaries: The Impact of 1870 on the European System, in: International History Review 6.1984; C. Schmitt, Verfassungslehre (1928), Berlin 1957[2], 31f., 115; ders., Staatsgefüge, 24f.; RV in: Huber Hg., Dokumente II, 289–305; A. Rosenberg, Entstehung u. Geschichte der Weimarer Republik (1928), Frankfurt 1955, 15; G. Anschütz, Der deutsche Föderalismus, in: Veröffentlichungen der Vereinigung der deutschen Staatslehrer I, Berlin 1924, 14; Bismarck, GW VI, 103 (an Bülow, 21. 12. 1877). Trotz des inzwischen ad nauseam wiederholten Positivismusvorwurfs ist wegen seiner analytischen Brillanz zur Reichsverfassung noch immer lesenswert: P. Laband, Staatsrecht des Deutschen Reiches, 4 Bde, 1911–14[5]/ND 1974; ders., Deutsches Reichsstaatsrecht, Tübingen 1907; ders., Die geschichtl. Entwicklung der Reichsverfassung seit 1871, in: Jb. des öffentl. Rechts der Gegenwart 1.1907, 1–46 (vgl. O. Fröhling, Labands Staatsbegriff, Marburg 1967), sowie G. Jellinek, Regierung u. Parlament in Deutschland, Leipzig 1909. Überblick: D. Blackbourn, New Legislatures: Germany 1871–1914, in: Historical Research 65.1992, 201–14. – Zur Interpretation v. a. W. J. Mommsen, Das deutsche Kaiserreich als System umgangener Entscheidungen, in: 2. Fs. Schieder, 1978,

239–66, u. in: ders., Der autoritäre Nationalstaat, Frankfurt 1990, 11–38; ders., Die Verfassung des Deutschen Reiches von 1871 als dilator. Herrschaftskompromiß, in: O. Pflanze Hg., Innenpolit. Probleme des Bismarck-Reiches, München 1983, 195–216, u. in: ders., Nationalstaat, 39–65; ders., The Fall of Germany: Peace, Stability, Legitimacy, in: G. Lundestad Hg., The Fall of Great Powers, Oxford 1994, 103–24; R. Chickering, The German Empire as a Historical Problem, in: ders. Hg., Imperial Germany: An Interpretive Handbook, Westport/Conn. 1994. Zu Kaiser und Hof: Marcks, Wilhelm I.; Börner, dass.; H. Seier, dass., in: A. Schindling u. W. Ziegler Hg., Die Kaiser der Neuzeit 1519–1918, München 1990, 395–409; K. F. Werner Hg., Hof, Kultur u. Politik im 19. Jh., Bonn 1985. Zum Kanzler: die Biographien von Gall, Pflanze, Engelberg, Eyck und die Lit. unten in Anm. 41–43. Zum Föderalismus: W. P. Fuchs, Bundesstaaten u. Reich. Der Bundesrat, in: Pflanze Hg., 239–56; B. Mann, Zwischen Hegemonie u. Partikularismus. Bemerkungen zum Verhältnis von Regierung, Bürokratie u. Parlament in Preußen 1867–1918, in: Ritter Hg., Regierung, 76–89; H.-O. Binder, Reich u. Einzelstaaten während der Kanzlerschaft Bismarcks, Tübingen 1971; W. J. Mommsen, Preuss. Staatsbewußtsein u. deutsche Reichsidee, in: ders., Nationalstaat, 66–85; K.-E. Born, Preußen u. Deutschland im Kaiserreich, Tübingen 1967; flach bleibt K. Rosenau, Hegemonie u. Dualismus. Preußens staatsrechtl. Stellung im Deutschen Reich, Regensburg 1986. – G. Radbruch, Die polit. Parteien im System des deutschen Verfassungsrechts, in: G. Anschütz u. R. Thoma Hg., Hdb. des deutschen Staatsrechts I, Tübingen 1930, 289; Heuss, Bismarck-Bild, 15; Rosenberg, Publizistik II, 932 (v. Gerlach 1866); v. Friesen, Erinnerungen III, 11f.; Weber, PS, 233. – M. Rauh (Föderalismus u. Parlamentarismus im wilhelmin. Reich, Düsseldorf 1972; ders., Die Parlamentarisierung des Deutschen Reiches 1909–14, ebd. 1977) hat die Parlamentarisierung des Kaiserreichs mit arrogantem Getöse behauptet, aber – da es sie faktisch nicht gegeben hat – auch nicht empirisch und interpretatorisch nachweisen können. Über seine unglaubwürdige Konstruktion, der jede vertiefte Sachkenntnis fehlt, ist die Forschung nach schneidender Kritik (bes. klar: P. C. Witt, Rez. Rauh, 1977, in: MM 29. 1981, 196–202, auch methodisch vernichtend) hinweggegangen. Flüchtiger Schnellschuß: I. Geiss, Die deutsche Frage 1806–1990, Mannheim 1992. – R. Morsey, Die oberste Reichsverwaltung unter Bismarck 1867–90, Münster 1957; Wunder, Bürokratie. – H. Hasenbein, Die parlamentar. Kontrolle des militär. Oberbefehls im Deutschen Reich 1871–1918, Diss. Göttingen 1968; Bismarck, GW VI, 324. – K. Schwabe Hg., Das Diplomat. Korps 1871–1945, Boppard 1985; L. Cecil, The German Diplomatic Service 1871–1914, Princeton 1976. Allg. zum Kaiserreich: Nach erstaunlich langer Pause gibt es endlich neuere Gesamtdarstellungen mit unterschiedlichen Bewertungsmaßstäben. Vgl. Nipperdey, Geschichte 1866–1918, 2 Bde; W. J. Mommsen, Das Ringen um den nationalen Staat. Gründung u. Ausbau des Deutschen Reiches unter Bismarck 1850–90, Berlin 1992 (Bd. II: 1890–1918, demn.); s. ders., Nationalstaat; H.-P. Ullmann, Das Deutsche Kaiserreich, Frankfurt 1995; K. Tenfelde, dass., München 1995; W. Loth, dass., ebd. 1995; D. Hertz-Eichenrode, Deutsche Geschichte 1871–90, Stuttgart 1992; mein erster Versuch einer komprimierten Darstellung: Kaiserreich, 1973/1994[7]; unterschiedlich in der Qualität der Beiträge: D. Langewiesche Hg., Ploetz – Das deutsche Kaiserreich 1867/71–1918, Freiburg 1984; Mann, Geschichte des 19. u. 20. Jh.; noch nicht überholt ist die erste liberale Darstellung: J. Ziekursch, Polit. Geschichte des Neuen Deutschen Kaiserreichs, 3 Bde, Frankfurt 1925/30; anregender Interpretationsansatz: T. Schieder, Das deutsche Kaiserreich von 1871 als Nationalstaat, Köln 1961/ND Hg. H.-U. Wehler, Göttingen 1992; knappe Überblicke: W. Conze, The German Empire, in: NCMH 11.1962, 274–99; K.-E. Born, Deutschland als Kaiserreich, in: HEG VI.1968, 198–230; ziemlich flach: J. Dülffer, dass., in: M. Vogt Hg., Deutsche Geschichte, Stuttgart 1987, 469–567; eine von der Kritik bisher durchweg abgelehnte neokonservative, geopolitische Deutung: M. Stürmer, Das ruhelose Reich 1866–1918, Berlin 1983; ders., Das industrielle Deutschland. Von 1866 bis zur Gegenwart, in: H. Boockmann u. a., Mitten in Europa. Deutsche Geschichte, ebd. 1984/1992[2], 296–409; ders., Die Reichsgründung. Deutscher Nationalstaat u. europ.

Gleichgewicht 1871–78, München 1984. Dogmatisch eingeengt: G. Seeber u. a., Deutsche Geschichte V: 1871–97, Berlin 1988; noch orthodoxer: E. Engelberg, Deutschland 1871–97, Berlin 1965/1979²; katholische Kritik: K. Buchheim, Das Deutsche Kaiserreich, München 1969. Vgl. noch: P. Guillen, L'empire allemande 1871–1918, Paris 1970; J. Joll, Europe Since 1870, London 1973; T. Schieder, Political and Social Development in Europe, in: NCMH 11.1962, 243–73; C. Hayes, A Generation of Materialism, N. Y. 1941/1963². Erzkonservative Verklärung: A. Wahl, Deutsche Geschichte 1871–1914, 4 Bde, Stuttgart 1926–36; wie üblich oberflächlich-kritiklos: H. W. Koch, A Constitutional History of Germany in the 19th and 20th Centuries, London 1984. Allgemeine Abwägung in: L. Dehio, Preuß.-deutsche Geschichte 1640–1945, in: Aus Politik u. Zeitgeschichte (= APZ) 3/1961, 25–31, u. in: Gibt es ein deutsches Geschichtsbild? Studien u. Berichte der kathol. Akademie in Bayern 14.1961, 65–90; A. Hillgruber, Die gescheiterte Großmacht 1871–1945, Düsseldorf 1984⁴; ders., Entwicklung, Wandlung u. Zerstörung des deutschen Nationalstaats 1871–1945, in: 1871 – Fragen an die deutsche Geschichte, Berlin 1971, 171–203; blaß dagegen: E. Nolte, Europa u. die deutsche Frage in histor. Perspektive, in: J. Hacker u. S. Mampel Hg., Europ. Integration u. die deutsche Frage, Berlin 1989, 27–42. S. auch noch: T. Haussmann, Erklären u. Verstehen. Mit einer Fallstudie über die Geschichtsschreibung zum deutschen Kaiserreich 1871–1918, Frankfurt 1991; J. Dülffer, Sackgasse, Wendeschleifen u. Durchgangsstraßen. Zum Deutschen Kaiserreich, in: NPL 1986, Beih. 3, 83–104; G. Eley, Die deutsche Geschichte u. die Widersprüche der Moderne. Das Beispiel des Kaiserreichs, in: F. Bajohr u. a. Hg., Zivilisation u. Barbarei, Hamburg 1991, 17–65 (diffuse Verteidigung altbekannter Thesen ohne eigenes Hinzulernen); vgl. ebenso ders., Bismarckian Germany, in: Martel Hg., 1–32; s. auch J. Retallack, Wilhelmine Germany, in: ebd., 33–53. – Allg. zur modernen Staatsbildung und Neustaatengründung: R. Grew, The 19th Century European State, in: C. Bright u. S. Harding Hg., Statemaking and Social Movements, Ann Arbor 1984, 83–120; K. H. F. Dyson, The State Tradition in Western Europe, Oxford 1980; P. Birnbaum, States and Collective Action. The European Experience, Cambridge 1988; M. Mann, States, War, and Capitalism, N. Y. 1988; C. Tilly, War and the Power of Warmakers in Western Europe and Elsewhere, in: P. Wallenstein u. a. Hg., Global Militarization, Boulder/Col. 1985, 75–91, sowie den Entwurf von S. Rokkan, Dimensions of State Formation and Nation Building, in: Tilly Hg., Formation, 562–600.

[40] Huber III, 11, 18; MEW 27, 397 (Marx an Ruge, 5. 3. 1842); Freytag u. Herzog Ernst, Briefwechsel, 248 (20. 6. 1871); Kohn Hg., 198 (Mommsen); H. Ridder, Staat, in: Staatslexikon 7.1962, 542; K. D. Bracher, Die Auflösung der Weimarer Republik, Villingen 1955/Düsseldorf 1984⁵, 11; ganz schwach hierzu: E. Nolte, Deutscher Scheinkonstitutionalismus, in: HZ 228.1979, 529–50, u. in: ders., Was ist bürgerlich? Stuttgart 1979, 179–208. Vgl. die Belege in: Wehler, Bismarck u. der Imperialismus, 180–82; Roggenbach an Bamberger, 11. 2. 1879, Nachlaß (= Nl.) Bamberger, Bundesarchiv Potsdam, 173; Heyderhoff Hg., Im Ring, 139 (Roggenbach an Augusta, 10. 2. 1879); W. P. Fuchs Hg., Großherzog Friedrich I. von Baden u. die Reichspolitik, 4 Bde, Stuttgart 1868–80, enthält Dutzende von Diktaturvorwürfen, vgl. I: 1871–79; F. Meinecke, Reich u. Nation 1871–1914, in: ders., Staat u. Persönlichkeit, Berlin 1933, 167; vgl. ders., Bismarck u. das neue Deutschland, in: ders., Preußen u. Deutschland im 19. u. 20. Jh., München 1918, 510–31; Mann, Geschichte im 19. Jh., 426. Vgl. H. Heffter, Die Kanzlerdiktatur Bismarcks, in: Abhandl. der Braunschweig. Wissenschaftl. Gesellschaft 14/1.1962, 73–89; H.-J. Schoeps, Bismarck über Zeitgenossen – Zeitgenossen über Bismarck, Berlin 1981.

[41] K. Marx, Der 18. Brumaire des Louis Bonaparte (1852), in: MEW 8.1960, 115–207. Für die orthodoxe marxistische Historiographie wurde die Bonapartismustheorie zum dogmatischen Schema – besonders penetrant in der DDR. Dem unorthodoxen Marxismus bot sie jedoch ein vergleichsweise elastisches Begriffsinstrumentarium. Ausführliche Würdigung und Kritik: W. Wippermann, Die Bonapartismustheorie von Marx u. Engels, Stuttgart 1983; MEW 31, 208 f. (Engels an Marx, 13. 4. 1866); L. Bamberger, Charakteristiken, Berlin 1894; H. Gollwitzer, Der Cäsarismus Napoleons III. im Widerhall der öffentl.

Meinung Deutschlands, in: HZ 173.21952, 65f., vgl. 75; K. Griewank, Das Problem des christl. Staatsmannes bei Bismarck, Berlin 1953, 42; Heuss, Bismarck-Bild, 23. Dogmatische Rechtsgläubigkeit herrscht vor in: E. Engelberg, Zur Entstehung u. histor. Stellung des preuß.-deutschen Bonapartismus, in: Fs. A. Meusel, Berlin 1956, 236–52; G. Seeber, Preuß.-deutscher Bonapartismus u. Bourgeoisie, in: JbG 16.1977, 71–118; ders. u. H. Wolter, Die Krise der bonapartist. Diktatur Bismarcks, in: Fs. E. Engelberg II, Berlin 1976, 499–540; H. Wolter, Zum Verhältnis von Außenpolitik u. Bismarcks Bonapartismus, in: JbG 16.1977, 119–37. Die beste Kritik: E. Fehrenbach, Bonapartismus u. Konservatismus in Bismarcks Politik, in: K. Hammer u. P. C. Hartmann Hg., Der Bonapartismus, München 1977, 39–55; A. Mitchell, Der Bonapartismus als Modell der Bismarckschen Reichspolitik, in: ebd., 56–76, engl. Bonapartism as a Model for Bismarckian Politics, in: JMH 49.1977, 181–209; L. Gall, Bismarck u. der Bonapartismus, in: HZ 223.1976, 618–32; vgl. noch A. Kuhn, Elemente des Bonapartismus im Bismarck-Deutschland, in: JbIDG 7.1978, 277–97. Ohne jedes tiefere analytische, geschweige denn theoretische Verständnis: O. Pflanze, Bismarcks Herrschaftstechnik als Problem der gegenwärt. Historiographie, in: HZ 234.1982, 561–99 (dementsprechend bieder die Interpretation in seiner Bismarck-Biographie). In meinem Taschenbuch über das Kaiserreich (1973, 64–69) habe ich selber – angeödet von der Bismarckorthodoxie, einer formalistischen Verfassungsgeschichte und dem Verzicht auf den Vergleich – mit der Bonapartismustheorie experimentiert, aber 1977 die überzeugenden kritischen Einwände anerkannt (Wehler, Kritik u. krit. Antikritik, 408–13; vgl. auch die abwägenden Überlegungen in: ders., Bonapartismus oder charismat. Herrschaft, in: ders., Gegenwart als Geschichte, 72–83). Zum Sozialimperialismus s. u. 6. Teil, IV.6.

[42] M. Weber, Die drei reinen Typen der legitimen Herrschaft in: ders., WL, 1973[4], 475–88; ders., WG, 122–24, 140, 441–58. Zum zeitgenössischen Einfluß am besten: W. J. Mommsen, M. Weber u. die deutsche Politik 1890–1920, Tübingen 1974[2]; vgl. P. Baehr, M. Weber as a Critic of Bismarck, in: Europ. Archiv für Soziologie 29.1988, 149–64. Die Anregung: R. Sohm, Kirchenrecht I, München 1892/ND Berlin 1970, 26–28; II, 1923/1970, 148–82, 226–41. Auch für das Bismarcksystem außerordentlich anregend: M. R. Lepsius, Charismatic Leadership. M. Weber's Model and Its Applicability to the Role of Hitler, in: C. F. Graumann u. S. Moscovici Hg., Changing Conceptions of Leadership, N. Y. 1986, 53–66, v. a. 53–58, 62, 64f., dt. in: ders., Demokratie in Deutschland, 95–118; ders., From Fragmented Party Democracy to Government by Emergency Decree and National Socialist Takeover: Germany, in: J. Linz u. A. Stepan Hg., The Breakdown of Democratic Regimes: Europe, Baltimore 1978, 34–79, v. a. 61f. Im Anschluß an Lepsius: M. Bach, Die charismat. Führerdiktatur. Drittes Reich u. italien. Faschismus im Vergleich der Herrschaftsstrukturen, Baden-Baden 1990, hier v. a. 7–34; S. Breuer, Das Charisma des Führers, in: ders., Bürokratie u. Charisma, Darmstadt 1994, 144–75; ders., M. Webers Herrschaftssoziologie, Frankfurt 1991. Vgl. allg. E. Shils, Charisma, in: IESS 2.1968, 386–90; W. Gebhardt u. a. Hg., Charisma, Berlin 1993; Bendix, Weber, 301–29; W. Schluchter, Umbildung des Charismas. Überlegungen zur Herrschaftssoziologie, in: ders., Religion u. Lebensführung II, Frankfurt 1988, 535–54, v. a. 538–40, 544f., 548–50; L. Cavalli, Charisma and 20th Century Politics, in: S. Lash u. S. Whimster Hg., M. Weber, London 1987, 317–33; J. Bensman u. M. Givant, Charisma and Modernity, in: Social Research 42.1975, 570–614; R. C. Tucker, The Theory of Charismatic Leadership, in: Daedalus 97.1986, 731–56; T. Dow, The Theory of Charisma, in: Sociological Quarterly 10.1969, 396–418; ders., An Analysis of Weber's Work on Charisma, in: British Journal of Sociology 29.1969, 83–93; A. R. Willner, The Spellbinders: Charismatic Political Leadership, New Haven/Conn. 1983; R. M. Glassman u. W. H. Swatos Hg., Charisma, History, and Social Structure, N. Y. 1986, vgl. 19f., 25, 180; S. N. Eisenstadt Hg., M. Weber on Charisma and Institution Building, Chicago 1963; R. Heberle, Social Movements, N. Y. 1951, 130f., 136f., 188f., dt. Hauptprobleme der Soziologie, Stuttgart 1967. – Verwirrende, aber vollmundige Mélange: A. Lüdtke Hg., Herrschaft als soziale Praxis, Göttingen 1991.

Exkurs: Der «Cäsarismus», den mancher für einen überlegenen Konkurrenzbegriff hält, der das besser treffe, was unter charismatischer Herrschaft oder Bonapartismus verstanden wird, wird hier nicht eigens erörtert, da ich diesen Anspruch für verfehlt halte. «Caesarismus» haben schon die Zeitgenossen öfters gebraucht. So bezeichnete etwa Hermann Wagener den «Bonapartismus» als eine «den heutigen sozialen und politischen Zuständen entsprechende Gestaltung des Caesarismus». (Vgl. Staats- u. Gesellschaftslexikon 4.1860, 259–77; Denkschrift 1. 3. 1864, nach: Engelberg, Entstehung, 241 f.) Rudolph Meyer sah in Bismarcks innerer Politik «vielfach eine Kopie der Napoleons III.», d. h. seines «caesaristischen Sozialismus» (ders., Gründer, 7, 9). Hermann Baumgarten beklagte Bismarcks «caesarische Demagogie» (Aufsätze, CXI; Heyderhoff Hg., Im Ring, 32). Und wie sein Onkel verwendete auch M. Weber mehrfach «Cäsarismus» zur Kennzeichnung jener «Herrschaft des persönlichen Genies», des «freien, traditionsentbundenen Vertrauensmanns der Massen, des Heeres oder der Bürgerschaft» (WG, 563, vgl. 861, 863 f., 874 f.; PS, 233; vgl. S. Breuer, Cäsarismus, in: ders., Bürokratie, 202–08), ohne aber den Unterschied zwischen «Cäsarismus» und «charismatischer Herrschaft» bzw. die offensichtliche Nähe zwischen seinem «Cäsar» und seinem politischen «Charismatiker» definitiv zu klären. – Auch nach 1945 haben Historiker den Ausdruck gelegentlich wieder verwendet, aber durchweg darauf verzichtet, ihn eindeutig zu präzisieren. Vgl. z. B. nur: D. Groh, Cäsarismus, in: GGr. 1.1972, 726–71; Griewank, Problem, 42; Gollwitzer, Cäsarismus; v. a. der diffuse Gebrauch bei M. Stürmer, Krise, Konflikt, Entscheidung. Die Suche nach dem neuen Cäsar als europ. Verfassungsproblem, in: Hammer u. Hartmann Hg., 102–18; ders., Bismarckstaat u. Cäsarismus, in: Der Staat 12.1973, 467–98; ders., Konservativismus u. Revolution in Bismarcks Politik, in: ders. Hg., Kaiserl. Deutschland, 143–67; ders., Bismarck-Mythos u. Historie, in: APZ B3/1971, 3–30, engl. Bismarck in Perspective, in: CEH 4.1972, 291–331. Mit diesem antikisierenden, schlichte Analogien suggerierenden Begriff wird bisher keineswegs jene kategoriale Klarheit und Erklärungskraft gewonnen, welche der Idealtypus der charismatischen Herrschaft zur Verfügung stellt.

[43] Schulze-Delitzsch III, 282, vgl. II, 13; Roon II, 433 (Auerbach u. Perthes); L. Bamberger, Bismarck Posthumus, Berlin 1899, 58, 25; ders., Zum Jahrestag der Entlassung Bismarcks (1891), in: ders., G. Sch. V, Berlin 1897, 340; J. Burckhardt, Briefe, Hg. F. Kaphahn, Leipzig 1935, 490 (26.9. 1890, an F. v. Preen), u. in: ders., Briefe IX, 1980, 268; L. v. Schweinitz, Denkwürdigkeiten II, Berlin 1927, 83 (19. 11. 1879), 270 (Apr. 1884), vgl. 307; ders., Briefwechsel, ebd. 1928, 214 (Mai 1886); Bosse nach: J. C. G. Röhl, Germany Without Bismarck, London 1967, dt. Deutschland ohne Bismarck 1890–1900, Tübingen 1969, 26; K. Oldenburg, Aus Bismarcks Bundesrat 1878–85, Berlin 1929, 10, 38, 55; Mevissen: Hansen I, 843 (1884); Kapp, Briefe, 122, 133 (an Cohen, Bismarcks Friedrichsruher Hausarzt, 23.8. 1879, 9.7. 1881); P. Knaplund Hg., Letters From the Berlin Embassy, Washington 1944, 256 (Ampthill an Granville, 11.3. 1882); Kasson: O. v. Stolberg-Wernigerode, Deutschland u. die Vereinigten Staaten im Zeitalter Bismarcks, Berlin 1933, 329 (an Bayard, 30.4. 1882); Wilhelm: Bamberger, Bismarck Posthumus, 8; Bismarck, GW VIII, 532; GW VIc, 156 (Wilh. 4.2. 1879); v. Holstein, Papiere II, 181 (17. 11. 1884). Vgl. das Material in: R. Parr, «Zwei Seelen wohnen, ach!, in meiner Brust!» Strukturen u. Funktionen der Mythisierung Bismarcks 1860–1918, München 1992; ohne jede analytische Schärfe: L. Machtan, Bismarck u. der deutsche Nationalmythos 1840–1940, Bremen 1994.

V. Strukturbedingunqen und Entwicklungsprozesse der Kultur

[1] Vgl. Bd. II, 458–546; BSg, Nr. 40, 288–91. Zu den Kirchen: Kottje u. Möller III; Hermelink II (bis 1870), III: 1870–1914, 1955; K. D. Schmidt IV; Wallmann II; Latourette II; Flückiger; Welch I; Elliger; Groh, 277–389; Greschat, Zeitalter; ders. Hg., Theologen; Kupisch, Kirchengeschichte V; ders., Landeskirchen; ders., Idealismus; Huber u. Huber Hg. II: 1848–90, 1976. – Bihlmeyer u. Tüchle III; Jedin Hg. VI/1, 1985; Heyer; Scheffczyk Hg.; Schmidt u. Schwaiger Hg.; Blessing, Staat u. Kirche; Sperber, Popular Catholicism.

Hier insbes. Nipperdey, Geschichte bis 1866, 403–40; ders., Geschichte 1866–1918 I, 428–530; ders., Religion im Umbruch. Deutschland 1860–1918, München 1988; Schieder Hg., Religion u. Gesellschaft, darin ders., Sozialgeschichte der Religion im 19. Jh., 11–28; Huber IV, 645–72, 832–53; L. Grane, Die Kirche im 19. Jh., Göttingen 1987; H. McLeod, Religion and the People of Western Europe 1789–1970, Oxford 1981. Allg. noch immer: E. Troeltsch, Aufsätze zur Geistes- u. Religionssoziologie (= G. Sch. IV), ND Aalen 1981; ders., Die Soziallehren der christl. Kirchen u. Gruppen (= G. Sch. I), ND ebd. 1977; K. Nowak, Religion – Kirche, in: Fischer Lexikon Geschichte, 230–50; vgl. noch F. Fürstenberg, Religionssoziologie, in: HES XIV.1979^{3}, 1–84. – Zum Protestantismus bis 1849: Bd. II, 459–69; BSg, Nr. 41, 291–94. Hier: Huber IV, 833–47; vgl. K. E. Pollmann, Protestantismus u. preuß.-deutscher Verfassungsstaat, in: Fs. Bussmann, 280–301; H.-G. Aschoff, Protestantismus u. Staat im 19. Jh., in: Rüther Hg. I, 57–84; U. Scheuner, Kirche u. Staat in der neueren deutschen Entwicklung, in: Zeitschrift für evangel. Kirchenrecht 7.1959/60, 225–73; L. Hölscher, Die Religion des Bürgers. Bürgerl. Frömmigkeit u. protestant. Kirche im 19. Jh., in: HZ 250.1990, 595–630; ders., Bürgerl. Religiosität im protestant. Deutschland, in: Schieder Hg., Religion, 191–215; Kupisch, Landeskirchen, 71–75; ders., Kirchengeschichte V, 46–52 (46: Baumgarten); Greschat, Zeitalter, 137–45; Groh, 291 (Hengstenberg); vgl. G. Brakelmann, Kirche u. Sozialismus im 19. Jh. – J. H. Wichern u. R. Todt, Witten 1966; ders., 1870/71, 308–16; W. Frank, Hofprediger A. Stoecker u. die christl.-soziale Bewegung, Hamburg 1935^{2}, 27f.; K. Hammer, Deutsche Kriegstheologie 1870–1918, München 1974^{2}, 18–26; vgl. Rohlfes; Tilgner; M. Gerhardt, Ein Jh. Innere Mission I, Gütersloh 1948, 88f.; H. W. Beyer, Die Geschichte der Gustav-Adolf-Vereine, Göttingen 1932. Vgl. C. Köhle-Hezinger, Evangelisch-Katholisch: Untersuchungen zum konfess. Vorurteil u. Konflikt im 19. u. 20. Jh., Tübingen 1976; R. Marbach, Säkularisierung u. sozialer Wandel, Göttingen 1978; A. Burger, Religionszugehörigkeit u. soziales Verhalten, ebd. 1964; E. W. Zeeden, Die kathol. Kirche in der Sicht des deutschen Protestantismus im 19. Jh., in: Histor. Jb. 72.1953, 433–56. Allg. F. W. Kantzenbach, Der Weg der evangel. Kirche vom 19. zum 20. Jh., Gütersloh 1968; M. Stephan, Geschichte der deutschen evangel. Theologie, Berlin 1960^{2}; F. Flückiger u. W. Anz, Theologie u. Philosophie im 19. Jh., Göttingen 1975.

[2] Zum Katholizismus bis 1849: Bd. II, 469–77; BSg, Nr. 42, 294–97. Hier: R. Aubert u. a., Die kathol. Reaktion gegen den Liberalismus, in: Jedin Hg. VI/1, 507–796; ders., Vom Kirchenstaat zur Weltkirche 1848–1965, in: L. J. Rogier u. a. Hg., Geschichte der Kirche V/1, Zürich 1975, 7–10, 26–61; ders., Syllabus, in: Lexikon für Theologie u. Kirche 9.1964, 1202f.; Huber u. Huber Hg. II, 398: O. Chadwick, The Popes and European Revolution, Oxford 1981; A. Hasler, Pius IX. (1846–78), Stuttgart 1977; R. Aubert, Le Pontificat de Pie IX., Montpellier 1953/1963^{2}; E. E. Y. Hales, Papst Pius IX., Köln 1957; K. Schatz, Vaticanum I: 1869–70, 2 Bde, Paderborn 1992/93. – V. Conzemius, Katholizismus ohne Rom. Die altkathol. Kirchengemeinschaft, Zürich 1969; RGG 1^{3}, 295f.; Heyer, 127–58; G. Maron, Die röm.-kathol. Kirche 1870–1970, Göttingen 1972, 197–203; vgl. G. Schwaiger Hg., Kirche u. Theologie im 19. Jh., ebd. 1975; H. Fries u. G. Schwaiger Hg., Kathol. Theologen im 19. Jh., 3 Bde, München 1975; Huber IV, 645–72; klerikal: R. Lill, Zur Verkündigung des Unfehlbarkeitdogmas in Deutschland, in: GWU 14.1963, 469–83; Greschat, Zeitalter, 133–36; Buchheim, Ultramontanismus, 131, 202; Jedin Hg. VI/1, 544. Vgl. allg. B. Hanssler, Die Kirche in der Gesellschaft. Der deutsche Katholizismus u. seine Organisationen im 19. u. 20. Jh., Paderborn 1961; K. Schatz, Zwischen Säkularisation u. Zweitem Vatikanum. Der Weg des deutschen Katholizismus im 19. u. 20. Jh., Frankfurt 1986; H. Hürten, Kurze Geschichte des deutschen Katholizismus 1800–1960, Mainz 1986; H. Jedin, Kirche u. Katholizismus im Deutschland des 19. Jh., in: Rauscher Hg., Entwicklungslinien, 71–84; O. Köhler, Der kathol. Eigenweg seit dem 19. Jh., in: Der Katholizismus in Deutschland u. der Verlag Herder 1801–1951, Freiburg 1951, 1–17; S. Hyde, Roman Catholicism and the Prussian State in the Early 1850s, in: CEH 24.1991, 95–121; J. Sperber, Competing Counterrevolutions. Prussian State and Catholic Church During the

1850s, in: CEH 19.1986, 45–62; W. Liese, Die Geschichte der Caritas, 2 Bde, Freiburg 1922. – Zur Volksfrömmigkeit allg.: W. Schieder Hg., Volksreligiosität; M. N. Ebertz u. F. Schultheiss Hg., Volksfrömmigkeit in Europa, München 1986; W. Brückner u. a., Volksfrömmigkeitsforschung, Würzburg 1986; J. Baumgartner Hg., Wiederentdeckung der Volksreligiosität, Regensburg 1979; G. Korff, Zwischen Sinnlichkeit u. Kirchlichkeit. Notizen zum Wandel populärer Frömmigkeit im 18. u. 19. Jh., in: J. Held Hg., Kultur zwischen Bürgertum u. Volk, Berlin 1983, 136–48; J. Mooser, Kathol. Volksreligion u. bürgerl. Gesellschaft 1850–1900, in: Schieder Hg., Religion u. Gesellschaft 144–56; M. N. Ebertz, «Ein Haus voll Glorie, schauet...» Modernisierungsprozesse der röm.-kathol. Kirche im 19. Jh., in: ebd., 62–85; J. Götz v. Olenhusen, Klerus u. Ultramontanismus in der Erzdiözese Freiburg. Entbürgerlichung u. Klerikalisierung nach 1848/49, in: ebd., 113–43. – Zum Modernitätsdefizit: C. Weber, Der deutsche Katholizismus u. die Herausforderung des protestant. Bildungsanspruchs, in: Koselleck Hg., Bildungsbürgertum II, 139–67; M. Klöcker, Katholizismus u. Bildungsbürgertum, in: ebd., 117–38; ders., Ursachen des kathol. Bildungsdefizits seit Luthers Auftreten, in: K. Göbel Hg., Luther in der Schule, Bochum 1985, 173–211; ders., Das kathol. Bildungsdefizit in Deutschland, in: GWU 32.1981, 79–98; M. Baumeister, Parität u. kathol. Inferiorität. Untersuchungen zur Stellung des Katholizismus im Deutschen Kaiserreich, Paderborn 1987; K. Gabriel u. F.-X. Kaufmann Hg., Zur Soziologie des Katholizismus, Mainz 1980; H. Maier, Zur Soziologie des deutschen Katholizismus 1803–1950, in: Fs. Repgen, 1983, 159–72 (Maiers Kritik, 162, Anm. 15, an den Kriterien der katholischen Selbstkritik, die sich primär von protestantischen Fremderwartungen habe prägen lassen, verfehlt die historische Tiefendimension einer 450jährigen Tradition); Bauer, Katholizismus, 33f.; Grenner, Wirtschaftsliberalismus u. Katholizismus; Kuhn, Kirche u. Sozialismus; apologetisch: A. Rauscher Hg., Katholizismus, Bildung u. Wissenschaft im 19. u. 20. Jh., Paderborn 1987; ders., Hg., Religiös-kulturelle Bewegungen im deutschen Katholizismus seit 1800, ebd. 1986. Vgl. dagegen: G. Golde, Catholics and Protestants. Agricultural Modernization in Two German Villages, London 1975; J. Mooser, Katholik u. Bürger? Rolle u. Bedeutung des Bürgertums auf den deutschen Katholikentagen 1871–1913, Habil.-Schrift Bielefeld 1987.

[3] Zur Einführung: BSg, Nr. 46, 307–11; Nr. 47, 311–14; Nr. 48, 315f.; P. Lundgreen, Industrialization and the Educational Formation of Manpower in Germany, in: JSH 9.1975, 65–79; ders., Education and Occupation in Germany, 19th and 20th Century, in: N. Kawabe u. E. Daito Hg., Education and Training in the Development of Modern Corporations, Tokio 1993, 104–24; R. A. Easterlin, Why Isn't the Whole World Developed? in: JEH 41.1981, 1–17 (zur angeblichen Schlüsselrolle von Schule und Wissenschaft). – Zu Fried. Wilh. IV. (Wortlaut umstritten): Michael u. Schepp I, 13; Giese Hg., 135; Scheibe Hg. II, 23f.; Fischer, Volksschullehrerstand II, 279f., vgl. 272; Skopp, 400; Rupieper, Sozialstruktur, 93–95. – Herrlitz u. a., 58; Vischer, Gänge III, 497; Huber Hg. I, 403; P. Lundgreen u. a., Bildungschancen u. soziale Mobilität in der städt. Gesellschaft des 19. Jh., Göttingen 1988, v. a. K. Ditt, 42–93. – Zur Zeit bis 1849 vgl. Bd. II, 478–91. Hier: die glänzende Studie von F.-M. Kuhlemann, Modernisierung u. Disziplinierung. Sozialgeschichte der preuß. Volksschule 1794–1872, Göttingen 1991 (mit einem ganz ähnlichen, aber noch ausgefeilteren Interpretationsschema als dem in Bd. II von mir zugrunde gelegten); W. Blessing, Sozialgeschichte der deutschen Volksschule, Frankfurt 1995; W. Neugebauer, Das Bildungswesen in Preußen, in: Hdb. Preuß. Geschichte II, 605–798; F. Baumgart, Zwischen Reform u. Reaktion. Preuß. Schulpolitik 1806–59, Darmstadt 1990, 187–202; G. Friedrich, Das niedere Schulwesen, in: HB III, 123–52; K. A. Schleunes, Schooling and Society. The Politics of Education in Prussia and Bavaria 1750–1900, Oxford 1989, 128–66 (blaß, zehn Jahre hinter dem Forschungsstand); A. Reble, Das Schulwesen, in: HBG IV/2, 949–90; M. J. Maynes, Schooling for the People. France and Germany 1750–1850, N. Y. 1985; F. Meyer, Schule der Untertanen. Lehrer u. Politik in Preußen 1848–1900, Hamburg 1976 (kritisch, aber mit der von Kuhlemann und Blessing überwundenen Einseitigkeit); H. Heppe, Geschichte des deutschen Volksschulwesens,

Bde. 1–5, Gotha 1858–60/ND Hildesheim 1971; K.-E. Jeismann, Schulpolitik, Schulverwaltung, Schulgesetzgebung, in: HB III, 105–22; Lundgreen, Sozialgeschichte I, 87–100; ders., Die Bildungsgeschichte des 19. Jh. im internationalen Vergleich, in: E. Hinrichs u. W. Jacobmeyer Hg., Bildungsgeschichte u. histor. Lernen, Braunschweig 1991, 65–75; Herrlitz u. a., 53–62; E. François, Alphabetisierung in Frankreich u. Deutschland während des 19. Jh., in: Zeitschrift für Pädagogik 29.1983, 755–68; ders., Regionale Unterschiede der Lese- u. Schreibfähigkeit in Deutschland im 18. u. 19. Jh., in: Jb. für Regionalgeschichte 17.1990, 154–72; noch immer nützlich: E. Engel, Beiträge zur Statistik des Unterrichtswesens im Preuß. Staate 1818–67, Berlin 1869; bornierte Kritik: H. König, Imperialist. u. militarist. Erziehung in den Hörsälen u. Schulstuben Deutschlands 1860–1960, ebd. 1962. Allg.: H. Fend, Sozialgeschichte des Aufwachsens, Frankfurt 1988; J. Hannig, Schule – Bildung, in: Fischer-Lexikon Geschichte, 270–90. Aus der zit. Lit.: Schmid Hg. V/3, 177–226; C. Müller, Volksschulwesen, 188–221; Müller-Freienfels, dass.; Friedrich, Württemberg; Leschinsky u. Roeder. – Stiehls Politik: A. v. Humboldt, Briefe an C. C. J. v. Bunsen, Leipzig 1869, 149; B. Krueger, Stiehl u. seine Regulative, Weinheim 1970; K.-E. Jeismann, Die «Stiehlschen Regulative», in: Fs. v. Raumer, 423–47; F. Nyssen, Das Sozialisationskonzept der Stiehlschen Regulative, in: Hartmann u. a. Hg., 292–322; noch einseitiger: F. Wenzel, Sicherung von Massenloyalität u. Qualifikation der Arbeitskraft als Aufgabe der Volksschule, in: ebd., 323–86; der Wortlaut der Regulative u. a. in: C. Müller, 188–208; Tews, Ein Jh., 30 (Pommern). Vgl. L. Clausnitzer, Geschichte des preuß. Unterrichtsgesetzes, Berlin 1891²; K. Erlinghagen, Die Säkularisation der deutschen Schule, Hannover 1972. – Lehrer: H.-E. Tenorth, Lehrerberuf u. Lehrerbildung, in: HB III, 250–70; M. Sauer, Volksschullehrerbildung in Preußen, Köln 1987; U. Walz, Sozialgeschichte des Lehrers, Heidelberg 1981; R. Bölling, Elementarschullehrer zwischen Disziplinierung u. Emanzipation. Aspekte eines internat. Vergleichs 1870–1940, in: K.-E. Jeismann Hg., Bildung, Staat, Gesellschaft im 19. Jh., Stuttgart 1989, 326–42; ders., Sozialgeschichte, 53–92, 95–102, vgl. 14; Skopp; Fischer, Volksschullehrerstand II; Bungardt, Lehrerschaft; J. Gahlings u. E. Moehring, Die Volksschullehrerin, Heidelberg 1961.

[4] Die statistischen Angaben jetzt alle nach: Müller u. a., Datenhandbuch II/1, 191–202, 268, 275, 214. Vgl. die Übersicht in: Lundgreen, Sozialgeschichte I, 279. Illustrierende Vergleichszahlen für das Reich: 1865 (das spätere Gebiet): 295 Gymnasien/75 944 Schüler; 1875: 226/93 514. Von allen 18- bis 20.5jährigen machten nur 1.2–1.4% das Abitur. – L. Wiese, Lebenserinnerungen I, Berlin 1886²; ders., Höhere Schulen, 4 Bde, 1864–1902. Vgl. zur Zeit bis 1849: Bd. II, 491–99. Hier v. a. der klarste und abgewogenste Überblick: K.-E. Jeismann, Das preuß. Gymnasium II. Aufbau u. Krise 1817–59, Stuttgart 1995; ders., Das höhere Knabenschulwesen, in: HB III, 152–80; vgl. ders., Zur Bedeutung der «Bildung» im 19. Jh., in: ebd., 1–21; M. Kraul, Bildung u. Bürgerlichkeit, in: Kocka Hg., Bürgertum im 19. Jh. III, 45–73 (s. dagegen die ahistorische Kritik in: H.-J. Heydorn u. G. Koneffke, Studien zur Sozialgeschichte u. Philosophie der Bildung II: Aspekte des 19. Jh. in Deutschland, München 1973; Titze, Politisierung; der Tiefpunkt: Gafert); F. Blättner, Das Gymnasium, Heidelberg 1960, 144–205; ders., Geschichte der Pädagogik, ebd. 1961; Lundgreen, Sozialgeschichte I, 64–87; ders., Differentiation in German Higher Education, in: K. H. Jarausch Hg., The Transformation of Higher Learning 1860–1930, Stuttgart 1982, 149–79; Romberg, 70–74, 214–16, 473–75; Baumgart, 196–208; Herrlitz u. a., 63–86, v. a. 79–82; Paulsen, Geschichte II, 491–544, 696f.; ders., Bildungswesen, 103f.; Lexis Hg. II; Schmid Hg. III, 128–56; VI, 267–335, u. die Beiträge über die anderen deutschen Länder. – E. Weymar, Das Selbstverständnis der Deutschen. Ein Bericht über den Geist des Geschichtsunterrichts der höheren Schulen im 19. Jh., Stuttgart 1961. – Regionalstudien: Apel, Rheinland u. Westfalen; Koppenhöfer, Baden; Schönemann, Braunschweig; U. G. Herrmann, Sozialgeschichte des Bildungswesens als Regionalanalyse. Die höheren Schulen Westfalens im 19. Jh., Köln 1991. – Lehrer: H.-H. Mandel, Geschichte der Gymnasiallehrerbildung in Preußen-Deutschland 1787–1987, Berlin 1989, 38–45; Führ, 428–47; Bölling, Sozialgeschichte, 20–52; Romberg, 467–540; Brand, Bayern; Paulsen, Lehrerstand; Learn-

ed; Grosse. Bayern führte 1854 ebenfalls ein einheitliches philologisch-historisches Lehramt ein, das nach dem Abitur und einem vierjährigen Universitätsstudium erreicht werden konnte. Württemberg dagegen trennte erst 1865 die bisher vorgeschriebene Zwangsunion von Theologie und Philologie. – Brandau, Mittl. Bildung; am differenziertesten: F.-M. Kuhlemann, Höhere Bürgerschulen in westdeutschen Städten bis 1870, in: RVB 57.1995. – Mädchenschulen: E. Küpper, Das höhere Mädchenschulwesen, in: HB III, 180–91; J. C. Albisetti, Schooling German Girls and Women. Secondary and Higher Education in the 19th Century, Princeton 1981; G. Tornieporth, Studien zur Frauenbildung, Weinheim 1979; Zinnecker; vgl. K. Hausen, Die Polarisierung der «Geschlechtscharaktere», in: Conze Hg., Sozialgeschichte der Familie, 363–93. Zum Allg.: Jeismann, Knabenschulwesen, 166–68; D. K. Müller u. a. Hg., The Rise of the Modern Educational System, Cambridge 1987; Ringer, 1–12; ders., Education, 37–40, 48–53, 70–78, 81–90; ders., Bildung, in: GG 6.1980, 5–35. Ringers Segmentierungsinterpretation ist Müllers «System-Theorie» (z. B. in: ders., Sozialstruktur u. Schulsystem, 1972; zusammengefaßt in: ders. u. a. Hg., 15–38) m. E. deutlich überlegen. Zu Bourdieus «sozialem» und «kulturellem Kapital» vgl. Bd. II, 185–210, und vorn zu III.1: Anm. 1.

[5] K. H. Manegold, Technik, Staat u. Wirtschaft, in: Univ. Hannover 1831–1981 I, 59, 32f. Vgl. zur Zeit bis 1849: Bd. II, 499–504, 858f., Anm. 10. Außer der zit. Lit. und BSg, Nr. 51, 325–27, hier v. a.: P. Lundgreen, Natur- u. Technikwissenschaften an deutschen Hochschulen 1870–1970, in: R. Rürup Hg., Wissenschaft u. Gesellschaft. Geschichte der TU Berlin 1879–1979 I, Berlin 1979, 209–30; ders., Sozialgeschichte I, 108f., 116–18; Die deutschen TH, München 1941; H. Böhme, Techn. Innovation, die Entwicklung der TH u. die soziale Frage im Deutschland des 19. Jh., in: Fs. Büsch, 391–435; J. P. Bernal, Science and Industry in the 19th Century, London 1953, 3–178; Manegold, Universität, 59–75; ders., Entwicklung, 297–302; Grüner, 40–118. Zu den einzelnen Institutionen (Reihenfolge nach dem Gründungsjahr der Vorläuferschulen/Hochschulverfassung/TH): 1. Berlin (1799/1821/1879): TH 1799–1924, 39–50; Becker, TH 1799–1949. – 2. Karlsruhe (1825/1865/1885): Schnabel, Anfänge, 37–43. – 3. Dresden (1826/1871/1890): Sonnenmann, 45–59; 125 J. TH. – 4. Stuttgart (1829/1876/1890): Voigt, 91–108. – 5. Hannover (1831/1879): Manegold, Technik, 48–63. – 6. Braunschweig (1835/1871/1877): Schneider; Moeller. – 7. Darmstadt (1836/1871/1877): Schlink, 12–22. – 8. München (1868/1877): TH München 1868–1968. – 9. Aachen (1870/1879): K. Düwell, Gründung u. Entwicklung der Rhein.-Westfäl. TH Aachen, in: Rhein.-Westfäl. TH Aachen 1870–1970, Stuttgart 1970, 19–111. Bis 1866 gehörten auch Wien und Prag zu den deutschen TH. Zum Sockel der Fach- und Gewerbeschulen: P. Lundgreen, Fachschulen, in: HB III, 293–305; W. Jost, Gewerbl. Schulen u. polit. Macht in Preußen 1850–80, Weinheim 1982; R. Schäfer, Berufsausbildung u. Gewerbepolitik, Frankfurt 1981; Schiersmann. Die zwanzig preußischen Provinzial-Gewerbeschulen wurden, da mit der Akademisierung der Polytechnika diese Vorstufe entfiel, 1883 in Oberrealschulen verwandelt.

[6] Doerr Bearb. II, 12; Classen u. Wolgast, 53; Heidorn u. a. Hg. I, 114–17; Lenz II/2, 283–91, 349. Vgl. W. Siemann, Chancen u. Schranken von Wissenschaftsfreiheit im deutschen Konstitutionalismus 1815–1918, in: Histor. Jb. 107.1987f., 315–48. – H. Titze u. a., Das Hochschulstudium in Preußen u. Deutschland 1820–1944 (= Datenhandbuch zur deutschen Bildungsgeschichte I/1), Göttingen 1987, 27, 30f., 35, 38, 95, 99 (danach auch Übersicht 67); Titze, Überfüllungskrisen, 203; Turner, Universitäten, 224, Tab. 1; Huber IV, 942 (danach und nach der Lit. zu den einzelnen Universitäten: Übersicht 68); Eulenburg, Frequenz, 253–82; Conrad, Universitätsstudium, 15, 60, 63, 113, Tab. II. Vgl. P. Windolf, Die Expansion der Universitäten 1870–1985, Stuttgart 1990; D. Fallon, The German University, Boulder/Col. 1980; vgl. die Lit. in: BSg, Nr. 49, 319–20. – Die Information zu den einzelnen Universitäten (Numerierung wie in Übersicht 68): 1. Berlin: Lenz II/2, 277–350; III, 501, 514, 521 (Forschen u. Wirken; Berthold u. a. Hg., sind völlig unbrauchbar). – 2. Bonn: v. Bezold I, 452–523; Braubach, 18–38; K. T. Schäfer, 150 Jahre Univ. Bonn 1818–1968, Bonn 1968. – 3. Breslau: Kaufmann I, 193–232; II, 68. – 4.

Erlangen: Kolde, 293–457; Deuerlein; Fs. 1893. – 5. Freiburg: Beiträge. – 6. Gießen: Moraw, 163–91; Fs. 350 Jahre. – 7. Göttingen: v. Selle, 293–318; Meinhardt, 56–84. – 8. Greifswald: Braun u. a. I, 122–26. – 9. Halle-Wittenberg: Schrader II, 336, 568 (endet 1850); Stern Hg. II, 291–302. – 10. Heidelberg: Doerr Bearb. II, 11–18, 158–96; Classen u. Wolgast, 53–60; Weisert, 87; vgl. P. Borscheid, Naturwissenschaft, Staat u. Industrie in Baden 1848–1914, Stuttgart 1976. – 11. Jena: Steinmetz Hg. I, 385–419; S. Schmidt u. a. Hg., Alma Mater Jenensis. Geschichte der Univ. Jena, Weimar 1983, 204–16. – 12. Kiel: E. Hofmann, Die Christian-Albrechts-Univ. in preuß. Zeit, in: ders. u. a., Geschichte der Univ. Kiel 1665–1965 I/2, Neumünster 1965, 20–36. – 13. Königsberg: v. Selle, 310–25 (im entsetzlichen Ungeist des NS-Regimes); Prutz, 207–325. – 14. Leipzig: Eulenburg, Leipzig, 18–29, 65–98, 142f., 202–5; Engelberg Hg. II; Rathmann Hg. – 15. Marburg: Hermelink u. Kähler, 550–65, 569–835. – 16. München: Boehm u. Spörl, 272–82; L. Boehm, Das akadem. Bildungswesen, in: HBG IV/2, 1008–29. – 17. Rostock: Heidorn u. a. Hg., 114–60. – 18. Tübingen: Decker-Hauff Hg., 145–92; Jens u. a., 302–23. – 19. Würzburg: Baumgart Hg.; Buchner Hg. – 20. Straßburg: J. E. Craig, Scholarship and Nation Building. The Universities of Straßbourg and Alsatian Society 1870–1939, Chicago 1984; L. Dehio, Die Univ. Straßburg, in: M. Schlenker, Das Reichsland Elsaß-Lothringen 1871–1918 III, Frankfurt 1934, 1–30. – Vgl. zur Zeit bis 1849: Bd. II, 504–20, 859f., Anm. 11. Hier v. a. zur Statistik: Titze u. a.; Turner, Universitäten; McClelland, Universities, 162–232; Ringer, Education; K. Jarausch, The Universities, in: J. R. Dukes u. J. Remak Hg., Another Germany: A Reconsideration of the Imperial Era, Boulder 1988, 181–206; ders., Higher Education and Social Change, in: ders. Hg., Transformation, 9–36; ders., The Social Transformation of the University: The Case of Prussia 1865–1914, in: JSH 12.1978/79, 609–35; ders., Neuhumanist. Univ.; F. R. Pfetsch, Zur Entwicklung der Wissenschaftspolitik in Deutschland 1750–1914, Berlin 1974, 43–70; Huber IV, 925–48; allg. R. R. Hall, The Scientific Movement and Its Influence on Thought and Material Development 1830–70, in: NCMH 10.1960, 49–75; als Nachschlagewerk: C. L. Gillispie Hg., Dictionary of Scientific Biography, 15 Bde, N. Y. 1970–78.

[7] Hierzu BSg. Nr. 50, 320–25; v. Ferber 195, 177f., 185f., Tab. I: 1864–1938; Busch, Privatdozent, 107; Turner, Universitäten, 231–33, 238f., 242; Paulsen II, 697, 532; Beispiele: Eulenburg, Leipzig, 97f. (z. B. 1862: 45–35–17); Lenz III, 501 (leider nur in Zehnjahres-Durchschnitten, 1860/69: 552–515–650). Vgl. S. Turner, The Prussian Professoriate and the Research Imperative, in: H. N. Jahnke u. M. Otte Hg., Epistemological and Social Problems of the Sciences in the 19th Century, Dordrecht 1981, 109–22; A. Diemer Hg., Konzeption u. Begriff der Forschung in den Wissenschaften des 19. Jh., Meisenheim 1978; A. Zloczower, Career Opportunities and the Growth of Scientific Discovery in the 19th Century Germany, Jerusalem 1966; F. Pfetsch u. ders., Innovation u. Widerstände in der Wissenschaft, Düsseldorf 1973; H. Timm, Bildungsreligion im deutschsprach. Protestantismus, in: Koselleck Hg., Bildungsbürgertum II, 57–79; K. Schwabe Hg., Hochschullehrer als Elite, Boppard 1988; S. Volkov, Soziale Ursachen des jüd. Erfolgs in der Wissenschaft, in: dies., Jüd. Leben u. Antisemitismus im 19. u. 20. Jh., München 1990, 146–65. Liberale Politik: N. Andernach, Der Einfluß der Parteien auf das Hochschulwesen in Preußen 1848–1918, Göttingen 1972, 5–54, u. die Lit. zu IV.5. – Zur Relativierung der Erfolgsbilanz: In Berlin gab es 1850/59 = 1504, 1860/69 = 1727 Promotionen, 80% davon in der Medizin, 14% in der Philosoph. Fakultät, 6% in Jurisprudenz. In Leipzig war das Verfahren noch so leicht, daß in dieser Zeit jährlich eine Promotionszahl erreicht wurde, die 50% der Promotionen an allen 6 bzw. 9 preußischen Universitäten entsprach. Heidelberg verlangte übrigens durchweg noch keine Dissertation. Im allgemeinen wurden in der Medizin. und Philosoph. Fakultät erst seit 1867, in der Rechtswissenschaft seit 1876 Dissertationen in deutscher Sprache zugelassen. – Turner, Universitäten, 233 (Etats 1805–95); F. R. Pfetsch (Datenhandbuch zur Wissenschaftsentwicklung. Die staatl. Finanzierung der Wissenschaft in Deutschland 1850–1970, Stuttgart 1985², 64) gibt für Preußen Zahlen an, die für 1853 identisch sind, ab 1860 aber weit darüber liegen. Das Material in der

Universitätsliteratur in Anm. 6 bestätigt Turner. Die z. T. große Differenz kann ich nicht erklären. – Lenz II/2, 340; v. Bezold I, 522 (Wahlerlaß 1862). Andrerseits: Erst seit dem Dezember 1866 durften «nichtevangelische» Professoren in Königsberg-Krähwinkel Ordinarien werden (Prutz, 287). – Sozialprofil der Studenten: Turner, Universitäten, 239–41; McClelland, Universities, 240–44; Jarausch, Neuhumanist. Univ., 37–56 (beruht auf Daten für Göttingen, Tübingen, Kiel, Erlangen, Heidelberg; Berechnungen nur für 1800–70, nicht für kürzere Zeitspannen); Lenz III, 521 (1850, 1860, 1870, dort auch die absoluten Zahlen); Ringer, Education, 301–5, mit genauer Erläuterung der in den Quellen oft ziemlich vagen Sozialkategorien, vgl. 82, 86. – Halle 1852, 1874, nach Conrad, Universitätsstudium; Leipzig 1866, 1876, nach Eulenburg, Leipzig; Württemberger 1875, nach A. Rienhart, Das Universitätsstudium der Württemberger seit 1871, in: Württ. Jb. für Statistik u. Landeskunde 1916, Stuttgart 1917, 160–282; Eulenburg, Leipzig, 65–69, 302–5. Vgl. auch die Befunde in: I. Costas, Die Sozialstruktur der Studenten der Univ. Göttingen im 19. Jh., in: H.-G. Herrlitz u. H. Kern Hg., Anfänge Göttinger Sozialwissenschaft, Göttingen 1987, 127–49.

[8] Vgl. BSg, Nr. 45, 301–06; Rarisch, Industrialisierung, 41–48, 102, 57; D. Barth, Zeitschriften, Büchermarkt u. Verlagswesen, in: Glaser Hg., Deutsche Literatur VII: 1848–80, 1982, 81–86; Schenda, Volk ohne Buch, 444 f.; ders., Alphabetisierung u. Literarisierungsprozesse in Westeuropa im 18. u. 19. Jh., in: E. Hinrichs u. G. Wiegelmann Hg., Sozialer u. kultureller Wandel in der ländl. Welt des 18. Jh., Wolfenbüttel 1982, 1–20; JbSPS 4.1876, 58–60; allg. die Abwägung der Forschungsergebnisse in: Habermas, Strukturwandel der Öffentlichkeit, Frankfurt 1990[19], 11–50. Vgl. zur Zeit bis 1848: Bd. II, 520–56, 861–63, Anm. 14–16; aus der zit. Lit. v. a. Rarisch, 40–80, 102–5; Goldfriedrich IV, 309–68; Drahn, Buchhandel; Schulze, dass.; Hiller, dass.; Krieg, Bücherpreise; Fullerton, Book Market 1815–88. Allg. zum Folgenden die vorzügliche Einführung von R. Wittmann, Die bibliograph. Situation für die Erforschung des literar. Lebens 1830–80, in: ders., Buchmarkt, 232–52; der glänzende Überblick von dems., Das literar. Leben 1848–80, in: ebd., 111–231; nützlich ist Glaser Hg. VII, v. a. Barth, 70–88; W. v. Ungern-Sternberg, Medien, in: HB III, 379–416; G. Erning, Das Lesen u. die Lesewut, Bad Heilbrunn 1974; R. Wittmann, Geschichte des deutschen Buchhandels, München 1991; H. Widmann, Geschichte des Buchhandels, Wiesbaden 1975; H. Hiller u. W. Strau, Der deutsche Buchhandel, Hamburg 1975[5]; H. G. Göpfert, Die Entwicklung des deutschen Buchhandels, in: A.-C. Baumgärtner Hg., Lesen – ein Hdb., ebd. 1973, 574–86. – A. Martino, Publikumsschichten u. Leihbibliotheken, in: Glaser Hg. VII, 59–69; vorzüglich ist ders., Die deutsche Leihbibliothek, Wiesbaden 1990; G. Jäger u. U. Dannenbauer, Die Bestände der deutschen Leihbibliotheken 1815–60, in: Fs. H. G. Göpfert, Wiesbaden 1982, 247–313; vgl. Jäger u. Schönert; W. Thauer u. P. Vodosek, Geschichte der öffentl. Bücherei in Deutschland, Wiesbaden 1978; G. Häntzschel Hg., Bildung u. Kultur bürgerl. Frauen 1850–1918, Tübingen 1985; E. H. Lehmann, Geschichte des Konversationslexikons, Leipzig 1934. – D. Breuer, Geschichte der literar. Zensur in Deutschland, Heidelberg 1982; Meyer, Bücherverbote 317–49, 334–46 (Liste seit 1848), 346–49 (seit 1870). Nach 1849 richtete sich die Zensur gegen Revolutionsberichte, arbeiterfreundliche Bücher und Zeitschriften, geächtete Außenseiter wie Gervinus; von 1870 bis 1882 gegen Kritik an Preußen, Literatur über die Kommune und für die Sozialdemokratie, auch noch gegen Heine und, wen wundert's, gegen Erotica.

[9] Barth, Zeitschriften; v. a. ders., Das Familienblatt – ein Phänomen der Unterhaltungspresse des 19. Jh., in: Archiv für die Geschichte des Buchwesens 15.1975, 121–316; ders., Zeitschrift für alle. Das Familienblatt im 19. Jh., Münster 1974; Kirschstein, 88; K. Wallraf, Die «bürgerl. Gesellschaft» im Spiegel deutscher Familienzeitschriften, Diss. Köln 1939, 88; S. Obenaus, Literar. u. polit. Zeitschriften II: 1848–80, Stuttgart 1987; Horowitz, 50; Kirchner, Zeitschriftenwesen II, 468; Wuttke, dass., 258 f.; Lorenz, dass.; E. Naujoks, Die parlamentar. Entstehung des Reichspressegesetzes 1848–74, Düsseldorf 1975, 15–52; unentbehrlich: Fischer, Hdb., 191–202, 399–430; ders. Hg., Deutsche Zeitungen, 25–39 (K.

Bender, Voss. Ztg.), 177–89 (J. Kahl, National-Ztg.), 145–58 (G. Potschka, Köln. Ztg.), 209–24 (Rohleder u. Treude, Neue Preuß. Ztg.), 257–67 (M. Kramer, Köln. Volksztg.), 299–313 (K. M. Stiegler, Germania); D. Basse, Wolffs Telegraph. Bureau 1849–1933, München 1990; Koszyk, Presse im 19. Jh. II, 120–228; Groth, Zeitung I, 247; Salomon III; Heenemann, Auflagenhöhe; Meyer, Zeitungspreise; P. de Mendelssohn, Zeitungsstadt Berlin, Berlin 1982²; G. Mayer, Geschichte der Frankfurter Zeitung 1856–1906, Frankfurt 1906, 244; vgl. Gerteis, Sonnemann; Fischer Hg., 241–56 (K. Paupié, Frankf. Ztg.). – H. H. Borchert, Das Schriftstellertum 1750–1871, in: L. Sinzheimer Hg., Die geistigen Arbeiter I: Freies Schriftstellertum (= SVS 152/1), München 1922, 1–55, und E. Francke u. W. Lotz Hg., dass. II: Journalisten u. bildende Künstler (SVS 152/2), ebd. 1922 (trägt keine Zeile zu der Zeit von 1848 bis 1871 bei); F. Kron, Schriftsteller u. Schriftstellerverbände 1842–1973, Stuttgart 1976. Vgl. Brümmer, Lexikon; Baumert; Engelsing, Journalisten im 19. Jh.; vgl. Wittmann, Literar. Leben, 154–73; erstmals exakt: J. Requate, Kritik – Propaganda – Information. Die Entstehung u. Entwicklung des Journalistenberufs im 19. Jh. Deutschland u. Frankreich im internationalen Vergleich, Göttingen 1995; vgl. H. D. Fischer Hg., Deutsche Presseverleger des 18. bis 20. Jh., Pullach 1975. Der neue Typus des Verlegers für den literarischen und publizistischen Massenmarkt ist bereits in Bd. II charakterisiert worden, die neue Generation läßt sich besser hinten im Zusammenhang von Teil 6, V.5b schildern.

[10] Die Kategorien nach der bewährten Begrifflichkeit von Habermas, Strukturwandel. Vgl. R. Bendix, Province and Metropolis, in: J. Ben-David u. T. M. Clark Hg., Culture and Its Creators, Fs. E. Shils, Chicago 1977, 119–49; P. C. Witt, Die Gründung des Deutschen Reiches 1871, in: U. Schultz Hg., Das Fest, München 1988, 307–17; F. Schellack, Nationalfeiertage in Deutschland 1871–1945, Frankfurt 1990; ders., Sedan- u. Kaisergeburtstagsfeste, in: Düding u. a. Hg., 278–97 (speziell zur Sedanfeier vgl. unten Teil 6, IV. B3). – Herzig, Lassalle-Feiern; B. W. Bouvier, Die Märzfeiern der sozialdemokrat. Arbeiter, in: Düding u. a. Hg., 334–51. – Mooser, Katholikentage; Sperber, Popular Catholicism; Anderson, Windthorst.

VI. Deutschland in der zweiten Phase seiner «Doppelrevolution»: Die Verankerung des Industriekapitalismus und die Gründung des reichsdeutschen Nationalstaats in Mitteleuropa – Fortsetzung oder Beginn eines «deutschen Sonderwegs»?

[1] Vgl. zu dieser Kontroverse mit der einschlägigen Literatur (s. auch Anm. 2 u. 3): J. Kocka, German History Before Hitler: The Debate About the German Sonderweg, in: JCH 23.1988, 3–16, dt. Deutsche Geschichte vor Hitler. Zur Diskussion über den «deutschen Sonderweg», in: ders., Geschichte u. Aufklärung, Göttingen 1989, 101–13; ders., Der «deutsche Sonderweg» in der Diskussion, in: German Studies Review (= GSR) 5.1982, 365–79; ders., Deutsche Identität u. histor. Vergleich, in: APZ 1988, B 40/41, 15–28; ders., Ende des deutschen Sonderwegs? in: W. Ruppert Hg., «Deutschland – Bleiche Mutter» – oder eine neue Lust an der nationalen Identität? Berlin 1992, 9–31; C. S. Maier, The Unmasterable Past, Cambridge/Mass. 1988, 100–20; dt. Die Gegenwart der Vergangenheit, Frankfurt 1992; F. J. Brüggemeier, Der deutsche Sonderweg, in: Niethammer, Bürgerl. Gesellschaft, 244–49; B. J. Wendt, «Sonderweg» oder «Sonderbewußtsein»? in: ders. Hg., 111–41; W. Hardtwig, Der deutsche Weg in die Moderne, in: Fs. T. Nipperdey, München 1993, 9–31, u. in: ders., Nationalismus u. Bürgerkultur in Deutschland 1500–1914, Göttingen 1994, 165–90; B. Faulenbach, Eine Variante europ. Normalität? Zur neuesten Diskussion über den «deutschen Weg» im 19. u. 20. Jh., in: TAJG 16.1987, 285–309; ders., Die These vom deutschen Sonderweg u. die histor. Legitimation polit. Ordnung in Deutschland, in: K.-E. Jeismann Hg., Geschichte als Legitimation? Braunschweig 1984, 99–117; ders., Die Frage nach den Spezifika der deutschen Entwicklung, in: NPL SoH. 3.1986, 69–80; ders., «Deutscher Sonderweg», in: APZ 33.1981, 3–21; v. a. ders., Ideologie des deutschen Weges. Die deutsche Geschichte in der Historiographie 1918–33, München 1980; H. Grebing u. a., Der deutsche Sonderweg in Europa 1800–1945,

Stuttgart 1986; dies., Deutscher Sonderweg oder zwei Linien histor. Kontinuität in Deutschland, in: U. Büttner u. a. Hg., Das Unrechtsregime I, Hamburg 1986, 2–21; Fraenkel, Histor. Vorbelastungen, 13–31; W. Fischer, Wirtschafts- u. sozialgeschichtl. Anmerkungen zum «deutschen Sonderweg», in: TAJB 16.1987, 96–116; M. Botzenhart, Anfänge des deutschen «Sonderwegs» im Vormärz, in: Fs. K.-E. Jeismann, Münster 1990, 366–79; D. Langewiesche, Das Deutsche Kaiserreich – Bemerkungen zur Diskussion über Parlamentarisierung u. Demokratisierung Deutschlands, in: AfS 19.1979, 628–42; S. E. Aschheim, Nazism, Normalcy, and the German Sonderweg, in: Studies in Contemporary Jewry 4.1988, 276–92; ohne «Biß» und strengen Vergleich: K. Hildebrand, Der deutsche Eigenweg, in: Fs. K. D. Bracher, Düsseldorf 1987, 15–34. Vgl. auch A. Schmidt, Deutschland als Modell? Bürgerlichkeit u. gesellschaftl. Modernisierung im deutschen Kaiserreich 1871–1914, in: JbW 1992/I, 221–42; Barkin, Germany and England; J. Droz, Le modèle du Sonderweg et la thèse de la «modernisation», in: MS 136.1986, 125–35; D. Groh, Le «Sonderweg» de l'histoire allemande: mythe ou réalité? in: Annales 38.1983, 1166–87; K. H. Jarausch Hg., Illiberalism and Beyond: German History in Search of a Paradigm, in: JMH 55.1983, 164–84; Deutscher Sonderweg – Mythos oder Realität? München 1982; R. Vierhaus, Die Ideologie eines deutschen Wegs der polit. u. sozialen Entwicklung, in: R. v. Thadden Hg., Die Krise des Liberalismus zwischen den Weltkriegen, Göttingen 1978, 96–114; W. Alff, Materialien zum Kontinuitätsproblem der deutschen Geschichte, Frankfurt 1976; ders., Thesen zum Kontinuitätsproblem der deutschen Geschichte, in: Das Argument 70.1972, 117–24; ders. Hg., Deutschlands Sonderung in Europa 1862–1945, Bern 1984; vgl. B. Martin Hg., Deutschland in Europa, München 1992.

[2] Zu den Etappen und einigen Gegenständen der Debatte: W. J. Mommsen, Geschichtsschreibung im Deutschen Kaiserreich, in: A. Esch u. J. Petersen Hg., Geschichte u. Geschichtswissenschaft in der Kultur Italiens u. Deutschlands, Tübingen 1989, 70–107; J. Kocka, O. Hintze, M. Weber u. das Problem der Bürokratie, in: HZ 233.1981, 45–105; W. Schwentker, Die alte u. die neue Aristokratie. Zum Problem von Adel u. bürgerl. Elite in den deutschen Sozialwissenschaften 1900–30, in: Ecole Française Hg., 659–84; M. J. Sattler Hg., Staat u. Recht. Die deutsche Staatslehre im 19. u. 20. Jh., München 1972; Böckenförde, Forschung im 19. Jh.; E. V. Heyen Hg., Geschichte der Verwaltungsrechtswissenschaft in Europa, Frankfurt 1982; ders., O. Mayer, Berlin 1981; R. Ogorek, Individueller Rechtsschutz gegenüber der Staatsgewalt. Zur Entwicklung der Verwaltungsgerichtsbarkeit im 19. Jh., in: Kocka Hg., Bürgertum im 19. Jh. I, 372–405; F. Klein, Die deutschen Historiker im Ersten Weltkrieg, in: Streisand Hg., Studien II, 227–48; K. Schwabe, Wissenschaft u. Kriegsmoral 1914–18, Göttingen 1969; Faulenbach, Ideologie; K.-F. Werner, NS-Geschichtsbild u. Geschichtswissenschaft, Stuttgart 1967; H. Heiber, Universität unterm Hakenkreuz I, München 1991; allg. auch Iggers, Geschichtswissenschaft. – Plessner, Verspätete Nation (vgl. aber: T. Schieder, Grundfragen der neueren deutschen Geschichte, in: HZ 192.1961, 1–16); Fraenkel, Deutschland; Rosenberg, Bureaucracy; ders., Machteliten; F. Stern, The Failure of Illiberalism, N. Y. 1972, dt. Das Scheitern illiberaler Politik, Berlin 1974; R. Dahrendorf, Gesellschaft u. Demokratie; ders., Demokratie u. Sozialstruktur in Deutschland, in: ders., Gesellschaft u. Freiheit, München 1961, 260–99; K. D. Bracher, Das deutsche Dilemma, ebd. 1971; D. Losurdo, Hegel u. das deutsche Erbe, Köln 1989; J. Kocka, Vorindustrielle Faktoren in der deutschen Industrialisierung, in: Stürmer Hg., Kaiserl. Deutschland, 265–86; H. Kaelble, Wie feudal waren die Unternehmer im Kaiserreich? in: R. H. Tilly Hg., Beiträge zur vergl. quantitat. Unternehmensgeschichte, Stuttgart 1985, 148–71; vgl. auch B. Faulenbach, Emanzipation von deutscher Tradition? Geschichtsbewußtsein in den 60er Jahren, in: W. Weidenfeld Hg., Polit. Kultur u. deutsche Frage, Köln 1989, 73–92. Vgl. dazu die Monographien und Aufsätze, die in der Lit. in Anm. 1 zur kritischen «Sonderweg»-These aufgeführt sind. Man mag über diese These denken, wie man will – aber wie steril und öde wirkt im Vergleich mit ihr die Dogmatik der marxistisch-leninistischen Kapitalismuskritik, die sich rund fünfzig Jahre lang mit ihrem denkbar unzulänglichen Erklärungsmonismus und der Scharlatanerie

ihrer «objektiven» Entwicklungsgesetze unter kontinuierlicher Ignorierung der empirischen Gegenevidenz zufriedengegeben hat. – Zur neueren Debatte vgl. v.a. J. Breuilly, National Peculiarities? in: ders., Labour and Liberalism, 273–95; ders., State-Building, Modernization, and Liberalism from the Late 18th Century to Unification: German Peculiarities, in: EHQ 22.1992, 257–84; T. Nipperdey, 1933 u. die Kontinuität der deutschen Geschichte, in: HZ 227.1978, 86–111, u. in: ders., Nachdenken über die deutsche Geschichte, München 1986, 186–205; Blackbourn u. Eley, Peculiarities; dies., Mythen; R. J. Evans Hg., Society and Politics in Wilhelmine Germany, London 1978; ders., The Myth of Germany's Missing Revolution, in: ders., Rethinking, 93–122; ders., From Hitler to Bismarck: Third Reich and Kaiserreich in Recent Historiography, in: ebd., 55–92, allg. dieser Aufsatzband; G. Eley, What Produces Fascism: Pre-Industrial Traditions or a Crisis of the Capitalist State?, in: ders., Unification, 254–82; ders., Army, State, and Civil Society: Revisiting the Problem of German Militarism, in: ebd., 85–109, allg. dieser Aufsatzband; auch ders., Wilhelminismus, Nationalismus, Faschismus, Münster 1990, sowie der Aufsatzband von Blackbourn, Populists. Aus der kritischen Auseinandersetzung: D. Langewiesche, Entmythologisierung des «deutschen Sonderwegs» oder auf dem Weg zu neuen Mythen? in: AfS 21.1981, 527–32; H.-J. Puhle, Deutscher Sonderweg, in: Journal für Geschichte 3.1981/4, 44f.; H. A. Winkler, Der deutsche Sonderweg, in: Merkur 35.1981, 793–804; Kockas Beiträge in Anm. 1; H.-U. Wehler, «Deutscher Sonderweg» oder allg. Probleme des westl. Kapitalismus? in: ders., Preußen, 19–32, sowie die «Sonderweg»-Literatur, in: ders., Entsorgung der deutschen Vergangenheit? Ein polem. Essay zum «Historikerstreit», München 1988 u. ö./Frankfurt 1988. – Als ein Beispiel für den amerikanischen Revisionismus: J. R. Dukes u. J. Remak Hg., Another Germany: A Reconsideration of the Imperial Era, Boulder 1988. Erstaunliche Unkenntnis der historiographischen Entwicklung, wissenschaftspolitische Naivität und theoretisches Philistertum regieren in: R. Fletcher, Recent Developments in West German Historiography, in: GSR 7.1984, 451–80; ders., Social Historians and Wilhelmine Politics, in: Australian Journal of Politics and History 32.1986, 87–104; J. N. Retallack, Social History with a Vengeance, in: GSR 7.1984, 423–50; R. G. Moeller, The Kaiserreich Recast? in: JSH 17.1983/84, 655–83. – Die Reduktion des «Sonderwegs» auf die Konstanz der «Mittellage», mit der auch die Historiker vor 1914 schon ständig argumentiert haben, ist intellektuell trübselig und lohnt kaum eine Auseinandersetzung. Die gelegentliche Bedeutung geographischer Faktoren anzuerkennen, ist eine Selbstverständlichkeit. Im übrigen sind mit der «Mittellage» zahlreiche politische Systeme vereinbar, ganz zu schweigen von der Frage, von wo aus man jeweils die «Mitte» definiert. Besonders platt hierzu: D. Calleo, The German Problem Reconsidered. Germany and the World Order 1870 to the Present, Cambridge 1978, dt. Legende u. Wirklichkeit der deutschen Gefahr, Bonn 1980; s. dazu Stürmers, Schulzes und Hildebrands Veröffentlichungen, zit. in: Wehler, Entsorgung. – Die neueren Kritiker der «Sonderweg»-Interpretation, insbesondere einige englische und amerikanische Historiker, tendieren – zumindest latent – dazu, wegen ihrer Verneinung des «Sonderwegs» die westlichen Gemeinsamkeiten der politischen Entwicklung, des Industriekapitalismus und des Bürgertums zu eindeutig oder ausschließlich geltend zu machen. Erforderlich ist aber, daß diese Kritiker ebenso wie die Verteidiger von Sonderbedingungen auch die Unterschiede identifizieren und erklären. Sowohl im Hinblick auf die negativen Eigenarten als auch auf die positiven Sonderbedingungen mangelt es daran zur Zeit noch gewaltig.

[3] Vgl. Fischer, Anmerkungen; Kaelble, Mythos. Zum preußischen Adel, dem hier eine zentrale Bedeutung zukommt, und zum Adelsvergleich vgl. die vorn (III.4) zit. Studien zum europäischen Adel, v.a. Reif; Rosenberg; Koselleck; Carsten; Berdahl; Schissler; Stern; s. aber auch Gollwitzer, Standesherrn; dazu: Eltz; Neth; Schier; Hofmann, Bayr. Adel; Pedlow, Hess. Adel; allg. Dipper; Izenberg; Mosse, Adel u. Bürgertum. Zum Vergleich die Sammelbände von Reden-Dohna u. Melville Hg.; Ecole Française Hg.; Birke u.a. Hg.; Fehrenbach Hg.; Feigl u. Rosner Hg.; Wehler Hg. Für England, das für den Vergleich auch auf diesem Gebiet besonders wichtig ist, v.a. Schröder; Stone, Elites;

Thompson, Landed Society; ders., The Rise of Respectable Society. A Social History of Victorian Britain 1830–1900, Cambridge/Mass. 1988; ders. Hg., Cambridge Social History of Britain 1750–1950, 3 Bde., Cambridge 1990 (beide Werke sind zur Sozialgeschichte des Adels in komparativer Perspektive enttäuschend). Wichtig: D. Cannadine, The Decline and Fall of the British Aristocracy, New Haven 1990; M. J. Wiener, English Culture and the Decline of the Industrial Spirit 1850–1980, Cambridge 1981. Allg. hierzu: B. Weisbrod, Der engl. «Sonderweg» in der neueren Geschichte, in: GG 16.1990, 233–52; H.-C. Schröder, Der engl. «Sonderweg» im 17. u. 18. Jh., in: K.-E. Jeismann u. H. Schissler Hg., Engl. u. deutsche Geschichte in den Schulbüchern beider Länder, Braunschweig 1982, 27–35; dagegen fällt sehr ab: H. James, The German Experience and the Myth of British Cultural Exceptionalism, in: B. Collins u. a. Hg., British Culture and Economic Decline, London 1990, 91–128. – «Sonderbewußtsein»: Bracher, Auflösung; ders., Dilemma; ders., in: Deutscher Sonderweg? 46–53. Auch in der westdeutschen wirtschaftsbürgerlichen Diskussion der 1820er bis 40er Jahre über die Fehlentwicklungen in England (Proletariat und Slums) und im revolutionsanfälligen Frankreich zeigt sich die Vorstellung von einem solche Fehler vermeidenden eigenen «deutschen Weg». Vgl. dazu sehr eindringlich und erhellend: R. Boch, Grenzenloses Wachstum? Das rhein. Wirtschaftsbürgertum u. seine Industrialisierungsdebatte 1814–57, Göttingen 1991. – Vierhaus, Ideologie, 104, 107. Als die Bürokratie im Vormärz am heftigsten kritisiert wurde, entwickelte L. v. Stein die Idee des «sozialen Königtums», d. h. aber des modernen Sozialstaats, der die Reformbereitschaft und -fähigkeit auch des bürokratischen Apparats voraussetzt. Vgl. Blasius, Stein; ders. u. Pankoke, dass.; S. Koslowski, Die Geburt des Sozialstaats aus dem Geist des deutschen Idealismus: L. v. Stein, Weinheim 1989; Botzenhart, Anfänge, 366–68. – Zum Adel: Mayer, Adelsmacht; Schumpeter, Kapitalismus, Sozialismus, 219–26 (anregende Erörterung der Adelsdominanz in Europa bis 1914); Kohn Hg., 195 (Baumgarten 1881). – Zum Liberalismus: W. J. Mommsen, Deutscher u. brit. Liberalismus, in: Langewiesche Hg., Liberalismus, 211–22; K. H. Jarausch u. L. E. Jones, German Liberalism Reconsidered: Inevitable Decline, Bourgeois Hegemony, or Partial Achievement, in: dies. Hg., Liberal Germany, 1–23; E. Feuchtwanger, The Liberal Decline in Germany and Britain: Peculiarity or Parallel? in: GH 4.1987, 3–15; Eley, Liberalism; ders., Liberalismus vor 1914; die Kritik im Anschluß an Langewiesche, Liberalismus u. Bürgertum, 273f., 381, 385.

Sechster Teil
Das Deutsche Kaiserreich 1871–1914

I. Die Bevölkerungsentwicklung

[1] Vgl. zur Bevölkerungsstatistik: G. Hohorst u. a., SgAb II: 1870–1914, München 1978[2], 22, 51, vgl. 26–36, 56, 27f., 33; Mitchell, Statistics, 20; Flora u. a. I, 34f., 42; Bevölkerungs-Ploetz II, 219; Kraus Bearb., 338; Statist. Bundesamt Hg., Bevölkerung u. Wirtschaft 1872–1972, Stuttgart 1972, 90; Prinzing II, 375, 373–81, 395; vgl. W. Prausnitz Hg., Atlas u. Lehrbuch der Hygiene, München 1909; Lee, Germany, 186f., 195 (nach diesen Quellen auch: Übersicht 69). – Noch immer der beste Überblick über die Zahl aller Deutschsprachigen in Europa zur Zeit der Reichsgründung: R. Böckh, Der Deutschen Volkszahl u. Sprachgebiet in den europ. Staaten, Berlin 1869. Vgl. allg. die Lit. vorn zu Teil 5, I, Anm. 1–4; BSg, Nr. 11, 91–100; v. a. Köllmann, in: HWS II, 17–27; Lee, Germany, 161–95; Mackenroth, Bevölkerungslehre; K. Mayer, Bevölkerungslehre u. Demographie, in: HES IV. 1974[3], 1–50; Harnisch, in: Lärmer Hg.; Linde, Theorie; Marschalck, Bevölkerungsgeschichte; ders., Theorie; ders., The Age of Demographic Transition: Mortality and

Fertility, in: Bade Hg., Population, 15–34; ders., Die Bevölkerungsentwicklung in Deutschland 1850–1980, in: Bade Hg., Auswanderer I, 84f., 88, 90; vorzüglich ist: J. Ehmer, Heiratsverhalten, Sozialstruktur, ökonom. Wandel. England u. Mitteleuropa in der Formationsperiode des Kapitalismus, Göttingen 1991, 15–24, 103–19, 203–13, 229–35 (Persistenz und Variabilität des «europäischen Heiratsmusters»); Hohorst, Wirtschaftswachstum u. Bevölkerungsentwicklung; ders., Von der Agrargesellschaft zum Industriekapitalismus: der Kernprozeß der «demograph. Transition» in Deutschland, in: Bade Hg., Auswanderer I, 110–34; G. Neuhaus, Die Bewegung der Bevölkerung im Zeitalter des modernen Kapitalismus, in: GdS IX/1.1926, 463, 478, 482; Zahn, 222, 265; L. Elster, Bevölkerungswesen, in: HStW 2.1924[4], 687–735; E. Simon, Die Entwicklung der Geburtenziffer in Preußen seit 1875, in: ZPSL 61.1921, 171–95; 64.1924, 9–45; v. Fircks, 1816–74. Zu Einzelproblemen: Markov; Strenz. – J. Knodel, The Decline of German Fertility 1871–1939, Princeton 1973, 170, 186, 39; ders. u. S. Hochstadt, Urban and Rural Illegitimacy in Imperial Germany, in: P. Laslett u. a. Hg., Bastardy and Its Comparative History, London 1980, 284–312; ders. u. J. Maynes, Urban and Rural Marriage Patterns in Imperial Germany, in: Journal of Family History (= JFH) 1.1976, 129–68; C. Watkins, Regional Patterns of Nuptiality in Europe 1870–1960, in: PoSt. 35.1981, 199–215; H. J. Kintner, The Determinants of Infant Mortality in Germany 1871–1933, Diss. Univ. of Michigan, Ann Arbor 1982, 4–19, 265–74; R. Spree, Die Entwicklung der differentialen Säuglingssterblichkeit in Deutschland seit 1850, in: A. E. Imhof Hg., Mensch u. Gesundheit in der Geschichte, Husum 1980, 251, 253, 255, 257, 261f., 269, 273; ders., Zur Bedeutung des Gesundheitswesens für die Entwicklung der Lebenschancen der deutschen Bevölkerung 1870–1913, in: F. Blaich Hg., Staatl. Umverteilung in histor. Perspektive, Berlin 1980, 169f., 178; ders., Strukturierte soziale Ungleichheit im Reproduktionsbereich in Deutschland 1870–1913, in: Bergmann u. a., Geschichte als polit. Wissenschaft, 73; A. E. Imhof, Unterschiedl. Säuglingssterblichkeit in Deutschland, 18.–20. Jh. – Warum? in: Zeitschrift für Bevölkerungswissenschaft 7.1981, 343, 366, 380; A. Wahl, Confession et comportement dans les campagnes d'Alsace et de Bade 1871–1939, 2 Bde, Metz 1980; H. J. Teuteberg u. A. Bernhard, Wandel der Kindernahrung in der Zeit der Industrialisierung, in: J. Reulecke u. W. Weber Hg., Fabrik, Familie, Feierabend, Wuppertal 1978, 177–213; F. Rothenbacher u. E. Wiegand, Zur Entwicklung der Gesundheitsverhältnisse in Deutschland seit der Industrialisierung, in: Wiegand u. Zapf Hg., 341, 345–48, 353, 356, 395–97; vgl. schon G. Tugendreich, Der Einfluß der sozialen Lage auf Krankheit u. Sterblichkeit des Kindes, in: M. Mosse u. ders. Hg., Krankheit u. soziale Lage, München 1913/ND Göttingen 1977, 266–307. – J. Woycke, Birth Control in Germany 1871–1933, London 1988. Kritik: R. P. Sieferle, Bevölkerungswachstum u. Naturhaushalt, Frankfurt 1990. Zur Mortalitätsdebatte: contra Mackenroth, 129; Köllmann, Industrielle Revolution, 29; ders., in: HWS II, 25, 29; pro Spree, s. oben.

[2] Vgl. zur Kindheits- und Jugendproblematik: BSg, Nr. 16, 153–59; Mitterauer, Sozialgeschichte der Jugend; Gillis, Jugend, 45–132; U. Herrmann, Jugend in der Sozialgeschichte, in: Schieder u. Sellin Hg. IV, 133–55; ders., Familie, Kindheit, Jugend, in: HB III.1987, 53–69; C. Berg, dass., in: HB IV.1991, 91–145; J. Peikert, Zur Geschichte der Kindheit im 18. u. 19. Jh., in: Reif Hg., Familie, 114–36; Weber-Kellermann, Kindheit; R. Nave-Herz u. M. Markefka Hg., Hdb. der Familien- u. Jugendforschung, 2 Bde, Neuwied 1989; Fend, Sozialgeschichte des Aufwachsens; W. Jaide, Generationen eines Jh. Zur Geschichte der Jugend in Deutschland 1871–1985, Opladen 1988; L. Rosenmayr, Hauptgebiete der Jugendsoziologie, in: HES VI.1976[3]; H.-U. Wehler Hg., Sozialgeschichte der Jugend (= GG 11./H.2), Göttingen 1985; J. R. Gillis, Conformity and Rebellion: Contrasting Styles of English and German Youth 1900–1937, in: History of Education Quarterly 13.1973, 249–60; K. Tenfelde, Großstadtjugend in Deutschland vor 1914, in: VSWG 69.1982, 182–218; ders., Demograph. Aspekte des Generationenkonflikts seit dem Ende des 19. Jh.: Deutschland, England u. Frankreich, in: D. Dowe Hg., Jugendprotest u. Generationskonflikt in Europa im 20. Jh., Bonn 1986, 15–27; T. Bügner u. G. Wagner, Die

Alten u. die Jungen – Literatursoziolog. Anmerkungen zum Verhältnis der Generationen 1870–1918, in: ZfS 20.1991, 177–90; U. Herrmann, Der «Jüngling» u. der «Jugendliche». Männl. Jugend im Spiegel polarisierender Wahrnehmungsmuster an der Wende vom 19. zum 20. Jh., in: GG 11.1985, 205–16; R. Lindner, Bandenwesen u. Klubwesen im wilhelmin. Reich u. in der Weimarer Republik, in: GG 10.1984, 352–75; A. Gestrich, Traditionelle Jugendkultur u. Industrialisierung. Sozialgeschichte der Jugend in einer ländl. Arbeitergemeinde Württembergs 1800–1920, Göttingen 1986; L. Roth, Die Erfindung des Jugendlichen, München 1983; F. H. Tenbruck, Jugend u. Gesellschaft, Freiburg 1962; H. H. Muchow, Sexualreife u. Sozialstruktur der Jugend, Reinbek 1960; ders., Jugendgenerationen im Wandel der Zeit, Wien 1964; dazu die Lit. in: BSg, Nr. 16, 153–59. – Vgl. zur Altersproblematik: J. Ehmer, Sozialgeschichte des Alters, Frankfurt 1990; L. Rosenmayr, Die späte Freiheit: Das Alter, Berlin 1983; ders., Soziologie des Alters, in: HES VII.1976[3], 218–406; G. Göckenjan u. H.-J. v. Kondratowitz Hg., Alter u. Alltag, Frankfurt 1988; H. Konrad Hg., Der alte Mensch in der Geschichte, Wien 1982; C. Conrad, Altwerden u. Altsein in histor. Perspektive, in: Zeitschrift für Sozialisationsforschung 2.1982, 73–90; ders., Die Entstehung des modernen Ruhestandes. Deutschland im internationalen Vergleich 1850–1960, in: GG 14.1988, 417–47; H.-J. v. Kondratowitz, Das Alter – eine Last. Die Geschichte der industriellen Versorgung des Alters 1880–1933, in: AfS 30.1990, 105–44; H.-U. Wehler Hg., Sozialgeschichte des Alters (= GG 14./H.4), Göttingen 1988, dazu die Lit. in BSg, Nr. 17, 159f. – Zur Familiengeschichte: die Lit. in: BSg, Nr. 15, 146–53; Herrmann u. a.; G. L. Soliday Hg., History of Family and Kinship. A Select International Bibliography, Milwood/N. Y. 1980; D. Klippel, Neue Literatur zur Sozialgeschichte der Familie, in: Zeitschrift für das gesamte Familienrecht 1984/H.12, 1179–88; 1985/H.5, 444–55, sowie in: JFH 1.1976ff. Vgl. Sieder, Sozialgeschichte der Familie; M. Mitterauer, Familie, in: van Dülmen Hg., Fischer Lexikon Geschichte, 161–76; ders., Histor.-anthropolog. Familienforschung, Wien 1990; ders. u. Sieder, Vom Patriarchat; dies. Hg., Familienforschung; W. H. Hubbard, Familiengeschichte, München 1983; Nave-Herz u. Markefka Hg.; K. Hausen, Familie u. Familiengeschichte, in: Schieder u. Sellin Hg. II, 64–89; dies., Histor. Familienforschung, 59–95; dies., Familie als Gegenstand Histor. Sozialforschung, in: GG 1.1975, 171–209; Herrmann, Familie; W. R. Lee, The German Familiy, in: R. J. Evans u. ders. Hg., The German Family, London 1981, 19–50; insgesamt dieser Band; T. K. Hareven, The History of Family and the Complexity of Social Change, in: AHR 96.1991, 95–124; L. Stone, Family History in the 1980s: Past Achievements and Future Trends, in: T. K. Rabb u. R. J. Rotberg Hg., The New History, Princeton 1982, 51–87; dies. Hg., Marriage and Fertility, ebd. 1980; dies. Hg., The Family in History, N. Y. 1973; A. Burguiére u. a. Hg., Histoire de la Famille, 2 Bde, Paris 1986; H. Rosenbaum, Zur neueren Entwicklung der histor. Familienforschung, in: GG 1.1975, 210–25; dies. Hg., Familie u. Gesellschaftsstruktur, Frankfurt 1974; dies., Formen; R. König, Soziologie der Familie, in: HES VII.1976[3], 1–217; Reif Hg., Familie; Conze Hg., dass.; H.-U. Wehler Hg., Familie – Haushalt – Wohnen (= GG 14./H.1), Göttingen 1988; ders. Hg., Histor. Familienforschung u. Demographie (= GG 1./H.2/3), ebd. 1975; W. Conze, Der Strukturwandel der Familie im industriellen Modernisierungsprozeß, in: Jb. der Heidelberger Akademie der Wissenschaften 1978, 133–52; F. Oeter, Familie u. Gesellschaft, Tübingen 1966; D. Claessens u. P. Milhoffer Hg., Familiensoziologie, Frankfurt 1973; P. Milhoffer, Familie u. Klasse, ebd. 1973; M. Horkheimer Hg., Studien über Autorität u. Familie, Paris 1936/ND 1965; E. Egner, Epochen im Wandel des Familienhaushalts, in: Rosenbaum Hg., Familie, 56–87; H. Dörner, Industrialisierung u. Familienrecht, Berlin 1974; R. Mestwerth, Das Sozialbild der Ehe im Spiegel der Gesetzgebung u. Rechtsprechung der letzten 150 Jahre, Göttingen 1962; vgl. auch Blasius, Ehescheidung; P. Gay, Erziehung der Sinne. Sexualität im bürgerl. Zeitalter, München 1986; ders., Die zarte Leidenschaft. Liebe im bürgerl. Zeitalter, ebd. 1987, und die Lit. in: BSg, Nr. 15, 146–53.

[3] Vgl. vorn I.1 und Anm. 1; BSg, Nr. 13, 122–26. Hier v. a. D. Langewiesche, Wanderungsbewegungen in der Hochindustrialisierungsepoche. Regionale, interstädtische u.

innerstädtische Mobilität in Deutschland 1880–1914, in: VSWG 64.1977, 2–10, 13 (danach: Übersicht 70), 15, 18, 21, 24, 26, 29–31, 36–40; ders. u. F. Lenger, Internal Migration: Persistence and Mobility, in: Bade Hg., Population, 91–98; dies., Räuml. Mobilität in Deutschland vor und nach dem Ersten Weltkrieg, in: A. Schildt u. A. Sywottek Hg., Massenwohnung u. Eigenheim, Frankfurt 1988, 103–26. – S. Thernstrom, The Other Bostonians 1880–1970, Cambridge/Mass. 1973. – Köllmann, in: HWS II, 18–22; ders., Industrialisierung, Binnenwanderung u. «Soziale Frage», in: ders., Industrielle Revolution, 106–24; S. Hochstadt, Städt. Wanderungsbewegungen in Deutschland, in: Fs. K. O. v. Aretin, Wiesbaden 1988, 581–91; ders., Migration, 445–59; Jackson, Wanderungen, 217–34; Kampfhoefner, 97–102, 108–14; K. J. Bade, Labour, Migration, and the State: Germany From the Late 19th Century to the Onset of the Great Depression, in: ders. Hg., Population, 59–62; ders., Bevölkerung, Arbeitsmarkt u. Wanderung im Wandel vom Agrar- zum Industriestaat, in: Langewiesche Hg., Ploetz – Kaiserreich, 73–80. – Allg. noch: W. Morgenroth, Binnenwanderung, in: HStW 2.1924[4], 909–23; K. Keller, Umfang u. Richtung der Wanderungen zwischen den preuß. Prov. 1871–1925, in: ZPSL 70.1931, 273–91; K. Ballod, Die Bevölkerungsbewegung der letzten Jahrzehnte in Preußen u. in einigen anderen wichtigen Staaten Europas, in: ZKPSL 54.1914, 239–90; M. Broesicke, Die Binnenwanderungen im preuß. Staate, in: ebd. 47.1907, 1–62; M. Schumann, Die inneren Wanderungen in Deutschland, in: ASA 1890/91, 503–39; K. Horstmann, Horizontale Mobilität, in: HES V.1976[3], 104–95, sowie allg. die Lit. in: BSg, Nr. 13, 122–26. – Zur Ost-West-Wanderung: K. J. Bade, Massenwanderung u. Arbeitsmarkt im deutschen Nordosten 1880–1914, in: AfS 20.1980, 265–324; W. Köllmann, Bevölkerungsgeschichte, in: ders. u. a. Hg., Das Ruhrgebiet im Industriezeitalter I, Düsseldorf 1990, 111–97; P. Quante, Die Abwanderung aus der Landwirtschaft, Kiel 1958; ders., Die Flucht aus der Landwirtschaft, Berlin 1933; J. Rogalewski, Die Abwanderung aus der Prov. Posen 1890–1910, Diss. Freiburg/Oberhausen 1914; C. Kleßmann, Poln. Bergarbeiter im Ruhrgebiet 1870–1945, Göttingen 1978; K. Murzynowska, Die poln. Erwerbsauswanderung im Ruhrgebiet 1880–1914, Dortmund 1979; R. C. Murphy, Gastarbeiter im Deutschen Reich. Polen in Bottrop 1891–1933, Wuppertal 1982; V. W. Stefanski, Zum Prozeß der Emanzipation u. Integration von Außenseitern: Poln. Arbeitsmigranten im Ruhrgebiet, Dortmund 1984 (in diesen Studien auch zu den Werbemethoden, Wohnverhältnissen, Vereinen usw.); Franke, Ostpreußen; Wehler, Polen in Westdeutschland; Brepohl, Ruhrvolk; ders., Industrievolk im Wandel von der agraren zur industriellen Daseinsform, Tübingen 1957; Haufe, Bevölkerungsbewegung; Raabe; Konopatzki; Rintelen. Außer dieser Lit. zum Ruhrgebiet noch W. Köllmann, Binnenwanderung u. Bevölkerungsstrukturen der Ruhrgebietsgroßstädte 1907, in: ders., Industrielle Revolution, 171–85; Jackson, Wanderungen; ders., Duisburg; D. Crow, Definitions of Modernity: Social Mobility in a German Town 1880–1901, in: JSH 7.1973, 51–74; ders., Regionale Mobilität u. Arbeiterklasse. Das Beispiel Bochum 1880–1901, in: GG 1.1975, 99–120; R. Müllers, Die Bevölkerungsentwicklung des rhein.-westfäl. Industriegebiets 1895–1919, Diss. Münster 1921; F. Walter, Die Bevölkerungsentwicklung im westfäl. Industriegebiet 1880–1910, in: B. Klaff Hg., Bochum III, Bochum 1930, 65–78; S. Chmielecki, Die Bevölkerungsentwicklung in Stadt- u. Landkreis Recklinghausen 1875–1910, Diss. Freiburg 1914; Horst; Uekoetter; Knirim; Reekers. Zu Norddeutschland: K. M. Barfuss, «Gastarbeiter» in Nordwestdeutschland 1884–1918, Bremen 1985; zu Berlin: H. H. Liang, Lower-Class Immigrants in Wilhelmine Berlin, in: CEH 3.1970, 94–111; dies., The Working People of Wilhelmine Berlin 1890–1914, Diss. Yale Univ. 1959; Thümmler. Beispielhafte Analyse: W. v. Hippel, Regionale u. soziale Herkunft der Bevölkerung einer Industriestadt. Ludwigshafen 1867–1914, in: Conze u. Engelhardt Hg., Arbeiter, 51–69.

[4] Vgl. vorn I.1 und die Lit. in Anm. 6–14; BSg, Nr. 36, 265–277. Hier v. a. Reulecke, Urbanisierung, 68–169; Krabbe, Stadt, 48–179; Matzerath, Urbanisierung I, 241–371; ders. Hg., Städtewachstum; Reulecke Hg., Deutsche Stadt; Heineberg Hg.; Rausch Hg., 19. u. 20. Jh.; Schröder Hg., Stadtgeschichte; Jäger Hg., Probleme; Grote Hg., 19. Jh.; Heberle u.

Meyer; Brückner; Silbergleit; Kamphoefner; Thümmler; H.-J. Rook, Zur Genese regionaler Verdichtungen in Deutschland 1880–1940, in: JbW 1982/III, 25–54. Vgl. allg. F. Lenger, Neuzeitl. Stadt- u. Urbanisierungsgeschichte, in: AfS 30.1990, 376–422; ders., Urbanisierungs- u. Stadtgeschichte, in: AfS 26.1986, 429–79; E. E. Lampard, Historical Contours of Contemporary Urban Society, in: JCH 4.1966, 3–26; J. Kocka, Die Großstadt als Brennpunkt der Sozialgeschichte des Industriezeitalters, in: Die Großstädte u. die Zukunft unserer Gesellschaft, Hamm 1976, 43–68; A. Lees, Debates About the Big City in Germany 1890–1914, in: Societas 5.1975, 31–47; ders., The Civic Pride of the German Middle Class, in: Dukes u. Remak Hg., 41–59, dt. Die Entfaltung des städt. Bürgerstolzes im wilhelmin. Deutschland, in: J. Benken Hg., Stadtgesellschaft u. Kindheit, Opladen 1990, 77–96; P. Merkl, The Urban Challenge Under the Empire, in: ebd., 61–72; W. Kaschuba, Volkskultur in der Moderne, Reinbek 1986; A. Lehmann, Kultur des Volkes: Lebensverhältnisse u. Verhaltensmuster in Dorf u. Stadt, in: Langewiesche Hg., Ploetz – Kaiserreich, 189–96. Speziell zur Urbanisierung: W. Hofmann, Aufgaben u. Struktur der kommunalen Selbstverwaltung in der Zeit der Hochindustrialisierung, in: DVG III.1984, 578–644; ders., Kommunale Daseinsvorsorge. Mittelstand u. Städtebau 1800–1918, in: E. Mai u. a. Hg., Kunstpolitik u. Kunstförderung im Kaiserreich, Berlin 1982, 167–96; ders., Oberbürgermeister als polit. Elite im Wilhelmin. Reich u. in der Weimarer Republik, in: K. Schwabe Hg., Oberbürgermeister, Boppard 1981, 17–38; ders., Zwischen Rathaus u. Reichskanzlei. Die Oberbürgermeister in der Kommunal- u. Staatspolitik des Deutschen Reiches 1890–1933, Stuttgart 1974; W. Krabbe, Kommunalpolitik u. Industrialisierung, ebd. 1985; ders., Munizipalsozialismus u. Interventionsstaat. Die Ausbreitung der städt. Leistungsverwaltung im Kaiserreich, in: GWU 30.1979, 265–83; ders., Die Anfänge des «sozialen Wohnungsbaus» vor 1914, in: VSWG 71.1984, 30–58; W. Köllmann, Verstädterung im deutschen Kaiserreich, in: BLDG 128.1992, 199–219; ders., Der Prozeß der Verstädterung in Deutschland in der Hochindustrialisierungsperiode, in: ders., Industrielle Revolution, 125–39; ders., Zur Bevölkerungsgeschichte ausgewählter deutscher Großstädte in der Hochindustrialisierungsperiode, in: ebd., 140–56; ders., Soziolog. Strukturen großstädt. Bevölkerung, in: ebd., 157–70; H. J. Teuteberg u. C. Wischermann, Germany 1870–1930, in: C. G. Pooley Hg., Housing Strategies in Europe 1880–1930, London, 240–67; H.-D. Laux, Dimensionen u. Determinanten der Bevölkerungsentwicklung preuß. Städte in der Periode der Hochindustrialisierung, in: Rausch Hg., Städte 20. Jh., 87–112; ders., Demograph. Folgen des Verstädterungsprozesses 1871–1914, in: Teuteberg Hg., Urbanisierung, 65–93; E. Lichtenberger, Die Stadtentwicklung in Europa 1900–50, in: Rausch Hg., Städte 20. Jh., 1–40; H. H. Blotevogel, Kommunale Daseinsverwaltung u. Stadtentwicklung vom Vormärz bis zur Weimarer Republik, Köln 1990; G. Piccinato, Städtebau in Deutschland 1871–1914, Braunschweig 1983; U. Herlyn Hg., Stadt- u. Sozialstruktur: Arbeiten zur sozialen Segregation, Ghettobildung u. Stadtplanung, München 1974; S. Schott, Die großstädt. Agglomerationen des Deutschen Reiches 1871–1910, Breslau 1912; R. König, Großstadt, in: HES X.1977[3], 42–145; E. Pfeil, Großstadtforschung, Hannover 1972[2], 27–112. – Städtebeispiele: Augsburg: Fischer. Barmen: Köllmann. Berlin: Thienel, Städtewachstum; dies., Verstädterung; Erbe; Thümmler; G. Brunn u. J. Reulecke Hg., Metropolis Berlin. Berlin als deutsche Hauptstadt im Vergleich europ. Hauptstädte 1870–1939, Bonn 1992; J. Boberg, Die Metropole. Industriekultur in Berlin im 20. Jh., München 1986; H. J. Schwippe u. C. Zeidler, Die Dimensionen der sozialräumlichen Differenzierung in Berlin u. Hamburg im Industrialisierungsprozeß des 19. Jh. 1871–1910, in: Matzerath Hg., Städtewachstum, 197–260; Schwippe, Prozesse sozialer Segregation u. funktionaler Spezialisierung in Berlin u. Hamburg, in: Heineberg Hg., 195–224. Bielefeld: F. W. Bratvogel, Stadtentwicklung u. Wohnverhältnisse in Bielefeld unter dem Einfluß der Industrialisierung im 19. Jh., Dortmund 1989; Ditt; Hofmann, Bielefelder Stadtverordnete. Bochum: Crews Studien. Braunschweig: H.-W. Schmuhl, Bürger u. Stadt. Nürnberg u. Braunschweig 1780–1914, Göttingen 1994. Düsseldorf: P. Hüttenberger, Die Entwicklung zur Großstadt 1856–1900, in: H. Weidenhaupt Hg.,

Düsseldorf II: 1614–1900, Düsseldorf 1988, 481–662; N. Schloßmacher, Düsseldorf im Kaiserreich, ebd. 1985. Duisburg: Jackson, Duisburg; ders., Wanderungen. Essen: Henning, Stadtverordnetenversammlung Essen 1890–1914; F. Bajohr, Zwischen Krupp u. Kommune. Sozialdemokratie, Arbeiterschaft u. Stadtverwaltung in Essen vor 1914, Essen 1988. Frankfurt: D. Rebentisch, Industrialisierung, Bevölkerungswachstum u. Eingemeindungen. Das Beispiel Frankfurt a. M. 1870–1914, in: Reulecke Hg., Deutsche Stadt, 90–113. Göttingen: Sachße. Hamburg: C. Wischermann, Urbanisierung u. innerstädt. Strukturwandel am Beispiel Hamburgs ca. 1900, in: Matzerath Hg., Städtewachstum, 165–96; ders., Wohnen u. soziale Lage in der Urbanisierung: Die Wohnverhältnisse Hamburgs. Unter- u. Mittelschichten um 1900, in: Teuteberg Hg., Urbanisierung 309–37; Schwippe; ders. u. Zeidler; Wiegand, Notabeln; W. Jochmann, Der Wandel des Gesellschaftssystems, in: ders. Hg., Hamburg. Geschichte der Stadt u. ihrer Bewohner II: Vom Kaiserreich bis zur Gegenwart, Hamburg 1986, 36–76. Hildesheim: H.-G. Borck, Bürgerschaft u. Stadtregierung: Hildesheim, in: G. Dilcher Hg., Res Publica. Bürgerschaft in Staat u. Gesellschaft, Berlin 1988, 95–133. Kiel: Brockstedt. Köln: Jasper. Leipzig: U. Oehme u. F. Staude, Leipzigs Aufstieg zur Großstadt 1871–1918, in: Neues Leipzigisches Geschichtsbuch, 180–225. Ludwigshafen: v. Hippel. Marburg: B. vom Brocke, Marburg im Kaiserreich 1866–1918, Marburg 1980. München: W. Hardtwig, Soziale Räume u. polit. Herrschaft. Leistungsverwaltung, Stadterweiterung u. Architektur in München 1800–1914, in: ders. u. Tenfelde Hg., 59–153; S. Bleek, Quartierbildung in der Urbanisierung. Das Münchener Vorland 1890–1933, München 1991; ders., Das Stadtviertel als Sozialraum. Innerstädt. Mobilität in München 1890–1933, in: Hardtwig u. Tenfelde Hg., 217–34; P. Münch, Stadthygiene im 19. u. 20. Jh. Die Wasserversorgung, Abwasser- u. Abfallbeseitigung (München), Göttingen 1993; K. H. Pohl, Die Münchener Arbeiterbewegung. SPD, Freie Gewerkschaft, Staat u. Gesellschaft in München 1890–1914, München 1991; F. Prinz u. M. Krauss Hg., München – Musenstadt mit Hinterhöfen 1886–1912, ebd. 1988. Münster: W. Krabbe, Wirtschafts- u. Sozialstrukturen einer Verwaltungsstadt des 19. Jh.: Münster, in: Düwell u. Köllmann Hg. I, 197–206. Nürnberg: Schmuhl; dagegen abfallend: H. Glaser u. a. Hg., Industriekultur in Nürnberg, München 1980. Oberhausen: H. Reif, Die verspätete Stadt. Industrialisierung, städt. Raum u. Politik in Oberhausen 1846–1929, Köln 1993. Regensburg: D. Albrecht, Regensburg im Wandel. Geschichte der Stadt im 19. u. 20. Jh., Stuttgart 1984. Vgl. H. Matzerath, Industrialisierung, Mobilität u. sozialer Wandel am Beispiel der Städte Rheydt u. Rheindalen, in: Kaelble u. a., Modernisierung, 13–79; R. Schüren, Soziale Mobilität im Zeitalter der Industrialisierung u. Urbanisierung. Rhein. u. westfäl. Städte im 19. Jh., in: WF 37.1987, 1–22; Blaschke, Sächs. Städte.

3 Vgl. Reulecke, Urbanisierung, 202, 9; Hohorst u. a., SgAb, 48f., 52; Matzerath, Urbanisierung I, 119–22, 251f., 255, 277; ders., Grundstrukturen, 27f.; Neuhaus, Bewegung, 468 (danach: Übersicht 71). Vgl. Brückner, 137–49, 650, 672; Ipsen, Verstädterung, 307f. (30-Städte-Sample); Blaschke, Sächs. Städte, 50–54, 60–64. – Zur Wohnungsfrage und Baupolitik zuletzt am besten: C. Zimmermann, Von der Wohnungsfrage zur Wohnungspolitik. Die Reformbewegung in Deutschland 1845–1914, Göttingen 1991; s. auch T. Hafner, Kollektive Wohnreform im Deutschen Kaiserreich 1872–1914, Stuttgart 1988; S. Brander, Wohnungspolitik als Sozialpolitik, Berlin 1984; A. Berger-Thimme, Wohnungsfrage u. Sozialstaat 1873–1918, Frankfurt 1976; U. Blumenroth, Deutsche Wohnungspolitik seit 1871, Münster 1975; C. J. Fuchs, Wohnungsfrage u. -wesen, in: HStW Erg. Bd. 1929^4, 1098–2260; ders., dass., in: ebd. 8.1911^3, 873–928; A. Weber, Die Wohnungsproduktion, in: GdS VI.1914, 350–68; zur frühen Debatte über die «Wohnungsnot» vgl. die Lit. in: Zimmermann; Sax; Knies; SVS 30 u. 21, 1886; Krabbe, Stadt, 88–95. Speziell: C. Wischermann, Wohnungsmarkt, Wohnungsversorgung u. Wohnmobilität in deutschen Großstädten 1870–1913, in: H. J. Teuteberg Hg., Städtewachstum, Industrialisierung, Sozialer Wandel, Berlin 1987, 101–22; ders., Wohnungsnot u. Städtewachstum im späten 19. Jh., in: Conze u. Engelhardt Hg., 57–84; ders., Wohnen in Hamburg vor 1914, Münster 1983; F. Brüggemeier u. L. Niethammer, Schlafgänger, Schnapskasinos u. schwerindu-

strielle Kolonie. Aspekte der Arbeiterwohnfrage vor dem Ersten Weltkrieg, in: Reulecke u. Weber Hg., 135–75; E. Gransche u. E. Wiegand, Zur Wohnsituation von Arbeiterhaushalten zu Beginn des 20. Jh., in: ders. u. Zapf Hg., 425–69; J. H. Jackson, Overcrowding and Family Life. Working Class Families and the Housing Crisis in Late 19th Century Duisburg, in: Evans u. Lee Hg., Family, 194–220; R. Kastorff-Viehmann, Wohnungsbau für Arbeiter: Das Ruhrgebiet bis 1914, Aachen 1981; G. Asmus Hg., Hinterhof, Keller, Mansarde. Berliner Wohnungselend 1901–20, Berlin 1982; F. Wagner, Arbeiterwohnungen, in: O. Danner Hg., Hdb. der Arbeiterwohlfahrt I, Stuttgart 1902, 1–92; E. Wernicke, Die Wohnung in ihrem Einfluß auf Krankheit u. Sterblichkeit, in: Masse u. Tugendreich Hg., 45–120; VfS Hg., Neue Untersuchungen über die Wohnungsfrage in Deutschland, 1901. – Wischermann, Wohnungsmarkt, 102, 106f., 109, 111, 113, 115–18, 121f., 126f.; ders., Urbanisierung, 165, 195; ders., Wohnung, 60–68; Hardtwig, Soziale Räume, 151; Schwippe, Prozesse, 199–202, 210; Kamphoefner, 96; Thienel, Städtewachstum, 3; F. Eulenburg u. VfS Hg., Kosten der Lebenshaltung in deutschen Großstädten (= SVS 145/1,2,4), Leipzig 1914–15, Zit.: 145/1.

[6] Vgl. allg. Matzerath, Urbanisierung I, 321–34; Woycke; R. P. Neumann, Working Class Birth Control in Wilhelmine Germany, in: CSSH 20.1978, 408–28; ders., Industrialization and Sexual Behavior: Some Aspects of Working-Class Life in Imperial Germany, in: Bezucha Hg., 270–300; ders., The Sexual Question and Social Democracy in Imperial Germany, in: JSH 7.1974, 271–86; ders., Socialism, the Family, and Sexuality. The Sexist Tradition and German Social Democracy Before 1914, Ann Arbor 1972; Blasius, Ehescheidung, 1–154. – Prostitution: Schulte, Sperrbezirke; Ulrich, Bordelle; Evans, Prostitution; v. a. S. Leitner, Prostitution in Deutschland im 19. u. frühen 20. Jh., München 1995; dies., Großstadtlust. Prostitution u. Münchener Sittenpolizei um 1900, in: Hardtwig u. Tenfelde Hg., 261–75; L. Abrams, Prostitutes in Imperial Germany 1870–1918, in: R. J. Evans Hg., The German Underworld, London 1988, 189–210; K. Walser, Prostitutionsverdacht u. Geschlechterforschung: Dienstmädchen um 1900, in: GG 11.1985, 99–111. – Selbstmord: als Klassiker E. Durkheim, Der Selbstmord (1897), Neuwied 1973; R. v. Ungern-Sternberg, Die Selbstmordhäufigkeit in Vergangenheit u. Gegenwart, in: JNS 171.1959, 187–207; F. Zahn, Selbstmordstatistik, in: HStW 7.1926[4], 434–48; G. v. Mayr, dass., in: ebd. 1. Suppl. 1895, 688–706. – Kriminalität: BSg, Nr. 53, 329f.; E. A. Johnson, The Crime Rate: Longitudinal and Periodic Trends in 19th and 20th Century German Criminality From Vormärz to Late Weimar, in: Evans Hg., Underworld, 159–89; ders., The Roots of Crime in Imperial Germany, in: CEH 16.1982, 351–74; ders. u. V. E. McHale, Socioeconomic Aspects of the Delinquency Rate in Imperial Germany 1882–1914, in: JSH 13.1980, 384–402; V. E. McHale u. E. A. Johnson, Urbanization, Industrialization, and Crime in Imperial Germany, in: Social Science History 1.1976, 45–78, 210–47; H. Schwarz, Kriminalität u. Konjunktur. Eine kausalstatist. Untersuchung über die deutsche Vermögenskriminalität 1882–1936, in: IRSH 3.1938, 355–95; vgl. D. Blasius, Kriminalität in der Geschichte der modernen Gesellschaft, in: W. Deichsel u. a. Hg., Kriminalität, Kriminologie u. Herrschaft, Pfaffenweiler 1987, 61–78, sowie seine bereits zit. Studien; Evans Hg., Underworld; ders., In Pursuit of the Untertanengeist: Crime, Law, and Social Order in German History, in: ders., Rethinking, 156–87; F. Sack, Probleme der Kriminalsoziologie, in: HES XII.1978[3], 192–492. Belege, Zahlenangaben und Beurteilung nach: Johnson, Crime Rate, 164, 169, 171f.; ders., Roots, 354f., 358f., 361, 363, 369, 375; Johnson u. McHale, 387, 391f., 394; McHale u. Johnson, 56, 70, 215, 219, 231, 243.

[7] Vgl. allg. Reulecke, Urbanisierung, 68–169; Krabbe, Stadt, 48–179; Matzerath, Urbanisierung I, 241–384; Hofmann, Aufgaben, 479–638; ders., Entwicklung, 77–84; Hardtwig, Bürgertum, Selbstverwaltung, 52–68; ders., Großstadt u. Bürgerlichkeit in der polit. Ordnung des Kaiserreichs, in: L. Gall Hg., Stadt u. Bürgertum im 19. Jh., München 1990, 19–60; Krabbe, Munizipalsozialismus, 266–78; ders., Qualifikation u. Ausbildung der Gemeindebeamten vor 1914, in: Archiv für Kommunalwissenschaften 20.1981, 245–58; ders., Eingemeindungsprobleme vor dem Ersten Weltkrieg, in: Die alte Stadt 7.1980,

368–87; Hartog, Stadterweiterung. Vorzüglicher zeitgenössischer Überblick in: VfS Hg., Verfassungs- u. Verwaltungsorganisation der Städte, 7 Bde (= SVS 117; 119/1, 2; 120/1–4), Leipzig 1906/07; ders. Hg., Gemeindebetriebe, 16 Bde (= SVS 128; 129/1–10; 130/1–5), Leipzig 1908–12; von einem VfS-Verehrer: W. H. Dawson, Municipal Life and Government in Germany, London 1914. – Hofmann, Aufgaben, 588f.; ders., Entwicklung, 80, Tab. 2; Matzerath, Urbanisierung I, 336–38; T. P. Hughes, Networks of Power: Electrification in Western Society 1880–1930, Baltimore 1983; J. P. McKay, Tramways and Trolleys. The Rise of Urban Mass Transportation in Europe, Princeton 1976; Krabbe, Stadt, 115, 121; Thienel, Verstädterung, 79–83; Wischermann, Wohnung, 76–82. – Übersicht 72: nach Hofmann, Entwicklung, 80; Krabbe, Munizipalsozialismus, 282. Basis: SVS 128, 1908; danach: Dawson. – Zu den Schulen vgl. vorn V.2a u. 6. Teil, V.2a. – Gesundheitssystem: J. Reulecke u. A. zu Castell Rüdenhausen Hg., Stadt u. Gesundheit. Zum Wandel von «Volksgesundheit» u. kommunaler Gesundheitspolitik im 19. u. frühen 20. Jh., Stuttgart 1991; B. Witzler, Stadt u. Hygiene – Gesundheitspolitik 1871–1914, Wiesbaden 1994; R. Spree, Zu den Veränderungen der Volksgesundheit 1870–1913 in Deutschland, in: Conze u. Engelhardt Hg., Arbeiterexistenz, 235–92; ders., Bedeutung, 182f., 185, 192; Matzerath, Urbanisierung I, 340–43; L. Teleky, Die Entwicklung der Gesundheitsfürsorge: Deutschland, England, USA, Göttingen 1950; noch immer: Mosse u. Tugendreich Hg.; Prinzing Hg.; Rothenbacher u. Gransche. Vgl. G. Göckenjan, Kurieren u. Staat machen. Gesundheit u. Medizin in der bürgerl. Welt, Frankfurt 1985; A. Labisch u. R. Spree, Medizin. Deutungsmacht im sozialen Wandel, Bonn 1989; H. Schadewaldt u. J. H. Wolf Hg., Krankenhausmedizin im 19. Jh., München 1983; Schadewaldt Hg., Studien zur Krankenhausgeschichte im 19. Jh. in Deutschland, 2 Bde, Göttingen 1975–76; W. Artelt u. W. Rüegg Hg., Der Arzt u. der Kranke der Gesellschaft des 19. Jh., Stuttgart 1967; M. Pflanz, Medizinsoziologie, in: HES XIV.1973[3], 237–344. – Sachße u. Tennstedt, Armenfürsorge I, 195–266; Schmoller, Soziale Frage, 334; H. Beckstein, Städt. Interessenpolitik. Organisation u. Politik der Städtetage in Bayern, Preußen u. dem Deutschen Reich 1896–1923, Düsseldorf 1991; A. v. Saldern, Gewerbegerichte im wilhelmin. Deutschland, in: Fs. W. Treue, München 1969, 190–203; J. Reulecke, Stadtbürgertum u. bürgerl. Sozialreform im 19. Jh. in Preußen, in: Gall Hg., Stadt, 171–97. – Nahrstedt, Freizeit; G. Huck Hg., Sozialgeschichte der Freizeit, Wuppertal 1980; Krabbe, Stadt, 155–60; Matzerath, Urbanisierung I, 370; Hofmann, Aufgaben, 583; Langewiesche, Kommune, 623, 626, 628f., 633.

[8] Krabbe, Stadt, 121–26, 136–39; ders., Eingemeindung; Reulecke, Urbanisierung; Hofmann, Aufgaben; ders., Oberbürgermeister, 20–29; ders., Entwicklung, 83f.; Matzerath, Urbanisierung I, 351f.; Hardtwig, Bürgertum, 56. – L. Gall, Stadt u. Bürgertum im 19. Jh., in: ders. Hg., dass., 6; beste Einzelstudie zur Genese der modernen Verwaltung in zwei Städten: Schmuhl, Braunschweig u. Nürnberg; D. Hein, Bad. Bürgertum. Soziale Struktur u. kommunalpolit. Ziele im 19. Jh., in: Gall Hg., Stadt, 77, 81f., 83–87, 90–95; Hardtwig, Großstadt, 19–64; F. Lenger, Bürgertum u. Stadtverwaltung in rhein. Großstädten des 19. Jh., in: Gall Hg., Stadt, 97–169. Instruktiv: M. Niehuss, Strategien zur Machterhaltung bürgerl. Eliten am Beispiel kommunaler Wahlrechtsänderungen im ausgeh. Kaiserreich, in: Best Hg., Politik 60–91; P. Ayçoberry, Les luttes pour le pouvoir dans les grandes villes de l'Allemagne impériale, in: MS 136.1986, 83–102; Hofmann, Preuß. Stadtverordnetenversammlungen, 31–55. Vgl. allg. Hofmann, Aufgaben, 607f. (607: bayr. Städte), 612; Krabbe, Stadt; Reulecke, Urbanisierung; Matzerath, Urbanisierung I, 358f.; H. Croon, Das Vordringen der polit. Parteien im Bereich der kommunalen Selbstverwaltung, in: ders. u. a., Kommunale Selbstverwaltung im Zeitalter der Industrialisierung, Stuttgart 1971, 15–58; A. v. Saldern, Sozialdemokrat. Kommunalpolitik in wilhelmin. Zeit, in: K. H. Naßmacher Hg., Kommunalpolitik u. Sozialdemokratie, Bonn 1977, 18–62, v. a. 69; Hofmann, Entwicklung, 83; Croon, Bürgertum u. Verwaltung, 31–33; ders., Auswirkungen, 92; Hardtwig, Großstadt, 25–29, 32–35, 41, 46–50, 58; ders., Bürgertum, 55, 60–62; ders., Räume, 65–68, 151; Krabbe, Stadt, 64f.; Albrecht, Regensburg, 19–24; Jochmann II, 37–40, 59–76; Henning, Essen, 29f., 34; Hofmann, Bielefeld, 166f.; Köll-

mann, Barmen, 268f., 294; allg. Sheehan, Liberalism and City; Langewiesche, Deutscher Liberalismus.

[9] Vgl. vorn I.2, v. a. Becher, Lebensstil; W. J. Mommsen, Stadt u. Kultur im deutschen Kaiserreich, in: T. Schabert Hg., Die Welt der Stadt, München 1991, 69–116; Reulecke, Sozialkommunikativer Wandel, sowie wieder ders., Urbanisierung; Matzerath, dass. I; Krabbe, Stadt. Allg. E. K. Scheuch, Soziologie der Freizeit, in: HES XI.1977³, 1–192; ders. u. R. Meyersohn Hg., Soziologie der Freizeit, Köln 1972; G. Scherhorn, Soziologie des Konsums, in: HES XI. 1977³, 193–265. – H.-J. Teuteberg Hg., Durchbruch zum modernen Massenkonsum. Lebensmittelmärkte u. -qualität im Städtewachstum des Industriezeitalters, Münster 1987; ders. u. G. Wiegelmann, Unsere tägl. Kost, ebd. 1986; ders., Periods and Turning-Points in the History of European Diet, in: A. Fenton u. E. Kisbán Hg., Food in Change, Edinburgh 1986, 11–23; ders., Der Verzehr von Nahrungsmitteln in Deutschland pro Kopf u. Jahr 1850–1975, in: AfS 19.1979, 331–88; ders., Die Nahrung der sozialen Unterschichten im späten 19. Jh., in: E. Heischkel-Artelt Hg., Ernährung u. Ernährungslehre im 19. Jh., Göttingen 1976, 205–87. – Lees, Pride, 43–54; Merkl, 65–67; Hardtwig, Großstadt. Noch immer zum internationalen Vergleich: W. B. Munro, The Government of European Cities, N. Y. 1919; F. F. Goodnow, Comparative Administrative Law: USA, England, France, and Germany, N. Y. 1903; Dawson; vorzüglich jetzt: F. Lenger, Großstädt. Eliten vor den Problemen der Urbanisierung: ein deutsch-amerikan. Vergleich 1870–1914, in: GG 21.1995.

[10] Vgl. vorn I.1, auch Bd. II, 3. Teil, I. Aus der zit. Lit. v. a. Marschalck, Überseewanderung; Walker, Emigration; Mönckemeyer, Auswanderung. Hier zur Auswanderung: Hohorst u. a., SgAb, 38f. (Jahreszahlen u. Zielgebiete); Köllmann, in: HSW II, 30–35; K. J. Bade, Die deutsche übersee. Massenauswanderung im 19. u. 20. Jh., in: ders. Hg., Auswanderer I, 262–65, 269–76; ders., German Emigration to the United States and Continental Immigration to Germany in the Late 19th and Early 20th Centuries, in: CEH 13.1980, 348–77; ders., Transatlantic Emigration and Continental Immigration: The German Experience Past and Present, in: ders. Hg., Population, 135–62; R. R. Doerries, German Transatlantic Migration From the Early 19th Century to 1939, in: ebd., 115–34; W. P. Adams Hg., Die deutschsprach. Auswanderung in die Vereinigten Staaten, Berlin 1980; Moltmann Hg., Amerikaauswanderung; C. Hansen, Die deutsche Auswanderung im 19. Jh. – ein Mittel zur Lösung sozialer u. sozialpolit. Probleme? in: ebd., 8–61; G. Moltmann, Nordamerikan. «Frontier» u. deutsche Auswanderung – soziale «Sicherheitsventile» im 19. Jh.? in: 1. Fs. F. Fischer, 279–96; ders., Auswanderung als Revolutionsersatz? in: Salewski Hg., 272–97; F. Thistlethwaite, Migration From Europe Overseas in the 19th and 20th Centuries, in: H. Moller Hg., Population Movements in Modern European History, N. Y. 1964, 79–92; H. Wander, Migration and the German Economy, in: B. Thomas, Economics of International Migration, London 1958, 197–214. – Zur Zuwanderung: grundlegend erneut K. J. Bade, Vom Auswanderungsland zum «Arbeitseinfuhrland»: Kontinentale Zuwanderung u. Ausländerbeschäftigung in Deutschland im späten 19. u. frühen 20. Jh., in: ders. Hg., Auswanderer II, 433–44; ders., Labour, 59, 62–75; ders., Vom Export der Sozialen Frage zur importierten sozialen Frage. Deutschland im transnationalen Wanderungsgeschehen seit der Mitte des 19. Jh., in: ders. Hg., Auswanderer I, 9–72; ders., Vom Auswanderungsland zum Einwanderungsland. Deutschland 1880–1980, Berlin 1983; ders., Transnationale Migration u. Arbeitsmarkt im Kaiserreich. Vom Agrarstaat mit starker Industrie zum Industriestaat mit starker agrar. Basis, in: T. Pierenkemper u. R. H. Tilly Hg., Histor. Arbeitsmarktforschung, Göttingen 1982, 182–211; ders., Politik u. Ökonomie der Ausländerbeschäftigung im preuß. Osten 1885–1914. Die Internationalisierung des Arbeitsmarkts im «Rahmen der preuß. Abwehrpolitik», in: Puhle u. Wehler Hg., 273–99; ders., «Preußengänger» u. «Abwehrpolitik»: Ausländerbeschäftigung, Ausländerpolitik u. Ausländerkontrolle auf dem Arbeitsmarkt in Preußen vor 1914, in: AfS 24.1984, 90–162; H.-J. Rach, «Schnitterkasernen» in der Magdeburger Börde, in: Jb. für Volkskunde u. Kulturgeschichte 17.1974, 171–92. Vorzüg-

lich: U. Herbert, Geschichte der Ausländerbeschäftigung in Deutschland 1880–1980, Berlin 1993[2], 15–81; W. Köllmann, Ausländ. Arbeitnehmer in Deutschland vor dem Beginn der Gastarbeiterzuwanderung, in: ZfU Beih. 32.1984, 5–54; G. Ambrosius, Ausländerbeschäftigung u. Strukturentwicklung in der deutschen Wirtschaft seit dem Ende des 19. Jh., in: SM 16.1982, 27–49; H. Schäfer, Italien. «Gastarbeiter» im Deutschen Kaiserreich 1890–1914, in: ZfU 27.1982, 192–214; R. Del Fabbro, Italien. Industriearbeiter im wilhelmin. Deutschland 1890–1914, in: VSWG 76.1981, 202–28; ders., Wanderarbeiter oder Einwanderer? Die italien. Arbeitsmigranten in der wilhelmin. Gesellschaft, in: AfS 32.1992, 207–29; E. Werner, Die Slowenen im Ruhrgebiet, in: SW 9.1958, 247–61; M. Forberger, Ausländerbeschäftigung, Arbeitslosigkeit u. gewerkschaftl. Sozialpolitik 1890–1918, in: AfS 27.1987, 51–81; J. Nichtweiss, Die ausländ. Saisonarbeiter in der Landwirtschaft der östl. u. mittleren Gebiete des Deutschen Reiches 1890–1940, Berlin 1959.

II. Strukturbedingungen und Entwicklungsprozesse der Wirtschaft

[1] Spiethoff I, 83f., 123–39, 146f., vgl. die Tabellen und Graphiken in II; Holtfrerich, Growth, 130; A. Marshall, Official Papers, London 1926, 98f.; F. Eulenburg, Die Preissteigerung des letzten Jahrzehnts, Leipzig 1912, 5f., vgl. 18f.; E. J. Hobsbawm, The Age of Empire, London 1987, 37, vgl. 35–43, dt. Das imperiale Zeitalter 1871–1914, Frankfurt 1989; Kral, 66, vgl. ebd. F. X. v. Neumann-Spallart, Einleitung, 15; Beer, Welthandel II/2, 286–95; Jacobs u. Richter, 43f., 66–68, 78f., die Tabellen: 52–101; Eagly, 104 (Index); Übersichten in: Spiethoff II, T. 35–37; anon., Preise industrieller Fertigwaren, in: VSDR 43.1934/2, 184–90; L. Hertel, Die Preisentwicklung der unedlen Metalle u. der Steinkohle seit 1850, Diss. Halle 1911; O. Schmitz, Die Bewegung der Warenpreise 1851–1902, Berlin 1903; Helfferich, Geld, 576; L. Klemens, Zur Entwicklung der Preise von «Textilien» in Deutschland 1825–1914, in: JbW 1962/IV, 192–95; E. Nasse, Das Sinken der Warenpreise 1873–88, in: JNS 17.1888, 52, vgl. 50–66, 129–81; Däbritz, Bewegungen, 17, 20f., 29, 97f.; vgl. Sombart, Kapitalismus III/2, 565; Aftalion II, 18; Donner, 97. – Bauwirtschaft: Clausing, 26–62, 174; Ehrke, 72–160. – Spiethoff I, T. 1; Riesser, 109; Pohle, 83; Wagon, 16–172; O. Dermietzel, Statist. Untersuchungen über die Kapitalrente der größeren deutschen AG 1876–1902, Diss. Göttingen 1906; W. G. Hoffmann, Die unverteilten Gewinne der Kapitalgesellschaften in Deutschland 1871–1957, in: ZGS 115.1959, 271–91, v. a. 277f.; ders. u. Müller, Volkseinkommen, 125, 142, 432; ders., Long-Term Growth; S. Kuznets, International Differences in Capital Formation and Financing, in: M. Abramovitz Hg., Capital Formation and Economic Growth, Princeton 1955, 19–106. – Ruhr: Bacmeister, Baare, 123, 132f.; Bericht der Eisen-Enquête-Kommission, in: Drucksachen zu den Verhandlungen des Bundesrates des Deutschen Reiches I, Berlin 1879, Nr. 24, 11, 25; Bergmann, Ruhrkohlenbergbau, 35, 67, 140; Hinkers, 32; Hoerder Verein, 47f.; Mariaux, 223, 235; H. Lüthgen, Das Rhein.-Westfäl. Kohlensyndikat, Leipzig 1926, 3f.; Mertes, 166; Schunder, 212; Schneider, 14; Müssig, 18, 21; Matschoss, Ein Jh., 88 (Angaben für Übersicht 73: aus der Lit. von Bacmeister bis hierhin). Allg. zum Ruhrrevier: Köllmann u. a. Hg., Ruhrgebiet im Industriezeitalter, 2 Bde, 1990; hier v. a. W. Weber, Entfaltung der Industriewirtschaft I, 199–306; W. Beumer, 25 Jahre Tätigkeit des «Vereins zur Wahrung der gemeinsamen wirtschaftl. Interessen in Rheinland u. Westfalen», Düsseldorf 1896, 64; vgl. J. Winschuh, Der Verein mit dem langen Namen, Berlin 1932; G. Schulze, Verein zur Wahrung der gemeinsamen wirtschaftl. Interessen 1871–1934, in: LP 4, 379–402; W. Plumpe, Unternehmerverbände u. industrielle Interessenpolitik, in: Köllmann u. a. Hg. I, 655–727; Holtfrerich, Ruhrbergbau, 17, 89; ders., Relative Preise, Kapazität u. Produktion in der deutschen Kohlen- u. Eisenindustrie 1850–1913, in: Siegenthaler Hg., Ressourcenverknappung, 107–23; Fs. zum 8. Allg. Deutschen Bergmannstag 1901, Berlin 1901, 175–78; Jüngst, 4f.; R. Plönes, Die Übererzeugung im rhein. Braunkohlenbergbau 1877–1914, Jena 1935, 112–16. – Saar: Müssig, 44; Born, 33f.; v. Brandt, 43f.; Hasslacher, 117–26; Müller, Übererzeugung. – Siegerland:

Bennauer, 171, 180; Bähren; R. Utsch, Die Entwicklung u. volkswirtschaftl. Bedeutung des Eisenerzbergbaus u. der Eisenindustrie im Siegerland, Diss. Tübingen/Görlitz 1913. – Marchand, 103, 107, 116f., 120f.; Röhll, 104–15; R. Martin, Die Eisenindustrie in ihrem Kampf um Absatzmärkte, Leipzig 1904, 47, 218; Jersch-Wenzel u.a., 128f., 409; vgl. J. Krengel, Die deutsche Roheisenindustrie 1871–1913, Berlin 1983; Wagemann, Struktur, 387; Statist. Hdb. Reich I, 256, 262; Spiethoff II, T.1 u. 13; Mottek, Gründerkrise, 92f., 106; Sering, Eisenzölle, 156; SJDR 3.1882, 31; Statistik der Bundesrepublik Deutschland 199, 60 (Verkehr). – Berlin: Wiedfeldt, 98f., 110; Müller-Jabusch, 62f.; Mottek, Gründerkrise, 73; Doogs, 96f.; Lüke, 41–54; R. H. Tilly, Berlin als preuß. u. deutsches Finanzzentrum, in: W. Ribbe u. J. Schmädeke Hg., Berlin im Europa der Neuzeit, Berlin 1990, 199–210; Hammacher an Haniel, 12. 3. 1876, Nl. Hammacher 21, Bundesarchiv Potsdam; vgl. Bein, Hammacher, 72. Allg. zur Konjunkturgeschichte von 1873 bis 1914: Rosenberg, Große Depression, 22–62; Wehler, Bismarck u. der Imperialismus, 61–111; Spree, Wachstumszyklen, 352–62; Landes, Prometheus; Schumpeter, Konjunkturzyklen I, 374–78; Spiethoff I, II; Schmoller, Grundriß II, 478–95; Pinner, 151–269; Burns, Business Cycles; Hoffmann, Wachstumsschwankungen; Milward, Fluctuations; Coppock, Causes of Business Fluctuations, 188–219; Eagly; Mottek, Gründerkrise, 51–128; v. Kruedener, Preuß. Bank; N. C. R. Crafts, Gross National Product in Europe 1870–1910, in: EEH 20.1983, 387–401; ders., Patterns; Holtfrerich, Growth, 124–32; A. Maddison, Industrial Productivity Growth in Europe and in the United States, in: Economica 21.1954, 308–19; ders., World Economy Performance Since 1870, in: C.-L. Holtfrerich Hg., Interactions in the World Economy, N.Y. 1989, 223–38; R. Fremdling, Commodity Output in Great Britain and Germany 1855–1913, in: P. O'Brien Hg., International Productivity Comparisons and Problems of Measurement 1750–1939, Berlin 1986, 36–45; ders., German National Accounts for the 19th and Early 20th Century, in: VSWG 75.1988, 339–57; W. Abelshauser, Wirtschaftl. Wechsellagen, Wirtschaftsordnung u. Staat: Die deutschen Erfahrungen, in: D. Grimm Hg., Staatsaufgaben, Baden-Baden 1994, 199–232; Hentschel, Produktion, 466–78; K. Borchardt, Wandlungen des Konjunkturphänomens in den letzten 100 Jahren, in: ders., Wachstum, 73–99; ders., in: HWS II, 204–75; Fischer, in: HWS II, 527–51; ders., in: HEWS V, 391–425, 100–207; Milward u. Saul II; Born, Kaiserreich; ders., Wirtschaftsentwicklung u. Wirtschaftsstil 1871–81, in: Fs. Treue, 1969, 173–89; Tilly, in: HWS II, 563–96; Wagenführ, Industriewirtschaft; ders. u. H. v.d. Decken, Entwicklung u. Wandlung der Sachgüterproduktion 1880–1933, in: VzK 11.1936/37, 145–63; ders., Die Bedeutung des Außenmarktes für die deutsche Industriewirtschaft 1870–1936, VzK SoH. 41, Berlin 1936; Wagemann, Konjunkturlehre; ders., Struktur. – Eine vorzügliche Quelle sind die zeitgenössischen Sammlungen von F. X. Neumann-Spallart, Übersichten der Weltwirtschaft I: 1878, II: 1879, III: 1880, IV: 1881/82, V: 1883/84, Berlin 1878–1887, fortgesetzt von F. v. Juraschek Hg., 6 Bde (1885–89), ebd. 1896; R. Calwer Hg., Das Wirtschaftsjahr, 1900–1913, 14 Bde, Jena 1901–16; vgl. auch Huber, 50 Jahre, 33–87. – Über den internationalen Charakter der Konjunkturfluktuationen: P. Gourevitch, Politics in Hard Times: Comparative Responses to International Economic Crises, Ithaca 1986, 71–123; ders., International Trade, Domestic Coalitions and Liberty. Comparative Responses to the Crisis of 1873–96, in: JIH 8.1977, 281–313; die bequemste Zusammenstellung der Literatur zu den wichtigen Industrieländern in: Wehler, Bismarck u. der Imperialismus, 509f. Vgl. dort die Studien zu England (Musson; Coppock; Saville; Wilson; Beales; Fletcher, Rostow; Tugan-Baranowsky, sowie Saul, Myth of the Great Depression), Frankreich (Cameron; Marczewski; Bouvier; Crouzet; Weiller; Landes; Kindleberger; Franke, sowie Kaelble, Industrialisierung in Frankreich, 323–55), Nordamerika (Fels; Rezneck; Abramovitz; Kuznets; Kendrick; Frickey; Silberling; Burns; Hoffman; Steeples; Lightner; Sprague; Burton; Wehler, Amerikan. Imperialismus, 24–36), Österreich (Neuwirth; Weber; Beer; Migerka; Werner; v.a. Matis, sowie D. F. Good, Stagnation and «Take-Off» in Austria 1873–1919, in: EHR 27.1974, 72–87) und Italien (Clough u. Livi; Gerschenkron; Cianci; Soldi). Vgl. P. N. Stearns, The Industrial Revolution in World

History, Boulder 1993. – Allg. zur deutschen Wirtschaftsgeschichte seit 1871/73 außer der bisher zit. Lit.: S. Pollard Hg., Wealth and Poverty: An Economic History of the 20th Century, Oxford 1990; F. B. Tipton u. R. Aldrich, An Economic and Social History of Europe I: 1890–1939, Baltimore 1987; G. Ambrosius u. W. Hubbard, Sozial- u. Wirtschaftsgeschichte Europas im 20. Jh., München 1986; Ambrosius, Staat u. Wirtschaft im 20. Jh., ebd. 1990; W. Fischer, Der deutsche Nationalstaat als Wirtschaftsmacht 1871–1945, in: Deutschland – Porträt einer Nation III: Wirtschaft, Gütersloh 1985, 107–50; K. W. Hardach, Wirtschaftsgeschichte Deutschlands im 20. Jh., Göttingen 1979[2]; methodisch überholt: P. H. Seraphim, Deutsche Wirtschafts- u. Sozialgeschichte, Wiesbaden 1966[2], und: W. F. Bruck, Social and Economic History of Germany 1890–1933, London 1938/ND N. Y. 1962; dogmatisch eingeschnürt: D. Baudis u. H. Nussbaum, Wirtschaft u. Staat in Deutschland I: Vom Ende des 19. Jh. bis 1918/19, Berlin 1978. Knappe Überblicke: K. H. Kaufhold, Grundzüge der wirtschaftl., gesellschaftl. u. polit. Entwicklung des Deutschen Reiches 1871–90, in: P. Schiera u. F. Tenbruck Hg., G. Schmoller in seiner Zeit, Berlin 1990, 95–125; K. E. Born, Der soziale u. wirtschaftl. Strukturwandel Deutschlands am Ende des 19. Jh., in: Wehler Hg., Sozialgeschichte, 271–84; D. Petzina, Materialien zum wirtschaftl. u. sozialen Wandel in Deutschland seit dem Ende des 19. Jh., in: Vierteljahrshefte für Zeitgeschichte (= VfZ) 17.21969, 308–38; W. Abelshauser u. ders., Krise u. Rekonstruktion. Zur Interpretation der gesamtwirtschaftl. Entwicklung Deutschlands im 20. Jh., in: Schröder u. Spree Hg., Konjunkturforschung, 75–104; wie gewohnt antiquiert: H. Pohl, Wirtschaft u. Gesellschaft 1871–1918, in: DVG III.1984, 16–70; ders., Wirtschafts- u. sozialgeschichtl. Grundzüge der Epoche 1870–1914, in: ders. Hg., Sozialgeschichtl. Probleme 1870–1914, Paderborn 1979, 13–55; unbefriedigend auch: Lütge, Wirtschaftsgeschichte, 444–67; das übliche Sammelsurium von Fehlurteilen: Kellenbenz, Wirtschaftsgeschichte II, 234–330, 467–72. Vgl. A. Sommariva u. G. Tullio, German Macroeconomic History 1880–1979, London 1987, sowie noch die älteren Sammelwerke: Statist. Reichsamt Hg., Das deutsche Volkseinkommen vor u. nach dem Kriege, Berlin 1932; Deutsche Wirtschaftskunde, ebd. 1930; Dresdner Bank Hg., Die wirtschaftl. Kräfte Deutschlands, ebd. 1913; Hdb. der Wirtschaftskunde Deutschlands, 4 Bde, Leipzig 1901–04; Kaiserl. Statist. Amt Bearb., Die deutsche Volkswirtschaft am Schluß des 19. Jh., Berlin 1900; Statist. Hdb. Reich, 2 Bde, 1907; Statist. Hdb. für den Preuß. Staat, 2 Bde, Berlin 1888/93.

[2] Vgl. Bd. II, 597–614; Jersch-Wenzel u. a., 128, 409; Statist. Hdb. Reich I, 256, 262; die preuß. Werte: Statist. Hdb. Preuß. Staat; Sering, Eisenzölle, 229; Holtfrerich, Ruhrbergbau, 16f.; Flegel u. Tornow, 66; W. Treue, Geschichte der Ilseder Hütte, Peine 1960; Rabius, 47; Röhll, 324; Muller, Saar, 32f.; Köln. Ztg. 5. 10. 1885 (Zentralverband); Mottek, Gründerkrise, 99. Ein Beispiel (Bacmeister, Baare, 123): Der Bessemer- und Siemens-Stahlausstoß des «Bochumer Vereins» kletterte bis 1879 ebenso hoch wie die Gußstahlfabrikation. – Bericht der Eisen-Enquête-Kommission, 36; Krupps Zirkular: Köln. Ztg. 2. 11. 1875; Baare vor der Enquête-Kommission 1878: Bacmeister, Baare, 209; Keibel, 29; Mariaux, 228; Holtfrerich, Ruhrbergbau, 54f.; Grunzel, 21; Pohle, 70; F. X. v. Neumann-Spallart, Die wirtschaftl. Lage, in: DR 14.1878, 454; vgl. ders., Die Lage des Welthandels; in: Meyers Jb. 1879/80.1880, 797–808; ders., Übersichten über Produktion, Welthandel u. Volksmittel, in: Geogr. Jb. 5.1874, 390–471; Bry, 329, 474–80; Desai, 125; Lösch, 103; Tyszka, Löhne; R. Kuczynski, Arbeitslohn u. Arbeitszeit in Europa u. Amerika 1879–1909, Berlin 1913; ders., Die Entwicklung der gewerbl. Löhne 1871–1908, ebd. 1909; Phelps Brown u. Hopkins, 232 (1867–1874: Anstieg in Deutschland um 30%, 1875–1879: Abfall um 14%), vgl. 258–62, 274; Natorp an Hammacher, 5. 2. 1877, Nl. Hammacher, 32; Marchand, 120f.; Mertes, 165; v. Winterfeld, 173; Däbritz, Bochumer Verein, 157–253; Kellen, Grillo, 52; Doogs, 96f.; Beer, Schwartzkopff, 114f. Vgl. Bennauer, 31; v. Brandt, 43; Denzel, 231f.; Beutin, HK, 284; Köllmann Hg., IHK, 168–74; Hoffmann u. a., Wachstum, 468, sowie I. Costas, Der Arbeitslose in der Periode der Hochindustrialisierung, in: Fs. H.-P. Bahrdt, Frankfurt 1983, 432–51; A. Faust, Konjunktur, Arbeitsmarkt u.

Arbeitslosenpolitik im Deutschen Kaiserreich, in: Petzina u. van Roon Hg., 235–55; ders., Konjunktur, Arbeitsmarktstruktur u. sozialpolit. Reaktionen: Arbeitsnachweis, Arbeitsbeschaffung u. Arbeitslosenversicherung im Deutschen Kaiserreich, in: Kellenbenz Hg., Wachstumsschwankungen, 145–64; Eagly, 104; v. Neumann-Spallart, Lage, 468; ders. Hg. II: 1879, 21f. (über die sozialen Folgen u. die «sozialistischen Umtriebe»); ders. Hg. IV: 1881/82, 53; Kral, 92; F. Stöpel, Die Handelskrisis in Deutschland, Frankfurt 1875, 4, 43, 48 (HK Bochum, Denkschrift 15.2. 1878); R. Höhn Hg., Die vaterlandslosen Gesellen 1878–1914 I, Köln 1964; 29 (29.12. 1879); vgl. L. Bamberger, Die Geschäftswelt angesichts der Geschäftslage in Deutschland, Mainz 1875, 6–8, 23; Loehnis, 150; Oechelhäuser, 71–81; Gareis; Berliner, 2; C. Pütz, Ursachen u. Tragweite der Krise in der Kohlen- u. Roheisen-Industrie Deutschlands, Gießen 1877; Heyderhoff Hg., Im Ring, 122, 142, 144, 196, 199, 212 (Roggenbachs Briefe 1876–86).

[3] Vgl. allg. zu den Innovationen: glänzend ist Landes, Prometheus; W. König u.a. Hg., Propyläen-Technikgeschichte IV: 1840–1914, Berlin 1992; Daumas Hg. IV, 1978; V, 1979; H. R. Schubert, The Steel Industry, in: Singer u.a., History of Technology V: 1850–1900, 1958, 53–71; R. Fremdling, Eisen, Stahl u. Kohle, in: Pohl Hg., Gewerbe- u. Industrielandschaften, 347–70; G. Plumpe, Techn. Fortschritt, Innovationen u. Wachstum in der deutschen Eisen- u. Stahlwirtschaft 1850–1900, in: Schröder u. Spree Hg., Konjunkturforschung, 160–85; W. Feldenkirchen, Wirtschaftswachstum, Technologie u. Arbeitszeit. Von der Frühindustrialisierung bis 1914, in: H. Pohl Hg., dass., Wiesbaden 1983, 75–155; W. N. Parker, Coal and Steel Output Movements in Western Europe 1880–1956, in: EEH 9.1956/57, 214–30; ders., National States and National Development: French and German Ore Mining in the Late 19th Century, in: H. G. J. Aitken Hg., The State and Economic Growth, N.Y. 1959, 201–12. Zum Stimulus für die lothringische Eisenerzförderung: M. Schlenker Hg., Die wirtschaftl. Entwicklung Elsaß-Lothringens 1871–1918, Frankfurt 1931; A. Greger, Die Montanindustrie in Elsaß-Lothringen seit 1870, Diss. München 1909. Vgl. Beck V, 253–69, 980–1083; Mertes, 124; Hoerder Verein, 28f.; Matschoss, Ein Jh., 89f.; Kempken, 30–33; Röhll, 141; Rabius, 118. Ähnlich senkte in der Sodaindustrie das revolutionäre Ammoniakverfahren die Gestehungskosten bis Ende der 70er Jahre von 10.45 auf 7.81 M. je 100 kg, während die Produktion steil anstieg: J. Goldstein, Deutschlands Sodaindustrie, Stuttgart 1896, 64, 71–76. – Export: Spiethoff I, 74; Hoffmann u.a., Wachstum, 530, vgl. 537f.; Wagenführ, Außenmarkt, 33–47; F. Soltau, Statist. Untersuchungen über die Entwicklung u. die Konjunkturschwankungen des Außenhandels, in: VzK 1.1926, Erg. H. 2, 15–48; A. Jacobsohn, Zur Entwicklung des Verhältnisses zwischen der deutschen Volkswirtschaft u. dem Weltmarkt in den letzten Jahrzehnten, in: ZGS 64.1908, 248–92. Werte: Statist. Hdb. Reich II, 9, 256f.; SJDR 3.1882, 86, 135; 9.1888, 76; A. Carnegie hat sein «Gesetz» mehrfach verkündet, u.a. in: ders., Deutschland u. Amerika in ihren wirtschaftl. Beziehungen, Berlin 1917, 17; vgl. E. A. G. Robinson, Structure of Competitive Industry, N.Y. 1932, 85f.; Bericht der Eisen-Enquête-Kommission, 1, 4, 9, 25, 33, 47, 232, 261, 410, 728; die Aussagen von Stumm auch in: A. Tille Hg., Die Reden von C. F. v. Stumm-Halberg II, Saarbrücken 1906, 23, 62, 147; vgl. v. Brandt, 43, 49; Müller, Saar, 31f. – Bacmeister, 128; SJDR 2.1881, 86, 125; Statist. Hdb. Reich II, 81; Sering, Eisenzölle, 159f.; Martin, 218; Kral, 91; Beer, Schwartzkopff, 128, 38; A. v. Borsig, Die Kartellgeschichte der deutschen Lokomotivindustrie, Diss. München 1927; F. Reuleaux, Briefe aus Philadelphia, Braunschweig 1877[2], 5; C. v. Tiedemann, Aus 7 Jahrzehnten II, Leipzig 1909, 249; vgl. seine Depressionsanalyse: 53, 88f., 63–71, 76f., 99, 178–85; E. Richter zit. nach: Wehler, Bismarck u. der Imperialismus, 73; Mariaux, 489; vgl. Beumer, 64, 96; Hansen, Mevissen II, 603, 609; Bein, Hammacher, 72, 88; H. A. Bueck, Der Zentralverband Deutscher Industrieller 1876–1901 I, Berlin 1902, 411 (Beutner 1879); F. C. Huber, Fs. zum 50jähr. Bestehen der württ. HK I, Stuttgart 1906, 164; Verhandlungen des 10. DHT 1881, 43, 48, 54; Mariaux, 199, 488f.; L. Brentano, Die Arbeiter u. die Produktionskrisen, in: Sch. Jb. 2.1878, 631; wörtl. in: ders., Die Arbeiterversicherung, Leipzig 1879; vgl. J. J. Sheehan, The Career of L. Brentano: A Study of Liberalism and

Social Reform in Imperial Germany, Chicago 1966; E. v. Weber zit. nach: Wehler, Bismarck u. der Imperialismus, 112; vgl. die Stimmen ebd. 112–26; A. Goldenberg, Über die projektierten Zollgesetze u. die Handelskrise, Straßburg 1879, 22, 32; J. Zeller, Über die plötzl. u. zeitweisen Stockungen der volkswirtschaftl. Bewegung, in: ZGS 34.1878, 652–83; 35.1879, 22–67; M. Wirth, Ursachen der gegemwärtigen Geschäftsstockung, in: VVPK 91.1886, 149–53; ders., Die Quellen des Reichtums, Köln 1886; H. Claussen, Überproduktion u. Krisis, in: PJ 44.1879, 490–517; E. Nasse, Über die Verhütung der Produktionskrisen durch staatl. Fürsorge, in: Sch. Jb. 3.1879, 150f., 145f., 189; Stöpel, 6; Hansen, Mevissen II, 618, 620–26 (1878), vgl. I, 778; Lexis, Überproduktion, 296f., 299f.; Herkner, Krisen, 300; Neurath, Ursachen, 29f., vgl. 5f.; ders., Elemente, 321–25, 391–97, 437–80; v. Bergmann, 57f.; A. Wagner, Grundlegung der Polit. Ökonomie II, Leipzig 1894[3], 147, vgl. 144–48; vgl. E. A. Clark, A. Wagner, in: PSQ 55.1940, 376–411. – R. v. Gneist, Der Rechtsstaat u. die Verwaltungsgerichte in Deutschland (1879), ND Darmstadt 1958, 328f.; vgl. auch Roggenbachs Klage über die «Frivolität der herrschenden Klassen», in: Heyderhoff Hg., Im Ring, 196 (3. 12. 1878). Vgl. außer v. Bergmann hierzu: K. Zimmermann, Das Krisenproblem in der neueren nationalökonom. Theorie, Halberstadt 1927; J. Schumpeter, Epochen der Dogmen- u. Methodengeschichte, in: GdS 1.1914, 19–124; ders., Ökonom. Analyse II, 917–42, 1355–78, 1409–39; T. W. Hutchison, A Review of Economic Doctrines 1870–1929, Oxford 1953, 344–408; W. W. Rostow, Theorists of Economic Growth, Oxford 1990; K. Pribram, Geschichte des ökonom. Denkens, Frankfurt 1992; D. Karras, Nationalökonomie u. Geschichte. Die Entfaltung von Theorie auf der Basis der Industrialisierung, München 1975; H. Winkel, Die deutsche Nationalökonomie im 19. Jh., Darmstadt 1971.

[4] Rosenberg, 1857/59, 194; DHT Hg., Das deutsche Wirtschaftsjahr 3.1882, 1884, 48, 50; vgl. 1.1880, 1881; 2.1881, 1882. Allg. I. König, HK zwischen Kooperation u. Konzentration, Köln 1981; V. Dorsch, Die HK der Rheinprov. 1850–1900, Wiesbaden 1982; Fischer, Herz des Reviers. – Burns, Business Cycles, 231; Spiethoff I, 125; II, T.20; Conrad, Grundriß I, 274; Huber, Fs. II, 21; Jersch-Wenzel u. a., 128f., 409f.; Marchand, 116f., 120f.; P. Kehrein, Konjunktureinflüsse in der Großeisenindustrie 1880–1914, Diss. Frankfurt/Gelnhausen 1930; G. Goldstein, Die Entwicklung der deutschen Roheisenindustrie seit 1879, Diss. Halle 1908; F. Rips, Die Stellung der deutschen Eisenindustrie in der Außenhandelspolitik 1870–1914, Diss. Jena 1941; zuletzt: Krengel, Roheisenindustrie; W. Feldenkirchen, Die Eisen- u. Stahlindustrie des Ruhrgebiets 1879–1914, Wiesbaden 1982; ders., Das Wachstum der Eisen- u. Stahlindustrie des Ruhrgebiets 1879–1914, in: Kellenbenz Hg., Wachstumsschwankungen, 185–235; Holtfrerich, Ruhrbergbau, 17, 52, 23; Grunzel, 121; Hinkers, 48f.; Bergmann, 67; Lüthgen, 3; Pohle, 70; Beumer, 104; Berdrow II, 344 (16. 1. 1886), Keibel, 29; Müssig, 18; v. Brandt, 45; Hasslacher, 51f., 126; Bonnauer, 22f., 61–68; V. Hentschel, Wirtschaftl. Entwicklung, soziale Mobilität u. nationale Bewegung in Oberschlesien 1871–1914, in: W. Conze u. a. Hg., Modernisierung u. nationale Gesellschaft im ausgeh. 18. u. 19. Jh., Berlin 1979, 231–73; Nasse, Sinken, 52, vgl. 50; v. Neumann-Spallart, Lage des Welthandels, 800; ders. Hg. II, 23, 286; IV, 16, 69f.; V, 83f., 267; L. Francke, Preußens Handel u. Industrie 1881, in: ZKPSB 23.1883, 110–73; S. Blankertz, Die Ursachen der Stockungen im Erwerbsleben der modernen Industriestaaten, in: Zeitschrift für deutsche Volkswirtschaft 2.1881, 718, 721, 727, vgl. 3.1882, 378–403; E. Struck, Die Weltwirtschaft u. die deutsche Volkswirtschaft 1881–83, in: Sch. Jb. 9.1885, 1283f., 1287, 1289. – Der Deutsche Ökonomist 1.1882, 1f. (30.12.), 333 (1.9. 1883); Hoffmann u. a., Wachstum, 530f. (Exportindex), 142 (Nettoinvestitionen); Soltau, 15–48; R. H. Tilly, Zur Finanzierung des Wirtschaftswachstums in Deutschland u. Großbritannien 1880–1913, in: E. Helmstädter Hg., Die Bedingungen des Wirtschaftswachstums in Vergangenheit u. Zukunft, Tübingen 1984, 263–86; K. D. Barkin, The Imperial German Economy in Comparative Perspective, in: Two Different Paths to Modernity. Comparative Aspects of German and American History 1871–1914, Stuttgart 1995; vgl. die Exportwerte in: Statist. Hdb. Reich II, 265f.

[5] Holtfrerich, Growth, 130; v. Neumann-Spallart Hg. IV, 69; V, 267; vgl. v. Juraschek Hg. IV-IX; V. Böhmert, Wandlungen der deutschen Volkswirtschaft 1882–1907, in: Der Arbeiterfreund 48.1910, 1–36, 126–62, 239–88; J. S. Pesmazoglu, A Note on the Cyclical Fluctuations of the Volume of German Home Investment 1880–1913, in: ZGS 107.1951, 151–71; ders., Some International Aspects of German Cyclical Fluctuations 1880–1913, in: WA 64.1950/I, 77–110; Spiethoff I, 128f.; Burns, Business Cycles, 231; Jersch-Wenzel u. a., 128f., 409; Holtfrerich, Ruhrbergbau, 17, 23, 52, 55, 89; Grunzel, 121; Müller, Saar, 91–93; Bennauer, 69, 171, 22–31, 55–73. Vgl. zur Papierindustrie: B. Nadolny, F. H. Schoeller u. die Papiermacherkunst in Düren, Baden-Baden 1957, 132–61. – Zeitschrift für das Berg-, Hütten- u. Salinenwesen im Preuß. Staat 32.1884, 609f. (Lagebericht 1883); 33.1885, 315 (dass. 1884); Oberpräsidentenberichte in: Kuczynski, Lage II, 73f. (15., 31. 5., 7. 11. 1883; dort auch Eingabe des Langnam-Vereins 15.9. 1884); R. Sonnemann, Die Auswirkungen des Schutzzolls auf die Monopolisierung der deutschen Eisen- u. Stahlindustrie 1879–92, Berlin 1960, 64 (2. 6. 1885); J. Hirsch, Der moderne Handel, Tübingen 1925²; Hoffmann u. a., Wachstum, 530f.; Spiethoff II, T. 1 u. 2; Pohle, 83; H. Kleiner, Emissions-Statistik in Deutschland, Diss. München/Stuttgart 1914; Volkswirtschaftl. Chronik für das Jahr 1901, Jena 1902, 542; Bry, 329; Desai, 125; M. Schippel, Das moderne Elend u. die moderne Übervölkerung, in: M. Wirth, Wagner, Rodbertus, Bismarck, Leipzig 1885², 322; Nasse, Sinken, 50, vgl. 62; Hammacher zit. nach der Originalquelle in: Wehler, Bismarck u. der Imperialismus, 121; vgl. Bein, 91; W. Blumenberg Hg., A. Bebels Briefwechsel mit F. Engels, Den Haag 1965, 208 (B. an E., 28. 12. 1884), vgl. 237 (19. 9. 1885), 262 (9. 3. 1886). Engels' Urteil über die Wachstumsstörungen: MEW 36, 382, 433, 525; MEW 25, 23, 39f., 506. W. Hübbe-Schleiden, Deutsche Kolonisation, Hamburg 1881, 62, 97; Moldenhauer, in: Deutsche Kolonial-Zeitung 1.1884, 141f.; vgl. zahlreiche ähnliche Stimmen, in: Wehler, Bismarck u. der Imperialismus, 121–93; L. Brentano, Über eine zukünftige Handelspolitik des Deutschen Reiches, in: Sch. Jb. 9.1885, 16, 19; ders., Über die Ursachen der heutigen sozialen Not, Leipzig 1889, 20; A. Allard, Die wirtschaftl. Krisis, Berlin 1885; H. Delbrück, Die wirtschaftl. Not. Die Überproduktion. Die Währungsfragen, in: PJ 57.1886, 309, 314, 316; vgl. F. Kalle, Über die Welthandelskrisis, in: Gegenwart 30.1886, 209f.; MdR A. Gehlert, Überproduktion u. Währung, Berlin 1887, 13, 18; M. Wirth, Über die Ursachen des jüngsten Fallens der Preise, in: VVPK 64.1879, 148; anon., Überproduktion, in: Gb 46.1887/IV, 13f., 68, 72; E. D'Avis, Die wirtschaftl. Überproduktion, in: JNS 51.1888, 465, 468, 480; K. Wasserab, Preise u. Krisen, Stuttgart 1889, 35f., 46–74; J. Wolf, Die gegenwärt. Wirtschaftskrisis, Tübingen 1888, 3, 5, 8, 15, 18, 21, 23. Zur Debatte unter den Nationalökonomen vgl. Anm. 3.

[6] Burns, Business Cycles, 231; Spiethoff II, T.1 u. 2; W. Christians, Die deutschen Emissionshäuser u. ihre Emissionen 1886–91, Berlin 1893; Hoffmann, Unverteilte Gewinne; ders. u. Müller, Volkseinkommen, 16; Jersch-Wenzel u. a., 128f., 409; Holtfrerich, Ruhrbergbau, 17, 23, 52, 90; vgl. H. G. Schacht, Zur Finanzgeschichte des Ruhrkohlebergbaus, in: Sch. Jb. 37.1913, 1231–69. – Hoffmann u. a., Wachstum, 530f., vgl. 463; Bry, 325, 329, vgl. 333, 335, 339, 346, 384, 466, 474–80; Desai, 125; v. Tyszka, 263–88; Ehrenberg, Durchschnittverdienste, 209; F. Grumbach u. H. König, Beschäftigung u. Löhne der deutschen Industriewirtschaft 1888–1915, in: WA 79.1957/II, 125–55. – W. Gehlhoff, Die allg. Preisbildung 1890–1913, München 1928; ders., Preisindices 1889–1939, in: Spiethoff II, T.38a-e; dazu G. Tintner, Die allg. Preisbildung 1890–1913, in: Sch. Jb. 57.1933, 255–64. Vgl. M. Meyer, Der internationale Geldmarkt 1889–91, München 1892; W. Prion, Das deutsche Wechseldiskontgeschäft, Leipzig 1907; F. Lampus, Import u. Konjunktur 1890–1913, Diss. Frankfurt/Weinheim 1931. – Zur Periode von 1890 bis 1895: M. Wirth, The Crisis of 1890, in: JPE 1.1893, 214–36; M. Mendelson, Die Entwicklungsrichtungen der deutschen Volkswirtschaft, in: Zeitschrift für Sozialwissenschaft 3.1912, 163–72, 259–82, 342–50, 402–9, 528–40, 638–60, 693–704, 767–78; J. Hammacher, Die Konjunkturen in der deutschen Eisen- u. Maschinen-Großindustrie 1892–1911, München 1914; E. Busch, Ursprung u. Wesen der wirtschaftl. Krisis, Leipzig 1892. Hier v. a. Spiethoff II, T.1

u. 2; Christians; Hoffmann, Unverteilte Gewinne; ders. u. Müller, Volkseinkommen, 16; Jersch-Wenzel u. a., 128, 409; Holtfrerich, Ruhrbergbau, 17, 23, 52, 89; Hoffmann u. a., Wachstum, 530f., vgl. 149–57; Desai, 125; Gehlhoffs Tabellen zu den deutschen Preisen in: Spiethoff II, 38a-e.

[7] Vgl. allg. die Lit. zur deutschen Konjunkturgeschichte vorn in Anm. 1. Hier: Landes, in: CEHE VI/1, 461–63; T. Vogelstein, Die finanzielle Organisation der kapitalist. Industrie, in: GdS 6.1914, 187–246; Snyder, 26–36; Lewis, World Production, 105–38; Maddison, Growth and Fluctuation, 127–95; Paige, 24–49; Pedersen u. Petersen, Price Behavior 1855–1913; Hoffmann u. a., Wachstum, 13f., 26, 33 (danach auch: Übersicht 74, vgl. vorn Übersicht 52). Vgl. hierzu und zum folgenden stets allg. ders., Wachstumsschwankungen; Hesse u. Gahlen. – Die Zehnjahreswerte des Volkseinkommens (Hoffmann u. Müller, 16; vgl. Hölling) weisen eine ähnliche Retardierung auf: 1860/69 = 10.67 Mrd. M/p. c. 272–1870/79 = 13.59 Mrd. M/p. c. 320 (nur + 48) – 1880/89 = 18.95 Mrd. M/p. c. 406 (+ 56). – Holtfrerich, Growth, 127–31; W. G. Hoffmann, Der tertiäre Sektor im Wachstumsprozeß, in: JNS 183.1969, 1–29; ders. u. a., Wachstum, 104–42 (danach: Übersicht 75, vgl. vorn Übersicht 50). AG-Kapital: Spiethoff II, T.1 u. 2; im einzelnen: R. Rettig, Das Investitions- u. Investierungsverhalten deutscher Großunternehmer 1880–1911, Diss. Münster 1978. Eisenbahnnetz bis 1879: Fremdling; seither: Die deutschen Eisenbahnen in ihrer Entwicklung 1835–1935, Berlin 1935; Sombart, Volkswirtschaft, 493. – Hoffmann u. a., Wachstum, 100, 253 (Kapitaleinkommen und -stock, Preise von 1913; vgl. vorn Übersicht 51), 454 (Wertschöpfung, danach: Übersicht 76; vgl. vorn Übersicht 53), 393 (Gesamtproduktion, danach Übersicht 77); Wagenführ, Industriewirtschaft, 13, 16, 18; vgl. Wagemann, Struktur, 387; Varga I, 178f.; Hoffmann u. a., Wachstum, 530f.; Wagenführ, Außenmarkt, 36–47; Soltau, 15–48; Kuznets, Modern Economic Growth, 306f. Typisch: M. Diezmann, Deutschlands außereurop. Handel, Chemnitz 1882.

[8] Jacobs u. Richter, 45, 79, vgl. 25, 43–46, 66–68, 79–83, Tabellen und Graphiken: 52–101 (nach 45 u. 79: Übersicht 78.) Vgl. die tendenziell gleichartigen Ergebnisse Gehlhoffs; Bry, 325. – Wirth, Quellen, 2; Spiethoff II, T.1 u. 2; Donner, 97. Hinter dem Dividendenabschwung steckte auch zum Teil eine Gesundschrumpfung des aufgeblähten «Gründer»-Kapitals, das dem Realwert bei weitem nicht entsprochen hatte. Die GHH z. B. war 1872 mit 30 Mill. M gegründet worden, mußte aber ihr Stammkapital bis 1877 auf 6 Mill. M senken und erreichte erst 1910 wieder 30 Mill. M. Ähnlich erging es Phoenix, Poensgen, Borsig, dem «Hoerder Verein» u. v. a. – Kahn, 183–206; Voye, 66–76; Wallich, 291–307, 311; K. E. Born, Die Entwicklung des langfrist. Zinsfußes vom Beginn der Industrialisierung bis 1929, in: Rendite u. Kapitalmarkt, Frankfurt 1979, 83–111; P. Homburger, Die Entwicklung des Zinsfußes in Deutschland 1870–1903, Frankfurt 1905; H. Albert, Die geschichtl. Entwicklung des Zinsfußes in Deutschland 1895–1908, Leipzig 1908; K. Borchardt, Realkredit u. Pfandbriefmarkt im Wandel von 100 Jahren, in: 100 Jahre Rhein. Hypothekenbank, Frankfurt 1971, 112–28; K. R. Bopp, Die Tätigkeit der Reichsbank 1876–1914, in: WA 72.1954/I, 48, 181, 183; Däbritz, Bewegungen, 19–21; K. Borchardt, Währung u. Wirtschaft, in: Deutsche Bundesbank Hg., Währung u. Wirtschaft in Deutschland 1876–1975, Frankfurt 1976, 3–55; wichtig sind: C.-L. Holtfrerich, Relations Between Monetary Authorities and Governmental Institutions: The Case of Germany From the 19th Century to the Present, in: G. Toniolo Hg., Central Banks' Independence in Historical Perspective, Berlin 1988, 105–59; P. McGouldrick, Operations of the German Central Bank and the Rules of the Game 1879–1913, in: M. D. Bordo u. A. J. Schwartz Hg., A Retrospective on the Classical Gold Standard 1821–1931, Chicago 1984, 311–49; vgl. M. Seeger, Die Politik der Reichsbank 1876–1914, Berlin 1968; A. Sommer, Die Reichsbank unter H. v. Dechend, ebd. 1931; G. v. Eynern, Die Reichsbank, Jena 1928; K. Helfferich u. K. v. Lumm Hg., Die Reichsbank 1876–1900, ebd. 1900; Helfferich, Geld, 577. – Der Aktionär 21.1874, 490, 520 (14., 28.6.); Deutscher Ökonomist 1.1883, 128f., 350 (31.3., 15.9.); Bleichröder an Bismarck, 13. 8. 1877, Nl. Bismarck,

Archiv Schönhausen, Schloß Friedrichsruh; Kopie im Bundesarchiv (= BA) Koblenz. – Stuebel, 37, 43, 41–47, 99–102; Rosenberg, Große Depression, 20, 23; vgl. Müller, Staatshaushaltsplan; W. Gerloff, Die Finanz- u. Zollpolitik des Deutschen Reiches 1867–1913, Jena 1913; ders., Die öffentl. Finanzwirtschaft I, Frankfurt 1948[2]; H. Blömer, Die Anleihen des Deutschen Reiches 1871–1924, Diss. Bonn 1947, MS; S. Cohen, Die Finanzen des Deutschen Reiches seit 1871, Berlin 1899; W. Voth, Die Reichsfinanzen im Bismarckreich, Diss. Kiel 1966; R. Müller, Die Einnahmequellen des Deutschen Reiches 1872–1907, Mönchengladbach 1907; enttäuschend hierzu u. allg.: I. Fujimoto, Sozialgeschichtl. Betrachtung der Finanzpolitik im Deutschen Kaiserreich, Kobe 1986; vgl. immer noch: M. v. Heckel u. W. Lotz, Staatsschulden, in: HStW 7.1926[4], 811–30. – Kapitalexport: Hoffmann u. a., Wachstum, 262 (Die vielzitierte Emissionsstatistik des «Deutschen Ökonomist» überschätzte den Kapitalexport, der ihr zufolge allein von 1883 bis 1890 knapp 10 Mrd. M betragen haben soll); Schumpeter, Konjunkturzyklen I, 377; Spiethoff II, T.4–7; v. Neumann-Spallart Hg. V, 83f.; Wirth, Ursachen, 91, 130. Vgl. T. R. Kabisch, Deutsches Kapital in USA 1871–1917, Stuttgart 1982; J. Mai, Das deutsche Kapital in Rußland 1850–94, Berlin 1970; W. H. Laves, German Governmental Influence on Foreign Investments 1871–1914, in: PSQ 43.1968, 498–519; G. Tacke, Kapital- u. Warenausfuhr, Jena 1933; F. Lenz, Wesen u. Struktur des deutschen Kapitalexports vor 1914, in: WA 18.1922/I, 42–54; H. David, Das deutsche Auslandkapital, in: WA 14.1919/I, 31–70, 275–300; S. Schilder, Die auswärt. Kapitalanlagen vor u. nach dem Weltkrieg, Berlin 1918; A. Sartorius v. Waltershausen, Das volkswirtschaftl. System der Kapitalanlage im Ausland, ebd. 1907. Zu den internationalen Aspekten: L. Neal, Integration of International Capital Markets: Quantitative Evidence from the 18th to the 20th Centuries, in: JEH 45.1985, 219–26; B. Thomas, The Historical Record of International Capital Movements to 1913, in: J. H. Adler Hg., Capital Movements and Economic Development, London 1967, 3–32; unergiebig für die Zeit bis 1890: H. Feis, Europe, the World's Banker 1870–1914 (1930), N. Y. 1965; orthodox marxistisch-leninistisch: K. Nehls, Kapitalexport u. Kapitalverflechtung, Frankfurt 1970; dies., Die Bewegung der Kapitalexporte des deutschen Imperialismus, in: JbW 1963/IV, 57–91. Wie die Kapitalfülle den Konzentrationsprozeß im Bankwesen begünstigt hat, wird unten in II.3 verfolgt.

[9] Hoffmann u. a., Wachstum, 205 (danach: Übersicht 79), vgl. 35, 194–200, 468. Die differenzierteste Einkommensanalyse findet sich jetzt in: G. A. Ritter u. K. Tenfelde, Die Arbeiter im Kaiserreich, Bonn 1991, Kap. VI; vgl. Bry, 325, 329, 361, 468; Desai, 125; Wiegand, 69–94, 88–104; v. Tyszka, 276, 279, 288; Grumbach u. König; R. Rettig, Strukturverschiebungen der privaten Konsumnachfrage in Deutschland 1850–1913, in: VSWG 71.1984, 342–56; D. M. Brinkmann, Wandlungen des Konsumverhaltens im Industrialisierungsprozeß: Deutschland 1850–1960, Diss. Hamburg 1969; noch immer vorzügliche Einführung: S. Bauer, Konsumption nach Sozialklassen, in: HStW 6.1910[3], 123–51. Der über die Jahrzehnte hinweg anhaltende Anstieg der Lohnquote drückt natürlich auch die Einkommensverbesserung aus, wobei freilich die für diese Zeit fehlenden und empirisch kaum zuverlässig ermittelbaren jährlichen Wachstumswerte aufschlußreicher wären: 1870/79 = 47; 1880/85 = 49; 1890/95 = 51; 1900/09 = 52; 1910/14 = 53. Nach: A. Jeck, The Trends of Income Distribution in West Germany, in: J. Merchal u. B. Ducors Hg., The Distribution of National Income, London 1968, 102. – Arbeitsproduktivität: Wagenführ, Industriewirtschaft, 18; Hoffmann u. a., Wachstum, 24. Vgl. Wagemann, Konjunkturlehre, 80f.; Kaiserl. Statist. Amt Bearb., Deutsche Volkswirtschaft, 21. – Rosenberg, Große Depression, 21–24, 12f.; v. Gneist, Nationale Rechtsidee (1894), 235, 258; G. Mann, Bismarck and Our Times, in: International Affairs 38.1962, 3–14. Der folgende Hinweis zur ausbleibenden Revolution: Morazé, 371.

[10] Borchardt, in: HWS II, 269, vgl. allg. 255–75; ders., Trend, Zyklus, Strukturbrüche, Zufälle: Was bestimmt die deutsche Wirtschaftsgeschichte des 20. Jh., in: ders., Wachstum, 100–24; Hoffmann u. a., 26, 14, 33 (danach: Übersicht 80; vgl. vorn Übersicht 74), 105 (danach: Übersicht 81; vgl. vorn Übersicht 75); Holtfrerich, Growth, 130; Borchardt, in:

HWS II, 217, 219; Milward u. Saul II, 22f.; Spiethoff II, T.2 u 3; vgl. jetzt umfassend: M. Grabas, Konjunktur u. Wachstum in Deutschland 1895–1914, Berlin 1992; J. Düring, Der deutsche Geld- u. Kapitalmarkt als Erreger der Konjunkturbewegung 1900–13, Diss. Gießen/Berlin 1928; J. B. Esslen, Konjunktur u. Geldmarkt 1902–08, ebd. 1909; Hoffmann u. a., 100, 253f., 454f. (danach: Übersicht 82; vgl. vorn Übersicht 76), 392 (danach: Übersicht 83; vgl. vorn Übersicht 77), 531, vgl. 149–57; Treue, Thyssen-Hütte I, 148. Übersicht 83 nach: Holtfrerich, Ruhrkohlenbergbau, 18, 23f., 52, 90 (die nur bis 1903 ermittelte Wertschöpfung im Ruhrbergbau ergänzt das Bild: 1895 = 229213; 1900 = 426522; 1905 = 427328; 1902 = 405531; 1903 = 448998); Jersch-Wenzel u. a., 128f., 140; Milward u. Saul II, 19f., 25, 27. – Donner, 97; Hoffmann u. a., 262; Eulenburg, Preise, 19f., 70–81. Übersicht 85 nach: Jacobs u. Richter, 45; Gehlhoff, Preisindices 1889–1939, in: Spiethoff II, T.38; ders., Preisbildung 1890–1913 (vgl. vorn Übersicht 78 mit der Definition der Begriffe). Vgl. auch den Generalindex von Schmitz (Warenpreise 1852–1901, 1890–99 = 100): 1890 = 114, 1895 = 81, 1900 = 113, 1901 = 107, 1907 = 126, 1908 = 123, 1911 = 131. – Übersicht 86 nach: Hoffmann u. a., 471; Desai, 125; Bry, 329, 466 (vgl. vorn Übersicht 79). Holtfrerich, Ruhrkohlenbergbau, 55f.; Borchardt, in: HWS II, 225; Ehrenberg, Durchschnittsverdienste, 209–13; vgl. E. Finckh, Einkommens- u. Verbrauchsgestaltung Deutschlands 1899–1913, Diss. Kiel 1929/Wiesbaden 1931.

[11] Calwer, 1.1900, 27, vgl. 9–20; ders., 2.1901, 11–23; ders., 3.1902, 1–14; W. Troeltsch, Über die neuesten Veränderungen im deutschen Wirtschaftsleben, Berlin 1899, 72. Vgl. allg. außer der vorn zitierten Konjunkturliteratur: Burns, Business Cycle, 231; E. W. Axe u. H. M. Flinn, An Index of General Business Conditions for Germany 1898–1914, in: RES 7.1925, 263–87, v. a. 267, 271; V. Paretti u. G. Bloch, Industrial Production in Western Europe and the United States 1901–55, in: Banca Nazionale del Lavoro Quarterly Review 9.1956, 186–234, v. a. 192; J. Steinberg, Die Wirtschaftskrise 1901, Bonn 1902. Intelligente Sofortanalyse: F. Eulenburg, Die gegenwärt. Wirtschaftskrise, in: JNS III.24.1902, 305–88. Informativ, aber mit ungenauer Chronologie: V. Hentschel, Wirtschaft u. Wirtschaftspolitik im wilhelmin. Deutschland. Organisierter Kapitalismus u. Interventionsstaat? Stuttgart 1978, 212–59. Ausführliche, unübertroffen weitgespannte Untersuchung: VfS Hg., Die Störungen im deutschen Wirtschaftsleben 1900–02, 9 Bde (= SVS 105–13), Leipzig 1903/04 (daraus v. a. II: Montan- u. Eisenindustrie; III: Maschinenindustrie, Elektrotechnik; IV: Verkehrswesen; V: Krise auf dem Arbeitsmarkt; VI: K. Helfferich, Der deutsche Geldmarkt 1895–1902, 1–8; E. Loeb, Die Berliner Großbanken 1895–1902, 81–319; VII: Hypothekenbanken, Baugewerbe; IX: allg. Sombart, 121–37; Spiethoff, 209–25; H. Hecht, Geldmarkt u. Bankenwesen, 139–67; I. Jastrow, Arbeitsmarkt, 169–84); vgl. A. Faust, Der Staat u. die Arbeitslosigkeit in Deutschland 1890–1918, in: W. J. Mommsen Hg., Die Entstehung des Wohlfahrtsstaates in Großbritannien u. Deutschland 1850–1950, Stuttgart 1982, 152–72; Dühring; Esslen; E. Meyknecht, Die Krise in der deutschen Woll- u. Baumwollindustrie 1900–14, Diss. München/Gütersloh 1928. Polemik: F. Mehring, Weltkrach u. Weltmacht, Berlin 1900 (= Werke 7.1965, 405–49). Für die Folgezeit v. a.: A. Feiler, Das Ende der Hochkonjunktur, Frankfurt 1908; ders., Die Konjunkturperiode 1907–13, Jena 1914, bes. 11–13, 17, 20–25, 67–73, 86f., 150, 165, 171f., 178–80, 184, 188, 190; informative Tabellen: 177–204; W. C. Schluter, The Pre-War Business Cycle 1907–14, N. Y. 1924; E. Brezigar, Vorboten einer Wirtschaftskrise Deutschlands, Berlin 1913; Tilly, Kapital, 112.

[12] Bairoch, Industrialization Levels, 296; Fischer, in: HWS II, 529; Kuznets, 306f.; vgl. Lewis u. O'Leary; L. J. Zimmerman, The Distribution of World Income 1860–1960, in: E. de Vries Hg., Essays on Unbalanced Growth, Den Haag 1962, 28–55; C. Buchheim, Deutschland auf dem Weltmarkt am Ende des 19. Jh., in: VSWG 71.1984, 199–216; R. C. Allen, International Competition in Iron and Steel 1880–1913, in: JEH 39. 1979, 911–37; A. Green u. M. C. Urquhart, Factor and Commodity Flows in the International Economy 1879–1914, in: JEH 36.1976, 217–52; H. Tyszynski, World Trade in Manufacturing Commodities 1899–1950, in: M. Sch. 19.1951, 272–304; G. C. Allen, The Economic Map

of the World: Population, Commerce, and Industries, in: NCMH 12: 1898–1945, 1960, 14–41; Crafts, Patterns, 440. – Übersicht 87 nach: Hoffmann u. a., 338–42, 390–92, 451f.; Tilly, in: CEHE VII, 422. – Milward u. Saul II, 19; Tilly, Finanzierung, 136; ders., Zur Finanzierung, 270.

[13] Maschinenbau: Fischer, in: HWS II, 528, 537, 549; ders. u. P. Czada, Wandlungen in der deutschen Industriestruktur im 20. Jh., in: 1. Fs. Rosenberg, 1970, 116–65; Barth, 1, 34, 37, 181; Woytinski, Welt IV, 1926, 222; SJDR 1.1880, 39f. (1875); Milward u. Saul II, 38–41; Reitschuler, 253. Vgl. allg. H. Pogge v. Strandmann, Widersprüche im Modernisierungsprozeß Deutschlands. Der Kampf der verarbeitenden Industrie gegen die Schwerindustrie, in: 1. Fs. F. Fischer, 225–40. Vgl. außer der bereits vorn und in Bd. II zit. Lit. über die Maschinenbauindustrie z. B. D. Feldman, The Large Firm in the German Industrial System: The M. A. N. 1900–25, in: 2. Fs. F. Fischer, 1978, 241–58, u. in: ders., Vom Weltkrieg zur Weltwirtschaftskrise, Göttingen 1984, 161–81 (1872: 3400 Arbeiter in Nürnberg, 2200 in Augsburg!); F. Sass, Geschichte des deutschen Verbrennungsmotors 1860–1918, Berlin 1962; W. Herrmann, Entwicklungslinien montanindustrieller Unternehmungen im rhein.-westfäl. Industriegebiet, Dortmund 1954. – Großchemie: Zur Zeit am besten: W. Wetzel, Naturwissenschaften u. chem. Industrie in Deutschland, Stuttgart 1991; G. Plumpe, Die I. G. Farbenindustrie 1904–45, Berlin 1990, 40–99; W. Teltschik, Geschichte der deutschen Großchemie, Weinheim 1992; W. Feldenkirchen, Wachstum u. Finanzierung deutscher Großunternehmen der chem. u. elektr. Industrie, in: Tilly Hg., Unternehmensgeschichte, 94–125; J. A. Johnson, Academic Chemistry in Imperial Germany, in: Isis 76.1985, 500–24; G. Meyer-Thurow, The Industrialization of Invention: a Case Study from the German Chemical Industry, in: ebd. 73.1982, 363–81. Dadurch oft überholt: F. Haber, The Chemical Industry 1900–30, Oxford 1971; P. M. Hohenberg, Chemicals in Western Europe 1850–1914, Chicago 1967; J. J. Beer, The Emergence of the German Dye Industry, Urbana/Ill. 1959. Vgl. allg. A. u. N. L. Clow, The Chemical Revolution, London 1952; I. Strube, Chemie u. Industrielle Revolution, in: Lärmer Hg., 69–123; W. Ruske, Wirtschaftspolitik, Unternehmertum u. Wissenschaft am Beispiel der chem. Industrie Berlin, in: W. Treue u. K. Mauel Hg., Naturwissenschaft, Technik u. Wirtschaft im 19. Jh. II, Göttingen 1976, 694–715; W. Treue, Die Bedeutung der chem. Wissenschaft für die chem. Industrie 1770–1870, in: ebd. II, 665–93; P. Borscheid, Fortschritt u. Widerstand in den Naturwissenschaften. Die Chemie in Baden u. Württemberg 1850–65, in: Fs. Conze, 755–69. Aus der älteren Lit. noch: B. Lepsius, Deutschlands chem. Industrie 1888–1913, Berlin 1914; F. Redlich, Die volkswirtschaftl. Bedeutung der deutschen Teerfarbenindustrie, München 1914; R. Grabower, Die finanzielle Entwicklung der AG der deutschen chem. Industrie, Leipzig 1910. Zit.: Fischer, in: HWS II, 552. – Elektrotechnik: Unverändert grundlegend: Kocka, Unternehmensverwaltung, Siemens 1847–1914, Zit. 125; ders., Siemens u. der aufhaltsame Aufstieg der AEG, in: Tradition 17.1972, 125–42; Feldenkirchen, Wachstum; M. Pohl, E. Rathenau u. die AEG, Mainz 1988; F. Pinner, E. Rathenau u. das elektr. Zeitalter, Leipzig 1918; E. Schulin, Die Rathenaus. Zwei Generationen jüd. Anteils an der industriellen Entwicklung Deutschlands, in: W. Mosse Hg., Juden im wilhelmin. Deutschland 1890–1914, Tübingen 1976, 115–42; ders., W. Rathenau, Göttingen 1979; T. Buddensieg u. a., Ein Mann vieler Eigenschaften: W. Rathenau, Berlin 1990. Mit naiver Kritik: W. Zängl, Deutschlands Strom. Die Politik der Elektrifizierung 1866 bis heute, Frankfurt 1989. Vorzüglich dagegen: R. Sandgruber, Strom der Zeit. Kulturgeschichte der Elektrizität, Wien 1992. Vgl. allg. H. Ott Hg., Statistik der öffentl. Elektrizitätsversorgung Deutschlands 1890–1913, St. Katharinen 1986. Allg. P. Erker, Die Verwissenschaftlichung der Industrie. Industrieforschung in den europ. u. amerikan. Elektrokonzernen 1890–1930, in: ZfU 35.1990, 73–94; L. Burchardt, Wissenschaft u. Wirtschaftswachtum. Industrielle Einflußnahme auf die Wissenschaftspolitik im wilhelmin. Deutschland, in: Fs. Conze, 770–97; H. Wußing, Zur gesellschaftl. Stellung der Mathematik u. der Naturwissenschaften in der Industriellen Revolution, in: Lärmer Hg., 66–68.

[14] Vgl. zu der Kontroverse: H. Harnisch, Agrarstaat oder Industriestaat, in: H. Reif Hg., Ostelb. Agrargesellschaft, Berlin 1994, 33–50; K.D. Barkin, The Controversy Over German Industrialization 1890–1902, Chicago 1970; ders., Conflict and Concord in Wilhelmian Social Thought, in: CEH 5.1972, 55–71; ders., The Crisis Over Modernity: Germany 1887–1902, in: Imagining Modern German Culture 1889–1910, Washington D.C. 1995; A. Mendel, The Debate Between Prussian Junkerdom and the Forces of Urban Industry 1897–1902, in: JbIDG 4.1975, 301–38; H. Lebovics, «Agrarians» versus «Industrializers». Social Conservative Resistance to Industrialism and Capitalism in Late 19th Century Germany, in: IRSH 12.1967, 31–65. Lesenswerte zeitgenössische (industriebejahende) Bilanz: H. Dietzel, Agrar- u. Industriestaat, in: HStW 1.1909³, 226–37; ders., Agrar-Industriestaat oder Industriestaat? in: ebd. 1.1923⁴, 62–72. Zu realhistorischen Industrialisierungseffekten: H. Kaelble u. R. Hohls, Der Wandel der regionalen Disparitäten in der Erwerbsstruktur Deutschlands, in: J. Bergmann u.a., Regionen im histor. Vergleich, Opladen 1989, 288–413; H. Hesse, Die Entwicklung der regionalen Einkommensdifferenzen der deutschen Wirtschaft vor 1913, in: W. Fischer Hg., Beiträge zum Wirtschaftswachstum, Berlin 1971, 261–79. Zu den Industrieregionen vgl. die Lit. vorn in 5. Teil, II; 6. Teil, II. Als Beispiel für eine verzögerte Industrialisierung: P. Erker, Keine Sehnsucht nach der Ruhr. Grundzüge der Industrialisierung in Bayern 1900–1970, in: GG 17.1991, 448–511; K. Bosl, Die «geminderte» Industrialisierung in Bayern, in: Grimm Hg., Aufbruch I, 1985, 22–39; W. Zorn, Geschichte Bayerns im 20.Jh., München 1986. – Beschäftigte: Hoffmann u.a., 205; Weber 1895: ders., PS, 1–25.

[15] Vgl. zur ersten Etappe der Entwicklung der Großunternehmen vorn 5. Teil, II.4. Hier in erster Linie: J. Kocka, Großunternehmen u. der Aufstieg des Manager-Kapitalismus im späten 19. u. frühen 20.Jh. Deutschland im internationalen Vergleich, in: HZ 232.1981, 36–90; ders., The Rise of the Modern Industrial Enterprise in Germany, in: A.D. Chandler u. H. Daems Hg., Managerial Hierarchies. Comparative Perspectives in the Rise of the Modern Industrial Enterprise, Cambridge/Mass. 1980, 77–116; ders., Expansion – Integration – Diversifikation. Wachstumsstrategien industrieller Großunternehmen in Deutschland vor 1914, in: Winkel Hg., Kleingewerbe, 203–26; ders. u. H. Siegrist, Die 100 größten deutschen Industrieunternehmen im späten 19. u. frühen 20.Jh., in: N. Horn u. J. Kocka Hg., Recht u. Entwicklung der Großunternehmen 1860–1920, Göttingen 1979, 55–120; H. Siegrist, Deutsche Großunternehmen vom späten 19.Jh. bis zur Weimarer Republik, in: GG 6.1980, 60–102; D. Weder, Die 200 größten AG 1913–62, Diss. Frankfurt 1968; W. Feldenkirchen, Concentration in German Industry 1870–1939, in: H. Pohl Hg., The Concentration Process in the Entrepreneurial Economy Since the Late 19th Century, Stuttgart 1988, 113–46; F. Mathis, Fusionen u. multinationale Unternehmen in Großbritannien, Frankreich, Deutschland, den USA bis 1914, in: H. Pohl Hg., Wettbewerbsbeschränkungen auf internationalen Märkten, Stuttgart 1988, 79–96; v.a. R. Tilly, Mergers, External Growth, and Finance in the Development of Large-Scale Enterprise in Germany 1880–1913, in: JEH 42.1982, 629–57; ders., Das Wachstum der Großunternehmen in Deutschland seit der Mitte des 19.Jh., in: ders., Kapital, 95–113; ders., Externes Wachstum industrieller Großunternehmen 1880–1913, in: ebd., 126–39; ders., Das Wachstum industrieller Großunternehmen in Deutschland 1880–1911, in: H. Kellenbenz Hg., Wirtschaftl. Wachstum, Energie u. Verkehr, Stuttgart 1978, 153–82; ders., Großunternehmen: Schlüssel zur Wirtschafts- u. Sozialgeschichte der Industrieländer? in: GG 19.1993, 530–48. Vgl. auch: J. Kocka, Family and Bureaucracy in German Industrial Management 1850–1914, in: BHR 45.1971, 133–56; ders., Capitalism and Bureaucracy in German Industrialization, in: EHR 23.1981, 453–68; J. Brockstedt, Family Enterprise and the Rise of Large-Scale Enterprise in Germany 1871–1914, in: A. Okochi u.S. Yasuoka Hg., Family Business in the Era of Industrial Growth, Tokio 1984, 237–67. Blaß dagegen: H. Pohl, Zur Geschichte von Organisation u. Leitung deutscher Großunternehmen seit dem 19.Jh., in: ZfU 26.1981, 143–78; ders., Die Konzentration in der deutschen Wirtschaft vom ausgeh. 19.Jh. bis 1945, in: ders. u. W. Treue Hg., Die Konzentration in der deutschen Wirtschaft

seit dem 19. Jh., Wiesbaden 1978, 4–44; K. Rieker, Die Konzentrationsbewegung in der gewerbl. Wirtschaft 1875–1950, in: Tradition 5.1960, 116–31. – Zur vieldiskutierten Bankenkonzentration: C.-L. Holtfrerich, Zur Entwicklung der deutschen Bankenstruktur, in: Deutscher Sparkassen- u. Giroverband Hg., Standortbestimmung, Stuttgart 1984, 13–42; ders., Die Eigenkapitalausstattung deutscher Kreditinstitute 1871–1945, Bankhistor. Archiv, Beih. 5.1983; M. Pohl, Entstehung u. Entwicklung des Universalbankensystems, Frankfurt 1986; ders., Konzentration; R. Tilly, Banking Institutions in Historical and Comparative Perspective: Germany, Great Britain, and the United States in the 19th and Early 20th Century, in: ZGS 145.1989, 189–214; ders., Banken u. Industrialisierung in Deutschland 1880–1914, in: F.-W. Henning Hg., Entwicklung u. Aufgaben von Versicherungen u. Banken in der Industrialisierung, Berlin 1980, 165–93; instruktiv ist: Hentschel, Wirtschaft, 126–35; E. Eistert, Die Beeinflussung des Wirtschaftswachstums in Deutschland 1880–1913 durch das Bankensystem, Berlin 1976; ders. u. Ringel, 93–166; H. Neuburger, German Banks and German Economic Growth 1871–1914, N. Y. 1977; ders. u. H. H. Stokes, German Banks and German Growth 1883–93, in: JEH 34.1974, 710–31; treffende Kritik: R. Fremdling u. R. Tilly, German Banks, German Growth, and Econometric History, in: JEH 36.1976, 416–24; K. A. Donaubauer, Privatbankiers u. Bankenkonzentration in Deutschland 1850–1932, Frankfurt 1988; P. Penzkofer, Wirtschaftl. u. gesellschaftl. Einflüsse auf die Entstehung u. Entwicklung der privaten Geschäftsbanken Ende des 19. u. 20. Jh., in: A. Grosser u. a. Hg., Wirtschaft, Gesellschaft, Geschichte, Stuttgart 1974, 43–201; D. S. Landes, The Bleichröder Bank, in: LBIYB 5.1960, 201–10; W. Treue, Das Bankhaus Mendelssohn im 19. u. 20. Jh., in: Mendelssohn-Studien 1.1972, 29–80; F. Seidenzahl, Das Spannungsfeld zwischen Staat u. Bankier im wilhelmin. Zeitalter, in: Tradition 13.1968, 142–50; H. Böhme, Bankenkonzentration u. Schwerindustrie 1873–96, in: 2. Fs. Rosenberg, 432–51. Aus der älteren Literatur: Riesser; Jeidels; W. Hagemann, Das Verhältnis der deutschen Großbanken zur Industrie, Berlin 1931; W. Strauss, Die Konzentrationsbewegungen im deutschen Bankgewerbe, ebd. 1928; O. Stillich, Die Banken, ebd. 1924; W. Huth, Die Entwicklung der deutschen u. französ. Großbanken, ebd. 1918; S. Wiewiorowski, Der Einfluß der deutschen Bankenkonzentration auf Krisenerscheinungen, ebd. 1912; A. Lansburgh, Das deutsche Bankwesen, ebd. 1909; J. Steinberg, Die Konzentration im Bankgewerbe, ebd. 1906; P. Wallich, Die Konzentration im Deutschen Bankwesen, Stuttgart 1905; A. Blumenberg, dass., Diss. Heidelberg/Leipzig 1905; E. Dépitre, Les mouvements de concentration dans les banques allemandes, Paris 1905; G. Bernhard, Berliner Banken, Berlin 1905; P. Model, Die großen Berliner Effektenbanken, Jena 1896; Loeb, Berliner Großbanken. Zur Kartellbewegung und Zollpolitik vgl. hinten II.3,b u. c.

[16] Am instruktivsten ist hierzu: Kocka, Großunternehmen, 43–46, 48–54, 58f., v. a. 45f.; Tab. 1 u. 2 (1887/1907) mit Diversifikations- und Integrationsstufen; ders., Expansion, 205–17; ders. u. Siegrist, 98–105 (1887), 106–12 (1907), 59f., 64–67, 72–92, 96; Feldenkirchen, Concentration, 114, 119f., 124, 130–32, 135–37, 143; Hentschel, Wirtschaft, 99–125; Weder, 40f. Vgl. R. Liefmann, Syndikate, in: HStW 7.1911[3], 1057–63; ders., Beteiligungs- u. Finanzierungsgesellschaften, Jena 1923[4]; M. Joergens, Finanzielle Trustgesellschaften, Stuttgart 1902. – A. Troß, Der Aufbau der Eisen- u. eisenverarbeitenden Industriekonzerne Deutschlands, Berlin 1923; H. G. Heymann, Die gemischten Werke im deutschen Großeisengewerbe, Stuttgart 1904; A. Klotzbach, Der Roheisenverband, Düsseldorf 1926; W. Manchester, Krupp, München 1978; Menne, Krupp; E. Maschke, Es entsteht ein Konzern – P. Reusch u. die GHH, Tübingen 1969; C. N. Smith, Motivation and Ownership: History of the Ownership of the GBAG, in: BH 12.1970, 1–24; H. Böhme, E. Kirdorf, in: Tradition 13.1968, 282–300; 14.1969, 21–48; W. Bacmeister, E. Kirdorf, Essen 1936[3]. – J. Kocka, Industrielles Management: Konzeptionen u. Modelle in Deutschland vor 1914, in: VSWG 56.1969, 332–72; B. Dornseifer, Zur Bürokratisierung deutscher Unternehmen im späten 19. u. frühen 20. Jh., in: JbW 1933/I, 69–94; Pohl, Großunternehmen, 145–47; Mertes, 241f.; Prym, 27–29; Schunder, 213; Hinkers, 34;

Bergmann, Steinkohlenbergbau, 65–82; Hübner, Eisenindustrie, 101–23. – A.-H. Stockder, Regulating an Industry. The Rhenish-Westphalian Coal Syndicate 1893–1930, N.Y. 1932; K. Wiedenfeld, Das Rhein.-Westfäl. Kohlensyndikat, Bonn 1912; W. Goetzke, dass., Essen 1905; Lüthgen; C. Goldschmidt, Über die Konzentration im deutschen Kohlenbergbau, Karlsruhe 1912. Vgl. zu einem Extremfall: J. Schönemann, Die deutsche Kali-Industrie, Hannover 1911. Aus einem Dienstleistungsbereich: E. Murken, Die großen transatlant. Linienreedereiverbände, Pool- u. Interessengemeinschaften, Jena 1922. – Zu den Großbanken vgl. vorn Anm. 15, hier v. a.: Holtfrerich, Bankenstruktur, 18–21; Pohl, Universalbanken, 54–56, 61–67; ders., Konzentration, 261, 243; Roos, 91–98, 124–36; Whale, 18–50; Wallich, Konzentration, 34, 38, 46, 83; W. Feldenkirchen, Banken u. Stahlindustrie im Ruhrgebiet 1873–1914, in: Bankhistor. Archiv 1979/2, 26–52; ders., Kapitalbeschaffung in der Eisen- u. Stahlindustrie des Ruhrgebiets 1879–1914, in: ZfU 24.1979, 39–81. – Zum Auslandsgeschäft und Kapitalexport der Banken: E. Agadh, Großbanken u. Weltmarkt, Berlin 1914; W. Steinmetz, Die deutschen Großbanken im Dienste des Kapitalexports, Diss. Heidelberg/Luxemburg 1913; W. Otte, Anleiheübernahme, Gründungs- u. Beteiligungsgeschäfte der deutschen Großbanken in Übersee, Diss. Würzburg/Berlin 1910; G. Diouritch, L'expansion des banques allemandes à l'étranger, Paris 1909; R. Rosendorff, Die deutschen Auslandsbanken, Stuttgart 1908; R. Hauser, Die deutschen Überseebanken, Diss. Jena 1906. – F. Eulenburg, Die Aufsichtsräte der deutschen AG, in: JNS 3. F.32.1906, 92–109; Tilly, Wachstum, 128; ders., in: HWS II, 587–98. – R. Hilferding, Das Finanzkapital, Wien 1910/ND Frankfurt 1973; Zit. Hilferding, in: Der Kampf 8.1915, 322; vgl. H.-U. Wehler, R. Hilferding – Theoretiker des «Finanzkapitals», in: ders., Aus der Geschichte lernen? 272–87. Überzeugende empirische Widerlegung: V. Wellhöner, Großbanken u. Großindustrie im Kaiserreich, Göttingen 1989. – Hoffmann, Sparkassen, 593, 585, 565; ders. u. a., 437. Übersicht 88 nach: Deutsche Bundesbank Hg., Deutsches Geld- u. Bankwesen in Zahlen, Frankfurt 1976; Holtfrerich, Bankenstruktur, 21. Vgl. allg. Wysocki; J. Mühl, Sparkassen, in: Enzyklopäd. Lexikon für das Geld-, Bank- u. Börsenwesen, Hg. E. Achterberg u. K. Lenz, II, Frankfurt 1967^3, 1524–33.

17 G. Schmoller, Das Verhältnis der Kartelle zum Staat, in: SVS 116, Leipzig 1906, 237–71; H. König, Kartelle u. Konzentration, in: H. Arndt Hg., Die Konzentration in der Wirtschaft I, Berlin 1960 (nicht in 1971^2!), 304–8, 311 (ohne die 300 kleinen Ziegeleikartelle vor 1913; irreführend: J. Kuczynski, Studien zur Geschichte des deutschen Imperialismus I, Berlin 1952, 82); 1865: Sombart, Kapitalismus III/2, 696; R. Fremdling u. J. Krengel, Kartelle u. ihre volks- bzw. einzelwirtschaftl. Bedeutung bis 1914, in: H. Pohl Hg., Kartelle u. Kartellgesetzgebung, Stuttgart 1985, 28, 32f., 35f.; F. Kleinwächter, Die Kartelle, Innsbruck 1883, 143; vgl. ders., Kartelle, in: HStW 5.1909^3, 792–98; Brentano, Ursachen, 237; A. Schäffle, Die Kartelle (1883), in: ders., Ges. Aufsätze I, Tübingen 1885, 153; vgl. ders., Zum Kartellwesen, in: ZGS 54.1898, 467–528; B. Schoenlank, Die Kartelle, in: Archiv für Soziale Gesetzgebung u. Statistik 3.1890, 493; vgl. K. Bücher, Die wirtschaftl. Kartelle, in: SVS 61, Leipzig 1895, 138–57; R. Liefmann, Krisen u. Kartelle, in: Sch. Jb. 26.1902, 661–73; W. Abelshauser, Freiheitl. Korporatismus im Kaiserreich u. in der Weimarer Republik, in: ders. Hg., Die Weimarer Republik als Wohlfahrtsstaat, Stuttgart 1987, 157–59. Vgl. allg. E. Tuchtfeld, Kartelle, in: HWW 4.1978, 443–63; E. Kahn, Cartels and Trade Associations, in: IESS 2.1968, 320–25; R. Liefmann, Kartelle, in: HStW 5.1923^4, 611–30. Eine historische Darstellung fehlt noch immer, vgl. aber Hentschel, Wirtschaft, 99–126; E. Maschke, Grundzüge der deutschen Kartellgeschichte bis 1914, Dortmund 1964; H.-H. Barnikel Hg., Theorie u. Praxis der Kartelle, Darmstadt 1972; V. Holzschuber, Soziale u. ökonom. Hintergründe der Kartellbewegung, Diss. Erlangen-Nürnberg 1962 (z.B. 17–48: Kohle; 49–66: Eisen; 67–86: Stahl); G.D. Feldman u. U. Nocken, Industrieverbände u. Wirtschaftsmacht 1900–33, in: Feldman, Vom Weltkrieg, 131–60; T. Pierenkemper, Trade Associations in Germany in the Late 19th and Early 20th Centuries, in: H. Yamaziki u. M. Miyamoto Hg., Trade Associations in Business History, Tokio o. J., 233–67; F. Blaich, Kartell- u. Monopolpolitik im kaiserl. Deutschland. Das Problem der

Marktmacht im Deutschen Reichstag 1879–1914, Düsseldorf 1973; ders., Die Anfänge der deutschen Antikartellpolitik 1897–1914, in: JbS 21.1970, 127–50; ders., Der Einfluß der Kartellierung der deutschen Grundstoffindustrie auf den Konjunkturverlauf 1900–14, in: SM 10.1976, 5–23; ders., Der Trustkampf. Ein Beitrag zum Verhalten der Ministerialbürokratie gegenüber Verbandsinteressen im wilhelmin. Deutschland, Berlin 1975; ders., Ausschließlichkeitsbedingungen als Wege zur industriellen Konzentration in der deutschen Wirtschaft bis 1914, in: Horn u. Kocka Hg., 317–42. Zur Opposition: H. Nußbaum, Unternehmer gegen Monopole. Über Struktur u. Aktionen antimonopolist. bürgerl. Gruppen zu Beginn des 20. Jh., Berlin 1966. Vgl. außerdem noch: G. Jahn u. K. Junckersdorff Hg., Internationales Hb. der Kartellpolitik, ebd. 1958; L. Mayer, Kartelle, Kartellorganisation u. Kartellpolitik, Wiesbaden 1959. Linke Kritik: U. Jürgen, Selbstregulierung des Kapitals. Erfahrungen aus der Kartellbewegung in Deutschland 1890–1914, Frankfurt 1980. Apologetik: L. Kastl Hg., Kartelle in der Wirklichkeit, Köln 1963. Weiterhin informativ: A. Wolfers, Das Kartellproblem im Lichte der deutschen Kartell-Literatur, Leipzig 1931; H. Wagenführ, Kartelle in Deutschland, Nürnberg 1931; R. Liefmann, Kartelle u. Trusts, Stuttgart 1905/1930[9]; ders., Unternehmensverbände, Freiburg 1897; H. Levy, Industrial Germany. A Study of Its Monopoly Organisations and Their Control by the State (1935), ND N. Y. 1966; K. Wiedenfeld, Kartelle u. Konzerne, Berlin 1927. Für die Zeit bis 1873: T. Baums, Kartellrecht in Preußen. Von der Reformära bis zur Gründerkrise, Tübingen 1990; E. Maschke, Die Kartelle im Späten Mittelalter u. im 19. Jh. vor 1870, in: F. Lütge Hg., Wirtschaftl. u. soziale Probleme der gewerbl. Entwicklung im 15./16. u. 19. Jh., Stuttgart 1968, 102–14. Zur Rechtslage: F. Böhm, Das Reichsgericht u. die Kartelle 1897, in: Ordo 1.1948, 197–213; R. Schröder, Die Entwicklung des Kartellrechts u. des kollektiven Arbeitsrechts durch die Rechtsprechung des Reichsgerichts vor 1914, Ebelsbach 1988; T. F. Marburg, Government and Business in Germany. Public Policy Towards Cartels, in: BHR 38.1964, 78–101.

[18] Sombart, Kapitalismus III/1, 61; A. Oncken, Die Maxime Laissez-Faire, Berlin 1884, 130; G. Schmoller, Zur Sozial- u. Gewerbepolitik der Gegenwart, Leipzig 1890, 464; ders., Korreferat über die Zolltarifvorlage, in: SVS 16, ebd. 1879, 23f.; DHT 1861–1911 II, 432; W. v. Kardorff, Gegen den Strom, Berlin 1875, 2, 44, 46. Zur handelspolitischen Kehrtwende der Überblick in: R. Fremdling, Die Zoll- u. Handelspolitik Großbritanniens, Frankreichs u. Deutschlands 1800–1914, in: Pohl Hg., Wettbewerbsbeschränkungen, 25–62; VfS Hg., Die Handelspolitik der wichtigeren Kulturstaaten, 3 Bde, Leipzig 1892/93; J. v. Bazant, Die Handelspolitik Österreich-Ungarns 1875–92, ebd. 1894; Beer, Österreichs Handelspolitik, 452–65; A. Matlekowits, Die Zollpolitik der österreich.-ungar. Monarchie seit 1866, Leipzig 1891, 3–60. – N. Porri, La politique commerciale de l'Italie, Paris 1934, 9–26. – E. Zweig, Die russ. Handelspolitik seit 1877, Leipzig 1906, 16–32; V. Wittschewsky, Die Zoll- u. Handelspolitik Rußlands, ebd. 1892, 371–412; enttäuschend: J. Kuczynski u. G. Wittkowski, Die deutschruss. Handelsbeziehungen in den letzten 150 Jahren, Berlin 1947, 21–29; W. Kirchner, Russian Tariffs and Foreign Industries Before 1914: The German Entrepreneur's Perspective, in: JEH 41.1981, 361–79. – J. Hilsheimer, Interessenverbände u. Zollpolitik in den ersten Jahrzehnten der Dritten Republik, in: Francia 4.1976, 597–624; A. Laudry, La politique commerciale de la France, Paris 1934; B. Franke, Der Ausbau des heutigen Schutzzollsystems in Frankreich, Leipzig 1903, 3–15; E. Rausch, Französ. Handelspolitik 1871–82, ebd. 1900; A. Devers, La politique commerciale de la France depuis 1860, in: SVS 51, ebd. 1892, 127–208. – Wehler, Amerikan. Imperialismus, 24–37 (mit der Lit.). – B. H. Brown, The Tariff Movement in Great Britain 1881–95, N. Y. 1943, 9–28; S. H. Zebel, Fair Trade: An English Reaction to the Breakdown of the Cobden Treaty System, in: JMH 12.1940, 161–86. Vgl. Hobsbawm, Empires, 39; Pollard, Conquest, 260; allg. K. Borchardt, Protektionismus im histor. Rückblick, in: A. Gutkowski Hg., Der neue Protektionismus, Hamburg 1984, 17–47; H. Wergo, Freihandel u. Schutzzoll, Jena 1928; J. M. Stanescu, Der Übergang von der Freihandelstendenz zur Schutzzollpolitik in den europ. Großstaaten, Diss. Göttingen 1914.

[19] Natorp an Hammacher, 4.12. 1875, Nl. Hammacher 74; Lucius, 79, 39; vgl. H. v. Petersdorff, R. Lucius v. Ballhausen, in: v. Arnim u. v. Below Hg., 227–32; Böhme, Weg, 359–71, 376, 386, 387–95, 405–9, 412, 421, 425, 431–33; ders., Big-Business Pressure Groups and Bismarck's Turn to Protectionism 1873–79, in: HJ 10.1967, 218–36; G.-G. Bak, Industrielle Interessenpolitik im frühen Kaiserreich. Der «Verein Deutscher Eisen- u. Stahlindustrieller» 1874–95, Diss. Bielefeld 1987; W. Däbritz, 75 Jahre Verein Deutscher Eisenhüttenleute 1860–1935, in: Stahl u. Eisen 55.1935, 1257–450; W. Herrmann, Zur Geschichte der Unternehmerverbände in Europa, in: Fs. B. Kuske, Köln 1951, 150–79; H. Kaelble, Industrielle Interessenpolitik in der wilhelmin. Gesellschaft. Centralverband Deutscher Industrieller 1895–1914, Berlin 1967; G. Schulze, Zentralverband Deutscher Industrieller 1876–1919, in: LP 4, 509–43; vgl. G. Kessler, Die deutschen Arbeitgeberverbände, Leipzig 1907; ders., dass., in: HStW 1.1923[4], 712–29. – A. K. Steigerwalt, The National Association of Manufacturers 1895–1914, Ann Arbor 1964; Tiedemann II, 94–100. Allg. zum Kurswechsel von 1878/79: Böhme, Weg, 359–604; Rosenberg, Große Depression, 169–91; Wehler, Bismarck u. der Imperialismus, 99–111; Hentschel, Wirtschaft, 124–204; ders., Freihändler, 231–75; M. Stürmer, Regierung u. Reichstag im Bismarckstaat 1871–80, Düsseldorf 1974, 265–88; Gerloff, Finanz- u. Zollpolitik, 124–218; ders., Die deutsche Zoll- u. Handelspolitik, Leipzig 1920; Lotz, Ideen, 117–210; M. Nitzsche, Die handelspolit. Reaktion in Deutschland, Stuttgart 1905; K. W. Hardach, Die Bedeutung wirtschaftl. Faktoren bei der Wiedereinführung der Eisen- u. Getreidezölle in Deutschland 1879, Berlin 1967; ders., Die Wende von 1879, in: H. Pohl Hg., Die Auswirkungen von Zöllen, Stuttgart 1987, 275–92; ders., Beschäftigungspolit. Aspekte in der deutschen Außenhandelspolitik ausgangs der 1870er Jahre, in: Sch. Jb. 86.1966, 641–54; I. N. Lambi, Free Trade and Protection in Germany 1868–79, Wiesbaden 1963; ders., The Protectionist Interests of the German Iron and Steel Industry 1873–79, in: JEH 22.1962, 59–70, dt. in: Böhme Hg., Probleme der Reichsgründungszeit, 317–21; ders., The Agrarian-Industrial Front in Bismarckian Politics, in: JCEA 20.1961, 378–96; L. Maenner, Deutschlands Wirtschaft u. der Liberalismus in der Krise von 1879, Berlin 1928; P. Langen, Das Zollsystem u. die Zollpolitik in Deutschland seit 1871, Diss. Bonn 1957; H.-G. Caasen, Die Steuer- u. Zolleinnahmen des Deutschen Reiches 1872–1944, Diss. Bonn 1953; K. Nothacker, Ursachen, Entwicklung u. Bedeutung des ökonom. Liberalismus 1850–1900 unter bes. Berücks. der preuß. Handels- u. Gewerbepolitik, Diss. Erlangen 1950; H.-P. Benöhr, Wirtschaftsliberalismus u. Gesetzgebung am Ende des 19. Jh., in: Zeitschrift für Arbeitsrecht 8.1977, 187–218; E. Nübel, Sozialistengesetz, Zollpolitik u. Steuerreform als Kampfmittel in Bismarcks Ringen mit dem Liberalismus 1878/79, Diss. Köln/Gelsenkirchen 1937; F. v. Brockdorff, Deutsche Handelspolitik seit 1879, Diss. Erlangen 1899. Aus der neueren Kontroverslit.: S. Webb, Tariffs, Cartels, Technology, and Growth in the German Steel Industry 1879–1914, in: JEH 40.1980, 309–29; ders., Tariff Protection for the Iron Industry, Cotton Textilas, and Agriculture in Germany 1879–1914, in: JNS 192.1977, 336–57 (dazu die neue Lit. in Anm. 20 zu den Agrarzöllen!); K. Canis, Wirtschafts- u. handelspolit. Aspekte der deutschen Außenpolitik zu Beginn der 80er Jahre, in: JbG 16.1977, 139–80; L. Rathmann, Bismarck u. der Übergang Deutschlands zur Schutzzollpolitik 1873–79, in: ZfG 4.1956, 899–944. Überholter liberaler Dogmatismus in: H. Rittershausen, Die deutsche Außenhandelspolitik 1879–1948, in: ZGS 105.1949, 126–28; ders., Internationale Handels- u. Devisenpolitik, Frankfurt 1955[2]; W. Röpke, German Commercial Policy, London 1934. Speziell zu Bismarck außer der Lit. vorn: B. Waller, Bismarck, the Dual Alliance, and Economic Central Europe 1877–85, in: VSWG 63.1976, 454–67; ders., Bismarck at the Crossroads 1878–80, London 1974; O. Schneider, Bismarcks Finanz- u. Wirtschaftspolitik, München 1912; ders., Freihandelspolitik, 62–76; G. Freye, Motive u. Taktik der Zollpolitik Bismarcks, Diss. Hamburg 1926; J. Jensen, Bismarcks Finanzpolitik seit 1873, Diss. Gießen 1943; A. Böthlingk, Bismarck als Nationalökonom, Wirtschafts- u. Sozialpolitiker, Leipzig 1908; G. Brodnitz, Bismarcks nationalökonom. Anschauungen, Jena 1902; L. Zeitlin, Fürst Bismarcks sozial-, wirt-

schafts- u. steuerpolit. Anschauungen, Leipzig 1902; M. Biermer, Fürst Bismarck als Volkswirt, Greifswald 1899². Vgl. noch: F. Kestner, Die deutschen Eisenzölle 1879–1900, Leipzig 1902; Sering, Eisenzölle; G. Jacobs, Die deutschen Textilzölle im 19. Jh., Diss. Erlangen/Braunschweig 1907.

[20] Gottwald, Steuer-, u. Wirtschaftsreformer, 358–67; Bueck I, 357; Schmoller, Korreferat, 24; Böhme, Weg, 446–49, 504f., 477, 485, 491f., 506, 510, 515f., 519, 521–24, 574; H. A. Bueck, in: Verhandlungen, Mitteilungen u. Berichte des ZdI 8.1878, 3; A. Lohren, Das System des Schutzes der nationalen Arbeit, Potsdam 1880, 25; Tiedemann II, 228; Kardorff, W. Kardorff, 142; Oncken, Bennigsen II, 326f.; Bismarck, GW 8, 225, 253f.; 6c, 101, 116; 9, 450; H. Goldschmidt, Das Reich u. Preußen im Kampf um die Führung, Berlin 1931, 196f.; W. Kulemann, Polit. Erinnerungen, ebd. 1911, 87f.; Varnbüler: Bio. Wb. 3, 2979f.; Böhme, Weg, 319f.; Poschinger Hg., Bismarck u. Parlamentarier II, 301; G. A. Ritter Hg., Das Kaiserreich 1871–1914. Ein histor. Lesebuch, Göttingen 1993⁵, 209f. (die 204 am 17. 10. 1878); Oldenburg, 22f.; Heyderhoff Hg., Ring, 139/Anm. 1, 159; Böhme, Weg, 515f.; Lambi, Free Trade, 185–90; E. Richter, Die neuen Zoll- u. Steuervorlagen, Berlin 1879. – Bebel, Leben, 692; K. Bücher, Lebenserinnerungen I, Tübingen 1919, 238; Meyer, Kapitalismus, 82; vgl. A. Werner, Erlebnisse u. Eindrücke 1870–90, Berlin 1913, 291; H. v. Treitschke, Der Reichstag u. die Finanzreform, in: PJ 44.1879, 108; M. J. Bonn, Schlußwort, in: C. Landauer u. H. Honegger Hg., Internationaler Faschismus, Karlsruhe 1928, 140.

[21] Tiedemann II, 361; Lucius, 149; Bismarck an K. v. Dönhoff, 13. 3. 1879, zit. nach. Ritter, Parteien 1830–1914, 20f.; W. Bussmann Hg., Staatssekretär H. v. Bismarck. Aus seiner polit. Privatkorrespondenz, Göttingen 1964, 89–91 (H. v. B. an Rantzau, 27. 7. 1879); Hammacher an Haniel, 20. 2. 1879, Nl. Hammacher 21; Baare: Mariaux, 229. Vgl. die Berichte von v. Friedberg an den Kronprinzen, 8., 19. 5. 1879, Nl. Richthofen, Politisches Archiv (= PA), Auswärtiges Amt Bonn; Oncken, Bennigsen II, 402; Bismarck, GW 6c, 111f. Vorzügliche Sofortanalyse: J. Conrad, Die Tarifreform im Deutschen Reich 1879, in: JNS 34.1879, 1–42, 208–52. Vgl. Böhme, Weg, 529–47, 556–63, 587; Stürmer, Regierung, 266–72; Gerloff, Finanz- u. Zollpolitik, 148–67; Hardach, Bedeutung, 134f. – Zum Agrarprotektionismus außer der allg. Lit. in Anm. 19: F.-W. Henning, Vom Agrarliberalismus zum Agrarprotektionismus, in: Pohl Hg., Auswirkungen, 252–74; W. Feldenkirchen, Zur Kontinuität der deutschen Agrarpolitik seit 1879, in: Fs. W. Zorn, Wiesbaden 1987, 205–23; G. Kempter, Agrarprotektionismus: Landwirtschaftl. Schutzzollpolitik im Deutschen Kaiserreich 1879–1914, Frankfurt 1985; W. Pyta, Landwirtschaftl. Interessenpolitik im Kaiserreich, Stuttgart 1991 (nur Rheinland-Westfalen in den 1870er Jahren); M. Steinkühler, Agrar- oder Industriestaat? Die Auseinandersetzungen um die Getreidehandels- u. Zollpolitik des Deutschen Reiches 1879–1914, Frankfurt 1992; S. B. Webb, Agricultural Protection in Wilhelmian Germany, in: JEH 42.1982, 309–26; R. Moeller, Peasants and Tariffs in the Kaiserreich: How Backward Were the ‹Bauern›? in: AH 55.1981, 370–84; J. C. Hunt, Peasants, Grain Tariffs, and Meat Quotas: Imperial German Protectionism Reexamined, in: CEH 7.1974, 311–31; H. Reuter, Schutzzollpolitik u. Zolltarife für Getreide 1880–1900, in: ZAA 25.1977, 199–213; G. Schildt, Die Auswirkungen der deutschen Agrarzölle unter Bismarck u. Caprivi auf den russ. Getreideexport, in: JGMO 24.1975, 128–42; A. Panzer, Industrie u. Landwirtschaft in Deutschland im Spiegel der Außenwirtschafts- u. Zollpolitik von 1870 bis heute, in: ZAA 23.1975, 71–85; H.-H. Herlemann, Vom Ursprung des deutschen Agrarprotektionismus, in: E. Gerhard u. P. Kuhlmann Hg., Agrarwirtschaft u. Agrarpolitik, Köln 1969, 183–208; K. W. Hardach, Die Haltung der deutschen Landwirtschaft in der Getreidezolldiskussion von 1878/79, in: ZAA 15.1967, 33–48; Plachetka, 56–90; C. v. Dietze, Deutsche Agrarpolitik seit Bismarck, in: ZAA 12.1964, 200–15; W. Herrmann, Bündnisse u. Zerwürfnisse zwischen Landwirtschaft u. Industrie seit der Mitte des 19. Jh., Dortmund 1965; O. Strecker, Der Kampf um die Agrarzölle in Großbritannien u. Deutschland, in: Berichte über Landwirtschaft NF 36.1958, 869–904; L. Rathmann, Die Getreidezollpolitik der deutschen Großgrundbesitzer

1875–80, Diss. Leipzig 1956; K. Ritter, Getreidezölle, in: HStW 4.1927^{4}, 933–66; W. Schiff, Die Agrargesetzgebung der europ. Staaten vor u. nach dem Kriege, in: ASS 54.1925, 87–131, 469–529; J. Croner, Geschichte der agrar. Bewegung in Deutschland, Berlin 1907; Sering, Agrarkrisen; Bürger, Agrardemagogie. Allg. noch: N. Teichmann, Die Politik der Agrarpreisstützung, Köln 1955; M. Thron, Landwirtschaftl. Preisstützungen, Diss. Köln/Emsdetten 1936; I. Suttner, Die Sonderstellung des Getreidemarkts in der deutschen Handelspolitik, Diss. München 1946; H. Stuthe, Preuß.-deutsche Innenpolitik zum Schutze der Landwirtschaft 1875–1900; Diss. Köln/Gelsenkirchen 1927; O. Baumgarten, Freihandel u. Schutzzoll als Mittel der Agrarpolitik, Diss. Halle 1935; L. Brentano, Die deutschen Getreidezölle, Stuttgart 1911/1925^{3}; T. Mühlbauer, Die deutschen Agrarzölle, Diss. Erlangen 1916; H. Dade, Die Agrarzölle, in: SVS 91/2, Leipzig 1901, 1–102; H. Wendland, Die deutschen Getreidezölle, Diss. Leipzig/Berlin 1892; C. J. Fuchs, Deutsche Agrarpolitik, Stuttgart 1927^{3}; ders., Die Grundprobleme der deutschen Agrarpolitik, Berlin 1913^{2}.

[22] Feldkirchen, Kontinuität, 205; Herlemann, 22; Kunt, 314–18; Jacobs u. Richter, 79 (pflanzl. Nahrungsmittel, Viehprodukte); vgl. Gehlhoff, in: Spiethoff II, T. 38b, c (Getreide, Kartoffeln, Fleischsorten); C. F. Freytag, Die Entwicklung des Hamburger Warenhandels 1871–1900, Berlin 1906; Jurowsky, 10; Pollard, Conquest, 268; Webb, Agricultural Protection, 319, vgl. 310–26; ders., Tariff Protection, 349, 355, vgl. 348–53. Nach Webbs Berechnungen: Übersicht 89. Vgl. R. Liefmann, Schutzzoll u. Kartelle, Jena 1903; J. L. Gignilliat, Pigs, Politics, and Production. The European Boycott of American Pork 1871–91, in: AH 35.1961, 3–12; Henning, Landwirtschaft II, 127f. – Zollfolgen: C. v. Tyszka, Die Lebenshaltung der arbeitenden Klassen in bedeutenderen Industriestaaten: England, Deutschland, Frankreich, Belgien u. die Vereinigten Staaten, Jena 1912, 44, 66; früh: J. Conrad, Die Wirkung der Getreidezölle in Deutschland 1880–90; in: JNS 56.1891, 481–517; vgl. ders., Die Erhöhung der Getreidezölle im Deutschen Reich 1885, in: JNS 44.1885, 237–62; W. Lexis, Die Wirkung der Getreidezölle, in: Fs. G. Hanssen, Tübingen 1889, 197–236. – Industriezölle: Webb, Tariffs, 313–28, v. a. 317; ders., Tariff Protection, 340–355; zu dogmatisch festgefahren: Sonnemann, Auswirkungen. – Brentano an Schmoller, 23. 10. 1878, Nl. Brentano 59, BA; Kapp an E. Cohen, 9. 11. 1878, 5. 4. 1879, in: Kapp, Briefe, 116, 131; L. M. Hartmann, T. Mommsen, Gotha 1908, 120; Wahlrede H. H. Meiers, 11. 10. 1881, Nl. Meier XXV, Staatsarchiv (=StA) Bremen; Hardach, Bedeutung, 70–72; ders., Aspekte, 653; U. Fechter, Schutzzoll u. Goldstandard im Deutschen Reich 1879–1914, Köln 1974. – G. Weinberger, Die deutschen Konsuln vor 1914, in: JbW 1969/II, 203–23; A. Steinmann-Bucher, Die Reform des Konsulatswesens aus dem volkswirtschaftl. Gesichtspunkte, Berlin 1884; Böhme, Weg, 534, 539, 373.

[23] Treitschke, Histor. u. polit. Aufsätze II, 1886^{5}, 569; Böhme, Weg, 443, 528f., 587–91; Herkner, Baumwollindustrie, 291; Tiedemann II, 335; Schmoller, Konkurrenz, 283; ders., Die Wandlungen der europ. Handelspolitik des 19. Jh., in: Sch. Jb. 24.1900, 380, 382; Brentano, Handelspolitik, 17–22; vgl. ders., Mein Leben im Kampf um die soziale Entwicklung Deutschlands, Jena 1931, 123f.; Sheehan, Brentano, 108–14; H. Dietzel, Die Theorie von den drei Weltreichen, Berlin 1900; Henderson, Zollvereinspläne 1840–1940, 120–62, v. a. 151f.; ders., A 19th Century Approach to a West European Common Market, in: Kyklos 10.1957, 448–59; W. Abelshauser, «Mitteleuropa» u. die deutsche Außenwirtschaftspolitik, in: Fs. K. Borchardt, Baden-Baden 1994, 263–86; H. Voss, Die Bestrebungen zur Errichtung eines gemeinsamen Marktes in Mitteleuropa vor 1892, Diss. Graz 1958; C. v. Kresz, Die Bestrebungen nach einer mitteleurop. Zollunion, Diss. Heidelberg 1907; E. Francke, Zollpolit. Einigungsbestrebungen in Mitteleuropa, in: SVS 90, Leipzig 1900, 187–272, sowie die bereits zit. Studien von Rosenberg, German-Austrian Customs Union; Halbenz; Pentmann, Zollunion; ders., Customs Union; Matlekowits, Zollunionsfrage, 845–53; Robinski; Bosc; allg.: Siebert; Lipsey; Jürgensen. Für die wirtschaftspolitische Dimension erstaunlich unergiebig: J. Droz, L'Europe Centrale: Evolution historique de l'Ideé de Mitteleuropa, Paris 1960; J. Pajewski, Mitteleuropa, Posen 1959; H. C. Meyer,

Mitteleuropa in German Thought and Action 1815–1945, Den Haag 1955; H. R. v. Srbik, Mitteleuropa, Weimar 1937; H. Oncken, Das alte u. das neue Mitteleuropa, Gotha 1917. Caprivi: C. v. Wedel, Zwischen Kaiser u. Kanzler, Leipzig 1943, 79; A. v. Waldersee, Denkwürdigkeiten, Hg. H. O. Meisner, I, Stuttgart 1923, 311.

[24] Gerloff, Finanz- u. Zollpolitik, 197–225, 292–303, 382–93; Hentschel, Wirtschaft, 178–92; D. Stegmann, Die Erben Bismarcks. Parteien u. Verbände in der Spätphase des wilhelmin. Deutschland. Sammlungspolitik 1897–1918, Köln 1970, 80–97, 20 (Jentsch), 83 (Schwerin), 91 (Gerlach); L. v. Caprivi, Reden, Hg. P. Arndt, Berlin 1894, 177 (10.12. 1891). Zur österreichischen Handelspolitik vgl. vorn Anm. 10; zur französischen ebd. und hier: J. Hilsheimer, Interessengruppen u. Zollpolitik in Frankreich: Der Zolltarif von 1892, Diss. Heidelberg 1973; E. O. Golob, The Méline Tariff, N. Y. 1914; Röhl, Deutschland, 59 (Goehring); L. v. Caprivi, Briefe an M. Schneidewin, in: Deutsche Revue 47.1922/II, 146 (17. 3. 1895); A. Wermuth, Ein Beamtenleben, Berlin 1922, 218; O. Stillich, Die polit. Parteien I: Die Konservativen, Leipzig 1908, 140. Vgl. allg. zur Zoll- und Wirtschaftspolitik von Bismarcks Nachfolgern: R. Weitowitz, Deutsche Politik u. Handelspolitik unter Reichskanzler L. v. Caprivi 1890–94, Düsseldorf 1978; P. Leibenguth, Modernisierungskrisis des Kaiserreichs an der Schwelle zum wilhelmin. Imperialismus. Polit. Probleme der Ära Caprivi 1890–94, Diss. Köln 1972/1975; Röhl (Deutschland) ist auf diesem Gebiet enttäuschend; J. A. Nichols, Germany After Bismarck 1890–94, Cambridge/Mass. 1958/ ND N. Y. 1968; H. O. Meisner, Der Reichskanzler Caprivi, in: ZGS 111.1955, 669–752; R. Stadelmann, Der neue Kurs in Deutschland, in: GWU 4.1953, 538–64; C. Sempell, The Constitutional and Political Problems of the Second Chancellor, L. v. Caprivi, in: JMH 25.1953, 234–54; H. C. Sievers, Die Innenpolitik des Reichskanzlers Caprivi, Diss. Kiel 1953; H. Öhlmann, Studien zur Innenpolitik des Reichskanzlers v. Caprivi, Diss. Freiburg 1953; J. Schneider, Die Auswirkungen von Zöllen u. Handelsverträgen sowie Handelshemmnissen auf Staat, Wirtschaft u. Gesellschaft 1890–1914, in: Pohl Hg., Auswirkungen, 293–327; A. Börner, Der Klassencharakter der Caprivischen Handelsverträge, Diss. Leipzig 1961; W. Treue, Die deutsche Landwirtschaft z. Z. Caprivis u. ihr Kampf gegen die Handelsverträge, Berlin 1933; W. Lotz, Die Handelspolitik des Deutschen Reiches unter Caprivi u. Hohenlohe 1890–1900, in: VfS Hg., Beiträge zur neuesten Handelspolitik Deutschlands III, Leipzig 1901, 47–218; A. de Clery, La politique douanière de l'Allemagne 1890–1925, Diss. Paris 1935; L. Domeratzky, Tariff Relations Between Germany and Russia 1890–1914, Washington 1918. – C. zu Hohenlohe-Schillingsfürst, Denkwürdigkeiten, 2 Bde; ders., dass. III, Stuttgart 1931; Röhl, Deutschland; abwegig: E. T. Wilke, Political Decadence in Imperial Germany 1894–97, Urbana/Ill. 1976; D. Fraley, Government by Procrastination. Chancellor Hohenlohe und Kaiser Wilhelm II. 1894–1900, in: CEH 7.1974, 159–83; ders., Reform or Reaction: The Dilemma of Prince Hohenlohe als Chancellor of Germany, in: ESR 4.1974, 317–43. – B. v. Bülow, Denkwürdigkeiten, 4 Bde, Berlin 1930–31; ders., Deutsche Politik, in: S. Körte u. a. Hg., Deutschland unter Kaiser Wilhelm II., I, Berlin 1914, 5–136; G. Fesser, Reichskanzler B. Fürst v. Bülow, ebd. 1991; auf Röhls Linie: K. A. Lerman, The Chancellor as Courtier. B. v. Bülow and the Governance of Germany, Cambridge 1990; D. M. Bleyberg, Government and Legislative Process in Wilhelmine Germany: The Reorganisation of the Tariff Laws Under Reich Chancellor v. Bülow 1897–1902, Diss. Univ. of East Anglia 1980; G. Schöne, Die Verflechtung wirtschaftl. u. polit. Motive in der Haltung der Parteien zum Bülowschen Zolltarif 1902/03, Diss. Halle 1934; F. W. Beidler, Der Kampf um den Zolltarif im Reichstag 1902, Diss. Berlin 1929; W. Neumann, Die Innenpolitik des Fürsten Bülow 1900–06, Diss. Kiel 1949; vgl. auch H.-G. Hartmann, dass. 1906–09, Diss. Kiel 1950; P. Winzen, Bülows Weltmachtkonzept 1897–1901, Boppard 1977. – Reichsamt des Inneren Hg., Die Handelsverträge des Deutschen Reiches, Berlin 1906.

[25] Schumpeter, Theorie, 102. – Sombart, Kapitalismus III/1, 63; Gerloff, Finanz- u. Zollpolitik, 166; Treue, in: Gebhardt III^{9}, 823–35. – W. Sombart, Die Zukunft des Kapitalismus, Berlin 1932. – G. Kolko, The Triumph of Conservatism, Chicago 1963/

1967[2]. – P. A. Baran u. P. M. Sweezy, Monopolkapital, Frankfurt 1967. – L. Zumpe Hg., Wirtschaft u. Staat im Imperialismus, Berlin 1976; Baudis u. Nussbaum Hg. – Dobb, Entwicklung; Hobsbawm, Empires, 445; W. A. Williams, The Contours of American History, Chicago 1966[2]. – A. Shonfield, Modern Capitalism, London 1965, dt. Geplanter Kapitalismus, Köln 1978; sodann Milward u. Saul II, 48–53.- G. D. Feldman, Der deutsche Organisierte Kapitalismus 1914–23, in: H. A. Winkler Hg., Organisierter Kapitalismus, Göttingen 1974, 150–71. – Winkler Hg., Organisierter Kapitalismus; J. Kocka, Organisierter Kapitalismus oder Staatsmonopolist. Kapitalismus? in: ebd., 19–35; ders., Organisierter Kapitalismus im Kaiserreich? in: HZ 230.1980, 613–31; H.-U. Wehler, Der Aufstieg des Organisierten Kapitalismus in Deutschland, in: Winkler Hg., 36–57, u. in: ders., Krisenherde, 290–308. Die kritische Diskussion: Hentschel, Wirtschaft; K. J. Bade, Organisierter Kapitalismus, in: NPL 20.1975, 293–307; K. D. Barkin, Organized Capitalism, in: JMH 47.1975, 125–29; U. Bermbach, Organisierter Kapitalismus, in: GG 2.1976, 264–73; T. Nipperdey, Organisierter Kapitalismus, Verbände u. die Krise des Kaiserreichs, in: GG 5.1979, 418–33; H.-J. Puhle, Aspekte der Agrarpolitik im «Organisierten Kapitalismus», in: 2. Fs. Rosenberg, 543–64; M. Geyer u. A. Lüdtke, Krisenmanagement, Herrschaft u. Protest im organisierten Monopol-Kapitalismus 1890–1939, in: Sowi 4.1975, 12–23; G. Brüggemeier, Entwicklung des Rechts im organisierten Kapitalismus I, Frankfurt 1977. «Selbstkritik» v. a. in: Winkler, Organisierter Kapitalismus: Zwischenbilanz einer Diskussion, in: ders. Hg., 214–18, u. in: ders., Liberalismus, 259–63; ders., Organisierter Kapitalismus? Versuch eines Fazits, in: ders., Liberalismus, 264–71; Wehler, Hilferding, 284–87 (vgl. unabhängig von Hilferding die Beschreibung bei Feiler, 169f.); vgl. S. Pollard, Keynesianismus u. Wirtschaftspolitik seit der Großen Depression, in: GG 10.1984, 185–210. – C. S. Maier, «Fictitious Bonds ... of Wealth and Law». On the Theory and Practice of Interest Representation (1981), in: ders., In Search of Stability, Cambridge 1987, 225–60; ders., Recasting Bourgeois Europe 1918–29, Princeton 1975. – G. Lehmbruch u. P. Schmitter Hg., Patterns of Corporatist Policy-Making, Beverly Hills 1982; dies. Hg., Trends Towards Corporatist Intermediation, ebd. 1979; S. Berger Hg., Organizing Interest in Western Europe. Pluralism, Corporatism, and the Transformation of Politics, Cambridge/Mass. 1981; U. Nocken, Corporatism and Pluralism in Modern German History, in: 1. Fs. Fischer, 33–56. – W. Abelshauser, Korporatismus; ders., The First Post-Liberal Nation: Stages in the Development of Modern Corporatism in Germany, in: EHQ 14.1984, 285–318; ders., Staat, Infrastruktur u. regionaler Wohlstandsausgleich im Preußen der Hochindustrialisierung, in: F. Blaich Hg., Staatl. Umverteilungspolitik in histor. Perspektive, Berlin 1980, 9–58; ders., Neuer Most in alten Schläuchen? Vorindustrielle Traditionen deutscher Wirtschaftsordnungen im Vergleich mit England, in: Fs. Köllmann, 117–32; A. Kunz, The State as Employer in Germany 1880–1918, in: W. R. Lee u. E. Rosenhaft Hg., The State and Social Change in Germany 1880–1980, N. Y. 1990, 34–60; K. v. Beyme, Der Neokorporatismus – Neuer Wein in alten Schläuchen? in: GG 10.1984, 211–33; C. Offe, Korporatismus als System nichtstaatl. Makrosteuerung, in: ebd., 234–56; G. Steinmetz, Regulating the Social. The Welfare State and Local Politics in Imperial Germany, Princeton 1993; C. Mayer-Tasch, Korporatismus u. Autoritarismus, Frankfurt 1971; U. v. Alemann Hg., Neokorporatismus, ebd. 1981. Vgl. allg. D. Rüschemeyer u. a., Capitalist Development and Democracy, Chicago 1992; E. Rosenhaft u. W. R. Lee, State and Society in Modern Germany – Beamtenstaat, Klassenstaat, Wohlfahrtsstaat, in: dies. Hg., 1–33; noch immer: R. H. Bowen, German Theories of the Corporative State 1870–1918, N. Y. 1947; ders., The Roles of Government and Private Enterprise in German Industrial Growth 1870–1914, in: JEH 10.1950/Suppl. 10, 68–81. – Guter Überblick: H.-J. Puhle, Histor. Konzepte des entwickelten Industriekapitalismus. «Organisierter Kapitalismus» u. «Korporatismus», in: GG 10.1984, 165–84. Allg. Polanyi, Great Transformation, 3, 29, 40, 54f., 57, 68–73, 84, 111, 125, 139, 250; Löwe, Ökonomik, 15–113; S. Landshut, Kritik der Soziologie (1929), Neuwied 1969, z. T. in: Wehler Hg., Geschichte u. Ökonomie, 40–53. – C. Offe, Strukturprobleme des kapitalist. Staates, Frankfurt 1972; Adorno,

23; MEW 6, 405 (1849). – H. Kaelble, The Rise of Managerial Enterprise in Germany 1870–1930, in: K. Kobayashi u. H. Morikawa Hg., Development of Managerial Enterprise, Tokio 1986, 71–97; A. D. Chandler u. H. Daems Hg., Managerial Hierarchies. Comparative Perspectives in the Rise of the Modern Industrial System, Cambridge/Mass. 1980; H. Daems u. H. van der Wee Hg., The Rise of Managerial Capitalism, Den Haag 1974; Kockas Studien; O. H. v. d. Gablentz, Industriebürokratie, in: Sch. Jb. 50.1926, 539–72; G. Bender, Strukturen des kollektiven Arbeitsrechts vor 1914, in: H. Steindl Hg., Wege zur Arbeitsrechtsgeschichte, Frankfurt 1984, 251–93. Zit. Caro: R. Sonnemann u. S. Richter, Zur Rolle des Staates beim Übergang vom vormonopolist. Kapitalismus zum Imperialismus in Deutschland, in: JbW 1964/II, III, 241. Vgl. vorn v. Beyme und Offe. – E. Küng, Interventionismus, in: HSW 5.1956, 321, 326; ders., dass., Bern 1941; W. Röpke, Staatsinterventionismus, in: HStW Erg.bd. 1929[4], 861–82; W. Eucken (Staatl. Strukturwandlungen u. die Krisis des Kapitalismus, in: WA 36.1932, 297–321) ist banal, mit verständnisloser Kritik an der «Masse» als Zerstörer der reinen Marktwirtschaft. Ohne angemessene Anerkennung der sozioökonomischen und legitimatorischen Sachzwänge: L. Gall, Zu Ausbildung u. Charakter des Interventionsstaats, in: HZ 227.1978, 552–70.

[26] Vgl. hierzu R. M. Bird, Wagner's «Law of Expanding State Activity», in: Public Finance 26.1971, 1–26; H. Timm, Das Gesetz der wachs. Staatsausgaben, in: Finanzarchiv (= FA) 21.1961, 201–47; N. Leineweber, Das säkulare Wachstum der Staatsausgaben 1815–1985, Göttingen 1988; O. Weitzel, Die Entwicklung der Staatsausgaben in Deutschland, Diss. Erlangen 1967; P.-C. Witt, Finanzpolitik u. sozialer Wandel. Wachstum u. Funktionswandel der Staatsausgaben in Deutschland 1871–1933, in: 2. Fs. Rosenberg, 565–74; ders., «Patriot. Gabe» u. «Brotwucher». Finanzverfassung u. polit. System im Deutschen Kaiserreich 1871–1914, in: U. Schultz Hg., Mit dem Zehnten fing es an. Eine Kulturgeschichte der Steuer, Frankfurt 1986, 189–99; P. Greim-Kuczewski, Die preuß. Klassen- u. Einkommenssteuer im 19. Jh., Köln 1990; P.-M. Prochnow, Staat im Wachstum. Versuch einer finanzwirtschaftl. Analyse der preuß. Haushaltsrechnungen 1871–1913, Diss. Münster 1977; S. Andi u. J. Veverka, The Growth of Government Expenditure in Germany Since the Unification, in: FA 23.1963/64, 169–278; C. Bellstedt, Die Steuer als Instrument der Politik in den USA u. Deutschland, Berlin 1986; K. H. Hansmeyer, Der Weg zum Wohlfahrtsstaat. Wandlungen der Staatstätigkeit im Spiegel der Finanzpolitik, Frankfurt 1957; F. Neumark, Wirtschafts- u. Finanzprobleme des Interventionsstaats, Tübingen 1961; H. C. Recktenwald, Staatswirtschaft in säkularer Entwicklung, in: Hamburger Jb. 1970, 119–38; J. P. Cullity, The Growth of Governmental Employment in Germany 1882–1950, in: ZGS 123.1967, 201–17. – M. Stolleis, Die Entstehung des Interventionsstaates u. das öffentl. Recht, in: Zeitschrift für Neuere Rechtsgeschichte 10.1989, 129–47; ders., Geschichte des öffentl. Rechts in Deutschland II: 1800–1914, München 1992, 281–459; Kocka, Hintze; Abelshauser, Most, 131. – J. Habermas, Legitimationsprobleme im modernen Staat, in: ders., Zur Rekonstruktion des Histor. Materialismus, Frankfurt 1976, 271–303; ders., Legitimationsprobleme im Spätkapitalismus, ebd. 1973. – R. G. Hawtrey, The Economic Aspects of Sovereignty, London 1952[2], 120.

[27] Schumpeter, Steuerstaat, 68; Offe, Korporatismus, 225, 234; E. Lederer, Das ökonom. Element u. die polit. Idee im modernen Parteiwesen, in: Zeitschrift für Politik 5.1912, 535–57, als: Klasseninteressen, Interessenverbände u. Parlamentarismus, in: ders., Kapitalismus, Klassenstruktur u. die Probleme der Demokratie in Deutschland, Hg. J. Kocka, Göttingen 1979, 33–50; E.-W. Böckenförde, Die polit. Funktion wirtschaftl.-sozialer Verbände u. Interessenträger in der sozialstaatl. Demokratie, in: Der Staat 15.1976, 457–83; Stolleis, Entstehung, 139; A. Menger, Das bürgerl. Recht u. die besitzlosen Volksklassen, Tübingen 1889/1908[4], 132; Abelshauser, Korporatismus, 150, 159; ders., Nation, 289; ders., Most, 117–19, 131; Maier, Bonds, 254; G. Eley, Capitalism and the Wilhelmine State: Industrial Growth and Political Backwardness in Recent German Historiography 1890–1918, in: HJ 21.1978, 737–50, u. in: ders., From Unification, 23–41 (überzogen, aber mit berechtigtem Insistieren auf einer Teilwahrheit). – Riehl, Naturgeschichte I, 27 (1883).

– Zum Sozialstaat: G. A. Ritter, Der Sozialstaat. Entstehung u. Entwicklung im internat. Vergleich, München 1991²; ders., Entstehung u. Entwicklung des Sozialstaats in vergl. Perspektive, in: HZ 234.1986, 1–90; ders., Der Übergang zum Intenventions- u. Wohlfahrtsstaat u. dessen Auswirkungen auf Parteien u. Parlamente im Deutschen Kaiserreich, in: Fs. Büsch, 437–59; W. J. Mommsen u. W. Mock Hg., Die Entstehung des Wohlfahrtsstaates in Großbritannien u. Deutschland 1850–1950, Stuttgart 1982; darin, außer Mommsens Einleitung, v. a. P. Flora, Krisenbewältigung oder Krisenerzeugung? Der Wohlfahrtsstaat in histor. Perspektive, 353–98; ders. u. A. J. Heidenheimer Hg., The Development of the Welfare States in Europe and America, New Brunswick 1981; H. F. Zacher, Sozialstaatsprinzip, in: HWW 7.1977, 152–60; H. K. Girvetz, Welfare State, in: IESS 16.1968, 512–21; P. Rütters, Die Entstehung u. Entwicklung des Wohlfahrtsstaates, in: IWK 25.1989, 67–83; L. Machtan, Die Entwicklungs- u. Wirkungsgeschichte sozialstaatl. Intervention im späten 19. u. frühen 20. Jh., in: AfS 24.1984, 611–30; R. Baron, Weder Zuckerbrot noch Peitsche. Histor. Konstitutionsbedingungen des Sozialstaats in Deutschland, in: Gesellschaft. Beiträge zur Marxschen Theorie 12.1979, 13–55; E. Tálos, Sozialpolitik – Sozialstaat – Wohlfahrtsstaat, in: Zeitgeschichte 4.1977, 222–36; C. Scheer, Sozialstaat u. öffentl. Finanzen, Köln 1975; H.-J. Puhle, Vom Wohlfahrtsausschuß zum Wohlfahrtsstaat, in: G. A. Ritter Hg., dass., ebd. 1973, 29–68; L. Krieger, The Idea of the Welfare State in Europe and the United States, in: JHI 24.1963, 553–68; A. Briggs, The Welfare State in Historical Perspective, in: Europ. Archiv für Soziologie 2.1961, 221–48; K. E. Born, Idee u. Gestalt des sozialen Rechtsstaats in der deutschen Geschichte, in: Sozialer Rechtsstaat – Weg oder Irrweg? Bonn 1963, 81–105. Allg. noch: T. H. Marshall, Bürgerrechte u. soziale Klassen. Zur Soziologie des Wohlfahrtsstaates, Frankfurt 1992; R. M. Titmus, Essays on the Welfare State, London 1969³; ders., Income Distribution and Social Change, ebd. 1974³.

[28] Rosenberg, Große Depression, 179; Hansen, Mevissen I, 799; Tagebuch (= Tb.) Versmann 30. 10. 1878, in: Nl. Versmann A 4, 59, StA Hamburg; R. Fremdling, Freight Rates and State Budget: The Role of the National Prussian Railways 1880–1913, in: JEEH 9.1980, 21–39. Vgl. allg. C. Albrecht, Bismarcks Eisenbahngesetzgebung 1871–79, Köln 1994; A. v. d. Leyden, Die Eisenbahnpolitik des Fürsten Bismarck, Berlin 1914; A. Alberty, Der Übergang zum Staatsbahnsystem in Preußen, Jena 1911; A. Jungnickel, Staatsminister A. v. Maybach, Stuttgart 1910; neueren Datums, aber nicht weiterführend: H. Mottek, Die Ursachen der Eisenbahnverstaatlichung 1879, Diss. Berlin 1950; R. Rottsahl, Bismarcks Reichseisenbahnpolitik, Diss. Frankfurt 1935. – W. Lotz, Eisenbahntarife u. Wasserfrachten (= SVS 89), Leipzig 1900; H. Burmeister, Die geschichtl. Entwicklung des Gütertarifwesens der Eisenbahnen Deutschlands, ebd. 1899. Kanäle: Tilly, in: HSW II, 572–76; D. Ziegler, Kommerzielle oder militär. Interessen, Partikularismus oder Raumplanung? Bestimmungsfaktoren für die Entwicklung des Eisenbahnnetzes in Deutschland im 19. Jh., in: J. Wysocki Hg., Wirtschaftl. Integration u. Wandel von Raumstrukturen im 19. u. 20. Jh., Berlin 1994, 39–63; Abelshauser, Nation, 290–95. – K. Marzisch, Die Vertretung der Berufsstände als Problem der Bismarckschen Politik, Diss. Marburg 1934; H. Herrfahrth, Das Problem der berufsständ. Vertretung von der Französ. Revolution bis zur Gegenwart, Stuttgart 1921; J. Curtius, Bismarcks Plan eines Deutschen Volkswirtschaftsrates, Heidelberg 1919; Böhme, Weg, 484, 575, 579. – Zur «Mittelstandspolitik», die für das Handwerk erst 1897 Erfolge zeitigte, vgl. unten II.5 und III.2.d. Das preußische Landesökonomiekollegium wurde seit 1876 als Beratungsgremium aufgewertet. Später, seit 1894, übernahmen diese Aufgabe auch die Landwirtschaftskammern. Die Handelskammern besaßen ein verbrieftes Recht auf die Vertretung von wirtschaftlichen Interessen. – Paradigmatisch: H.-P. Ullmann, Staatl. Exportförderung u. private Exportinitiative. Probleme des Staatsinterventionismus im Deutschen Kaiserreich am Beispiel der staatl. Außenhandelsförderung 1880–1919, in: VSWG 65.1978, 157–216. Dampfersubvention: Wehler, Bismarck u. der Imperialismus, 239–57; Konsuln: ebd., 231–34 und vorn Anm. 22; Exportmuseen: ebd., 234; dort auch (1984⁵, neue Lit.: 567–72) zum informellen

und formellen Imperialismus bis 1890. – Abelshauser, Staat, 16–18, 20–34, 35–45, 49–58 (eine brillante Argumentation); H. Poschinger Hg., Fürst Bismarck als Volkswirt I, Berlin 1889/ND Frankfurt 1982, 187; vgl. ders Hg., Aktenstücke zur Wirtschaftspolitik des Fürsten Bismarck, 2 Bde, Berlin 1890–91/ND Frankfurt 1982; Rothfels Hg., Bismarck u. der Staat, XLVI; H. Horn, Der Kampf um den Bau des Mittellandkanals, Köln 1964.

[29] Vgl. zur vorhergehenden Zeit: 5. Teil, II.2, dazu in den Anm. 12 und 13 die Lit., auch die meist nur bis ca. 1870 führende Regionallit., v. a. weiterhin: Schmoller, Kleingewerbe; Fischer, Rolle, 338–48; Kaufhold, Industrielle Revolution u. Handwerk, 167–74; Haupt, Handwerk 1850–1900; ders. Hg., Radikalismus; Wengenroth Hg.; Lebovics, Agrarians. – Zum folgenden wieder an erster Stelle: Lenger, Sozialgeschichte, 110–62; K. H. Kaufhold, Das Handwerk zwischen Anpassung u. Verdrängung, in: Pohl Hg., Sozialgeschichtl. Probleme, 103–41; ders., Die Entwicklung des Handwerks im 19. u. frühen 20. Jh., in: P. Hugger Hg., Handwerk zwischen Idealbild u. Wirklichkeit, Bern 1991, 53–80; ders., The Economic and Social Development of the «Kleingewerbe» (Small Business) in Germany 1800–1970, in: Commission internationale d'Histoire des movements sociaux et des structures sociales Hg., Petite enterprise et croissance industrielle dans le monde aux XIX et XX siècles, Paris o. J., 174–97; D. Blackbourn, Handwerker im Kaiserreich: Gewinner oder Verlierer? in: Wengenroth Hg., 7–21; ders., The Mittelstand in German Society and Politics 1871–1914, in: SH 4.1977, 409–33; A. Noll, Sozioökonom. Strukturwandel des Handwerks in der zweiten Phase der Industrialisierung, Göttingen 1976; ders., Wirtschaftl. u. soziale Entwicklung des Handwerks in der zweiten Phase der Industrialisierung, in: W. Rüegg u. O. Neuloh Hg., Zur soziolog. Theorie u. Analyse des 19. Jh., ebd. 1971, 193–212; W. Fischer, Das deutsche Handwerk im Strukturwandel des 20. Jh., in: ders., Wirtschaft u. Gesellschaft, 349–57; ders., in: HEWS V, 408; ders., in: HWS II, 532 f., 559; K. H. Schmidt, Die Rolle des Kleingewerbes in regionalen Wachstumsprozessen 1850–1900, in: 1. Fs. Abel III, 770–92; F. Lenger, Zur Sozialgeschichte des rhein. Stadthandwerks im 19. Jh., in: RVB 52.1988, 171–89; H. Henning, Handwerk u. Industriegesellschaft 1870–1914, in: Düwell u. Köllmann Hg., Rheinland u. Westfalen, 177–88. Zuletzt v. a. S. Volkov, The Rise of Popular Anti-Modernism in Germany 1873–96, Princeton 1978; dies. (Angel-Volkov), Popular Anti-Modernism. Ideology and Sentiment Among Master-Artisans During the 1890s, in: JbIDG 3.1974, 202–25; dies., The Social and Political Functions of Late 19th Century Anti-Semitism: The Case of the Small Handicraft Masters, in: 2. Fs. Rosenberg, 416–31, dt. Zur sozialen u. polit. Funktion des Antisemitismus: Handwerker im späten 19. Jh., in: dies., Jüd. Leben u. Antisemitismus im 19. u. 20. Jh., München 1990, 37–53; dies., The «Decline of the German Handicrafts» – Another Reappraisal, in: VSWG 61.1971, 165–84; U. Wengenroth, Motoren für den Kleinbetrieb, in: ders. Hg., 177–205; ders., The Electrification of the Workshop, in: F. Cardot Hg., Un siècle d'electricité dans le monde 1880–1980, Paris 1987, 357–66; G. Henninger, Der Einsatz des Elektromotors in den Berliner Handwerks- u. Industriebetrieben 1890–1914, Diss. Berlin 1980 (vorher schon: V. Böhmert, Die Gegenwart u. Zukunft des Kleinbetriebs, in: Der Arbeiterfreund 13 1978, 210–21). Weiterhin eine Goldmine an Informationen: VfS Hg., Untersuchungen über die Lage des Handwerks in Deutschland mit bes. Berück. auf seine Konkurrenzfähigkeit gegenüber der Großindustrie, 9 Bde (= SVS 62–69), Leipzig 1895–97; dazu H. Grandke, Die vom VfS veranstalteten Untersuchungen über die Lage des Handwerks in Deutschland, in: Sch. Jb. 21.1897, 265–322. Vgl. zur Gewerbepolitik: W. Stieda, Handwerk, in: HStW 4.1900², 1097–114; Georges, Interessenpolitik; W. Gimmler, Die Entstehung neuzeitl. Handwerkerverbände im 19. Jh., Diss. Erlangen 1972; M. Biermer, Mittelstandsbewegung, in: HStW 6.1910³, 734–62; v. a. aber H. A. Winkler, Der rückversicherte Mittelstand: Die Interessenverbände von Handwerk u. Kleinhandel im deutschen Kaiserreich, in: Rüegg u. Neuloh Hg., 163–79, u. in: ders., Liberalismus, 83–98, auch als Kap. II in: ders., Mittelstand, Demokratie u. Nationalsozialismus 1918–33, Köln 1972, 40–64. Zur Kontroverse zwischen «Pessimisten» und «Optimisten» vgl. K. Bücher, Der Niedergang

des Handwerks, in: ders., Entstehung, 197–228 (B. leitete auch die VfS- Enquête); ähnlich Schmoller, Sombart, SVS 62–69. Dagegen: W. Stieda, Die Lebensfähigkeit des deutschen Handwerks, Rostock 1897; Thissen. Heute: Fischers Aufsätze, in: ders., Wirtschaft u. Gesellschaft; Abels Studien. Die Anpassungsschwierigkeiten betonen: Volkov, Winkler und Rosenberg. Sorgfältig abwägend: Lenger, Sozialgeschichte, und Kaufhold, Anpassung u. Verdrängung. Vgl. unten III.2.d zur Sozialgeschichte des Kleinbürgertums und der «Mittelstandspolitik».

30 Rosenberg, Große Depression, 15. Übersicht 91 nach: anon., Getreidepreise, 290; Ritter, Einwirkung, 624, 627; ders., Agrarwirtschaft I, 394; Perlmann, 23. – Übersicht 92 nach: Ritter, Agrarwirtschaft I, 420; ders., Einwirkung, 598; Warstat, 17. Vgl. allg. zur Preisentwicklung: Gläsel, 529, 532, 563, 573; v. Ciriacy-Wantrup, 106–62; Foeldes, 483, 398; Brandau, 59–62, 70–73; Warstat, 17; Plate, 54–65, 74–85; Sering, Agrarkrisen, 14–97; v. d. Goltz II, 269, 334; v. Dietze, Agrarkrise, 368; Troeltsch, 36–41; Conrad, Agrarkrisis, 215; Meitzen VIII, 372; zuletzt Henning, Preisbildung, 216, 218 (Großhandelspreise M./ To. für Königsberg, Frankfurt, Berlin (1865–1905), Hamburg, Berlin (1870–1900)). – Zur Zeit vorher: Übersicht 59, S. 58; allg. 5. Teil, II.1; die Lit. dazu in Anm. 1–11, v. a. Rolfes, 500–25; Berthold u. a. Hg. II, 162–221; Milward u. Saul II, 53–60; Klemm Hg., 47–73; Helling, Nahrungsmittel-Produktion; dies., Entwicklung; dies., Indices; Perkins, Dualism; ders., Agricultural Revolution; Bittermann; Brandau; v. Ciriacy-Wantrup; Finck v. Finckenstein, Landwirtschaft; ders., Getreidewirtschaft; Gerschenkron, Bread; M. Webers Studien; v. d. Goltz II; Sering, Agrarkrisen; ders., Agrarpolitik; Sombart, Volkswirtschaft, 322–67; Aereboe; Krzymowski; Ritter, Agrarwirtschaft I; Tracy; Rintelen; Eßlen; Buchenberger u. Wygodzinski; Haushofer; Conrad, Agrarstatist. Untersuchungen; Warstat; Rybark; Plate; Lohmeyer; Perlmann; Kremp; Heineke; Foeldes; Gläsel; Soetbeer, Kosten; Wiedenfeld, Organisation; Henning, Getreidepreise. Informativ ist: C. Dipper, Neue Perspektiven der preuß.-deutschen Agrargeschichte im 19. Jh., in: NPL 38.1993, 29–42. – Dazu noch zum folgenden: M. Montanari, Der Hunger u. der Überfluß. Kulturgeschichte der Ernährung in Europa, München 1993; F. Dovring, Land and Labor in Europe 1900–50, Den Haag 1956; H. Dade, Die deutsche Landwirtschaft unter Wilhelm II., 2 Bde, Halle 1913; Kaiserl. Statist. Amt Hg., Die deutsche Landwirtschaft, Berlin 1913; W. Malenbaum, The World Wheat Economy 1885–1939, Cambridge/Mass. 1953; T. H. Middleton, The Recent Development of German Agriculture, London 1916; E. A. Blatzheim, Die Gestaltung der landwirtschaftl. Betriebsgrößen 1871–1914 in Deutschland, Diss. Köln 1947; H. Rothmann, Zur Entwicklung der landwirtschaftl. Produktion in Deutschland 1871–1918, Diss. Leipzig 1963; R. Berthold, Zur sozialökonom. Struktur des kapitalist. Systems der deutschen Landwirtschaft 1907–25, in: JbW 1974/III, 105–25; ders., Zur Entwicklung der deutschen Agrarproduktion u. Ernährungswirtschaft 1907–25, in: ebd. IV, 83–111; I. Buchsteiner, Wege u. Auswege aus der Krise: Stabilisierungskonzepte u. Modernisierungsstrategien der ostdeutschen Landwirtschaft um 1900, in: JbW 1993/I, 201–13; C. Borcherdt u. a., Die Landwirtschaft in Baden u. Württemberg 1850–1980, Stuttgart 1985; F. Wilken, Volkswirtschaftl. Theorie der landwirtschaftl. Preissteigerungen in Deutschland 1895–1913, Leipzig 1925; W. Rothkegel, Die Kaufpreise für ländl. Besitzungen in Preußen 1895–1906, ebd. 1910; ders., Die Bewegung der Kaufpreise für ländl. Besitzungen u. die Entwicklung der Getreidepreise in Preußen 1895–1909, in: Sch. Jb. 34.1910, 1689–747; K. Herrmann, Die Veränderung landwirtschaftl. Arbeit durch Einführung neuer Technologien im 20. Jh., in: AfS 28.1988, 203–38; H. Winkel, Zur Anwendung des techn. Fortschritts in der Landwirtschaft im ausgeh. 19. Jh., in: ZAA 27.1979, 19–31; H. Schunck, Die Ausfuhr landwirtschaftl. Erzeugnisse aus dem Deutschen Reich seit 1880, Diss. Tübingen/Lübeck 1912; F. Beckmann, Die Entwicklung des deutsch-russ. Getreideverkehrs, in: JNS 101.1913, 145–71; H.-H. Müller, Domänenpächter im 19. Jh., in: JbW 1989/I, 123–37; W. A. Boelcke, Landwirtschaftl. Genossenschaften, in: HWW 5.1980, 15–18, sowie die Lit. zu den Agrarzöllen vorn in Anm. 21, zum Adel unten: III.4 und zu den Bauern unten III.5.

[31] V. Ciriacy-Wantrup, 133, 136; Soetbeer, Kosten, 568, 571–73; Plate, 12; Ritter, Einwirkung, 596, 617; ders., Agrarwirtschaft I, 246–48; Henning, Preisbildung, 219–21, 227. Vgl. vorn Übersicht 62 zum Getreideexport bis 1880; allg. Helling, Nahrungsmittel-Produktion, 266. – Übersicht 93 nach: 1. Hoffmann u. a., Wachstum, 33; Helling, Entwicklung, 140; 2. Hoffmann u. a., Wachstum, 143; 3. ebd., 106. (Vgl. vorn Übersicht 52, Übersicht 50, sowie die Übersichten 74 (NIP bis 1894), 80 (dass. bis 1913), 75 (Nettoinvestitionen bis 1894) und 81 (dass. bis 1913)). – Übersicht 94 nach: 1. Bittermann, 21; Klemm Hg., 59; Warstat, 71; Gläsel, 558; 2. Rolfes, 512; Klemm Hg., 64. – Sering, Agrarpolitik, 7; Milward u. Saul II, 57; Rolfes, 513; Berthold, Struktur, 106, 108, 110. – Übersicht 95 nach: 1. Hoffmann u. a., Wachstum 454f. (vgl. vorn Übersicht 53); 2. ebd., 253f. (vgl. vorn Übersicht 51); 3. ebd., 234f. (Gesamt: Boden, Gebäude, Maschinen, Vieh, Vorräte); 4. ebd., 496–98, 492–94 (IHBV = Industrie, Handwerk, Bergbau, Verkehr; vgl. vorn Übersicht 54). Beschäftigte: Hoffmann u. a., Wachstum, 35; Helling, Nahrungsmittel-Produktion, 240; dies., Entwicklung, 140 (vgl. vorn Übersicht 55). – Übersicht 96 nach: 1. Helling, Indices, 219 (vgl. vorn Übersicht 56); 2. Helling, Nahrungsmittel-Produktion, 24; dies., Entwicklung, 134; Bittermann, 105 (vgl. vorn Übersicht 59); 3. Bittermann, 34; Berthold, Entwicklung, 90; Helling, Entwicklung, 139 (vgl. vorn Übersicht 57). Vgl. Warstat, 73 (Steigerung 1878–1913: Weizen + 62 %, Roggen + 53 %, Kartoffeln + 80 %); Gläsel, 563 (1883–1912); Klemm Hg., 61. – Übersicht 97 nach: Bittermann, 42; Gläsel, 566; Warstat, 74; Klemm Hg., 62 (vgl. vorn Übersicht 60). – Übersicht 98 nach: Klemm Hg., 63. – Eßlen, Fleischversorgung, 241. Viehwirtschaftliche Produktion 1876–1900 nach: Helling, Nahrungsmittel-Produktion, 235 (Index 1800/10 = 100). – Klemm Hg., 47–63; Rolfes, 504; v. Ciriacy-Wantrup, 117; Rothkegel, Bewegung, 1689–1747; Hoffmann u. a. Wachstum, 234; Perkins, Agricultural Revolution, 80, 95; Weber, Entwicklungstendenzen, 457f.; Wygodzinski, 13; Conrad, Grundriß II, 123. – Übersicht 98 nach: Warstat, 79; Milward u. Saul II, 56.

III. Strukturbedingungen und Entwicklungsprozesse Sozialer Ungleichheit

[1] W. Rathenau, Von kommenden Dingen, in: ders., Schriften u. Reden, Hg. H. Richter, Frankfurt 1964, 33; vgl. ders., Tagebuch 1907–1922, Hg. H. Pogge v. Strandmann, Düsseldorf 1967, 38 (1.4. 1917). Vgl. die ausführlichen Literaturangaben vorn: 5. Teil. III, Anm. 1; vgl. BSg, Nr. 70, 423–25. Hier vor allem: Rothenbacher, Soziale Ungleichheit, 58–222, 244–59, 277–98; Conze, Sozialgeschichte, in: HWS II, 602–84; ders., Konstitutionelle Monarchie – Industrialisierung. Deutsche Führungsschichten um 1900, in: G. Franz u. H. H. Hofmann Hg., Deutsche Führungsschichten in der Neuzeit, Boppard 1980, 173–201, u. in: ders., Gesellschaft – Staat – Nation, Hg. U. Engelhardt u. a., Stuttgart 1992, 288–311; Ritter u. Tenfelde, 113–54; Ritter u. Kocka Hg., Sozialgeschichte II: 1870–1914; J. Bergmann u. a., Herrschaft, Klassenverhältnisse u. Schichtung, in: Adorno Hg., Spätkapitalismus, 67–87; Hardach, Klassen, 503–24; Sombart, Volkswirtschaft, 440–75; G. Eley Hg., Society, Culture, and State in Germany 1870–1930, Ann Arbor 1994; H. Kaelble, Auf dem Weg zu einer europ. Gesellschaft? Eine Sozialgeschichte Westeuropas 1880–1980, München 1987; (im Vergleich weit schwächer: A. Miles u. D. Vincent Hg., Building European Society. Occupational Change and Social Mobility in Europe 1840–1940, N. Y. 1993); ders. u. H. Thomas, Income Distribution in Historical Perspective, in: Kaelble u. a. Hg., dass., Cambridge 1991, 1–56; ders., The Concomitant Changes of Distribution of Social Inequality in the Late 19th and Early 20th Centuries in Europe, in: H. Strasser u. R. W. Hodge Hg., Status Inconsistencies in Modern Societies, Duisburg 1986, 456–65; ders., Soziale Mobilität in Deutschland, in: ders. u. a. Hg., Probleme der Modernisierung, 235–327, u. in: ders., Soziale Mobilität, 59–127; ders., Social Mobility in America and Europe, in: Urban History Yearbook 1981, 24–38, dt. in: ders., Soziale Mobilität, 150–70; H. Kaelble, Social Mobility, in: P. Stearns Hg., Encyclopaedia of Social History, N. Y. 1994, 505–9; ders., Divergenz oder Konvergenz? Soziale Mobilität in Frankreich u. Deutschland im 19. u. 20. Jh., in: G. A. Ritter u. R. Vierhaus Hg., Aspekte der histor. Forschung in Frankreich u. Deutschland, Göttingen 1981, 117–35; K.-H. Kaufhold,

Erwerbstätigkeit u. soziale Schichtung im Deutschen Reich um 1900, in: Fs. K. E. Born, St. Katharinen 1987, 175–224; W. Zapf, Die Wohlfahrtsentwicklung in Deutschland seit der Mitte des 19. Jh., in: W. Conze u. M. R. Lepsius Hg., Sozialgeschichte der Bundesrepublik Deutschland, Stuttgart 1982, 46–65; F. Kraus, The Historical Development of Income Inequality in Modern Europe and the United States, in: Flora u. Heidenheimer Hg., 187–236. Vgl. allg. R. Dahrendorf, Gesellschaft u. Demokratie in Deutschland, München 1965; ders., Demokratie u. Sozialstruktur, 260–99; Geiger, Schichtung des deutschen Volkes; J. A. Schumpeter, Das soziale Antlitz des Deutschen Reiches (1929), in: ders., Aufsätze zur Soziologie, 214–25. Neuerdings: K. Tenfelde, Soziale Schichtung u. soziale Konflikte, in: Ruhrgebiet im Industriezeitalter II, 122–217; ausführlicher ders., Sozialschichtung, Klassenbildung u. Konfliktlagen. Das Ruhrgebiet 1800–1986, Göttingen 1995; V. Weiss, Bevölkerung u. soziale Mobilität in Sachsen 1550–1880, Berlin 1992; Crew, Bochum; gegen diese drei Studien kraß abfallend: W. Boelcke, Sozialgeschichte Baden-Württembergs 1800–1989, Stuttgart 1989. – Wichtig sind: R. Spree, Knappheit u. differentieller Konsum während des ersten Drittels des 20. Jh. in Deutschland, in: H. Siegenthaler Hg., Ressourcenverknappung als Problem der Wirtschaftsgeschichte, Berlin 1990, 171–221; ders., Klassen- u. Schichtbildung im Spiegel des Konsumverhaltens individueller Haushalte in Deutschland zu Beginn des 20. Jh., in: T. Pierenkemper Hg., Haushalt u. Verbrauch in histor. Perspektive, St. Katharinen 1987, 56–80; ders. u. a., Ökonom. Zwang oder schichtspezif. Lebensstil? Muster der Einkommensaufbringung u. -verwendung vor u. nach dem Ersten Weltkrieg, in: H. Thomas u. G. Elstermann Hg., Bildung u. Beruf, Berlin 1986, 159–88; T. Pierenkemper Hg., Zur Ökonomie des privaten Haushalts, Frankfurt 1991; ders., Der bürgerl. Haushalt in Deutschland an der Wende zum 20. Jh. im Spiegel von Haushaltsrechnungen, in: D. Petzina Hg., Zur Geschichte der Ökonomik der Privathaushalte, Berlin 1991, 149–85; E. Wiegand, Die Entwicklung der Einnahmen- u. Ausgabenstrukturen privater Haushalte seit 1900, in: ders. u. Zapf Hg., Wandel, 155–235; A. Triebel, Zwei Klassen u. die Vielfalt des Konsums, Berlin 1991; ders., Ökonomie u. Lebensgeschichte. Haushaltsführung im gehobenen Mittelstand Ende des 19. Jh., in: C. Conrad u. H.-J. v. Kondratowitz Hg., Gerontologie u. Sozialgeschichte, Berlin 1983, 273–317; allg. noch: V. L. Lidtke, Burghers, Workers, and the Problems of Class Relationships 1870–1914, in: Kocka Hg., Arbeiter u. Bürger, 29–46; ungenügend: K.-H. Landau, Bürgerl. u. proletar. Konsum im 19. u. 20. Jh., Köln 1990. – Überholt sind: H. Burgelin, La societé allemande 1871–1968, Paris 1969, 13–128; P. F. Berteaux, La vie quotidienne en Allemagne au temps de Guilleaume II en 1900, ebd. 1962; K.-H. Fröhlich, Die sozialen Schichten u. Umschichtungen in Deutschland in der Zeit der Hochindustrialisierung, Diss. Köln 1959; H. Kätzel, Die gesellschaftl. Strukturveränderungen im Zeitalter des Imperialismus, Diss. Erlangen 1949. Zum Verhältnis von Klassen- und Geschlechtergeschichte hier nur: J. Kocka Hg., Klasse u. Geschlecht (= GG 18/H.2), Göttingen 1992; R. Kreckel, dass., in: Leviathan 17.1989, 305–21. Zur Altersfrage paradigmatisch: C. Conrad, Vom Greis zum Rentner. Strukturwandel des Alters in Deutschland 1830–1930, Göttingen 1994; ders., The Emergence of Modern Retirement: Germans 1850–1960, in: Population 3.1991, 171–200. Allg. die Lit. in: BS, Nr. 12, 14, 17. Zeitgenössische Studien zur Sozialentwicklung: P. Kollmann, Die soziale Zusammensetzung der Bevölkerung im Deutschen Reich, in: ASA 1.1890, 540–614; H. Rauchberg, Die Berufs- u. Gewerbezählung im Deutschen Reich 1895, Berlin 1901; H. Bleicher, Die Bevölkerung des Deutschen Reiches nach örtl. Verteilung, sozialem Aufbau u. allg. Erwerbsverhältnissen, in: Hdb. der Wirtschaftskunde Deutschlands I, Leipzig 1901, 241–331; R. van der Borght, Beruf u. gesellschaftl. Gliederung im Deutschen Reich, ebd. 1910; A. Hesse, Beruf. u. soziale Gliederung im Deutschen Reiche, in: JNS 3. F.40.1910, 721–74; G. Neuhaus, Die deutsche Volkswirtschaft u. ihre Wandlungen im letzten Vierteljh. I: Die berufl. u. soziale Gliederung des deutschen Volkes, Mönchengladbach 1911; ders., Die berufl. u. soziale Gliederung der Bevölkerung im Zeitalter des Kapitalismus, in: GdS IX/1.1926, 360–505; E. Mischler, Beruf u. Berufsstatistik, in: Wb. der Volkswirtschaft 1.1906[2], 421–31; F. Zahn, dass., in: HStW 2.1924[4], 524–81. – Zur Einkommensverteilung: Ritter u. Tenfelde, 113–54; Hentschel, Wirtschaft, 62–81; A. Jeck, Wachstum u. Verteilung des Volkseinkommens in Deutschland 1870–1913, Tübingen 1970; J.-H. Müller, Die Änderung der persönl. Einkommensstruktur in wichtigen deutschen Ländern 1874–1913, in: G. Bombach Hg., Neue Aspekte der Verteilungstheorie, Tübingen 1974, 153–74; ders. u. S. Geisenberger, Die Einkommensstruktur in verschiedenen deutschen Ländern 1874–1913, Berlin 1972; T. J. Orsagh, The Probable Geographical Distribution of German Income 1882–1962, in: ZGS 124.1968, 280–311; K. Helfferich, Deutschlands Volkswohlstand 1888–1913, Berlin 1917[7]; ders., Die Verteilung des Volkseinkommens in Preußen 1896–1912, in: Fs. J. Riesser, ebd. 1913, 18–30 (vgl. W. Treue, K. Helfferich über Deutschlands Wohlstand 1913, in: AfK 53.1975, 211–34); Friedmann, Wohlstandsentwicklung (im Anschluß an Helfferich); E. Lederer, Umschichtung der Einkommen u. des Bedarfs, in: B. Harms Hg., Strukturwandlungen der deutschen Volkswirtschaft I, Berlin 1929[2], 33–56; ders. u. E. Marschak, Die Klassen auf dem Arbeitsmarkt u. ihre Organisationen, in: GdS IX/2.1927, 106–258; E. Biedermann, Die Einkommens- u. Vermögensverhältnisse der preuß. Bevölkerung 1895–1914, in: Zeitschrift des Preuß. Statist. Landesamts (= ZPSL) 58.1918, 60–86; F. Kühnert, Einkommensgliederung der preuß. Bevölkerung 1902–14, in: ZKPSL 56.1916, 269–309; G. Evert, Sozialstatist. Streifzüge durch die Materialien der Veranlagung zur Einkommenssteuer, in: ebd. 42.1902, 245–72; Nitschke, Einkommen; W. Böhmert, Die Verteilung der Einkommen in Preußen u. Sachsen, Dresden 1898; C. Hampke, Das Ausgabenbudget der Privatwirtschaften, Jena 1888; Soetbeer, Verteilung des Volkseinkommens; Michaelis, Gliederung; Büttner, Einkommensverteilung; Perls, Einkommensentwicklung; Schmoller, Einkommensverteilung; Fischer u. Czada. Allg. noch: R. Meyer, Einkommen, in: HStW 3.1900[2], 347–80; Bauer, Sozialklassen; E. Preiser, Distribution, in: HSW 2.1959, 620–35; ders., Polit. Ökonomie im 20. Jh., München 1970; R. Stockmann u. A. Willms-Herget, Erwerbsstatistik in Deutschland (seit 1875), Frankfurt 1985; S. F. Franke, Entwicklung u. Begründung der Einkommensbesteuerung, Darmstadt 1981.

[2] Vgl. Bd. I, 582, Anm. 8. – Weber, WG, 531–35, 177f.; eine eindrucksvoll komplexe zeitgenössische Klassendefinition findet sich auch in: Schmoller, Grundriß I, 429. – J. Conrad, Einige Ergebnisse der deutschen Universitätsstatistik, in: JNS 87.1906, 484; Saalfeld, Ständ. Gliederung, 478; Kocka, Schichtung, 380f.; Geiger, Schichtung, 72. – Sombart, Volkswirtschaft, 440–75, vgl. 529f., auch ders., Kapitalismus II/2, 1091 (vgl. F. Lenger, W. Sombart 1863–1941, München 1994; B. vom Brocke, dass., in: JbW 1992/I, 113–82; ders. Hg., Sombarts «Moderner Kapitalismus», München 1987; M. Appel, W. Sombart, Marburg 1992). – G. Schmoller, Was verstehen wir unter dem Mittelstand? in: Verhandlungen des 8. Evangel.-Sozialen Kongresses, Göttingen 1897, 132–61; vgl. ders., Grundriß I, 428–55 (vgl. H. Harnisch, G. Schmoller, in: Fs. Ritter, 560–81; B. vom Bruch, G. Schmoller, in: W. Treue u. K. Gründer Hg., Berlin. Lebensbilder III: Wissenschaftspolitik in Berlin, Berlin 1987, 175–93; ders., dass., in: N. Hammerstein Hg., Deutsche Geschichtswissenschaft um 1900, Wiesbaden 1988, 219–38; K.-H. Kaufhold, dass., in: VSWG 75.1988, 217–52); s. auch G. Schnapper-Arndt, Sozialstatistik, Hg. L. Zeitlin, Leipzig 1908, 290–93; Conze, in: HSW II, 628; Ritter u. Tenfelde, 138, 118; Hardach, Klasssen, 518; allg. Kaelble, Industrialisierung u. Soziale Ungleichheit; ders. in: Tenfelde Hg., Arbeiter u. Arbeiterbewegung, 156; J. Kocka, Family and Class Formation, in: JSH 17.1983/84, 411–33. – Alberg, Trier, 247, vgl. 252; Köllmann, Barmen, 104; Crew, Bochum, 280.

[3] Machtkoeffizienten: z. B. vorzüglich bei Schmuhl, Braunschweig u. Nürnberg; vgl. auch Koch, Frankfurt. – Fischer u. Czada, 280, 282, 287; Meyer, Einkommen, 367; Müller, Änderungen, 153, 157; Borchardt, in: HSW II, 228; Kraus, 202f., 216; Rothenbacher, 183. Zit. A. Wagner: R. vom Bruch, Historiker u. Nationalökonomen im wilhelmin. Deutschland, in: K. Schwabe Hg., Deutsche Hochschullehrer als Elite 1815–1945, Boppard 1988, 136; Tilly, Vom Zollverein, 142. – W. Roscher (Grundlagen der Nationalökonomie, Hg. R. Pöhlmann, Stuttgart 1906[24], 644) errechnete in der letzten Auflage seiner berühmten

«Nationalökonomik» für 1874, daß 0.5% der Steuerzahler ein Siebtel des «Volksvermögens» besessen hätten; 1894 seien auf 0.75% mehr als 20% entfallen! Vgl. auch vorn (5. Teil, III.1) das Roscher-Zitat aus der Zeit vierzig Jahre vorher. – Klare Einkommensanalyse am preußischen und sächsischen Beispiel: Hentschel, Wirtschaft, 63–81. Übersicht 100 nach ebd., 67. Übersicht 101 nach ebd., 75; vgl. ders., Einkommensverhältnisse; Desai, 117 (Lebenshaltungskostenindex: 1895 = 100). Vgl. Lederer (Umschichtung, 45), der 1929 schätzte, daß das Arbeitereinkommen von 1893 bis 1913 um 82%, das Unternehmereinkommen aber um 200% gewachsen sei; Conze, in: HSW II, 620. Am Beispiel Triers: Alberg, 258: 1889 gewannen die obersten 7% der Besteuerten 40% des Einkommens, die obersten 2% rd. 20%. – Eine optimistischere, in vielem aber mit Hentschels Ergebnissen vergleichbare und übereinstimmende Berechnung bei Helfferich, Verteilung, 18f., 21f., 23–26, 28–30; vgl. daran anknüpfend: Friedmann, 41–43, 51f.

4 Kocka, Bürgertum u. bürgerl. Gesellschaft, in: ders. Hg., Bürgertum I, 12f.; vgl. vorn Sombarts Zahlen in Anm. 2 sowie SDR NF Bd. 104.1898, 3f. – H.-U. Wehler, Wie bürgerlich war das Deutsche Kaiserreich? in: ders., Aus der Geschichte lernen? 191–217; G.-F. Budde, Auf dem Weg ins Bürgerleben. Kindheit u. Erziehung in deutschen u. engl. Bürgerfamilien 1840–1914, Göttingen 1994; F. Bauer, Bürgerwege u. Bürgerwelten. Familienbiograph. Untersuchungen zum deutschen Bürgertum im 19. Jh., Göttingen 1991 (bemüht sich vergeblich am Beispiel von sage und schreibe drei Familien um den Nachweis der Fusion von bildungs- und wirtschaftsbürgerlicher Lebenswelt, ohne jede analytische Schärfe, aber mit vollmundigem Anspruch). Vgl. R. J. Evans, Family and Class in the Hamburg Grand Bourgeoisie 1815–1914, in: Blackbourn u. ders. Hg., 115–39; W. Schaub, Städt. Familienformen in sozialgenealog. Sicht, in: Conze Hg., Sozialgeschichte der Familie, 292–345; Kaelble, Wandel, 231–44; ders., Berufsstruktur, 48–59; Pierenkemper, Schwerindustrielle, 43–73, 49, 51, 60; Teuteberg, Textilunternehmer; H. Henning, Soziale Verflechtung der Unternehmer in Westfalen 1860–1914, in: ZfU 23.1978, 4. Vgl. ders., Soziale Vernetzung an Rhein u. Ruhr. Zur regionalen Mobilität unternehmerisch Tätiger, in: H. Hoebink Hg., Staat u. Wirtschaft an Rhein u. Ruhr 1816–1991, Essen 1992, 89–106; ders., The Social Integration of Entrepreneurs in Westphalia 1860–1914, in: German Yearbook on Business History 1981, 83–106; Conze, Konstitutionelle Monarchie, 191f. – W. Rathenau, Briefe I, Dresden 1930, 250; ders., Tagebuch, 38; Y. Cassis, Financial Elites in Three European Centres: London, Paris, Berlin 1880–1930, in: Business History 33.1991/3, 63; vgl. ders., Wirtschaftselite u. Bürgertum, in: Kocka Hg., Bürgertum II, 9–31; J. Harris u. P. Thane, British and European Bankers 1880–1914: An Aristocratic Bourgeoisie? in: P. Thane u.a. Hg., The Power of the Past. Fs. E. J. Hobsbawm, Cambridge 1984, 215–34. Zit. Bosse: P. Hirsch Hg., Der preuß. Landtag. Hb. für sozialdemokrat. Landtagswähler, Berlin 1908^2, 505. – Vgl. außer der schon hierzu zit. Lit.: K. Möckl Hg., Das deutsche Wirtschaftsbürgertum im 19. Jh., Stuttgart 1993; H. Croon, Die wirtschaftl. Führungsschichten des Ruhrgebiets 1890–1933, in: BDL 108.1972, 143–59; Adelmann, Führende Unternehmer, 335–52; D. Schumann, Bayerns Unternehmer in Gesellschaft u. Staat 1834–1914, Göttingen 1992, ist H. Hesselmann (Das Wirtschaftsbürgertum in Bayern 1890–1914, Wiesbaden 1986) und G. Eckardt (Industrie u. Politik in Bayern 1900–1919, Berlin 1976) weit überlegen; H. Kaelble, Französ. Bourgeoisie u. deutsches Großbürgertum, in: ders., Nachbarn am Rhein. Entfremdung u. Annäherung der französ. u. deutschen Gesellschaft seit 1880, München 1991, 59–86; W. E. Mosse, Jewish Elite, 2 Bde; ders. u. H. Pohl Hg., Jüd. Unternehmer in Deutschland im 19. u. 20. Jh., Stuttgart 1992; H. Henning, Juden in der deutschen Wirtschaft 1850–1939, in: R. Schörken Hg., Das doppelte Antlitz, Paderborn 1990, 107–24; E. Schmieder, Zum sozialen Wandel wirtschaftl. führender Kreise Berlins im 19. u. beginn. 20. Jh., in: Sociologia Internationalis 8.1970, 191–218; H. Berghoff u. R. Möller, Unternehmer in Deutschland u. England 1870–1914. Aspekte eines kollektivbiograph. Vergleichs, in: HZ 256.1993, 323–52; dies., Wirtschaftsbürger in Bremen u. Bristol 1870–1914, in: Puhle Hg., Bürger, 156–77; K. Tenfelde, Unternehmer in Deutschland u. Österreich während des 19. Jh., in:

H. Rumpler Hg., Innere Staatsbildung u. gesellschaftl. Modernisierung in Österreich u. Deutschland 1867–1914, München 1991, 125–38; H. Treiber, Der Fabrikherr des 19. Jh. als Moralunternehmer, in: H. König u. a. Hg., Sozialphilosophie der industriellen Arbeit, Wiesbaden 1991, 150–77; allg. W. N. Parker, Entrepreneurship, Industrial Organisation, and Economic Growth: A German Example, in: JEH 14.1954, 380–400; ders., Entrepreneurial Opportunities and Response in the German Economy, in: EEH 7.1954/55, 26–36. Biographische Beispiele vorn III, Anm. 5; Bd. II, 801–5, 817–22; L. Cecil, A. Ballin: Business and Politics in Imperial Germany 1888–1918, Princeton 1967, dt. Hamburg 1969; A. v. Gwinner, Lebenserinnerungen, Hg. M. Pohl, Frankfurt 1965; M. Fuchs, A. v. Gwinner, Berlin 1931; P. v. Schwabach, Aus meinen Akten, ebd. 1927; Helfferich, Siemens, 3 Bde, 1921[23]; T. Heuss, R. Bosch, Stuttgart 1982[7]. G. Klass, H. Stinnes, Tübingen 1958; G. Raphael, dass., Berlin 1925; demn. die erste wissenschaftliche Biographie von G. D. Feldman; I. Weber-Kellermann, Vom Handwerkersohn zum Millionär, München 1990; J. G. Williamson, K. Helfferich 1872–1924, Princeton 1971. Vgl. H.-W. Niemann, Das Bild des Industriellen in deutschen Romanen 1890–1945, Berlin 1982. – Beispiele für den Karrierewechsel von Beamten: Bein, Hammacher; v. Unruh; H. L. Bachfeld, H. Jencke, in: RWB 11.1983, 163–94; Faulenbach, Bergassessoren; Serlo, dass. – Zum europäischen Vergleich s. die Beiträge in: Kocka Hg., Bürgertum I. u. II (Bruckmüller/Stekl; Cassis; van Dijk; Dugoborski; Fridenson; Haupt; Hobsbawm; Jersch-Wenzel; Kaczyñska; Kaelble; König; Meriggi; Mitchell; Motzkin; Ránki; Siegrist; Späth; Strath; Tanner); ausführlicher: E. Bruckmüller u. a. Hg., Bürgertum in der Habsburgermonarchie I, Wien 1990; H. Stekl u. a. Hg., dass. II, ebd. 1992; vorzüglich: P. Sarasin, Stadt der Bürger. Struktureller Wandel u. bürgerl. Lebenswelt: Basel 1870–1900, Basel 1990. – Anschaulichkeit vermittelt: S. u. W. Jacobeit, Illustrierte Alltags- u. Sozialgeschichte Deutschlands 1900–45, Münster 1994.

[5] D. L. Augustine, Wealth, Patricians and Parvenues. Wealth and High Society in Wilhelmine Society, Oxford 1994; dies., Arriving in the Upper Class: The Wealthy Business Elite of Wilhelmine Germany, in: Blackbourn u. Evans Hg., 46–86; dies., Very Wealthy Businessmen in Imperial Germany, in: JSH 22.1988, 299–321 (v. a. nach R. Martin, Jb. des Vermögens u. Einkommens der Millionäre, 18 Bde, Berlin 1912–14; ders., Deutsche Machthaber, ebd. 1910); dies., The Bankers in German Society 1890–1930, in: Y. Cassis Hg., Finance and Financiers in European History 1880–1960, Cambridge 1992, 162–85; Kaelble, Wie feudal; ders., Business Elites; ders. u. H. Spode, Sozialstruktur u. Lebensweisen deutscher Unternehmer 1907–27, in: SM 24.1990, 132–78; v. a. auch: H. Berghoff, Aristokratisierung des Bürgertums? Zur Sozialgeschichte der Nobilitierung von Unternehmern in Preußen u. Großbritannien 1870–1918, in: VSWG 81.1994, 189–204; ders. u. Möller, Unternehmer; dies., Wirtschaftsbürger; Schumann, Bayerns Unternehmer; ders., Wirtschaftsbürgertum in Deutschland: segmentiert u. staatsnah, in: Österreich. Zeitschrift für Geschichtswissenschaften 3.1992, 367–84; auch Pierenkemper, Schwerindustrielle; Teuteberg, Textilunternehmer; Stahl, Eliten; Henning, Verflechtung, 18f.; Mosse, 2 Bde; Izenberg; Stein, Geldadel; zu vorbehaltlos für die alte These: Mayer, Adelsmacht; Weber, PS, passim; vgl. Michels, Probleme, 186. England: W. D. Rubinstein, Men of Wealth and Property. The Very Wealthy in Britain Since the Industrial Revolution, London 1981, 170. – Zum Lebensstil: W. Richter u. J. Zänker, Der Bürgertraum vom Adelsschloß, Reinbek 1988; W. Brönner, Die bürgerl. Villa in Deutschland 1830–90, Düsseldorf 1987; ders., Schichtspezif. Wohnkultur, in: E. Mai u. a. Hg., Kunstpolitik u. Kunstförderung im Kaiserreich, Berlin 1982, 361–78; A. Bernt, Deutschlands Bürgerhäuser, Tübingen 1968; J. Petsch, Eigenheim u. gute Stube. Zur Geschichte des bürgerl. Wohnens, Köln 1989; S. Meyer, Das Theater mit der Hausarbeit. Bürgerl. Repräsentation in der Familie der wilhelmin. Zeit, Frankfurt 1982; D. Wierling, Mädchen für alles. Arbeitsalltag u. Lebensgeschichte städt. Dienstmädchen um 1900, Berlin 1987; dies., Der bürgerl. Haushalt der Jahrhundertwende aus der Perspektive der Dienstmädchen, in: T. Pierenkemper Hg., Haushalt, 282–303; M. v. Boehn, Die Mode VIII: 1878–1914, München 1963; E. Thiel, Geschichte des Kostüms, Berlin 1980[5]; H.-V. Krumrey, Entwicklungsstrukturen von

Verhaltensstandarden. Eine soziolog. Prozeßanalyse auf der Grundlage deutscher Anstands- u. Manierenbücher, Frankfurt 1988²; S. Pollard, Reflections on Entrepreneurship and Culture in European Societies, in: Transactions of the Royal Historical Society 40.1990, 153–73; ein wirres Potpourri: H. Glaser, Die Kultur der wilhelmin. Zeit, Frankfurt 1984; P. Ariès u. G. Duby Hg., Geschichte des privaten Lebens IV: 1789–1914, ebd. 1992 (grandios-arrogante Verallgemeinerung rein französischer Befunde). – U. Frevert, Ehrenmänner. Das Duell in der bürgerl. Gesellschaft, München 1991; dies., Die Ehre der Bürger im Spiegel ihrer Duelle, in: HZ 249.1989, 545–82; dies., Bürgerlichkeit u. Ehre, in: Kocka Hg., Bürgertum III, 101–40; wichtige Gegeninterpretation: K. McAleer, Dueling. The Cult of Honor in Fin-de-Siècle Germany, Princeton 1994; dagegen scharf abfallend: C. Fürbringer, Metamorphosen der Ehre. Duell u. Ehrenrettung im Jh. des Bürgers, in: R. van Dülmen, Armut, Liebe, Ehre, Frankfurt 1988, 186–224; P. Dieners, Das Duell u. die Sonderrolle des Militärs, Berlin 1992; allg. N. Elias, Die satisfaktionsfähige Gesellschaft, in: ders., Studien, 61–158; E. Kehr, Zur Genesis des Königl. Preuß. Reserveoffiziers, in: ders., Primat, 53–63; L. Mertens, Das Privileg des Einjährig-Freiwilligendienstes im Kaiserreich, in: MM 39.1986, 59–66; ders., Bildungsprivileg u. Militärdienst im Kaiserreich, in: Bildung u. Erziehung 43.1990, 217–28.

[6] Kaelble u. Spode (basieren auf: Kocka u. Siegrist, s. o. II.3a). Manchmal wurden auch Managerpositionen vererbt (z. B. die Luegs und Reuschs bei der GHH); gelegentlich gab es die Mischung von Eigentümer- und Manager-Unternehmer (z. B. C. Duisberg bei Bayer); Faulenbach, Bergassessoren, 226–36; M. Droste, Die Stellung des Ruhrbergbaus in Staat u. Gesellschaft bis 1918, Diss. Göttingen 1953; Hellwig, Stumm, 167; vgl. C. Helfer, Über militär. Einfluß auf die industrielle Entwicklung in Deutschland, in: Sch. Jb. 83.1963, 597–609. – Kaudelka-Hanisch; Mosse, Jewish Elite I, 4; P. H. Mertes, Zum Sozialprofil der Oberschicht im Ruhrgebiet (Dortmunder Kommerzienräte), in: Beiträge zur Geschichte Dortmunds 67.1971, 167–83; Pierenkemper, Schwerindustrielle, 73; Henning, Verflechtung, 4; Mariaux, 218 (Baare). – G. Briefs, Betriebsführung u. Betriebsleben in der Industrie, Stuttgart 1934, 120, vgl. 118; fast wörtlich ders., Betriebssoziologie, in: Vierkandt Hg., 47. Vgl. J. Kocka, Legitimationsprobleme u. -strategien der Unternehmer u. Manager im 19. u. frühen 20. Jh., in: H. Pohl Hg., Legitimation des Managements im Wandel, Wiesbaden 1983, 7–21; E. G. Spencer, Management and Labor in Imperial Germany. Ruhr Industrialists as Employers 1896–1914, New Brunswick 1984; dies., Employers' Response to Unionism. Ruhr Industrialists Before 1914, in: JMH 48.1976, 397–412; dies., Business, Bureaucrats, and Social Control in the Ruhr 1896–1914, in: 2. Fs. Rosenberg, 452–66; dies., Between Capital and Labor: Supervisory Personal in Ruhr Heavy Industry Before 1914, in: JSH 9.1975, 178–92; informativ: J. Paul, A. Krupp u. die Arbeiterbewegung, Düsseldorf 1987; allg. G. Adelmann, Die Beziehungen zwischen Arbeitgeber u. Arbeitnehmer in der Ruhrindustrie vor 1914, in: JNS 175.1963, 414–27. Dezidiert für die vorindustrielle Herkunft des «Herr-im-Haus»-Stils: Ritter u. Tenfelde, 311–13; vgl. B. Weisbrod, Arbeitgeberpolitik u. Arbeitsbeziehungen im Ruhrbergbau. Vom «Herr-im-Haus» zur Mitbestimmung, in: Feldman u. Tenfelde Hg., 107–62; C. Lang, «Herren im Hause». Die Unternehmer, in: van Dülmen Hg., Industriekultur, 132–45; L. Schofer, The Formation of a Modern Labour Force. Upper Silesia 1865–1914, Berkeley 1975, dt. Die Formierung einer modernen Arbeiterschaft. Oberschlesien 1867–1914, Dortmund 1983; Plumpe, Unternehmerverbände, 655–727. – Kritik z. B.: D. Geary, The Industrial Bourgeoisie and Labour Relations in Germany 1871–1933, in: Blackbourn u. Evans Hg., 140–61; ders., Arbeiter u. Unternehmer im Deutschen Kaiserreich, in: W. Abelshauser, Konflikt u. Kooperation, Bochum 1988, 170–83; G. Eley, Kapitalismus u. wilhelmin. Staat 1870–1914, in: ders., Wilhelminismus, 80–96. Vgl. W. Treue u. H. Pohl Hg., Betriebl. Sozialpolitik deutscher Unternehmer seit dem 19. Jh., Wiesbaden 1978; E. McCreary, Social Welfare and Business: The Krupp Welfare Program 1860–1914, in: BHR 42.1968, 24–50; A. Günther u. R. Prévot, Die Wohlfahrtseinrichtungen der Arbeitgeber in Deutschland u. Frankreich, Leipzig 1905. – A. Faust, Arbeitsmarktpolitik im Deutschen

Kaiserreich 1890–1918, Stuttgart 1986; K. Mattheier, Nationale Arbeiter zwischen Wirtschaftsfrieden u. Streik, Düsseldorf 1973; H. Angermeier, Die gelben Gewerkschaften in der sozialen Bewegung am Beginn des 20. Jh., in: Fs. W. Andreas, Stuttgart 1962, 189–98. – G. Kolko, M. Weber on America, in: HT 1.1961, 243–60; W. J. Mommsen, Die Vereinigten Staaten von Amerika im polit. Denken M. Webers, in: ders., M. Weber, Frankfurt 1974, 72–96; Conrad, Lebenserinnerungen. Vgl. Fridensons (Herrschaft) Urteil, daß der französische «Patron» noch autokratischer als der deutsche Unternehmer und weniger durch gesatzte Ordnungen eingeschränkt gewesen sei, auch geringere Befugnisse an Verbände delegiert habe. – Asymmetrie im Anschluß an Kreckel, Polit. Soziologie, 165–89. Vgl. I. Costas, Auswirkungen der Konzentration des Kapitals auf die Arbeiterklasse in Deutschland 1880–1914, Frankfurt 1981. – Überholt sind: H. Jaeger, Unternehmer in der deutschen Politik 1890–1918, Bonn 1967; ders., Unternehmer u. Politik im wilhelmin. Deutschland, in: Tradition 13.1968, 1–21; dogmatische Realitätsverfehlung: G. Seeber, Die Bourgeoisie u. das Reich in den 70er Jahren, in: Bartel u. Engelberg Hg. II, 127–69; Literaturbericht: J. C. Hunt, The Bourgeois Middle in German Politics 1871–1933, in: CEH 11.1978, 83–106; hier nutzlos: A. Berend, Die gute alte Zeit. Bürger u. Spießbürger im 19. Jh., Hamburg 1962; R. Nitsche, Der häßl. Bürger, Wien 1969. – W. Rathenau, Geschäftl. Nachwuchs, in: ders., Zur Kritik der Zeit, Berlin 1912[5], 207 (darunter 45–50 Männer jüdischer Herkunft mit Fürstenberg, Ballin, Rathenau im Zentrum, vgl. Mosse, Jewish Elite I,7). Bizarr verfehlt ist N. Luhmanns (Kapital u. Arbeit, in: J. Berger Hg., Die Moderne, Göttingen 1986, 57–78) Behauptung von der «nutzlosen Unterscheidung» zwischen Kapital und Arbeit.

[7] Vgl. zum Bildungsbürgertum vorn 5. Teil, III.2b und die Lit. in Anm. 3, 7, 8, sowie Bd. II, 3. Teil, III.4c; Bd. I, 1. Teil, III.6 mit der Lit. in diesen Bänden; Conze u. a. Hg., Bildungsbürgertum, 4 Bde; Kocka, Bildungsbürgertum, 9–20; Engelhardt, dass., 150–79; Lundgreen, Wissen; Wehler, Bildungsbürgertum. – Zu den gebildeten höheren Beamten vgl. hier: T. Süle, Preuß. Bürokratietradition. Zur Entwicklung von Verwaltung u. Beamtenschaft in Deutschland 1871–1918, Göttingen 1988; D. F. Lindenfeld, The Education of Prussian Higher Civil Servants in the Staatswissenschaften 1897–1914, in: E. V. Heyen Hg., Histor. Soziologie der Rechtswissenschaft, Frankfurt 1986, 201–25; J. C. G. Röhl, Beamtenpolitik im wilhelmin. Deutschland, in: ders., Kaiser, Hof u. Staat, München 1987, 141–61; ders., Glanz u. Ohnmacht des deutschen Diplomat. Dienstes, in: ebd., 162–74; W. Petermann, Die Mitglieder des Preuß. Oberverwaltungsgerichts 1875–1942, in: FBPG NF 1.1979, 173–237; W. Hubatsch, Die preuß. Regierungspräsidenten 1815–1918, in: Fs. Bussmann, 31–55; M. Knight, The German Executive 1890–1933, Stanford 1952; auch G. Hermes, Ein preuß. Beamtenhaushalt 1859–90, in: ZGS 76.1921, 43–92, 268–95, 478–86. Allg. F. Ringer, The Decline of the German Mandarins 1890–1933, Cambridge/Mass. 1969, dt. gekürzt: Die Gelehrten, Stuttgart 1983; ders., The German Academic Community 1870–1920, in: IASL 3.1978, 108–29; ders., Das gesellschaftl. Profil der deutschen Hochschullehrerschaft 1810–1933, in: K. Schwabe Hg., Deutsche Hochschullehrer als Elite 1815–1933, Boppard 1988, 93–104; ders., Differences and Cross-Nation Similarities Among Mandarins, in: CSSH 28.1986, 145–64; dagegen: S.-E. Liedmann, Institutions and Ideas: Mandarins and Non-Mandarins in the German Academic Intelligentsia, in: ebd., 119–44; R. Paul, German Academic Science and the Mandarin Ethos 1850–80, in: British Journal for the History of Science 17.1984, 1–29; B. vom Brocke, «Die Gelehrten». Auf dem Wege zu einer vergleich. Sozialgeschichte europ. Bildungssysteme u. Bildungseliten im Industriezeitalter, in: Jb. des Italien.-Deutschen Histor. Instituts Trient 10.1984, 389–401; R. vom Bruch, Gesellschaftl. Funktionen u. polit. Rollen des Bildungsbürgertums im wilhelmin. Reich, in: Kocka Hg., Bildungsbürgertum IV, 146–79; ders., Kaiser u. Bürger. Wilhelminismus als Ausdruck kulturellen Umbruchs um 1900, in: Birke u. Kettenacker Hg., Bürgertum, 119–46; U. Herrmann, Über «Bildung» im Gymnasium des wilhelmin. Kaiserreichs, in: Koselleck Hg., Bildungsbürgertum II, 346–68; K. Vondung Hg., Das wilhelmin. Bildungsbürgertum, Göttingen 1976; G. Hübinger u. W. J. Mommsen

Hg., Intellektuelle im Deutschen Kaiserreich, Frankfurt 1993; M. Stark Hg., Deutsche Intellektuelle 1910–33, Heidelberg 1984; vorzüglich: Hardtwig, Nationalismus; s. auch H. Kreuzer, Die Bohème, Stuttgart 1968. Überholt durch Conze u. a. Hg., dazu verfehlt in der Anlage, da das Bildungsbürgertum viel zu weit und unscharf definiert wird: H. Henning, Das westdeutsche Bürgertum in der Epoche der Hochindustrialisierung 1860–1914 I: Das Bildungsbürgertum in den preuß. Westprovinzen, Wiesbaden 1971 (II nicht erschienen). Tiefpunkt der Konfusion, ohne jede Kenntnis des neueren Forschungsstandes auf beiden Gebieten: H. Glaser, Bildungsbürgertum u. Nationalismus. Politik u. Kultur im wilhelmin. Deutschland, München 1993; ähnlich diffus: ders., Spießer-Ideologie, Freiburg 1964[2]; zu verklärend: T. Nipperdey, Wie das Bürgertum die Moderne fand, Berlin 1988; spätmarxistisch-einseitig: W. Struve, Elites Against Democracy. Leadership Ideals in Bourgeois Political Thought in Germany 1890–1933, Princeton 1973. – Die Kritik am besten bei: H. Mommsen, Die Auflösung des Bürgertums seit dem späten 19. Jh., in: Kocka Hg., Bürger, 288–315, u. in: ders., Der Nationalsozialismus u. die deutsche Gesellschaft, Reinbek 1991, 11–38; vgl. auch: K. H. Jarausch, Die Krise des deutschen Bildungsbürgertums im ersten Drittel des 20. Jh., in: Kocka Hg., Bildungsbürgertum IV, 180–205; vgl. R. Vierhaus, Religion u. deutsche Bildungsschichten im 19. u. 20. Jh., in: Fs. Y. Arieli, Jerusalem 1986, 95–106; brillante Analyse: G. Bollenbeck, Bildung u. Kultur. Glanz u. Elend eines deutschen Deutungsmusters, Frankfurt 1994; unergiebig: M. Landfester, Humanismus u. Gesellschaft im 19. Jh. Zur polit. u. gesellschaftl. Bedeutung der humanist. Bildung in Deutschland, Darmstadt 1988, sowie W. Hopf, Bildung u. Reproduktion der Sozialstruktur, in: Enzyklopädie Erziehungswissenschaft V, Stuttgart 1984, 189–205. Zur Bildungsidee als Hegemonialanspruch vgl. F. J. L. Lears, The Concept of Cultural Hegemony, in: AHR 90.1985, 567–93. – Zu den Professionen: C. E. McClelland, The German Experience of Professionalization. Modern Learned Professions and Their Organization. From the Early 19th Century to the Hitler Era, Cambridge 1991; ders., Professionalization and Higher Education in Germany, in: Jarausch Hg., Transformation, 306–20; K. H. Jarausch, The Unfree Professions. German Lawyers, Teachers, and Engineers 1900–50, N. Y. 1989; ders., Die unfreien Professionen, in: Kocka Hg., Bürgertum II, 124–46; ders., The Decline of Liberal Professionalism 1867–1933, in: ders. u. Jones Hg., 261–86; Cocks u. ders. Hg., German Professions. Beide Autoren arbeiten mit einem untauglichen, ganz unscharfen Professionalisierungsbegriff, der z. B. Staatsbeamte und Ingenieure, die beide in den Professionsbegriff partout nicht hineinpassen, mit einschließt. Das gilt auch für: C. W. R. Gispen, New Profession, Old Order. Engineers and German Society 1815–1914, Cambridge 1990; ders., Selbstverständnis u. Professionalisierung deutscher Ingenieure, in: Technikgeschichte 50.1983, 34–61; vgl. damit R. Stichweh, Professionen in Deutschland im 19. u. 20. Jh., in: Ius Commune 19.1992, 279–88; ders., Wissenschaft, Universität, Profession, Frankfurt 1994; M. Späth, Der Ingenieur als Bürger. Frankreich, Deutschland u. Rußland im Vergleich, in: Siegrist Hg., Bürgerl. Berufe, 84–105; E. Bolenz, Vom Baubeamten zum freiberufl. Architekten. Preußen-Deutschland 1799–1931, Frankfurt 1991; J. A. Johnson, The Kaiser's Chemists. Science and Modernization in Imperial Germany, Chapel Hill 1990; ders., Academic, Proletarian, Professional? Professionalization for German Industrial Chemists, in: Cocks u. Jarausch Hg., 123–52; S. F. Müller u. H.-E. Tenorth, Professionalisierung der Lehrertätigkeit, in: Enzyklopädie der Bildungswissenschaft V, 153–71.- Zu den Ärzten (vgl. BSg, Nr. 21, 170–72) ist dagegen mustergültig gelungen: Huerkamp, Aufstieg; im Vergleich damit enttäuschend: P. Weindling, Bourgeois Values, Doctors, and the State: The Professionalization of Medicine in Germany 1848–1933, in: Blackbourn u. Evans Hg., 198–223; M. Kater, Professionalization and Socialization of Physicians in Wilhelmine and Weimar Germany, in: JCH 20.1985, 677–701; ders., Ärzte u. Politik in Deutschland 1848–1945, in: Jb. des Instituts für Geschichte der Medizin 5.1986, 34–48; A. Drees, Die Ärzte auf dem Weg zu Prestige u. Wohlstand. Sozialgeschichte der württemberg. Ärzte im 19. Jh., Stuttgart 1988. – Zu den Rechtsanwälten (vgl. BSg, Nr. 52, 327–29) an erster Stelle: H. Siegrist, Advokat, Bürger u. Staat. Sozialgeschichte der

Rechtsanwälte in Deutschland, Italien u. der Schweiz 18.–20. Jh., Habil.-Schrift FU Berlin 1992; ders., Public Office or Free Profession? German Attorneys in the 19th and Early 20th Centuries, in: Cocks u. Jarausch Hg., 40–65; ders., Die Rechtsanwälte in Preußen, in: Kocka Hg., Bürgertum II, 92–123; M. John, Between Estate and Profession: Lawyers and the Development of the Legal Profession in 19th Century Germany, in: Blackbourn u. Evans Hg., 162–97; Rüschemeyer, Rechtsanwälte; nur berichtend: F. Ostler, Die deutschen Rechtsanwälte 1871–1971, Essen 1971. Zur Diskriminierung jüdischer Juristen: T. Krach, Jüd. Rechtsanwälte in Preußen, München 1991; W. Eggert, Jüd. Rechtsanwälte u. Richter im Deutschland des 19. u. 20. Jh., in: Histor. Mitteilungen der Ranke-Gesellschaft 2.1989, 79–115. – Vgl. noch allg. P. Lundgreen, Akademiker u. «Professionen» in Deutschland, in: HZ 254.1992, 657–70; H. Siegrist, Bürgerl. Berufe. Die Professionen u. das Bürgertum, in: ders. Hg., 11–48; J. Kocka, «Bürgertum» and Professions in the 19th Century: Two Alternative Approaches, in: M. Burrage u. R. Torstendahl Hg., Professions in Theory and History, London 1990, 62–74; auch ders., Bildung, soziale Schichtung u. soziale Mobilität im Deutschen Kaiserreich, in: 2. Fs. F. Fischer, 297–314.

[8] Engelhardt, Bildungsbürgertum, 150, 162, 176. Viel zu pauschal und ohne jede Trennschärfe: Bauer, Bürgerwege, 286–91. – Müller u. a., Datenhdb. II, 197f., 268, 275f.; Titze u. a., dass. I/1, 28, 31; nicht so genau sind: K. H. Jarausch, Universität u. Hochschule, in: HB IV.1991, 318; C. E. McClelland, Structural Change and Social Reproduction in German Universities 1870–1929, in: Hist. of Education 15.1986, 184. – Kaelble, Wandel, 42–47, 49–53, 90; Huerkamp, Aufstieg, 151, 251, 283; Ostler, 60; A. Mendelssohn-Bartholdy, Zivilrechtspflege, in: P. Laband u. a. Hg., Hdb. der Politik I, Leipzig 1914², 334. – F. T. Vischer, Auch Einer, Stuttgart 1914, 60; Paulsen II, 655f.; ders., Bildung (1895), in: ders., Ges. Pädagog. Abhandlungen, Hg. E. Spranger, ebd. 1912, 149; Conrad, Ergebnisse, 484f.; Treitschke, Politik I, 50f. Gegen Jarausch (Krise, 183: Folge der Vergrößerung). Vgl. Kaelble, Wandel, 42–53; Conze, Konst. Monarchie, 184–88; v. Ferber III, 177.

[9] Vgl. zu den Ärzten: Bd. II, 230–36 (bis 1852), allg. 221–24; Huerkamp, Aufstieg, 58–61, 65f., 78–87, 117, 137–39, 145–52, 194–214, 245–83, 285–96, 303–9. Die genaueren Studentenzahlen nach: Titze u. a., 87f., 91f.; allg. ders., Der Akademikerzyklus. Histor. Untersuchungen über die Wiederkehr von Überfüllung u. Mangel in akadem. Karrieren, Göttingen 1991; Conrad, Ergebnisse (1906); vgl. C. Huerkamp, Ärzte u. Patienten, in: Labisch u. Spree Hg., Medizin. Deutungsmacht, 57–73; dies. u. R. Spree, Arbeitsmarktstrategien der deutschen Ärzteschaft im späten 19. u. frühen 20. Jh., in: Pierenkemper u. Tilly Hg., Arbeitsmarktforschung, 77–116; schwach dagegen: E. Seidler, Der polit. Standort des Arztes im Zweiten Kaiserreich, in: G. Mann u. R. Winau, Medizin, Naturwissenschaft, Technik u. das Zweite Kaiserreich, Göttingen 1977, 87–101; R. Neuhaus, Arbeitskämpfe, Ärztestreiks, Sozialreformer 1900–1914, Berlin 1986; H. Schadewaldt, 75 Jahre Hartmannbund, Bonn 1975. – L. Mertens, Vernachlässigte Töchter der Alma Mater. Zur strukturellen Entwicklung des Frauenstudiums in Deutschland seit 1900, Berlin 1992; ders., Die Entwicklung des Frauenstudiums in Deutschland, in: D. Voigt Hg., Qualifikationsprozesse u. Arbeitssituation von Frauen, ebd. 1989, 9–40; C. Huerkamp, Frauen, Universitäten u. Bildungsbürgertum 1900–30, in: Siegrist Hg., 200–22. – Zu den Anwälten vgl. Bd. II, 224–30. Eine mit Huerkamps Studie vergleichbare Arbeit über die Profession der deutschen Rechtsanwälte liegt mit Siegrist vor. Informative Abrisse: Siegrist, Advokat; John, Lawyers. Vgl. Weißler, 436–38, 507–18; Ostler, 11–22, 51, 60, allg. 3–102; Rüschemeyer, Rechtsanwälte, 167–69; Titze u. a., 87f., 91f. Allg. M. Guttmann, Anwaltschaft, in: HStW 4.1923⁴, 352–56. Zum Vergleich mit der Zeit vor 1878: P. Hinschius, Advokatur u. Anwaltschaft, in: F. v. Holtzendorff Hg., Enzyklopädie der Rechtswissenschaft, 2. T.: Rechtslexikon I, Leipzig 1875², 33–39, und K. Brater, Advokatur, in: Deutsches Staatswb. 1.1857, 71–82. Grundlegend: W. Schubert Hg., Entstehung u. Quellen der Rechtsanwaltsordnung von 1878, Frankfurt 1985; R. Schröder, Die Richterschaft am Ende des zweiten Kaiserreichs, in: Fs. R. Gmür, Bielefeld 1983, 247f. (Referendare und Assessoren); R. Michels, Umschichtungen der herrschenden Klassen nach dem Kriege, Stuttgart 1934, 68.

[10] Hierzu v.a. Mommsen, Auflösung, 288–300; F. Meinecke, Die Kulturfragen u. die Parteien (1925), in: ders., Polit. Schriften u. Reden (= Werke II), Darmstadt 1958, 388; P. L. Berger u. T. Luckmann, Die gesellschaftl. Konstruktion der Wirklichkeit, Frankfurt 1969/1991. Vgl. allg. H. Fogt, Polit. Generationen, Opladen 1982; U. Herrmann, Das Konzept der «Generationen», in: Neue Sammlung 27.1987, 364–77; E. R. Tannenbaum, 1900: Die Generation vor dem Großen Krieg, Frankfurt 1978; R. Wohl, The Generation of 1914. London 1980; M. Doerry, Übergangsmenschen. Die Mentalität der Wilhelminer in der Krise des Kaiserreichs, 2 Bde, Weinheim 1986; C. McClelland, The Wise Men's Burden: The Role of Academicians in Imperial German Culture, in: G. D. Stark u. B. K. Lackner Hg., Essays on Culture and Society in Modern Germany, College Station 1982, 45–69; C. Berg u. U. Herrmann, Industriegesellschaft u. Kulturkrise 1870–1918, in: HB IV.1991, 3–56; J. G. Pankau, Wege zurück. Zur Entwicklungsgeschichte restaurativen Denkens im Kaiserreich, Frankfurt 1983; A. Nitschke u.a. Hg., Jahrhundertwende. Der Aufbruch in die Moderne 1880–1930, 2 Bde, Reinbek 1990; H. S. Hughes, Consciousness and Society. The Reconstruction of European Social Thought 1890–1930, N.Y. 1961²; G. Masur, Prophets of Yesterday. Studies in European Culture 1890–1914, N.Y. 1961, dt. Propheten von Gestern, Frankfurt 1965; ein Beispiel: B. Guttmann, Schattenriß einer Generation 1878–1919, Stuttgart 1919. – G. Kratzsch, Kunstwart u. Dürerbund, Göttingen 1969; Avenarius: NDB 1.1971², 466f.; G. Hübinger, Kulturkritik u. Kulturpolitik des Eugen-Diederichs-Verlags im Wilhelminismus, in: H. Renz u. F. W. Graf Hg., Umstrittene Moderne, Gütersloh 1986, 92–115; E. Viehöfer, Der Verleger als Organisator. E. Diedrichs u. die bürgerl. Reformbewegungen um 1900, in: Archiv für die Geschichte des Buchwesens 30.1988, 1–148; G. D. Stark, Entrepreneurs and Ideology. Neoconservative Publishers in Germany 1890–1933, Chapel Hill 1981; vgl. S. Lokatis, Die Hanseatische Verlagsanstalt, Frankfurt 1992. – V. Veltzke, Vom Patron zum Paladin. Wagnervereinigungen im Kaiserreich 1871–1900, Diss. Bochum 1985; W. Schüler, Der Bayreuther Kreis von seiner Entstehung bis zum Ausgang der wilhelmin. Epoche. Wagnerkult u. Kulturreform im Geist völk. Weltanschauung, München 1971; A. Mork, R. Wagner als polit. Schriftsteller, Frankfurt 1990; T. Schieder, R. Wagner, das Reich u. die Deutschen, in: HZ 227.1978, 571–98; P. L. Rose, Wagner: Race and Revolution, New Haven/Conn. 1992; J. Katz, R. Wagner – Vorbote des Antisemitismus, Königstein 1985; D. Kulka, R. Wagner u. die Anfänge des modernen Antisemitismus, in: Bulletin des L. Baeck-Instituts 4.1961, 281–300. – U. Linse, Die Jugendkulturbewegung, in: Vondung Hg., 119–37; H. Bohnenkamp, Jugendbewegung als Kulturkritik, in: W. Rüegg Hg., Kulturkritik u. Jugendkult, Frankfurt 1974, 23–38; T. Nipperdey, Jugend u. Politik um 1900, in: ders., Gesellschaft, 338–59; J. Müller, Die Jugendbewegung als deutsche Hauptrichtung neukonservativer Reform, Zürich 1971; P. D. Stachura, The German Youth Movement 1900–45, London 1981; W. Z. Laqueur, Young Germany, London 1962, dt. Die deutsche Jugendbewegung, Köln 1962. – W. Krabbe, Gesellschaftsveränderung durch Lebensreform, Göttingen 1974; J. Frécot, Die Lebensreformbewegung, in: Vondung Hg., 138–52; ders. u.a., Fidus 1868–1948, München 1972; vgl. C. Hepp, Avantgarde. Moderne Kunst, Kulturkritik u. Reformbewegungen nach 1900, ebd. 1987; W. Hardtwig, Kunst, liberaler Nationalismus u. Weltpolitik. Der Deutsche Werkbund 1907–14, in: ders., Nationalismus, 246–73. – A. Kelly, The Descent of Darwin. The Popularization of Darwinism in Germany 1860–1914, Chapel Hill 1981; W. M. Montgomery, Germany, in: T. Glick Hg., The Comparative Reception of Darwinism, Austin 1974, 81–116; H. G. Zmarzlik, Der Sozialdarwinismus als geschichtl. Problem, in: ders., Wieviel Zukunft hat unsere Vergangenheit? München 1970, 56–85; ganz unzureichend: H. W. Koch, Der Sozialdarwinismus, ebd. 1973; knapp am besten: H.-W. Schmuhl, Rassenhygiene, Nationalsozialismus, Euthanasie 1890–1945, Göttingen 1992², 11–125; vgl. P. Weingart u.a., Rasse, Blut u. Gene. Geschichte der Eugenik u. Rassenhygiene in Deutschland, Frankfurt 1988. – F. Gregory, Scientific Materialism in 19th Century Germany, Boston 1977; D. Gasman, The Scientific Origins of National Socialism. Social Darwinism in E. Haeckel and the German Monist League, N.Y. 1971. –

S. E. Aschheim, The Nietzsche Legacy in Germany 1890–1990, Berkeley 1993; E. Nolte, Nietzsche u. der Nietzscheanismus, Berlin 1990; R. H. Thomas, Nietzsche in German Politics and Society 1890–1918, Manchester 1983; W. Hogrebe, Deutsche Philosophie im 19. Jh., Freiburg 1987. – Grundlegend zu den «drei Kulturphilosophen» noch immer: F. Stern, The Politics of Cultural Despair, Berkeley 1961, dt. Der Kulturpessimismus als polit. Gefahr, München 1986[2]; vgl. K. Schwedhelm Hg., Propheten des Nationalismus, München 1969; wegen der Auswirkungen: E. J. Young, Gobineau u. der Rassismus, Meisenheim 1978. – Lagarde: ebd., 25–123; R. W. Lougee, P. de Lagarde, Cambridge/Mass. 1962; W. Real, dass., in: Fs. K. Kluxen, Paderborn 1972, 161–78; NDB 13.1982, 409–12. – Langbehn: Stern, 127–220; NDB 13, 44–48. – Chamberlain: G. G. Field, Evangelist of Race: The Germanic Visions of H. S. Chamberlain, N. Y. 1981; Stern, 223–317; J. Real, The Religious Conception of Race: H. S. Chamberlain and Germany's Christianity, in: UNESCO Hg., The Third Reich, London 1955, 243–87; NDB 3.1971[2], 187–90; vgl. hierzu: M. D. Biddis, Father of Racist Ideology: The Social and Political Thought of Count Gobineau, London 1970. – Moeller: Stern, 223–317; D. Goeldel, Stéréotypes nationaux et idéologie chez Moeller van den Bruck, in: Recherches Germaniques 2.1972, 38–67. – Vgl. allg. J. Fisch, Zivilisation, Kultur, in: GGr. 7.1992, 679–774; H. Schulte Hg., The Tragedy of German Inwardness? Antirationalism in German Culture 1870–1933, Hamilton/Ont. 1992; U.-K. Ketelsen, Völk.-nationale u. nationalsozialist. Literatur in Deutschland 1890–1945, Stuttgart 1976; eine interessante Variante: H. D. Hellige, Rathenau u. Harden in der Gesellschaft des Kaiserreichs. Eine sozialgeschichtl.-biograph. Studie zur Entstehung neokonservativer Positionen, in: ders. Hg., W. Rathenau – M. Harden, Briefwechsel 1897–1920, München 1983, 17–299. – Das folgende Zitat: T. Mann, Betrachtungen eines Unpolitischen, Berlin 1918, 231, auch in: ders., GW XII, Frankfurt 1983[3], 247.

[11] Zur Entstehung des deutschen Kleinbürgertums vgl. vorn den historischen Erklärungs- und Präzisierungsversuch in: 5. Teil, III c; vgl. 6. Teil, I. 3 u. II. 5, jeweils mit der Lit., v. a. Blackbourn, Petite Bourgeoisie; ders., Mittelstandspolitik; Haupt, Petite Bourgeoisie; ders., Kleinbürgertum; ders. Hg., Mitte; Grünberg; Crossick. Hier insbes. K. Eder, Jenseits der nivellierten Mittelstandsgesellschaft. Das Kleinbürgertum als Schlüssel einer Klassenanalyse in fortgeschrittenen Industriegesellschaften, in: ders. Hg., Klassenlage, Lebensstil u. kulturelle Praxis, Frankfurt 1989, 341–85; G. Steinmetz u. E. O. Wright, The Fall and Rise of the Petty Bourgeoisie, in: American Journal of Sociology 94.1989, 973–1018; O. H. v. d. Gablentz, Mittelstand, in: HSW 7.1961, 392–95, im Vergleich mit: H. Potthoff, Privatangestellte, in: HStW 6.1925[4], 1208–18; E. Lederer u. J. Marschak, Der neue Mittelstand, in: GdS IX/1.1926, 120–41; L. D. Pesl, Mittelstandsfragen, in: ebd., 70–119; T. Brauer, Mittelstandspolitik, in: ebd. IX/2.1927, 369–410; E. Lederer, Die Gesellschaft der Unselbständigen. Zum sozialpsych. Habitus der Gegenwart (1918), in: ders., Kapitalismus, 14–32; ders., Die Privatangestellten in der modernen Wirtschaftsordnung, Tübingen 1912, z. T. in: ders., Kapitalismus, 51–82; J. Wernicke, Kapitalismus u. Mittelstandspolitik, Jena 1922[2]; L. Müffelmann, Die moderne Mittelstandsbewegung, Leipzig 1913; J. Pierstorff, Der moderne Mittelstand, ebd. 1911, sowie H. Pohl Hg., Mittelstand u. Arbeitsmarkt, Stuttgart 1987. – Zum Handwerk v. a. Lenger, Sozialgeschichte, 110–62; Kaufholds, Fischers, Volkovs Studien vorn in: 5. Teil, III c, Anm. 29; Blackbourn, Handwerker; Noll, Strukturwandel; ders., Entwicklung; Henning, Handwerker; dazu ders., Besitzstrukturen u. soziale Gruppierungen in der Rheinprov. 1870–1913, in: Kellenbenz Hg., Wachstumsschwankungen, 121–44; A. v. Saldern, The Old Mittelstand: How «Backward» Were the Artisans? in: CEH 25.1992, 27–51; E. Donay, Die Beziehungen zwischen Herkunft u. Beruf, Essen 1941. – Die Belege zum Handwerk: H. Schelsky, Gesellschaftl. Wandel, in: ders., Auf der Suche nach Wirklichkeit, Köln 1965, 344; Lenger, Sozialgeschichte, 110–62; Blackbourn, Mittelstandspolitik, 561–72; ders., Handwerk, 10–14; Volkov, Master Artisans, 32–94; Wernicke, 137–251; Henning, Besitzstruktur, 124, 126; Gimmler, 201–6; ausführlich Georges; Westfäl. Handwerkerfreund

1901, 75, nach: Noll, Entwicklung, 207; Winkler, Rückversicherter Mittelstand, 83–98. – SPD: R. Blank, Die soziale Zusammensetzung der sozialdemokrat. Wählerschaft Deutschlands, in: ASS 20.1905, 507–50; Antisemitismus: Volkov, Rise of Popular Antimodernism. – Kleinhändler: R. Gellately, The Politics of Economic Despair. Shopkeepers and German Politics 1890–1914, London 1974; ders., Zur Entstehung der Massenkonsumgesellschaft Deutschlands. Der Kleinhandelsmarkt 1871–1914, in: J. Müller u. a. Hg., Tradition u. Neubeginn, Köln 1975, 467–80; H.-G. Haupt, Kleinhändler u. Arbeiter in Bremen 1890–1914, in: AfS 22.1982, 95–132; ders. u. a., Der Bremer Kleinhandel um 1900, Bremen 1982; A. Lampe, Einzelhandel, in: HStW 3.1926^{4}, 496–543; Conze, in: HWS II, 625–27. – Zu den Interessenverbänden des «alten Mittelstands» vgl. außer Georges und Gimmler die Lit. in Anm. 12.

[12] Zu den Angestellten vgl. allg. vom besten Kenner der Materie: J. Kocka, Die Angestellten in der deutschen Geschichte 1850–1980, Göttingen 1981; ders. Hg., Angestellte im europ. Vergleich, ebd. 1981; ders., Class Formation, Interest Articulation, and Public Policy. The Origins of the German White-Collar Class in the Late 19th and Early 20th Centuries, in: S. Berger Hg., Organized Interests in Western Europe, Cambridge/Mass. 1981, 63–81; ders., Siemens (damals bahnbrechend); komparativ ders., Angestellte zwischen Faschismus u. Demokratie. Zur polit. Sozialgeschichte der Angestellten: USA 1890–1940 im internat. Vergleich, Göttingen 1977. Ergänzend: T. Pierenkemper, Arbeitsmarkt u. Angestellte 1880–1914, Wiesbaden 1987; ders., Allokationsbedingungen am Arbeitsmarkt. Das Beispiel des Arbeitsmarkts für Angestelltenberufe 1880–1913, Opladen 1982; ders., Der Begriff des Angestellten, in: SM 20.1986, 77–91 (vgl. aber Kocka, Angestellter, in: GGr. 1.1972, 110–28, u. in: ders., Die Angestellten 1850–1980, 116–41); ders., Angestellte in deutschen Großunternehmen 1890–1913, in: Tilly Hg., Vergleich. quantitative Unternehmensgeschichte, 175–200; ders., Die Einkommensentwicklung der Angestellten in Deutschland 1880–1913, in: HSF 27.1983, 69–92; ders., Der Arbeitsmarkt der Handlungsgehilfen 1900–13, in: Kocka Hg., Angestellte im europ. Vergleich, 257–78; innovativ: R. Spree, Angestellte als Modernisierungsagenten im späten 19. u. 20. Jh., in: ebd., 279–308; ders., The German Petite Bourgeoisie and the Decline of Fertility (Late 19th and Early 20th Centuries), in: HSF 22.1982, 15–49. – G. Schulz, Die industriellen Angestellten, in: Pohl Hg., Sozialgeschichtl. Probleme, 217–66; R. Engelsing, Die wirtschaftl. u. soziale Differenzierung der deutschen kaufmänn. Angestellten 1690–1900, in: ders., Sozialgeschichte deutscher Mittel- u. Unterschichten, 51–111; M. Dittrich, Die Entstehung der Angestelltenschaft in Deutschland, Stuttgart 1939; allg. noch W. Mangold, Angestelltengeschichte u. -soziologie, in: Kocka Hg., Angestellte im europ. Vergleich, 11–38; W. Deich, Der Angestellte im Roman, Köln 1974. – Speziell: M. König, Angestellte am Rande des Bürgertums. Kaufleute u. Techniker in Deutschland u. in der Schweiz 1860–1930, in: Kocka Hg., Bürgertum II, 220–51; G. L. Schulz, Die Arbeiter u. Angestellten bei Felten & Guilleaume im 19. u. 20. Jh., Wiesbaden 1979; F. G. Rudl, Die Angestellten im Bankgewerbe 1870–1933, Diss. Mannheim 1975; W. Bongartz, Großindustrie u. Berufsqualifikation des mittl. techn. Personals: GHH 1882–1914, in: ZfU 24.1979, 29–63; H. Trischler, Steiger im deutschen Bergbau. Zur Sozialgeschichte techn. Angestellter 1851–1945, München 1988; sowie H. E. Krueger, Die wirtschaftl. u. soziale Lage der Privatangestellten, 2 Bde, Jena 1910/12; R. Woldt, Das großindustrielle Beamtentum, Leipzig 1911; A. Günther, Die deutschen Techniker, 2 Bde, ebd. 1912. Zu einem lange vernachlässigten Problem: C. G. Adams, Woman Clerks in Wilhelmine Germany, Boston 1988; U. Nienhaus, Berufsstand weiblich. Die ersten weibl. Angestellten, Berlin 1982; dies., Von Töchtern u. Schwestern. Zur vergessenen Geschichte der weibl. Angestellten im deutschen Kaiserreich, in: Kocka Hg., Angestellte im europ. Vergleich, 279–308. – Zu den Interessenverbänden v. a. I. Hamel, Völkischer Verband u. nationale Gewerkschaft. Der Deutschnationale Handlungsgehilfenverband 1893–1933, Frankfurt 1967; D. Fricke u. W. Fritsch, dass. 1899–1934, in: LP 2, 457–75; G. Remer, Deutsche Mittelstandsvereinigung 1904–12/13, in: ebd., 17–22; E. Hartwig, Reichsdeutscher Mittelstandsverband,

in: ebd. 3, 657–62; C. Hennig, Zur Geschichte der Angestelltenverbände 1774–1914, in: SW 10.1959, 124–31. – Belege: Kocka, Angestellte in der deutschen Geschichte, 7–9, 130, 142, 18, 22, 62f., 121, 123, 125, 83, 86, 134–40, 144, 44; ders., Unternehmensverwaltung, 516–44; Übersicht 102 nach: a) Kocka, Angestellte, 17; Hohorst u. a., SgAb, 67–69; b) Dittrich, Entwicklung, 57, 59, 64f., 95, 122f., 130; c) Kocka, Angestellte, 17 (Boltes Zahlen); und Schulz, Industrielle Angestellte, 229–31. Kaufhold (1900, 202) kommt auf 1895 = 818000/3.7%, 1907 = 1.588 Mill./5.7%. Vgl. Lederer, Privatangestellte (1907 = 1.62 Mill.). – Kaelble, Wandel der Berufsstruktur, 54f.; Spree, Angestellte, 280–85, 292–96, 302, 316.

[13] Kocka, Einleitung, in: ders. Hg., Bürgertum I, 12–14, 26, 30, 32f., 34, 44–46, 50–76; vgl. ders., Obrigkeitsstaat u. Bürgerlichkeit im 19. Jh., in: Fs. Nipperdey, 107–21; Kaelble, Nachbarn, 59; Wehler, Wie bürgerlich?; ders., Bürger, Arbeiter, Klassenbildung; ders., Deutsches Bildungsbürgertum. Zu allgemein über «das» Bürgertum: Nipperdey II, 374–95, 414–27; asketisch knapp: Mommsen, Ringen, 311–16; strukturloses Potpourri: Niethammer u. a., Bürgerl. Gesellschaft; ohne analytisches Unterscheidungsvermögen: Bauer, Bürgerwege.

[14] G. A. Ritter, Gewerbl. Zusammensetzung u. innere Schichtung der industriellen Arbeiterschaft im Kaiserreich, in: W. Jacobmeyer Hg., Industrialisierung, sozialer Wandel u. Arbeiterbewegung in Deutschland u. Polen bis 1914, Braunschweig 1983, 93f., 95, dazu jetzt die Filigrananalyse in: ders. u. Tenfelde, Arbeiter. Zum Vergleich mit Preußen 1861: 6.45 Mill. Lohnarbeiter von 7.93 Mill. Erwerbstätigen, rd. 880000 Industriearbeiter, rd. 10% der Erwerbstätigen: Kocka, Arbeitsverhältnisse, 84; das Reich 1882–1907: Conze, in: HWS II, 615. – Übersicht 103 kombiniert nach: J. Mooser, Arbeiterleben in Deutschland 1900–1970, Frankfurt 1984, 29, 32, vgl. 45; Hohorst u. a., SgAb II, 67, 69; D. Petzina, Die deutsche Wirtschaft in der Zwischenkriegszeit, Wiesbaden 1977, 181 (jeweils etwas abweichende Angaben). – Vgl. für die Zeit bis 1871 vorn 5. Teil, III. 3, die Lit. in Anm. 12–20, sowie Bd. II, 824–32, Anm. 37–46. Als erster Band (von vier geplanten Bänden) die unübertrefflich umfassende, begriffsscharfe, empirisch präzise Gesamtdarstellung von Ritter u. Tenfelde, Arbeiter (vgl. H.-U. Wehler, Ende der Legenden – Arbeiterklassen im Kaiserreich, in: ders., Die Gegenwart als Geschichte, München 1995); vgl. die Lit. in dies. Hg., Bibliographie (bis 1975); bis 1984 in: Tenfelde Hg., Arbeiter; für die Anfangszeit auch Kocka, Arbeitsverhältnisse; ders., Lohnarbeit; ders. Hg., Arbeiterbewegungen. Als Auswahl aus der wichtigsten, bisher nicht zit. Lit.: G. A. Ritter Hg., Geschichte der deutschen Arbeiterbewegung im Kaiserreich, München 1989; ders., Die Sozialdemokratie im Deutschen Kaiserreich in sozialgeschichtl. Perspektive, ebd. 1989 u. in: HZ 249.1989, 295–362; ders., Die Arbeiterbewegung im wilhelmin. Reich 1890–1914, Berlin 1963²; Tenfeldes Arbeiten (s. unten); vorzüglich ist Mooser, Arbeiterleben; ders., Auflösung des proletar. Milieus, in: SW 34.1983, 270–306; Grebing, Geschichte; dies., Arbeiterbewegung bis 1914, München 1985; V. Lidtke, The Alternative Culture. The Socialist Labor Movement in Imperial Germany, N. Y. 1985; D. Langewiesche u. K. Schönhoven, Zur Lebensweise von Arbeitern in Deutschland im Zeitalter der Industrialisierung, in: dies. Hg., Arbeiter in Deutschland, Paderborn 1981, 8–33; L. Hölscher, Weltgericht oder Revolution: Protestant. u. sozialist. Zukunftsvorstellungen im deutschen Kaiserreich, Stuttgart 1989; vgl. ders., Utopie, in: GGr. 6.1990, 733–88; D. Groh, Negative Integration u. revolutionärer Attentismus 1900–1914, Berlin 1973; G. Roth, The Social Democrats in Imperial Germany, Totowa 1963; C. H. Waisman, Modernization and the Working Class: The Politics of Legitimacy, Austin 1982; R. J. Evans, Proletarians and Politics, London 1990; ders. Hg., The German Working Class 1888–1933, ebd. 1982; H. H. Hofmann Hg., Führende Kräfte u. Gruppen in der deutschen Arbeiterbewegung, Limburg 1976; P. N. Stearns u. D. J. Walkowitz Hg., Workers in the Industrial Revolution, New Brunswick 1974; H. Mitchell u. P. N. Stearns, Workers and Protest. The European Labor Movement, the Working Classes, and the Origin of Social Democracy 1890–1914, Itasca/Ill. 1971; P. N. Stearns, Lives of Labor, London 1975, dt. Arbeiterleben. Industriearbeit u. Alltag in Europa

1890–1914, Frankfurt 1980; A. Lüdtke, Eigen-Sinn. Fabrikalltag, Arbeitererfahrung u. Politik vom Kaiserreich bis in den Faschismus, Hamburg 1992 (bis zur Unbrauchbarkeit bizarr-manieriert); G. L. Schulz, Die betriebl. Lage der Arbeiter im Rheinland vom 19. bis zum beginn. 20. Jh., in: RVB 50.1986, 150–89; L. Machtan, Zum Innenleben deutscher Fabriken im 19. Jh., in: AfS 21.1981, 179–236. Vgl. allg. G. W. Rimlinger, Labor and the State on the Continent 1800–1939, in: CEHE 8.1989, 459–606; V. R. Lorwin, Working Class Politics and Economic Development in Western Europe, in: ders. Hg., Labor and Working Conditions in Modern Europe, N.Y. 1967, 58–72; H. Grebing, Arbeiterbewegung u. sozialer Wandel im industriellen Kapitalismus, in: TAJB 16.1987, 82–95; M. van der Linden, The National Integration of European Working Classes 1871–1914, in: IRSH 33.1988, 285–311; R. Pateau, Cultures and Mentalities, Metaphors and Symbols. Approaches to the History of the 19th Century German Labor Movement, in: B. Stråth Hg., Language and the Constitution of Class Identities, Göteborg 1990, 429–67; D. Geary, Socialism and the German Labour Movement Before 1914, in: ders. Hg., Labour and Socialist Movements in Europe Before 1914, Oxford 1989, 101–36; M. Nolan, Economic Crisis, State Policy, and Working-Class Formation in Germany 1870–1900, in: Katznelson u. Zolberg Hg., 352–93; A. v. Saldern, Wilhelmin. Gesellschaft u. Arbeiterklasse, in: IWK 13.1977, 469–505; W. K. Blessing, The Cult of Monarchy, Political Loyalty, and the Workers' Movement in Imperial Germany, in: JCH 13.1978, 357–75; auch noch: T. Buddeberg, Das soziolog. Problem der Sozialdemokratie, in: ASS 49.1992, 108–32; R. Michels, Die deutsche Sozialdemokratie I: Parteimitgliedschaft u. soziale Zusammensetzung, in: ASS 23.1906, 471–556; Blanke; Fricke Hg., Hdb. I; Mayer, Engels II; Hunt II; K. Bergmann Hg., Schwarze Reportagen. Aus dem Leben der untersten Schichten vor 1914, Reinbek 1984; F. G. Kürbisch Hg., Der Arbeitsmann, er stirbt, verdirbt, wann steht er auf? Sozialreportagen 1850–1918, Berlin 1982. – Zur Lit. über die SPD s. u. Anm. 20 u. IV. 2b, über die Gewerkschaften s. u. 19. – Zur Struktur der Arbeiterschaft außer Ritter u. Tenfelde; Ritter, Zusammensetzung, noch: H. Kaelble, Was Prometheus Most Unbound in Europe? The Labor Force in Europe During the Late 19th and 20th Centuries, in: JEEH 18.1989, 65–104; P. Bairoch u. J. M. Limbor, Changes in the Industrial Distribution of the World Labor Force by Region 1880–1960, in: W. Galenson Hg., Essays on Employment, Genf 1971, 15–41; P. Bairoch u. a. Hg., The Working Population and Its Structure, Brüssel 1968; T. Pierenkemper, Die Vermarktung von Arbeitskraft, in: Bade Hg., Auswanderer I, 139–78; H. Zwahr, Soziale Prozesse der Entwicklung der Arbeiterklasse im 19. Jh. Bibliographie, Historiographie, Methodologie, in: Internationale Tagung der Historiker der Arbeiterbewegung: 16. Linzer Konferenz, Bd. 15, Wien 1982, 397–416; J. Kocka, The Study of Social Mobility and the Formation of the Working Class in the 19th Century, in: MS 111.1980, 97–117; H. Schäfer, Die Industriearbeiter, in: Pohl Hg., Probleme, 143–216; P. N. Stearns, Adaptation to Industrialization: German Workers as a Test Case, in: CEH 3.1970, 303–31; T. Welskopp, Arbeit u. Macht im Hüttenwerk. Deutsche u. amerikan. Eisen- u. Stahlindustrie von den 1860er bis zu den 1930er Jahren, Bonn 1994; E. Brockhaus, Zusammensetzung u. Neustrukturierung der Arbeiterklasse vor 1914, München 1975; R. Stockmann, Gesellschaftl. Modernisierung u. Betriebsstruktur. Die Entwicklung von Arbeitsstätten in Deutschland 1875–1980, Frankfurt 1986; noch immer: M. Bernays, Das Berufsschicksal des modernen Industriearbeiters, in: ASS 35.1912, 123–76; 36.1913, 884–900 (zur berühmten VfS-Enquête); s. dies., Auslese u. Anpassung der Arbeiterschaft der geschlossenen Großindustrie, Leipzig 1910; A. Weber, Das Berufsbild der Industriearbeiter, in: ASS 34.1912, 377–405; dagegen F.-J. Brüggemeier, Leben in Bewegung. Zur Kultur unständiger Arbeiter im Kaiserreich, in: van Dülmen Hg., Armut, 225–57. – Gastarbeiter: die Lit. in I.5, Anm. 10 (Bade; Köllmann; Ambrosius; Schäfer; Del Fabbro; Werner); Herbert, Ausländerbeschäftigung. Zu den polnischen Zuwanderern: Kleßmann; Murzynowska; Murphy; Stefanski; Brepohl, Ruhrvolk; Wehler, Polen. – Arbeiterinnen: R. Orthmann, Out of Necessity. Women Working in Berlin at the Height of Industrialization, N. Y. 1991; B. Franzoi, At the Very Least She Pays the Rent. Women and German Industrialization 1871–1914, Westport/Conn. 1985; R. Beier, Frauenarbeit u. Frauenalltag im Deutschen Kaiserreich, Frankfurt 1983; W. Müller u. a., Strukturwandel der Frauenarbeit 1880–1980, ebd. 1983; E. Plössl, Weibl. Arbeit in Familie u. Betrieb. Bayer. Arbeiterfrauen 1870–1914, München 1983; M. Ellerkamp, Industriearbeit, Krankheit u. Geschlecht. Bremer Textilarbeiterinnen 1870–1914, Göttingen 1991; R. Stockmann, Gewerbl. Frauenarbeit in Deutschland, in: GG 11.1985, 447–75; A. Willms, Grundzüge der Entwicklung der Frauenarbeit 1880–1980, in: Müller u. a., 25–54; dies., Segregation auf Dauer? Frauenarbeit u. Männerarbeit in Deutschland 1882–1980, in: ebd., 107–81; dies., Modernisierung durch Frauenarbeit? 1882–1939, in: Pierenkemper u. Tilly Hg., Arbeitsmarktforschung, 37–71; H. Schäfer, Die Heimarbeiterin u. die Fabrikarbeiterin 1800–1945, in: Pohl u. Brüninghaus Hg., 65–78; D. S. Linton, Between School and Marriage: Young Working Women as a Social Problem in Late Imperial Germany, in: EHQ 18.1988, 387–408; R. Dasey, Women's Work and the Family: Women Garment Workers in Berlin and Hamburg Before 1914, in: Evans u. Lee Hg., German Family, 221–55. Von älteren Studien: A. Meister, Die deutsche Industriearbeiterin, Jena 1939; J. Pierstorff, Weibl. Arbeit u. Frauenfrage, in: HStW 8.1911[3], 679–732; ders., Frauenarbeit, in: ebd. 3.1900[2], 1195–1244; G. Bäumer, Die Frau in Volkswirtschaft u. Staatsleben der Gegenwart, Stuttgart 1914; R. Otto, Über Fabrikarbeit verheirateter Frauen, ebd. 1910; H. Simon, Der Anteil der Frau an der deutschen Industrie, Jena 1910; E. Gnauck-Kühne, Die deutsche Frau um 1900, Berlin 1907[2]; R. u. L. Wilbrandt, Die deutsche Frau im Beruf, ebd. 1902; R. Kempf, Das Leben junger Fabrikmädchen in München, Leipzig 1911. – Wierling, Dienstmädchen; K. Orth, «Nur weiblichen Besuch». Dienstbotinnen in Berlin 1890–1914, Frankfurt 1993; H. Müller, Dienstbare Geister. Leben u. Arbeitswelt städt. Dienstboten, Berlin 1981; T. Pierenkemper, «Dienstbotenfrage» u. Dienstmädchenarbeitsmarkt am Ende des 19. Jh., in: AfS 28.1988, 173–202. – R. J. Evans, Sozialdemokratie u. Frauenemanzipation im Deutschen Kaiserreich, Bonn 1979; S. Richebächer, Uns fehlt nur eine Kleinigkeit. Deutsche proletar. Frauenbewegung 1890–1914, Frankfurt 1982; H. Niggemann, Emanzipation zwischen Feminismus u. Sozialismus. Die sozialdemokrat. Frauenbewegung im Kaiserreich, Wuppertal 1981; G. Losseff-Tillmanns, Frauenemanzipation u. Gewerkschaften, ebd. 1978; J. Quataert, Reluctant Feminist German Social Democracy 1885–1917, Princeton 1979. – Aufschlußreiche Stadtstudien: z. Z. am besten Pohl, Münchener Arbeiterbewegung 1890–1914; J. Thomassen, Weder Samt noch Seide. Aspekte des Arbeiterlebens in Uerdingen 1890–1929, Krefeld 1992; S. Goch, Sozialdemokrat. Arbeiterbewegung u. Arbeiterkultur im Ruhrgebiet: Gelsenkirchen 1848–1975, Düsseldorf 1990; M. Kutz-Bauer, Arbeiterschaft, Arbeiterbewegung u. bürgerl. Staat in der Zeit der Großen Depression: Hamburg 1873–90, Bonn 1988; M. J. Neufeld; The Skilled Metalworkers of Nuremberg: Craft and Class in the Industrial Revolution, New Brunswick 1989; F. Bajohr, Zwischen Krupp u. Kommune. Sozialdemokrat. Arbeiterschaft u. Staatsverwaltung in Essen vor 1914, Essen 1988; R. Boch, Handwerker-Sozialisten gegen Fabrikgesellschaft. Lokale Fachvereine, Massengewerkschaft u. industrielle Rationalisierung in Solingen 1870–1914, Göttingen 1985; M. Niehuss, Arbeiterschaft in Krieg u. Inflation. Soziale Schichtung u. Lage der Arbeiter in Augsburg u. Linz 1910–25, Berlin 1985; A. v. Saldern, Auf dem Weg zum Arbeiter-Reformismus. Parteialltag in der sozialdemokrat. Provinz: Göttingen 1890–1920, Frankfurt 1984; dies., Vom Einwohner zum Bürger. Zur Emanzipation der städt. Unterschicht Göttingens 1890–1920, Berlin 1973; M. Nolan, Social Democracy and Society. Working Class Radicalism in Düsseldorf 1890–1920, Cambridge 1981; V. Eichler, Sozialist. Arbeiterbewegung in Frankfurt 1878–95, Frankfurt 1983; D. Rossmeisl, Arbeiterschaft u. Sozialdemokratie in Nürnberg 1890–1914, Nürnberg 1977; vgl. Eckert (bis 1880); Breunig, Ludwigshafen; M. Cattaruzza, Arbeiter u. Unternehmer auf den Werften des Kaiserreichs, Stuttgart 1988; M. G. Grüttner, Arbeitswelt an der Waterkante. Sozialgeschichte der Hamburger Hafenarbeiter 1886–1914, Göttingen 1984; H. Homburg, Rationalisierung u. Industriearbeit. Arbeitsmarkt – Management – Arbeiterschaft im Siemens-Konzern Berlin 1900–39, Berlin 1991; M. Borgmann, Betriebsführung,

Arbeitsbedingungen u. die soziale Frage. Arbeiter- u. Unternehmergeschichte in der Berliner Maschinenbauindustrie 1870–1914, Frankfurt 1981; D. Landé, Arbeits- u. Lohnverhältnisse in der Berliner Maschinenindustrie zu Beginn des 20. Jh., in: SVS 134, Leipzig 1910, 306–498; E. Hirschberg, Die soziale Lage der arbeitenden Klassen in Berlin, Berlin 1897. – Als Regionalstudien: C. Gotthardt, Industrialisierung, bürgerl. Politik u. proletar. Autonomie: Sozialist. Klassenorganisationen in Nordwestdeutschland 1863–75, Bonn 1992; F. Boll, Massenbewegungen in Niedersachsen 1906–20, Bonn 1981; H. Reif, Arbeiter u. Unternehmer in Städten des westl. Ruhrgebiets 1850–1930, in: Kocka Hg., Arbeiter u. Bürger, 151–81; W. Schmierer, Von der Arbeiterbildung zur Arbeiterpolitik. Die Anfänge der Arbeiterbewegung in Württemberg 1862–78, Hannover 1969; G. Eckert, Die Braunschweiger Arbeiterbewegung I: 1878–84, Braunschweig 1961; Forberger, Sachsen; Ott, Osnabrück.

[15] Desai, 36, 117, 112 (1913 als Indexbasis: 1871=56, 1913=100); Borchardt, in: HWS II, 225; J. Flemming u. P. C. Witt, Einkommen u. Auskommen «minderbemittelter Familien» vor 1914, in: D. Dowe Hg., Erhebung von Wirtschaftsrechnungen minderbemittelter Familien im Deutschen Reiche, ND Berlin 1981, XLVI (sorgfältig neu berechneter Index, fast identisch mit Desai). – Übersicht 104 nach: Phelps Brown u. Browne, Century of Pay; Lewis, Growth 1870–1913, 95, 107; Wiegand, 144, vgl. 101, 128–31, 135–138; Grumbach u. König, 147; Conze, in: HWS II, 620, vgl. 22f., 633; Lederer, Umschichtung, 45; Bry (1871=74, 1913=100); Orsagh (1871=52, 1913=100); Tyszka, Löhne, 263, 288; H. Kiesewetter, Regionale Lohndisparitäten u. innerdeutsche Wanderungen im Kaiserreich, in: J. Bergmann u. a., Regionen im histor. Vergleich, Opladen 1989, 133–99; R. Hohls u. H. Kaelble Hg., Die regionale Erwerbsstruktur im Deutschen Reich u. in der Bundesrepublik 1895–1970, St. Katharinen 1989; R. Schmiede u. E. Schudlich, Die Entwicklung der Leistungsentlohnung in Deutschland, Frankfurt 1977²; G. Schmoller, Die histor. Lohnbewegung 1300–1900 u. ihre Ursachen, in: Sitzungsberichte der Preuß. Akademie der Wissenschaften 1902, Berlin 1902, 130–45; W. Zimmermann u. A. Günther, Die gesunkene Kaufkraft des Lohnes u. ihre Wiederherstellung, Jena 1919. – Pierenkemper, Standard, 66, 71; Wiegand, 133; K. Oldenberg, Die Konsumtion, in: GdS II/1.1923⁴, 1–164; H. Mayer, Konsumtion, in: HStW 5.1923⁴, 867–74; W. Lexis u. S. Bauer, dass., in: ebd. 6.1910³, 117–51; Bauer, Konsumtion der Sozialklassen; vgl. auch W. G. Breckmann, Disciplining Consumption, in: JSH 24.1991, 485–505; K.-P. Ellerbrock, Geschichte der deutschen Ernährungs- u. Genußmittelindustrie 1750–1914, Stuttgart 1992. Die differenzierteste Reallohn- und Lebensstandardanalyse jetzt in: Ritter u. Tenfelde, 469–536. – Übersicht 105 nach: Hoffmann u. a., Wachstum, 461, 468–71; vgl. Flemming u. Witt, XXIII (1907), vgl. XXXVIII; Wiegand, 138. – Übersicht 106 nach: Ritter u. Tenfelde, 488; Bry, 110f. – Die Bergarbeiter sind besonders gut untersucht. Der «Klassiker» ist Tenfelde, Sozialgeschichte der Bergarbeiter; vgl. einige Beiträge in: ders. Hg., Sozialgeschichte des Bergbaus im 19. u. 20. Jh., München 1992; ders. u. Feldman Hg.; ders., Probleme der Organisation von Arbeitern u. Unternehmern im Ruhrbergbau 1890–1918, in: H. Mommsen Hg., Arbeiterbewegung u. industrieller Wandel, Wuppertal 1980, 38–61; ders., Der bergmänn. Arbeitsplatz während der Hochindustrialisierung 1890–1914, in: Conze u. Engelhardt Hg., Arbeiter, 283–335; ders., Bildung u. sozialer Aufstieg im Ruhrbergbau vor 1914, in: ebd., 465–93; vorzüglich ist dann: F.-J. Brüggemeier, Leben vor Ort. Ruhrbergleute u. Ruhrbergbau 1889–1919, München 1984²; vgl. S. Hickey, Workers in Imperial Germany. The Miners of the Ruhr, Oxford 1985; ders., The Shaping of the German Labour Movement: Miners in the Ruhr, in: R. J. Evans Hg., Society and Politics in Wilhelmine Germany, London 1978, 215–40; U. Feige, Bergarbeiterschaft zwischen Tradition u. Emanzipation. Das Verhältnis von Bergleuten u. Gewerkschaft zu Unternehmern u. Staat im westl. Ruhrgebiet um 1900, Düsseldorf 1986; Hartmann, Ruhr; M. J. Koch, Die Bergarbeiterbewegung im Ruhrgebiet 1889–1914, Düsseldorf 1954; Mallmann u. Steffens, Saar; H. Steffens, Autorität u. Revolte. Alltagsleben u. Streikverhalten der Bergarbeiter an der Saar im 19. Jh., Weingarten 1987; E. Wächtler, Bergarbeiter zur Kaiserzeit. Die Geschichte der

Lage der Bergarbeiter im sächs. Steinkohlenrevier Lugau-Oelsnitz 1889–1914, Berlin 1962; vgl. H. Trischler, Arbeitsunfälle u. Berufskrankheiten im Bergbau 1851–1945, in: AfS 28.1988, 111–52.

[16] Mooser, Arbeiterleben, 36f., 96; Ritter u. Tenfelde, 668–71; Conze, in: HWS II, 620; W. Stieda, Jugendl. Arbeiter, in: HStW 5.1910[3], 725–40; vgl. D. S. Linton, «Who Has the Youth, Has the Future». The Campaign to Save Young Workers in Imperial Germany, N. Y. 1991; Pierenkemper, Standard, 64. Zur lebenszyklischen Bewegung vgl. vorn 5. Teil, III. 3, sowie J. Ehmer, Lohnarbeit u. Lebenszyklus im Kaiserreich, in: GG 14.1988, 448–71; K. Saul u. a. Hg., Arbeiterfamilien im Kaiserreich 1871–1914, Düsseldorf 1982; H. Rosenbaum, Proletar. Familien, Frankfurt 1992; s. auch: J. Feig, Alter u. Familienstand der organis. Arbeiter, in: Fs. L. Brentano, München 1916, 149–94; im Vergleich mit Ritter u. Tenfelde, Ehmer, Saul u. a. feuilletonistisch: H. Glaser, Industriekultur u. Alltagsleben, Frankfurt 1994. – Zur Sozialpolitik: Tennstedt, Sozialgeschichte; C. Sachße u. ders., Armenfürsorge, soziale Fürsorge, Sozialarbeit, in: HB IV.1991, 411–40; A. Kraus, Armenwesen, Wohlfahrtspflege, Sozialarbeit, in: HB III.1987, 317–31; A. Groth, Arbeiterversicherung u. Volksgesundheit, in: ASA 8.1914, 72–86. – Arbeitszeit: H. Stemler u. E. Wiegand, Zur Entwicklung der Arbeitszeitgesetzgebung u. der Arbeitszeit in Deutschland seit der Industrialisierung, in: Wiegand u. Zapf Hg., 45–47, 49; W. H. Schröder, Die Entwicklung der Arbeitszeit im sekundären Sektor in Deutschland 1871–1913, in: Technikgeschichte 47.1980, 252–302; I. Steinisch, Arbeitszeitverkürzung u. sozialer Wandel. Der Kampf um die Achtstundenschicht in der deutschen u. amerikan. Eisen- u. Stahlindustrie 1880–1929, Berlin 1986; s. auch noch: S. Männlein, Statistik der Arbeitszeit, Diss. München 1926; J. Dimanstein, Die Arbeitszeit der gewerbl. Arbeiter in Deutschland, Diss. Göttingen 1914; Meinert; Deutschmann; Herkner, Arbeitszeit; Blyton; Phelps Brown. Vgl. I. Steinisch u. K. Tenfelde, Techn. Wandel u. soziale Anpassung in der deutschen Schwerindustrie während des 19. u. 20. Jh., in: AfS 28.1988, 27–74; A. Voigt, Mechanisierung der Arbeit, in: HStW 6.1925[4], 535–41. – Ritter u. Tenfelde, 241–61, 367, 246f. (1895); L. A. Heilman, Industrial Unemployment in Germany 1873–1913, in: AfS 27.1987, 25–49; K. Kumpmann, Arbeitslosigkeit u. Arbeitslosenversicherung, in: HStW 1.1923[4], 791–824; F. Niess, Geschichte der Arbeitslosigkeit, Köln 1979; J. Reulecke, Vom blauen Montag zum Arbeiterurlaub, in: AfS 16.1976, 205–48; C. Wischermann, «Streit um Sonntagsarbeit». Histor. Perspektiven einer aktuellen Kontroverse, in: VSWG 78.1991, 6–38; S. Reck, Arbeiter nach der Arbeit, Gießen 1977.

[17] Ritter, Zusammensetzung, 97; Kocka, Stand, 148; Mooser, Arbeiterleben, 52. Zur Debatte über Sozialisation durch Arbeit: J. Campbell, Joy in Work, German Work. The National Debate 1800–1945, Princeton 1989. Zur Arbeiterfamilie und Wohnsituation die Lit. vorn in Anm. 16; Ritter u. Tenfelde, Kap. 7; Matzerath, Urbanisierung I, 308–311; Schwippes, Prozesse, 207; Wischermann, Wohnungsmarkt, 129–31; Mooser, Arbeiterleben, 80, 85, 113; Gransche u. Rothenbacher; Niethammer u. Brüggemeier, Wie lebten; VfS Hg., Wohnungsfrage, 1907, sowie hier: M. Seyfarth-Stubenrauch, Erziehung u. Sozialisation in Arbeiterfamilien 1870–1914 in Deutschland, 2 Bde, Frankfurt 1985; M. Soder, Hausarbeit u. Stammtischsozialismus. Arbeiterfamilie u. Alltag im Deutschen Kaiserreich, Gießen 1980; J. Ehmer, Vaterlandslose Gesellen u. respektable Familienväter. Entwicklungsformen der Arbeiterfamilie im internationalen Vergleich 1850–1930, in: H. Konrad Hg., Die deutsche u. die österreich. Arbeiterbewegung, Wien 1982, 109–53; U. Linse, Arbeiterschaft u. Geburtenentwicklung im Deutschen Kaiserreich, in: AfS 12.1972, 205–72; F.-J. Brüggemeier u. L. Niethammer, Schlafgänger, Schnapskasinos u. schwerindustrielle Kolonie. Aspekte der Arbeiterwohnungsfrage vor 1914, in: J. Reulecke u. W. Weber Hg., Fabrik – Familie – Feierabend, Wuppertal 1978, 135–75, u. in: Langewiesche u. Schönhoven Hg., 139–72. – M. Prinz, Die Organisierung des Konsums. Zur betriebl. Ökonomie von Unterschichtenselbsthilfe in Deutschland u. England vor 1914, Göttingen 1995. – Feldenkirchen, Kinderarbeit, 26; E. Stark-v. d. Haar u. H. v. d. Haar, Kinderarbeit in der Bundesrepublik u. im Deutschen Reich, Frankfurt 1980; Ritter u. Tenfelde, 199–218.

Zu einem fast exorbitant diskutierten Sonderproblem: M. Grüttner, Alkoholkonsum in der Arbeiterschaft 1871–1933, in: Pierenkemper Hg., Haushalt, 229–73 (der beste abwägende Überblick); U. Wyrwa, Branntwein u. «echtes» Bier. Die Trinkkultur Hamburger Arbeiter im 19. Jh., Hamburg 1990; H. Spode, Die Macht der Trunkenheit. Kultur- u. Sozialgeschichte des Alkohols in Deutschland, Opladen 1993; ders., Alkohol u. Zivilisation. Berauschung, Ernüchterung u. Tischsitten in Deutschland bis 1900, Berlin 1991; J. S. Roberts, Drink, Temperance, and the Working Class in 19th Century Germany, Boston 1984; ders., Drink and Working Class Living Standards in Late 19th Century Germany, in: Conze u. Engelhardt Hg., Arbeiterexistenz, 74–91; ders., Drink and Industrial Work Discipline in 19th Century Germany, in: JSH 15.1981, 25–48; ders., Der Alkoholkonsum deutscher Arbeiter im 19. Jh., in: GG 6.1980, 220–42; ders., Alkohol u. Arbeiterschaft, in: GG 8.1982, 427–33; dagegen: I. Vogt, Einige Fragen zum Alkoholkonsum der Arbeiter, in: ebd., 134–40; H. Wunderer, Alkoholismus u. Arbeiterschaft, in: ebd., 141–44. – Zur Subkultur zuerst Roth, Social Democrats; sinngemäß schon Ritter, Arbeiterbewegung, 1959; vgl. Grohs überzogene negative Akzentuierung. Allg. zur Arbeiterkultur: Ritter Hg., Arbeiterkultur; Kocka Hg., dass.; Emmerich Hg.; Kaschuba, Kultur der Unterschichten; L. Abrams, Workers' Culture in Imperial Germany, London 1992; W. Kaschuba, Working-Class Culture, in: B. S. Fryman u. E. Tegner Hg., Working Class Culture, Göteborg 1989, 101–25; D. Langewiesche, The Impact of the German Labor Movement on Workers' Culture, in: JMH 59.1987, 506–23; ders. u. K. Schönhoven, Arbeiterbibliotheken u. Arbeiterlektüre im Wilhelmin. Deutschland, in: AfS 16.1976, 135–204; R. J. Evans, Labour Movement Culture and Working-Class Culture, in: ders., Proletarians, 72–92; M. Grüttner, Arbeiterkultur versus Arbeiterbewegungskultur, in: Nordwestdeutschland 44.1984, 244–82; D. Mühlberg u. a., Arbeiterleben um 1900, Berlin 1983; ders. Hg., Proletariat; E. Lerch, Kulturelle Sozialisation von Arbeitern im Kaiserreich, Frankfurt 1985; K. Zerges, Sozialdemokrat. Presse u. Literatur 1876–1933, Stuttgart 1982; B. Emig, Die Veredelung des Arbeiters. Sozialdemokrat. Kulturbewegung, Frankfurt 1980; H. Wunderer, Arbeitervereine u. Arbeiterparteien. Kultur u. Massenorganisation 1890–1933, ebd. 1980; P. v. Rüden u. a. Hg., Beiträge zur Kulturgeschichte der deutschen Arbeiterbewegung 1848–1918, ebd. 1979; J. Loreck, Wie man früher Sozialdemokrat wurde. Das Kommunikationsverhalten in der deutschen Arbeiterbewegung, Bonn 1977. – H. Überhorst, Frisch, frei, stark u. treu: Die Arbeitersportbewegung in Deutschland 1893–1933, Düsseldorf 1973; H. Sieger, Das erste Jahrzehnt der deutschen Arbeiterjugendbewegung 1904–14, Berlin 1955; M. Kluck u. R. Zimmermann, Arbeiterkultur, Bonn 1984; B. Meurer, Bürgerl. Kultur u. Sozialdemokratie bis 1975, Berlin 1988; R. Vierhaus, Bürgerl. Hegemonie oder proletar. Emanzipation: der Beitrag der Bildung, in: Kocka Hg., Arbeiter u. Bürger, 53–64; blaß ist: H. Glaser, Maschinenwelt u. Alltagsleben. Industriekultur in Deutschland vom Biedermeier bis zur Weimarer Republik, Frankfurt 1981; J. S. Roberts, Wirtshaus u. Politik in der deutschen Arbeiterbewegung, in: G. Huck Hg., Sozialgeschichte der Freizeit, Wuppertal 1980, 123–40; G. Korff, Volkskultur u. Arbeiterkultur. Überlegungen am Beispiel der sozialist. Maifesttradition, in: GG 5.1979, 83–102; ders., Heiligenverehrung u. soziale Frage, in: G. Wiegelmann Hg., Kultureller Wandel im 19. Jh., Göttingen 1978, 102–11; E. Lerch, Die Maifeiern der Arbeiter im Kaiserreich, in: Düding u. a. Hg., Festkultur, 352–72; J. Flemming, Der 1. Mai u. die deutsche Arbeiterbewegung, in: U. Schultz Hg., Das Fest, München 1988, 342–51, sowie O. Rühle, Illustr. Kultur- u. Sittengeschichte des Proletariats I, Berlin 1930/ND Frankfurt 1971; II, Gießen 1977. – Erinnerungen sind eine wichtige Quelle, vgl. H. L. Arnold Hg., Hb. zur deutschen Arbeiterliteratur, Bde 1 u. 2, München 1977; U. Münchow Hg., Arbeiter über ihr Leben, Berlin 1976 (bis 1933); dies., Frühe deutsche Arbeiterbiographien, ebd. 1973; G. Bollenbeck, Zur Theorie u. Geschichte der frühen Arbeiter-Lebenserinnerungen, Kronberg 1976; W. Fischer, Arbeitermemoiren als Quellen, in: ders., Wirtschaft u. Gesellschaft, 21–23. Vgl. das Material in: A. Levenstein, Die Arbeiterfrage, München 1912; ders., Aus der Tiefe. Arbeiterbriefe, Berlin 1909[4]; G. Eckert Hg., Aus den Lebensberichten deutscher

Fabrikarbeiter, Braunschweig 1954; Rehbein; M. Bromme, Lebensgeschichte eines modernen Fabrikarbeiters, Hg. P. Göhre 1905/ND Frankfurt 1971; P. Göhre, Drei Monate Fabrikarbeiter u. Handwerksbursche, Leipzig 1891/ND Gütersloh 1978; W. Holek, Lebensgang eines deutsch-tschech. Handarbeiters, Hg. P. Göhre, Leipzig 1929; K. Fischer, Denkwürdigkeiten u. Erinnerungen eines Arbeiters, Hg. P. Göhre, ebd. 1903; M. Wettstein-Adelt, Dreieinhalb Monate Fabrikarbeiterin, Berlin 1893.

[18] R. Meyer, 100 Jahre konservative Politik u. Literatur I, Wien 1895, 252 (Promem. 1873, 249–56); vgl. Saile; H. Rothfels, Zur Geschichte der Bismarckschen Innenpolitik, in: Archiv für Politik u. Geschichte 7.1926, 289; S. Christoph, H. Wagener als Sozialpolitiker, Diss. Erlangen 1950. – Zum Streik im Anschluß an: Tenfelde u. Volkmann, Einleitung, in: dies. Hg., Streik, 10–12, 17, 19, 21f., 294f.; Tenfelde, Entstehung, 128–30, 135–43, 447–50, 155–65; Grebing, Arbeiterbewegung, 53–58, 76. Zum VfS: D. Lindenlaub, Richtungskämpfe im VfS, 2 Bde, Wiesbaden 1967; M.-L. Plessen, Die Wirksamkeit des VfS, Berlin 1975; H.-J. Teuteberg, Die Doktrin des ökonom. Liberalismus u. ihre Gegner – «VfS» 1872–1905, in: H. Coing u. W. Wilhelm Hg., Wissenschaft u. Kodifikation des Privatrechts im 19. Jh. II, Frankfurt 1977, 47–73; F. Boese, Geschichte des VfS, Berlin 1939; G. Wittrock, Die Kathedersozialisten bis 1872, Berlin 1939/ND Vaduz 1965; H. Gehrig, Die Begründung des Prinzips der Sozialreform: Manchestertum u. Kathedersozialismus, Jena 1914; E. Conrad, Der VfS, ebd. 1906; A. Ascher, Professors as Propagandists: The Politics of the Kathedersozialisten, in: JCEA 23.1963/64, 282–302; A. Müssiggang, Die soziale Frage in der Histor. Schule der deutschen Nationalökonomie, Tübingen 1968; D. Krüger, Nationalökonomen im wilhelmin. Deutschland, Göttingen 1983; P. R. Anderson, G. v. Schmoller, in: Wehler Hg., Historiker II, 39–65/1973, 147–73; I. G. Backhaus, G. Schmoller u. die Probleme von heute, Berlin 1993; P. Schiera u. F. Tenbruck Hg., G. Schmoller in seiner Zeit, ebd. 1989; P. Wagner, Sozialwissenschaften u. Staat. Frankreich, Italien, Deutschland 1870–1980, Frankfurt 1990; I. Gorges, Sozialforschung in Deutschland 1872–1914, Königstein 1980; U. G. Schäfer, Histor. Nationalökonomie u. Sozialstatistik, Köln 1971; A. Oberschall, Empirical Social Research in Germany 1848–1914, Den Haag 1965; verständnislos: G. Müller, Verein für Sozialpolitik 1872–1936, in: LP 4, 304–13. – U. Ratz, Sozialreform u. Arbeiterschaft. Die «Gesellschaft für soziale Reform» u. die sozialdemokrat. Arbeiterbewegung 1900–14, Berlin 1980; G. Müller, Gesellschaft für Soziale Reform, in: LP 3, 42–50. – Machtan, Streiks, 1984, 487–93; Engelhardt, Nur vereinigt II, 1130; Saile, 102f. – Allg. zum Streik: Tenfelde u. Volkmann Hg. (Statistik: 287–313; Lit.: 315–25); Ritter u. Tenfelde; H. Kaelble, International Comparisons in the History of Strikes, in: L. Haimson u. G. Sapelli Hg., Strikes, Social Conflict, and the First World War, Mailand 1992, 527–31; ders. u. H. Volkmann, Streiks u. Einkommensverteilung im späten Kaiserreich, in: Bergmann u. a., Arbeit, 159–98; dies., Konjunktur u. Streik während des Übergangs zum Organis. Kapitalismus in Deutschland, in: Zeitschrift für Wirtschafts- u. Sozialwissenschaften (= ZWS) 92.1972, 513–44; H. Volkmann, Die Streikwellen 1910–13 u. 1919–20, in: Bergmann u. a., Arbeit, 220–50; ders., Organisation u. Konflikt. Gewerkschaften, Arbeitgeberverbände u. die Entwicklung des Arbeitskonflikts im späten Kaiserreich, in: Conze u. Engelhardt Hg., Arbeiter, 422–38; ders., Modernisierung (beide Verf. eindringlich über den Nexus von Streiks und Konjunkturlage); F. Boll, Arbeitskämpfe u. Gewerkschaften in Deutschland, England u. Frankreich vom 19. zum 20. Jh., Bonn 1992; ders., Streikwellen im europ. Vergleich, in: W. J. Mommsen u. H.-G. Husung Hg., Auf dem Weg zur Massengewerkschaft, Stuttgart 1984, 109–34; dagegen fällt ab: R. W. Reichard, From the Petition to the Strike. A History of Strikes in Germany 1869–1914, N. Y. 1991; vgl. Geary, Arbeiterprotest; Machtan, Streiks. Zu wichtigen Problemen: H.-P. Ullmann, Unternehmerschaft, Arbeitgeberverbände u. Streikbewegung 1890–1914, in: Tenfelde u. Volkmann Hg., 194–208; K. Schönhoven, Arbeiterkonflikte in Konjunktur u. Krise, in: ebd., 177–93; K. Saul, Zwischen Repression u. Integration. Staat, Gewerkschaften u. Arbeitskampf im kaiserl. Deutschland 1884–1914, in: ebd., 269–36; D. Groh, Intensification of Work and Industrial Conflict in Germany 1896–1914, in: Politics

& Society 8.1978, 349–97; M. Cattaruzza, «Organis. Konflikt» u. «Direkte Aktion». Werftarbeiterstreiks in Hamburg u. Triest, in: AfS 20.1980, 327–55 (dadurch und ihr Buch überholt: H. Kral, Streik auf den Helgen. Die gewerkschaftl. Kämpfe der deutschen Werftarbeiter vor 1914, Berlin 1964); H. Homburg, Anfänge des Taylorsystems in Deutschland vor 1914, Arbeitskämpfe bei Bosch 1913, in: GG 4.1978, 170–94; L. Schofer, Patterns of Worker Protest: Upper Silesia 1865–1914, in: JSH 5.1972, 447–63; D. Fricke, Der Aufschwung der Massenkämpfe der deutschen Arbeiterklasse unter dem Einfluß der russ. Revolution von 1905, in: ZfG 5.1957, 770–90; H. Bleiber, Die Moabiter Unruhen, in: ZfG 3.1955, 173–211. – Allg. noch: A. Weber, Der Kampf zwischen Kapital u. Arbeit, Tübingen 1954[6]; ders., Arbeitskämpfe, in: HStW 1.1923[4], 765–88; R. Schröder, Die strafrechtl. Bewältigung des Streiks durch Obergerichtl. Rechtsprechung 1870–1914, in: AfS 31.1991, 85–102; J. Kocka u. R. Jessen, Die abnehmende Gewaltsamkeit sozialer Proteste vom 18. zum 19. Jh., in: P.-A. Albrecht u. O. Backes Hg., Verdeckte Gewalt, Frankfurt 1990, 33–56; J. Rabenschlag-Kräußlich, Parität statt Klassenkampf? Zur Organisation des Arbeitskampfes in Deutschland u. England 1900–18, Frankfurt 1983; P. Ullmann, Tarifverträge u. Tarifpolitik in Deutschland bis 1914, ebd. 1977; M. Schneider, Aussperrung, Köln 1980. – Regionalstudien: K. Tenfelde, Gewalt u. Konfliktregelung in den Arbeitskämpfen der Ruhrbergleute vor 1918, in: Wiener Beiträge zur Geschichte der Neuzeit 4.1977, 185–236; K. Ditt u. D. Kift, 1889. Bergarbeiterstreik u. wilhelmin. Gesellschaft, Hagen 1989; A. Gladen, Der Ruhrbergarbeiterstreik von 1889, in: Neuloh Hg., Innovation, 95–127; ders., Die Streiks der Bergarbeiter im Ruhrgebiet 1889, 1905 u. 1912, in: J. Reulecke Hg., Arbeiterbewegung an Rhein u. Ruhr, Wuppertal 1974, 111–48; W. Köllmann u. ders. Hg., Der Bergarbeiterstreik von 1889 u. die Gründung des «Alten Verbandes», Bochum 1969; H. Hennig, Staatsmacht u. Arbeitskampf. Die Haltung der preuß. Innenverwaltung zum Militäreinsatz während der Bergarbeiterausstände 1889–1912, in: Fs. Born, 139–74; D. Rosenberg, The Ruhr Coal Strike of 1905, Diss. UCLA 1971; D. Fricke, Der Ruhrbergarbeiterstreik von 1905, Berlin 1955; Milles, 1867–78; Steffens, Saar; H. Seidel, Die Streikkämpfe der mittel- u. ostdeutschen Braunkohlebergleute 1890–1914, Leipzig 1964. Zur Gegenseite: R. Jessen, Polizei in der Klassengesellschaft. Entwicklung u. Praxis der preuß. Polizei im westfäl. Industriegebiet 1848–1914, Göttingen 1991; ders., Polizei, Wohlfahrt u. die Anfänge des modernen Sozialstaats in Preußen während des Kaiserreichs, in: GG 20.1994, 157–80; E. G. Spencer, Police and the Social Order in German Cities. The Düsseldorf District 1848–1914, DeKalb/Ill. 1992; R. Wilms, Polit. Polizei u. Sozialdemokratie im Deutschen Kaiserreich, Frankfurt 1992; H. Boldt, Geschichte der Polizei in Deutschland, in: H. Lisken u. E. Denninger Hg., Hb. des Polizeirechts, München 1992, 1–39; D. Fricke, Bismarcks Prätorianer. Die Berliner polit. Polizei im Kampf gegen die deutsche Arbeiterbewegung, Berlin 1962; vgl. A. Lüdtke Hg., «Sicherheit» u. «Wohlfahrt». Zur Geschichte der Polizei im 19. u. 20. Jh., Frankfurt 1992; H. Reinke Hg., «... nur für die Sicherheit da?» Zur Geschichte der Polizei im 19. u. 20. Jh., ebd. 1993.

[19] Tenfelde, Entstehung, 131–65; ders., Sozialgeschichte der Bergarbeiter, 523–26; G. Schulze, Schwerindustrie u. Arbeiterbewegung am Vorabend des Sozialistengesetzes, in: JbG 22.1981, 51–110; Albrecht, 244–58; Ritter, Zusammensetzung, 106. H.-P. Benöhr, Soziale Frage, Sozialversicherung u. sozialdemokrat. Reichstagsfraktion 1881–89, in: Zeitschrift der Savigny-Stiftung für Rechtsgeschichte/Germanist. Abt. 98.1981, 95–156; A. Andersen, Arbeitsschutz in Deutschland im 19. u. frühen 20. Jh., in: AfS 31.1991, 61–83; E. Wickenhagen, Geschichte der gewerbl. Unfallversicherung, 2 Bde, München 1980; W. Bocks, Die bad. Fabrikinspektion 1879–1914, Freiburg 1978; S. Poerschke, Die Entwicklung der Gewerbeaufsicht in Deutschland, Jena 1911. – Michels, Soziologie, 275–313. Die 130 Arbeitersekretariate, die bis 1914 zur Beratung in allen Fragen des Arbeiter- und Gewerkschaftlerlebens aufgebaut wurden, waren gewöhnlich mit sehr fähigen Experten besetzt, denen diese Tätigkeit auch eine neuartige Aufsteigerkarriere ermöglichte. Vgl. K. Tenfelde, Arbeitersekretäre. Karrieren in der deutschen Arbeiterbewegung vor 1914,

Heidelberg 1993; M. Martiny, Die polit. Bedeutung der gewerkschaftl. Arbeiter-Sekretariate vor 1914, in: H.-O. Vetter Hg., Vom Sozialistengesetz zur Mitbestimmung, Köln 1975, 153–74. Allg. zu den Freien Gewerkschaften: Schönhoven, Deutsche Gewerkschaften; ders., Die Gewerkschaften als Massenbewegung im Wilhelmin. Kaiserreich, in: Borsdorf Hg., 169–278; ders., Expansion u. Konzentration. Studien zur Entwicklung der Freien Gewerkschaften im Wilhelmin. Deutschland 1890–1914, Stuttgart 1980; ders., Lokalismus – Berufsorientierung – Industrieverband. Organisator. Binnenstrukturen der deutschen Gewerkschaften vor 1914, in: Mommsen u. Husung Hg., 277–96; ders., Gewerkschaftswachstum, Mitgliederintegration u. bürokrat. Organisation vor 1914, in: Mommsen Hg., Arbeiterbewegung, 16–37; ders., Gewerkschaftl. Organisationsverhalten im wilhelmin. Deutschland, in: Conze u. Engelhardt Hg., Arbeiter, 403–21; ders., Selbsthilfe als Form von Solidarität. Das gewerkschaftl. Unterstützungswesen im Deutschen Kaiserreich vor 1914, in: AfS 20.1980, 147–94; G. A. Ritter u. K. Tenfelde, Der Durchbruch der Freien Gewerkschaften Deutschlands zur Massenbewegung 1875–1900, in: G. A. Ritter, Arbeiterbewegung, Parteien u. Parlamentarismus, Göttingen 1976, 55–101; H. Mommsen, Die Freien Gewerkschaften u. die Sozialdemokratie vor 1914, in: Mommsen u. Husung Hg., 475–95; K. Saul, Gewerkschaften zwischen Repression u. Integration. Staat u. Arbeiterkampf im Kaiserreich 1884–1914, in: Mommsen u. Husung Hg., 433–53; ders., Staatsintervention u. Arbeitskampf im Wilhelmin. Reich 1904–14, in: 2. Fs. Rosenberg, 479–94. Allg. noch: J. A. Moses, German Trade Unionism from Bismarck to Hitler, 2 Bde, London 1981; H. J. Varain, Freie Gewerkschaften, Sozialdemokratie u. Staat 1890–1920, Düsseldorf 1958; G. Briefs, Gewerkschaftswesen u. -politik, in: HStW 4.1927[4], 1108–50; K. Oldenberg, Gewerkvereine, in: HStW 1.1895/Suppl., 381–404. – Zur Christlichen Arbeiterbewegung: M. Schneider, Die Christl. Gewerkschaften 1894–1933, Bonn 1982; E. D. Brose, Christian Labor and the Politics of Frustration in Imperial Germany, Washington D.C. 1985; D. Denk, Die christl. Arbeiterbewegung in Bayern bis 1914, Mainz 1980; M. Berger, Arbeiterbewegung u. Demokratisierung, Freiburg 1971; J. Mooser, Arbeiter, Bürger u. Priester in den konfessionellen Arbeitervereinen im Deutschen Kaiserreich 1880–1914, in: Kocka Hg., Arbeiter u. Bürger, 79–105; D. Fricke u. H. Gottwald, Kathol. Arbeitervereine 1881–1945, in: LP 3, 194–223; H. Gottwald, Gesamtverband der Christl. Gewerkschaften Deutschlands 1901–33, in: ebd. 2, 729–68; W. Ockenfels Hg., Katholizismus u. Sozialismus in Deutschland im 19. u. 20. Jh., Paderborn 1992. Die «Gelben» Gewerkvereine erreichten vor 1914 280000, die liberalen 107000 Mitglieder.

[20] Tenfelde, Entstehung, 125, 132, 137–39, 144, 146, 148, 161–63, 165; J. Kocka, Arbeiterbewegung in der Bürgergesellschaft. Überlegungen zum deutschen Fall, in: GG 20.1994, 487–96; Grebing, Arbeiterbewegung u. sozialer Wandel, 85, 89; dies., Arbeiterbewegung, 79–86, 126–28; Nolan, 353–93. – A. Schäffle, Die Quintessenz des Sozialismus, Gotha 1878[3], 11; W. Andreas Hg., Gespräche Bismarcks mit dem bad. Finanzminister M. Ellstätter, in: ZGO 82.1930, 449 (1. 2. 1877); ähnlich in: H. R. v. Poschinger, Stunden bei Bismarck, Wien 1910, 98. – Zur Parteigeschichte vgl. die Lit. vorn 5. Teil, III. 3, Anm. 16f., 20 mit den wichtigsten allg. Darstellungen. Für die Phase bis 1890: V. Lidtke, The Outlawed Party. Social Democracy in Germany 1878–90, Princeton 1966; H. Thümmler, Sozialistengesetz § 28. Ausweisungen u. Ausgewiesene 1878–90, Berlin 1979; K. A. Hellfaier, Die deutsche Sozialdemokratie während des Sozialistengesetzes 1878–90, ebd. 1958; W. Pack, Das parlamentar. Ringen um das Sozialistengesetz, Düsseldorf 1961; vgl. D. Fricke u. R. Knaack Hg., Dokumente aus geheimen Archiven. Übersichten der Berliner polit. Polizei über die allg. Lage der sozialdemokrat. u. anarchist. Bewegung I: 1878–89, Weimar 1983. Allg. aus der unablässig anschwellenden SPD-Lit. nur noch: W. L. Guttsman, The German Social Democratic Party 1875–1933, London 1981; P. Nettl, The German Social Democratic Party 1890–1914 as a Political Model, in: PP 30.1965, 65–95; S. Miller, Das Problem der Freiheit im Sozialismus, Frankfurt 1964; R. Walther, «... aber nach der Sintflut kommen wir u. nur wir». Zusammenbruchstheorie, Marxismus u. polit. Defizit in der SPD 1890–1914, Berlin 1981; A. v. Weiss, Die SPD u. die Diskussion über den Histor. Materialismus vom Erfurter Programm bis 1918, Wiesbaden

1965; W. Poels, Sozialistenfrage u. Revolutionsfurcht, Lübeck 1960; vgl. A. Rosenberg, Demokratie u. Sozialismus (1937), Frankfurt 1962, 251 («neuer Typus» der «normalen Berufspartei» der Industriearbeiter). – Zu Kautsky: I. Gilcher-Holthey, Das Mandat des Intellektuellen. K. Kautsky u. die Sozialdemokratie, Berlin 1986; M. Salvadori, K. Kautsky and the Socialist Revolution 1880–1938, London 1979; G. P. Steenson, K. Kautsky 1854–1938, Pittsburgh 1978; W. Holzheuer, K. Kautskys Werk als Weltanschauung, München 1972; Ausgangspunkt der Diskussion: E. Matthias, Kautsky u. der Kautskyanismus, in: Marxismusstudien 2.1957, 151–97. – Zu Bernstein: F. Carsten, E. Bernstein, München 1993; H. Grebing, Der Revisionismus, ebd. 1977; S. Papcke, Der Revisionismusstreit, Stuttgart 1979; B. Gustafsson, Marxismus u. Revisionismus, E. Bernstein, 2 Bde, Frankfurt 1972; G. Schulz, E. Bernstein u. die marxist. Theorie, in: ders., Das Zeitalter der Gesellschaft, München 1969, 199–221; C. Gneuss, E. Bernstein u. der Revisionismus, in: Marxismusstudien 2.1957, 198–226; P. Gay, Das Dilemma des demokrat. Sozialismus: E. Bernstein, Nürnberg 1954; vgl. allg. S. Pierson, Marxist Intellectuals and the Working Class Mentality in Germany 1887–1902, Cambridge/Mass. 1993. – Zum kurzen Auftritt des deutschen Anarchismus: A. R. Carlson, Anarchism in Germany I, Metuchen/N. J. 1972; P. Lösche, Anarchismus, Darmstadt 1977; U. Linse, Organis. Anarchismus im D. Kaiserreich von 1871, Berlin 1969; H. M. Bock, Geschichte des linken Radikalismus in Deutschland, Frankfurt 1976. Von einem ehemaligen Sympathisanten: R. Michels, Eine syndikalist. Unterströmung im dt. Sozialismus, in: Fs. C. Grünberg, Leipzig 1932, 343–64. – Wahlen: Rohe, Wahlen, 270f.; Mommsen Hg., Parteiprogramme, 792–95. – Konfession: Rohe, Wahlen; W. Spohn, Piety, Secularism, Socialism. On Religion and Working Class Formation in Imperial Germany 1871–1914, in: Stråth Hg., 495–515; H. McLeod, Protestantism and the Working Class in Imperial Germany, in: ESR 12.1982, 323–44; V. Lidtke, Social Class and Secularization in Imperial Germany: The Working Class, in: LBIY 25.1980, 21–40; H. Grote, Sozialdemokratie u. Religion, Frankfurt 1975; J.-C. Kaiser, Arbeiterbewegung u. organis. Religionskritik, Stuttgart 1981. – Zu den Handwerkern und Angestellten s. vorn III.2c. – Landarbeiter: A. Hussain u. K. Tribe, Marxism and the Agrarian Question I: German Social Democracy and the Peasantry 1890–1907, Atlantic Highlands/N. J. 1981; H. G. Lehmann, Die Agrarfrage in der Theorie u. Praxis der dt. u. internationalen Sozialdemokratie, Tübingen 1970; K. Saul, Der Kampf um das Landproletariat. Sozialist. Landagitation, Großgrundbesitz u. preuß. Staatsverwaltung 1890–1903, in: AfS 15.1975, 163–208. Vgl. allg. Roth, Social Democrats; Sauer, Nationalstaat; Groh, Integration. Zum folgenden nur: Steinberg, Sozialismus; D. Groh, Marx, Engels, Darwin, in: PVS 8.1967, 544–59; ders., Die «marxist.» dt. Arbeiterbewegung: ein wirkungsgeschichtl. Mißverständnis? in: E. Corijn u. a. Hg., Veelzijding Marxisme II, Brüssel 1988, 209–54. Allg. noch: N. J. Smelser, Theorie des Kollektiven Verhaltens, Köln 1972; H. E. Wolf, Soziologie der Vorurteile, in: HES XII.1978[3], 102–91; K. Lenk Hg., Ideologie, Darmstadt 1978[8] (Lit.: 363–402); T. Geiger, Ideologie u. Wahrheit, Stuttgart 1953/Neuwied 1968; H. Barth, Wahrheit u. Ideologie, Zürich 1945/1961[2]; G. Lichtheim, The Concept of Ideology, N. Y. 1967.

[21] Laube zit. nach Rogalla v. Bieberstein, 5. Vgl. vorn 5. Teil, III. 4 mit der Lit. in Anm. 21, hier v. a. Reif, Westfäl. Adel; ders., Adel; Rosenberg, Pseudodemokratisierung; ders., Zur sozialen Funktion der Agrarpolitik im Zweiten Reich, in: ders., Machteliten, 102–17; Carsten, Junker; allg. K. Bosl, Der «aristokrat. Charakter» europ. Staats- u. Sozialentwicklung, in: Histor. Jb. 74.1955, 631–42. Vergleichend: Lieven; Bush I u. II; Bowman; Richards; Izenberg; Mosse, Adel u. Bürgertum; die sechs Sammelbände: Les noblesses; Fehrenbach Hg.; v. Reden-Dohna u. Melville Hg.; Birke u. a. Hg.; Feigl u. Rösner Hg.; Wehler Hg., Europ. Adel. Vgl. R. Hudemann u. G.-H. Soutou Hg., Eliten in Deutschland u. Frankreich im 19. u. 20. Jh., München 1994. – Standesherren: Gollwitzer; Schier; Neth, Eltz, und jetzt: D. Dornheim, Adel in der bürgerl.-industrialisierten Gesellschaft (Die Familie Waldburg-Zeil), Frankfurt 1993; H. v. Arnim-Muskau u. W. A. Boelcke, Muskau – Standesherrschaft zwischen Spree u. Neisse, ebd. 1978. – Möckl Hg., Hofgesellschaft; J. C. G. Röhl, Hof u. Hofgesellschaft unter Kaiser Wilhelm II., in: ders.,

Kaiser, Hof u. Staat, München 1987, 78–115; K. Hammer, Die preuß. Könige u. Königinnen im 19. Jh. u. ihr Hof, in: K. F. Werner Hg., Hof, Kultur u. Politik im 19. Jh., Bonn 1985, 87–98; G. Herdt, Der württemberg. Hof im 19. Jh., Diss. Göttingen 1970; brillant ist: R. Braun u. D. Gugerli, Macht des Tanzes – Tanz der Mächtigen. Hoffeste u. Herrschaftszeremoniell 1550–1914, München 1993. Die anregenden Aufsätze von Braun; Press; Reif; Schissler; Stern; Dipper, Noblesse; Henning, Adel u. Geistlichkeit; s. auch Conze, in: HWS II, 645–47; die wenigen ostdeutschen Studien: Harnisch, Boitzenburg; Buchsteiner, Großgrundbesitz; dies., Soziale Struktur (Pommern); dies., Zur sozialökonom. Struktur mecklenburg. Gutsherrschaften 1871–1914, in: Wissenschaftl. Zeitschrift der Univ. Rostock 36.1987/10, 36–49; dies., Besitzkontinuität, Besitzwechsel u. Besitzverlust in den Gutswirtschaften Pommerns 1879–1910, in: Reif Hg., 125–40; zusammenfassend dies., Großgrundbesitz in Pommern 1871–1914, Berlin 1993; Laubner (Schlesien); ders., Zwischen Industrie u. Landwirtschaft. Die oberschles. Magnaten, in: Reif Hg., 251–66; W. Alber, Die Junker in der Prov. Sachsen 1900–1917/18, Diss. Halle 1980; I. Ballwanz, Zu den Veränderungen in der sozialökonom. Basis der Junker 1895–1902, in: ZfG 27.1979, 759–62; dies., Sozialstruktur u. Produktionsentwicklung in der deutschen Landwirtschaft 1871–1914, Diss. B Rostock 1977; R. Brunner, Die Junker (1866–1900, Prov. Brandenburg), Diss. Halle 1990. Allg. jetzt: K. Heß, Junker u. bürgerl. Großgrundbesitzer im Kaiserreich. Landwirtschaftl. Großbetrieb, Großgrundbesitz u. Familienfideikommiß in Preußen 1867/71–1914, Stuttgart 1990; ders., Zur wirtschaftl. Lage der Großagrarier im ostelb. Preußen 1867–1914, in: Reif Hg., 157–72; R. M. Berdahl, Conservative Politics and Aristocratic Landholders in Bismarckian Germany, in: JMH 44.1972, 1–20; G. Schulz, Deutschland u. der preuß. Osten, in: 2. Fs. Rosenberg, 86–103; vorzüglicher Überblick: Reif Hg., Ostelb. Agrargesellschaft; ders., Mediator Between Throne and People. The Split in Aristocratic Conservatism in 19th Century Germany, in: Stråth Hg., 133–55; ders., Der kathol. Adel Westfalens u. die Spaltung des Adelskonservativismus in Preußen während des 19. Jh., in: K. Teppe u. M. Epkenhans Hg., Westfalen u. Preußen, Paderborn 1991, 107–24; F. Keinemann, Soziale u. polit. Geschichte des westfäl. Adels 1815–1945, Hamm 1975; J. Laubner Hg., Adel u. Junkertum im 19. u. 20. Jh., Halle 1990 (biograph. Skizzen); O. v. Stolberg-Wernigerode, Die unentschiedene Generation. Deutschlands konservative Führungsschichten am Vorabend des Ersten Weltkriegs, München 1968; D. Fricke u. U. Rössling, Deutsche Adelsgenossenschaft 1874–1945, in: LP 1, 530–43. Illustrative Familiengeschichten: R. v. Treskow, Adel in Preußen: Anpassung u. Kontinuität einer Familie 1800–1918, in: GG 17.1991, 344–69; R. Brunner, Landadl. Alltag u. primäre Sozialisation in Ostelbien am Ende des 19. Jh., in: ZfG 39.1991, 994–1011; H.-C. Kraus, Bürgerl. Aufstieg u. adelig. Konservatismus. Zur Sozial- u. Mentalitätsgeschichte einer preuß. Familie im 19. Jh., in: AfK 74.1992, 192–225; H. Seiffert, Die Entwicklung der Familie v. Alvensleben zu Junkerindustriellen, in: JbW 1963/IV, 209–43; vgl. S. K. v. Stradonitz, Armut u. Reichtum im deutschen Adel, in: D. Rev. 1911, 35–42; F. v. Schulte, Adel im deutschen Offiziers- u. Beamtenstand, in: ebd. 21.1886, 181–96. – Erinnerungen: M. v. Dönhoff, Kindheit in Ostpreußen, Berlin 1988; J. v. Dissow (i. e. v. Rantzau), Adel im Übergang, Stuttgart 1961; K. v. Stutterheim, Zwischen den Zeiten, ebd. 1938; E. v. Oldenburg-Januschau, Erinnerungen, Leipzig 1936; B. v. Hutten-Czapski, 60 Jahre Politik u. Gesellschaft, 2 Bde, Berlin 1935, U. v. Wilamowitz-Moellendorf, Erinnerungen 1848–1914, Leipzig 1928²; F. v. Zobeltitz, Chronik der Gesellschaft unter dem letzten Kaiserreich 1894–1914, 2 Bde, Hamburg 1922; ders., Ich habe so gern gelebt. Lebenserinnerungen, Berlin 1934; R. v. Zedlitz-Trützschler, 12 Jahre am deutschen Kaiserhof, Berlin 1924¹⁰; H. v. Gerlach, Erinnerungen eines Junkers, ebd. 1924; ders., Von links nach rechts, Zürich 1937/ND Hildesheim 1978 (vgl. F. G. Schulte, H. v. Gerlach 1866–1935, München 1988; U. S. Gilbert, dass., Frankfurt 1984); P. v. Hindenburg, Aus meinem Leben, Leipzig 1920; Hohenlohe-Schillingsfürst, Denkwürdigkeiten I; v. Eckardtstein I; v. Winterfeld-Menkin; v. Strachwitz; vgl. K. Schlegel, Zum Quellenwert der Autobiographie: Adlige Selbstzeugnisse um 1900, in: GWU 37.1986, 222–33.

[22] Sombart, Volkswirtschaft, 468. Vgl. dagegen beschönigend: Bruder, Adel, in: Staatslexikon 1.1911, 81 (der Adel bestehe «in der Gegenwart» weniger aus «Vorrechten» als aus einer auf «ehrenvollen historischen Erinnerungen beruhenden» erblichen «Titularauszeichnung von gesellschaftlicher Bedeutung»); v. Oldenburg-Januschau, 3, 20; v. Dönhoff, 8. Vgl. Murphy, Social Closure; Parkin, dass.; zum Staatsapparat, Heer, Grundbesitz, Herrenhaus s. u.; zum Duell vorn Anm. 5, v. a. Freverts Studien; verfehlt ist, besonders im Vergleich mit ihr: F. Guttandin, Das paradoxe Schicksal der Ehre. Zum Wandel der adeligen Ehre, Berlin 1993; L. Vogt u. A. Zingerle Hg., Ehre. Archaische Momente in der Moderne, Frankfurt 1994. – Heilborn II, 215; v. Stradonitz, 40; Brunner, Alltag, 1010; v. Preradovich, Führungsschichten, 185; v. Stutterheim, 49. – Lieven, 60, 63f., 67–69, 58, 35, 18; Dornheim, 188, 192, 198, vgl. 142–230; Reif, Mediator, 135–38, 145–47, 151; ders., Kathol. Adel, 107–24.

[23] H. v. Kalm, Der Versuch einer Statistik über den preuß. Adel 1880, in: Herold 35.1992, 250; Buchsteiner, Mecklenburg. Gutsherrschaften, 37; Heß, 28, 41, 81 (ein Buch ohne Ahnung von der Sozialgeschichte seines Gegenstands, ohne Analyse der Junker als sozialer Klasse oder der ländlichen Großgrundbesitzer als Besitz- und Erwerbsklasse, dazu voll sachgeschichtlicher Mängel und arroganter, apologetischer Urteile); S. Eddie, Großgrundbesitz im ostelb. Preußen, in: Reif Hg., 141–56; Conrad, Untersuchungen, 1888, 140, 146, 151; allg. seine weiteren Studien; Rosenberg, Pseudodemokratisierung, 88f.; Buchsteiner, Pommern, 330, 336; dies., Mecklenburg. Gutsherrschaften, 36, 38, 39–41; Weber, Kapitalismus, 448f.; Schulz, Deutschland, 95; Brunner, Alltag, 1004, 1009. Vgl. Hdb. des Grundbesitzes im Deutschen Reich mit Angabe sämtl. Güter, Bearb. P. Ellerholz u. H. Lodemann, Berlin 1879ff.; E. Müller, Der Großgrundbesitz in der Prov. Sachsen, Diss. Halle 1912; M. Sering Hg., Die Vererbung des ländl. Grundbesitzes in Preußen, 12 Bde, Berlin 1897–1910; T. Brinkmann, Die Ökonomik der landwirtschaftl. Betriebe, in: GdS 7.1922, 27–124; noch immer ein guter Überblick: Häbich, Latifundien. – Die Dogmatik, die es in der DDR-Agrargeschichtsschreibung trotz ihrer Qualität auch gegeben hat, enthüllt Ballwanz' Urteil (Veränderungen, 759), wonach «die Masse der Betriebsinhaber von über 100 ha ... Angehörige des Adels» gewesen seien, obwohl seit Conrads Untersuchungen aus den 1880er Jahren bekannt ist, daß zwei Drittel bürgerliche Besitzer waren. – W. Pyta, Liberale Regierungspolitik im Preußen der «Neuen Ära»: Die Grundsteuerreform 1861, in: FBPG NF 57.1992, 179–247; ders., Besteuerung u. steuerpolit. Forderungen des ostelb. Großgrundbesitzes 1890–1933, in: Reif Hg., 361–78; vgl. K. Bräuer, Grundsteuer, in: HStW 4.1927[4], 1242–71; W. v. Lesigang, dass., in: ebd. 5.1910[3], 179–96; W. Wygodzinski, Die Besteuerung des landwirtschaftl. Grundbesitzes in Preußen, Jena 1904; F. Aereboe, Die Taxation von Landgütern, Berlin 1912; P.-C. Witt, Der preuß. Landrat als Steuerbeamter 1891–1918, in: 1. Fs. F. Fischer, 205–19. – P. Nolte, Repräsentation u. Grundbesitz. Die kreisständ. Verfassung Preußens im 19. Jh., in: Tenfelde u. Wehler Hg., 78–101; Heffter, Selbstverwaltung, 546–67; P. Schmitz, Die Entstehung der preuß. Kreisordnung vom 13. Dez. 1872, Diss. Berlin 1910; W. Frauendienst, Bismarck u. das Herrenhaus, in: FBPG 45.1933, 286–314; Berdahl, Politics, 5–10; W. Schmidt, Gutsbezirke, in: M. Fleischmann Hg., Wb. des deutschen Staats- u. Verwaltungsrechts 2.1913[2], 299–304; G.-C. v. Unruh, dass., in: Hwb. des Agrarrechts 1.1981, 864f.; H. Kaak, Die Gutsherrschaft, Berlin 1981; Kitzel, 234; F. W. v. Limburg-Stirum, Aus der konservativen Politik 1890–1905, Berlin 1921; Herzfeld, Miquel II. – Heß, 98f., 132–211; A. Söllner, Zur Rechtsgeschichte des Familienfideikommisses, in: Fs. M. Kaser, München 1976, 657–69; F. Kato, Die wirtschaftl. u. soziale Bedeutung der Fideikommißfrage in Preußen 1871–1918, in: Reif Hg., 73–93; H. Höpker, Die Fideikommisse in Preußen bis 1912, Berlin 1914; H. Krause, Die Familien-Fideikommisse, ebd. 1909; E. Moritz, dass., ebd. 1901; O. v. Gierke, Fideikommiß, in: HStW 4.1909[3], 104–16; J. Conrad, dass., in: ebd., 116–24; ders., Die Fideikommisse in den östl. Prov. Preußens, in: Fs. Hanssen, 261–300; brillant noch immer: M. Weber, Agrarstatist. u. sozialpolit. Betrachtungen zur Fideikommißfrage in Preußen, in: ders., GASS, ND 1988, 323–93, z. B. 328, 343, 367; vgl. K. Tribe, Prussian Agriculture –

German Politics: M. Weber 1892–7, in: Economy and Society 12.1983, 181–226. – Heß, 266–308; Rothkegel, Kaufpreise, 25f., 74f., 86f.; ders., Bewegung, 1689–1747; F. Fabian, Die Verschuldung der Landwirtschaft vor u. nach dem Kriege, Diss. Leipzig 1930; F. Kühnert Bearb., Die ländl. Verschuldung in Preußen, 3 Bde, Berlin 1905–08; R. Dieckmann, Die Verschuldung des ländl. Grundbesitzes in Preußen, Sachsen, Baden, Württemberg u. Hessen, in: JNS 3.F.9.1895, 75–99. – Weber, Kapitalismus, 448, 450; Rosenberg, Pseudodemokratisierung, 90–92; vgl. Bürger, Agrardemagogie.

[24] Conze, Konstitutionelle Monarchie, 174–80; ders., in: HWS II, 645–47; Hintze, Beamtenstand, 99; Hohenlohe-Schillingsfürst, Denkwürdigkeiten II, 1907^4, 534; G. Gothein Hg., Agrarpolit. Hdb., Berlin 1910, 455 (v. Delbrück zu G., 1902); Helfferich, Siemens III, 379 (v. Siemens an Wiegand, 4.2. 1901); vgl. W. Koch, Volk u. Staatsführung vor 1914, Stuttgart 1935, 24; W. Runge, Politik u. Beamtentum im Parteienstaat, ebd. 1965, 170–82; Statistik der Personalzusammensetzung in Preußen vor 1914 im Bericht von Innenminister J. v. Dallwitz: Stenograph. Berichte des Preuß. Hauses der Abgeordneten, 21. Legislaturperiode, 4. Session, 1. Bd., 103f. (14.1. 1911); zum Vergleich mit 1886: v. Schulte, 184. Vgl. allg. L. W. Muncy, The Junker in the Prussian Administration 1888–1914, Providence 1944/ND N.Y. 1970; B. vom Brocke, Die preuß. Oberpräsidenten 1815–1945, in: K. Schwabe Hg., Die preuß. Oberpräsidenten 1814–1945, Boppard 1985, 249–76; H. Henning, Die Oberpräsidenten der Prov. Brandenburg, Pommern u. Sachsen 1868–1918, in: ebd., 83–103; H. Branig, Die Oberpräsidenten der Prov. Pommern, in: Balt. Studien NF 46.1959, 92–106; H. Fricke, Die Landesdirektoren der Prov. Brandenburg 1876–1945, in: JbGMO 5.1956, 295–326; L. W. Muncy, The Prussian Landräte in the Last Years of the Monarchy: A Case Study of Pomerania and the Rhineland 1890–1918, in: CEH 6.1973, 299–338; H. Fenske, Der Landrat als Wahlmacher: Die Reichstagswahlen 1881, in: Die Verwaltung 12.1979, 433–56; Witt, Landrat. – L. A. Cecil, Diplomatic Service; ders., Der diplomat. Dienst im kaiserl. Deutschland, in: K. Schwabe Hg., Das Diplomat. Korps 1871–1945, Boppard 1982, 15–39, 23; H. Philippi, Das deutsche diplomat. Korps 1871–1914, in: ebd., 73–79.

[25] W. Deist, Zur Geschichte des preuß. Offizierkorps 1888–1918, in: Hofmann Hg., Offizierkorps, 49–51; ders., Die Armee in Staat u. Gesellschaft 1890–1914, in: Stürmer Hg., Kaiserl. Deutschland (u. in: Deist, Militär, Staat u. Gesellschaft, München 1991, 19–42), 318, 329, 322; Messerschmidt, Geschichte 1850–90; D. Bald, Der deutsche Offizier. Sozial- u. Bildungsgeschichte im 20. Jh., München 1982; ders., Sozialgeschichte der Rekrutierung des deutschen Offizierkorps 1871–1976, in: ders. u.a., Zur sozialen Herkunft des Offiziers, ebd. 1977, 17–47; S. E. Clemente, For King and Kaiser! The Making of the Prussian Army Officer 1860–1914, N.Y. 1992; H. Ostertag, Bildung, Ausbildung u. Erziehung des Offizierkorps im Deutschen Kaiserreich 1871–1918, Frankfurt 1990; M. Kitchen, The German Officer Corps 1890–1914, Oxford 1968, 5, 22, 24, 35; O. v. d. Gablentz, Das preuß.-deutsche Offizierkorps, in: Schicksalsfragen der Gegenwart III, Tübingen 1958, 47–71; F. W. Euler, Die deutsche Generalität u. Admiralität bis 1918, in: Hofmann Hg., Offizierkorps, 175–210 (genealog. Sample von 172 Personen, ohne Interpretation); D. J. Hughes, The King's Finest: A Social and Bureaucratic Profile of Prussia's General Officers 1871–1914, N.Y. 1987; ders., Occupational Origins of Prussia's Generals 1871–1914, in: CEH 13.1980, 3–33; G. Martin, Die bürgerl. Exzellenzen. Zur Sozialgeschichte der preuß. Generalität 1812–1918, Düsseldorf 1979; H. Rumschöttel, Das bayer. Offizierkorps 1868–1914, Berlin 1973; ders., dass. 1866–1918, in: Hofmann Hg., Offizierkorps, 75–98; ders., Bildung u. Herkunft der bayer. Offiziere 1868–1914, in: MM 7.1970/II, 81–132; Fischer, Württemberg. Offizierkorps; unbrauchbar: T. v. Fritzsch-Seerhausen, Das sächs. Offizierkorps 1867–1918, in: Hofmann Hg., Offizierkorps, 59–73, vgl. aber Demeter, 33f. Allg. noch F. C. Endres, Soziolog. Struktur u. ihre entsprechenden Ideologien des deutschen Offizierkorps vor 1914, in: ASS 58.1927, 282–319; H. Fick, Der deutsche Militarismus der Vorkriegszeit, Potsdam 1932. Die gegenläufige Entwicklung: U. Trumpener, Junkers and Others: The Rise of Commoners in the Prussian Army

1871–1914, in: Canadian Journal of History 14.1979, 29–47. Zur Marine: H. H. Herwig, The German Naval Officer Corps 1890–1918, Oxford 1973, dt. Das Elite-Korps des Kaisers, Hamburg 1977; ders., Das Offizierkorps der kaiserl. Marine vor 1914, in: Hofmann Hg., Offizierkorps, 139–61; ders., «Allens nur noch Seelenadel». The Prussian Nobility and the Imperial German Navy 1888–1918, in: Canadian Journal of History 15.1980, 197–205; ders., Feudalization of the Bourgeoisie. The Role of the Nobility in the German Naval Officer Corps 1890–1918, in: Historian 38.1976, 268–80; ders., Zur Soziologie des kaiserl. Seeoffizierkorps vor 1914, in: H. Schottelius u. W. Deist Hg., Marine u. Marinepolitik im kaiserl. Deutschland 1871–1914, Düsseldorf 1972, 73–88; ders., Soziale Herkunft u. wissenschaftl. Vorbildung des Seeoffiziers der kaiserl. Marine vor 1914, in: MM 8.1971/II, 81–111. – Stadelmann, Moltke, 407 (1861); E. Kessel, Moltke, Stuttgart 1957, 347; v. Schweinitz, Denkwürdigkeiten I, 259 (26. 5. 1870); Ritter, Staatskunst II, 360f. (v. Waldersee an v. Manteuffel, 8. 2. 1877); Reichsarchiv Hg., Der Weltkrieg: Kriegsrüstung u. Kriegswirtschaft II; Anlagen, Berlin 1930, 91 (v. Einem an v. Schlieffen, 19. 4. 1904), 180 (v. Heeringen an v. Moltke, 20. 1. 1913), z. T. vorher bei: H. Herzfeld, Die deutsche Rüstungspolitik vor 1914, Bonn 1923, 63. – A. v. Scholz, Erlebnisse u. Gespräche mit Bismarck, Stuttgart 1922; Willems, Preuß. Militarismus; W. Petter, Der Kompromiß zwischen Militär u. Gesellschaft im kaiserl. Deutschland 1871–1918, in: Revue d'Allemagne 11.1979, 346–62; H. John, Das Reserveoffizierkorps im Deutschen Kaiserreich 1890–1914, Frankfurt 1981; Kehr, Reserveoffizier, 53–63; F.-C. Stahl, Preuß. Armee u. Reichsheer 1871–1914, in: O. Hauser Hg., Zur Problematik «Preußen u. das Reich», Köln 1984, 181–245.

[26] Vgl. H. Spenkuch, Das Preuß. Herrenhaus 1854–1918, Düsseldorf 1995; ders., Bismarck u. das Herrenhaus, in: J. Dülffer u. a. Hg., O. v. Bismarck, Berlin 1992, 203–12; B. Mann, Das Herrenhaus in der Verfassung des preuß.-deutschen Kaiserreichs 1867–1918, in: Ritter Hg., Gesellschaft, 279–89; C. Lürig, Studien zum preuß. Herrenhaus 1890–1918, Diss. Göttingen 1956; vgl. Rogalla v. Bieberstein, 79f. In Bayern z. B. entsprach dem Herrenhaus die primär adlige Kammer der Reichsräte. – Reif, Adel, 48; L. A. Cecil, The Creation of Nobles in Prussia 1871–1918, in: AHR 75.1970, 757–95; A. v. Houwald, Brandenburg.-preuß. Standeserhöhungen u. Gnadenakte, Görlitz 1939; Bismarck, GW VIc, 268 (17. 6. 1883); Conze, Konstitutionelle Monarchie, 183; Pachnicke, 63 (v. Heydebrand, 1900); F. Naumann, Demokratie u. Kaisertum, Berlin 1900 (= Werke II, Köln 1966, 1–351), 91f.; ders., Die Politik der Gegenwart, ebd. 1905 (= Werke IV, Köln 1964, 32–98), 66, 10; vgl. ders., Neudeutsche Wirtschaftspolitik, ebd. 1913[3] (= Werke III, Köln 1966, 71–534), 36; Rosenberg, Pseudodemokratisierung, 93–95. Zu wohlwollend: K. v. Klemperer, Konservative Bewegungen zwischen Kaiserreich u. Nationalsozialismus, München 1962. – Gegen Gerschenkrons These (Bread and Democracy, 67) von der Demokratisierungschance nach 1876.

[27] Sombart, Volkswirtschaft, 320, 325f.; Übersicht 107 nach SDR 212/2b, Berlin 1912, 12f., 409; 409, ebd. 1928, 60–63; SJDR 1907/I, 114; 1912, 34; 1924/25, 53–55. Vgl. H. Dade, Die landwirtschaftl. Bevölkerung des Deutschen Reiches um 1900, Berlin 1903, sowie vorn Übersicht 62 und Übersicht 94. – J. Flemming, Landwirtschaftl. Interessen u. Demokratie. Ländl. Gesellschaft, Agrarverbände u. Staat 1890–1925, Bonn 1978, 22, 46, allg. 18–75; vgl. M. Schmiel, Landwirtschaftl. Berufsausbildung, in: HB IV.1991, 298–409; Conrad, Tarifreform, 250f.; Siemens: Helfferich III, 379. – Zu den Bauern bis in die 1870er Jahre vgl. vorn: 5. Teil, III. 5, die Lit. in Anm. 27–30; zur Landwirtschaft: 6. Teil, II. 6, Anm. 30f. Zum folgenden insbes.: Dipper, Bauern; Zimmermann, Dorf u. Land; Moeller, Peasants and Lords, 1–23; Dillwitz, Struktur 1871–1914; dies., Quellen; Berthold, Sozialök. Entwicklung; Rach u. a. Hg.; ders. u. Weissel Hg.; Rolfes (kaum brauchbar); v. d. Goltz, Geschichte II; ders., Agrarwesen; Weber, Arbeitsverfassung; ders., Entwicklungstendenzen; ders., Kapitalismus; Meitzen, 8 Bde; VfS Hg., Bäuerl. Zustände, 3 Bde, 1883. Dazu jetzt v. a.: D. Crew, «Why Can't a Peasant Be More Like a Worker?» Social Historians and Peasants, in: JSH 22.1988/89, 531–40; W. W. Hagen, The German

Peasantry in the 19th and 20th Century. Market Integration, Populist Politics, Votes for Hitler, in: PS 14.1987, 274–91; H. Harnisch, Zwischen Junkertum u. Bürgertum. Der Bauer im ostelb. Dorf, in: W. Jacobeit u. a. Hg., Idylle oder Aufbruch? Berlin 1990, 25–36; H. H. Möller, Bürgerl.-kapitalist. Formen in der Landwirtschaft u. ihr Einfluß auf die dörfl. Produktion u. Lebensweise, in: ebd., 37–48; H. Plaul, Zum Wandel der Dorfgemeinschaft im Prozeß der Verbürgerlichung im 19. Jh., in: ebd., 263–74; W. Kaschuba, Dörfl. Kultur: Ideologie u. Wirklichkeit 1871–1933, in: ebd., 193–204; ders., Peasants and Others. The Historical Contours of Village Class Society, in: Evans u. Lee Hg., Peasantry, 235–64; ders., Leben im Dorf, in: H. Heer u. V. Ullrich Hg., Geschichte entdecken, Reinbek 1985, 75–89; I. Buchsteiner, Die Entwicklung der Arbeitskräftestruktur in der deutschen Landwirtschaft 1882–1907, in: JbW 1982/II, 27–51; Flemming, Landwirtschaftl. Interessen; ders., Fremdheit u. Ausbeutung. Großgrundbesitz, «Leutenot» u. Wanderarbeiter im wilhelmin. Deutschland, in: Reif Hg., 345–60; A. Schnorbus, Arbeit u. Sozialordnung in Bayern 1890–1914, München 1969; R. Schulte, Das Dorf im Verhör. Brandstifter, Kindesmörderinnen u. Wilderer vor den Schranken des bürgerl. Gerichts: Oberbayern 1848–1910, Reinbeck 1989; zum Dorf noch: Jeggle; ders. u. Ilien; Kaschuba u. Lipp; Jacobeit, Dorf; Weber-Kellermann, Landleben. – Zur ländlichen Politik: H.-J. Puhle, Die Entwicklung der Agrarfrage u. die Bauernbewegung in Deutschland 1861–1914, in: K. O. v. Aretin u. W. Conze Hg., Deutschland u. Rußland im Zeitalter des Kapitalismus 1861–1914, Wiesbaden 1977, 27–40, 44f., 47f., allg. 37–59; ders., Agrar. Interessenpolitik u. preuß. Konservatismus im wilhelmin. Reich 1893–1914, Hannover 1966/Bonn 1975², 139, 165f.; ders., Der «Bund der Landwirte» im wilhelmin. Reich, in: Rüegg u. Neuloh Hg., 145–62; ders., Von der Agrarkrise zum Präfaschismus, Wiesbaden 1972; ders., Agrarbewegungen, 55–102; ders., Repräsentation u. Organisation: Bürgerl. Parteien u. Interessenverbände im wilhelmin. Deutschland, in: H. W. v. d. Dunk u. H. Lademacher Hg., Auf dem Wege zum modernen Parteienstaat, Melsungen 1986, 209–26; ders., Parlament, Parteien u. Interessenverbände 1890–1914, in: Stürmer Hg., Kaiserl. Deutschland, 340–77; vgl. D. Fricke u. E. Hartwig, Bund der Landwirte 1893–1920, in: LP 1, 241–70; E. David, Der Bund der Landwirte als Machtinstrument des ostelb. Junkertums 1893–1920, Diss. Halle 1967; U. Lindig, Der Einfluß des «Bundes der Landwirte» auf die Politik des wilhelmin. Zeitalters, Diss. Hamburg 1953; S. R. Tirrell, German Agrarian Politics After 1890, N. Y. 1951; s. auch Horn, Kampf um Mittellandkanal; dies., Die Rolle des «Bundes der Landwirte» im Kampf um den Bau des Mittellandkanals, in: JbGMO 7.1958, 273–358. Allg. D. W. Urwin, From Ploughshare to Ballotbox: The Politics of Agrarian Defense in Europe, Oslo 1980; D. Blackbourn, Peasants and Politics in Germany 1871–1914, in: ders., Populists, 114–39; A. Panzer, Parteipolit. Ansätze der deutschen Bauernbewegung bis 1933, in: H. Gollwitzer, Europ. Bauernparteien, Stuttgart 1977, 524–61; K. Müller, Zentrumspartei u. agrar. Bewegung im Rheinland 1882–1903, in: Fs. M. Braubach, Münster 1964, 828–57; vgl. 5. Teil, III. 5, Anm. 28 (Franz, Haushofer, Lenk, Muth, Schlau); Wehland, Ideologien; Ziche, Bauerntumsideologie. Zur neueren Kontroverse: R. v. Friedeburg, Dörfl. Gesellschaft u. Integration sozialen Protests durch Liberale u. Konservative im 19. Jh., in: GG 17.1991, 311–43; G. S. Vascik, The German Peasant League and the Limits of Rural Liberalism in Wilhelmine Germany, in: CEH 24.1991, 147–75; G. Eley, Zum Problem der Verbände im Kaiserreich, in: Sowi 11.1982, 22–28. – Hessen: D. Peal, Antisemitism and Rural Transformation in Kurhessen. The Rise and Fall of the Böckel Movement, Diss. Columbia Univ. 1985; ders., Jewish Response to German Antisemitism: The Case of the Böckel Movement 1887–94, in: Jewish Social Studies 158.1986, 269–82; R. Mack, O. Böckel u. die antisemit. Bauernbewegung in Hessen 1887–94, in: Wetterauer Geschichtsblätter 16.1967, 113–477; E. Knauß, Der polit. Antisemitismus im Kaiserreich 1871–1900 unter bes. Ber. des mittelhess. Raumes, in: Mitteilungen des Oberhess. Geschichtsvereins NF 53/54.1959, 43–69. – Bayern: I. Farr, Populism in the Countryside: The Peasant Leagues in Bavaria in the 1890s, in: Evans Hg., Society, 136–59; ders., From Anticatholicism to Anticlericalism: Catholic Politics and the Peasantry in Bavaria 1860–1900, in: ESR 13.1983, 249–69; J. C. Hunt, The «Egalitarianism» of the Right. The Agrarian League in Southwest Germany 1893–1914, in: JCH 10.1975, 513–30. Zum Populismus hier nur: E. Gellner u. G. Ionescu Hg., Populism, London 1969; D. Peal, The Politics of Populism: Germany and the American South in the 1890s, in: CSSH 31.1989, 340–62; K. Barkin, A Case Study in Comparative History: Populism in Germany and America, in: H. J. Bass Hg., The State of American History, Chicago 1970, 373–404; außer der vorn zit. Kontroverslit. noch: F. u. M. S. Coetzee, Rethinking the Radical Right in Germany and Britain Before 1914, in: JCH 21.1986, 515–37; dies., The Mobilization of the Right? in: EHQ 15.1985, 431–52. – Vgl. allg. W. A. Boelcke, Landwirtschaftl. Verbände, in: HWW 5.1980, 18–23; K. H. Schade, Die polit. Vertretung der deutschen Landwirte seit 1867, Diss. Bonn 1956; O. Ebersbach, Die Entwicklung u. Organisation des landwirtschaftl. Vereinswesens in Deutschland, Leipzig 1926; speziell: E. Hartwig, Deutscher Bauernbund 1885–93, in: LP 2, 29–32; zum gleichnamigen nationalliberalen Verband: G. Müller u. H. Schwab, Deutscher Bauernbund, in: ebd., 33–41; W. Fritsch u. H. Gottwald, Bayer. Bauernbund 1895–1933, in: ebd. 1, 135–51; H. Haushofer, Der Bayer. Bauernbund 1893–1933, in: Gollwitzer Hg., Bauernparteien, 562–86; A. Hundhammer, Geschichte des Bayer. Bauernbundes, München 1924; G. Mees, Schorlemer-Alst u. der Westfäl. Bauernverein in der deutschen Innenpolitik 1890–94, Diss. Münster 1956.

[28] Weber, Arbeitsverfassung, 448, 452–54; ders., Entwicklungstendenzen, 474f., 488, 490, 492; v. Oldenburg-Januschau, 44f.; Desai, 110; Rolfes, 508; Wygodzinski, Landarbeiterfrage, 25f.; Flemming, Interessen, 54–64; v. d. Goltz, Arbeiterfrage, 1872, VIII; ders., Arbeiterklasse, 1893, 106. – Zu den Landarbeitern bis in die 1870er Jahre vgl. vorn: 5. Teil, III. 5, Anm. 29f. mit der Lit., v. a. die Handbuch-Beiträge von Aereboe, Gerlach, v. Kahlden, Skalweit; Flemming, Vergessene Klasse; ders., Obrigkeitsstaat; ders., Landarbeit; ders., Landwirtschaftl. Interessen; Perkins, Agricultural Workers; Tipton, Farm Labor; Plaul, Landarbeiter; v. d. Goltz, Lage; ders., Arbeiterfrage; Wygodzinski, Landarbeiterfrage; der Klassiker: Weber, Landarbeiter; allg. VfS Hg., Landarbeiter, 3 Bde, 1893. Hier noch: K. Saul, Um die konservative Struktur Ostelbiens. Agrarinteressen, Staatsverwaltung u. ländl. Arbeiternot. Zur konservativen Landarbeiterpolitik in Preußen-Deutschland 1889–1914, in: 3. Fs. Fischer, 129–98; K. J. Bades Studien in: 5. Teil, I. 5, Anm. 9f.; dazu: ders., Ausländerkontrolle: Die «Nachweisungen» der preuß. Landräte über den «Zugang, Abgang u. Bestand der ausländ. Arbeiter im preuß. Staate» 1906–14, in: AfS 24.1984, 163–283; die Regionalstudien vorn: 5. Teil, Anm. 29, sowie W. Klatt, Geschichtl. Entwicklung der Landarbeiterverhältnisse in Ostpreußen, Staßfurt 1929; O. Mulert, 24 ostpreuß. Arbeiter u. Arbeiterfamilien, Jena 1908; K. Frankenstein, Die Arbeiterfrage in der deutschen Landwirtschaft, Berlin 1893; V. Weiss, Sozialstruktur u. soziale Mobilität der Landbevölkerung. Das Beispiel Sachsen 1550–1880, in: ZAA 39.1991, 24–43; R.-E. Mohrmann, Alltagswelt im Land Braunschweig, 2 Bde, Münster 1990; D. Sauermann Hg., Knechte u. Mägde in Westfalen um 1900, München 1972; A. Schnorbus, Die ländl. Unterschichten in der bayer. Gesellschaft am Ausgang des 19. Jh., in: ZBL 30.1968, 824–52; Tenfelde, Gesinde, mit der Lit. – Frauen im Agrarsektor: H. Winkel, Die Frau in der deutschen Landwirtschaft, in: Pohl u. Brüninghaus Hg., 89–102; E. zu Putlitz, Arbeits- u. Lebensverhältnisse von Frauen in der Landwirtschaft in Brandenburg, Jena 1914; H. Seufert, Arbeits- u. Lebensverhältnisse der Frauen in der Landwirtschaft in Württemberg, Baden, Elsaß-Lothringen u. der Rheinpfalz, ebd. 1914.

[29] W. Rathenau, Zur Kritik der Zeit (1912), in: ders., Ges. Sch. I, Berlin 1925, 75; vgl. ders., Tagebuch 1907–22, 30; ders., An Deutschlands Jugend, Berlin 1918, 100. Vgl. zum folgenden vorn in Kap. III die Zusammenfassungen zur Entwicklung der bürgerlichen Formationen, der Arbeiterklassen, des Adels, der Bauern und Landarbeiter. Hier geht es nur noch einmal um die Betonung einiger grundsätzlicher Gesichtspunkte.

IV. Strukturbedingungen und Entwicklungsprozesse Politischer Herrschaft

[1] H. v. Treitschke, Bund u. Reich (1874), in: ders., Aufsätze IV, 1929, 233; Conze, German Empire, in: NCMH 11.1962, 286; zu Bismarck als Charismatiker vgl. vorn: 5. Teil, IV. 6d mit Belegen und Lit.; Schweinitz, Briefwechsel, 214 (1886); ders., Denkwürdigkeiten II, 254 (1883), 307 (1885); Oncken, Bennigsen II, 503 (B. an Oncken, o. D.); vgl. E. Schröder, C. F. v. Stockmar, Essen 1950, 35 (Roggenbach an Freytag, 9. 12. 1886: «verheerende Folgen»); G. Freytag, Briefe an A. v. Stosch, Hg. H. Helmolt, Leipzig 1913, 137 (6. 11. 1888); D. Langewiesche Hg., Das Tagebuch J. Hölders 1877–80, Stuttgart 1977, 242, 248 (10. u. 29. 4. 1880); Heyderhoff u. Wentzke Hg. II, 278 (Bennigsen, 29. 3. 1881); Hartmann, Mommsen, 120; T. Mommsen, Reden u. Aufsätze, Berlin 1905, 91 («moralische Seuchen»); Wucher, 157; dagegen die konservative Anerkennung: O. Hintze, Die Industrialisierungspolitik Friedrich d. Gr. (1903), in: ders., Histor. u. Polit. Aufsätze II, Berlin 1909[2], 131 f. Vgl. L. Bamberger, Erinnerungen, ebd. 1899, 501 («die Verwüstungen, welche das Bismarcksche System im Geist und in der Gesetzgebung des Landes anrichtete»). Allg. H.-W. Hedinger, Der Bismarck-Kult, in: G. Stephenson, Der Religionswandel unserer Zeit, Darmstadt 1976, 201–15; D. Blackbourn, The Politics of Demagogy in Imperial Germany, in: ders., Populists, 217–45, sowie die Lit. in: 5. Teil, IV., Anm. 42 f.; das Material in: K. H. Hoefele, Geist u. Gesellschaft der Bismarckzeit 1870–90, Göttingen 1967, und in einigen neueren Studien zum Umfeld Bismarcks: Seeber Hg., Gestalten, 2 Bde; Dülffer u. a. Hg.; K. Breitenborn, Im Dienste Bismarcks. Die polit. Karriere des Grafen O. zu Stolberg-Wernigerode, Berlin 1984; G. Ebel Hg., Botschafter Graf P. v. Hatzfeld 1838–1901, 2 Bde, Boppard 1976; N. Rich, F. v. Holstein, 2 Bde, Cambridge 1965; ders. Hg., Holstein Papiere; G. Richter, F. v. Holstein, Lübeck 1966. Vgl. außer der Lit. zur Einleitung, Anm. 1 und 5. Teil, IV., Anm. 39 allg. noch: T. Schieder, Europa im Zeitalter der Nationalstaaten u. europ. Weltpolitik bis 1914, in: HEG VI.1968, 1–196; ders., Europe 1870–98, in: NCMH 11.1962, 243–73; W. J. Mommsen, Das Zeitalter des Imperialismus, Frankfurt 1969 u. ö.; N. Stone, Europe Transformed 1878–1919, London 1983; J. Roberts, Europe 1880–1945, ebd. 1967; M. Baumont, L'essor industriel et l'impérialisme colonial 1878–1904, Paris 1965[3]; J. Retallack, Imperial Germany, in: D. K. Buse u. J. C. Doerr Hg., Encyclopedic History of Modern Germany, N. Y. 1994; V. Ullrich, Das Deutsche Kaiserreich 1871–1918, Frankfurt 1994; V. Dürr u. a. Hg., Imperial Germany, Madison 1985; J. J. Sheehan, German Politics 1871–1933, in: C. Burdick u. a. Hg., Contemporary Germany, London 1984, 3–27; F. Fischer, Bündnis der Eliten. Zur Kontinuität der Machtstrukturen in Deutschland 1871–1945, Düsseldorf 1979; M. Stürmer Hg., Bismarck u. die preuß.-deutsche Politik 1871–90, München 1973[2]; überholt ist ders., Bismarcks Deutschland als Problem der Forschung, in: ders. Hg., Kaiserl. Deutschland, 7–25; K. E. Born, Staat u. Staatspolitik im Deutschen Kaiserreich, in: Fs. K. Kluxen, Paderborn 1972, 179–97; W. M. F. v. Bissing, Autoritärer Staat u. pluralist. Gesellschaft in den ersten Jahrzehnten des Bismarckschen Reiches, in: Sch. Jb. 83.1963, 17–45; H. Reichold, Bismarcks Zaunkönige. Duodez im 20. Jh.: Föderalismus im Bismarckreich, Paderborn 1977; unentwegt nützlich: Huë de Grais, Hdb. der Verfassung u. Verwaltung in Preußen u. dem Deutschen Reiche, Berlin 1926[23].

[2] Bluntschli, Denkwürdigkeiten III, 218 (20. 5. 1868); A. v. Mutius Hg., Graf v. Pourtalés, Berlin 1933, 73 (15. 10. 1853); vgl. H. v. Lerchenfeld, Erinnerungen 1843–1925, ebd. 1935, 43, 221; F. v. Rummel, Das Ministerium Lutz u. seine Gegner 1871–82, München 1935 (Perglas, 9. 2. 1875); vgl. Griewank, Bismarck, 29; Bismarck, GW XV, 15; IX, 400, 50; VI b/2, 64 f.; Harden, Richter, 237; vgl. V. Gitermann, Die geschichtsphilosoph. Anschauungen Bismarcks, in: ASS 51.1924, 411; Bismarck, GW XIII, 130, 468; IX, 398, 49; vgl. ähnlich hierzu: IV, 192; IX, 161; XII, 380; XIII, 105; XV, 352; auch Lerchenfeld, 263; M. Stürmer, Staatsstreichgedanken im Bismarckreich, in: HZ 209.1969, 576–615; Rosenstock-Huessy, 526; Rothfels, Probleme, 170; abgeschwächt in: ders., Bismarck, 21; vgl. ders., Bismarck u. das 19. Jh., in: ebd. 52–66; Griewank, Bismarck, 55.

Zu dieser nüchternen Kritik in einer Langzeitperspektive haben nach 1945 nur wenige deutsche Historiker gefunden. Vgl. allg. K. Rohe, Polit. Kultur u. ihre Analyse, in: HZ 250.1990, 321–46; P. Steinbach, Polit. Kultur, in: Langewiesche Hg., Ploetz-Kaiserreich, 197–214; M. Stürmer, Eine polit. Kultur – oder zwei? in: Pflanze Hg., Probleme, 143–54. Zu der Bedenkenlosigkeit, mit der Bismarck das wichtigste Medium nutzte, vgl. H. W. Wetzel, Presseinnenpolitik im Bismarckreich 1874–90, Frankfurt 1975; B. Sösemann, Publizistik u. staatl. Regie. Die Presse- u. Informationspolitik der Bismarck-Ära, in: J. Kunisch Hg., Bismarck u. seine Zeit, Berlin 1991, 281–308; R. H. Keyserlink, Media Manipulation. A Study of Press and Bismarck in Imperial Germany, Montreal 1977; E. Naujoks, Bismarck u. die Organisation der Regierungspresse, in: HZ 205.1967, 46–80; ders., R. Lindau u. die Neuorientierung der auswärt. Pressepolitik Bismarcks, in: HZ 215.1972, 299–344; ders., Bismarck in den Wahlkampagnen von 1879 u. 1881, in: Fs. E. Hassinger, Berlin 1977, 265–81; s. auch Nöll v. d. Nahmer.

[3] J. C. G. Röhl Hg., P. Eulenburgs Polit. Korrespondenz II: 1892–95, Boppard 1979, 1431 (B. v. Bülow, 15. 12. 1894); Boldt, Verfassungsgeschichte II, 174, 183, 204, vgl. 178, 182; Huber III, 217; H. O. Meisner, Militärkabinett, Kriegsminister u. Reichskanzler zur Zeit Wilhelms I., in: FBPG 50.1938, 86–103; Schmidt-Bückeburg, Militärkabinett; R. v. Valentini, Kaiser u. Kabinettschef, darg. v. B. Schwertfeger, Oldenburg 1931. Zum Hof die Lit. vorn in III.4, Anm. 21 (v. a. Möckl Hg., Hofgesellschaft; Röhl, Hof; Hammer; v. Zobeltitz; v. Zedlitz-Trützschler). Die Lit. über Wilhelm I.: vorn 5. Teil, IV., Anm. 15; über Friedrich III.: J. A. Nichols, The Year of the Three Kaisers. Bismarck and the German Succession 1887/88, Champaign/Ill. 1987; H. Seier, Friedrich III. Deutscher Kaiser 1888, in: Schindling u. Ziegler Hg., 410–18; M. Freund, Das Drama der 99 Tage, Köln 1966; R. Barkeley, The Empress Frederick, N. Y. 1956; Dorpalen, Frederick III., 1–31; G. Beyerhaus, Die Krise des deutschen Liberalismus u. das Problem der 99 Tage, in: PJ 239.1935, 1–19; über Wilhelm II.: hinten IV. B., Anm. 21. – Bundesrat: Huber III; Preuß. Landtag: v. Gerlach, Geschichte, 37 (v. Puttkamer, 5. 12. 1883 im AH). Vgl. die eindrucksvolle Monographie von T. Kühne, Wahlkultur u. Dreiklassenwahlrecht. Die preuß. Landtagswahlen 1867/71–1914, Düsseldorf 1993, sowie H. Dietzel, Die preuß. Wahlrechtsreformbestrebungen 1849–1914, Emsdetten 1934. – Für den Vergleich mit anderen Bundesstaaten: K. Möckl, Die Prinzregentenzeit. Gesellschaft u. Politik während der Ära des Prinzregenten Luitpold in Bayern, München 1971; W. Zorn, Parlament, Gesellschaft u. Regierung in Bayern 1870–1918, in: Ritter Hg., Gesellschaft, 299–316; D. Albrecht, Die Sozialstruktur der bayer. Abgeordnetenkammer 1869–1918, in: Fs. R. Morsey, Berlin 1992, 127–52; G. Schmidt, Der sächs. Landtag 1833–1918. Sein Wahlrecht u. seine soziale Zusammensetzung, in: H. Groß u. M. Kobuch Hg., Beiträge zur Archivwissenschaft u. Geschichtsforschung, Weimar 1977, 445–65; T. Klein, Reichstagswahlen u. Abgeordnete der Prov. Sachsen u. Anhalt 1867–1918, in: Fs. F. Zahn I, Köln 1968, 65–141; B. Ehrenfeuchter, Polit. Willensbildung in Niedersachsen zur Zeit des Kaiserreichs. Reichstagswahlen 1867–1912, Diss. Göttingen 1951; H. Gabler, Die Entwicklung der deutschen Parteien auf landschaftl. Grundlage 1871–1912, Diss. Tübingen 1934.

[4] Weber, WG, 125–30, 238–76; ders., PS, 294–431; Laband, Staatsrecht I, 359; Fuchs Hg., Großherzog Friedrich I, 93 (12. 4. 1873); Bismarck, GW XIV/2, 1526 (12. 4. 1874); Stürmer Hg., Bismarck, 65; Morsey, Reichsverwaltung, 242–86; T. Eschenburg, Der Beamte in Partei u. Parlament, Frankfurt 1952, 34; ders., Ämterpatronage, Stuttgart 1961, 20; A. v. Hohenlohe, Aus meinem Leben, Frankfurt 1925; Oldenburg, 76f.; Bismarck, GW VIII, 441 (17. 12. 1881); Oncken, Bennigsen II, 482f.; C. Schmitt, H. Preuß in der deutschen Staatsrechtslehre, in: Neue Rundschau 41.1930, 290; vgl. P. v. Oertzen, Die soziale Funktion des staatsrechtl. Positivismus, Frankfurt 1974; G. Dilcher, Der rechtswissenschaftl. Positivismus, in: Archiv für Rechts- u. Sozialphilosophie 61.1974, 497–528; D. Tripp, Der Einfluß des Positivismus auf die deutsche Rechtslehre im 19. Jh., Berlin 1983. – Heinig I, 388; Hohenlohe-Schillingsfürst, Denkwürdigkeiten III, 290; F. Fleiner, Beamtenstaat u. Volksstaat, in: Fs. O. Mayer, Tübingen 1916, 35; Gothein Hg., 455; Koch, Volk,

24; P. Molt, Der Reichstag vor der improvisierten Revolution, Köln 1963, 142; P. Rassow u. K. E. Born Bearb., Akten zur staatl. Sozialpolitik in Deutschland 1890–1914, Wiesbaden 1959, 146 (Lerchenfeld, 28.3. 1903). Vgl. BSg, Nr. 55, 333–40; Wunder, Bürokratie, 169–108; R. Morsey, Die Zentralverwaltung des Reiches 1871–1914, in: DVG III, 1984, 147–86; ders., Reichsverwaltung, 63–241; ders., Zur Beamtenpolitik des Reiches von Bismarck bis Brüning, in: Demokratie u. Verwaltung, Berlin 1972, 101–16; H. Jacob, German Administration Since Bismarck, New Haven/Conn. 1963; S. Schöne, Von der Reichskanzlei zum Bundeskanzleramt, Berlin 1968; E. v. Vietsch, Die polit. Bedeutung des Reichskanzleramts für den inneren Ausbau des Reiches 1867–90, Diss. Leipzig 1936. Allg. B. Wunder, Zur Geschichte der deutschen Beamtenschaft, in: GG 17.1991, 256–77; J. Caplan, The Imaginary Universality of Particular Interests. The Tradition of Civil Service in German History, in: SH 4.1979, 299–317; M. Stürmer, Gesellschaftskrise u. Bürokratie in Preußen u. Deutschland seit 1800, in: T. Leuenberger u. K. H. Ruffmann Hg., Bürokratie, Frankfurt 1977, 9–29; W. Möller, Das preuß. Beamten- u. Besoldungswesen 1870–1928, Diss. Frankfurt 1928; M. v. Heckel, Besoldung u. Besoldungspolitik, in: HStW 2.1909[3], 848–66; vergleichend: R. Torstendahl, Bureaucratisation in Northwestern Europe 1800–1985, London 1991. – E. Kehrs Essay (Das soziale System der Reaktion unter dem Ministerium Puttkamer [1929], in: ders., Primat, 64–86) ist von M. L. Anderson und K. Barkin (The Myth of the Puttkamer Purge and the Reality of the Kulturkampf, in: JMH 54.1982, 647–86, dt. Der Mythos der Puttkamer-Säuberung, in: Histor. Jb. 109.1989, 452–98) nur z. T. überzeugend korrigiert worden (primär antikatholische statt antiliberaler Personalpolitik), denn die antiliberale Säuberung bleibt ein Faktum (so schon mit vielen Beispielen: Morsey, Reichsverwaltung, 262–70). Wichtige Korrekturen: T. Ormond, Richterwürde u. Regierungstreue. Dienstrecht, polit. Betätigung u. Disziplinierung der Richter in Preußen, Baden u. Hessen 1866–1918, Frankfurt 1994.

[5] Bismarck, GW VIc, 170 (27. 11. 1879); Langewiesche, Liberalismus u. Bürgertum, 374; contra Rauhs Studien (typisch für die modische Augenwischerei der 1970er Jahre). Vgl. allg. K. Rohe, Wahlanalyse im histor. Kontext, in: HZ 234.1982, 337–47; ders., Political Alignments and Realignments in the Ruhr 1867–1987, in: ders. Hg., Elections, 107–44; Ritter u. Niehuss, Wahlgeschichtl. Arbeitsbuch; L. E. Jones u. J. N. Retallack Hg., Elections, Mass Politics, and Social Change in Modern Germany, N. Y. 1992; K. v. Zwehl, Zum Verhältnis von Regierung u. Reichstag im Kaiserreich 1871–1918, in: Ritter Hg., Regierung, 90–116; J. Hatschek, Das Parlamentsrecht des Deutschen Reiches, Berlin 1915; seit Jahrzehnten anregend: M. R. Lepsius, Parteiensystem u. Sozialstruktur (1966), in: ders., Demokratie in Deutschland, 25–40. Vgl. W. W. Claggett u. a., Political Leadership and the Development of Political Cleavages: Imperial Germany 1871–1912, in: American Journal of Political Science 26.1982, 643–64; J. J. Sheehan, Klasse u. Partei im Kaiserreich, in: Pflanze Hg., Probleme, 1–24; ders., Political Leadership in the German Reichstag 1871–1918, in: AHR 74.1968, 511–28, dt. Polit. Führung im Deutschen Reichstag 1871–1918, in: Ritter Hg., Parteien vor 1918, 81–99; W. L. Guttsman, Elite Recruitment and Political Leadership in Britain and Germany Since 1850, in: I. Crewe Hg., British Political Sociology Yearbook 1.1974, 89–125; A. Milatz, Reichstagswahlen u. Mandatsverteilung 1874–1918, in: Ritter Hg., Gesellschaft, 207–24; ders., Wahlrecht, Wahlergebnisse u. Parteien des Reichstags, in: E. Deuerlein Hg., Der Reichstag 1871–1933, Bonn 1963, 33–51; P. Steinbach, Reichstag Elections in the Kaiserreich, in: Jones u. Retallack Hg., 119–46; ders., Nationalisierung, soziale Differenzierung u. Urbanisierung als Bedingungsfaktoren des Wahlverhaltens im Kaiserreich, in: HSF 15.1990/2, 63–82; ders., Wahlverhalten im Kaiserreich, in: H. Best Hg., Politik u. Milieu, St. Katharinen 1989, 19–33; ders., Die Zähmung des polit. Massenmarktes. Wahlen u. Wahlkämpfe im Spiegel der Hauptstadt- u. Gesinnungspresse 1865–81, 3 Bde, Passau 1990; ders., Die Politisierung der Region: Lippe 1866–81, 2 Bde, ebd. 1989; ders. u. S. Immerfall, Politisierung u. Nationalisierung der deutschen Regionen im Kaiserreich, in: D. Berg-Schlosser u. J. Schissler Hg., Polit. Kultur in Deutschland, Opladen 1987, 68–79; S. Immerfall, Wahlverhalten u.

Parteiensystem im Kaiserreich, in: Best Hg., 34–59; abstrus abstrakt: ders., Territorium u. Wahlverhalten. Zur Modellierung geopolit. u. geoökonom. Prozesse, Opladen 1992; D. Lehnert, Zur histor. Soziographie der «Volkspartei». Wählerstruktur u. Regionalisierung im deutschen Parteiensystem seit 1871, in: AfS 29.1989, 1–33; W. Smith u. S. A. Turner, Legislative Behavior in the German Reichstag, in: CEH 14.1981, 3–29; O. Büsch u. a. Hg., Wählerbewegungen in der deutschen Geschichte 1871–1933, Berlin 1978; M. Neugebauer-Wölk, Wählergenerationen in Preußen zwischen Kaiserreich u. Republik, ebd. 1987; H. Nöcker, Der preuß. Reichstagswähler in Kaiserreich u. Republik, ebd. 1987; M. Wölk, Der preuß. Volksschulabsolvent als Reichstagswähler 1871–1912, ebd. 1980; überholt ist: G. Stoltenberg, Der deutsche Reichstag 1871–73, Düsseldorf 1955. Von älteren Statistiken und Studien s. noch: A. Dix, Die deutschen Reichstagswahlen 1871–1930, Tübingen 1930; F. Specht u. P. Schwabe Hg., Die Reichstagswahlen 1867–1907, Berlin 1908[3]; Die Reichstagswahlen seit 1871, 2 Bde, ebd. 1903; F. Landau, Die Wahlen zum deutschen Reichstage seit 1871, Hamburg 1903; A. Phillips Hg., Die Reichstagswahlen 1867–83, Berlin 1883; E. Eichhorn, Parteien u. Klassen im Spiegel der Reichstagswahlen 1907–24, Halle 1925; W. Kamm, Abgeordnetenberufe u. Parlament, Karlsruhe 1927; A. Bock, Berufsgliederung der Reichstagswahlen, Memmingen 1911.

[6] J. Jolly, Der Reichstag u. die Parteien, Berlin 1880, 92; C. Frantz, Die Religion des Nationalliberalismus, Leipzig 1872/ND Aalen 1970, V; Duncker, Briefwechsel, 463 (Baumgarten, 1870); Weber, PS, 301–3 (MWG I/15, 1988, 442f.); Langewiesche, Liberalismus in Deutschland, 130, 132f., 135f., 146, 165–78; Schmidt, Nationalliberale; J. R. Winkler, Sozialstruktur, polit. Traditionen u. Liberalismus. Wahlentwicklung in Deutschland 1871–1933, Opladen 1994. Zu der Reformwelle seit 1867 s. vorn: 5. Teil, IV., sowie hier: M. Stolleis, «Innere Reichsgründung» durch Rechtsvereinheitlichung 1866–80, in: C. Starck Hg., Rechtsvereinheitlichung durch Gesetze, Berlin 1992, 15–41; B. Dölemeyer, Die nationale Rechtsvereinheitlichung, in: Coing Hg., Hdb. III/2, 1982, 1562–1625; A. Lüderitz, Kodifikation des bürgerl. Rechts in Deutschland 1873–77, in: Vom Reichsjustizamt zum Bundesministerium der Justiz, Köln 1977, 213–61; P. Landau, Die Reichsjustizgesetze von 1879, in: ebd., 161–211; H. Getz, Deutsche Rechtsvereinheitlichung im 19. Jh., Bonn 1966; vgl. K. Kroeschell, Rechtsgeschichte Deutschlands im 20. Jh., Göttingen 1992. – Wahlergebnisse nach den Übersichten in: Langewiesche, Liberalismus in Deutschland, 308; Ritter u. Niehuss, 38–42; Vogel u. a., 281–90. – Langewiesche, Liberalismus u. Bürgertum, 374, 381f., 385; Sheehan, Liberalismus, 174–76, 150–52, 185f.; Schmidt, Nationalliberale, 215 (so schon F. Naumann, Die polit. Parteien, Berlin 1910, 32 [= Werke IV, Köln 1964, 99–198]); Nipperdey, Organisation, 87; Kapp, Briefe, 107f. (5. 1. 1875); Treitschke, Sozialismus, 45; Haym, Briefwechsel, 301f.; Heyderhoff u. Wentzke Hg. II, 114 (Sybel, 2. 1. 1875); Stoltenberg, 163 (Wiggers, 1872); Gneist, Rechtsstaat, 72; Hammacher, 28. 5. 1879, in: NI. Hammacher 20/36; Oncken, Bennigsen II, 302; Weber, PS, 303; Kapp, Briefe, 121 (15. 4. 1879); R. Schramm, Verfall Bismarckischer Herrschaft, Mailand 1882, 128; Heyderhoff u. Wentzke Hg. II, 297 (27. 7. 1879); Bamberger, Erinnerungen, 501, 517; ähnlich: Kapp, Briefe, 121 (5. 4. 1879). – Allg. am besten: Langewiesche, Liberalismus in Deutschland, 128–211, bes. 164–80; vgl. ders., German Liberalism in the Second Empire 1871–1914, in: Jarausch u. Jones Hg., 217–35; die Lit. vorn in: 5. Teil, IV. 5, Anm. 35. Eine moderne Darstellung der Nationalliberalen steht weiter aus; demn. Pohl. Vgl. Sheehan, Liberalismus, 145–211; Nipperdey, Organisation, 86–175. Sehr informativ: D. S. White, The Splintered Party: National Liberalism in Hessen and the Reich 1867–1918, Cambridge/Mass. 1976; vergleichbare andere Regionalstudien fehlen noch. Vgl. aber: K.-H. Pohl, Die Nationalliberalen in Sachsen vor 1914. Eine Partei der konservativen Honoratioren auf dem Wege zur Partei der Industrie, in: L. Gall u. D. Langewiesche Hg., Liberalismus u. Region. Zur Geschichte des deutschen Liberalismus im 19. Jh., München 1995; ders., «Einig», «Kraftvoll», «Machtbewußt»: Überlegungen zu einer Geschichte des deutschen Liberalismus aus regionaler Perspektive, in: Histor. Mitteilungen 7.1994, 61–80; H. Scheerer, Enttäuschte Liebe? Die Nationalliberalen u.

England 1867–79, in: Jb. für Liberalismus-Forschung 2.1990, 67–103; A. F. Flynn, At the Threshold of Dissolution: The National Liberals and Bismarck 1877/78, in: HJ 31.1988, 319–40; E. Schraepler, Die polit. Haltung des liberalen Bürgertums im Bismarckreich, in: GWU 5.1954, 529–44; H. Block, Die parlamentar. Krisis der Nationalliberalen Partei 1879–80, Münster 1930; H.-E. Matthes, Die Spaltung der Nationalliberalen Partei u. die Entwicklung des Linksliberalismus 1878–93, Diss. Kiel 1953; D. Sandberger, Die Ministerkandidatur Bennigsens, Berlin 1929/ND Vaduz 1965. – Zum sog. Linksliberalismus vgl. die Lit. vorn: 5. Teil, IV. 3, Anm. 15f.; IV. 5, Anm. 35: hier Langewiesche, Liberalismus in Deutschland, 151–55; A. Milatz, Die linksliberalen Parteien u. Gruppen in den Reichstagswahlen 1871–1912, in: AfS 12.1972, 273–92; G. Seeber, Liberale Vereinigung (Sezession), in: LP 3, 360–64; trotz verfehlter Interpretation: ders., Zwischen Bebel u. Bismarck. Zur Geschichte des Linksliberalismus in Deutschland 1871–93, Berlin 1965; U. Steinbrecher, Liberale Parteiorganisation unter bes. Berück. des Linksliberalismus 1871–93, Diss. Köln 1960; F. Rachfahl, E. Richter u. der Linksliberalismus im neuen Reiche, in: ZfP 5.1912, 261–374; H. Röttger, Bismarck u. E. Richter im Reichstag 1879–90, Diss. Münster 1931/Bochum 1932; J. F. Tent, E. Richter and the Decline of German Progressivism, in: Maryland Historian 10.1979, 3–18; G. Seeber, Deutsche Freisinnige Partei 1884–93, in: LP 1, 657–66; A. Rubinstein, Die Deutsch-Freisinnige Partei 1884–93, Diss. Berlin 1935.

[7] Hohenlohe-Schillingsfürst, Denkwürdigkeiten II, 10; Weber PS, 14 (MWG I/4, 2. Bd., 561); Lucius, 51; Eyck, Bismarck III, 76 (Richter); Wahl I, 114 (Mallinckrodt); Bennigsen: Protokolle der Verhandlungen des Reichstags 2:1:2:754; Oncken, Bennigsen II, 263f.; Roon III, 390 (4. 2. 1874); Eyck III, 70; M. Messerschmidt, Die polit. Geschichte der preuß.-deutschen Armee, in: HdM 2/IV, 1. T., München 1979, 283–88; Craig, Armee, 244–50, 267, 241–63, 281–304; L. Rüdt v. Collenberg, Die deutsche Armee 1871–1914, Berlin 1922, 36; Gerloff, Staatshaushalt, 20; Bismarck, GW XIII, 209 (11. 1. 1887). – F. Marschall v. Bieberstein, Verantwortlichkeit u. Gegenzeichnung bei Anordnungen des Obersten Kriegsherrn, Berlin 1911; Hasenbein, Kontrolle des militär. Oberbefehls 1871–1918; Busch, Oberbefehl; Meisner, Militärkabinett, 95; Schmidt-Bückeburg, 143f.; Bismarck, GW VI c, 274; Hohenlohe-Schillingsfürst, Denkwürdigkeiten III, 116 (Hahncke, 2. 11. 1895); G. Wohlers, Die staatsrechtl. Stellung des Generalstabs in Preußen u. dem Deutschen Reich, Bonn 1921; vgl. Messerschmidt, Polit. Geschichte, 297–302, 319–27. – Vgl. vorn die Lit.: 5. Teil, IV. 3 a; Bd. I, 615f., Anm. 37; Bd. II, 843–45, Anm. 23–26. Außer Craig, Armee, 241–304, und Messerschmidt, Polit. Geschichte, 218–380, v. a. ders., Grundzüge der Geschichte des preuß.-deutschen Militärs, in: ders., Militärgeschichtl. Aspekte der Entwicklung des deutschen Nationalstaats, Düsseldorf 1988, 13–46, v. a. 24–26; ders., Militär u. Politik in der Bismarckzeit u. im wilhelmin. Deutschland, Darmstadt 1975; Demeter, Offizierkorps; neuer Revisionismus: D. E. Showalter, Army, State, and Society in Germany 1871–1914, in: Dukes u. Remak Hg., 1–18; ders., Army and Society in Imperial Germany, in: JCH 18.1983, 585–618. Vgl. allg. D. Bald, Vom Kaiserheer zur Bundeswehr, Frankfurt 1981; Rüdt v. Collenberg; W. Schmidt-Richberg, Die Generalstäbe in Deutschland 1871–1945, in: Militärgeschichtl. Forschungsamt Hg., Beiträge zur Militär- u. Kriegsgeschichte III, Stuttgart 1962, 13–120; G. A. Craig, Die Beziehungen zwischen polit. u. militär. Ämtern: Kanzler u. Chef des Stabes 1871–1918, in: ders., Krieg, 157–69; M. Stürmer, Militärkonflikt u. Bismarckstaat. Zur Bedeutung der Reichsmilitärgesetze 1874–90, in: Ritter Hg., Gesellschaft, 225–48; J. Dülffer Hg., Parlamentar. u. öffentl. Kontrolle von Rüstung in Deutschland 1700–1970, Düsseldorf 1992; L. Köllner, Gedanken zur Finanzsoziologie mit bes. Blick auf Militärausgaben, München 1985; vgl. W. Boelcke Hg., Krupp u. die Hohenzollern 1850–1918, ebd. 1970². – Kriegsplanung nach 1871: K. E. Jeismann, Das Problem des Präventivkriegs, Freiburg 1957; S. Foerster, Optionen der Kriegführung im Zeitalter des «Volkskrieges» – zu H. v. Moltkes militär.-polit. Überzeugungen nach den Erfahrungen der Einigungskriege, in: D. Bald Hg., Militär. Verantwortung in Staat u. Gesellschaft, Koblenz 1986, 83–107; ders., Facing «People's War»: Moltke the Elder and Germany's Military Options

After 1871, in: Journal of Strategic Studies 10.1987, 209–30; H. v. Moltke, Die deutschen Aufmarschpläne 1871–90, Hg. F. v. Schmerfeld, Berlin 1929; P. Rassow, Der Plan des Generalfeldmarschalls Moltke für den Zweifrontenkrieg 1871–90, Breslau 1936, 14–17; W. Kloster, Der deutsche Generalstab u. der Präventivkriegsgedanke, Stuttgart 1932; K. Canis, Bismarck u. Waldersee 1882–90, Berlin 1980; ders., Bismarck, Waldersee u. die Kriegsgefahr Ende 1887, in: Bartel u. Engelberg Hg. II, 397–435; A. v. Waldersee, Aus dem Briefwechsel I, Hg. H. O. Meisner, Berlin 1928, 122 (27. 11. 1887), vgl. 54; W. L. Langer, European Alliances and Alignments 1871–90, N. Y. 1962², 444–47; Schweinitz, Denkwürdigkeiten II, 350f., 353; Bismarck, GW XI, 430f.; v. Bülow, Denkwürdigkeiten IV, 1931, 609; Wehler, Krisenherde, 174f.; GP VI, 1163 (15. 12. 1887). – Zur innenpolitischen Dimension: F. Engels, MEW 17, 106 (17. 9. 1870); vgl. ders., Militärfrage, in: ebd. 16, 37–78; E. Kehr, Klassenkämpfe u. Rüstungspolitik im kaiserl. Deutschland (1932), in: ders., Primat, 97; Messerschmidt, Polit. Geschichte, 250, 252. Vgl. S. Förster, Militär u. staatsbürgerl. Partizipation. Die allg. Wehrpflicht 1871–1914, in: R. G. Foerster Hg., Die Wehrpflicht, München 1994, 55–70; W. Petter, «Enemies» and «Reich Enemies». An Analysis of Threat Perceptions and Political Strategy in Imperial Germany 1871–1914, in: W. Deist Hg., The German Military in the Age of Total War, Leamington Spa 1985, 22–39; H. Klückmann, Requisition u. Einsatz bewaffneter Macht in der deutschen Verfassungs- u. Militärgeschichte, in: MM 23.1978, 7–50; D. Dreetz, Zu Problemen der inneren Funktion der kaiserl. deutschen Armee vom Ausgang des 19. Jh. bis 1918, in: MM 13.1974, 710–15; H. Boldt, Rechtsstaat u. Ausnahmezustand, Berlin 1967; D. Fricke, Zur Rolle des Militärs nach innen in Deutschland vor 1914, in: ZfG 6.1958, 1298–1310; E. G. Spencer, Police-Military Relations in Prussia 1848–1914, in: JSH 19.1985, 305–17; vgl. dies., State Power and Local Interests: Police in the Düsseldorf District 1848–1914, in: CEH 19.1986, 293–313.

[8] F. Meinecke, Die deutsche Katastrophe, Wiesbaden 1946²/ Werke 8, Stuttgart 1969, 335f.; Ritter u. Kocka Hg., 224; Ritter, Staatskunst I, 32. Zum Militarismus vgl. die Lit. in Bd. I, 615f., Anm. 37; Bd. II, 843–45, Anm. 23–26, v. a. Berghahns Studien; N. Stargardt, The German Idea of Militarism 1866–1914, N. Y. 1994; Messerschmidt, Militär u. Politik, 130–46; ders., Polit. Geschichte, 274–86; D. Vogel, Militarismus – unzeitgemäßer Begriff oder modernes histor. Hilfsmittel? in: MM 39.1986, 9–35; J. K. Zabel, Die soziale Militarisierung des Bürgertums. Familie, Schule u. Gesellschaft 1871–1914, in: A. Kuhn u. G. Schneider Hg., Geschichtsunterricht, München 1981, 233–75; W. K. Blessing, Disziplinierung u. Qualifizierung. Zur kulturellen Bedeutung des Militärs im Bayern des 19. Jh., in: GG 17.1991, 459–79; Willems, Militarismus; K. Buchheim, Militarismus u. ziviler Geist, München 1964; L. Quidde, Der Militarismus im heutigen deutschen Reich (1894), in: ders., Caligula, Hg. H.-U. Wehler, Frankfurt 1977, 81–130; vgl. W. H. Maehl, German Militarism and Socialism, Omaha/Nebr. 1968; H. Wiedner, Soldatenmißhandlungen im wilhelmin. Kaiserreich 1890–1914, in: AfS 22.1982, 159–200; Zabel, Kadettenkorps; J. Ziehen, Das deutsche Kadettenkorps, in: W. Lexis Hg., Das Unterrichtswesen im Deutschen Reich II, Berlin 1904, 227–34; L. v. Scharfenort, Militär-Erziehungs- u. Bildungswesen, in: W. Rein Hg., Enzyklopäd. Hb. der Pädagogik IV, Langensalza 1906², 849–60; W. Lahne, Unteroffiziere, Herford 1975². – Meinecke, Katastrophe, 337; Showalter, Army, State, 4–8. – Reserveoffizierswesen: John; Kehr; – Kriegervereine: T. Rohkrämer, Der Gesinnungsmilitarismus der «kleinen Leute» im Deutschen Kaiserreich, in: W. Wette Hg., Der Krieg des kleinen Mannes, München 1992, 95–109; ders., Der Militarismus der «Kleinen Leute». Die Kriegervereine im Deutschen Kaiserreich 1871–1914, München 1990; H. P. Zimmermann, «Der Wall gegen die rote Flut». Kriegervereine in Schleswig-Holstein 1864–1914, Neumünster 1989; M. Siedenhans, Nationales Vereinswesen u. Militarisierung: Die Kriegervereine, in: J. Mooser u. a. Hg., Unter Pickelhaube u. Zylinder, Bielefeld 1991, 369–99; D. Düding, Die Kriegervereine im wilhelmin. Reich u. ihr Beitrag zur Militarisierung der deutschen Gesellschaft, in: J. Dülffer u. K. Holl Hg., Bereit zum Krieg. Kriegsmentalität im wilhelmin. Deutschland 1890–1914, Göttingen 1986, 99–212;

H.-J. Kremer, Die Krieger- u. Militärvereine in der Innenpolitik des Großherzogtums Baden 1870–1914, in: ZGO 133.1985, 301–30; G. Birk, Das regionale Kriegervereinswesen im wilhelmin. Deutschland, in: Rach u. Weissel Hg., 265–98; J. M. Diehl, Germany: Veterans' Politics Under Three Flags, in: S. R. Ward Hg., The War Generation, Port Washington 1975, 135–86; K. Saul, Der «Deutsche Kriegerbund». Zur innenpolit. Funktion eines «nationalen» Verbandes im kaiserl. Deutschland, in: MM 6.1969, 95–159; H. J. Henning, Kriegervereine in den preuß. Westprovinzen 1860–1914, in: RVB 32.1968, 430–75; W. Lübeck, Die Rolle der Kriegervereine im System des preuß.-deutschen Militarismus bis 1914, Diss. Halle 1974; Materialsammlung: Höhn, Heer u. Sozialismus III. – R. Koselleck u. M. Jeismann, Polit. Totenkult der Neuzeit, München 1994. – M. Messerschmidt, Schulpolitik des Militärs, in: P. Baumgart Hg., Bildungspolitik in Preußen z. Z. des Kaiserreichs, Stuttgart 1980, 242–55; ders., Militär u. Schule in der wilhelmin. Zeit, in: ders., Militärgeschichtl. Aspekte, 64–101; D. Fricke, Militarismus u. Volksschule, in: Militärgeschichte 11.1972, 155–67; K. Borchending, Wege u. Ziele polit. Bildung in Deutschland in den Schulen 1871–1965, München 1965.

[9] Gerloff, Finanz- u. Zollpolitik, 51–123; ders., Staatshaushalt, 14, 28, 44f.; F. Neumark, Die Finanzpolitik vor 1914, in: Deutsche Bundesbank Hg., Währung u. Wirtschaft in Deutschland 1876–1976, Frankfurt 1976, 57, 59–64, 66, 68, 72–79, 83–86, 93f., 98, 100; Bismarck, GW VIc, 406 (22. 1. 1889); R. Grabower, Bismarck u. die Steuern, in: Finanzarchiv NF 22.1963, 377–463; Provinzial-Korrespondenz 12. 10. 1881; Aereboe, Agrarpolitik, 345f.; Rosenberg, Große Depression, 69, 19; Goldscheid, 17. Vgl. E. Schremmer, Taxation and Public Finance: Britain, France, and Germany, in: CEHE 8.1989, 315–494; H. C. Recktenwald, Umfang u. Struktur der öffentlich. Ausgaben in säkularer Entwicklung, in: HF 1.1973[3], 713–52; Voth, Reichsfinanzen 1871–1918; J. C. Wolfslast, Bestimmungsfaktoren wachs. Staatsausgaben: Deutsches Reich 1871–1913, Diss. Hamburg 1967; K. Lehmann, Langfrist. Tendenzen der Umverteilung des Nationaleinkommens durch den Staatshaushalt in Deutschland u. Großbritannien, in: JbW 1979/II, 117–49; dogmatisch: R. Andexel, Imperialismus – Staatsfinanzen – Rüstung – Krieg, Berlin 1968; H. Bach, Reichsbank u. Reichsfinanzen 1876–1923, Diss. Leipzig 1930; allg. die Lit. in Bd. II, 843, Anm. 21f.; v. a. Heinig, Budget; Andi u. Ververka; Cullity; Timm; Blömer, Anleihen; Caasen, Steuereinnahmen; Langen, Zollsystem.

[10] Langewiesche, «Nation», 178; J. B. Kißling, Geschichte des Kulturkampfes im Deutschen Reiche I, Freiburg 1911, 304; Franz, Kulturkampf, 16. – C. Weber, Der Ultramontanismus als kathol. Fundamentalismus, in: W. Loth Hg., Deutscher Katholizismus im Umbruch zur Moderne, Stuttgart 1991, 20–45; M. Klöcker, Das kathol. Milieu. Das Deutsche Kaiserreich von 1871, in: Zeitschrift für Religions- u. Geistesgeschichte 44.1992, 241–62; W. Loth, Katholizismus u. Moderne, in: Bajohr u. a. Hg., 82–97; ders., Der Katholizismus – eine globale Bewegung gegen die Moderne? in: H. Ludwig u. W. Schröder Hg., Sozial- u. Linkskatholizismus, Frankfurt 1990, 11–31; ders., Integration u. Erosion. Wandlungen des kathol. Milieus, in: ders. Hg., 266–81; O. Blaschke, Die Kolonialisierung der Laienwelt. Priester als Milieumanager u. Kanäle klerikaler Kurate, in: ders. u. F.-M. Kuhlemann Hg., Religion im Kaiserreich: Milieus, Mentalitäten, Krisen, Gütersloh 1994. Dagegen: H. Maier, Kathol.-Protestant. Ungleichgewichte in Deutschland, in: Fs. Morsey 275–82; K. Buchheim, Ultramontanismus u. Demokratie, München 1963; beschönigend: R. Lill, Der deutsche Katholizismus in der neueren histor. Forschung, in: U. v. Hehl u. K. Repgen Hg., Der deutsche Katholizismus in der zeitgeschichtl. Forschung, Mainz 1988, 41–64. – Droysen, Briefwechsel II, 904; Huber IV, 721, 723; Kapp, Briefe, 105 (14. 12. 1874), 102 (20. 10. 1873); Auswärt. Politik Preußens V, 427 (Bismarck, 4. 10. 1864); Bismarck, GW VI c, 292 (26. 1. 1884). Vorwürfe: H. Sacher, Bismarck, in: Lexikon für Theologie u. Kirche 2.1958[2], 510; Rauscher Hg., Sozialer u. polit. Katholizismus I, 10; Jedin, in: Rauscher Hg., Entwicklungslinien, 73; Lill, in: Jedin Hg., Hdb. der Kirchengeschichte VI/2, 76; ebenso verfehlt der evangelische Theologe H. Bornkamm, Die Staatsidee im Kulturkampf in: HZ 170.1950, 294. – Pfülf, Ketteler III,

166; Schmidt, Nationalliberale, 212f., 221, Anm. 25. – Allg. zum «Kulturkampf»: G. Besier, Kulturkampf, in: Theolog. Reallexikon 20.1990, 209–30; K. Kupisch, dass., in: RGG 4.1960[3], 109–15; H. Raab, dass., in: Staatslexikon 3.1988[7], 757–61; M. L. Anderson, The Kulturkampf and the Course of German History, in: CEH 19.1986, 82–115; R. J. Ross, Enforcing the Kulturkampf in the Bismarckian State and the Limits of Coercion in Imperial Germany, in: JMH 56.1984, 456–82; M. Lamberti, State, Church, and the Politics of School Reform During the Kulturkampf, in: CEH 19.1986, 63–81; W. Becker, Der Kulturkampf als europ. u. als deutsches Phänomen, in: Histor. Jb. 101.1981, 422–46; ders., Liberale Kulturkampf-Positionen u. polit. Katholizismus, in: Pflanze Hg., 47–71; R. Morsey, Der Kulturkampf, in: Rauscher Hg., Soziale u. polit. Katholizismus I, 72–109; ders., Die deutschen Katholiken u. der Nationalstaat zwischen Kulturkampf u. 1914, in: Histor. Jb. 90.1970, 31–64; ders., Probleme der Kulturkampf-Forschung, in: ebd. 83.1964, 217–45; ders., Bismarck u. der Kulturkampf, in: AfK 39.1957, 232–70; A. M. Birke, Zur Entwicklung u. polit. Funktion des bürgerl. Kulturkampfverständnisses in Preußen-Deutschland, in: Fs. H. Herzfeld, Berlin 1972, 257–79; die klerikale Interpretation: R. Lill, Der Kulturkampf in Preußen u. im Deutschen Reich; Die Beilegung des Kulturkampfes, in: Jedin Hg., Hdb. der Kirchengeschichte VI/2, 24–48, 59–78; ders., Der deutsche Katholizismus zwischen Kulturkampf u. 1914, in: ebd., 515–27; ders., Wende im Kulturkampf, Tübingen 1973; ders., Der Kulturkampf in Italien u. in den deutschsprachigen Ländern, Berlin 1993; vgl. dagegen: C. Weber, Kirchl. Politik zwischen Rom, Berlin u. Trier 1876–88. Die Beilegung des preuß. Kulturkampfes, Mainz 1970; E. Schmidt-Volkmar, Der Kulturkampf in Deutschland 1871–90, Göttingen 1962; Kißling, 3 Bde, 1911–16; Bachem. – L. Windthorst, Briefe 1834–80, Hg. H.-G. Aschoff u. H.-J. Heinrich, Paderborn 1984; A. Constabel Hg., Die Vorgeschichte des Kulturkampfes, Berlin 1956; J. Becker, Liberaler Staat u. Kirche in Baden 1860–74, Mainz 1974; R. Rubenstroth-Rauter, Bismarck u. Falk im Kulturkampf, Heidelberg 1944; E. Foerster, A. Falk, Gotha 1927. – D. Blackbourn, Volksfrömmigkeit u. Fortschrittsglaube im Kulturkampf, Stuttgart 1988; G. Korff, Kulturkampf u. Frömmigkeit, in: Schieder Hg., Volksreligiosität, 137–51; K. M. Mallmann, Volksfrömmigkeit, Proletarisierung u. preuß. Obrigkeitsstaat. Sozialgeschichtl. Aspekte des Kulturkampfes im Saarrevier, in: Soziale Frage u. Kirche im Saarrevier, Saarbrücken 1984, 183–232; W. K. Blessing, Kirchenfromm – volksfromm – weltfromm: Religiosität im kathol. Bayern, in: Loth Hg., 95–123; J. Lange, Die Stellung der überregionalen kathol. deutschen Tagespresse zum Kulturkampf in Preußen 1871–78, Frankfurt 1974; A. H. Leugers-Scherzberg, Latente Kulturkampfstimmung im wilhelmin. Kaiserreich, in: J. Horstmann Hg., Die Verschränkung von Innen-, Konfessions- u. Kolonialpolitik im Deutschen Reich, Schwerte 1987, 13–37. Wichtige Korrektur (katholische Angehörige der bürgerlichen Oberklassen im Rheinland wollten möglichst lange primär Bürger sein) in: Mergel, Klasse u. Konfession. – Allg. zum Zentrum: D. Blackbourn, Class, Religion, and Local Politics in Wilhelmine Germany. The Centre Party in Württemberg Before 1914, Wiesbaden 1980; ders., Die Zentrumspartei u. die deutschen Katholiken während des Kulturkampfes u. danach, in: Pflanze Hg., 73–94; ders., Catholics and Politics in Imperial Germany: The Centre Party and Its Constituency, in: ders., Populists, 188–214; ders., The Political Alignment of the Centre Party in Wilhelmine Germany, in: HJ 18.1975, 821–50; ders., Class and Politics in Wilhelmine Germany, in: CEH 9.1976. 220–49; ders., Progress and Piety: Liberals, Catholics, and the State in Bismarck's Germany, in: ders., Populists, 143–67; ders., The Problem of Democratisation: German Catholics and the Role of the Centre Party, in: Evans Hg., Society, 160–85; Anderson, Windthorst; J. R. Ross, Catholic Plight in the Kaiserreich, in: Dukes u. Remak Hg., 73–94; ders., Critic of the Bismarckian Constitution: L. Windthorst and the Relationship Between Church and State in Imperial Germany, in: Journal of Church and State 21.1979, 483–506; ders., Beleaguered Tower: The Dilemma of Political Catholicism in Wilhelmine Germany, Notre Dame 1976; E. L. Evans, Catholic Political Movements in Germany, Switzerland, and the Netherlands: A Comparative Approach, in: CEH 17.1984, 91–119; ders., The

German Centre Party 1870–1933, Carbondale/Ill. 1981; J. K. Zeender, The German Centre Party 1880–1906, Philadelphia 1976; W. Becker, Die Deutsche Zentrumspartei im Bismarckreich, in: ders. Hg., Die Minderheit als Mitte, Paderborn 1986, 9–45; ders., Polit. Katholizismus u. Liberalismus, in: ebd., 89–110; A. Hochberger, Der Bayer. Bauernbund 1893–1914, München 1991; vgl. noch immer: J. Schauff, Das Wahlverhalten der deutschen Katholiken 1871–1928 (1928), ND Mainz 1975. – Guter Literaturüberblick: M. L. Anderson, Piety and Politics. Recent Work on German Catholicism, in: JMH 63.1991, 681–716. Vgl. G. Hirschmann, Kulturkampf im histor. Roman der Gründerzeit 1859–78, Münster 1978.

[11] Schieder, Probleme der Revolution, 40; Bismarck, GW IX, 154 Okt. 1891); VIII, 492 (8. 12. 1883); H. v. Spitzemberg, Das Tagebuch, Hg. R. Vierhaus, Göttingen 1989[5], 202; Bismarck, GW VIc, 7 (3. 4. 1871); Kohl Hg., VI, 34–36; VII, 287; Poschinger, Stunden, 88; Bismarck an Mittnacht, Herbst 1878, Entwurf, Nl. Bismarck XLVII, Schloß Friedrichsruh; v. Tiedemann II, 258; Stürmer Hg., Bismarck, 125 (5. 6. 1878); Bussmann Hg., H. v. Bismarck, Privatkorrespondenz, 108 (an K. v. Rantzau, 29. 10. 1881); Bismarck, GW VIII, 298 (18. 2. 1879); Lucius, 153; GW XIV/2, 894 (12. 8. 1878); XII, 5 (9. 10. 1878); VIc, 392 (6. 8. 1888), 409 (13. 3. 1889); IX, 355 (Sommer 1893). – E. Engelberg, Revolutionäre Politik u. «Rote Feldpost», Berlin 1959; G. Schmoller, Briefe über Bismarcks volkswirtschaftl. u. sozialpolit. Stellung u. Bedeutung (1898), in: ders., Charakterbilder, München 1913, 52. – E. Fraenkel, Zur Soziologie der Klassenjustiz, Berlin 1927/ND Darmstadt 1968, 41; R. Schröder, Klassenjustiz, in: Ergänzbares Lexikon des Rechts, Neuwied 1984, 3/110, 1–7; E. Kuttner, dass., Berlin 1913; J. Wagner, Polit. Terrorismus. Strafrecht im Deutschen Kaiserreich von 1871, Heidelberg 1981. – P. Steinbach, Die Entwicklung der deutschen Sozialdemokratie im Kaiserreich im Spiegel der histor. Wahlforschung, in: Ritter Hg., Aufstieg, 1–35. – Groh u. Brandt, 23 f.; Conze u. Groh, 94–96; Fricke, Prätorianer, 25–40; P. Kampffmeyer u. B. Altmann, Vor dem Sozialistengesetz, Berlin 1928, 239–54; Stürmer Hg., Bismarck, 207 (8. 12. 1884); Naumann, Demokratie u. Kaisertum, 139. Vgl. allg. Lidtke, Outlawed Party; Thümmler; Hellfaier; Pack, sowie W. Schieder, Bismarck u. der Sozialismus, in: Kunisch Hg., 173–89; G. Schümer, Die Entstehungsgeschichte des Sozialistengesetzes, Diss. Göttingen 1930; F. Tönnies, Der Kampf um das Sozialistengesetz 1878, Berlin 1929; P. Kampffmeyer, Unter dem Sozialistengesetz, ebd. 1929; typisch für die Nationalliberalen: H. v. Sybel, Die Lehren des heutigen Sozialismus u. Kommunismus, Bonn 1972 (Kontinuität seit seinem Pamphlet von 1846); aufschlußreich: L. Gall, Sozialistengesetz u. innenpolit. Umschwung, Baden u. die Krise 1878, in: ZGO 111.1963, 473–577. Zur konkreten Erfahrung: H. Buck Bearb., Der Kampf der deutschen Sozialdemokratie in der Zeit des Sozialistengesetzes 1878–90, 2 Bde, Berlin 1956; G. Eckert Hg., W. Liebknecht – Briefwechsel mit K. Marx u. F. Engels, Den Haag 1963; B. Kautsky Hg., F. Engels – Briefwechsel mit K. Kautsky, Wien 1955; F. Adler Hg., V. Adler – Briefwechsel mit A. Bebel u. K. Kautsky, ebd. 1954; Höhn, Vaterlandslose Gesellen I.

[12] Bismarck, GW VIc, 10; Ritter, Sozialstaat, 61; Stürmer Hg., Bismarck (Stolberg, 11. 9. 1878); E. Heimann, Soziale Theorie des Kapitalismus, Tübingen 1929/ND Frankfurt 1980, 175 f.; Schmoller, Charakterbilder, 41; M. Karl, Fabrikinspektoren in Preußen 1854–1945, Opladen 1993; W. Vogel, Bismarcks Arbeiterversicherung, Braunschweig 1951, 16–19, 143; Kohl Hg., Bismarcks Reden XII, 639 f. (18. 5. 1889); Bismarck, GW VIc, 230 (16. 10. 1881); VIII, 336, 396 (21. 1. 1881); Busch, Tagebücher III, 9 f.; H. Rothfels, T. Lohmann u. die Kampfjahre der staatl. Sozialpolitik 1871–1905, Berlin 1927, 63 f.; ders., Zur Geschichte, 200 (9. 1. 1881); ders., Prinzipienfragen der Bismarckschen Sozialpolitik, Königsberg 1929, 171 (u. in: ders., Bismarck 166–81); B. Croce, Geschichte Europas im 19. Jh., Frankfurt 1988[2], 288; Bismarck, GW VIII, 419 (26. 6. 1881); Busch III, 40 f.; Kohl Hg., Bismarcks Reden XI, 357 (12. 6. 1882); X, 52 (15. 3. 1884). – Zu Wagener: Saile; Schoeps; ergiebig jetzt: H. Beck, The Origins of the Authoritarian Welfare State in Prussia: Conservatives, Bureaucracy, and the Social Question 1815–70, Ann Arbor 1994; s. o. Zit. in III.3. Zu Lohmann: Rothfels, Lohmann; ders., Zur Geschichte, 293, 290; ders.,

Prinzipienfragen, 168; Vogel, 169f., 173; NDB 15.1987, 129f. – Rodbertus, Briefe, 303 (Wagener, 28.12. 1882); Ritter, Sozialstaat, 61; Rosenberg, Große Depression, 212, allg. 210–52; Deutsche Wirtschaftskunde, 337–41; Delbrück, Wirtschaftl. Not, 312; Schmoller, Soziale Frage, 412; Lerchenfeld, 297f. – K. Ebert, Die Anfänge der modernen Sozialpolitik in Österreich. Die Taaffesche Sozialgesetzgebung für Arbeiter 1879–85, Wien 1975; Rosenberg, Große Depression, 227–52 (beide mit der einschlägigen Lit.). – Vgl. allg. BSg, Nr. 35, 258–65; Tennstedt, Sozialgeschichte der Sozialpolitik; ders., Sozialgeschichte der Sozialversicherung, in: Hdb. der Sozialmedizin III.1976, 385–491; ders., Die gesetzl. Krankenversicherung, in: ebd. I.1975, 2–164; ders., Sozialgeschichte der Sozialpolitik, Theorie der Sozialpolitik, Sozialrecht, Frankfurt 1986; ders., Fortschritte u. Defizite in der Sozialversicherungsgeschichtsschreibung, in: AfS 22.1982, 650–60; ders., 100 Jahre Sozialversicherung in Deutschland, in: AfS 21.1981, 554–64; ders., Porträts u. Skizzen zur Geschichte der Sozialpolitik in Deutschland, Kassel 1983; ders., Vom Proleten zum Industriearbeiter. Arbeiterbewegung u. Sozialpolitik in Deutschland 1800–1914, Köln 1983; F. Tennstedt, Sozialpolitik als Mission: T. Lohmann, in: Fs. Ritter, 538–59; V. Hentschel, Geschichte der deutschen Sozialpolitik 1880–1980, Frankfurt 1983; ders., Das System der sozialen Sicherung in histor. Sicht 1880–1975, in: AfS 18.1978, 307–52; G. A. Ritter, Sozialversicherung in Deutschland u. England, München 1983; ders., Sozialstaat, 60–86; ders., Soziale Sicherheit in Deutschland u. Großbritannien 1850–1914, in: GG 13.1987, 137–56; ders., Zur Geschichte der sozialen Ideen im 19. u. frühen 20. Jh., in: B. v. Meydell u. W. Kannengießer Hg., Hdb. Sozialpolitik, Pfullingen 1988, 12–63; P. Hennock, British Social Reform and German Precedents. The Case of Social Insurance 1880–1914, Oxford 1987; ders., Public Provisions for Old Age. Britain and Germany 1880–1914, in: AfS 30.1990, 81–104; ders., Arbeiterunfallentschädigung u. Arbeiterunfallversicherung. Die brit. Sozialreform u. das Beispiel Bismarcks, in: GG 11.1985, 19–36; P. A. Köhler u. H. F. Zacher Hg., Ein Jh. Sozialversicherung in der Bundesrepublik Deutschland, Frankreich, Großbritannien, Österreich u. der Schweiz, Berlin 1981; F. Syrup u. O. Neuloh, 100 Jahre staatl. Sozialpolitik 1839–1939, Stuttgart 1957; Vogel, Arbeiterversicherung; Rothfels, Lohmann; jetzt F. Tennstedt u. a. Hg., Quellensammlung zur Geschichte der deutschen Sozialpolitik I: 1867–81, Stuttgart 1994; J. Umlauf, Die deutsche Arbeiterschutzgesetzgebung 1880–90, Berlin 1980. – G. Hockerts, 100 Jahre Sozialversicherung in Deutschland, in: HZ 237.1983, 361–84; P. A. Köhler, Entstehung von Sozialversicherung, in: H. F. Zacher Hg., Bedingungen für die Entstehung u. Entwicklung von Sozialversicherung, Berlin 1979, 19–88; E. Gruner, Soziale Bedingungen u. sozialpolit. Konzeptionen der Sozialversicherung aus der Sicht der Sozialgeschichte, in: ebd., 103–22; W. Fischer, Wirtschaftl. Bedingungen u. Faktoren bei der Entstehung u. Entwicklung von Sozialversicherung, in: ebd., 21–102; M. Stolleis, Die Sozialversicherung Bismarcks, in: ebd., 387–410; ders., 100 Jahre Sozialversicherung in Deutschland, in: Zeitschrift für die Ges. Versicherungswissenschaft 69.1980, 155–75; K. Saul, Industrialisierung, Systemstabilisierung u. Sozialversicherung. Zur Entstehung, polit. Funktion u. sozialen Realität der Sozialversicherung des kaiserl. Deutschland, in: ebd., 177–98; J. Rückert, Geschichte der gesetzl. Rentenversicherung, in: F. Ruhland Hg., Hdb. der gesetzl. Rentenversicherung, Berlin 1990, 1–50; L. Machtan, Der Arbeitsschutz als sozialpolit. Problem im Zeitalter der Industrialisierung, in: W. Pohl Hg., Staatl., städt., betriebl. u. kirchl. Sozialpolitik, Stuttgart 1991, 111–36; ders., Risikoversicherung statt Gesundheitsschutz für Arbeiter – Zur Entstehung der Unfallversicherungsgesetzgebung im Bismarckreich, in: Leviathan 13.1985, 420–41; ders. u. H.-J. v. Berlepsch, Vorsorge oder Ausgleich – oder beides? Prinzipienfragen staatl. Sozialpolitik im Deutschen Kaiserreich, in: Zeitschrift für Sozialreform 32.1986, 257–78, 343–58; ders. Hg., Bismarcks Sozialstaat, Frankfurt 1994; M. Stürmer, Bismarcks Sozialpolitik als Räson des Machtstaates, in: ebd. 29.1983, 370–89; H. Henning, Bismarcks Sozialpolitik im internat. Vergleich, in: Pohl Hg., Sozialpolitik, 195–223; ders., Der Aufbau der Sozialverwaltung, in: DVG III.1984, 275–310; J. Tampke, Bismarcks Sozialgesetzgebung: ein wirklicher Durchbruch? in:

Mommsen Hg., Wohlfahrtsstaat, 79–91; H.-P. Ullmann, Deutsche Unternehmer u. Bismarcks Sozialversicherungssystem, in: ebd., 142–58; ders., Industrielle Interessen u. die Entstehung der deutschen Sozialversicherung 1880–89, in: HZ 229.1979, 574–610; M. Breges, Die Haltung der industriellen Unternehmer zur staatl. Sozialpolitik 1879–91, Frankfurt 1982; W. Junius u. O. Neuloh, Soziale Innovation als Folge sozialer Konflikte: die Bismarcksche Sozialgesetzgebung, in: Neuloh Hg., Innovation, 146–66. Vgl. weiterhin allg. noch: P. Baldwin, The Politics of Social Solidarity. Class Bases of the European Welfare State 1875–1975, Cambridge 1990; H. Kaelble, Social Policy in France and Germany Before 1914, in: M. Aymard u. M. Kohli Hg., Intergenerational Transfers, Paris 1994; C. Conrad, Gewinner u. Verlierer im Wohlfahrtsstaat. Deutsche u. internat. Tendenzen im 20. Jh., in: AfS 30.1990, 297–326; W. Abelshauser, Macht oder ökonom. Gesetz? Sozialpolitik u. wirtschaftl. Wechsellagen vom Kaiserreich zur Bundesrepublik, in: G. Vobruba Hg., Der wirtschaftl. Wert der Sozialpolitik, Berlin 1989, 11–29; J. Reulecke, Frieden zwischen Kapital u. Arbeit. Entwicklungsstufen der bürgerl. Sozialreform im 19. Jh., in: G. Stourzh u. M. Grander Hg., Histor. Wurzeln der Sozialpartnerschaft, München 1986, 38–52; J. Albers, Vom Armenhaus zum Wohlfahrtsstaat. Analysen zur Entwicklung der Sozialversicherung in Westeuropa, Frankfurt 1982; H.-G. Reuter, Verteilungs- u. Umverteilungseffekte in der Sozialversicherung im Kaiserreich, in: F. Blaich Hg., Staatl. Umverteilungspolitik in histor. Perspektive, Berlin 1980, 107–93; K. E. Born, Die Motive der Bismarckschen Sozialgesetzgebung, in: Die Arbeiterversorgung 62.1960, 33–39; G. Rimlinger, Welfare Policy and Industrialization in Europe, America, and Russia, N. Y. 1971, sowie H. G. Kirchoff, Die staatl. Sozialpolitik im Ruhrgebiet 1871–1914, Köln 1958. – Von älteren Arbeiten: L. Heyde, Abriß der Sozialpolitik, Heidelberg 1953[10]; F. Kleeis, Die Geschichte der sozialen Versicherung in Deutschland, Berlin 1928/ND Vaduz 1981; S. Bauer, Arbeiterschutzgesetzgebung, in: HStW 1.1923[4], 434–75; A. Manes, Arbeiterversicherung in Deutschland, in: ebd. 1.1909[3], 795–809; R. v. d. Borght, Die soziale Bedeutung der deutschen Arbeiterversicherung, in: Fs. J. Conrad, Jena 1898, 183–268; Rothfels, Prinzipienfragen; ders., Bismarck's Social Policy and the Problem of State Socialism in Germany, in: Sociological Review 30.1938, 288–302; O. Vossler, Bismarcks Sozialpolitik, in: HZ 167.1943, 336–57; F. Lütge, Die Grundprinzipien der Bismarckschen Sozialpolitik, in: JNS 134.1931, 580–96; K. Thieme, Bismarcks Sozialpolitik, in: Archiv für Politik u. Geschichte 9.1927, 382–407; G. Schmoller, Entstehung, Wesen u. Bedeutung der neueren Armenpflege, in: Sitzungsberichte der Preuß. Akademie der Wissenschaften 1902/XXXIX, 916–25; ders., Die soziale Frage u. der preuß. Staat, in: PJ 33.1874, 323–42. – Kirchen und Parteien: G. Brakelmann, Kirche, Soziale Frage u. Sozialismus 1871–1914, Gütersloh 1977; E. Iserloh, Die soziale Aktivität der Katholiken im Übergang von caritativer Fürsorge zu Sozialreform u. Sozialpolitik, Mainz 1975; T. Wattler, Sozialpolitik der Zentrumsfraktion 1877–89, Diss. Köln 1978; K. Heidemann, Bismarcks Sozialpolitik u. die Zentrumspartei 1881–84, Diss. Göttingen 1929/Herford 1930; S. Zucker, L. Bamberger and the Politics of the Cold Shoulder: German Liberalism's Response to Working Class Legislation in the 1870s, in: ESR 2.1972, 201–26; R. Müller, Die Stellung der Liberalen Parteien im Deutschen Reichstag zu den Fragen der Arbeiterversicherung u. des Arbeiterschutzes bis 1900, Diss. Jena 1952; O. Quandt, Die Anfänge der Bismarckschen Sozialgesetzgebung u. die Haltung der Parteien, Berlin 1938/ND Vaduz 1965.

[13] Roon II, 545 f. (6. 2. 1871); vgl. E. Schulte, Die Stellung der Konservativen zum Kulturkampf 1870–78, Diss. Köln 1959; H. Gründer, Rechtskatholizismus im Kaiserreich u. in der Weimarer Republik im Rheinland u. Westfalen, in: Westfäl. Zeitschrift 134.1984, 107–55; auch Ribhegge. – Treue Hg., Parteiprogramme, 45 f. (7. 6. 1876); Parisius, Parteien, 218–21; H. Heffter, Die Kreuzzeitungspartei u. die Kartellpolitik Bismarcks, Leipzig 1927, 38; Mommsen Hg., Parteiprogramme, 790–93. – Parisius, 204; Bismarck, GW VIc, 161; Busch, Tagebuch II, 364; Richter, Reichstag I, 131; vgl. ebenso Naumann, Demokratie, 94. – D. Fricke, Christlichsoziale Partei 1878–1918, in: LP 1, 740–44; W. Frank, Hofprediger

A. Stoecker u. die christlichsoziale Bewegung, Hamburg 1935^2, 86 (Bismarck 18.6.1880); vgl. H. Roos-Schumacher, Der Kyffhäuserverband der Vereine Deutscher Studenten 1880–1918, Gifhorn 1986. – Vgl. allg. J. N. Retallack, Notables of the Right. The Conservative Party and Political Mobilization in Germany, 1876–1918, London 1988; ders., Conservatives Contra Chancellor: Official Responses to the Spectre of Conservative Demagoguery From Bismarck to Bülow, in: Canadian Journal of History 20.1985, 203–36; L. E. Jones u. ders. Hg., Between Reform, Reaction, and Resistance. Studies in the History of German Conservatism 1789–1945, Providence/R. I. 1993 (darin der Überblick: German Conservatism Revisited, 1–30); A. J. Peck, Radicals and Reactionaries. The Crisis of Conservatism in Wilhelmine Germany, Washington D. C. 1978; H.-C. Kraus Hg., Konservative Politiker in Deutschland, Berlin 1994; (darin: J. Retallack, O. H. v. Helldorf-Bedra); Hartwig, Konservative Partei, 290–95; Fricke, Reichs- u. Freikonservative Partei, 745–72; überholt: H. Booms, Die Deutsch-Konservative Partei, Düsseldorf 1954; H.-G. Eckert, Die Wandlungen der Konservativen Partei durch Bismarcks Innenpolitik 1876–90, Diss. Kiel 1953; A. Dorpalen, The German Conservatives and the Parliamentarization of Imperial Germany, in: JCEA 11.1951, 185–99; E. Stock, Wirtschafts- u. sozialpolitische Bestrebungen der Deutschkonservativen Partei 1876–90, Breslau 1928; P. A. Marbach, O. H. v. Helldorf-Bedra, in: v. Arnim u. v. Below Hg., 243–46; H. Leuss, W. v. Hammerstein 1881–95: Chefredakteur der Kreuzzeitung, Berlin 1905. – E. Nolte, Germany, in: H. Rogger u. E. Weber Hg., The European Right, London 1965, 284–95; R. Eisfeld, Deutscher Präfaschismus u. engl. «Tory Democracy». Ursachen u. Folgen konservativer Alternativentwicklung im 19. Jh., in: E. Hennig u. R. Saage Hg., Konservativismus – eine Gefahr für die Freiheit? München 1983, 54–87; H. Gottwald, Sozialkonservative Vereinigung 1880–82, in: LP 4, 131–34; W. Wasser, Parlamentarismuskritik vom Kaiserreich zur Bundesrepublik, Stuttgart 1974.

[14] Rosenberg, Große Depression, 88–117; M. Zimmermann, W. Marr. The Patriarch of Antisemitism, N. Y. 1986; A. Bein, Der jüd. Parasit, in: VfZ 13.1965, 121–49; H. Krausnick, Judenverfolgung, in: H. Buchheim u. a., Anatomie des SS-Staats II, München 1967^3, 242 (Lagarde); A. Bein, Der moderne Antisemitismus u. seine Bedeutung für die Judenfrage, in: VfZ 6.1958, 340–60; W. Boehlich, Nachwort, in: ders. Hg., Der Berliner Antisemitismus-Streit, Frankfurt 1965, 200 (Treitschke, vgl. die Lit. über T. vorn: 5. Teil, IV. 2b); Pastor, Reichensperger II, 191; C. Frantz, Der Nationalliberalismus u. die Judenherrschaft, München 1874; vgl. die erste kritische Synthese: O. Blaschke, Katholizismus u. Antisemitismus im Kaiserreich, Göttingen 1995; banale Apologetik dagegen in: U. Mazura, Zentrumspartei u. Judenfrage 1870/71–1933, Mainz 1994. – F. Naumann, Die Leidensgeschichte des deutschen Liberalismus (1908), in: ders., Werke IV, 1964, 298. – H. v. Treitschke, Unsere Aussichten, in: Boehlich Hg., 5–11 (PJ 44.1879); Erklärung der 75, in: ebd., 202–4; T. Mommsen, in: ebd., 214, 219f., 233; Kapp, Briefe, 129 (21.11.1880); Mommsen an anon., 13.8.1882, in: Nl. Bamberger 15/14, BA Potsdam; L. Bamberger an K. Hillebrand, 17.12.1882, ebd. 91/72; ders. in: Boehlich Hg., 157. (Zu den Sachproblemen der ostjüdischen Einwanderung, der Assimilation, der Stellung in öffentlichen Ämtern und in der Wirtschaft vgl. hier nur: S. E. Ascheim, Brothers and Strangers. The East European Jew in German and German Jewish Consciousness 1800–1923, Madison 1982; J. Wertheimer, The Unwanted Element: Eastern European Jews in Imperial Germany, in: LBIYB 26.1981, 23–47; H. Adler, Ostjuden in Deutschland 1880–1940, Tübingen 1959; S. Volkov, Jüd. Assimilation u. jüd. Eigenart im deutschen Kaiserreich, in: dies., Jüd. Leben, 131–45; dies., Erfolgreiche Assimilation oder Erfolg u. Assimilation? in: Jb. des Wissenschaftskollegs zu Berlin 1982/83, 373–87; dies., Die Erfindung einer Tradition. Zur Entstehung des modernen Judentums in Deutschland, in: HZ 253.1991, 603–28; vgl. dies. Hg., Deutsche Juden u. die Moderne, München 1994; W. Grab Hg., Jüd. Integration u. Identität in Deutschland u. Österreich 1848–1918, Tel Aviv 1984; M. A. Kaplan, The Making of the Jewish Middle Class in Imperial Germany, N. Y. 1991; dies., Tradition and Transitions. The Acculturation, Assimilation, and Integration of Jews in Imperial Ger-

many, in: LBIYB 27.1982, 3–35; J. Reinharz u. W. Schatzberg Hg., The Jewish Response to German Culture. From the Enlightment to 1939, Hanover/N. H. 1985; M. Breuer, Jüd. Orthodoxie im Deutschen Reich 1871–1918, Frankfurt 1986; M. Richarz Hg., Jüd. Leben in Deutschland II: 1871–1918, Stuttgart 1979; P. Pulzer, Jews and the German State, Oxford 1992; ders., Religion and Judicial Appointments in Germany 1869–1918, in: LBIYB 28.1983, 185–204; E. Hamburger, Juden im öffentl. Leben Deutschlands 1848–1914, Tübingen 1968; J. Toury, Die polit. Orientierungen der Juden in Deutschland von Jena bis Weimar, ebd. 1966; W. E. Mosse, Die Juden in Wirtschaft u. Gesellschaft, in: ders. u. Paucker Hg., Juden 1890–1914, 57–113; ders. u. Pohl Hg., Jüd. Unternehmer; ders., Jewish Elite, 2 Bde; D. Bernstein, Wirtschaft, in: S. Kaznelson Hg., Juden im deutschen Kulturbereich, Berlin 1962[3], 720–97; allg. W. Beck Hg., Die Juden in der europ. Geschichte, München 1992; F. J. Bautz Hg., Geschichte der Juden, ebd. 1986[2]). – Richter in: Boehlich Hg., 255; Hohenlohe-Schillingsfürst, Denkwürdigkeiten II, 302 (Wilh. I., 29. 11. 1880); Bernstein, Berliner Arbeiterbewegung II, 59; G. Keller: I. Elbogen u. E. Sterling, Die Geschichte der Juden in Deutschland, Frankfurt 1966, 167; konservativer Wahlaufruf: Nl. Goldschmidt, in: PA; zu den Parteien s. u. in dieser Anm.; T. Mommsen, in: H. Bahr, Der Antisemitismus (1894), Hg. H. Greive, ND Königstein 1979, 27; Mommsen Hg., Parteiprogramme, 84 (1899). – Frank, Stoecker, 41 (Bismarck an Puttkamer, 16. 10. 1880), 42 (H. v. Bismarck an Tiedemann, 21. 11. 1880); Foerster, Falk, 485 (Lasker); Bamberger, Posthumus, 35 (Friedenthal); Frank, 110, 112 (Richter); H. v. Bismarck an K. v. Rantzau, 2. 11. 1881, Nl. H. v. Bismarck 41, Schloss Friedrichsruh; ders. an F. J. v. Rottenburg, 8. 8. 1882, 25. 9. 1887, Nl. Rottenburg 3, Geheimes Staatsarchiv Berlin (= GStA); Frankfurter Zeitung, 4. 11. 1880; W. v. Bismarck an F. J. v. Rottenburg, 23. 5. 1884, Nl. Rottenburg 4/203; L. Bamberger an K. Hillebrand, 7. 12. 1880, Nl. Bamberger 91/33. Vgl. allg. zu diesem extrem umstrittenen Problem: BSg, Nr. 65, 395–406; H. Berding, Deutscher Antisemitismus 1870–1980, Frankfurt 1988; T. Nipperdey u. R. Rürup, Antisemitismus, in: GGr. 1.1972, 129–53, u. in: Rürup, Emanzipation u. Antisemitismus, 95–114; ders., Kontinuität u. Diskontinuität der «Judenfrage» im 19. Jh. Zur Entstehung des modernen Antisemitismus, in: 2. Fs. H. Rosenberg, 388–415, u. in: ders., Emanzipation u. Antisemitismus, 74–94; ders., Jüd. Geschichte in Deutschland, in: D. Blasius u. D. Diner Hg., Zerbrochene Geschichte, Frankfurt 1991, 79–101; ders., Emanzipation u. Antisemitismus, in: H. A. Strauß u. N. Kampe Hg., Antisemitismus, Frankfurt 1986, 88–98; ders., Emanzipation u. Krise. Zur Geschichte der «Judenfrage» in Deutschland vor 1890, in: Mosse u. Paucker, Juden 1890–1914, 1–56; ders., The Tortuous and Thorny Path to Legal Equality, in: LBIYB 31.1986, 3–33; A. A. Rogow, Anti-Semitism, in: IESS 1.1968, 345–49; S. Volkov, Die Juden in Deutschland 1780–1918, München 1994; dies., Kontinuität u. Diskontinuität im deutschen Antisemitismus, in: dies., Jüd. Leben u. Antisemitismus im 19. u. 20. Jh., München 1990, 54–75; dies., Antisemitismus als kultureller Code, in: ebd., 13–36; A. Lichtblau, Antisemitismus u. soziale Spannung in Berlin u. Wien 1867–1914, Berlin 1994; W. Jochmann, Struktur u. Funktion des deutschen Antisemitismus, in: Mosse u. Paucker Hg., 389–477, u. in: Strauß u. Kampe Hg., 99–142; ders., Gesellschaftskrise u. Judenfeindschaft in Deutschland 1870–1945, Hamburg 1988; H.-G. Zmarzlik, Antisemitismus im Deutschen Kaiserreich, in: B. Martin u. E. Schulin Hg., Die Juden als Minderheit in der Geschichte, München 1981, 249–70; G. Mai, Sozialgeschichtl. Bedingungen von Judentum u. Antisemitismus im Kaiserreich, in: T. Klein u. a. Hg., Judentum u. Antisemitismus, Düsseldorf 1984, 113–36; J. Katz, Vom Vorurteil bis zur Vernichtung. Der Antisemitismus 1700–1933, München 1989; L. Poliakov, Geschichte des Antisemitismus VI: Emanzipation bis Wagner, Worms 1987; C. v. Braun u. L. Heid Hg., Der ewige Judenhaß. Christl. Antijudaismus, deutschnationale Judenfeindschaft, rassist. Antisemitismus, Stuttgart 1990; G. Brakelmann u. M. Rosowski Hg., Antisemitismus, Göttingen 1989; D. Claussen, Grenzen der Aufklärung. Zur gesellschaftl. Geschichte des modernen Antisemitismus, Frankfurt 1987; I. Geiss, Geschichte des Rassismus, Frankfurt 1988; G. L. Mosse, Die Geschichte des Rassismus in Europa, ebd. 1990; P. von zur

Mühlen, Rassenideologien, Berlin 1979[2]; R. C. Baum, Holocaust and the German Elite: Genocide and National Suicide in Germany 1871–1945, Totowa/N. J. 1981; P. G. J. Pulzer, The Rise of Political Anti-Semitism in Germany and Austria, N. Y. 1964/1988[2], dt. (1. Aufl.) Die Entstehung des Antisemitismus in Deutschland u. Österreich 1867–1914, Gütersloh 1966; U. Tal, Christians and Jews in Germany 1870–1914, Ithaca 1974; P. W. Massing, Rehearsal for Destruction, N. Y. 1949, dt. Vorgeschichte des polit. Antisemitismus, Frankfurt 1959; E. Reichmann, Hostages of Civilization, London 1950, dt. Die Flucht in Haß, Frankfurt 1968[5]; J. Müller, Die Entwicklung des Rassenantisemitismus in den letzten Jahrzehnten des 19. Jh., Berlin 1940/ND Vaduz 1965; P. Sorlin, L'antisemitisme allemande, Paris 1969; A. Bein, Die Judenfrage, 2 Bde, Stuttgart 1980; ders., Die Judenfrage in der Literatur des modernen Antisemitismus, in: Bulletin L. Baeck Institute 6.1963, 4–51; ders., Modern Anti-Semitism, in: Fs. B. Horowitz, London 1958, 164–93; D. Bering, Der Name als Stigma. Antisemitismus im deutschen Alltag 1812–1933, Stuttgart 1987; P. Loewenberg, Die Psychodynamik des Antijudentums, in: JbIDG 1972, 145–58; J. N. Retallack, Anti-Semitism, Conservative Propaganda, and Regional Politics in Late 19th Century Germany, in: GSR 2.1988, 377–403; G. Scholem, Zur Sozialpsychologie der Juden in Deutschland 1900–33, in: R. v. Thadden Hg., Die Krise des Liberalismus 1918–39, Göttingen 1978, 256–77; W. Braatz, Antisemitismus, Antimodernismus u. Antiliberalismus im ausgeh. 19. Jh., in: Polit. Studien 22.1971, 20–33; I. Fetscher, Zur Entstehung des polit. Antisemitismus in Deutschland, in: H. Huss u. A. Schröder Hg., Antisemitismus, Frankfurt 1965, 9–33; H. M. Klinkenberg, Zwischen Liberalismus u. Nationalismus 1870–1918, in: Monumenta Judaica, Köln 1963, 309–84; K. Thieme Hg., Judenfeindschaft, Frankfurt 1963; W. Gurian, Antisemitism in Modern Germany, in: K. S. Pinson Hg., Essays on Antisemitism, N. Y. 1946[2], 218–65; B. D. Weinryb, The Economic and Social Background of Modern Antisemitism, in: ebd., 17–34. – Berliner Streit: Boehlich Hg.; H. v. Treitschke, Ein Wort über unser Judentum, Berlin 1880; S. v. Pfeil, H. v. Treitschke u. das Judentum, in: WaG 21.1961, 49–62; H. Liebeschütz, Treitschke and Mommsen on Jewry and Judaism, in: LBIYB 7.1962, 153–82; J. Katz, The Preparatory Stage of the Modern Antisemitic Movement 1873–79, in: S. Almog Hg., Antisemitism Through the Ages, Oxford 1988, 279–88; M. A. Meyer, Great Debate on Antisemitism: Jewish Reaction to New Hostility in Germany 1879–81, in: LBIYB 11.1966, 137–70; S. Zucker, L. Bamberger and the Rise of Anti-Semitism in Germany 1848–93, in: CEH 3.1970, 332–52; S. Ragins, Jewish Responses to Anti-Semitism in Germany 1870–1914, Cincinnati 1980; J. Schorsch, Jewish Reactions to German Anti-Semitism 1870–1914, N. Y. 1972; C. Cobet, Der Wortschatz des Antisemitismus in der Bismarckzeit, München 1973; K. Felden, Die Übernahme des antisemit. Stereotyps als soziale Norm durch die bürgerl. Gesellschaft Deutschlands 1875–1900, Diss. Heidelberg 1963; O. Jöhlinger, Bismarck u. die Juden, Berlin 1921; N. Hortzitz, «Früh- Antisemitismus» in Deutschland 1789–1872, Tübingen 1988; D. Preissler, Frühantisemitismus in Frankfurt u. im Großherzogtum Hessen 1810–60, Heidelberg 1969; J. Schlotzhauer, Ideologie u. Organisation des polit. Antisemitismus in Frankfurt 1880–1914, Frankfurt 1989; P. L. Rose, Revolutionary Antisemitism in Germany. From Kant to Wagner, Princeton 1990. – Parteibildung: D. Düding, Antisemitismus als Parteidoktrin. Die ersten antisemit. Parteien in Deutschland, in: Fs. L. Haupts, Köln 1992, 59–70; R. Lill, Zu den Anfängen des Antisemitismus im Bismarck-Reich, in: Saeculum 26.1975, 214–31; M. Broszat, Die antisemit. Bewegung im wilhelmin. Deutschland, Diss. Köln 1952; H. C. Gerlach, Agitation u. parlamentar. Wirksamkeit der deutschen Antisemit. Parteien 1873–95, Diss. Kiel 1953; K. Wawrzinek, Die Entstehung der deutschen Antisemitenparteien 1873–90, Berlin 1927; D. Fricke, Antisemit. Parteien 1879–94, in: LP 1, 77–88; ders., Christlichsoziale Partei, in: ebd., 440–54; ders., Deutschsoziale Reformpartei 1894–1900, in: LP 2, 540–46; ders., Deutsche Reformpartei 1900–14, in: ebd., 63–66; ders., Deutschsoziale Partei 1900–14, in: ebd., 534–37; R. H. Phelps, T. Fritsch u. der Antisemitismus, in: Deutsche Rundschau 87.1961, 442–49; R. S. Levy, The Downfall of the Anti-Semitic Political Parties in Imperial

Germany, New Haven/Conn. 1975. – Kathol. Antisemitismus: Blaschke, Katholizismus u. Antisemitismus im Kaiserreich; ders., Der Katholizismus zwischen traditionellem Antijudaismus u. modernem Antisemitismus, in: Loth Hg., Katholizismus, 236–65; D. Blackbourn, Roman Catholics, the Centre Party, and Anti-Semitism in Imperial Germany, in: ders., Populists, 168–87; H. Greive, Die gesellschaftl. Bedeutung der christl.-jüd. Differenz. Zur Situation des deutschen Katholizismus, in: Mosse u. Paucker Hg., 349–88; S. Lehr, Antisemitismus. Religiöse Motive im sozialen Vorurteil, München 1974; E. Heinen, Antisemit. Strömungen im polit. Katholizismus während des Kulturkampfes, in: Fs. Kluxen 259–99; R. Lill, Die deutschen Katholiken u. die Juden 1850–1933, in: K. H. Rengsdorf u. S. Kortzschfleisch Hg., Kirche u. Synagoge II, Stuttgart 1970, 370–420 (typische Apologie, durch Blaschke ad acta gelegt). – Protestant. Antisemitismus: M. Greschat, Protestant. Antisemitismus in wilhelmin. Zeit – Das Beispiel des Hofpredigers A. Stoecker, in: Brakelmann u. Rosowski Hg., 27–51; G. Brakelmann u. a., Protestantismus u. Politik: Werk u. Wirkung A. Stoeckers, Hamburg 1982; K. Kupisch, A. Stoecker, Berlin 1970; W. Kampmann, A. Stoecker u. die Berliner Bewegung, in: GWU 13.1962, 558–79; H. Engelmann, Die Entwicklung des Antisemitismus im 19. Jh. A. Stoeckers «Antijüd. Bewegung», Diss. Erlangen 1953; Frank, Stoecker; S. A. Kaehler, Stoeckers Versuch, eine christl.-soziale Arbeiterpartei in Berlin zu gründen (1878), in: Fs. F. Meinecke, München 1922/ND Aalen 1973, 227–65; R. Gutteridge, The German Evangelical Church and the Jews 1879–1950, N. Y. 1976; E. J. Kouri, Der deutsche Protestantismus u. die soziale Frage 1870–1919, Berlin 1984; W. R. Ward, Theology, Sociology, and Politics. The German Protestant Social Conscience, Bern 1979; mißlungen: T. Kramers-Sper, Antijüd. u. antisemit. Momente in der protestant. Kapitalismuskritik: Evangel. Kirchenzeitungen 1878, in: Zeitschrift für Religions- u. Geistesgeschichte 44.1992, 221–40. – Haltung der Sozialdemokratie: A. Bebel, Sozialdemokratie u. Antisemitismus, Berlin 1906²; L. Heid u. A. Paucker Hg., Juden u. deutsche Arbeiterbewegung bis 1933, Tübingen 1992; R. Leuschen-Seppel, Arbeiterbewegung u. Antisemitismus, in: Brakelmann u. Rostowski Hg., 77–96; dies., Sozialdemokratie u. Antisemitismus 1871–1914, Bonn 1978; R. Rürup, Sozialismus u. Antisemitismus in Deutschland vor 1914, in: W. Grab Hg., Juden u. jüd. Aspekte in der deutschen Arbeiterbewegung, Tel Aviv 1977, 203–25; R. S. Wistrich, The SPD and Antisemitism in the 1890s, in: ESR 7.1977, 177–97. – Akademiker: N. Kampe, Studenten u. «Judenfrage» im Deutschen Kaiserreich, Göttingen 1988; ders., Jews and Antisemites at Universities in Imperial Germany I, in: LBIYB 30.1985, 357–94; II: 32.1987, 43–101; W. Jochmann, Akadem. Führungsschichten u. Judenfeindschaft in Deutschland 1866–1918, in: ders., Gesellschaftskrise, 13–29; D. Grieswelle, Antisemitismus in deutschen Studentenverbindungen des 19. Jh., in: C. Helfer u. M. Rassem Hg., Student u. Hochschule im 19. Jh., Göttingen 1975, 366–79.

[15] E. Troeltsch, Deutsche Bildung, in: ders., Deutscher Geist u. Westeuropa, Tübingen 1925/ND Aalen 1966, 170. Bamberger, Bismarcks Spiel, 339 (6. 6. 1887); Schmoller, Charakterbilder, 41; Hintze, Monarch. Prinzip, 378; A. Rosenberg, Entstehung, 95; Engels an Danielson, 18. 6. 1892, in: MEW 38.1968, 365; contra Gall, Bismarck, 599; Mommsen, Kaiserreich als System, 245, 255. Vgl. die Erörterung des «Solidarprotektionismus» seit 1878 und des Interventionsstaats vorn: 6. Teil, II. 3c u. 4; außer der dort zit. Lit. hier nur noch: K. D. Barkin, 1878/79, The Second Founding of the Reich, in: GSR 10.1987, 219–35; gegen: O. Pflanze, «Sammlungspolitik» 1875–88, in: ders. Hg., 155–93; vgl. B. Loewenstein, Zur Problematik des deutschen Antidemokratismus, in: Historica 11.1965, 121–76; liberale Kritik: L. Bamberger, G. Sch. V: Polit. Schriften 1879–92, Berlin 1897; F. Naumann, Der Niedergang des Liberalismus, in: ders., Werke IV, 215–36. Zum Verbändewesen und Korporativismus noch: Ullmann, Interessenverbände in Deutschland; ders., Organis. Interessen im Deutschen Kaiserreich, in: Rumpler Hg., Innere Staatsbildung, 91–106; ders., Zur Rolle industrieller Interessenorganisation in Preußen u. Deutschland bis 1914, in: Puhle u. Wehler Hg., 300–23; ders., Die Interessenverbände klein- u. mittelbetrieblicher Industrieller im wilhelmin. Deutschland, in: ZWS 99.1979, 467–89; F. Blaich,

Staat u. Verbände in Deutschland 1871–1945, Wiesbaden 1979; D. Stegmann, Unternehmerverbände, in: HWW 8.1980, 155–71; H. A. Winkler, Pluralismus oder Protektionismus? Verfassungspolit. Probleme des Verbandswesens im Deutschen Kaiserreich, in: ders., Liberalismus, 163–74; H. Kaelble, Industrielle Interessenverbände vor 1914, in: Rüegg u. Neuloh Hg., 180–92; W. Fischer, Staatsverwaltung u. Interessenverbände 1871–1914, in: ders., Wirtschaft u. Gesellschaft, 194–213; T. Nipperdey, Interessenverbände u. Parteien in Deutschland vor 1914, in: ders., Gesellschaft, 319–37; G. Schulz, Über Entstehung u. Formen der Interessengruppen, in: ders., Zeitalter, 222–51; E. R. Huber, Das Verbandswesen des 19. Jh. u. der Verfassungsstaat, in: Fs. T. Maunz, München 1971, 173–98; E. Leckebusch, Entstehung u. Wandlungen der Zielsetzung, der Struktur u. Wirkungen von Arbeitgeberverbänden, Berlin 1966; F. Hauenstein, Die Gründerzeit der Wirtschaftsverbände, in: Ordo 9.1957, 43–64; sowie noch immer: E. Lederer, Die sozialen Organisationen, Berlin 1922^2.

[16] Rochau, 230, 241, 251f. (2. Teil von 1869, in der Neuauflage des 1. Teils von 1853); Elias, Exkurs, 194; Hobsbawm, Empire, 149; J. Roth, Radetzkymarsch (1932), Köln 1971, 188; Bismarck, GW VIII, 79; Lucius, 291f. – H. A. Winkler, Vom linken zum rechten Nationalismus. Der deutsche Liberalismus in der Krise von 1878/79, in: GG 4.1978, 5–28, u. in: ders., Liberalismus, 36–51; L. Bamberger, Die Sezession, in: ders., G. Sch. V, 82–118; ders., National, in: ebd., 216; F. Naumann, National u. International, in: Die Hilfe 5.1899, Nr. 43, 4; L. Bamberger, Die Nachfolge Bismarcks, Berlin 1889, 41. – Zum Aufstieg des Liberalnationalismus erstmals die Längsschnittanalyse von J. Echternkamp, Deutscher Liberalnationalismus 1780–1847, Diss. Bielefeld 1995/Göttingen 1995; vgl. D. Grimm, Die Grundrechte im Entstehungszusammenhang der bürgerl. Gesellschaft, in: Kocka Hg., Bürgertum I, 340–71. – T. Schieder, Nationalismus u. Nationalstaat, 352. – Zur Entwicklungsgeschichte des deutschen Nationalismus vgl. Bd. I, 506–30; Bd. II, 394–412; vorn 5. Teil, IV. 2b mit der Lit. in Anm. 9–13, in den ersten beiden Bänden und den Bibliographien von Winkler u. Schnabel Hg.; Buse u. Doerr Hg.; demn. H.-U. Wehler Hg., Bibliographie zum deutschen Nationalismus. Hier v. a. Schieder, Nationalismus u. Nationalstaat; ders., Kaiserreich als Nationalstaat; Langewiesche, Reich, Nation; ders., Nation u. Nationalstaat; Alter, Nationalismus, 29–112; Dann, Nation, 157–207; ders. Hg., Nationalismus u. sozialer Wandel; Breuilly, Nationalism and State, 1993^2; Winkler Hg., Nationalismus; Lepsius, Nationalismus; Lemberg, dass., 2 Bde; Kaschuba, Volk u. Nation; Hobsbawm, Nationen, 121–54; ders., Empire, 142–64. – Bisher ist das riesige Defizit der deutschen Nationalismusforschung unübersehbar (und schwer erklärbar). Vgl. jetzt die ersten (aus einem Bielefelder Projekt der VW-Stiftung hervorgehenden) Diss., die sich auf der Höhe des gegenwärtigen Reflexionsstandes und der internationalen Forschung befinden: Echternkamp; S. Goltermann, Deutscher Reichsnationalismus 1859–1900; H. Gramley, Propheten des deutschen Nationalismus: Historiker, Theologen, Nationalökonomen; S. Hoffmann, Kosmopolitismus u. Nationalismus in Deutschland 1789–1914; A. Etges, Deutscher Wirtschaftsnationalismus 1815–1914; P. Walkenhorst, Deutscher Radikalnationalismus 1890–1914; S. Vopel, Deutscher Radikalnationalismus 1914–33; C. Geulen, Sozialdarwinismus u. Nationalismus vor 1914. Vgl. noch: E. François u. H. Siegrist Hg., Nation u. Emotion, Göttingen 1995; B. Faulenbach, «Nation» u. «Modernisierung» in der deutschen Geschichte, in: R. Zitelmann u. a. Hg., Westbindung, Berlin 1993, 103–26; S. Almog, Nationalism and Antisemitism in Modern Europe 1815–1945, Oxford 1990; H. Lehmann, The Germans as a Chosen People. Old Testament Themes in German Nationalism, in: GSR 14.1991, 261–74; W. Conze, «Deutschland» u. «Nation» als histor. Begriffe, in: Büsch u. Sheehan Hg., 21–38; ders., Staatsnationale Entwicklung u. Modernisierung im Deutschen Reich 1871–1914, in: ders. u. a. Hg., Modernisierung u. nationale Gesellschaft im ausgeh. 18. u. 19. Jh., Berlin 1979, 59–70; J. Kocka, Probleme der polit. Integration der Deutschen 1867–1945, in: Büsch u. Sheehan Hg., 118–36; M. Messerschmidt, Reich u. Nation im Bewußtsein der wilhelmin. Gesellschaft, in: ders., Aspekte, 102–26. – D. Klenke, Zwischen nationalkrieger. Gemeinschaftsideal u. bürgerl.-ziviler Modernität. Zum

Vereinsnationalismus der Sänger, Schützen u. Turner im Deutschen Kaiserreich, in: GWU 45.1994, 207–33; G. Weidenfeller, VDA. Verein für das Deutschtum im Ausland. Allg. Deutscher Schulverein 1881–1918, Frankfurt 1976; K. Poßkehl, Verein für das Deutschtum im Ausland 1881–1945, in: LP 4, 282–97; P. Winzen, Treitschke's Influence on the Rise of Imperialism and Anti-British Nationalism in Germany, in: P. Kennedy u. A. Nicholls Hg., Nationalist and Racialist Movements in Britain and Germany Before 1914, London 1981, 154–71; H. Gollwitzer, Zum polit. Germanismus des 19. Jh., in: Fs. H. Heimpel I, Göttingen 1971, 282–356; W. Hennis, Zum Problem der deutschen Staatsanschauung, in: ders., Politik als prakt. Wissenschaft, München 1968, 11–36. – Jeismann, Vaterland der Feinde; P. R. Anderson, The Background of Anti-English Feeling in Germany 1890–1902 (1939), ND N.Y. 1969. Bar jeder genauen historischen Kenntnis und perfide in der Unterstellung, der «Holocaust» habe von Anfang an zur Grundtendenz des angeblich «einzigartigen» deutschen Nationalismus gehört: L. Greenfeld, Nationalism. Five Roads to Modernity, Cambridge/Mass. 1992, 277–393; verschmocktes Feuilleton: M. Stürmer, Nationalstaat u. Klassengesellschaft im Zeitalter des Bürgers, in: Fs. E. Matthias, Düsseldorf 1981, 11–29; G. Mosse (Nationalismus u. Sexualität, Reinbek 1987²) hält nicht, was der Titel verspricht; enttäuschend auch ders., Nationalisierung der Massen. – Zur kulturellen, v. a. symbolischen Dimension des deutschen Nationalismus an erster Stelle W. Hardtwig, Bürgerlichkeit, Staatssymbolik u. Staatsbewußtsein im Deutschen Kaiserreich 1871–1914, in: GG 16.1990, 269–95, u. in: ders., Nationalismus, 191–218, sowie seine Aufsätze vorn 5. Teil, IV., Anm. 11; C. Tacke, Denkmäler als nationale Symbole. Das Hermanns- u. Vercingetorix-Denkmal, Göttingen 1995; H. Hattenhauer, Deutsche Nationalsymbole, München 1990²; A. Friedel, Deutsche Staatssymbole, Frankfurt 1969; M. A. Rabbow, dtv-Lexikon polit. Symbole, ebd. 1970; F. Bauer, Gehalt u. Gestalt in der Monumentalsymbolik. Zur Ikonologie des Nationalstaats in Deutschland u. Italien 1800–1914, ebd. 1992; H.-H. Koch Hg., Wallfahrtsstätten der Nation, Frankfurt 1986; Schellack, Nationalfeiertage; ders., Sedan- u. Kaisergeburtstagsfeste, 278–97; T. Schieder, Die Sedanfeier, in: ders., Kaiserreich als Nationalstaat, 1961, 125–53 (nicht im ND 1992); H. Lehmann, F. v. Bodelschwingh u. das Sedanfest, in: HZ 202.1966, 542–73; G. Müller, dass., in: GWU 14.1963, 77–90; G. Birk, Der Tag von Sedan, 1871–95, in: Jb. für Volkskunde u. Kulturgeschichte 25.1982, 95–110; H. Müller, Die deutsche Arbeiterklasse u. die Sedanfeiern, in: ZfG 12.1969, 1554–65; allg. hierzu: M. Hettling u. P. Nolte, Bürgerl. Feste als symbol. Politik im 19. Jh., in: dies. Hg., Bürgerl. Feste, Göttingen 1993, 7–36; D. Düding, Polit. Öffentlichkeit, polit. Fest, polit. Kultur, in: ders. u. a. Hg., 10–24. – Zu einigen speziellen Fragen: Mommsen, Arbeiterbewegung u. nationale Frage, 61–124; S. Avineri, Marxism and Nationalism, in: JCH 26.1991, 637–57; H. B. Davis, Nationalism and Socialism, N. Y. 1967; Groh u. Brandt; Groh u. Conze. – H. Gründer, Nation u. Katholizismus im Kaiserreich, in: A. Langner Hg., Katholizismus, nationaler Gedanke u. Europa seit 1800, Paderborn 1985, 65–89; E. Deuerlein, Die Bekehrung des Zentrums zur nationalen Idee, in: Hochland 62.1970, 432–49. Zahlreiche Hinweise auf die Wendung des Nationalismus gegen die «Reichsfeinde» in der vorn zit. Lit. zum «Kulturkampf» und Zentrum: Anm. 10; zum Sozialistengesetz und zur Sozialdemokratie: Anm. 11; zum Antisemitismus: Anm. 14, sowie hier: G. R. Mork, German Nationalism and Jewish Assimilation: The Bismarck Period, in: LBIYB 22.1977, 81–90; T. Nipperdey, Nationalismus im 20. Jh.: Über einige Formen des Zionismus, in: 2. Fs. Schieder, 385–404. Vielfach verfehlt, v. a. im Hinblick auf den angeblichen Antijudaismus seit Beginn des deutschen Nationalismus: W. Altgeld, Katholizismus, Protestantismus, Judentum. Über religiös begründete Gegensätze u. nationalreligiöse Ideen in der Geschichte des deutschen Nationalismus, Mainz 1992. Die Lit. zur «politischen Religion» vorn 5. Teil, IV. 2b, Anm. 9; vgl. P. Walkenhorst, Nationalismus als «polit. Religion». Zur religiösen Dimension nationalist. Ideologie im Kaiserreich, in: Blaschke u. Kuhlemann Hg.; J.-P. Sironneau, Sécularisation et religions politiques, Den Haag 1982; R. Schieder, Civil Religion, Gütersloh 1987; H. Kleger u. A. Müller Hg., Religion der Bürger. Zur Zivilreligion in Amerika u. Europa,

München 1986. Zur analytischen Klärung weiter: T. Luckmann, Die unsichtbare Religion, Frankfurt 1991; C. Geertz, Religion as a Cultural System, in: ders., The Interpretation of Cultures, N.Y. 1973, 87–125; ders., Ideology as a Cultural System, in: ebd., 193–233; H. Tudor, Political Myth, London 1972. – Zu bekannten Trägergruppen z.B. H.-G. John, Politik u. Turnen. Die Deutsche Turnerschaft als nationale Bewegung 1870–1914, Ahrensburg 1976; ders., Leibesübungen im Dienste nationaler Bestrebungen II: Die Turnbewegung 1871–1918, in: H. Überhorst Hg., Geschichte der Leibesübungen III/1, Berlin 1980, 278–324; E. Jeran, Deutsche Turnerschaft 1868–1936, in: LP 2, 380–90; H.-J. Rothe, Deutscher Sängerbund 1862–1945, in: ebd., 276–89; Langewiesche, Turner; ders., Sänger; K. H. Jarausch, Students, Society, and Politics in Imperial Germany, Princeton 1982; Kampe, Studenten; H. v. Petersdorff, Die Vereine Deutscher Studenten, Leipzig 1900[3]. – Zur unterschiedlichen Sozialisation z.B. H.-M. Körner, Staat u. Geschichte in Bayern im 19.Jh., München 1992; ders., Geschichtsunterricht im Königreich Bayern. Zwischen deutschem Nationalgedanken u. bayer. Staatsbewußtsein, in: Jeismann Hg., Bildung, 245–55; W. C. Langsam, Nationalism and History in the Prussian Elementary Schools Under William II., in: Fs. C. J. Hayes, N.Y. 1950, 241–60; J. M. Olson, Nationalistic Values in Prussian Schoolbooks Prior to 1914, in: Canadian Review of Studies in Nationalism 1.1973, 47–59; A. Kelly, The Franco-Prussian War and Unification in German History Schoolbooks, in: W. Pape Hg., 1870/71–1989/90. German Unification and the Change of Literary Discourse, Berlin 1993, 37–60; W. Pielow, Nationalist. Muster im Lesebuch, in: B. v. Wiese u. R. Henß Hg., Nationalismus in Germanistik u. Dichtung, Berlin 1967, 248–60; H. Passon, Der Nationalismus in der deutschen jugendbildenden Literatur des 19.Jh., in: Internat. Jb. für Geschichtsunterricht 12.1968/69, 54–95.

[17] Bismarck, 26. 3. 1861, in: GW XIV/1, 568; vgl. J 3W. Borejsza, Über Bismarck u. die poln. Frage, in: HZ 241.1985, 599–630. Allg. H.-U. Wehler, Polenpolitik im Deutschen Kaiserreich 1871–1918, in: ders., Krisenherde, 184–202; T. Schieder, Zur Entstehung des Geschäftssprachengesetzes 1876, in: ders., Kaiserreich als Nationalstaat, 1961, 95–124 (nicht im ND 1992); H. Glück, Die preuß.-poln. Sprachenpolitik vor 1914, Diss. Hamburg 1979; H. K. Rosenthal, Poles, Prussians, and Elementary Education in 19th Century Posen, in: Canadian American Slavic Studies 7.1973, 209–18. – H. Neubach, Die Ausweisungen von Polen u. Juden aus Preußen 1885/86, Wiesbaden 1967; K. J. Bade, «Kulturkampf» auf dem Arbeitsmarkt. Bismarcks «Polenpolitik» 1885–90, in: Pflanze Hg., Probleme, 121–42; R. Blanke, Bismarck and the Prussian Polish Politics of 1886, in: JMH 45.1973, 211–39; J. Mai, Die preuß.-deutsche Polenpolitik 1885–87, Berlin 1962; Bülow an Holstein, 10. 12. 1887, in: Holstein, Papiere III, 214, Bismarck nach: Rantzau an Rottenburg, 12. 12. 1886, Nl. Rottenburg; Holstein an H. v. Bismarck, 12. 12. 1884, Nl. Bismarck 44; vgl. Wehler, Sozialdemokratie, 101 f., 167–71; R. Baier, Der deutsche Osten als soziale Frage. Zur preuß. u. deutschen Siedlungs- u. Polenpolitik in den Ostprov. 1871–1933, Köln 1980; W. Schultze, Ansiedlungsgesetzgebung, in: HStW 1.1923[4], 342–50; ohne krit. Distanz: K.-R. Schultz-Klinken, Preuß. u. deutsche Ostsiedlungspolitik 1886–1945, in: ZAA 21.1973, 198–215; W. Kohte, Die staatl. Ansiedlungspolitik im deutschen Nordosten 1886–1914, in: H. Conrad Hg., Deutsche Ostsiedlung, Köln 1971, 219–40. – Allg. Broszat, 200 Jahre; Hagen, Germans, Poles; Rosenthal, German and Pole; R. Blanke, Prussian Poland in the German Empire 1871–1900, N.Y. 1981; W. Conze, Nationsbildung durch Trennung. Deutsche u. Polen im preuß. Osten, in: Pflanze Hg., Probleme, 95–119; G. Eley, German Politics and Polish Nationality: The Dialectic of Nation-Forming in the East of Prussia, in: ders., Unification, 200–28; O. Hauser, Zum Problem der Nationalisierung Preußens, in: HZ 202.1966, 529–41; ders., Preuß. Staatsräson u. nationaler Gedanke, Neumünster 1960; R. Jaworski, Handel u. Gewerbe im Nationalitätenkampf. Zur Wirtschaftsgesinnung der Polen in der Prov. Posen 1871–1914, Göttingen 1986; W. W. Hagen, The Impact of Modernization on Traditional Nationality Relations in Prussian Poland 1815–1914, in: JSH 6.1973, 306–24; ders., National Solidarity and Organic Work in Prussian Poland 1815–1914, in: JMH 44.1972, 38–64. Zu Ostpreußen: H.-U. Wehler, Zur

neueren Geschichte der Masuren, in: ders., Krisenherde, 238–48; W. Hubatsch, Masuren u. Preuß.-Littauen in der Nationalitätenpolitik Preußens 1870–1920, Marburg 1966. – Zum OVG: S. F. Pauly, Organisation, Geschichte u. Gesetzesauslegung des Kgl. Preuß. Verwaltungsgerichts 1875–1933, Frankfurt 1987; U. Stump, Preuß. Verwaltungsgerichtsbarkeit 1875–1914, Berlin 1980; H.-J. Wichardt, Die Rechtsprechung des Kgl. Preuß. Oberverwaltungsgerichts zur Vereins- u. Versammlungsfreiheit 1875–1914, Diss. Kiel 1976; ders., Die Polenpolitik Preußens u. die Vereins- u. Versammlungsfreiheit in der Rechtsprechung des Kgl. Preuß. Oberverwaltungsgerichts, in: ZfO 27.1978, 67–78; W. Schultze, Öffentl. Vereinigungsrecht im Kaiserreich 1871–1908, Diss. Frankfurt 1973. – Zu Elsaß-Lothringen: Wehler, Reichsland (mit der gesamten Lit. bis 1979); ders., Sozialdemokratie, 52–85; D. P. Silverman, Reluctant Union. Alsace-Lorraine and Imperial Germany 1871–1918, London 1972; H. Hiery, Reichstagswahlen im Reichsland 1871–1912, Düsseldorf 1986; J. Mayeur, Autonomie et politique en Alsace, Paris 1970; M. Rehm, Reichsland Elsaß-Lothringen 1871–1918, Bad Neustadt a. d. S. 1991; informationsreich: Rossé u. a. Hg., Elsaß 1870–1932, 4 Bde; Das Reichsland Elsaß-Lothringen 1871–1918, 3 Bde, Berlin 1931–36. – Zu den Dänen: O. Hauser, Polen u. Dänen im Deutschen Reich, in: Schieder u. Deuerlein Hg., 291–318; ders., Obrigkeitsstaat u. demokrat. Prinzip im Nationalitätenkampf. Preußen in Nordschleswig, in: HZ 192.1961, 318–61; ders., Staatl. Einheit u. regionale Vielfalt in Preußen, Neumünster 1967; T. Fink, Geschichte des Schleswigschen Grenzlandes, Kopenhagen 1958.

[18] Vgl. die allg. Lit. zur Außenpolitik und zur «Primat»-Frage vorn 5. Teil, IV., Anm. 7 – Bismarck z. B.: Kohl Hg., Reden XII, 177; GW VIII, 342; Hillgruber, Entstehung, 171–293; E. Kessel, Rankes Auffassung der amerikan. Geschichte, in: Jb. für Amerikastudien 7.1962, 31, Anm. 36 (Notiz aus Rankes Nl.). – 1875: Vorzüglich A. Hillgruber, Die «Krieg-in-Sicht»-Krise 1875, in: Fs. M. Göhring, Wiesbaden 1968, 239–53; ders., Bismarcks Außenpolitik, 129–46. – Frankreich: MEW 17.1964, 268–79; Wehler, Krisenherde, 28 f.; GP I, 96 (2. 2. 1873); GW VIII, 106 (27. 2. 1874); GW XV, 184; E. Marcks u. a. Hg., Erinnerungen an Bismarck, Stuttgart 1915³, 323; Waldersee, Briefwechsel I, 36, 57, 69; Jeismann, Präventivkrieg, 109 f.; W. Windelband, Bismarck u. die europ. Großmächte 1879–85, Essen 1942², 49 (Moltke, 16. 1. 1877); vgl. L. A. Puntila, Bismarcks Frankreichpolitik, Göttingen 1971; GW VIc, 378 (Bismarck an Bronsart, 31. 12. 1887); Wehler, Krisenherde, 30, 435 f., Anm. 31; GP XII, 279 (22. 1. 1897); Schlieffen: Kitchen, Military History, 105. – England: Bülow, Denkwürdigkeiten I, 429; Schweinitz, Briefwechsel, 193; Ponsonby, 471; Queen Victoria, Letters, 2. S. III, London 1928, 505 f.; Holstein, Papiere II, 167; GW VIII, 381, 383. – Rußland: Holstein I, 123; H.-U. Wehler, Bismarcks späte Rußlandpolitik, in: ders., Krisenherde, 166–83; Giers: Werder an Caprivi, 30. 4. 1893, in: GP VII, 432; H. v. Bismarck zu Aerenthal, 12. 5. 1888, in: R. Wittram, Bismarcks Rußlandpolitik nach 1871, in: H. Hallmann Hg., Zur Geschichte u. Problematik des deutsch-russ. Rückversicherungsvertrages von 1887, Darmstadt 1968, 469, Anm. 28; GP VI, 1163 (Bismarck, 15. 12. 1887); Stürmer Hg., Politik, 245; Oncken, Mitteleuropa, 56; vgl. P. Jakobs, Das Werden des französ.-russ. Zweibunds 1890–94, Wiesbaden 1968; H. Altrichter, Konstitutionalismus u. Imperialismus. Der Reichstag u. die deutsch-russ. Beziehungen 1890–1914, Frankfurt 1977; R. Girault, Emprunts russes et investissements françaises en Russie 1887–1914, Paris 1973. – Vgl. allg. noch zur Lit.: A. R. Carlson, German Foreign Policy 1890–1914. A Handbook and Bibliography, Metuchen/N. J. 1970. Die bisher beste Darstellung: W. J. Mommsen, Großmachtstellung u. Weltmachtstreben. Die Außenpolitik des Deutschen Reiches 1870–1914, Berlin 1993. Im Vergleich damit fällt sofort ab: K. Hildebrand, Das vergangene Reich. Deutsche Außenpolitik von Bismarck bis Hitler 1871–1945, Stuttgart 1995; blasse Allgemeinheiten in: ders., Reich – Großmacht – Nation. Betrachtungen zur Geschichte der deutschen Außenpolitik 1871–1945, in: HZ 259.1994, 369–89. – Vgl. R. Girault, Diplomatie européenne et imperialisme. Histoire des relations internationales contemporaine I: 1871–1914, Paris 1979. Dagegen fallen scharf ab: Hildebrand, Deutsche Außenpolitik; Farrar, Arrogance; I. Geiss, German Foreign Policy

1871–1914, London 1976; Hillgruber, Bismarcks Außenpolitik; vgl. ders., Deutsche Großmacht- u. Weltpolitik im 19. u. 20. Jh., Düsseldorf 1977, 11–36; ders., Gescheiterte Großmacht, 9–61. Neue Tiefpunkte: G. Schöllgen, Die Macht in der Mitte Europas, München 1992; Geiss, Der Lange Weg 1871–1914. Vgl. allg. K. Hildebrand, «System der Aushilfen»? Chancen u. Grenzen deutscher Außenpolitik im Zeitalter Bismarcks, in: G. Schöllgen Hg., Flucht in den Krieg? Darmstadt 1991, 108–31; ders., Saturiertheit u. Prestige. Das Deutsche Reich im Staatensystem 1871–1918, in: GWU 40.1989, 193–203; ders., Zwischen Allianz u. Antagonismus. Das Problem bilateraler Normalität in den brit.-deutschen Beziehungen 1870–1914, in: Fs. H. Gollwitzer, Münster 1982, 305–31; ders., Staatskunst als Systemzwang? Die «deutsche Frage» als Problem der Weltpolitik, in: HZ 228.1979, 624–44; P. Albers, Reichstag u. Außenpolitik 1871–79, Berlin 1929; H. Meine, England u. Deutschland 1871–76, Berlin 1937; R. Wienefeld, Franco-German Relations 1878–85, Baltimore 1929; H. Deininger, Frankreich – Rußland – Deutschland 1871–91, München 1982; G. F. Kennan, The Decline of Bismarck's European Order 1875–1890, Princeton 1980[2], dt. Bismarcks europ. System in der Auflösung, Frankfurt 1981; ders., The Fateful Alliance. France, Russia, and the Coming of the First World War, N.Y. 1984, dt. Die schicksalhafte Allianz, Köln 1990; Wehler, Bismarcks Rußlandpolitik, 166–83; Müller-Link, Industrialisierung u. Außenpolitik; A. Hillgruber, Die deutsch-russ. polit. Beziehungen 1887–1917, in: v. Aretin u. Conze Hg., 207–20; ders., Deutsche Rußlandpolitik 1871–1918, in: Saeculum 27.1976, 94–108; F. T. Epstein, Der Komplex «Die russ. Gefahr» u. sein Einfluß auf die deutsch-russ. Beziehungen im 19. Jh., in: 1. Fs. F. Fischer, 143–59; R. Ropponen, Die russ. Gefahr, Helsinki 1976; S. Kumpf, Zu den zollpolit. Auseinandersetzungen zwischen Deutschland u. Rußland in der letzten Periode der Bismarckschen Ära, in: Jb. für Geschichte der UdSSR 8.1964, 143–77; dies. (Kumpf-Korfes), Bismarcks «Draht nach Rußland». Zum Problem der sozialökonom. Hintergründe der russ.-deutschen Entfremdung 1878–91, Berlin 1978; dies. (Wegner-Korfes), Zur Geschichte des Bismarckschen Lombardverbots für russ. Wertpapiere 1887–94, in: JbW 1982/III, 55–78; W. Kirchner, Die deutsche Industrie u. die Industrialisierung Rußlands 1815–1914, Ostfildern 1985; Wittram, Bismarcks Rußlandpolitik, 447–75; matt: H. Wolter, Alternative zu Bismarck. Die deutsche Sozialdemokratie u. die Außenpolitik Preußen-Deutschlands 1878–90, Berlin 1970. – Außer dem Verhältnis zu Rußland ist am besten untersucht die deutsch-englische Rivalität: P. M. Kennedy, The Rise of the Anglo-German Antagonism 1860–1914, London 1981 (unverändert das Standardwerk); E. Kehr, Englandhaß u. Weltpolitik, in: ders., Primat, 149–75; Anderson, Anti-English Feeling; Sontag, Germany and England 1848–94; C. Buchheim, Aspects of 19th Century Anglo-German Trade Rivalry Reconsidered, in: JEEH 10.1981, 273–89; H. Kiesewetter, Competition for Wealth and Power. The Growing Rivalry Between Industrial Britain and Industrial Germany 1815–1914, in: ebd. 20.1991, 271–99; S. Pollard, Die Wirtschaftsbeziehungen Deutsches Reich – Großbritannien 1870–1914, in: Fs. Köllmann, 181–92; ders., «Made in Germany» – die Angst vor der deutschen Konkurrenz im spätviktorian. England, in: Technikgeschichte 54.1987, 183–95; S. B. Saul, Industrialisation and De-Industrialisation? The Interaction of the German and British Economies Before 1914, London 1980; N. B. Feltéronyi, Allemagne-Angleterre 1792–1913, in: L. Dupriez u.a. Hg., Diffusion du progrès et convergence des prix I, Paris 1966, 41–258; P. Bastin, La rivalité commerciale anglo-allemande 1861–1914, Brüssel 1914; R. J. S. Hoffmann, Great Britain and the German Trade Rivalry 1875–1914, Philadelphia 1933/ND N.Y. 1964; A. Banze, Die deutsch-engl. Wirtschaftsrivalität 1897–1907, Berlin 1935.

19 Vgl. K. W. Deutsch, National Industrialization and Declining Share of the International Economic Sector 1890–1959, in: WP 13.1960/61, 267–99; früh: M. Victor, Das sog. Gesetz der abnehmenden Außenhandelsbedeutung, in: Weltwirtschaftl. Archiv (= WWA) 1932/II, 59–85; die statistische Beweisführung in den Studien von S. Kuznets. – Weber, WG, 527, vgl. 581; vgl. H.-U. Wehler, Sozialimperialismus, in: ders. Hg., Imperialismus, Königstein 1979[4], 83–96; Bismarck an Wilhelm I., 2.6. 1873, Akten des Reichsamts des

Inneren 5266, 23f., BA Potsdam; Documents Diplomatiques Français 1. Serie V, Paris 1929, 404f. (14.9. 1884, Bismarck zu de Courcel); Lucius, 334 (21.2. 1886); Kohl Hg. XIII, 320 (1.5. 1895); Marginal Bismarcks zur Aufzeichnung Krauels, 9.10. 1888, Akten des Reichskolonialamts 320, 140–49, BA Potsdam; F. Fabri, Fünf Jahre deutscher Kolonialpolitik, Gotha 1889, 26. – Samoa: Wehler, Bismarck u. der Imperialismus, 208–25, dort ausführlicher zur Expansionsgeschichte: 112–93 (ideolog. Konsens, Zitate: 143–45, 151, 154), 230–57 (Exportförderung), 263–98 (Südafrika), 298–333 (Westafrika), 333–67 (Ostafrika), 373–90 (Kongo), 391–98 (Pazifik), 474–84 (Wahlen 1884). – Documents V, 427 (28.9. 1884); L. E. Fitzmaurice, The Life of Lord Granville II, London 1905[3], 347; Kohl Hg. XI, 94 (14.3. 1885); Bismarck vor der Budgetkommission des Reichstags, 23.6. 1884, Akten des Reichstags 2621, 86, BA Potsdam; Kohl Hg. X, 167–71; Bismarck, GW XII, 471–75. – Landes, Prometheus, 240; Kohl Hg. XI, 140f. (16.3. 1885); XII, 538 (15.1. 1889), 581 (26.2. 1889); Aufzeichnung W. v. Bismarcks (nach Bismarcks Diktat), 15.8. 1884, Akten des Reichskolonialamts 4109, 13f.; GP IV, 96f. (Bismarck an Münster, 25.1. 1885); H. v. Bismarck an v. Plessen, 14.10. 1886, Akten des Reichskolonialamts 603, 21–29; Fabri u. a.: Wehler, Bismarck u. der Imperialismus, 468; Böhme, Prolegomena, 89 (Henckel); Herzfeld, Miquel II, 32f. (1885); Nipperdey, Grundzüge, 832f. – Bismarck, GW IX, 46 (8.6. 1890); VIII, 646 (5.12. 1888); v. d. Heydt an Hammacher, 30.6. 1886, Nl. Hammacher 52; Hammacher an v. d. Heydt, in: Bein, Hammacher, 94. – Zum «neuen Imperialismus» von den 1870er Jahren bis 1914 vgl. allg. J. S. Olson Hg., Historical Dictionary of European Imperialism, Westport/Conn. 1991; J.-P. Halstead u. S. Porcari Hg., Modern European Imperialism: A Bibliography, 2 Bde, Boston 1974; H.-U. Wehler Hg., Bibliographie zum Imperialismus, Göttingen 1977; W. J. Mommsen, Imperialismus, in: HWW 4.1978, 85–98; J. Fisch u. a., dass., in: GGr. 3.1982, 171–236; G. Schmidt, dass., in: Fischer-Lexikon Geschichte, 1990[2], 196–207; R. Emerson u. D. K. Fieldhouse, Colonialism, in: IESS 3.1968, 1–12; D. K. Fieldhouse, Colonialism 1870–1945, London 1981; ders., Die Kolonialgeschichte seit dem 18. Jh., Frankfurt 1965; V. G. Kiernan, From Conquest to Collapse. European Empires 1850–1920, N. Y. 1982; Wehler Hg., Imperialismus, 1979[4]; ders., Probleme des Imperialismus, in: ders., Krisenherde, 117–38; W. J. Mommsen, Der europ. Imperialismus, Göttingen 1979; ders. Hg., Imperialismus, Hamburg 1977; ders. Hg., Der moderne Imperialismus, Stuttgart 1971; ders., Imperialismustheorien, Göttingen 1987[3]; P. Hampe, Die ökonom. Imperialismustheorie, München 1976; G. Schmidt, Der europ. Imperialismus, ebd. 1985, ist weit überlegen im Vgl. mit: G. Schöllgen, Das Zeitalter des Imperialismus, ebd. 1991[2]; W. D. Smith, European Imperialism in the 19th and 20th Centuries, Chicago 1982; W. Reinhard, Geschichte der europ. Expansion IV, Stuttgart 1990; M. W. Doyle, Empires, Ithaca 1986; R. F. Betts, The False Dawn. European Imperialism in the 19th Century, Minneapolis 1976; R. v. Albertini u. A. Wirz, Europ. Kolonialherrschaft 1880–1940, Zürich 1976; L. H. Gann u. P. Duignan Hg., Colonialism in Africa 1870–1960, 5 Bde, Cambridge 1969–73; J. Ganiage, L'expansion coloniale 1871–1914, Paris 1968; H. Gollwitzer, Europe in the Age of Imperialism 1880–1914, London 1969; ders., Geschichte des weltpolit. Denkens, 2 Bde, Göttingen 1971–82; G. Barraclough, Das europ. Gleichgewicht u. der neue Imperialismus, in: Propyläen Weltgeschichte VIII.1960, 705–39; ders., Tendenzen der Geschichte im 20. Jh., München 1970[2]; G. W. F. Hallgarten, Imperialismus vor 1914, 2 Bde, ebd. 1963[2]; A. Vagts, Bilanzen u. Balancen. Aufsätze zur internationalen Finanz u. internationalen Politik, Hg. H.-U. Wehler, Frankfurt 1979. – Zum deutschen Imperialismus: rundum mißlungen ist M. Fröhlich, Imperialismus. Deutsche Kolonial- u. Weltpolitik 1880–1914, München 1994. Vgl. dagegen H. Gründer, Geschichte der deutschen Kolonien, Paderborn 1991[2]; W. D. Smith, The German Colonial Empire, N. Y. 1978; vgl. ders., The Ideology of German Colonialism 1840–1906, in: JMH 46.1974, 641–62; J. Bridgman u. D. E. Clarke, German Africa: A Bibliography, Stanford 1965; P. Grupp, Deutschland u. der Kolonialismus, in: NPL Beih. 3.1986, 105–26; K. J. Bade, Imperialismus u. Kolonialhistorie, in: GG 9.1983, 138–50; J. Dülffer, Deutsche Kolonialherrschaft in Afrika, in: NPL 26.1981, 458–73; R.

Nestvogel u. R. Tetzlaff Hg., Afrika u. der deutsche Kolonialismus, Berlin 1986; A. Wirz, Die deutschen Kolonien in Afrika, in: v. Albertini u. ders., 302–27; H. Stoecker Hg., Drang nach Afrika. Die deutsche koloniale Expansionspolitik u. Herrschaft in Afrika bis 1918, Berlin 1991[2]; A. J. Knoll u. L. H. Gann Hg., Germans in the Tropics, Westport/Conn. 1987; L. H. Gann u. P. Duignan, The Rulers of German Africa 1884–1914, Stanford 1977; P. Gifford u. a. Hg., Britain and Germany in Africa, New Haven/Conn. 1967; R. Cornevin, Histoire de la colonisation allemande, Paris 1969; H. Brunschwig, L'expansion allemande outre-mer, ebd. 1957. – Wehler, Bismarck u. der Imperialismus, 1984[5]; ders., Bismarcks Imperialismus, in: ders., Krisenherde 139–65; ders., Deutscher Imperialismus in der Bismarckzeit, in: ebd., 309–36; ders., Industrielles Wachstum u. früher deutscher Imperialismus, in: ders., Aus der Geschichte lernen? 256–71; K. J. Bade, Das Kaiserreich als Kolonialmacht, in: Becker u. Hillgruber Hg., 91–108; ders., Die «Zweite Reichsgründung» in Übersee, in: Birke u. Heydemann Hg., 183–215; ders., F. Fabri u. der Imperialismus in der Bismarckzeit, Zürich 1975; A. T. G. Riehl, Der «Tanz um den Äquator». Bismarcks antiengl. Kolonialpolitik 1883–85, Berlin 1993; G. Ziebura, Sozialökonom. Grundfragen des deutschen Imperialismus vor 1914, in: 2. Fs. Rosenberg, 495–524; G. Eley, Social Imperialism in Germany, in: ders., Unification, 154–67; ders., Defining Social Imperialism, in: SH 1.1976, 265–90; W. Baumgart, German Imperialism in Historical Perspective, in: Knoll u. Gann Hg., 151–64; mißglückt: H. Böhme, Thesen zur Beurteilung der gesellschaftl., wirtschaftl. u. polit. Ursachen des deutschen Imperialismus, in: Mommsen Hg., Moderner Imperialismus, 31–59; H.-U. Wehler, Bismarck's Imperialism 1862–90, in: PP 48.1970, 119–55; P. M. Kennedy, German Colonial Expansion: Has the «Manipulated Social Imperialism» Been Ante-Dated? in: PP 54.1972, 134–41; H. Pogge v. Strandmann, Domestic Origins of Germany's Colonial Expansion, in: PP 42.1969, 140–59; ders., Consequences of the Foundation of the German Empire: Colonial Expansion, in: S. Förster u. a. Hg., Bismarck, Europe, and Africa, London 1988, 105–20; H.-C. Schröder, Sozialismus u. Imperialismus, Hannover 1975[2]; K. Hildebrand, Europ. Zentrum, übersee. Peripherie u. neue Welt 1878–1920, in: HZ 249.1989, 53–94; vgl. speziell: Förster u. a. Hg.; blaß, aber zum deutschen «Großafrika» aufschlußreich: B. Wedi-Pascha, Die deutsche Mittelafrikapolitik 1871–1914, Pfaffenweiler 1992; M. Fröhlich, Von Konfrontation zur Koexistenz. Die deutsch-engl. Kolonialbeziehungen in Afrika 1884–1914, Bochum 1990; R. Tetzlaff, Koloniale Entwicklung u. Ausbeutung. Wirtschafts- u. Sozialgeschichte Deutsch-Ostafrikas 1885–1914, Berlin 1970; D. Bald, Deutsch-Ostafrika, München 1970; J. Iliffe, Tanganyika Under German Rule, Cambridge 1969; F. F. Müller, Deutschland – Zanzibar – Ostafrika 1884–90, Berlin 1959; H. P. Merritt, Bismarck and the German Interest in East Africa 1884/85, in: HJ 21.1978, 97–116; ders., Bismarck and the First Partition of East Africa, in: English Hist. Rev. 91.1976, 585–97. – R. A. Voeltz, German Colonialism and the South West Africa Company 1884–1914, Athens/Ohio 1988. – K. Hausen, Deutsche Kolonialherrschaft in Afrika: Kamerun vor 1914, Zürich 1970; H. Stoecker, Kamerun unter deutscher Kolonialherrschaft, 2 Bde, Berlin 1960–68; K. J. Bade, Imperial Germany and West Africa, in: Förster u. a. Hg., 121–47. – R. Erbar, Ein Platz an der Sonne? Verwaltungs- u. Wirtschaftsgeschichte der deutschen Kolonie Togo 1884–1914, Stuttgart 1991; P. Sebald, Togo 1884–1914, Berlin 1988; A. J. Knoll, Togo Under Imperial Rule 1884–1914, Stanford 1978. – P. M. Kennedy, The Samoan Tangle 1878–1900, Dublin 1974; ders., Bismarck's Imperialism: The Case of Samoa 1880–90, in: HJ 15.1972, 261–83; ders. u. J. A. Moses Hg., Germany in the Pacific and Far East 1870–1914, St. Lucia 1977; S. G. Firth, New Guinea Under the Germans, Melbourne 1982. – F. Schinzinger, Die Kolonien u. das Deutsche Reich. Die wirtschaftl. Bedeutung der deutschen Besitzungen in Übersee, Wiesbaden 1984.

[20] Ritter u. Niehuss, Wahlgeschichtl. Arbeitsbuch, 39f., 140; Lucius, 310. Unterschiedliche Interpretationen der Entlassungskrise in den Biographien von Gall; Pflanze III; Engelberg II; Eyck III. Am besten knapp zum Sturz: J. C. G. Röhl, The Disintegration of the Kartell and the Politics of Bismarck's Fall From Power 1887–90, in: HJ 9.1966, 60–89;

ders., Staatsstreichspläne oder Staatsstreichbereitschaft? Bismarcks Politik in der Entlassungskrise, in: HZ 203.1966, 610–24; G. Seeber u. a., Bismarcks Sturz, Berlin 1977; W. Mommsen, Bismarcks Sturz u. die Parteien, Stuttgart 1924; E. Gagliardi, Bismarcks Entlassung, 2 Bde, Tübingen 1927/1941; E. Zechlin, Staatsstreichpläne Bismarcks u. Wilhelms II. 1890, 1894, Stuttgart 1929; neue Legenden: Huber IV, 178–246. – E. Verchau, O. v. Bismarck, Berlin 1969, 159f. (Deines, 20. 3. 1890); Röhl, Deutschland, 65 (Caprivi, 28. 12. 1894); Mann, 19. Jh., 430f. (Victoria); Kohn, Wege u. Irrwege, 198, 201 (Mommsen); vgl. Hohenlohe-Schillingsfürst, Denkwürdigkeiten II, 470 (18. 6. 1890); Bismarck, GW XV, 640; Kraus, Tagebücher, 684 (21. 3. 1897, Jolly zu K.). Vgl. Hank, Kanzler ohne Amt. Bismarck 1890–98, München 1977; W. Stribrny, Bismarck u. die deutsche Politik 1890–98, Paderborn 1977; W. Pöls, Bismarckverehrung u. Bismarcklegende als innenpolit. Probleme der wilhelmin. Zeit, in: JbGMO 20.1971, 183–201.

[21] Bülow, Denkwürdigkeiten IV, 631 (1890); Hohenlohe-Schillingsfürst, Denkwürdigkeiten II, 470 (18. 6. 1890); A. Thimme, H. Delbrück als Kritiker der wilhelmin. Epoche, Düsseldorf 1955; Röhl, Deutschland, 147 (Wilhelm II. über Bülow an Eulenburg, 25. 12. 1895); F. Naumann, Der Industriestaat (1909), in: ders., Werke III, 45; Lederer, Wirtschaftl. Organisationen, 1913, 94; Schmoller, Charakterbilder, 300; ders., Die preuß. Wahlrechtsreform 1910, in: Sch. Jb. 33.1910, 357, 361–64; Bismarck an Wilhelm I., Okt. 1879, Nl. Bismarck 13; Pachnicke, 63; Stürmer, Hg., Deutschland, 20f. – Puhle, Bund der Landwirte, 143–273; Herzfeld, Miquel II, 33; H. Hofmann, Fürst Bismarck II, 406f. (11. 3. 1897). – Hohenlohe-Schillingsfürst, Denkwürdigkeiten III, 290, 474; Naumann, Neudeutsche Wirtschaftspolitik, 361; contra F. Stern, Deutschland um 1900 – u. eine zweite Chance, in: Fs. T. Nipperdey, 32–42; R. Vierhaus, Kaiser u. Reichstag z. Z. Wilhelms II., in: Fs. H. Heimpel I, 257–81. – Spenkuch, Herrenhaus; Wehler, Elsaß-Lothringen, 46–52, 441–43 (die gesamte Lit.); Laband II[5], 236; Stegmann, Erben, 217; Ritter u. Niehuss, 140, 42; Schwabach, 265; H.-G. Zmarzlik, Bethmann Hollweg als Reichskanzler 1909–14, Düsseldorf 1957, 142. – Elias, Prozeß II, 236–43; J. C. G. Röhl, Der «Königsmechanismus» im Kaiserreich, in: ders., Kaiser, Hof, 116–40. (R. hat an dieser Interpretation seit seinem ersten Buch [Deutschland ohne Bismarck, 1967] bis zu seiner Wilhelm-Biographie [I, 1993] nicht nur beharrlich festgehalten, sondern sogar ihren Personalismus ständig radikalisiert.) – Vgl. allg. zur Zeit von 1890 bis 1914 (außer der Lit. in: Einleitung, Anm. 1; 5. Teil, IV., Anm. 39; 6. Teil, IV., Anm. 1): F., Gilbert, The End of the European Era 1890–1970, N. Y. 1979[2]; O. J. Hale, The Great Illusion 1900–14, N. Y. 1971; M. Baumont u. a., L'Europe de 1900 à 1914, Paris 1957; NCMH XII: 1898–1945, 1960 u. ö.; J. Romein, The Watershed of Two Eras. Europe Around 1900, Middeltown/Conn. 1982[2]; Tannenbaum, 1900; F. Klein u. K. O. v. Aretin Hg., Europa um 1900, Berlin 1989; R. Poidevin, Die unruhige Großmacht. Deutschland u. die Welt im 20. Jh., Freiburg 1985; W. Frauendienst, Das Deutsche Reich 1890–1914 (= Hdb. der Deutschen Geschichte, Hg. L. Just, IV/I, T. 1 u. 2: 1890–1909), Konstanz 1973; W. J. Mommsen, Die latente Krise des Deutschen Reiches 1909–1914 (= ebd.), Frankfurt 1979; C. v. Krockow, Die Deutschen u. ihr Jh. 1890–1990, Reinbek 1989; W. Baumgart, Deutschland im Zeitalter des Imperialismus 1890–1914, Berlin 1972/Stuttgart 1982[4]; W. Conze, Die Zeit Wilhelms II. u. der Weimarer Republik, Tübingen 1964; E. Vermeil, L'Allemagne contemporaine 1890–1950, 2 Bde, Paris 1953/54. Aufgelockerte Orthodoxie: W. Schmidt u. a. Hg., Deutsche Geschichte VI: 1897–1917, Berlin 1990, und F. Klein, Deutschland 1897–1917, ebd. 1969[3]. – H. C. Meyer, The Long Generation: Germany 1913–45, N. Y. 1973; H. Kramer, Deutsche Kultur 1871–1918, Frankfurt 1972; H. Pross Hg., Die Zerstörung der deutschen Politik 1871–1933, ebd. 1960; V. R. Berghahn, Politik u. Gesellschaft im wilhelmin. Deutschland, in: NPL 24.1979, 164–95; G. Schöllgen, Wer machte im Kaiserreich Politik? in: ebd. 25.1980, 79–97. – Über Wilhelm II. jetzt v. a. J. C. G. Röhl, Wilhelm II., I: Die Jugend des Kaisers 1859–88, München 1993; ders., Kaiser Wilhelm II. – Eine Studie über Cäsarenwahnsinn, ebd. 1989; ders. Hg., Der Ort Kaiser Wilhelms II. in der deutschen Geschichte, ebd. 1991; ders., Wilhelm II., 1888–1918, in: Schindling u. Ziegler Hg., 419–42; ders., Kaiser Wilhelm II. Eine

Charakterskizze, in: ders., Kaiser, Hof, 17–34. Vgl. dagegen W. J. Mommsen, Kaiser Wilhelm and German Politics, in: JCH 25.1990, 89–116. Psychohistorische Interpretation: T. A. Kohut, Wilhelm II and the Germans, N. Y. 1991. Vgl. noch L. Cecil, Wilhelm II, I: 1859–1900, Chapel Hill 1989; W. Gutsche, Wilhelm II., Berlin 1991; M. Balfour, Kaiser Wilhelm II., ebd. 1967; E. Eyck, Das persönl. Regiment Wilhelms II., Zürich 1948; vgl. E. R. Huber, dass., in: ders., Nationalstaat, 224–48; ders. IV, 329–42; F. Hartung, Das persönl. Regiment Kaiser Wilhelms II., in: ders., Staatsbildende Kräfte in der Neuzeit, Berlin 1961, 393–413; K. Düwell, Kaiser Wilhelm II., in: W. Treue Hg., Drei deutsche Kaiser, Freiburg 1987, 133–73; I. V. Hull, The Entourage of Kaiser Wilhelm II. 1888–1918, Cambridge 1982; dies., «Persönl. Regiment», in: Röhl Hg., Ort, 3–23; F. Fischer, Kaiser Wilhelm II. u. die Gestaltung der deutschen Politik vor 1914, in: ebd., 259–84 (u. in ders., Hitler war kein Betriebsunfall, München 1992, 66–103); W. Deist, Kaiser Wilhelm als Oberster Kriegsherr, in: ebd., 25–42; H. Pogge v. Strandmann, Der Kaiser u. die Industriellen, in: ebd., 111–29; D. Blackbourn, The Kaiser and His Entourage, in: ders., Populists, 45–54; R. J. Evans, Wilhelm's II Germany and the Historians, in: ders., Rethinking, 23–54; G. A. v. Müller, Der Kaiser ..., Hg. W. Görlitz, Göttingen 1965; K.-H. Janssen Hg., Die graue Exzellenz. Aus den Papieren K. B. v. Treutlers, Berlin 1971; M. v. Radziwill, Briefe vom deutschen Kaiserhof 1889–1915, ebd. 1936; H. W. Burmeister, Prince P. Eulenburg-Hertefeld 1847–1912. His Influence on Kaiser Wilhelm II and His Role in the German Government 1888–1902, Wiesbaden 1981; J. Haller Hg., Aus dem Leben des Fürsten zu Eulenburg, Berlin 1924. Anschauliche Kommentare: L. Quidde, Caligula (1894), in: ders., dass., 61–80; auch in: T. Fontane, Briefe II, Hg. G. Erler, München 1981; ders., Briefe an G. Friedländer, Hg. K. Schreinert, Heidelberg 1954; ders., Briefe an W. u. H. Hertz 1859–98, Stuttgart 1978; ders., Briefwechsel mit W. Herz, Berlin 1970; vgl. dazu S. Greif, «Dieses gleich sehr zu hassende u. zu liebende Preußen.» Der Altpreuße T. Fontane, in: H. Scheurer Hg., Dichter u. ihre Nation, Frankfurt 1993, 290–310; K. H. Höfele, T. Fontanes Kritik am Bismarckreich, in: GWU 14.1963, 337–42; W. Dilthey u. P. Yorck v. Wartenburg, Briefwechsel 1877–97, Halle 1923; T. Wolff, Die Wilhelmin. Epoche (1936), Hg. B. Sösemann, ND Frankfurt 1989; A. Stein, Es war alles anders. Aus der Werkstätte eines polit. Jounalisten 1891–1914, Hg. M. Fuchs, Frankfurt 1922²; S. Whitman, Das kaiserl. Deutschland, Hamburg 1898. – Die Lit. zu den Kanzlern nach Bismarck: vorn 5. Teil, II. 3c, Anm. 24; J. Werdermann, Die Heeresreform unter Caprivi, Diss. Greifswald 1928, sowie hier noch: R. Geis, Der Sturz des Reichskanzlers Caprivi, Berlin 1930/ND Vaduz 1965. – D. Stegmann, Wirtschaft u. Politik nach Bismarcks Sturz. Zur Genesis der Miquelschen Sammlungspolitik 1890–97, in: 3. Fs. Fischer, 161–84; S. Heinke, J. v. Miquel 1828–1901, in: Männer der deutschen Verwaltung, Köln 1963, 162–80; Herzfeld, Miquel II; G. Bliefert, Die Innenpolitik des Reichskanzlers C. zu Hohenlohe-Schillingsfürst, Diss. Kiel 1949; H. O. Meisner, Der Kanzler Hohenlohe, in: PJ 230.1932, 35–50; K. A. v. Müller, Der dritte deutsche Reichskanzler, in: Sitzungsberichte der Bayer. Akademie der Wissenschaften, Philosoph.-Histor. Abt. Jg. 1931/32, H. 3, München 1932, 1–60; R. W. Lougee, The Anti-Revolution Bill of 1894, in: CEH 15.1982, 224–40; G. Fesser, Von der Zuchthausvorlage zum Reichsvereinsgesetz 1899–1908, in: JbG 28.1983, 107–32. – P. Winzen Hg., B. v. Bülow, Deutsche Politik, Bonn 1992; K. A. Lerman, The Chancellor as Courtier, in: Röhl Hg., 43–52; T. Eschenburg, Das Kaiserreich am Scheideweg. Bassermann, Bülow u. der Block, Berlin 1929. – K. H. Jarausch, The Enigmatic Chancellor: Bethmann Hollweg and the Hubris of Imperial Germany, New Haven/Conn. 1972; Zmarzlik, Bethmann Hollweg; W. Gutsche, Aufstieg u. Fall eines kaiserl. Reichskanzlers. T. v. Bethmann Hollweg 1856–1921, Berlin 1973; F. Fischer, F. v. Bethmann Hollweg, in: ders., Hitler, 136–73; E. v. Vietsch, Bethmann Hollweg, Boppard 1969; B. Barth-Haberland, Die Innenpolitik des Reiches unter der Kanzlerschaft Bethmann Hollwegs 1909–14, Diss. Kiel 1950; K. Hildebrand, Bethmann Hollweg. Der Kanzler ohne Eigenschaften? Düsseldorf 1979². – Zu den Reichstagswahlen, ihrem Einfluß und ihrer Bedeutung vgl. die Lit. vorn in Anm. 5 sowie unten in Anm. 24.

[22] Weber, PS, 248. Vgl. vorn A 1c mit der Lit. in Anm. 4. Grundlegend: Wunder, Geschichte, 69–108; vgl. DVG III.1984; Hattenhauer, Beamtentum. – Reich: Morsey, Zentralverwaltung, 151–86; Röhl, Beamtenschaft, 141–61; W. Hubatsch Hg., Grundriß zur deutschen Verwaltungsgeschichte 1815–1945, Bd. XXII: Bundes- u. Reichsbehörden, Marburg 1983; vgl. W. Schiefel, B. v. Dernburg 1865–1937. Kolonialpolitiker u. Bankier im wilhelmin. Deutschland, Zürich 1974. – Preußen: Süle (mit der gesamten Lit.); Most, Höhere Beamte; H. Berndt, Die höheren Beamten des Ministeriums für Handel u. Gewerbe in Preußen 1871–1932, in: JbW 1981/II, 105–44; Schröder, Richterschaft, 234, 248–50; B. Caesar-Wolf, Die deutschen Richter am «Kreuzweg» zwischen Professionalisierung u. Deprofessionalisierung, in: S. Breuer u. H. Treiber Hg., Zur Rechtssoziologie M. Webers, Opladen 1984, 199–222. – Übersicht 108: nach Wunder, Geschichte, 72; Flora I, 214f.; SJDR 1909, 10f. – Hintze, Beamtenstand, 68; Cullity, 201–17; Kaelble, Mobilität u. Chancengleichheit, 50, 42–59; Hintze, 100; Hartung, Staatsbildende Kräfte, 326, 336; Molt, 143, 135–56; A. Grunenberg, Das Religionsbekenntnis der Beamten in Preußen I: Die höheren staatl. Beamten, Berlin 1914; Bachem IX, 67f.; Holstein IV, 472; I, 148; Zedlitz-Trützschler, 187f.; Hohenlohe-Schillingsfürst, Denkwürdigkeiten II, 440. – Übersicht 109: nach Wunder, Geschichte, 104; Kübler, 131; Statist. Jb. für den Preuß. Staat 10.1912, 676–83. – H. Rottleuthner, Die gebrochene Bürgerlichkeit einer Scheinprofession. Zur Situation der deutschen Richterschaft zu Beginn des 20. Jh., in: Siegrist Hg., 148–52; Schröder, Richterschaft, 239–43; Rejewski, 90, 99, 101–18, 136–38; vgl. R. M. Halmen, Staatstreue u. Interessenvertretung. Zur Sozialgeschichte des deutschen Beamtentums u. der Beamtenverbandsbewegung bis 1918, Hamburg 1988; T. Süle, Beamtenorganisationen im deutschen Kaiserreich 1890–1918, in: E. V. Heyen Hg., Beamtensyndikalismus, Baden-Baden 1991, 87–105; A. Elster, Beamtenvereine, in: Wb. V.1906^2, 377–79; K. Saul, Konstitutioneller Staat u. betriebl. Herrschaft. Zur Arbeiter- u. Beamtenpolitik der preuß. Staatseisenbahnverwaltung 1890–1914, in: 2. Fs. F. Fischer, 315–36; Kulemann, Berufsvereine, 6 Bde; Hintze, 120; H. Friedrich, Zur Bewertung der Militäranwärter im 19. Jh., Soziale Mobilität oder Militarisierung der Verwaltung? in: Die Verwaltung 24.1991, 325–41; T. Süle, Die Militäranwärter, in: Die Verwaltung 19.1986, 196–212; G. Flügge, Die Militäranwärter u. die Zivilversorgung, in: Sch. Jb. 38.1914, 1141–72; Briefwechsel Dilthey – York v. Wartenburg, 228 (D. an Y., 25. 12. 1886). – Vgl. zur Bürokratie die Lit. vorn Anm. 4; eine Pionierstudie: S. Amedick, Sozialgeschichte der unteren bayer. Eisenbahnbeamten 1844–1914, Diss. Bielefeld 1994, sowie hier: G. Bonham, Ideology and Interest in the German State (1890–1914), N. Y. 1992; ders., Beyond Hegel and Marx. An Alternative Approach to the Role of the Wilhelmine State, in: GSR 7.1984, 199–225; ders., State Autonomy and Class Domination: Approaches to Administrative Politics in Wilhelmine Germany, in: WP 35.1983, 631–51; G. Steinmetz, The Myth and the Reality of an Autonomous State: Industrialists, Junkers, and Social Policy in Imperial Germany, in: Comparative Social Research 12.1990, 239–93; H. Fenske, Bürokratie in Deutschland vom späten Kaiserreich bis zur Gegenwart, Berlin 1985; ders., Preuß. Beamtenpolitik vor 1918, in: Der Staat 12.1973, 339–56; P.-C. Witt, Konservativismus als «Überparteilichkeit». Die Beamten der Reichskanzlei 1900–33, in: 3. Fs. Fischer, 231–80; P. C. Lauren, Diplomats and Bureaucrats. The First Institutional Response to 20th Century Diplomacy in France and Germany, Stanford 1976; L. Schücking, Die Reaktion in der inneren Verwaltung Preußens, Berlin 1908; W. Schücking, Neue Ziele der staatl. Entwicklung, in: Fs. L. Enneccerus, Marburg 1913, 5–98; vgl. D. Acker, W. Schücking 1875–1935; Münster 1970; E. L. Turk, An Examination of Civil Liberty in Wilhelmian Germany, in: CEH 19.1986, 323–42.

[23] Übersicht 110: Gerloff, Staatshaushalt, 20 (Hinzu kommen noch die Zinslasten für die Militäranleihen, z. B. für das Heer 1906–10 = 68 Mill. M. Vgl. 19f. für den Gesamtaufwand des Reiches und den Aufwand für Heer und Flotte 1876–1913). Gerloff, Finanz- u. Zollpolitik, 310–33 (1890–1895), 334–82, 393–407 (1895–1906), 424–518 (1906–1912); ders., Staatshaushalt, 18–46; Neumark, Finanzpolitik, 57–111, v. a. 91–109; Hoffmann u. a., Wachstum, 511, 516. Zur Finanz- und Steuerpolitik vgl. vorn Anm. 9, dazu glänzend

P.-C. Witt, Die Finanzpolitik des Deutschen Reiches 1903–13, Lübeck 1970; vgl. ders., Reichsfinanzen u. Rüstungspolitik, in: Schottelius u. Deist Hg., 146–77; H. Ehlert, Marine- u. Heeresetat im deutschen Rüstungsbudget 1898–1912, in: Marine-Rundschau 75.1978, 311–23; R. Kroboth, Die Finanzpolitik des Deutschen Reiches 1909–14, Frankfurt 1986; K. Lehmann, Der Funktionswandel der öffentl. Haushalte im Deutschen Reich vor 1914, in: L. Zumpe Hg., Wirtschaft u. Staat im Imperialismus, Berlin 1976, 86–110. Vgl. Recktenwald, HF 1.1973[2], 713–52; Schremmer, Taxation, 315–494; Heinig I; Timm; Voth; Wolflast; Blömer; Caasen.

[24] Vgl. allg. die vorzüglich komprimierte Zusammenfassung von Ritter, Parteien 1830–1914, 23–90 (ihr folge ich öfters); Rohe, Wahlen, 57–121; zum Korporativismus: vorn II.4. Exemplarisch für die beschönigende Fehldiagnose: W. Frauendienst, Die Demokratisierung des deutschen Konstitutionalismus in der Zeit Wilhelms II., in: ZGS 113.1957, 721–46; besonders penetrant: Rauh, Föderalismus, 15f., 89f., 347; noch massiver ders., Parlamentarisierung; zur Kritik s. 5. Teil, IV.5, Anm. 38; Ritter, 105f.; auch R. Schiffers, Der Hauptausschuß des Deutschen Reichstags 1915–18, Düsseldorf 1980, 271, sowie überwiegend die neuere Lit. Vgl. daraus v.a. S. Suval, Electoral Politics in Wilhelmine Germany, Chapel Hill 1985; H. Fenske, Wahlrecht u. Parteiensystem, Frankfurt 1972; vgl. ders., Landrat, 433–56; D. Grosser, Vom monarch. Konstitutionalismus zur parlamentar. Demokratie, Den Haag 1970; B. Fairbairn, The German Reichstag Elections of 1898 and 1903, Diss. Oxford 1987; vgl. ders., Authority and Democracy. Prussian Officials in the German Elections of 1898 and 1903, in: HJ 33.1990, 811–38; H. Nöcker, Wählerentscheidungen unter demokrat. u. Klassenwahlrecht (Reichstags- u. preuß. Landtagswahlen 1903), Berlin 1987; C. G. Crothers, The German Elections of 1907, N. Y. 1941; D. Fricke, Der deutsche Imperialismus u. die Reichstagswahlen 1907, in: ZfG 9.1961, 538–76; J. Bertram, Die Wahlen zum Deutschen Reichstag 1912, Düsseldorf 1964; M. Falk, The Reichstag Elections of 1912, Diss. Univ. of Iowa, Iowa 1976; P. C. Grenquist, The German Elections of 1912, Diss. Columbia Univ. 1963. Anregend hierzu: G. Schmidt, Parlamentarisierung oder «Präventive Konterrevolution»? Die deutsche Innenpolitik im Spannungsfeld konservativer Sammlungsbewegungen u. latenter Reformbestrebungen 1907–14, in: Ritter Hg., Gesellschaft, 249–78; ders., Innenpolit. Blockbildungen in Deutschland am Vorabend des Ersten Weltkriegs, in: APZ B 20/72.1972, 3–32; ders., Deutschland am Vorabend des Ersten Weltkriegs, in: Stürmer Hg., Kaiserl. Deutschland, 397–433; G. U. Scheideler, Parlament, Parteien u. Regierung im wilhelmin. Deutschland 1890–1914, in: ebd. B 12/71.1971, 16–24; E. Pikart, Die Rolle der Parteien im deutschen konstitutionellen System vor 1914, in: ZfP 9.1962, 12–32, u. in: Böckenförde u. Wahl Hg., 258–81; W. Wölk, Sozialstruktur, Parteienkorrelation u. Wahlentscheidung im Kaiserreich, in: Büsch Hg., Wählerbewegungen, 505–48; ein schönes Stück Revisionismus zugunsten der politischen Kultur des Kaiserreichs: M. L. Anderson, Voter, Junker, Landrat, Priest: The Old Authorities and the New Franchise in Imperial Germany, in: AHR 98.1993, 1448–74; sehr informativ: T. Kühne, Wahlrecht – Wahlverhalten – Wahlkultur. Tradition u. Innovation in der histor. Wahlforschung, in: AfS 33.1993, 481–547.

[25] Meinecke, Polit. Schriften (= Werke II), 41; Hartmann, Mommsen, 258 (1902); G. Mayer, Erinnerungen, München 1949, 179/ND Hg. G. Niedhart, Hildesheim 1993; Hohenlohe-Schillingsfürst, Denkwürdigkeiten III, 88 (18.8. 1895). Allg. Ritter, Parteien; ders. u. Niehuss. Vgl. die Lit. vorn 5. Teil, IV.5, Anm. 37; 6. Teil, IV A 2b, Anm. 11, sowie hier aus einer immer weiter anschwellenden Lit.: S. Miller u. H. Potthoff, Kleine Geschichte der SPD 1848–1985, Bonn 1983; D. Groh, Die Sozialdemokratie im Verfassungssystem des Zweiten Reiches, in: Mommsen Hg., Sozialdemokratie, 62–83; ders., The Dilemma of Unwanted Leadership in Social Movements: The German Example Before 1914, in: F. C. Graumann u. S. Moscovici Hg., Changing Conceptions of Leadership, N. Y. 1986, 33–52; ders., Einige Überlegungen zur Herausbildung des Reformismus in der deutschen Arbeiterbewegung vor 1914, in: F. Dreyfus Hg., Socialisme, Révisionisme et Réformisme 1880–1980, Paris 1984, 61–80; noch immer: C. E. Schorske, German Social

Democracy 1905–17, Cambridge/Mass. 1955, dt. Die Große Spaltung. Die deutsche Sozialdemokratie 1905–17, Berlin 1981; K. Saul, Der Staat u. die «Nächte des Umsturzes», in: AfS 12.1972, 293–350; W. H. Schröder Hg., Sozialdemokrat. Reichstagsabgeordnete u. Reichstagskandidaten 1898–1918. Biograph.-Statist. Hdb., Düsseldorf 1986; E. Matthias u. E. Pikart Hg., Die Reichstagsfraktion der deutschen Sozialdemokratie 1898–1918, 2 Bde, ebd. 1966. – D. Groh, Die Massenstreikdiskussion u. -agitation in der deutschen Sozialdemokratie 1905–06, in: H. Mommsen Hg., Probleme der Geschichte der Arbeiterbewegung, Bochum 1976, 128–59; S. Tegel, Reformist Social Democrats, the Mass Strike, and the Prussian Suffrage 1913, in: EHQ 17.1987, 307–45; R. Hostetter, The SPD and the General Strike as an Anti-War Weapon 1905–14, in: Historian 13.1950, 27–51; R. J. Evans, «Red Wednesday» in Hamburg: Social Democrats, Police and Lumpenproletariat in the Suffrage Disturbances of 17 January 1906, in: ders., Rethinking, 248–90. – A. Hall, Scandal, Sensation, and Social Democracy, Cambridge 1977; ders., The War of Words: Anti-Socialist Offensives and Counter-Propaganda in Wilhelmine Germany, in: JCH 11.1976, 11–42; ders., By Other Means: The Legal Struggle Against the SPD in Wilhelmine Germany 1890–1900, in: HJ 17.1974, 365–86; H. Bley, Bebel u. die Strategie der Kriegsverhütung 1904–13, Göttingen 1975. Zu wichtigen Parteifiguren wie Bebel, Kautsky und Bernstein vgl. die Lit. vorn: 5. Teil, IV.5, Anm. 37; 6. Teil, III.3, Anm. 20; R. Jansen, G. v. Vollmar, Düsseldorf 1958; P. Nettl, R. Luxemburg, Köln 1967; E. Ettinger, R. Luxemburg, Boston 1986; M. Kramme, F. Mehring, Frankfurt 1980 (dogmatische Verklärung: T. Höhle, dass. 1869–91, Berlin 1958²; J. Schleifstein, dass. 1891–1919, ebd. 1959). Zu konkurrierenden Arbeiterorganisationen vgl. vorn: 5. Teil, III.4, Anm. 16–18; 6. Teil, III.3, Anm. 19, sowie R. Reitz, Christen u. Sozialdemokratie, Stuttgart 1983; F. v. Auer u. F. Segbers Hg., Sozialer Protestantismus u. Gewerkschaftsbewegung, Köln 1994; K. L. Hoffmann, Die evangel. Arbeitervereinsbewegung 1882–1914, Bielefeld 1988 (oft den «Christlichen», sprich Katholischen Gewerkvereinen hinzugeschlagen); vgl. D. Fricke, Gesamtverband der evangel. Arbeitervereine Deutschlands 1890–1933, in: LP 3, 14–29.

[26] Naumann, Niedergang, 215. Vgl. v. a. Langewiesche, Liberalismus in Deutschland, 128–227, die Tabellen: 304–31; ders., Bildungsbürgertum u. Liberalismus im 19. Jh., in: Kocka Hg., Bildungsbürgertum IV, 95–121; Sheehan, Deutscher Liberalismus, 213–332; Ritter, Parteien; ders. u. Niehuss. Vgl. die wichtigste Lit. vorn: 5. Teil, IV.5, Anm. 39; 6. Teil, IV A 1d, Anm. 6, sowie hier: J. J. Sheehan, Deutscher Liberalismus im postliberalen Zeitalter 1890–1914, in: GG 4.1978, 29–48; G. Schmidt, Liberalismus u. soziale Reform. Der deutsche u. brit. Fall 1890–1914, in: TAJB 16.1987, 212–38; J. Retallack, Liberals, Conservatives, and the Modernizing State: the Kaiserreich in Regional Perspective, in: Eley Hg., Society; G. Eley, Notable Politics, the Crisis of German Liberalism, and the Electoral Transition of the 1890s, in: Jarausch u. Jones Hg., 187–216; G. Hübinger, Liberalismus u. Individualismus im deutschen Bürgertum, in: Zeitschrift für Politik 40.1993, 60–73; ders., «Machtstaat, Rechtsstaat, Kulturstaat». Liberale Verfassungspolitik im Deutschen Kaiserreich, in: H. Mommsen u. J. Koalka Hg., Ungleiche Nachbarn, Essen 1993, 49–63; ders., Hochindustrialisierung u. die Kulturwerte des deutschen Liberalismus, in: Langewiesche Hg., Liberalismus im 19. Jh., 193–208; ders., Kulturprotestantismus, Bürgerkirche u. liberaler Revisionismus im wilhelmin. Deutschland, in: Schieder Hg., Religion, 272–99. – Rechtsliberale: A. S. O'Donnell, National Liberalism and Mass Politics of the German Right 1890–1907, Diss. Princeton Univ. 1973; G. F. Mundle, The German National Liberal Party 1900–14, Diss. Univ. of Illinois, Urbana 1975; R. Köhne, Nationalliberale u. Koalitionsrecht. Struktur u. Verhalten der Nationalliberalen Reichstagsfraktion 1890–1914, Frankfurt 1977; K.-P. Reiss Hg., Von Bassermann zu Bebel. Die Sitzungen des nationalliberalen Zentralvorstandes 1912–17, Düsseldorf 1968; K. Holl u. G. List Hg., Liberalismus u. Imperialismus 1890–1914, Göttingen 1975; W. Link, Der Nationalverein für das liberale Deutschland 1907–18, in: PVS 9.1964, 422–44; H. Schwab, Nationalverein für das liberale Deutschland 1907–18, in: LP 3, 530–32. – D. Warren, The Red Kingdom of Saxony: Lobbying Grounds for G. Stresemann 1901–09, Den Haag 1964; K. Koszyk, G.

Stresemann, Köln 1989; v.a. jetzt K.-H. Pohl, Stresemann u. die Nationalliberale Partei, in: Jb. zur Liberalismus-Forschung 4.1992, 197–216; ders., Ein zweiter polit. Emanzipationsprozeß des liberalen Unternehmertums? Zur Sozialstruktur u. Politik der Liberalen in Sachsen zu Beginn des 20. Jh., in: Tenfelde u. Wehler Hg., 231–48; ders., Nationalliberale in Sachsen; J. Thiel, Die Großblockpolitik der Nationalliberalen Partei Badens 1905–14, Stuttgart 1976; B. Heckart, From Bassermann to Bebel. The Grand Bloc's Quest for Reform in the Kaiserreich 1900–14, New Haven/Conn. 1974; C. H. E. Zangerl, Baden's Opening to the Left 1904–09, Diss. Univ. of Illinois, Urbana 1974. – Linksliberale: K. Wegner, Linksliberalismus im wilhelmin. Deutschland u. in der Weimarer Republik, in: GG 4.1978, 120–37; dies., T. Barth u. die Freisinnige Vereinigung 1893–1910, Tübingen 1968; U. Müller-Plantenberg, Der Freisinn nach Bismarcks Sturz, Diss. FU Berlin 1971; S. Robson, Left Liberalism in Germany 1900–19, Diss. Oxford 1966; dogmatisch, aber einziger Gesamtüberblick: L. Elm, Zwischen Fortschritt u. Reaktion. Geschichte der Parteien der liberalen Bourgeoisie in Deutschland 1893–1918, Berlin 1968; ders., Freisinn. Vereinigung 1893–1910, in: LP 2, 682–93; ders., Freisinn. Volkspartei 1893–1910, in: ebd., 694–707; ders., Fortschrittl. Volkspartei, in: ebd., 599–609; D. Stegmann, Linksliberale Bankiers, Kaufleute u. Industrielle 1890–1900, in: Tradition 21.1976, 4–64; J. C. Hunt, The People's Party in Württemberg and Southern Germany 1890–1914, Stuttgart 1975; K. Simon, Die württemberg. Demokraten 1890–1920, ebd. 1969; P. Gilg, Die Erneuerung des demokrat. Denkens im Wilhelmin. Deutschland, Wiesbaden 1966. – D. Düding, Der Nationalsoziale Verein 1896–1903, München 1972; D. Fricke, Nationalsozialer Verein 1896–1903, in: LP 3, 441–53; P. Theiner, Sozialer Liberalismus u. deutsche Weltpolitik. F. Naumann im wilhelmin. Deutschland, Baden-Baden 1983; T. Heuss, F. Naumann (1937), München 1968; G. Schnorr, Liberalismus zwischen 19. u. 20. Jh. F. Naumann u. L. T. Hobhouse, Baden-Baden 1991; H. Liebersohn, Religion and Industrial Society: The Protestant Social Congress in Wilhelmine Germany, Philadelphia 1986; K. E. Pollmann, Landesherrl. Kirchenregiment u. soziale Frage nach 1890, Berlin 1973; M. Zimmermann, A Road Not Taken – F. Naumann's Attempt at Modern German Nationalism, in: JCH 17.1982, 689–708; W. O. Shanahan, Liberalism and Foreign Affairs: Naumann and the Prewar German View, in: RoP 21.1959, 194–220; ders., F. Naumann. A Mirror of Wilhelmian Germany, in: ebd. 13.1951, 267–301; ders., F. Naumann: A German View of Power and Nationalism, in: Fs. C. Hayes, 381–97; W. Conze, F. Naumann. Grundlagen u. Ansatz seiner Politik 1895–1903, in: Fs. S. A. Kaehler, Düsseldorf 1950, 355–86; R. Nürnberger, Imperialismus, Sozialismus u. Christentum bei F. Naumann, in: HZ 170.1950, 525–48. Vgl. die Parteiengenealogie in Langewiesche, Liberalismus, 302; Nipperdey, Organisation, 219; B. Greven-Aschoff, Die bürgerl. Frauenbewegung in Deutschland 1894–1933, Göttingen 1981, 125–47; S. Mielke, Der Hansa-Bund für Gewerbe, Handel u. Industrie 1909–14, ebd. 1976; G. Hohberg, Hansa-Bund 1908–34, in: LP 3, 91–108; H. P. Ullmann, Der Bund der Industriellen, Göttingen 1976.

[27] G. v. Hertling, Reden, Ansprachen, Vorträge, Hg. A. Dyroff, Köln 1929, 9f. Vgl. die Lit vorn: 5. Teil, IV. 5, Anm. 36; 6. Teil, IV A 2a, Anm. 10. Allg. Ritter, Parteien; ders. u. Niehuss. Grundlegend ist W. Loth, Katholiken im Kaiserreich. Der polit. Katholizismus in der Krise des wilhelmin. Deutschland, Düsseldorf 1984 (eins der aufschlußreichsten Bücher zur inneren Geschichte des wilhelminischen Reichs, macht ganze Berge von Glorifizierungsliteratur zu Makulatur); ders., Soziale Bewegungen (Zit. ebd. u. Buch, 35); ders., Das Zentrum u. die Verfassungskrise des Kaiserreichs, in: GWU 38.1987, 204–21; ders., Zwischen autoritärer u. demokrat. Ordnung: Das Zentrum in der Krise des Wilhelmin. Reiches, in: Becker Hg., 47–69; konventionell: R. Morsey, Der polit. Katholizismus 1890–1933, in: Rauscher Hg., Katholizismus I, 110–64; M. L. Anderson, Windthorsts Erben. Konfessionalität u. Interkonfessionalität im polit. Katholizismus 1890–1918, in: W. Becker u. R. Morsey Hg., Christl. Demokratie in Europa, Köln 1988, 69–90; U. Schmidt, Kathol. Arbeiterbewegung zwischen Integralismus u. Interkonfessionalismus, in: R. Ebbinghausen u. F. Tiemann Hg., Das Ende der Arbeiterbewegung in Deutschland?

Opladen 1984, 216–39; D. W. Hendon, The Center Party and the Agrarian Interest in Germany 1890–1914, Diss. Emory Univ. Atlanta 1976; R. R. Mendershausen, German Political Catholicism 1912–19, Diss. Univ. of California La Jolla 1973; U. Mittmann, Fraktion u. Partei. Ein Vergleich von Zentrum u. Sozialdemokratie im Kaiserreich, Düsseldorf 1976; H. Gottwald, Zentrum u. Imperialismus, Diss. B Jena 1966. – A. Knapp, Das Zentrum in Bayern 1893–1912, Diss. München 1973; H. M. Körner, Staat u. Kirche in Bayern 1886–1918, Mainz 1977; R. Keßler, H. Held als Parlamentarier, Berlin 1971; C. H. E. Zangerl, Courting the Catholic Vote: The Center Party in Baden 1903–13, in: CEH 10.1977, 220–40; J. K. Zeender, German Catholics and the Concept of an Interconfessional Party 1900–22, in: JCEA 23.1964, 424–39. – R. Kiefer, K. Bachem 1858–1945, Mainz 1989; W. Becker, G. v. Hertling 1843–1919 I, ebd. 1981; U. v. Hehl, W. Marx 1863–1946, ebd. 1987; O. Wachtling, J. Joos 1878–1933, ebd. 1974; A. Leugers-Scherzberg, F. Porsch 1853–1930, ebd. 1990. – H. Heitzer, Der Volksverein für das kathol. Deutschland im Kaiserreich 1890–1918, ebd. 1978; H. Gottwald, dass. 1891–1933, in: LP 4, 436–66; K. Brüls, Geschichte des Volksvereins für das kathol. Deutschland I: 1890–1914, Münster 1960; E. Ritter, Die kathol.-soziale Bewegung Deutschlands im 19. Jh. u. der Volksverein, Köln 1954; Hürten, 215–77.

[28] Meinecke, Polit. Schriften, 87. Vgl. die Lit. vorn: 5. Teil, IV.5, Anm. 36; 6. Teil, IV. A 2d, Anm. 13; allg. Ritter, Parteien; ders. u. Niehuss. Hier v. a.: G. Eley, Reshaping the German Right. Radical Nationalism and Political Change After Bismarck, New Haven/Conn. 1980, Ann Arbor 1991²; ders., The Wilhelmine Right: How It Changed, in: ders., Unification, 231–53; ders., Reshaping the Right, in: HJ 21.1978, 327–54, sowie seine bereits zit. Studien; zu unkritisch darüber urteilend: W. Mock, Manipulation oder Selbstorganisation an der Basis? in: HZ 232.1981, 358–75; vgl. H.-J. Puhle, Radikalisierung u. Wandel des deutschen Konservatismus vor 1914, in: Ritter Hg., Parteien vor 1918, 165–86; P. Kennedy, The Pre-War Right in Britain and Germany, in: ders. u. A. Nicholls Hg., 1–20; D. Stegmann, Between Economic Interests and Radical Nationalism. Attempts to Found a New Right-Wing Party in Imperial Germany 1887–94, in: Jones u. Retallack Hg., 157–85; ders., Vom Neokonservativismus zum Proto-Faschismus. Konservative Parteien, Vereine u. Verbände 1893–1920, in: 3. Fs. Fischer, 199–230; ders., Zwischen Repression u. Manipulation: Konservative Machteliten u. Arbeiter- u. Angestelltenbewegung 1910–18, in: AfS 12.1972, 351–432; ders., Hugenberg contra Stresemann. Zur sozialökonom. Auseinandersetzung zwischen den Industrieverbänden 1910–19, in: VfZ 24.1976, 329–78; J. A. Leopold, A. Hugenberg, New Haven/Conn. 1977; C. R. Bacheller, Class and Conservatism: The Changing Social Structure of the German Right 1900–28, Diss. Univ. of Wisconsin, Madison 1976; O. E. Schüddekopf, Die deutsche Innenpolitik im letzten Jh. u. der konservative Gedanke 1907–18, Braunschweig 1951; D. Mende, Kulturkonservativismus, in: H. Thierbach Hg., A. Grabowsky. Leben u. Werk, Köln 1963, 87–129; K. Weißmann, Schwarze Fahnen, Runenzeichen. Die Entwicklung der Symbolik der deutschen Rechten 1890–1945, Düsseldorf 1991. Die Binnenperspektive: K. v. Westarp, Konservative Politik im letzten Jahrzehnt des Kaiserreichs, Berlin 1935; H. v. Dewitz, Von Bismarck zu Bethmann, ebd. 1918; Oldenburg-Januschau. – BdL: Puhles unübertroffene Monographie; ders., Parlament, 346–63; vgl. zuletzt: G. Eley, Anti-Semitism, Agrarian Mobilization, and the Conservative Party: Radicalism and Containment in the Founding of the Agrarian League 1890–93, in: Jones u. Retallack Hg., 187–228; G. Vascik, Agrarian Conservatism in Wilhelmine Germany. D. Hahn and the Agrarian League, in: ebd., 229–60; H. K. Rosenthal, Nation or Class: The «Bund der Landwirte» and the Poles, in: Australian Journal of Politics and History 19.1973, 200–24. – H. Gottwald, Preußenbund 1913–14, in: LP 3, 594–98.

[29] A. Bebel, Sozialdemokratie u. Antisemitismus, Berlin 1906², 31; Adler Hg., 355 (Bebel an V. Adler, 8. 7. 1901); P. Gay, Freud, Jews and Other Germans, N. Y. 1978, 166, vgl. 95, dt. Freud, Juden u. andere Deutsche, Hamburg 1985; vgl. ders., Begegnung mit der Moderne. Deutsche Juden in der deutschen Kultur, in: Mosse u. Paucker Hg., Juden

1890–1914, 241–311; A. G. Whiteside, The Socialism of the Fools. G. R. v. Schönerer, Berkeley 1975, dt. G. R. v. Schönerer. Alldeutschland u. sein Prophet, Graz 1981. Die Lit. zum Antisemitismus findet sich vorn: IV. A 2e, Anm. 14; hier v. a. die nüchterne Kritik von Levy, 225–65; dazu ergänzend noch: J. Reinharz, Fatherland or Promised Land. The Dilemma of the German Jews 1893–1914, Ann Arbor 1975; S. Volkov, Die Verbürgerlichung der Juden in Deutschland, in: Kocka Hg., Bürgertum II, 343–71, u. in: dies., Jüd. Leben, 111–30; dies., Selbstgefälligkeit u. Selbsthaß. Die deutschen Juden zu Beginn des 20. Jh., in: ebd., 181–96; P. Loewenberg, Antisemitismus u. jüd. Selbsthaß, in: GG 5.1979, 455–75; H. D. Hellige, Generationskonflikt, Selbsthaß u. die Entstehung antikapitalist. Positionen im Judentum, in: ebd., 476–518; R. Weltsch, Die schleichende Krise der jüd. Identität, in: Mosse u. Paucker Hg., 689–702; J. Toury, Zur Problematik der jüd. Führungsschichten im deutschsprach. Raum 1880–1933, in: TAJB 16.1987, 251–81; M. Lamberti, Jewish Activism in Imperial Germany, New Haven/Conn. 1978; S. Lowenstein, The Rural Community and the Urbanization of Rural Jewry, in: CEH 13.1980, 218–36; E. Schwarz, Das Bild der Juden in deutschen u. französ. Romanen des ausgeh. 19. Jh., in: Kocka Hg., Bürgertum II, 421–50.

[30] Huber IV, 506, 500; Broszat, Polenpolitik, 96–154; allg. und zur Kontinuität bis Hitler: Wehler, Krisenherde, 192–99; 485 f., Anm. 9–12. Vgl. die Lit. vorn: 5. Teil, IV. 2b, Anm. 9–13; 6. Teil, IV A 4, Anm. 16. Hier v. a. noch: K. Schilling, Beiträge zu einer Geschichte des radikalen Nationalismus 1890–1909, Diss. Köln 1968; H. W. Smith, Nationalism and Religious Conflict in Imperial Germany 1871–1914, Diss. Yale Univ. 1991; B. Balzer, Die preuß. Polenpolitik 1894–1908, Frankfurt 1990; H. K. Rosenthal, Germans and Poles in 1890. Possibilities for a New Course, in: East European Quarterly 5.1971, 302–12; ders., The Problem of Caprivi's Policy, in: ESR 2.1972, 255–64; J. Kulczycki, School Strikes in Prussian Poland 1901–07, N. Y. 1981; R. Korth, Die preuß. Schulpolitik u. die poln. Schulstreiks, Würzburg 1963; allg. H. Schallenberger, Untersuchungen zum Geschichtsbild der Wilhelmin. Ära u. der Weimarer Republik, Ratingen 1964; D. Hoffmann, Polit. Bildung 1890–1933, Hannover 1971; W. Siemann, Krieg u. Frieden in histor. Gedenkfeiern 1913, in: Düding u. a. Hg., 298–320. – Zu den nationalistischen Verbänden: H.-U. Wehler, Zur Funktion u. Struktur der nationalen Kampfverbände im Kaiserreich, in: ders., Histor. Sozialwissenschaft, 151–60; G. Eley, Some Thoughts on the Nationalist Pressure Groups in Imperial Germany, in: Kennedy u. Nicholls Hg., 40–67; D. Stegmann, Konservativismus u. nationale Verbände im Kaiserreich, in: GG 10.1985, 409–20; H. Pogge-v. Strandmann, Nationale Verbände zwischen Welt- u. Kontinentalpolitik, in: Schottelius u. Deist Hg., 296–317. – Kolonialverbände: die Lit. in: Wehler, Bismarck u. der Imperialismus, einschließl. Ergänzungsbibliographie 1984⁴; vgl. E. Bendikat, Organis. Kolonialbewegung in der Bismarck-Ära, Heidelberg 1984, H. Gottwald, Deutscher Kolonialverein 1882–87, in: LP 2, 159–61; ders., Centralverein für Handelsgeographie u. Förderung deutscher Interessen im Ausland 1878–1925, in: ebd. 1, 427–30; D. Fricke, Westdeutscher Verein für Kolonisation u. Export 1881–1887/88, in: ebd. 4, 491 f.; H. Gottwald, Gesellschaft für deutsche Kolonisation 1884–87, in: ebd. 3, 34 f.; E. Hartwig, Deutsche Kolonialgesellschaft 1887–1936, in: ebd. 1, 724–49. – Alldeutsche: R. Chickering, We Men Who Feel Most German. A Cultural Study of the Pan-German League 1886–1914, London 1984 (die mit Abstand beste aller Studien über diese Verbände); ders., Patriot. Vereine im europ. Vergleich, in: Klein u. Aretin Hg., 151–61; ders., Nationalismus im Wilhelmin. Reich. Der Allg. Deutsche Sprachverein, in: Dann Hg., Deutsche Nation, 60–70; ders., Patriotic Societies and German Foreign Policy 1890–1914, in: International History Review 1.1979, 470; ders., Language and the Social Foundations of Radical Nationalism in the Wilhelmine Era, in: Pape Hg., 61–78; vgl. noch: C. v. Sèggern, The Alldeutscher Verband and the German Nationalstaat, Diss. Univ. of Minnesota 1974; M. Peters, Der Alldeutsche Verband 1908–14, Frankfurt 1992; G. Schödl, Alldeutscher Verband u. deutsche Minderheitenpolitik in Ungarn 1890–1914, ebd. 1978; E. Hartwig, Alldeutscher Verband, in: LP 1, 13–47; ders., Zur Politik u. Entwicklung des

Alldeutschen Verbandes 1891–1914, Diss. Jena 1966; A. Kruck, Geschichte des Alldeutschen Verbandes 1890–1939, Wiesbaden 1954; M. S. Wertheimer, The Pan-German League 1890–1914, N. Y. 1924; E. Djomo, «Des Deutschen Feld, das ist die Welt». Pangermanismus in der Literatur des Kaiserreichs, St. Ingbert 1992; vgl. NDB 3.1971², 263 (Claß) u. 8, 39f. (Hasse). D. Frymann (i. e. H. Claß), Wenn ich der Kaiser wär, Leipzig 1912. – Ostmarkenverein: A. Galos u. a., Die Hakatisten. Der Deutsche Ostmarkenverein 1894–1934, Berlin 1966; E. Hartwig, Deutscher Ostmarkenverein 1894–1934, in: LP 2, 225–44; R. W. Tims, Germanizing Prussian Poland. The H. K. T. Society and the Struggle for the Eastern Marches in the German Empire 1894–1919 (1941), ND N. Y. 1966. – Flottenverein: D. Fricke u. E. Hartwig, Deutscher Flottenverein 1898–1934, in: LP 2, 67–89; M. Epkenhans, Zwischen Patriotismus u. Geschäftsinteresse. F. A. Krupp u. die Anfänge des deutschen Schlachtflottenbaus 1897–1902, in: GG 15.1989, 196–226; ders., Großindustrie u. Schlachtflottenbau 1897–1914, in: MM 43.1988, 65–140; R. Owen, Military-Industrial Relations: Krupp and the Imperial Navy Office, in: Evans Hg., Society, 71–89; W. Deist, Flottenpolitik u. Flottenpropaganda. Das Nachrichtenbureau des Reichsmarineamtes 1897–1914, Stuttgart 1976; ders., Reichsmarineamt u. Flottenverein 1903–06, in: Schottelius u. ders. Hg., 115–45; E. Kehr, Soziale u. finanzielle Grundlagen der Tirpitzschen Flottenpropaganda, in: ders., Primat, 130–48; vgl. W. Marienfeld, Wissenschaft u. Schlachtflottenbau in Deutschland 1897–1906, Berlin 1957; J. Meyer, Die Propaganda der deutschen Flottenbewegung 1897–1900, Diss. Bern 1967; A. Kirchoff Hg., Deutsche Universitätslehrer über die Flottenvorlage, ebd. 1900. – Wehrverein: M. Coetzee, The German Army League. Popular Nationalism in Wilhelmine Germany, N. Y. 1990; R. Chickering, Der «Deutsche Wehrverein» u. die Reform der deutschen Armee 1912–14, in: MM 25.1979/I, 17–24; E. Hartwig, Deutscher Wehrverein, in: LP 2, 330–42; A. Keim, Erlebtes u. Erstrebtes, Hannover 1925. – D. Fricke, Reichsverband gegen die Sozialdemokratie 1904–18, in: LP 2, 63–77; ders., dass., in: ZfG 7.1959, 237–80; E. v. Liebert, Aus einem bewegten Leben, München 1925. – Kriegervereine: vgl. vorn IV A 1e, Anm. 8; hier: Rohkrämer, 34–36; Suval, 145–48. Zum Vergleich: A. Bauerkämper, Die «radikale Rechte» in Großbritannien. Nationalist., antisemit. u. faschist. Bewegungen bis 1945, Göttingen 1991; Kennedy u. Nicholls Hg.; Wehler, Amerikan. Imperialismus.

[31] C. Darwin, The Descent of Man I, N. Y. 1871, 154, 172, 173; F. Darwin Hg., C. Darwin, Life and Letters I, London 1887, 316. Malthus: C. Darwin, Autobiography 1809–83, Hg. N. Barlow, London 1958, 120 (1838); ders., On the Origin of Species, ebd. 1859; ders. u. A. R. Wallace, Revolution by Natural Selection, Cambridge 1958, 116f. (1844); F. Darwin Hg., More Letters of C. Darwin I, London 1903, 118f. (1859); C. Darwin, The Variation of Animals and Plants I, ebd. 1868, 10; dieselbe Anregung durch Malthus auch bei Darwins Rivalen A. R. Wallace: My Life I, ebd. 1905, 232, 361–63. – MEW 30, 249 (Marx an Engels, 18. 6. 1862; vgl. 29, 524: 11./12. 2. 1859; 29, 578: 16. 1. 1861); 30, 131 (19. 12. 1860), 31, 466; Engels, Dialektik der Natur (1874), in: MEW 20, 565; vgl. Engels an Lawrow, 12./17. 11. 1875, in: ebd. 34, 270; Engels, Anti-Dühring (1876/78), in: ebd. 20, 255. Vgl. hierzu Groh, Marx, Darwin; E. Lucas, Marx' u. Engels' Auseinandersetzung mit Darwin, in: IRSH 9.1964, 433–69. – F. Nietzsche, Ges. Werke (Musarion-Ausgabe), 21 Bde, München 1928, s. Register sub Darwin; O. Spengler, Der Untergang des Abendlandes I, München 1920 (1993¹⁶), 517f., 520f.; Plessner, Zur Soziologie, 140. – A. Tille, Von Darwin bis Napoleon, Leipzig 1895, 107; O. Ammon, Die natürliche Auslese beim Menschen, Jena 1893, 281; E. Haeckel, Freie Wissenschaft u. freie Lehre, in: ders., Werke V, Leipzig 1924, 214; vgl. H. Gottwald, Deutscher Monistenbund 1906–33, in: LP 2, 190–96; MEW 19.1962, 323 (1883); K. Kautsky, Erinnerungen, Hg. B. Kautsky, Den Haag 1960, 214; vgl. Steinberg, Sozialismus u. Sozialdemokratie. – Vgl. hierzu: S. Tax u. L. S. Krucoff, Social Darwinism, in: IESS 14.1968, 402–06; H. G. Zmarzlik, Sozialdarwinismus, in: SDG 5.1972, 905–10; ders., Sozialdarwinismus als geschichtl. Problem; ders., Der Sozialdarwinismus in Deutschland, in: G. Altner Hg., Kreatur Mensch, München 1969, 147–56; Schmuhl, Rassenhygiene, 11–105; H.-U. Wehler, Sozialdarwinismus im expandie-

renden Industriestaat, in: ders., Krisenherde 1979², 281–89 (beide mit der Lit.); P. E. Becker, Sozialdarwinismus, Rassismus, Antisemitismus u. völk. Gedanke, Stuttgart 1990; H.-G. Marten, Sozialbiologismus. Biolog. Grundpositionen der polit. Ideengeschichte, Frankfurt 1983; H. Conrad-Martius, Utopien der Menschenzüchtung. Der Sozialdarwinismus u. seine Folgen, München 1955; G. Himmelfarb, Darwin and the Darwinian Revolution, N.Y. 1959. Zur Wirkung in Deutschland noch: Kelly; Montgomery; Gregory; Weingart u.a.; Gasman; F. Bolle, Darwinismus u. Zeitgeist, in: H. J. Schoeps Hg., Zeitgeist im Wandel I, Stuttgart 1967, 235–81; P. Weindling, Health, Race, and German Politics Between National Unification and Nazism, Cambridge 1989; ganz unbefriedigend: Koch, Sozialdarwinismus; J. Barzun, Darwin, Marx, Wagner, N.Y. 1958.

[32] Rothfels, Lohmann, 125–29; vgl. v.a. Ritters Studien; noch immer die ausführliche Darstellung in: Herkner, Arbeiterfrage II. Vgl. die Lit. vorn: IV A 2c, Anm. 12. Hier v.a. K. E. Born, Staat u. Sozialpolitik seit Bismarcks Sturz 1890–1914, Wiesbaden 1957, insbes. 90–105, 178–246; ders., A. v. Posadowsky-Wehner, in: Männer der deutschen Verwaltung, 211–28; M. Schmidt, dass. 1893–1907, Diss. Halle 1935; L. v. Wiese, Posadowsky als Sozialpolitiker, Köln 1909; W. Real, Die Sozialpolitik des Neuen Kurses, in: Fs. Herzfeld, 441–57; H. J. v. Berlepsch, «Neuer Kurs» im Kaiserreich? Die Arbeiterpolitik des Frh. v. Berlepsch 1890–96, Bonn 1987; O. Neuloh, H. v. Berlepsch, in: Männer der deutschen Verwaltung, 195–210; W. Trappe, H. v. Berlepsch als Sozialpolitiker, Diss. Köln 1934; K. Saul, Staat, Industrie u. Arbeiterbewegung. Zur Innen- u. Sozialpolitik des Wilhelmin. Deutschland 1903–14, Düsseldorf 1974; M. Geyer. Die Reichsknappschaft. Versicherungsreform u. Sozialpolitik im Bergbau 1900–45, München 1987; W. Dreher, Die Entstehung der Arbeiterwitwenversicherung in Deutschland, Berlin 1978; I. Kickbusch u. B. Riedmüller Hg., Die armen Frauen. Frauen u. Sozialpolitik, Frankfurt 1984; D. J. K. Peukert, Grenzen der Sozialdisziplinierung. Aufstieg u. Krise der deutschen Jugendfürsorge 1878–1932, Köln 1986.

[33] Frevert, Frauen-Geschichte, 80–145; vgl. dies., «Wo Du hingehst...»? Aufbrüche im Verhältnis der Geschlechter, in: Nitschke u.a. Hg., Jahrhundertwende II, 89–118; U. Gerhard u. U. Wischermann, Unerhört. Die Geschichte der deutschen Frauenbewegung, ebd. 1990, 100–292; dies., Verhältnisse u. Verhinderungen. Frauenarbeit, Familie u. Recht der Frauen im 19. Jh., Frankfurt 1978; dies., Die Rechtsstellung der Frau in der bürgerl. Gesellschaft des 19. Jh., in Kocka Hg., Bürgertum I, 439–68; Twellmann; Conze, in: HWS II, 633–36; H. Bradter, Allg. Deutscher Frauenverein, in: LP 1, 48–53; dies., Bund Deutscher Frauenvereine 1894–1933, in: ebd., 289–301; A. Hackett, Feminism and Liberalism in Wilhelmine Germany 1890–1918, in: B. A. Carroll Hg., Liberating Women's History, Urbana/Ill. 1976, 127–36; vgl. dies., The Politics of Feminism in Wilhelmine Germany 1890–1918, N.Y. 1979. – Vgl. BSg Nr. 14, 126–46; U. Frevert u.a., Historical Research on Women in the Federal Republic of Germany, in: K. Offen u.a. Hg., Writing Women's History, Bloomington 1991, 291–331; U. Daniel, Bibliographie zur Sozialgeschichte von Frauen 1800–1914, in: E. Walter Hg., «Schrieb oft, von Mägde Arbeit müde», Düsseldorf 1985, 247–78; R.-E. B. Joeres u. M. J. Maynes Hg., German Women in the 18th and 19th Centuries, Bloomington 1986; E. Frederiksen Hg., Die Frauenfrage in Deutschland 1865–1915, Stuttgart 1981; J. C. Fout Hg., German Women in the 19th Century, N.Y. 1984; H. Sveistrup u. A. v. Zahn-Harnack, Die Frauenfrage in Deutschland 1790–1930, Tübingen 1934/ND 1961; R. J. Evans, The Feminist Movement in Germany 1894–1933, London 1976; ders., Feminism and Female Emancipation in Germany 1870–1945, in: CEH 9.1976, 323–51; ders., Liberalism and Society: The Feminist Movement and Social Change, in: ders., Rethinking, 221–47; ders., The Feminists. Women's Emancipation Movements in Europe, America, and Australia 1840–1920, London 1977; ders., Comrades and Sisters. Feminism, Socialism, and Pacifism in Europe 1870–1945, Brighton 1987; H. Lion, Zur Soziologie der Frauenbewegung, Berlin 1986; Greven-Aschoff, Bürgerl. Frauenbewegung; H.-U. Bussemer, Frauenemanzipation u. Bildungsbürgertum. Sozialgeschichte der Frauenbewegung in der Reichsgründungszeit, Weinheim 1985; A. Hackett, The German Women's

Movement and Suffrage 1890–1914, in: Bezucha Hg., 354–86; C. Sachße, Mütterlichkeit als Beruf. Sozialarbeit, Sozialreform u. Frauenbewegung 1871–1929, Frankfurt 1986; A. T. Allen, Feminism and Motherhood in Germany 1800–1914, New Brunswick 1991; I. Stoehr, «Organis. Mütterlichkeit». Zur Politik der deutschen Frauenbewegung um 1900, in: K. Hausen Hg., Frauen suchen ihre Geschichte, München 1983, 221–49; K. Hausen, Große Wäsche. Techn. Fortschritt u. sozialer Wandel in Deutschland vom 18. bis ins 20. Jh., in: GG 13.1987, 237–303; B. Kerchner, Beruf u. Geschlecht. Frauenberufsverbände in Deutschland 1848–1908, Göttingen 1992. – R. Chickering, Casting Their Gaze More Broadly: Women's Patriotic Activism in Imperial Germany, in: PP 118.1988, 156–85. – U. Baumann, Protestantismus u. Frauenemanzipation in Deutschland 1850–70, Frankfurt 1992; D. Kaufmann, Frauen zwischen Aufbruch u. Reaktion. Protestant. Frauenbewegung 1850–1900, München 1988. – L. Scherzberg, Die kathol. Frauenbewegung im Kaiserreich, in: Loth Hg., Katholizismus, 143–63; A. Kall, Kathol. Frauenbewegung in Deutschland, Paderborn 1983 (nur bis 1903!). – M. A. Kaplan, Die jüd. Frauenbewegung in Deutschland 1904–38, Hamburg 1981. – W. Albrecht u. a., Frauenfrage u. deutsche Sozialdemokratie vom Ende des 19. Jh. bis zum Beginn der 20er Jahre, in: AfS 19.1979, 459–510; Evans, Sozialdemokratie u. Frauenemanzipation; Quataert; A. G. Meyer, The Feminism and Socialism of L. Braun, Bloomington 1985; W. Thönnessen, Frauenemanzipation. Politik u. Literatur der deutschen Sozialdemokratie zur Frauenfrage 1863–1933, Frankfurt 1976²; die Lit. vorn III. 3, Anm. 14. – A. Bebel, Die Frau u. der Sozialismus, Stuttgart 1879/1909⁵⁰, ND Frankfurt 1990⁶⁶. – Vgl. noch U. Wischermann, Frauenfrage u. Presse. Frauenarbeit u. Frauenbewegung in der illustrierten Presse des 19. Jh., München 1983; A. Weismann, Froh erfülle Deine Pflicht. Die Errichtung des Hausfrauenleitbildes im Spiegel trivialer Massenmedien 1871–1929, Berlin 1989. – MEW 8, 115; 23, 15.

[34] Vgl. den allgemeinen Überblick in: Nipperdey, Jugend u. Politik, 338–95; Linton, Youth, und K. Saul, Der Kampf um die Jugend zwischen Volksschule u. Kaserne 1890–1914, in: MM 9.1971/I, 97–142; vgl. C. Schubert-Weller, Vormilitär. Jugenderziehung, in: HB IV, 503–15; H. Stübing, Der Einfluß des Militärs auf Schule u. Lehrerschaft, in: ebd., 515–27. – W. Kindt Hg., Die Wandervogelzeit 1896–1919, Düsseldorf 1968 (= Dokumentation der Jugendbewegung II, darin: W. Flitner, Ideengeschichtl. Einleitung, 10–17; I.1963, darin: T. Wilhelm, Einleitung, 7–29, beide mit mühseliger, begriffsarmer Verteidigung); J. H. Knoll u. H. J. Schoeps Hg., Typisch deutsch: Die Jugendbewegung, Opladen 1988; W. Mogge, Wandervogel, Freideutsche Jugend u. Bünde, in: T. Koebner u. a. Hg., «Mit uns zieht die neue Zeit», Frankfurt 1985, 174–97; J. Reulecke, Männerbund versus Familie. Bürgerl. Jugendbewegung u. Familie in Deutschland 1900–33, in: ebd., 199–223; Bohnenkamp, Jugendbewegung, 23–38; H.-J. Lieber, Kulturkritik der Jahrhundertwende, in: ebd., 9–29; O. Neuloh u. W. Zielius, Die Wandervögel, Göttingen 1982; Laqueur, Jugendbewegung; J. Müller, dass.; Stachura, Youth Movement; H. Giesecke, Vom Wandervogel bis zur Hitlerjugend, München 1981; U. Aufmuth, Die deutsche Wandervogelbewegung unter soziolog. Aspekt, Göttingen 1979; R. Kneip, Wandervogel 1909–43, Frankfurt 1967; H. Pross, Jugend, Eros, Politik. Die Geschichte der deutschen Jugendverbände, Bern 1964; K. O. Paetel, Jugendbewegung u. Politik, Bad Godesberg 1961/Jugend in der Entscheidung, 1963²; F. Raabe, Die bünd. Jugend, Stuttgart 1961; G. Ziemer u. H. Wolf, Wandervogel u. Freideutsche Jugend, Bad Godesberg 1961², 7–28 (27: Breuer); H. Becker, Vom Barette schwankt die Feder. Geschichte der deutschen Jugendbewegung, Wiesbaden 1949; W. Jantzen, Die soziolog. Herkunft der Führungsschichten der deutschen Jugendbewegung 1900–33, in: Führungsschicht u. Eliteproblem, 127–35; H. Mau, Die deutsche Jugendbewegung, in: Zeitschrift für Religions- u. Geistesgeschichte 1.1948, 135–49; S. Bias-Engels, Zwischen Wandervogel u. Wissenschaft 1896–1920, Köln 1988; verständnislos: U. Rößling u. R. Sturz, Wandervogel. Bund für Deutsches Jugendwandern 1913–22, in: LP 4, 467–74; allg. G. Völger u. K. v. Welck Hg., Männerbande, Männerbünde, Köln 1990; E. Heinemann, Gender Identity in the Wandervogel Movement, in: GSR 12.1989, 249–70. – Der Einfluß des «Wandervogels» auf die Reformpädagogik

wird oft überschätzt. Zum Teil gab es sie schon vorher (Berthold Otto, Hugo Gaudig, Georg Kerschensteiner) und hat sie die Jugendbewegung gefördert; zum Teil entwickelte sie sich parallel zu ihr (z. B. in den Landerziehungsheimen und Freien Schulgemeinden von Gustav Wyneken, Hermann Lietz, Paul Geheeb) und versuchte, ihre Art von Jugendbildung mit der neuen Jugendkultur zu verschmelzen. Für diesen Anlauf kann Wynekens Erfolg und Scheitern als Beispiel gelten. Aus der «Bündischen» Jugend gingen aber auch relativ viele Männer und Frauen in Lehrberufe an die Schulen und Universitäten, wo sie sich bemühten, ihre Vorstellungen von freier Selbstentfaltung zu verwirklichen. Vgl. U. Herrmann, Pädagog. Denken u. Anfänge der Reformpädagogik, in: HB IV, 147–78; H. Röhrs, Die Reformpädagogik, Hannover 1986.

[35] Allg. K. Holl, Pazifismus in Deutschland, Frankfurt 1988, 32–102; ders., Die deutsche Friedensbewegung im Wilhelmin. Reich, in: Huber u. Schwerdtfeger Hg., 321–72; vorzüglich: R. Chickering, Imperial Germany and a World Without War: The Peace Movement and German Society 1892–1914, Princeton 1975; ders., A Voice of Moderation in Imperial Germany: Der Verband für internationale Verständigung, in: JCH 8.1973, 147–64; D. Fricke, Verband für internat. Verständigung, in: LP 4, 270–73; D. Riesenberger, Geschichte der Friedensbewegung in Deutschland bis 1933, Göttingen 1985; D. Stiewe, Die bürgerl. deutsche Friedensbewegung bis 1918, Diss. Freiburg 1972; F. K. Scheer, Die deutsche Friedensgesellschaft 1892–1933, Frankfurt 1981; D. Fricke u. W. Fritsch, dass., in: LP 1, 667–99; J. Dülffer, Regeln gegen den Krieg. Die Haager Friedenskonferenzen in der internationalen Politik, Frankfurt 1981; P. K. Keiner, Bürgerl. Pazifismus u. «neues» Völkerrecht: H. Wehberg 1885–1962, Diss. Freiburg 1976; K. Holl, H. Wehberg, in: H. Donat u. ders. Hg., Die Friedensbewegung, Düsseldorf 1985, 414–16; K. F. Taube, L. Quidde, Kallmünz 1963; K. Holl, dass., in: C. Rajewski u. D. Riesenberger, Wider den Krieg. Große Pazifisten, München 1987, 133–38; R. Rürup, dass., in: Wehler Hg., Deutsche Historiker III, 124–47; H.-U. Wehler, dass., in: ders., Histor. Sozialwissenschaft, 277–85; B. Hipler Hg., F. W. Foerster: Manifest für den Frieden 1893–1933, Paderborn 1988; L. Maenner, Prinz H. zu Schoenaich-Carolath, Berlin 1931; B. Hamann, B. v. Suttner, München 1986. Vgl. allg. K. Holl, Pazifismus, in: GGr. 4.1978, 767–87; M. Q. Sibley, Pacifism, in: IESS 2.1968, 353–57; N. Angell, dass., in: ESS 2.1933, 527f.; W. Wette, Kriegstheorien deutscher Sozialisten, Stuttgart 1971; Gollwitzer, Weltpolit. Denken I, 433–36; Evans, Feminist Movement, 180–85.

[36] S. Förster, Der doppelte Militarismus. Die deutsche Heeresrüstungspolitik zwischen Status-Quo-Sicherung u. Aggression 1890–1913, Wiesbaden 1985, 27, 29, 35, 37, 40, 63, 65, 71, 74, 98, 107f., 129, 132–42, 190–93, 199, 207f., 216, 225–46, 248f., 256, 267, 271–74 (die beste Monographie). Vgl. G. Granier, Deutsche Rüstungspolitik vor 1914. Gen. F. Wandels Tagebuchaufzeichnungen aus dem preuß. Kriegsministerium, in: MM 38.1985/II, 123–62. – Zitate und Belege zur Homogenitätspolitik im Adelskapitel vorn III.4. – A. v. Schlieffen, Der Krieg der Gegenwart, in: ders., G. Sch. I, Berlin 1912, 11–22; T. v. Bethmann Hollweg, Betrachtungen zum Weltkriege, II, Berlin 1919; I, ebd. 1921, 167, vgl. 156f. (ND Hg. J. Dülffer, ebd. 1989); unübertroffen: G. Ritter, Der Schlieffenplan, München 1956, 27, 35, 44, 47, 68–72, 79, 81–83, 91–95, 102–38 (törichtes Dementi von Schlieffens Präventivkriegsabsichten); vgl. ders., Staatskunst II, 239–67, 255 (Schlieffen-Holstein), 1900; vgl. I, 288–95 (beide Bände durch Förster überholt); Craig, Armee, 201–28; Meinecke, Katastrophe, 367; S. R. Williamson, The Politics of Grand Strategy. Britain and France Prepare for War 1904–14, Cambridge 1969. – Moltke 1890: Stenograph. Berichte Deutscher Reichstag, Bd. 144, 76; Engels: MEW 21, 350f. (1887); H. Bley, Kolonialherrschaft u. Sozialstruktur in Deutsch-Südwestafrika 1894–1914, Hamburg 1968, 203f.; vgl. J. M. Bridgman, The Revolt of the Hereros, Berkeley 1981; H. Drechsler, Südwestafrika unter deutscher Kolonialherrschaft 1884–1914, Berlin 1966. – Waldersee, Denkwürdigkeiten II, 366–401; vgl. Hohenlohe-Schillingsfürst, dass. III, 248–50; H. Mohs Hg., A. Graf Waldersee in seinem militär. Wirken II, Berlin 1929, 382 (31. 12. 1895); Waldersee, Briefwechsel, 302f.; Förster, 93f.; Deist, Armee, 318–20, 326–29; Dreetz,

10–15; Klückmann, 7–50; Petter, 22–39; Kitchen, Officer Corps, 96–114, 148; Trumpener, 32–47; vgl. H. v. Reichasch, Unter drei Kaisern, Berlin 1925. – Frevert, Ehrenmänner, 89–132, 233–40; Wiedener, 159–200; Fontane, Briefe an Friedländer, 295 (22. 3. 1896), vgl. 305 (2. 11. 1896: «dieser ewige Reserveoffizier ... ist mir grenzenlos zuwider»). – Zabern: Die Belege aus der Lit. und die Nachweise für die Akten in: H.-U. Wehler, Der Fall Zabern von 1913/14 als Verfassungskrise des wilhelmin. Kaiserreichs, in: ders., Krisenherde, 1979², 70–80; D. Schoenbaum, Zabern 1913. Consensus Politics in Imperial Germany, London 1982; Huber IV, 581–603, Zmarzlik, Bethmann Hollweg, 114–30; Kitchen, Officer Corps, 197–221; H. Afflerbach, Falkenhayn. Polit. Denken u. Handeln im Kaiserreich, München 1994; E. Schenk, Der Fall Zabern, Stuttgart 1927; B. Deimling, Aus der alten in die neue Zeit. Lebenserinnerungen, Berlin 1930, 143–63. – Vgl. die Lit. vorn III.3, Anm. 25; IV. A 1e, Anm. 7, sowie Deist, Armee 1890–1914; Craig, 281–318; Messerschmidt, Polit. Geschichte; Ritter, Staatskunst II: 1890–1914; Kitchen, Military History; W. Schmidt-Richberg, 1890–1918, in: HdM V, München 1983; S. Förster, Alter u. neuer Militarismus im Kaiserreich. Heeresrüstungspolitik u. Dispositionen zum Krieg 1890–1913, in: Dülffer u. Holl Hg., 122–45; B.-F. Schulte, Die Deutsche Armee 1900–14, Düsseldorf 1977; V. R. Berghahn u. W. Deist, Rüstung im Zeichen der wilhelmin. Weltpolitik 1890–1914, Düsseldorf 1988; V. R. Berghahn, Rüstung u. Machtpolitik. Zur Anatomie des «Kalten Krieges» vor 1914, ebd. 1973; ders., Wettrüsten u. Kriegsgefahr vor 1914, in: H. Böhme u. F. Kallenberg Hg., Deutschland u. der Erste Weltkrieg, Darmstadt 1987, 75–91; G. W. F. Hallgarten, Das Wettrüsten, Frankfurt 1967; V. Mollin, Auf dem Wege zur «Materialschlacht». Vorgeschichte u. Funktionieren des Artillerie-Industrie-Komplexes im Deutschen Kaiserreich, Pfaffenweiler 1986; A. Buchholz, Schlieffen and Prussian War Planning, Oxford 1991; H. Herwig, From Tirpitz Plan to Schlieffen Plan, in: Journal of Strategic Studies 9.1986, 53–63; L. C. F. Turner, The Significance of the Schlieffen Plan, in: Australian Journal of Politics and History 13.1967, 47–66; H. Otto, Schlieffen u. der Generalstab 1891–1905, Berlin 1966; H. Meier-Welcker, A. v. Schlieffen, in: W. Hahlweg Hg., Klassiker der Kriegskunst; Darmstadt 1960, 346–62; Schlieffen, G. Sch., 2 Bde, 1912/13; E. Kessel Hg., A. v. Schlieffen, Briefe, Göttingen 1958. – D. E. Showalter, The Eastern Front and German Military Planning 1871–1914, in: East Europan Quarterly 15.1981, 163–80; J. R. Dukes, Militarism and Army Policy Revisited: The Origins of the German Army Law of 1913, in: ders. u. Remak Hg., 19–39; W. T. Angress, Prussia's Army and the Jewish Reserve Officer Controversy Before 1914, in: J. J. Sheehan Hg., Imperial Germany, N. Y. 1975, 93–128; W. Deist, Armee u. Arbeiterschaft 1905–18, in: ders., Militär, 171–83; G. Evert, Die Herkunft der deutschen Unteroffiziere u. Soldaten 1. 12. 1906, in: ZKPSL, Erg. H.28, Berlin 1908.

[37] V. Berghahn, Flottenrüstung u. Machtgefüge, in: Stürmer Hg., Deutschland, 385, 392; Tirpitz-Denkschrift 1897: Berghahn u. Deist, 122f.; Demeter, 25f.; A. v. Tirpitz, Erinnerungen, Leipzig 1920², 98, 52, 96; A. T. Mahan, The Influence of Sea Power Upon History, Boston 1890, dt. Die weiße Rasse u. die Seeherrschaft, Leipzig 1909². – Bethmann an Valentini, 9. 12. 1915, zit. in: Stegmann, Erben, 456. Zum Bülow-Tarif s. vorn II. 3c mit der Lit. in Anm. 24, v. a. die Kritik von Bleyberg. – Vgl. V. R. Berghahn, Der Tirpitz-Plan, Düsseldorf 1971; ders., Der Tirpitz-Plan u. die Krisis des preuß.-deutschen Herrschaftssystems, in: Schottelius u. Deist Hg., 89–115; ders., Des Kaisers Flotte u. die Revolutionierung des Mächtesystems vor 1914, in: Röhl Hg., Ort, 175–88; ders., Zu den Zielen des deutschen Flottenbaus unter Wilhelm II., in: HZ 210.1970, 34–100; E. Kehr, Schlachtflottenbau u. Parteipolitik 1894–1901, Berlin 1930/ND Vaduz 1966; ders., Die deutsche Flotte in den 90er Jahren u. der polit.-militär. Dualismus des Kaiserreichs, in: ders., Primat, 111–29; bester Vergleich: D. Bönker, Deutscher u. amerikan. Schlachtflottenbau 1895–1917, Diss. Johns Hopkins Univ. 1996 (alle gegen die Flottenapologetik à la Hubatsch, vgl. die Titel in: Wehler, Kehr, in: ders., Histor. Sozialwissenschaft, 380; s. auch Ritter, Staatskunst II, 171–238). Vgl. weiter: G. E. Weir, Building the Kaiser's Navy. Imperial Naval Office and German Industry in the v. Tirpitz Era 1890–1915, Annapolis

1992; M. Epkenhans, Die wilhelmin. Flottenrüstung 1908–14, München 1991; I. N. Lambi, The Navy and German Power Politics 1862–1914, London 1984; H. Herwig, «Luxury» Fleet. The Imperial German Navy 1888–1918, ebd. 1980; R. J. Art, The Influence of Foreign Germany, Los Angeles 1978; J. Steinberg, Yesterday's Deterrent. Tirpitz and the Birth of the German Battle Fleet, London 1965; P. Padfield, The Great Naval Race. Anglo-German Naval Rivalry 1900–14, ebd. 1974; C. A. Gemzell, Organization, Conflict, and Innovation. A Study of German Naval Strategic Planning 1880–1940, Lund 1974; P. C. Kelly, The Naval Policy of Imperial Germany, Diss. Washington 1970; S. Breyer, Schlachtschiffe u. Schlachtkreuzer 1905–70, München 1970; Schottelius u. Deist Hg., Marine 1871–1914; E. Böhm, Überseehandel u. Flottenbau. Hanseat. Kaufmannschaft u. deutsche Seerüstung 1879–1902, Düsseldorf 1972. – Weitere Lit. in: K. W. Bird, German Naval History. A Guide to the Literature, N. Y. 1985. Vgl. noch: P. M. Kennedy, The Development of German Naval Operations Plans Against England 1896–1914, in: Engl. Hist. Rev. 89.1974, 48–76; ders., Maritime Strategieprobleme der deutsch-engl. Flottenrivalität, in: Schottelius u. Deist Hg., 178–210; ders., Tirpitz, England, and the Second Navy Law of 1900, in: MM 8.1970/II, 33–57; G. Eley, Sammlungspolitik, Social Imperialism, and the Navy Law of 1898, in: ders., Unification, 110–53; H. Gottwald, Der Umfall des Zentrums: Flottenvorlage 1897, in: F. Klein Hg., Studien zum deutschen Imperialismus vor 1914, Berlin 1976, 181–224; M. Stürmer, Deutscher Flottenbau u. europ. Weltpolitik vor 1914, in: ders., Dissonanzen des Fortschritts, München 1986, 151–65; R. Stadelmann, Die Epoche der deutsch-engl. Flottenrivalität, in: ders., Deutschland, 85–146, 159–75. – M. Salewski, Tirpitz, Göttingen 1979; eine wissenschaftliche Biographie fehlt noch immer; vgl. H. D. Reinhardt, Tirpitz u. der deutsche Flottengedanke 1892–95, Diss. Marburg 1964; J.-U. Fischer, Admiral des Kaisers. G. A. v. Müller als Chef des Marinekabinetts Wilhelms II., Frankfurt 1992. Ganz unkritisch: G. Stoltenberg, Tirpitz u. seine Flottenpolitik, in: GWU 9.1962, 549–58; A. Schulze-Hinrichs, Tirpitz, Göttingen 1958.

[38] Böhme, Weg, 316 (Miquel im Staatsministerium, 22. 11. 1897); Holstein an Kiderlen, 30. 4. 1897, Nl. Kiderlen (vgl. H. an Bülow, 9. 7. 1897, in: Röhl, Deutschland, 214; H. an Eulenburg, 4. 12. 1894, in: Haller, Eulenburg, 173; Rich, Holstein II, 488); Hohenlohe-Schillingsfürst III, 555f. (Wilh. II, Jan. 1900); H. Rehm, in: Kirchhoff Hg., 21; Mommsen, Großmachtstellung, 140, 162, vgl. 149–55, 190–201; Röhl Hg., Eulenburg-Korrespondenz III: 1895–1921, 1983, 1878 (Bülow an E., 26. 12. 1897); Bülow, Deutsche Politik, 97f.; K. Lamprecht, Deutsche Geschichte der jüngsten Vergangenheit u. Gegenwart II, Berlin 1913, 516, 497; II/2, 1921[4], 737; J. A. Schumpeter, Zur Soziologie der Imperialismen (1918), in: ders., Aufsätze zur Soziologie, 72–146; vgl. M. Greene, Schumpeters Imperialismustheorie, in: Wehler Hg., Imperialismus, 155–63; K. D. Bracher, Deutschland zwischen Demokratie u. Diktatur, München 1964, 155; Weber, PS, 23/MWG I/4.1993, 571f.; vgl. F. Naumann, Weltpolitik u. Sozialreform, Berlin 1899, 4, 9, 12, 14–16; K. Lamprecht, Die Entwicklung des wirtschaftl. u. geistigen Horizonts unserer Nation, in: G. Schmoller u. a. Hg., Handels- u. Machtpolitik I, Stuttgart 1900, 42; Meinecke, Polit. Reden (Werke II), 61; Röhl Hg., Eulenburg-Korrespondenz III, 1884 (Bülow an E., 15. 2. 1898). – Zur Rolle Englands, Amerikas usw. die Lit. in: Wehler, Amerikan. Imperialismus; ders., Bismarck u. der Imperialismus, 237f.; zu Rußland die klassische Darstellung von D. Geyer, Rußland u. der moderne Imperialismus 1855–1917, Göttingen 1977. – R. Luxemburg, Die Akkumulation des Kapitals, Berlin 1913/ND Frankfurt 1966. Vgl. die Lit. vorn zu IV A 5b, Anm. 19, sowie hier J. L. D. Forbes, Social Imperialism and Wilhelmine Germany, in: HJ 22.1979, 331–49; P.-C. Witt, Innenpolitik u. Imperialismus in der Vorgeschichte des Ersten Weltkriegs, in: K. Holl u. G. List Hg., Liberalismus u. imperialist. Staat, Göttingen 1975, 7–34; L. Gall, «Sündenfall» des liberalen Denkens oder Krise der bürgerl.-liberalen Bewegung? Liberalismus u. Imperialismus in Deutschland, in: ebd., 148–58; P. Winzen, Zur Genesis von Weltmachtkonzept u. Weltpolitik, in: Röhl Hg., Ort, 189–223; ders., Prince Bülow's Weltmachtpolitik, in: Australian Journal of Politics and History 22.1976, 227–42; I. Geiss,

«Weltpolitik»: Die deutsche Version des Imperialismus, in: G. Schöllgen Hg., Flucht in den Krieg? Die Außenpolitik des kaiserl. Deutschland, Darmstadt 1991, 148–69. Antiquierte Kategorien bei G. Schöllgen (Die Großmacht als Weltmacht. Wirklichkeit u. Perzeption deutscher «Weltpolitik» im Zeitalter des Imperialismus, in: HZ 248.1989, 79–100; ders., Deutsche Außenpolitik im Zeitalter des Imperialismus: ein Teufelskreis? in: ders. Hg., 170–86), R. Pommerin (Deutschlands Reaktion auf die Globalisierung der Internationalen Beziehungen: ein anderer Kurs? in: ebd., 132–47) und M. Rauh (Die «deutsche Frage» vor 1914: Weltmachtstreben u. Obrigkeitsstaat? in: Becker u. Hillgruber Hg., 109–82). Vgl. noch W. Loth, Zentrum u. Kolonialpolitik, in: Horstmann Hg., 67–83; R. Fletcher, Revisionism and Empire. Socialist Imperialism in Germany 1897–1914, London 1984; ders., Revisionism and Wilhelmine Imperialism, in: JCH 23.1988, 347–66; W. Mogk, P. Rohrbach u. das «Größere Deutschland». Ethischer Imperialismus in wilhelmin. Zeitalter, München 1972. – Zu den Kolonien: R. A. Austen, Northwest Tanzania Under German and British Rule 1889–1939, London 1968; Bley, Kolonialherrschaft; U. Ratenhof, Die Chinapolitik des Deutschen Reiches 1871–1945, Boppard 1987; J. Artelt, Tsingtau 1897–1914, Düsseldorf 1984; J. E. Schrecker, Imperialism and Chinese Nationalism. Germany in Shantung, Cambridge/Mass. 1971; W. Stingl, Der Ferne Osten in der deutschen Politik 1902–14, 2 Bde, Frankfurt 1978; B. Barth, Die deutsche Hochfinanz u. die Imperialismen. Banken u. Außenpolitik vor 1914, Diss. Düsseldorf 1993; H. Stoecker, Deutschland u. China im 19. Jh., Berlin 1958; G. Hardach, König Kopra. Die Marianen unter deutscher Herrschaft 1899–1914, Stuttgart 1990. – Anachronistische Diplomatiegeschichte: G. Schöllgen, Imperialismus u. Gleichgewicht. Deutschland, England u. die oriental. Frage 1871–1914, München 1984; vgl. dagegen: H. Mejcher, Die Bagdadbahn als Instrument deutschen wirtschaftl. Einflusses im Osman. Reich, in: GG 1.1975, 447–81; A. Schölch, Wirtschaftl. Durchdringung u. polit. Kontrolle durch die europ. Mächte im Osman. Reich, in: ebd., 404–46, s. noch: J. Lodemann u. R. Pohl, Die Bagdadbahn, Mainz 1988; J. Manzenreiter, dass. 1872–1903, Bochum 1982; U. Trumpener, Germany and the Ottoman Empire 1914–18, Princeton 1968; vgl. M. Behnen, Rüstung – Bündnis – Sicherheit. Dreibund u. informeller Imperialismus 1900–08, Tübingen 1985. – Zur «Geopolitik»: H.-D. Schultz, Fantasies of Mitte: Mittellage and Mitteleuropa in German Geographical Discussion of 19th and 20th Century, in: Political Geographical Quarterly 8.1988, 315–39; ders., Deutschlands «natürl. Grenzen», in: GG 15.1989, 248–81; K. Kost, Begriffe u. Macht. Die Funktion der Geopolitik als Ideologie, in: Geograph. Zeitschrift 74.1986, 14–30; K. G. Faber, Zur Vorgeschichte der Geopolitik, in: Fs. Gollwitzer, 389–406; G. Parker, Western Geopolitical Thought in the 20th Century, London 1985; H. Sprout, Political Geography, in: IESS 6.1965, 116–23; als Beispiele: F. Ratzel, Polit. Geographie, München (1897) 1923[3], H. A. Jacobsen, K. Haushofer I: Lebensweg 1869–1946, II: Briefwechsel, Boppard 1979; A. Dorpalen, The World of General Haushofer, Port Washington 1966[2]; vgl. H.-U. Wehler, Renaissance der «Geopolitik»? in: ders., Preußen ist wieder chic, 60–66.

[39] Kaelble, Interessenpolitik, 149 (1906); E.-O. Czempiel, Machtprobe, München 1989, 364. Allg. hierzu: Puntila; Mitchell; Müller-Link; Anderson, Anti-English Feeling; Kennedy, Antagonism; Mommsen, Großmachtstellung; O. J. Hale, Publicity and Diplomacy. England and Germany 1890–1914, N. Y. 1940/ND Gloucester/Mass. 1964. Vgl. die Lit. vorn zu IV A 5a, Anm. 18, sowie hier: W. L. Langer, The Diplomacy, of Imperialism 1890–1902, N. Y. 1935/ND 1968; B. Martin, Weltmacht oder Niedergang? Deutsche Großmachtpolitik im 20. Jh., Darmstadt 1989; F. Stern, Der Traum vom Frieden u. die Versuchung der Macht, Berlin 1988; dogmatische Entwertung der Informationen: W. Gutsche, Monopole, Staat u. Expansion vor 1914. Zum Funktionsmechanismus zwischen Industriemonopolen, Großbanken u. Staatsorganen in der Außenpolitik des Deutschen Reiches 1897–1914, ebd. 1986; verfehlte «Psychohistorie»: J. M. Hughes, Emotion and High Politics. Personal Relations at the Summit in Late 19th Century Britain and Germany, Berkeley 1983. Vgl. dagegen: G. Schmidt, Der deutsch-engl. Gegensatz im

Zeitalter des Imperialismus, in: Fs. Craig, 59–81; ders., Great Britain and Germany in the Age of Imperialism, in: War and Society 4.1986, 31–52; E. Kehr, Deutsch-engl. Bündnisproblem der Jahrhundertwende, in: ders., Primat, 176–83; R. Lahme, Deutsche Außenpolitik 1890–94, Göttingen 1990; H. Rosenbach, Das Deutsche Reich, Großbritannien u. der Transvaal 1896–1902, ebd. 1993; beste Gesamtdarstellung weiterhin: Kennedy, Antagonism. – R. Poidevin, Les relations économique et financières entre la France et l'Allemagne de 1898 à 1914, Paris 1969. – B. Vogel, Deutsche Rußlandpolitik 1900–06, Düsseldorf 1973; B. Löhr, Die «Zukunft Rußlands». Perspektiven russ. Wirtschaftsentwicklung u. deutsch-russ. Wirtschaftsbeziehungen vor 1914, Stuttgart 1985; dies., Rußlandstrategien der deutschen Wirtschaft 1899–1914, in: VSWG 72.1985, 27–64; H. Lemke, Finanztransaktionen u. Außenpolitik. Deutsche Banken u. Rußland 1904–14, Berlin 1985; R. Ropponen, Die russ. Gefahr 1905–14, Helsinki 1976. – A. Vagts, Deutschland u. die Vereinigten Staaten in der Weltpolitik 1890–1906, 2 Bde, N.Y. 1935; R. Pommerin, Der Kaiser u. Amerika. Die USA in der Politik der Reichsleitung 1890–1917, Köln 1986; R. Fiebig-v. Hase, Lateinamerika als Konfliktherd der deutsch-amerikan. Beziehungen 1890–1903, 2 Bde, Göttingen 1986. Vgl. die Lit. in Anm. 37.

[40] J. Dülffer, Dispositionen zum Krieg im wilhelmin. Deutschland, in: ders. u. Holl Hg., 13; W. Mommsen, Der Topos vom unvermeidl. Krieg 1904–1914, in: ders., Nationalstaat, 383–85, 387, 389–95, 400, 403–05; T. Rohkrämer, August 1914 – Kriegsmentalität u. ihre Voraussetzungen, in: W. Michalka Hg., Der Erste Weltkrieg, München 1994, 759–77; Treitschke, Politik I, 553; Düding, Kriegervereine, 99–112; M. Greschat, Krieg u. Kriegsbereitschaft im deutschen Protestantismus, in: Dülffer u. Holl Hg., 33–55; A. H. Leugers, Einstellungen zu Krieg u. Frieden im deutschen Katholizismus, in: ebd., 56–73; R. Chickering, Die Alldeutschen erwarten den Krieg, in: ebd., 20–32. – P. Dirr Hg., Bayer. Dokumente zum Kriegsausbruch, München 1928[4], 111f. (v. Heydebrand: Bericht v. Lerchenfelds, 4. 6. 1914, später fast ebenso in: K. Riezler, Tagebücher, Hg. K. D. Erdmann, Göttingen 1972, 183, 7. 7. 1914); Berghahn u. Deist, 121 (v. Müller); H. v. Moltke, Erinnerungen 1877–1916, Hg. E. v. Moltke, Stuttgart 1922, 362; vgl. allg. D. Bald, Zum Kriegsbild der militär. Führung im Kaiserreich, in: Dülffer u. Holl Hg., 146–60. – F. v. Bernhardi, Deutschland u. der nächste Krieg, Stuttgart 1912, 121; vgl. ders., Vom heutigen Kriege, 2 Bde, Berlin 1911; ders., Denkwürdigkeiten, ebd. 1927; vgl. I. F. Clarke Hg., Voices Prophesying War 1763–1914, London 1970; Ecole Française de Rome Hg., Opinion publique et politique extérieure I: 1870–1915, Rom 1981. – Berghahn, Wettrüsten, 84f.; J. Steinberg, The Copenhagen Complex, in: JCH 1.1966/H.3, 23–46; Riezler, 180 (Bethmann, 30. 7. 1911), 183 (7. 7. 1914), 185 (14. 7. 1914); Dirr Hg., 113; E. Zechlin, Motive u. Taktik der Reichsleitung 1914, in: ders., Krieg u. Kriegsrisiko 1914–18, Düsseldorf 1979, 96 (Aufz. v. Jagows, Gespräch mit v. Moltke, 20.5. oder 30. 6. 1914). – Vgl. D. Groh, «Je eher, desto besser.» Innenpolit. Faktoren für die Präventivkriegsbereitschaft des Deutschen Reiches 1913/14, in: PVS 13.1972, 501–21; ders., Die geheimen Sitzungen der Reichshaushaltkommission 24. u. 25. 4. 1913, in: IWK 12.1971, 29–38. – Zu der Krisensitzung vom 8. 12. 1912 (Görlitz Hg., Kaiser, 124ff.; das Material in: Röhl, Entscheidungsprozeß), die z. B. Fischer und Röhl als «Kriegsrat» und Beginn einer planmäßigen Vorbereitung des Weltkriegs von Grund auf falsch interpretiert haben, vgl. die Kritik in: Mommsen, Großmachtstellung, 253–56; ders., Topos, 293–95/Anm. 27–29. – K.-D. Wernecke, Der Wille zur Weltgeltung. Außenpolitik u. Öffentlichkeit in Deutschland am Vorabend des Ersten Weltkriegs, Düsseldorf 1970[2], 184 (Meinecke). Dagegen konzipierte Spengler unter dem Eindruck der 2. Marokkokrise sein Buch über den «Untergang des Abendlandes», das nach dem künftigen deutschen Sieg erscheinen sollte, der zu einem cäsaristischen deutschen Regime über Mitteleuropa führen werde. Vgl. A. O. Koktanek, O. Spengler, München 1968, 137–41. – A. Vagts, M. M. Warburg & Co. Ein Bankhaus in der deutschen Weltpolitik 1905–33, in: VSWG 45.1958, 353 u. in: ders., Bilanzen u. Balancen, Hg. H.-U. Wehler, Frankfurt 1979, 75; vgl. allg. auch: Winzen, Der Krieg in Bülows Kalkül, in: Dülffer u. Holl Hg., 161–93. – Bebel: Stenograph. Berichte Deutscher

Reichstag, Bd. 268, 7730 C (9. 11. 1911). Hilferding (Finanzkapital, 1910) sagte 1909 ebenfalls den Weltkrieg voraus. Vgl. vorn die Lit. für IV A. 1e, Anm. 8, sowie hier Dülffer u. Holl Hg.; W. J. Mommsen, Der Topos vom unvermeidl. Krieg, in: ebd., 194–224, u. in: ders., Nationalstaat, 380–406; R. vom Bruch, «Militarismus», «Realpolitik» u. «Pazifismus». Außenpolitik u. Aufrüstung in der Sicht deutscher Hochschullehrer im späten Kaiserreich, in: MM 39.1986/I, 37–58; ders., Krieg u. Frieden. Zur Frage der Militarisierung deutscher Hochschullehrer u. Universitäten im späten Kaiserreich, in: Dülffer u. Holl Hg., 73–98; B. vom Brocke, Wissenschaft u. Militarismus, in: W. M. Calder u. a. Hg., Wilamowitz nach 50 Jahren, Darmstadt 1985, 649–719; D. Groh, La guerre et les convictions politiques en Allemagne 1870–1914, in: Levillain u. Riemenschneider Hg., 431–50; B. Wiegand, Krieg u. Frieden im Spiegel führender protestant. Presseorgane 1890–1914, Berlin 1986. Pazifistische Gegenposition: I. v. Bloch, Der zukünftige Krieg in seiner techn., volkswirtschaftl. u. polit. Bedeutung, 6 Bde, ebd. 1899.

[41] Mann, Sources of Power II, 752; Burckhardt, Briefe V, 160. Vgl. zur «Fischer-Kontroverse»: W. Jäger, Histor. Forschung u. polit. Kultur in Deutschland. Die Debatte 1914–80 über den Ausbruch des Ersten Weltkriegs, Göttingen 1984; V. R. Berghahn, Die Fischer-Kontroverse, in: GG 6.1980, 403–19; ders., F. Fischer u. seine Schüler, in: NPL 19.1974, 143–54; B.-J. Wendt, Zum Stand der Fischer-Kontroverse um den Ausbruch des Ersten Weltkriegs, in: Annales Universitatis Scientiarum Budapestinensis 24.1985, 99–132; A. Sywottek, Die Fischer-Kontroverse, in: 1. Fs. Fischer, 19–47; I. Geiss, dass., in: ders., Studien über Geschichte u. Geschichtswissenschaft, Frankfurt 1972, 108–98; J. A. Moses, The Politics of Illusion. The Fischer-Controversy in German Historiography, London 1975; G. Schöllgen, Griff nach der Weltmacht? 25 Jahre Fischer-Kontroverse, in: Histor. Jb. 106.1986, 386–406; ders., «Fischer-Kontroverse» u. Kontinuitätsproblem, in: A. Hillgruber u. J. Dülffer Hg., Ploetz – Geschichte der Weltkriege 1900–45, Freiburg 1981, 163–77; vgl. auch N. Fergusson, Germany and the Origins of the First World War, in: HJ 35.1992, 725–52. – Differenzierung durch Vergleich: M. R. Gordon, Domestic Conflict and the Origins of the First World War. The British and the German Cases, in: JMH 46.1974, 191–226; D. French, British Economic and Strategic Planning 1905–15, London 1982; Z. S. Steiner, Britain and the Origins of the First World War, London 1977. – J. F. V. Keiger, France and the Origins of the First World War, London 1983; G. Krumeich, Aufrüstung u. Innenpolitik in Frankreich vor 1914, Wiesbaden 1980; R. Poidevin, Les Origins de la Première Guerre Mondiale, Paris 1975; J. Droz, Les causes de la Première Guerre Mondiale, ebd. 1973. – D. C. B. Lieven, Russia and the Origins of the First World War, London 1983; H. G. Linke, Das zarische Rußland u. der Erste Weltkrieg 1914–17, München 1982; L. C. F. Turner, The Russian Mobilization, in: JCH 3.1968, 65–88; H. Rogger, Russia in 1914, in: JCH 1.1966/4, 95–120. – R. Rauchensteiner, Der Tod des Doppeladlers. Österreich-Ungarn u. der Erste Weltkrieg, Graz 1993; A. Sked, Der Fall des Hauses Habsburg, Berlin 1993; S. R. Williamson, Vienna and July 1914, in: P. Pastor u. ders. Hg., Essays on World War One, N. Y. 1983, 9–36; H. Fellner, Die Mission Hoyos, in: Alff Hg., 283–303; N. Stone, Moltke-Conrad: Relations Between the Austro-Hungarian and German General Staffs 1909–14, in: HJ 9.1966, 71–90; ders., Army and Society in the Habsburg Monarchy 1900–14, in: PP 33.1966, 95–111. – R. J. W. Evans u. H. Pogge-v. Strandmann Hg., The Coming of the First World War, Oxford 1988; P. Kennedy Hg., The War Plans of the Great Powers 1880–1914, London 1979. – K. Hildebrand (Julikrise 1914: Das europ. Sicherheitsdilemma, in: GWU 36.1985, 469–502) sieht den wesentlichen strukturellen Grund für den Kriegsausbruch darin, daß die «kompliziert ausgetüftelten Mechanismen» der Außenpolitik der Bismarckära nicht in das «heraufziehende Zeitalter der Massen» mit ihrer «Relativierung der Autorität» paßten. Die Staatsmänner seien gegenüber den «Forderungen der Straße» und den «schreierischen Parolen der terribles simplificateurs» hilflos gewesen. Brach also wegen der Fundamentalpolitisierung auch der deutschen Gesellschaft die Katastrophe mit Urgewalt über die Repräsentanten der Machteliten herein? Gab es keine falsch kalkulierte Risikopolitik, keine Desperadomentalität im

Kampf um die soziale und politische Machterhaltung, keine Verantwortung von Individuen und Entscheidungszentren? Im Grunde feiern hier erneut «die Denkfiguren des elitären Neokonservativismus Weimarer Couleur fröhlich Urständ». Vgl. U. Heinemann, Die verdrängte Niederlage. Polit. Öffentlichkeit u. Kriegsschuldfrage in der Weimarer Republik, Göttingen 1983; Jaeger, Histor. Forschung, 44–105, 132–96.

[42] Mommsen, Großmachtstellung, 293–321 (die bisher beste Analyse, der ich öfters folge; verfeinert nach: ders., Latente Krise, 84–112); Groh, Je eher, 501–09, 511–17; ders., Negative Integration, 355–414, 617–52. Vgl. damit etwa die dürftigen Skizzen in: Stürmer, Reich, 367–73; Hildebrand, Deutsche Außenpolitik, 41–46; Geiss, Lange Weg. – Stinnes: H. Class, Wider den Strom, Leipzig 1932, 216f.; Rathenau, G. Sch. I, 267f.; Riezler, 183; Dirr Hg., 113; L. A. G. Lennox Hg., The Diary of Lord Bertie of Thame 1914–18, London 1924, 352, 355 (Gespräch Cambons mit Ratibor, Frühjahr 1914; vgl. Lieven, Aristocracy, 67). Allg. Z. A. B. Zeman, The Balkans and the Coming of War, in: Evans u. Pogge-v. Strandmann Hg., 17–32; M. Howard, Europe on the Eve of the First World War, in: ebd., 1–17; ders., Reflections on the First World War, in: ders., Studies in War and Peace, London 1970, 99–109; R. J. W. Evans, The Habsburg Monarchy and the Coming of War, in: ders. u. Pogge-v. Strandmann Hg., 33–55; I. Galantai, Die Österreich-Ungar. Monarchie u. der Weltkrieg, o. O. 1979. – F. Conrad v. Hötzendorff, Aus meiner Dienstzeit 1906–18 III: 1913/14, Wien 1922, 469f. (Wilh. II., Okt. 1913), 144f. (Moltke an C., 10. 2. 1913); GP 36/I, 388, vgl. 395; H. Hantsch, Leopold Graf Berchtold I, Graz 1963 (Wilh. II., 26. 10. 1913 in Wien); Hötzendorff III, 670 (Moltke, 12. 5. 1914); B. Tuchman, August 1914, München 1964/ND 1979, 36 (Moltke zu H. v. Eckardtstein, Juni 1914); I. Geiss, Julikrise u. Kriegsausbruch 1914 I, Hannover 1963, 72 (21. 7. 1914), 75 (3. 7. 1914); Hötzendorff III, 611 (Moltke, 13. 3. 1914); Dirr Hg., 187 (Lerchenfeld, 5. 8. 1914); Kloster, 52 (Ludendorff, Dez. 1912). – F. Fischer, Die Neutralität Englands als Ziel deutscher Politik 1908/09–1914, in: Fs. A. Gasser, Berlin 1983, 261–82; V. Ullrich, Das deutsche Kalkül in der Julikrise 1914 u. die Frage der engl. Neutralität, in: GWU 34.1983, 79–97; M. Brock, Britain Enters the War, in: Evans u. Pogge-v. Strandmann Hg., 145–78; Riezler, 183 (17. 7. 1914); H. Pogge-v. Strandmann u. I. Geiss, Die Erforderlichkeit des Unmöglichen. Deutschland am Vorabend des Ersten Weltkrieges, Frankfurt 1965, 36 (Bethmann, Nov. 1913); vgl. Dirr Hg., 113 (4. 6. 1914), 176 (Lerchenfeld, 31. 7. 1914); Geiss I, 59, 69f.; Riezler, 275 (25. 5. 1915, über Anfang Juli 1914), 187, 190 (20., 23. 7. 1914); Reichsarchiv Hg., Anlagenbd. I, 196f. (Moltke an Bethmann, 18. 7. 1914); Mommsen, Topos, 403 (Bethmann 1919 zu F. Thimme); W. Steglich, Die Friedenspolitik der Mittelmächte I, Wiesbaden 1964, 418 (Bethmann zu Haussmann, 24. 11. 1918); vgl. D. W. Spring, Russia and the Coming of War, in: Evans u. Pogge-v. Strandmann Hg., 57–86; R. Ropponen, Die Kraft Rußlands, Helsinki 1968, 280; B. Sösemann Hg., T. Wolff: Tagebücher 1914–19 I, Boppard 1984, 64 (Jagow zu W., 24. 7. 1914); Riezler, 185; J. C. G. Röhl, Zwei deutsche Fürsten zur Kriegsschuldfrage, Düsseldorf 1971, 21 (Lichnowsky); British Documents on the Origins of the War 1898–1914 XI, London 1926/ND 1967, 247; Geiss I, 65; Fellner, Hoyos, 323; Riezler, 275; A. Hillgruber, Deutschlands Rolle in der Vorgeschichte der beiden Weltkriege, Göttingen 1986[3], 47; Geiss II, 1964, 46, 185, 197, 264, 283f., 333f., 371f.; Schulte, Europ. Krise, 206 (v. Wenninger, 31. 7. 1914); vgl. R. Cobb, France and the Coming of War, in: Evans u. Pogge-v. Strandmann Hg., 125–44; G. A. v. Müller, Regierte der Kaiser? 1914–18, Hg. W. Görlitz, Göttingen 1959, 38f.; Tirpitz, Erinnerungen, 243 (Moltke, 5. 8. 1914). – Vgl. F. Fischer, Griff nach der Weltmacht, Düsseldorf 1961; ders., Krieg der Illusionen. Die deutsche Politik 1911–14, ebd. 1969; ders., Juli 1914: Wir sind nicht hineingeschlittert, Reinbek 1983; ders., Die Außenpolitik des kaiserl. Deutschland u. der Ausbruch des Ersten Weltkrieges, in: ders., Hitler war kein Betriebsunfall, 29–65. Von der «Fischer-Schule» im weiteren Sinn wurde Fischers Interpretation öfters noch zugespitzt: I. Geiss, Das Deutsche Reich u. die Vorgeschichte des Ersten Weltkriegs, München 1978; ders. Hg., Juli 1914, ebd. 1965; vgl. ders., Handeln u. Entscheiden in Krisen: Vorkriegskrisen u. Kriegsausbruch 1914, in: N. Neuhold u. H.-J.

Heinemann Hg., Krise u. Krisenmanagement in den internat. Beziehungen, Stuttgart 1989, 31–60. – B.-F. Schulte, Europ. Krise u. Erster Weltkrieg 1871–1914, Frankfurt 1983; ders., Vor dem Kriegsausbruch 1914, Düsseldorf 1980; Wernecke, Weltgeltung. – Besonders unglaubwürdige Thesen: J. C. G. Röhl, Der militärpolit. Entscheidungsprozeß in Deutschland am Vorabend des Ersten Weltkriegs, in: ders., Kaiser, 175–202; vorher dasselbe Material, in: ders., in: 2. Fs. Fischer, 357–74, u. MM 21.1977/I, 77–134; ders., Admiral v. Müller and the Approach of War 1911–14, in: HJ 12.1969, 651–73; ders., Zwei deutsche Fürsten zur Kriegsschuldfrage, Düsseldorf 1971. – A. Gasser, Deutschlands Entschluß zum Präventivkrieg 1913/14, in: ders., Preuß. Militärgeist u. Kriegsentfesselung 1914, Basel 1985, 1–46; ders., dass., in: ebd., 83–133; ders., Der deutsche Hegemonialkrieg von 1914, in: ebd., 47–82. – Fischer schloß sich zum guten Teil an L. Albertini (The Origins of the War 1914 (1942/43), 2 Bde, Oxford 1952/1965²) an. Von einem seiner entschiedensten Kritiker: E. Zechlin, Krieg u. Kriegsrisiko. Zur deutschen Politik im Ersten Weltkrieg, Düsseldorf 1979. – Die wichtigste Lit. zur Julikrise (vgl. die Titel in Anm. 41): J. Joll, The Origins of the First World War, London 1985, dt. Die Ursprünge des Ersten Weltkriegs, München 1968; ders., Politicians and the Freedom to Choose. The Case of July 1914, in: A. Ryan Hg., Fs. I. Berlin, Oxford 1979, 99–114; ders., 1914 – The Unspoken Assumptions, London 1968; G. Martel, The Origins of the First World War, ebd. 1987; R. J. Rotberg u. T. K. Rabb Hg., The Origin and Prevention of Major Wars, Cambridge 1989; G. Barraclough, From Agadir to Armageddon: The Anatomy of a Crisis, London 1982; R. Langehorne, The Collapse of the Concert of Europe, ebd. 1981; E. V. Nomikos u. R. C. North, International Crisis: The Outbreak of World War One, ebd. 1976; V. R. Berghahn, Germany and the Approach of War in 1914, N.Y. 1993²; L. L. Farrar, The Short War Illusion. German Policy, Strategy, and Domestic Affairs 1914, Oxford 1973; ders., The Limits of Choice: July 1914 Reconsidered, in: Journal of Conflict Resolution 16.1972, 1–23; L. C. F. Turner, Origins of the First World War, ND London 1989; ders., The Edge of the Precipice: A Comparison Between Nov. 1912 and July 1914, in: Royal Military College Historical Journal 3.1974, 3–10; ders., The Role of the General Staffs in Juli 1914, in: Australian Journal of Politics and History 11.1965, 305–23; A. Hillgruber, Die deutsche Politik in der Julikrise 1914, in: Quellen u. Forschungen aus italien. Archiven u. Bibliotheken 61.1981, 191–215; H. Pogge-v. Strandmann, Germany and the Coming of War, in: Evans u. ders. Hg., 87–123; G. Schmidt, Die Julikrise, in: Schöllgen Hg., 187–229; D. E. Kaiser, Germany and the Origins of the First World War, in: JMH 55.1983, 442–74; W. J. Mommsen, Domestic Factors in German Foreign Policy Before 1914, in: CEH 4.1973, 3–43, dt. Innenpolit. Bestimmungsfaktoren der deutschen Außenpolitik vor 1914, in: ders., Nationalstaat, 316–57; ders., Außenpolitik u. öffentl. Meinung im Wilhelmin. Deutschland 1897–1914, in: ebd., 358–79; A. J. Mayer, Domestic Causes of the First World War, in: Fs. Holborn, 308–24; F. Stern, Bethmann Hollweg u. der Krieg, Tübingen 1978, 9, 12, 23, 25, 33, 38, 45; S. R. Williamson, The Origins of World War One, in: JIH 18.1988, 795–818; V. Ullrich, Der Sprung ins Dunkle – die Julikrise 1914, in: Geschichtsdidaktik 9.1984, 97–106; P. W. Schroeder, World War One as a Galloping Gertie, in: JMH 44.1972, 319–44; skandalöse Schuldverlagerung nach London durch den Parlamentarisierungsverfechter M. Rauh, Die brit.-russ. Marinekonvention 1914 u. der Ausbruch des Ersten Weltkriegs, in: MM 41.1987/I, 37–62; K. H. Jarausch, Statesmen vs. Structures: Imperial Germany's Role in the Outbreak of World War One Reexamined, in: Laurentian University Review 1973, 133–60; R. C. North, Perception and Action in the 1914 Crisis, in: Journal of International Affairs 21.1967, 103–22; J. Remak, The Origins of World War One: 1871–1914, N.Y. 1967; ders., The Third Balkan War: Origins Reconsidered, in: JMH 42.1972, 353–66; L. Lafore, The Long Fuse, N.Y. 1965; J. Stengers, July 1914, in: Annuaire de l'Institut de Philologie et d'Histoire Orientale et des Slaves 17.1966, 105–49. Aufschlußreich zu einer vernachlässigten Dimension: A. Offer, The First World War. An Agrarian Interpretation, Oxford 1989. – Dogmatik: W. Gutsche, Der gewollte Krieg: Der deutsche Imperialismus u. der Erste Weltkrieg, Köln 1984; F. Klein u.a.,

Deutschland im Ersten Weltkrieg I: Vorbereitung, Entfesselung u. Verlauf des Krieges bis Ende 1914, Berlin 1968. – Quellen: W. Baumgart Bearb., Die Julikrise u. der Ausbruch des Ersten Weltkriegs 1914, Darmstadt 1983; E. Hölzle Hg., Quellen zur Entstehung des Ersten Weltkriegs 1901–14, ebd. 1978; vgl. ders., Die Selbstentmachtung Europas, 2 Bde, Göttingen 1975/78 (zehrt von bornierter Fischer-Kritik). – Außenseiter: F. Kern, Skizzen zum Kriegsausbruch 1914, Hg. H. Hallmann, ebd. 1968; W. Benz Hg., W. Muehlon. Ein Fremder im eigenen Land 1908–14, Bremen 1989. – Riezler, Tagebücher; berechtigte Kritik: B. Sösemann, Die Tagebücher K. Riezlers, in: HZ 236.1983, 327–69; B. F. Schulte, Die Verfälschung der Riezler-Tagebücher, Frankfurt 1985; Verteidigung: K. D. Erdmann, Zur Echtheit der Tagebücher K. Riezlers, in: HZ 236.1983, 371–402; A. Blänsdorf, Der Weg der Riezler-Tagebücher, in: GWU 25.1984, 651–84. Vgl. W. C. Thompson, In the Eye of the Storm: K. Riezler and the Crisis of Modern Germany, Iowa City 1980; K. H. Jarausch, The Illusion of Limited War: Chancellor Bethmann Hollweg's Calculated Risk of July 1914, in: CEH 2.1969, 48–76; A. Hillgruber, Riezlers Theorie des kalkulierten Risikos u. Bethmann Hollwegs polit. Konzeption der Julikrise 1914, in: HZ 202.1966, 333–52. – E. Deuerlein Hg., Dienstl. Privatkorrespondenz Hertling-Lerchenfeld 1912–17, 2 Bde, Boppard 1973. – L. Burchardt, Friedenswirtschaft u. Kriegsvorsorge. Deutschlands wirtschaftl. Rüstungsbestrebungen vor 1914, Boppard 1968; unergiebig: R. Zilch, Die Reichsbank u. die finanzielle Kriegsvorbereitung 1907–14, Berlin 1987.

V. Strukturbedingungen und Entwicklungsprozesse der Kultur

[1] Kupisch, Landeskirchen, 75; Greschat, Zeitalter, 209; Conze, in: HWS II, 667f. Vgl. allg. Bd. II, 458–77, und vorn 5. Teil, V.1 mit der Lit. in Anm. 1 u. 2, v.a. Nipperdey, Geschichte II, 428–530 (= ders., Religion 1870–1918); die einschlägigen Beiträge in Schieder Hg., Religion; ders. Hg., Volksreligiosität; Blaschke u. Kuhlemann Hg.; McLeod, Religion 1789–1970; Köhle-Hezinger; Marbach; Burger; Chadwick. Weiterhin die allg. Nachschlagewerke: RGG, 7 Bde, 1957–63[3]; Lexikon für Theologie u. Kirche, 11 Bde, 1957–67[2]/1993ff.[3]; Staatslexikon, 5 Bde, 1985–89[7]; Evangel. Staatslexikon, 2 Bde, 1987[3]; Evangel. Soziallexikon, 1980[7]. – Zum Protestantismus: die Lit. zum 5. Teil, V.1a, Anm. 1, v.a. Kottje u. Möller III, 1979[2]; Hermelink III, 58–82, 144–69, 442–578; Kupisch, Kirchengeschichte V, 62–76; ders., Landeskirchen, 72–92; Wallmann II, 234–44, 255–64; Greschat, Zeitalter, 208–31; Kantzenbach, Weg, 65–79, 101–24, sowie Huber IV, 833–75; Hölscher, Religion; ders., Bürgerl. Religiosität; Aschoff; Scheuner, Kirche; Hammer, Kriegstheologie. Vgl. allg. T. Nipperdey, Religion u. Gesellschaft: Deutschland um 1900, in: HZ 246.1988, 591–615; R. J. Evans, Religion and Society in Modern Germany, in: ders., Rethinking, 125–55; K. Kupisch, Bürgerl. Frömmigkeit im Wilhelmin. Zeitalter, in: Schoeps Hg., Zeitgeist, 40–49; E. K. Bramstedt, The Position of the Protestant Church in Germany 1871–1933, in: Journal of Religious History 2.1962/63, 314–34; 1964, 61–79; zu eng: J. Flemming: Unter der Bürde der Tradition: Thesen zum gesellschaftl. Ort des deutschen Protestantismus vor 1945, in: H. W. v. d. Dunk u. H. Lademacher Hg., 239–48; weiterführend: F.-M. Kuhlemann, Religion, Bildung u. bürgerl. Kommunikation. Zur Vergesellschaftung evangel. Pfarrer u. des protestant. Bürgertums in Baden 1860–1918, in: Tenfelde u. Wehler Hg., 149–70; demn. ders., Protestant. Pfarrer in Baden u. Westfalen im Vergleich mit anglikan. Geistlichen 1871–1933, Habil.-Schrift Bielefeld 1995; s. auch G. Bormann, Studien zu Berufsbild u. Berufswirklichkeit evangel. Pfarrer in Württemberg, in: Social Compass 13.1966/2, 95–137; Janz' Studien. – E. R. u. W. Huber Hg., Staat u. Kirche 1890–1918, Berlin 1983; T. Buske, Thron u. Altar. Die Rolle der Berliner Hofprediger im Zeitalter des Wilhelminismus, Neustadt/A. 1970; H. Gottwald u. H. Herz, Deutscher Protestantenverein 1863–1945, in: LP 2, 251–57; H. Gottwald, Evangel. Bund 1886–1945, in: ebd., 580–87; W. Fleischmann-Bisten u. H. Grote, Protestanten auf dem Wege. Geschichte des Evangel. Bundes, Göttingen 1956. – Brakelmann, Soziale Frage; Liebersohn; Ward; Kouri; M. Schick, Kulturprotestantismus u. soziale Frage, Tübingen 1970; G. Kretschmar, Der Evangel.-Soziale Kongress, Stuttgart 1972; H. Gottwald, Evangel.-

Sozialer Kongress 1890–1945, in: LP 2, 588–96. – F. W. Kantzenbach, Religionskritik der Neuzeit, Berlin 1972; K.-H. Weger Hg., Religionskritik von der Aufklärung bis zur Gegenwart, Mainz 1979; F. Heyer Hg., Religion ohne Kirche. Die Bewegung der Freireligiösen, Stuttgart 1977; vgl. A. Berentsen, Vom Urnebel zum Zukunftsstaat. Die Popularisierung der Naturwissenschaften in der deutschen Literatur 1880–1910, Berlin 1986. – Hervorragend ist neuerdings: G. Hübinger, Kulturprotestantismus u. Politik. Zum Verhältnis von Liberalismus u. Protestantismus im wilhelmin. Deutschland, Tübingen 1994; ders., Protestant. Kultur im wilhelmin. Deutschland, in: IASL 16.1991, 174–99; F. W. Graf, Kulturprotestantismus, in: Archiv für Begriffsgeschichte 28.1984, 214–68; W. Döbertin, A. v. Harnack, München 1985; J. Rathje, Die Welt des freien Protestantismus: M. Rade, Stuttgart 1952. Zu Naumann s. o. IV B 2b, Anm. 26. Vgl. E. Troeltsch, Zur religiösen Lage, Religionsphilosophie u. Ethik (= G. Sch. II), Tübingen 1922²/ND Aalen 1981; ders., Religion, in: D. Sarason Hg., Das Jahr 1913, Leipzig 1913, 533–49; vgl. zu Troeltsch: G. Schmidt, E. Troeltsch, in: Wehler Hg., Historiker III, 91–108; F. W. Graf u. H. Renz Hg., Troeltsch-Studien, 7 Bde, Gütersloh 1982–93; H.-G. Drescher, E. Troeltsch, Göttingen 1991; R. J. Rubanowice, Crisis in Consciousness: The Thought of E. Troeltsch, Tallahassee 1982; K. E. Apfelbacher, Frömmigkeit u. Wissenschaft. E. Troeltsch u. sein theolog. Programm, Paderborn 1978; W. Bodenstein, Neige des Historismus. E. Troeltschs Entwicklungsgang, Gütersloh 1959.

[2] Weber, Fundamentalismus, 27–31, 35; Aubert, Geschichte, 148, 327, 17, 20, 170–74, 13ff; Maron, 205–12; O. Köhler, Die Ausbildung des Katholizismus in der modernen Gesellschaft, in: Jedin Hg., Hdb. VI/2, 1973, 224, 232f., 248f., 252; R. Aubert, Die modernist. Krise, in: ebd., 436, 442–46; R. Lill, Der deutsche Katholizismus zwischen Kulturkampf u. 1914, in: ebd., 521, 524–26; auch Riezler, 170–73. Vgl. vorn 5. Teil, V.1b (dort auch eine historische Definition des Ultramontanismus); mit der Lit. in Anm. 2, v. a. Aubert, Geschichte 1848–1963; Maron, 203–13, 256–62; Bihlmeyer u. Tüchle III, 1969¹⁸, 403–13, 440–75 (der Tiefpunkt der Apologetik); Schmidt u. Schwaiger Hg.; Hanssler; Schatz, Zwischen Säkularisierung; Greschat, Zeitalter, 195–205; Huber IV, 645–831; Nipperdey II, 428–68; Loth Hg.; Blaschke u. Kuhlemann Hg.; Gabriel u. Kaufmann Hg.; Rüther Hg., Geschichte; Rauscher Hg., Entwicklungslinien; ders. Hg., Religiöse u. kulturelle Bewegungen; ders. Hg., Sozialer u. polit. Katholizismus; Blessing, Staat u. Kirche; Mooser, Volksreligion; Horstmann, Kirchentage; Weber, Katholizismus u. Bildungsanspruch; Klöcker, Katholizismus u. Bildungsbürgertum; ders., Bildungsdefizit; Baumeister. Hier noch v. a.: Köhler, 195–264; Lill, 515–27; A. Rauscher Hg., Probleme der Konfessionalisierung in Deutschland um 1900, Paderborn 1984; I. Götz v. Olenhusen, Klerus u. abweichendes Verhalten. Zur Sozialgeschichte kathol. Priester im 19. Jh.: Die Erzdiözese Freiburg, Göttingen 1994; W. Halder, Kathol. Vereine in Baden u. Württemberg 1848–1914, Paderborn 1994; J. Mooser, «Christl. Beruf» u. «Bürgerl. Gesellschaft». Zur Auseinandersetzung über Berufsethik u. wirtschaftl. «Inferiorität» im Katholizismus um 1900, in: Loth Hg., 124–42; D. Blackbourn, Marpingen. Apparitions of the Virgin Mary in Bismarckian Germany, Oxford 1993, dt. Reinbek 1995; G. Korff, Formierung der Frömmigkeit. Zur sozialpolit. Intention der Trierer Rockwallfahrten 1891, in: GG 3.1977, 352–83; N. Busch, Der Herz-Jesu-Kult im Kaiserreich, Diss. Bielefeld 1995; N. Schlossmacher, Der Antiultramontanismus im wilhelmin. Deutschland, in: Loth Hg., 164–98; H. Gottwald, Antiultramontaner Reichsverband, in: LP 1, 89–93; ders., Deutsche Vereinigung, in: LP 2, 404–12; K. J. Rivinius, Integralismus u. Reformkatholizismus: H. Schell, in: Loth Hg., 199–218; A. Leugers-Scherzberg, Die Modernisierung des Katholizismus: F. Porsch, in: ebd., 219–35; T. M. Loome, Liberal Catholicism, Reform Catholicism, Modernism, Mainz 1979; G. Schwaiger Hg., Aufbruch ins 20. Jh. Reformkatholizismus u. Modernismus, Göttingen 1976; O. Schröder, Aufbruch u. Mißverständnis. Zur Geschichte der reformkathol. Bewegung, Graz 1969.

[3] Vgl. vorn 5. Teil, V2a mit der Lit. in Anm. 3, sowie Bd. II, 428–91. Hier v. a. Kuhlemann, Modernisierung 1794–1872; ders., Tradition u. Innovation. Zum Wandel des

niederen Bildungssektors in Preußen 1790–1918, in: Jb. für Histor. Bildungsforschung 1.1993, 41–57; ders., Niedere Schule, in: HB IV, 179–227; Lundgreens Studien; Meyer, Schule; Bölling, Sozialgeschichte; H.-G. Herrlitz u. a., Institutionalisierung des öffentl. Schulsystems, in: Enzyklopädie Erziehungswissenschaft (= EE) V, Stuttgart 1984, 55–71; M. Klewitz u. A. Leschinsky, Institutionalisierung des Volksschulwesens, in: ebd., 72–97; M. Klewitz, Preuß. Volksschule vor 1914, in: Zeitschrift für Pädagogik 27.1981, 551–73; W. Breyvogel, Soziale Lage u. Berufsbewußtsein von Lehrern, in: EE V, 298–319; noch immer: A. Petersilie, Das öffentl. Unterrichtswesen im Deutschen Reich, 2 Bde, Leipzig 1897; W. Lexis Hg., Das Unterrichtswesen im Deutschen Reich III: Das Volksschulwesen u. das Lehrerbildungswesen, Berlin 1904; Conze, in: HWS II, 670–75. – W. J. Mommsen, Bürgerl. Kultur u. künstler. Avantgarde. Kultur u. Politik im deutschen Kaiserreich 1870–1918, Berlin 1994, 58–82; T. Nipperdey, Wie modern war das Kaiserreich? Das Beispiel der Schule, Opladen 1986; M. Lamberti, State, Society, and the Elementary School in Imperial Germany, N. Y. 1989; C. Berg, Die Okkupation der Schule 1872–1900, Heidelberg 1973; dies., Volksschule im Abseits von «Industrialisierung» u. «Fortschritt», in: Pädagog. Rundschau 28.1974, 385–406; V. vom Berg, Bildungsstruktur u. industrieller Fortschritt (Essen/Ruhr im 19. Jh.), Stuttgart 1979; paradigmatisch: J. Reulecke, Von der Dorfschule zum Schulsystem, in: ders. u. W. Weber Hg., Fabrik, Familie, Feierabend, Wuppertal 1978[2], 247–71; G. Field, Religion in the German Volksschule, in: LBIYB 25.1980, 41–71; P.-C. Bloth, Religion in den Schulen Preußens, Heidelberg 1968; H. Lemmermann, Kriegserziehung im Kaiserreich. Studien zur polit. Funktion von Schule u. Schulmusik 1890–1918, 2 Bde, Bremen 1984. – H. Titze, Lehrerbildung u. Professionalisierung, in: HB IV, 356–70 (mit einer jede begriffliche Trennschärfe sprengenden Inflation des Professionalisierungsbegriffs); F. Hamburger, Lehrer zwischen Kaiser u. Führer, Diss. Heidelberg 1974; M. Lamberti, Elementary School Teachers and the Struggle Against Social Democracy in Wilhelmine Germany, in: History of Education Quarterly 32.1992, 73–97; R. Bölling, Elementarschullehrer zwischen Disziplinierung u. Emanzipation 1870–1914, in: Jeismann Hg., Bildung, 326–42; ders., Lehrerarbeitslosigkeit in Deutschland im 19. u. 20. Jh., in: AfS 27.1987, 229–58; ders., Zum Organisationsgrad der deutschen Lehrerschaft 1900–33, in: M. Heinemann Hg., Der Lehrer u. seine Organisationen, Stuttgart 1977, 121–34; I. Brehmer u. J. Jacobi-Dittrich Hg., Lehrerinnen, München 1980; I. Gahlings, Die Volksschullehrer u. ihre Berufsverbände, Neuwied 1967; H. Günther-Arndt, Monarch. Präventivbelehrung oder curriculare Reform? Zur Wirkung des Kaiser-Erlasses vom 1. 5. 1889 auf den Geschichtsunterricht, in: Jeismann Hg., Bildung, 256–75; U. Bendel, Sozialdemokrat. Schulpolitik u. Pädagogik im wilhelmin. Deutschland 1890–1914, Frankfurt 1979.

[4] Vgl. vorn 5. Teil, V2b mit der Lit. in Anm. 4, sowie Bd. II, 491–99, v. a. Müller u. Zymek. Hier: P. Lundgreen, Institutionalisierung des höheren Schulwesens, in: EE V, 98–113; ders., Schulsystem, Bildungschancen u. städt. Gesellschaft, in: HB IV, 304–13; ders. u. a., Bildungschancen; J. C. Albisetti u. P. Lundgreen, Höhere Knabenschulen, in: ebd., 228–71; P. Lundgreen, Das Bildungsverhalten höherer Schüler während der akadem. Überfüllungskrise der 1880er und 90er Jahre in Preußen, in: Zeitschrift für Pädagogik 27.1981, 225–44; ders., Bildungsnachfrage u. differentielles Bildungsverhalten in Deutschland 1875–1975, in: Kellenbenz Hg., Wachstumsschwankungen, 61–119; R. Schneider, Die Bildungsentwicklung in den europ. Staaten 1870–1975, in: ZfS 11.1982, 207–26; J. S. Albisetti, Secondary School Reform in Imperial Germany, Princeton 1983; noch immer: W. Lexis Hg., Das Unterrichtswesen im Deutschen Reich II: Die höheren Lehranstalten u. das Mädchenschulwesen, Berlin 1904; L. Wiese, Das höhere Schulwesen in Preußen IV: 1874–1901, Hg. B. Irmer, ebd. 1902. – S. F. Müller u. H.-E. Tenorth, Professionalisierung der Lehrtätigkeit, in: EE V, 153–71 (hier trifft dieselbe Kritik, die oben in Anm. 3 geäußert wurde, ebenfalls zu); H. Titze, Die soziale u. geistige Ausbildung des preuß. Oberlehrerstandes 1870–1914, in: Zeitschrift für Pädagogik Beih. 14.1977, 107–28; H.-G. Herrlitz u. ders., Überfüllung als bildungspolit. Strategie. Zur administrativen Steuerung der Lehrer-

arbeitslosigkeit in Preußen 1870–1914, in: Die Deutsche Schule 63.1976, 348–76; G. Schneider, Der Geschichtsunterricht in der Ära Wilhelms II., in: K. Bergmann u. ders. Hg., Gesellschaft, Staat, Geschichtsunterricht 1500–1980, Düsseldorf 1982, 132–89; K. Bergmann, Imperialist. Tendenzen in Geschichtsdidaktik u. Geschichtsunterricht ab 1890, in: ebd., 190–217; H.-J. Apel, Gymnasiallehrer mit «Verständnis u. Taktgefühl für die heranwachsende Jugend». Die «standesgemäße» Ausbildung der Gymnasiallehrer im Seminar des wilhelmin. Gymnasiums 1890–1918, in: Jeismann Hg., Bildung, 308–25; S. Müller-Rolli, Der höhere Lehrerstand im 19. Jh. Der Gründungsprozeß des Philologenverbandes, Köln 1992. – M. Kraul, Höhere Mädchenschulen, in: HB IV, 279–303; ausführlich: Albisetti, Schooling; G. u. L. Bernstein, Attitudes Towards Women's Education in Germany 1870–1914, in: International Journal of Women's Studies 2.1979, 473–88.

[5] Übersicht 112 nach: Jarausch, Universität, in: HB IV, 318; etwas abweichende Zahlen in: Titze u. a., Hochschulstudium, 87f.; Huber IV, 942; McClelland, Change, 180. Diese kleinen Differenzen beruhen meist auf unterschiedlichen Angaben über Immatrikulationsziffern in der einzelstaatlichen Statistik und in den Universitäts-Festschriften. – Übersicht 113 nach: Titze u. a., 87f., 91f. Vgl. allg. Jarausch, Universität, 313–45; Huber IV, 925–70; Lexis Hg. I: Univ., 1904. Die Lit. zu den 22 Universitäten (daraus auch viele Einzelinformationen im folgenden): 1. Berlin: Lenz II/2, 351–85; III, 501–29 (Berthold u. a. Hg. sowie: Forschen u. Wirken, sind unbrauchbar). – 2. Bonn: Geschichte der Rhein. Friedrich-Wilhelm-Univ. II, Bonn 1933; Schäfer, 150 Jahre Univ. Bonn; Braubach, Kleine Geschichte. – 3. Breslau: Kaufmann I, 193–232; II, 68. – 4. Erlangen: Kolde, 460–93; A. Wendehorst, Geschichte der Friedrich-Alexander-Univ. Erlangen-Nürnberg 1743–1933, München 1993. – 5. Frankfurt: P. Kluke, Die Stiftungsuniv. Frankfurt a. M. 1914–32, Frankfurt 1972; N. Hammerstein, Die J. W. Goethe-Univ. Frankfurt I: 1914–50, Neuwied 1989. – 6. Freiburg: Beiträge, 38 Bde. – 7. Gießen: Moraw, 171–91. – 8. Göttingen: v. Selle; Meinhardt. – 9. Greifswald: Braun u. a. I, 122–26. – 10. Halle-Wittenberg: Stern Hg. II (Beitrag zu 1848–1914 fehlt). – 11. Heidelberg: Doerr Bearb.; Classen u. Wolgast, 61–78; R. Riese, Die Hochschule auf dem Wege zum wissenschaftl. Großbetrieb. Die Univ. Heidelberg u. das bad. Hochschulwesen 1860–1914, Stuttgart 1977; K. Buselmeier u. a. Hg., Auch eine Geschichte der Univ. Heidelberg, Heidelberg 1985, v. a. F. Niess, Zur Wirtschaftsgeschichte, 11–25. – 12. Jena: Steinmetz Hg. I, 451–514; weit besser: S. Schmidt u. a. Hg., Alma Mater Jenensis, Geschichte der Univ. Jena, Weimar 1983, 211–47. – 13. Kiel: Hofmann, 34–49. – 14. Königsberg: v. Selle; Prutz, 280–325. – 15. Leipzig: Eulenburg, Leipzig, 18, 70, 97f., 192–94, 181, 205, 281; dagegen abfallend: Engelberg Hg. II. – 16. Marburg: Hermelink u. Kähler, 550–65. – 17. München: Boehm u. Spörl; Boehm, in: HBG IV/2, 995–1036. – 18. Münster: H. Dollinger Hg., Die Univ. Münster 1780–1980, Münster 1980; blaß: W. Ribhegge, Geschichte der Univ. Münster, ebd. 1985, 118–43. – 19. Rostock: Heidorn Hg. I (unbrauchbar). – 20. Straßburg: Craig. – 21. Tübingen: Naujoks, in: Decker-Hauff u. a., 161–79; Jens u. a., 302–23; Rienhart. – 22. Würzburg: in Baumgart; Buchner fehlt ein Kapitel über 1848–1918. Die Fs., die über Berlin, Greifswald, Halle, Jena, Leipzig und Rostock in der DDR-Zeit verfaßt worden sind, stimmen trübselig. Nicht einmal die potentielle Stärke des Marxismus: eine präzise Wirtschafts- und Sozialgeschichte der Universitäten, ist dort zu finden. Der Vergleich fällt um so enttäuschender aus, wenn man z. B. die Studien von Lenz und Eulenburg aus der Zeit vor 1914 heranzieht. Vgl. vorn 5. Teil, V.3 mit der Lit. in Anm. 6, sowie Bd. II, 504–20. Hier v. a. P. Schiera, Laboratorium der bürgerl. Welt. Deutsche Wissenschaft im 19. Jh., Frankfurt 1992; T. Lenoir, Politik im Tempel der Wissenschaft. Forschung u. Machtausübung im deutschen Kaiserreich, ebd. 1992; R. S. Turner, German Science, German Universities, in: G. Schulenburg Hg., «Einsamkeit u. Freiheit» neu besichtigt, Stuttgart 1991, 24–36; C. E. McClelland, Wise Man's Burden, 51–67; ders., Change, 180–88; ders., Republics Within the Empire: The Universities, in: Dukes u. Remak Hg., 169–80; A. Beyerchen, On the Stimulation of Excellence in Wilhelmian Science, in: ebd., 139–68; H. Lübbe, Fortschritt durch Wissenschaft: Die Univ. im 19. Jh., in: Fs. Nipperdey, 171–84; T. Schieder, Kunst, Wissenschaft u.

Wissenschaftspolitik im Deutschen Kaiserreich, in: G. Mann u. R. Winau, Medizin, Naturwissenschaft, Technik u. das zweite Kaiserreich, Göttingen 1977, 9–34; R. Vierhaus, Zur Entwicklung der Wissenschaften im deutschen Kaiserreich 1870–1914, in: Rumpler Hg., Staatsbildung, 194–204; F. W. Graf u. a. Hg., Kultur u. Kulturwissenschaften um 1900, Stuttgart 1989; B. R. Clark, Academic Differentiation in National Systems of Higher Education, in: Comparative Education Review 22.1978, 242–58; J. E. Craig, Higher Education and Social Mobility in Germany, in: Jarausch Hg., Transformation, 219–44; ders. u. N. Spear, Explaining Educational Expansion, in: M. S. Archer Hg., The Sociology of Educational Expansion, London 1982, 133–57; W. G. Hoffmann, Erziehungs- u. Forschungsausgaben im wilhelmin. Wachstumsprozeß, in: Fs. E. H. Vits, Frankfurt 1963, 101–33. – B. vom Brocke, Hochschul- u. Wissenschaftspolitik in Preußen u. im Deutschen Kaiserreich: Das «System Althoff» 1882–1907, in: P. Baumgart Hg., Bildungspolitik in Preußen zur Zeit des Kaiserreichs, Stuttgart 1980, 9–118; A. Sachse, F. Althoff, Berlin 1928; L. Burchardt, Die deutsche Wissenschaftspolitik an der Wende zum 20. Jh., in: GWU 26.1975, 271–89; H. Titze u. a., Datenhdb. zur deutschen Bildungsgeschichte, Teil I/Bd. 2: Die deutschen Einzeluniv., Göttingen 1994; ders. u. a., dass., Teil I/Bd. 1; W. Rüegg Hg., Geschichte der Univ. vom Mittelalter bis zur Gegenwart III: 1800–1945, München 1995; P. Windolf, Zyklen der Bildungsexpansion 1870–1990, in: ZfS 12.1992, 110–25; ders., Expansion; V. Müller-Benedict, Die Dynamik des deutschen Hochschulsystems 1820–1986, in: HSF 19.1994/2, 4–32; ausführlicher ders., Akademikerprognose u. die Dynamik des Hochschulsystems, Frankfurt 1991.

[6] Studenten in Berlin: Lenz III, 521; in Leipzig: Eulenburg, Leipzig, 205, 70. – Übersicht 114 nach: Jarausch, Universität, in: HB IV, 327; v. Ferber, 178; Ruppel; Preuß. Statistik 204.1903, 154f.; vgl. Ringer, Decline, 60; ders., Community, 116; Conze, in: HWS II, 676f.; ders., Konstitut. Monarchie, 190f. Zum Frauenstudium unten Huerkamp. – Vgl. vorn 5. Teil, V4 u. Anm. 7; hier v. a. K. H. Jarausch, Frequenz u. Struktur, in: Baumgart Hg., 119–49; ders., Liberal Education as Illiberal Socialization: The Case of Students in Imperial Germany, in JMH 50.1978, 609–30; ders., Studenten, Gesellschaft u. Politik im Kaiserreich, in: Informationen zur Erziehungs- u. Bildungshistor. Forschung 3.1975, 61–90; zusammenfassend ders., Students, Society; G. Eley, Educating the Bourgeoisie: Students and Culture of Illiberalism in Imperial Germany, in: History of Education Quarterly 26.1986, 287–300; L. Burchardt, Student. Jugend im Kaiserreich, in: H. Rabe Hg., Jugend, Konstanz 1984, 25–52; C. Quetsch, Die zahlenmäßige Entwicklung des Hochschulbesuchs in den letzten 50 Jahren, Berlin 1960; W. Ruppel, Über die Berufswahl der Abiturienten Preußens 1875–99, Göttingen 1904. – M. Studier, Der Corpsstudent als Idealbild der wilhelmin. Ära 1880–1914, Schernfeld 1990; D. Grieswelle, Zur Soziologie des Kösener Corps 1870–1914, in: Helfer u. Rassem Hg., 346–65; H.-H. Brandt, Student. Korporatismus u. polit.-sozialer Wandel, in: Fs. Nipperdey, 122–44; G. Heer, Geschichte der Deutschen Burschenschaften 1859–1919, Heidelberg 1939; T. Ziegler, Der deutsche Student am Ende des 19. Jh., Stuttgart 1895/Berlin 1912[12]. – C. Huerkamp, Frauen, Univ. u. Bildungsbürgertum 1900–30, in: Siegrist Hg., Bürgerl. Berufe, 200–22; dies., Bildungsbürgerinnen. Frauen an den Univ. u. in den akadem. Berufen 1900–45, Göttingen 1995; J. C. Albisetti, Frauen u. akadem. Berufe im kaiserl. Deutschland, in: A. Kuhn u. R.-E. B. Joeres Hg., Frauen in der Geschichte VI, Düsseldorf 1985, 286–303; S. Habeth, Die Freiberuflerin u. Beamtin. Ende 19. Jh.–1945, in: Pohl Hg., Frau in der Wirtschaft, 155–70.

[7] Übersicht 115 nach: v. Ferber, 195 (dort auch die Zahlen für die einzelnen Fachgebiete), 177f., 185f., 81 (Habil.); Ringer, Profil, 94, 96; ders., Community, 10–21. Vgl. Busch, Privatdozent, 123. Typische Veränderungen der Lehrkörperstruktur z. B. in Berlin: Lenz II/2, 501, in Leipzig: Eulenburg, Leipzig, 97f.; in Kiel: Hofmann, 41. – G. Schmoller, Rez., in: Sch. Jb. 10.1886, 613. – Etat: Lenz III, 529; Eulenburg, 142; Kaufmann, Breslau II, 68; Pfetsch, 43–78, v. a. 52, 69–90; vgl. Turner, Universitäten, 234 (1894/95). – Vgl. vorn 5. Teil, V.4 u. Anm. 7; hier v. a. R. vom Bruch, Wissenschaft, Politik u. öffentl. Meinung. Gelehrtenpolitik im wilhelmin. Deutschland 1890–1914, Husum

1980; G. Schmidt u. J. Rüsen Hg., Gelehrtenpolitik u. polit. Kultur in Deutschland 1830–1930, Bochum 1986; G. M. Schwarz, Political Attitudes in the German Universities During the Reign of William II, Diss. Oxford 1961; W. J. Mommsen, Die «deutsche Idee der Freiheit». Die deutsche Historikerschaft u. das Modell des monarch. Konstitutionalismus im Kaiserreich, in: Staatswissenschaften u. Staatspraxis 3.1992, 30–45; G. Hübinger, Staatstheorie u. Politik als Wissenschaft im Kaiserreich: G. Jellinek, O. Hintze, M. Weber, in: Fs. W. Hennis, Stuttgart 1988, 143–61; O. Stumpfe, Professoren, Reaktion u. Männerbünde 1870–1933, in: Polit. Studien 13.1962, 552–62; B. vom Brocke, Professoren als Parlamentarier, in: Schwabe Hg., Hochschullehrer, 55–92; L. Burchardt, Naturwissenschaftl. Universitätslehrer im Kaiserreich, in: ebd., 151–214; P. Forman u. a., Physics ca. 1900: Personnel, Funding, and Productivity of the Academic Establishment, Princeton 1975; D. Cahan, The Institutional Revolution in German Physics 1865–1914, in: Historical Studies in the Physical Sciences 15.1985, 1–65; L. S. Pyenson, Cultural Imperialism and Exact Sciences, German Expansion 1900–30, N. Y. 1985; E. Mendelsohn, The Emergence of Science as a Profession in the 19th Century, in: K. Hill Hg., The Management of Scientists, Boston 1964, 3–48; J. T. Merz, A History of European Scientific Thought in the 19th Century I, Gloucester/Mass. 1976; H. J. Störig, Kleine Weltgeschichte der Wissenschaften II, Frankfurt 1970[3]; W. Martin, Verzeichnis der Nobelpreisträger 1901–84, München 1985. – W. Grab Hg., Juden in der deutschen Wissenschaft, Tel Aviv 1986; J. Schorsch, The Religious Parameters of Wissenschaft: Jewish Academics at Prussian Universities, in: LBIYB 25.1980, 3–15; am besten hierzu Volkov, Soziale Ursachen, 146–65. – Eulenburg, Akadem. Nachwuchs; K.-D. Bock, Strukturgeschichte der Assistentur. Personalgefüge, Wert- u. Zielvorstellungen der deutschen Univ. des 19. u. 20. Jh., Düsseldorf 1975. – C. Weber, Der «Fall Spahn» (1901), Rom 1980; D. Fricke, Zur Militarisierung des deutschen Geisteslebens im wilhelmin. Kaiserreich. Der Fall L. Arons, in: ZfG 8.1960, 1069–1107; zu beiden «Fällen» und zu Michels auch Huber IV, 950–65.

[8] Vgl. allg. Manegold, Univ., TH; Deutsche TH, 1941; Lundgreen, Sozialgeschichte I, 116–18. Die Lit. zu den 11 TH: 1. Aachen: Düwell. – 2. Berlin: Rürup Hg., TU Berlin 1878–1978, 2 Bde (darin v. a. ders., 11–20; W. H. Schröder, Lehrkörperstruktur 1879–1945, 51–114; G. Gizewski, Studentenschaft seit 1878, 115–54). – 3. Braunschweig: Schneider, 26–42; Moeller. – 4. Breslau: Die TH Breslau, Wuppertal 1985. – 5. Danzig: Beiträge u. Dokumente zur Geschichte der TH Danzig 1904–45, Hannover 1979. – 6. Darmstadt: E. Viefhaus, Hochschule, Staat u. Gesellschaft, in: TH Darmstadt Hg., 100 Jahre TH, Darmstadt 1977, 57–111; Schlink, 14–25. – 7. Dresden; Sonnemann u. a., 60–154. – 8. Hannover: Manegold, in: Univ. Hannover 1831–1981, 35–73; ders., Entwicklung der TH, in: Treue u. Mauel Hg. I, 297–304. – 9. Karlsruhe: Schnabel; Bussmann u. Neumaier. – 10. München: TH München 1868–1968; H.-L. Dienel u. H. Hilz, 125 Jahre TU München, 1868–1993, München 1993. – 11. Stuttgart: Univ. Stuttgart II, 1979. – Vgl. vorn. 5. Teil, V.3, sowie R. Locke, The End of Practical Man: Entrepreneurship and Higher Education in Germany, France, and Great Britain 1880–1940, London 1984; ders., Industrialisierung u. Erziehungssystem in Frankreich u. Deutschland vor 1914, in: HZ 225.1977, 265–96. – R. vom Bruch u. R. A. Müller Hg., Formen außerstaatl. Wissenschaftsförderung im 19. u. 20. Jh. Deutschland im internationalen Vergleich, Stuttgart 1990, 16; D. Cahan, An Institute for an Empire: The Physikal.-Techn. Reichsanstalt 1871–1918, Cambridge 1989. dt. Meister der Messung. Die Physikal.-Techn. Reichsanstalt im Deutschen Kaiserreich, Weinheim 1992; bes. instruktiv: G. A. Ritter, Großforschung u. Staat in Deutschland, München 1992, 13–39; P. Lundgreen u. a., Staatl. Forschung in Deutschland 1870–1980, Frankfurt 1986, v. a. 17–26; B. vom Brocke, Die Kaiser-Wilhelm-Gesellschaft im Kaiserreich, in: ders. u. R. Vierhaus Hg., Forschung im Spannungsfeld von Politik u. Gesellschaft. Geschichte u. Struktur der Kaiser-Wilhelm-/Max-Planck-Gesellschaft, Stuttgart 1990, 17–162; ders. Hg., Wissenschaftsgeschichte u. Wissenschaftspolitik im Industriezeitalter, Hildesheim 1991; L. Burchardt, Wissenschaftspolitik im wilhelmin. Deutschland, Göttingen 1975, 7, 15, 27, 32–34, 51, 56, 70, 76–78, 96, 121, 131–34, 141, 143, 155–58

(Spenderliste); dogmatisch eingeschnürt: G. Wendel, Die Kaiser-Wilhelm-Gesellschaft 1911–14, Berlin 1975.

[9] Vgl. vorn 5. Teil, V.5 u. Anm. 8; hier v. a. G. Jäger, Medien, in: HB IV, 473–99; Wittmann, Buchmarkt, 133; Schenda, Kleine Leute, 86; R. A. Fullerton, Toward a Commercial Popular Culture in Germany. The Development of Pamphlet Fiction 1871–1914, in: JSH 12.1978/79, 489–511; R. A. Berman, Literat. Öffentlichkeit, in: Glaser Hg. VIII, 69–85; vgl. G. Mattenklot u. K. R. Scherpe Hg., Positionen der literar. Intelligenz, Kronberg 1973. Zahlreiche Einzelinformationen finden sich in: G. Häntzschel u. a. Hg., Sozialgeschichte der deutschen Literatur von der Aufklärung bis zur Jahrhundertwende, Tübingen 1985; Propyläen-Geschichte der Literatur V: Das bürgerl. Zeitalter 1830–1914, Berlin 1984; K. G. Just, Von der Gründerzeit bis zur Gegenwart. Geschichte der deutschen Literatur seit 1871, in: Hdb. der deutschen Literaturgeschichte I/4, München 1973, 11–38; B. Hamann u. J. Hermand, Deutsche Kunst u. Kultur von der Gründerzeit bis zum Expressionismus, 6 Bde, Berlin 1959–75. – R. A. Berman, The Rise of the Modern German Novel, Cambridge 1986; R. Pascal, From Naturalism to Expressionism. German Literature and Society 1880–1918, London 1973; F. Martini, Die deutsche Literatur des bürgerl. Realismus 1848–98, Stuttgart 1962; K. Roper, German Encounters With Modernity. Novels of Imperial Berlin, Atlantic Highlands/N. J. 1991; K. Rossbacher, Heimatkunstbewegung u. Heimatromane, Stuttgart 1975; vgl. dazu C. Applegate, A Nation of Provincials: The German Idea of Heimat, Berkeley 1990. Vgl. allg. W. J. Mommsen, Die Herausforderung der bürgerl. Kultur durch die künstler. Avantgarde, in: GG 20.1994, 424–44; ders., Die Kultur der Moderne im Deutschen Kaiserreich, in: Fs. Nipperdey, 254–74; P. Paret, Kunst als Geschichte. Kultur u. Politik von Menzel bis Fontane, München 1990; R. Lennan, Die Kunst, die Macht, das Geld. Zur Kulturgeschichte des kaiserl. Deutschland 1871–1918, Frankfurt 1994; ders., Mass Culture and the State in Germany 1900–20, in: Fs. J. Joll, London 1984, 51–59; D. B. King, Culture and Society in Germany, in: Stark u. Lackner Hg., 15–44.

[10] Barth, Zeitschriften, 70; Martino, Publikumsschichten, 60, 63, 68; Tilly, in: HWS II, 580–83; K. Syndram, Kulturpublizistik u. nationales Selbstverständnis. Kunst- u. Kulturpolitik in den Rundschauzeitschriften 1871–1914, Berlin 1989; H.-W. Wolter, Deutsche Rundschau 1874–1964, in: H.-D. Fischer Hg., Deutsche Zeitschriften 17.–20. Jh., Pullach 1973, 183–200; vgl. D. Stein, Die Neue Rundschau 1890–1944, in: ebd., 229–39; E. N. Naujoks, Die Grenzboten 1881–1922, in: ebd., 155–66; B. U. Weller, Die Zukunft 1892–1922, in: ebd., 241–54; vgl. ders., M. Harden u. die «Zukunft», Bremen 1970; H. F. Young, M. Harden. Censor Germaniae 1892–1927, Münster 1971. – A. T. Allen, Satire and Society in Wilhelmine Germany: Kladderadatsch and Simplicissimus 1890–1914, Lexington/Ky. 1984; J. Heinrich-Joest, Kladderadatsch 1848–1933, Köln 1982; F. Roth, Simplicissimus, Frankfurt 1959; I. M. Schneider, Die populäre Kritik an Staat u. Gesellschaft in München 1886–1914, München 1975. – Blass: O. Roegele, Presse u. Publizistik des deutschen Katholizismus, in: Rauscher Hg., Polit. Katholizismus II, 395–434; informativ: G. Depenbrock, Hochland 1903–71; in: Fischer Hg., Zeitschriften, 291–304; A. Wacker, Histor.-Polit. Blätter 1838–1923, in: ebd., 141–54. – G. Schimeyer, Die Neue Zeit 1883–1923, in: ebd., 201–14; A. Breuer, Sozialist. Monatshefte 1893–1933, in: ebd., 265–80. – Grundlegend zu den Journalisten die erste zuverlässige Monographie: Requate, 114–410, v. a. 128f., 136–40, 145, 166, 217–30, 242–45, 249–52, 266f., 378–85. Sehr allg.: J. N. Retallack, From Pariah to Professional? The Journalist in German Society and Politics. From the Late Enlightenment to the Rise of Hitler, in: GSR 16.1993, 175–224 (mit dem zur Zeit modischen Professionalisierungsmythos); vgl. T. Enke, Die Presse Berlins 1878–1914, in: Theorie u. Praxis des Sozialist. Journalismus 1987/H. 6, T. I, 387–96; 1988/H. 16, T. II, 34–42; Fischer, Hdb. polit. Presse; Koszyk, Presse im 19. Jh. II; Salomon III. – Naujoks, Reichspressegesetz; A. Hall, The Kaiser; the Wilhelmian State, and Lesémajesté, in: German Life and Letters 27.1973/74, 101–15. – E. Fischer, L. Ullstein, in: H.-D. Fischer Hg., Deutsche Presseverleger, Pullach 1975, 163–71; H. Ullstein, The Rise and Fall of the

House of Ullstein, N. Y. 1943; ders., Spielplatz meines Lebens. Erinnerungen, Berlin 1961; M. Osborn Hg., 50 Jahre Ullstein 1877–1927, ebd. 1927. – W. Scharf, R. Mosse, in: Fischer Hg., Presseverleger, 204–13; zahlreiche Hinweise auf Mosse und die Ullsteins in: Mosse, Jewish Business Elite, 2 Bde; demn. zur Familie Mosse die Münchener Habil.-Schrift von E. Kraus; G. Schwarz, Berliner Tageblatt 1872–1939, in: Fischer Hg., Zeitungen, 315–27; W. Köhler, Der Chefredakteur T. Wolff, Düsseldorf 1973; Sösemann Hg., Wolff. – B. Treude, A. H. F. Scherl, in: Fischer Hg., Presseverleger, 232–39; H. Erman, A. Scherl, Berlin 1954; J. Schanz, Die Entstehung eines deutschen Presse-Großverlages, Diss. Berlin 1932. Vgl. W. R. Langenbucher, Die Demokratisierung des Lesens in der zweiten Leserevolution, in: H. G. Göpfert u. a. Hg., Lesen u. Leben, Frankfurt 1975, 12–35; H. Pross, Literatur u. Politik. Geschichte der polit.-literar. Zeitschriften im deutschen Sprachgebiet seit 1870, Olten 1963; F. Schlawe, Literar. Zeitschriften 1885–1910, Stuttgart 1961; W. B. Lerg u. M. Schmolke, Massenpresse u. Volkszeitung, Assen 1968 (28 f.: Harden über Scherl); H.-W. Wolter, Generalanzeiger, Bochum 1981; D. Guratzsch, Macht durch Organisation. Die Grundlegung des Hugenbergschen Presseimperiums, Düsseldorf 1972, 183–90; L. Bernhard, Der «Hugenberg-Konzern», Berlin 1928; H.-D. Fischer, A. Hugenberg, in: ders. Hg., Presseverleger, 294–308.

[11] Vgl. allg. Requate, 309–39, 411–22; Habermas, Strukturwandel, und den Überblick, ebd. 1990[19], 11–50. – Über liberale Blätter nur: K. Paupié, Frankfurter Zeitung 1856–1943, in: Fischer Hg., Zeitungen, 241–56; Mayer, Geschichte der Frankfurter Zeitung; G. Potschka, Köln. Zeitung 1802–1945, in: Fischer Hg., Zeitungen, 145–58; K. Bender, Voss. Zeitung 1617–1934, in: ebd., 25–39; Schwarz, Berliner Tageblatt. – Über konservative Blätter nur: M. Rohleder u. B. Treude, Neue Preuß. (Kreuz-)Zeitung 1848–1939, in: Fischer Hg., Zeitungen, 209–24; H.-D. Fischer, (Nord-)Deutsche Allg. Zeitung 1861–1945, in: ebd., 269–82. – K. Koszyk u. G. Eisfeld, Die Presse der deutschen Sozialdemokratie. Bibliographie, Bonn 1980[2]; L. Kantorowicz, Die sozialdemokrat. Presse Deutschlands, Tübingen 1922; Zerges, Sozialdemokrat. Presse; W. Sperlich, Journalist mit Mandat. Sozialdemokrat. Reichstagsabgeordnete u. ihre Arbeit in der Parteipresse 1867–1918, Düsseldorf 1983; V. Schulte, Vorwärts 1876–1933, in: Fischer Hg., Zeitungen, 329–48; Schimeyer, Neue Zeit; Breuer, Sozialist. Monatshefte; R. Deckert, J. H. W. Dietz 1843–1922, in: Fischer Hg., Presseverleger, 214–21; V. Schulze, P. Singer 1844–1911, in: ebd., 222–31. – K. Löffler, Geschichte der kathol. Presse Deutschlands, Mönchengladbach 1924; E. Schneider, J. Bachem 1821–93, in: Fischer Hg., Presseverleger, 151–62; K. Bachem, J. Bachem u. die Entwicklung der kathol. Presse in Deutschland, 3 Bde, Köln 1938; genau von innen her analysierend: Mergel, Zwischen Klasse u. Konfession; R. Kramer, Köln. Volkszeitung 1860–1941, in: Fischer Hg., Zeitungen, 257–68; K. M. Stiegler, Germania 1871–1938, in: ebd., 299–314; W. Kisky, Der Augustinus-Verein zur Pflege der kathol. Presse 1878–1928, Düsseldorf 1928.

VI. Deutschland am Ende des langen 19. Jahrhunderts

[1] Vgl. H.-U. Wehler, Modernisierungstheorie u. Geschichte, in: ders., Gegenwart als Geschichte, 13–59, 266–84. Aus der Lit. nur noch: W. Zapf, Modernisierung u. Modernisierungstheorien, in: ders. Hg., Die Modernisierung moderner Gesellschaften, Frankfurt 1991, 23–39; ders., Der Untergang der DDR u. die soziolog. Theorie der Modernisierung, in: B. Giesen u. G. Leggewie Hg., Experiment Vereinigung, Frankfurt 1993, 38–51; ders., The Role of Innovations in Modernization Theory, in: Revue Internationale de Sociologie 1991/3, 83–94; D. Harrison, The Sociology of Modernization, London 1988; S. N. Eisenstadt, A Reappraisal of Theories of Social Change and Modernization, in: H. Haferkamp u. N. J. Smelser Hg., Social Change and Modernity, Berkeley 1992, 412–30; R. Münch, Die Struktur der Moderne, Frankfurt 1992[2]; anregend, aber ohne historische Tiefenschärfe: U. Beck, Die Erfindung des Politischen, ebd. 1993; engstirnige Kritik: P. Wehling, Die Moderne als Sozialmythos. Zur Kritik sozialwissenschaftl. Modernisierungstheorien, ebd. 1992; H. van der Loo u. W. van Rejen, Modernisierung, München 1992.

[2] Vgl. vorn 5. Teil, VI; 6. Teil, II.4; III.2d; V.3.

[3] Vgl. verwandte Versuche einer Gesellschaftsgeschichte anderer Länder: E. Hanisch, Der lange Schatten des Staates. Österreich. Gesellschaftsgeschichte 1890–1990, Wien 1994; Y. Lequin Hg., Histoire des Français 19–20 siècles II: La Societé, Paris 1983; H. G. Gutman Hg., Who Built America? Working People and the Nation's Economy, Politics, Culture, and Society I: From Conquest to 1877, N.Y. 1989; vgl. auch F. L. Thompson Hg., Cambridge Social History. – Zur Notwendigkeit solcher Synthesen vgl. B. Bailyn, The Challenge of Modern Historiography, in: AHR 87.1982, 1–24; T. Bender, Wholes and Parts: The Need for Synthesis in American History, in: Journal of American History 73.1986, 120–36; S. P. Hays, Society and Politics: Politics and Society, in: JIH 15.1985, 481–99; ders., Politics and Social History, in: J. B. Gardner u. G. R. Adams Hg., Ordinary People and Everyday Life, Nashville/Tenn. 1983, 161–79; s. auch ders., A Systematic Social History, in: G. A. Billias u. G. N. Grob Hg., American History, Glencoe/Ill. 1971, 315–66. – Zum umstrittenen Begriff: W. Gessner, Geschichtswissenschaft im Anschluß an M. Weber. Zum theoret. Konzept der «Gesellschaftsgeschichte», in: Deutsche Zeitschrift für Philosophie 37.1989, 331–39; F. H. Tenbruck, Gesellschaftsgeschichte oder Weltgeschichte? in: KZfS 41.1989, 417–39; F. Seibt, Gesellschaftsgeschichte, in: Fs. K. Bosl I, München 1988, 16–28.

[4] Vgl. vorn 5. Teil, I; 6. Teil, I.1–4.

[5] Vgl. vorn 6. Teil, I.3.

[6] T. Veblen (Imperial Germany and the Industrial Revolution (1915), Ann Arbor 1966, z.B. 249f.) bleibt das Verdienst, frühzeitig diese Interpretation entwickelt zu haben.

[7] Vgl. vorn 6. Teil, II.1–4, 6.

[8] W. Rathenau, Der Kaiser, Berlin 1919, 11, u. in: ders., Schriften u. Reden, Hg. H. W. Richter, Frankfurt 1986, 238. Vgl. hierzu auch T. Nipperdey, War die wilhelmin. Gesellschaft eine Untertanen-Gesellschaft? in: ders., Nachdenken, 172–85; R. Alter, H. Manns «Untertan» – Prüfstein für die «Kaiserreich-Debatte»? in: GG 17.1991, 370–89; vgl. D. Gross, The Writer and Society. H. Mann and Literary Politics in Germany 1890–1940, N.Y. 1980.

[9] Vgl. dazu 6. Teil, III.1, 2a, 6.

[10] Vgl. hierzu Bd. I, 1. Teil, III.6; Bd. II, 3. Teil, III.4c, vorn 5. und 6. Teil, jeweils III.2b.

[11] Vgl. vorn 6. Teil, III.2c, d; 3, 5.

[12] Fontane, Briefe II, 409 (5.4. 1897). Vgl. K. Mommsen, Gesellschaftskritik bei T. Fontane u. T. Mann, Heidelberg 1973.

[13] Vgl. vorn 6. Teil, V0.2–6.

[14] Weber, PS, 308. Vgl. vorn 6. Teil, IV.

[15] Vgl. Bd. I, 2. Teil, V; Bd. II, 3. Teil, IV.5; vorn 5. Teil, IV.2b; 6. Teil, IV A4 u. B3, sowie die einschlägigen Nationalismus-Aufsätze, in: Wehler, Gegenwart als Geschichte, 127–80.

[16] Weber, PS, 279. Zum Kontinuitätsproblem, das in Bd. IV genauer verfolgt wird, vgl. hier: S. Haffner, Von Bismarck zu Hitler, München 1987; F. Fischer, Zur Problematik der Kontinuität in der deutschen Geschichte, in: O. Franz Hg., Am Wendepunkt der europ. Geschichte, Göttingen 1981, 41–71; ders., Zum Problem der Kontinuität in der deutschen Geschichte von Bismarck zu Hitler, in: Studia Historica Slavo-Germanica I, Posen 1973, 115–27; A. Hillgruber, Kontinuität u. Diskontinuität in der deutschen Außenpolitik von Bismarck zu Hitler, in: ders., Großmachtpolitik, 11–36; H. Wereszycki, From Bismarck to Hitler: The Problems of Continuity, in: Polish Western Affairs 14.1973, 19–32, auch noch: T. Parsons, Demokratie u. Sozialstruktur in Deutschland vor der Zeit des Nationalsozialismus, in: ders., Beiträge, 256–81.

Abkürzungsverzeichnis

ADAV	Allgemeiner Deutscher Arbeiterverein
ADB	Allgemeine Deutsche Biographie
ADF	Allgemeiner Deutscher Frauenverein
ADHB	Allgemeiner Deutscher Handwerkerbund
AEG	Allgemeine Elektrizitäts-Gesellschaft
AER	American Economic Review
AG	Aktiengesellschaft
Agfa	Aktiengesellschaft für Anilinfabrikation
AGS	Archiv für die Geschichte des Sozialismus u. der Arbeiterbewegung
AH	Agricultural History
AHR	American Historical Review
AJS	American Journal of Sociology
AfK	Archiv für Kulturgeschichte
APP	Die Auswärtige Politik Preußen
APZ	Aus Politik u. Zeitgeschichte
AR	M. Weber, Gesammelte Aufsätze zur Religionssoziologie
ASA	Allgemeines Statistisches Archiv
ASS	Archiv für Sozialwissenschaft u. Sozialpolitik
ASSp	M. Weber, Gesammelte Aufsätze zur Soziologie u. Sozialpolitik
AfS	Archiv für Sozialgeschichte
BA	Bundesarchiv Koblenz
BAB	Bergamtsbezirk
BASF	Badische Anilin- u. Sodafabrik
BDF	Bund Deutscher Frauenvereine
BDL	Blätter für Deutsche Landesgeschichte
BGA	Beiträge zur Geschichte der Arbeiterbewegung
BGTI	Beiträge zur Geschichte der Technik u. Industrie
BHR	Business History Review
BHS	Beiträge zur Historischen Sozialkunde
BRT	Bruttoregistertonnen
BSg	H.-U. Wehler, Bibliographie zur neueren deutschen Sozialgeschichte
BSP	Bruttosozialprodukt
Bio.Wb.	Biographisches Wörterbuch zur deutschen Geschichte
CEH	Central European History
CEHE	Cambridge Economic History of Europe
CHBE	Cambridge History of the British Empire
CSSH	Comparative Studies in Society and History
DFG	Deutsche Friedensgesellschaft
DFP	Deutsche Fortschrittspartei
DHT	Deutscher Handelstag
DLG	Deutsche Landwirtschaftsgesellschaft
DR	Deutsche Rundschau
D.Rev.	Deutsche Revue
DVG	Deutsche Verwaltungsgeschichte
dz	Doppelzentner

EAS	Europäisches Archiv für Soziologie
EDCC	Economic Development and Cultural Change
EE	Enzyklopädie Erziehungswissenschaft
EEH	Explorations in Entrepreneurial Economic History
EHQ	European History Quarterly
EHR	Economic History Review
EJ	Economic Journal
EOK	Evangelischer Oberkirchenrat
ESR	European Studies Review
ESS	Encyclopaedia of the Social Sciences
EW	Europäische Wirtschaftsgeschichte
FA	Finanzarchiv
FBPG	Forschungen zur Brandenburgischen u. Preußischen Geschichte
FEHE	Fontana Economic History of Europe
fl.	Gulden
Fs.	Festschrift
GASW	M. Weber, Gesammelte Aufsätze zur Sozial- u. Wirtschaftsgeschichte
Gb	Die Grenzboten
GBAG	Gelsenkirchener Bergwerks-Aktiengesellschaft
GG	Geschichte u. Gesellschaft
GGr.	Geschichtliche Grundbegriffe
GH	German History
GHH	Gutehoffnungshütte
GO	Gewerbeordnung
GP	Große Politik der Europäischen Kabinette
GS	Preußische Gesetzessammlung
G.Sch.	Gesammelte Schriften
GdS	Grundriß der Sozialökonomik
GStA	Geheimes Staatsarchiv Berlin
GSR	German Studies Review
GW	Gesammelte Werke
GWU	Geschichte in Wissenschaft u. Unterricht
ha	Hektar
HB	Handbuch der deutschen Bildungsgeschichte
HBG	Handbuch der Bayerischen Geschichte
HEG	Handbuch der Europäischen Geschichte
HES	R. König Hg., Handbuch der Empirischen Sozialforschung
HEWS	Handbuch der Europäischen Wirtschafts- u. Sozialgeschichte
HF	Handbuch der Finanzwissenschaft
HGA	Handwörterbuch des Grenz- u. Auslandsdeutschtums
HJ	Historical Journal
HK	Handelskammer
Hdb.	Handbuch
HdM	Handbuch zur deutschen Militärgeschichte
HdR	Handwörterbuch zur deutschen Rechtsgeschichte
HSF	Historische Sozialforschung
HSW	Handwörterbuch der Sozialwissenschaften
HStW	Handwörterbuch der Staatswissenschaften
HT	History and Theory
HW	History Workshop
HWP	Historisches Wörterbuch der Philosophie
HWS	Handbuch der deutschen Wirtschafts- u. Sozialgeschichte

HWW	Handwörterbuch der Wirtschaftswissenschaft
HZ	Historische Zeitschrift
IAA	Internationale Arbeiterassoziation
IASL	Internationales Archiv für Sozialgeschichte der deutschen Literatur
IESS	International Encyclopaedia of the Social Sciences
IHK	Industrie- u. Handelskammer
IRSH	International Review of Social History
IWK	Internationale Wissenschaftliche Korrespondenz zur Geschichte der deutschen Arbeiterbewegung
JCEA	Journal of Central European Affairs
JCH	Journal of Contemporary History
JEEH	Journal of European Economic History
JEH	Journal of Economic History
JFH	Journal of Family History
JHI	Journal of the History of Ideas
JIH	Journal of Interdisciplinary History
JMH	Journal of Modern History
JNS	Jahrbücher für Nationalökonomie u. Statistik
JPE	Journal of Political Economy
JPS	Journal of Peasant Studies
JSH	Journal of Social History
Jb.	Jahrbuch
JbG	Jahrbuch für Geschichte
JbGMO	Jahrbuch für Geschichte Mittel- u. Ostdeutschlands
JbIDG	Jahrbuch des Instituts für Deutsche Geschichte in Tel Aviv
JbR	Jahrbuch für Regionalgeschichte
JbS	Jahrbuch für Sozialwissenschaft
JbSPS	Jahrbuch für die Statistik des Preußischen Staates
JbW	Jahrbuch für Wirtschaftsgeschichte
Jh.	Jahrhundert
Kgr.	Königreich
KZfS	Kölner Zeitschrift für Soziologie
km	Kilometer
LBIYB	Leo Baeck Institute-Yearbook
LN	Landwirtschaftliche Nutzfläche
LP	D. Fricke u. a. Hg., Lexikon zur Parteigeschichte
M.	Mark
MdR	Mitglied des Reichstags
MEW	Marx-Engels Werke
MIÖG	Mitteilungen des Instituts für Österreichische Geschichtsforschung
MM	Militärgeschichtliche Mitteilungen
Mo.	Morgen
MS	Mouvement Social
M.Sch.	Manchester School
MWG	Max Weber Gesamtausgabe
NCMH	New Cambridge Modern History
NDB	Neue Deutsche Biographie
NIC	New Industrializing Country
NIP	Nettoinlandsprodukt
Nl.	Nachlaß
NPL	Neue Politische Literatur
NSP	Nettosozialprodukt

NZ	Die Neue Zeit
OBAB	Oberbergamtsbezirk
OEP	Oxford Economic Papers
OVG	Oberverwaltungsgericht
ÖZG	Österreichische Zeitschrift für Geschichtswissenschaften
PA	Politisches Archiv des Auswärtigen Amtes Bonn
p. a.	per annum, jährlich
p. c.	per capita, pro Kopf
PJ	Preußische Jahrbücher
p. M.	pro Mille, je tausend
PoSt	Population Studies
PP	Past & Present
Prov.	Provinz
PS	Peasant Studies
PS	M. Weber, Gesammelte Politische Schriften
PSQ	Political Science Quarterly
PSt	Preußische Statistik
PVS	Politische Vierteljahrsschrift
Rb.	Regierungsbezirk
RES	Review of Economic Statistics
RGG	Religion in Geschichte u. Gegenwart
RH	Revue Historique
RHES	Revue d'Histoire Economique et Social
RHM	Revue d'Histoire Moderne
RoP	Review of Politics
RV	Reichsverfassung
RVB	Rheinische Vierteljahrsblätter
RWB	Rheinisch-Westfälische Wirtschaftsbiographien
Sa	Summa
SJDR	Statistisches Jahrbuch für das Deutsche Reich
SgAb	Sozialgeschichtliches Arbeitsbuch
StA	Staatsarchiv
SAP	Sozialistische Arbeiterpartei
SDAP	Sozialdemokratische Arbeiterpartei
SDG	Sowjetsystem u. Demokratische Gesellschaft
SDR	Statistik des Deutschen Reiches
SH	Social History
SM	Scripta Mercaturae
SR	Social Research
SVS	Schriften des Vereins für Sozialpolitik
SW	Sämtliche Werke
SW	Soziale Welt
Sch.Jb.	Schmollers Jahrbuch
SoH.	Sonderheft
Sowi	Sozialwissenschaftliche Informationen
T.	Taler
TAJB	Tel Aviver Jahrbuch für Deutsche Geschichte
Tb.	Tagebuch
To.	Tonne
VDAV	Verein Deutscher Arbeitervereine
VDEStI	Verein Deutscher Eisen- u. Stahlindustrieller
VO	Verordnung

VSDR	Vierteljahrshefte zur Statistik des Deutschen Reiches
VSW	Vereinigung der Steuer- u. Wirtschaftsreformer
VSWG	Vierteljahrschrift für Sozial- u. Wirtschaftsgeschichte
VVPK	Vierteljahrsschrift für Volkswirtschaft, Politik u. Kulturgeschichte
VdI	Verein deutscher Ingenieure
VfS	Verein für Sozialpolitik
VfZ	Vierteljahrshefte für Zeitgeschichte
VzK	Vierteljahrshefte zur Konjunkturforschung
WA	Weltwirtschaftliches Archiv
WaG	Welt als Geschichte
Wb.	Wörterbuch
WbV	Wörterbuch der Volkswirtschaft
WF	Westfälische Forschungen
Wg	M. Weber, Wirtschaftsgeschichte
WG	M. Weber, Wirtschaft u. Gesellschaft
WL	M. Weber, Gesammelte Aufsätze zur Wissenschaftslehre
WP	World Politics
ZAA	Zeitschrift für Agrargeschichte u. Agrarsoziologie
ZBL	Zeitschrift für Bayerische Landesgeschichte
ZGO	Zeitschrift für die Geschichte des Oberrheins
ZGS	Zeitschrift für die Gesamte Staatswissenschaft
ZHF	Zeitschrift für Historische Forschung
ZKPSB	Zeitschrift des Königlich Preußischen Statistischen Büros
ZPSL	Zeitschrift des Preußischen Statistischen Landesamts
ZWS	Zeitschrift für Wirtschafts- u. Sozialwissenschaften
ZfG	Zeitschrift für Geschichtswissenschaft
ZfO	Zeitschrift für Ostforschung
ZfP	Zeitschrift für Politik
ZfS	Zeitschrift für Soziologie
ZfU	Zeitschrift für Unternehmensgeschichte
ZfV	Zeitschrift für Volkskunde

Personenregister

Sachregister

Europa bauen

Leonardo Benevolo
Die Stadt in der europäischen Geschichte
Aus dem Italienischen von Peter Schiller
1993. 316 Seiten mit 149 Abbildungen. Leinen

Umberto Eco
Die Suche nach der vollkommenen Sprache
Aus dem Italienischen von Burkhart Kroeber
3., durchgesehene Auflage. 1994.
388 Seiten mit 22 Abbildungen. Leinen

Josep Fontana
Europa im Spiegel
Eine kritische Revision der europäischen Geschichte
Aus dem Spanischen von Joan Weiss i Knopf
1995. 244 Seiten. Leinen

Ulrich Im Hof
Das Europa der Aufklärung
2., durchgesehene Auflage. 1995. 270 Seiten. Leinen

Michel Mollat du Jourdin
Europa und das Meer
Aus dem Französischen von Ursula Scholz
1993. 320 Seiten mit 2 Abbildungen und 18 Karten. Leinen

Werner Rösener
Die Bauern in der europäischen Geschichte
1993. 296 Seiten mit 21 Abbildungen. Leinen

Hagen Schulze
Staat und Nation in der europäischen Geschichte
2., durchgesehene Auflage. 1995. 376 Seiten. Leinen

Charles Tilly
Die europäischen Revolutionen
Aus dem Englischen von Hans-Jürgen Baron von Koskull
1993. 368 Seiten. Leinen

Verlag C. H. Beck München